תורה
נביאים
כתובים

סימנים

עריכה יחודית להנחלת הגירסה הנכונה
ולהתמצאות בקורות המקרא

הוגה ונערך בשיטה חדשנית המוכרת
מסדרת תיקוני הקוראים "סימנים"
עם הדגשות לכללי הקריאה הנרמזים בשינויים קלים
בצורת האותיות, הנקודות והטעמים, כמבואר במבוא

הוספות

התנ"ך מלווה בכותרות צד למאורעות ולתאריכיהם,
עם טבלאות לסדר הדורות, ומפות לארצות התנ"ך

מהדורת אלחנן יוסף

מהדורה משופרת הובאה לדפוס
בשנת תש"ע בעיה"ק ירושלים ת"ו

הוצאת ספרים פלדהיים

הסבר קצר למעלות התנ"ך

מעלה א' עיין עמ' ט'
נוסח מדויק ומוגה היטב
על פי תנ"ך כתר ארם צובה.
שירות, תהילים, משלי ואיוב מסודרים בשני טורים על פי מסכת סופרים

מעלה ב' עיין עמ' י'
קרי וכתיב משולב בתוך העמוד בשני צבעים

מעלה ג'-ד' עיין עמ' י"א
כותרות צד סיכומיות לקורות התנ"ך ותאריכי המאורעות

מעלה ה' עיין עמ' י"ג
אותיות מיוחדות

1. **שין ימנית ושין שמאלית** — ש ש — סימון מיוחד לשין שמאלית
2. **אל"ף רגילה ואל"ף חלולה** — א א — נח נסתר (שאינו נשמע) מסומן בצבע אפור
3. **פתח גנובה** — ח ח — פתח גנובה באותיות ה ח ע באות משוכה
4. **ה"א רגילה ומפיק ה"א** — ה ה — סימון מפיק ה"א באות משוכה
5. **אותיות א ה ע שואיות** — הדגשת האותיות באות משוכה

מעלה ו' עיין עמ' ט"ו
דגש חזק
ת ת
מופיע כקוביה בתוך האותיות

מעלה ז' עיין עמ' ט"ז
שוא נע
ג ג
השוא נע מודגש לעומת השוא הרגיל

מעלה ח' עיין עמ' י"ז
סימן הקמץ קטן
כ
מופיע משוך כלפי מטה

מעלה ט' עיין עמ' י"ז
סימן הרפה
ך
מופיע מעל אותיות בג"ד כפ"ת

מעלה י' עיין עמ' י"ט
הגדלת הטעמים באופן מיוחד
ספר

מעלה י"א עיין עמ' י"ט
טעם כפול
ספר
טעם כפול לציון הטעמת המלה

מעלה י"ב עיין עמ' כ'
מתגים נוספים להוראת ההטעמה
אל-תערץ

מעלה י"ג עיין עמ' כ'
הבדל בין הטעמים קדמא לפשטא
כאשר משה

מעלה י"ד עיין עמ' כ"א
הבדל בין הטעמים מהפך ליתיב
הייתי כל

מעלה ט"ו עיין עמ' כ"א
הבדל בין הטעמים טרחא ודחי
וכל ועתה

מעלה ט"ז עיין עמ' כ"ב
הבדל בין הטעמים פסיק ולגרמיה
ה א
המלא הוא לגרמיה
והחלול הוא פסיק

מעלה י"ז עיין עמ' י"ג
הוכן פונט מיוחד שכל שינוי בו - רומז על הוראת קריאה

לזכרון עולם יחקק בתנ"ך זה

זכרם הברוך
של

בעלי אבינו וזקננו עטרת ראשנו
גריס באורייתא ועוסק בצרכי ציבור באמונה

ר' אלחנן יוסף ב"ר חיים אליעזר ז"ל

נלב"ע ביום כ"ב מנחם אב תשס"א

ולזכר בתי ואחותנו,
שנפשה היתה קשורה בנפש אבינו
העלמה כלילת המעלות יראת ה'
נודעה בבקיאותה בתנ"ך

תחיה הינדא בת ר' אלחנן יוסף ע"ה

שנסתלקה לדאבון לב בדמי ימיה
ביום כ"ג סיון תשל"ט

זכות לימוד תורתנו הקדושה
יעמוד לעילוי נשמתם הטהורה

הודעה ובקשה

במהדורה זו מושקעת יגיעה רבה וממון רב כמו שתצפה עין כל – לאלפי הפרטים, כך שתגדל העלות של כל מסיג גבול. מאידך נקדים התנצלות גדולה אם תמצאנה טעויות ושגיאות שהצטברו לרוב הפרטים, כמאמר הידוע "כשם שאי אפשר לבר בלא תבן, כך אי אפשר לספר בלא טעויות", וכ"ש בכאן. שאלתנו ובקשתנו, להודיע על כל טעות או הצעת יעול, בכתב לפי הכתובת למטה.

סדר ועימוד ופונטים: שמואל מאיר ריאחי ירושלים
תיכנות ותוכנה: דניאל ויסמאן

הוצאת ספרים "פלדהיים"
ת.ד. 43163 ירושלים ת"ו

Feldheim Publishers
208 Airport Executive Park
Nanuet, N.Y 10954

www.feldheim.com
Printed in Israel

תודתנו הרבה נתונה ל"סופר מיפוי בע"מ" על המפות המדוייקות והמהודרות של ארצות התנ"ך ששובצו בסוף הספר

תוכן

ברכת פאר הדור נשיא מועצת חכמי התורה הראשון לציון הגאון הר' עובדיה יוסף שליט"א

ז' שבט התשס"ד

מכתב ברכה

הובאו לפני גליונות של תורה נביאים כתובים, המכונה - תנ"ך "סימנים" אשר טרח ויגע בדקדוקו האברך היקר, משכיל נבון וחכם, מוכתר בנימוסין, שמן תורק שמו, הר' שמואל מאיר ריאחי שליט"א, אשר ידיו רב לו בחכמת הדקדוק, וטרח וחקר בעשר אצבעותיו, לילה כיום יאיר, וזכה להוציא מתחת ידיו דבר נאה ומתוקן, מקובל ויפה, באותיות מאירות עינים. גם האיר עיני הקורא בהדגשת שוא נע, קמץ קטן, דגש חזק, ועוד כהנה וכהנה, טיפוחים נאים בכלי נאה, והכל עשה יפה בעטו סופר מהיר, כיד ה' הטובה עליו, איישר חיליה לאורייתא.

יהי רצון שחפץ ה' בידו יצלח לברך על המוגמר בקרב ימים, ועוד יפוצו מעינותיו חוצה בבריאות איתנה ונהורא מעלייא לאורך ימים ושנות חיים בטוב ובנעימים שובע שמחות וכל טוב, "והיה כעץ שתול על פלגי מים, אשר פריו יתן בעתו ועלהו לא יבול, וכל אשר יעשה יצליח".

בברכת התורה
עובדיה יוסף

הסכמת הרה"ג ר' סיני הלברשטם שליט"א

רב ואב"ד שיכון ג', ור"מ כולל "דברי חיים" צאנז בני־ברק

מר חשון התשס"ד

בעזהשי"ת

הנה כבוד ידידינו הנכבד הרב צנא מלא ספרא כש"ת מוהר"ר שמואל מאיר ריאחי שליט"א, הולך מחיל אל חיל לזכות את הרבים ולהוציא לאור עולם ספרי ה"תנ"ך סימנים" המתוקן והשלם מנופה בי"ג מיני נפה נקי מכל מיני טעיות ושגיאות שנשתרבבו במשך מאות שנים בדפוסים שונים.

והרה"מ נ"י עמל ויגע ללבן ולברר הדק היטב הטעמים נקודות, אותיות, חסרות ויתרות, ודקדוקים בהתיעצות עם ת"ח מובהקים ומומחים [ויש פרטים בזה שקשה להכריע הלכה למעשה כמו"ש אא"ז מרן מצאנז זי"ע בשו"ת דברי חיים ח"א יור"ד סי' נ"ד במחלוקת בן נפתלי ובן אשר, יעו"ש] ועוד מעלות רבות כאשר יחזו עיני הלומדים בזה.

וכן הוסיף ה"סימנים" המיוחדים לקריאה נכונה שיהיה לתועלת הקוראים, ובודאי עשה דבר גדול לפאר ולרומם את כבוד התורה, כבר איתמחי גברא ואיתמחי קמיע בספריו הקודמים - תיקון קוראים, ומגילות, ותהלים "סימנים" שיתקבלו באהבה רבה בתפוצות ישראל.

אחזקינא טיבותא להאי גברא רבא ויקרא ידידינו הנכבד והנעלה איש אשכלות גרים באורייתא תדירא חוב"ט מוהר"ר יעקב פלדהיים שליט"א אשר ידיו רב לו בהוצאת ספר זה בהידור עד כמה שידו מגעת, כאות נפשו זה שנים רבות להעשיר את עולם התורה בספרי דמרי טב להגדיל תורה ולהאדירה.

והנני בברכה שיזכה הרה"מ שליט"א לברך על המוגמר ולהוסיף כהנה וכהנה בזיכוי הרבים מתוך שמחה ונחת והרחבת הדעת וחפץ ה' יצליח בידו.

הכו"ח לכבוד התורה
סיני הלברשטם, בני ברק

הרה"ג ר' שריה דבליצקי שליט"א

מוצש"ק תולדות התשס"ד

הסכמה

בעזהשי"ת

הנה מכון "סימנים" שהוא בראשות ידידי הנכ' הנמנה מבעלי הקריאה המומחים בטעמים ודקדוק הר' שמואל מאיר ריאחי שליט"א מירושלים עיה"ק, אשר חובר יחד עם ידידנו הנכ' הר"ר יעקב פלדהיים שליט"א בעל הוצאת ספרים פלדהיים, הנה הם מוציאים כעת תנ"ך שלם אשר מעלתו הוא דיוק שלם עד כמה שניתן בכתיב ובטעמים לאחר שכל דבר ודבר נשקל עפ"י התנכי"ם הקודמים וספרי בעלי המסורה והדקדוק, כמו כן עשו בו הרבה דברים בכמה מישורים שיקלו על הקריאה הנכונה בצירוף הקדמות המבארות וממחישות כל דבר, הכל כאשר עיני הקורא תראינה בתוך הספר ובהתחלתו כי אי אפשר לפרט הכל בזה.

על כל פנים יהיה זה מפעל שעדין לא ראה אור במתכונת כזו, וברוכים יהיו המהדירים וכל המתעסקים בזה לזיכוי הרבים בקריאה נכונה בטעמים ודקדוקים שאסור ח"ו לזלזל בהם בכל פרט ופרט, כי לכל פרט יש שורש בגבהי מרומים עפ"י הנגלה והנסתר וכידוע מספרי היראים המגדילים בשכר הקוראים נכונה בדקדוק כל מלה ומלה ולהיפך ח"ו.

ובאתי עה"ח למען כבוד
כל דווקני קריאה נכונה
יום הנ"ל, שריה דבליצקי
בני ברק

ברכה מאת הרה"ג ר' מאיר מאזוז שליט"א
ראש ישיבת כסא רחמים בני ברק,
אני מצטרף לכל האמור
ויפוצו מעיינותיו חוצה.

בהצלחה רבה
נאמ"ן ס"ט

תורה נביאים כתובים

סימנים

וַיִּקְרְאוּ בַסֵּפֶר בְּתוֹרַת הָאֱלֹהִים מְפֹרָשׁ
וְשׂוֹם שֶׂכֶל וַיָּבִינוּ בַּמִּקְרָא:

[נחמיה ח, ח]

פתח דבר

בשבח והודיה לה', ובגילה של חרדת מצוה יקרה, באנו לברך - "בריך רחמנא דסייען" - על כל שלב ושלב בהשלמת זה הבנין עד שהגיענו הלום, להגיש מנחת כליל לעם הספר, הלוא הוא תנ"ך "סימנים". תנ"ך זה נערך בסגנון מיוחד של רמזים והדגשות, אשר טופח פרט אל פרט לשמש ככלי עזר לקריאה נוחה בדקדוק המירבי ובפיסוק הטעמים הנכון, וכמאמרם ז"ל: וַיִּקְרְאוּ בַסֵּפֶר בְּתוֹרַת הָאֱלֹהִים מְפֹרָשׁ וְשׂוֹם שֶׂכֶל וַיָּבִינוּ בַּמִּקְרָא: זה פיסוק טעמים [נדרים ל"ז]. כל זאת עם שימת דגש על עריכה נאותה באותיות מאירות עיניים עד שבא לכלל **"זה א-לי ואנוהו"**.

איתא במדרש שמו"ר: **"ויתן אל משה ככלתו"**, אמר ר' לוי אמר רשב"ל - מה כלה זו מקושטת בכ"ד מיני תכשיטין, כך תלמיד חכם צריך להיות זריז בכ"ד ספרים. דהיינו, צריך שהת"ח יהיה בקי בפסוקי התנ"ך, הן בהבנתם והן בביטויים, ובפרט בעת נשיאת דברים בציבור נעשים לו כתכשיטין, כנזכר: כִּי לִוְיַת חֵן הֵם לְרֹאשֶׁךָ וַעֲנָקִים לְגַרְגְּרֹתֶיךָ:

והנה, ראה ראינו את עֳני עמנו בזה הענין, באשר ירידת הדורות נתנה אותותיה גם בבקיאות מאורעות התנ"ך ובאופן קריאתם וביטויים. והגם מי שהשתדל והודרז ל"התקשט" במקצתם, וקבע לעצמו סדר בלימוד התנ"ך, לא מצא מנוח ומורה דרך לקריאה נאותה, ולא בספר אחד, ונאחז בסבך כללי הדקדוק [שרחקו מסגולת פקודי ה' - המשמחי לב] ונואל. עד שנותרו בעלי מקרא - אחד מעיר ושניים ממשפחה.

אחר אלה הדברים, ואחרי התקבל תיקון הקוראים "סימנים", וספרי התהלים "סימנים", בסייעתא דשמיא, ברוב קהל עם קדושים, על כל מעלותיהם, הפצירו בנו לערוך תנ"ך שלם עם כל המעלות שידענו בתיקוני הקוראים, בעריכה השווה לכל נפש, וכמאמרם ז"ל: **"אשר תשים לפניהם"** - כשולחן הערוך ומוכן לאכול לפני האדם. דהיינו, שיהיה ניכר מתוך הכתב עצמו אופן קריאת המילות ברמזים מסויימים, בין בצורת האותיות, בצורת ניקודן, וצורת טעמן, שמשתנים לפי "סימנים" ידועים [כמבואר במבוא לקמן], כדי לחסוך במילות הסבר על אופן

קריאת כל תיבה ותיבה במקרא, ורמז לדבר: וְהָאֹתִיּוֹת וַאֲשֶׁר תָּבֹאנָה יַגִּידוּ לָמוֹ: [ישעיה מד, ז]. כל זאת ברמה מקצועית נאותה ובאמצעים גרפיים "ידידותיים" המעודדים ומלווים את הקורא. ולזה שמנו מגמתנו בס"ד, וזה החילנו לקרבה אל המלאכה לעשותה ולהדרה.

עם כל הרצון הטוב לשאוף לרמת דיוק נאותה ובעלת מסורת ועדות נאמנה, ראוי לציין, **שאין ענין** במהדורה זו **להכריע** בעניינים הלכתיים, כמו: פתוחות וסתומות, קרי וכתיב וכל אשר קשור לצד ההלכתי בכשרות של כתיבת סת"ם וכיוצ"ב, כיון שרבו המחלוקות בדבר ומי יאמר כי הוא זה, ושלי הוא הנכון. אלא, שבחרנו בנוסח שהיה מוחזק כמדויק בדורות רבים, רק כדי לקדם את עיקר מפעלינו - להרים את רמת הקריאה הנכונה, והבקיאות בנושאי התורה נביאים וכתובים, להנחילה לקהל עם קדושים, שתהא שגורה בפיהם, וכמאמרם ז"ל בערובין נ"ד: אין התורה נקנית אלא ב"סימנין", שנאמר: וְעַתָּה כִּתְבוּ לָכֶם אֶת־הַשִּׁירָה הַזֹּאת וְלַמְּדָהּ אֶת־בְּנֵי־יִשְׂרָאֵל שִׂימָהּ בְּפִיהֶם. אל תקרי "שימה" אלא סִמְנָהּ.

כיון שמצוה לפרסם עושי מצוה, וכ"ש מְעַשיהן, וכמאמרם, גדול המעשה יותר מן העושה, הנה, בראש המעודדים והמזרזין, היה ידיד נפש נאמן הר"ר **יעקב פלדהיים** הי"ו, אשר לא חסך כל מאמץ וסעד, והעמיד לרשותנו מבחר חבר מדקדקים מובהקים אשר הגיהו את כל התנ"ך תיבה תיבה, ניקוד ניקוד, טעם טעם, ומתג ומתג, מתוך כ"י ישנים גם חדשים, ובפרט מתוך כ"י "כתר ארם צובה", ושנו ושילשו בכמה צורות של הגהה עד מקום שהיד מגעת.

נסיים בתפלת כל פה - לשומע תפילות, שמִנסתרות ינקנו, ומשגיאות יצילנו, שלא תצא תקלה תחת ידינו, וכמו שנהגו לפתוח כל ספר בהתנצלות **"כשם שאי אפשר לבר בלא תבן - כן א"א לספר בלא טעות סופר"**, ובפרט בזה, שרבו בו הפרטים וגם נתמעטו הלבבות, ורק בחסדיו המרובים סוף סוף השיגה ידינו לסיים מלאכת קודש זו.

כאן המקום להודות גם לכל העומדים לימיננו בעבודה, אשר הואילו לתרום חלקם כיד ה' הטובה עליהם, מטוב לבבם - והועילו.

ואחרונים אחרונים חביבים, הם בעלי העבודה התמימה, הם העומדים על עניני ההגהות, אשר עמלו לילות כימים למצוא את השגיאות המסתתרות בין השיטין. הקרוב אלינו המדקדק הר' **משה מנחם קצבורג** שליט"א, הר' המדקדק החשוב מח"ס **"לעומת המחברת"** [באור בכללי דקדוק] הרב **יואב פנחס הלוי** שליט"א, ידידנו הנכבד הר' **ניסן שרוני** שליט"א מח"ס **"אם למקרא"** ו**"אם למסורות"** [החדש]. ר' **אלכסנדר הלוי** הי"ו, ישלם ה' פעלם ותהא משכורתם שלמה. אכי"ר.

שמואל מאיר ריאחי יצ"ו
"מכון סימנים" ירושלים

שִׁיר הַמַּעֲלוֹת

בסייעתא דשמיא נבאר בקצרה ממעלות מהדורת תנ"ך "סימנים", דרך כלל לפרט - מבחירת הנוסח, צורת אותיות, ניקוד מחודש, עד ההסבר על סימני הטעמים המחודשים, כדי להקל על הקורא להכיר מקרוב את רמזי ה"סימנים".

נֹסַח וַעֲרִיכָה

הנוסח

מַעֲלָה א

פֶּתַח דְּבָרֶ'נוּ יָאִיר - אחרי דרישה ובדיקה תורנית, ובהנחיית גדולי מדקדקים ת"ח מובהקים, נבחר והותאם נוסח המקרא - בזו המהדורה, לכ"י "כתר ארם צובה", שבידוע שהגיהו ר' אהרן בן־אשר, עליו יש מסורת של מאות בשנים של עדויות נאמנות, שהוא הספר שסמך עליו הרמב"ם, ויש עדויות מגדולי הדורות שסמכו עליו בכתיבת ספר תורה הלכה למעשה. גם רבני ירושלים בראשות רבי זונדל ורבי שמואל סלאנט עשו מעשה רב לכתוב נביאים וכתובים ע"פ "כתר בן־אשר". ורק מקומות שחסרו בכ"י הנ"ל, הסתמכנו על כ"י תנ"ך לנינגרד. כן לגבי סתומות ופתוחות במקומות שחסרו בכ"י "כתר א"צ" הושלמו מתוך רשימות התנ"ך של ר' שלום שכנא ילין, שנערכו בספר היובל להרב ברויאר, ירושלים התשנ"ב. וכן היו מקומות שסמכנו על הכרעותיהם של המדקדקים חשובים אחרים.

במגילת אסתר השארנו את הפרשיות סתומות כמנהג שהתקבל בכל תפוצות ישראל, על אף שבכ"י א"צ נמצאו בסדר אחר, זאת כדי למעט במחלוקות.

מעלות רבות אשר נמצאו בכ"י ארם צובה, אומצו במהדורה זו, כמו שיתבאר לקמן. הנה, אחת המעלות הבולטות שנמצאו בכ"י "כתר", היא צורת השירות וכן חלוקת ספרי אמ"ת [איוב משלי ותהלים] לשני טורים, כמו שנהגו בכתבי יד קדומים ומקצת הדפוסים הישנים, וכמוזכר במסכת סופרים ריש פרק י"ג: **"אבל בשירות דוד שבשמואל ובתילים לא נתנו חכמים שיעור, אבל לבלר**

מובהק מרצפן בפתיחות באתנחייתא וסופי פסוקים; וכן תילים כולו, ואיוב ומשלי". דהיינו, שלא נתנו חכמים דרך לחלוקת שני הטורים, אלא שכל סופר מובהק מרצפן [מלשון רצף] ומסדר הטורים לפי הענין, כלומר לפי פיסוק הטעמים במזמור, כמו: באתנחתא ובסוף־פסוק: להבנה הנכונה. דוגמה:

שִׁיר הַמַּעֲלוֹת לְדָוִד

לוּלֵי יְהוָה שֶׁהָיָה לָנוּ   יֹאמַר־נָא יִשְׂרָאֵל:

לוּלֵי יְהוָה שֶׁהָיָה לָנוּ   בְּקוּם עָלֵינוּ אָדָם:

אֲזַי חַיִּים בְּלָעוּנוּ   בַּחֲרוֹת אַפָּם בָּנוּ:

אֲזַי הַמַּיִם שְׁטָפוּנוּ   נַחְלָה עָבַר עַל־נַפְשֵׁנוּ:

אֲזַי עָבַר עַל־נַפְשֵׁנוּ   הַמַּיִם הַזֵּידוֹנִים:

בָּרוּךְ יְהוָה   שֶׁלֹּא נְתָנָנוּ טֶרֶף לְשִׁנֵּיהֶם:

מקום שצריך להשאיר "שורה ריקה", כמו לפני ואחרי שירות, הוכנס סימן 3 מקפים באפור בסוף השורה, כזה: ☜ — — —

קרי וכתיב

מַעֲלָה ב

לנוחות שטף הקריאה שובץ ה"קרי" בתוך העמוד, ולא כמו שבשאר התנכי"ם, דבר החוסך מעיני הקורא לשוטט ולדלות מגליון [מצד] הדף את ה"קרי". והכתיב הונח בלא ניקוד באותיות בצבע אפור בסמוך לקרי [לפי הכללים דלהלן] לבד מ"קרי" ולא "כתיב", או "כתיב" ולא "קרי", וכן בניקודים המנויים במסורה, ובמקומות מיוחדים שנאלצנו להעיר בצידי הדף. דוגמאות:

א. בדרך כלל ה"כתיב" בא לפני ה"קרי":

באדם מֵאָדָם [יהושע ג, טז]

ב. במלים שה"קרי" במלה שאחרי המקף־, יופיע ה"כתיב" אחרי ה"קרי" - לשמור על שטף הקריאה:

[יהושע ב, יג] **וְאֶת־אַחְיוֹתַי אחותי**

הכתיב מסומן באותיות בצבע אפור, והקרי המתייחס לאותו כתיב מוקטן במידת מה מהכתב הרגיל של התנ"ך.

ג. כאשר באות ב' או ג' מילות של קרי וכתיב, צרפנו אותם יחד. דוגמה משמואל־ב כא, יב:

תלום שם הפלשתים תְּלָאוּם שָׁמָּה פְּלִשְׁתִּים

מאורעות התנ"ך

מַעֲלָה ג

השימוש התדירי בתנ"ך, הוא העיון בפרטי מאורע - הנצרך למעיין במקום אחר, כגון בלימוד דף הגמרא וכיוצ"ב. כדי לחסוך בחיפוש יתר ובקטיעת דעת המעיין, הוספנו מעלה נכבדת המלווה את המקרא, והיא רשימת מאורעות התנ"ך בגליון הדף כ"כותרת צד", המהווה כלי עזר שימושי ונפלא לקהל המעיינים. ונוסף עליו פירוט רצוף של הנושאים המופיע בסוף הספר עם מראה מקומים. דוגמה:

הַצִּוּוּי לִיהוֹשֻׁעַ עַל הַכְּנִיסָה לָאָרֶץ

וַיְהִי אַחֲרֵי מוֹת מֹשֶׁה עֶבֶד יְהֹוָה וַיֹּאמֶר יְהֹוָה
אֶל־יְהוֹשֻׁעַ בִּן־נוּן מְשָׁרֵת מֹשֶׁה לֵאמֹר: מֹשֶׁה
עַבְדִּי מֵת וְעַתָּה קוּם עֲבֹר אֶת־הַיַּרְדֵּן הַזֶּה אַתָּה
וְכָל־הָעָם הַזֶּה אֶל־הָאָרֶץ אֲשֶׁר אָנֹכִי נֹתֵן לָהֶם
לִבְנֵי יִשְׂרָאֵל: כָּל־מָקוֹם אֲשֶׁר תִּדְרֹךְ כַּף־רַגְלְכֶם
בּוֹ לָכֶם נְתַתִּיו כַּאֲשֶׁר דִּבַּרְתִּי אֶל־מֹשֶׁה:

יש לציין שאין בכותרות אלו ריכוז של כל פרטי הענין המסופר, אלא ראשי פרקים של הנושאים הכלליים בכתוב, [כמו שהופיעו במקראות גדולות "נחמד למראה" שהוצא לאור על ידי הרב יוסף כהן שליט"א, שהרשנו בטובו לזכות הרבים בפרי עמלו זה, תהא משכורתו שלמה מעם ה'].

בפרשיות התורה במקום שיש מִצבור של מצוות שונות במקום אחד, צויינו מספר כותרות ולא כל מצוה ומצוה, כדי לא להעמיס על עין הקורא.

בחלק מ"ספר משלי" לא נכתבו "כותרות צד" לנושאי עניניו, כמו שהעיר מכבר המאירי בחיבורו על משלי: **"ואיננו הולך על סדר דברים נמשכים בפרשיות כראשון, אבל כולו פסוקים מפורדים, אין בהם התקשרות והרכבה זה עם זה, רק הרכיבות** [סמיכות מבחינת הענין והנושא], **שכנות, וכל פסוק ופסוק שבהם ענין בפני עצמו, לבד מעט שיתקשרו קצת פסוקים זה עם זה".** עכ"ל.

בסוף הספר ערכנו רשימה של כל כותרות הצד עם מספרי העמודים כדי להקל למצוא כל ענין המבוקש.

סדר הדורות

מַעֲלָה ד

להשלמת התמצאות הקורא בקורות התנ"ך, הוכנסו שלוש מעלות חדשניות: 1. ציון שנת המאורע בצד כל מאורע - מול השורה, יחד עם סימון ˚עיגול אפור בתוך הטקסט. 2. שילוב טבלאות סדר הדורות בצבע בסוף הספר - מאדם הראשון עד סוף תקופת התנ"ך. 3. ציון בשער כל ספר את תקופתו משנה עד שנה. ונבאר מעט את גודל הנחיצות במעלות אלו:

אחת הראיות המוצקות לנאמנות עדות התורה באה לביטוי ברצף ציון תאריכי המאורעות במקרא בצורה בהירה ופרטנית, כמו שאנו מוצאים כבר בפרשת נח [ז, יא]: בִּשְׁנַ֨ת שֵׁשׁ־מֵא֤וֹת שָׁנָה֙ לְחַיֵּי־נֹ֔חַ בַּחֹ֙דֶשׁ֙ הַשֵּׁנִ֔י בְּשִׁבְעָֽה־עָשָׂ֥ר י֖וֹם לַחֹ֑דֶשׁ בַּיּ֣וֹם הַזֶּ֗ה נִבְקְעוּ֙ כָּל־מַעְיְנֹת֙ תְּה֣וֹם רַבָּ֔ה וַאֲרֻבֹּ֥ת הַשָּׁמַ֖יִם נִפְתָּֽחוּ׃ והרי שהתורה מציינת - שנה, חודש, יום, שעות ["ביום הזה"]. וכן נמצא במקומות רבים במקרא.

מאידך, ידוע שהתורה כתובה שלא כסדרה הכרונולוגי, כמו לגבי מיתת יצחק המוזכרת בפרשת וישלח - למרות שנפטר 12 שנה לאחר מכן, כמ"ש פרש"י

בפרשת וישלח [לה, כט]: ויגוע יצחק. אין מוקדם ומאוחר בתורה - מכירתו של יוסף קדמה למיתתו של יצחק שתים עשרה שנה, שהרי וכו' [ע"ש את פרטי החשבון]. וכן בפרשת פסח שני בבהעלֹתך [ט, א]: כתיב בחודש הראשון בשנה השנית, ובריש ספר במדבר כתיב בחודש השני בשנה השנית. כותב רש"י [שם], למדת, שאין מוקדם ומאוחר בתורה. ולמה לא פתח בזו, מפני שהוא גנותן של ישראל. עכתו"ד. נמצא שקשה לקורא לאמוד את מועד המאורע בלי עיון במפרשים, ובחידוש מעלה זו של ציון תאריכי המאורעות מול השורה יאורו עיני הקורא ותרבה דעתו במקרא.

בחירת התאריכים שצויינו היתה בדרך כלל על מאורעות מפורסמים, כמו לידת אברהם אבינו ע"ה [1948] ליצירה, או מאורעות הנחוצים לפרסום, כמו חורבן בית ראשון [3338] ליצירה, ועל פי רוב על מאורעות שתאריכיהם מוזכרים במקרא עצמו.

כמו בכל דבר מעין זה, יש מחלוקות בתאריכים שונים. בדרך כלל אנו נוקטים בשיטה הידועה כדי לא להכביד על הקורא. ומ"מ, במקומות שלא היה לנו אלא תאריך משוער, אנו מציינים "סימן גריש" כזה: [3316']. יש גם סימון מיוחד לציון תקופה בין שנה זו לשנה זו, כגון הרעב שהיה בימי דוד משנת [2920] עד לשנת [2923], מצויין כך: [2920-23].

לגבי תאריך של תחילת היצירה "בראשית ברא" שהיה בכ"ד אלול - אנו מציינים שנה [0] שהיא "שנת התהו", וביצירת האדם הראשון אנו מציינים [1] שהיה בראש השנה לשנה שניה, שבאותו פרק זמן מתחלפת שנה. [ועיין מש"כ בזה חושן משפט סי' ס"ז ביאור הגר"א סק"ז].

בעריכת מעלות אלו עמד לימיננו הרב דב רוזמן שליט"א אשר נדב מפרי רעיוניו ומיגיע כפיו עבודה מגעת וממושכת - טבלאות של סדר הדורות, והוסיף עוד להגיה את שיבוץ התאריכים מול השורה ועוד עצות מחכימות. יהי רצון שחפץ ה' יצלח בידו להוציא לאור את מפעלו החשוב ברחבות הדעת אכי"ר.

וַיְהִי אַחֲרֵי מוֹת מֹשֶׁה עֶבֶד יְהוָה וַיֹּאמֶר יְהוָה הַצִּוּוּי לִיהוֹשֻׁעַ עַל הַכְּנִיסָה לָאָרֶץ
אֶל־יְהוֹשֻׁעַ בִּן־נוּן מְשָׁרֵת מֹשֶׁה לֵאמֹר׃ מֹשֶׁה
עַבְדִּי מֵת וְעַתָּה קוּם עֲבֹר אֶת־הַיַּרְדֵּן הַזֶּה אַתָּה [2488]
וְכָל־הָעָם הַזֶּה אֶל־הָאָרֶץ אֲשֶׁר אָנֹכִי נֹתֵן לָהֶם
לִבְנֵי יִשְׂרָאֵל׃ כָּל־מָקוֹם אֲשֶׁר תִּדְרֹךְ כַּף־רַגְלְכֶם
בּוֹ לָכֶם נְתַתִּיו כַּאֲשֶׁר דִּבַּרְתִּי אֶל־מֹשֶׁה׃

סִימָנִים בָּאוֹתִיּוֹת וּבַנִּקּוּד

אותיות

מַעֲלָה ה

מאמץ מיוחד הושקע בהכנת "אות" [=פונט] מקורית ומיוחדת - שנבנתה ברמת עובי בינוני, וטופלה בפרטנות לנוחות הקריאה, ולהניח מקום נאות להכיל בתוכה שני סוגי דגשים - דגש קל ודגש חזק [עיין מעלה ו']. כל זאת בהשתדלות רבה לשמור על רמת הכשרות הכללית של האותיות [כמובא בשו"ע או"ח סימן לו], לבד מכמה אותיות שנמשכו המשכת מה כרמז להיגוי שונה, ובעיקר לחסוך בהערות בצד, כמו שנבאר:

מפיק ה'א

היגוי ה"מפיק ה'א" נחוץ מאד להבנת הקריאה משאר הדגושות, שלעולם תשתנה משמעות התיבה זולתו. כדי לרכז את עין הקורא לשינוי זה, שונתה צורתה לאות משוכה, דוגמה:

לְעָבְדָ֖הּ וּלְשָׁמְרָֽהּ׃ [בראׄ ב, טו] -

אותיות אֲהֶ"ע שואיות בתוך תיבה

היגוי השוא בקריאה נשמע בדומה לגון הסגול, כמו: לְעוֹלָם, אף שהיו שיטות ששינו את היגוי השוא לפי התנועה הסמוכה לה, מ"מ שיטה זו כמעט נשכחה לחלוטין. אמנם, צריך לציין שאותיות אֲהֶ"ע שואיות בתוך תיבה, גם היום היגויין נמשך לפי התנועה שקדמה להן, והבלתי נזהר בזה בודאי ישנה את השוא - לתנועה או חצי תנועה. דוגמאות:

1. יֶהְדָּפֶנּוּ - הה'א נשמעת כהמשך צליל הסגול, ובדומה להיגוי המפיק ה'א כך: יֶהּ דָּפֶנּוּ, בג' הברות, ולא יֶדָּפֶנּוּ, ולא יֶהֱדָּפֶנּוּ.
2. בְּהִיֹּת - הה'א נשמעת כהמשך צליל החיריק, ובדומה להיגוי המפיק ה'א כך: בִּהּ יֹת, ולא בִּיֹּת, ולא בְּ הֱיֹת
3. בָּהְשַׁמָּה - הה'א נשמעת כהמשך צליל הקמץ קטן, ובדומה להיגוי המפיק ה'א [שכן הוא לפני שוא], ובדרך מושאלת היה קרוב להשמע כך: בָּהּ שַׁמָּה, ולא בַּשַׁמָּה, ולא בְּ הֲשַׁמָּה.

כדי להציל מטעות שכיחה זו, יצרנו "שינוי מה" במשיכת אלו האותיות כרמז לשינוי ההיגוי בהן, כמו:

[בָּרא' מג, י] - כִּי לוּלֵא הִתְמַהְמָהְנוּ

ה'א ראשונה, תשמע כהיגוי מפיק ה'א רגיל כהמשך צליל הפתח, וה'א שניה תשמע כהמשך צליל הקמץ עם מפיק ה'א, כך:

[שם] הִתְמַה מָה נוּ

אותה צורת ביטוי באה גם באותיות א"ע שואיות בתוך תיבה, אלא שצריך לבטא את המפיק באל"ף [לא בכל האויר כבה'א], ובעי"ן בהיגוי גרוני עמוק כידוע. דוגמאות:

[בָּרא' ד, כג] - הַאְזֵנָּה אִמְרָתִי

[בָּרא' ז, יב] - נִבְקְעוּ כָּל־מַעְיְנֹת:

הח"ע ב"פתח גנובה"

אותיות ח' ע' ה' [מפיק ה'א] הבאות בסוף תיבה ומנוקדות בפתח, מכונות בשם "פתח גנובה", כמו: וְלֹא יָכְלוּ לְהִתְמַהְמֵהַּ, שהה'א האחרונה נשמעת עם היגוי מיוחד. בקהילות הספרדים נהגו להוסיף לפניה אות יו"ד, כמו: לְהִתְמַהְמֵ יַהּ, ובקהילות אשכנז נהגו להוסיף לפניה אות אל'ף, כמו: לְהִתְמַהְמֵ אַהּ - ואמרו שעל כן נקראת "גנובה", שכאילו היתה שם האות הנוספת כתובה, ונגנבה.

הדגשת אותיות אלו נעשו בתנכי"ם חשובים שיצאו מכבר, שהסיטו את ה"פתח הגנובה" באותיות אלה לצד ימין האות, כמו שנהגו הסופרים בכ"י קדמונים, כך: לְהִתְמַהְמֵהַּ - אלא שהיתה הדגשה זו כה קלושה עד שלא חשו בה אלא מטיבי הרואי.

במהדורה זו הודגשו אותן אותיות ב"אות משוכה", כך שכל קורא בנקל ידלה את זה השינוי בשטף קריאתו. דוגמאות:

אֶת־הָרָקִיעַ - [ברא' א]

נִשְׁמַת־רוּחַ חַיִּים - [ברא' ז, כב]

וַיִּטֹּשׁ אֱלוֹהַּ עָשָׂהוּ - [דברים לט, טו]

אותיות שי"ן וסי"ן שמאלית

הכרח נוסף היה בחיפוש דרך קצרה להדגיש אותיות שי"ן שמאלית, שבנקל יוכל הקורא להנצל מהחלפתן לשי"ן, והגם שניכרות הן במקום הנקודה לצד ימין [שׁ] או שמאל [שׂ], לא היה בהן כדי להציל רבים מטעויות קשות, כמו הטעות הנפוצה במאמר משלי כד, לא: וְהִנֵּה עָלָה כֻלּוֹ ׀ קִמְּשֹׂנִים כָּסּוּ פָנָיו חֲרֻלִּים, שרבים קוראים ודורשים ברבים "קמשונים" בשי"ן, כאשר הוא בסי"ן שמאלית, וכן נזכר בישעיה [לד, יג]: וְעָלְתָה אַרְמְנֹתֶיהָ סִירִים קִמּוֹשׂ וָחוֹחַ בְּמִבְצָרֶיהָ, ובהושע [ט, ו]: קִמּוֹשׂ יִירָשֵׁם חוֹחַ בְּאָהֳלֵיהֶם: לכן יצרנו "היכר כ"ש" בגובה הרגל השמאלית של השי"ן, המושך את עין הקורא לציון הנקודה. דוגמאות נוספות:

וְחֹשֵׂךְ מִיֹּשֶׁר אַךְ־לְמַחְסוֹר: - [משלי יא, כד]

וְאֵשׁ נִשְּׂקָה בְיַעֲקֹב - [תהלים עח, כא] - מלשון "היסק"

בִּי שָׂרִים יָשֹׂרוּ - [משלי ח, טז] "ישרו" מלשון שררה -

וָאֱהִי שֹׂבֵר בְּחוֹמַת יְרוּשָׁלִַם - [נחמיה ב, יג]

אות אל"ף נחה - א

אילוץ נוסף היה לסמן את כל אותיות האל"ף הנחות [שקטות - שאינן נשמעות בבטוי], אלו שהוזכרו ב"מסורה רבתא" מ"ח מלין נסבין אל"ף **באמצע תיבותא ולא קריין**, והוספנו על הנזכרים את שתתכן בהן טעות.

בעבר [במהדורות "תהלים סימנים"] השתמשנו באותיות בצבע אפור להורות
על חולשת ביטויין, אלא שבכאן לא רצינו לשנות מדי בטקסט המקראי ולבן יצרנו
אות חלולה. דוגמה:

[דברים ג, יב] - לְרֻאוּבֵנִי הנשמע כמו: לְרֻובֵנִי

[איוב לא, ז] "מאום" מלשון מום - וּבְכַפַּי דָּבַק מֻאוּם:

[שמואל־ב יא כד] - וַיֹּראוּ הַמּוֹרְאִים אֶל־עֲבָדֶיךָ

[איוב יט, ב] - וּתְדַכָּאוּנַנִי בְמִלִּים:

❖

מַעֲלָה 1

| דֶּגֶשׁ חָזָק |

כל האותיות שדינן בדגש חזק הודגשו [ראה דוגמאות בסמוך], למען ירוץ בו
הקורא בלי לשבש מובן הכתובים. דוגמאות:

[יהושע ב, יט] - אִתָּךְ בַּבַּיִת

[יהושע י, יט] - אַל־תִּתְּנוּם

[תהלים א, א] - חַטָּאִים

הטי״ת בדגש חזק, ופירושו אנשים חוטאים [רש״י קד, לה], ובאם יקראנו
המועה בלי דגש, ישתנה פירושו לחטא עצמו, כמו [בקהלת י, ד]: כִּי מַרְפֵּא
יַנִּיח חֲטָאִים גְּדוֹלִים:

שוא נע

מַעֲלָה ז

שוא־נע שונה בהגייתו משוא־נח, שנשמע קרוב לביטוי הסגול, כמו בתיבת לְעוֹלָם - נשמע כאן כאילו הלמ׳ד נקודה בסגול, כך: לֶעוֹלָם. צורת ההדגשה בספר - כשני ריבועים מוגדלים, לעומת השוא־נח שנשאר כצלמו [ראה דוגמה בסמוך].

כַּף־רַגְלְכֶם [יהושע א, ג]

וְכִי־נָפְלָה אֵימַתְכֶם [יהושע ב, ט]

בסימון השוא נע אחזנו כשיטה הרווחת ובדרך כלל כהרב "מנחת שי". בחטפים המצויים אחרי וי׳ו חיבור שרוקה, כמו: וְלַהַבְדִּיל, אנו מסמנים גם שוא נח, וְלְהַבְדִּיל, לבד ממקרים מיוחדים שהשארנו את החטפים כמצוי בכתבי היד, דוגמה:

וּזְהַב הָאָרֶץ הַהִוא טוֹב [בראשית ב, יב]

בספרי דניאל ועזרא בפרקים שנכתבו בלשון ארמי, אין כללי השואים הנוהגים בלשון המקרא נוהגים בהם אלא שנקראים לפי המסורה, וכיון שלא מצאנו מסורת עקבית באילו מקרים מניעים השוא שאחרי תנועות גדולות או קטנות ובאיזה מניחים, בחרנו בשיטת הקריאה התימנית שיש לה מסורת ברורה לקריאת השואים ודומיהם, ועמד לימיננו הרב יואב פנחס הלוי שליט"א מח"ס "לעומת המחברת" על "מחברת התיג׳אן" [ספר יסודי וקדמון בעניני דקדוק המקרא]. דוגמאות:

דִּי שְׁמֵהּ בֵּלְטְשַׁאצַּר [דניאל ב, כו]

וְהַמְנִיכָא דִי־דַהֲבָא [דניאל ה, ז]

וְדָרְיָוֶשׁ [דניאל ו, ב]

הערה: כיון שאנו נוהגים באותיות הכפולות להניע את השואים, כמו: "רִבְבוֹת" כדי להקל על הקריאה [אף שאינו כלל מובהק], ואפילו אם תמצא שוא־נע אחרי תנועה קטנה, כמו: מַהֲרְרֵי־טָרֶף (תהלים עו, ה), כהמשך עבודתנו בכל התנ"ך, בכאן נטינו קו ממסורת בני תימן שמניחים את אלו השואים. ראה בדוגמאות בסמוך:

וְלִבְבֵהּ [דניאל ה, כא]

רִבְבָן קֳדָמוֹהִי יְקוּמוּן [דניאל ז, י]

קמץ קטן

מַעֲלָה ח

כל "קמץ קטן", הוחלף לסימן חדש, הנראה כקמץ משוך כלפי מטה, כדי להבדילו מהקמץ הרחב [הרגיל]. כמו כן הוחלף הקמץ חטוף לסימן החדש. **דוגמאות:**

מִמָּחֳרַת בְּאָכְלָם [יהושע ה, יב]

מֶלֶךְ־יָקְנְעָם [יהושע יב, כב]

לֹא־כָרַּת שָׁרֵּךְ [יחזקאל טז, ד] -

סימן הרפה

מַעֲלָה ט

בעבר נמנה סימן "הרפֿה" עם שאר הניקוד העברי, וכמעט ברוב כתבי היד הקדמונים סומן מעל האותיות הרפויות, בד"כ באותיות בג"ד כפ"ת, על אף שהאות אינה דגושה, אחד הטעמים ששמענו בזה הוא, שלא יסברו שהאות רפויה

משגגת הסופר, אלא שנמסרה במסורה כאות רפויה, לכן סומן גם סימן הרפה.

והנה, בכל התנכי"ם הקיימים הושמט זה הסימן גם מסיבה הפשוטה שרואים שהאות רפויה, ואף על פי כן מצאנו סיבה ונחיצות עצומה - להחזיר את זה הסימן לשרת בקדש רק בצורה חלקית ומאד שימושית בכמה מצבים שטעות שכיחה בהם, ובדרך כלל במקום שמשנה את היגוי התיבה בין הדגש לרפה:

א. באותיות בג"ד כפ"ת בראש מלה אחרי אותיות אהו"י לפי הכללים הידועים, כמו:

כִּי בֵיתָהֿ

[יהושע ב, טו]

ב. באותיות בג"ד כפ"ת אחרי שוא נע בראש מלה הנקרא במסורה "רפי", שמרפה אותיות בג"ד כפ"ת שאחריו, וכן אחרי אותיות השימוש כלב"ו, כמו:

וְכָֿל־הָעָם

[יהושע א, ב]

אֲשֶׁר־בָּאוּ לְבֵֿיתֵךְ

[יהושע ב, ג]

ג. מצב שלישי המחודש ומאד שימושי הוא אחרי ה'א התימה - ה'א השאלה, ובכאן בא שלא כמנהג אפילו בשאר אותיות, כמו:

הַלָֿזֶה

[ברא' לז, יט]

הֲלָֿזֶה

[ישעיה נח, ה]

כמ"ש רש"י בריש פרשת בראשית: הֲשֹׁמֵר אָחִי. לשון תימה הוא, וכן כל ה'א הנקודה בחטף פתח: עכ"ל.

ד. מצב רביעי הוא בשאר מקומות שמצויה בהם שגגת קריאה, וכן בתיבות חריגות שהונח בהן סימן הרפה להציל מטעות, כמו:

וְלֹא דַרְכֵיכֶם דְּרָכָֿי

[ישעיה נה, ח]

סִימָנִים וְהַדְגָּשׁוֹת בַּטְּעָמִים

מַעֲלָה י — גודל הטעמים

אחת המשימות הקשות בעריכת תנ"ך היתה להשתדל לדחוס את הרב במועט, דהיינו להרויח את שני הקצוות - את גודל האות המירבית לעומת נפח הכרך. בדרך כלל בחרו המולי"ם לשמור על עובי כרך שימושי ונוח הבא על חשבון גודל האות.

בזו המהדורה, ובכלים שעמדו לרשותנו, הצלחנו בס"ד להשיג את מירב המעלות, גם אות גדולה יחסית משאר התנכי"ם הקיימים, והוספנו מעלה על מעלה - בהגדלת סימני הטעמים באחוזים ניכרים המהווים כחצי מגודל האות, לבד מיפי צורת הטעמים שעוצבה מחדש ע"י מומחים, כמו שתצפה עין כל. דוגמה: [דברים לא, יט]

וְעַתָּה כִּתְבוּ לָכֶם אֶת־הַשִּׁירָה הַזֹּאת

מַעֲלָה יא — הטעמה כפולה

מאחר שעיקר מגמתנו בעבודה היתה להקל על הקורא, היה מן ההכרח לאמץ את שיטת ההטעמה הכפולה בטעמים שאינם מונחים במקום ההטעמה, כמו: זרקא סגולתא תלשא־גדולה תלשא־קטנה, כדי לעזור לקורא לזהות את מקום הטעמת המלה במקרא. כך נהגו מכבר בכמה דפוסים חדשים גם ישנים. אף בכה"י של כתר ארם צובה שלא נהגו בשיטה זו, היו מספר פעמים שנדחקו וסימנו טעם נוסף לציין את מקום ההטעמה הנכונה. דוגמה:

וַיֹּאמְרוּ לוֹ הַחֲרֵשׁ [שופטים יח, יט]

וַיֹּאמְרוּ לוֹ הַחֲרֵשׁ [שופטים יח, יט] יקרא מלעיל -

סיבת האילוץ בדוגמא הנ"ל היתה, שלא נטעים את התלשא־קטנה באות רי"ש מלרע כמו שהיינו סבורין, וַיֹּאמְרוּ לוֹ הֶחָרֵשׁ, כיון שנוהג כאן דין "נסוג אחור" שהסיט הטעם למלעיל מחמת הטעמה סמוכה, לכן סימנו עוד תלשא־קטנה מעל היו"ד, להורות שהוא מלעיל, כך: וַיֹּאמְרוּ לוֹ הֶחָרֵשׁ. ומ"מ כך נהגנו לכפול את הטעמים הנזכרים בכל מקום שהטעם רחוק מההברה המוטעמת.

מַעֲלָה יב

מתגים

בענין שיטת סימון המתגים בכ"י "כתר ארם צובה" נכתב רבות, ובפרט בחיבורי החוקרים בענין, כמו הרב ברויאר ועוד. עקרון אחד ברור הניכר בכה"י שלא כמוכר לנו, והוא שבד"כ אין תיבה אחת נושאת יותר ממתג אחד, לכן הושמטו באלו כה"י הרבה מתגים שימושיים, כמו מתג שבצד תנועה גדולה, [המוכר לנו כמורה על הנעת השוא שאחריו,] וכיון שקדמה לו תיבה מוקפת עם מתג נחוץ, הושמט המתג הבא עם הת"ג. דוגמה:

[יהושע ח, יז] אֲשֶׁר לֹא־יָצְאוּ אַחֲרֵי יִשְׂרָאֵל

לכן בזו המהדורה השבנו את המתג, לסלק כל ספק שהיא ת"ג, וכן לשמש כעזר לקורא להניע את השוא שאחריו, כך: אֲשֶׁר לֹא־יָֽצְאוּ אַחֲרֵי יִשְׂרָאֵל.

מאותה סיבה הושמטו באלו כה"י רוב המתגים הבאים לפני חטפים, שלא כמוכר לנו, וכיון שמתג זה נחוץ לקורא לבטא יפה את אחד החטפים שאחריו, שבנו לסמנו על אף שתיבה זו תשא יותר ממתג אחד. דוגמה:

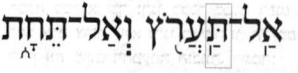

[יהושע א, ט] אַל־תַּעֲרֹץ וְאַל־תֵּחָת

בספרי אמ"ת [איוב משלי ותהלים] הונח "מתג מושאל" לסמן מקום ההטעמה, בדרך כלל בתיבות המוטעמות בטעם דחי [עיין מעלה טו] כשאין הטעמת המלה בראשה, כמו:

[משלי א, א] מִשְׁלֵי שְׁלֹמֹה בֶן־דָּוִד

הֶבְדֵּלִים בֵּין טְעָמִים דּוֹמִים

מַעֲלָה יג — קדמא ופשטא

אחת המשימות החשובות בזה המפעל היתה להבדיל בהדגשת מה בין טעמים שנראים דומים בצורתם לעומת היותם מופלגים במהותם ובתפקידם, זאת כדי להקל על הקורא להבחין במונח לפניו גם מבלי שקדמה לו ידיעה במשפטי הטעמים. נקדים לבאר את ההיכר בין הטעם פשטא לקדמא - שרבים טועים ומחליפים ביניהם. הטעם פשטא מודגש בעוביו, המבטא במעט את עצמת ההפסקה בו לעומת הקדמא. דוגמה:

[בראשית כב, יז] **וְהַרְבָּה אַרְבֶּה אֶת־זַרְעֲךָ**

דקדוק נוסף היה בהנחת הטעם תרי־פשטין. שעד כה היה הסימן הראשון קדמא שהיה מסומן באמצע האות, כך: בֵּין הַמַּיִם, והשני בסוף התיבה, אלא שבכ"י קדומים ראינו ששניהם סומנו בסוף האות, כך: בֵּין הַמַּיִם. וכך הזכיר מספר פעמים הרב "מנחת שי", כמו בפרשת ראה: בְּשַׁלֵּחֲךָ אֹתוֹ חָפְשִׁי מֵעִמָּךְ, בשלחך, הטעם בימין הכ"ף. כי אינו פשטא אלא קדמא. עכ"ל:

[בראשית א, יא] **תַּדְשֵׁא הָאָרֶץ דֶּשֶׁא**

מַעֲלָה יד — מהפך ויתיב

כמו כן, השתדלנו להבדיל בצורת שני הטעמים הדומים - מהפך המשרת לחברו המפסיק יתיב, שטעם יתיב מחודד מהמהפך ומשוך ממנו, כמו שהיה מצוי מכבר בכמה חומשים. דוגמה:

[בראשית כב, כז] **כִּי יַעַן אֲשֶׁר עָשִׂיתָ**

והנה מצאנו ביחזקאל דוגמה המצדיקה את נחיצות שינוי צורת הטעמים יְתִיב ומַהְפַּךְ, אשר בלתה לא היה הקורא מבחין איזה טעם מסומן מתחת הרי"ש בתיבה "רוח".

[יחזקאל י"ז, יוד] **רוּחַ הַקָּדִים**

[יחזקאל כ"ז, כו] **רוּחַ הַקָּדִים**

טַרְחָא וְדֶחִי

מַעֲלָה טו

בטעמי אמ"ת [איוב משלי ותהלים] יש שני טעמים הדומים לטעם טִפְחָא שבחומש, האחד טעם משרת הנקרא טַרְחָא שמקומו בתיבה תחת האות המנוגנת, ולעומתו טעם מפסיק הנקרא דֶחִי, אשר מקומו מחוץ למלה ובראשה - גם כאשר אין מקום ההטעמה שם.

כדי להקל על הקורא לקבוע את מקום הטעמת המלה מלעיל או מלרע, ישנם שני סימנים: כשההטעמה בראש המלה יורה הַדחי על הטעמת המלה - מלעיל, כך: בֹּקֶר. וכאשר אין הטעמת המלה באות הראשונה, הוספנו "מֶתֶג מושאל" במקום ההטעמה העיקרית של המלה. דוגמה:

[תהלים מזמור יט] **וּבִקְצֵה תֵבֵל מִלֵּיהֶם**

המלה תֵבֵל מוטעמת ב־דֶחִי. אם נטעימה מלעיל [כמו שלכאורה כך נראית], יהיה פרושה לשון טינוף, כמו: "תֶבֶל עשו דמיהם בם" [בשם "מבין חידות" פר' אחרי־מות], ואם נטעימה - מלרע, תבוא על פירושה הנכון, והיא "הארץ" [עולם], לכן הונח מֶתֶג מודגש באות הנכונה, כך:

וּבִקְצֵה תֵבֵל מִלֵּיהֶם

רעיון הוספת ה"מתג המושאל" לטעם "דחי" נמצא כבר בכתבי היד, כמו ב"ארם צובה" ודומיו, כאשר נדחקו שלא יבין הקורא כוונה כוזבת בעבודת הנקדן הוסיפו מתג, כמו שמצינו בתהלים בפסוק:

[תהלים נז, ט] **עוּרָה כְבוֹדִי עוּרָה הַנֵּבֶל**

הנה כדי לציין ש"עוּרָה" ראשון מלעיל, ו"עוּרָה" שני מלרע אף היותו מוטעם בדחי שנראה כמורה על הטעמה מלעילית, הונח בו "מתג מושאל" להציל את משגגת הקורא. השתא דאתינא להכי, נציין שכל מקום שהופיע בכ"י הנ"ל מתג אחרי טעם מעין זה, אף שהופיע בצורה של מרכא, הוראתו היתה בכוונת מתג ולא טעם, שברור הוא שעיקר ההטעמה היא במקרא זה בדחי ולא בזולתו, וכן מצינו בתנ"ך שבהוצאת "מוסד הרב קוק".

מונח־לגרמיה ׀

מַעֲלָה טז

במקרא משמשים שני סוגים של "פסיק ׀", אחד נמנה ברשימת טעמי המקרא, הוא **הטעם** מונח־לגרמיה ׀ מקבוצת המפסיקים הקלים "שלישים", שרק בו מטעימים ומאריכים את נגינת המונח ׀ [המופיע בדרך כלל לפני הטעמים מונח רביע, ובטעמי אמ"ת מופיע בדרך כלל בטעמים: שַׁלְשֶׁלֶת־גְּדוֹלָה׀ מַהְפַּךְ־לְגַרְמֵהּ׀ אַזְלָא־לְגַרְמֵהּ׀]. לעומת חברו ה"פסיק ׀" שאינו ברשימת הטעמים, אלא שמשמש כסימן קריאה כמו המקף־וכו', אשר הוראתו הפסקה קלה בין שתי המלים, זולת כל נעימה.

הסימן "פסיק ׀" המורה על הפסק כ"ש, הופיע ברשימות ה"**מסורה רבתא**" שנדפס בחלק מהמקראות גדולות [משנת רפ"ד], תחת הכותרת "**פסיקתא דאורייתא**", "**פסיקתא דנביאים**" וכו'. וכיון שאינו בהישג כל יד - וכדי להקל על הקורא להבחין בין **הטעם** המונח ׀ - **לסימן** ה"פסיק ׀", הוחלף הסימן "פסיק ׀" - ל"פסיק ׀" חלול בכל התנ"ך. דוגמאות:

[במדבר ג, לח]

אֹהֶל־מוֹעֵד ׀ מִזְרָחָה מֹשֶׁה ׀ וְאַהֲרֹן וּבָנָיו

[מלכים־א ז, כה] **פֹּנִים ׀ יָמָּה וּשְׁלֹשָׁה ׀ פֹּנִים נֶגְבָּה**

בצאתי את המבוא, אפרוש כפי אל שוכן במרומים, שיראה עמלנו זה, ויוכיח - בהתקבל זה התנ"ך אצל כל יודע דת ודין, להגות ולשנן מקראי קודש אלו מתוך כלי נאה, ויהא חלקנו ממזכי הרבים להגדיל תורה ולהאדיר, אכי"ר.

בברכת התורה
"מכון סימנים" ירושלים

תורה

בין השנים 2488-0

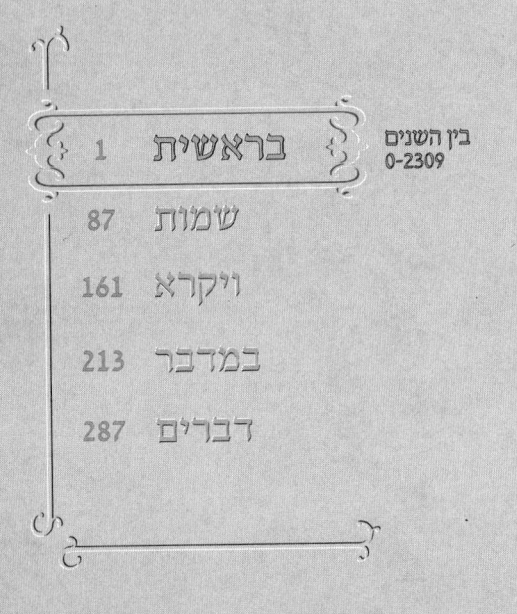

בראשית

בראשית
בְּרִיאַת שָׁמַיִם וָאָרֶץ:

א א ב בְּרֵאשִׁית בָּרָא אֱלֹהִים אֵת הַשָּׁמַיִם וְאֵת הָאָרֶץ: וְהָאָרֶץ הָיְתָה
תֹהוּ וָבֹהוּ וְחֹשֶׁךְ עַל־פְּנֵי תְהוֹם וְרוּחַ אֱלֹהִים מְרַחֶפֶת עַל־פְּנֵי
ג ד הַמָּיִם: וַיֹּאמֶר אֱלֹהִים יְהִי אוֹר וַיְהִי־אוֹר: וַיַּרְא אֱלֹהִים אֶת־
ה הָאוֹר כִּי־טוֹב וַיַּבְדֵּל אֱלֹהִים בֵּין הָאוֹר וּבֵין הַחֹשֶׁךְ: וַיִּקְרָא
אֱלֹהִים ׀ לָאוֹר יוֹם וְלַחֹשֶׁךְ קָרָא לָיְלָה וַיְהִי־עֶרֶב וַיְהִי־בֹקֶר
יוֹם אֶחָד:

[שנת 0 לבריאה.]

בְּרִיאַת רָקִיעַ וְהַבְדָּלַת הַמָּיִם:

ו וַיֹּאמֶר אֱלֹהִים יְהִי רָקִיעַ בְּתוֹךְ הַמָּיִם וִיהִי מַבְדִּיל בֵּין מַיִם
ז לָמָיִם: וַיַּעַשׂ אֱלֹהִים אֶת־הָרָקִיעַ וַיַּבְדֵּל בֵּין הַמַּיִם אֲשֶׁר
ח מִתַּחַת לָרָקִיעַ וּבֵין הַמַּיִם אֲשֶׁר מֵעַל לָרָקִיעַ וַיְהִי־כֵן: וַיִּקְרָא
אֱלֹהִים לָרָקִיעַ שָׁמָיִם וַיְהִי־עֶרֶב וַיְהִי־בֹקֶר יוֹם שֵׁנִי:

קִוּוּי הַמַּיִם וְגִלּוּי הַיַּבָּשָׁה:

ט וַיֹּאמֶר אֱלֹהִים יִקָּווּ הַמַּיִם מִתַּחַת הַשָּׁמַיִם אֶל־מָקוֹם אֶחָד
י וְתֵרָאֶה הַיַּבָּשָׁה וַיְהִי־כֵן: וַיִּקְרָא אֱלֹהִים ׀ לַיַּבָּשָׁה אֶרֶץ וּלְמִקְוֵה
יא הַמַּיִם קָרָא יַמִּים וַיַּרְא אֱלֹהִים כִּי־טוֹב: וַיֹּאמֶר אֱלֹהִים תַּדְשֵׁא

בְּרִיאַת הַצּוֹמֵחַ:

הָאָרֶץ דֶּשֶׁא עֵשֶׂב מַזְרִיעַ זֶרַע עֵץ פְּרִי עֹשֶׂה פְּרִי לְמִינוֹ אֲשֶׁר
יב זַרְעוֹ־בוֹ עַל־הָאָרֶץ וַיְהִי־כֵן: וַתּוֹצֵא הָאָרֶץ דֶּשֶׁא עֵשֶׂב מַזְרִיעַ
זֶרַע לְמִינֵהוּ וְעֵץ עֹשֶׂה־פְּרִי אֲשֶׁר זַרְעוֹ־בוֹ לְמִינֵהוּ וַיַּרְא אֱלֹהִים
יג כִּי־טוֹב: וַיְהִי־עֶרֶב וַיְהִי־בֹקֶר יוֹם שְׁלִישִׁי:

בְּרִיאַת הַמְּאוֹרוֹת וּתְלִיָּתָם:

יד וַיֹּאמֶר אֱלֹהִים יְהִי מְאֹרֹת בִּרְקִיעַ הַשָּׁמַיִם לְהַבְדִּיל בֵּין הַיּוֹם
טו וּבֵין הַלָּיְלָה וְהָיוּ לְאֹתֹת וּלְמוֹעֲדִים וּלְיָמִים וְשָׁנִים: וְהָיוּ
טז לִמְאוֹרֹת בִּרְקִיעַ הַשָּׁמַיִם לְהָאִיר עַל־הָאָרֶץ וַיְהִי־כֵן: וַיַּעַשׂ
אֱלֹהִים אֶת־שְׁנֵי הַמְּאֹרֹת הַגְּדֹלִים אֶת־הַמָּאוֹר הַגָּדֹל לְמֶמְשֶׁלֶת
יז הַיּוֹם וְאֶת־הַמָּאוֹר הַקָּטֹן לְמֶמְשֶׁלֶת הַלַּיְלָה וְאֵת הַכּוֹכָבִים: וַיִּתֵּן
יח אֹתָם אֱלֹהִים בִּרְקִיעַ הַשָּׁמָיִם לְהָאִיר עַל־הָאָרֶץ: וְלִמְשֹׁל בַּיּוֹם

וּבַלַּיְלָה וּֽלְהַבְדִּיל בֵּין הָאוֹר וּבֵין הַחֹשֶׁךְ וַיַּרְא אֱלֹהִים כִּי־טוֹב:
וַיְהִי־עֶרֶב וַיְהִי־בֹקֶר יוֹם רְבִיעִי: יט
בְּרִיאַת הַדָּגִים וְהָעוֹפוֹת: וַיֹּאמֶר אֱלֹהִים יִשְׁרְצוּ הַמַּיִם שֶׁרֶץ נֶפֶשׁ חַיָּה וְעוֹף יְעוֹפֵף כ
עַל־הָאָרֶץ עַל־פְּנֵי רְקִיעַ הַשָּׁמָיִם: וַיִּבְרָא אֱלֹהִים אֶת־הַתַּנִּינִם כא
הַגְּדֹלִים וְאֵת כָּל־נֶפֶשׁ הַחַיָּה ׀ הָֽרֹמֶשֶׂת אֲשֶׁר שָׁרְצוּ הַמַּיִם
לְמִינֵהֶם וְאֵת כָּל־עוֹף כָּנָף לְמִינֵהוּ וַיַּרְא אֱלֹהִים כִּי־טוֹב: וַיְבָרֶךְ כב
אֹתָם אֱלֹהִים לֵאמֹר פְּרוּ וּרְבוּ וּמִלְאוּ אֶת־הַמַּיִם בַּיַּמִּים וְהָעוֹף
יִרֶב בָּאָרֶץ: וַיְהִי־עֶרֶב וַיְהִי־בֹקֶר יוֹם חֲמִישִׁי: כג
בְּרִיאַת הַבְּהֵמוֹת וְהָרְמָשִׂים: וַיֹּאמֶר אֱלֹהִים תּוֹצֵא הָאָרֶץ נֶפֶשׁ חַיָּה לְמִינָהּ בְּהֵמָה וָרֶמֶשׂ כד
וְחַֽיְתוֹ־אֶרֶץ לְמִינָהּ וַיְהִי־כֵן: וַיַּעַשׂ אֱלֹהִים אֶת־חַיַּת הָאָרֶץ כה
לְמִינָהּ וְאֶת־הַבְּהֵמָה לְמִינָהּ וְאֵת כָּל־רֶמֶשׂ הָאֲדָמָה לְמִינֵהוּ
בְּרִיאַת הָאָדָם: וַיַּרְא אֱלֹהִים כִּי־טוֹב: וַיֹּאמֶר אֱלֹהִים נַעֲשֶׂה אָדָם בְּצַלְמֵנוּ כו
כִּדְמוּתֵנוּ וְיִרְדּוּ בִדְגַת הַיָּם וּבְעוֹף הַשָּׁמַיִם וּבַבְּהֵמָה וּבְכָל־
[1 לבריאה] הָאָרֶץ וּבְכָל־הָרֶמֶשׂ הָרֹמֵשׂ עַל־הָאָרֶץ: וַיִּבְרָא אֱלֹהִים ׀ אֶת־ כז
הָֽאָדָם בְּצַלְמוֹ בְּצֶלֶם אֱלֹהִים בָּרָא אֹתוֹ זָכָר וּנְקֵבָה בָּרָא אֹתָם:
וַיְבָרֶךְ אֹתָם אֱלֹהִים וַיֹּאמֶר לָהֶם אֱלֹהִים פְּרוּ וּרְבוּ וּמִלְאוּ כח
אֶת־הָאָרֶץ וְכִבְשֻׁהָ וּרְדוּ בִּדְגַת הַיָּם וּבְעוֹף הַשָּׁמַיִם וּבְכָל־חַיָּה
הָֽרֹמֶשֶׂת עַל־הָאָרֶץ: וַיֹּאמֶר אֱלֹהִים הִנֵּה נָתַתִּי לָכֶם אֶת־כָּל־ כט
עֵשֶׂב ׀ זֹרֵעַ זֶרַע אֲשֶׁר עַל־פְּנֵי כָל־הָאָרֶץ וְאֶת־כָּל־הָעֵץ אֲשֶׁר־בּוֹ
פְרִי־עֵץ זֹרֵעַ זָרַע לָכֶם יִהְיֶה לְאָכְלָה: וּֽלְכָל־חַיַּת הָאָרֶץ וּלְכָל־ ל
עוֹף הַשָּׁמַיִם וּלְכֹל ׀ רוֹמֵשׂ עַל־הָאָרֶץ אֲשֶׁר־בּוֹ נֶפֶשׁ חַיָּה אֶת־
כָּל־יֶרֶק עֵשֶׂב לְאָכְלָה וַיְהִי־כֵן: וַיַּרְא אֱלֹהִים אֶת־כָּל־אֲשֶׁר עָשָׂה לא
וְהִנֵּה־טוֹב מְאֹד וַיְהִי־עֶרֶב וַיְהִי־בֹקֶר יוֹם הַשִּׁשִּׁי:
סִיּוּם הַבְּרִיאָה וְקִדּוּשׁ הַשַּׁבָּת: וַיְכֻלּוּ הַשָּׁמַיִם וְהָאָרֶץ וְכָל־צְבָאָם: וַיְכַל אֱלֹהִים בַּיּוֹם הַשְּׁבִיעִי א ב ב
מְלַאכְתּוֹ אֲשֶׁר עָשָׂה וַיִּשְׁבֹּת בַּיּוֹם הַשְּׁבִיעִי מִכָּל־מְלַאכְתּוֹ אֲשֶׁר

ג עָשָׂה: וַיְבָרֶךְ אֱלֹהִים אֶת־יוֹם הַשְּׁבִיעִי וַיְקַדֵּשׁ אֹתוֹ כִּי בוֹ שָׁבַת
מִכָּל־מְלַאכְתּוֹ אֲשֶׁר־בָּרָא אֱלֹהִים לַעֲשׂוֹת:
ד אֵלֶּה תוֹלְדוֹת הַשָּׁמַיִם וְהָאָרֶץ בְּהִבָּרְאָם בְּיוֹם עֲשׂוֹת יְהוָה אֱלֹהִים שני
ה אֶרֶץ וְשָׁמָיִם: וְכֹל ׀ שִׂיחַ הַשָּׂדֶה טֶרֶם יִהְיֶה בָאָרֶץ וְכָל־עֵשֶׂב תֵּאוּר יְצִירַת הָאָדָם:
הַשָּׂדֶה טֶרֶם יִצְמָח כִּי לֹא הִמְטִיר יְהוָה אֱלֹהִים עַל־הָאָרֶץ
ו וְאָדָם אַיִן לַעֲבֹד אֶת־הָאֲדָמָה: וְאֵד יַעֲלֶה מִן־הָאָרֶץ וְהִשְׁקָה
ז אֶת־כָּל־פְּנֵי הָאֲדָמָה: וַיִּיצֶר יְהוָה אֱלֹהִים אֶת־הָאָדָם עָפָר
מִן־הָאֲדָמָה וַיִּפַּח בְּאַפָּיו נִשְׁמַת חַיִּים וַיְהִי הָאָדָם לְנֶפֶשׁ חַיָּה:
ח וַיִּטַּע יְהוָה אֱלֹהִים גַּן בְּעֵדֶן מִקֶּדֶם וַיָּשֶׂם שָׁם אֶת־הָאָדָם אֲשֶׁר הָאָדָם בְּגַן עֵדֶן:
ט יָצָר: וַיַּצְמַח יְהוָה אֱלֹהִים מִן־הָאֲדָמָה כָּל־עֵץ נֶחְמָד לְמַרְאֶה
י וְטוֹב לְמַאֲכָל וְעֵץ הַחַיִּים בְּתוֹךְ הַגָּן וְעֵץ הַדַּעַת טוֹב וָרָע: וְנָהָר
יֹצֵא מֵעֵדֶן לְהַשְׁקוֹת אֶת־הַגָּן וּמִשָּׁם יִפָּרֵד וְהָיָה לְאַרְבָּעָה
יא רָאשִׁים: שֵׁם הָאֶחָד פִּישׁוֹן הוּא הַסֹּבֵב אֵת כָּל־אֶרֶץ הַחֲוִילָה
יב אֲשֶׁר־שָׁם הַזָּהָב: וּזֲהַב הָאָרֶץ הַהִוא טוֹב שָׁם הַבְּדֹלַח וְאֶבֶן
יג הַשֹּׁהַם: וְשֵׁם־הַנָּהָר הַשֵּׁנִי גִּיחוֹן הוּא הַסּוֹבֵב אֵת כָּל־אֶרֶץ כּוּשׁ:
יד וְשֵׁם הַנָּהָר הַשְּׁלִישִׁי חִדֶּקֶל הוּא הַהֹלֵךְ קִדְמַת אַשּׁוּר וְהַנָּהָר
טו הָרְבִיעִי הוּא פְרָת: וַיִּקַּח יְהוָה אֱלֹהִים אֶת־הָאָדָם וַיַּנִּחֵהוּ
טז בְגַן־עֵדֶן לְעָבְדָהּ וּלְשָׁמְרָהּ: וַיְצַו יְהוָה אֱלֹהִים עַל־הָאָדָם
יז לֵאמֹר מִכֹּל עֵץ־הַגָּן אָכֹל תֹּאכֵל: וּמֵעֵץ הַדַּעַת טוֹב וָרָע לֹא
יח תֹאכַל מִמֶּנּוּ כִּי בְּיוֹם אֲכָלְךָ מִמֶּנּוּ מוֹת תָּמוּת: וַיֹּאמֶר יְהוָה יְצִירַת הָאִשָּׁה:
יט אֱלֹהִים לֹא־טוֹב הֱיוֹת הָאָדָם לְבַדּוֹ אֶעֱשֶׂה־לּוֹ עֵזֶר כְּנֶגְדּוֹ: וַיִּצֶר
יְהוָה אֱלֹהִים מִן־הָאֲדָמָה כָּל־חַיַּת הַשָּׂדֶה וְאֵת כָּל־עוֹף הַשָּׁמַיִם
וַיָּבֵא אֶל־הָאָדָם לִרְאוֹת מַה־יִּקְרָא־לוֹ וְכֹל אֲשֶׁר יִקְרָא־לוֹ
כ הָאָדָם נֶפֶשׁ חַיָּה הוּא שְׁמוֹ: וַיִּקְרָא הָאָדָם שֵׁמוֹת לְכָל־הַבְּהֵמָה שלישי
וּלְעוֹף הַשָּׁמַיִם וּלְכֹל חַיַּת הַשָּׂדֶה וּלְאָדָם לֹא־מָצָא עֵזֶר כְּנֶגְדּוֹ:

וַיַּפֵּל֩ יְהֹוָ֨ה אֱלֹהִ֧ים ׀ תַּרְדֵּמָ֛ה עַל־הָאָדָ֖ם וַיִּישָׁ֑ן וַיִּקַּ֗ח אַחַת֙ כא

מִצַּלְעֹתָ֔יו וַיִּסְגֹּ֥ר בָּשָׂ֖ר תַּחְתֶּֽנָּה: וַיִּ֩בֶן֩ יְהֹוָ֨ה אֱלֹהִ֧ים ׀ אֶֽת־הַצֵּלָ֛ע כב

אֲשֶׁר־לָקַ֥ח מִן־הָֽאָדָ֖ם לְאִשָּׁ֑ה וַיְבִאֶ֖הָ אֶל־הָֽאָדָֽם: וַיֹּאמֶר֮ הָֽאָדָם֒ כג

זֹ֣את הַפַּ֗עַם עֶ֚צֶם מֵֽעֲצָמַ֔י וּבָשָׂ֖ר מִבְּשָׂרִ֑י לְזֹאת֙ יִקָּרֵ֣א אִשָּׁ֔ה כִּ֥י

מֵאִ֖ישׁ לֻֽקֳחָה־זֹּֽאת: עַל־כֵּן֙ יַֽעֲזָב־אִ֔ישׁ אֶת־אָבִ֖יו וְאֶת־אִמּ֑וֹ כד

וְדָבַ֣ק בְּאִשְׁתּ֔וֹ וְהָי֖וּ לְבָשָׂ֥ר אֶחָֽד: וַיִּֽהְי֤וּ שְׁנֵיהֶם֙ עֲרוּמִּ֔ים הָֽאָדָ֖ם כה

חַטְא עֵץ
הַדָּעַת:

וְאִשְׁתּ֑וֹ וְלֹ֖א יִתְבֹּשָֽׁשׁוּ: וְהַנָּחָשׁ֙ הָיָ֣ה עָר֔וּם מִכֹּל֙ חַיַּ֣ת הַשָּׂדֶ֔ה ג א

אֲשֶׁ֥ר עָשָׂ֖ה יְהֹוָ֣ה אֱלֹהִ֑ים וַיֹּ֙אמֶר֙ אֶל־הָ֣אִשָּׁ֔ה אַ֚ף כִּֽי־אָמַ֣ר אֱלֹהִ֔ים

לֹ֣א תֹֽאכְל֔וּ מִכֹּ֖ל עֵ֥ץ הַגָּֽן: וַתֹּ֥אמֶר הָֽאִשָּׁ֖ה אֶל־הַנָּחָ֑שׁ מִפְּרִ֥י ב

עֵֽץ־הַגָּ֖ן נֹאכֵֽל: וּמִפְּרִ֣י הָעֵץ֮ אֲשֶׁ֣ר בְּתֽוֹךְ־הַגָּן֒ אָמַ֣ר אֱלֹהִ֔ים לֹ֤א ג

תֹֽאכְלוּ֙ מִמֶּ֔נּוּ וְלֹ֥א תִגְּע֖וּ בּ֑וֹ פֶּן־תְּמֻתֽוּן: וַיֹּ֥אמֶר הַנָּחָ֖שׁ אֶל־הָֽאִשָּׁ֑ה ד

לֹֽא־מ֖וֹת תְּמֻתֽוּן: כִּ֚י יֹדֵ֣עַ אֱלֹהִ֔ים כִּ֗י בְּיוֹם֙ אֲכָלְכֶ֣ם מִמֶּ֔נּוּ וְנִפְקְח֖וּ ה

עֵֽינֵיכֶ֑ם וִֽהְיִיתֶם֙ כֵּֽאלֹהִ֔ים יֹֽדְעֵ֖י ט֥וֹב וָרָֽע: וַתֵּ֣רֶא הָֽאִשָּׁ֡ה כִּ֣י ו

ט֣וֹב הָעֵץ֩ לְמַֽאֲכָ֨ל וְכִ֧י תַֽאֲוָה־ה֣וּא לָעֵינַ֗יִם וְנֶחְמָ֤ד הָעֵץ֙ לְהַשְׂכִּ֔יל

וַתִּקַּ֥ח מִפִּרְי֖וֹ וַתֹּאכַ֑ל וַתִּתֵּ֧ן גַּם־לְאִישָׁ֛הּ עִמָּ֖הּ וַיֹּאכַֽל:

וַתִּפָּקַ֨חְנָה֙ עֵינֵ֣י שְׁנֵיהֶ֔ם וַיֵּ֣דְע֔וּ כִּ֥י עֵֽירֻמִּ֖ם הֵ֑ם וַֽיִּתְפְּרוּ֙ עֲלֵ֣ה ז

הִתְגַּלּוֹת
ה' לָֽאָדָם:

תְאֵנָ֔ה וַיַּֽעֲשׂ֥וּ לָהֶ֖ם חֲגֹרֹֽת: וַֽיִּשְׁמְע֞וּ אֶת־ק֨וֹל יְהֹוָ֧ה אֱלֹהִ֛ים מִתְהַלֵּ֥ךְ ח

בַּגָּ֖ן לְר֣וּחַ הַיּ֑וֹם וַיִּתְחַבֵּ֨א הָֽאָדָ֜ם וְאִשְׁתּ֗וֹ מִפְּנֵי֙ יְהֹוָ֣ה אֱלֹהִ֔ים

בְּת֖וֹךְ עֵ֥ץ הַגָּֽן: וַיִּקְרָ֛א יְהֹוָ֥ה אֱלֹהִ֖ים אֶל־הָֽאָדָ֑ם וַיֹּ֥אמֶר ל֖וֹ אַיֶּֽכָּה: ט

וַיֹּ֕אמֶר אֶת־קֹֽלְךָ֥ שָׁמַ֖עְתִּי בַּגָּ֑ן וָֽאִירָ֛א כִּֽי־עֵירֹ֥ם אָנֹ֖כִי וָֽאֵחָבֵֽא: י

וַיֹּ֕אמֶר מִ֚י הִגִּ֣יד לְךָ֔ כִּ֥י עֵירֹ֖ם אָ֑תָּה הֲמִן־הָעֵ֗ץ אֲשֶׁ֧ר צִוִּיתִ֛יךָ יא

לְבִלְתִּ֥י אֲכָל־מִמֶּ֖נּוּ אָכָֽלְתָּ: וַיֹּ֖אמֶר הָֽאָדָ֑ם הָֽאִשָּׁה֙ אֲשֶׁ֣ר נָתַ֣תָּה יב

עִמָּדִ֔י הִ֛וא נָֽתְנָה־לִּ֥י מִן־הָעֵ֖ץ וָֽאֹכֵֽל: וַיֹּ֩אמֶר֩ יְהֹוָ֨ה אֱלֹהִ֧ים לָֽאִשָּׁ֛ה יג

קְלָלַת
הַנָּחָשׁ:

מַה־זֹּ֣את עָשִׂ֑ית וַתֹּ֨אמֶר֙ הָֽאִשָּׁ֔ה הַנָּחָ֥שׁ הִשִּׁיאַ֖נִי וָֽאֹכֵֽל: וַיֹּ֩אמֶר֩ יד

יְהֹוָ֨ה אֱלֹהִ֥ים ׀ אֶֽל־הַנָּחָשׁ֮ כִּ֣י עָשִׂ֣יתָ זֹּאת֒ אָר֤וּר אַתָּה֙ מִכָּל־

הַבְּהֵמָה וּמִכֹּל חַיַּת הַשָּׂדֶה עַל־גְּחֹנְךָ תֵלֵךְ וְעָפָר תֹּאכַל כָּל־יְמֵי
טו חַיֶּיךָ: וְאֵיבָה | אָשִׁית בֵּינְךָ וּבֵין הָאִשָּׁה וּבֵין זַרְעֲךָ וּבֵין זַרְעָהּ
טז הוּא יְשׁוּפְךָ רֹאשׁ וְאַתָּה תְּשׁוּפֶנּוּ עָקֵב: אֶל־הָאִשָּׁה
קִלְלַת הָאִשָּׁה:
אָמַר הַרְבָּה אַרְבֶּה עִצְּבוֹנֵךְ וְהֵרֹנֵךְ בְּעֶצֶב תֵּלְדִי בָנִים וְאֶל־
יז אִישֵׁךְ תְּשׁוּקָתֵךְ וְהוּא יִמְשָׁל־בָּךְ: וּלְאָדָם אָמַר
קִלְלַת הָאָדָם:
כִּי־שָׁמַעְתָּ לְקוֹל אִשְׁתֶּךָ וַתֹּאכַל מִן־הָעֵץ אֲשֶׁר צִוִּיתִיךָ לֵאמֹר
לֹא תֹאכַל מִמֶּנּוּ אֲרוּרָה הָאֲדָמָה בַּעֲבוּרֶךָ בְּעִצָּבוֹן תֹּאכְלֶנָּה
יח כֹּל יְמֵי חַיֶּיךָ: וְקוֹץ וְדַרְדַּר תַּצְמִיחַ לָךְ וְאָכַלְתָּ אֶת־עֵשֶׂב
יט הַשָּׂדֶה: בְּזֵעַת אַפֶּיךָ תֹּאכַל לֶחֶם עַד שׁוּבְךָ אֶל־הָאֲדָמָה כִּי
כ מִמֶּנָּה לֻקָּחְתָּ כִּי־עָפָר אַתָּה וְאֶל־עָפָר תָּשׁוּב: וַיִּקְרָא הָאָדָם שֵׁם
כא אִשְׁתּוֹ חַוָּה כִּי הִוא הָיְתָה אֵם כָּל־חָי: וַיַּעַשׂ יְהוָה אֱלֹהִים לְאָדָם
וּלְאִשְׁתּוֹ כָּתְנוֹת עוֹר וַיַּלְבִּשֵׁם:

גֵּרוּשׁ הָאָדָם מִגַּן עֵדֶן:
כב וַיֹּאמֶר | יְהוָה אֱלֹהִים הֵן הָאָדָם הָיָה כְּאַחַד מִמֶּנּוּ לָדַעַת טוֹב
וָרָע וְעַתָּה | פֶּן־יִשְׁלַח יָדוֹ וְלָקַח גַּם מֵעֵץ הַחַיִּים וְאָכַל וָחַי
כג לְעֹלָם: וַיְשַׁלְּחֵהוּ יְהוָה אֱלֹהִים מִגַּן־עֵדֶן לַעֲבֹד אֶת־הָאֲדָמָה
כד אֲשֶׁר לֻקַּח מִשָּׁם: וַיְגָרֶשׁ אֶת־הָאָדָם וַיַּשְׁכֵּן מִקֶּדֶם לְגַן־עֵדֶן
אֶת־הַכְּרֻבִים וְאֵת לַהַט הַחֶרֶב הַמִּתְהַפֶּכֶת לִשְׁמֹר אֶת־דֶּרֶךְ עֵץ
ד א הַחַיִּים: וְהָאָדָם יָדַע אֶת־חַוָּה אִשְׁתּוֹ וַתַּהַר וַתֵּלֶד
תּוֹלְדוֹת אָדָם וְחַוָּה:
ב אֶת־קַיִן וַתֹּאמֶר קָנִיתִי אִישׁ אֶת־יְהוָה: וַתֹּסֶף לָלֶדֶת אֶת־אָחִיו
ג אֶת־הָבֶל וַיְהִי־הֶבֶל רֹעֵה צֹאן וְקַיִן הָיָה עֹבֵד אֲדָמָה: וַיְהִי מִקֵּץ
מִנְחוֹת קַיִן וְהֶבֶל:
ד יָמִים וַיָּבֵא קַיִן מִפְּרִי הָאֲדָמָה מִנְחָה לַיהוָה: וְהֶבֶל הֵבִיא גַם־הוּא
מִבְּכֹרוֹת צֹאנוֹ וּמֵחֶלְבֵהֶן וַיִּשַׁע יְהוָה אֶל־הֶבֶל וְאֶל־מִנְחָתוֹ:
ה וְאֶל־קַיִן וְאֶל־מִנְחָתוֹ לֹא שָׁעָה וַיִּחַר לְקַיִן מְאֹד וַיִּפְּלוּ פָּנָיו:
ו וַיֹּאמֶר יְהוָה אֶל־קָיִן לָמָּה חָרָה לָךְ וְלָמָּה נָפְלוּ פָנֶיךָ: הֲלוֹא
ז אִם־תֵּיטִיב שְׂאֵת וְאִם לֹא תֵיטִיב לַפֶּתַח חַטָּאת רֹבֵץ וְאֵלֶיךָ

הֲרִיגַת קַיִן אֶת הֶבֶל: תְּשׁוּקָתוֹ וְאַתָּה תִּמְשָׁל־בּוֹ: וַיֹּאמֶר קַיִן אֶל־הֶבֶל אָחִיו וַיְהִי ח
בִּהְיוֹתָם בַּשָּׂדֶה וַיָּקָם קַיִן אֶל־הֶבֶל אָחִיו וַיַּהַרְגֵהוּ: וַיֹּאמֶר יְהוָה ט
אֶל־קַיִן אֵי הֶבֶל אָחִיךָ וַיֹּאמֶר לֹא יָדַעְתִּי הֲשֹׁמֵר אָחִי אָנֹכִי:
וַיֹּאמֶר מֶה עָשִׂיתָ קוֹל דְּמֵי אָחִיךָ צֹעֲקִים אֵלַי מִן־הָאֲדָמָה: י
עֹנֶשׁ קַיִן: וְעַתָּה אָרוּר אָתָּה מִן־הָאֲדָמָה אֲשֶׁר פָּצְתָה אֶת־פִּיהָ לָקַחַת יא
אֶת־דְּמֵי אָחִיךָ מִיָּדֶךָ: כִּי תַעֲבֹד אֶת־הָאֲדָמָה לֹא־תֹסֵף תֵּת־ יב
כֹּחָהּ לָךְ נָע וָנָד תִּהְיֶה בָאָרֶץ: וַיֹּאמֶר קַיִן אֶל־יְהוָה גָּדוֹל יג
עֲוֹנִי מִנְּשֹׂא: הֵן גֵּרַשְׁתָּ אֹתִי הַיּוֹם מֵעַל פְּנֵי הָאֲדָמָה וּמִפָּנֶיךָ יד
אֶסָּתֵר וְהָיִיתִי נָע וָנָד בָּאָרֶץ וְהָיָה כָל־מֹצְאִי יַהַרְגֵנִי: וַיֹּאמֶר לוֹ טו
יְהוָה לָכֵן כָּל־הֹרֵג קַיִן שִׁבְעָתַיִם יֻקָּם וַיָּשֶׂם יְהוָה לְקַיִן אוֹת
תּוֹלְדוֹת קַיִן: לְבִלְתִּי הַכּוֹת־אֹתוֹ כָּל־מֹצְאוֹ: וַיֵּצֵא קַיִן מִלִּפְנֵי יְהוָה וַיֵּשֶׁב טז
בְּאֶרֶץ־נוֹד קִדְמַת־עֵדֶן: וַיֵּדַע קַיִן אֶת־אִשְׁתּוֹ וַתַּהַר וַתֵּלֶד יז
אֶת־חֲנוֹךְ וַיְהִי בֹּנֶה עִיר וַיִּקְרָא שֵׁם הָעִיר כְּשֵׁם בְּנוֹ חֲנוֹךְ:
וַיִּוָּלֵד לַחֲנוֹךְ אֶת־עִירָד וְעִירָד יָלַד אֶת־מְחוּיָאֵל וּמְחִיָּיאֵל יָלַד יח
חמישי נְשֵׁי לֶמֶךְ וּבָנָיו: אֶת־מְתוּשָׁאֵל וּמְתוּשָׁאֵל יָלַד אֶת־לָמֶךְ: וַיִּקַּח־לוֹ לֶמֶךְ שְׁתֵּי יט
נָשִׁים שֵׁם הָאַחַת עָדָה וְשֵׁם הַשֵּׁנִית צִלָּה: וַתֵּלֶד עָדָה אֶת־יָבָל כ
הוּא הָיָה אֲבִי יֹשֵׁב אֹהֶל וּמִקְנֶה: וְשֵׁם אָחִיו יוּבָל הוּא הָיָה אֲבִי כא
כָּל־תֹּפֵשׂ כִּנּוֹר וְעוּגָב: וְצִלָּה גַם־הִוא יָלְדָה אֶת־תּוּבַל קַיִן לֹטֵשׁ כב
כָּל־חֹרֵשׁ נְחֹשֶׁת וּבַרְזֶל וַאֲחוֹת תּוּבַל־קַיִן נַעֲמָה: וַיֹּאמֶר לֶמֶךְ כג
לְנָשָׁיו עָדָה וְצִלָּה שְׁמַעַן קוֹלִי נְשֵׁי לֶמֶךְ הַאְזֵנָּה אִמְרָתִי כִּי
אִישׁ הָרַגְתִּי לְפִצְעִי וְיֶלֶד לְחַבֻּרָתִי: כִּי שִׁבְעָתַיִם יֻקַּם־קָיִן וְלֶמֶךְ כד
הֻלֶּדֶת שֵׁת: שִׁבְעִים וְשִׁבְעָה: וַיֵּדַע אָדָם עוֹד אֶת־אִשְׁתּוֹ וַתֵּלֶד בֵּן וַתִּקְרָא כה
אֶת־שְׁמוֹ שֵׁת כִּי שָׁת־לִי אֱלֹהִים זֶרַע אַחֵר תַּחַת הֶבֶל כִּי הֲרָגוֹ
קָיִן: וּלְשֵׁת גַּם־הוּא יֻלַּד־בֵּן וַיִּקְרָא אֶת־שְׁמוֹ אֱנוֹשׁ אָז הוּחַל כו
ששי לִקְרֹא בְּשֵׁם יְהוָה: זֶה סֵפֶר תּוֹלְדֹת אָדָם בְּיוֹם בְּרֹא א ה

ב אֱלֹהִים אָדָם בִּדְמוּת אֱלֹהִים עָשָׂה אֹתוֹ: זָכָר וּנְקֵבָה בְּרָאָם
וַיְבָרֶךְ אֹתָם וַיִּקְרָא אֶת־שְׁמָם אָדָם בְּיוֹם הִבָּרְאָם: וַיְחִי אָדָם
ג שְׁלֹשִׁים וּמְאַת שָׁנָה וַיּוֹלֶד בִּדְמוּתוֹ כְּצַלְמוֹ וַיִּקְרָא אֶת־שְׁמוֹ
ד שֵׁת: וַיִּהְיוּ יְמֵי־אָדָם אַחֲרֵי הוֹלִידוֹ אֶת־שֵׁת שְׁמֹנֶה מֵאֹת שָׁנָה
ה וַיּוֹלֶד בָּנִים וּבָנוֹת: וַיִּהְיוּ כָּל־יְמֵי אָדָם אֲשֶׁר־חַי תְּשַׁע מֵאוֹת
ו שָׁנָה וּשְׁלֹשִׁים שָׁנָה וַיָּמֹת: וַיְחִי־שֵׁת חָמֵשׁ
ז שָׁנִים וּמְאַת שָׁנָה וַיּוֹלֶד אֶת־אֱנוֹשׁ: וַיְחִי־שֵׁת אַחֲרֵי הוֹלִידוֹ
אֶת־אֱנוֹשׁ שֶׁבַע שָׁנִים וּשְׁמֹנֶה מֵאוֹת שָׁנָה וַיּוֹלֶד בָּנִים וּבָנוֹת:
ח וַיִּהְיוּ כָּל־יְמֵי־שֵׁת שְׁתֵּים עֶשְׂרֵה שָׁנָה וּתְשַׁע מֵאוֹת שָׁנָה
ט וַיָּמֹת: וַיְחִי אֱנוֹשׁ תִּשְׁעִים שָׁנָה וַיּוֹלֶד אֶת־קֵינָן: וַיְחִי
אֱנוֹשׁ אַחֲרֵי הוֹלִידוֹ אֶת־קֵינָן חֲמֵשׁ עֶשְׂרֵה שָׁנָה וּשְׁמֹנֶה מֵאוֹת
יא שָׁנָה וַיּוֹלֶד בָּנִים וּבָנוֹת: וַיִּהְיוּ כָּל־יְמֵי אֱנוֹשׁ חָמֵשׁ שָׁנִים
יב וּתְשַׁע מֵאוֹת שָׁנָה וַיָּמֹת: וַיְחִי קֵינָן
יג שִׁבְעִים שָׁנָה וַיּוֹלֶד אֶת־מַהֲלַלְאֵל: וַיְחִי קֵינָן אַחֲרֵי הוֹלִידוֹ
אֶת־מַהֲלַלְאֵל אַרְבָּעִים שָׁנָה וּשְׁמֹנֶה מֵאוֹת שָׁנָה וַיּוֹלֶד בָּנִים
יד וּבָנוֹת: וַיִּהְיוּ כָּל־יְמֵי קֵינָן עֶשֶׂר שָׁנִים וּתְשַׁע מֵאוֹת שָׁנָה
טו וַיָּמֹת: וַיְחִי מַהֲלַלְאֵל חָמֵשׁ שָׁנִים וְשִׁשִּׁים שָׁנָה וַיּוֹלֶד
טז אֶת־יָרֶד: וַיְחִי מַהֲלַלְאֵל אַחֲרֵי הוֹלִידוֹ אֶת־יֶרֶד שְׁלֹשִׁים שָׁנָה
יז וּשְׁמֹנֶה מֵאוֹת שָׁנָה וַיּוֹלֶד בָּנִים וּבָנוֹת: וַיִּהְיוּ כָּל־יְמֵי מַהֲלַלְאֵל
יח חָמֵשׁ וְתִשְׁעִים שָׁנָה וּשְׁמֹנֶה מֵאוֹת שָׁנָה וַיָּמֹת: וַיְחִי־
יט יֶרֶד שְׁתַּיִם וְשִׁשִּׁים שָׁנָה וּמְאַת שָׁנָה וַיּוֹלֶד אֶת־חֲנוֹךְ: וַיְחִי־יֶרֶד
אַחֲרֵי הוֹלִידוֹ אֶת־חֲנוֹךְ שְׁמֹנֶה מֵאוֹת שָׁנָה וַיּוֹלֶד בָּנִים וּבָנוֹת:
כ וַיִּהְיוּ כָּל־יְמֵי־יֶרֶד שְׁתַּיִם וְשִׁשִּׁים שָׁנָה וּתְשַׁע מֵאוֹת שָׁנָה
כא וַיָּמֹת: וַיְחִי חֲנוֹךְ חָמֵשׁ וְשִׁשִּׁים שָׁנָה וַיּוֹלֶד אֶת־
כב מְתוּשָׁלַח: וַיִּתְהַלֵּךְ חֲנוֹךְ אֶת־הָאֱלֹהִים אַחֲרֵי הוֹלִידוֹ אֶת־

יו״ד דורות מֵאָדָם עַד נֹחַ:
[130]

כג מְתוּשֶׁלַח שְׁלֹשׁ מֵאוֹת שָׁנָה וַיּוֹלֶד בָּנִים וּבָנוֹת: וַיְהִי כָּל־יְמֵי
כד חֲנוֹךְ חָמֵשׁ וְשִׁשִּׁים שָׁנָה וּשְׁלֹשׁ מֵאוֹת שָׁנָה: וַיִּתְהַלֵּךְ חֲנוֹךְ
כה שביעי אֶת־הָאֱלֹהִים וְאֵינֶנּוּ כִּי־לָקַח אֹתוֹ אֱלֹהִים: וַיְחִי
כו מְתוּשֶׁלַח שֶׁבַע וּשְׁמֹנִים שָׁנָה וּמְאַת שָׁנָה וַיּוֹלֶד אֶת־לָמֶךְ: וַיְחִי
מְתוּשֶׁלַח אַחֲרֵי הוֹלִידוֹ אֶת־לֶמֶךְ שְׁתַּיִם וּשְׁמוֹנִים שָׁנָה וּשְׁבַע
כז מֵאוֹת שָׁנָה וַיּוֹלֶד בָּנִים וּבָנוֹת: וַיִּהְיוּ כָּל־יְמֵי מְתוּשֶׁלַח תֵּשַׁע
כח וְשִׁשִּׁים שָׁנָה וּתְשַׁע מֵאוֹת שָׁנָה וַיָּמֹת: וַיְחִי־
כט [1056] לֶמֶךְ שְׁתַּיִם וּשְׁמֹנִים שָׁנָה וּמְאַת שָׁנָה וַיּוֹלֶד בֵּן: וַיִּקְרָא אֶת־שְׁמוֹ
נֹחַ לֵאמֹר זֶה יְנַחֲמֵנוּ מִמַּעֲשֵׂנוּ וּמֵעִצְּבוֹן יָדֵינוּ מִן־הָאֲדָמָה
ל אֲשֶׁר אֵרְרָהּ יְהוָה: וַיְחִי־לֶמֶךְ אַחֲרֵי הוֹלִידוֹ אֶת־נֹחַ חָמֵשׁ
לא וְתִשְׁעִים שָׁנָה וַחֲמֵשׁ מֵאֹת שָׁנָה וַיּוֹלֶד בָּנִים וּבָנוֹת: וַיְהִי
כָּל־יְמֵי־לֶמֶךְ שֶׁבַע וְשִׁבְעִים שָׁנָה וּשְׁבַע מֵאוֹת שָׁנָה
לב [1556] וַיָּמֹת: וַיְהִי־נֹחַ בֶּן־חֲמֵשׁ מֵאוֹת שָׁנָה וַיּוֹלֶד נֹחַ
ו א הַשְׁחָתַת הָאֱנוֹשׁוּת: אֶת־שֵׁם אֶת־חָם וְאֶת־יָפֶת: וַיְהִי כִּי־הֵחֵל הָאָדָם לָרֹב עַל־פְּנֵי
ב הָאֲדָמָה וּבָנוֹת יֻלְּדוּ לָהֶם: וַיִּרְאוּ בְנֵי־הָאֱלֹהִים אֶת־בְּנוֹת הָאָדָם
ג כִּי טֹבֹת הֵנָּה וַיִּקְחוּ לָהֶם נָשִׁים מִכֹּל אֲשֶׁר בָּחָרוּ: וַיֹּאמֶר יְהוָה
לֹא־יָדוֹן רוּחִי בָאָדָם לְעֹלָם בְּשַׁגַּם הוּא בָשָׂר וְהָיוּ יָמָיו מֵאָה
ד וְעֶשְׂרִים שָׁנָה: הַנְּפִלִים הָיוּ בָאָרֶץ בַּיָּמִים הָהֵם וְגַם אַחֲרֵי־כֵן
אֲשֶׁר יָבֹאוּ בְּנֵי הָאֱלֹהִים אֶל־בְּנוֹת הָאָדָם וְיָלְדוּ לָהֶם הֵמָּה
הַגִּבֹּרִים אֲשֶׁר מֵעוֹלָם אַנְשֵׁי הַשֵּׁם:

ה מפטיר ה' נִחַם עַל בְּרִיאַת הָאָדָם: וַיַּרְא יְהוָה כִּי רַבָּה רָעַת הָאָדָם בָּאָרֶץ וְכָל־יֵצֶר מַחְשְׁבֹת לִבּוֹ
ו רַק רַע כָּל־הַיּוֹם: וַיִּנָּחֶם יְהוָה כִּי־עָשָׂה אֶת־הָאָדָם בָּאָרֶץ וַיִּתְעַצֵּב
ז אֶל־לִבּוֹ: וַיֹּאמֶר יְהוָה אֶמְחֶה אֶת־הָאָדָם אֲשֶׁר־בָּרָאתִי מֵעַל פְּנֵי
הָאֲדָמָה מֵאָדָם עַד־בְּהֵמָה עַד־רֶמֶשׂ וְעַד־עוֹף הַשָּׁמָיִם כִּי
ח נִחַמְתִּי כִּי עֲשִׂיתִם: וְנֹחַ מָצָא חֵן בְּעֵינֵי יְהוָה:

ט אֵ֚לֶּה תּוֹלְדֹ֣ת נֹ֔חַ נֹ֗חַ אִ֥ישׁ צַדִּ֛יק תָּמִ֥ים הָיָ֖ה בְּדֹֽרֹתָ֑יו **נח** תּוֹלְדוֹת
י אֶת־הָֽאֱלֹהִ֖ים הִֽתְהַלֶּךְ־נֹֽחַ׃ וַיּ֥וֹלֶד נֹ֖חַ שְׁלֹשָׁ֣ה בָנִ֑ים אֶת־שֵׁ֖ם נֹחַ:
יא אֶת־חָ֥ם וְאֶת־יָֽפֶת׃ וַתִּשָּׁחֵ֥ת הָאָ֖רֶץ לִפְנֵ֣י הָֽאֱלֹהִ֑ים וַתִּמָּלֵ֥א הָאָ֖רֶץ
יב חָמָֽס׃ וַיַּ֧רְא אֱלֹהִ֛ים אֶת־הָאָ֖רֶץ וְהִנֵּ֣ה נִשְׁחָ֑תָה כִּֽי־הִשְׁחִ֧ית כָּל־
יג בָּשָׂ֛ר אֶת־דַּרְכּ֖וֹ עַל־הָאָֽרֶץ׃ וַיֹּ֨אמֶר אֱלֹהִ֜ים לְנֹ֗חַ צִוּוּי בְּנִיַּת הַתֵּבָה:
קֵ֤ץ כָּל־בָּשָׂר֙ בָּ֣א לְפָנַ֔י כִּֽי־מָלְאָ֥ה הָאָ֛רֶץ חָמָ֖ס מִפְּנֵיהֶ֑ם וְהִנְנִ֥י [1536]
יד מַשְׁחִיתָ֖ם אֶת־הָאָֽרֶץ׃ עֲשֵׂ֤ה לְךָ֙ תֵּבַ֣ת עֲצֵי־גֹ֔פֶר קִנִּ֖ים תַּעֲשֶׂ֣ה
טו אֶת־הַתֵּבָ֑ה וְכָפַרְתָּ֥ אֹתָ֛הּ מִבַּ֥יִת וּמִח֖וּץ בַּכֹּֽפֶר׃ וְזֶ֕ה אֲשֶׁ֥ר תַּעֲשֶׂ֖ה פְּרָטֵי עֲשִׂיַּת
אֹתָ֑הּ שְׁלֹ֧שׁ מֵא֣וֹת אַמָּ֗ה אֹ֚רֶךְ הַתֵּבָ֔ה חֲמִשִּׁ֤ים אַמָּה֙ רָחְבָּ֔הּ הַתֵּבָה:
טז וּשְׁלֹשִׁ֥ים אַמָּ֖ה קוֹמָתָֽהּ׃ צֹ֣הַר ׀ תַּעֲשֶׂ֣ה לַתֵּבָ֗ה וְאֶל־אַמָּה֙
תְּכַלֶּ֣נָּה מִלְמַ֔עְלָה וּפֶ֥תַח הַתֵּבָ֖ה בְּצִדָּ֣הּ תָּשִׂ֑ים תַּחְתִּיִּ֛ם שְׁנִיִּ֥ם
יז וּשְׁלִשִׁ֖ים תַּעֲשֶֽׂהָ׃ וַאֲנִ֗י הִנְנִי֩ מֵבִ֨יא אֶת־הַמַּבּ֥וּל מַ֙יִם֙ עַל־הָאָ֔רֶץ
לְשַׁחֵ֣ת כָּל־בָּשָׂ֗ר אֲשֶׁר־בּוֹ֙ ר֣וּחַ חַיִּ֔ים מִתַּ֖חַת הַשָּׁמָ֑יִם כֹּ֥ל
יח אֲשֶׁר־בָּאָ֖רֶץ יִגְוָֽע׃ וַהֲקִמֹתִ֥י אֶת־בְּרִיתִ֖י אִתָּ֑ךְ וּבָאתָ֙ אֶל־הַתֵּבָ֔ה הַזַּכָּאִים
יט אַתָּ֕ה וּבָנֶ֛יךָ וְאִשְׁתְּךָ֥ וּנְשֵֽׁי־בָנֶ֖יךָ אִתָּֽךְ׃ וּמִכָּל־הָ֠חַי מִֽכָּל־בָּשָׂ֞ר לְהִכָּנֵס לַתֵּבָה:
שְׁנַ֧יִם מִכֹּ֛ל תָּבִ֥יא אֶל־הַתֵּבָ֖ה לְהַחֲיֹ֣ת אִתָּ֑ךְ זָכָ֥ר וּנְקֵבָ֖ה יִהְיֽוּ׃
כ מֵהָע֣וֹף לְמִינֵ֗הוּ וּמִן־הַבְּהֵמָה֙ לְמִינָ֔הּ מִכֹּ֛ל רֶ֥מֶשׂ הָאֲדָמָ֖ה
כא לְמִינֵ֑הוּ שְׁנַ֧יִם מִכֹּ֛ל יָבֹ֥אוּ אֵלֶ֖יךָ לְהַחֲיֽוֹת׃ וְאַתָּ֣ה קַח־לְךָ֗ מִכָּל־
כב מַאֲכָל֙ אֲשֶׁ֣ר יֵֽאָכֵ֔ל וְאָסַפְתָּ֖ אֵלֶ֑יךָ וְהָיָ֥ה לְךָ֛ וְלָהֶ֖ם לְאָכְלָֽה׃ וַיַּ֖עַשׂ
ז א נֹ֑חַ כְּ֠כֹל אֲשֶׁ֨ר צִוָּ֥ה אֹת֛וֹ אֱלֹהִ֖ים כֵּ֥ן עָשָֽׂה׃ וַיֹּ֤אמֶר יְהוָה֙ לְנֹ֔חַ שֵׁנִי הַצִּוּוּי
בֹּֽא־אַתָּ֥ה וְכָל־בֵּיתְךָ֖ אֶל־הַתֵּבָ֑ה כִּֽי־אֹתְךָ֥ רָאִ֛יתִי צַדִּ֥יק לְפָנַ֖י לְהִכָּנֵס לַתֵּבָה:
ב בַּדּ֥וֹר הַזֶּֽה׃ מִכֹּ֣ל ׀ הַבְּהֵמָ֣ה הַטְּהוֹרָ֗ה תִּֽקַּח־לְךָ֛ שִׁבְעָ֥ה שִׁבְעָ֖ה
אִ֣ישׁ וְאִשְׁתּ֑וֹ וּמִן־הַבְּהֵמָ֡ה אֲ֠שֶׁר לֹ֣א טְהֹרָ֥ה הִ֛וא שְׁנַ֖יִם אִ֥ישׁ
ג וְאִשְׁתּֽוֹ׃ גַּ֣ם מֵע֧וֹף הַשָּׁמַ֛יִם שִׁבְעָ֥ה שִׁבְעָ֖ה זָכָ֣ר וּנְקֵבָ֑ה לְחַיּ֥וֹת
ד זֶ֖רַע עַל־פְּנֵ֥י כָל־הָאָֽרֶץ׃ כִּי֩ לְיָמִ֨ים ע֜וֹד שִׁבְעָ֗ה אָנֹכִי֙ מַמְטִ֣יר

עַל־הָאָרֶץ אַרְבָּעִים יוֹם וְאַרְבָּעִים לָיְלָה וּמָחִיתִי אֶת־כָּל־הַיְקוּם
אֲשֶׁר עָשִׂיתִי מֵעַל פְּנֵי הָאֲדָמָה: וַיַּעַשׂ נֹחַ כְּכֹל אֲשֶׁר־צִוָּהוּ ה
יְהוָה: וְנֹחַ בֶּן־שֵׁשׁ מֵאוֹת שָׁנָה וְהַמַּבּוּל הָיָה מַיִם עַל־הָאָרֶץ: ו
וַיָּבֹא נֹחַ וּבָנָיו וְאִשְׁתּוֹ וּנְשֵׁי־בָנָיו אִתּוֹ אֶל־הַתֵּבָה מִפְּנֵי מֵי ז
הַמַּבּוּל: מִן־הַבְּהֵמָה הַטְּהוֹרָה וּמִן־הַבְּהֵמָה אֲשֶׁר אֵינֶנָּה טְהֹרָה ח
וּמִן־הָעוֹף וְכֹל אֲשֶׁר־רֹמֵשׂ עַל־הָאֲדָמָה: שְׁנַיִם שְׁנַיִם בָּאוּ ט
אֶל־נֹחַ אֶל־הַתֵּבָה זָכָר וּנְקֵבָה כַּאֲשֶׁר צִוָּה אֱלֹהִים אֶת־נֹחַ:
[1656] וַיְהִי לְשִׁבְעַת הַיָּמִים וּמֵי הַמַּבּוּל הָיוּ עַל־הָאָרֶץ: בִּשְׁנַת שֵׁשׁ־ י יא
אַרְבָּעִים יְמֵי הַגֶּשֶׁם: מֵאוֹת שָׁנָה לְחַיֵּי־נֹחַ בַּחֹדֶשׁ הַשֵּׁנִי בְּשִׁבְעָה־עָשָׂר יוֹם לַחֹדֶשׁ
בַּיּוֹם הַזֶּה נִבְקְעוּ כָּל־מַעְיְנוֹת תְּהוֹם רַבָּה וַאֲרֻבֹּת הַשָּׁמַיִם
נִפְתָּחוּ: וַיְהִי הַגֶּשֶׁם עַל־הָאָרֶץ אַרְבָּעִים יוֹם וְאַרְבָּעִים לָיְלָה: יב
בְּעֶצֶם הַיּוֹם הַזֶּה בָּא נֹחַ וְשֵׁם־וְחָם וָיֶפֶת בְּנֵי־נֹחַ וְאֵשֶׁת יג
נֹחַ וּשְׁלֹשֶׁת נְשֵׁי־בָנָיו אִתָּם אֶל־הַתֵּבָה: הֵמָּה וְכָל־הַחַיָּה יד
לְמִינָהּ וְכָל־הַבְּהֵמָה לְמִינָהּ וְכָל־הָרֶמֶשׂ הָרֹמֵשׂ עַל־הָאָרֶץ
לְמִינֵהוּ וְכָל־הָעוֹף לְמִינֵהוּ כֹּל צִפּוֹר כָּל־כָּנָף: וַיָּבֹאוּ אֶל־נֹחַ טו
אֶל־הַתֵּבָה שְׁנַיִם שְׁנַיִם מִכָּל־הַבָּשָׂר אֲשֶׁר־בּוֹ רוּחַ חַיִּים:
וְהַבָּאִים זָכָר וּנְקֵבָה מִכָּל־בָּשָׂר בָּאוּ כַּאֲשֶׁר צִוָּה אֹתוֹ אֱלֹהִים טז
שלישי וַיִּסְגֹּר יְהוָה בַּעֲדוֹ: וַיְהִי הַמַּבּוּל אַרְבָּעִים יוֹם עַל־הָאָרֶץ וַיִּרְבּוּ יז
הַמַּיִם וַיִּשְׂאוּ אֶת־הַתֵּבָה וַתָּרָם מֵעַל הָאָרֶץ: וַיִּגְבְּרוּ הַמַּיִם וַיִּרְבּוּ יח
יְמֵי תִגְבֹּרֶת הַמַּיִם: מְאֹד עַל־הָאָרֶץ וַתֵּלֶךְ הַתֵּבָה עַל־פְּנֵי הַמָּיִם: וְהַמַּיִם גָּבְרוּ מְאֹד יט
מְאֹד עַל־הָאָרֶץ וַיְכֻסּוּ כָּל־הֶהָרִים הַגְּבֹהִים אֲשֶׁר־תַּחַת כָּל־
הַשָּׁמָיִם: חֲמֵשׁ עֶשְׂרֵה אַמָּה מִלְמַעְלָה גָּבְרוּ הַמָּיִם וַיְכֻסּוּ כ
הֶהָרִים: וַיִּגְוַע כָּל־בָּשָׂר ׀ הָרֹמֵשׂ עַל־הָאָרֶץ בָּעוֹף וּבַבְּהֵמָה כא
וּבַחַיָּה וּבְכָל־הַשֶּׁרֶץ הַשֹּׁרֵץ עַל־הָאָרֶץ וְכֹל הָאָדָם: כֹּל אֲשֶׁר כב
נִשְׁמַת־רוּחַ חַיִּים בְּאַפָּיו מִכֹּל אֲשֶׁר בֶּחָרָבָה מֵתוּ: וַיִּמַח כג

אֶת־כָּל־הַיְקוּם ׀ אֲשֶׁר ׀ עַל־פְּנֵי הָאֲדָמָה מֵאָדָם עַד־בְּהֵמָה

עַד־רֶמֶשׂ וְעַד־עוֹף הַשָּׁמַיִם וַיִּמָּחוּ מִן־הָאָרֶץ וַיִּשָּׁאֶר אַךְ־נֹחַ

כד וַאֲשֶׁר אִתּוֹ בַּתֵּבָה: וַיִּגְבְּרוּ הַמַּיִם עַל־הָאָרֶץ חֲמִשִּׁים וּמְאַת יוֹם:

עֲצִירַת
הַמַּבּוּל

ח וַיִּזְכֹּר אֱלֹהִים אֶת־נֹחַ וְאֵת כָּל־הַחַיָּה וְאֶת־כָּל־הַבְּהֵמָה אֲשֶׁר

אִתּוֹ בַּתֵּבָה וַיַּעֲבֵר אֱלֹהִים רוּחַ עַל־הָאָרֶץ וַיָּשֹׁכּוּ הַמָּיִם:

ב וַיִּסָּכְרוּ מַעְיְנֹת תְּהוֹם וַאֲרֻבֹּת הַשָּׁמָיִם וַיִּכָּלֵא הַגֶּשֶׁם מִן־

חֶסְרוֹן
הַמַּיִם:

הַשָּׁמָיִם: וַיָּשֻׁבוּ הַמַּיִם מֵעַל הָאָרֶץ הָלוֹךְ וָשׁוֹב וַיַּחְסְרוּ הַמַּיִם

ד מִקְצֵה חֲמִשִּׁים וּמְאַת יוֹם: וַתָּנַח הַתֵּבָה בַּחֹדֶשׁ הַשְּׁבִיעִי

בְּשִׁבְעָה־עָשָׂר יוֹם לַחֹדֶשׁ עַל הָרֵי אֲרָרָט: וְהַמַּיִם הָיוּ הָלוֹךְ

וְחָסוֹר עַד הַחֹדֶשׁ הָעֲשִׂירִי בָּעֲשִׂירִי בְּאֶחָד לַחֹדֶשׁ נִרְאוּ רָאשֵׁי

ו הֶהָרִים: וַיְהִי מִקֵּץ אַרְבָּעִים יוֹם וַיִּפְתַּח נֹחַ אֶת־חַלּוֹן הַתֵּבָה

שִׁלּוּחַ
הָעוֹרֵב
וְהַיּוֹנָה:

ז אֲשֶׁר עָשָׂה: וַיְשַׁלַּח אֶת־הָעֹרֵב וַיֵּצֵא יָצוֹא וָשׁוֹב עַד־יְבֹשֶׁת

ח הַמַּיִם מֵעַל הָאָרֶץ: וַיְשַׁלַּח אֶת־הַיּוֹנָה מֵאִתּוֹ לִרְאוֹת הֲקַלּוּ הַמַּיִם

ט מֵעַל פְּנֵי הָאֲדָמָה: וְלֹא־מָצְאָה הַיּוֹנָה מָנוֹחַ לְכַף־רַגְלָהּ

וַתָּשָׁב אֵלָיו אֶל־הַתֵּבָה כִּי־מַיִם עַל־פְּנֵי כָל־הָאָרֶץ וַיִּשְׁלַח יָדוֹ

י וַיִּקָּחֶהָ וַיָּבֵא אֹתָהּ אֵלָיו אֶל־הַתֵּבָה: וַיָּחֶל עוֹד שִׁבְעַת יָמִים

יא אֲחֵרִים וַיֹּסֶף שַׁלַּח אֶת־הַיּוֹנָה מִן־הַתֵּבָה: וַתָּבֹא אֵלָיו הַיּוֹנָה

לְעֵת עֶרֶב וְהִנֵּה עֲלֵה־זַיִת טָרָף בְּפִיהָ וַיֵּדַע נֹחַ כִּי־קַלּוּ הַמַּיִם

יב מֵעַל הָאָרֶץ: וַיִּיָּחֶל עוֹד שִׁבְעַת יָמִים אֲחֵרִים וַיְשַׁלַּח אֶת־הַיּוֹנָה

[1657]

יג וְלֹא־יָסְפָה שׁוּב־אֵלָיו עוֹד: וַיְהִי בְּאַחַת וְשֵׁשׁ־מֵאוֹת שָׁנָה

בָּרִאשׁוֹן בְּאֶחָד לַחֹדֶשׁ חָרְבוּ הַמַּיִם מֵעַל הָאָרֶץ וַיָּסַר נֹחַ

יד אֶת־מִכְסֵה הַתֵּבָה וַיַּרְא וְהִנֵּה חָרְבוּ פְּנֵי הָאֲדָמָה: וּבַחֹדֶשׁ הַשֵּׁנִי

רְבִיעִי
הַיְצִיאָה
מֵהַתֵּבָה:

טו בְּשִׁבְעָה וְעֶשְׂרִים יוֹם לַחֹדֶשׁ יָבְשָׁה הָאָרֶץ: וַיְדַבֵּר

טז אֱלֹהִים אֶל־נֹחַ לֵאמֹר: צֵא מִן־הַתֵּבָה אַתָּה וְאִשְׁתְּךָ וּבָנֶיךָ

יז וּנְשֵׁי־בָנֶיךָ אִתָּךְ: כָּל־הַחַיָּה אֲשֶׁר־אִתְּךָ מִכָּל־בָּשָׂר בָּעוֹף

וּבַבְּהֵמָה וּבְכָל־הָרֶמֶשׂ הָרֹמֵשׂ עַל־הָאָרֶץ הוצא הַיְצֵא אִתָּךְ וְשָׁרְצוּ

בָאָרֶץ וּפָרוּ וְרָבוּ עַל־הָאָרֶץ: וַיֵּצֵא־נֹחַ וּבָנָיו וְאִשְׁתּוֹ וּנְשֵׁי־בָנָיו יח

אִתּוֹ: כָּל־הַחַיָּה כָּל־הָרֶמֶשׂ וְכָל־הָעוֹף כֹּל רוֹמֵשׂ עַל־הָאָרֶץ יט

קרבנות נח ‖ לְמִשְׁפְּחֹתֵיהֶם יָצְאוּ מִן־הַתֵּבָה: וַיִּבֶן נֹחַ מִזְבֵּחַ לַיהוָה וַיִּקַּח כ

מִכֹּל ׀ הַבְּהֵמָה הַטְּהוֹרָה וּמִכֹּל הָעוֹף הַטָּהוֹר וַיַּעַל עֹלֹת

בַּמִּזְבֵּחַ: וַיָּרַח יְהוָה אֶת־רֵיחַ הַנִּיחֹחַ וַיֹּאמֶר יְהוָה אֶל־לִבּוֹ כא

לֹא־אֹסִף לְקַלֵּל עוֹד אֶת־הָאֲדָמָה בַּעֲבוּר הָאָדָם כִּי יֵצֶר לֵב

הָאָדָם רַע מִנְּעֻרָיו וְלֹא־אֹסִף עוֹד לְהַכּוֹת אֶת־כָּל־חַי כַּאֲשֶׁר

עָשִׂיתִי: עֹד כָּל־יְמֵי הָאָרֶץ זֶרַע וְקָצִיר וְקֹר וָחֹם וְקַיִץ וָחֹרֶף כב

ברכת ה' לנח ‖ וְיוֹם וָלַיְלָה לֹא יִשְׁבֹּתוּ: וַיְבָרֶךְ אֱלֹהִים אֶת־נֹחַ וְאֶת־בָּנָיו ט א

ואזהרות ‖ וַיֹּאמֶר לָהֶם פְּרוּ וּרְבוּ וּמִלְאוּ אֶת־הָאָרֶץ: וּמוֹרַאֲכֶם וְחִתְּכֶם ב

יִהְיֶה עַל כָּל־חַיַּת הָאָרֶץ וְעַל כָּל־עוֹף הַשָּׁמָיִם בְּכֹל אֲשֶׁר

תִּרְמֹשׂ הָאֲדָמָה וּבְכָל־דְּגֵי הַיָּם בְּיֶדְכֶם נִתָּנוּ: כָּל־רֶמֶשׂ אֲשֶׁר ג

הוּא־חַי לָכֶם יִהְיֶה לְאָכְלָה כְּיֶרֶק עֵשֶׂב נָתַתִּי לָכֶם אֶת־כֹּל:

אַךְ־בָּשָׂר בְּנַפְשׁוֹ דָמוֹ לֹא תֹאכֵלוּ: וְאַךְ אֶת־דִּמְכֶם לְנַפְשֹׁתֵיכֶם ה

אֶדְרֹשׁ מִיַּד כָּל־חַיָּה אֶדְרְשֶׁנּוּ וּמִיַּד הָאָדָם מִיַּד אִישׁ אָחִיו

אֶדְרֹשׁ אֶת־נֶפֶשׁ הָאָדָם: שֹׁפֵךְ דַּם הָאָדָם בָּאָדָם דָּמוֹ יִשָּׁפֵךְ ו

כִּי בְּצֶלֶם אֱלֹהִים עָשָׂה אֶת־הָאָדָם: וְאַתֶּם פְּרוּ וּרְבוּ שִׁרְצוּ בָאָרֶץ ז

חמישי הַבְּרִית וְאוֹת הַקֶּשֶׁת ‖ וּרְבוּ־בָהּ: וַיֹּאמֶר אֱלֹהִים אֶל־נֹחַ וְאֶל־בָּנָיו ח

אִתּוֹ לֵאמֹר: וַאֲנִי הִנְנִי מֵקִים אֶת־בְּרִיתִי אִתְּכֶם וְאֶת־זַרְעֲכֶם ט

אַחֲרֵיכֶם: וְאֵת כָּל־נֶפֶשׁ הַחַיָּה אֲשֶׁר אִתְּכֶם בָּעוֹף בַּבְּהֵמָה י

וּבְכָל־חַיַּת הָאָרֶץ אִתְּכֶם מִכֹּל יֹצְאֵי הַתֵּבָה לְכֹל חַיַּת הָאָרֶץ:

וַהֲקִמֹתִי אֶת־בְּרִיתִי אִתְּכֶם וְלֹא־יִכָּרֵת כָּל־בָּשָׂר עוֹד מִמֵּי יא

הַמַּבּוּל וְלֹא־יִהְיֶה עוֹד מַבּוּל לְשַׁחֵת הָאָרֶץ: וַיֹּאמֶר אֱלֹהִים יב

זֹאת אוֹת־הַבְּרִית אֲשֶׁר־אֲנִי נֹתֵן בֵּינִי וּבֵינֵיכֶם וּבֵין כָּל־נֶפֶשׁ

יג חַיָּה אֲשֶׁר אִתְּכֶם לְדֹרֹת עוֹלָם: אֶת־קַשְׁתִּי נָתַתִּי בֶּעָנָן וְהָיְתָה
יד לְאוֹת בְּרִית בֵּינִי וּבֵין הָאָרֶץ: וְהָיָה בְּעַנְנִי עָנָן עַל־הָאָרֶץ וְנִרְאֲתָה
טו הַקֶּשֶׁת בֶּעָנָן: וְזָכַרְתִּי אֶת־בְּרִיתִי אֲשֶׁר בֵּינִי וּבֵינֵיכֶם וּבֵין
כָּל־נֶפֶשׁ חַיָּה בְּכָל־בָּשָׂר וְלֹא־יִהְיֶה עוֹד הַמַּיִם לְמַבּוּל לְשַׁחֵת
טז כָּל־בָּשָׂר: וְהָיְתָה הַקֶּשֶׁת בֶּעָנָן וּרְאִיתִיהָ לִזְכֹּר בְּרִית עוֹלָם בֵּין
יז אֱלֹהִים וּבֵין כָּל־נֶפֶשׁ חַיָּה בְּכָל־בָּשָׂר אֲשֶׁר עַל־הָאָרֶץ: וַיֹּאמֶר
אֱלֹהִים אֶל־נֹחַ זֹאת אוֹת־הַבְּרִית אֲשֶׁר הֲקִמֹתִי בֵּינִי וּבֵין
כָּל־בָּשָׂר אֲשֶׁר עַל־הָאָרֶץ:

יח וַיִּהְיוּ בְנֵי־נֹחַ הַיֹּצְאִים מִן־הַתֵּבָה שֵׁם וְחָם וָיָפֶת וְחָם הוּא ששי
יט כ אֲבִי כְנָעַן: שְׁלֹשָׁה אֵלֶּה בְּנֵי־נֹחַ וּמֵאֵלֶּה נָפְצָה כָל־הָאָרֶץ: וַיָּחֶל שִׁכְרוּת נֹחַ:
כא נֹחַ אִישׁ הָאֲדָמָה וַיִּטַּע כָּרֶם: וַיֵּשְׁתְּ מִן־הַיַּיִן וַיִּשְׁכָּר וַיִּתְגַּל
כב בְּתוֹךְ אָהֳלֹה: וַיַּרְא חָם אֲבִי כְנַעַן אֵת עֶרְוַת אָבִיו וַיַּגֵּד מַעֲשֵׂה חָם,
כג לִשְׁנֵי־אֶחָיו בַּחוּץ: וַיִּקַּח שֵׁם וָיֶפֶת אֶת־הַשִּׂמְלָה וַיָּשִׂימוּ עַל־ שֵׁם וָיֶפֶת:
שְׁכֶם שְׁנֵיהֶם וַיֵּלְכוּ אֲחֹרַנִּית וַיְכַסּוּ אֵת עֶרְוַת אֲבִיהֶם וּפְנֵיהֶם
כד אֲחֹרַנִּית וְעֶרְוַת אֲבִיהֶם לֹא רָאוּ: וַיִּיקֶץ נֹחַ מִיֵּינוֹ וַיֵּדַע
כה אֵת אֲשֶׁר־עָשָׂה לוֹ בְּנוֹ הַקָּטָן: וַיֹּאמֶר אָרוּר כְּנָעַן עֶבֶד קִלְלַת כְּנַעַן,
כו עֲבָדִים יִהְיֶה לְאֶחָיו: וַיֹּאמֶר בָּרוּךְ יְהוָה אֱלֹהֵי שֵׁם וִיהִי וּבִרְכַּת שֵׁם וָיֶפֶת:
כז כְנַעַן עֶבֶד לָמוֹ: יַפְתְּ אֱלֹהִים לְיֶפֶת וְיִשְׁכֹּן בְּאָהֳלֵי־שֵׁם וִיהִי
כח כְנַעַן עֶבֶד לָמוֹ: וַיְחִי־נֹחַ אַחַר הַמַּבּוּל שְׁלֹשׁ מֵאוֹת שָׁנָה
כט וַחֲמִשִּׁים שָׁנָה: וַיְהִי כָּל־יְמֵי־נֹחַ תְּשַׁע מֵאוֹת שָׁנָה וַחֲמִשִּׁים
שָׁנָה וַיָּמֹת:

י א וְאֵלֶּה תּוֹלְדֹת בְּנֵי־נֹחַ שֵׁם חָם וָיָפֶת וַיִּוָּלְדוּ לָהֶם בָּנִים אַחַר תּוֹלְדוֹת בְּנֵי יֶפֶת:
ב ג הַמַּבּוּל: בְּנֵי יֶפֶת גֹּמֶר וּמָגוֹג וּמָדַי וְיָוָן וְתֻבָל וּמֶשֶׁךְ וְתִירָס: וּבְנֵי
ד גֹּמֶר אַשְׁכְּנַז וְרִיפַת וְתֹגַרְמָה: וּבְנֵי יָוָן אֱלִישָׁה וְתַרְשִׁישׁ כִּתִּים
ה וְדֹדָנִים: מֵאֵלֶּה נִפְרְדוּ אִיֵּי הַגּוֹיִם בְּאַרְצֹתָם אִישׁ לִלְשֹׁנוֹ

תּוֹלְדוֹת בְּנֵי חָם:

לְמִשְׁפְּחֹתָ֖ם בְּגוֹיֵהֶֽם׃ וּבְנֵ֖י חָ֑ם כּ֥וּשׁ וּמִצְרַ֖יִם וּפ֥וּט וּכְנָֽעַן׃ וּבְנֵ֣י ו ז
כ֔וּשׁ סְבָא֙ וַֽחֲוִילָ֔ה וְסַבְתָּ֥ה וְרַעְמָ֖ה וְסַבְתְּכָ֑א וּבְנֵ֥י רַעְמָ֖ה שְׁבָ֥א
וּדְדָֽן׃ וְכ֖וּשׁ יָלַ֣ד אֶת־נִמְרֹ֑ד ה֣וּא הֵחֵ֔ל לִֽהְי֥וֹת גִּבֹּ֖ר בָּאָֽרֶץ׃ ח
הֽוּא־הָיָ֥ה גִבֹּֽר־צַ֖יִד לִפְנֵ֣י יְהוָ֑ה עַל־כֵּן֙ יֵֽאָמַ֔ר כְּנִמְרֹ֛ד גִּבּ֥וֹר צַ֖יִד ט
לִפְנֵ֥י יְהוָֽה׃ וַתְּהִ֨י רֵאשִׁ֤ית מַמְלַכְתּוֹ֙ בָּבֶ֔ל וְאֶ֖רֶךְ וְאַכַּ֣ד וְכַלְנֵ֑ה י
בְּאֶ֖רֶץ שִׁנְעָֽר׃ מִן־הָאָ֥רֶץ הַהִ֖וא יָצָ֣א אַשּׁ֑וּר וַיִּ֙בֶן֙ אֶת־נִ֣ינְוֵ֔ה יא
וְאֶת־רְחֹבֹ֥ת עִ֖יר וְאֶת־כָּֽלַח׃ וְֽאֶת־רֶ֔סֶן בֵּ֥ין נִֽינְוֵ֖ה וּבֵ֣ין כָּ֑לַח הִ֖וא יב
הָעִ֥יר הַגְּדֹלָֽה׃ וּמִצְרַ֡יִם יָלַ֞ד אֶת־לוּדִ֧ים וְאֶת־עֲנָמִ֛ים וְאֶת־ יג
לְהָבִ֖ים וְאֶת־נַפְתֻּחִֽים׃ וְֽאֶת־פַּתְרֻסִ֞ים וְאֶת־כַּסְלֻחִ֗ים אֲשֶׁ֨ר יָצְא֥וּ יד
מִשָּׁ֛ם פְּלִשְׁתִּ֖ים וְאֶת־כַּפְתֹּרִֽים׃ וּכְנַ֗עַן יָלַ֛ד אֶת־ טו
צִידֹ֥ן בְּכֹר֖וֹ וְאֶת־חֵֽת׃ וְאֶת־הַיְבוּסִי֙ וְאֶת־הָ֣אֱמֹרִ֔י וְאֵ֖ת הַגִּרְגָּשִֽׁי׃ טז
וְאֶת־הַֽחִוִּ֥י וְאֶת־הַֽעַרְקִ֖י וְאֶת־הַסִּינִֽי׃ וְאֶת־הָֽאַרְוָדִ֥י וְאֶת־הַצְּמָרִ֖י יז יח
וְאֶת־הַֽחֲמָתִ֑י וְאַחַ֣ר נָפֹ֔צוּ מִשְׁפְּח֖וֹת הַֽכְּנַעֲנִֽי׃ וַיְהִ֞י גְּב֤וּל הַֽכְּנַעֲנִי֙ יט
מִצִּידֹ֔ן בֹּאֲכָ֥ה גְרָ֖רָה עַד־עַזָּ֑ה בֹּאֲכָ֞ה סְדֹ֧מָה וַעֲמֹרָ֛ה וְאַדְמָ֥ה
וּצְבֹיִ֖ם עַד־לָֽשַׁע׃ אֵ֣לֶּה בְנֵי־חָ֔ם לְמִשְׁפְּחֹתָ֖ם לִלְשֹֽׁנֹתָ֑ם בְּאַרְצֹתָ֖ם כ

תּוֹלְדוֹת בְּנֵי שֵׁם:

בְּגוֹיֵהֶֽם׃ וּלְשֵׁ֥ם יֻלַּ֖ד גַּם־ה֑וּא אֲבִי֙ כָּל־בְּנֵי־עֵ֔בֶר אֲחִ֖י כא
יֶ֥פֶת הַגָּדֽוֹל׃ בְּנֵ֥י שֵׁ֖ם עֵילָ֣ם וְאַשּׁ֑וּר וְאַרְפַּכְשַׁ֖ד וְל֥וּד וַאֲרָֽם׃ וּבְנֵ֖י כב כג
אֲרָ֑ם ע֥וּץ וְח֖וּל וְגֶ֥תֶר וָמַֽשׁ׃ וְאַרְפַּכְשַׁ֖ד יָלַ֣ד אֶת־שָׁ֑לַח וְשֶׁ֖לַח יָלַ֥ד כד
אֶת־עֵֽבֶר׃ וּלְעֵ֥בֶר יֻלַּ֖ד שְׁנֵ֣י בָנִ֑ים שֵׁ֣ם הָֽאֶחָ֞ד פֶּ֗לֶג כִּ֤י בְיָמָיו֙ כה
נִפְלְגָ֣ה הָאָ֔רֶץ וְשֵׁ֥ם אָחִ֖יו יָקְטָֽן׃ וְיָקְטָ֣ן יָלַ֔ד אֶת־אַלְמוֹדָ֖ד כו
וְאֶת־שָׁ֑לֶף וְאֶת־חֲצַרְמָ֖וֶת וְאֶת־יָֽרַח׃ וְאֶת־הֲדוֹרָ֥ם וְאֶת־אוּזָ֖ל כז
וְאֶת־דִּקְלָֽה׃ וְאֶת־עוֹבָ֥ל וְאֶת־אֲבִֽימָאֵ֖ל וְאֶת־שְׁבָֽא׃ וְאֶת־אוֹפִ֥ר כח כט
וְאֶת־חֲוִילָ֖ה וְאֶת־יוֹבָ֑ב כָּל־אֵ֖לֶּה בְּנֵ֥י יָקְטָֽן׃ וַיְהִ֥י מֽוֹשָׁבָ֖ם מִמֵּשָׁ֑א ל
בֹּאֲכָ֥ה סְפָ֖רָה הַ֥ר הַקֶּֽדֶם׃ אֵ֣לֶּה בְנֵי־שֵׁ֔ם לְמִשְׁפְּחֹתָ֖ם לִלְשֹֽׁנֹתָ֑ם לא
בְּאַרְצֹתָ֖ם לְגוֹיֵהֶֽם׃ אֵ֣לֶּה מִשְׁפְּחֹ֧ת בְּנֵי־נֹ֛חַ לְתוֹלְדֹתָ֖ם בְּגוֹיֵהֶ֑ם לב

וּמֵאֵ֜לֶּה נִפְרְד֧וּ הַגּוֹיִ֛ם בָּאָ֖רֶץ אַחַ֥ר הַמַּבּֽוּל׃
יא א וַֽיְהִ֥י כָל־הָאָ֖רֶץ שָׂפָ֣ה אֶחָ֑ת וּדְבָרִ֖ים אֲחָדִֽים׃ ב וַֽיְהִ֖י בְּנָסְעָ֣ם מִקֶּ֑דֶם שביעי מַעֲשֵׂה דור הַפְּלָגָה: [1996]
ג וַֽיִּמְצְא֥וּ בִקְעָ֛ה בְּאֶ֥רֶץ שִׁנְעָ֖ר וַיֵּ֥שְׁבוּ שָֽׁם׃ וַיֹּאמְר֞וּ אִ֣ישׁ אֶל־רֵעֵ֗הוּ
הָ֚בָה נִלְבְּנָ֣ה לְבֵנִ֔ים וְנִשְׂרְפָ֖ה לִשְׂרֵפָ֑ה וַתְּהִ֨י לָהֶ֤ם הַלְּבֵנָה֙ לְאָ֔בֶן
ד וְהַ֣חֵמָ֔ר הָיָ֥ה לָהֶ֖ם לַחֹֽמֶר׃ וַיֹּאמְר֞וּ הָ֣בָה ׀ נִבְנֶה־לָּ֣נוּ עִ֗יר וּמִגְדָּל֙
וְרֹאשׁ֣וֹ בַשָּׁמַ֔יִם וְנַֽעֲשֶׂה־לָּ֖נוּ שֵׁ֑ם פֶּן־נָפ֖וּץ עַל־פְּנֵ֥י כָל־הָאָֽרֶץ׃
ה וַיֵּ֣רֶד יְהֹוָ֔ה לִרְאֹ֥ת אֶת־הָעִ֖יר וְאֶת־הַמִּגְדָּ֑ל אֲשֶׁ֥ר בָּנ֖וּ בְּנֵ֥י הָאָדָֽם׃
ו וַיֹּ֣אמֶר יְהֹוָ֗ה הֵ֣ן עַ֤ם אֶחָד֙ וְשָׂפָ֤ה אַחַת֙ לְכֻלָּ֔ם וְזֶ֖ה הַחִלָּ֣ם לַעֲשׂ֑וֹת
ז וְעַתָּה֙ לֹֽא־יִבָּצֵ֣ר מֵהֶ֔ם כֹּ֛ל אֲשֶׁ֥ר יָזְמ֖וּ לַעֲשֽׂוֹת׃ הָ֚בָה נֵֽרְדָ֔ה וְנָבְלָ֥ה
ח שָׁ֖ם שְׂפָתָ֑ם אֲשֶׁר֙ לֹ֣א יִשְׁמְע֔וּ אִ֖ישׁ שְׂפַ֥ת רֵעֵֽהוּ׃ וַיָּ֨פֶץ יְהֹוָ֥ה אֹתָ֛ם
ט מִשָּׁ֖ם עַל־פְּנֵ֣י כָל־הָאָ֑רֶץ וַֽיַּחְדְּל֖וּ לִבְנֹ֥ת הָעִֽיר׃ עַל־כֵּ֞ן קָרָ֤א
שְׁמָהּ֙ בָּבֶ֔ל כִּי־שָׁ֛ם בָּלַ֥ל יְהֹוָ֖ה שְׂפַ֣ת כָּל־הָאָ֑רֶץ וּמִשָּׁם֙ הֱפִיצָ֣ם
יְהֹוָ֔ה עַל־פְּנֵ֖י כָּל־הָאָֽרֶץ׃
י אֵ֚לֶּה תּוֹלְדֹ֣ת שֵׁ֔ם שֵׁ֚ם בֶּן־מְאַ֣ת שָׁנָ֔ה וַיּ֖וֹלֶד אֶת־אַרְפַּכְשָׁ֑ד שְׁנָתַ֖יִם יו״ד דורות מִנֹּחַ עַד אַבְרָהָם:
יא אַחַ֥ר הַמַּבּֽוּל׃ וַֽיְחִי־שֵׁ֗ם אַֽחֲרֵי֙ הוֹלִיד֣וֹ אֶת־אַרְפַּכְשָׁ֔ד חֲמֵ֥שׁ
יב מֵא֖וֹת שָׁנָ֑ה וַיּ֥וֹלֶד בָּנִ֖ים וּבָנֽוֹת׃ וְאַרְפַּכְשַׁ֣ד חַ֔י
יג חָמֵ֥שׁ וּשְׁלֹשִׁ֖ים שָׁנָ֑ה וַיּ֖וֹלֶד אֶת־שָֽׁלַח׃ וַיְחִ֣י אַרְפַּכְשַׁ֗ד אַֽחֲרֵי֙
הוֹלִיד֣וֹ אֶת־שֶׁ֔לַח שָׁלֹ֣שׁ שָׁנִ֔ים וְאַרְבַּ֥ע מֵא֖וֹת שָׁנָ֑ה וַיּ֥וֹלֶד בָּנִ֖ים
יד וּבָנֽוֹת׃ וְשֶׁ֥לַח חַ֖י שְׁלֹשִׁ֣ים שָׁנָ֑ה וַיּ֖וֹלֶד אֶת־עֵֽבֶר׃
טו וַֽיְחִי־שֶׁ֗לַח אַֽחֲרֵי֙ הוֹלִיד֣וֹ אֶת־עֵ֔בֶר שָׁלֹ֣שׁ שָׁנִ֔ים וְאַרְבַּ֥ע מֵא֖וֹת
טז שָׁנָ֑ה וַיּ֥וֹלֶד בָּנִ֖ים וּבָנֽוֹת׃ וַֽיְחִי־עֵ֕בֶר אַרְבַּ֥ע וּשְׁלֹשִׁ֖ים
יז שָׁנָ֑ה וַיּ֖וֹלֶד אֶת־פָּֽלֶג׃ וַֽיְחִי־עֵ֗בֶר אַֽחֲרֵי֙ הוֹלִיד֣וֹ אֶת־פֶּ֔לֶג שְׁלֹשִׁ֣ים
יח שָׁנָ֔ה וְאַרְבַּ֥ע מֵא֖וֹת שָׁנָ֑ה וַיּ֥וֹלֶד בָּנִ֖ים וּבָנֽוֹת׃ וַֽיְחִי־פֶ֖לֶג
יט שְׁלֹשִׁ֣ים שָׁנָ֑ה וַיּ֖וֹלֶד אֶת־רְעֽוּ׃ וַֽיְחִי־פֶ֗לֶג אַֽחֲרֵי֙ הוֹלִיד֣וֹ אֶת־רְע֔וּ
כ תֵּ֥שַׁע שָׁנִ֖ים וּמָאתַ֣יִם שָׁנָ֑ה וַיּ֥וֹלֶד בָּנִ֖ים וּבָנֽוֹת׃ וַיְחִ֣י

כא רְעוּ שְׁתַּיִם וּשְׁלֹשִׁים שָׁנָה וַיּוֹלֶד אֶת־שְׂרוּג: וַיְחִי רְעוּ אַחֲרֵי
הוֹלִידוֹ אֶת־שְׂרוּג שֶׁבַע שָׁנִים וּמָאתַיִם שָׁנָה וַיּוֹלֶד בָּנִים
כב וּבָנוֹת: וַיְחִי שְׂרוּג שְׁלֹשִׁים שָׁנָה וַיּוֹלֶד אֶת־נָחוֹר:
כג וַיְחִי שְׂרוּג אַחֲרֵי הוֹלִידוֹ אֶת־נָחוֹר מָאתַיִם שָׁנָה וַיּוֹלֶד בָּנִים
כד וּבָנוֹת: וַיְחִי נָחוֹר תֵּשַׁע וְעֶשְׂרִים שָׁנָה וַיּוֹלֶד אֶת־
כה תָּרַח: וַיְחִי נָחוֹר אַחֲרֵי הוֹלִידוֹ אֶת־תֶּרַח תְּשַׁע־עֶשְׂרֵה שָׁנָה
כו וּמְאַת שָׁנָה וַיּוֹלֶד בָּנִים וּבָנוֹת: וַיְחִי־תֶרַח שִׁבְעִים תּוֹלְדוֹת תָּרַח:
כז שָׁנָה וַיּוֹלֶד אֶת־אַבְרָם אֶת־נָחוֹר וְאֶת־הָרָן: וְאֵלֶּה תּוֹלְדֹת תֶּרַח [1948]
תֶּרַח הוֹלִיד אֶת־אַבְרָם אֶת־נָחוֹר וְאֶת־הָרָן וְהָרָן הוֹלִיד אֶת־
כח לוֹט: וַיָּמָת הָרָן עַל־פְּנֵי תֶּרַח אָבִיו בְּאֶרֶץ מוֹלַדְתּוֹ בְּאוּר כַּשְׂדִּים:
כט וַיִּקַּח אַבְרָם וְנָחוֹר לָהֶם נָשִׁים שֵׁם אֵשֶׁת־אַבְרָם שָׂרָי וְשֵׁם מפטיר
ל אֵשֶׁת־נָחוֹר מִלְכָּה בַּת־הָרָן אֲבִי־מִלְכָּה וַאֲבִי יִסְכָּה: וַתְּהִי שָׂרַי
לא עֲקָרָה אֵין לָהּ וָלָד: וַיִּקַּח תֶּרַח אֶת־אַבְרָם בְּנוֹ וְאֶת־לוֹט בֶּן־הָרָן
בֶּן־בְּנוֹ וְאֵת שָׂרַי כַּלָּתוֹ אֵשֶׁת אַבְרָם בְּנוֹ וַיֵּצְאוּ אִתָּם מֵאוּר
לב כַּשְׂדִּים לָלֶכֶת אַרְצָה כְּנַעַן וַיָּבֹאוּ עַד־חָרָן וַיֵּשְׁבוּ שָׁם: וַיִּהְיוּ
יְמֵי־תֶרַח חָמֵשׁ שָׁנִים וּמָאתַיִם שָׁנָה וַיָּמָת תֶּרַח בְּחָרָן:
יב א וַיֹּאמֶר יְהוָה אֶל־אַבְרָם לֶךְ־לְךָ מֵאַרְצְךָ וּמִמּוֹלַדְתְּךָ וּמִבֵּית **לך לך** יְצִיאַת
ב אָבִיךָ אֶל־הָאָרֶץ אֲשֶׁר אַרְאֶךָּ: וְאֶעֶשְׂךָ לְגוֹי גָּדוֹל וַאֲבָרֶכְךָ אַבְרָם
ג וַאֲגַדְּלָה שְׁמֶךָ וֶהְיֵה בְּרָכָה: וַאֲבָרְכָה מְבָרְכֶיךָ וּמְקַלֶּלְךָ אָאֹר מִמּוֹלַדְתּוֹ:
ד וְנִבְרְכוּ בְךָ כֹּל מִשְׁפְּחֹת הָאֲדָמָה: וַיֵּלֶךְ אַבְרָם כַּאֲשֶׁר דִּבֶּר אֵלָיו
יְהוָה וַיֵּלֶךְ אִתּוֹ לוֹט וְאַבְרָם בֶּן־חָמֵשׁ שָׁנִים וְשִׁבְעִים שָׁנָה [2023]
ה בְּצֵאתוֹ מֵחָרָן: וַיִּקַּח אַבְרָם אֶת־שָׂרַי אִשְׁתּוֹ וְאֶת־לוֹט בֶּן־אָחִיו
וְאֶת־כָּל־רְכוּשָׁם אֲשֶׁר רָכָשׁוּ וְאֶת־הַנֶּפֶשׁ אֲשֶׁר־עָשׂוּ בְחָרָן
ו וַיֵּצְאוּ לָלֶכֶת אַרְצָה כְּנַעַן וַיָּבֹאוּ אַרְצָה כְּנָעַן: וַיַּעֲבֹר אַבְרָם
ז בָּאָרֶץ עַד מְקוֹם שְׁכֶם עַד אֵלוֹן מוֹרֶה וְהַכְּנַעֲנִי אָז בָּאָרֶץ: וַיֵּרָא הִתְגַּלּוּת ה' לְאַבְרָם:

יְהוָה אֶל־אַבְרָם וַיֹּאמֶר לְזַרְעֲךָ אֶתֵּן אֶת־הָאָרֶץ הַזֹּאת וַיִּבֶן שָׁם
ח מִזְבֵּחַ לַיהוָה הַנִּרְאֶה אֵלָיו: וַיַּעְתֵּק מִשָּׁם הָהָרָה מִקֶּדֶם לְבֵית־אֵל
וַיֵּט אָהֳלֹה בֵּית־אֵל מִיָּם וְהָעַי מִקֶּדֶם וַיִּבֶן־שָׁם מִזְבֵּחַ לַיהוָה
ט וַיִּקְרָא בְּשֵׁם יְהוָה: וַיִּסַּע אַבְרָם הָלוֹךְ וְנָסוֹעַ הַנֶּגְבָּה:
י וַיְהִי רָעָב בָּאָרֶץ וַיֵּרֶד אַבְרָם מִצְרַיְמָה לָגוּר שָׁם כִּי־כָבֵד הָרָעָב יְרִידַת
יא בָּאָרֶץ: וַיְהִי כַּאֲשֶׁר הִקְרִיב לָבוֹא מִצְרָיְמָה וַיֹּאמֶר אֶל־שָׂרַי אַבְרָם לְמִצְרָיִם:
יב אִשְׁתּוֹ הִנֵּה־נָא יָדַעְתִּי כִּי אִשָּׁה יְפַת־מַרְאֶה אָתְּ: וְהָיָה כִּי־יִרְאוּ
אֹתָךְ הַמִּצְרִים וְאָמְרוּ אִשְׁתּוֹ זֹאת וְהָרְגוּ אֹתִי וְאֹתָךְ יְחַיּוּ:
יג אִמְרִי־נָא אֲחֹתִי אָתְּ לְמַעַן יִיטַב־לִי בַעֲבוּרֵךְ וְחָיְתָה נַפְשִׁי
יד בִּגְלָלֵךְ: וַיְהִי כְּבוֹא אַבְרָם מִצְרָיְמָה וַיִּרְאוּ הַמִּצְרִים אֶת־הָאִשָּׁה שני
טו כִּי־יָפָה הִוא מְאֹד: וַיִּרְאוּ אֹתָהּ שָׂרֵי פַרְעֹה וַיְהַלְלוּ אֹתָהּ שָׂרַי בְּבֵית פַּרְעֹה:
טז אֶל־פַּרְעֹה וַתֻּקַּח הָאִשָּׁה בֵּית פַּרְעֹה: וּלְאַבְרָם הֵיטִיב בַּעֲבוּרָהּ
וַיְהִי־לוֹ צֹאן־וּבָקָר וַחֲמֹרִים וַעֲבָדִים וּשְׁפָחֹת וַאֲתֹנֹת וּגְמַלִּים:
יז וַיְנַגַּע יְהוָה ׀ אֶת־פַּרְעֹה נְגָעִים גְּדֹלִים וְאֶת־בֵּיתוֹ עַל־דְּבַר שָׂרַי עֹנֶשׁ פַּרְעֹה
יח אֵשֶׁת אַבְרָם: וַיִּקְרָא פַרְעֹה לְאַבְרָם וַיֹּאמֶר מַה־זֹּאת עָשִׂיתָ לִּי וְשִׁלּוּחַ אַבְרָם:
יט לָמָּה לֹא־הִגַּדְתָּ לִּי כִּי אִשְׁתְּךָ הִוא: לָמָה אָמַרְתָּ אֲחֹתִי הִוא
כ וָאֶקַּח אֹתָהּ לִי לְאִשָּׁה וְעַתָּה הִנֵּה אִשְׁתְּךָ קַח וָלֵךְ: וַיְצַו עָלָיו
יג א פַּרְעֹה אֲנָשִׁים וַיְשַׁלְּחוּ אֹתוֹ וְאֶת־אִשְׁתּוֹ וְאֶת־כָּל־אֲשֶׁר־לוֹ: וַיַּעַל אַבְרָם חוֹזֵר
אַבְרָם מִמִּצְרַיִם הוּא וְאִשְׁתּוֹ וְכָל־אֲשֶׁר־לוֹ וְלוֹט עִמּוֹ הַנֶּגְבָּה: לִכְנַעַן:
ב ג וְאַבְרָם כָּבֵד מְאֹד בַּמִּקְנֶה בַּכֶּסֶף וּבַזָּהָב: וַיֵּלֶךְ לְמַסָּעָיו מִנֶּגֶב
וְעַד־בֵּית־אֵל עַד־הַמָּקוֹם אֲשֶׁר־הָיָה שָׁם אָהֳלֹה בַּתְּחִלָּה בֵּין
ד בֵּית־אֵל וּבֵין הָעָי: אֶל־מְקוֹם הַמִּזְבֵּחַ אֲשֶׁר־עָשָׂה שָׁם
ה בָּרִאשֹׁנָה וַיִּקְרָא שָׁם אַבְרָם בְּשֵׁם יְהוָה: וְגַם־לְלוֹט הַהֹלֵךְ שלישי
ו אֶת־אַבְרָם הָיָה צֹאן־וּבָקָר וְאֹהָלִים: וְלֹא־נָשָׂא אֹתָם הָאָרֶץ
לָשֶׁבֶת יַחְדָּו כִּי־הָיָה רְכוּשָׁם רָב וְלֹא יָכְלוּ לָשֶׁבֶת יַחְדָּו:

ריב רֹעֵי אַבְרָם וְלוֹט:

ז וַיְהִי־רִיב בֵּין רֹעֵי מִקְנֵה־אַבְרָם וּבֵין רֹעֵי מִקְנֵה־לוֹט וְהַכְּנַעֲנִי
ח וְהַפְּרִזִּי אָז יֹשֵׁב בָּאָרֶץ: וַיֹּאמֶר אַבְרָם אֶל־לוֹט אַל־נָא תְהִי
מְרִיבָה בֵּינִי וּבֵינֶךָ וּבֵין רֹעַי וּבֵין רֹעֶיךָ כִּי־אֲנָשִׁים אַחִים אֲנָחְנוּ:

הִפָּרְדוּת אַבְרָם וְלוֹט:

ט הֲלֹא כָל־הָאָרֶץ לְפָנֶיךָ הִפָּרֶד נָא מֵעָלָי אִם־הַשְּׂמֹאל וְאֵימִנָה
י וְאִם־הַיָּמִין וְאַשְׂמְאִילָה: וַיִּשָּׂא־לוֹט אֶת־עֵינָיו וַיַּרְא אֶת־כָּל־
כִּכַּר הַיַּרְדֵּן כִּי כֻלָּהּ מַשְׁקֶה לִפְנֵי ׀ שַׁחֵת יְהוָה אֶת־סְדֹם
יא וְאֶת־עֲמֹרָה כְּגַן־יְהוָה כְּאֶרֶץ מִצְרַיִם בֹּאֲכָה צֹעַר: וַיִּבְחַר־לוֹ
לוֹט אֵת כָּל־כִּכַּר הַיַּרְדֵּן וַיִּסַּע לוֹט מִקֶּדֶם וַיִּפָּרְדוּ אִישׁ מֵעַל
יב אָחִיו: אַבְרָם יָשַׁב בְּאֶרֶץ־כְּנָעַן וְלוֹט יָשַׁב בְּעָרֵי הַכִּכָּר וַיֶּאֱהַל

הַבְטָחַת הָאָרֶץ לְאַבְרָם:

יג יד עַד־סְדֹם: וְאַנְשֵׁי סְדֹם רָעִים וְחַטָּאִים לַיהוָה מְאֹד: וַיהוָה
אָמַר אֶל־אַבְרָם אַחֲרֵי הִפָּרֶד־לוֹט מֵעִמּוֹ שָׂא נָא עֵינֶיךָ וּרְאֵה
טו מִן־הַמָּקוֹם אֲשֶׁר־אַתָּה שָׁם צָפֹנָה וָנֶגְבָּה וָקֵדְמָה וָיָמָּה: כִּי
אֶת־כָּל־הָאָרֶץ אֲשֶׁר־אַתָּה רֹאֶה לְךָ אֶתְּנֶנָּה וּלְזַרְעֲךָ עַד־עוֹלָם:
טז וְשַׂמְתִּי אֶת־זַרְעֲךָ כַּעֲפַר הָאָרֶץ אֲשֶׁר ׀ אִם־יוּכַל אִישׁ לִמְנוֹת
יז אֶת־עֲפַר הָאָרֶץ גַּם־זַרְעֲךָ יִמָּנֶה: קוּם הִתְהַלֵּךְ בָּאָרֶץ לְאָרְכָּהּ
יח וּלְרָחְבָּהּ כִּי לְךָ אֶתְּנֶנָּה: וַיֶּאֱהַל אַבְרָם וַיָּבֹא וַיֵּשֶׁב בְּאֵלֹנֵי מַמְרֵא
אֲשֶׁר בְּחֶבְרוֹן וַיִּבֶן־שָׁם מִזְבֵּחַ לַיהוָה:

רביעי מִלְחֶמֶת הַמְּלָכִים:

יד א וַיְהִי בִּימֵי אַמְרָפֶל מֶלֶךְ־שִׁנְעָר אַרְיוֹךְ מֶלֶךְ אֶלָּסָר כְּדָרְלָעֹמֶר
ב מֶלֶךְ עֵילָם וְתִדְעָל מֶלֶךְ גּוֹיִם: עָשׂוּ מִלְחָמָה אֶת־בֶּרַע מֶלֶךְ
סְדֹם וְאֶת־בִּרְשַׁע מֶלֶךְ עֲמֹרָה שִׁנְאָב ׀ מֶלֶךְ אַדְמָה וְשֶׁמְאֵבֶר [2023]
ג מֶלֶךְ צְבֹיִים וּמֶלֶךְ בֶּלַע הִיא־צֹעַר: כָּל־אֵלֶּה חָבְרוּ אֶל־עֵמֶק
ד הַשִּׂדִּים הוּא יָם הַמֶּלַח: שְׁתֵּים עֶשְׂרֵה שָׁנָה עָבְדוּ אֶת־
ה כְּדָרְלָעֹמֶר וּשְׁלֹשׁ־עֶשְׂרֵה שָׁנָה מָרָדוּ: וּבְאַרְבַּע עֶשְׂרֵה שָׁנָה
בָּא כְדָרְלָעֹמֶר וְהַמְּלָכִים אֲשֶׁר אִתּוֹ וַיַּכּוּ אֶת־רְפָאִים
בְּעַשְׁתְּרֹת קַרְנַיִם וְאֶת־הַזּוּזִים בְּהָם וְאֵת הָאֵימִים בְּשָׁוֵה

ו קַרְיָתָיִם׃ וְאֶת־הַחֹרִי בְּהַרְרָם שֵׂעִיר עַד אֵיל פָּארָן אֲשֶׁר
ז עַל־הַמִּדְבָּר׃ וַיָּשֻׁבוּ וַיָּבֹאוּ אֶל־עֵין מִשְׁפָּט הִוא קָדֵשׁ וַיַּכּוּ
אֶת־כָּל־שְׂדֵה הָעֲמָלֵקִי וְגַם אֶת־הָאֱמֹרִי הַיֹּשֵׁב בְּחַצְצֹן תָּמָר׃
ח וַיֵּצֵא מֶלֶךְ־סְדֹם וּמֶלֶךְ עֲמֹרָה וּמֶלֶךְ אַדְמָה וּמֶלֶךְ צְבֹיִים וּמֶלֶךְ
ט בֶּלַע הִוא־צֹעַר וַיַּעַרְכוּ אִתָּם מִלְחָמָה בְּעֵמֶק הַשִּׂדִּים׃ אֵת
כְּדָרְלָעֹמֶר מֶלֶךְ עֵילָם וְתִדְעָל מֶלֶךְ גּוֹיִם וְאַמְרָפֶל מֶלֶךְ שִׁנְעָר
י וְאַרְיוֹךְ מֶלֶךְ אֶלָּסָר אַרְבָּעָה מְלָכִים אֶת־הַחֲמִשָּׁה׃ וְעֵמֶק
הַשִּׂדִּים בֶּאֱרֹת בֶּאֱרֹת חֵמָר וַיָּנֻסוּ מֶלֶךְ־סְדֹם וַעֲמֹרָה וַיִּפְּלוּ־
יא שָׁמָּה וְהַנִּשְׁאָרִים הֶרָה נָּסוּ׃ וַיִּקְחוּ אֶת־כָּל־רְכֻשׁ סְדֹם וַעֲמֹרָה
יב וְאֶת־כָּל־אָכְלָם וַיֵּלֵכוּ׃ וַיִּקְחוּ אֶת־לוֹט וְאֶת־רְכֻשׁוֹ בֶּן־אֲחִי
יג אַבְרָם וַיֵּלֵכוּ וְהוּא יֹשֵׁב בִּסְדֹם׃ וַיָּבֹא הַפָּלִיט וַיַּגֵּד לְאַבְרָם
הָעִבְרִי וְהוּא שֹׁכֵן בְּאֵלֹנֵי מַמְרֵא הָאֱמֹרִי אֲחִי אֶשְׁכֹּל וַאֲחִי עָנֵר
יד וְהֵם בַּעֲלֵי בְרִית־אַבְרָם׃ וַיִּשְׁמַע אַבְרָם כִּי נִשְׁבָּה אָחִיו וַיָּרֶק
אֶת־חֲנִיכָיו יְלִידֵי בֵיתוֹ שְׁמֹנָה עָשָׂר וּשְׁלֹשׁ מֵאוֹת וַיִּרְדֹּף
טו עַד־דָּן׃ וַיֵּחָלֵק עֲלֵיהֶם ׀ לַיְלָה הוּא וַעֲבָדָיו וַיַּכֵּם וַיִּרְדְּפֵם
טז עַד־חוֹבָה אֲשֶׁר מִשְּׂמֹאל לְדַמָּשֶׂק׃ וַיָּשֶׁב אֵת כָּל־הָרְכֻשׁ וְגַם
יז אֶת־לוֹט אָחִיו וּרְכֻשׁוֹ הֵשִׁיב וְגַם אֶת־הַנָּשִׁים וְאֶת־הָעָם׃ וַיֵּצֵא
מֶלֶךְ־סְדֹם לִקְרָאתוֹ אַחֲרֵי שׁוּבוֹ מֵהַכּוֹת אֶת־כְּדָרְלָעֹמֶר וְאֶת־
יח הַמְּלָכִים אֲשֶׁר אִתּוֹ אֶל־עֵמֶק שָׁוֵה הוּא עֵמֶק הַמֶּלֶךְ׃ וּמַלְכִּי־צֶדֶק
יט מֶלֶךְ שָׁלֵם הוֹצִיא לֶחֶם וָיָיִן וְהוּא כֹהֵן לְאֵל עֶלְיוֹן׃ וַיְבָרְכֵהוּ
כ וַיֹּאמַר בָּרוּךְ אַבְרָם לְאֵל עֶלְיוֹן קֹנֵה שָׁמַיִם וָאָרֶץ׃ וּבָרוּךְ אֵל
כא עֶלְיוֹן אֲשֶׁר־מִגֵּן צָרֶיךָ בְּיָדֶךָ וַיִּתֶּן־לוֹ מַעֲשֵׂר מִכֹּל׃ וַיֹּאמֶר חמישי
כב מֶלֶךְ־סְדֹם אֶל־אַבְרָם תֶּן־לִי הַנֶּפֶשׁ וְהָרְכֻשׁ קַח־לָךְ׃ וַיֹּאמֶר
אַבְרָם אֶל־מֶלֶךְ סְדֹם הֲרִמֹתִי יָדִי אֶל־יְהוָה אֵל עֶלְיוֹן קֹנֵה
כג שָׁמַיִם וָאָרֶץ׃ אִם־מִחוּט וְעַד שְׂרוֹךְ־נַעַל וְאִם־אֶקַּח מִכָּל־

נִצְחוֹן אַבְרָם וְהַחְזָרַת הַשְּׁבוּיִים׃

יְצִיאַת מַלְכֵי סְדוֹם וְשָׁלֵם לִקְרַאת אַבְרָם׃

כד אֲשֶׁר־לָךְ וְלֹא תֹאמַר אֲנִי הֶעֱשַׁרְתִּי אֶת־אַבְרָם׃ בִּלְעָדַי רַק
אֲשֶׁר אָכְלוּ הַנְּעָרִים וְחֵלֶק הָאֲנָשִׁים אֲשֶׁר הָלְכוּ אִתִּי עָנֵר
טו א אֶשְׁכֹּל וּמַמְרֵא הֵם יִקְחוּ חֶלְקָם׃ אַחַר ׀ הַדְּבָרִים הַבְטָחַת הַזֶּרַע לְאַבְרָם׃
הָאֵלֶּה הָיָה דְבַר־יְהוָה אֶל־אַבְרָם בַּמַּחֲזֶה לֵאמֹר אַל־תִּירָא
ב אַבְרָם אָנֹכִי מָגֵן לָךְ שְׂכָרְךָ הַרְבֵּה מְאֹד׃ וַיֹּאמֶר אַבְרָם אֲדֹנָי
יֱהוִה מַה־תִּתֶּן־לִי וְאָנֹכִי הוֹלֵךְ עֲרִירִי וּבֶן־מֶשֶׁק בֵּיתִי הוּא
ג דַּמֶּשֶׂק אֱלִיעֶזֶר׃ וַיֹּאמֶר אַבְרָם הֵן לִי לֹא נָתַתָּה זָרַע וְהִנֵּה
ד בֶן־בֵּיתִי יוֹרֵשׁ אֹתִי׃ וְהִנֵּה דְבַר־יְהוָה אֵלָיו לֵאמֹר לֹא יִירָשְׁךָ
ה זֶה כִּי־אִם אֲשֶׁר יֵצֵא מִמֵּעֶיךָ הוּא יִירָשֶׁךָ׃ וַיּוֹצֵא אֹתוֹ הַחוּצָה
וַיֹּאמֶר הַבֶּט־נָא הַשָּׁמַיְמָה וּסְפֹר הַכּוֹכָבִים אִם־תּוּכַל לִסְפֹּר
ו אֹתָם וַיֹּאמֶר לוֹ כֹּה יִהְיֶה זַרְעֶךָ׃ וְהֶאֱמִן בַּיהוָה וַיַּחְשְׁבֶהָ לּוֹ
ז צְדָקָה׃ וַיֹּאמֶר אֵלָיו אֲנִי יְהוָה אֲשֶׁר הוֹצֵאתִיךָ מֵאוּר כַּשְׂדִּים ששי בְּרִית בֵּין הַבְּתָרִים׃
ח לָתֶת לְךָ אֶת־הָאָרֶץ הַזֹּאת לְרִשְׁתָּהּ׃ וַיֹּאמַר אֲדֹנָי יֱהוִה בַּמָּה
ט אֵדַע כִּי אִירָשֶׁנָּה׃ וַיֹּאמֶר אֵלָיו קְחָה לִי עֶגְלָה מְשֻׁלֶּשֶׁת וְעֵז [2018]
י מְשֻׁלֶּשֶׁת וְאַיִל מְשֻׁלָּשׁ וְתֹר וְגוֹזָל׃ וַיִּקַּח־לוֹ אֶת־כָּל־אֵלֶּה וַיְבַתֵּר
אֹתָם בַּתָּוֶךְ וַיִּתֵּן אִישׁ־בִּתְרוֹ לִקְרַאת רֵעֵהוּ וְאֶת־הַצִּפֹּר לֹא
יא יב בָתָר׃ וַיֵּרֶד הָעַיִט עַל־הַפְּגָרִים וַיַּשֵּׁב אֹתָם אַבְרָם׃ וַיְהִי הַשֶּׁמֶשׁ
לָבוֹא וְתַרְדֵּמָה נָפְלָה עַל־אַבְרָם וְהִנֵּה אֵימָה חֲשֵׁכָה גְדֹלָה נֹפֶלֶת
יג עָלָיו׃ וַיֹּאמֶר לְאַבְרָם יָדֹעַ תֵּדַע כִּי־גֵר ׀ יִהְיֶה זַרְעֲךָ בְּאֶרֶץ
יד לֹא לָהֶם וַעֲבָדוּם וְעִנּוּ אֹתָם אַרְבַּע מֵאוֹת שָׁנָה׃ וְגַם אֶת־הַגּוֹי
טו אֲשֶׁר יַעֲבֹדוּ דָּן אָנֹכִי וְאַחֲרֵי־כֵן יֵצְאוּ בִּרְכֻשׁ גָּדוֹל׃ וְאַתָּה תָּבוֹא
טז אֶל־אֲבֹתֶיךָ בְּשָׁלוֹם תִּקָּבֵר בְּשֵׂיבָה טוֹבָה׃ וְדוֹר רְבִיעִי יָשׁוּבוּ
יז הֵנָּה כִּי לֹא־שָׁלֵם עֲוֹן הָאֱמֹרִי עַד־הֵנָּה׃ וַיְהִי הַשֶּׁמֶשׁ בָּאָה
וַעֲלָטָה הָיָה וְהִנֵּה תַנּוּר עָשָׁן וְלַפִּיד אֵשׁ אֲשֶׁר עָבַר בֵּין הַגְּזָרִים
יח הָאֵלֶּה׃ בַּיּוֹם הַהוּא כָּרַת יְהוָה אֶת־אַבְרָם בְּרִית לֵאמֹר לְזַרְעֲךָ

נָתַ֙תִּי֙ אֶת־הָאָ֣רֶץ הַזֹּ֔את מִנְּהַ֣ר מִצְרַ֔יִם עַד־הַנָּהָ֥ר הַגָּדֹ֖ל נְהַר־
יט פְּרָֽת׃ אֶת־הַקֵּינִי֙ וְאֶת־הַקְּנִזִּ֔י וְאֵ֖ת הַקַּדְמֹנִֽי׃ וְאֶת־הַֽחִתִּ֥י וְאֶת־
כא הַפְּרִזִּ֖י וְאֶת־הָרְפָאִֽים׃ וְאֶת־הָֽאֱמֹרִי֙ וְאֶת־הַֽכְּנַעֲנִ֔י וְאֶת־הַגִּרְגָּשִׁ֖י

טז א וְאֶת־הַיְבוּסִֽי׃ וְשָׂרַי֙ אֵ֣שֶׁת אַבְרָ֔ם לֹ֥א יָֽלְדָ֖ה ל֑וֹ וְלָ֛הּ

מְסִירַת הָגָר לְאַבְרָם

ב שִׁפְחָ֥ה מִצְרִ֖ית וּשְׁמָ֥הּ הָגָֽר׃ וַתֹּ֨אמֶר שָׂרַ֜י אֶל־אַבְרָ֗ם הִנֵּה־נָ֞א
עֲצָרַ֤נִי יְהֹוָה֙ מִלֶּ֔דֶת בֹּא־נָא֙ אֶל־שִׁפְחָתִ֔י אוּלַ֥י אִבָּנֶ֖ה מִמֶּ֑נָּה

[2033]

ג וַיִּשְׁמַ֥ע אַבְרָ֖ם לְק֥וֹל שָׂרָֽי׃ וַתִּקַּ֞ח שָׂרַ֣י אֵֽשֶׁת־אַבְרָ֗ם אֶת־הָגָ֤ר
הַמִּצְרִית֙ שִׁפְחָתָ֔הּ מִקֵּץ֙ עֶ֣שֶׂר שָׁנִ֔ים לְשֶׁ֥בֶת אַבְרָ֖ם בְּאֶ֣רֶץ
ד כְּנָ֑עַן וַתִּתֵּ֥ן אֹתָ֛הּ לְאַבְרָ֥ם אִישָׁ֖הּ ל֥וֹ לְאִשָּֽׁה׃ וַיָּבֹ֥א אֶל־הָגָ֖ר
ה וַתַּ֑הַר וַתֵּ֙רֶא֙ כִּ֣י הָרָ֔תָה וַתֵּקַ֥ל גְּבִרְתָּ֖הּ בְּעֵינֶֽיהָ׃ וַתֹּ֨אמֶר שָׂרַ֣י
אֶל־אַבְרָם֮ חֲמָסִ֣י עָלֶיךָ֒ אָ֠נֹכִ֠י נָתַ֨תִּי שִׁפְחָתִ֜י בְּחֵיקֶ֗ךָ וַתֵּ֙רֶא֙ כִּ֣י

וּבֵינֶ֖יךָ נָקֽוֹד

ו הָרָ֔תָה וָאֵקַ֖ל בְּעֵינֶ֑יהָ יִשְׁפֹּ֥ט יְהֹוָ֖ה בֵּינִ֣י וּבֵינֶֽיךָ׃ וַיֹּ֨אמֶר אַבְרָ֜ם
אֶל־שָׂרַ֗י הִנֵּ֤ה שִׁפְחָתֵךְ֙ בְּיָדֵ֔ךְ עֲשִׂי־לָ֖הּ הַטּ֣וֹב בְּעֵינָ֑יִךְ וַתְּעַנֶּ֣הָ

הִתְגַּלּוּת הַמַּלְאָךְ אֶל הָגָר

ז שָׂרַ֔י וַתִּבְרַ֖ח מִפָּנֶֽיהָ׃ וַֽיִּמְצָאָ֞הּ מַלְאַ֧ךְ יְהֹוָ֛ה עַל־עֵ֥ין הַמַּ֖יִם
ח בַּמִּדְבָּ֑ר עַל־הָעַ֖יִן בְּדֶ֥רֶךְ שֽׁוּר׃ וַיֹּאמַ֗ר הָגָ֞ר שִׁפְחַ֥ת שָׂרַ֛י אֵֽי־מִזֶּ֥ה
ט בָ֖את וְאָ֣נָה תֵלֵ֑כִי וַתֹּ֕אמֶר מִפְּנֵי֙ שָׂרַ֣י גְּבִרְתִּ֔י אָנֹכִ֖י בֹּרַֽחַת׃ וַיֹּ֤אמֶר
י לָהּ֙ מַלְאַ֣ךְ יְהֹוָ֔ה שׁ֖וּבִי אֶל־גְּבִרְתֵּ֑ךְ וְהִתְעַנִּ֖י תַּ֥חַת יָדֶֽיהָ׃ וַיֹּ֤אמֶר
לָהּ֙ מַלְאַ֣ךְ יְהֹוָ֔ה הַרְבָּ֥ה אַרְבֶּ֖ה אֶת־זַרְעֵ֑ךְ וְלֹ֥א יִסָּפֵ֖ר מֵרֹֽב׃
יא וַיֹּ֧אמֶר לָ֣הּ מַלְאַ֣ךְ יְהֹוָ֗ה הִנָּ֥ךְ הָרָ֛ה וְיֹלַ֥דְתְּ בֵּ֖ן וְקָרָ֤את שְׁמוֹ֙
יב יִשְׁמָעֵ֔אל כִּֽי־שָׁמַ֥ע יְהֹוָ֖ה אֶל־עָנְיֵֽךְ׃ וְה֤וּא יִֽהְיֶה֙ פֶּ֣רֶא אָדָ֔ם יָד֣וֹ
יג בַכֹּ֗ל וְיַ֤ד כֹּל֙ בּ֔וֹ וְעַל־פְּנֵ֥י כָל־אֶחָ֖יו יִשְׁכֹּֽן׃ וַתִּקְרָ֤א שֵׁם־יְהֹוָה֙
הַדֹּבֵ֣ר אֵלֶ֔יהָ אַתָּ֖ה אֵ֣ל רֳאִ֑י כִּ֣י אָֽמְרָ֗ה הֲגַ֥ם הֲלֹ֛ם רָאִ֖יתִי אַחֲרֵ֥י
יד רֹאִֽי׃ עַל־כֵּן֙ קָרָ֣א לַבְּאֵ֔ר בְּאֵ֥ר לַחַ֖י רֹאִ֑י הִנֵּ֥ה בֵין־קָדֵ֖שׁ וּבֵ֥ין

לֵדַת יִשְׁמָעֵאל [2034]

טו בָּֽרֶד׃ וַתֵּ֧לֶד הָגָ֛ר לְאַבְרָ֖ם בֵּ֑ן וַיִּקְרָ֨א אַבְרָ֧ם שֶׁם־בְּנ֛וֹ אֲשֶׁר־יָלְדָ֥ה
טז הָגָ֖ר יִשְׁמָעֵֽאל׃ וְאַבְרָ֕ם בֶּן־שְׁמֹנִ֥ים שָׁנָ֖ה וְשֵׁ֣שׁ שָׁנִ֑ים בְּלֶֽדֶת־הָגָ֥ר

שִׁנּוּי הַשֵּׁם לְ"אַבְרָהָם":

יז א אֶת־יִשְׁמָעֵאל לְאַבְרָם׃ וַיְהִי אַבְרָם בֶּן־תִּשְׁעִים שָׁנָה
וְתֵשַׁע שָׁנִים וַיֵּרָא יְהוָה אֶל־אַבְרָם וַיֹּאמֶר אֵלָיו אֲנִי־אֵל שַׁדַּי
ב הִתְהַלֵּךְ לְפָנַי וֶהְיֵה תָמִים׃ וְאֶתְּנָה בְרִיתִי בֵּינִי וּבֵינֶךָ וְאַרְבֶּה
ג אוֹתְךָ בִּמְאֹד מְאֹד׃ וַיִּפֹּל אַבְרָם עַל־פָּנָיו וַיְדַבֵּר אִתּוֹ אֱלֹהִים

הַבְטָחַת הַבָּנִים וְהָאָרֶץ:

ד ה לֵאמֹר׃ אֲנִי הִנֵּה בְרִיתִי אִתָּךְ וְהָיִיתָ לְאַב הֲמוֹן גּוֹיִם׃ וְלֹא־יִקָּרֵא
עוֹד אֶת־שִׁמְךָ אַבְרָם וְהָיָה שִׁמְךָ אַבְרָהָם כִּי אַב־הֲמוֹן גּוֹיִם
ו נְתַתִּיךָ׃ וְהִפְרֵתִי אֹתְךָ בִּמְאֹד מְאֹד וּנְתַתִּיךָ לְגוֹיִם וּמְלָכִים מִמְּךָ

שביעי

ז יֵצֵאוּ׃ וַהֲקִמֹתִי אֶת־בְּרִיתִי בֵּינִי וּבֵינֶךָ וּבֵין זַרְעֲךָ אַחֲרֶיךָ לְדֹרֹתָם
ח לִבְרִית עוֹלָם לִהְיוֹת לְךָ לֵאלֹהִים וּלְזַרְעֲךָ אַחֲרֶיךָ׃ וְנָתַתִּי
לְךָ וּלְזַרְעֲךָ אַחֲרֶיךָ אֵת ׀ אֶרֶץ מְגֻרֶיךָ אֵת כָּל־אֶרֶץ כְּנַעַן לַאֲחֻזַּת

צִוּוּי עַל הַמִּילָה:

ט עוֹלָם וְהָיִיתִי לָהֶם לֵאלֹהִים׃ וַיֹּאמֶר אֱלֹהִים אֶל־אַבְרָהָם וְאַתָּה
י אֶת־בְּרִיתִי תִשְׁמֹר אַתָּה וְזַרְעֲךָ אַחֲרֶיךָ לְדֹרֹתָם׃ זֹאת בְּרִיתִי
אֲשֶׁר תִּשְׁמְרוּ בֵּינִי וּבֵינֵיכֶם וּבֵין זַרְעֲךָ אַחֲרֶיךָ הִמּוֹל לָכֶם
יא כָּל־זָכָר׃ וּנְמַלְתֶּם אֵת בְּשַׂר עָרְלַתְכֶם וְהָיָה לְאוֹת בְּרִית בֵּינִי
יב וּבֵינֵיכֶם׃ וּבֶן־שְׁמֹנַת יָמִים יִמּוֹל לָכֶם כָּל־זָכָר לְדֹרֹתֵיכֶם יְלִיד
יג בָּיִת וּמִקְנַת־כֶּסֶף מִכֹּל בֶּן־נֵכָר אֲשֶׁר לֹא מִזַּרְעֲךָ הוּא׃ הִמּוֹל ׀
יִמּוֹל יְלִיד בֵּיתְךָ וּמִקְנַת כַּסְפֶּךָ וְהָיְתָה בְרִיתִי בִּבְשַׂרְכֶם לִבְרִית
יד עוֹלָם׃ וְעָרֵל ׀ זָכָר אֲשֶׁר לֹא־יִמּוֹל אֶת־בְּשַׂר עָרְלָתוֹ וְנִכְרְתָה

שִׁנּוּי הַשֵּׁם לְ"שָׂרָה" וּבִרְכוֹתֶיהָ:

טו הַנֶּפֶשׁ הַהִוא מֵעַמֶּיהָ אֶת־בְּרִיתִי הֵפַר׃ וַיֹּאמֶר
אֱלֹהִים אֶל־אַבְרָהָם שָׂרַי אִשְׁתְּךָ לֹא־תִקְרָא אֶת־שְׁמָהּ שָׂרָי
טז כִּי שָׂרָה שְׁמָהּ׃ וּבֵרַכְתִּי אֹתָהּ וְגַם נָתַתִּי מִמֶּנָּה לְךָ בֵּן
יז וּבֵרַכְתִּיהָ וְהָיְתָה לְגוֹיִם מַלְכֵי עַמִּים מִמֶּנָּה יִהְיוּ׃ וַיִּפֹּל אַבְרָהָם
עַל־פָּנָיו וַיִּצְחָק וַיֹּאמֶר בְּלִבּוֹ הַלְּבֶן מֵאָה־שָׁנָה יִוָּלֵד וְאִם־שָׂרָה

בִּרְכַּת ה' לְיִשְׁמָעֵאל:

יח הֲבַת־תִּשְׁעִים שָׁנָה תֵּלֵד׃ וַיֹּאמֶר אַבְרָהָם אֶל־הָאֱלֹהִים לוּ
יט יִשְׁמָעֵאל יִחְיֶה לְפָנֶיךָ׃ וַיֹּאמֶר אֱלֹהִים אֲבָל שָׂרָה אִשְׁתְּךָ יֹלֶדֶת

לְךָ בֵּן וְקָרָאתָ אֶת־שְׁמוֹ יִצְחָק וַהֲקִמֹתִי אֶת־בְּרִיתִי אִתּוֹ לִבְרִית
כ עוֹלָם לְזַרְעוֹ אַחֲרָיו: וּלְיִשְׁמָעֵאל שְׁמַעְתִּיךָ הִנֵּה | בֵּרַכְתִּי אֹתוֹ
וְהִפְרֵיתִי אֹתוֹ וְהִרְבֵּיתִי אֹתוֹ בִּמְאֹד מְאֹד שְׁנֵים־עָשָׂר נְשִׂיאִם
כא יוֹלִיד וּנְתַתִּיו לְגוֹי גָּדוֹל: וְאֶת־בְּרִיתִי אָקִים אֶת־יִצְחָק אֲשֶׁר
כב תֵּלֵד לְךָ שָׂרָה לַמּוֹעֵד הַזֶּה בַּשָּׁנָה הָאַחֶרֶת: וַיְכַל לְדַבֵּר אִתּוֹ
כג וַיַּעַל אֱלֹהִים מֵעַל אַבְרָהָם: וַיִּקַּח אַבְרָהָם אֶת־יִשְׁמָעֵאל בְּנוֹ קִיּוּם מִצְוַת מִילָה:
וְאֵת כָּל־יְלִידֵי בֵיתוֹ וְאֵת כָּל־מִקְנַת כַּסְפּוֹ כָּל־זָכָר בְּאַנְשֵׁי בֵּית
אַבְרָהָם וַיָּמָל אֶת־בְּשַׂר עָרְלָתָם בְּעֶצֶם הַיּוֹם הַזֶּה כַּאֲשֶׁר דִּבֶּר [2047]
כד אִתּוֹ אֱלֹהִים: וְאַבְרָהָם בֶּן־תִּשְׁעִים וָתֵשַׁע שָׁנָה בְּהִמֹּלוֹ בְּשַׂר מפטיר
כה עָרְלָתוֹ: וְיִשְׁמָעֵאל בְּנוֹ בֶּן־שְׁלֹשׁ עֶשְׂרֵה שָׁנָה בְּהִמֹּלוֹ אֵת בְּשַׂר
כו כז עָרְלָתוֹ: בְּעֶצֶם הַיּוֹם הַזֶּה נִמּוֹל אַבְרָהָם וְיִשְׁמָעֵאל בְּנוֹ: וְכָל־
אַנְשֵׁי בֵיתוֹ יְלִיד בָּיִת וּמִקְנַת־כֶּסֶף מֵאֵת בֶּן־נֵכָר נִמֹּלוּ
אִתּוֹ:

יח א וַיֵּרָא אֵלָיו יְהוָה בְּאֵלֹנֵי מַמְרֵא וְהוּא יֹשֵׁב פֶּתַח־הָאֹהֶל כְּחֹם **וירא** הַמַּלְאָכִים בְּאֹהֶל אַבְרָהָם:
ב הַיּוֹם: וַיִּשָּׂא עֵינָיו וַיַּרְא וְהִנֵּה שְׁלֹשָׁה אֲנָשִׁים נִצָּבִים עָלָיו וַיַּרְא
ג וַיָּרָץ לִקְרָאתָם מִפֶּתַח הָאֹהֶל וַיִּשְׁתַּחוּ אָרְצָה: וַיֹּאמַר אֲדֹנָי
ד אִם־נָא מָצָאתִי חֵן בְּעֵינֶיךָ אַל־נָא תַעֲבֹר מֵעַל עַבְדֶּךָ: יֻקַּח־נָא
ה מְעַט־מַיִם וְרַחֲצוּ רַגְלֵיכֶם וְהִשָּׁעֲנוּ תַּחַת הָעֵץ: וְאֶקְחָה פַת־לֶחֶם
וְסַעֲדוּ לִבְּכֶם אַחַר תַּעֲבֹרוּ כִּי־עַל־כֵּן עֲבַרְתֶּם עַל־עַבְדְּכֶם
ו וַיֹּאמְרוּ כֵּן תַּעֲשֶׂה כַּאֲשֶׁר דִּבַּרְתָּ: וַיְמַהֵר אַבְרָהָם הָאֹהֱלָה
אֶל־שָׂרָה וַיֹּאמֶר מַהֲרִי שְׁלֹשׁ סְאִים קֶמַח סֹלֶת לוּשִׁי וַעֲשִׂי
ז עֻגוֹת: וְאֶל־הַבָּקָר רָץ אַבְרָהָם וַיִּקַּח בֶּן־בָּקָר רַךְ וָטוֹב וַיִּתֵּן
ח אֶל־הַנַּעַר וַיְמַהֵר לַעֲשׂוֹת אֹתוֹ: וַיִּקַּח חֶמְאָה וְחָלָב וּבֶן־הַבָּקָר
אֲשֶׁר עָשָׂה וַיִּתֵּן לִפְנֵיהֶם וְהוּא־עֹמֵד עֲלֵיהֶם תַּחַת הָעֵץ וַיֹּאכֵלוּ:
ט וַיֹּאמְרוּ אֵלָיו אַיֵּה שָׂרָה אִשְׁתֶּךָ וַיֹּאמֶר הִנֵּה בָאֹהֶל: וַיֹּאמֶר שׁוֹב אליו נקוד:

בְּשׂוֹרַת הַבֵּן: אָשׁוּב אֵלֶיךָ כָּעֵת חַיָּה וְהִנֵּה־בֵן לְשָׂרָה אִשְׁתֶּךָ וְשָׂרָה שֹׁמַעַת
פֶּתַח הָאֹהֶל וְהוּא אַחֲרָיו: וְאַבְרָהָם וְשָׂרָה זְקֵנִים בָּאִים בַּיָּמִים יא
צְחוֹק שָׂרָה: חָדַל לִהְיוֹת לְשָׂרָה אֹרַח כַּנָּשִׁים: וַתִּצְחַק שָׂרָה בְּקִרְבָּהּ יב
לֵאמֹר אַחֲרֵי בְלֹתִי הָיְתָה־לִּי עֶדְנָה וַאדֹנִי זָקֵן: וַיֹּאמֶר יְהוָה יג
אֶל־אַבְרָהָם לָמָּה זֶּה צָחֲקָה שָׂרָה לֵאמֹר הַאַף אֻמְנָם אֵלֵד וַאֲנִי
זָקַנְתִּי: הֲיִפָּלֵא מֵיְהוָה דָּבָר לַמּוֹעֵד אָשׁוּב אֵלֶיךָ כָּעֵת חַיָּה יד
שני וּלְשָׂרָה בֵן: וַתְּכַחֵשׁ שָׂרָה ׀ לֵאמֹר לֹא צָחַקְתִּי כִּי ׀ יָרֵאָה וַיֹּאמֶר ׀ טו
לֹא כִּי צָחָקְתְּ: וַיָּקֻמוּ מִשָּׁם הָאֲנָשִׁים וַיַּשְׁקִפוּ עַל־פְּנֵי סְדֹם טז
נְבוּאָה לְאַבְרָהָם עַל סְדוֹם: וְאַבְרָהָם הֹלֵךְ עִמָּם לְשַׁלְּחָם: וַיהוָה אָמָר הַמְכַסֶּה אֲנִי מֵאַבְרָהָם יז
אֲשֶׁר אֲנִי עֹשֶׂה: וְאַבְרָהָם הָיוֹ יִהְיֶה לְגוֹי גָּדוֹל וְעָצוּם וְנִבְרְכוּ־בוֹ יח
כֹּל גּוֹיֵי הָאָרֶץ: כִּי יְדַעְתִּיו לְמַעַן אֲשֶׁר יְצַוֶּה אֶת־בָּנָיו וְאֶת־בֵּיתוֹ יט
אַחֲרָיו וְשָׁמְרוּ דֶּרֶךְ יְהוָה לַעֲשׂוֹת צְדָקָה וּמִשְׁפָּט לְמַעַן הָבִיא
יְהוָה עַל־אַבְרָהָם אֵת אֲשֶׁר־דִּבֶּר עָלָיו: וַיֹּאמֶר יְהוָה זַעֲקַת כ
סְדֹם וַעֲמֹרָה כִּי־רָבָּה וְחַטָּאתָם כִּי כָבְדָה מְאֹד: אֵרֲדָה־נָּא כא
וְאֶרְאֶה הַכְּצַעֲקָתָהּ הַבָּאָה אֵלַי עָשׂוּ ׀ כָּלָה וְאִם־לֹא אֵדָעָה:
וַיִּפְנוּ מִשָּׁם הָאֲנָשִׁים וַיֵּלְכוּ סְדֹמָה וְאַבְרָהָם עוֹדֶנּוּ עֹמֵד לִפְנֵי כב
תְּפִלַּת אַבְרָהָם עַל סְדוֹם: יְהוָה: וַיִּגַּשׁ אַבְרָהָם וַיֹּאמַר הַאַף תִּסְפֶּה צַדִּיק עִם־רָשָׁע: אוּלַי כג כד
יֵשׁ חֲמִשִּׁים צַדִּיקִם בְּתוֹךְ הָעִיר הַאַף תִּסְפֶּה וְלֹא־תִשָּׂא לַמָּקוֹם
לְמַעַן חֲמִשִּׁים הַצַּדִּיקִם אֲשֶׁר בְּקִרְבָּהּ: חָלִלָה לְּךָ מֵעֲשֹׂת ׀ כה
כַּדָּבָר הַזֶּה לְהָמִית צַדִּיק עִם־רָשָׁע וְהָיָה כַצַּדִּיק כָּרָשָׁע חָלִלָה
לָּךְ הֲשֹׁפֵט כָּל־הָאָרֶץ לֹא יַעֲשֶׂה מִשְׁפָּט: וַיֹּאמֶר יְהוָה אִם־אֶמְצָא כו
בִסְדֹם חֲמִשִּׁים צַדִּיקִם בְּתוֹךְ הָעִיר וְנָשָׂאתִי לְכָל־הַמָּקוֹם
בַּעֲבוּרָם: וַיַּעַן אַבְרָהָם וַיֹּאמַר הִנֵּה־נָא הוֹאַלְתִּי לְדַבֵּר אֶל־אֲדֹנָי כז
וְאָנֹכִי עָפָר וָאֵפֶר: אוּלַי יַחְסְרוּן חֲמִשִּׁים הַצַּדִּיקִם חֲמִשָּׁה כח
הֲתַשְׁחִית בַּחֲמִשָּׁה אֶת־כָּל־הָעִיר וַיֹּאמֶר לֹא אַשְׁחִית אִם־

כט אֶמְצָא שָׁם אַרְבָּעִים וַחֲמִשָּׁה: וַיֹּסֶף עוֹד לְדַבֵּר אֵלָיו וַיֹּאמַר
אוּלַי יִמָּצְאוּן שָׁם אַרְבָּעִים וַיֹּאמֶר לֹא אֶעֱשֶׂה בַּעֲבוּר
ל הָאַרְבָּעִים: וַיֹּאמֶר אַל־נָא יִחַר לַאדֹנָי וַאֲדַבֵּרָה אוּלַי יִמָּצְאוּן
לא שָׁם שְׁלֹשִׁים וַיֹּאמֶר לֹא אֶעֱשֶׂה אִם־אֶמְצָא שָׁם שְׁלֹשִׁים: וַיֹּאמֶר
הִנֵּה־נָא הוֹאַלְתִּי לְדַבֵּר אֶל־אֲדֹנָי אוּלַי יִמָּצְאוּן שָׁם עֶשְׂרִים
לב וַיֹּאמֶר לֹא אַשְׁחִית בַּעֲבוּר הָעֶשְׂרִים: וַיֹּאמֶר אַל־נָא יִחַר לַאדֹנָי
וַאֲדַבְּרָה אַךְ־הַפַּעַם אוּלַי יִמָּצְאוּן שָׁם עֲשָׂרָה וַיֹּאמֶר לֹא
לג אַשְׁחִית בַּעֲבוּר הָעֲשָׂרָה: וַיֵּלֶךְ יְהוָה כַּאֲשֶׁר כִּלָּה לְדַבֵּר אֶל־
יט א אַבְרָהָם וְאַבְרָהָם שָׁב לִמְקֹמוֹ: וַיָּבֹאוּ שְׁנֵי הַמַּלְאָכִים סְדֹמָה
בָּעֶרֶב וְלוֹט יֹשֵׁב בְּשַׁעַר־סְדֹם וַיַּרְא־לוֹט וַיָּקָם לִקְרָאתָם
ב וַיִּשְׁתַּחוּ אַפַּיִם אָרְצָה: וַיֹּאמֶר הִנֶּה נָּא־אֲדֹנַי סוּרוּ נָא אֶל־בֵּית
עַבְדְּכֶם וְלִינוּ וְרַחֲצוּ רַגְלֵיכֶם וְהִשְׁכַּמְתֶּם וַהֲלַכְתֶּם לְדַרְכְּכֶם
ג וַיֹּאמְרוּ לֹּא כִּי בָרְחוֹב נָלִין: וַיִּפְצַר־בָּם מְאֹד וַיָּסֻרוּ אֵלָיו וַיָּבֹאוּ
ד אֶל־בֵּיתוֹ וַיַּעַשׂ לָהֶם מִשְׁתֶּה וּמַצּוֹת אָפָה וַיֹּאכֵלוּ: טֶרֶם יִשְׁכָּבוּ
וְאַנְשֵׁי הָעִיר אַנְשֵׁי סְדֹם נָסַבּוּ עַל־הַבַּיִת מִנַּעַר וְעַד־זָקֵן
ה כָּל־הָעָם מִקָּצֶה: וַיִּקְרְאוּ אֶל־לוֹט וַיֹּאמְרוּ לוֹ אַיֵּה הָאֲנָשִׁים
ו אֲשֶׁר־בָּאוּ אֵלֶיךָ הַלָּיְלָה הוֹצִיאֵם אֵלֵינוּ וְנֵדְעָה אֹתָם: וַיֵּצֵא
ז אֲלֵהֶם לוֹט הַפֶּתְחָה וְהַדֶּלֶת סָגַר אַחֲרָיו: וַיֹּאמַר אַל־נָא אַחַי
ח תָּרֵעוּ: הִנֵּה־נָא לִי שְׁתֵּי בָנוֹת אֲשֶׁר לֹא־יָדְעוּ אִישׁ אוֹצִיאָה־נָּא
אֶתְהֶן אֲלֵיכֶם וַעֲשׂוּ לָהֶן כַּטּוֹב בְּעֵינֵיכֶם רַק לָאֲנָשִׁים הָאֵל
ט אַל־תַּעֲשׂוּ דָבָר כִּי־עַל־כֵּן בָּאוּ בְּצֵל קֹרָתִי: וַיֹּאמְרוּ ׀ גֶּשׁ־הָלְאָה
וַיֹּאמְרוּ הָאֶחָד בָּא־לָגוּר וַיִּשְׁפֹּט שָׁפוֹט עַתָּה נָרַע לְךָ מֵהֶם
י וַיִּפְצְרוּ בָאִישׁ בְּלוֹט מְאֹד וַיִּגְּשׁוּ לִשְׁבֹּר הַדָּלֶת: וַיִּשְׁלְחוּ
הָאֲנָשִׁים אֶת־יָדָם וַיָּבִיאוּ אֶת־לוֹט אֲלֵיהֶם הַבָּיְתָה וְאֶת־הַדֶּלֶת
יא סָגָרוּ: וְאֶת־הָאֲנָשִׁים אֲשֶׁר־פֶּתַח הַבַּיִת הִכּוּ בַּסַּנְוֵרִים מִקָּטֹן

שלישי
הַכְנָסַת הָאוֹרְחִים בְּבֵית לוֹט:

רִשְׁעוּת אַנְשֵׁי סְדוֹם:

יב וְעַד־גָּדוֹל וַיִּלְאוּ לִמְצֹא הַפָּתַח: וַיֹּאמְרוּ הָאֲנָשִׁים אֶל־לוֹט עֹד הַצָּלַת לוֹט, אִשְׁתּוֹ וּבְנוֹתָיו:
מִי־לְךָ פֹה חָתָן וּבָנֶיךָ וּבְנֹתֶיךָ וְכֹל אֲשֶׁר־לְךָ בָּעִיר הוֹצֵא
יג מִן־הַמָּקוֹם: כִּי־מַשְׁחִתִים אֲנַחְנוּ אֶת־הַמָּקוֹם הַזֶּה כִּי־גָדְלָה
יד צַעֲקָתָם אֶת־פְּנֵי יְהוָה וַיְשַׁלְּחֵנוּ יְהוָה לְשַׁחֲתָהּ: וַיֵּצֵא לוֹט
וַיְדַבֵּר ׀ אֶל־חֲתָנָיו ׀ לֹקְחֵי בְנֹתָיו וַיֹּאמֶר קוּמוּ צְּאוּ מִן־הַמָּקוֹם
הַזֶּה כִּי־מַשְׁחִית יְהוָה אֶת־הָעִיר וַיְהִי כִמְצַחֵק בְּעֵינֵי חֲתָנָיו:
טו וּכְמוֹ הַשַּׁחַר עָלָה וַיָּאִיצוּ הַמַּלְאָכִים בְּלוֹט לֵאמֹר קוּם קַח
אֶת־אִשְׁתְּךָ וְאֶת־שְׁתֵּי בְנֹתֶיךָ הַנִּמְצָאֹת פֶּן־תִּסָּפֶה בַּעֲוֺן הָעִיר:
טז וַיִּתְמַהְמָהּ ׀ וַיַּחֲזִיקוּ הָאֲנָשִׁים בְּיָדוֹ וּבְיַד־אִשְׁתּוֹ וּבְיַד שְׁתֵּי
יז בְנֹתָיו בְּחֶמְלַת יְהוָה עָלָיו וַיֹּצִאֻהוּ וַיַּנִּחֻהוּ מִחוּץ לָעִיר: וַיְהִי
כְהוֹצִיאָם אֹתָם הַחוּצָה וַיֹּאמֶר הִמָּלֵט עַל־נַפְשֶׁךָ אַל־תַּבִּיט
יח אַחֲרֶיךָ וְאַל־תַּעֲמֹד בְּכָל־הַכִּכָּר הָהָרָה הִמָּלֵט פֶּן־תִּסָּפֶה: וַיֹּאמֶר
יט לוֹט אֲלֵהֶם אַל־נָא אֲדֹנָי: הִנֵּה־נָא מָצָא עַבְדְּךָ חֵן בְּעֵינֶיךָ וַתַּגְדֵּל
חַסְדְּךָ אֲשֶׁר עָשִׂיתָ עִמָּדִי לְהַחֲיוֹת אֶת־נַפְשִׁי וְאָנֹכִי לֹא אוּכַל
כ לְהִמָּלֵט הָהָרָה פֶּן־תִּדְבָּקַנִי הָרָעָה וָמַתִּי: הִנֵּה־נָא הָעִיר הַזֹּאת
קְרֹבָה לָנוּס שָׁמָּה וְהִוא מִצְעָר אִמָּלְטָה נָּא שָׁמָּה הֲלֹא מִצְעָר
כא הִוא וּתְחִי נַפְשִׁי: וַיֹּאמֶר אֵלָיו הִנֵּה נָשָׂאתִי פָנֶיךָ גַּם לַדָּבָר הַזֶּה רביעי
כב לְבִלְתִּי הָפְכִּי אֶת־הָעִיר אֲשֶׁר דִּבַּרְתָּ: מַהֵר הִמָּלֵט שָׁמָּה כִּי לֹא
אוּכַל לַעֲשׂוֹת דָּבָר עַד־בֹּאֲךָ שָׁמָּה עַל־כֵּן קָרָא שֵׁם־הָעִיר
כג כד צוֹעַר: הַשֶּׁמֶשׁ יָצָא עַל־הָאָרֶץ וְלוֹט בָּא צֹעֲרָה: וַיהוָה הִמְטִיר הֲפִיכַת סְדוֹם וַעֲמוֹרָה:
כה עַל־סְדֹם וְעַל־עֲמֹרָה גָּפְרִית וָאֵשׁ מֵאֵת יְהוָה מִן־הַשָּׁמָיִם: וַיַּהֲפֹךְ [2047]
אֶת־הֶעָרִים הָאֵל וְאֵת כָּל־הַכִּכָּר וְאֵת כָּל־יֹשְׁבֵי הֶעָרִים וְצֶמַח
כו כז הָאֲדָמָה: וַתַּבֵּט אִשְׁתּוֹ מֵאַחֲרָיו וַתְּהִי נְצִיב מֶלַח: וַיַּשְׁכֵּם אַבְרָהָם
כח בַּבֹּקֶר אֶל־הַמָּקוֹם אֲשֶׁר־עָמַד שָׁם אֶת־פְּנֵי יְהוָה: וַיַּשְׁקֵף עַל־פְּנֵי
סְדֹם וַעֲמֹרָה וְעַל־כָּל־פְּנֵי אֶרֶץ הַכִּכָּר וַיַּרְא וְהִנֵּה עָלָה קִיטֹר

כט הָאָרֶץ כְּקִיטֹר הַכִּבְשָׁן: וַיְהִי בְּשַׁחֵת אֱלֹהִים אֶת־עָרֵי הַכִּכָּר
וַיִּזְכֹּר אֱלֹהִים אֶת־אַבְרָהָם וַיְשַׁלַּח אֶת־לוֹט מִתּוֹךְ הַהֲפֵכָה
ל בַּהֲפֹךְ אֶת־הֶעָרִים אֲשֶׁר־יָשַׁב בָּהֵן לוֹט: וַיַּעַל לוֹט מִצּוֹעַר לוט וּבְנוֹתָיו בַּמְּעָרָה:
וַיֵּשֶׁב בָּהָר וּשְׁתֵּי בְנֹתָיו עִמּוֹ כִּי יָרֵא לָשֶׁבֶת בְּצוֹעַר וַיֵּשֶׁב
לא בַּמְּעָרָה הוּא וּשְׁתֵּי בְנֹתָיו: וַתֹּאמֶר הַבְּכִירָה אֶל־הַצְּעִירָה אָבִינוּ
לב זָקֵן וְאִישׁ אֵין בָּאָרֶץ לָבוֹא עָלֵינוּ כְּדֶרֶךְ כָּל־הָאָרֶץ: לְכָה נַשְׁקֶה
לג אֶת־אָבִינוּ יַיִן וְנִשְׁכְּבָה עִמּוֹ וּנְחַיֶּה מֵאָבִינוּ זָרַע: וַתַּשְׁקֶיןָ
אֶת־אֲבִיהֶן יַיִן בַּלַּיְלָה הוּא וַתָּבֹא הַבְּכִירָה וַתִּשְׁכַּב אֶת־אָבִיהָ
לד וְלֹא־יָדַע בְּשִׁכְבָהּ וּבְקוּמָהּ: וַיְהִי מִמָּחֳרָת וַתֹּאמֶר הַבְּכִירָה ובקומה נקוד:
אֶל־הַצְּעִירָה הֵן־שָׁכַבְתִּי אֶמֶשׁ אֶת־אָבִי נַשְׁקֶנּוּ יַיִן גַּם־הַלַּיְלָה
לה וּבֹאִי שִׁכְבִי עִמּוֹ וּנְחַיֶּה מֵאָבִינוּ זָרַע: וַתַּשְׁקֶיןָ גַּם בַּלַּיְלָה הַהוּא
אֶת־אֲבִיהֶן יָיִן וַתָּקָם הַצְּעִירָה וַתִּשְׁכַּב עִמּוֹ וְלֹא־יָדַע בְּשִׁכְבָהּ
לו לז וּבְקֻמָהּ: וַתַּהֲרֶיןָ שְׁתֵּי בְנוֹת־לוֹט מֵאֲבִיהֶן: וַתֵּלֶד הַבְּכִירָה בֵּן
לח וַתִּקְרָא שְׁמוֹ מוֹאָב הוּא אֲבִי־מוֹאָב עַד־הַיּוֹם: וְהַצְּעִירָה גַם־הִוא
יָלְדָה בֵּן וַתִּקְרָא שְׁמוֹ בֶּן־עַמִּי הוּא אֲבִי בְנֵי־עַמּוֹן עַד־
כ א הַיּוֹם: וַיִּסַּע מִשָּׁם אַבְרָהָם שָׂרָה בְּבֵית אֲבִימֶלֶךְ:
ב אַרְצָה הַנֶּגֶב וַיֵּשֶׁב בֵּין־קָדֵשׁ וּבֵין שׁוּר וַיָּגָר בִּגְרָר: וַיֹּאמֶר
אַבְרָהָם אֶל־שָׂרָה אִשְׁתּוֹ אֲחֹתִי הִוא וַיִּשְׁלַח אֲבִימֶלֶךְ מֶלֶךְ גְּרָר
ג וַיִּקַּח אֶת־שָׂרָה: וַיָּבֹא אֱלֹהִים אֶל־אֲבִימֶלֶךְ בַּחֲלוֹם הַלָּיְלָה תּוֹכַחַת ה׳ לַאֲבִימֶלֶךְ בַּחֲלוֹם:
וַיֹּאמֶר לוֹ הִנְּךָ מֵת עַל־הָאִשָּׁה אֲשֶׁר־לָקַחְתָּ וְהִוא בְּעֻלַת בָּעַל:
ד וַאֲבִימֶלֶךְ לֹא קָרַב אֵלֶיהָ וַיֹּאמַר אֲדֹנָי הֲגוֹי גַּם־צַדִּיק תַּהֲרֹג:
ה הֲלֹא הוּא אָמַר־לִי אֲחֹתִי הִוא וְהִיא־גַם־הִוא אָמְרָה אָחִי הוּא
ו בְּתָם־לְבָבִי וּבְנִקְיֹן כַּפַּי עָשִׂיתִי זֹאת: וַיֹּאמֶר אֵלָיו הָאֱלֹהִים
בַּחֲלֹם גַּם אָנֹכִי יָדַעְתִּי כִּי בְתָם־לְבָבְךָ עָשִׂיתָ זֹּאת וָאֶחְשֹׂךְ
ז גַּם־אָנֹכִי אוֹתְךָ מֵחֲטוֹ־לִי עַל־כֵּן לֹא־נְתַתִּיךָ לִנְגֹּעַ אֵלֶיהָ: וְעַתָּה

הָשֵׁב אֵשֶׁת־הָאִישׁ כִּי־נָבִיא הוּא וְיִתְפַּלֵּל בַּעַדְךָ וֶחְיֵה וְאִם־אֵינְךָ
ח מֵשִׁיב דַּע כִּי־מוֹת תָּמוּת אַתָּה וְכָל־אֲשֶׁר־לָךְ: וַיַּשְׁכֵּם אֲבִימֶלֶךְ
בַּבֹּקֶר וַיִּקְרָא לְכָל־עֲבָדָיו וַיְדַבֵּר אֶת־כָּל־הַדְּבָרִים הָאֵלֶּה
תּוֹכַחַת אֲבִימֶלֶךְ לְאַבְרָהָם:
ט בְּאָזְנֵיהֶם וַיִּירְאוּ הָאֲנָשִׁים מְאֹד: וַיִּקְרָא אֲבִימֶלֶךְ לְאַבְרָהָם
וַיֹּאמֶר לוֹ מֶה־עָשִׂיתָ לָּנוּ וּמֶה־חָטָאתִי לָךְ כִּי־הֵבֵאתָ עָלַי
וְעַל־מַמְלַכְתִּי חֲטָאָה גְדֹלָה מַעֲשִׂים אֲשֶׁר לֹא־יֵעָשׂוּ עָשִׂיתָ
י עִמָּדִי: וַיֹּאמֶר אֲבִימֶלֶךְ אֶל־אַבְרָהָם מָה רָאִיתָ כִּי עָשִׂיתָ
יא אֶת־הַדָּבָר הַזֶּה: וַיֹּאמֶר אַבְרָהָם כִּי אָמַרְתִּי רַק אֵין־יִרְאַת
יב אֱלֹהִים בַּמָּקוֹם הַזֶּה וַהֲרָגוּנִי עַל־דְּבַר אִשְׁתִּי: וְגַם־אָמְנָה אֲחֹתִי
יג בַת־אָבִי הִוא אַךְ לֹא בַת־אִמִּי וַתְּהִי־לִי לְאִשָּׁה: וַיְהִי כַּאֲשֶׁר
הִתְעוּ אֹתִי אֱלֹהִים מִבֵּית אָבִי וָאֹמַר לָהּ זֶה חַסְדֵּךְ אֲשֶׁר תַּעֲשִׂי
עִמָּדִי אֶל כָּל־הַמָּקוֹם אֲשֶׁר נָבוֹא שָׁמָּה אִמְרִי־לִי אָחִי הוּא:
הַחְזָרַת שָׂרָה עִם מַתָּנוֹת:
יד וַיִּקַּח אֲבִימֶלֶךְ צֹאן וּבָקָר וַעֲבָדִים וּשְׁפָחֹת וַיִּתֵּן לְאַבְרָהָם וַיָּשֶׁב
טו לוֹ אֵת שָׂרָה אִשְׁתּוֹ: וַיֹּאמֶר אֲבִימֶלֶךְ הִנֵּה אַרְצִי לְפָנֶיךָ בַּטּוֹב
טז בְּעֵינֶיךָ שֵׁב: וּלְשָׂרָה אָמַר הִנֵּה נָתַתִּי אֶלֶף כֶּסֶף לְאָחִיךְ הִנֵּה
תְּפִלַּת אַבְרָהָם לִרְפוּאַת בֵּית אֲבִימֶלֶךְ:
יז הוּא־לָךְ כְּסוּת עֵינַיִם לְכֹל אֲשֶׁר אִתָּךְ וְאֵת כֹּל וְנֹכָחַת: וַיִּתְפַּלֵּל
אַבְרָהָם אֶל־הָאֱלֹהִים וַיִּרְפָּא אֱלֹהִים אֶת־אֲבִימֶלֶךְ וְאֶת־אִשְׁתּוֹ
יח וְאַמְהֹתָיו וַיֵּלֵדוּ: כִּי־עָצֹר עָצַר יְהוָה בְּעַד כָּל־רֶחֶם לְבֵית
הֻלֶּדֶת יִצְחָק:
כא א אֲבִימֶלֶךְ עַל־דְּבַר שָׂרָה אֵשֶׁת אַבְרָהָם: וַיהוָה פָּקַד
[2048]
ב אֶת־שָׂרָה כַּאֲשֶׁר אָמָר וַיַּעַשׂ יְהוָה לְשָׂרָה כַּאֲשֶׁר דִּבֵּר: וַתַּהַר
וַתֵּלֶד שָׂרָה לְאַבְרָהָם בֵּן לִזְקֻנָיו לַמּוֹעֵד אֲשֶׁר־דִּבֶּר אֹתוֹ אֱלֹהִים:
ג וַיִּקְרָא אַבְרָהָם אֶת־שֶׁם־בְּנוֹ הַנּוֹלַד־לוֹ אֲשֶׁר־יָלְדָה־לּוֹ שָׂרָה
ד יִצְחָק: וַיָּמָל אַבְרָהָם אֶת־יִצְחָק בְּנוֹ בֶּן־שְׁמֹנַת יָמִים כַּאֲשֶׁר צִוָּה
חמישי
ה אֹתוֹ אֱלֹהִים: וְאַבְרָהָם בֶּן־מְאַת שָׁנָה בְּהִוָּלֶד לוֹ אֵת יִצְחָק בְּנוֹ:
ו וַתֹּאמֶר שָׂרָה צְחֹק עָשָׂה לִי אֱלֹהִים כָּל־הַשֹּׁמֵעַ יִצְחַק־לִי:

ז וַתֹּ֗אמֶר מִ֤י מִלֵּל֙ לְאַבְרָהָ֔ם הֵינִ֥יקָה בָנִ֖ים שָׂרָ֑ה כִּֽי־יָלַ֥דְתִּי בֵ֖ן
ח לִזְקֻנָֽיו׃ וַיִּגְדַּ֥ל הַיֶּ֖לֶד וַיִּגָּמַ֑ל וַיַּ֤עַשׂ אַבְרָהָם֙ מִשְׁתֶּ֣ה גָד֔וֹל בְּי֖וֹם
ט הִגָּמֵ֥ל אֶת־יִצְחָֽק׃ וַתֵּ֨רֶא שָׂרָ֜ה אֶֽת־בֶּן־הָגָ֧ר הַמִּצְרִ֛ית אֲשֶׁר־יָלְדָ֥ה שִׁלּוּחַ הָגָר וְיִשְׁמָעֵאל:
י לְאַבְרָהָ֖ם מְצַחֵֽק׃ וַתֹּ֨אמֶר֙ לְאַבְרָהָ֔ם גָּרֵ֛שׁ הָאָמָ֥ה הַזֹּ֖את וְאֶת־
יא בְּנָ֑הּ כִּ֣י לֹ֤א יִירַשׁ֙ בֶּן־הָאָמָ֣ה הַזֹּ֔את עִם־בְּנִ֖י עִם־יִצְחָֽק׃ וַיֵּ֧רַע
יב הַדָּבָ֛ר מְאֹ֖ד בְּעֵינֵ֣י אַבְרָהָ֑ם עַ֖ל אוֹדֹ֥ת בְּנֽוֹ׃ וַיֹּ֨אמֶר אֱלֹהִ֜ים
אֶל־אַבְרָהָ֗ם אַל־יֵרַ֤ע בְּעֵינֶ֨יךָ֙ עַל־הַנַּ֣עַר וְעַל־אֲמָתֶ֔ךָ כֹּל֩ אֲשֶׁ֨ר
יג תֹּאמַ֥ר אֵלֶ֛יךָ שָׂרָ֖ה שְׁמַ֣ע בְּקֹלָ֑הּ כִּ֣י בְיִצְחָ֔ק יִקָּרֵ֥א לְךָ֖ זָֽרַע׃ וְגַ֥ם
יד אֶת־בֶּן־הָאָמָ֖ה לְג֣וֹי אֲשִׂימֶ֑נּוּ כִּ֥י זַרְעֲךָ֖ הֽוּא׃ וַיַּשְׁכֵּ֣ם אַבְרָהָ֣ם ׀
בַּבֹּ֡קֶר וַיִּֽקַּֽח־לֶחֶם֩ וְחֵ֨מַת מַ֜יִם וַיִּתֵּ֣ן אֶל־הָ֠גָר שָׂ֧ם עַל־שִׁכְמָ֛הּ
טו וְאֶת־הַיֶּ֖לֶד וַֽיְשַׁלְּחֶ֑הָ וַתֵּ֣לֶךְ וַתֵּ֔תַע בְּמִדְבַּ֖ר בְּאֵ֥ר שָֽׁבַע׃ וַיִּכְל֥וּ
טז הַמַּ֖יִם מִן־הַחֵ֑מֶת וַתַּשְׁלֵ֣ךְ אֶת־הַיֶּ֔לֶד תַּ֖חַת אַחַ֥ד הַשִּׂיחִֽם׃ וַתֵּלֶךְ֩
וַתֵּ֨שֶׁב לָ֜הּ מִנֶּ֗גֶד הַרְחֵק֙ כִּמְטַחֲוֵ֣י קֶ֔שֶׁת כִּ֣י אָֽמְרָ֔ה אַל־אֶרְאֶ֖ה
יז בְּמ֣וֹת הַיָּ֑לֶד וַתֵּ֣שֶׁב מִנֶּ֔גֶד וַתִּשָּׂ֥א אֶת־קֹלָ֖הּ וַתֵּֽבְךְּ׃ וַיִּשְׁמַ֣ע הִתְגַּלּוּת הַמַּלְאָךְ אֶל הָגָר:
אֱלֹהִים֮ אֶת־ק֣וֹל הַנַּ֒עַר֒ וַיִּקְרָא֩ מַלְאַ֨ךְ אֱלֹהִ֤ים ׀ אֶל־הָגָר֙ מִן־
הַשָּׁמַ֔יִם וַיֹּ֥אמֶר לָ֖הּ מַה־לָּ֣ךְ הָגָ֑ר אַל־תִּ֣ירְאִ֔י כִּֽי־שָׁמַ֥ע אֱלֹהִ֛ים
יח אֶל־ק֥וֹל הַנַּ֖עַר בַּאֲשֶׁ֥ר הוּא־שָֽׁם׃ ק֚וּמִי שְׂאִ֣י אֶת־הַנַּ֔עַר וְהַחֲזִ֥יקִי
יט אֶת־יָדֵ֖ךְ בּ֑וֹ כִּֽי־לְג֥וֹי גָּד֖וֹל אֲשִׂימֶֽנּוּ׃ וַיִּפְקַ֤ח אֱלֹהִים֙ אֶת־עֵינֶ֔יהָ
וַתֵּ֖רֶא בְּאֵ֣ר מָ֑יִם וַתֵּ֜לֶךְ וַתְּמַלֵּ֤א אֶת־הַחֵ֨מֶת֙ מַ֔יִם וַתַּ֖שְׁקְ אֶת־הַנָּֽעַר׃
כ וַיְהִ֧י אֱלֹהִ֛ים אֶת־הַנַּ֖עַר וַיִּגְדָּ֑ל וַיֵּ֨שֶׁב֙ בַּמִּדְבָּ֔ר וַיְהִ֖י רֹבֶ֥ה קַשָּֽׁת׃
כא וַיֵּ֖שֶׁב בְּמִדְבַּ֣ר פָּארָ֑ן וַתִּֽקַּֽח־ל֥וֹ אִמּ֛וֹ אִשָּׁ֖ה מֵאֶ֥רֶץ מִצְרָֽיִם׃
כב וַֽיְהִי֙ בָּעֵ֣ת הַהִ֔וא וַיֹּ֣אמֶר אֲבִימֶ֗לֶךְ וּפִיכֹל֙ שַׂר־צְבָא֔וֹ אֶל־אַבְרָהָ֖ם ששי
כג לֵאמֹ֑ר אֱלֹהִ֣ים עִמְּךָ֔ בְּכֹ֥ל אֲשֶׁר־אַתָּ֖ה עֹשֶֽׂה׃ וְעַתָּ֗ה הִשָּׁ֨בְעָה לִּ֤י בְּרִית אֲבִימֶלֶךְ וְאַבְרָהָם:
בֵֽאלֹהִים֙ הֵ֔נָּה אִם־תִּשְׁקֹ֣ר לִ֔י וּלְנִינִ֖י וּלְנֶכְדִּ֑י כַּחֶ֜סֶד אֲשֶׁר־עָשִׂ֤יתִי
כד עִמְּךָ֙ תַּעֲשֶׂ֣ה עִמָּדִ֔י וְעִם־הָאָ֖רֶץ אֲשֶׁר־גַּ֥רְתָּה בָּֽהּ׃ וַיֹּ֨אמֶר֙

כה אַבְרָהָם אָנֹכִי אִשָּׁבֵעַ: וְהוֹכִחַ אַבְרָהָם אֶת־אֲבִימֶלֶךְ עַל־אֹדוֹת
כו בְּאֵר הַמַּיִם אֲשֶׁר גָּזְלוּ עַבְדֵי אֲבִימֶלֶךְ: וַיֹּאמֶר אֲבִימֶלֶךְ לֹא
יָדַעְתִּי מִי עָשָׂה אֶת־הַדָּבָר הַזֶּה וְגַם־אַתָּה לֹא־הִגַּדְתָּ לִּי וְגַם
כז אָנֹכִי לֹא שָׁמַעְתִּי בִּלְתִּי הַיּוֹם: וַיִּקַּח אַבְרָהָם צֹאן וּבָקָר וַיִּתֵּן
כח לַאֲבִימֶלֶךְ וַיִּכְרְתוּ שְׁנֵיהֶם בְּרִית: וַיַּצֵּב אַבְרָהָם אֶת־שֶׁבַע כִּבְשֹׂת
כט הַצֹּאן לְבַדְּהֶן: וַיֹּאמֶר אֲבִימֶלֶךְ אֶל־אַבְרָהָם מָה הֵנָּה שֶׁבַע
ל כְּבָשֹׂת הָאֵלֶּה אֲשֶׁר הִצַּבְתָּ לְבַדָּנָה: וַיֹּאמֶר כִּי אֶת־שֶׁבַע כְּבָשֹׂת
תִּקַּח מִיָּדִי בַּעֲבוּר תִּהְיֶה־לִּי לְעֵדָה כִּי חָפַרְתִּי אֶת־הַבְּאֵר
לא הַזֹּאת: עַל־כֵּן קָרָא לַמָּקוֹם הַהוּא בְּאֵר שָׁבַע כִּי שָׁם נִשְׁבְּעוּ
לב שְׁנֵיהֶם: וַיִּכְרְתוּ בְרִית בִּבְאֵר שָׁבַע וַיָּקָם אֲבִימֶלֶךְ וּפִיכֹל
לג שַׂר־צְבָאוֹ וַיָּשֻׁבוּ אֶל־אֶרֶץ פְּלִשְׁתִּים: וַיִּטַּע אֶשֶׁל בִּבְאֵר שָׁבַע
לד וַיִּקְרָא־שָׁם בְּשֵׁם יְהוָה אֵל עוֹלָם: וַיָּגָר אַבְרָהָם בְּאֶרֶץ פְּלִשְׁתִּים
יָמִים רַבִּים:

שביעי עֲקֵדַת יִצְחָק: [2085]

כב א וַיְהִי אַחַר הַדְּבָרִים הָאֵלֶּה וְהָאֱלֹהִים נִסָּה אֶת־אַבְרָהָם וַיֹּאמֶר
ב אֵלָיו אַבְרָהָם וַיֹּאמֶר הִנֵּנִי: וַיֹּאמֶר קַח־נָא אֶת־בִּנְךָ אֶת־יְחִידְךָ
אֲשֶׁר־אָהַבְתָּ אֶת־יִצְחָק וְלֶךְ־לְךָ אֶל־אֶרֶץ הַמֹּרִיָּה וְהַעֲלֵהוּ שָׁם
ג לְעֹלָה עַל אַחַד הֶהָרִים אֲשֶׁר אֹמַר אֵלֶיךָ: וַיַּשְׁכֵּם אַבְרָהָם בַּבֹּקֶר
וַיַּחֲבֹשׁ אֶת־חֲמֹרוֹ וַיִּקַּח אֶת־שְׁנֵי נְעָרָיו אִתּוֹ וְאֵת יִצְחָק בְּנוֹ
וַיְבַקַּע עֲצֵי עֹלָה וַיָּקָם וַיֵּלֶךְ אֶל־הַמָּקוֹם אֲשֶׁר־אָמַר־לוֹ
ד הָאֱלֹהִים: בַּיּוֹם הַשְּׁלִישִׁי וַיִּשָּׂא אַבְרָהָם אֶת־עֵינָיו וַיַּרְא אֶת־
ה הַמָּקוֹם מֵרָחֹק: וַיֹּאמֶר אַבְרָהָם אֶל־נְעָרָיו שְׁבוּ־לָכֶם פֹּה עִם־
הַחֲמוֹר וַאֲנִי וְהַנַּעַר נֵלְכָה עַד־כֹּה וְנִשְׁתַּחֲוֶה וְנָשׁוּבָה אֲלֵיכֶם:
ו וַיִּקַּח אַבְרָהָם אֶת־עֲצֵי הָעֹלָה וַיָּשֶׂם עַל־יִצְחָק בְּנוֹ וַיִּקַּח בְּיָדוֹ
ז אֶת־הָאֵשׁ וְאֶת־הַמַּאֲכֶלֶת וַיֵּלְכוּ שְׁנֵיהֶם יַחְדָּו: וַיֹּאמֶר יִצְחָק
אֶל־אַבְרָהָם אָבִיו וַיֹּאמֶר אָבִי וַיֹּאמֶר הִנֶּנִּי בְנִי וַיֹּאמֶר הִנֵּה הָאֵשׁ

ח וְהָעֵצִים וְאַיֵּה הַשֶּׂה לְעֹלָה: וַיֹּאמֶר אַבְרָהָם אֱלֹהִים יִרְאֶה־לּוֹ
ט הַשֶּׂה לְעֹלָה בְּנִי וַיֵּלְכוּ שְׁנֵיהֶם יַחְדָּו: וַיָּבֹאוּ אֶל־הַמָּקוֹם אֲשֶׁר
אָמַר־לוֹ הָאֱלֹהִים וַיִּבֶן שָׁם אַבְרָהָם אֶת־הַמִּזְבֵּחַ וַיַּעֲרֹךְ
אֶת־הָעֵצִים וַיַּעֲקֹד אֶת־יִצְחָק בְּנוֹ וַיָּשֶׂם אֹתוֹ עַל־הַמִּזְבֵּחַ
י מִמַּעַל לָעֵצִים: וַיִּשְׁלַח אַבְרָהָם אֶת־יָדוֹ וַיִּקַּח אֶת־הַמַּאֲכֶלֶת
יא לִשְׁחֹט אֶת־בְּנוֹ: וַיִּקְרָא אֵלָיו מַלְאַךְ יְהוָה מִן־הַשָּׁמַיִם וַיֹּאמֶר
יב אַבְרָהָם ׀ אַבְרָהָם וַיֹּאמֶר הִנֵּנִי: וַיֹּאמֶר אַל־תִּשְׁלַח יָדְךָ אֶל־
הַנַּעַר וְאַל־תַּעַשׂ לוֹ מְאוּמָה כִּי ׀ עַתָּה יָדַעְתִּי כִּי־יְרֵא אֱלֹהִים
יג אַתָּה וְלֹא חָשַׂכְתָּ אֶת־בִּנְךָ אֶת־יְחִידְךָ מִמֶּנִּי: וַיִּשָּׂא אַבְרָהָם
אֶת־עֵינָיו וַיַּרְא וְהִנֵּה־אַיִל אַחַר נֶאֱחַז בַּסְּבַךְ בְּקַרְנָיו וַיֵּלֶךְ
יד אַבְרָהָם וַיִּקַּח אֶת־הָאַיִל וַיַּעֲלֵהוּ לְעֹלָה תַּחַת בְּנוֹ: וַיִּקְרָא
אַבְרָהָם שֵׁם־הַמָּקוֹם הַהוּא יְהוָה ׀ יִרְאֶה אֲשֶׁר יֵאָמֵר הַיּוֹם בְּהַר
טו יְהוָה יֵרָאֶה: וַיִּקְרָא מַלְאַךְ יְהוָה אֶל־אַבְרָהָם שֵׁנִית מִן־הַשָּׁמָיִם: הַגְּמוּל לְאַבְרָהָם:
טז וַיֹּאמֶר בִּי נִשְׁבַּעְתִּי נְאֻם־יְהוָה כִּי יַעַן אֲשֶׁר עָשִׂיתָ אֶת־הַדָּבָר
יז הַזֶּה וְלֹא חָשַׂכְתָּ אֶת־בִּנְךָ אֶת־יְחִידֶךָ: כִּי־בָרֵךְ אֲבָרֶכְךָ וְהַרְבָּה
אַרְבֶּה אֶת־זַרְעֲךָ כְּכוֹכְבֵי הַשָּׁמַיִם וְכַחוֹל אֲשֶׁר עַל־שְׂפַת הַיָּם
יח וְיִרַשׁ זַרְעֲךָ אֵת שַׁעַר אֹיְבָיו: וְהִתְבָּרְכוּ בְזַרְעֲךָ כֹּל גּוֹיֵי הָאָרֶץ
יט עֵקֶב אֲשֶׁר שָׁמַעְתָּ בְּקֹלִי: וַיָּשָׁב אַבְרָהָם אֶל־נְעָרָיו וַיָּקֻמוּ וַיֵּלְכוּ
יַחְדָּו אֶל־בְּאֵר שָׁבַע וַיֵּשֶׁב אַבְרָהָם בִּבְאֵר שָׁבַע:
כ וַיְהִי אַחֲרֵי הַדְּבָרִים הָאֵלֶּה וַיֻּגַּד לְאַבְרָהָם לֵאמֹר הִנֵּה יָלְדָה מפטיר
כא מִלְכָּה גַם־הִוא בָּנִים לְנָחוֹר אָחִיךָ: אֶת־עוּץ בְּכֹרוֹ וְאֶת־בּוּז תּוֹלְדוֹת נָחוֹר:
כב אָחִיו וְאֶת־קְמוּאֵל אֲבִי אֲרָם: וְאֶת־כֶּשֶׂד וְאֶת־חֲזוֹ וְאֶת־פִּלְדָּשׁ
כג וְאֶת־יִדְלָף וְאֵת בְּתוּאֵל: וּבְתוּאֵל יָלַד אֶת־רִבְקָה שְׁמֹנָה
כד אֵלֶּה יָלְדָה מִלְכָּה לְנָחוֹר אֲחִי אַבְרָהָם: וּפִילַגְשׁוֹ וּשְׁמָהּ
רְאוּמָה וַתֵּלֶד גַּם־הִוא אֶת־טֶבַח וְאֶת־גַּחַם וְאֶת־תַּחַשׁ וְאֶת־

מַעֲכָה׃
כג א וַיִּהְיוּ֙ חַיֵּ֣י שָׂרָ֔ה מֵאָ֥ה שָׁנָ֛ה וְעֶשְׂרִ֥ים שָׁנָ֖ה וְשֶׁ֣בַע שָׁנִ֑ים שְׁנֵ֖י **חיי שרה**
ב חַיֵּ֥י שָׂרָֽה׃ וַתָּ֣מָת שָׂרָ֗ה בְּקִרְיַ֥ת אַרְבַּ֛ע הִ֥וא חֶבְר֖וֹן בְּאֶ֣רֶץ כְּנָ֑עַן מוֹת שָׂרָה׃ [2085]
ג וַיָּבֹא֙ אַבְרָהָ֔ם לִסְפֹּ֥ד לְשָׂרָ֖ה וְלִבְכֹּתָֽהּ׃ וַיָּ֙קָם֙ אַבְרָהָ֔ם מֵעַ֖ל פְּנֵ֣י
ד מֵת֑וֹ וַיְדַבֵּ֥ר אֶל־בְּנֵי־חֵ֖ת לֵאמֹֽר׃ גֵּר־וְתוֹשָׁ֥ב אָנֹכִ֖י עִמָּכֶ֑ם תְּנ֨וּ לִ֤י קְנִיַּת
ה אֲחֻזַּת־קֶ֙בֶר֙ עִמָּכֶ֔ם וְאֶקְבְּרָ֥ה מֵתִ֖י מִלְּפָנָֽי׃ וַיַּעֲנ֧וּ בְנֵי־חֵ֛ת אֶת־ מְעָרַת הַמַּכְפֵּלָה׃
ו אַבְרָהָ֖ם לֵאמֹ֥ר לֽוֹ׃ שְׁמָעֵ֣נוּ ׀ אֲדֹנִ֗י נְשִׂ֨יא אֱלֹהִ֤ים אַתָּה֙ בְּתוֹכֵ֔נוּ
בְּמִבְחַ֣ר קְבָרֵ֔ינוּ קְבֹ֖ר אֶת־מֵתֶ֑ךָ אִ֣ישׁ מִמֶּ֗נּוּ אֶת־קִבְר֛וֹ לֹֽא־יִכְלֶ֥ה
ז מִמְּךָ֖ מִקְּבֹ֥ר מֵתֶֽךָ׃ וַיָּ֧קָם אַבְרָהָ֛ם וַיִּשְׁתַּ֥חוּ לְעַם־הָאָ֖רֶץ לִבְנֵי־חֵֽת׃
ח וַיְדַבֵּ֥ר אִתָּ֖ם לֵאמֹ֑ר אִם־יֵ֣שׁ אֶֽת־נַפְשְׁכֶ֗ם לִקְבֹּ֤ר אֶת־מֵתִי֙ מִלְּפָנַ֔י
ט שְׁמָע֕וּנִי וּפִגְעוּ־לִ֖י בְּעֶפְר֥וֹן בֶּן־צֹֽחַר׃ וְיִתֶּן־לִ֗י אֶת־מְעָרַ֤ת
הַמַּכְפֵּלָה֙ אֲשֶׁר־ל֔וֹ אֲשֶׁ֖ר בִּקְצֵ֣ה שָׂדֵ֑הוּ בְּכֶ֨סֶף מָלֵ֜א יִתְּנֶ֥נָּה לִּ֛י
י בְּתוֹכְכֶ֖ם לַאֲחֻזַּת־קָֽבֶר׃ וְעֶפְר֥וֹן יֹשֵׁ֖ב בְּת֣וֹךְ בְּנֵי־חֵ֑ת וַיַּ֩עַן֩ עֶפְר֨וֹן
הַחִתִּ֤י אֶת־אַבְרָהָם֙ בְּאָזְנֵ֣י בְנֵי־חֵ֔ת לְכֹ֛ל בָּאֵ֥י שַֽׁעַר־עִיר֖וֹ לֵאמֹֽר׃
יא לֹֽא־אֲדֹנִ֣י שְׁמָעֵ֔נִי הַשָּׂדֶה֙ נָתַ֣תִּי לָ֔ךְ וְהַמְּעָרָ֥ה אֲשֶׁר־בּ֖וֹ לְךָ֣ נְתַתִּ֑יהָ
יב לְעֵינֵ֧י בְנֵי־עַמִּ֛י נְתַתִּ֥יהָ לָּ֖ךְ קְבֹ֥ר מֵתֶֽךָ׃ וַיִּשְׁתַּ֙חוּ֙ אַבְרָהָ֔ם לִפְנֵ֖י
יג עַ֥ם הָאָֽרֶץ׃ וַיְדַבֵּ֨ר אֶל־עֶפְר֜וֹן בְּאָזְנֵ֤י עַם־הָאָ֙רֶץ֙ לֵאמֹ֔ר אַ֛ךְ
אִם־אַתָּ֥ה ל֖וּ שְׁמָעֵ֑נִי נָתַ֜תִּי כֶּ֤סֶף הַשָּׂדֶה֙ קַ֣ח מִמֶּ֔נִּי וְאֶקְבְּרָ֥ה
יד טו אֶת־מֵתִ֖י שָֽׁמָּה׃ וַיַּ֧עַן עֶפְר֛וֹן אֶת־אַבְרָהָ֖ם לֵאמֹ֥ר לֽוֹ׃ אֲדֹנִ֣י
שְׁמָעֵ֔נִי אֶ֩רֶץ֩ אַרְבַּ֨ע מֵאֹ֧ת שֶֽׁקֶל־כֶּ֛סֶף בֵּינִ֥י וּבֵינְךָ֖ מַה־הִ֑וא
טז וְאֶת־מֵתְךָ֖ קְבֹֽר׃ וַיִּשְׁמַ֣ע אַבְרָהָם֮ אֶל־עֶפְרוֹן֒ וַיִּשְׁקֹ֤ל אַבְרָהָם֙
לְעֶפְרֹ֔ן אֶת־הַכֶּ֕סֶף אֲשֶׁ֥ר דִּבֶּ֖ר בְּאָזְנֵ֣י בְנֵי־חֵ֑ת אַרְבַּ֤ע מֵאוֹת֙
יז שֶׁ֣קֶל כֶּ֔סֶף עֹבֵ֖ר לַסֹּחֵֽר׃ וַיָּ֣קָם ׀ שְׂדֵ֣ה עֶפְר֗וֹן אֲשֶׁר֙ בַּמַּכְפֵּלָ֔ה שני
אֲשֶׁ֖ר לִפְנֵ֣י מַמְרֵ֑א הַשָּׂדֶה֙ וְהַמְּעָרָ֣ה אֲשֶׁר־בּ֔וֹ וְכָל־הָעֵץ֙ אֲשֶׁ֣ר
יח בַּשָּׂדֶ֔ה אֲשֶׁ֥ר בְּכָל־גְּבֻל֖וֹ סָבִֽיב׃ לְאַבְרָהָ֥ם לְמִקְנָ֖ה לְעֵינֵ֣י

יט בְּנֵי־חֵת בְּכֹל בָּאֵי שַׁעַר־עִירוֹ׃ וְאַחֲרֵי־כֵן קָבַר אַבְרָהָם אֶת־
שָׂרָה אִשְׁתּוֹ אֶל־מְעָרַת שְׂדֵה הַמַּכְפֵּלָה עַל־פְּנֵי מַמְרֵא הִוא
כ חֶבְרוֹן בְּאֶרֶץ כְּנָעַן׃ וַיָּקָם הַשָּׂדֶה וְהַמְּעָרָה אֲשֶׁר־בּוֹ לְאַבְרָהָם
כד א לַאֲחֻזַּת־קָבֶר מֵאֵת בְּנֵי־חֵת׃ וְאַבְרָהָם זָקֵן בָּא שְׁלִיחוּת אֱלִיעֶזֶר עֶבֶד אַבְרָהָם׃
ב בַּיָּמִים וַיהוָה בֵּרַךְ אֶת־אַבְרָהָם בַּכֹּל׃ וַיֹּאמֶר אַבְרָהָם אֶל־עַבְדּוֹ
זְקַן בֵּיתוֹ הַמֹּשֵׁל בְּכָל־אֲשֶׁר־לוֹ שִׂים־נָא יָדְךָ תַּחַת יְרֵכִי׃
ג וְאַשְׁבִּיעֲךָ בַּיהוָה אֱלֹהֵי הַשָּׁמַיִם וֵאלֹהֵי הָאָרֶץ אֲשֶׁר לֹא־תִקַּח
ד אִשָּׁה לִבְנִי מִבְּנוֹת הַכְּנַעֲנִי אֲשֶׁר אָנֹכִי יוֹשֵׁב בְּקִרְבּוֹ׃ כִּי
ה אֶל־אַרְצִי וְאֶל־מוֹלַדְתִּי תֵּלֵךְ וְלָקַחְתָּ אִשָּׁה לִבְנִי לְיִצְחָק׃ וַיֹּאמֶר
אֵלָיו הָעֶבֶד אוּלַי לֹא־תֹאבֶה הָאִשָּׁה לָלֶכֶת אַחֲרַי אֶל־הָאָרֶץ
הַזֹּאת הֶהָשֵׁב אָשִׁיב אֶת־בִּנְךָ אֶל־הָאָרֶץ אֲשֶׁר־יָצָאתָ מִשָּׁם׃
ו ז וַיֹּאמֶר אֵלָיו אַבְרָהָם הִשָּׁמֶר לְךָ פֶּן־תָּשִׁיב אֶת־בְּנִי שָׁמָּה׃ יְהוָה ׀
אֱלֹהֵי הַשָּׁמַיִם אֲשֶׁר לְקָחַנִי מִבֵּית אָבִי וּמֵאֶרֶץ מוֹלַדְתִּי וַאֲשֶׁר
דִּבֶּר־לִי וַאֲשֶׁר נִשְׁבַּע־לִי לֵאמֹר לְזַרְעֲךָ אֶתֵּן אֶת־הָאָרֶץ הַזֹּאת
ח הוּא יִשְׁלַח מַלְאָכוֹ לְפָנֶיךָ וְלָקַחְתָּ אִשָּׁה לִבְנִי מִשָּׁם׃ וְאִם־לֹא
תֹאבֶה הָאִשָּׁה לָלֶכֶת אַחֲרֶיךָ וְנִקִּיתָ מִשְּׁבֻעָתִי זֹאת רַק אֶת־בְּנִי
ט לֹא תָשֵׁב שָׁמָּה׃ וַיָּשֶׂם הָעֶבֶד אֶת־יָדוֹ תַּחַת יֶרֶךְ אַבְרָהָם אֲדֹנָיו
י וַיִּשָּׁבַע לוֹ עַל־הַדָּבָר הַזֶּה׃ וַיִּקַּח הָעֶבֶד עֲשָׂרָה גְמַלִּים מִגְּמַלֵּי שלישי
אֲדֹנָיו וַיֵּלֶךְ וְכָל־טוּב אֲדֹנָיו בְּיָדוֹ וַיָּקָם וַיֵּלֶךְ אֶל־אֲרַם נַהֲרַיִם
יא אֶל־עִיר נָחוֹר׃ וַיַּבְרֵךְ הַגְּמַלִּים מִחוּץ לָעִיר אֶל־בְּאֵר הַמָּיִם
יב לְעֵת עֶרֶב לְעֵת צֵאת הַשֹּׁאֲבֹת׃ וַיֹּאמַר ׀ יְהוָה אֱלֹהֵי אֲדֹנִי תְּפִלַּת אֱלִיעֶזֶר וְסִימָנָיו׃
אַבְרָהָם הַקְרֵה־נָא לְפָנַי הַיּוֹם וַעֲשֵׂה־חֶסֶד עִם אֲדֹנִי אַבְרָהָם׃
יג הִנֵּה אָנֹכִי נִצָּב עַל־עֵין הַמָּיִם וּבְנוֹת אַנְשֵׁי הָעִיר יֹצְאֹת לִשְׁאֹב
יד מָיִם׃ וְהָיָה הַנַּעֲרָ אֲשֶׁר אֹמַר אֵלֶיהָ הַטִּי־נָא כַדֵּךְ וְאֶשְׁתֶּה
וְאָמְרָה שְׁתֵה וְגַם־גְּמַלֶּיךָ אַשְׁקֶה אֹתָהּ הֹכַחְתָּ לְעַבְדְּךָ לְיִצְחָק

טו וּבָהּ אֵדַע כִּי־עָשִׂיתָ חֶסֶד עִם־אֲדֹנִי: וַיְהִי־הוּא טֶרֶם כִּלָּה פְּגִישַׁת
לְדַבֵּר וְהִנֵּה רִבְקָה יֹצֵאת אֲשֶׁר יֻלְּדָה לִבְתוּאֵל בֶּן־מִלְכָּה אֵשֶׁת אֱלִיעֶזֶר וְרִבְקָה:
טז נָחוֹר אֲחִי אַבְרָהָם וְכַדָּהּ עַל־שִׁכְמָהּ: וְהַנַּעֲרָ טֹבַת מַרְאֶה
מְאֹד בְּתוּלָה וְאִישׁ לֹא יְדָעָהּ וַתֵּרֶד הָעַיְנָה וַתְּמַלֵּא כַדָּהּ
יז וַתָּעַל: וַיָּרָץ הָעֶבֶד לִקְרָאתָהּ וַיֹּאמֶר הַגְמִיאִינִי נָא מְעַט־מַיִם
יח מִכַּדֵּךְ: וַתֹּאמֶר שְׁתֵה אֲדֹנִי וַתְּמַהֵר וַתֹּרֶד כַּדָּהּ עַל־יָדָהּ
יט וַתַּשְׁקֵהוּ: וַתְּכַל לְהַשְׁקֹתוֹ וַתֹּאמֶר גַּם לִגְמַלֶּיךָ אֶשְׁאָב עַד
כ אִם־כִּלּוּ לִשְׁתֹּת: וַתְּמַהֵר וַתְּעַר כַּדָּהּ אֶל־הַשֹּׁקֶת וַתָּרָץ עוֹד
כא אֶל־הַבְּאֵר לִשְׁאֹב וַתִּשְׁאַב לְכָל־גְּמַלָּיו: וְהָאִישׁ מִשְׁתָּאֵה לָהּ
כב מַחֲרִישׁ לָדַעַת הַהִצְלִיחַ יְהוָֹה דַּרְכּוֹ אִם־לֹא: וַיְהִי כַּאֲשֶׁר כִּלּוּ
הַגְּמַלִּים לִשְׁתּוֹת וַיִּקַּח הָאִישׁ נֶזֶם זָהָב בֶּקַע מִשְׁקָלוֹ וּשְׁנֵי
כג צְמִידִים עַל־יָדֶיהָ עֲשָׂרָה זָהָב מִשְׁקָלָם: וַיֹּאמֶר בַּת־מִי אַתְּ
כד הַגִּידִי נָא לִי הֲיֵשׁ בֵּית־אָבִיךְ מָקוֹם לָנוּ לָלִין: וַתֹּאמֶר אֵלָיו
כה בַּת־בְּתוּאֵל אָנֹכִי בֶּן־מִלְכָּה אֲשֶׁר יָלְדָה לְנָחוֹר: וַתֹּאמֶר אֵלָיו
כו גַּם־תֶּבֶן גַּם־מִסְפּוֹא רַב עִמָּנוּ גַּם־מָקוֹם לָלוּן: וַיִּקֹּד הָאִישׁ
כז וַיִּשְׁתַּחוּ לַיהוָֹה: וַיֹּאמֶר בָּרוּךְ יְהוָֹה אֱלֹהֵי אֲדֹנִי אַבְרָהָם אֲשֶׁר רביעי
לֹא־עָזַב חַסְדּוֹ וַאֲמִתּוֹ מֵעִם אֲדֹנִי אָנֹכִי בַּדֶּרֶךְ נָחַנִי יְהוָֹה בֵּית
כח אֲחֵי אֲדֹנִי: וַתָּרָץ הַנַּעֲרָ וַתַּגֵּד לְבֵית אִמָּהּ כַּדְּבָרִים הָאֵלֶּה:
כט וּלְרִבְקָה אָח וּשְׁמוֹ לָבָן וַיָּרָץ לָבָן אֶל־הָאִישׁ הַחוּצָה אֶל־הָעָיִן: לָבָן מְקַבֵּל פְּנֵי
ל וַיְהִי ׀ כִּרְאֹת אֶת־הַנֶּזֶם וְאֶת־הַצְּמִדִים עַל־יְדֵי אֲחֹתוֹ וּכְשָׁמְעוֹ אֱלִיעֶזֶר:
אֶת־דִּבְרֵי רִבְקָה אֲחֹתוֹ לֵאמֹר כֹּה־דִבֶּר אֵלַי הָאִישׁ וַיָּבֹא
לא אֶל־הָאִישׁ וְהִנֵּה עֹמֵד עַל־הַגְּמַלִּים עַל־הָעָיִן: וַיֹּאמֶר בּוֹא בְּרוּךְ
יְהוָֹה לָמָּה תַעֲמֹד בַּחוּץ וְאָנֹכִי פִּנִּיתִי הַבַּיִת וּמָקוֹם לַגְּמַלִּים:
לב וַיָּבֹא הָאִישׁ הַבַּיְתָה וַיְפַתַּח הַגְּמַלִּים וַיִּתֵּן תֶּבֶן וּמִסְפּוֹא לַגְּמַלִּים אֱלִיעֶזֶר בְּבֵית
לג וּמַיִם לִרְחֹץ רַגְלָיו וְרַגְלֵי הָאֲנָשִׁים אֲשֶׁר אִתּוֹ: ויישם וַיּוּשַׂם לְפָנָיו בְּתוּאֵל:

לֶאֱכֹל וַיֹּאמֶר לֹא אֹכַל עַד אִם־דִּבַּרְתִּי דְּבָרָי וַיֹּאמֶר דַּבֵּר׃
לד לה וַיֹּאמַר עֶבֶד אַבְרָהָם אָנֹכִי׃ וַיהוָֹה בֵּרַךְ אֶת־אֲדֹנִי מְאֹד וַיִּגְדָּל
וַיִּתֶּן־לוֹ צֹאן וּבָקָר וְכֶסֶף וְזָהָב וַעֲבָדִם וּשְׁפָחֹת וּגְמַלִּים
לו וַחֲמֹרִים׃ וַתֵּלֶד שָׂרָה אֵשֶׁת אֲדֹנִי בֵן לַאדֹנִי אַחֲרֵי זִקְנָתָהּ
לז וַיִּתֶּן־לוֹ אֶת־כָּל־אֲשֶׁר־לוֹ׃ וַיַּשְׁבִּעֵנִי אֲדֹנִי לֵאמֹר לֹא־תִקַּח אִשָּׁה
לח לִבְנִי מִבְּנוֹת הַכְּנַעֲנִי אֲשֶׁר אָנֹכִי יֹשֵׁב בְּאַרְצוֹ׃ אִם־לֹא אֶל־
לט בֵּית־אָבִי תֵּלֵךְ וְאֶל־מִשְׁפַּחְתִּי וְלָקַחְתָּ אִשָּׁה לִבְנִי׃ וָאֹמַר אֶל־
מ אֲדֹנִי אֻלַי לֹא־תֵלֵךְ הָאִשָּׁה אַחֲרָי׃ וַיֹּאמֶר אֵלָי יְהוָֹה אֲשֶׁר־
הִתְהַלַּכְתִּי לְפָנָיו יִשְׁלַח מַלְאָכוֹ אִתָּךְ וְהִצְלִיחַ דַּרְכֶּךָ וְלָקַחְתָּ
מא אִשָּׁה לִבְנִי מִמִּשְׁפַּחְתִּי וּמִבֵּית אָבִי׃ אָז תִּנָּקֶה מֵאָלָתִי כִּי תָבוֹא
מב אֶל־מִשְׁפַּחְתִּי וְאִם־לֹא יִתְּנוּ לָךְ וְהָיִיתָ נָקִי מֵאָלָתִי׃ וָאָבֹא הַיּוֹם
אֶל־הָעָיִן וָאֹמַר יְהוָֹה אֱלֹהֵי אֲדֹנִי אַבְרָהָם אִם־יֶשְׁךָ־נָּא
מג מַצְלִיחַ דַּרְכִּי אֲשֶׁר אָנֹכִי הֹלֵךְ עָלֶיהָ׃ הִנֵּה אָנֹכִי נִצָּב עַל־עֵין
הַמָּיִם וְהָיָה הָעַלְמָה הַיֹּצֵאת לִשְׁאֹב וְאָמַרְתִּי אֵלֶיהָ הַשְׁקִינִי־נָא
מד מְעַט־מַיִם מִכַּדֵּךְ׃ וְאָמְרָה אֵלַי גַּם־אַתָּה שְׁתֵה וְגַם לִגְמַלֶּיךָ
מה אֶשְׁאָב הִוא הָאִשָּׁה אֲשֶׁר־הֹכִיחַ יְהוָֹה לְבֶן־אֲדֹנִי׃ אֲנִי טֶרֶם
אֲכַלֶּה לְדַבֵּר אֶל־לִבִּי וְהִנֵּה רִבְקָה יֹצֵאת וְכַדָּהּ עַל־שִׁכְמָהּ
מו וַתֵּרֶד הָעַיְנָה וַתִּשְׁאָב וָאֹמַר אֵלֶיהָ הַשְׁקִינִי נָא׃ וַתְּמַהֵר וַתּוֹרֶד
כַּדָּהּ מֵעָלֶיהָ וַתֹּאמֶר שְׁתֵה וְגַם־גְּמַלֶּיךָ אַשְׁקֶה וָאֵשְׁתְּ וְגַם
מז הַגְּמַלִּים הִשְׁקָתָה׃ וָאֶשְׁאַל אֹתָהּ וָאֹמַר בַּת־מִי אַתְּ וַתֹּאמֶר
בַּת־בְּתוּאֵל בֶּן־נָחוֹר אֲשֶׁר יָלְדָה־לּוֹ מִלְכָּה וָאָשִׂם הַנֶּזֶם
מח עַל־אַפָּהּ וְהַצְּמִידִים עַל־יָדֶיהָ׃ וָאֶקֹּד וָאֶשְׁתַּחֲוֶה לַיהוָֹה וָאֲבָרֵךְ
אֶת־יְהוָֹה אֱלֹהֵי אֲדֹנִי אַבְרָהָם אֲשֶׁר הִנְחַנִי בְּדֶרֶךְ אֱמֶת לָקַחַת
מט אֶת־בַּת־אֲחִי אֲדֹנִי לִבְנוֹ׃ וְעַתָּה אִם־יֶשְׁכֶם עֹשִׂים חֶסֶד וֶאֱמֶת
אֶת־אֲדֹנִי הַגִּידוּ לִי וְאִם־לֹא הַגִּידוּ לִי וְאֶפְנֶה עַל־יָמִין אוֹ

נ עַל־שְׂמֹאל׃ וַיַּעַן לָבָן וּבְתוּאֵל וַיֹּאמְרוּ מֵיְהוָה יָצָא הַדָּבָר לֹא
נא נוּכַל דַּבֵּר אֵלֶיךָ רַע אוֹ־טוֹב׃ הִנֵּה־רִבְקָה לְפָנֶיךָ קַח וָלֵךְ וּתְהִי
נב אִשָּׁה לְבֶן־אֲדֹנֶיךָ כַּאֲשֶׁר דִּבֶּר יְהוָה׃ וַיְהִי כַּאֲשֶׁר שָׁמַע עֶבֶד
נג אַבְרָהָם אֶת־דִּבְרֵיהֶם וַיִּשְׁתַּחוּ אַרְצָה לַיהוָה׃ וַיּוֹצֵא הָעֶבֶד חמישי
כְּלֵי־כֶסֶף וּכְלֵי זָהָב וּבְגָדִים וַיִּתֵּן לְרִבְקָה וּמִגְדָּנֹת נָתַן לְאָחִיהָ
נד וּלְאִמָּהּ׃ וַיֹּאכְלוּ וַיִּשְׁתּוּ הוּא וְהָאֲנָשִׁים אֲשֶׁר־עִמּוֹ וַיָּלִינוּ וַיָּקוּמוּ שִׁלּוּחַ רִבְקָה עִם אֱלִיעֶזֶר׃
נה בַבֹּקֶר וַיֹּאמֶר שַׁלְּחֻנִי לַאדֹנִי׃ וַיֹּאמֶר אָחִיהָ וְאִמָּהּ תֵּשֵׁב הַנַּעֲרָ
נו אִתָּנוּ יָמִים אוֹ עָשׂוֹר אַחַר תֵּלֵךְ׃ וַיֹּאמֶר אֲלֵהֶם אַל־תְּאַחֲרוּ
נז אֹתִי וַיהוָה הִצְלִיחַ דַּרְכִּי שַׁלְּחוּנִי וְאֵלְכָה לַאדֹנִי׃ וַיֹּאמְרוּ נִקְרָא
נח לַנַּעֲרָ וְנִשְׁאֲלָה אֶת־פִּיהָ׃ וַיִּקְרְאוּ לְרִבְקָה וַיֹּאמְרוּ אֵלֶיהָ הֲתֵלְכִי
נט עִם־הָאִישׁ הַזֶּה וַתֹּאמֶר אֵלֵךְ׃ וַיְשַׁלְּחוּ אֶת־רִבְקָה אֲחֹתָם וְאֶת־
ס מֵנִקְתָּהּ וְאֶת־עֶבֶד אַבְרָהָם וְאֶת־אֲנָשָׁיו׃ וַיְבָרְכוּ אֶת־רִבְקָה
וַיֹּאמְרוּ לָהּ אֲחֹתֵנוּ אַתְּ הֲיִי לְאַלְפֵי רְבָבָה וְיִירַשׁ זַרְעֵךְ אֵת
סא שַׁעַר שֹׂנְאָיו׃ וַתָּקָם רִבְקָה וְנַעֲרֹתֶיהָ וַתִּרְכַּבְנָה עַל־הַגְּמַלִּים
סב וַתֵּלַכְנָה אַחֲרֵי הָאִישׁ וַיִּקַּח הָעֶבֶד אֶת־רִבְקָה וַיֵּלַךְ׃ וְיִצְחָק בָּא פְּגִישַׁת רִבְקָה עִם יִצְחָק וְנִשּׂוּאֶיהָ׃
סג מִבּוֹא בְּאֵר לַחַי רֹאִי וְהוּא יוֹשֵׁב בְּאֶרֶץ הַנֶּגֶב׃ וַיֵּצֵא יִצְחָק לָשׂוּחַ
סד בַּשָּׂדֶה לִפְנוֹת עָרֶב וַיִּשָּׂא עֵינָיו וַיַּרְא וְהִנֵּה גְמַלִּים בָּאִים׃ וַתִּשָּׂא
סה רִבְקָה אֶת־עֵינֶיהָ וַתֵּרֶא אֶת־יִצְחָק וַתִּפֹּל מֵעַל הַגָּמָל׃ וַתֹּאמֶר
אֶל־הָעֶבֶד מִי־הָאִישׁ הַלָּזֶה הַהֹלֵךְ בַּשָּׂדֶה לִקְרָאתֵנוּ וַיֹּאמֶר
סו הָעֶבֶד הוּא אֲדֹנִי וַתִּקַּח הַצָּעִיף וַתִּתְכָּס׃ וַיְסַפֵּר הָעֶבֶד לְיִצְחָק
סז אֵת כָּל־הַדְּבָרִים אֲשֶׁר עָשָׂה׃ וַיְבִאֶהָ יִצְחָק הָאֹהֱלָה שָׂרָה [2088]
אִמּוֹ וַיִּקַּח אֶת־רִבְקָה וַתְּהִי־לוֹ לְאִשָּׁה וַיֶּאֱהָבֶהָ וַיִּנָּחֵם יִצְחָק
אַחֲרֵי אִמּוֹ׃

כה א ב וַיֹּסֶף אַבְרָהָם וַיִּקַּח אִשָּׁה וּשְׁמָהּ קְטוּרָה׃ וַתֵּלֶד לוֹ אֶת־זִמְרָן ששי נְשׂוּאֵי אַבְרָהָם וּקְטוּרָה׃
ג וְאֶת־יָקְשָׁן וְאֶת־מְדָן וְאֶת־מִדְיָן וְאֶת־יִשְׁבָּק וְאֶת־שׁוּחַ׃ וְיָקְשָׁן

יָלַד אֶת־שְׁבָא וְאֶת־דְּדָן וּבְנֵי דְדָן הָיוּ אַשּׁוּרִם וּלְטוּשִׁם וּלְאֻמִּים:
ד וּבְנֵי מִדְיָן עֵיפָה וָעֵפֶר וַחֲנֹךְ וַאֲבִידָע וְאֶלְדָּעָה כָּל־אֵלֶּה
ה ו בְּנֵי קְטוּרָה: וַיִּתֵּן אַבְרָהָם אֶת־כָּל־אֲשֶׁר־לוֹ לְיִצְחָק: וְלִבְנֵי
הַפִּילַגְשִׁים אֲשֶׁר לְאַבְרָהָם נָתַן אַבְרָהָם מַתָּנֹת וַיְשַׁלְּחֵם מֵעַל
ז יִצְחָק בְּנוֹ בְּעוֹדֶנּוּ חַי קֵדְמָה אֶל־אֶרֶץ קֶדֶם: וְאֵלֶּה יְמֵי שְׁנֵי־חַיֵּי מוֹת
ח אַבְרָהָם אֲשֶׁר־חָי מְאַת שָׁנָה וְשִׁבְעִים שָׁנָה וְחָמֵשׁ שָׁנִים: וַיִּגְוַע אַבְרָהָם וּקְבוּרָתוֹ:
וַיָּמָת אַבְרָהָם בְּשֵׂיבָה טוֹבָה זָקֵן וְשָׂבֵעַ וַיֵּאָסֶף אֶל־עַמָּיו: [2123]
ט וַיִּקְבְּרוּ אֹתוֹ יִצְחָק וְיִשְׁמָעֵאל בָּנָיו אֶל־מְעָרַת הַמַּכְפֵּלָה אֶל־
י שְׂדֵה עֶפְרֹן בֶּן־צֹחַר הַחִתִּי אֲשֶׁר עַל־פְּנֵי מַמְרֵא: הַשָּׂדֶה
אֲשֶׁר־קָנָה אַבְרָהָם מֵאֵת בְּנֵי־חֵת שָׁמָּה קֻבַּר אַבְרָהָם וְשָׂרָה
יא אִשְׁתּוֹ: וַיְהִי אַחֲרֵי מוֹת אַבְרָהָם וַיְבָרֶךְ אֱלֹהִים אֶת־יִצְחָק בְּנוֹ
וַיֵּשֶׁב יִצְחָק עִם־בְּאֵר לַחַי רֹאִי:

יב וְאֵלֶּה תֹּלְדֹת יִשְׁמָעֵאל בֶּן־אַבְרָהָם אֲשֶׁר יָלְדָה הָגָר הַמִּצְרִית שביעי
יג שִׁפְחַת שָׂרָה לְאַבְרָהָם: וְאֵלֶּה שְׁמוֹת בְּנֵי יִשְׁמָעֵאל בִּשְׁמֹתָם תּוֹלְדוֹת יִשְׁמָעֵאל:
לְתוֹלְדֹתָם בְּכֹר יִשְׁמָעֵאל נְבָיֹת וְקֵדָר וְאַדְבְּאֵל וּמִבְשָׂם:
יד טו טז וּמִשְׁמָע וְדוּמָה וּמַשָּׂא: חֲדַד וְתֵימָא יְטוּר נָפִישׁ וָקֵדְמָה: אֵלֶּה מפטיר
הֵם בְּנֵי יִשְׁמָעֵאל וְאֵלֶּה שְׁמֹתָם בְּחַצְרֵיהֶם וּבְטִירֹתָם שְׁנֵים־
יז עָשָׂר נְשִׂיאִם לְאֻמֹּתָם: וְאֵלֶּה שְׁנֵי חַיֵּי יִשְׁמָעֵאל מְאַת שָׁנָה
יח וּשְׁלֹשִׁים שָׁנָה וְשֶׁבַע שָׁנִים וַיִּגְוַע וַיָּמָת וַיֵּאָסֶף אֶל־עַמָּיו: וַיִּשְׁכְּנוּ
מֵחֲוִילָה עַד־שׁוּר אֲשֶׁר עַל־פְּנֵי מִצְרַיִם בֹּאֲכָה אַשּׁוּרָה עַל־פְּנֵי
כָל־אֶחָיו נָפָל:

יט כ וְאֵלֶּה תּוֹלְדֹת יִצְחָק בֶּן־אַבְרָהָם אַבְרָהָם הוֹלִיד אֶת־יִצְחָק: וַיְהִי **תולדת**
יִצְחָק בֶּן־אַרְבָּעִים שָׁנָה בְּקַחְתּוֹ אֶת־רִבְקָה בַּת־בְּתוּאֵל הָאֲרַמִּי תּוֹלְדוֹת יִצְחָק:
כא מִפַּדַּן אֲרָם אֲחוֹת לָבָן הָאֲרַמִּי לוֹ לְאִשָּׁה: וַיֶּעְתַּר יִצְחָק לַיהוָה
לְנֹכַח אִשְׁתּוֹ כִּי עֲקָרָה הִוא וַיֵּעָתֶר לוֹ יְהוָה וַתַּהַר רִבְקָה אִשְׁתּוֹ:

וַיִּתְרֹצְצ֤וּ הַבָּנִים֙ בְּקִרְבָּ֔הּ וַתֹּ֣אמֶר אִם־כֵּ֔ן לָ֥מָּה זֶּ֖ה אָנֹ֑כִי וַתֵּ֖לֶךְ כב

לִדְרֹ֥שׁ אֶת־יְהֹוָֽה׃ וַיֹּ֨אמֶר יְהֹוָ֜ה לָ֗הּ שְׁנֵ֤י *גיים* גֹויִם֙ בְּבִטְנֵ֔ךְ וּשְׁנֵ֣י כג

לְאֻמִּ֔ים מִמֵּעַ֖יִךְ יִפָּרֵ֑דוּ וּלְאֹם֙ מִלְאֹ֣ם יֶֽאֱמָ֔ץ וְרַ֖ב יַעֲבֹ֥ד צָעִֽיר׃

לִדַת יַעֲקֹב וְעֵשָׂו וּמֵעַשָּׂיהֶם׃ וַיִּמְלְא֥וּ יָמֶ֖יהָ לָלֶ֑דֶת וְהִנֵּ֥ה תֹומִ֖ם בְּבִטְנָֽהּ׃ וַיֵּצֵ֤א הָֽרִאשֹׁון֙ כד כה

אַדְמֹונִ֔י כֻּלֹּ֖ו כְּאַדֶּ֣רֶת שֵׂעָ֑ר וַיִּקְרְא֥וּ שְׁמֹ֖ו עֵשָֽׂו׃ וְאַֽחֲרֵי־כֵ֞ן יָצָ֣א כו

[2108] אָחִ֗יו וְיָדֹ֤ו אֹחֶ֙זֶת֙ בַּעֲקֵ֣ב עֵשָׂ֔ו וַיִּקְרָ֥א שְׁמֹ֖ו יַעֲקֹ֑ב וְיִצְחָ֤ק בֶּן־שִׁשִּׁ֣ים

שָׁנָ֖ה בְּלֶ֥דֶת אֹתָֽם׃ וַֽיִּגְדְּלוּ֙ הַנְּעָרִ֔ים וַיְהִ֣י עֵשָׂ֗ו אִ֛ישׁ יֹדֵ֥עַ צַ֖יִד כז

אִ֣ישׁ שָׂדֶ֑ה וְיַעֲקֹב֙ אִ֣ישׁ תָּ֔ם יֹשֵׁ֖ב אֹהָלִֽים׃ וַיֶּאֱהַ֥ב יִצְחָ֛ק אֶת־עֵשָׂ֖ו כח

מְכִירַת הַבְּכֹורָה׃ כִּי־צַ֣יִד בְּפִ֑יו וְרִבְקָ֖ה אֹהֶ֥בֶת אֶֽת־יַעֲקֹֽב׃ וַיָּ֥זֶד יַעֲקֹ֖ב נָזִ֑יד וַיָּבֹ֥א עֵשָׂ֛ו כט

מִן־הַשָּׂדֶ֖ה וְה֥וּא עָיֵֽף׃ וַיֹּ֨אמֶר עֵשָׂ֜ו אֶֽל־יַעֲקֹ֗ב הַלְעִיטֵ֤נִי נָא֙ מִן־ ל

הָֽאָדֹם֙ הָאָדֹ֣ם הַזֶּ֔ה כִּ֥י עָיֵ֖ף אָנֹ֑כִי עַל־כֵּ֥ן קָרָֽא־שְׁמֹ֖ו אֱדֹֽום׃ וַיֹּ֖אמֶר לא

[2123] יַעֲקֹ֑ב מִכְרָ֥ה כַיֹּ֛ום אֶת־בְּכֹֽרָתְךָ֖ לִֽי׃ וַיֹּ֣אמֶר עֵשָׂ֗ו הִנֵּ֛ה אָנֹכִ֥י הֹולֵ֖ךְ לב

לָמ֑וּת וְלָמָּה־זֶּ֥ה לִ֖י בְּכֹרָֽה׃ וַיֹּ֣אמֶר יַעֲקֹ֗ב הִשָּׁ֤בְעָה לִּי֙ כַּיֹּ֔ום וַיִּשָּׁבַ֖ע לג

לֹ֑ו וַיִּמְכֹּ֥ר אֶת־בְּכֹרָתֹ֖ו לְיַעֲקֹֽב׃ וְיַעֲקֹ֞ב נָתַ֣ן לְעֵשָׂ֗ו לֶ֚חֶם וּנְזִ֣יד לד

עֲדָשִׁ֔ים וַיֹּ֣אכַל וַיֵּ֔שְׁתְּ וַיָּ֖קָם וַיֵּלַ֑ךְ וַיִּ֥בֶז עֵשָׂ֖ו אֶת־הַבְּכֹרָֽה׃

הַבְטָחַת הָאָרֶץ לְיִצְחָק׃ וַיְהִ֤י רָעָב֙ בָּאָ֔רֶץ מִלְּבַד֙ הָרָעָ֣ב הָרִאשֹׁ֔ון אֲשֶׁ֥ר הָיָ֖ה בִּימֵ֣י אַבְרָהָ֑ם כו א

וַיֵּ֧לֶךְ יִצְחָ֛ק אֶל־אֲבִימֶ֥לֶךְ מֶֽלֶךְ־פְּלִשְׁתִּ֖ים גְּרָֽרָה׃ וַיֵּרָ֤א אֵלָיו֙ יְהֹוָ֔ה ב

וַיֹּ֖אמֶר אַל־תֵּרֵ֣ד מִצְרָ֑יְמָה שְׁכֹ֣ן בָּאָ֔רֶץ אֲשֶׁ֖ר אֹמַ֥ר אֵלֶֽיךָ׃ גּ֚וּר ג

בָּאָ֣רֶץ הַזֹּ֔את וְאֶֽהְיֶ֥ה עִמְּךָ֖ וַאֲבָרְכֶ֑ךָּ כִּֽי־לְךָ֣ וּֽלְזַרְעֲךָ֗ אֶתֵּן֙

אֶת־כָּל־הָֽאֲרָצֹ֣ת הָאֵ֔ל וַהֲקִֽמֹתִי֙ אֶת־הַשְּׁבֻעָ֔ה אֲשֶׁ֥ר נִשְׁבַּ֖עְתִּי

לְאַבְרָהָ֣ם אָבִֽיךָ׃ וְהִרְבֵּיתִ֤י אֶֽת־זַרְעֲךָ֙ כְּכֹוכְבֵ֣י הַשָּׁמַ֔יִם וְנָתַתִּ֣י ד

לְזַרְעֲךָ֔ אֵ֥ת כָּל־הָאֲרָצֹ֖ת הָאֵ֑ל וְהִתְבָּרְכ֣וּ בְזַרְעֲךָ֔ כֹּ֖ל גֹּויֵ֥י הָאָֽרֶץ׃

עֵ֕קֶב אֲשֶׁר־שָׁמַ֥ע אַבְרָהָ֖ם בְּקֹלִ֑י וַיִּשְׁמֹר֙ מִשְׁמַרְתִּ֔י מִצְוֹתַ֖י חֻקֹּותַ֥י ה

שֵׁנִי מַעֲשֵׂה אֲבִימֶלֶךְ וְרִבְקָה׃ וְתֹורֹתָֽי׃ וַיֵּ֥שֶׁב יִצְחָ֖ק בִּגְרָֽר׃ וַֽיִּשְׁאֲל֞וּ אַנְשֵׁ֤י הַמָּקֹום֙ לְאִשְׁתֹּ֔ו ו

וַיֹּ֙אמֶר֙ אֲחֹ֣תִי הִ֔וא כִּ֣י יָרֵ֔א לֵאמֹ֖ר אִשְׁתִּ֑י פֶּן־יַֽהַרְגֻ֜נִי אַנְשֵׁ֤י הַמָּקֹום֙ ז

ח עַל־רִבְקָה כִּי־טוֹבַת מַרְאֶה הִוא: וַיְהִי כִּי אָרְכוּ־לוֹ שָׁם הַיָּמִים וַיַּשְׁקֵף אֲבִימֶלֶךְ מֶלֶךְ פְּלִשְׁתִּים בְּעַד הַחַלּוֹן וַיַּרְא וְהִנֵּה יִצְחָק

ט מְצַחֵק אֵת רִבְקָה אִשְׁתּוֹ: וַיִּקְרָא אֲבִימֶלֶךְ לְיִצְחָק וַיֹּאמֶר אַךְ הִנֵּה אִשְׁתְּךָ הִוא וְאֵיךְ אָמַרְתָּ אֲחֹתִי הִוא וַיֹּאמֶר אֵלָיו יִצְחָק כִּי

י אָמַרְתִּי פֶּן־אָמוּת עָלֶיהָ: וַיֹּאמֶר אֲבִימֶלֶךְ מַה־זֹּאת עָשִׂיתָ לָּנוּ

יא כִּמְעַט שָׁכַב אַחַד הָעָם אֶת־אִשְׁתֶּךָ וְהֵבֵאתָ עָלֵינוּ אָשָׁם: וַיְצַו אֲבִימֶלֶךְ אֶת־כָּל־הָעָם לֵאמֹר הַנֹּגֵעַ בָּאִישׁ הַזֶּה וּבְאִשְׁתּוֹ מוֹת

יב יוּמָת: וַיִּזְרַע יִצְחָק בָּאָרֶץ הַהִוא וַיִּמְצָא בַּשָּׁנָה הַהִוא מֵאָה

שלישי
עשירות
יצחק:

יג שְׁעָרִים וַיְבָרְכֵהוּ יְהֹוָה: וַיִּגְדַּל הָאִישׁ וַיֵּלֶךְ הָלוֹךְ וְגָדֵל עַד

יד כִּי־גָדַל מְאֹד: וַיְהִי־לוֹ מִקְנֵה־צֹאן וּמִקְנֵה בָקָר וַעֲבֻדָּה רַבָּה

טו וַיְקַנְאוּ אֹתוֹ פְּלִשְׁתִּים: וְכָל־הַבְּאֵרֹת אֲשֶׁר חָפְרוּ עַבְדֵי אָבִיו

מריבת
פלשתים
על בארות
המים:

טז בִּימֵי אַבְרָהָם אָבִיו סִתְּמוּם פְּלִשְׁתִּים וַיְמַלְאוּם עָפָר: וַיֹּאמֶר אֲבִימֶלֶךְ אֶל־יִצְחָק לֵךְ מֵעִמָּנוּ כִּי־עָצַמְתָּ מִמֶּנּוּ מְאֹד: וַיֵּלֶךְ

יח מִשָּׁם יִצְחָק וַיִּחַן בְּנַחַל־גְּרָר וַיֵּשֶׁב שָׁם: וַיָּשָׁב יִצְחָק וַיַּחְפֹּר ׀ אֶת־בְּאֵרֹת הַמַּיִם אֲשֶׁר חָפְרוּ בִּימֵי אַבְרָהָם אָבִיו וַיְסַתְּמוּם פְּלִשְׁתִּים אַחֲרֵי מוֹת אַבְרָהָם וַיִּקְרָא לָהֶן שֵׁמֹת כַּשֵּׁמֹת

יט אֲשֶׁר־קָרָא לָהֶן אָבִיו: וַיַּחְפְּרוּ עַבְדֵי־יִצְחָק בַּנָּחַל וַיִּמְצְאוּ־שָׁם

כ בְּאֵר מַיִם חַיִּים: וַיָּרִיבוּ רֹעֵי גְרָר עִם־רֹעֵי יִצְחָק לֵאמֹר לָנוּ

כא הַמָּיִם וַיִּקְרָא שֵׁם־הַבְּאֵר עֵשֶׂק כִּי הִתְעַשְּׂקוּ עִמּוֹ: וַיַּחְפְּרוּ בְּאֵר

כב אַחֶרֶת וַיָּרִיבוּ גַּם־עָלֶיהָ וַיִּקְרָא שְׁמָהּ שִׂטְנָה: וַיַּעְתֵּק מִשָּׁם וַיַּחְפֹּר בְּאֵר אַחֶרֶת וְלֹא רָבוּ עָלֶיהָ וַיִּקְרָא שְׁמָהּ רְחֹבוֹת וַיֹּאמֶר

רביעי

כג כִּי־עַתָּה הִרְחִיב יְהֹוָה לָנוּ וּפָרִינוּ בָאָרֶץ: וַיַּעַל מִשָּׁם בְּאֵר שָׁבַע:

התגלות ה׳
ליצחק.

כד וַיֵּרָא אֵלָיו יְהֹוָה בַּלַּיְלָה הַהוּא וַיֹּאמֶר אָנֹכִי אֱלֹהֵי אַבְרָהָם אָבִיךָ אַל־תִּירָא כִּי־אִתְּךָ אָנֹכִי וּבֵרַכְתִּיךָ וְהִרְבֵּיתִי אֶת־זַרְעֲךָ בַּעֲבוּר

כה אַבְרָהָם עַבְדִּי: וַיִּבֶן שָׁם מִזְבֵּחַ וַיִּקְרָא בְּשֵׁם יְהֹוָה וַיֶּט־שָׁם

אָהֳל֑וֹ וַיִּכְרוּ־שָׁ֥ם עַבְדֵֽי־יִצְחָ֖ק בְּאֵֽר׃ וַאֲבִימֶ֕לֶךְ הָלַ֥ךְ אֵלָ֖יו מִגְּרָ֑ר כו
בְּרִית אֲבִימֶלֶךְ וְיִצְחָק:
וַאֲחֻזַּת֙ מֵֽרֵעֵ֔הוּ וּפִיכֹ֖ל שַׂר־צְבָאֽוֹ׃ וַיֹּ֤אמֶר אֲלֵהֶם֙ יִצְחָ֔ק מַדּ֖וּעַ כז
בָּאתֶ֣ם אֵלָ֑י וְאַתֶּם֙ שְׂנֵאתֶ֣ם אֹתִ֔י וַתְּשַׁלְּח֖וּנִי מֵאִתְּכֶֽם׃ וַיֹּאמְר֗וּ כח
רָא֣וֹ רָאִינוּ֮ כִּֽי־הָיָ֣ה יְהֹוָ֣ה ׀ עִמָּךְ֒ וַנֹּ֗אמֶר תְּהִ֨י נָ֥א אָלָ֛ה בֵּֽינוֹתֵ֖ינוּ
בֵּינֵ֣ינוּ וּבֵינֶ֑ךָ וְנִכְרְתָ֥ה בְרִ֖ית עִמָּֽךְ׃ אִם־תַּעֲשֵׂ֨ה עִמָּ֜נוּ רָעָ֗ה כַּאֲשֶׁר֙ כט
לֹ֣א נְגַֽעֲנ֔וּךָ וְכַאֲשֶׁ֨ר עָשִׂ֤ינוּ עִמְּךָ֙ רַק־ט֔וֹב וַנְּשַׁלֵּחֲךָ֖ בְּשָׁל֑וֹם אַתָּ֥ה
חמישי
עַתָּ֖ה בְּר֥וּךְ יְהֹוָֽה׃ וַיַּ֤עַשׂ לָהֶם֙ מִשְׁתֶּ֔ה וַיֹּאכְל֖וּ וַיִּשְׁתּֽוּ׃ וַיַּשְׁכִּ֣ימוּ ל לא
בַבֹּ֔קֶר וַיִּשָּׁבְע֖וּ אִ֣ישׁ לְאָחִ֑יו וַיְשַׁלְּחֵ֣ם יִצְחָ֔ק וַיֵּלְכ֥וּ מֵאִתּ֖וֹ בְּשָׁלֽוֹם׃
וַיְהִ֣י ׀ בַּיּ֣וֹם הַה֗וּא וַיָּבֹ֙אוּ֙ עַבְדֵ֣י יִצְחָ֔ק וַיַּגִּ֣דוּ ל֔וֹ עַל־אֹד֥וֹת הַבְּאֵ֖ר לב
אֲשֶׁ֣ר חָפָ֑רוּ וַיֹּ֥אמְרוּ ל֖וֹ מָצָ֥אנוּ מָֽיִם׃ וַיִּקְרָ֥א אֹתָ֖הּ שִׁבְעָ֑ה עַל־כֵּ֤ן לג
נִשּׂוּאֵי עֵשָׂו:
שֵֽׁם־הָעִיר֙ בְּאֵ֣ר שֶׁ֔בַע עַ֖ד הַיּ֥וֹם הַזֶּֽה׃ וַיְהִ֤י עֵשָׂו֙ לד
בֶּן־אַרְבָּעִ֣ים שָׁנָ֔ה וַיִּקַּ֤ח אִשָּׁה֙ אֶת־יְהוּדִ֔ית בַּת־בְּאֵרִ֖י הַֽחִתִּ֑י
וְאֶת־בָּ֣שְׂמַ֔ת בַּת־אֵילֹ֖ן הַֽחִתִּֽי׃ וַתִּהְיֶ֖יןָ מֹ֣רַת ר֑וּחַ לְיִצְחָ֖ק לה
בִּרְכַּת יִצְחָק לְבָנָיו:
וּלְרִבְקָֽה׃ וַיְהִי֙ כִּֽי־זָקֵ֣ן יִצְחָ֔ק וַתִּכְהֶ֥יןָ עֵינָ֖יו מֵרְאֹ֑ת א כז
וַיִּקְרָ֞א אֶת־עֵשָׂ֣ו ׀ בְּנ֣וֹ הַגָּדֹ֗ל וַיֹּ֤אמֶר אֵלָיו֙ בְּנִ֔י וַיֹּ֥אמֶר אֵלָ֖יו הִנֵּֽנִי׃
[2171]
וַיֹּ֕אמֶר הִנֵּה־נָ֖א זָקַ֑נְתִּי לֹ֥א יָדַ֖עְתִּי י֥וֹם מוֹתִֽי׃ וְעַתָּה֙ שָׂא־נָ֣א כֵלֶ֔יךָ ב ג
תֶּלְיְךָ֖ וְקַשְׁתֶּ֑ךָ וְצֵא֙ הַשָּׂדֶ֔ה וְצ֥וּדָה לִּ֖י צידה צָֽיִד׃ וַעֲשֵׂה־לִ֨י ד
מַטְעַמִּ֜ים כַּאֲשֶׁ֧ר אָהַ֛בְתִּי וְהָבִ֥יאָה לִּ֖י וְאֹכֵ֑לָה בַּעֲב֛וּר תְּבָרֶכְךָ֥
נַפְשִׁ֖י בְּטֶ֥רֶם אָמֽוּת׃ וְרִבְקָ֣ה שֹׁמַ֔עַת בְּדַבֵּ֣ר יִצְחָ֔ק אֶל־עֵשָׂ֖ו בְּנ֑וֹ ה
וַיֵּ֤לֶךְ עֵשָׂו֙ הַשָּׂדֶ֔ה לָצ֥וּד צַ֖יִד לְהָבִֽיא׃ וְרִבְקָה֙ אָֽמְרָ֔ה אֶל־יַעֲקֹ֥ב ו
בְּנָ֖הּ לֵאמֹ֑ר הִנֵּ֤ה שָׁמַ֙עְתִּי֙ אֶת־אָבִ֔יךָ מְדַבֵּ֛ר אֶל־עֵשָׂ֥ו אָחִ֖יךָ
לֵאמֹֽר׃ הָבִ֨יאָה לִּ֥י צַ֛יִד וַעֲשֵׂה־לִ֥י מַטְעַמִּ֖ים וְאֹכֵ֑לָה וַאֲבָרֶכְכָ֛ה ז
לִפְנֵ֥י יְהֹוָ֖ה לִפְנֵ֥י מוֹתִֽי׃ וְעַתָּ֥ה בְנִ֖י שְׁמַ֣ע בְּקֹלִ֑י לַאֲשֶׁ֥ר אֲנִ֖י מְצַוָּ֥ה ח
אֹתָֽךְ׃ לֶךְ־נָא֙ אֶל־הַצֹּ֔אן וְקַח־לִ֣י מִשָּׁ֗ם שְׁנֵ֛י גְּדָיֵ֥י עִזִּ֖ים טֹבִ֑ים ט
וְאֶֽעֱשֶׂ֨ה אֹתָ֧ם מַטְעַמִּ֛ים לְאָבִ֖יךָ כַּאֲשֶׁ֥ר אָהֵֽב׃ וְהֵבֵאתָ֥ לְאָבִ֖יךָ י

יא וְאָכָ֑ל בַּעֲבֻ֛ר אֲשֶׁ֥ר יְבָרֶכְךָ֖ לִפְנֵ֥י מוֹתֽוֹ׃ וַיֹּ֣אמֶר יַעֲקֹ֔ב אֶל־רִבְקָ֖ה
יב אִמּ֑וֹ הֵ֚ן עֵשָׂ֣ו אָחִ֔י אִ֣ישׁ שָׂעִ֔ר וְאָנֹכִ֖י אִ֥ישׁ חָלָֽק׃ אוּלַ֤י יְמֻשֵּׁ֙נִי֙
אָבִ֔י וְהָיִ֥יתִי בְעֵינָ֖יו כִּמְתַעְתֵּ֑עַ וְהֵבֵאתִ֥י עָלַ֛י קְלָלָ֖ה וְלֹ֥א בְרָכָֽה׃
יג וַתֹּ֤אמֶר לוֹ֙ אִמּ֔וֹ עָלַ֥י קִלְלָתְךָ֖ בְּנִ֑י אַ֛ךְ שְׁמַ֥ע בְּקֹלִ֖י וְלֵ֥ךְ קַֽח־לִֽי׃
יד וַיֵּ֙לֶךְ֙ וַיִּקַּ֔ח וַיָּבֵ֖א לְאִמּ֑וֹ וַתַּ֤עַשׂ אִמּוֹ֙ מַטְעַמִּ֔ים כַּאֲשֶׁ֖ר אָהֵ֥ב אָבִֽיו׃ הֲכָנַת הַמַּטְעַמִּים לְיִצְחָק:
טו וַתִּקַּ֣ח רִ֠בְקָה אֶת־בִּגְדֵ֨י עֵשָׂ֜ו בְּנָ֤הּ הַגָּדֹל֙ הַחֲמֻדֹ֔ת אֲשֶׁ֥ר אִתָּ֖הּ
טז בַּבָּ֑יִת וַתַּלְבֵּ֥שׁ אֶֽת־יַעֲקֹ֖ב בְּנָ֥הּ הַקָּטָֽן׃ וְאֵ֗ת עֹרֹת֙ גְּדָיֵ֣י הָֽעִזִּ֔ים
יז הִלְבִּ֖ישָׁה עַל־יָדָ֑יו וְעַ֖ל חֶלְקַ֥ת צַוָּארָֽיו׃ וַתִּתֵּ֧ן אֶת־הַמַּטְעַמִּ֛ים
יח וְאֶת־הַלֶּ֖חֶם אֲשֶׁ֣ר עָשָׂ֑תָה בְּיַ֖ד יַעֲקֹ֥ב בְּנָֽהּ׃ וַיָּבֹ֥א אֶל־אָבִ֖יו
יט וַיֹּ֣אמֶר אָבִ֑י וַיֹּ֣אמֶר הִנֶּ֔נִּי מִ֥י אַתָּ֖ה בְּנִֽי׃ וַיֹּ֨אמֶר יַעֲקֹ֜ב אֶל־אָבִ֗יו
אָנֹכִי֙ עֵשָׂ֣ו בְּכֹרֶ֔ךָ עָשִׂ֕יתִי כַּאֲשֶׁ֥ר דִּבַּ֖רְתָּ אֵלָ֑י קוּם־נָ֣א שְׁבָ֗ה
כ וְאָכְלָה֙ מִצֵּידִ֔י בַּעֲב֖וּר תְּבָרְכַ֥נִּי נַפְשֶֽׁךָ׃ וַיֹּ֤אמֶר יִצְחָק֙ אֶל־בְּנ֔וֹ
מַה־זֶּ֛ה מִהַ֥רְתָּ לִמְצֹ֖א בְּנִ֑י וַיֹּ֕אמֶר כִּ֥י הִקְרָ֛ה יְהוָ֥ה אֱלֹהֶ֖יךָ לְפָנָֽי׃
כא וַיֹּ֤אמֶר יִצְחָק֙ אֶֽל־יַעֲקֹ֔ב גְּשָׁה־נָּ֥א וַאֲמֻשְׁךָ֖ בְּנִ֑י הַֽאַתָּ֥ה זֶ֛ה בְּנִ֥י
כב עֵשָׂ֖ו אִם־לֹֽא׃ וַיִּגַּ֧שׁ יַעֲקֹ֛ב אֶל־יִצְחָ֥ק אָבִ֖יו וַיְמֻשֵּׁ֑הוּ וַיֹּ֗אמֶר הַקֹּל֙
כג ק֣וֹל יַעֲקֹ֔ב וְהַיָּדַ֖יִם יְדֵ֥י עֵשָֽׂו׃ וְלֹ֣א הִכִּיר֔וֹ כִּֽי־הָי֣וּ יָדָ֗יו כִּידֵ֛י עֵשָׂ֥ו
כד אָחִ֖יו שְׂעִרֹ֑ת וַֽיְבָרְכֵֽהוּ׃ וַיֹּ֕אמֶר אַתָּ֥ה זֶ֖ה בְּנִ֣י עֵשָׂ֑ו וַיֹּ֖אמֶר אָֽנִי׃
כה וַיֹּ֗אמֶר הַגִּ֤שָׁה לִּי֙ וְאֹֽכְלָה֙ מִצֵּ֣יד בְּנִ֔י לְמַ֥עַן תְּבָרֶכְךָ֖ נַפְשִׁ֑י
כו וַיַּגֶּשׁ־לוֹ֙ וַיֹּאכַ֔ל וַיָּ֧בֵא ל֛וֹ יַ֖יִן וַיֵּֽשְׁתְּ׃ וַיֹּ֥אמֶר אֵלָ֖יו יִצְחָ֣ק אָבִ֑יו
כז גְּשָׁה־נָּ֥א וּשְׁקָה־לִּ֖י בְּנִֽי׃ וַיִּגַּשׁ֙ וַיִּשַּׁק־ל֔וֹ וַיָּ֛רַח אֶת־רֵ֥יחַ בְּגָדָ֖יו בִּרְכַּת יִצְחָק לְיַעֲקֹב:
וַֽיְבָרְכֵ֑הוּ וַיֹּ֗אמֶר רְאֵה֙ רֵ֣יחַ בְּנִ֔י כְּרֵ֣יחַ שָׂדֶ֔ה אֲשֶׁ֥ר בֵּרֲכ֖וֹ יְהוָֽה׃
כח וְיִֽתֶּן־לְךָ֙ הָאֱלֹהִ֔ים מִטַּל֙ הַשָּׁמַ֔יִם וּמִשְׁמַנֵּ֖י הָאָ֑רֶץ וְרֹ֥ב דָּגָ֖ן ששי
כט וְתִירֹֽשׁ׃ יַֽעַבְד֣וּךָ עַמִּ֗ים וישתחו וְיִֽשְׁתַּחֲו֤וּ לְךָ֙ לְאֻמִּ֔ים הֱוֵ֤ה גְבִיר֙
לְאַחֶ֔יךָ וְיִשְׁתַּחֲוּ֥וּ לְךָ֖ בְּנֵ֣י אִמֶּ֑ךָ אֹרְרֶ֣יךָ אָר֔וּר וּֽמְבָרְכֶ֖יךָ בָּרֽוּךְ׃
ל וַיְהִ֗י כַּאֲשֶׁ֨ר כִּלָּ֣ה יִצְחָק֮ לְבָרֵ֣ךְ אֶֽת־יַעֲקֹב֒ וַיְהִ֗י אַ֣ךְ יָצֹ֤א יָצָא֙

הֲבָאַת הַמַּטְעַמִּים עַל יְדֵי עֵשָׂו:

לא יַעֲקֹב מֵאֵת פְּנֵי יִצְחָק אָבִיו וְעֵשָׂו אָחִיו בָּא מִצֵּידוֹ: וַיַּעַשׂ גַּם־הוּא
מַטְעַמִּים וַיָּבֵא לְאָבִיו וַיֹּאמֶר לְאָבִיו יָקֻם אָבִי וְיֹאכַל מִצֵּיד
לב בְּנוֹ בַּעֲבֻר תְּבָרְכַנִּי נַפְשֶׁךָ: וַיֹּאמֶר לוֹ יִצְחָק אָבִיו מִי־אָתָּה וַיֹּאמֶר
לג אֲנִי בִּנְךָ בְכֹרְךָ עֵשָׂו: וַיֶּחֱרַד יִצְחָק חֲרָדָה גְּדֹלָה עַד־מְאֹד וַיֹּאמֶר
מִי־אֵפוֹא הוּא הַצָּד־צַיִד וַיָּבֵא לִי וָאֹכַל מִכֹּל בְּטֶרֶם תָּבוֹא

הִתְוַדְּעוּת עֵשָׂו עַל גְּנֵבַת בִּרְכוֹתָיו:

לד וָאֲבָרְכֵהוּ גַּם־בָּרוּךְ יִהְיֶה: כִּשְׁמֹעַ עֵשָׂו אֶת־דִּבְרֵי אָבִיו
וַיִּצְעַק צְעָקָה גְּדֹלָה וּמָרָה עַד־מְאֹד וַיֹּאמֶר לְאָבִיו בָּרְכֵנִי גַם־אָנִי
לה לו אָבִי: וַיֹּאמֶר בָּא אָחִיךָ בְּמִרְמָה וַיִּקַּח בִּרְכָתֶךָ: וַיֹּאמֶר הֲכִי קָרָא
שְׁמוֹ יַעֲקֹב וַיַּעְקְבֵנִי זֶה פַעֲמַיִם אֶת־בְּכֹרָתִי לָקָח וְהִנֵּה עַתָּה
לז לָקַח בִּרְכָתִי וַיֹּאמַר הֲלֹא־אָצַלְתָּ לִּי בְּרָכָה: וַיַּעַן יִצְחָק וַיֹּאמֶר
לְעֵשָׂו הֵן גְּבִיר שַׂמְתִּיו לָךְ וְאֶת־כָּל־אֶחָיו נָתַתִּי לוֹ לַעֲבָדִים
לח וְדָגָן וְתִירֹשׁ סְמַכְתִּיו וּלְכָה אֵפוֹא מָה אֶעֱשֶׂה בְּנִי: וַיֹּאמֶר עֵשָׂו
אֶל־אָבִיו הַבְרָכָה אַחַת הִוא־לְךָ אָבִי בָּרְכֵנִי גַם־אָנִי אָבִי וַיִּשָּׂא

בִּרְכַּת יִצְחָק לְעֵשָׂו:

לט עֵשָׂו קֹלוֹ וַיֵּבְךְּ: וַיַּעַן יִצְחָק אָבִיו וַיֹּאמֶר אֵלָיו הִנֵּה מִשְׁמַנֵּי הָאָרֶץ
מ יִהְיֶה מוֹשָׁבֶךָ וּמִטַּל הַשָּׁמַיִם מֵעָל: וְעַל־חַרְבְּךָ תִחְיֶה וְאֶת־
אָחִיךָ תַּעֲבֹד וְהָיָה כַּאֲשֶׁר תָּרִיד וּפָרַקְתָּ עֻלּוֹ מֵעַל צַוָּארֶךָ:
מא וַיִּשְׂטֹם עֵשָׂו אֶת־יַעֲקֹב עַל־הַבְּרָכָה אֲשֶׁר בֵּרְכוֹ אָבִיו וַיֹּאמֶר

עֲצַת רִבְקָה לְיַעֲקֹב:

מב עֵשָׂו בְּלִבּוֹ יִקְרְבוּ יְמֵי אֵבֶל אָבִי וְאַהַרְגָה אֶת־יַעֲקֹב אָחִי: וַיֻּגַּד
לְרִבְקָה אֶת־דִּבְרֵי עֵשָׂו בְּנָהּ הַגָּדֹל וַתִּשְׁלַח וַתִּקְרָא לְיַעֲקֹב
בְּנָהּ הַקָּטָן וַתֹּאמֶר אֵלָיו הִנֵּה עֵשָׂו אָחִיךָ מִתְנַחֵם לְךָ לְהָרְגֶךָ:
מג מד וְעַתָּה בְנִי שְׁמַע בְּקֹלִי וְקוּם בְּרַח־לְךָ אֶל־לָבָן אָחִי חָרָנָה: וְיָשַׁבְתָּ
מה עִמּוֹ יָמִים אֲחָדִים עַד אֲשֶׁר־תָּשׁוּב חֲמַת אָחִיךָ: עַד־שׁוּב
אַף־אָחִיךָ מִמְּךָ וְשָׁכַח אֵת אֲשֶׁר־עָשִׂיתָ לּוֹ וְשָׁלַחְתִּי וּלְקַחְתִּיךָ
מו מִשָּׁם לָמָה אֶשְׁכַּל גַּם־שְׁנֵיכֶם יוֹם אֶחָד: וַתֹּאמֶר רִבְקָה אֶל־
יִצְחָק קַצְתִּי בְחַיַּי מִפְּנֵי בְּנוֹת חֵת אִם־לֹקֵחַ יַעֲקֹב אִשָּׁה

כח א מִבְּנוֹת־חֵת כָּאֵלֶּה מִבְּנוֹת הָאָרֶץ לָמָּה לִּי חַיִּים: וַיִּקְרָא יִצְחָק
אֶל־יַעֲקֹב וַיְבָרֶךְ אֹתוֹ וַיְצַוֵּהוּ וַיֹּאמֶר לוֹ לֹא־תִקַּח אִשָּׁה מִבְּנוֹת
ב כְּנָעַן: קוּם לֵךְ פַּדֶּנָה אֲרָם בֵּיתָה בְתוּאֵל אֲבִי אִמֶּךָ וְקַח־לְךָ
ג מִשָּׁם אִשָּׁה מִבְּנוֹת לָבָן אֲחִי אִמֶּךָ: וְאֵל שַׁדַּי יְבָרֵךְ אֹתְךָ וְיַפְרְךָ
ד וְיַרְבֶּךָ וְהָיִיתָ לִקְהַל עַמִּים: וְיִתֶּן־לְךָ אֶת־בִּרְכַּת אַבְרָהָם לְךָ
וּלְזַרְעֲךָ אִתָּךְ לְרִשְׁתְּךָ אֶת־אֶרֶץ מְגֻרֶיךָ אֲשֶׁר־נָתַן אֱלֹהִים
ה לְאַבְרָהָם: וַיִּשְׁלַח יִצְחָק אֶת־יַעֲקֹב וַיֵּלֶךְ פַּדֶּנָה אֲרָם אֶל־לָבָן
ו בֶּן־בְּתוּאֵל הָאֲרַמִּי אֲחִי רִבְקָה אֵם יַעֲקֹב וְעֵשָׂו: וַיַּרְא עֵשָׂו
כִּי־בֵרַךְ יִצְחָק אֶת־יַעֲקֹב וְשִׁלַּח אֹתוֹ פַּדֶּנָה אֲרָם לָקַחַת־לוֹ
מִשָּׁם אִשָּׁה בְּבָרְכוֹ אֹתוֹ וַיְצַו עָלָיו לֵאמֹר לֹא־תִקַּח אִשָּׁה מִבְּנוֹת
ז ח כְּנָעַן: וַיִּשְׁמַע יַעֲקֹב אֶל־אָבִיו וְאֶל־אִמּוֹ וַיֵּלֶךְ פַּדֶּנָה אֲרָם: וַיַּרְא
ט עֵשָׂו כִּי רָעוֹת בְּנוֹת כְּנָעַן בְּעֵינֵי יִצְחָק אָבִיו: וַיֵּלֶךְ עֵשָׂו
אֶל־יִשְׁמָעֵאל וַיִּקַּח אֶת־מָחֲלַת ׀ בַּת־יִשְׁמָעֵאל בֶּן־אַבְרָהָם
י אֲחוֹת נְבָיוֹת עַל־נָשָׁיו לוֹ לְאִשָּׁה: וַיֵּצֵא יַעֲקֹב מִבְּאֵר
יא שָׁבַע וַיֵּלֶךְ חָרָנָה: וַיִּפְגַּע בַּמָּקוֹם וַיָּלֶן שָׁם כִּי־בָא הַשֶּׁמֶשׁ וַיִּקַּח
יב מֵאַבְנֵי הַמָּקוֹם וַיָּשֶׂם מְרַאֲשֹׁתָיו וַיִּשְׁכַּב בַּמָּקוֹם הַהוּא: וַיַּחֲלֹם
וְהִנֵּה סֻלָּם מֻצָּב אַרְצָה וְרֹאשׁוֹ מַגִּיעַ הַשָּׁמָיְמָה וְהִנֵּה מַלְאֲכֵי
יג אֱלֹהִים עֹלִים וְיֹרְדִים בּוֹ: וְהִנֵּה יְהֹוָה נִצָּב עָלָיו וַיֹּאמַר אֲנִי יְהֹוָה
אֱלֹהֵי אַבְרָהָם אָבִיךָ וֵאלֹהֵי יִצְחָק הָאָרֶץ אֲשֶׁר אַתָּה שֹׁכֵב עָלֶיהָ
יד לְךָ אֶתְּנֶנָּה וּלְזַרְעֶךָ: וְהָיָה זַרְעֲךָ כַּעֲפַר הָאָרֶץ וּפָרַצְתָּ יָמָּה
וָקֵדְמָה וְצָפֹנָה וָנֶגְבָּה וְנִבְרְכוּ בְךָ כָּל־מִשְׁפְּחֹת הָאֲדָמָה וּבְזַרְעֶךָ:
טו וְהִנֵּה אָנֹכִי עִמָּךְ וּשְׁמַרְתִּיךָ בְּכֹל אֲשֶׁר־תֵּלֵךְ וַהֲשִׁבֹתִיךָ אֶל־
הָאֲדָמָה הַזֹּאת כִּי לֹא אֶעֱזָבְךָ עַד אֲשֶׁר אִם־עָשִׂיתִי אֵת
טז אֲשֶׁר־דִּבַּרְתִּי לָךְ: וַיִּיקַץ יַעֲקֹב מִשְּׁנָתוֹ וַיֹּאמֶר אָכֵן יֵשׁ יְהֹוָה
יז בַּמָּקוֹם הַזֶּה וְאָנֹכִי לֹא יָדָעְתִּי: וַיִּירָא וַיֹּאמַר מַה־נּוֹרָא הַמָּקוֹם

בִּרְכַּת יִצְחָק לְיַעֲקֹב בְּשָׁלְחוֹ לְחָרָן:

שביעי

מפטיר

יְצִיאַת יַעֲקֹב מִבְּאֵר שָׁבַע:

ויצא

חֲלוֹם יַעֲקֹב:

[2185]

הַבְטָחַת הָאָרֶץ וְרִבּוּי הַבָּנִים:

מַצֶּבֶת יַעֲקֹב וְנִדְרוֹ:

יח הַזֶּה אֵין זֶה כִּי אִם־בֵּית אֱלֹהִים וְזֶה שַׁעַר הַשָּׁמָיִם: וַיַּשְׁכֵּם
יַעֲקֹב בַּבֹּקֶר וַיִּקַּח אֶת־הָאֶבֶן אֲשֶׁר־שָׂם מְרַאֲשֹׁתָיו וַיָּשֶׂם אֹתָהּ
יט מַצֵּבָה וַיִּצֹק שֶׁמֶן עַל־רֹאשָׁהּ: וַיִּקְרָא אֶת־שֵׁם־הַמָּקוֹם הַהוּא
כ בֵּית־אֵל וְאוּלָם לוּז שֵׁם־הָעִיר לָרִאשֹׁנָה: וַיִּדַּר יַעֲקֹב נֶדֶר לֵאמֹר
אִם־יִהְיֶה אֱלֹהִים עִמָּדִי וּשְׁמָרַנִי בַּדֶּרֶךְ הַזֶּה אֲשֶׁר אָנֹכִי הוֹלֵךְ
כא וְנָתַן־לִי לֶחֶם לֶאֱכֹל וּבֶגֶד לִלְבֹּשׁ: וְשַׁבְתִּי בְשָׁלוֹם אֶל־בֵּית אָבִי
כב וְהָיָה יְהוָה לִי לֵאלֹהִים: וְהָאֶבֶן הַזֹּאת אֲשֶׁר־שַׂמְתִּי מַצֵּבָה יִהְיֶה

שני
פְּגִישַׁת יַעֲקֹב וְרוֹעֵי חָרָן:

כט א בֵּית אֱלֹהִים וְכֹל אֲשֶׁר תִּתֶּן־לִי עַשֵּׂר אֲעַשְּׂרֶנּוּ לָךְ: וַיִּשָּׂא יַעֲקֹב
ב רַגְלָיו וַיֵּלֶךְ אַרְצָה בְנֵי־קֶדֶם: וַיַּרְא וְהִנֵּה בְאֵר בַּשָּׂדֶה וְהִנֵּה־שָׁם
שְׁלֹשָׁה עֶדְרֵי־צֹאן רֹבְצִים עָלֶיהָ כִּי מִן־הַבְּאֵר הַהִוא יַשְׁקוּ
ג הָעֲדָרִים וְהָאֶבֶן גְּדֹלָה עַל־פִּי הַבְּאֵר: וְנֶאֶסְפוּ־שָׁמָּה כָל־
הָעֲדָרִים וְגָלְלוּ אֶת־הָאֶבֶן מֵעַל פִּי הַבְּאֵר וְהִשְׁקוּ אֶת־הַצֹּאן
ד וְהֵשִׁיבוּ אֶת־הָאֶבֶן עַל־פִּי הַבְּאֵר לִמְקֹמָהּ: וַיֹּאמֶר לָהֶם יַעֲקֹב
ה אַחַי מֵאַיִן אַתֶּם וַיֹּאמְרוּ מֵחָרָן אֲנָחְנוּ: וַיֹּאמֶר לָהֶם הַיְדַעְתֶּם
ו אֶת־לָבָן בֶּן־נָחוֹר וַיֹּאמְרוּ יָדָעְנוּ: וַיֹּאמֶר לָהֶם הֲשָׁלוֹם לוֹ וַיֹּאמְרוּ
ז שָׁלוֹם וְהִנֵּה רָחֵל בִּתּוֹ בָּאָה עִם־הַצֹּאן: וַיֹּאמֶר הֵן עוֹד הַיּוֹם
ח גָּדוֹל לֹא־עֵת הֵאָסֵף הַמִּקְנֶה הַשְׁקוּ הַצֹּאן וּלְכוּ רְעוּ: וַיֹּאמְרוּ
לֹא נוּכַל עַד אֲשֶׁר יֵאָסְפוּ כָּל־הָעֲדָרִים וְגָלְלוּ אֶת־הָאֶבֶן מֵעַל

פְּגִישַׁת יַעֲקֹב עִם רָחֵל:

ט פִּי הַבְּאֵר וְהִשְׁקִינוּ הַצֹּאן: עוֹדֶנּוּ מְדַבֵּר עִמָּם וְרָחֵל | בָּאָה
י עִם־הַצֹּאן אֲשֶׁר לְאָבִיהָ כִּי רֹעָה הִוא: וַיְהִי כַּאֲשֶׁר רָאָה יַעֲקֹב
אֶת־רָחֵל בַּת־לָבָן אֲחִי אִמּוֹ וְאֶת־צֹאן לָבָן אֲחִי אִמּוֹ וַיִּגַּשׁ יַעֲקֹב
וַיָּגֶל אֶת־הָאֶבֶן מֵעַל פִּי הַבְּאֵר וַיַּשְׁקְ אֶת־צֹאן לָבָן אֲחִי אִמּוֹ:
יא יב וַיִּשַּׁק יַעֲקֹב לְרָחֵל וַיִּשָּׂא אֶת־קֹלוֹ וַיֵּבְךְּ: וַיַּגֵּד יַעֲקֹב לְרָחֵל כִּי
יג אֲחִי אָבִיהָ הוּא וְכִי בֶן־רִבְקָה הוּא וַתָּרָץ וַתַּגֵּד לְאָבִיהָ: וַיְהִי
כִשְׁמֹעַ לָבָן אֶת־שֵׁמַע | יַעֲקֹב בֶּן־אֲחֹתוֹ וַיָּרָץ לִקְרָאתוֹ וַיְחַבֶּק־

לוֹ וַיְנַשֶּׁק־לוֹ וַיְבִיאֵהוּ אֶל־בֵּיתוֹ וַיְסַפֵּר לְלָבָן אֵת כָּל־הַדְּבָרִים
יד הָאֵלֶּה: וַיֹּאמֶר לוֹ לָבָן אַךְ עַצְמִי וּבְשָׂרִי אָתָּה וַיֵּשֶׁב עִמּוֹ חֹדֶשׁ יַעֲקֹב
טו יָמִים: וַיֹּאמֶר לָבָן לְיַעֲקֹב הֲכִי־אָחִי אַתָּה וַעֲבַדְתַּנִי חִנָּם הַגִּידָה בְּבֵית לָבָן:
טז לִּי מַה־מַּשְׂכֻּרְתֶּךָ: וּלְלָבָן שְׁתֵּי בָנוֹת שֵׁם הַגְּדֹלָה לֵאָה וְשֵׁם
יז הַקְּטַנָּה רָחֵל: וְעֵינֵי לֵאָה רַכּוֹת וְרָחֵל הָיְתָה יְפַת־תֹּאַר וִיפַת
יח מַרְאֶה: וַיֶּאֱהַב יַעֲקֹב אֶת־רָחֵל וַיֹּאמֶר אֶעֱבָדְךָ שֶׁבַע שָׁנִים שלישי
יט בְּרָחֵל בִּתְּךָ הַקְּטַנָּה: וַיֹּאמֶר לָבָן טוֹב תִּתִּי אֹתָהּ לָךְ מִתִּתִּי
כ אֹתָהּ לְאִישׁ אַחֵר שְׁבָה עִמָּדִי: וַיַּעֲבֹד יַעֲקֹב בְּרָחֵל שֶׁבַע שָׁנִים
כא וַיִּהְיוּ בְעֵינָיו כְּיָמִים אֲחָדִים בְּאַהֲבָתוֹ אֹתָהּ: וַיֹּאמֶר יַעֲקֹב נִשּׂוּאֵי
כב אֶל־לָבָן הָבָה אֶת־אִשְׁתִּי כִּי מָלְאוּ יָמָי וְאָבוֹאָה אֵלֶיהָ: וַיֶּאֱסֹף יַעֲקֹב עִם לֵאָה וְרָחֵל:
כג לָבָן אֶת־כָּל־אַנְשֵׁי הַמָּקוֹם וַיַּעַשׂ מִשְׁתֶּה: וַיְהִי בָעֶרֶב וַיִּקַּח [2192]
כד אֶת־לֵאָה בִתּוֹ וַיָּבֵא אֹתָהּ אֵלָיו וַיָּבֹא אֵלֶיהָ: וַיִּתֵּן לָבָן לָהּ
כה אֶת־זִלְפָּה שִׁפְחָתוֹ לְלֵאָה בִתּוֹ שִׁפְחָה: וַיְהִי בַבֹּקֶר וְהִנֵּה־הִוא
לֵאָה וַיֹּאמֶר אֶל־לָבָן מַה־זֹּאת עָשִׂיתָ לִּי הֲלֹא בְרָחֵל עָבַדְתִּי
כו עִמָּךְ וְלָמָּה רִמִּיתָנִי: וַיֹּאמֶר לָבָן לֹא־יֵעָשֶׂה כֵן בִּמְקוֹמֵנוּ לָתֵת
כז הַצְּעִירָה לִפְנֵי הַבְּכִירָה: מַלֵּא שְׁבֻעַ זֹאת וְנִתְּנָה לְךָ גַּם־אֶת־זֹאת
כח בַּעֲבֹדָה אֲשֶׁר תַּעֲבֹד עִמָּדִי עוֹד שֶׁבַע־שָׁנִים אֲחֵרוֹת: וַיַּעַשׂ
יַעֲקֹב כֵּן וַיְמַלֵּא שְׁבֻעַ זֹאת וַיִּתֶּן־לוֹ אֶת־רָחֵל בִּתּוֹ לוֹ לְאִשָּׁה:
כט ל וַיִּתֵּן לָבָן לְרָחֵל בִּתּוֹ אֶת־בִּלְהָה שִׁפְחָתוֹ לָהּ לְשִׁפְחָה: וַיָּבֹא
גַּם אֶל־רָחֵל וַיֶּאֱהַב גַּם־אֶת־רָחֵל מִלֵּאָה וַיַּעֲבֹד עִמּוֹ עוֹד
לא שֶׁבַע־שָׁנִים אֲחֵרוֹת: וַיַּרְא יְהוָה כִּי־שְׂנוּאָה לֵאָה וַיִּפְתַּח אֶת־ לֵדַת בְּנֵי
לב רַחְמָהּ וְרָחֵל עֲקָרָה: וַתַּהַר לֵאָה וַתֵּלֶד בֵּן וַתִּקְרָא שְׁמוֹ רְאוּבֵן לֵאָה:
לג כִּי אָמְרָה כִּי־רָאָה יְהוָה בְּעָנְיִי כִּי עַתָּה יֶאֱהָבַנִי אִישִׁי: וַתַּהַר
עוֹד וַתֵּלֶד בֵּן וַתֹּאמֶר כִּי־שָׁמַע יְהוָה כִּי־שְׂנוּאָה אָנֹכִי וַיִּתֶּן־לִי
לד גַּם־אֶת־זֶה וַתִּקְרָא שְׁמוֹ שִׁמְעוֹן: וַתַּהַר עוֹד וַתֵּלֶד בֵּן וַתֹּאמֶר

עַתָּה הַפַּעַם יִלָּוֶה אִישִׁי אֵלַי כִּי־יָלַדְתִּי לוֹ שְׁלֹשָׁה בָנִים עַל־כֵּן
לה קָרָא־שְׁמוֹ לֵוִי: וַתַּהַר עוֹד וַתֵּלֶד בֵּן וַתֹּאמֶר הַפַּעַם אוֹדֶה
ל א אֶת־יְהוָה עַל־כֵּן קָרְאָה שְׁמוֹ יְהוּדָה וַתַּעֲמֹד מִלֶּדֶת: וַתֵּרֶא רָחֵל קִנְאַת רָחֵל בְּלֵאָה:
כִּי לֹא יָלְדָה לְיַעֲקֹב וַתְּקַנֵּא רָחֵל בַּאֲחֹתָהּ וַתֹּאמֶר אֶל־יַעֲקֹב
ב הָבָה־לִּי בָנִים וְאִם־אַיִן מֵתָה אָנֹכִי: וַיִּחַר־אַף יַעֲקֹב בְּרָחֵל וַיֹּאמֶר
ג הֲתַחַת אֱלֹהִים אָנֹכִי אֲשֶׁר־מָנַע מִמֵּךְ פְּרִי־בָטֶן: וַתֹּאמֶר הִנֵּה
אֲמָתִי בִלְהָה בֹּא אֵלֶיהָ וְתֵלֵד עַל־בִּרְכַּי וְאִבָּנֶה גַם־אָנֹכִי מִמֶּנָּה:
ד ה וַתִּתֶּן־לוֹ אֶת־בִּלְהָה שִׁפְחָתָהּ לְאִשָּׁה וַיָּבֹא אֵלֶיהָ יַעֲקֹב: וַתַּהַר לֵדַת בְּנֵי בִלְהָה:
ו בִּלְהָה וַתֵּלֶד לְיַעֲקֹב בֵּן: וַתֹּאמֶר רָחֵל דָּנַנִּי אֱלֹהִים וְגַם שָׁמַע
ז בְּקֹלִי וַיִּתֶּן־לִי בֵּן עַל־כֵּן קָרְאָה שְׁמוֹ דָּן: וַתַּהַר עוֹד וַתֵּלֶד בִּלְהָה
ח שִׁפְחַת רָחֵל בֵּן שֵׁנִי לְיַעֲקֹב: וַתֹּאמֶר רָחֵל נַפְתּוּלֵי אֱלֹהִים ׀
ט נִפְתַּלְתִּי עִם־אֲחֹתִי גַּם־יָכֹלְתִּי וַתִּקְרָא שְׁמוֹ נַפְתָּלִי: וַתֵּרֶא לֵאָה לֵדַת בְּנֵי זִלְפָּה:
כִּי עָמְדָה מִלֶּדֶת וַתִּקַּח אֶת־זִלְפָּה שִׁפְחָתָהּ וַתִּתֵּן אֹתָהּ
י יא לְיַעֲקֹב לְאִשָּׁה: וַתֵּלֶד זִלְפָּה שִׁפְחַת לֵאָה לְיַעֲקֹב בֵּן: וַתֹּאמֶר
יב לֵאָה בגד בָּא גָד וַתִּקְרָא אֶת־שְׁמוֹ גָּד: וַתֵּלֶד זִלְפָּה שִׁפְחַת לֵאָה
יג בֵּן שֵׁנִי לְיַעֲקֹב: וַתֹּאמֶר לֵאָה בְּאָשְׁרִי כִּי אִשְּׁרוּנִי בָּנוֹת וַתִּקְרָא
יד אֶת־שְׁמוֹ אָשֵׁר: וַיֵּלֶךְ רְאוּבֵן בִּימֵי קְצִיר־חִטִּים וַיִּמְצָא דוּדָאִים רביעי
בַּשָּׂדֶה וַיָּבֵא אֹתָם אֶל־לֵאָה אִמּוֹ וַתֹּאמֶר רָחֵל אֶל־לֵאָה תְּנִי־נָא לֵאָה שׂוֹכֶרֶת אֶת יַעֲקֹב
טו לִי מִדּוּדָאֵי בְּנֵךְ: וַתֹּאמֶר לָהּ הַמְעַט קַחְתֵּךְ אֶת־אִישִׁי וְלָקַחַת בְּדוּדָאִים:
גַּם אֶת־דּוּדָאֵי בְּנִי וַתֹּאמֶר רָחֵל לָכֵן יִשְׁכַּב עִמָּךְ הַלַּיְלָה תַּחַת
טז דּוּדָאֵי בְנֵךְ: וַיָּבֹא יַעֲקֹב מִן־הַשָּׂדֶה בָּעֶרֶב וַתֵּצֵא לֵאָה לִקְרָאתוֹ
וַתֹּאמֶר אֵלַי תָּבוֹא כִּי שָׂכֹר שְׂכַרְתִּיךָ בְּדוּדָאֵי בְּנִי וַיִּשְׁכַּב עִמָּהּ
יז בַּלַּיְלָה הוּא: וַיִּשְׁמַע אֱלֹהִים אֶל־לֵאָה וַתַּהַר וַתֵּלֶד לְיַעֲקֹב בֵּן לֵדַת
יח חֲמִישִׁי: וַתֹּאמֶר לֵאָה נָתַן אֱלֹהִים שְׂכָרִי אֲשֶׁר־נָתַתִּי שִׁפְחָתִי יִשָּׂשכָר, זְבוּלֻן
יט לְאִישִׁי וַתִּקְרָא שְׁמוֹ יִשָּׂשכָר: וַתַּהַר עוֹד לֵאָה וַתֵּלֶד בֵּן־שִׁשִּׁי וְדִינָה:

כ לְיַעֲקֹב: וַתֹּאמֶר לֵאָה זְבָדַנִי אֱלֹהִים ׀ אֹתִי זֵבֶד טוֹב הַפַּעַם
יִזְבְּלֵנִי אִישִׁי כִּי־יָלַדְתִּי לוֹ שִׁשָּׁה בָנִים וַתִּקְרָא אֶת־שְׁמוֹ זְבֻלוּן:
כא כב וְאַחַר יָלְדָה בַּת וַתִּקְרָא אֶת־שְׁמָהּ דִּינָה: וַיִּזְכֹּר אֱלֹהִים פְּקִידַת רָחֵל וְלֵדַת יוֹסֵף:
כג אֶת־רָחֵל וַיִּשְׁמַע אֵלֶיהָ אֱלֹהִים וַיִּפְתַּח אֶת־רַחְמָהּ: וַתַּהַר
כד וַתֵּלֶד בֵּן וַתֹּאמֶר אָסַף אֱלֹהִים אֶת־חֶרְפָּתִי: וַתִּקְרָא אֶת־שְׁמוֹ
כה יוֹסֵף לֵאמֹר יֹסֵף יְהוָה לִי בֵּן אַחֵר: וַיְהִי כַּאֲשֶׁר יָלְדָה רָחֵל [2199] רְצוֹן יַעֲקֹב לַחֲזֹר לִכְנַעַן:
אֶת־יוֹסֵף וַיֹּאמֶר יַעֲקֹב אֶל־לָבָן שַׁלְּחֵנִי וְאֵלְכָה אֶל־מְקוֹמִי
כו וּלְאַרְצִי: תְּנָה אֶת־נָשַׁי וְאֶת־יְלָדַי אֲשֶׁר עָבַדְתִּי אֹתְךָ בָּהֵן וְאֵלֵכָה
כז כִּי אַתָּה יָדַעְתָּ אֶת־עֲבֹדָתִי אֲשֶׁר עֲבַדְתִּיךָ: וַיֹּאמֶר אֵלָיו לָבָן
כח אִם־נָא מָצָאתִי חֵן בְּעֵינֶיךָ נִחַשְׁתִּי וַיְבָרְכֵנִי יְהוָה בִּגְלָלֶךָ: וַיֹּאמַר חמישי
כט נָקְבָה שְׂכָרְךָ עָלַי וְאֶתֵּנָה: וַיֹּאמֶר אֵלָיו אַתָּה יָדַעְתָּ אֵת אֲשֶׁר
ל עֲבַדְתִּיךָ וְאֵת אֲשֶׁר־הָיָה מִקְנְךָ אִתִּי: כִּי מְעַט אֲשֶׁר־הָיָה לְךָ
לְפָנַי וַיִּפְרֹץ לָרֹב וַיְבָרֶךְ יְהוָה אֹתְךָ לְרַגְלִי וְעַתָּה מָתַי אֶעֱשֶׂה
לא גַם־אָנֹכִי לְבֵיתִי: וַיֹּאמֶר מָה אֶתֶּן־לָךְ וַיֹּאמֶר יַעֲקֹב לֹא־תִתֶּן־לִי תְּנָאֵי שְׂכַר עֲבוֹדַת יַעֲקֹב:
מְאוּמָה אִם־תַּעֲשֶׂה־לִּי הַדָּבָר הַזֶּה אָשׁוּבָה אֶרְעֶה צֹאנְךָ
לב אֶשְׁמֹר: אֶעֱבֹר בְּכָל־צֹאנְךָ הַיּוֹם הָסֵר מִשָּׁם כָּל־שֶׂה ׀ נָקֹד
וְטָלוּא וְכָל־שֶׂה־חוּם בַּכְּשָׂבִים וְטָלוּא וְנָקֹד בָּעִזִּים וְהָיָה שְׂכָרִי:
לג וְעָנְתָה־בִּי צִדְקָתִי בְּיוֹם מָחָר כִּי־תָבוֹא עַל־שְׂכָרִי לְפָנֶיךָ כֹּל
אֲשֶׁר־אֵינֶנּוּ נָקֹד וְטָלוּא בָּעִזִּים וְחוּם בַּכְּשָׂבִים גָּנוּב הוּא אִתִּי:
לד לה וַיֹּאמֶר לָבָן הֵן לוּ יְהִי כִדְבָרֶךָ: וַיָּסַר בַּיּוֹם הַהוּא אֶת־הַתְּיָשִׁים
הָעֲקֻדִּים וְהַטְּלֻאִים וְאֵת כָּל־הָעִזִּים הַנְּקֻדּוֹת וְהַטְּלֻאֹת כֹּל
לו אֲשֶׁר־לָבָן בּוֹ וְכָל־חוּם בַּכְּשָׂבִים וַיִּתֵּן בְּיַד־בָּנָיו: וַיָּשֶׂם דֶּרֶךְ
שְׁלֹשֶׁת יָמִים בֵּינוֹ וּבֵין יַעֲקֹב וְיַעֲקֹב רֹעֶה אֶת־צֹאן לָבָן הַנּוֹתָרֹת:
לז וַיִּקַּח־לוֹ יַעֲקֹב מַקַּל לִבְנֶה לַח וְלוּז וְעַרְמוֹן וַיְפַצֵּל בָּהֵן פְּצָלוֹת תַּחְבּוּלוֹת יַעֲקֹב
לח לְבָנוֹת מַחְשֹׂף הַלָּבָן אֲשֶׁר עַל־הַמַּקְלוֹת: וַיַּצֵּג אֶת־הַמַּקְלוֹת וְהִתְעַשְּׁרוּתוֹ:

אֲשֶׁר פִּצֵּל בָּרְהָטִים בְּשִׁקֲתוֹת הַמָּיִם אֲשֶׁר תָּבֹאןָ הַצֹּאן לִשְׁתּוֹת
לט לְנֹכַח הַצֹּאן וַיֵּחַמְנָה בְּבֹאָן לִשְׁתּוֹת: וַיֶּחֱמוּ הַצֹּאן אֶל־הַמַּקְלוֹת
מ וַתֵּלַדְןָ הַצֹּאן עֲקֻדִּים נְקֻדִּים וּטְלֻאִים: וְהַכְּשָׂבִים הִפְרִיד יַעֲקֹב
וַיִּתֵּן פְּנֵי הַצֹּאן אֶל־עָקֹד וְכָל־חוּם בְּצֹאן לָבָן וַיָּשֶׁת־לוֹ עֲדָרִים
מא לְבַדּוֹ וְלֹא שָׁתָם עַל־צֹאן לָבָן: וְהָיָה בְּכָל־יַחֵם הַצֹּאן הַמְקֻשָּׁרוֹת
וְשָׂם יַעֲקֹב אֶת־הַמַּקְלוֹת לְעֵינֵי הַצֹּאן בָּרְהָטִים לְיַחְמֵנָּה
מב בַּמַּקְלוֹת: וּבְהַעֲטִיף הַצֹּאן לֹא יָשִׂים וְהָיָה הָעֲטֻפִים לְלָבָן
מג וְהַקְּשֻׁרִים לְיַעֲקֹב: וַיִּפְרֹץ הָאִישׁ מְאֹד מְאֹד וַיְהִי־לוֹ צֹאן רַבּוֹת
לא א וּשְׁפָחוֹת וַעֲבָדִים וּגְמַלִּים וַחֲמֹרִים: וַיִּשְׁמַע אֶת־דִּבְרֵי בְנֵי־לָבָן
לֵאמֹר לָקַח יַעֲקֹב אֵת כָּל־אֲשֶׁר לְאָבִינוּ וּמֵאֲשֶׁר לְאָבִינוּ עָשָׂה
ב אֵת כָּל־הַכָּבֹד הַזֶּה: וַיַּרְא יַעֲקֹב אֶת־פְּנֵי לָבָן וְהִנֵּה אֵינֶנּוּ עִמּוֹ
ג כִּתְמוֹל שִׁלְשׁוֹם: וַיֹּאמֶר יְהוָה אֶל־יַעֲקֹב שׁוּב אֶל־אֶרֶץ אֲבוֹתֶיךָ
ד וּלְמוֹלַדְתֶּךָ וְאֶהְיֶה עִמָּךְ: וַיִּשְׁלַח יַעֲקֹב וַיִּקְרָא לְרָחֵל וּלְלֵאָה
ה הַשָּׂדֶה אֶל־צֹאנוֹ: וַיֹּאמֶר לָהֶן רֹאֶה אָנֹכִי אֶת־פְּנֵי אֲבִיכֶן
ו כִּי־אֵינֶנּוּ אֵלַי כִּתְמֹל שִׁלְשֹׁם וֵאלֹהֵי אָבִי הָיָה עִמָּדִי: וְאַתֵּנָה
ז יְדַעְתֶּן כִּי בְּכָל־כֹּחִי עָבַדְתִּי אֶת־אֲבִיכֶן: וַאֲבִיכֶן הֵתֶל בִּי וְהֶחֱלִף
אֶת־מַשְׂכֻּרְתִּי עֲשֶׂרֶת מֹנִים וְלֹא־נְתָנוֹ אֱלֹהִים לְהָרַע עִמָּדִי:
ח אִם־כֹּה יֹאמַר נְקֻדִּים יִהְיֶה שְׂכָרֶךָ וְיָלְדוּ כָל־הַצֹּאן נְקֻדִּים
וְאִם־כֹּה יֹאמַר עֲקֻדִּים יִהְיֶה שְׂכָרֶךָ וְיָלְדוּ כָל־הַצֹּאן עֲקֻדִּים:
ט וַיַּצֵּל אֱלֹהִים אֶת־מִקְנֵה אֲבִיכֶם וַיִּתֶּן־לִי: וַיְהִי בְּעֵת יַחֵם הַצֹּאן
וָאֶשָּׂא עֵינַי וָאֵרֶא בַּחֲלוֹם וְהִנֵּה הָעַתֻּדִים הָעֹלִים עַל־הַצֹּאן
יא עֲקֻדִּים נְקֻדִּים וּבְרֻדִּים: וַיֹּאמֶר אֵלַי מַלְאַךְ הָאֱלֹהִים בַּחֲלוֹם
יב יַעֲקֹב וָאֹמַר הִנֵּנִי: וַיֹּאמֶר שָׂא־נָא עֵינֶיךָ וּרְאֵה כָּל־הָעַתֻּדִים
הָעֹלִים עַל־הַצֹּאן עֲקֻדִּים נְקֻדִּים וּבְרֻדִּים כִּי רָאִיתִי אֵת
יג כָּל־אֲשֶׁר לָבָן עֹשֶׂה לָּךְ: אָנֹכִי הָאֵל בֵּית־אֵל אֲשֶׁר מָשַׁחְתָּ שָּׁם

צִוּוּי ה׳ לְיַעֲקֹב לָשׁוּב:

הִתְיָעֲצוּת יַעֲקֹב עִם נָשָׁיו:

מַצֵּבָה אֲשֶׁר נָדַרְתָּ לִּי שָׁם נֶדֶר עַתָּה קוּם צֵא מִן־הָאָרֶץ הַזֹּאת
יד וְשׁוּב אֶל־אֶרֶץ מוֹלַדְתֶּךָ: וַתַּעַן רָחֵל וְלֵאָה וַתֹּאמַרְנָה לוֹ הַעוֹד
טו לָנוּ חֵלֶק וְנַחֲלָה בְּבֵית אָבִינוּ: הֲלוֹא נָכְרִיּוֹת נֶחְשַׁבְנוּ לוֹ כִּי
טז מְכָרָנוּ וַיֹּאכַל גַּם־אָכוֹל אֶת־כַּסְפֵּנוּ: כִּי כָל־הָעֹשֶׁר אֲשֶׁר הִצִּיל
אֱלֹהִים מֵאָבִינוּ לָנוּ הוּא וּלְבָנֵינוּ וְעַתָּה כֹּל אֲשֶׁר אָמַר אֱלֹהִים
יז אֵלֶיךָ עֲשֵׂה: וַיָּקָם יַעֲקֹב וַיִּשָּׂא אֶת־בָּנָיו וְאֶת־נָשָׁיו עַל־הַגְּמַלִּים: ששי בְּרִיחַת יַעֲקֹב מִלָּבָן:
יח וַיִּנְהַג אֶת־כָּל־מִקְנֵהוּ וְאֶת־כָּל־רְכֻשׁוֹ אֲשֶׁר רָכָשׁ מִקְנֵה קִנְיָנוֹ
יט אֲשֶׁר רָכַשׁ בְּפַדַּן אֲרָם לָבוֹא אֶל־יִצְחָק אָבִיו אַרְצָה כְּנָעַן: וְלָבָן
הָלַךְ לִגְזֹז אֶת־צֹאנוֹ וַתִּגְנֹב רָחֵל אֶת־הַתְּרָפִים אֲשֶׁר לְאָבִיהָ:
כ וַיִּגְנֹב יַעֲקֹב אֶת־לֵב לָבָן הָאֲרַמִּי עַל־בְּלִי הִגִּיד לוֹ כִּי בֹרֵחַ
כא הוּא: וַיִּבְרַח הוּא וְכָל־אֲשֶׁר־לוֹ וַיָּקָם וַיַּעֲבֹר אֶת־הַנָּהָר וַיָּשֶׂם [2205]
כב אֶת־פָּנָיו הַר הַגִּלְעָד: וַיֻּגַּד לְלָבָן בַּיּוֹם הַשְּׁלִישִׁי כִּי בָרַח יַעֲקֹב:
כג וַיִּקַּח אֶת־אֶחָיו עִמּוֹ וַיִּרְדֹּף אַחֲרָיו דֶּרֶךְ שִׁבְעַת יָמִים וַיַּדְבֵּק לָבָן רוֹדֵף וּמַשִּׂיג אֶת יַעֲקֹב:
כד אֹתוֹ בְּהַר הַגִּלְעָד: וַיָּבֹא אֱלֹהִים אֶל־לָבָן הָאֲרַמִּי בַּחֲלֹם הַלָּיְלָה
כה וַיֹּאמֶר לוֹ הִשָּׁמֶר לְךָ פֶּן־תְּדַבֵּר עִם־יַעֲקֹב מִטּוֹב עַד־רָע: וַיַּשֵּׂג
לָבָן אֶת־יַעֲקֹב וְיַעֲקֹב תָּקַע אֶת־אָהֳלוֹ בָּהָר וְלָבָן תָּקַע אֶת־אֶחָיו
כו בְּהַר הַגִּלְעָד: וַיֹּאמֶר לָבָן לְיַעֲקֹב מֶה עָשִׂיתָ וַתִּגְנֹב אֶת־לְבָבִי תּוֹכַחַת לָבָן וּתְשׁוּבַת יַעֲקֹב:
כז וַתְּנַהֵג אֶת־בְּנֹתַי כִּשְׁבֻיוֹת חָרֶב: לָמָּה נַחְבֵּאתָ לִבְרֹחַ וַתִּגְנֹב
אֹתִי וְלֹא־הִגַּדְתָּ לִּי וָאֲשַׁלֵּחֲךָ בְּשִׂמְחָה וּבְשִׁרִים בְּתֹף וּבְכִנּוֹר:
כח כט וְלֹא נְטַשְׁתַּנִי לְנַשֵּׁק לְבָנַי וְלִבְנֹתָי עַתָּה הִסְכַּלְתָּ עֲשׂוֹ: יֶשׁ־לְאֵל
יָדִי לַעֲשׂוֹת עִמָּכֶם רָע וֵאלֹהֵי אֲבִיכֶם אֶמֶשׁ ׀ אָמַר אֵלַי לֵאמֹר
ל הִשָּׁמֶר לְךָ מִדַּבֵּר עִם־יַעֲקֹב מִטּוֹב עַד־רָע: וְעַתָּה הָלֹךְ הָלַכְתָּ
לא כִּי־נִכְסֹף נִכְסַפְתָּה לְבֵית אָבִיךָ לָמָּה גָנַבְתָּ אֶת־אֱלֹהָי: וַיַּעַן
יַעֲקֹב וַיֹּאמֶר לְלָבָן כִּי יָרֵאתִי כִּי אָמַרְתִּי פֶּן־תִּגְזֹל אֶת־בְּנוֹתֶיךָ
לב מֵעִמִּי: עִם אֲשֶׁר תִּמְצָא אֶת־אֱלֹהֶיךָ לֹא יִחְיֶה נֶגֶד אַחֵינוּ

הֻכַּר־לְךָ מָה עִמָּדִי וְקַח־לָךְ וְלֹא־יָדַע יַעֲקֹב כִּי רָחֵל גְּנָבָתַם:

לב וַיָּבֹא לָבָן בְּאֹהֶל יַעֲקֹב ׀ וּבְאֹהֶל לֵאָה וּבְאֹהֶל שְׁתֵּי הָאֲמָהֹת וְלֹא

מָצָא וַיֵּצֵא מֵאֹהֶל לֵאָה וַיָּבֹא בְּאֹהֶל רָחֵל: לד וְרָחֵל לָקְחָה

אֶת־הַתְּרָפִים וַתְּשִׂמֵם בְּכַר הַגָּמָל וַתֵּשֶׁב עֲלֵיהֶם וַיְמַשֵּׁשׁ לָבָן

אֶת־כָּל־הָאֹהֶל וְלֹא מָצָא: לה וַתֹּאמֶר אֶל־אָבִיהָ אַל־יִחַר בְּעֵינֵי

אֲדֹנִי כִּי לוֹא אוּכַל לָקוּם מִפָּנֶיךָ כִּי־דֶרֶךְ נָשִׁים לִי וַיְחַפֵּשׂ וְלֹא

לו מָצָא אֶת־הַתְּרָפִים: וַיִּחַר לְיַעֲקֹב וַיָּרֶב בְּלָבָן וַיַּעַן יַעֲקֹב וַיֹּאמֶר

לז לְלָבָן מַה־פִּשְׁעִי מַה חַטָּאתִי כִּי דָלַקְתָּ אַחֲרָי: כִּי־מִשַּׁשְׁתָּ

אֶת־כָּל־כֵּלַי מַה־מָּצָאתָ מִכֹּל כְּלֵי־בֵיתֶךָ שִׂים כֹּה נֶגֶד אַחַי

לח וְאַחֶיךָ וְיוֹכִיחוּ בֵּין שְׁנֵינוּ: זֶה עֶשְׂרִים שָׁנָה אָנֹכִי עִמָּךְ רְחֵלֶיךָ

לט וְעִזֶּיךָ לֹא שִׁכֵּלוּ וְאֵילֵי צֹאנְךָ לֹא אָכָלְתִּי: טְרֵפָה לֹא־הֵבֵאתִי

אֵלֶיךָ אָנֹכִי אֲחַטֶּנָּה מִיָּדִי תְּבַקְשֶׁנָּה גְּנֻבְתִי יוֹם וּגְנֻבְתִי לָיְלָה:

מ הָיִיתִי בַיּוֹם אֲכָלַנִי חֹרֶב וְקֶרַח בַּלָּיְלָה וַתִּדַּד שְׁנָתִי מֵעֵינָי: מא זֶה־לִּי

עֶשְׂרִים שָׁנָה בְּבֵיתֶךָ עֲבַדְתִּיךָ אַרְבַּע־עֶשְׂרֵה שָׁנָה בִּשְׁתֵּי

בְנֹתֶיךָ וְשֵׁשׁ שָׁנִים בְּצֹאנֶךָ וַתַּחֲלֵף אֶת־מַשְׂכֻּרְתִּי עֲשֶׂרֶת מֹנִים:

מב לוּלֵי אֱלֹהֵי אָבִי אֱלֹהֵי אַבְרָהָם וּפַחַד יִצְחָק הָיָה לִי כִּי עַתָּה

רֵיקָם שִׁלַּחְתָּנִי אֶת־עָנְיִי וְאֶת־יְגִיעַ כַּפַּי רָאָה אֱלֹהִים וַיּוֹכַח

מג אָמֶשׁ: וַיַּעַן לָבָן וַיֹּאמֶר אֶל־יַעֲקֹב הַבָּנוֹת בְּנֹתַי וְהַבָּנִים בָּנַי

וְהַצֹּאן צֹאנִי וְכֹל אֲשֶׁר־אַתָּה רֹאֶה לִי־הוּא וְלִבְנֹתַי מָה־אֶעֱשֶׂה

מד לָאֵלֶּה הַיּוֹם אוֹ לִבְנֵיהֶן אֲשֶׁר יָלָדוּ: וְעַתָּה לְכָה נִכְרְתָה בְרִית

מה אֲנִי וָאָתָּה וְהָיָה לְעֵד בֵּינִי וּבֵינֶךָ: וַיִּקַּח יַעֲקֹב אָבֶן וַיְרִימֶהָ מַצֵּבָה:

מו וַיֹּאמֶר יַעֲקֹב לְאֶחָיו לִקְטוּ אֲבָנִים וַיִּקְחוּ אֲבָנִים וַיַּעֲשׂוּ־גָל

מז וַיֹּאכְלוּ שָׁם עַל־הַגָּל: וַיִּקְרָא־לוֹ לָבָן יְגַר שָׂהֲדוּתָא וְיַעֲקֹב קָרָא

מח לוֹ גַּלְעֵד: וַיֹּאמֶר לָבָן הַגַּל הַזֶּה עֵד בֵּינִי וּבֵינְךָ הַיּוֹם עַל־כֵּן

מט קָרָא־שְׁמוֹ גַּלְעֵד: וְהַמִּצְפָּה אֲשֶׁר אָמַר יִצֶף יְהוָה בֵּינִי וּבֵינֶךָ כִּי

חִפּוּשׂ
הַתְּרָפִים:

מְרִיבַת
יַעֲקֹב עִם
לָבָן:

בְּרִית לָבָן
עִם יַעֲקֹב:

שְׁבִיעִי

נ נִסְתַּ֕ר אִ֖ישׁ מֵרֵעֵ֑הוּ אִם־תְּעַנֶּ֣ה אֶת־בְּנֹתַ֗י וְאִם־תִּקַּ֤ח נָשִׁים֙

על־בְּנֹתַ֔י אֵ֥ין אִ֖ישׁ עִמָּ֑נוּ רְאֵ֕ה אֱלֹהִ֥ים עֵ֖ד בֵּינִ֥י וּבֵינֶֽךָ: וַיֹּ֥אמֶר

לָבָ֖ן לְיַעֲקֹ֑ב הִנֵּ֣ה ׀ הַגַּ֣ל הַזֶּ֗ה וְהִנֵּה֙ הַמַּצֵּבָ֔ה אֲשֶׁ֥ר יָרִ֖יתִי בֵּינִ֥י

וּבֵינֶֽךָ: עֵ֚ד הַגַּ֣ל הַזֶּ֔ה וְעֵדָ֖ה הַמַּצֵּבָ֑ה אִם־אָ֗נִי לֹֽא־אֶעֱבֹ֤ר אֵלֶ֙יךָ֙

אֶת־הַגַּ֣ל הַזֶּ֔ה וְאִם־אַ֠תָּה לֹא־תַעֲבֹ֨ר אֵלַ֜י אֶת־הַגַּ֥ל הַזֶּ֛ה וְאֶת־

הַמַּצֵּבָ֥ה הַזֹּ֖את לְרָעָֽה: אֱלֹהֵ֨י אַבְרָהָ֜ם וֵֽאלֹהֵ֤י נָחוֹר֙ יִשְׁפְּט֣וּ בֵינֵ֔ינוּ

אֱלֹהֵ֖י אֲבִיהֶ֑ם וַיִּשָּׁבַ֣ע יַעֲקֹ֔ב בְּפַ֖חַד אָבִ֥יו יִצְחָֽק: וַיִּזְבַּ֨ח יַעֲקֹ֥ב

זֶ֙בַח֙ בָּהָ֔ר וַיִּקְרָ֥א לְאֶחָ֖יו לֶאֱכָל־לָ֑חֶם וַיֹּ֣אכְלוּ לֶ֔חֶם וַיָּלִ֖ינוּ בָּהָֽר:

לב וַיַּשְׁכֵּ֨ם לָבָ֜ן בַּבֹּ֗קֶר וַיְנַשֵּׁ֧ק לְבָנָ֛יו וְלִבְנוֹתָ֖יו וַיְבָ֣רֶךְ אֶתְהֶ֑ם וַיֵּ֛לֶךְ

מפטיר
פְּרֵדַת לָבָן
וּמִפְגָּשׁ
הַמַּלְאָכִים

ב וַיָּ֥שָׁב לָבָ֖ן לִמְקֹמֽוֹ: וְיַעֲקֹ֖ב הָלַ֣ךְ לְדַרְכּ֑וֹ וַיִּפְגְּעוּ־ב֖וֹ מַלְאֲכֵ֥י

אֱלֹהִֽים: וַיֹּ֤אמֶר יַעֲקֹב֙ כַּאֲשֶׁ֣ר רָאָ֔ם מַחֲנֵ֥ה אֱלֹהִ֖ים זֶ֑ה וַיִּקְרָ֛א

שֵֽׁם־הַמָּק֥וֹם הַה֖וּא מַֽחֲנָֽיִם:

וישלח
שְׁלִיחַת
הַמַּלְאָכִים
לְעֵשָׂו

ד וַיִּשְׁלַ֨ח יַעֲקֹ֤ב מַלְאָכִים֙ לְפָנָ֔יו אֶל־עֵשָׂ֖ו אָחִ֑יו אַ֥רְצָה שֵׂעִ֖יר שְׂדֵ֥ה

אֱד֛וֹם: וַיְצַ֤ו אֹתָם֙ לֵאמֹ֔ר כֹּ֣ה תֹֽאמְר֔וּן לַֽאדֹנִ֖י לְעֵשָׂ֑ו כֹּ֤ה אָמַר֙

עַבְדְּךָ֣ יַעֲקֹ֔ב עִם־לָבָ֣ן גַּ֔רְתִּי וָאֵחַ֖ר עַד־עָֽתָּה: וַֽיְהִי־לִי֙ שׁ֣וֹר

וַחֲמ֔וֹר צֹ֥אן וְעֶ֖בֶד וְשִׁפְחָ֑ה וָֽאֶשְׁלְחָה֙ לְהַגִּ֣יד לַֽאדֹנִ֔י לִמְצֹא־חֵ֖ן

בְּעֵינֶֽיךָ: וַיָּשֻׁ֙בוּ֙ הַמַּלְאָכִ֔ים אֶֽל־יַעֲקֹ֖ב לֵאמֹ֑ר בָּ֤אנוּ אֶל־אָחִ֙יךָ֙

יִרְאַת
יַעֲקֹב
וּתְפִלָּתוֹ

אֶל־עֵשָׂ֔ו וְגַם֙ הֹלֵ֣ךְ לִקְרָֽאתְךָ֔ וְאַרְבַּע־מֵא֥וֹת אִ֖ישׁ עִמּֽוֹ: וַיִּירָ֧א

יַעֲקֹ֛ב מְאֹ֖ד וַיֵּ֣צֶר ל֑וֹ וַיַּ֜חַץ אֶת־הָעָ֣ם אֲשֶׁר־אִתּ֗וֹ וְאֶת־הַצֹּ֧אן

וְאֶת־הַבָּקָ֛ר וְהַגְּמַלִּ֖ים לִשְׁנֵ֥י מַחֲנֽוֹת: וַיֹּ֕אמֶר אִם־יָב֥וֹא עֵשָׂ֛ו

אֶל־הַֽמַּחֲנֶ֥ה הָאַחַ֖ת וְהִכָּ֑הוּ וְהָיָ֛ה הַמַּחֲנֶ֥ה הַנִּשְׁאָ֖ר לִפְלֵיטָֽה: וַיֹּאמֶר֮

יַעֲקֹב֒ אֱלֹהֵי֙ אָבִ֣י אַבְרָהָ֔ם וֵֽאלֹהֵ֖י אָבִ֣י יִצְחָ֑ק יְהוָ֞ה הָאֹמֵ֣ר אֵלַ֗י

שׁ֧וּב לְאַרְצְךָ֛ וּלְמוֹלַדְתְּךָ֖ וְאֵיטִ֥יבָה עִמָּֽךְ: קָטֹ֜נְתִּי מִכֹּ֤ל הַחֲסָדִים֙

וּמִכָּל־הָ֣אֱמֶ֔ת אֲשֶׁ֥ר עָשִׂ֖יתָ אֶת־עַבְדֶּ֑ךָ כִּ֣י בְמַקְלִ֗י עָבַ֙רְתִּי֙ אֶת־

הַיַּרְדֵּ֣ן הַזֶּ֔ה וְעַתָּ֥ה הָיִ֖יתִי לִשְׁנֵ֥י מַחֲנֽוֹת: הַצִּילֵ֥נִי נָ֛א מִיַּ֥ד אָחִ֖י

מִיַּד עֵשָׂו כִּי־יָרֵא אָנֹכִי אֹתוֹ פֶּן־יָבוֹא וְהִכַּנִי אֵם עַל־בָּנִים׃
יג וְאַתָּה אָמַרְתָּ הֵיטֵב אֵיטִיב עִמָּךְ וְשַׂמְתִּי אֶת־זַרְעֲךָ כְּחוֹל הַיָּם
שני יד אֲשֶׁר לֹא־יִסָּפֵר מֵרֹב׃ וַיָּלֶן שָׁם בַּלַּיְלָה הַהוּא וַיִּקַּח מִן־הַבָּא
מִנְחַת יַעֲקֹב לְעֵשָׂו׃ טו בְיָדוֹ מִנְחָה לְעֵשָׂו אָחִיו׃ עִזִּים מָאתַיִם וּתְיָשִׁים עֶשְׂרִים רְחֵלִים
טז מָאתַיִם וְאֵילִים עֶשְׂרִים׃ גְּמַלִּים מֵינִיקוֹת וּבְנֵיהֶם שְׁלֹשִׁים פָּרוֹת
יז אַרְבָּעִים וּפָרִים עֲשָׂרָה אֲתֹנֹת עֶשְׂרִים וַעְיָרִם עֲשָׂרָה׃ וַיִּתֵּן
בְּיַד־עֲבָדָיו עֵדֶר עֵדֶר לְבַדּוֹ וַיֹּאמֶר אֶל־עֲבָדָיו עִבְרוּ לְפָנַי וְרֶוַח
יח תָּשִׂימוּ בֵּין עֵדֶר וּבֵין עֵדֶר׃ וַיְצַו אֶת־הָרִאשׁוֹן לֵאמֹר כִּי יִפְגָּשְׁךָ
עֵשָׂו אָחִי וּשְׁאֵלְךָ לֵאמֹר לְמִי־אַתָּה וְאָנָה תֵלֵךְ וּלְמִי אֵלֶּה
יט לְפָנֶיךָ׃ וְאָמַרְתָּ לְעַבְדְּךָ לְיַעֲקֹב מִנְחָה הִוא שְׁלוּחָה לַאדֹנִי
כ לְעֵשָׂו וְהִנֵּה גַם־הוּא אַחֲרֵינוּ׃ וַיְצַו גַּם אֶת־הַשֵּׁנִי גַּם אֶת־הַשְּׁלִישִׁי
גַּם אֶת־כָּל־הַהֹלְכִים אַחֲרֵי הָעֲדָרִים לֵאמֹר כַּדָּבָר הַזֶּה תְּדַבְּרוּן
כא אֶל־עֵשָׂו בְּמֹצַאֲכֶם אֹתוֹ׃ וַאֲמַרְתֶּם גַּם הִנֵּה עַבְדְּךָ יַעֲקֹב אַחֲרֵינוּ
כִּי־אָמַר אֲכַפְּרָה פָנָיו בַּמִּנְחָה הַהֹלֶכֶת לְפָנָי וְאַחֲרֵי־כֵן אֶרְאֶה
כב פָנָיו אוּלַי יִשָּׂא פָנָי׃ וַתַּעֲבֹר הַמִּנְחָה עַל־פָּנָיו וְהוּא לָן בַּלַּיְלָה־
כג הַהוּא בַּמַּחֲנֶה׃ וַיָּקָם ׀ בַּלַּיְלָה הוּא וַיִּקַּח אֶת־שְׁתֵּי נָשָׁיו וְאֶת־
שְׁתֵּי שִׁפְחֹתָיו וְאֶת־אַחַד עָשָׂר יְלָדָיו וַיַּעֲבֹר אֵת מַעֲבַר יַבֹּק׃
מַאֲבַק יַעֲקֹב עִם הַמַּלְאָךְ׃ כד כה וַיִּקָּחֵם וַיַּעֲבִרֵם אֶת־הַנָּחַל וַיַּעֲבֵר אֶת־אֲשֶׁר־לוֹ׃ וַיִּוָּתֵר יַעֲקֹב
כו לְבַדּוֹ וַיֵּאָבֵק אִישׁ עִמּוֹ עַד עֲלוֹת הַשָּׁחַר׃ וַיַּרְא כִּי לֹא יָכֹל לוֹ
כז וַיִּגַּע בְּכַף־יְרֵכוֹ וַתֵּקַע כַּף־יֶרֶךְ יַעֲקֹב בְּהֵאָבְקוֹ עִמּוֹ׃ וַיֹּאמֶר
שַׁלְּחֵנִי כִּי עָלָה הַשָּׁחַר וַיֹּאמֶר לֹא אֲשַׁלֵּחֲךָ כִּי אִם־בֵּרַכְתָּנִי׃
כח כט וַיֹּאמֶר אֵלָיו מַה־שְּׁמֶךָ וַיֹּאמֶר יַעֲקֹב׃ וַיֹּאמֶר לֹא יַעֲקֹב יֵאָמֵר
עוֹד שִׁמְךָ כִּי אִם־יִשְׂרָאֵל כִּי־שָׂרִיתָ עִם־אֱלֹהִים וְעִם־אֲנָשִׁים
ל וַתּוּכָל׃ וַיִּשְׁאַל יַעֲקֹב וַיֹּאמֶר הַגִּידָה־נָּא שְׁמֶךָ וַיֹּאמֶר לָמָּה זֶּה
שלישי לא תִּשְׁאַל לִשְׁמִי וַיְבָרֶךְ אֹתוֹ שָׁם׃ וַיִּקְרָא יַעֲקֹב שֵׁם הַמָּקוֹם פְּנִיאֵל

לב כִּי־רָאִיתִי אֱלֹהִים פָּנִים אֶל־פָּנִים וַתִּנָּצֵל נַפְשִׁי׃ וַיִּזְרַח־לוֹ
לג הַשֶּׁמֶשׁ כַּאֲשֶׁר עָבַר אֶת־פְּנוּאֵל וְהוּא צֹלֵעַ עַל־יְרֵכוֹ׃ עַל־כֵּן אִסּוּר גִּיד הַנָּשֶׁה:
לֹא־יֹאכְלוּ בְנֵי־יִשְׂרָאֵל אֶת־גִּיד הַנָּשֶׁה אֲשֶׁר עַל־כַּף הַיָּרֵךְ עַד
לג א הַיּוֹם הַזֶּה כִּי נָגַע בְּכַף־יֶרֶךְ יַעֲקֹב בְּגִיד הַנָּשֶׁה׃ וַיִּשָּׂא יַעֲקֹב פְּגִישַׁת יַעֲקֹב עִם עֵשָׂו:
עֵינָיו וַיַּרְא וְהִנֵּה עֵשָׂו בָּא וְעִמּוֹ אַרְבַּע מֵאוֹת אִישׁ וַיַּחַץ [2205]
ב אֶת־הַיְלָדִים עַל־לֵאָה וְעַל־רָחֵל וְעַל שְׁתֵּי הַשְּׁפָחוֹת׃ וַיָּשֶׂם
אֶת־הַשְּׁפָחוֹת וְאֶת־יַלְדֵיהֶן רִאשֹׁנָה וְאֶת־לֵאָה וִילָדֶיהָ אַחֲרֹנִים
ג וְאֶת־רָחֵל וְאֶת־יוֹסֵף אַחֲרֹנִים׃ וְהוּא עָבַר לִפְנֵיהֶם וַיִּשְׁתַּחוּ
ד אַרְצָה שֶׁבַע פְּעָמִים עַד־גִּשְׁתּוֹ עַד־אָחִיו׃ וַיָּרָץ עֵשָׂו לִקְרָאתוֹ
ה וַיְחַבְּקֵהוּ וַיִּפֹּל עַל־צַוָּארָו וַיִּשָּׁקֵהוּ וַיִּבְכּוּ׃ וַיִּשָּׂא אֶת־עֵינָיו וַיַּרְא וישקהו נקוד:
אֶת־הַנָּשִׁים וְאֶת־הַיְלָדִים וַיֹּאמֶר מִי־אֵלֶּה לָּךְ וַיֹּאמַר הַיְלָדִים
ו אֲשֶׁר־חָנַן אֱלֹהִים אֶת־עַבְדֶּךָ׃ וַתִּגַּשְׁןָ הַשְּׁפָחוֹת הֵנָּה וְיַלְדֵיהֶן רביעי
ז וַתִּשְׁתַּחֲוֶיןָ׃ וַתִּגַּשׁ גַּם־לֵאָה וִילָדֶיהָ וַיִּשְׁתַּחֲווּ וְאַחַר נִגַּשׁ יוֹסֵף
ח וְרָחֵל וַיִּשְׁתַּחֲווּ׃ וַיֹּאמֶר מִי לְךָ כָּל־הַמַּחֲנֶה הַזֶּה אֲשֶׁר פָּגָשְׁתִּי
ט וַיֹּאמֶר לִמְצֹא־חֵן בְּעֵינֵי אֲדֹנִי׃ וַיֹּאמֶר עֵשָׂו יֶשׁ־לִי רָב אָחִי יְהִי
י לְךָ אֲשֶׁר־לָךְ׃ וַיֹּאמֶר יַעֲקֹב אַל־נָא אִם־נָא מָצָאתִי חֵן בְּעֵינֶיךָ
וְלָקַחְתָּ מִנְחָתִי מִיָּדִי כִּי עַל־כֵּן רָאִיתִי פָנֶיךָ כִּרְאֹת פְּנֵי אֱלֹהִים
יא וַתִּרְצֵנִי׃ קַח־נָא אֶת־בִּרְכָתִי אֲשֶׁר הֻבָאת לָךְ כִּי־חַנַּנִי אֱלֹהִים
יב וְכִי יֶשׁ־לִי־כֹל וַיִּפְצַר־בּוֹ וַיִּקָּח׃ וַיֹּאמֶר נִסְעָה וְנֵלֵכָה וְאֵלְכָה
יג לְנֶגְדֶּךָ׃ וַיֹּאמֶר אֵלָיו אֲדֹנִי יֹדֵעַ כִּי־הַיְלָדִים רַכִּים וְהַצֹּאן וְהַבָּקָר
יד עָלוֹת עָלָי וּדְפָקוּם יוֹם אֶחָד וָמֵתוּ כָּל־הַצֹּאן׃ יַעֲבָר־נָא אֲדֹנִי
לִפְנֵי עַבְדּוֹ וַאֲנִי אֶתְנָהֲלָה לְאִטִּי לְרֶגֶל הַמְּלָאכָה אֲשֶׁר־לְפָנַי
טו וּלְרֶגֶל הַיְלָדִים עַד אֲשֶׁר־אָבֹא אֶל־אֲדֹנִי שֵׂעִירָה׃ וַיֹּאמֶר עֵשָׂו
אַצִּיגָה־נָּא עִמְּךָ מִן־הָעָם אֲשֶׁר אִתִּי וַיֹּאמֶר לָמָּה זֶּה אֶמְצָא־חֵן
טז יז בְּעֵינֵי אֲדֹנִי׃ וַיָּשָׁב בַּיּוֹם הַהוּא עֵשָׂו לְדַרְכּוֹ שֵׂעִירָה׃ וְיַעֲקֹב

נָסַע סֻכֹּתָה וַיִּבֶן לוֹ בָּיִת וּלְמִקְנֵהוּ עָשָׂה סֻכֹּת עַל־כֵּן קָרָא
יח שֵׁם־הַמָּקוֹם סֻכּוֹת׃ וַיָּבֹא יַעֲקֹב שָׁלֵם עִיר
שְׁכֶם אֲשֶׁר בְּאֶרֶץ כְּנַעַן בְּבֹאוֹ מִפַּדַּן אֲרָם וַיִּחַן אֶת־פְּנֵי הָעִיר׃
יט וַיִּקֶן אֶת־חֶלְקַת הַשָּׂדֶה אֲשֶׁר נָטָה־שָׁם אָהֳלוֹ מִיַּד בְּנֵי־חֲמוֹר
כ אֲבִי שְׁכֶם בְּמֵאָה קְשִׂיטָה׃ וַיַּצֶּב־שָׁם מִזְבֵּחַ וַיִּקְרָא־לוֹ אֵל
לד א אֱלֹהֵי יִשְׂרָאֵל׃ וַתֵּצֵא דִינָה בַּת־לֵאָה אֲשֶׁר יָלְדָה
ב לְיַעֲקֹב לִרְאוֹת בִּבְנוֹת הָאָרֶץ׃ וַיַּרְא אֹתָהּ שְׁכֶם בֶּן־חֲמוֹר הַחִוִּי
ג נְשִׂיא הָאָרֶץ וַיִּקַּח אֹתָהּ וַיִּשְׁכַּב אֹתָהּ וַיְעַנֶּהָ׃ וַתִּדְבַּק נַפְשׁוֹ
בְּדִינָה בַּת־יַעֲקֹב וַיֶּאֱהַב אֶת־הַנַּעֲרָ וַיְדַבֵּר עַל־לֵב הַנַּעֲרָ׃
ד וַיֹּאמֶר שְׁכֶם אֶל־חֲמוֹר אָבִיו לֵאמֹר קַח־לִי אֶת־הַיַּלְדָּה הַזֹּאת
ה לְאִשָּׁה׃ וְיַעֲקֹב שָׁמַע כִּי טִמֵּא אֶת־דִּינָה בִתּוֹ וּבָנָיו הָיוּ
ו אֶת־מִקְנֵהוּ בַּשָּׂדֶה וְהֶחֱרִשׁ יַעֲקֹב עַד־בֹּאָם׃ וַיֵּצֵא חֲמוֹר אֲבִי־
ז שְׁכֶם אֶל־יַעֲקֹב לְדַבֵּר אִתּוֹ׃ וּבְנֵי יַעֲקֹב בָּאוּ מִן־הַשָּׂדֶה כְּשָׁמְעָם
וַיִּתְעַצְּבוּ הָאֲנָשִׁים וַיִּחַר לָהֶם מְאֹד כִּי־נְבָלָה עָשָׂה בְיִשְׂרָאֵל
ח לִשְׁכַּב אֶת־בַּת־יַעֲקֹב וְכֵן לֹא יֵעָשֶׂה׃ וַיְדַבֵּר חֲמוֹר אִתָּם לֵאמֹר
שְׁכֶם בְּנִי חָשְׁקָה נַפְשׁוֹ בְּבִתְּכֶם תְּנוּ נָא אֹתָהּ לוֹ לְאִשָּׁה׃
ט וְהִתְחַתְּנוּ אֹתָנוּ בְּנֹתֵיכֶם תִּתְּנוּ־לָנוּ וְאֶת־בְּנֹתֵינוּ תִּקְחוּ לָכֶם׃
י וְאִתָּנוּ תֵּשֵׁבוּ וְהָאָרֶץ תִּהְיֶה לִפְנֵיכֶם שְׁבוּ וּסְחָרוּהָ וְהֵאָחֲזוּ
יא בָּהּ׃ וַיֹּאמֶר שְׁכֶם אֶל־אָבִיהָ וְאֶל־אַחֶיהָ אֶמְצָא־חֵן בְּעֵינֵיכֶם
יב וַאֲשֶׁר תֹּאמְרוּ אֵלַי אֶתֵּן׃ הַרְבּוּ עָלַי מְאֹד מֹהַר וּמַתָּן וְאֶתְּנָה
יג כַּאֲשֶׁר תֹּאמְרוּ אֵלָי וּתְנוּ־לִי אֶת־הַנַּעֲרָ לְאִשָּׁה׃ וַיַּעֲנוּ בְנֵי־יַעֲקֹב
אֶת־שְׁכֶם וְאֶת־חֲמוֹר אָבִיו בְּמִרְמָה וַיְדַבֵּרוּ אֲשֶׁר טִמֵּא אֵת דִּינָה
יד אֲחֹתָם׃ וַיֹּאמְרוּ אֲלֵיהֶם לֹא נוּכַל לַעֲשׂוֹת הַדָּבָר הַזֶּה לָתֵת
טו אֶת־אֲחֹתֵנוּ לְאִישׁ אֲשֶׁר־לוֹ עָרְלָה כִּי־חֶרְפָּה הִוא לָנוּ׃ אַךְ־בְּזֹאת
טז נֵאוֹת לָכֶם אִם תִּהְיוּ כָמֹנוּ לְהִמֹּל לָכֶם כָּל־זָכָר׃ וְנָתַנּוּ

יַעֲקֹב מַצִּיב מִזְבֵּחַ בִּשְׁכֶם׃

חמישי

מַעֲשֵׂה דִינָה׃

[2206]

דִּבְרֵי שְׁכֶם וַחֲמוֹר עִם יַעֲקֹב וּבָנָיו׃

אֶת־בְּנֹתֵינוּ לָכֶם וְאֶת־בְּנֹתֵיכֶם נִקַּח־לָנוּ וְיָשַׁבְנוּ אִתְּכֶם וְהָיִינוּ
יז לְעַם אֶחָד: וְאִם־לֹא תִשְׁמְעוּ אֵלֵינוּ לְהִמּוֹל וְלָקַחְנוּ אֶת־בִּתֵּנוּ
יח וְהָלָכְנוּ: וַיִּיטְבוּ דִבְרֵיהֶם בְּעֵינֵי חֲמוֹר וּבְעֵינֵי שְׁכֶם בֶּן־חֲמוֹר:
יט וְלֹא־אֵחַר הַנַּעַר לַעֲשׂוֹת הַדָּבָר כִּי חָפֵץ בְּבַת־יַעֲקֹב וְהוּא נִכְבָּד
כ מִכֹּל בֵּית אָבִיו: וַיָּבֹא חֲמוֹר וּשְׁכֶם בְּנוֹ אֶל־שַׁעַר עִירָם וַיְדַבְּרוּ
כא אֶל־אַנְשֵׁי עִירָם לֵאמֹר: הָאֲנָשִׁים הָאֵלֶּה שְׁלֵמִים הֵם אִתָּנוּ וְיֵשְׁבוּ
בָאָרֶץ וְיִסְחֲרוּ אֹתָהּ וְהָאָרֶץ הִנֵּה רַחֲבַת־יָדַיִם לִפְנֵיהֶם אֶת־
כב בְּנֹתָם נִקַּח־לָנוּ לְנָשִׁים וְאֶת־בְּנֹתֵינוּ נִתֵּן לָהֶם: אַךְ־בְּזֹאת יֵאֹתוּ
לָנוּ הָאֲנָשִׁים לָשֶׁבֶת אִתָּנוּ לִהְיוֹת לְעַם אֶחָד בְּהִמּוֹל לָנוּ
כג כָּל־זָכָר כַּאֲשֶׁר הֵם נִמֹּלִים: מִקְנֵהֶם וְקִנְיָנָם וְכָל־בְּהֶמְתָּם הֲלוֹא
כד לָנוּ הֵם אַךְ נֵאוֹתָה לָהֶם וְיֵשְׁבוּ אִתָּנוּ: וַיִּשְׁמְעוּ אֶל־חֲמוֹר
וְאֶל־שְׁכֶם בְּנוֹ כָּל־יֹצְאֵי שַׁעַר עִירוֹ וַיִּמֹּלוּ כָּל־זָכָר כָּל־יֹצְאֵי
כה שַׁעַר עִירוֹ: וַיְהִי בַיּוֹם הַשְּׁלִישִׁי בִּהְיוֹתָם כֹּאֲבִים וַיִּקְחוּ
שְׁנֵי־בְנֵי־יַעֲקֹב שִׁמְעוֹן וְלֵוִי אֲחֵי דִינָה אִישׁ חַרְבּוֹ וַיָּבֹאוּ
כו עַל־הָעִיר בֶּטַח וַיַּהַרְגוּ כָּל־זָכָר: וְאֶת־חֲמוֹר וְאֶת־שְׁכֶם בְּנוֹ
כז הָרְגוּ לְפִי־חָרֶב וַיִּקְחוּ אֶת־דִּינָה מִבֵּית שְׁכֶם וַיֵּצֵאוּ: בְּנֵי יַעֲקֹב
כח בָּאוּ עַל־הַחֲלָלִים וַיָּבֹזּוּ הָעִיר אֲשֶׁר טִמְּאוּ אֲחוֹתָם: אֶת־צֹאנָם
וְאֶת־בְּקָרָם וְאֶת־חֲמֹרֵיהֶם וְאֵת אֲשֶׁר־בָּעִיר וְאֶת־אֲשֶׁר בַּשָּׂדֶה
כט לָקָחוּ: וְאֶת־כָּל־חֵילָם וְאֶת־כָּל־טַפָּם וְאֶת־נְשֵׁיהֶם שָׁבוּ וַיָּבֹזּוּ
ל וְאֵת כָּל־אֲשֶׁר בַּבָּיִת: וַיֹּאמֶר יַעֲקֹב אֶל־שִׁמְעוֹן וְאֶל־לֵוִי עֲכַרְתֶּם
אֹתִי לְהַבְאִישֵׁנִי בְּיֹשֵׁב הָאָרֶץ בַּכְּנַעֲנִי וּבַפְּרִזִּי וַאֲנִי מְתֵי מִסְפָּר
לא וְנֶאֶסְפוּ עָלַי וְהִכּוּנִי וְנִשְׁמַדְתִּי אֲנִי וּבֵיתִי: וַיֹּאמְרוּ הַכְזוֹנָה יַעֲשֶׂה
אֶת־אֲחוֹתֵנוּ:

לה א וַיֹּאמֶר אֱלֹהִים אֶל־יַעֲקֹב קוּם עֲלֵה בֵית־אֵל וְשֶׁב־שָׁם וַעֲשֵׂה־
שָׁם מִזְבֵּחַ לָאֵל הַנִּרְאֶה אֵלֶיךָ בְּבָרְחֲךָ מִפְּנֵי עֵשָׂו אָחִיךָ:

דִּבְרֵי חֲמוֹר וּשְׁכֶם לִבְנֵי עִירָם:

הֲרִיגַת הָעִיר וּבִזָּתָהּ:

תּוֹכַחַת יַעֲקֹב לְשִׁמְעוֹן וְלֵוִי:

צִוּוּי ה' לְיַעֲקֹב לַעֲלוֹת בֵּית אֵל:

ב וַיֹּאמֶר יַעֲקֹב אֶל־בֵּיתוֹ וְאֶל כָּל־אֲשֶׁר עִמּוֹ הָסִרוּ אֶת־אֱלֹהֵי
ג הַנֵּכָר אֲשֶׁר בְּתֹכְכֶם וְהִטַּהֲרוּ וְהַחֲלִיפוּ שִׂמְלֹתֵיכֶם: וְנָקוּמָה
וְנַעֲלֶה בֵּית־אֵל וְאֶעֱשֶׂה־שָּׁם מִזְבֵּחַ לָאֵל הָעֹנֶה אֹתִי בְּיוֹם

הַטְּהָרוֹת בְּנֵי יַעֲקֹב:

ד צָרָתִי וַיְהִי עִמָּדִי בַּדֶּרֶךְ אֲשֶׁר הָלָכְתִּי: וַיִּתְּנוּ אֶל־יַעֲקֹב אֵת
כָּל־אֱלֹהֵי הַנֵּכָר אֲשֶׁר בְּיָדָם וְאֶת־הַנְּזָמִים אֲשֶׁר בְּאָזְנֵיהֶם וַיִּטְמֹן
ה אֹתָם יַעֲקֹב תַּחַת הָאֵלָה אֲשֶׁר עִם־שְׁכֶם: וַיִּסָּעוּ וַיְהִי | חִתַּת
אֱלֹהִים עַל־הֶעָרִים אֲשֶׁר סְבִיבוֹתֵיהֶם וְלֹא רָדְפוּ אַחֲרֵי בְּנֵי

בְּנִיַּת מִזְבֵּחַ בְּבֵית אֵל:

ו יַעֲקֹב: וַיָּבֹא יַעֲקֹב לוּזָה אֲשֶׁר בְּאֶרֶץ כְּנַעַן הִוא בֵּית־אֵל הוּא
ז וְכָל־הָעָם אֲשֶׁר־עִמּוֹ: וַיִּבֶן שָׁם מִזְבֵּחַ וַיִּקְרָא לַמָּקוֹם אֵל

מוֹת דְּבוֹרָה וְרִבְקָה: [2207]

ח בֵּית־אֵל כִּי שָׁם נִגְלוּ אֵלָיו הָאֱלֹהִים בְּבָרְחוֹ מִפְּנֵי אָחִיו: וַתָּמָת
דְּבֹרָה מֵינֶקֶת רִבְקָה וַתִּקָּבֵר מִתַּחַת לְבֵית־אֵל תַּחַת הָאַלּוֹן
וַיִּקְרָא שְׁמוֹ אַלּוֹן בָּכוּת:

שִׁנּוּי שֵׁם יַעֲקֹב לְ"יִשְׂרָאֵל":

ט וַיֵּרָא אֱלֹהִים אֶל־יַעֲקֹב עוֹד בְּבֹאוֹ מִפַּדַּן אֲרָם וַיְבָרֶךְ אֹתוֹ:
י וַיֹּאמֶר־לוֹ אֱלֹהִים שִׁמְךָ יַעֲקֹב לֹא־יִקָּרֵא שִׁמְךָ עוֹד יַעֲקֹב כִּי
יא אִם־יִשְׂרָאֵל יִהְיֶה שְׁמֶךָ וַיִּקְרָא אֶת־שְׁמוֹ יִשְׂרָאֵל: וַיֹּאמֶר לוֹ
אֱלֹהִים אֲנִי אֵל שַׁדַּי פְּרֵה וּרְבֵה גּוֹי וּקְהַל גּוֹיִם יִהְיֶה מִמֶּךָּ

שִׁשִּׁי נְתִינַת הָאָרֶץ לְיַעֲקֹב:

יב וּמְלָכִים מֵחֲלָצֶיךָ יֵצֵאוּ: וְאֶת־הָאָרֶץ אֲשֶׁר נָתַתִּי לְאַבְרָהָם וּלְיִצְחָק
יג לְךָ אֶתְּנֶנָּה וּלְזַרְעֲךָ אַחֲרֶיךָ אֶתֵּן אֶת־הָאָרֶץ: וַיַּעַל מֵעָלָיו אֱלֹהִים
יד בַּמָּקוֹם אֲשֶׁר־דִּבֶּר אִתּוֹ: וַיַּצֵּב יַעֲקֹב מַצֵּבָה בַּמָּקוֹם אֲשֶׁר־דִּבֶּר
טו אִתּוֹ מַצֶּבֶת אָבֶן וַיַּסֵּךְ עָלֶיהָ נֶסֶךְ וַיִּצֹק עָלֶיהָ שָׁמֶן: וַיִּקְרָא יַעֲקֹב

לֵדַת בִּנְיָמִין וּמוֹת רָחֵל: [2207]

טז אֶת־שֵׁם הַמָּקוֹם אֲשֶׁר דִּבֶּר אִתּוֹ שָׁם אֱלֹהִים בֵּית־אֵל: וַיִּסְעוּ
מִבֵּית אֵל וַיְהִי־עוֹד כִּבְרַת־הָאָרֶץ לָבוֹא אֶפְרָתָה וַתֵּלֶד רָחֵל וַתְּקַשׁ
יז בְּלִדְתָּהּ: וַיְהִי בְהַקְשֹׁתָהּ בְּלִדְתָּהּ וַתֹּאמֶר לָהּ הַמְיַלֶּדֶת
יח אַל־תִּירְאִי כִּי־גַם־זֶה לָךְ בֵּן: וַיְהִי בְּצֵאת נַפְשָׁהּ כִּי מֵתָה וַתִּקְרָא
יט שְׁמוֹ בֶּן־אוֹנִי וְאָבִיו קָרָא־לוֹ בִנְיָמִין: וַתָּמָת רָחֵל וַתִּקָּבֵר בְּדֶרֶךְ

כ אֶפְרָתָה הִוא בֵּית לָחֶם: וַיַּצֵּב יַעֲקֹב מַצֵּבָה עַל־קְבֻרָתָהּ הִוא
כא מַצֶּבֶת קְבֻרַת־רָחֵל עַד־הַיּוֹם: וַיִּסַּע יִשְׂרָאֵל וַיֵּט אָהֳלֹה מֵהָלְאָה
כב לְמִגְדַּל־עֵדֶר: וַיְהִי בִּשְׁכֹּן יִשְׂרָאֵל בָּאָרֶץ הַהִוא וַיֵּלֶךְ רְאוּבֵן וַיִּשְׁכַּב מַעֲשֵׂה רְאוּבֵן וּבִלְהָה:
אֶת־בִּלְהָה פִּילֶגֶשׁ אָבִיו וַיִּשְׁמַע יִשְׂרָאֵל
כג וַיִּהְיוּ בְנֵי־יַעֲקֹב שְׁנֵים עָשָׂר: בְּנֵי לֵאָה בְּכוֹר יַעֲקֹב רְאוּבֵן
כד וְשִׁמְעוֹן וְלֵוִי וִיהוּדָה וְיִשָּׂשכָר וּזְבֻלוּן: בְּנֵי רָחֵל יוֹסֵף וּבִנְיָמִן:
כה כו וּבְנֵי בִלְהָה שִׁפְחַת רָחֵל דָּן וְנַפְתָּלִי: וּבְנֵי זִלְפָּה שִׁפְחַת לֵאָה
כז גָּד וְאָשֵׁר אֵלֶּה בְּנֵי יַעֲקֹב אֲשֶׁר יֻלַּד־לוֹ בְּפַדַּן אֲרָם: וַיָּבֹא יַעֲקֹב מוֹת יִצְחָק:
אֶל־יִצְחָק אָבִיו מַמְרֵא קִרְיַת הָאַרְבַּע הִוא חֶבְרוֹן אֲשֶׁר־גָּר־שָׁם
כח אַבְרָהָם וְיִצְחָק: וַיִּהְיוּ יְמֵי יִצְחָק מְאַת שָׁנָה וּשְׁמֹנִים שָׁנָה:
כט וַיִּגְוַע יִצְחָק וַיָּמָת וַיֵּאָסֶף אֶל־עַמָּיו זָקֵן וּשְׂבַע יָמִים וַיִּקְבְּרוּ [2228]
אֹתוֹ עֵשָׂו וְיַעֲקֹב בָּנָיו:
לו א ב וְאֵלֶּה תֹּלְדוֹת עֵשָׂו הוּא אֱדוֹם: עֵשָׂו לָקַח אֶת־נָשָׁיו מִבְּנוֹת כְּנָעַן תּוֹלְדוֹת עֵשָׂו וְאַלּוּפָיו:
אֶת־עָדָה בַּת־אֵילוֹן הַחִתִּי וְאֶת־אָהֳלִיבָמָה בַּת־עֲנָה בַּת־
ג ד צִבְעוֹן הַחִוִּי: וְאֶת־בָּשְׂמַת בַּת־יִשְׁמָעֵאל אֲחוֹת נְבָיוֹת: וַתֵּלֶד
ה עָדָה לְעֵשָׂו אֶת־אֱלִיפָז וּבָשְׂמַת יָלְדָה אֶת־רְעוּאֵל: וְאָהֳלִיבָמָה
יָלְדָה אֶת־יְעוּשׁ יעיש וְאֶת־יַעְלָם וְאֶת־קֹרַח אֵלֶּה בְּנֵי עֵשָׂו אֲשֶׁר
ו יֻלְּדוּ־לוֹ בְּאֶרֶץ כְּנָעַן: וַיִּקַּח עֵשָׂו אֶת־נָשָׁיו וְאֶת־בָּנָיו וְאֶת־בְּנֹתָיו יְצִיאַת עֵשָׂו שֵׂעִירָה:
וְאֶת־כָּל־נַפְשׁוֹת בֵּיתוֹ וְאֶת־מִקְנֵהוּ וְאֶת־כָּל־בְּהֶמְתּוֹ וְאֵת כָּל־
קִנְיָנוֹ אֲשֶׁר רָכַשׁ בְּאֶרֶץ כְּנָעַן וַיֵּלֶךְ אֶל־אֶרֶץ מִפְּנֵי יַעֲקֹב אָחִיו:
ז כִּי־הָיָה רְכוּשָׁם רָב מִשֶּׁבֶת יַחְדָּו וְלֹא יָכְלָה אֶרֶץ מְגוּרֵיהֶם
ח לָשֵׂאת אֹתָם מִפְּנֵי מִקְנֵיהֶם: וַיֵּשֶׁב עֵשָׂו בְּהַר שֵׂעִיר עֵשָׂו הוּא
ט י אֱדוֹם: וְאֵלֶּה תֹּלְדוֹת עֵשָׂו אֲבִי אֱדוֹם בְּהַר שֵׂעִיר: אֵלֶּה שְׁמוֹת
בְּנֵי־עֵשָׂו אֱלִיפַז בֶּן־עָדָה אֵשֶׁת עֵשָׂו רְעוּאֵל בֶּן־בָּשְׂמַת אֵשֶׁת
יא יב עֵשָׂו: וַיִּהְיוּ בְּנֵי אֱלִיפָז תֵּימָן אוֹמָר צְפוֹ וְגַעְתָּם וּקְנַז: וְתִמְנַע

הָיְתָה פִילֶגֶשׁ לֶאֱלִיפַז בֶּן־עֵשָׂו וַתֵּלֶד לֶאֱלִיפַז אֶת־עֲמָלֵק אֵלֶּה
יג בְּנֵי עָדָה אֵשֶׁת עֵשָׂו׃ וְאֵלֶּה בְּנֵי רְעוּאֵל נַחַת וָזֶרַח שַׁמָּה וּמִזָּה
יד אֵלֶּה הָיוּ בְּנֵי בָשְׂמַת אֵשֶׁת עֵשָׂו׃ וְאֵלֶּה הָיוּ בְּנֵי אָהֳלִיבָמָה
בַּת־עֲנָה בַּת־צִבְעוֹן אֵשֶׁת עֵשָׂו וַתֵּלֶד לְעֵשָׂו אֶת־יְעוּשׁ יעיש
טו וְאֶת־יַעְלָם וְאֶת־קֹרַח׃ אֵלֶּה אַלּוּפֵי בְנֵי־עֵשָׂו בְּנֵי אֱלִיפַז בְּכוֹר
טז עֵשָׂו אַלּוּף תֵּימָן אַלּוּף אוֹמָר אַלּוּף צְפוֹ אַלּוּף קְנַז׃ אַלּוּף־קֹרַח
אַלּוּף גַּעְתָּם אַלּוּף עֲמָלֵק אֵלֶּה אַלּוּפֵי אֱלִיפַז בְּאֶרֶץ אֱדוֹם אֵלֶּה
יז בְּנֵי עָדָה׃ וְאֵלֶּה בְּנֵי רְעוּאֵל בֶּן־עֵשָׂו אַלּוּף נַחַת אַלּוּף זֶרַח
אַלּוּף שַׁמָּה אַלּוּף מִזָּה אֵלֶּה אַלּוּפֵי רְעוּאֵל בְּאֶרֶץ אֱדוֹם
יח אֵלֶּה בְּנֵי בָשְׂמַת אֵשֶׁת עֵשָׂו׃ וְאֵלֶּה בְּנֵי אָהֳלִיבָמָה אֵשֶׁת עֵשָׂו
אַלּוּף יְעוּשׁ אַלּוּף יַעְלָם אַלּוּף קֹרַח אֵלֶּה אַלּוּפֵי אָהֳלִיבָמָה
יט בַּת־עֲנָה אֵשֶׁת עֵשָׂו׃ אֵלֶּה בְנֵי־עֵשָׂו וְאֵלֶּה אַלּוּפֵיהֶם הוּא
כ אֱדוֹם׃ אֵלֶּה בְנֵי־שֵׂעִיר הַחֹרִי יֹשְׁבֵי הָאָרֶץ לוֹטָן
שביעי תּוֹלְדוֹת שֵׂעִיר הַחוֹרִי וְאַלּוּפָיו׃
כא וְשׁוֹבָל וְצִבְעוֹן וַעֲנָה׃ וְדִשׁוֹן וְאֵצֶר וְדִישָׁן אֵלֶּה אַלּוּפֵי הַחֹרִי בְּנֵי
כב שֵׂעִיר בְּאֶרֶץ אֱדוֹם׃ וַיִּהְיוּ בְנֵי־לוֹטָן חֹרִי וְהֵימָם וַאֲחוֹת לוֹטָן
כג כד תִּמְנָע׃ וְאֵלֶּה בְּנֵי שׁוֹבָל עַלְוָן וּמָנַחַת וְעֵיבָל שְׁפוֹ וְאוֹנָם׃ וְאֵלֶּה
בְנֵי־צִבְעוֹן וְאַיָּה וַעֲנָה הוּא עֲנָה אֲשֶׁר מָצָא אֶת־הַיֵּמִם בַּמִּדְבָּר
כה בִּרְעֹתוֹ אֶת־הַחֲמֹרִים לְצִבְעוֹן אָבִיו׃ וְאֵלֶּה בְנֵי־עֲנָה דִּשֹׁן
כו וְאָהֳלִיבָמָה בַּת־עֲנָה׃ וְאֵלֶּה בְּנֵי דִישָׁן חֶמְדָּן וְאֶשְׁבָּן וְיִתְרָן וּכְרָן׃
כז כח אֵלֶּה בְּנֵי־אֵצֶר בִּלְהָן וְזַעֲוָן וַעֲקָן׃ אֵלֶּה בְנֵי־דִישָׁן עוּץ וַאֲרָן׃
כט אֵלֶּה אַלּוּפֵי הַחֹרִי אַלּוּף לוֹטָן אַלּוּף שׁוֹבָל אַלּוּף צִבְעוֹן אַלּוּף
ל עֲנָה׃ אַלּוּף דִּשֹׁן אַלּוּף אֵצֶר אַלּוּף דִּישָׁן אֵלֶּה אַלּוּפֵי הַחֹרִי
לְאַלֻּפֵיהֶם בְּאֶרֶץ שֵׂעִיר׃

לא וְאֵלֶּה הַמְּלָכִים אֲשֶׁר מָלְכוּ בְּאֶרֶץ אֱדוֹם לִפְנֵי מְלָךְ־מֶלֶךְ לִבְנֵי
מַלְכֵי אֱדוֹם׃
לב לג יִשְׂרָאֵל׃ וַיִּמְלֹךְ בֶּאֱדוֹם בֶּלַע בֶּן־בְּעוֹר וְשֵׁם עִירוֹ דִּנְהָבָה׃ וַיָּמָת

לד בֶּלַע וַיִּמְלֹךְ תַּחְתָּיו יוֹבָב בֶּן־זֶרַח מִבָּצְרָה: וַיָּמָת יוֹבָב וַיִּמְלֹךְ

לה תַּחְתָּיו חֻשָׁם מֵאֶרֶץ הַתֵּימָנִי: וַיָּמָת חֻשָׁם וַיִּמְלֹךְ תַּחְתָּיו הֲדַד

לו בֶּן־בְּדַד הַמַּכֶּה אֶת־מִדְיָן בִּשְׂדֵה מוֹאָב וְשֵׁם עִירוֹ עֲוִית: וַיָּמָת

לז הֲדָד וַיִּמְלֹךְ תַּחְתָּיו שַׂמְלָה מִמַּשְׂרֵקָה: וַיָּמָת שַׂמְלָה וַיִּמְלֹךְ

לח תַּחְתָּיו שָׁאוּל מֵרְחֹבוֹת הַנָּהָר: וַיָּמָת שָׁאוּל וַיִּמְלֹךְ תַּחְתָּיו בַּעַל

לט חָנָן בֶּן־עַכְבּוֹר: וַיָּמָת בַּעַל חָנָן בֶּן־עַכְבּוֹר וַיִּמְלֹךְ תַּחְתָּיו הֲדַר וְשֵׁם עִירוֹ פָּעוּ וְשֵׁם אִשְׁתּוֹ מְהֵיטַבְאֵל בַּת־מַטְרֵד בַּת מֵי זָהָב:

מ וְאֵלֶּה שְׁמוֹת אַלּוּפֵי עֵשָׂו לְמִשְׁפְּחֹתָם לִמְקֹמֹתָם בִּשְׁמֹתָם אַלּוּף   מפטיר

מא תִּמְנָע אַלּוּף עַלְוָה אַלּוּף יְתֵת: אַלּוּף אָהֳלִיבָמָה אַלּוּף אֵלָה אַלּוּף

מב מג פִּינֹן: אַלּוּף קְנַז אַלּוּף תֵּימָן אַלּוּף מִבְצָר: אַלּוּף מַגְדִּיאֵל אַלּוּף עִירָם אֵלֶּה אַלּוּפֵי אֱדוֹם לְמֹשְׁבֹתָם בְּאֶרֶץ אֲחֻזָּתָם הוּא עֵשָׂו אֲבִי אֱדוֹם:

לז א וַיֵּשֶׁב יַעֲקֹב בְּאֶרֶץ מְגוּרֵי אָבִיו בְּאֶרֶץ כְּנָעַן: אֵלֶּה תֹּלְדוֹת   וישב / דִּבַּת יוֹסֵף עַל אֶחָיו: [2216]

ב יַעֲקֹב יוֹסֵף בֶּן־שְׁבַע־עֶשְׂרֵה שָׁנָה הָיָה רֹעֶה אֶת־אֶחָיו בַּצֹּאן וְהוּא נַעַר אֶת־בְּנֵי בִלְהָה וְאֶת־בְּנֵי זִלְפָּה נְשֵׁי אָבִיו וַיָּבֵא יוֹסֵף

ג אֶת־דִּבָּתָם רָעָה אֶל־אֲבִיהֶם: וְיִשְׂרָאֵל אָהַב אֶת־יוֹסֵף מִכָּל־   אַהֲבַת יַעֲקֹב לְיוֹסֵף:

ד בָּנָיו כִּי־בֶן־זְקֻנִים הוּא לוֹ וְעָשָׂה לוֹ כְּתֹנֶת פַּסִּים: וַיִּרְאוּ אֶחָיו כִּי־אֹתוֹ אָהַב אֲבִיהֶם מִכָּל־אֶחָיו וַיִּשְׂנְאוּ אֹתוֹ וְלֹא יָכְלוּ דַּבְּרוֹ

ה לְשָׁלֹם: וַיַּחֲלֹם יוֹסֵף חֲלוֹם וַיַּגֵּד לְאֶחָיו וַיּוֹסִפוּ עוֹד שְׂנֹא אֹתוֹ:   חֲלוֹמוֹת יוֹסֵף:

ו ז וַיֹּאמֶר אֲלֵיהֶם שִׁמְעוּ־נָא הַחֲלוֹם הַזֶּה אֲשֶׁר חָלָמְתִּי: וְהִנֵּה אֲנַחְנוּ מְאַלְּמִים אֲלֻמִּים בְּתוֹךְ הַשָּׂדֶה וְהִנֵּה קָמָה אֲלֻמָּתִי וְגַם־נִצָּבָה

ח וְהִנֵּה תְסֻבֶּינָה אֲלֻמֹּתֵיכֶם וַתִּשְׁתַּחֲוֶיןָ לַאֲלֻמָּתִי: וַיֹּאמְרוּ לוֹ אֶחָיו הֲמָלֹךְ תִּמְלֹךְ עָלֵינוּ אִם־מָשׁוֹל תִּמְשֹׁל בָּנוּ וַיּוֹסִפוּ עוֹד

ט שְׂנֹא אֹתוֹ עַל־חֲלֹמֹתָיו וְעַל־דְּבָרָיו: וַיַּחֲלֹם עוֹד חֲלוֹם אַחֵר וַיְסַפֵּר אֹתוֹ לְאֶחָיו וַיֹּאמֶר הִנֵּה חָלַמְתִּי חֲלוֹם עוֹד וְהִנֵּה הַשֶּׁמֶשׁ

י וְהַיָּרֵחַ וְאַחַד עָשָׂר כּוֹכָבִים מִשְׁתַּחֲוִים לִי: וַיְסַפֵּר אֶל־אָבִיו
וְאֶל־אֶחָיו וַיִּגְעַר־בּוֹ אָבִיו וַיֹּאמֶר לוֹ מָה הַחֲלוֹם הַזֶּה אֲשֶׁר
חָלָמְתָּ הֲבוֹא נָבוֹא אֲנִי וְאִמְּךָ וְאַחֶיךָ לְהִשְׁתַּחֲוֹת לְךָ אָרְצָה:

שני
את נקוד:

יא יב וַיְקַנְאוּ־בוֹ אֶחָיו וְאָבִיו שָׁמַר אֶת־הַדָּבָר: וַיֵּלְכוּ אֶחָיו לִרְעוֹת

שְׁלִיחוּת יוֹסֵף לִשְׁכֶם:

יג אֶת־צֹאן אֲבִיהֶם בִּשְׁכֶם: וַיֹּאמֶר יִשְׂרָאֵל אֶל־יוֹסֵף הֲלוֹא אַחֶיךָ
יד רֹעִים בִּשְׁכֶם לְכָה וְאֶשְׁלָחֲךָ אֲלֵיהֶם וַיֹּאמֶר לוֹ הִנֵּנִי: וַיֹּאמֶר לוֹ

הֲלִיכַת יוֹסֵף לְדוֹתָן:

לֶךְ־נָא רְאֵה אֶת־שְׁלוֹם אַחֶיךָ וְאֶת־שְׁלוֹם הַצֹּאן וַהֲשִׁבֵנִי דָּבָר
טו וַיִּשְׁלָחֵהוּ מֵעֵמֶק חֶבְרוֹן וַיָּבֹא שְׁכֶמָה: וַיִּמְצָאֵהוּ אִישׁ וְהִנֵּה תֹעֶה
טז בַּשָּׂדֶה וַיִּשְׁאָלֵהוּ הָאִישׁ לֵאמֹר מַה־תְּבַקֵּשׁ: וַיֹּאמֶר אֶת־אַחַי
יז אָנֹכִי מְבַקֵּשׁ הַגִּידָה־נָּא לִי אֵיפֹה הֵם רֹעִים: וַיֹּאמֶר הָאִישׁ נָסְעוּ
מִזֶּה כִּי שָׁמַעְתִּי אֹמְרִים נֵלְכָה דֹּתָיְנָה וַיֵּלֶךְ יוֹסֵף אַחַר אֶחָיו

הִתְנַכְּלוּת הָאַחִים לַהֲמִיתוֹ:

יח וַיִּמְצָאֵם בְּדֹתָן: וַיִּרְאוּ אֹתוֹ מֵרָחֹק וּבְטֶרֶם יִקְרַב אֲלֵיהֶם
יט וַיִּתְנַכְּלוּ אֹתוֹ לַהֲמִיתוֹ: וַיֹּאמְרוּ אִישׁ אֶל־אָחִיו הִנֵּה בַּעַל
כ הַחֲלֹמוֹת הַלָּזֶה בָּא: וְעַתָּה ׀ לְכוּ וְנַהַרְגֵהוּ וְנַשְׁלִכֵהוּ בְּאַחַד
הַבֹּרוֹת וְאָמַרְנוּ חַיָּה רָעָה אֲכָלָתְהוּ וְנִרְאֶה מַה־יִּהְיוּ חֲלֹמֹתָיו:
כא כב וַיִּשְׁמַע רְאוּבֵן וַיַּצִּלֵהוּ מִיָּדָם וַיֹּאמֶר לֹא נַכֶּנּוּ נָפֶשׁ: וַיֹּאמֶר
אֲלֵהֶם ׀ רְאוּבֵן אַל־תִּשְׁפְּכוּ־דָם הַשְׁלִיכוּ אֹתוֹ אֶל־הַבּוֹר הַזֶּה
אֲשֶׁר בַּמִּדְבָּר וְיָד אַל־תִּשְׁלְחוּ־בוֹ לְמַעַן הַצִּיל אֹתוֹ מִיָּדָם

שלישי

כג לַהֲשִׁיבוֹ אֶל־אָבִיו: וַיְהִי כַּאֲשֶׁר־בָּא יוֹסֵף אֶל־אֶחָיו וַיַּפְשִׁיטוּ

הַשְׁלָכַת יוֹסֵף לַבּוֹר:

כד אֶת־יוֹסֵף אֶת־כֻּתָּנְתּוֹ אֶת־כְּתֹנֶת הַפַּסִּים אֲשֶׁר עָלָיו: וַיִּקָּחֻהוּ
כה וַיַּשְׁלִכוּ אֹתוֹ הַבֹּרָה וְהַבּוֹר רֵק אֵין בּוֹ מָיִם: וַיֵּשְׁבוּ לֶאֱכָל־לֶחֶם
וַיִּשְׂאוּ עֵינֵיהֶם וַיִּרְאוּ וְהִנֵּה אֹרְחַת יִשְׁמְעֵאלִים בָּאָה מִגִּלְעָד
וּגְמַלֵּיהֶם נֹשְׂאִים נְכֹאת וּצְרִי וָלֹט הוֹלְכִים לְהוֹרִיד מִצְרָיְמָה:
כו וַיֹּאמֶר יְהוּדָה אֶל־אֶחָיו מַה־בֶּצַע כִּי נַהֲרֹג אֶת־אָחִינוּ וְכִסִּינוּ
כז אֶת־דָּמוֹ: לְכוּ וְנִמְכְּרֶנּוּ לַיִּשְׁמְעֵאלִים וְיָדֵנוּ אַל־תְּהִי־בוֹ כִּי־

כח אָחִינוּ בְשָׂרֵנוּ הוּא וַיִּשְׁמְעוּ אֶחָיו: וַיַּעַבְרוּ אֲנָשִׁים מִדְיָנִים מְכִירַת יוֹסֵף:
סֹחֲרִים וַיִּמְשְׁכוּ וַיַּעֲלוּ אֶת־יוֹסֵף מִן־הַבּוֹר וַיִּמְכְּרוּ אֶת־יוֹסֵף [2216]
כט לַיִּשְׁמְעֵאלִים בְּעֶשְׂרִים כָּסֶף וַיָּבִיאוּ אֶת־יוֹסֵף מִצְרָיְמָה: וַיָּשָׁב
ל רְאוּבֵן אֶל־הַבּוֹר וְהִנֵּה אֵין־יוֹסֵף בַּבּוֹר וַיִּקְרַע אֶת־בְּגָדָיו: וַיָּשָׁב
לא אֶל־אֶחָיו וַיֹּאמַר הַיֶּלֶד אֵינֶנּוּ וַאֲנִי אָנָה אֲנִי־בָא: וַיִּקְחוּ אֶת־כְּתֹנֶת שְׁלִיחַת הַכְּתֹנֶת
לב יוֹסֵף וַיִּשְׁחֲטוּ שְׂעִיר עִזִּים וַיִּטְבְּלוּ אֶת־הַכֻּתֹּנֶת בַּדָּם: וַיְשַׁלְּחוּ בְּדָם לְיַעֲקֹב:
אֶת־כְּתֹנֶת הַפַּסִּים וַיָּבִיאוּ אֶל־אֲבִיהֶם וַיֹּאמְרוּ זֹאת מָצָאנוּ
לג הַכֶּר־נָא הַכְּתֹנֶת בִּנְךָ הִוא אִם־לֹא: וַיַּכִּירָהּ וַיֹּאמֶר כְּתֹנֶת בְּנִי
לד חַיָּה רָעָה אֲכָלָתְהוּ טָרֹף טֹרַף יוֹסֵף: וַיִּקְרַע יַעֲקֹב שִׂמְלֹתָיו וַיָּשֶׂם אֲבֵלוּת יַעֲקֹב עַל
לה שַׂק בְּמָתְנָיו וַיִּתְאַבֵּל עַל־בְּנוֹ יָמִים רַבִּים: וַיָּקֻמוּ כָל־בָּנָיו וְכָל־ יוֹסֵף:
בְּנֹתָיו לְנַחֲמוֹ וַיְמָאֵן לְהִתְנַחֵם וַיֹּאמֶר כִּי־אֵרֵד אֶל־בְּנִי אָבֵל שְׁאֹלָה
לו וַיֵּבְךְּ אֹתוֹ אָבִיו: וְהַמְּדָנִים מָכְרוּ אֹתוֹ אֶל־מִצְרָיִם לְפוֹטִיפַר סְרִיס
פַּרְעֹה שַׂר הַטַּבָּחִים:

לח א וַיְהִי בָּעֵת הַהִוא וַיֵּרֶד יְהוּדָה מֵאֵת אֶחָיו וַיֵּט עַד־אִישׁ עֲדֻלָּמִי רביעי
ב וּשְׁמוֹ חִירָה: וַיַּרְא־שָׁם יְהוּדָה בַּת־אִישׁ כְּנַעֲנִי וּשְׁמוֹ שׁוּעַ נִשּׂוּאֵי יְהוּדָה:
ג ד וַיִּקָּחֶהָ וַיָּבֹא אֵלֶיהָ: וַתַּהַר וַתֵּלֶד בֵּן וַיִּקְרָא אֶת־שְׁמוֹ עֵר: וַתַּהַר [2216]
ה עוֹד וַתֵּלֶד בֵּן וַתִּקְרָא אֶת־שְׁמוֹ אוֹנָן: וַתֹּסֶף עוֹד וַתֵּלֶד בֵּן
ו וַתִּקְרָא אֶת־שְׁמוֹ שֵׁלָה וְהָיָה בִכְזִיב בְּלִדְתָּהּ אֹתוֹ: וַיִּקַּח יְהוּדָה
ז אִשָּׁה לְעֵר בְּכוֹרוֹ וּשְׁמָהּ תָּמָר: וַיְהִי עֵר בְּכוֹר יְהוּדָה רַע בְּעֵינֵי חֵטְא עֵר וְאוֹנָן
ח יְהוָה וַיְמִתֵהוּ יְהוָה: וַיֹּאמֶר יְהוּדָה לְאוֹנָן בֹּא אֶל־אֵשֶׁת אָחִיךָ וּמִיתָתָם:
ט וְיַבֵּם אֹתָהּ וְהָקֵם זֶרַע לְאָחִיךָ: וַיֵּדַע אוֹנָן כִּי לֹּא לוֹ יִהְיֶה
הַזָּרַע וְהָיָה אִם־בָּא אֶל־אֵשֶׁת אָחִיו וְשִׁחֵת אַרְצָה לְבִלְתִּי
י נְתָן־זֶרַע לְאָחִיו: וַיֵּרַע בְּעֵינֵי יְהוָה אֲשֶׁר עָשָׂה וַיָּמֶת גַּם־אֹתוֹ:
יא וַיֹּאמֶר יְהוּדָה לְתָמָר כַּלָּתוֹ שְׁבִי אַלְמָנָה בֵית־אָבִיךְ עַד־יִגְדַּל
שֵׁלָה בְנִי כִּי אָמַר פֶּן־יָמוּת גַּם־הוּא כְּאֶחָיו וַתֵּלֶךְ תָּמָר וַתֵּשֶׁב

בֵּית אָבִֽיהָ: וַיִּרְבּוּ֙ הַיָּמִ֔ים וַתָּ֖מָת בַּת־שׁ֣וּעַ אֵֽשֶׁת־יְהוּדָ֑ה וַיִּנָּ֣חֶם יב

יְהוּדָ֗ה וַיַּ֙עַל֙ עַל־גֹּֽזֲזֵ֣י צֹאנ֔וֹ ה֗וּא וְחִירָ֛ה רֵעֵ֥הוּ הָעֲדֻלָּמִ֖י תִּמְנָֽתָה:

מַעֲשֵׂה   וַיֻּגַּ֥ד לְתָמָ֖ר לֵאמֹ֑ר הִנֵּ֥ה חָמִ֛יךְ עֹלֶ֥ה תִמְנָ֖תָה לָגֹ֥ז צֹאנֽוֹ: וַתָּסַר֩ יג
יְהוּדָה
וְתָמָֽר: בִּגְדֵ֨י אַלְמְנוּתָ֜הּ מֵֽעָלֶ֗יהָ וַתְּכַ֤ס בַּצָּעִיף֙ וַתִּתְעַלָּ֔ף וַתֵּ֙שֶׁב֙ בְּפֶ֣תַח
[2238]
עֵינַ֔יִם אֲשֶׁ֖ר עַל־דֶּ֣רֶךְ תִּמְנָ֑תָה כִּ֤י רָֽאֲתָה֙ כִּֽי־גָדַ֣ל שֵׁלָ֔ה וְהִ֕וא

לֹֽא־נִתְּנָ֥ה ל֖וֹ לְאִשָּֽׁה: וַיִּרְאֶ֣הָ יְהוּדָ֔ה וַֽיַּחְשְׁבֶ֖הָ לְזוֹנָ֑ה כִּ֥י כִסְּתָ֖ה יד

פָּנֶֽיהָ: וַיֵּ֨ט אֵלֶ֜יהָ אֶל־הַדֶּ֗רֶךְ וַיֹּ֙אמֶר֙ הָֽבָה־נָּא֙ אָב֣וֹא אֵלַ֔יִךְ כִּ֚י טו

לֹ֣א יָדַ֔ע כִּ֥י כַלָּת֖וֹ הִ֑וא וַתֹּ֙אמֶר֙ מַה־תִּתֶּן־לִּ֔י כִּ֥י תָב֖וֹא אֵלָֽי:

וַיֹּ֕אמֶר אָֽנֹכִ֛י אֲשַׁלַּ֥ח גְּדִֽי־עִזִּ֖ים מִן־הַצֹּ֑אן וַתֹּ֕אמֶר אִם־תִּתֵּ֥ן עֵֽרָב֖וֹן טז

עַ֥ד שָׁלְחֶֽךָ: וַיֹּ֗אמֶר מָ֣ה הָעֵֽרָבוֹן֮ אֲשֶׁ֣ר אֶתֶּן־לָךְ֒ וַתֹּ֗אמֶר חֹתָֽמְךָ֙ יז

וּפְתִילֶ֔ךָ וּמַטְּךָ֖ אֲשֶׁ֣ר בְּיָדֶ֑ךָ וַיִּתֶּן־לָ֛הּ וַיָּבֹ֥א אֵלֶ֖יהָ וַתַּ֥הַר לֽוֹ: יח

וַתָּ֣קָם וַתֵּ֔לֶךְ וַתָּ֥סַר צְעִיפָ֖הּ מֵֽעָלֶ֑יהָ וַתִּלְבַּ֖שׁ בִּגְדֵ֥י אַלְמְנוּתָֽהּ: יט

וַיִּשְׁלַ֨ח יְהוּדָ֜ה אֶת־גְּדִ֣י הָֽעִזִּ֗ים בְּיַד֙ רֵעֵ֣הוּ הָֽעֲדֻלָּמִ֔י לָקַ֥חַת כ

הָעֵֽרָב֖וֹן מִיַּ֣ד הָֽאִשָּׁ֑ה וְלֹ֖א מְצָאָֽהּ: וַיִּשְׁאַ֞ל אֶת־אַנְשֵׁ֤י מְקֹמָהּ֙ כא

לֵאמֹ֔ר אַיֵּ֧ה הַקְּדֵשָׁ֛ה הִ֥וא בָעֵינַ֖יִם עַל־הַדָּ֑רֶךְ וַיֹּ֣אמְר֔וּ לֹֽא־הָיְתָ֥ה

בָזֶ֖ה קְדֵשָֽׁה: וַיָּ֙שָׁב֙ אֶל־יְהוּדָ֔ה וַיֹּ֖אמֶר לֹ֣א מְצָאתִ֑יהָ וְגַ֙ם אַנְשֵׁ֤י כב

הַמָּקוֹם֙ אָֽמְר֔וּ לֹֽא־הָיְתָ֥ה בָזֶ֖ה קְדֵשָֽׁה: וַיֹּ֤אמֶר יְהוּדָה֙ תִּֽקַּֽח־לָ֔הּ כג

פֶּ֖ן נִֽהְיֶ֣ה לָב֑וּז הִנֵּ֤ה שָׁלַ֙חְתִּי֙ הַגְּדִ֣י הַזֶּ֔ה וְאַתָּ֖ה לֹ֥א מְצָאתָֽהּ:

וַיְהִ֣י ׀ כְּמִשְׁלֹ֣שׁ חֳדָשִׁ֗ים וַיֻּגַּ֨ד לִֽיהוּדָ֤ה לֵֽאמֹר֙ זָֽנְתָה֙ תָּמָ֣ר כַּלָּתֶ֔ךָ כד

וְגַ֛ם הִנֵּ֥ה הָרָ֖ה לִזְנוּנִ֑ים וַיֹּ֣אמֶר יְהוּדָ֔ה הֽוֹצִיא֖וּהָ וְתִשָּׂרֵֽף: הִ֣וא כה

מוּצֵ֗את וְהִ֨יא שָֽׁלְחָ֤ה אֶל־חָמִ֙יהָ֙ לֵאמֹ֔ר לְאִ֗ישׁ אֲשֶׁר־אֵ֙לֶּה֙ לּ֔וֹ

אָֽנֹכִ֖י הָרָ֑ה וַתֹּ֙אמֶר֙ הַכֶּר־נָ֔א לְמִ֞י הַחֹתֶ֧מֶת וְהַפְּתִילִ֛ים וְהַמַּטֶּ֖ה

הָאֵֽלֶּה: וַיַּכֵּ֣ר יְהוּדָ֗ה וַיֹּ֙אמֶר֙ צָֽדְקָ֣ה מִמֶּ֔נִּי כִּֽי־עַל־כֵּ֥ן לֹֽא־נְתַתִּ֖יהָ כו

לָדַ֣ת פֶּ֥רֶץ   לְשֵׁלָ֣ה בְנִ֑י וְלֹֽא־יָסַ֥ף ע֖וֹד לְדַעְתָּֽהּ: וַיְהִ֖י בְּעֵ֣ת לִדְתָּ֑הּ וְהִנֵּ֥ה כז
וָזָֽרַח:
תְאוֹמִ֖ים בְּבִטְנָֽהּ: וַיְהִ֣י בְלִדְתָּ֔הּ וַיִּתֶּן־יָ֑ד וַתִּקַּ֣ח הַֽמְיַלֶּ֗דֶת כח

כט וַיְהִ֣י ׀ כְּמֵשִׁ֣יב יָד֗וֹ וְהִנֵּה֙ יָצָ֣א אָחִ֔יו וַתֹּ֕אמֶר מַה־פָּרַ֖צְתָּ עָלֶ֣יךָ פָּ֑רֶץ וַיִּקְרָ֥א שְׁמ֖וֹ פָּֽרֶץ: ל וְאַחַר֙ יָצָ֣א אָחִ֔יו אֲשֶׁ֥ר עַל־יָד֖וֹ הַשָּׁנִ֑י וַיִּקְרָ֥א שְׁמ֖וֹ זָֽרַח:

חמישי

לט א וְיוֹסֵ֖ף הוּרַ֣ד מִצְרָ֑יְמָה וַיִּקְנֵ֡הוּ פּֽוֹטִיפַר֩ סְרִ֨יס פַּרְעֹ֜ה שַׂ֤ר הַטַּבָּחִים֙ אִ֣ישׁ מִצְרִ֔י מִיַּד֙ הַיִּשְׁמְעֵאלִ֔ים אֲשֶׁ֥ר הֽוֹרִדֻ֖הוּ שָֽׁמָּה:

הַצְלָחַת יוֹסֵף בְּבֵית פּוֹטִיפַר: [2216]

ב וַיְהִ֤י יְהוָה֙ אֶת־יוֹסֵ֔ף וַיְהִ֖י אִ֣ישׁ מַצְלִ֑יחַ וַיְהִ֕י בְּבֵ֖ית אֲדֹנָ֥יו הַמִּצְרִֽי: ג וַיַּ֣רְא אֲדֹנָ֔יו כִּ֥י יְהוָ֖ה אִתּ֑וֹ וְכֹל֙ אֲשֶׁר־ה֣וּא עֹשֶׂ֔ה יְהוָ֖ה מַצְלִ֥יחַ בְּיָדֽוֹ: ד וַיִּמְצָ֨א יוֹסֵ֥ף חֵ֛ן בְּעֵינָ֖יו וַיְשָׁ֣רֶת אֹת֑וֹ וַיַּפְקִדֵ֨הוּ֙ עַל־בֵּית֔וֹ וְכָל־יֶשׁ־ל֖וֹ נָתַ֥ן בְּיָדֽוֹ: ה וַיְהִ֡י מֵאָז֩ הִפְקִ֨יד אֹת֜וֹ בְּבֵית֗וֹ וְעַל֙ כָּל־אֲשֶׁ֣ר יֶשׁ־ל֔וֹ וַיְבָ֧רֶךְ יְהוָ֛ה אֶת־בֵּ֥ית הַמִּצְרִ֖י בִּגְלַ֣ל יוֹסֵ֑ף וַיְהִ֞י בִּרְכַּ֤ת יְהוָה֙ בְּכָל־אֲשֶׁ֣ר יֶשׁ־ל֔וֹ בַּבַּ֖יִת וּבַשָּׂדֶֽה: ו וַיַּעֲזֹ֣ב כָּל־אֲשֶׁר־לוֹ֮ בְּיַד־יוֹסֵף֒ וְלֹא־יָדַ֤ע אִתּוֹ֙ מְא֔וּמָה כִּ֥י אִם־הַלֶּ֖חֶם אֲשֶׁר־ה֣וּא אוֹכֵ֑ל וַיְהִ֣י יוֹסֵ֔ף יְפֵה־תֹ֖אַר וִיפֵ֥ה מַרְאֶֽה:

ששי

ז וַיְהִ֗י אַחַר֙ הַדְּבָרִ֣ים הָאֵ֔לֶּה וַתִּשָּׂ֧א אֵֽשֶׁת־אֲדֹנָ֛יו אֶת־עֵינֶ֖יהָ אֶל־יוֹסֵ֑ף וַתֹּ֖אמֶר שִׁכְבָ֥ה עִמִּֽי:

מַעֲשֵׂה אֵשֶׁת פּוֹטִיפַר עִם יוֹסֵף:

ח וַיְמָאֵ֓ן ׀ וַיֹּ֙אמֶר֙ אֶל־אֵ֣שֶׁת אֲדֹנָ֔יו הֵ֣ן אֲדֹנִ֔י לֹא־יָדַ֥ע אִתִּ֖י מַה־בַּבָּ֑יִת וְכֹ֥ל אֲשֶׁר־יֶשׁ־ל֖וֹ נָתַ֥ן בְּיָדִֽי: ט אֵינֶ֨נּוּ גָד֜וֹל בַּבַּ֣יִת הַזֶּה֮ מִמֶּנִּי֒ וְלֹֽא־חָשַׂ֤ךְ מִמֶּ֙נִּי֙ מְא֔וּמָה כִּ֥י אִם־אוֹתָ֖ךְ בַּאֲשֶׁ֣ר אַתְּ־אִשְׁתּ֑וֹ וְאֵ֨יךְ אֶֽעֱשֶׂ֜ה הָרָעָ֤ה הַגְּדֹלָה֙ הַזֹּ֔את וְחָטָ֖אתִי לֵֽאלֹהִֽים: י וַיְהִ֕י כְּדַבְּרָ֥הּ אֶל־יוֹסֵ֖ף י֣וֹם ׀ י֑וֹם וְלֹא־שָׁמַ֥ע אֵלֶ֛יהָ לִשְׁכַּ֥ב אֶצְלָ֖הּ לִהְי֥וֹת עִמָּֽהּ: יא וַיְהִי֙ כְּהַיּ֣וֹם הַזֶּ֔ה וַיָּבֹ֥א הַבַּ֖יְתָה לַעֲשׂ֣וֹת מְלַאכְתּ֑וֹ וְאֵ֙ין אִ֜ישׁ מֵאַנְשֵׁ֥י הַבַּ֛יִת שָׁ֖ם בַּבָּֽיִת: יב וַתִּתְפְּשֵׂ֧הוּ בְּבִגְד֛וֹ לֵאמֹ֖ר שִׁכְבָ֣ה עִמִּ֑י וַיַּעֲזֹ֤ב בִּגְדוֹ֙ בְּיָדָ֔הּ וַיָּ֖נָס וַיֵּצֵ֥א הַחֽוּצָה: יג וַיְהִי֙ כִּרְאוֹתָ֔הּ כִּֽי־עָזַ֥ב בִּגְד֖וֹ בְּיָדָ֑הּ וַיָּ֖נָס הַחֽוּצָה: יד וַתִּקְרָ֞א לְאַנְשֵׁ֣י בֵיתָ֗הּ וַתֹּ֤אמֶר לָהֶם֙ לֵאמֹ֔ר רְא֗וּ הֵ֥בִיא לָ֛נוּ אִ֥ישׁ עִבְרִ֖י לְצַ֣חֶק בָּ֑נוּ בָּ֤א אֵלַי֙ לִשְׁכַּ֣ב עִמִּ֔י וָאֶקְרָ֖א בְּק֥וֹל גָּדֽוֹל: טו וַיְהִ֣י

כְּשָׁמְעוֹ כִּי־הֲרִימֹתִי קוֹלִי וָאֶקְרָא וַיַּעֲזֹב בִּגְדוֹ אֶצְלִי וַיָּנָס וַיֵּצֵא

הַחוּצָה: וַתַּנַּח בִּגְדוֹ אֶצְלָהּ עַד־בּוֹא אֲדֹנָיו אֶל־בֵּיתוֹ: וַתְּדַבֵּר טז יז

אֵלָיו כַּדְּבָרִים הָאֵלֶּה לֵאמֹר בָּא־אֵלַי הָעֶבֶד הָעִבְרִי אֲשֶׁר־הֵבֵאתָ

לָּנוּ לְצַחֶק בִּי: וַיְהִי כַּהֲרִימִי קוֹלִי וָאֶקְרָא וַיַּעֲזֹב בִּגְדוֹ אֶצְלִי וַיָּנָס יח

הַחוּצָה: וַיְהִי כִשְׁמֹעַ אֲדֹנָיו אֶת־דִּבְרֵי אִשְׁתּוֹ אֲשֶׁר דִּבְּרָה אֵלָיו יט

לֵאמֹר כַּדְּבָרִים הָאֵלֶּה עָשָׂה לִי עַבְדֶּךָ וַיִּחַר אַפּוֹ: וַיִּקַּח אֲדֹנֵי כ

יוֹסֵף אֹתוֹ וַיִּתְּנֵהוּ אֶל־בֵּית הַסֹּהַר מְקוֹם אֲשֶׁר־אֲסִירֵי אֲסוּרֵי

הַמֶּלֶךְ אֲסוּרִים וַיְהִי־שָׁם בְּבֵית הַסֹּהַר: וַיְהִי יְהוָה אֶת־יוֹסֵף וַיֵּט כא

אֵלָיו חָסֶד וַיִּתֵּן חִנּוֹ בְּעֵינֵי שַׂר בֵּית־הַסֹּהַר: וַיִּתֵּן שַׂר בֵּית־ כב

הַסֹּהַר בְּיַד־יוֹסֵף אֵת כָּל־הָאֲסִירִם אֲשֶׁר בְּבֵית הַסֹּהַר וְאֵת

כָּל־אֲשֶׁר עֹשִׂים שָׁם הוּא הָיָה עֹשֶׂה: אֵין ׀ שַׂר בֵּית־הַסֹּהַר כג

רֹאֶה אֶת־כָּל־מְאוּמָה בְּיָדוֹ בַּאֲשֶׁר יְהוָה אִתּוֹ וַאֲשֶׁר־הוּא עֹשֶׂה

יְהוָה מַצְלִיחַ:

וַיְהִי אַחַר הַדְּבָרִים הָאֵלֶּה חָטְאוּ מַשְׁקֵה מֶלֶךְ־מִצְרַיִם וְהָאֹפֶה מ א

לַאֲדֹנֵיהֶם לְמֶלֶךְ מִצְרָיִם: וַיִּקְצֹף פַּרְעֹה עַל שְׁנֵי סָרִיסָיו עַל שַׂר ב

הַמַּשְׁקִים וְעַל שַׂר הָאוֹפִים: וַיִּתֵּן אֹתָם בְּמִשְׁמַר בֵּית שַׂר ג

הַטַּבָּחִים אֶל־בֵּית הַסֹּהַר מְקוֹם אֲשֶׁר יוֹסֵף אָסוּר שָׁם: וַיִּפְקֹד ד

שַׂר הַטַּבָּחִים אֶת־יוֹסֵף אִתָּם וַיְשָׁרֶת אֹתָם וַיִּהְיוּ יָמִים

בְּמִשְׁמָר: וַיַּחַלְמוּ חֲלוֹם שְׁנֵיהֶם אִישׁ חֲלֹמוֹ בְּלַיְלָה אֶחָד אִישׁ ה

כְּפִתְרוֹן חֲלֹמוֹ הַמַּשְׁקֶה וְהָאֹפֶה אֲשֶׁר לְמֶלֶךְ מִצְרַיִם אֲשֶׁר

אֲסוּרִים בְּבֵית הַסֹּהַר: וַיָּבֹא אֲלֵיהֶם יוֹסֵף בַּבֹּקֶר וַיַּרְא אֹתָם ו

וְהִנָּם זֹעֲפִים: וַיִּשְׁאַל אֶת־סְרִיסֵי פַרְעֹה אֲשֶׁר אִתּוֹ בְמִשְׁמַר בֵּית ז

אֲדֹנָיו לֵאמֹר מַדּוּעַ פְּנֵיכֶם רָעִים הַיּוֹם: וַיֹּאמְרוּ אֵלָיו חֲלוֹם ח

חָלַמְנוּ וּפֹתֵר אֵין אֹתוֹ וַיֹּאמֶר אֲלֵהֶם יוֹסֵף הֲלוֹא לֵאלֹהִים

פִּתְרֹנִים סַפְּרוּ־נָא לִי: וַיְסַפֵּר שַׂר־הַמַּשְׁקִים אֶת־חֲלֹמוֹ לְיוֹסֵף ט

י וַיֹּאמֶר לוֹ בַּחֲלוֹמִי וְהִנֵּה־גֶפֶן לְפָנָי׃ וּבַגֶּפֶן שְׁלֹשָׁה שָׂרִיגִם וְהִוא
יא כְפֹרַחַת עָלְתָה נִצָּהּ הִבְשִׁילוּ אַשְׁכְּלֹתֶיהָ עֲנָבִים׃ וְכוֹס פַּרְעֹה
בְּיָדִי וָאֶקַּח אֶת־הָעֲנָבִים וָאֶשְׂחַט אֹתָם אֶל־כּוֹס פַּרְעֹה וָאֶתֵּן
יב אֶת־הַכּוֹס עַל־כַּף פַּרְעֹה׃ וַיֹּאמֶר לוֹ יוֹסֵף זֶה פִּתְרֹנוֹ שְׁלֹשֶׁת — פִּתְרוֹן הַחֲלוֹמוֹת:
יג הַשָּׂרִגִים שְׁלֹשֶׁת יָמִים הֵם׃ בְּעוֹד ׀ שְׁלֹשֶׁת יָמִים יִשָּׂא פַרְעֹה
אֶת־רֹאשֶׁךָ וַהֲשִׁיבְךָ עַל־כַּנֶּךָ וְנָתַתָּ כוֹס־פַּרְעֹה בְּיָדוֹ כַּמִּשְׁפָּט
יד הָרִאשׁוֹן אֲשֶׁר הָיִיתָ מַשְׁקֵהוּ׃ כִּי אִם־זְכַרְתַּנִי אִתְּךָ כַּאֲשֶׁר יִיטַב
לָךְ וְעָשִׂיתָ־נָּא עִמָּדִי חָסֶד וְהִזְכַּרְתַּנִי אֶל־פַּרְעֹה וְהוֹצֵאתַנִי
טו מִן־הַבַּיִת הַזֶּה׃ כִּי־גֻנֹּב גֻּנַּבְתִּי מֵאֶרֶץ הָעִבְרִים וְגַם־פֹּה לֹא־
טז עָשִׂיתִי מְאוּמָה כִּי־שָׂמוּ אֹתִי בַּבּוֹר׃ וַיַּרְא שַׂר־הָאֹפִים כִּי טוֹב
פָּתָר וַיֹּאמֶר אֶל־יוֹסֵף אַף־אֲנִי בַּחֲלוֹמִי וְהִנֵּה שְׁלֹשָׁה סַלֵּי חֹרִי
יז עַל־רֹאשִׁי׃ וּבַסַּל הָעֶלְיוֹן מִכֹּל מַאֲכַל פַּרְעֹה מַעֲשֵׂה אֹפֶה וְהָעוֹף
יח אֹכֵל אֹתָם מִן־הַסַּל מֵעַל רֹאשִׁי׃ וַיַּעַן יוֹסֵף וַיֹּאמֶר זֶה פִּתְרֹנוֹ
יט שְׁלֹשֶׁת הַסַּלִּים שְׁלֹשֶׁת יָמִים הֵם׃ בְּעוֹד ׀ שְׁלֹשֶׁת יָמִים יִשָּׂא
פַרְעֹה אֶת־רֹאשְׁךָ מֵעָלֶיךָ וְתָלָה אוֹתְךָ עַל־עֵץ וְאָכַל הָעוֹף
כ אֶת־בְּשָׂרְךָ מֵעָלֶיךָ׃ וַיְהִי ׀ בַּיּוֹם הַשְּׁלִישִׁי יוֹם הֻלֶּדֶת אֶת־פַּרְעֹה — מפטיר קִיּוּם הַפִּתְרוֹנוֹת:
וַיַּעַשׂ מִשְׁתֶּה לְכָל־עֲבָדָיו וַיִּשָּׂא אֶת־רֹאשׁ ׀ שַׂר הַמַּשְׁקִים
כא וְאֶת־רֹאשׁ שַׂר הָאֹפִים בְּתוֹךְ עֲבָדָיו׃ וַיָּשֶׁב אֶת־שַׂר הַמַּשְׁקִים
כב עַל־מַשְׁקֵהוּ וַיִּתֵּן הַכּוֹס עַל־כַּף פַּרְעֹה׃ וְאֵת שַׂר הָאֹפִים תָּלָה
כג כַּאֲשֶׁר פָּתַר לָהֶם יוֹסֵף׃ וְלֹא־זָכַר שַׂר־הַמַּשְׁקִים אֶת־יוֹסֵף
וַיִּשְׁכָּחֵהוּ׃

מא א וַיְהִי מִקֵּץ שְׁנָתַיִם יָמִים וּפַרְעֹה חֹלֵם וְהִנֵּה עֹמֵד עַל־הַיְאֹר׃ — **מקץ** חֲלוֹמוֹת פַּרְעֹה: [2229]
ב וְהִנֵּה מִן־הַיְאֹר עֹלֹת שֶׁבַע פָּרוֹת יְפוֹת מַרְאֶה וּבְרִיאֹת בָּשָׂר
ג וַתִּרְעֶינָה בָּאָחוּ׃ וְהִנֵּה שֶׁבַע פָּרוֹת אֲחֵרוֹת עֹלוֹת אַחֲרֵיהֶן
מִן־הַיְאֹר רָעוֹת מַרְאֶה וְדַקּוֹת בָּשָׂר וַתַּעֲמֹדְנָה אֵצֶל הַפָּרוֹת

ד עַל־שְׂפַת הַיְאֹר: וַתֹּאכַלְנָה הַפָּרוֹת רָעוֹת הַמַּרְאֶה וְדַקֹּת הַבָּשָׂר
ה אֵת שֶׁבַע הַפָּרוֹת יְפֹת הַמַּרְאֶה וְהַבְּרִיאֹת וַיִּיקַץ פַּרְעֹה: וַיִּישָׁן
וַיַּחֲלֹם שֵׁנִית וְהִנֵּה שֶׁבַע שִׁבֳּלִים עֹלוֹת בְּקָנֶה אֶחָד בְּרִיאוֹת
ו וְטֹבוֹת: וְהִנֵּה שֶׁבַע שִׁבֳּלִים דַּקּוֹת וּשְׁדוּפֹת קָדִים צֹמְחוֹת
ז אַחֲרֵיהֶן: וַתִּבְלַעְנָה הַשִּׁבֳּלִים הַדַּקּוֹת אֵת שֶׁבַע הַשִּׁבֳּלִים
ח הַבְּרִיאוֹת וְהַמְּלֵאוֹת וַיִּיקַץ פַּרְעֹה וְהִנֵּה חֲלוֹם: וַיְהִי בַבֹּקֶר
וַתִּפָּעֶם רוּחוֹ וַיִּשְׁלַח וַיִּקְרָא אֶת־כָּל־חַרְטֻמֵּי מִצְרַיִם וְאֶת־כָּל־
חֲכָמֶיהָ וַיְסַפֵּר פַּרְעֹה לָהֶם אֶת־חֲלֹמוֹ וְאֵין־פּוֹתֵר אוֹתָם לְפַרְעֹה:

הַזְכָּרַת יוֹסֵף לְפַרְעֹה:

ט וַיְדַבֵּר שַׂר הַמַּשְׁקִים אֶת־פַּרְעֹה לֵאמֹר אֶת־חֲטָאַי אֲנִי מַזְכִּיר
י הַיּוֹם: פַּרְעֹה קָצַף עַל־עֲבָדָיו וַיִּתֵּן אֹתִי בְּמִשְׁמַר בֵּית שַׂר
יא הַטַּבָּחִים אֹתִי וְאֵת שַׂר הָאֹפִים: וַנַּחַלְמָה חֲלוֹם בְּלַיְלָה אֶחָד
יב אֲנִי וָהוּא אִישׁ כְּפִתְרוֹן חֲלֹמוֹ חָלָמְנוּ: וְשָׁם אִתָּנוּ נַעַר עִבְרִי
עֶבֶד לְשַׂר הַטַּבָּחִים וַנְּסַפֶּר־לוֹ וַיִּפְתָּר־לָנוּ אֶת־חֲלֹמֹתֵינוּ אִישׁ
יג כַּחֲלֹמוֹ פָּתָר: וַיְהִי כַּאֲשֶׁר פָּתַר־לָנוּ כֵּן הָיָה אֹתִי הֵשִׁיב עַל־כַּנִּי
יד וְאֹתוֹ תָלָה: וַיִּשְׁלַח פַּרְעֹה וַיִּקְרָא אֶת־יוֹסֵף וַיְרִיצֻהוּ מִן־הַבּוֹר
טו וַיְגַלַּח וַיְחַלֵּף שִׂמְלֹתָיו וַיָּבֹא אֶל־פַּרְעֹה: וַיֹּאמֶר פַּרְעֹה אֶל־יוֹסֵף שני
חֲלוֹם חָלַמְתִּי וּפֹתֵר אֵין אֹתוֹ וַאֲנִי שָׁמַעְתִּי עָלֶיךָ לֵאמֹר תִּשְׁמַע
טז חֲלוֹם לִפְתֹּר אֹתוֹ: וַיַּעַן יוֹסֵף אֶת־פַּרְעֹה לֵאמֹר בִּלְעָדָי אֱלֹהִים
יז יַעֲנֶה אֶת־שְׁלוֹם פַּרְעֹה: וַיְדַבֵּר פַּרְעֹה אֶל־יוֹסֵף בַּחֲלֹמִי הִנְנִי
יח עֹמֵד עַל־שְׂפַת הַיְאֹר: וְהִנֵּה מִן־הַיְאֹר עֹלֹת שֶׁבַע פָּרוֹת בְּרִיאוֹת

סִפּוּר הַחֲלוֹמוֹת לְיוֹסֵף וּפִתְרוֹנָם:

יט בְּרִיאוֹת בָּשָׂר וִיפֹת תֹּאַר וַתִּרְעֶינָה בָּאָחוּ: וְהִנֵּה שֶׁבַע־פָּרוֹת אֲחֵרוֹת
עֹלוֹת אַחֲרֵיהֶן דַּלּוֹת וְרָעוֹת תֹּאַר מְאֹד וְרַקּוֹת בָּשָׂר לֹא־רָאִיתִי
כ כָהֵנָּה בְּכָל־אֶרֶץ מִצְרַיִם לָרֹעַ: וַתֹּאכַלְנָה הַפָּרוֹת הָרַקּוֹת
כא וְהָרָעוֹת אֵת שֶׁבַע הַפָּרוֹת הָרִאשֹׁנוֹת הַבְּרִיאֹת: וַתָּבֹאנָה אֶל־
קִרְבֶּנָה וְלֹא נוֹדַע כִּי־בָאוּ אֶל־קִרְבֶּנָה וּמַרְאֵיהֶן רַע כַּאֲשֶׁר

כב בַּתְּחִלָּה וָאִיקָץ: וָאֵרֶא בַּחֲלֹמִי וְהִנֵּה ׀ שֶׁבַע שִׁבֳּלִים עֹלֹת בְּקָנֶה

כג אֶחָד מְלֵאֹת וְטֹבוֹת: וְהִנֵּה שֶׁבַע שִׁבֳּלִים צְנֻמוֹת דַּקּוֹת שְׁדֻפוֹת

כד קָדִים צֹמְחוֹת אַחֲרֵיהֶם: וַתִּבְלַעְןָ הַשִּׁבֳּלִים הַדַּקֹּת אֵת שֶׁבַע

כה הַשִּׁבֳּלִים הַטֹּבוֹת וָאֹמַר אֶל־הַחַרְטֻמִּים וְאֵין מַגִּיד לִי: וַיֹּאמֶר

יוֹסֵף אֶל־פַּרְעֹה חֲלוֹם פַּרְעֹה אֶחָד הוּא אֵת אֲשֶׁר הָאֱלֹהִים

כו עֹשֶׂה הִגִּיד לְפַרְעֹה: שֶׁבַע פָּרֹת הַטֹּבֹת שֶׁבַע שָׁנִים הֵנָּה וְשֶׁבַע

כז הַשִּׁבֳּלִים הַטֹּבֹת שֶׁבַע שָׁנִים הֵנָּה חֲלוֹם אֶחָד הוּא: וְשֶׁבַע

הַפָּרוֹת הָרַקּוֹת וְהָרָעֹת הָעֹלֹת אַחֲרֵיהֶן שֶׁבַע שָׁנִים הֵנָּה וְשֶׁבַע

כח הַשִּׁבֳּלִים הָרֵקוֹת שְׁדֻפוֹת הַקָּדִים יִהְיוּ שֶׁבַע שְׁנֵי רָעָב: הוּא

הַדָּבָר אֲשֶׁר דִּבַּרְתִּי אֶל־פַּרְעֹה אֲשֶׁר הָאֱלֹהִים עֹשֶׂה הֶרְאָה

כט אֶת־פַּרְעֹה: הִנֵּה שֶׁבַע שָׁנִים בָּאוֹת שָׂבָע גָּדוֹל בְּכָל־אֶרֶץ

ל מִצְרָיִם: וְקָמוּ שֶׁבַע שְׁנֵי רָעָב אַחֲרֵיהֶן וְנִשְׁכַּח כָּל־הַשָּׂבָע בְּאֶרֶץ

לא מִצְרָיִם וְכִלָּה הָרָעָב אֶת־הָאָרֶץ: וְלֹא־יִוָּדַע הַשָּׂבָע בָּאָרֶץ מִפְּנֵי

לב הָרָעָב הַהוּא אַחֲרֵי־כֵן כִּי־כָבֵד הוּא מְאֹד: וְעַל הִשָּׁנוֹת הַחֲלוֹם

אֶל־פַּרְעֹה פַּעֲמָיִם כִּי־נָכוֹן הַדָּבָר מֵעִם הָאֱלֹהִים וּמְמַהֵר

עֵצַת יוֹסֵף
לְפַרְעֹה:

לג הָאֱלֹהִים לַעֲשֹׂתוֹ: וְעַתָּה יֵרֶא פַרְעֹה אִישׁ נָבוֹן וְחָכָם וִישִׁיתֵהוּ

לד עַל־אֶרֶץ מִצְרָיִם: יַעֲשֶׂה פַרְעֹה וְיַפְקֵד פְּקִדִים עַל־הָאָרֶץ וְחִמֵּשׁ

לה אֶת־אֶרֶץ מִצְרַיִם בְּשֶׁבַע שְׁנֵי הַשָּׂבָע: וְיִקְבְּצוּ אֶת־כָּל־אֹכֶל

הַשָּׁנִים הַטֹּבוֹת הַבָּאֹת הָאֵלֶּה וְיִצְבְּרוּ־בָר תַּחַת יַד־פַּרְעֹה אֹכֶל

לו בֶּעָרִים וְשָׁמָרוּ: וְהָיָה הָאֹכֶל לְפִקָּדוֹן לָאָרֶץ לְשֶׁבַע שְׁנֵי הָרָעָב

לז אֲשֶׁר תִּהְיֶיןָ בְּאֶרֶץ מִצְרָיִם וְלֹא־תִכָּרֵת הָאָרֶץ בָּרָעָב: וַיִּיטַב

לח הַדָּבָר בְּעֵינֵי פַרְעֹה וּבְעֵינֵי כָּל־עֲבָדָיו: וַיֹּאמֶר פַּרְעֹה אֶל־עֲבָדָיו

שְׁלִישִׁי

לט הֲנִמְצָא כָזֶה אִישׁ אֲשֶׁר רוּחַ אֱלֹהִים בּוֹ: וַיֹּאמֶר פַּרְעֹה

אֶל־יוֹסֵף אַחֲרֵי הוֹדִיעַ אֱלֹהִים אוֹתְךָ אֶת־כָּל־זֹאת אֵין־נָבוֹן

מִנּוּי יוֹסֵף
לְמִשְׁנֶה
לַמֶּלֶךְ:

מ וְחָכָם כָּמוֹךָ: אַתָּה תִּהְיֶה עַל־בֵּיתִי וְעַל־פִּיךָ יִשַּׁק כָּל־עַמִּי

מא רַק הַכִּסֵּא אֶגְדַּל מִמֶּךָּ: וַיֹּאמֶר פַּרְעֹה אֶל־יוֹסֵף רְאֵה נָתַתִּי אֹתְךָ
מב עַל כָּל־אֶרֶץ מִצְרָיִם: וַיָּסַר פַּרְעֹה אֶת־טַבַּעְתּוֹ מֵעַל יָדוֹ וַיִּתֵּן
אֹתָהּ עַל־יַד יוֹסֵף וַיַּלְבֵּשׁ אֹתוֹ בִּגְדֵי־שֵׁשׁ וַיָּשֶׂם רְבִד הַזָּהָב
מג עַל־צַוָּארוֹ: וַיַּרְכֵּב אֹתוֹ בְּמִרְכֶּבֶת הַמִּשְׁנֶה אֲשֶׁר־לוֹ וַיִּקְרְאוּ
מד לְפָנָיו אַבְרֵךְ וְנָתוֹן אֹתוֹ עַל כָּל־אֶרֶץ מִצְרָיִם: וַיֹּאמֶר פַּרְעֹה
אֶל־יוֹסֵף אֲנִי פַרְעֹה וּבִלְעָדֶיךָ לֹא־יָרִים אִישׁ אֶת־יָדוֹ וְאֶת־רַגְלוֹ
מה בְּכָל־אֶרֶץ מִצְרָיִם: וַיִּקְרָא פַרְעֹה שֵׁם־יוֹסֵף צָפְנַת פַּעְנֵחַ נְשׂוּאֵי
וַיִּתֶּן־לוֹ אֶת־אָסְנַת בַּת־פּוֹטִי פֶרַע כֹּהֵן אֹן לְאִשָּׁה וַיֵּצֵא יוֹסֵף יוֹסֵף עִם אָסְנַת:
מו עַל־אֶרֶץ מִצְרָיִם: וְיוֹסֵף בֶּן־שְׁלֹשִׁים שָׁנָה בְּעָמְדוֹ לִפְנֵי פַּרְעֹה [2229]
מֶלֶךְ־מִצְרָיִם וַיֵּצֵא יוֹסֵף מִלִּפְנֵי פַרְעֹה וַיַּעֲבֹר בְּכָל־אֶרֶץ
מז מח מִצְרָיִם: וַתַּעַשׂ הָאָרֶץ בְּשֶׁבַע שְׁנֵי הַשָּׂבָע לִקְמָצִים: וַיִּקְבֹּץ צְבִירַת בָּר
אֶת־כָּל־אֹכֶל ׀ שֶׁבַע שָׁנִים אֲשֶׁר הָיוּ בְּאֶרֶץ מִצְרַיִם וַיִּתֶּן־אֹכֶל בִּשְׁנֵי הַשָּׂבָע:
מט בֶּעָרִים אֹכֶל שְׂדֵה־הָעִיר אֲשֶׁר סְבִיבֹתֶיהָ נָתַן בְּתוֹכָהּ: וַיִּצְבֹּר
יוֹסֵף בָּר כְּחוֹל הַיָּם הַרְבֵּה מְאֹד עַד כִּי־חָדַל לִסְפֹּר כִּי־אֵין
נ מִסְפָּר: וּלְיוֹסֵף יֻלַּד שְׁנֵי בָנִים בְּטֶרֶם תָּבוֹא שְׁנַת הָרָעָב אֲשֶׁר לֵדַת מְנַשֶּׁה
נא יָלְדָה־לּוֹ אָסְנַת בַּת־פּוֹטִי פֶרַע כֹּהֵן אוֹן: וַיִּקְרָא יוֹסֵף אֶת־שֵׁם וְאֶפְרָיִם:
הַבְּכוֹר מְנַשֶּׁה כִּי־נַשַּׁנִי אֱלֹהִים אֶת־כָּל־עֲמָלִי וְאֵת כָּל־בֵּית
נב אָבִי: וְאֵת שֵׁם הַשֵּׁנִי קָרָא אֶפְרָיִם כִּי־הִפְרַנִי אֱלֹהִים בְּאֶרֶץ עָנְיִי:
נג נד וַתִּכְלֶינָה שֶׁבַע שְׁנֵי הַשָּׂבָע אֲשֶׁר הָיָה בְּאֶרֶץ מִצְרָיִם: וַתְּחִלֶּינָה רביעי
שֶׁבַע שְׁנֵי הָרָעָב לָבוֹא כַּאֲשֶׁר אָמַר יוֹסֵף וַיְהִי רָעָב בְּכָל־ יוֹסֵף מַשְׁבִּיר
נה הָאֲרָצוֹת וּבְכָל־אֶרֶץ מִצְרַיִם הָיָה לָחֶם: וַתִּרְעַב כָּל־אֶרֶץ מִצְרַיִם אֹכֶל בָּרָעָב:
וַיִּצְעַק הָעָם אֶל־פַּרְעֹה לַלָּחֶם וַיֹּאמֶר פַּרְעֹה לְכָל־מִצְרַיִם לְכוּ [2236]
נו אֶל־יוֹסֵף אֲשֶׁר־יֹאמַר לָכֶם תַּעֲשׂוּ: וְהָרָעָב הָיָה עַל כָּל־פְּנֵי
הָאָרֶץ וַיִּפְתַּח יוֹסֵף אֶת־כָּל־אֲשֶׁר בָּהֶם וַיִּשְׁבֹּר לְמִצְרַיִם וַיֶּחֱזַק
נז הָרָעָב בְּאֶרֶץ מִצְרָיִם: וְכָל־הָאָרֶץ בָּאוּ מִצְרַיְמָה לִשְׁבֹּר אֶל־

מב א יוֹסֵ֑ף כִּֽי־חָזַ֥ק הָרָעָ֖ב בְּכָל־הָאָֽרֶץ׃ וַיַּ֣רְא יַעֲקֹ֔ב כִּ֥י יֶשׁ־שֶׁ֖בֶר
ב בְּמִצְרָ֑יִם וַיֹּ֤אמֶר יַעֲקֹב֙ לְבָנָ֔יו לָ֖מָּה תִּתְרָאֽוּ׃ וַיֹּ֕אמֶר הִנֵּ֣ה שָׁמַ֔עְתִּי
כִּ֥י יֶשׁ־שֶׁ֖בֶר בְּמִצְרָ֑יִם רְדוּ־שָׁ֙מָּה֙ וְשִׁבְרוּ־לָ֣נוּ מִשָּׁ֔ם וְנִחְיֶ֖ה וְלֹ֥א
ג ד נָמֽוּת׃ וַיֵּרְד֥וּ אֲחֵֽי־יוֹסֵ֖ף עֲשָׂרָ֑ה לִשְׁבֹּ֥ר בָּ֖ר מִמִּצְרָֽיִם׃ וְאֶת־בִּנְיָמִין֙ יְרִידַת הָאַחִים לְמִצְרַיִם:
אֲחִ֣י יוֹסֵ֔ף לֹא־שָׁלַ֥ח יַעֲקֹ֖ב אֶת־אֶחָ֑יו כִּ֣י אָמַ֔ר פֶּן־יִקְרָאֶ֖נּוּ אָסֽוֹן׃
ה וַיָּבֹ֙אוּ֙ בְּנֵ֣י יִשְׂרָאֵ֔ל לִשְׁבֹּ֖ר בְּת֣וֹךְ הַבָּאִ֑ים כִּֽי־הָיָ֥ה הָרָעָ֖ב בְּאֶ֥רֶץ
ו כְּנָֽעַן׃ וְיוֹסֵ֗ף ה֚וּא הַשַּׁלִּ֣יט עַל־הָאָ֔רֶץ ה֥וּא הַמַּשְׁבִּ֖יר לְכָל־עַ֣ם
ז הָאָ֑רֶץ וַיָּבֹ֙אוּ֙ אֲחֵ֣י יוֹסֵ֔ף וַיִּשְׁתַּחֲווּ־ל֥וֹ אַפַּ֖יִם אָֽרְצָה׃ וַיַּ֥רְא יוֹסֵ֛ף פְּגִישַׁת יוֹסֵף וְהָאַחִים:
אֶת־אֶחָ֖יו וַיַּכִּרֵ֑ם וַיִּתְנַכֵּ֨ר אֲלֵיהֶ֜ם וַיְדַבֵּ֧ר אִתָּ֣ם קָשׁ֗וֹת וַיֹּ֤אמֶר
ח אֲלֵהֶם֙ מֵאַ֣יִן בָּאתֶ֔ם וַיֹּ֣אמְר֔וּ מֵאֶ֥רֶץ כְּנַ֖עַן לִשְׁבָּר־אֹֽכֶל׃ וַיַּכֵּ֥ר
ט יוֹסֵ֖ף אֶת־אֶחָ֑יו וְהֵ֖ם לֹ֥א הִכִּרֻֽהוּ׃ וַיִּזְכֹּ֣ר יוֹסֵ֔ף אֵ֚ת הַחֲלֹמ֔וֹת אֲשֶׁ֥ר
חָלַ֖ם לָהֶ֑ם וַיֹּ֤אמֶר אֲלֵהֶם֙ מְרַגְּלִ֣ים אַתֶּ֔ם לִרְא֛וֹת אֶת־עֶרְוַ֥ת הָאָ֖רֶץ
י יא בָּאתֶֽם׃ וַיֹּאמְר֥וּ אֵלָ֖יו לֹ֣א אֲדֹנִ֑י וַעֲבָדֶ֥יךָ בָּ֖אוּ לִשְׁבָּר־אֹֽכֶל׃ כֻּלָּ֕נוּ
יב בְּנֵ֥י אִישׁ־אֶחָ֖ד נָ֑חְנוּ כֵּנִ֣ים אֲנַ֔חְנוּ לֹא־הָי֥וּ עֲבָדֶ֖יךָ מְרַגְּלִֽים׃ וַיֹּ֖אמֶר
יג אֲלֵהֶ֑ם לֹ֕א כִּֽי־עֶרְוַ֥ת הָאָ֖רֶץ בָּאתֶ֥ם לִרְאֽוֹת׃ וַיֹּאמְר֗וּ שְׁנֵ֣ים עָשָׂ֣ר
עֲבָדֶ֩יךָ֩ אַחִ֨ים ׀ אֲנַ֧חְנוּ בְּנֵ֛י אִישׁ־אֶחָ֖ד בְּאֶ֣רֶץ כְּנָ֑עַן וְהִנֵּ֨ה הַקָּטֹ֤ן
יד אֶת־אָבִ֙ינוּ֙ הַיּ֔וֹם וְהָאֶחָ֖ד אֵינֶֽנּוּ׃ וַיֹּ֥אמֶר אֲלֵהֶ֖ם יוֹסֵ֑ף ה֗וּא אֲשֶׁ֨ר
טו דִּבַּ֧רְתִּי אֲלֵכֶ֛ם לֵאמֹ֖ר מְרַגְּלִ֥ים אַתֶּֽם׃ בְּזֹ֖את תִּבָּחֵ֑נוּ חֵ֤י פַרְעֹה֙
טז אִם־תֵּצְא֣וּ מִזֶּ֔ה כִּ֛י אִם־בְּב֛וֹא אֲחִיכֶ֥ם הַקָּטֹ֖ן הֵֽנָּה׃ שִׁלְח֨וּ מִכֶּ֣ם
אֶחָד֮ וְיִקַּ֣ח אֶת־אֲחִיכֶם֒ וְאַתֶּם֙ הֵאָ֣סְר֔וּ וְיִבָּֽחֲנוּ֙ דִּבְרֵיכֶ֔ם הַֽאֱמֶ֖ת
יז אִתְּכֶ֑ם וְאִם־לֹ֕א חֵ֣י פַרְעֹ֔ה כִּ֥י מְרַגְּלִ֖ים אַתֶּֽם׃ וַיֶּאֱסֹ֥ף אֹתָ֛ם
יח אֶל־מִשְׁמָ֖ר שְׁלֹ֥שֶׁת יָמִֽים׃ וַיֹּ֨אמֶר אֲלֵהֶ֤ם יוֹסֵף֙ בַּיּ֣וֹם הַשְּׁלִישִׁ֔י
יט זֹ֥את עֲשׂ֖וּ וִֽחְי֑וּ אֶת־הָאֱלֹהִ֖ים אֲנִ֥י יָרֵֽא׃ אִם־כֵּנִ֣ים אַתֶּ֔ם אֲחִיכֶ֣ם חמישי
אֶחָ֔ד יֵאָסֵ֖ר בְּבֵ֣ית מִשְׁמַרְכֶ֑ם וְאַתֶּם֙ לְכ֣וּ הָבִ֔יאוּ שֶׁ֖בֶר רַעֲב֥וֹן
כ בָּתֵּיכֶֽם׃ וְאֶת־אֲחִיכֶ֤ם הַקָּטֹן֙ תָּבִ֣יאוּ אֵלַ֔י וְיֵאָמְנ֥וּ דִבְרֵיכֶ֖ם וְלֹ֣א

הַכָּרַת הָאַחִים בְּאַשְׁמָתָם:

כא תְמוּתוּ וַיַּעֲשׂוּ־כֵן: וַיֹּאמְרוּ אִישׁ אֶל־אָחִיו אֲבָל אֲשֵׁמִים | אֲנַחְנוּ
עַל־אָחִינוּ אֲשֶׁר רָאִינוּ צָרַת נַפְשׁוֹ בְּהִתְחַנְנוֹ אֵלֵינוּ וְלֹא שָׁמָעְנוּ
כב עַל־כֵּן בָּאָה אֵלֵינוּ הַצָּרָה הַזֹּאת: וַיַּעַן רְאוּבֵן אֹתָם לֵאמֹר
הֲלוֹא אָמַרְתִּי אֲלֵיכֶם | לֵאמֹר אַל־תֶּחֶטְאוּ בַיֶּלֶד וְלֹא שְׁמַעְתֶּם
כג וְגַם־דָּמוֹ הִנֵּה נִדְרָשׁ: וְהֵם לֹא יָדְעוּ כִּי שֹׁמֵעַ יוֹסֵף כִּי הַמֵּלִיץ
כד בֵּינֹתָם: וַיִּסֹּב מֵעֲלֵיהֶם וַיֵּבְךְּ וַיָּשָׁב אֲלֵהֶם וַיְדַבֵּר אֲלֵהֶם וַיִּקַּח
כה מֵאִתָּם אֶת־שִׁמְעוֹן וַיֶּאֱסֹר אֹתוֹ לְעֵינֵיהֶם: וַיְצַו יוֹסֵף וַיְמַלְאוּ
אֶת־כְּלֵיהֶם בָּר וּלְהָשִׁיב כַּסְפֵּיהֶם אִישׁ אֶל־שַׂקּוֹ וְלָתֵת לָהֶם
כו צֵדָה לַדָּרֶךְ וַיַּעַשׂ לָהֶם כֵּן: וַיִּשְׂאוּ אֶת־שִׁבְרָם עַל־חֲמֹרֵיהֶם
כז וַיֵּלְכוּ מִשָּׁם: וַיִּפְתַּח הָאֶחָד אֶת־שַׂקּוֹ לָתֵת מִסְפּוֹא לַחֲמֹרוֹ בַּמָּלוֹן
כח וַיַּרְא אֶת־כַּסְפּוֹ וְהִנֵּה־הוּא בְּפִי אַמְתַּחְתּוֹ: וַיֹּאמֶר אֶל־אֶחָיו
הוּשַׁב כַּסְפִּי וְגַם הִנֵּה בְאַמְתַּחְתִּי וַיֵּצֵא לִבָּם וַיֶּחֶרְדוּ אִישׁ
כט אֶל־אָחִיו לֵאמֹר מַה־זֹּאת עָשָׂה אֱלֹהִים לָנוּ: וַיָּבֹאוּ אֶל־יַעֲקֹב
ל אֲבִיהֶם אַרְצָה כְּנָעַן וַיַּגִּידוּ לוֹ אֵת כָּל־הַקֹּרֹת אֹתָם לֵאמֹר: דִּבֶּר
הָאִישׁ אֲדֹנֵי הָאָרֶץ אִתָּנוּ קָשׁוֹת וַיִּתֵּן אֹתָנוּ כִּמְרַגְּלִים אֶת־הָאָרֶץ:
לא לב וַנֹּאמֶר אֵלָיו כֵּנִים אֲנָחְנוּ לֹא הָיִינוּ מְרַגְּלִים: שְׁנֵים־עָשָׂר אֲנַחְנוּ
אַחִים בְּנֵי אָבִינוּ הָאֶחָד אֵינֶנּוּ וְהַקָּטֹן הַיּוֹם אֶת־אָבִינוּ בְּאֶרֶץ
לג כְּנָעַן: וַיֹּאמֶר אֵלֵינוּ הָאִישׁ אֲדֹנֵי הָאָרֶץ בְּזֹאת אֵדַע כִּי כֵנִים
אַתֶּם אֲחִיכֶם הָאֶחָד הַנִּיחוּ אִתִּי וְאֶת־רַעֲבוֹן בָּתֵּיכֶם קְחוּ וָלֵכוּ:
לד וְהָבִיאוּ אֶת־אֲחִיכֶם הַקָּטֹן אֵלַי וְאֵדְעָה כִּי לֹא מְרַגְּלִים אַתֶּם
לה כִּי כֵנִים אַתֶּם אֶת־אֲחִיכֶם אֶתֵּן לָכֶם וְאֶת־הָאָרֶץ תִּסְחָרוּ: וַיְהִי
הֵם מְרִיקִים שַׂקֵּיהֶם וְהִנֵּה־אִישׁ צְרוֹר־כַּסְפּוֹ בְּשַׂקּוֹ וַיִּרְאוּ
לו אֶת־צְרֹרוֹת כַּסְפֵּיהֶם הֵמָּה וַאֲבִיהֶם וַיִּירָאוּ: וַיֹּאמֶר אֲלֵהֶם יַעֲקֹב
אֲבִיהֶם אֹתִי שִׁכַּלְתֶּם יוֹסֵף אֵינֶנּוּ וְשִׁמְעוֹן אֵינֶנּוּ וְאֶת־בִּנְיָמִן
לז תִּקָּחוּ עָלַי הָיוּ כֻלָּנָה: וַיֹּאמֶר רְאוּבֵן אֶל־אָבִיו לֵאמֹר אֶת־שְׁנֵי

הֲשָׁבַת כַּסְפָּם וּמְצִיאָתָם בַּשַּׂקִּים:

מַשָּׂא וּמַתָּן יַעֲקֹב וּבָנָיו עַל בִּנְיָמִן:

בָּנַי תָּמִית אִם־לֹא אֲבִיאֶנּוּ אֵלֶיךָ תְּנָה אֹתוֹ עַל־יָדִי וַאֲנִי
לח אֲשִׁיבֶנּוּ אֵלֶיךָ: וַיֹּאמֶר לֹא־יֵרֵד בְּנִי עִמָּכֶם כִּי־אָחִיו מֵת וְהוּא
לְבַדּוֹ נִשְׁאָר וּקְרָאָהוּ אָסוֹן בַּדֶּרֶךְ אֲשֶׁר תֵּלְכוּ־בָהּ וְהוֹרַדְתֶּם
מג א ב אֶת־שֵׂיבָתִי בְּיָגוֹן שְׁאוֹלָה: וְהָרָעָב כָּבֵד בָּאָרֶץ: וַיְהִי כַּאֲשֶׁר כִּלּוּ
לֶאֱכֹל אֶת־הַשֶּׁבֶר אֲשֶׁר הֵבִיאוּ מִמִּצְרָיִם וַיֹּאמֶר אֲלֵיהֶם אֲבִיהֶם
ג שֻׁבוּ שִׁבְרוּ־לָנוּ מְעַט־אֹכֶל: וַיֹּאמֶר אֵלָיו יְהוּדָה לֵאמֹר הָעֵד
הֵעִד בָּנוּ הָאִישׁ לֵאמֹר לֹא־תִרְאוּ פָנַי בִּלְתִּי אֲחִיכֶם אִתְּכֶם:
ד אִם־יֶשְׁךָ מְשַׁלֵּחַ אֶת־אָחִינוּ אִתָּנוּ נֵרְדָה וְנִשְׁבְּרָה לְךָ אֹכֶל:
ה וְאִם־אֵינְךָ מְשַׁלֵּחַ לֹא נֵרֵד כִּי־הָאִישׁ אָמַר אֵלֵינוּ לֹא־תִרְאוּ
ו פָנַי בִּלְתִּי אֲחִיכֶם אִתְּכֶם: וַיֹּאמֶר יִשְׂרָאֵל לָמָה הֲרֵעֹתֶם לִי
ז לְהַגִּיד לָאִישׁ הַעוֹד לָכֶם אָח: וַיֹּאמְרוּ שָׁאוֹל שָׁאַל־הָאִישׁ לָנוּ
וּלְמוֹלַדְתֵּנוּ לֵאמֹר הַעוֹד אֲבִיכֶם חַי הֲיֵשׁ לָכֶם אָח וַנַּגֶּד־לוֹ
עַל־פִּי הַדְּבָרִים הָאֵלֶּה הֲיָדוֹעַ נֵדַע כִּי יֹאמַר הוֹרִידוּ אֶת־
ח אֲחִיכֶם: וַיֹּאמֶר יְהוּדָה אֶל־יִשְׂרָאֵל אָבִיו שִׁלְחָה הַנַּעַר אִתִּי
וְנָקוּמָה וְנֵלֵכָה וְנִחְיֶה וְלֹא נָמוּת גַּם־אֲנַחְנוּ גַם־אַתָּה גַּם־טַפֵּנוּ:
ט אָנֹכִי אֶעֶרְבֶנּוּ מִיָּדִי תְּבַקְשֶׁנּוּ אִם־לֹא הֲבִיאֹתִיו אֵלֶיךָ וְהִצַּגְתִּיו
י לְפָנֶיךָ וְחָטָאתִי לְךָ כָּל־הַיָּמִים: כִּי לוּלֵא הִתְמַהְמָהְנוּ כִּי־עַתָּה
יא שַׁבְנוּ זֶה פַעֲמָיִם: וַיֹּאמֶר אֲלֵהֶם יִשְׂרָאֵל אֲבִיהֶם אִם־כֵּן ׀ אֵפוֹא
זֹאת עֲשׂוּ קְחוּ מִזִּמְרַת הָאָרֶץ בִּכְלֵיכֶם וְהוֹרִידוּ לָאִישׁ מִנְחָה
יב מְעַט צֳרִי וּמְעַט דְּבַשׁ נְכֹאת וָלֹט בָּטְנִים וּשְׁקֵדִים: וְכֶסֶף מִשְׁנֶה
קְחוּ בְיֶדְכֶם וְאֶת־הַכֶּסֶף הַמּוּשָׁב בְּפִי אַמְתְּחֹתֵיכֶם תָּשִׁיבוּ
יג בְיֶדְכֶם אוּלַי מִשְׁגֶּה הוּא: וְאֶת־אֲחִיכֶם קָחוּ וְקוּמוּ שׁוּבוּ אֶל־
יד הָאִישׁ: וְאֵל שַׁדַּי יִתֵּן לָכֶם רַחֲמִים לִפְנֵי הָאִישׁ וְשִׁלַּח לָכֶם
אֶת־אֲחִיכֶם אַחֵר וְאֶת־בִּנְיָמִין וַאֲנִי כַּאֲשֶׁר שָׁכֹלְתִּי שָׁכָלְתִּי: יְרִידַת הָאַחִים
טו וַיִּקְחוּ הָאֲנָשִׁים אֶת־הַמִּנְחָה הַזֹּאת וּמִשְׁנֶה־כֶּסֶף לָקְחוּ בְיָדָם וּבִנְיָמִין:

טז וְאֶת־בִּנְיָמִן וַיָּקֻמוּ וַיֵּרְדוּ מִצְרַיִם וַיַּעַמְדוּ לִפְנֵי יוֹסֵף: וַיַּרְא יוֹסֵף ששי
אִתָּם אֶת־בִּנְיָמִין וַיֹּאמֶר לַאֲשֶׁר עַל־בֵּיתוֹ הָבֵא אֶת־הָאֲנָשִׁים
הַבָּיְתָה וּטְבֹחַ טֶבַח וְהָכֵן כִּי אִתִּי יֹאכְלוּ הָאֲנָשִׁים בַּצָּהֳרָיִם:
יז וַיַּעַשׂ הָאִישׁ כַּאֲשֶׁר אָמַר יוֹסֵף וַיָּבֵא הָאִישׁ אֶת־הָאֲנָשִׁים בֵּיתָה
יח יוֹסֵף: וַיִּירְאוּ הָאֲנָשִׁים כִּי הוּבְאוּ בֵּית יוֹסֵף וַיֹּאמְרוּ עַל־דְּבַר
הַכֶּסֶף הַשָּׁב בְּאַמְתְּחֹתֵינוּ בַּתְּחִלָּה אֲנַחְנוּ מוּבָאִים לְהִתְגֹּלֵל
עָלֵינוּ וּלְהִתְנַפֵּל עָלֵינוּ וְלָקַחַת אֹתָנוּ לַעֲבָדִים וְאֶת־חֲמֹרֵינוּ:
יט וַיִּגְּשׁוּ אֶל־הָאִישׁ אֲשֶׁר עַל־בֵּית יוֹסֵף וַיְדַבְּרוּ אֵלָיו פֶּתַח הַבָּיִת:
כ כא וַיֹּאמְרוּ בִּי אֲדֹנִי יָרֹד יָרַדְנוּ בַּתְּחִלָּה לִשְׁבָּר־אֹכֶל: וַיְהִי כִּי־בָאנוּ
אֶל־הַמָּלוֹן וַנִּפְתְּחָה אֶת־אַמְתְּחֹתֵינוּ וְהִנֵּה כֶסֶף־אִישׁ בְּפִי
כב אַמְתַּחְתּוֹ כַּסְפֵּנוּ בְּמִשְׁקָלוֹ וַנָּשֶׁב אֹתוֹ בְּיָדֵנוּ: וְכֶסֶף אַחֵר הוֹרַדְנוּ
בְיָדֵנוּ לִשְׁבָּר־אֹכֶל לֹא יָדַעְנוּ מִי־שָׂם כַּסְפֵּנוּ בְּאַמְתְּחֹתֵינוּ:
כג וַיֹּאמֶר שָׁלוֹם לָכֶם אַל־תִּירָאוּ אֱלֹהֵיכֶם וֵאלֹהֵי אֲבִיכֶם נָתַן
לָכֶם מַטְמוֹן בְּאַמְתְּחֹתֵיכֶם כַּסְפְּכֶם בָּא אֵלָי וַיּוֹצֵא אֲלֵהֶם
כד אֶת־שִׁמְעוֹן: וַיָּבֵא הָאִישׁ אֶת־הָאֲנָשִׁים בֵּיתָה יוֹסֵף וַיִּתֶּן־מַיִם
כה וַיִּרְחֲצוּ רַגְלֵיהֶם וַיִּתֵּן מִסְפּוֹא לַחֲמֹרֵיהֶם: וַיָּכִינוּ אֶת־הַמִּנְחָה הֲבָאַת
כו עַד־בּוֹא יוֹסֵף בַּצָּהֳרָיִם כִּי שָׁמְעוּ כִּי־שָׁם יֹאכְלוּ לָחֶם: וַיָּבֹא הַמִּנְחָה לְיוֹסֵף:
יוֹסֵף הַבַּיְתָה וַיָּבִיאוּ לוֹ אֶת־הַמִּנְחָה אֲשֶׁר־בְּיָדָם הַבָּיְתָה
כז וַיִּשְׁתַּחֲווּ־לוֹ אָרְצָה: וַיִּשְׁאַל לָהֶם לְשָׁלוֹם וַיֹּאמֶר הֲשָׁלוֹם אֲבִיכֶם
כח הַזָּקֵן אֲשֶׁר אֲמַרְתֶּם הַעוֹדֶנּוּ חָי: וַיֹּאמְרוּ שָׁלוֹם לְעַבְדְּךָ לְאָבִינוּ פְּגִישַׁת
כט עוֹדֶנּוּ חָי וַיִּקְּדוּ וישתחו וַיִּשְׁתַּחֲוֻּ: וַיִּשָּׂא עֵינָיו וַיַּרְא אֶת־בִּנְיָמִין יוסף וּבִנְיָמִין:
אָחִיו בֶּן־אִמּוֹ וַיֹּאמֶר הֲזֶה אֲחִיכֶם הַקָּטֹן אֲשֶׁר אֲמַרְתֶּם אֵלָי
ל וַיֹּאמַר אֱלֹהִים יָחְנְךָ בְּנִי: וַיְמַהֵר יוֹסֵף כִּי־נִכְמְרוּ רַחֲמָיו אֶל־ שביעי
לא אָחִיו וַיְבַקֵּשׁ לִבְכּוֹת וַיָּבֹא הַחַדְרָה וַיֵּבְךְּ שָׁמָּה: וַיִּרְחַץ פָּנָיו וַיֵּצֵא
לב וַיִּתְאַפַּק וַיֹּאמֶר שִׂימוּ לָחֶם: וַיָּשִׂימוּ לוֹ לְבַדּוֹ וְלָהֶם לְבַדָּם

וְלַמִּצְרִים הָאֹכְלִים אִתּוֹ לְבַדָּם כִּי לֹא יוּכְלוּן הַמִּצְרִים לֶאֱכֹל
לג אֶת־הָעִבְרִים לֶחֶם כִּי־תוֹעֵבָה הִוא לְמִצְרָיִם: וַיֵּשְׁבוּ לְפָנָיו
הַבְּכֹר כִּבְכֹרָתוֹ וְהַצָּעִיר כִּצְעִרָתוֹ וַיִּתְמְהוּ הָאֲנָשִׁים אִישׁ
לד אֶל־רֵעֵהוּ: וַיִּשָּׂא מַשְׂאֹת מֵאֵת פָּנָיו אֲלֵהֶם וַתֵּרֶב מַשְׂאַת בִּנְיָמִן
מד א מִמַּשְׂאֹת כֻּלָּם חָמֵשׁ יָדוֹת וַיִּשְׁתּוּ וַיִּשְׁכְּרוּ עִמּוֹ: וַיְצַו אֶת־אֲשֶׁר
עַל־בֵּיתוֹ לֵאמֹר מַלֵּא אֶת־אַמְתְּחֹת הָאֲנָשִׁים אֹכֶל כַּאֲשֶׁר
ב יוּכְלוּן שְׂאֵת וְשִׂים כֶּסֶף־אִישׁ בְּפִי אַמְתַּחְתּוֹ: וְאֶת־גְּבִיעִי גְּבִיעַ
הַכֶּסֶף תָּשִׂים בְּפִי אַמְתַּחַת הַקָּטֹן וְאֵת כֶּסֶף שִׁבְרוֹ וַיַּעַשׂ כִּדְבַר
ג יוֹסֵף אֲשֶׁר דִּבֵּר: הַבֹּקֶר אוֹר וְהָאֲנָשִׁים שֻׁלְּחוּ הֵמָּה וַחֲמֹרֵיהֶם:
ד הֵם יָצְאוּ אֶת־הָעִיר לֹא הִרְחִיקוּ וְיוֹסֵף אָמַר לַאֲשֶׁר עַל־בֵּיתוֹ
קוּם רְדֹף אַחֲרֵי הָאֲנָשִׁים וְהִשַּׂגְתָּם וְאָמַרְתָּ אֲלֵהֶם לָמָּה שִׁלַּמְתֶּם
ה רָעָה תַּחַת טוֹבָה: הֲלוֹא זֶה אֲשֶׁר יִשְׁתֶּה אֲדֹנִי בּוֹ וְהוּא נַחֵשׁ
ו יְנַחֵשׁ בּוֹ הֲרֵעֹתֶם אֲשֶׁר עֲשִׂיתֶם: וַיַּשִּׂגֵם וַיְדַבֵּר אֲלֵהֶם אֶת־
ז הַדְּבָרִים הָאֵלֶּה: וַיֹּאמְרוּ אֵלָיו לָמָּה יְדַבֵּר אֲדֹנִי כַּדְּבָרִים הָאֵלֶּה
ח חָלִילָה לַעֲבָדֶיךָ מֵעֲשׂוֹת כַּדָּבָר הַזֶּה: הֵן כֶּסֶף אֲשֶׁר מָצָאנוּ
בְּפִי אַמְתְּחֹתֵינוּ הֱשִׁיבֹנוּ אֵלֶיךָ מֵאֶרֶץ כְּנָעַן וְאֵיךְ נִגְנֹב מִבֵּית
ט אֲדֹנֶיךָ כֶּסֶף אוֹ זָהָב: אֲשֶׁר יִמָּצֵא אִתּוֹ מֵעֲבָדֶיךָ וָמֵת וְגַם־אֲנַחְנוּ
י נִהְיֶה לַאדֹנִי לַעֲבָדִים: וַיֹּאמֶר גַּם־עַתָּה כְדִבְרֵיכֶם כֶּן־הוּא
יא אֲשֶׁר יִמָּצֵא אִתּוֹ יִהְיֶה־לִּי עָבֶד וְאַתֶּם תִּהְיוּ נְקִיִּם: וַיְמַהֲרוּ
יב וַיּוֹרִדוּ אִישׁ אֶת־אַמְתַּחְתּוֹ אָרְצָה וַיִּפְתְּחוּ אִישׁ אַמְתַּחְתּוֹ: וַיְחַפֵּשׂ
בַּגָּדוֹל הֵחֵל וּבַקָּטֹן כִּלָּה וַיִּמָּצֵא הַגָּבִיעַ בְּאַמְתַּחַת בִּנְיָמִן:
יג יד וַיִּקְרְעוּ שִׂמְלֹתָם וַיַּעֲמֹס אִישׁ עַל־חֲמֹרוֹ וַיָּשֻׁבוּ הָעִירָה: וַיָּבֹא
יְהוּדָה וְאֶחָיו בֵּיתָה יוֹסֵף וְהוּא עוֹדֶנּוּ שָׁם וַיִּפְּלוּ לְפָנָיו אָרְצָה:
טו וַיֹּאמֶר לָהֶם יוֹסֵף מָה־הַמַּעֲשֶׂה הַזֶּה אֲשֶׁר עֲשִׂיתֶם הֲלוֹא
טז יְדַעְתֶּם כִּי־נַחֵשׁ יְנַחֵשׁ אִישׁ אֲשֶׁר כָּמֹנִי: וַיֹּאמֶר יְהוּדָה מַה־

מִשְׁתֵּה יוֹסֵף עִם אֶחָיו:

עֲלִילַת הַגָּבִיעַ:

מפטיר
מַשָּׂא וּמַתָּן הָאַחִים עַל בִּנְיָמִין:

נֹּאמַר לַאדֹנִי מַה־נְּדַבֵּר וּמַה־נִּצְטַדָּק הָאֱלֹהִים מָצָא אֶת־
עֲוֺן עֲבָדֶיךָ הִנֶּנּוּ עֲבָדִים לַאדֹנִי גַּם־אֲנַחְנוּ גַּם אֲשֶׁר־נִמְצָא
יז הַגָּבִיעַ בְּיָדוֹ: וַיֹּאמֶר חָלִילָה לִּי מֵעֲשׂוֹת זֹאת הָאִישׁ אֲשֶׁר
נִמְצָא הַגָּבִיעַ בְּיָדוֹ הוּא יִהְיֶה־לִּי עָבֶד וְאַתֶּם עֲלוּ לְשָׁלוֹם
יח אֶל־אֲבִיכֶם: וַיִּגַּשׁ אֵלָיו ויגש
יְהוּדָה וַיֹּאמֶר בִּי אֲדֹנִי יְדַבֶּר־נָא עַבְדְּךָ דָבָר בְּאָזְנֵי אֲדֹנִי וְכוֹחַ יְהוּדָה וְיוֹסֵף:
יט וְאַל־יִחַר אַפְּךָ בְּעַבְדֶּךָ כִּי כָמוֹךָ כְּפַרְעֹה: אֲדֹנִי שָׁאַל אֶת־עֲבָדָיו
כ לֵאמֹר הֲיֵשׁ־לָכֶם אָב אוֹ־אָח: וַנֹּאמֶר אֶל־אֲדֹנִי יֶשׁ־לָנוּ אָב זָקֵן
וְיֶלֶד זְקֻנִים קָטָן וְאָחִיו מֵת וַיִּוָּתֵר הוּא לְבַדּוֹ לְאִמּוֹ וְאָבִיו אֲהֵבוֹ:
כא כב וַתֹּאמֶר אֶל־עֲבָדֶיךָ הוֹרִדֻהוּ אֵלָי וְאָשִׂימָה עֵינִי עָלָיו: וַנֹּאמֶר
אֶל־אֲדֹנִי לֹא־יוּכַל הַנַּעַר לַעֲזֹב אֶת־אָבִיו וְעָזַב אֶת־אָבִיו וָמֵת:
כג וַתֹּאמֶר אֶל־עֲבָדֶיךָ אִם־לֹא יֵרֵד אֲחִיכֶם הַקָּטֹן אִתְּכֶם לֹא
כד תֹסִפוּן לִרְאוֹת פָּנָי: וַיְהִי כִּי עָלִינוּ אֶל־עַבְדְּךָ אָבִי וַנַּגֶּד־לוֹ אֵת
כה כו דִּבְרֵי אֲדֹנִי: וַיֹּאמֶר אָבִינוּ שֻׁבוּ שִׁבְרוּ־לָנוּ מְעַט־אֹכֶל: וַנֹּאמֶר
לֹא נוּכַל לָרֶדֶת אִם־יֵשׁ אָחִינוּ הַקָּטֹן אִתָּנוּ וְיָרַדְנוּ כִּי־לֹא נוּכַל
כז לִרְאוֹת פְּנֵי הָאִישׁ וְאָחִינוּ הַקָּטֹן אֵינֶנּוּ אִתָּנוּ: וַיֹּאמֶר עַבְדְּךָ
כח אָבִי אֵלֵינוּ אַתֶּם יְדַעְתֶּם כִּי שְׁנַיִם יָלְדָה־לִּי אִשְׁתִּי: וַיֵּצֵא הָאֶחָד
כט מֵאִתִּי וָאֹמַר אַךְ טָרֹף טֹרָף וְלֹא רְאִיתִיו עַד־הֵנָּה: וּלְקַחְתֶּם
גַּם־אֶת־זֶה מֵעִם פָּנַי וְקָרָהוּ אָסוֹן וְהוֹרַדְתֶּם אֶת־שֵׂיבָתִי בְּרָעָה
ל שְׁאֹלָה: וְעַתָּה כְּבֹאִי אֶל־עַבְדְּךָ אָבִי וְהַנַּעַר אֵינֶנּוּ אִתָּנוּ וְנַפְשׁוֹ
לא קְשׁוּרָה בְנַפְשׁוֹ: וְהָיָה כִּרְאוֹתוֹ כִּי־אֵין הַנַּעַר וָמֵת וְהוֹרִידוּ שני
לב עֲבָדֶיךָ אֶת־שֵׂיבַת עַבְדְּךָ אָבִינוּ בְּיָגוֹן שְׁאֹלָה: כִּי עַבְדְּךָ עָרַב
אֶת־הַנַּעַר מֵעִם אָבִי לֵאמֹר אִם־לֹא אֲבִיאֶנּוּ אֵלֶיךָ וְחָטָאתִי
לג לְאָבִי כָּל־הַיָּמִים: וְעַתָּה יֵשֶׁב־נָא עַבְדְּךָ תַּחַת הַנַּעַר עֶבֶד
לד לַאדֹנִי וְהַנַּעַר יַעַל עִם־אֶחָיו: כִּי־אֵיךְ אֶעֱלֶה אֶל־אָבִי וְהַנַּעַר

מה א אֵינֶנּוּ אִתִּי פֶּן אֶרְאֶה בָרָע אֲשֶׁר יִמְצָא אֶת־אָבִי׃ וְלֹא־יָכֹל יוֹסֵף הִתְוַדְּעוּת יוֹסֵף אֶל אֶחָיו׃
לְהִתְאַפֵּק לְכֹל הַנִּצָּבִים עָלָיו וַיִּקְרָא הוֹצִיאוּ כָל־אִישׁ מֵעָלָי
ב וְלֹא־עָמַד אִישׁ אִתּוֹ בְּהִתְוַדַּע יוֹסֵף אֶל־אֶחָיו׃ וַיִּתֵּן אֶת־קֹלוֹ
ג בִּבְכִי וַיִּשְׁמְעוּ מִצְרַיִם וַיִּשְׁמַע בֵּית פַּרְעֹה׃ וַיֹּאמֶר יוֹסֵף אֶל־אֶחָיו
אֲנִי יוֹסֵף הַעוֹד אָבִי חָי וְלֹא־יָכְלוּ אֶחָיו לַעֲנוֹת אֹתוֹ כִּי נִבְהֲלוּ
ד מִפָּנָיו׃ וַיֹּאמֶר יוֹסֵף אֶל־אֶחָיו גְּשׁוּ־נָא אֵלַי וַיִּגָּשׁוּ וַיֹּאמֶר אֲנִי
ה יוֹסֵף אֲחִיכֶם אֲשֶׁר־מְכַרְתֶּם אֹתִי מִצְרָיְמָה׃ וְעַתָּה ׀ אַל־תֵּעָצְבוּ
וְאַל־יִחַר בְּעֵינֵיכֶם כִּי־מְכַרְתֶּם אֹתִי הֵנָּה כִּי לְמִחְיָה שְׁלָחַנִי
ו אֱלֹהִים לִפְנֵיכֶם׃ כִּי־זֶה שְׁנָתַיִם הָרָעָב בְּקֶרֶב הָאָרֶץ וְעוֹד חָמֵשׁ [2238]
ז שָׁנִים אֲשֶׁר אֵין־חָרִישׁ וְקָצִיר׃ וַיִּשְׁלָחֵנִי אֱלֹהִים לִפְנֵיכֶם לָשׂוּם
ח לָכֶם שְׁאֵרִית בָּאָרֶץ וּלְהַחֲיוֹת לָכֶם לִפְלֵיטָה גְּדֹלָה׃ וְעַתָּה שלישי
לֹא־אַתֶּם שְׁלַחְתֶּם אֹתִי הֵנָּה כִּי הָאֱלֹהִים וַיְשִׂימֵנִי לְאָב לְפַרְעֹה
ט וּלְאָדוֹן לְכָל־בֵּיתוֹ וּמֹשֵׁל בְּכָל־אֶרֶץ מִצְרָיִם׃ מַהֲרוּ וַעֲלוּ
אֶל־אָבִי וַאֲמַרְתֶּם אֵלָיו כֹּה אָמַר בִּנְךָ יוֹסֵף שָׂמַנִי אֱלֹהִים לְאָדוֹן
י לְכָל־מִצְרָיִם רְדָה אֵלַי אַל־תַּעֲמֹד׃ וְיָשַׁבְתָּ בְאֶרֶץ־גֹּשֶׁן וְהָיִיתָ
קָרוֹב אֵלַי אַתָּה וּבָנֶיךָ וּבְנֵי בָנֶיךָ וְצֹאנְךָ וּבְקָרְךָ וְכָל־אֲשֶׁר־לָךְ׃
יא וְכִלְכַּלְתִּי אֹתְךָ שָׁם כִּי־עוֹד חָמֵשׁ שָׁנִים רָעָב פֶּן־תִּוָּרֵשׁ אַתָּה
יב וּבֵיתְךָ וְכָל־אֲשֶׁר־לָךְ׃ וְהִנֵּה עֵינֵיכֶם רֹאוֹת וְעֵינֵי אָחִי בִנְיָמִין
יג כִּי־פִי הַמְדַבֵּר אֲלֵיכֶם׃ וְהִגַּדְתֶּם לְאָבִי אֶת־כָּל־כְּבוֹדִי בְּמִצְרַיִם
יד וְאֵת כָּל־אֲשֶׁר רְאִיתֶם וּמִהַרְתֶּם וְהוֹרַדְתֶּם אֶת־אָבִי הֵנָּה׃ וַיִּפֹּל
טו עַל־צַוְּארֵי בִנְיָמִן־אָחִיו וַיֵּבְךְּ וּבִנְיָמִן בָּכָה עַל־צַוָּארָיו׃ וַיְנַשֵּׁק
טז לְכָל־אֶחָיו וַיֵּבְךְּ עֲלֵהֶם וְאַחֲרֵי כֵן דִּבְּרוּ אֶחָיו אִתּוֹ׃ וְהַקֹּל נִשְׁמַע הַזְמָנַת פַּרְעֹה אֶת יַעֲקֹב וּבָנָיו׃
בֵּית פַּרְעֹה לֵאמֹר בָּאוּ אֲחֵי יוֹסֵף וַיִּיטַב בְּעֵינֵי פַרְעֹה וּבְעֵינֵי
יז עֲבָדָיו׃ וַיֹּאמֶר פַּרְעֹה אֶל־יוֹסֵף אֱמֹר אֶל־אַחֶיךָ זֹאת עֲשׂוּ טַעֲנוּ
יח אֶת־בְּעִירְכֶם וּלְכוּ־בֹאוּ אַרְצָה כְּנָעַן׃ וּקְחוּ אֶת־אֲבִיכֶם וְאֶת־

בָּתֵּיכֶם וּבֹאוּ אֵלָי וְאֶתְּנָה לָכֶם אֶת־טוּב אֶרֶץ מִצְרַיִם וְאִכְלוּ
רביעי
אֶת־חֵלֶב הָאָרֶץ: וְאַתָּה צֻוֵּיתָה זֹאת עֲשׂוּ קְחוּ־לָכֶם מֵאֶרֶץ יט
מִצְרַיִם עֲגָלוֹת לְטַפְּכֶם וְלִנְשֵׁיכֶם וּנְשָׂאתֶם אֶת־אֲבִיכֶם וּבָאתֶם:
וְעֵינְכֶם אַל־תָּחֹס עַל־כְּלֵיכֶם כִּי־טוּב כָּל־אֶרֶץ מִצְרַיִם לָכֶם כ
הוּא: וַיַּעֲשׂוּ־כֵן בְּנֵי יִשְׂרָאֵל וַיִּתֵּן לָהֶם יוֹסֵף עֲגָלוֹת עַל־פִּי כא
פַרְעֹה וַיִּתֵּן לָהֶם צֵדָה לַדָּרֶךְ: לְכֻלָּם נָתַן לָאִישׁ חֲלִפוֹת שְׂמָלֹת כב
וּלְבִנְיָמִן נָתַן שְׁלֹשׁ מֵאוֹת כֶּסֶף וְחָמֵשׁ חֲלִפֹת שְׂמָלֹת: וּלְאָבִיו כג
שָׁלַח כְּזֹאת עֲשָׂרָה חֲמֹרִים נֹשְׂאִים מִטּוּב מִצְרָיִם וְעֶשֶׂר אֲתֹנֹת
נֹשְׂאֹת בָּר וָלֶחֶם וּמָזוֹן לְאָבִיו לַדָּרֶךְ: וַיְשַׁלַּח אֶת־אֶחָיו וַיֵּלֵכוּ כד
וַיֹּאמֶר אֲלֵהֶם אַל־תִּרְגְּזוּ בַּדָּרֶךְ: וַיַּעֲלוּ מִמִּצְרָיִם וַיָּבֹאוּ אֶרֶץ כה
בְּשׂוֹרַת "עוֹד יוֹסֵף חַי":
כְּנַעַן אֶל־יַעֲקֹב אֲבִיהֶם: וַיַּגִּדוּ לוֹ לֵאמֹר עוֹד יוֹסֵף חַי וְכִי־הוּא כו
מֹשֵׁל בְּכָל־אֶרֶץ מִצְרָיִם וַיָּפָג לִבּוֹ כִּי לֹא־הֶאֱמִין לָהֶם: וַיְדַבְּרוּ כז
אֵלָיו אֵת כָּל־דִּבְרֵי יוֹסֵף אֲשֶׁר דִּבֶּר אֲלֵהֶם וַיַּרְא אֶת־הָעֲגָלוֹת
חמישי
אֲשֶׁר־שָׁלַח יוֹסֵף לָשֵׂאת אֹתוֹ וַתְּחִי רוּחַ יַעֲקֹב אֲבִיהֶם: וַיֹּאמֶר כח
יִשְׂרָאֵל רַב עוֹד־יוֹסֵף בְּנִי חָי אֵלְכָה וְאֶרְאֶנּוּ בְּטֶרֶם אָמוּת: וַיִּסַּע א מו
יִשְׂרָאֵל וְכָל־אֲשֶׁר־לוֹ וַיָּבֹא בְּאֵרָה שָּׁבַע וַיִּזְבַּח זְבָחִים לֵאלֹהֵי
הִתְגַּלּוּת ה' לְיַעֲקֹב:
אָבִיו יִצְחָק: וַיֹּאמֶר אֱלֹהִים ׀ לְיִשְׂרָאֵל בְּמַרְאֹת הַלַּיְלָה וַיֹּאמֶר ב
יַעֲקֹב ׀ יַעֲקֹב וַיֹּאמֶר הִנֵּנִי: וַיֹּאמֶר אָנֹכִי הָאֵל אֱלֹהֵי אָבִיךָ ג
אַל־תִּירָא מֵרְדָה מִצְרַיְמָה כִּי־לְגוֹי גָּדוֹל אֲשִׂימְךָ שָׁם: אָנֹכִי ד
אֵרֵד עִמְּךָ מִצְרַיְמָה וְאָנֹכִי אַעַלְךָ גַם־עָלֹה וְיוֹסֵף יָשִׁית יָדוֹ
עַל־עֵינֶיךָ: וַיָּקָם יַעֲקֹב מִבְּאֵר שָׁבַע וַיִּשְׂאוּ בְנֵי־יִשְׂרָאֵל אֶת־ ה
יְרִידַת יַעֲקֹב וּמִשְׁפַּחְתּוֹ לְמִצְרָיִם:
יַעֲקֹב אֲבִיהֶם וְאֶת־טַפָּם וְאֶת־נְשֵׁיהֶם בָּעֲגָלוֹת אֲשֶׁר־שָׁלַח
פַּרְעֹה לָשֵׂאת אֹתוֹ: וַיִּקְחוּ אֶת־מִקְנֵיהֶם וְאֶת־רְכוּשָׁם אֲשֶׁר ו
רָכְשׁוּ בְּאֶרֶץ כְּנַעַן וַיָּבֹאוּ מִצְרָיְמָה יַעֲקֹב וְכָל־זַרְעוֹ אִתּוֹ: בָּנָיו ז
וּבְנֵי בָנָיו אִתּוֹ בְּנֹתָיו וּבְנוֹת בָּנָיו וְכָל־זַרְעוֹ הֵבִיא אִתּוֹ

ח מִצְרָיְמָה: וְאֵלֶּה שְׁמוֹת בְּנֵי־יִשְׂרָאֵל הַבָּאִים מִצְרַיְמָה שְׁמוֹת הַבָּאִים
ט יַעֲקֹב וּבָנָיו בְּכֹר יַעֲקֹב רְאוּבֵן: וּבְנֵי רְאוּבֵן חֲנוֹךְ וּפַלּוּא וְחֶצְרֹן מִצְרָיְמָה:
י וְכַרְמִי: וּבְנֵי שִׁמְעוֹן יְמוּאֵל וְיָמִין וְאֹהַד וְיָכִין וְצֹחַר וְשָׁאוּל
יא יב בֶּן־הַכְּנַעֲנִית: וּבְנֵי לֵוִי גֵּרְשׁוֹן קְהָת וּמְרָרִי: וּבְנֵי יְהוּדָה עֵר וְאוֹנָן
וְשֵׁלָה וָפֶרֶץ וָזָרַח וַיָּמָת עֵר וְאוֹנָן בְּאֶרֶץ כְּנַעַן וַיִּהְיוּ בְנֵי־פֶרֶץ
יג יד חֶצְרֹן וְחָמוּל: וּבְנֵי יִשָּׂשכָר תּוֹלָע וּפֻוָּה וְיוֹב וְשִׁמְרֹן: וּבְנֵי זְבֻלוּן
טו סֶרֶד וְאֵלוֹן וְיַחְלְאֵל: אֵלֶּה ׀ בְּנֵי לֵאָה אֲשֶׁר יָלְדָה לְיַעֲקֹב בְּפַדַּן
טז אֲרָם וְאֵת דִּינָה בִתּוֹ כָּל־נֶפֶשׁ בָּנָיו וּבְנוֹתָיו שְׁלֹשִׁים וְשָׁלֹשׁ: וּבְנֵי
יז גָד צִפְיוֹן וְחַגִּי שׁוּנִי וְאֶצְבֹּן עֵרִי וַאֲרוֹדִי וְאַרְאֵלִי: וּבְנֵי אָשֵׁר
יִמְנָה וְיִשְׁוָה וְיִשְׁוִי וּבְרִיעָה וְשֶׂרַח אֲחֹתָם וּבְנֵי בְרִיעָה חֶבֶר
יח וּמַלְכִּיאֵל: אֵלֶּה בְּנֵי זִלְפָּה אֲשֶׁר־נָתַן לָבָן לְלֵאָה בִתּוֹ וַתֵּלֶד
יט אֶת־אֵלֶּה לְיַעֲקֹב שֵׁשׁ עֶשְׂרֵה נָפֶשׁ: בְּנֵי רָחֵל אֵשֶׁת יַעֲקֹב יוֹסֵף
כ וּבִנְיָמִן: וַיִּוָּלֵד לְיוֹסֵף בְּאֶרֶץ מִצְרַיִם אֲשֶׁר יָלְדָה־לּוֹ אָסְנַת
כא בַּת־פּוֹטִי פֶרַע כֹּהֵן אֹן אֶת־מְנַשֶּׁה וְאֶת־אֶפְרָיִם: וּבְנֵי בִנְיָמִן
בֶּלַע וָבֶכֶר וְאַשְׁבֵּל גֵּרָא וְנַעֲמָן אֵחִי וָרֹאשׁ מֻפִּים וְחֻפִּים וָאָרְדְּ:
כב כג אֵלֶּה בְּנֵי רָחֵל אֲשֶׁר יֻלַּד לְיַעֲקֹב כָּל־נֶפֶשׁ אַרְבָּעָה עָשָׂר: וּבְנֵי־דָן
כד כה חֻשִׁים: וּבְנֵי נַפְתָּלִי יַחְצְאֵל וְגוּנִי וְיֵצֶר וְשִׁלֵּם: אֵלֶּה בְּנֵי בִלְהָה
אֲשֶׁר־נָתַן לָבָן לְרָחֵל בִּתּוֹ וַתֵּלֶד אֶת־אֵלֶּה לְיַעֲקֹב כָּל־נֶפֶשׁ
כו שִׁבְעָה: כָּל־הַנֶּפֶשׁ הַבָּאָה לְיַעֲקֹב מִצְרַיְמָה יֹצְאֵי יְרֵכוֹ מִלְּבַד נְשֵׁי
כז בְנֵי־יַעֲקֹב כָּל־נֶפֶשׁ שִׁשִּׁים וָשֵׁשׁ: וּבְנֵי יוֹסֵף אֲשֶׁר־יֻלַּד־לוֹ
בְמִצְרַיִם נֶפֶשׁ שְׁנָיִם כָּל־הַנֶּפֶשׁ לְבֵית־יַעֲקֹב הַבָּאָה מִצְרַיְמָה
כח שִׁבְעִים: וְאֶת־יְהוּדָה שָׁלַח לְפָנָיו אֶל־יוֹסֵף לְהוֹרֹת ששי
כט לְפָנָיו גֹּשְׁנָה וַיָּבֹאוּ אַרְצָה גֹּשֶׁן: וַיֶּאְסֹר יוֹסֵף מֶרְכַּבְתּוֹ וַיַּעַל
לִקְרַאת־יִשְׂרָאֵל אָבִיו גֹּשְׁנָה וַיֵּרָא אֵלָיו וַיִּפֹּל עַל־צַוָּארָיו וַיֵּבְךְּ פְּגִישַׁת
ל עַל־צַוָּארָיו עוֹד: וַיֹּאמֶר יִשְׂרָאֵל אֶל־יוֹסֵף אָמוּתָה הַפַּעַם אַחֲרֵי יַעֲקֹב וְיוֹסֵף:

עֲצַת יוֹסֵף לְאֶחָיו:

רְאוֹתִי אֶת־פָּנֶיךָ כִּי עוֹדְךָ חָי: וַיֹּאמֶר יוֹסֵף אֶל־אֶחָיו וְאֶל־בֵּית לא
אָבִיו אֶעֱלֶה וְאַגִּידָה לְפַרְעֹה וְאֹמְרָה אֵלָיו אַחַי וּבֵית־אָבִי אֲשֶׁר
בְּאֶרֶץ־כְּנַעַן בָּאוּ אֵלָי: וְהָאֲנָשִׁים רֹעֵי צֹאן כִּי־אַנְשֵׁי מִקְנֶה הָיוּ לב
וְצֹאנָם וּבְקָרָם וְכָל־אֲשֶׁר לָהֶם הֵבִיאוּ: וְהָיָה כִּי־יִקְרָא לָכֶם לג
פַּרְעֹה וְאָמַר מַה־מַּעֲשֵׂיכֶם: וַאֲמַרְתֶּם אַנְשֵׁי מִקְנֶה הָיוּ עֲבָדֶיךָ לד
מִנְּעוּרֵינוּ וְעַד־עַתָּה גַּם־אֲנַחְנוּ גַּם־אֲבֹתֵינוּ בַּעֲבוּר תֵּשְׁבוּ
בְּאֶרֶץ גֹּשֶׁן כִּי־תוֹעֲבַת מִצְרַיִם כָּל־רֹעֵה צֹאן: וַיָּבֹא יוֹסֵף וַיַּגֵּד א מז
לְפַרְעֹה וַיֹּאמֶר אָבִי וְאַחַי וְצֹאנָם וּבְקָרָם וְכָל־אֲשֶׁר לָהֶם בָּאוּ
מֵאֶרֶץ כְּנָעַן וְהִנָּם בְּאֶרֶץ גֹּשֶׁן: וּמִקְצֵה אֶחָיו לָקַח חֲמִשָּׁה אֲנָשִׁים ב
וַיַּצִּגֵם לִפְנֵי פַרְעֹה: וַיֹּאמֶר פַּרְעֹה אֶל־אֶחָיו מַה־מַּעֲשֵׂיכֶם ג
וַיֹּאמְרוּ אֶל־פַּרְעֹה רֹעֵה צֹאן עֲבָדֶיךָ גַּם־אֲנַחְנוּ גַּם־אֲבוֹתֵינוּ:
וַיֹּאמְרוּ אֶל־פַּרְעֹה לָגוּר בָּאָרֶץ בָּאנוּ כִּי־אֵין מִרְעֶה לַצֹּאן אֲשֶׁר ד
לַעֲבָדֶיךָ כִּי־כָבֵד הָרָעָב בְּאֶרֶץ כְּנָעַן וְעַתָּה יֵשְׁבוּ־נָא עֲבָדֶיךָ
בְּאֶרֶץ גֹּשֶׁן: וַיֹּאמֶר פַּרְעֹה אֶל־יוֹסֵף לֵאמֹר אָבִיךָ וְאַחֶיךָ בָּאוּ ה
אֵלֶיךָ: אֶרֶץ מִצְרַיִם לְפָנֶיךָ הִוא בְּמֵיטַב הָאָרֶץ הוֹשֵׁב אֶת־אָבִיךָ ו
וְאֶת־אַחֶיךָ יֵשְׁבוּ בְּאֶרֶץ גֹּשֶׁן וְאִם־יָדַעְתָּ וְיֶשׁ־בָּם אַנְשֵׁי־חַיִל
וְשַׂמְתָּם שָׂרֵי מִקְנֶה עַל־אֲשֶׁר־לִי: וַיָּבֵא יוֹסֵף אֶת־יַעֲקֹב אָבִיו ז
וַיַּעֲמִדֵהוּ לִפְנֵי פַרְעֹה וַיְבָרֶךְ יַעֲקֹב אֶת־פַּרְעֹה: וַיֹּאמֶר פַּרְעֹה ח
אֶל־יַעֲקֹב כַּמָּה יְמֵי שְׁנֵי חַיֶּיךָ: וַיֹּאמֶר יַעֲקֹב אֶל־פַּרְעֹה יְמֵי ט
שְׁנֵי מְגוּרַי שְׁלֹשִׁים וּמְאַת שָׁנָה מְעַט וְרָעִים הָיוּ יְמֵי שְׁנֵי חַיַּי
וְלֹא הִשִּׂיגוּ אֶת־יְמֵי שְׁנֵי חַיֵּי אֲבֹתַי בִּימֵי מְגוּרֵיהֶם: וַיְבָרֶךְ י
יַעֲקֹב אֶת־פַּרְעֹה וַיֵּצֵא מִלִּפְנֵי פַרְעֹה: וַיּוֹשֵׁב יוֹסֵף אֶת־אָבִיו יא
וְאֶת־אֶחָיו וַיִּתֵּן לָהֶם אֲחֻזָּה בְּאֶרֶץ מִצְרַיִם בְּמֵיטַב הָאָרֶץ בְּאֶרֶץ
רַעְמְסֵס כַּאֲשֶׁר צִוָּה פַרְעֹה: וַיְכַלְכֵּל יוֹסֵף אֶת־אָבִיו וְאֶת־אֶחָיו יב
וְאֵת כָּל־בֵּית אָבִיו לֶחֶם לְפִי הַטָּף: וְלֶחֶם אֵין בְּכָל־הָאָרֶץ יג

הַצָּגַת הָאַחִים לִפְנֵי פַרְעֹה:

הַצָּגַת יַעֲקֹב לִפְנֵי פַרְעֹה:

שביעי

יוֹסֵף מְכַלְכֵּל אֶת בֵּית יַעֲקֹב:

כִּי־כָבֵד הָרָעָב מְאֹד וַתֵּלַהּ אֶרֶץ מִצְרַיִם וְאֶרֶץ כְּנַעַן מִפְּנֵי
יד הָרָעָב: וַיְלַקֵּט יוֹסֵף אֶת־כָּל־הַכֶּסֶף הַנִּמְצָא בְאֶרֶץ־מִצְרַיִם
וּבְאֶרֶץ כְּנַעַן בַּשֶּׁבֶר אֲשֶׁר־הֵם שֹׁבְרִים וַיָּבֵא יוֹסֵף אֶת־הַכֶּסֶף
טו בֵּיתָה פַרְעֹה: וַיִּתֹּם הַכֶּסֶף מֵאֶרֶץ מִצְרַיִם וּמֵאֶרֶץ כְּנַעַן וַיָּבֹאוּ
כָל־מִצְרַיִם אֶל־יוֹסֵף לֵאמֹר הָבָה־לָּנוּ לֶחֶם וְלָמָּה נָמוּת נֶגְדֶּךָ
טז כִּי אָפֵס כָּסֶף: וַיֹּאמֶר יוֹסֵף הָבוּ מִקְנֵיכֶם וְאֶתְּנָה לָכֶם בְּמִקְנֵיכֶם
יז אִם־אָפֵס כָּסֶף: וַיָּבִיאוּ אֶת־מִקְנֵיהֶם אֶל־יוֹסֵף וַיִּתֵּן לָהֶם יוֹסֵף
לֶחֶם בַּסּוּסִים וּבְמִקְנֵה הַצֹּאן וּבְמִקְנֵה הַבָּקָר וּבַחֲמֹרִים וַיְנַהֲלֵם
יח בַּלֶּחֶם בְּכָל־מִקְנֵהֶם בַּשָּׁנָה הַהִוא: וַתִּתֹּם הַשָּׁנָה הַהִוא וַיָּבֹאוּ
אֵלָיו בַּשָּׁנָה הַשֵּׁנִית וַיֹּאמְרוּ לוֹ לֹא־נְכַחֵד מֵאֲדֹנִי כִּי אִם־תַּם
הַכֶּסֶף וּמִקְנֵה הַבְּהֵמָה אֶל־אֲדֹנִי לֹא נִשְׁאַר לִפְנֵי אֲדֹנִי בִּלְתִּי
יט אִם־גְּוִיָּתֵנוּ וְאַדְמָתֵנוּ: לָמָּה נָמוּת לְעֵינֶיךָ גַּם־אֲנַחְנוּ גַּם־
אַדְמָתֵנוּ קְנֵה־אֹתָנוּ וְאֶת־אַדְמָתֵנוּ בַּלָּחֶם וְנִהְיֶה אֲנַחְנוּ
וְאַדְמָתֵנוּ עֲבָדִים לְפַרְעֹה וְתֶן־זֶרַע וְנִחְיֶה וְלֹא נָמוּת וְהָאֲדָמָה
כ לֹא תֵשָׁם: וַיִּקֶן יוֹסֵף אֶת־כָּל־אַדְמַת מִצְרַיִם לְפַרְעֹה כִּי־מָכְרוּ
מִצְרַיִם אִישׁ שָׂדֵהוּ כִּי־חָזַק עֲלֵהֶם הָרָעָב וַתְּהִי הָאָרֶץ לְפַרְעֹה:
כא וְאֶת־הָעָם הֶעֱבִיר אֹתוֹ לֶעָרִים מִקְצֵה גְבוּל־מִצְרַיִם וְעַד־קָצֵהוּ:
כב רַק אַדְמַת הַכֹּהֲנִים לֹא קָנָה כִּי חֹק לַכֹּהֲנִים מֵאֵת פַּרְעֹה וְאָכְלוּ
אֶת־חֻקָּם אֲשֶׁר נָתַן לָהֶם פַּרְעֹה עַל־כֵּן לֹא מָכְרוּ אֶת־אַדְמָתָם:
כג וַיֹּאמֶר יוֹסֵף אֶל־הָעָם הֵן קָנִיתִי אֶתְכֶם הַיּוֹם וְאֶת־אַדְמַתְכֶם
כד לְפַרְעֹה הֵא־לָכֶם זֶרַע וּזְרַעְתֶּם אֶת־הָאֲדָמָה: וְהָיָה בַּתְּבוּאֹת
וּנְתַתֶּם חֲמִישִׁית לְפַרְעֹה וְאַרְבַּע הַיָּדֹת יִהְיֶה לָכֶם לְזֶרַע
כה הַשָּׂדֶה וּלְאָכְלְכֶם וְלַאֲשֶׁר בְּבָתֵּיכֶם וְלֶאֱכֹל לְטַפְּכֶם: וַיֹּאמְרוּ
כו הֶחֱיִתָנוּ נִמְצָא־חֵן בְּעֵינֵי אֲדֹנִי וְהָיִינוּ עֲבָדִים לְפַרְעֹה: וַיָּשֶׂם
אֹתָהּ יוֹסֵף לְחֹק עַד־הַיּוֹם הַזֶּה עַל־אַדְמַת מִצְרַיִם לְפַרְעֹה

יוֹסֵף מְכַלְכֵּל אֶת מִצְרַיִם:

קְנִיַּת מָזוֹן בְּמִצְרַיִם תְּמוּרַת כֹּל:

קְנִיַּת אַדְמַת מִצְרַיִם לְפַרְעֹה:

הֶסְכֵּם יוֹסֵף עִם הַמִּצְרִים:

מפטיר

כז לַחֲמִשׁ רַק אַדְמַת הַכֹּהֲנִים לְבַדָּם לֹא הָיְתָה לְפַרְעֹה׃ וַיֵּשֶׁב
יִשְׂרָאֵל בְּאֶרֶץ מִצְרַיִם בְּאֶרֶץ גֹּשֶׁן וַיֵּאָחֲזוּ בָהּ וַיִּפְרוּ וַיִּרְבּוּ
כח מְאֹד׃ וַיְחִי יַעֲקֹב בְּאֶרֶץ מִצְרַיִם שְׁבַע עֶשְׂרֵה שָׁנָה וַיְהִי ויחי יַעֲקֹב
כט יְמֵי־יַעֲקֹב שְׁנֵי חַיָּיו שֶׁבַע שָׁנִים וְאַרְבָּעִים וּמְאַת שָׁנָה׃ וַיִּקְרְבוּ מַשְׁבִּיעַ אֶת יוֹסֵף׃
יְמֵי־יִשְׂרָאֵל לָמוּת וַיִּקְרָא ׀ לִבְנוֹ לְיוֹסֵף וַיֹּאמֶר לוֹ אִם־נָא
מָצָאתִי חֵן בְּעֵינֶיךָ שִׂים־נָא יָדְךָ תַּחַת יְרֵכִי וְעָשִׂיתָ עִמָּדִי חֶסֶד
ל וֶאֱמֶת אַל־נָא תִקְבְּרֵנִי בְּמִצְרָיִם׃ וְשָׁכַבְתִּי עִם־אֲבֹתַי וּנְשָׂאתַנִי
מִמִּצְרַיִם וּקְבַרְתַּנִי בִּקְבֻרָתָם וַיֹּאמַר אָנֹכִי אֶעֱשֶׂה כִדְבָרֶךָ׃
לא וַיֹּאמֶר הִשָּׁבְעָה לִי וַיִּשָּׁבַע לוֹ וַיִּשְׁתַּחוּ יִשְׂרָאֵל עַל־רֹאשׁ
הַמִּטָּה׃

מח א וַיְהִי אַחֲרֵי הַדְּבָרִים הָאֵלֶּה וַיֹּאמֶר לְיוֹסֵף הִנֵּה אָבִיךָ חֹלֶה וַיִּקַּח חֲלִי יַעֲקֹב׃
ב אֶת־שְׁנֵי בָנָיו עִמּוֹ אֶת־מְנַשֶּׁה וְאֶת־אֶפְרָיִם׃ וַיַּגֵּד לְיַעֲקֹב וַיֹּאמֶר
הִנֵּה בִּנְךָ יוֹסֵף בָּא אֵלֶיךָ וַיִּתְחַזֵּק יִשְׂרָאֵל וַיֵּשֶׁב עַל־הַמִּטָּה׃
ג וַיֹּאמֶר יַעֲקֹב אֶל־יוֹסֵף אֵל שַׁדַּי נִרְאָה־אֵלַי בְּלוּז בְּאֶרֶץ כְּנָעַן
ד וַיְבָרֶךְ אֹתִי׃ וַיֹּאמֶר אֵלַי הִנְנִי מַפְרְךָ וְהִרְבִּיתִךָ וּנְתַתִּיךָ לִקְהַל
עַמִּים וְנָתַתִּי אֶת־הָאָרֶץ הַזֹּאת לְזַרְעֲךָ אַחֲרֶיךָ אֲחֻזַּת עוֹלָם׃
ה וְעַתָּה שְׁנֵי־בָנֶיךָ הַנּוֹלָדִים לְךָ בְּאֶרֶץ מִצְרַיִם עַד־בֹּאִי אֵלֶיךָ יִחוּס
מִצְרַיְמָה לִי־הֵם אֶפְרַיִם וּמְנַשֶּׁה כִּרְאוּבֵן וְשִׁמְעוֹן יִהְיוּ־לִי׃ אֶפְרַיִם וּמְנַשֶּׁה׃
ו וּמוֹלַדְתְּךָ אֲשֶׁר־הוֹלַדְתָּ אַחֲרֵיהֶם לְךָ יִהְיוּ עַל שֵׁם אֲחֵיהֶם
ז יִקָּרְאוּ בְּנַחֲלָתָם׃ וַאֲנִי ׀ בְּבֹאִי מִפַּדָּן מֵתָה עָלַי רָחֵל בְּאֶרֶץ
כְּנַעַן בַּדֶּרֶךְ בְּעוֹד כִּבְרַת־אֶרֶץ לָבֹא אֶפְרָתָה וָאֶקְבְּרֶהָ שָּׁם
ח בְּדֶרֶךְ אֶפְרָת הִוא בֵּית לָחֶם׃ וַיַּרְא יִשְׂרָאֵל אֶת־בְּנֵי יוֹסֵף וַיֹּאמֶר
ט מִי־אֵלֶּה׃ וַיֹּאמֶר יוֹסֵף אֶל־אָבִיו בָּנַי הֵם אֲשֶׁר־נָתַן־לִי אֱלֹהִים
י בָּזֶה וַיֹּאמַר קָחֶם־נָא אֵלַי וַאֲבָרְכֵם׃ וְעֵינֵי יִשְׂרָאֵל כָּבְדוּ מִזֹּקֶן שני
לֹא יוּכַל לִרְאוֹת וַיַּגֵּשׁ אֹתָם אֵלָיו וַיִּשַּׁק לָהֶם וַיְחַבֵּק לָהֶם׃

יא וַיֹּאמֶר יִשְׂרָאֵל אֶל־יוֹסֵף רְאֹה פָנֶיךָ לֹא פִלָּלְתִּי וְהִנֵּה הֶרְאָה

יב אֹתִי אֱלֹהִים גַּם אֶת־זַרְעֶךָ: וַיּוֹצֵא יוֹסֵף אֹתָם מֵעִם בִּרְכָּיו

יג וַיִּשְׁתַּחוּ לְאַפָּיו אָרְצָה: וַיִּקַּח יוֹסֵף אֶת־שְׁנֵיהֶם אֶת־אֶפְרַיִם

בִּימִינוֹ מִשְּׂמֹאל יִשְׂרָאֵל וְאֶת־מְנַשֶּׁה בִשְׂמֹאלוֹ מִימִין יִשְׂרָאֵל

יד וַיַּגֵּשׁ אֵלָיו: וַיִּשְׁלַח יִשְׂרָאֵל אֶת־יְמִינוֹ וַיָּשֶׁת עַל־רֹאשׁ אֶפְרַיִם

בִּרְכַּת יַעֲקֹב לְאֶפְרַיִם וּמְנַשֶּׁה:

וְהוּא הַצָּעִיר וְאֶת־שְׂמֹאלוֹ עַל־רֹאשׁ מְנַשֶּׁה שִׂכֵּל אֶת־יָדָיו כִּי

טו מְנַשֶּׁה הַבְּכוֹר: וַיְבָרֶךְ אֶת־יוֹסֵף וַיֹּאמַר הָאֱלֹהִים אֲשֶׁר הִתְהַלְּכוּ

אֲבֹתַי לְפָנָיו אַבְרָהָם וְיִצְחָק הָאֱלֹהִים הָרֹעֶה אֹתִי מֵעוֹדִי

טז עַד־הַיּוֹם הַזֶּה: הַמַּלְאָךְ הַגֹּאֵל אֹתִי מִכָּל־רָע יְבָרֵךְ אֶת־הַנְּעָרִים

וְיִקָּרֵא בָהֶם שְׁמִי וְשֵׁם אֲבֹתַי אַבְרָהָם וְיִצְחָק וְיִדְגּוּ לָרֹב בְּקֶרֶב

יז הָאָרֶץ: וַיַּרְא יוֹסֵף כִּי־יָשִׁית אָבִיו יַד־יְמִינוֹ עַל־רֹאשׁ אֶפְרַיִם   שלישי

וַיֵּרַע בְּעֵינָיו וַיִּתְמֹךְ יַד־אָבִיו לְהָסִיר אֹתָהּ מֵעַל רֹאשׁ־אֶפְרַיִם

יח עַל־רֹאשׁ מְנַשֶּׁה: וַיֹּאמֶר יוֹסֵף אֶל־אָבִיו לֹא־כֵן אָבִי כִּי־זֶה הַבְּכֹר

יט שִׂים יְמִינְךָ עַל־רֹאשׁוֹ: וַיְמָאֵן אָבִיו וַיֹּאמֶר יָדַעְתִּי בְנִי יָדַעְתִּי

גַם־הוּא יִהְיֶה־לְּעָם וְגַם־הוּא יִגְדָּל וְאוּלָם אָחִיו הַקָּטֹן יִגְדַּל

כ מִמֶּנּוּ וְזַרְעוֹ יִהְיֶה מְלֹא־הַגּוֹיִם: וַיְבָרֲכֵם בַּיּוֹם הַהוּא לֵאמוֹר

בְּךָ יְבָרֵךְ יִשְׂרָאֵל לֵאמֹר יְשִׂמְךָ אֱלֹהִים כְּאֶפְרַיִם וְכִמְנַשֶּׁה וַיָּשֶׂם

כא אֶת־אֶפְרַיִם לִפְנֵי מְנַשֶּׁה: וַיֹּאמֶר יִשְׂרָאֵל אֶל־יוֹסֵף הִנֵּה אָנֹכִי

כב מֵת וְהָיָה אֱלֹהִים עִמָּכֶם וְהֵשִׁיב אֶתְכֶם אֶל־אֶרֶץ אֲבֹתֵיכֶם: וַאֲנִי

נָתַתִּי לְךָ שְׁכֶם אַחַד עַל־אַחֶיךָ אֲשֶׁר לָקַחְתִּי מִיַּד הָאֱמֹרִי

בְּחַרְבִּי וּבְקַשְׁתִּי:

מט א וַיִּקְרָא יַעֲקֹב אֶל־בָּנָיו וַיֹּאמֶר הֵאָסְפוּ וְאַגִּידָה לָכֶם אֵת   רביעי

פְּרֵדַת יַעֲקֹב מִבָּנָיו וּבִרְכֹתָיו:

ב אֲשֶׁר־יִקְרָא אֶתְכֶם בְּאַחֲרִית הַיָּמִים: הִקָּבְצוּ וְשִׁמְעוּ בְּנֵי יַעֲקֹב

ג וְשִׁמְעוּ אֶל־יִשְׂרָאֵל אֲבִיכֶם: רְאוּבֵן בְּכֹרִי אַתָּה כֹּחִי וְרֵאשִׁית

ד אוֹנִי יֶתֶר שְׂאֵת וְיֶתֶר עָז: פַּחַז כַּמַּיִם אַל־תּוֹתַר כִּי עָלִיתָ מִשְׁכְּבֵי

אָבִיךָ אָז חִלַּלְתָּ יְצוּעִי עָלָה׃
ה ו שִׁמְעוֹן וְלֵוִי אַחִים כְּלֵי חָמָס מְכֵרֹתֵיהֶם׃ בְּסֹדָם אַל־תָּבֹא נַפְשִׁי
בִּקְהָלָם אַל־תֵּחַד כְּבֹדִי כִּי בְאַפָּם הָרְגוּ אִישׁ וּבִרְצֹנָם עִקְּרוּ־
ז שׁוֹר׃ אָרוּר אַפָּם כִּי עָז וְעֶבְרָתָם כִּי קָשָׁתָה אֲחַלְּקֵם בְּיַעֲקֹב
וַאֲפִיצֵם בְּיִשְׂרָאֵל׃
ח יְהוּדָה אַתָּה יוֹדוּךָ אַחֶיךָ יָדְךָ בְּעֹרֶף אֹיְבֶיךָ יִשְׁתַּחֲווּ לְךָ בְּנֵי
ט אָבִיךָ׃ גּוּר אַרְיֵה יְהוּדָה מִטֶּרֶף בְּנִי עָלִיתָ כָּרַע רָבַץ כְּאַרְיֵה
י וּכְלָבִיא מִי יְקִימֶנּוּ׃ לֹא־יָסוּר שֵׁבֶט מִיהוּדָה וּמְחֹקֵק מִבֵּין רַגְלָיו
יא עַד כִּי־יָבֹא שִׁילֹה וְלוֹ יִקְּהַת עַמִּים׃ אֹסְרִי לַגֶּפֶן עִירֹה וְלַשֹּׂרֵקָה
יב בְּנִי אֲתֹנוֹ כִּבֵּס בַּיַּיִן לְבֻשׁוֹ וּבְדַם־עֲנָבִים סוּתֹה׃ חַכְלִילִי עֵינַיִם
מִיָּיִן וּלְבֶן־שִׁנַּיִם מֵחָלָב׃
יג זְבוּלֻן לְחוֹף יַמִּים יִשְׁכֹּן וְהוּא לְחוֹף אֳנִיֹּת וְיַרְכָתוֹ עַל־
צִידֹן׃
יד טו יִשָּׂשכָר חֲמֹר גָּרֶם רֹבֵץ בֵּין הַמִּשְׁפְּתָיִם׃ וַיַּרְא מְנֻחָה כִּי
טוֹב וְאֶת־הָאָרֶץ כִּי נָעֵמָה וַיֵּט שִׁכְמוֹ לִסְבֹּל וַיְהִי לְמַס־
טז עֹבֵד׃ דָּן יָדִין
יז עַמּוֹ כְּאַחַד שִׁבְטֵי יִשְׂרָאֵל׃ יְהִי־דָן נָחָשׁ עֲלֵי־דֶרֶךְ שְׁפִיפֹן
יח עֲלֵי־אֹרַח הַנֹּשֵׁךְ עִקְּבֵי־סוּס וַיִּפֹּל רֹכְבוֹ אָחוֹר׃ לִישׁוּעָתְךָ קִוִּיתִי
חמישי יט יְהוָה׃ גָּד גְּדוּד יְגוּדֶנּוּ
כ וְהוּא יָגֻד עָקֵב׃ מֵאָשֵׁר שְׁמֵנָה
כא לַחְמוֹ וְהוּא יִתֵּן מַעֲדַנֵּי־מֶלֶךְ׃ נַפְתָּלִי
כב אַיָּלָה שְׁלֻחָה הַנֹּתֵן אִמְרֵי־שָׁפֶר׃ בֵּן פֹּרָת יוֹסֵף בֵּן
כג פֹּרָת עֲלֵי־עָיִן בָּנוֹת צָעֲדָה עֲלֵי־שׁוּר׃ וַיְמָרְרֻהוּ וָרֹבּוּ וַיִּשְׂטְמֻהוּ
כד בַּעֲלֵי חִצִּים׃ וַתֵּשֶׁב בְּאֵיתָן קַשְׁתּוֹ וַיָּפֹזּוּ זְרֹעֵי יָדָיו מִידֵי אֲבִיר
כה יַעֲקֹב מִשָּׁם רֹעֶה אֶבֶן יִשְׂרָאֵל׃ מֵאֵל אָבִיךָ וְיַעְזְרֶךָּ וְאֵת שַׁדַּי

וַיְבָרְכֶךָּ בִּרְכֹת שָׁמַיִם מֵעָל בִּרְכֹת תְּהוֹם רֹבֶצֶת תָּחַת בִּרְכֹת
כו שָׁדַיִם וָרָחַם: בִּרְכֹת אָבִיךָ גָּבְרוּ עַל־בִּרְכֹת הוֹרַי עַד־תַּאֲוַת
גִּבְעֹת עוֹלָם תִּהְיֶיןָ לְרֹאשׁ יוֹסֵף וּלְקָדְקֹד נְזִיר אֶחָיו:
כז כח בִּנְיָמִין זְאֵב יִטְרָף בַּבֹּקֶר יֹאכַל עַד וְלָעֶרֶב יְחַלֵּק שָׁלָל: כָּל־אֵלֶּה ששי
שִׁבְטֵי יִשְׂרָאֵל שְׁנֵים עָשָׂר וְזֹאת אֲשֶׁר־דִּבֶּר לָהֶם אֲבִיהֶם
כט וַיְבָרֶךְ אוֹתָם אִישׁ אֲשֶׁר כְּבִרְכָתוֹ בֵּרַךְ אֹתָם: וַיְצַו אוֹתָם וַיֹּאמֶר צַוָּאַת יַעֲקֹב:
אֲלֵהֶם אֲנִי נֶאֱסָף אֶל־עַמִּי קִבְרוּ אֹתִי אֶל־אֲבֹתָי אֶל־הַמְּעָרָה
ל אֲשֶׁר בִּשְׂדֵה עֶפְרוֹן הַחִתִּי: בַּמְּעָרָה אֲשֶׁר בִּשְׂדֵה הַמַּכְפֵּלָה אֲשֶׁר
עַל־פְּנֵי־מַמְרֵא בְּאֶרֶץ כְּנָעַן אֲשֶׁר קָנָה אַבְרָהָם אֶת־הַשָּׂדֶה
לא מֵאֵת עֶפְרֹן הַחִתִּי לַאֲחֻזַּת־קָבֶר: שָׁמָּה קָבְרוּ אֶת־אַבְרָהָם וְאֵת
שָׂרָה אִשְׁתּוֹ שָׁמָּה קָבְרוּ אֶת־יִצְחָק וְאֵת רִבְקָה אִשְׁתּוֹ וְשָׁמָּה
לב קָבַרְתִּי אֶת־לֵאָה: מִקְנֵה הַשָּׂדֶה וְהַמְּעָרָה אֲשֶׁר־בּוֹ מֵאֵת בְּנֵי־
לג חֵת: וַיְכַל יַעֲקֹב לְצַוֹּת אֶת־בָּנָיו וַיֶּאֱסֹף רַגְלָיו אֶל־הַמִּטָּה וַיִּגְוַע [2255]
נ א וַיֵּאָסֶף אֶל־עַמָּיו: וַיִּפֹּל יוֹסֵף עַל־פְּנֵי אָבִיו וַיֵּבְךְּ עָלָיו וַיִּשַּׁק־לוֹ:
ב וַיְצַו יוֹסֵף אֶת־עֲבָדָיו אֶת־הָרֹפְאִים לַחֲנֹט אֶת־אָבִיו וַיַּחַנְטוּ חֲנִיטַת יַעֲקֹב:
ג הָרֹפְאִים אֶת־יִשְׂרָאֵל: וַיִּמְלְאוּ־לוֹ אַרְבָּעִים יוֹם כִּי כֵּן יִמְלְאוּ
ד יְמֵי הַחֲנֻטִים וַיִּבְכּוּ אֹתוֹ מִצְרַיִם שִׁבְעִים יוֹם: וַיַּעַבְרוּ יְמֵי בְכִיתוֹ הָרְשׁוּת מִפַּרְעֹה
וַיְדַבֵּר יוֹסֵף אֶל־בֵּית פַּרְעֹה לֵאמֹר אִם־נָא מָצָאתִי חֵן בְּעֵינֵיכֶם לְהוֹצִיא אֶת יַעֲקֹב:
ה דַּבְּרוּ־נָא בְּאָזְנֵי פַרְעֹה לֵאמֹר: אָבִי הִשְׁבִּיעַנִי לֵאמֹר הִנֵּה אָנֹכִי
מֵת בְּקִבְרִי אֲשֶׁר כָּרִיתִי לִי בְּאֶרֶץ כְּנַעַן שָׁמָּה תִּקְבְּרֵנִי וְעַתָּה
ו אֶעֱלֶה־נָּא וְאֶקְבְּרָה אֶת־אָבִי וְאָשׁוּבָה: וַיֹּאמֶר פַּרְעֹה עֲלֵה וּקְבֹר
ז אֶת־אָבִיךָ כַּאֲשֶׁר הִשְׁבִּיעֶךָ: וַיַּעַל יוֹסֵף לִקְבֹּר אֶת־אָבִיו וַיַּעֲלוּ בְּכִי
ח אִתּוֹ כָּל־עַבְדֵי פַרְעֹה זִקְנֵי בֵיתוֹ וְכֹל זִקְנֵי אֶרֶץ־מִצְרָיִם: וְכֹל וְהֶסְפֵּד, וְאֵבֶל מִצְרָיִם:
בֵּית יוֹסֵף וְאֶחָיו וּבֵית אָבִיו רַק טַפָּם וְצֹאנָם וּבְקָרָם עָזְבוּ בְּאֶרֶץ
ט גֹּשֶׁן: וַיַּעַל עִמּוֹ גַּם־רֶכֶב גַּם־פָּרָשִׁים וַיְהִי הַמַּחֲנֶה כָּבֵד מְאֹד:

‏וַיָּבֹ֜אוּ עַד־גֹּ֣רֶן הָאָטָ֗ד אֲשֶׁר֙ בְּעֵ֣בֶר הַיַּרְדֵּ֔ן וַיִּ֨סְפְּדוּ־שָׁ֔ם מִסְפֵּ֛ד‏ ‏י‏
‏גָּד֥וֹל וְכָבֵ֖ד מְאֹ֑ד וַיַּ֧עַשׂ לְאָבִ֛יו אֵ֖בֶל שִׁבְעַ֥ת יָמִֽים׃ וַיַּ֡רְא יוֹשֵׁב֩‏ ‏יא‏
‏הָאָ֨רֶץ הַֽכְּנַעֲנִ֜י אֶת־הָאֵ֗בֶל בְּגֹ֙רֶן֙ הָֽאָטָ֔ד וַיֹּ֣אמְר֔וּ אֵֽבֶל־כָּבֵ֥ד זֶ֖ה‏
‏לְמִצְרָ֑יִם עַל־כֵּ֞ן קָרָ֤א שְׁמָהּ֙ אָבֵ֣ל מִצְרַ֔יִם אֲשֶׁ֖ר בְּעֵ֥בֶר הַיַּרְדֵּֽן׃‏

‏קְבוּרַת‏
‏יַעֲקֹב׃‏

‏וַיַּעֲשׂ֥וּ בָנָ֖יו ל֑וֹ כֵּ֖ן כַּאֲשֶׁ֥ר צִוָּֽם׃ וַיִּשְׂא֨וּ אֹת֤וֹ בָנָיו֙ אַ֣רְצָה כְּנַ֔עַן‏ ‏יב יג‏
‏וַיִּקְבְּר֣וּ אֹת֗וֹ בִּמְעָרַ֛ת שְׂדֵ֥ה הַמַּכְפֵּלָ֖ה אֲשֶׁ֣ר קָנָ֣ה אַבְרָהָ֡ם‏
‏אֶת־הַשָּׂדֶ֜ה לַאֲחֻזַּת־קֶ֗בֶר מֵאֵ֛ת עֶפְרֹ֥ן הַחִתִּ֖י עַל־פְּנֵ֥י מַמְרֵֽא׃‏
‏וַיָּ֨שָׁב יוֹסֵ֤ף מִצְרַ֙יְמָה֙ ה֣וּא וְאֶחָ֔יו וְכָל־הָעֹלִ֥ים אִתּ֖וֹ לִקְבֹּ֥ר‏ ‏יד‏

‏חֲשֵׁשׁ‏
‏הָאַחִ֣ים‏
‏מִיּוֹסֵ֑ף׃‏

‏אֶת־אָבִ֑יו אַחֲרֵ֖י קָבְר֥וֹ אֶת־אָבִֽיו׃ וַיִּרְא֤וּ אֲחֵֽי־יוֹסֵף֙ כִּי־מֵ֣ת‏ ‏טו‏
‏אֲבִיהֶ֔ם וַיֹּ֣אמְר֔וּ ל֥וּ יִשְׂטְמֵ֖נוּ יוֹסֵ֑ף וְהָשֵׁ֤ב יָשִׁיב֙ לָ֔נוּ אֵ֚ת כָּל־הָ֣רָעָ֔ה‏
‏אֲשֶׁ֖ר גָּמַ֥לְנוּ אֹתֽוֹ׃ וַיְצַוּ֕וּ אֶל־יוֹסֵ֖ף לֵאמֹ֑ר אָבִ֣יךָ צִוָּ֔ה לִפְנֵ֥י מוֹת֖וֹ‏ ‏טז‏
‏לֵאמֹֽר׃ כֹּֽה־תֹאמְר֣וּ לְיוֹסֵ֗ף אָ֣נָּ֡א שָׂ֣א נָ֠א פֶּ֣שַׁע אַחֶ֤יךָ וְחַטָּאתָם֙‏ ‏יז‏
‏כִּי־רָעָ֣ה גְמָל֔וּךָ וְעַתָּה֙ שָׂ֣א נָ֔א לְפֶ֥שַׁע עַבְדֵ֖י אֱלֹהֵ֣י אָבִ֑יךָ וַיֵּ֥בְךְּ‏
‏יוֹסֵ֖ף בְּדַבְּרָ֥ם אֵלָֽיו׃ וַיֵּלְכוּ֙ גַּם־אֶחָ֔יו וַֽיִּפְּל֖וּ לְפָנָ֑יו וַיֹּ֣אמְר֔וּ הִנֶּ֥נּֽוּ‏ ‏יח‏

‏נִחוּמֵ֣י יוֹסֵ֣ף‏
‏לְאֶחָֽיו׃‏

‏לְךָ֖ לַעֲבָדִֽים׃ וַיֹּ֧אמֶר אֲלֵהֶ֛ם יוֹסֵ֖ף אַל־תִּירָ֑אוּ כִּ֛י הֲתַ֥חַת אֱלֹהִ֖ים‏ ‏יט‏
‏אָֽנִי׃ וְאַתֶּ֕ם חֲשַׁבְתֶּ֥ם עָלַ֖י רָעָ֑ה אֱלֹהִים֙ חֲשָׁבָ֣הּ לְטֹבָ֔ה לְמַ֗עַן‏ ‏כ‏
‏עֲשֹׂ֛ה כַּיּ֥וֹם הַזֶּ֖ה לְהַחֲיֹ֥ת עַם־רָֽב׃ וְעַתָּה֙ אַל־תִּירָ֔אוּ אָנֹכִ֛י אֲכַלְכֵּ֥ל‏ ‏כא‏

‏שְׁבִיעִי‏

‏אֶתְכֶ֖ם וְאֶֽת־טַפְּכֶ֑ם וַיְנַחֵ֣ם אוֹתָ֔ם וַיְדַבֵּ֖ר עַל־לִבָּֽם׃ וַיֵּ֤שֶׁב יוֹסֵף֙‏ ‏כב‏
‏בְּמִצְרַ֔יִם ה֖וּא וּבֵ֣ית אָבִ֑יו וַיְחִ֣י יוֹסֵ֔ף מֵאָ֥ה וָעֶ֖שֶׂר שָׁנִֽים׃ וַיַּ֤רְא‏ ‏כג‏

‏מַפְטִיר‏

‏יוֹסֵף֙ לְאֶפְרַ֔יִם בְּנֵ֖י שִׁלֵּשִׁ֑ים גַּ֗ם בְּנֵ֤י מָכִיר֙ בֶּן־מְנַשֶּׁ֔ה יֻלְּד֖וּ עַל־‏
‏בִּרְכֵּ֥י יוֹסֵֽף׃ וַיֹּ֤אמֶר יוֹסֵף֙ אֶל־אֶחָ֔יו אָנֹכִ֖י מֵ֑ת וֵֽאלֹהִ֞ים פָּקֹ֧ד יִפְקֹ֣ד‏ ‏כד‏

‏הַשְׁבָּעַת‏
‏יוֹסֵ֣ף אֶת‏
‏אֶחָֽיו׃‏

‏אֶתְכֶ֗ם וְהֶעֱלָ֤ה אֶתְכֶם֙ מִן־הָאָ֣רֶץ הַזֹּ֔את אֶל־הָאָ֕רֶץ אֲשֶׁ֥ר נִשְׁבַּ֖ע‏
‏לְאַבְרָהָ֥ם לְיִצְחָ֖ק וּֽלְיַעֲקֹֽב׃ וַיַּשְׁבַּ֣ע יוֹסֵ֔ף אֶת־בְּנֵ֥י יִשְׂרָאֵ֖ל לֵאמֹ֑ר‏ ‏כה‏

‏מוֹת יוֹסֵֽף׃‏
[2309]

‏פָּקֹ֨ד יִפְקֹ֤ד אֱלֹהִים֙ אֶתְכֶ֔ם וְהַעֲלִתֶ֥ם אֶת־עַצְמֹתַ֖י מִזֶּֽה׃ וַיָּ֣מָת יוֹסֵ֔ף‏ ‏כו‏
‏בֶּן־מֵאָ֥ה וָעֶ֖שֶׂר שָׁנִ֑ים וַיַּחַנְט֣וּ אֹת֔וֹ וַיִּ֥ישֶׂם בָּאָר֖וֹן בְּמִצְרָֽיִם׃‏

שמות

א א וְאֵלֶּה שְׁמוֹת בְּנֵי יִשְׂרָאֵל הַבָּאִים מִצְרָיְמָה אֵת יַעֲקֹב אִישׁ **שמות**
ב ג וּבֵיתוֹ בָּאוּ: רְאוּבֵן שִׁמְעוֹן לֵוִי וִיהוּדָה: יִשָּׂשכָר זְבוּלֻן וּבִנְיָמִן: הִתְרַבּוּת יִשְׂרָאֵל בְּמִצְרָיִם:
ד ה דָּן וְנַפְתָּלִי גָּד וְאָשֵׁר: וַיְהִי כָּל־נֶפֶשׁ יֹצְאֵי יֶרֶךְ־יַעֲקֹב שִׁבְעִים
ו נָפֶשׁ וְיוֹסֵף הָיָה בְמִצְרָיִם: וַיָּמָת יוֹסֵף וְכָל־אֶחָיו וְכֹל הַדּוֹר [2331]
ז הַהוּא: וּבְנֵי יִשְׂרָאֵל פָּרוּ וַיִּשְׁרְצוּ וַיִּרְבּוּ וַיַּעַצְמוּ בִּמְאֹד מְאֹד
וַתִּמָּלֵא הָאָרֶץ אֹתָם:

ח ט וַיָּקָם מֶלֶךְ־חָדָשׁ עַל־מִצְרָיִם אֲשֶׁר לֹא־יָדַע אֶת־יוֹסֵף: וַיֹּאמֶר הַשִּׁעְבּוּד בִּבְנֵי
י אֶל־עַמּוֹ הִנֵּה עַם בְּנֵי יִשְׂרָאֵל רַב וְעָצוּם מִמֶּנּוּ: הָבָה נִתְחַכְּמָה יִשְׂרָאֵל:
לוֹ פֶּן־יִרְבֶּה וְהָיָה כִּי־תִקְרֶאנָה מִלְחָמָה וְנוֹסַף גַּם־הוּא עַל־
יא שֹׂנְאֵינוּ וְנִלְחַם־בָּנוּ וְעָלָה מִן־הָאָרֶץ: וַיָּשִׂימוּ עָלָיו שָׂרֵי מִסִּים
לְמַעַן עַנֹּתוֹ בְּסִבְלֹתָם וַיִּבֶן עָרֵי מִסְכְּנוֹת לְפַרְעֹה אֶת־פִּתֹם
יב וְאֶת־רַעַמְסֵס: וְכַאֲשֶׁר יְעַנּוּ אֹתוֹ כֵּן יִרְבֶּה וְכֵן יִפְרֹץ וַיָּקֻצוּ מִפְּנֵי
יג יד בְּנֵי יִשְׂרָאֵל: וַיַּעֲבִדוּ מִצְרַיִם אֶת־בְּנֵי יִשְׂרָאֵל בְּפָרֶךְ: וַיְמָרְרוּ
אֶת־חַיֵּיהֶם בַּעֲבֹדָה קָשָׁה בְּחֹמֶר וּבִלְבֵנִים וּבְכָל־עֲבֹדָה בַּשָּׂדֶה
טו אֵת כָּל־עֲבֹדָתָם אֲשֶׁר־עָבְדוּ בָהֶם בְּפָרֶךְ: וַיֹּאמֶר מֶלֶךְ מִצְרַיִם הַצִּוּוּי
לַמְיַלְּדֹת הָעִבְרִיֹּת אֲשֶׁר שֵׁם הָאַחַת שִׁפְרָה וְשֵׁם הַשֵּׁנִית פּוּעָה: לַמְיַלְּדוֹת,
טז וַיֹּאמֶר בְּיַלֶּדְכֶן אֶת־הָעִבְרִיּוֹת וּרְאִיתֶן עַל־הָאָבְנָיִם אִם־בֵּן הוּא סֵרוּבָן
יז וַהֲמִתֶּן אֹתוֹ וְאִם־בַּת הִוא וָחָיָה: וַתִּירֶאןָ הַמְיַלְּדֹת אֶת־הָאֱלֹהִים וּשְׂכָרָן:
וְלֹא עָשׂוּ כַּאֲשֶׁר דִּבֶּר אֲלֵיהֶן מֶלֶךְ מִצְרָיִם וַתְּחַיֶּיןָ אֶת־הַיְלָדִים:
יח וַיִּקְרָא מֶלֶךְ־מִצְרַיִם לַמְיַלְּדֹת וַיֹּאמֶר לָהֶן מַדּוּעַ עֲשִׂיתֶן הַדָּבָר שני
יט הַזֶּה וַתְּחַיֶּיןָ אֶת־הַיְלָדִים: וַתֹּאמַרְןָ הַמְיַלְּדֹת אֶל־פַּרְעֹה כִּי לֹא
כַנָּשִׁים הַמִּצְרִיֹּת הָעִבְרִיֹּת כִּי־חָיוֹת הֵנָּה בְּטֶרֶם תָּבוֹא אֲלֵהֶן
כ הַמְיַלֶּדֶת וְיָלָדוּ: וַיֵּיטֶב אֱלֹהִים לַמְיַלְּדֹת וַיִּרֶב הָעָם וַיַּעַצְמוּ

כא מְאֹד: וַיְהִי כִּי־יָרְאוּ הַמְיַלְּדֹת אֶת־הָאֱלֹהִים וַיַּעַשׂ לָהֶם בָּתִּים:
כב וַיְצַו פַּרְעֹה לְכָל־עַמּוֹ לֵאמֹר כָּל־הַבֵּן הַיִּלּוֹד הַיְאֹרָה תַּשְׁלִיכֻהוּ
וְכָל־הַבַּת תְּחַיּוּן:

הֻלֶּדֶת מֹשֶׁה וּנְתִינָתוֹ בַּיְאוֹר: [2368]

ב א וַיֵּלֶךְ אִישׁ מִבֵּית לֵוִי וַיִּקַּח אֶת־בַּת־לֵוִי: ב וַתַּהַר הָאִשָּׁה וַתֵּלֶד בֵּן
ג וַתֵּרֶא אֹתוֹ כִּי־טוֹב הוּא וַתִּצְפְּנֵהוּ שְׁלֹשָׁה יְרָחִים: וְלֹא־יָכְלָה
עוֹד הַצְּפִינוֹ וַתִּקַּח־לוֹ תֵּבַת גֹּמֶא וַתַּחְמְרָה בַחֵמָר וּבַזָּפֶת וַתָּשֶׂם
ד בָּהּ אֶת־הַיֶּלֶד וַתָּשֶׂם בַּסּוּף עַל־שְׂפַת הַיְאֹר: וַתֵּתַצַּב אֲחֹתוֹ

הַצָּלָתוֹ עַל יְדֵי בַּת פַּרְעֹה:

ה מֵרָחֹק לְדֵעָה מַה־יֵּעָשֶׂה לוֹ: וַתֵּרֶד בַּת־פַּרְעֹה לִרְחֹץ עַל־הַיְאֹר
וְנַעֲרֹתֶיהָ הֹלְכֹת עַל־יַד הַיְאֹר וַתֵּרֶא אֶת־הַתֵּבָה בְּתוֹךְ הַסּוּף
ו וַתִּשְׁלַח אֶת־אֲמָתָהּ וַתִּקָּחֶהָ: וַתִּפְתַּח וַתִּרְאֵהוּ אֶת־הַיֶּלֶד
וְהִנֵּה־נַעַר בֹּכֶה וַתַּחְמֹל עָלָיו וַתֹּאמֶר מִיַּלְדֵי הָעִבְרִים זֶה:

הַצָּעַת מִרְיָם לְאִשָּׁה מֵינֶקֶת:

ז וַתֹּאמֶר אֲחֹתוֹ אֶל־בַּת־פַּרְעֹה הַאֵלֵךְ וְקָרָאתִי לָךְ אִשָּׁה מֵינֶקֶת
ח מִן הָעִבְרִיֹּת וְתֵינִק לָךְ אֶת־הַיָּלֶד: וַתֹּאמֶר־לָהּ בַּת־פַּרְעֹה לֵכִי
ט וַתֵּלֶךְ הָעַלְמָה וַתִּקְרָא אֶת־אֵם הַיָּלֶד: וַתֹּאמֶר לָהּ בַּת־פַּרְעֹה
הֵילִיכִי אֶת־הַיֶּלֶד הַזֶּה וְהֵינִקִהוּ לִי וַאֲנִי אֶתֵּן אֶת־שְׂכָרֵךְ וַתִּקַּח
י הָאִשָּׁה הַיֶּלֶד וַתְּנִיקֵהוּ: וַיִּגְדַּל הַיֶּלֶד וַתְּבִאֵהוּ לְבַת־פַּרְעֹה
וַיְהִי־לָהּ לְבֵן וַתִּקְרָא שְׁמוֹ מֹשֶׁה וַתֹּאמֶר כִּי מִן־הַמַּיִם

שלישי הֲגַנַּת מֹשֶׁה עַל אֶחָיו: [2388]

יא מְשִׁיתִהוּ: וַיְהִי ׀ בַּיָּמִים הָהֵם וַיִּגְדַּל מֹשֶׁה וַיֵּצֵא אֶל־אֶחָיו וַיַּרְא
יב בְּסִבְלֹתָם וַיַּרְא אִישׁ מִצְרִי מַכֶּה אִישׁ־עִבְרִי מֵאֶחָיו: וַיִּפֶן כֹּה
יג וָכֹה וַיַּרְא כִּי אֵין אִישׁ וַיַּךְ אֶת־הַמִּצְרִי וַיִּטְמְנֵהוּ בַּחוֹל: וַיֵּצֵא
בַּיּוֹם הַשֵּׁנִי וְהִנֵּה שְׁנֵי־אֲנָשִׁים עִבְרִים נִצִּים וַיֹּאמֶר לָרָשָׁע לָמָּה
יד תַכֶּה רֵעֶךָ: וַיֹּאמֶר מִי שָׂמְךָ לְאִישׁ שַׂר וְשֹׁפֵט עָלֵינוּ הַלְהָרְגֵנִי
אַתָּה אֹמֵר כַּאֲשֶׁר הָרַגְתָּ אֶת־הַמִּצְרִי וַיִּירָא מֹשֶׁה וַיֹּאמַר אָכֵן
טו נוֹדַע הַדָּבָר: וַיִּשְׁמַע פַּרְעֹה אֶת־הַדָּבָר הַזֶּה וַיְבַקֵּשׁ לַהֲרֹג
אֶת־מֹשֶׁה וַיִּבְרַח מֹשֶׁה מִפְּנֵי פַרְעֹה וַיֵּשֶׁב בְּאֶרֶץ־מִדְיָן וַיֵּשֶׁב

הוֹשָׁעַת מֹשֶׁה לִבְנוֹת יִתְרוֹ:

טז עַל־הַבְּאֵר: וּלְכֹהֵן מִדְיָן שֶׁבַע בָּנוֹת וַתָּבֹאנָה וַתִּדְלֶנָה וַתְּמַלֶּאנָה
יז אֶת־הָרְהָטִים לְהַשְׁקוֹת צֹאן אֲבִיהֶן: וַיָּבֹאוּ הָרֹעִים וַיְגָרְשׁוּם
יח וַיָּקָם מֹשֶׁה וַיּוֹשִׁעָן וַיַּשְׁקְ אֶת־צֹאנָם: וַתָּבֹאנָה אֶל־רְעוּאֵל
יט אֲבִיהֶן וַיֹּאמֶר מַדּוּעַ מִהַרְתֶּן בֹּא הַיּוֹם: וַתֹּאמַרְןָ אִישׁ מִצְרִי
כ הִצִּילָנוּ מִיַּד הָרֹעִים וְגַם־דָּלֹה דָלָה לָנוּ וַיַּשְׁקְ אֶת־הַצֹּאן: וַיֹּאמֶר
אֶל־בְּנֹתָיו וְאַיּוֹ לָמָּה זֶּה עֲזַבְתֶּן אֶת־הָאִישׁ קִרְאֶן לוֹ וְיֹאכַל
כא לָחֶם: וַיּוֹאֶל מֹשֶׁה לָשֶׁבֶת אֶת־הָאִישׁ וַיִּתֵּן אֶת־צִפֹּרָה בִתּוֹ
כב לְמֹשֶׁה: וַתֵּלֶד בֵּן וַיִּקְרָא אֶת־שְׁמוֹ גֵּרְשֹׁם כִּי אָמַר גֵּר הָיִיתִי
בְּאֶרֶץ נָכְרִיָּה:

זַעֲקַת הַשִּׁעְבּוּד וּזְכִירַת הַבְּרִית:

כג וַיְהִי בַיָּמִים הָרַבִּים הָהֵם וַיָּמָת מֶלֶךְ מִצְרַיִם וַיֵּאָנְחוּ בְנֵי־
יִשְׂרָאֵל מִן־הָעֲבֹדָה וַיִּזְעָקוּ וַתַּעַל שַׁוְעָתָם אֶל־הָאֱלֹהִים מִן־
כד הָעֲבֹדָה: וַיִּשְׁמַע אֱלֹהִים אֶת־נַאֲקָתָם וַיִּזְכֹּר אֱלֹהִים אֶת־
כה בְּרִיתוֹ אֶת־אַבְרָהָם אֶת־יִצְחָק וְאֶת־יַעֲקֹב: וַיַּרְא אֱלֹהִים אֶת־בְּנֵי

רביעי

הִתְגַּלּוּת ה' לְמֹשֶׁה מִתּוֹךְ הַסְּנֶה:

[2447]

ג א יִשְׂרָאֵל וַיֵּדַע אֱלֹהִים: וּמֹשֶׁה הָיָה רֹעֶה אֶת־צֹאן
יִתְרוֹ חֹתְנוֹ כֹּהֵן מִדְיָן וַיִּנְהַג אֶת־הַצֹּאן אַחַר הַמִּדְבָּר וַיָּבֹא
ב אֶל־הַר הָאֱלֹהִים חֹרֵבָה: וַיֵּרָא מַלְאַךְ יְהוָה אֵלָיו בְּלַבַּת־אֵשׁ
מִתּוֹךְ הַסְּנֶה וַיַּרְא וְהִנֵּה הַסְּנֶה בֹּעֵר בָּאֵשׁ וְהַסְּנֶה אֵינֶנּוּ אֻכָּל:
ג וַיֹּאמֶר מֹשֶׁה אָסֻרָה־נָּא וְאֶרְאֶה אֶת־הַמַּרְאֶה הַגָּדֹל הַזֶּה מַדּוּעַ
ד לֹא־יִבְעַר הַסְּנֶה: וַיַּרְא יְהוָה כִּי סָר לִרְאוֹת וַיִּקְרָא אֵלָיו אֱלֹהִים
ה מִתּוֹךְ הַסְּנֶה וַיֹּאמֶר מֹשֶׁה מֹשֶׁה וַיֹּאמֶר הִנֵּנִי: וַיֹּאמֶר אַל־תִּקְרַב
הֲלֹם שַׁל־נְעָלֶיךָ מֵעַל רַגְלֶיךָ כִּי הַמָּקוֹם אֲשֶׁר אַתָּה עוֹמֵד
ו עָלָיו אַדְמַת־קֹדֶשׁ הוּא: וַיֹּאמֶר אָנֹכִי אֱלֹהֵי אָבִיךָ אֱלֹהֵי אַבְרָהָם
אֱלֹהֵי יִצְחָק וֵאלֹהֵי יַעֲקֹב וַיַּסְתֵּר מֹשֶׁה פָּנָיו כִּי יָרֵא מֵהַבִּיט
ז אֶל־הָאֱלֹהִים: וַיֹּאמֶר יְהוָה רָאֹה רָאִיתִי אֶת־עֳנִי עַמִּי אֲשֶׁר
בְּמִצְרָיִם וְאֶת־צַעֲקָתָם שָׁמַעְתִּי מִפְּנֵי נֹגְשָׂיו כִּי יָדַעְתִּי אֶת־

ח מִכְּאֹבָיו׃ וָאֵרֵד לְהַצִּילוֹ ׀ מִיַּד מִצְרַיִם וּלְהַעֲלֹתוֹ מִן־הָאָרֶץ
הַהִוא אֶל־אֶרֶץ טוֹבָה וּרְחָבָה אֶל־אֶרֶץ זָבַת חָלָב וּדְבָשׁ
אֶל־מְקוֹם הַכְּנַעֲנִי וְהַחִתִּי וְהָאֱמֹרִי וְהַפְּרִזִּי וְהַחִוִּי וְהַיְבוּסִי׃
ט וְעַתָּה הִנֵּה צַעֲקַת בְּנֵי־יִשְׂרָאֵל בָּאָה אֵלָי וְגַם־רָאִיתִי אֶת־הַלַּחַץ
י אֲשֶׁר מִצְרַיִם לֹחֲצִים אֹתָם׃ וְעַתָּה לְכָה וְאֶשְׁלָחֲךָ אֶל־פַּרְעֹה
יא וְהוֹצֵא אֶת־עַמִּי בְנֵי־יִשְׂרָאֵל מִמִּצְרָיִם׃ וַיֹּאמֶר מֹשֶׁה אֶל־
הָאֱלֹהִים מִי אָנֹכִי כִּי אֵלֵךְ אֶל־פַּרְעֹה וְכִי אוֹצִיא אֶת־בְּנֵי יִשְׂרָאֵל
יב מִמִּצְרָיִם׃ וַיֹּאמֶר כִּי־אֶהְיֶה עִמָּךְ וְזֶה־לְּךָ הָאוֹת כִּי אָנֹכִי
שְׁלַחְתִּיךָ בְּהוֹצִיאֲךָ אֶת־הָעָם מִמִּצְרַיִם תַּעַבְדוּן אֶת־הָאֱלֹהִים
יג עַל הָהָר הַזֶּה׃ וַיֹּאמֶר מֹשֶׁה אֶל־הָאֱלֹהִים הִנֵּה אָנֹכִי בָא אֶל־בְּנֵי
יִשְׂרָאֵל וְאָמַרְתִּי לָהֶם אֱלֹהֵי אֲבוֹתֵיכֶם שְׁלָחַנִי אֲלֵיכֶם וְאָמְרוּ־לִי
יד מַה־שְּׁמוֹ מָה אֹמַר אֲלֵהֶם׃ וַיֹּאמֶר אֱלֹהִים אֶל־מֹשֶׁה אֶהְיֶה
אֲשֶׁר אֶהְיֶה וַיֹּאמֶר כֹּה תֹאמַר לִבְנֵי יִשְׂרָאֵל אֶהְיֶה שְׁלָחַנִי
טו אֲלֵיכֶם׃ וַיֹּאמֶר עוֹד אֱלֹהִים אֶל־מֹשֶׁה כֹּה־תֹאמַר אֶל־בְּנֵי
יִשְׂרָאֵל יְהֹוָה אֱלֹהֵי אֲבֹתֵיכֶם אֱלֹהֵי אַבְרָהָם אֱלֹהֵי יִצְחָק וֵאלֹהֵי
טז יַעֲקֹב שְׁלָחַנִי אֲלֵיכֶם זֶה־שְּׁמִי לְעֹלָם וְזֶה זִכְרִי לְדֹר דֹּר׃ לֵךְ
וְאָסַפְתָּ אֶת־זִקְנֵי יִשְׂרָאֵל וְאָמַרְתָּ אֲלֵהֶם יְהֹוָה אֱלֹהֵי אֲבֹתֵיכֶם
נִרְאָה אֵלַי אֱלֹהֵי אַבְרָהָם יִצְחָק וְיַעֲקֹב לֵאמֹר פָּקֹד פָּקַדְתִּי
יז אֶתְכֶם וְאֶת־הֶעָשׂוּי לָכֶם בְּמִצְרָיִם׃ וָאֹמַר אַעֲלֶה אֶתְכֶם מֵעֳנִי
מִצְרַיִם אֶל־אֶרֶץ הַכְּנַעֲנִי וְהַחִתִּי וְהָאֱמֹרִי וְהַפְּרִזִּי וְהַחִוִּי
יח וְהַיְבוּסִי אֶל־אֶרֶץ זָבַת חָלָב וּדְבָשׁ׃ וְשָׁמְעוּ לְקֹלֶךָ וּבָאתָ אַתָּה
וְזִקְנֵי יִשְׂרָאֵל אֶל־מֶלֶךְ מִצְרַיִם וַאֲמַרְתֶּם אֵלָיו יְהֹוָה אֱלֹהֵי
הָעִבְרִיִּים נִקְרָה עָלֵינוּ וְעַתָּה נֵלְכָה־נָּא דֶּרֶךְ שְׁלֹשֶׁת יָמִים
יט בַּמִּדְבָּר וְנִזְבְּחָה לַיהֹוָה אֱלֹהֵינוּ׃ וַאֲנִי יָדַעְתִּי כִּי לֹא־יִתֵּן אֶתְכֶם
כ מֶלֶךְ מִצְרַיִם לַהֲלֹךְ וְלֹא בְּיָד חֲזָקָה׃ וְשָׁלַחְתִּי אֶת־יָדִי וְהִכֵּיתִי

מִנּוּי מֹשֶׁה לִגְאֹל אֶת יִשְׂרָאֵל:

שְׁלִיחוּת מֹשֶׁה וּבְשׂוֹרַת הַגְּאֻלָּה: חֲמִישִׁי

אֶת־מִצְרַיִם בְּכֹל נִפְלְאֹתַי אֲשֶׁר אֶעֱשֶׂה בְּקִרְבּוֹ וְאַחֲרֵי־כֵן יְשַׁלַּח
כא אֶתְכֶם׃ וְנָתַתִּי אֶת־חֵן הָעָם־הַזֶּה בְּעֵינֵי מִצְרָיִם וְהָיָה כִּי תֵלֵכוּן
כב לֹא תֵלְכוּ רֵיקָם׃ וְשָׁאֲלָה אִשָּׁה מִשְּׁכֶנְתָּהּ וּמִגָּרַת בֵּיתָהּ
כְּלֵי־כֶסֶף וּכְלֵי זָהָב וּשְׂמָלֹת וְשַׂמְתֶּם עַל־בְּנֵיכֶם וְעַל־בְּנֹתֵיכֶם
ד א וְנִצַּלְתֶּם אֶת־מִצְרָיִם׃ וַיַּעַן מֹשֶׁה וַיֹּאמֶר וְהֵן לֹא־יַאֲמִינוּ לִי הָאוֹתוֹת, לְמַעַן
ב וְלֹא יִשְׁמְעוּ בְּקֹלִי כִּי יֹאמְרוּ לֹא־נִרְאָה אֵלֶיךָ יְהוָה׃ וַיֹּאמֶר אֵלָיו יַאֲמִינוּ׃
ג יְהוָה מזה מַה־זֶּה בְיָדֶךָ וַיֹּאמֶר מַטֶּה׃ וַיֹּאמֶר הַשְׁלִיכֵהוּ אַרְצָה
ד וַיַּשְׁלִכֵהוּ אַרְצָה וַיְהִי לְנָחָשׁ וַיָּנָס מֹשֶׁה מִפָּנָיו׃ וַיֹּאמֶר יְהוָה
אֶל־מֹשֶׁה שְׁלַח יָדְךָ וֶאֱחֹז בִּזְנָבוֹ וַיִּשְׁלַח יָדוֹ וַיַּחֲזֶק בּוֹ וַיְהִי
ה לְמַטֶּה בְּכַפּוֹ׃ לְמַעַן יַאֲמִינוּ כִּי־נִרְאָה אֵלֶיךָ יְהוָה אֱלֹהֵי אֲבֹתָם
ו אֱלֹהֵי אַבְרָהָם אֱלֹהֵי יִצְחָק וֵאלֹהֵי יַעֲקֹב׃ וַיֹּאמֶר יְהוָה לוֹ עוֹד
הָבֵא־נָא יָדְךָ בְּחֵיקֶךָ וַיָּבֵא יָדוֹ בְּחֵיקוֹ וַיּוֹצִאָהּ וְהִנֵּה יָדוֹ
ז מְצֹרַעַת כַּשָּׁלֶג׃ וַיֹּאמֶר הָשֵׁב יָדְךָ אֶל־חֵיקֶךָ וַיָּשֶׁב יָדוֹ אֶל־חֵיקוֹ
ח וַיּוֹצִאָהּ מֵחֵיקוֹ וְהִנֵּה־שָׁבָה כִּבְשָׂרוֹ׃ וְהָיָה אִם־לֹא יַאֲמִינוּ לָךְ
וְלֹא יִשְׁמְעוּ לְקֹל הָאֹת הָרִאשׁוֹן וְהֶאֱמִינוּ לְקֹל הָאֹת הָאַחֲרוֹן׃
ט וְהָיָה אִם־לֹא יַאֲמִינוּ גַּם לִשְׁנֵי הָאֹתוֹת הָאֵלֶּה וְלֹא יִשְׁמְעוּן
לְקֹלֶךָ וְלָקַחְתָּ מִמֵּימֵי הַיְאֹר וְשָׁפַכְתָּ הַיַּבָּשָׁה וְהָיוּ הַמַּיִם אֲשֶׁר
י תִּקַּח מִן־הַיְאֹר וְהָיוּ לְדָם בַּיַּבָּשֶׁת׃ וַיֹּאמֶר מֹשֶׁה אֶל־יְהוָה בִּי סֵרוּב
אֲדֹנָי לֹא אִישׁ דְּבָרִים אָנֹכִי גַּם מִתְּמוֹל גַּם מִשִּׁלְשֹׁם גַּם מֵאָז מֹשֶׁה׃
יא דַּבֶּרְךָ אֶל־עַבְדֶּךָ כִּי כְבַד־פֶּה וּכְבַד לָשׁוֹן אָנֹכִי׃ וַיֹּאמֶר יְהוָה
אֵלָיו מִי שָׂם פֶּה לָאָדָם אוֹ מִי־יָשׂוּם אִלֵּם אוֹ חֵרֵשׁ אוֹ פִקֵּחַ
יב אוֹ עִוֵּר הֲלֹא אָנֹכִי יְהוָה׃ וְעַתָּה לֵךְ וְאָנֹכִי אֶהְיֶה עִם־פִּיךָ
יג וְהוֹרֵיתִיךָ אֲשֶׁר תְּדַבֵּר׃ וַיֹּאמֶר בִּי אֲדֹנָי שְׁלַח־נָא בְּיַד־תִּשְׁלָח׃
יד וַיִּחַר־אַף יְהוָה בְּמֹשֶׁה וַיֹּאמֶר הֲלֹא אַהֲרֹן אָחִיךָ הַלֵּוִי יָדַעְתִּי הִצְטָרְפוּת אַהֲרֹן
כִּי־דַבֵּר יְדַבֵּר הוּא וְגַם הִנֵּה־הוּא יֹצֵא לִקְרָאתֶךָ וְרָאֲךָ וְשָׂמַח לִשְׁלִיחוּת׃

טו בְּלִבּוֹ: וְדִבַּרְתָּ אֵלָיו וְשַׂמְתָּ אֶת־הַדְּבָרִים בְּפִיו וְאָנֹכִי אֶהְיֶה
טז עִם־פִּיךָ וְעִם־פִּיהוּ וְהוֹרֵיתִי אֶתְכֶם אֵת אֲשֶׁר תַּעֲשׂוּן: וְדִבֶּר־
הוּא לְךָ אֶל־הָעָם וְהָיָה הוּא יִהְיֶה־לְּךָ לְפֶה וְאַתָּה תִּהְיֶה־לּוֹ
יז לֵאלֹהִים: וְאֶת־הַמַּטֶּה הַזֶּה תִּקַּח בְּיָדֶךָ אֲשֶׁר תַּעֲשֶׂה־בּוֹ אֶת־
הָאֹתֹת:

ששי
פְּרֵדַת מֹשֶׁה מִיִּתְרוֹ וְשִׁיבָתוֹ לְמִצְרָיִם:

יח וַיֵּלֶךְ מֹשֶׁה וַיָּשָׁב ׀ אֶל־יֶתֶר חֹתְנוֹ וַיֹּאמֶר לוֹ אֵלְכָה נָּא וְאָשׁוּבָה
אֶל־אַחַי אֲשֶׁר־בְּמִצְרַיִם וְאֶרְאֶה הַעוֹדָם חַיִּים וַיֹּאמֶר יִתְרוֹ
יט לְמֹשֶׁה לֵךְ לְשָׁלוֹם: וַיֹּאמֶר יְהוָה אֶל־מֹשֶׁה בְּמִדְיָן לֵךְ שֻׁב
כ מִצְרָיִם כִּי־מֵתוּ כָּל־הָאֲנָשִׁים הַמְבַקְשִׁים אֶת־נַפְשֶׁךָ: וַיִּקַּח
מֹשֶׁה אֶת־אִשְׁתּוֹ וְאֶת־בָּנָיו וַיַּרְכִּבֵם עַל־הַחֲמֹר וַיָּשָׁב אַרְצָה
כא מִצְרָיִם וַיִּקַּח מֹשֶׁה אֶת־מַטֵּה הָאֱלֹהִים בְּיָדוֹ: וַיֹּאמֶר יְהוָה
אֶל־מֹשֶׁה בְּלֶכְתְּךָ לָשׁוּב מִצְרַיְמָה רְאֵה כָּל־הַמֹּפְתִים אֲשֶׁר־
שַׂמְתִּי בְיָדֶךָ וַעֲשִׂיתָם לִפְנֵי פַרְעֹה וַאֲנִי אֲחַזֵּק אֶת־לִבּוֹ וְלֹא
כב יְשַׁלַּח אֶת־הָעָם: וְאָמַרְתָּ אֶל־פַּרְעֹה כֹּה אָמַר יְהוָה בְּנִי בְכֹרִי
כג יִשְׂרָאֵל: וָאֹמַר אֵלֶיךָ שַׁלַּח אֶת־בְּנִי וְיַעַבְדֵנִי וַתְּמָאֵן לְשַׁלְּחוֹ

מִילַת הַבֵּן, וְהַצָּלָתוֹ:

כד הִנֵּה אָנֹכִי הֹרֵג אֶת־בִּנְךָ בְּכֹרֶךָ: וַיְהִי בַדֶּרֶךְ בַּמָּלוֹן וַיִּפְגְּשֵׁהוּ
כה יְהוָה וַיְבַקֵּשׁ הֲמִיתוֹ: וַתִּקַּח צִפֹּרָה צֹר וַתִּכְרֹת אֶת־עָרְלַת בְּנָהּ
כו וַתַּגַּע לְרַגְלָיו וַתֹּאמֶר כִּי חֲתַן־דָּמִים אַתָּה לִי: וַיִּרֶף מִמֶּנּוּ אָז
אָמְרָה חֲתַן דָּמִים לַמּוּלֹת:

צִוּוּי ה' לְאַהֲרֹן וְסִיּוּעוֹ לְמֹשֶׁה:

כז וַיֹּאמֶר יְהוָה אֶל־אַהֲרֹן לֵךְ לִקְרַאת מֹשֶׁה הַמִּדְבָּרָה וַיֵּלֶךְ
כח וַיִּפְגְּשֵׁהוּ בְּהַר הָאֱלֹהִים וַיִּשַּׁק־לוֹ: וַיַּגֵּד מֹשֶׁה לְאַהֲרֹן אֵת
כט כָּל־דִּבְרֵי יְהוָה אֲשֶׁר שְׁלָחוֹ וְאֵת כָּל־הָאֹתֹת אֲשֶׁר צִוָּהוּ: וַיֵּלֶךְ
ל מֹשֶׁה וְאַהֲרֹן וַיַּאַסְפוּ אֶת־כָּל־זִקְנֵי בְּנֵי יִשְׂרָאֵל: וַיְדַבֵּר אַהֲרֹן
אֵת כָּל־הַדְּבָרִים אֲשֶׁר־דִּבֶּר יְהוָה אֶל־מֹשֶׁה וַיַּעַשׂ הָאֹתֹת לְעֵינֵי

אֱמוּנַת הָעָם:

לא הָעָם: וַיַּאֲמֵן הָעָם וַיִּשְׁמְעוּ כִּי־פָקַד יְהוָה אֶת־בְּנֵי יִשְׂרָאֵל וְכִי

ה א רָאָה אֶת־עָנְיָם וַיִּקְּדוּ וַיִּשְׁתַּחֲווּ׃ וְאַחַר בָּאוּ מֹשֶׁה וְאַהֲרֹן וַיֹּאמְרוּ שביעי
אֶל־פַּרְעֹה כֹּה־אָמַר יְהוָה אֱלֹהֵי יִשְׂרָאֵל שַׁלַּח אֶת־עַמִּי וְיָחֹגּוּ
ב לִי בַּמִּדְבָּר׃ וַיֹּאמֶר פַּרְעֹה מִי יְהוָה אֲשֶׁר אֶשְׁמַע בְּקֹלוֹ לְשַׁלַּח סֵרוּב
אֶת־יִשְׂרָאֵל לֹא יָדַעְתִּי אֶת־יְהוָה וְגַם אֶת־יִשְׂרָאֵל לֹא אֲשַׁלֵּחַ׃ פַּרְעֹה׃
ג וַיֹּאמְרוּ אֱלֹהֵי הָעִבְרִים נִקְרָא עָלֵינוּ נֵלְכָה נָּא דֶּרֶךְ שְׁלֹשֶׁת
יָמִים בַּמִּדְבָּר וְנִזְבְּחָה לַיהוָה אֱלֹהֵינוּ פֶּן־יִפְגָּעֵנוּ בַּדֶּבֶר אוֹ
ד בֶחָרֶב׃ וַיֹּאמֶר אֲלֵהֶם מֶלֶךְ מִצְרַיִם לָמָּה מֹשֶׁה וְאַהֲרֹן תַּפְרִיעוּ
ה אֶת־הָעָם מִמַּעֲשָׂיו לְכוּ לְסִבְלֹתֵיכֶם׃ וַיֹּאמֶר פַּרְעֹה הֵן־רַבִּים
ו עַתָּה עַם־הָאָרֶץ וְהִשְׁבַּתֶּם אֹתָם מִסִּבְלֹתָם׃ וַיְצַו פַּרְעֹה בַּיּוֹם הַכְבָּדַת
ז הַהוּא אֶת־הַנֹּגְשִׂים בָּעָם וְאֶת־שֹׁטְרָיו לֵאמֹר׃ לֹא תֹאסִפוּן לָתֵת הַשִּׁעְבּוּד׃
תֶּבֶן לָעָם לִלְבֹּן הַלְּבֵנִים כִּתְמוֹל שִׁלְשֹׁם הֵם יֵלְכוּ וְקֹשְׁשׁוּ לָהֶם
ח תֶּבֶן׃ וְאֶת־מַתְכֹּנֶת הַלְּבֵנִים אֲשֶׁר הֵם עֹשִׂים תְּמוֹל שִׁלְשֹׁם
תָּשִׂימוּ עֲלֵיהֶם לֹא תִגְרְעוּ מִמֶּנּוּ כִּי־נִרְפִּים הֵם עַל־כֵּן הֵם
ט צֹעֲקִים לֵאמֹר נֵלְכָה נִזְבְּחָה לֵאלֹהֵינוּ׃ תִּכְבַּד הָעֲבֹדָה עַל־
י הָאֲנָשִׁים וְיַעֲשׂוּ־בָהּ וְאַל־יִשְׁעוּ בְּדִבְרֵי־שָׁקֶר׃ וַיֵּצְאוּ נֹגְשֵׂי הָעָם
וְשֹׁטְרָיו וַיֹּאמְרוּ אֶל־הָעָם לֵאמֹר כֹּה אָמַר פַּרְעֹה אֵינֶנִּי נֹתֵן לָכֶם
יא תֶּבֶן׃ אַתֶּם לְכוּ קְחוּ לָכֶם תֶּבֶן מֵאֲשֶׁר תִּמְצָאוּ כִּי אֵין נִגְרָע
יב מֵעֲבֹדַתְכֶם דָּבָר׃ וַיָּפֶץ הָעָם בְּכָל־אֶרֶץ מִצְרָיִם לְקֹשֵׁשׁ קַשׁ
יג לַתֶּבֶן׃ וְהַנֹּגְשִׂים אָצִים לֵאמֹר כַּלּוּ מַעֲשֵׂיכֶם דְּבַר־יוֹם בְּיוֹמוֹ
יד כַּאֲשֶׁר בִּהְיוֹת הַתֶּבֶן׃ וַיֻּכּוּ שֹׁטְרֵי בְּנֵי יִשְׂרָאֵל אֲשֶׁר־שָׂמוּ
עֲלֵהֶם נֹגְשֵׂי פַרְעֹה לֵאמֹר מַדּוּעַ לֹא כִלִּיתֶם חָקְכֶם לִלְבֹּן
טו כִּתְמוֹל שִׁלְשֹׁם גַּם־תְּמוֹל גַּם־הַיּוֹם׃ וַיָּבֹאוּ שֹׁטְרֵי בְּנֵי יִשְׂרָאֵל תְּלוּנַת
טז וַיִּצְעֲקוּ אֶל־פַּרְעֹה לֵאמֹר לָמָּה תַעֲשֶׂה כֹה לַעֲבָדֶיךָ׃ תֶּבֶן אֵין הַשּׁוֹטְרִים
נִתָּן לַעֲבָדֶיךָ וּלְבֵנִים אֹמְרִים לָנוּ עֲשׂוּ וְהִנֵּה עֲבָדֶיךָ מֻכִּים לְפַרְעֹה
יז וְחָטָאת עַמֶּךָ׃ וַיֹּאמֶר נִרְפִּים אַתֶּם נִרְפִּים עַל־כֵּן אַתֶּם אֹמְרִים וּתְשׁוּבָתוֹ׃

יח נֵֽלְכָה נִזְבְּחָה לַיהוָֽה׃ וְעַתָּה לְכוּ עִבְדוּ וְתֶבֶן לֹא־יִנָּתֵן לָכֶם וְתֹכֶן
יט לְבֵנִים תִּתֵּֽנוּ׃ וַיִּרְאוּ שֹֽׁטְרֵי בְנֵֽי־יִשְׂרָאֵל אֹתָם בְּרָע לֵאמֹר

תְּלוּנַת הַשּׁוֹטְרִים לְמֹשֶׁה וְאַהֲרֹן׃

כ לֹא־תִגְרְעוּ מִלִּבְנֵיכֶם דְּבַר־יוֹם בְּיוֹמוֹ׃ וַֽיִּפְגְּעוּ אֶת־מֹשֶׁה וְאֶת־
כא אַהֲרֹן נִצָּבִים לִקְרָאתָם בְּצֵאתָם מֵאֵת פַּרְעֹֽה׃ וַיֹּאמְרוּ אֲלֵהֶם
יֵרֶא יְהוָה עֲלֵיכֶם וְיִשְׁפֹּט אֲשֶׁר הִבְאַשְׁתֶּם אֶת־רֵיחֵנוּ בְּעֵינֵי

מפטיר קְבִילַת מֹשֶׁה עַל מַצַּב הָעָם׃

כב פַרְעֹה וּבְעֵינֵי עֲבָדָיו לָֽתֶת־חֶרֶב בְּיָדָם לְהָרְגֵֽנוּ׃ וַיָּשָׁב מֹשֶׁה
אֶל־יְהוָה וַיֹּאמַר אֲדֹנָי לָמָה הֲרֵעֹתָה לָעָם הַזֶּה לָמָּה זֶּה
כג שְׁלַחְתָּֽנִי׃ וּמֵאָז בָּאתִי אֶל־פַּרְעֹה לְדַבֵּר בִּשְׁמֶךָ הֵרַע לָעָם הַזֶּה
ו א וְהַצֵּל לֹא־הִצַּלְתָּ אֶת־עַמֶּֽךָ׃ וַיֹּאמֶר יְהוָה אֶל־מֹשֶׁה עַתָּה תִרְאֶה
אֲשֶׁר אֶעֱשֶׂה לְפַרְעֹה כִּי בְיָד חֲזָקָה יְשַׁלְּחֵם וּבְיָד חֲזָקָה יְגָרְשֵׁם

וארא הַבְטָחוֹת הַגְּאֻלָּה׃

ב מֵאַרְצֽוֹ׃ וַיְדַבֵּר אֱלֹהִים אֶל־מֹשֶׁה וַיֹּאמֶר אֵלָיו אֲנִי
ג יְהוָֽה׃ וָאֵרָא אֶל־אַבְרָהָם אֶל־יִצְחָק וְאֶל־יַעֲקֹב בְּאֵל שַׁדָּי וּשְׁמִי
ד יְהוָה לֹא נוֹדַעְתִּי לָהֶֽם׃ וְגַם הֲקִמֹתִי אֶת־בְּרִיתִי אִתָּם לָתֵת
ה לָהֶם אֶת־אֶרֶץ כְּנָעַן אֵת אֶרֶץ מְגֻרֵיהֶם אֲשֶׁר־גָּרוּ בָֽהּ׃ וְגַם ׀
אֲנִי שָׁמַעְתִּי אֶת־נַאֲקַת בְּנֵי יִשְׂרָאֵל אֲשֶׁר מִצְרַיִם מַעֲבִדִים
ו אֹתָם וָאֶזְכֹּר אֶת־בְּרִיתִֽי׃ לָכֵן אֱמֹר לִבְנֵֽי־יִשְׂרָאֵל אֲנִי יְהוָה
וְהוֹצֵאתִי אֶתְכֶם מִתַּחַת סִבְלֹת מִצְרַיִם וְהִצַּלְתִּי אֶתְכֶם
מֵעֲבֹדָתָם וְגָאַלְתִּי אֶתְכֶם בִּזְרוֹעַ נְטוּיָה וּבִשְׁפָטִים גְּדֹלִֽים׃
ז וְלָקַחְתִּי אֶתְכֶם לִי לְעָם וְהָיִיתִי לָכֶם לֵאלֹהִים וִידַעְתֶּם כִּי אֲנִי
ח יְהוָה אֱלֹהֵיכֶם הַמּוֹצִיא אֶתְכֶם מִתַּחַת סִבְלוֹת מִצְרָֽיִם׃ וְהֵבֵאתִי
אֶתְכֶם אֶל־הָאָרֶץ אֲשֶׁר נָשָׂאתִי אֶת־יָדִי לָתֵת אֹתָהּ לְאַבְרָהָם

הַבְּשׂוֹרָה לְיִשְׂרָאֵל וְסֵרוּבָם לְקַבְּלָהּ׃

ט לְיִצְחָק וּֽלְיַעֲקֹב וְנָתַתִּי אֹתָהּ לָכֶם מוֹרָשָׁה אֲנִי יְהוָֽה׃ וַיְדַבֵּר
מֹשֶׁה כֵּן אֶל־בְּנֵי יִשְׂרָאֵל וְלֹא שָֽׁמְעוּ אֶל־מֹשֶׁה מִקֹּצֶר רוּחַ
וּמֵעֲבֹדָה קָשָֽׁה׃

צו ה' לְמֹשֶׁה, וְסֵרוּבוֹ׃

י יא וַיְדַבֵּר יְהוָה אֶל־מֹשֶׁה לֵּאמֹֽר׃ בֹּא דַבֵּר אֶל־פַּרְעֹה מֶלֶךְ מִצְרָיִם

יב וִישַׁלַּ֥ח אֶת־בְּנֵֽי־יִשְׂרָאֵ֖ל מֵאַרְצֽוֹ׃ וַיְדַבֵּ֣ר מֹשֶׁ֔ה לִפְנֵ֥י יְהֹוָ֖ה לֵאמֹ֑ר
הֵ֤ן בְּנֵֽי־יִשְׂרָאֵל֙ לֹא־שָׁמְע֣וּ אֵלַ֔י וְאֵיךְ֙ יִשְׁמָעֵ֣נִי פַרְעֹ֔ה וַאֲנִ֖י עֲרַ֥ל
שְׂפָתָֽיִם׃
יג וַיְדַבֵּ֣ר יְהֹוָה֮ אֶל־מֹשֶׁ֣ה וְאֶֽל־אַהֲרֹן֒ וַיְצַוֵּם֙ אֶל־בְּנֵ֣י יִשְׂרָאֵ֔ל צו ה׳
וְאֶל־פַּרְעֹ֖ה מֶ֣לֶךְ מִצְרָ֑יִם לְהוֹצִ֥יא אֶת־בְּנֵֽי־יִשְׂרָאֵ֖ל מֵאֶ֥רֶץ לְמֹשֶׁה וְאַהֲרֹן:
יד מִצְרָֽיִם׃ אֵ֚לֶּה רָאשֵׁ֣י בֵית־אֲבֹתָ֑ם בְּנֵ֨י רְאוּבֵ֜ן בְּכֹ֣ר שני
טו יִשְׂרָאֵ֗ל חֲנ֤וֹךְ וּפַלּוּא֙ חֶצְרֹ֣ן וְכַרְמִ֔י אֵ֖לֶּה מִשְׁפְּחֹ֥ת רְאוּבֵֽן׃ וּבְנֵ֣י יחוס בְּנֵי רְאוּבֵן, שִׁמְעוֹן וְלֵוִי:
שִׁמְע֗וֹן יְמוּאֵ֤ל וְיָמִין֙ וְאֹ֔הַד וְיָכִ֖ין וְצֹ֑חַר וְשָׁא֖וּל בֶּן־הַֽכְּנַעֲנִ֑ית
טז אֵ֖לֶּה מִשְׁפְּחֹ֥ת שִׁמְעֽוֹן׃ וְאֵ֨לֶּה שְׁמ֤וֹת בְּנֵֽי־לֵוִי֙ לְתֹ֣לְדֹתָ֔ם גֵּרְשׁ֕וֹן
יז וּקְהָ֖ת וּמְרָרִ֑י וּשְׁנֵי֙ חַיֵּ֣י לֵוִ֔י שֶׁ֧בַע וּשְׁלֹשִׁ֛ים וּמְאַ֖ת שָׁנָֽה׃ בְּנֵ֥י
יח גֵרְשׁ֛וֹן לִבְנִ֥י וְשִׁמְעִ֖י לְמִשְׁפְּחֹתָֽם׃ וּבְנֵ֣י קְהָ֔ת עַמְרָ֣ם וְיִצְהָ֔ר וְחֶבְר֖וֹן
יט וְעֻזִּיאֵ֑ל וּשְׁנֵי֙ חַיֵּ֣י קְהָ֔ת שָׁלֹ֧שׁ וּשְׁלֹשִׁ֛ים וּמְאַ֖ת שָׁנָֽה׃ וּבְנֵ֥י מְרָרִ֖י
כ מַחְלִ֣י וּמוּשִׁ֑י אֵ֣לֶּה מִשְׁפְּחֹ֥ת הַלֵּוִ֖י לְתֹלְדֹתָֽם׃ וַיִּקַּ֨ח עַמְרָ֜ם
אֶת־יוֹכֶ֤בֶד דֹּֽדָתוֹ֙ ל֣וֹ לְאִשָּׁ֔ה וַתֵּ֣לֶד ל֔וֹ אֶֽת־אַהֲרֹ֖ן וְאֶת־מֹשֶׁ֑ה
כא וּשְׁנֵי֙ חַיֵּ֣י עַמְרָ֔ם שֶׁ֧בַע וּשְׁלֹשִׁ֛ים וּמְאַ֖ת שָׁנָֽה׃ וּבְנֵ֖י יִצְהָ֑ר קֹ֥רַח
כב כג וָנֶ֖פֶג וְזִכְרִֽי׃ וּבְנֵ֖י עֻזִּיאֵ֑ל מִֽישָׁאֵ֥ל וְאֶלְצָפָ֖ן וְסִתְרִֽי׃ וַיִּקַּ֨ח אַהֲרֹ֜ן
אֶת־אֱלִישֶׁ֧בַע בַּת־עַמִּֽינָדָ֛ב אֲח֥וֹת נַחְשׁ֖וֹן ל֣וֹ לְאִשָּׁ֑ה וַתֵּ֣לֶד ל֔וֹ
כד אֶת־נָדָב֙ וְאֶת־אֲבִיה֔וּא אֶת־אֶלְעָזָ֖ר וְאֶת־אִֽיתָמָֽר׃ וּבְנֵ֣י קֹ֔רַח
כה אַסִּ֥יר וְאֶלְקָנָ֖ה וַאֲבִיאָסָ֑ף אֵ֖לֶּה מִשְׁפְּחֹ֥ת הַקָּרְחִֽי׃ וְאֶלְעָזָ֨ר בֶּן־
אַהֲרֹ֜ן לָֽקַח־ל֨וֹ מִבְּנ֤וֹת פּֽוּטִיאֵל֙ ל֣וֹ לְאִשָּׁ֔ה וַתֵּ֥לֶד ל֖וֹ אֶת־פִּֽינְחָ֑ס
כו אֵ֗לֶּה רָאשֵׁ֛י אֲב֥וֹת הַלְוִיִּ֖ם לְמִשְׁפְּחֹתָֽם׃ ה֥וּא אַהֲרֹ֖ן וּמֹשֶׁ֑ה אֲשֶׁ֨ר
אָמַ֤ר יְהֹוָה֙ לָהֶ֔ם הוֹצִ֜יאוּ אֶת־בְּנֵ֧י יִשְׂרָאֵ֛ל מֵאֶ֥רֶץ מִצְרַ֖יִם
כז עַל־צִבְאֹתָֽם׃ הֵ֗ם הַֽמְדַבְּרִים֙ אֶל־פַּרְעֹ֣ה מֶֽלֶךְ־מִצְרַ֔יִם לְהוֹצִ֥יא
כח אֶת־בְּנֵֽי־יִשְׂרָאֵ֖ל מִמִּצְרָ֑יִם ה֥וּא מֹשֶׁ֖ה וְאַהֲרֹֽן׃ וַיְהִ֗י בְּי֨וֹם דִּבֶּ֧ר
כט יְהֹוָ֛ה אֶל־מֹשֶׁ֖ה בְּאֶ֥רֶץ מִצְרָֽיִם׃ וַיְדַבֵּ֧ר יְהֹוָ֛ה אֶל־מֹשֶׁ֥ה שלישי

צִוּוּי לְמֹשֶׁה לְדַבֵּר עִם פַּרְעֹה:

לֵאמֹר אֲנִי יְהוָה דַּבֵּר אֶל־פַּרְעֹה מֶלֶךְ מִצְרַיִם אֵת כָּל־אֲשֶׁר
ל אֲנִי דֹּבֵר אֵלֶיךָ: וַיֹּאמֶר מֹשֶׁה לִפְנֵי יְהוָה הֵן אֲנִי עֲרַל שְׂפָתַיִם
וְאֵיךְ יִשְׁמַע אֵלַי פַּרְעֹה:

הוֹדָעָה עַל קְשִׁיּוּת לֵב פַּרְעֹה:

ז א וַיֹּאמֶר יְהוָה אֶל־מֹשֶׁה רְאֵה נְתַתִּיךָ אֱלֹהִים לְפַרְעֹה וְאַהֲרֹן
ב אָחִיךָ יִהְיֶה נְבִיאֶךָ: אַתָּה תְדַבֵּר אֵת כָּל־אֲשֶׁר אֲצַוֶּךָּ וְאַהֲרֹן
ג אָחִיךָ יְדַבֵּר אֶל־פַּרְעֹה וְשִׁלַּח אֶת־בְּנֵי־יִשְׂרָאֵל מֵאַרְצוֹ: וַאֲנִי
אַקְשֶׁה אֶת־לֵב פַּרְעֹה וְהִרְבֵּיתִי אֶת־אֹתֹתַי וְאֶת־מוֹפְתַי בְּאֶרֶץ
ד מִצְרָיִם: וְלֹא־יִשְׁמַע אֲלֵכֶם פַּרְעֹה וְנָתַתִּי אֶת־יָדִי בְּמִצְרָיִם
וְהוֹצֵאתִי אֶת־צִבְאֹתַי אֶת־עַמִּי בְנֵי־יִשְׂרָאֵל מֵאֶרֶץ מִצְרַיִם
ה בִּשְׁפָטִים גְּדֹלִים: וְיָדְעוּ מִצְרַיִם כִּי־אֲנִי יְהוָה בִּנְטֹתִי אֶת־יָדִי
ו עַל־מִצְרָיִם וְהוֹצֵאתִי אֶת־בְּנֵי־יִשְׂרָאֵל מִתּוֹכָם: וַיַּעַשׂ מֹשֶׁה
ז וְאַהֲרֹן כַּאֲשֶׁר צִוָּה יְהוָה אֹתָם כֵּן עָשׂוּ: וּמֹשֶׁה בֶּן־שְׁמֹנִים שָׁנָה
וְאַהֲרֹן בֶּן־שָׁלֹשׁ וּשְׁמֹנִים שָׁנָה בְּדַבְּרָם אֶל־פַּרְעֹה:

רביעי מוֹפֵת הַתַּנִּין וְחִזּוּק לֵב פַּרְעֹה:

ח ט וַיֹּאמֶר יְהוָה אֶל־מֹשֶׁה וְאֶל־אַהֲרֹן לֵאמֹר: כִּי יְדַבֵּר אֲלֵכֶם פַּרְעֹה
לֵאמֹר תְּנוּ לָכֶם מוֹפֵת וְאָמַרְתָּ אֶל־אַהֲרֹן קַח אֶת־מַטְּךָ וְהַשְׁלֵךְ
י לִפְנֵי־פַרְעֹה יְהִי לְתַנִּין: וַיָּבֹא מֹשֶׁה וְאַהֲרֹן אֶל־פַּרְעֹה וַיַּעֲשׂוּ
כֵן כַּאֲשֶׁר צִוָּה יְהוָה וַיַּשְׁלֵךְ אַהֲרֹן אֶת־מַטֵּהוּ לִפְנֵי פַרְעֹה וְלִפְנֵי
יא עֲבָדָיו וַיְהִי לְתַנִּין: וַיִּקְרָא גַּם־פַּרְעֹה לַחֲכָמִים וְלַמְכַשְּׁפִים
יב וַיַּעֲשׂוּ גַם־הֵם חַרְטֻמֵּי מִצְרַיִם בְּלַהֲטֵיהֶם כֵּן: וַיַּשְׁלִיכוּ אִישׁ
יג מַטֵּהוּ וַיִּהְיוּ לְתַנִּינִם וַיִּבְלַע מַטֵּה־אַהֲרֹן אֶת־מַטֹּתָם: וַיֶּחֱזַק
לֵב פַּרְעֹה וְלֹא שָׁמַע אֲלֵהֶם כַּאֲשֶׁר דִּבֶּר יְהוָה:

הַתְרָאָה עַל מַכַּת דָּם:

יד וַיֹּאמֶר
טו יְהוָה אֶל־מֹשֶׁה כָּבֵד לֵב פַּרְעֹה מֵאֵן לְשַׁלַּח הָעָם: לֵךְ אֶל־פַּרְעֹה
בַּבֹּקֶר הִנֵּה יֹצֵא הַמַּיְמָה וְנִצַּבְתָּ לִקְרָאתוֹ עַל־שְׂפַת הַיְאֹר וְהַמַּטֶּה
טז אֲשֶׁר־נֶהְפַּךְ לְנָחָשׁ תִּקַּח בְּיָדֶךָ: וְאָמַרְתָּ אֵלָיו יְהוָה אֱלֹהֵי
הָעִבְרִים שְׁלָחַנִי אֵלֶיךָ לֵאמֹר שַׁלַּח אֶת־עַמִּי וְיַעַבְדֻנִי בַּמִּדְבָּר

יז וְהִנֵּ֥ה לֹא־שָׁמַ֖עְתָּ עַד־כֹּֽה׃ כֹּ֚ה אָמַ֣ר יְהוָ֔ה בְּזֹ֣את תֵּדַ֔ע כִּ֖י אֲנִ֣י
יְהוָ֑ה הִנֵּ֨ה אָנֹכִ֜י מַכֶּ֣ה ׀ בַּמַּטֶּ֣ה אֲשֶׁר־בְּיָדִ֗י עַל־הַמַּ֛יִם אֲשֶׁ֥ר בַּיְאֹ֖ר
יח וְנֶהֶפְכ֥וּ לְדָֽם׃ וְהַדָּגָ֧ה אֲשֶׁר־בַּיְאֹ֛ר תָּמ֖וּת וּבָאַ֣שׁ הַיְאֹ֑ר וְנִלְא֣וּ
יט מִצְרַ֔יִם לִשְׁתּ֥וֹת מַ֖יִם מִן־הַיְאֹֽר׃ וַיֹּ֨אמֶר יְהוָ֜ה אֶל־ מַכַּת דָּם:
מֹשֶׁ֗ה אֱמֹ֣ר אֶֽל־אַהֲרֹ֡ן קַ֣ח מַטְּךָ֣ וּנְטֵֽה־יָדְךָ֩ עַל־מֵימֵ֨י מִצְרַ֜יִם
עַל־נַהֲרֹתָ֣ם ׀ עַל־יְאֹרֵיהֶ֣ם וְעַל־אַגְמֵיהֶ֗ם וְעַ֛ל כָּל־מִקְוֵ֥ה מֵימֵיהֶ֖ם
וְיִֽהְיוּ־דָ֑ם וְהָ֤יָה דָם֙ בְּכָל־אֶ֣רֶץ מִצְרַ֔יִם וּבָעֵצִ֖ים וּבָאֲבָנִֽים׃
כ וַיַּעֲשׂוּ־כֵ֨ן מֹשֶׁ֜ה וְאַהֲרֹ֗ן כַּאֲשֶׁ֣ר ׀ צִוָּ֣ה יְהוָ֗ה וַיָּ֣רֶם בַּמַּטֶּה֩ וַיַּ֨ךְ
אֶת־הַמַּ֜יִם אֲשֶׁ֣ר בַּיְאֹ֗ר לְעֵינֵ֣י פַרְעֹ֔ה וּלְעֵינֵ֖י עֲבָדָ֑יו וַיֵּהָפְכ֛וּ
כא כָּל־הַמַּ֥יִם אֲשֶׁר־בַּיְאֹ֖ר לְדָֽם׃ וְהַדָּגָ֨ה אֲשֶׁר־בַּיְאֹ֥ר מֵ֙תָה֙ וַיִּבְאַ֣שׁ
הַיְאֹ֔ר וְלֹא־יָכְל֣וּ מִצְרַ֔יִם לִשְׁתּ֥וֹת מַ֖יִם מִן־הַיְאֹ֑ר וַיְהִ֥י הַדָּ֖ם
כב בְּכָל־אֶ֥רֶץ מִצְרָֽיִם׃ וַיַּעֲשׂוּ־כֵ֛ן חַרְטֻמֵּ֥י מִצְרַ֖יִם בְּלָטֵיהֶ֑ם וַיֶּחֱזַ֤ק
כג לֵב־פַּרְעֹה֙ וְלֹא־שָׁמַ֣ע אֲלֵהֶ֔ם כַּאֲשֶׁ֖ר דִּבֶּ֥ר יְהוָֽה׃ וַיִּ֣פֶן פַּרְעֹ֔ה
כד וַיָּבֹ֖א אֶל־בֵּית֑וֹ וְלֹא־שָׁ֥ת לִבּ֖וֹ גַּם־לָזֹֽאת׃ וַיַּחְפְּר֧וּ כָל־מִצְרַ֛יִם
סְבִיבֹ֥ת הַיְאֹ֖ר מַ֣יִם לִשְׁתּ֑וֹת כִּ֣י לֹ֤א יָֽכְלוּ֙ לִשְׁתֹּ֔ת מִמֵּימֵ֖י הַיְאֹֽר׃
כה וַיִּמָּלֵ֖א שִׁבְעַ֣ת יָמִ֑ים אַחֲרֵ֥י הַכּוֹת־יְהוָ֖ה אֶת־הַיְאֹֽר׃
כו וַיֹּ֤אמֶר יְהוָה֙ אֶל־מֹשֶׁ֔ה בֹּ֖א אֶל־פַּרְעֹ֑ה וְאָמַרְתָּ֣ אֵלָ֗יו כֹּ֚ה אָמַ֣ר הַתְרָאָה עַל מַכַּת
כז יְהוָ֔ה שַׁלַּ֥ח אֶת־עַמִּ֖י וְיַֽעַבְדֻֽנִי׃ וְאִם־מָאֵ֥ן אַתָּ֖ה לְשַׁלֵּ֑חַ הִנֵּ֣ה צְפַרְדֵּעַ:
כח אָנֹכִ֗י נֹגֵ֛ף אֶת־כָּל־גְּבוּלְךָ֖ בַּֽצְפַרְדְּעִֽים׃ וְשָׁרַ֣ץ הַיְאֹר֮ צְפַרְדְּעִים֒
וְעָלוּ֙ וּבָ֣אוּ בְּבֵיתֶ֔ךָ וּבַחֲדַ֥ר מִשְׁכָּבְךָ֖ וְעַל־מִטָּתֶ֑ךָ וּבְבֵ֤ית עֲבָדֶ֙יךָ֙
כט וּבְעַמֶּ֔ךָ וּבְתַנּוּרֶ֖יךָ וּבְמִשְׁאֲרוֹתֶֽיךָ׃ וּבְכָ֥ה וּֽבְעַמְּךָ֖ וּבְכָל־עֲבָדֶ֑יךָ
ח א יַעֲל֖וּ הַֽצְפַרְדְּעִֽים׃ וַיֹּ֣אמֶר יְהוָה֮ אֶל־מֹשֶׁה֒ אֱמֹ֣ר אֶֽל־אַהֲרֹ֗ן נְטֵ֤ה מַכַּת צְפַרְדֵּעַ:
אֶת־יָֽדְךָ֙ בְּמַטֶּ֔ךָ עַל־הַנְּהָרֹ֕ת עַל־הַיְאֹרִ֖ים וְעַל־הָאֲגַמִּ֑ים וְהַ֥עַל
ב אֶת־הַֽצְפַרְדְּעִ֖ים עַל־אֶ֥רֶץ מִצְרָֽיִם׃ וַיֵּ֤ט אַהֲרֹן֙ אֶת־יָד֔וֹ עַ֖ל מֵימֵ֣י
ג מִצְרָ֑יִם וַתַּ֙עַל֙ הַצְּפַרְדֵּ֔עַ וַתְּכַ֖ס אֶת־אֶ֥רֶץ מִצְרָֽיִם׃ וַיַּעֲשׂוּ־כֵ֥ן

הַחַרְטֻמִּים בְּלָטֵיהֶם וַיַּעֲלוּ אֶת־הַצְפַרְדְּעִים עַל־אֶרֶץ מִצְרָיִם׃
ד וַיִּקְרָא פַרְעֹה לְמֹשֶׁה וּלְאַהֲרֹן וַיֹּאמֶר הַעְתִּירוּ אֶל־יְהוָה וְיָסֵר (תְּפִלַּת מֹשֶׁה לְהַכְרִית הַצְפַרְדְּעִים׃)
הַצְפַרְדְּעִים מִמֶּנִּי וּמֵעַמִּי וַאֲשַׁלְּחָה אֶת־הָעָם וְיִזְבְּחוּ לַיהוָה׃
ה וַיֹּאמֶר מֹשֶׁה לְפַרְעֹה הִתְפָּאֵר עָלַי לְמָתַי ׀ אַעְתִּיר לְךָ וְלַעֲבָדֶיךָ
וּלְעַמְּךָ לְהַכְרִית הַצְפַרְדְּעִים מִמְּךָ וּמִבָּתֶּיךָ רַק בַּיְאֹר
ו תִּשָּׁאַרְנָה׃ וַיֹּאמֶר לְמָחָר וַיֹּאמֶר כִּדְבָרְךָ לְמַעַן תֵּדַע כִּי־אֵין
ז כַּיהוָה אֱלֹהֵינוּ׃ וְסָרוּ הַצְפַרְדְּעִים מִמְּךָ וּמִבָּתֶּיךָ וּמֵעֲבָדֶיךָ (חמישי)
ח וּמֵעַמֶּךָ רַק בַּיְאֹר תִּשָּׁאַרְנָה׃ וַיֵּצֵא מֹשֶׁה וְאַהֲרֹן מֵעִם פַּרְעֹה
וַיִּצְעַק מֹשֶׁה אֶל־יְהוָה עַל־דְּבַר הַצְפַרְדְּעִים אֲשֶׁר־שָׂם לְפַרְעֹה׃
ט וַיַּעַשׂ יְהוָה כִּדְבַר מֹשֶׁה וַיָּמֻתוּ הַצְפַרְדְּעִים מִן־הַבָּתִּים מִן־
י הַחֲצֵרֹת וּמִן־הַשָּׂדֹת׃ וַיִּצְבְּרוּ אֹתָם חֳמָרִם חֳמָרִם וַתִּבְאַשׁ הָאָרֶץ׃
יא וַיַּרְא פַּרְעֹה כִּי הָיְתָה הָרְוָחָה וְהַכְבֵּד אֶת־לִבּוֹ וְלֹא שָׁמַע אֲלֵהֶם
יב כַּאֲשֶׁר דִּבֶּר יְהוָה׃ וַיֹּאמֶר יְהוָה אֶל־מֹשֶׁה אֱמֹר אֶל־ (מַכַּת כִּנִּים׃)
אַהֲרֹן נְטֵה אֶת־מַטְּךָ וְהַךְ אֶת־עֲפַר הָאָרֶץ וְהָיָה לְכִנִּם בְּכָל־אֶרֶץ
יג מִצְרָיִם׃ וַיַּעֲשׂוּ־כֵן וַיֵּט אַהֲרֹן אֶת־יָדוֹ בְמַטֵּהוּ וַיַּךְ אֶת־עֲפַר
הָאָרֶץ וַתְּהִי הַכִּנָּם בָּאָדָם וּבַבְּהֵמָה כָּל־עֲפַר הָאָרֶץ הָיָה כִנִּים
יד בְּכָל־אֶרֶץ מִצְרָיִם׃ וַיַּעֲשׂוּ־כֵן הַחַרְטֻמִּים בְּלָטֵיהֶם לְהוֹצִיא
טו אֶת־הַכִּנִּים וְלֹא יָכֹלוּ וַתְּהִי הַכִּנָּם בָּאָדָם וּבַבְּהֵמָה׃ וַיֹּאמְרוּ
הַחַרְטֻמִּם אֶל־פַּרְעֹה אֶצְבַּע אֱלֹהִים הִוא וַיֶּחֱזַק לֵב־פַּרְעֹה
טז וְלֹא־שָׁמַע אֲלֵהֶם כַּאֲשֶׁר דִּבֶּר יְהוָה׃ וַיֹּאמֶר יְהוָה (הַתְרָאָה עַל מַכַּת עָרֹב׃)
אֶל־מֹשֶׁה הַשְׁכֵּם בַּבֹּקֶר וְהִתְיַצֵּב לִפְנֵי פַרְעֹה הִנֵּה יוֹצֵא הַמָּיְמָה
יז וְאָמַרְתָּ אֵלָיו כֹּה אָמַר יְהוָה שַׁלַּח עַמִּי וְיַעַבְדֻנִי׃ כִּי אִם־אֵינְךָ
מְשַׁלֵּחַ אֶת־עַמִּי הִנְנִי מַשְׁלִיחַ בְּךָ וּבַעֲבָדֶיךָ וּבְעַמְּךָ וּבְבָתֶּיךָ
אֶת־הֶעָרֹב וּמָלְאוּ בָּתֵּי מִצְרַיִם אֶת־הֶעָרֹב וְגַם הָאֲדָמָה אֲשֶׁר־
יח הֵם עָלֶיהָ׃ וְהִפְלֵיתִי בַיּוֹם הַהוּא אֶת־אֶרֶץ גֹּשֶׁן אֲשֶׁר עַמִּי עֹמֵד

עָלֶיהָ לְבִלְתִּי הֱיוֹת־שָׁם עָרֹב לְמַעַן תֵּדַע כִּי אֲנִי יְהוָה בְּקֶרֶב
יט הָאָרֶץ: וְשַׂמְתִּי פְדֻת בֵּין עַמִּי וּבֵין עַמֶּךָ לְמָחָר יִהְיֶה הָאֹת ששי מַכַּת עָרֹב:
כ הַזֶּה: וַיַּעַשׂ יְהוָה כֵּן וַיָּבֹא עָרֹב כָּבֵד בֵּיתָה פַרְעֹה וּבֵית עֲבָדָיו
כא וּבְכָל־אֶרֶץ מִצְרַיִם תִּשָּׁחֵת הָאָרֶץ מִפְּנֵי הֶעָרֹב: וַיִּקְרָא פַרְעֹה
כב אֶל־מֹשֶׁה וּלְאַהֲרֹן וַיֹּאמֶר לְכוּ זִבְחוּ לֵאלֹהֵיכֶם בָּאָרֶץ: וַיֹּאמֶר
מֹשֶׁה לֹא נָכוֹן לַעֲשׂוֹת כֵּן כִּי תּוֹעֲבַת מִצְרַיִם נִזְבַּח לַיהוָה
אֱלֹהֵינוּ הֵן נִזְבַּח אֶת־תּוֹעֲבַת מִצְרַיִם לְעֵינֵיהֶם וְלֹא יִסְקְלֻנוּ:
כג דֶּרֶךְ שְׁלֹשֶׁת יָמִים נֵלֵךְ בַּמִּדְבָּר וְזָבַחְנוּ לַיהוָה אֱלֹהֵינוּ כַּאֲשֶׁר
כד יֹאמַר אֵלֵינוּ: וַיֹּאמֶר פַּרְעֹה אָנֹכִי אֲשַׁלַּח אֶתְכֶם וּזְבַחְתֶּם לַיהוָה
אֱלֹהֵיכֶם בַּמִּדְבָּר רַק הַרְחֵק לֹא־תַרְחִיקוּ לָלֶכֶת הַעְתִּירוּ בַּעֲדִי:
כה וַיֹּאמֶר מֹשֶׁה הִנֵּה אָנֹכִי יוֹצֵא מֵעִמָּךְ וְהַעְתַּרְתִּי אֶל־יְהוָה וְסָר תְּפִלַּת מֹשֶׁה לַהֲסָרַת הֶעָרֹב:
הֶעָרֹב מִפַּרְעֹה מֵעֲבָדָיו וּמֵעַמּוֹ מָחָר רַק אַל־יֹסֵף פַּרְעֹה הָתֵל
כו לְבִלְתִּי שַׁלַּח אֶת־הָעָם לִזְבֹּחַ לַיהוָה: וַיֵּצֵא מֹשֶׁה מֵעִם פַּרְעֹה
כז וַיֶּעְתַּר אֶל־יְהוָה: וַיַּעַשׂ יְהוָה כִּדְבַר מֹשֶׁה וַיָּסַר הֶעָרֹב מִפַּרְעֹה
כח מֵעֲבָדָיו וּמֵעַמּוֹ לֹא נִשְׁאַר אֶחָד: וַיַּכְבֵּד פַּרְעֹה אֶת־לִבּוֹ גַּם
בַּפַּעַם הַזֹּאת וְלֹא שִׁלַּח אֶת־הָעָם:

ט א וַיֹּאמֶר יְהוָה אֶל־מֹשֶׁה בֹּא אֶל־פַּרְעֹה וְדִבַּרְתָּ אֵלָיו כֹּה־אָמַר הַתְרָאָה עַל מַכַּת דֶּבֶר:
ב יְהוָה אֱלֹהֵי הָעִבְרִים שַׁלַּח אֶת־עַמִּי וְיַעַבְדֻנִי: כִּי אִם־מָאֵן אַתָּה
ג לְשַׁלֵּחַ וְעוֹדְךָ מַחֲזִיק בָּם: הִנֵּה יַד־יְהוָה הוֹיָה בְּמִקְנְךָ אֲשֶׁר
בַּשָּׂדֶה בַּסּוּסִים בַּחֲמֹרִים בַּגְּמַלִּים בַּבָּקָר וּבַצֹּאן דֶּבֶר כָּבֵד
ד מְאֹד: וְהִפְלָה יְהוָה בֵּין מִקְנֵה יִשְׂרָאֵל וּבֵין מִקְנֵה מִצְרָיִם וְלֹא
ה יָמוּת מִכָּל־לִבְנֵי יִשְׂרָאֵל דָּבָר: וַיָּשֶׂם יְהוָה מוֹעֵד לֵאמֹר מָחָר
ו יַעֲשֶׂה יְהוָה הַדָּבָר הַזֶּה בָּאָרֶץ: וַיַּעַשׂ יְהוָה אֶת־הַדָּבָר הַזֶּה מַכַּת דֶּבֶר:
מִמָּחֳרָת וַיָּמָת כֹּל מִקְנֵה מִצְרָיִם וּמִמִּקְנֵה בְנֵי־יִשְׂרָאֵל לֹא־מֵת
ז אֶחָד: וַיִּשְׁלַח פַּרְעֹה וְהִנֵּה לֹא־מֵת מִמִּקְנֵה יִשְׂרָאֵל עַד־אֶחָד

וַיִּכְבַּד לֵב פַּרְעֹה וְלֹא שִׁלַּח אֶת־הָעָם׃

מַכַּת שְׁחִין:

ח וַיֹּאמֶר יְהוָה אֶל־מֹשֶׁה וְאֶל־אַהֲרֹן קְחוּ לָכֶם מְלֹא חָפְנֵיכֶם פִּיחַ
ט כִּבְשָׁן וּזְרָקוֹ מֹשֶׁה הַשָּׁמַיְמָה לְעֵינֵי פַרְעֹה׃ וְהָיָה לְאָבָק עַל
כָּל־אֶרֶץ מִצְרָיִם וְהָיָה עַל־הָאָדָם וְעַל־הַבְּהֵמָה לִשְׁחִין פֹּרֵחַ
י אֲבַעְבֻּעֹת בְּכָל־אֶרֶץ מִצְרָיִם׃ וַיִּקְחוּ אֶת־פִּיחַ הַכִּבְשָׁן וַיַּעַמְדוּ
לִפְנֵי פַרְעֹה וַיִּזְרֹק אֹתוֹ מֹשֶׁה הַשָּׁמָיְמָה וַיְהִי שְׁחִין אֲבַעְבֻּעֹת
יא פֹּרֵחַ בָּאָדָם וּבַבְּהֵמָה׃ וְלֹא־יָכְלוּ הַחַרְטֻמִּים לַעֲמֹד לִפְנֵי מֹשֶׁה
יב מִפְּנֵי הַשְּׁחִין כִּי־הָיָה הַשְּׁחִין בַּחַרְטֻמִּם וּבְכָל־מִצְרָיִם׃ וַיְחַזֵּק
יְהוָה אֶת־לֵב פַּרְעֹה וְלֹא שָׁמַע אֲלֵהֶם כַּאֲשֶׁר דִּבֶּר יְהוָה
יג אֶל־מֹשֶׁה׃ וַיֹּאמֶר יְהוָה אֶל־מֹשֶׁה הַשְׁכֵּם בַּבֹּקֶר

הַתְרָאָה עַל מַכַּת בָּרָד:

וְהִתְיַצֵּב לִפְנֵי פַרְעֹה וְאָמַרְתָּ אֵלָיו כֹּה־אָמַר יְהוָה אֱלֹהֵי הָעִבְרִים
יד שַׁלַּח אֶת־עַמִּי וְיַעַבְדֻנִי׃ כִּי ׀ בַּפַּעַם הַזֹּאת אֲנִי שֹׁלֵחַ אֶת־
כָּל־מַגֵּפֹתַי אֶל־לִבְּךָ וּבַעֲבָדֶיךָ וּבְעַמֶּךָ בַּעֲבוּר תֵּדַע כִּי אֵין
טו כָּמֹנִי בְּכָל־הָאָרֶץ׃ כִּי עַתָּה שָׁלַחְתִּי אֶת־יָדִי וָאַךְ אוֹתְךָ
טז וְאֶת־עַמְּךָ בַּדָּבֶר וַתִּכָּחֵד מִן־הָאָרֶץ׃ וְאוּלָם בַּעֲבוּר זֹאת
הֶעֱמַדְתִּיךָ בַּעֲבוּר הַרְאֹתְךָ אֶת־כֹּחִי וּלְמַעַן סַפֵּר שְׁמִי בְּכָל־

שביעי

יז יח הָאָרֶץ׃ עוֹדְךָ מִסְתּוֹלֵל בְּעַמִּי לְבִלְתִּי שַׁלְּחָם׃ הִנְנִי מַמְטִיר
כָּעֵת מָחָר בָּרָד כָּבֵד מְאֹד אֲשֶׁר לֹא־הָיָה כָמֹהוּ בְּמִצְרַיִם
יט לְמִן־הַיּוֹם הִוָּסְדָה וְעַד־עָתָּה׃ וְעַתָּה שְׁלַח הָעֵז אֶת־מִקְנְךָ וְאֵת
כָּל־אֲשֶׁר לְךָ בַּשָּׂדֶה כָּל־הָאָדָם וְהַבְּהֵמָה אֲשֶׁר־יִמָּצֵא בַשָּׂדֶה
כ וְלֹא יֵאָסֵף הַבַּיְתָה וְיָרַד עֲלֵהֶם הַבָּרָד וָמֵתוּ׃ הַיָּרֵא אֶת־דְּבַר
יְהוָה מֵעַבְדֵי פַּרְעֹה הֵנִיס אֶת־עֲבָדָיו וְאֶת־מִקְנֵהוּ אֶל־הַבָּתִּים׃
כא וַאֲשֶׁר לֹא־שָׂם לִבּוֹ אֶל־דְּבַר יְהוָה וַיַּעֲזֹב אֶת־עֲבָדָיו וְאֶת־מִקְנֵהוּ
בַּשָּׂדֶה׃

מַכַּת בָּרָד:

כב וַיֹּאמֶר יְהוָה אֶל־מֹשֶׁה נְטֵה אֶת־יָדְךָ עַל־הַשָּׁמַיִם וִיהִי בָרָד

בְּכָל־אֶרֶץ מִצְרָיִם עַל־הָאָדָם וְעַל־הַבְּהֵמָה וְעַל כָּל־עֵשֶׂב הַשָּׂדֶה
כג בְּאֶרֶץ מִצְרָיִם: וַיֵּט מֹשֶׁה אֶת־מַטֵּהוּ עַל־הַשָּׁמַיִם וַיהוָה נָתַן
קֹלֹת וּבָרָד וַתִּהֲלַךְ אֵשׁ אָרְצָה וַיַּמְטֵר יְהוָה בָּרָד עַל־אֶרֶץ
כד מִצְרָיִם: וַיְהִי בָרָד וְאֵשׁ מִתְלַקַּחַת בְּתוֹךְ הַבָּרָד כָּבֵד מְאֹד אֲשֶׁר
כה לֹא־הָיָה כָמֹהוּ בְּכָל־אֶרֶץ מִצְרַיִם מֵאָז הָיְתָה לְגוֹי: וַיַּךְ הַבָּרָד
בְּכָל־אֶרֶץ מִצְרַיִם אֵת כָּל־אֲשֶׁר בַּשָּׂדֶה מֵאָדָם וְעַד־בְּהֵמָה וְאֵת
כו כָּל־עֵשֶׂב הַשָּׂדֶה הִכָּה הַבָּרָד וְאֶת־כָּל־עֵץ הַשָּׂדֶה שִׁבֵּר: רַק
כז בְּאֶרֶץ גֹּשֶׁן אֲשֶׁר־שָׁם בְּנֵי יִשְׂרָאֵל לֹא הָיָה בָּרָד: וַיִּשְׁלַח פַּרְעֹה כְּנִיעַת פַּרְעֹה וּתְפִלַּת מֹשֶׁה:
וַיִּקְרָא לְמֹשֶׁה וּלְאַהֲרֹן וַיֹּאמֶר אֲלֵהֶם חָטָאתִי הַפָּעַם יְהוָה
כח הַצַּדִּיק וַאֲנִי וְעַמִּי הָרְשָׁעִים: הַעְתִּירוּ אֶל־יְהוָה וְרַב מִהְיֹת
כט קֹלֹת אֱלֹהִים וּבָרָד וַאֲשַׁלְּחָה אֶתְכֶם וְלֹא תֹסִפוּן לַעֲמֹד: וַיֹּאמֶר
אֵלָיו מֹשֶׁה כְּצֵאתִי אֶת־הָעִיר אֶפְרֹשׂ אֶת־כַּפַּי אֶל־יְהוָה הַקֹּלוֹת
יֶחְדָּלוּן וְהַבָּרָד לֹא יִהְיֶה־עוֹד לְמַעַן תֵּדַע כִּי לַיהוָה הָאָרֶץ:
ל וְאַתָּה וַעֲבָדֶיךָ יָדַעְתִּי כִּי טֶרֶם תִּירְאוּן מִפְּנֵי יְהוָה אֱלֹהִים:
לא וְהַפִּשְׁתָּה וְהַשְּׂעֹרָה נֻכָּתָה כִּי הַשְּׂעֹרָה אָבִיב וְהַפִּשְׁתָּה גִּבְעֹל:
לב לג וְהַחִטָּה וְהַכֻּסֶּמֶת לֹא נֻכּוּ כִּי אֲפִילֹת הֵנָּה: וַיֵּצֵא מֹשֶׁה מֵעִם מפטיר
פַּרְעֹה אֶת־הָעִיר וַיִּפְרֹשׂ כַּפָּיו אֶל־יְהוָה וַיַּחְדְּלוּ הַקֹּלוֹת וְהַבָּרָד
לד וּמָטָר לֹא־נִתַּךְ אָרְצָה: וַיַּרְא פַּרְעֹה כִּי־חָדַל הַמָּטָר וְהַבָּרָד
לה וְהַקֹּלֹת וַיֹּסֶף לַחֲטֹא וַיַּכְבֵּד לִבּוֹ הוּא וַעֲבָדָיו: וַיֶּחֱזַק לֵב פַּרְעֹה
וְלֹא שִׁלַּח אֶת־בְּנֵי יִשְׂרָאֵל כַּאֲשֶׁר דִּבֶּר יְהוָה בְּיַד־מֹשֶׁה:

בא

י א וַיֹּאמֶר יְהוָה אֶל־מֹשֶׁה בֹּא אֶל־פַּרְעֹה כִּי־אֲנִי הִכְבַּדְתִּי אֶת־לִבּוֹ
ב וְאֶת־לֵב עֲבָדָיו לְמַעַן שִׁתִי אֹתֹתַי אֵלֶּה בְּקִרְבּוֹ: וּלְמַעַן תְּסַפֵּר הַתְרָאָה עַל מַכַּת אַרְבֶּה:
בְּאָזְנֵי בִנְךָ וּבֶן־בִּנְךָ אֵת אֲשֶׁר הִתְעַלַּלְתִּי בְּמִצְרַיִם וְאֶת־אֹתֹתַי
ג אֲשֶׁר־שַׂמְתִּי בָם וִידַעְתֶּם כִּי־אֲנִי יְהוָה: וַיָּבֹא מֹשֶׁה וְאַהֲרֹן
אֶל־פַּרְעֹה וַיֹּאמְרוּ אֵלָיו כֹּה־אָמַר יְהוָה אֱלֹהֵי הָעִבְרִים עַד־מָתַי

ד מֵאַנְתָּ לֵעָנֹת מִפָּנָי שַׁלַּח עַמִּי וְיַעַבְדֻנִי׃ כִּי אִם־מָאֵן אַתָּה
ה לְשַׁלֵּחַ אֶת־עַמִּי הִנְנִי מֵבִיא מָחָר אַרְבֶּה בִּגְבֻלֶךָ׃ וְכִסָּה
אֶת־עֵין הָאָרֶץ וְלֹא יוּכַל לִרְאֹת אֶת־הָאָרֶץ וְאָכַל ׀ אֶת־יֶתֶר
הַפְּלֵטָה הַנִּשְׁאֶרֶת לָכֶם מִן־הַבָּרָד וְאָכַל אֶת־כָּל־הָעֵץ הַצֹּמֵחַ
ו לָכֶם מִן־הַשָּׂדֶה׃ וּמָלְאוּ בָתֶּיךָ וּבָתֵּי כָל־עֲבָדֶיךָ וּבָתֵּי כָל־מִצְרַיִם
אֲשֶׁר לֹא־רָאוּ אֲבֹתֶיךָ וַאֲבוֹת אֲבֹתֶיךָ מִיּוֹם הֱיוֹתָם עַל־הָאֲדָמָה
ז עַד הַיּוֹם הַזֶּה וַיִּפֶן וַיֵּצֵא מֵעִם פַּרְעֹה׃ וַיֹּאמְרוּ עַבְדֵי פַרְעֹה
אֵלָיו עַד־מָתַי יִהְיֶה זֶה לָנוּ לְמוֹקֵשׁ שַׁלַּח אֶת־הָאֲנָשִׁים
ח וְיַעַבְדוּ אֶת־יְהוָה אֱלֹהֵיהֶם הֲטֶרֶם תֵּדַע כִּי אָבְדָה מִצְרָיִם׃ וַיּוּשַׁב וכוּח פַּרְעֹה וְגֵרוּשׁ מֹשֶׁה וְאַהֲרֹן׃
אֶת־מֹשֶׁה וְאֶת־אַהֲרֹן אֶל־פַּרְעֹה וַיֹּאמֶר אֲלֵהֶם לְכוּ עִבְדוּ
ט אֶת־יְהוָה אֱלֹהֵיכֶם מִי וָמִי הַהֹלְכִים׃ וַיֹּאמֶר מֹשֶׁה בִּנְעָרֵינוּ
וּבִזְקֵנֵינוּ נֵלֵךְ בְּבָנֵינוּ וּבִבְנוֹתֵנוּ בְּצֹאנֵנוּ וּבִבְקָרֵנוּ נֵלֵךְ כִּי
י חַג־יְהוָה לָנוּ׃ וַיֹּאמֶר אֲלֵהֶם יְהִי כֵן יְהוָה עִמָּכֶם כַּאֲשֶׁר אֲשַׁלַּח
יא אֶתְכֶם וְאֶת־טַפְּכֶם רְאוּ כִּי רָעָה נֶגֶד פְּנֵיכֶם׃ לֹא כֵן לְכוּ־נָא
הַגְּבָרִים וְעִבְדוּ אֶת־יְהוָה כִּי אֹתָהּ אַתֶּם מְבַקְשִׁים וַיְגָרֶשׁ אֹתָם
יב מֵאֵת פְּנֵי פַרְעֹה׃ וַיֹּאמֶר יְהוָה אֶל־מֹשֶׁה נְטֵה יָדְךָ שני מַכַּת אַרְבֶּה׃
עַל־אֶרֶץ מִצְרַיִם בָּאַרְבֶּה וְיַעַל עַל־אֶרֶץ מִצְרָיִם וְיֹאכַל אֶת־
יג כָּל־עֵשֶׂב הָאָרֶץ אֵת כָּל־אֲשֶׁר הִשְׁאִיר הַבָּרָד׃ וַיֵּט מֹשֶׁה
אֶת־מַטֵּהוּ עַל־אֶרֶץ מִצְרַיִם וַיהוָה נִהַג רוּחַ־קָדִים בָּאָרֶץ
כָּל־הַיּוֹם הַהוּא וְכָל־הַלָּיְלָה הַבֹּקֶר הָיָה וְרוּחַ הַקָּדִים נָשָׂא
יד אֶת־הָאַרְבֶּה׃ וַיַּעַל הָאַרְבֶּה עַל כָּל־אֶרֶץ מִצְרַיִם וַיָּנַח בְּכֹל גְּבוּל
מִצְרָיִם כָּבֵד מְאֹד לְפָנָיו לֹא־הָיָה כֵן אַרְבֶּה כָּמֹהוּ וְאַחֲרָיו לֹא
טו יִהְיֶה־כֵּן׃ וַיְכַס אֶת־עֵין כָּל־הָאָרֶץ וַתֶּחְשַׁךְ הָאָרֶץ וַיֹּאכַל
אֶת־כָּל־עֵשֶׂב הָאָרֶץ וְאֵת כָּל־פְּרִי הָעֵץ אֲשֶׁר הוֹתִיר הַבָּרָד
וְלֹא־נוֹתַר כָּל־יֶרֶק בָּעֵץ וּבְעֵשֶׂב הַשָּׂדֶה בְּכָל־אֶרֶץ מִצְרָיִם׃

טז וַיְמַהֵר פַּרְעֹה לִקְרֹא לְמֹשֶׁה וּלְאַהֲרֹן וַיֹּאמֶר חָטָאתִי לַיהוָה
יז אֱלֹהֵיכֶם וְלָכֶם: וְעַתָּה שָׂא נָא חַטָּאתִי אַךְ הַפַּעַם וְהַעְתִּירוּ
כְּנִיעַת פַּרְעֹה וּתְפִלַּת מֹשֶׁה:
יח לַיהוָה אֱלֹהֵיכֶם וְיָסֵר מֵעָלַי רַק אֶת־הַמָּוֶת הַזֶּה: וַיֵּצֵא מֵעִם
יט פַּרְעֹה וַיֶּעְתַּר אֶל־יְהוָה: וַיַּהֲפֹךְ יְהוָה רוּחַ־יָם חָזָק מְאֹד וַיִּשָּׂא
אֶת־הָאַרְבֶּה וַיִּתְקָעֵהוּ יָמָּה סּוּף לֹא נִשְׁאַר אַרְבֶּה אֶחָד בְּכֹל
כ גְּבוּל מִצְרָיִם: וַיְחַזֵּק יְהוָה אֶת־לֵב פַּרְעֹה וְלֹא שִׁלַּח אֶת־בְּנֵי
יִשְׂרָאֵל:
כא וַיֹּאמֶר יְהוָה אֶל־מֹשֶׁה נְטֵה יָדְךָ עַל־הַשָּׁמַיִם וִיהִי חֹשֶׁךְ
מַכַּת חֹשֶׁךְ:
כב עַל־אֶרֶץ מִצְרָיִם וְיָמֵשׁ חֹשֶׁךְ: וַיֵּט מֹשֶׁה אֶת־יָדוֹ עַל־הַשָּׁמָיִם
כג וַיְהִי חֹשֶׁךְ־אֲפֵלָה בְּכָל־אֶרֶץ מִצְרַיִם שְׁלֹשֶׁת יָמִים: לֹא־רָאוּ אִישׁ
אֶת־אָחִיו וְלֹא־קָמוּ אִישׁ מִתַּחְתָּיו שְׁלֹשֶׁת יָמִים וּלְכָל־בְּנֵי
כד יִשְׂרָאֵל הָיָה אוֹר בְּמוֹשְׁבֹתָם: וַיִּקְרָא פַרְעֹה אֶל־מֹשֶׁה וַיֹּאמֶר
שלישי וְכוּחַ פַּרְעֹה וְגֵרוּשׁ מֹשֶׁה:
לְכוּ עִבְדוּ אֶת־יְהוָה רַק צֹאנְכֶם וּבְקַרְכֶם יֻצָּג גַּם־טַפְּכֶם יֵלֵךְ
כה עִמָּכֶם: וַיֹּאמֶר מֹשֶׁה גַּם־אַתָּה תִּתֵּן בְּיָדֵנוּ זְבָחִים וְעֹלֹת וְעָשִׂינוּ
כו לַיהוָה אֱלֹהֵינוּ: וְגַם־מִקְנֵנוּ יֵלֵךְ עִמָּנוּ לֹא תִשָּׁאֵר פַּרְסָה כִּי
מִמֶּנּוּ נִקַּח לַעֲבֹד אֶת־יְהוָה אֱלֹהֵינוּ וַאֲנַחְנוּ לֹא־נֵדַע מַה־נַּעֲבֹד
כז אֶת־יְהוָה עַד־בֹּאֵנוּ שָׁמָּה: וַיְחַזֵּק יְהוָה אֶת־לֵב פַּרְעֹה וְלֹא אָבָה
כח לְשַׁלְּחָם: וַיֹּאמֶר־לוֹ פַרְעֹה לֵךְ מֵעָלָי הִשָּׁמֶר לְךָ אַל־תֹּסֶף רְאוֹת
כט פָּנַי כִּי בְּיוֹם רְאֹתְךָ פָנַי תָּמוּת: וַיֹּאמֶר מֹשֶׁה כֵּן דִּבַּרְתָּ לֹא־אֹסִף
עוֹד רְאוֹת פָּנֶיךָ:
יא א וַיֹּאמֶר יְהוָה אֶל־מֹשֶׁה עוֹד נֶגַע אֶחָד אָבִיא עַל־פַּרְעֹה וְעַל־
הוֹדָעַת ה' לִקְרַאת הַמַּכָּה הָאַחֲרוֹנָה:
מִצְרַיִם אַחֲרֵי־כֵן יְשַׁלַּח אֶתְכֶם מִזֶּה כְּשַׁלְּחוֹ כָּלָה גָּרֵשׁ יְגָרֵשׁ
ב אֶתְכֶם מִזֶּה: דַּבֶּר־נָא בְּאָזְנֵי הָעָם וְיִשְׁאֲלוּ אִישׁ ׀ מֵאֵת רֵעֵהוּ
ג וְאִשָּׁה מֵאֵת רְעוּתָהּ כְּלֵי־כֶסֶף וּכְלֵי זָהָב: וַיִּתֵּן יְהוָה אֶת־חֵן
הָעָם בְּעֵינֵי מִצְרָיִם גַּם ׀ הָאִישׁ מֹשֶׁה גָּדוֹל מְאֹד בְּאֶרֶץ מִצְרַיִם

רביעי הַתְרָאָה עַל מַכַּת בְּכוֹרוֹת׃

ד בְּעֵינֵי עַבְדֵי־פַרְעֹה וּבְעֵינֵי הָעָם׃ וַיֹּאמֶר מֹשֶׁה כֹּה
ה אָמַר יְהוָה כַּחֲצֹת הַלַּיְלָה אֲנִי יוֹצֵא בְּתוֹךְ מִצְרָיִם׃ וּמֵת כָּל־בְּכוֹר
בְּאֶרֶץ מִצְרַיִם מִבְּכוֹר פַּרְעֹה הַיֹּשֵׁב עַל־כִּסְאוֹ עַד בְּכוֹר
ו הַשִּׁפְחָה אֲשֶׁר אַחַר הָרֵחָיִם וְכֹל בְּכוֹר בְּהֵמָה׃ וְהָיְתָה צְעָקָה
גְדֹלָה בְּכָל־אֶרֶץ מִצְרָיִם אֲשֶׁר כָּמֹהוּ לֹא נִהְיָתָה וְכָמֹהוּ לֹא
ז תֹסִף׃ וּלְכֹל ׀ בְּנֵי יִשְׂרָאֵל לֹא יֶחֱרַץ־כֶּלֶב לְשֹׁנוֹ לְמֵאִישׁ
וְעַד־בְּהֵמָה לְמַעַן תֵּדְעוּן אֲשֶׁר יַפְלֶה יְהוָה בֵּין מִצְרַיִם וּבֵין
ח יִשְׂרָאֵל׃ וְיָרְדוּ כָל־עֲבָדֶיךָ אֵלֶּה אֵלַי וְהִשְׁתַּחֲווּ־לִי לֵאמֹר צֵא
אַתָּה וְכָל־הָעָם אֲשֶׁר־בְּרַגְלֶיךָ וְאַחֲרֵי־כֵן אֵצֵא וַיֵּצֵא מֵעִם־
ט פַּרְעֹה בָּחֳרִי־אָף׃ וַיֹּאמֶר יְהוָה אֶל־מֹשֶׁה לֹא־יִשְׁמַע

חִזּוּק לֵב פַּרְעֹה, לְהַרְבּוֹת הַמּוֹפְתִים׃

י אֲלֵיכֶם פַּרְעֹה לְמַעַן רְבוֹת מוֹפְתַי בְּאֶרֶץ מִצְרָיִם׃ וּמֹשֶׁה וְאַהֲרֹן
עָשׂוּ אֶת־כָּל־הַמֹּפְתִים הָאֵלֶּה לִפְנֵי פַרְעֹה וַיְחַזֵּק יְהוָה אֶת־לֵב
יב א פַּרְעֹה וְלֹא־שִׁלַּח אֶת־בְּנֵי־יִשְׂרָאֵל מֵאַרְצוֹ׃ וַיֹּאמֶר

מִצְוַת הַחֹדֶשׁ וְקָרְבַּן הַפֶּסַח׃

ב יְהוָה אֶל־מֹשֶׁה וְאֶל־אַהֲרֹן בְּאֶרֶץ מִצְרַיִם לֵאמֹר׃ הַחֹדֶשׁ הַזֶּה
ג לָכֶם רֹאשׁ חֳדָשִׁים רִאשׁוֹן הוּא לָכֶם לְחָדְשֵׁי הַשָּׁנָה׃ דַּבְּרוּ
אֶל־כָּל־עֲדַת יִשְׂרָאֵל לֵאמֹר בֶּעָשֹׂר לַחֹדֶשׁ הַזֶּה וְיִקְחוּ לָהֶם
ד אִישׁ שֶׂה לְבֵית־אָבֹת שֶׂה לַבָּיִת׃ וְאִם־יִמְעַט הַבַּיִת מִהְיֹת
מִשֶּׂה וְלָקַח הוּא וּשְׁכֵנוֹ הַקָּרֹב אֶל־בֵּיתוֹ בְּמִכְסַת נְפָשֹׁת אִישׁ
ה לְפִי אָכְלוֹ תָּכֹסּוּ עַל־הַשֶּׂה׃ שֶׂה תָמִים זָכָר בֶּן־שָׁנָה יִהְיֶה לָכֶם
ו מִן־הַכְּבָשִׂים וּמִן־הָעִזִּים תִּקָּחוּ׃ וְהָיָה לָכֶם לְמִשְׁמֶרֶת עַד
אַרְבָּעָה עָשָׂר יוֹם לַחֹדֶשׁ הַזֶּה וְשָׁחֲטוּ אֹתוֹ כֹּל קְהַל עֲדַת־
ז יִשְׂרָאֵל בֵּין הָעַרְבָּיִם׃ וְלָקְחוּ מִן־הַדָּם וְנָתְנוּ עַל־שְׁתֵּי הַמְּזוּזֹת
ח וְעַל־הַמַּשְׁקוֹף עַל הַבָּתִּים אֲשֶׁר־יֹאכְלוּ אֹתוֹ בָּהֶם׃ וְאָכְלוּ
אֶת־הַבָּשָׂר בַּלַּיְלָה הַזֶּה צְלִי־אֵשׁ וּמַצּוֹת עַל־מְרֹרִים יֹאכְלֻהוּ׃
ט אַל־תֹּאכְלוּ מִמֶּנּוּ נָא וּבָשֵׁל מְבֻשָּׁל בַּמָּיִם כִּי אִם־צְלִי־אֵשׁ רֹאשׁוֹ

^י עַל־כְּרָעָיו וְעַל־קִרְבּוֹ: וְלֹא־תוֹתִירוּ מִמֶּנּוּ עַד־בֹּקֶר וְהַנֹּתָר מִמֶּנּוּ

^{יא} עַד־בֹּקֶר בָּאֵשׁ תִּשְׂרֹפוּ: וְכָכָה תֹּאכְלוּ אֹתוֹ מָתְנֵיכֶם חֲגֻרִים נַעֲלֵיכֶם בְּרַגְלֵיכֶם וּמַקֶּלְכֶם בְּיֶדְכֶם וַאֲכַלְתֶּם אֹתוֹ בְּחִפָּזוֹן פֶּסַח

^{יב} הוּא לַיהוָֹה: וְעָבַרְתִּי בְאֶרֶץ־מִצְרַיִם בַּלַּיְלָה הַזֶּה וְהִכֵּיתִי כָל־ בְּכוֹר בְּאֶרֶץ מִצְרַיִם מֵאָדָם וְעַד־בְּהֵמָה וּבְכָל־אֱלֹהֵי מִצְרַיִם

^{יג} אֶעֱשֶׂה שְׁפָטִים אֲנִי יְהוָֹה: וְהָיָה הַדָּם לָכֶם לְאֹת עַל הַבָּתִּים אֲשֶׁר אַתֶּם שָׁם וְרָאִיתִי אֶת־הַדָּם וּפָסַחְתִּי עֲלֵכֶם וְלֹא־יִהְיֶה

^{יד} בָכֶם נֶגֶף לְמַשְׁחִית בְּהַכֹּתִי בְּאֶרֶץ מִצְרָיִם: וְהָיָה הַיּוֹם הַזֶּה לָכֶם לְזִכָּרוֹן וְחַגֹּתֶם אֹתוֹ חַג לַיהוָֹה לְדֹרֹתֵיכֶם חֻקַּת עוֹלָם

^{טו} תְּחָגֻּהוּ: שִׁבְעַת יָמִים מַצּוֹת תֹּאכֵלוּ אַךְ בַּיּוֹם הָרִאשׁוֹן תַּשְׁבִּיתוּ שְּׂאֹר מִבָּתֵּיכֶם כִּי ו כָּל־אֹכֵל חָמֵץ וְנִכְרְתָה הַנֶּפֶשׁ הַהִוא

^{טז} מִיִּשְׂרָאֵל מִיּוֹם הָרִאשֹׁן עַד־יוֹם הַשְּׁבִעִי: וּבַיּוֹם הָרִאשׁוֹן מִקְרָא־קֹדֶשׁ וּבַיּוֹם הַשְּׁבִיעִי מִקְרָא־קֹדֶשׁ יִהְיֶה לָכֶם כָּל־ מְלָאכָה לֹא־יֵעָשֶׂה בָהֶם אַךְ אֲשֶׁר יֵאָכֵל לְכָל־נֶפֶשׁ הוּא לְבַדּוֹ

^{יז} יֵעָשֶׂה לָכֶם: וּשְׁמַרְתֶּם אֶת־הַמַּצּוֹת כִּי בְּעֶצֶם הַיּוֹם הַזֶּה הוֹצֵאתִי אֶת־צִבְאוֹתֵיכֶם מֵאֶרֶץ מִצְרָיִם וּשְׁמַרְתֶּם אֶת־הַיּוֹם הַזֶּה

^{יח} לְדֹרֹתֵיכֶם חֻקַּת עוֹלָם: בָּרִאשֹׁן בְּאַרְבָּעָה עָשָׂר יוֹם לַחֹדֶשׁ בָּעֶרֶב

^{יט} תֹּאכְלוּ מַצֹּת עַד יוֹם הָאֶחָד וְעֶשְׂרִים לַחֹדֶשׁ בָּעָרֶב: שִׁבְעַת יָמִים שְׂאֹר לֹא יִמָּצֵא בְּבָתֵּיכֶם כִּי ו כָּל־אֹכֵל מַחְמֶצֶת וְנִכְרְתָה הַנֶּפֶשׁ

^כ הַהִוא מֵעֲדַת יִשְׂרָאֵל בַּגֵּר וּבְאֶזְרַח הָאָרֶץ: כָּל־מַחְמֶצֶת לֹא תֹאכֵלוּ בְּכֹל מוֹשְׁבֹתֵיכֶם תֹּאכְלוּ מַצּוֹת:

^{כא} וַיִּקְרָא מֹשֶׁה לְכָל־זִקְנֵי יִשְׂרָאֵל וַיֹּאמֶר אֲלֵהֶם מִשְׁכוּ וּקְחוּ לָכֶם

^{כב} צֹאן לְמִשְׁפְּחֹתֵיכֶם וְשַׁחֲטוּ הַפָּסַח: וּלְקַחְתֶּם אֲגֻדַּת אֵזוֹב וּטְבַלְתֶּם בַּדָּם אֲשֶׁר־בַּסַּף וְהִגַּעְתֶּם אֶל־הַמַּשְׁקוֹף וְאֶל־שְׁתֵּי הַמְּזוּזֹת מִן־הַדָּם אֲשֶׁר בַּסָּף וְאַתֶּם לֹא תֵצְאוּ אִישׁ מִפֶּתַח־בֵּיתוֹ

מצות
הפסח
לדורות:

חמישי
מצות
פסח
מצרים:

כג עַד־בֹּקֶר: וְעָבַר יְהוָה לִנְגֹּף אֶת־מִצְרַיִם וְרָאָה אֶת־הַדָּם עַל־
הַמַּשְׁקוֹף וְעַל שְׁתֵּי הַמְּזוּזֹת וּפָסַח יְהוָה עַל־הַפֶּתַח וְלֹא יִתֵּן
כד הַמַּשְׁחִית לָבֹא אֶל־בָּתֵּיכֶם לִנְגֹּף: וּשְׁמַרְתֶּם אֶת־הַדָּבָר הַזֶּה
כה לְחָק־לְךָ וּלְבָנֶיךָ עַד־עוֹלָם: וְהָיָה כִּי־תָבֹאוּ אֶל־הָאָרֶץ אֲשֶׁר
כו יִתֵּן יְהוָה לָכֶם כַּאֲשֶׁר דִּבֵּר וּשְׁמַרְתֶּם אֶת־הָעֲבֹדָה הַזֹּאת: וְהָיָה
כז כִּי־יֹאמְרוּ אֲלֵיכֶם בְּנֵיכֶם מָה הָעֲבֹדָה הַזֹּאת לָכֶם: וַאֲמַרְתֶּם
זֶבַח־פֶּסַח הוּא לַיהוָה אֲשֶׁר פָּסַח עַל־בָּתֵּי בְנֵי־יִשְׂרָאֵל בְּמִצְרַיִם
כח בְּנָגְפּוֹ אֶת־מִצְרַיִם וְאֶת־בָּתֵּינוּ הִצִּיל וַיִּקֹּד הָעָם וַיִּשְׁתַּחֲווּ: וַיֵּלְכוּ
וַיַּעֲשׂוּ בְּנֵי יִשְׂרָאֵל כַּאֲשֶׁר צִוָּה יְהוָה אֶת־מֹשֶׁה וְאַהֲרֹן כֵּן
ששי
כט עָשׂוּ: וַיְהִי | בַּחֲצִי הַלַּיְלָה וַיהוָה הִכָּה כָל־בְּכוֹר
מַכַּת בְּכוֹרוֹת:
בְּאֶרֶץ מִצְרַיִם מִבְּכֹר פַּרְעֹה הַיֹּשֵׁב עַל־כִּסְאוֹ עַד בְּכוֹר הַשְּׁבִי
ל אֲשֶׁר בְּבֵית הַבּוֹר וְכֹל בְּכוֹר בְּהֵמָה: וַיָּקָם פַּרְעֹה לַיְלָה הוּא
וְכָל־עֲבָדָיו וְכָל־מִצְרַיִם וַתְּהִי צְעָקָה גְדֹלָה בְּמִצְרָיִם כִּי־אֵין
רִשְׁיוֹן הַיְצִיאָה מִמִּצְרָיִם:
לא בַּיִת אֲשֶׁר אֵין־שָׁם מֵת: וַיִּקְרָא לְמֹשֶׁה וּלְאַהֲרֹן לַיְלָה וַיֹּאמֶר
קוּמוּ צְּאוּ מִתּוֹךְ עַמִּי גַּם־אַתֶּם גַּם־בְּנֵי יִשְׂרָאֵל וּלְכוּ עִבְדוּ
לב אֶת־יְהוָה כְּדַבֶּרְכֶם: גַּם־צֹאנְכֶם גַּם־בְּקַרְכֶם קְחוּ כַּאֲשֶׁר דִּבַּרְתֶּם
לג וָלֵכוּ וּבֵרַכְתֶּם גַּם־אֹתִי: וַתֶּחֱזַק מִצְרַיִם עַל־הָעָם לְמַהֵר
לד לְשַׁלְּחָם מִן־הָאָרֶץ כִּי אָמְרוּ כֻּלָּנוּ מֵתִים: וַיִּשָּׂא הָעָם אֶת־בְּצֵקוֹ
שְׁאִילַת הַכֵּלִים:
לה טֶרֶם יֶחְמָץ מִשְׁאֲרֹתָם צְרֻרֹת בְּשִׂמְלֹתָם עַל־שִׁכְמָם: וּבְנֵי־
יִשְׂרָאֵל עָשׂוּ כִּדְבַר מֹשֶׁה וַיִּשְׁאֲלוּ מִמִּצְרַיִם כְּלֵי־כֶסֶף וּכְלֵי זָהָב
לו וּשְׂמָלֹת: וַיהוָה נָתַן אֶת־חֵן הָעָם בְּעֵינֵי מִצְרַיִם וַיַּשְׁאִלוּם וַיְנַצְּלוּ
אֶת־מִצְרָיִם:

מַסַּע יִשְׂרָאֵל מֵרַעְמְסֵס לְסֻכּוֹת:
לז וַיִּסְעוּ בְנֵי־יִשְׂרָאֵל מֵרַעְמְסֵס סֻכֹּתָה כְּשֵׁשׁ־מֵאוֹת אֶלֶף רַגְלִי
לח הַגְּבָרִים לְבַד מִטָּף: וְגַם־עֵרֶב רַב עָלָה אִתָּם וְצֹאן וּבָקָר מִקְנֶה
לט כָּבֵד מְאֹד: וַיֹּאפוּ אֶת־הַבָּצֵק אֲשֶׁר הוֹצִיאוּ מִמִּצְרַיִם עֻגֹת מַצּוֹת

כִּ֣י לֹ֣א חָמֵ֔ץ כִּֽי־גֹרְשׁ֣וּ מִמִּצְרַ֗יִם וְלֹ֤א יָֽכְלוּ֙ לְהִתְמַהְמֵ֔הַּ
מ וְגַם־צֵדָ֖ה לֹא־עָשׂ֥וּ לָהֶֽם׃ וּמוֹשַׁב֙ בְּנֵ֣י יִשְׂרָאֵ֔ל אֲשֶׁ֥ר יָשְׁב֖וּ
מא בְּמִצְרָ֑יִם שְׁלֹשִׁ֣ים שָׁנָ֔ה וְאַרְבַּ֥ע מֵא֖וֹת שָׁנָֽה׃ וַיְהִ֗י מִקֵּץ֙ שְׁלֹשִׁ֣ים
שָׁנָ֔ה וְאַרְבַּ֥ע מֵא֖וֹת שָׁנָ֑ה וַיְהִ֗י בְּעֶ֨צֶם֙ הַיּ֣וֹם הַזֶּ֔ה יָֽצְא֛וּ כָּל־צִבְא֥וֹת
מב יְהוָ֖ה מֵאֶ֥רֶץ מִצְרָֽיִם׃ לֵ֣יל שִׁמֻּרִ֥ים הוּא֙ לַֽיהוָ֔ה לְהוֹצִיאָ֖ם מֵאֶ֣רֶץ
מִצְרָ֑יִם הֽוּא־הַלַּ֤יְלָה הַזֶּה֙ לַֽיהוָ֔ה שִׁמֻּרִ֛ים לְכָל־בְּנֵ֥י יִשְׂרָאֵ֖ל
לְדֹרֹתָֽם׃

סִכּוּם שְׁנוֹת יִשְׂרָאֵל בְּמִצְרָיִם: [2448]

מג וַיֹּ֤אמֶר יְהוָה֙ אֶל־מֹשֶׁ֣ה וְאַהֲרֹ֔ן זֹ֖את חֻקַּ֣ת הַפָּ֑סַח כָּל־בֶּן־נֵכָ֖ר
מד לֹא־יֹ֥אכַל בּֽוֹ׃ וְכָל־עֶ֥בֶד אִ֖ישׁ מִקְנַת־כָּ֑סֶף וּמַלְתָּ֣ה אֹת֔וֹ אָ֖ז יֹ֥אכַל
מה מו בּֽוֹ׃ תּוֹשָׁ֥ב וְשָׂכִ֖יר לֹא־יֹ֥אכַל בּֽוֹ׃ בְּבַ֤יִת אֶחָד֙ יֵֽאָכֵ֔ל לֹא־תוֹצִ֧יא
מז מִן־הַבַּ֛יִת מִן־הַבָּשָׂ֖ר ח֑וּצָה וְעֶ֖צֶם לֹ֥א תִשְׁבְּרוּ־בֽוֹ׃ כָּל־עֲדַ֥ת
מח יִשְׂרָאֵ֖ל יַעֲשׂ֥וּ אֹתֽוֹ׃ וְכִֽי־יָג֨וּר אִתְּךָ֜ גֵּ֗ר וְעָ֣שָׂה פֶ֘סַח֮ לַֽיהוָה֒ הִמּ֧וֹל
ל֣וֹ כָל־זָכָ֗ר וְאָז֙ יִקְרַ֣ב לַעֲשֹׂת֔וֹ וְהָיָ֖ה כְּאֶזְרַ֣ח הָאָ֑רֶץ וְכָל־עָרֵ֖ל
מט לֹא־יֹ֥אכַל בּֽוֹ׃ תּוֹרָ֣ה אַחַ֔ת יִהְיֶ֖ה לָֽאֶזְרָ֑ח וְלַגֵּ֖ר הַגָּ֥ר בְּתוֹכְכֶֽם׃
נ וַֽיַּעֲשׂ֖וּ כָּל־בְּנֵ֣י יִשְׂרָאֵ֑ל כַּאֲשֶׁ֨ר צִוָּ֧ה יְהוָ֛ה אֶת־מֹשֶׁ֥ה וְאֶֽת־אַהֲרֹ֖ן
נא כֵּ֥ן עָשֽׂוּ׃ וַֽיְהִ֕י בְּעֶ֖צֶם הַיּ֣וֹם הַזֶּ֑ה הוֹצִ֨יא יְהוָ֜ה אֶת־בְּנֵ֧י
יִשְׂרָאֵ֛ל מֵאֶ֥רֶץ מִצְרַ֖יִם עַל־צִבְאֹתָֽם׃

הִלְכוֹת הַפֶּסַח:

יג א ב וַיְדַבֵּ֥ר יְהוָ֖ה אֶל־מֹשֶׁ֥ה לֵּאמֹֽר׃ קַדֶּשׁ־לִ֨י כָל־בְּכ֜וֹר פֶּ֣טֶר כָּל־רֶ֗חֶם
ג בִּבְנֵ֣י יִשְׂרָאֵ֔ל בָּאָדָ֖ם וּבַבְּהֵמָ֑ה לִ֖י הֽוּא׃ וַיֹּ֨אמֶר מֹשֶׁ֜ה אֶל־הָעָ֗ם
זָכ֞וֹר אֶת־הַיּ֤וֹם הַזֶּה֙ אֲשֶׁ֨ר יְצָאתֶ֤ם מִמִּצְרַ֨יִם֙ מִבֵּ֣ית עֲבָדִ֔ים כִּ֚י
ד בְּחֹ֣זֶק יָ֔ד הוֹצִ֧יא יְהוָ֛ה אֶתְכֶ֖ם מִזֶּ֑ה וְלֹ֥א יֵאָכֵ֖ל חָמֵֽץ׃ הַיּ֖וֹם אַתֶּ֣ם
ה יֹצְאִ֑ים בְּחֹ֖דֶשׁ הָאָבִֽיב׃ וְהָיָ֣ה כִֽי־יְבִיאֲךָ֣ יְהוָ֡ה אֶל־אֶ֣רֶץ הַֽכְּנַעֲנִ֡י
וְהַֽחִתִּ֨י וְהָאֱמֹרִ֜י וְהַחִוִּ֣י וְהַיְבוּסִ֗י אֲשֶׁ֨ר נִשְׁבַּ֤ע לַאֲבֹתֶ֨יךָ֙ לָ֣תֶת לָ֔ךְ
אֶ֛רֶץ זָבַ֥ת חָלָ֖ב וּדְבָ֑שׁ וְעָבַדְתָּ֛ אֶת־הָעֲבֹדָ֥ה הַזֹּ֖את בַּחֹ֥דֶשׁ הַזֶּֽה׃
ו ז שִׁבְעַ֥ת יָמִ֖ים תֹּאכַ֣ל מַצֹּ֑ת וּבַיּוֹם֙ הַשְּׁבִיעִ֔י חַ֖ג לַֽיהוָֽה׃ מַצּוֹת֙

שביעי קִדּוּשׁ הַבְּכוֹרוֹת:

מִצְוַת הַפֶּסַח כְּשֶׁיַּגִּיעוּ לָאָרֶץ:

יֵאָכֵל אֵת שִׁבְעַת הַיָּמִים וְלֹא־יֵרָאֶה לְךָ חָמֵץ וְלֹא־יֵרָאֶה לְךָ סִפּוּר יְצִיאַת
ח שְׂאֹר בְּכָל־גְּבֻלֶךָ׃ וְהִגַּדְתָּ לְבִנְךָ בַּיּוֹם הַהוּא לֵאמֹר בַּעֲבוּר זֶה מִצְרָיִם:
ט עָשָׂה יְהוָה לִי בְּצֵאתִי מִמִּצְרָיִם׃ וְהָיָה לְךָ לְאוֹת עַל־יָדְךָ
וּלְזִכָּרוֹן בֵּין עֵינֶיךָ לְמַעַן תִּהְיֶה תּוֹרַת יְהוָה בְּפִיךָ כִּי בְּיָד מִצְוַת
י חֲזָקָה הוֹצִאֲךָ יְהוָה מִמִּצְרָיִם׃ וְשָׁמַרְתָּ אֶת־הַחֻקָּה הַזֹּאת תְּפִלִּין:
לְמוֹעֲדָהּ מִיָּמִים יָמִימָה׃

יא וְהָיָה כִּי־יְבִאֲךָ יְהוָה אֶל־אֶרֶץ הַכְּנַעֲנִי כַּאֲשֶׁר נִשְׁבַּע לְךָ קִדּוּשׁ
יב וְלַאֲבֹתֶיךָ וּנְתָנָהּ לָךְ׃ וְהַעֲבַרְתָּ כָל־פֶּטֶר־רֶחֶם לַיהוָה וְכָל־ הַבְּכוֹרוֹת:
יג פֶּטֶר ׀ שֶׁגֶר בְּהֵמָה אֲשֶׁר יִהְיֶה לְךָ הַזְּכָרִים לַיהוָה׃ וְכָל־פֶּטֶר
חֲמֹר תִּפְדֶּה בְשֶׂה וְאִם־לֹא תִפְדֶּה וַעֲרַפְתּוֹ וְכֹל בְּכוֹר אָדָם
יד בְּבָנֶיךָ תִּפְדֶּה׃ וְהָיָה כִּי־יִשְׁאָלְךָ בִנְךָ מָחָר לֵאמֹר מַה־זֹּאת מפטיר סִפּוּר
וְאָמַרְתָּ אֵלָיו בְּחֹזֶק יָד הוֹצִיאָנוּ יְהוָה מִמִּצְרַיִם מִבֵּית עֲבָדִים׃ יְצִיאַת
טו וַיְהִי כִּי־הִקְשָׁה פַרְעֹה לְשַׁלְּחֵנוּ וַיַּהֲרֹג יְהוָה כָּל־בְּכוֹר בְּאֶרֶץ מִצְרָיִם:
מִצְרַיִם מִבְּכֹר אָדָם וְעַד־בְּכוֹר בְּהֵמָה עַל־כֵּן אֲנִי זֹבֵחַ לַיהוָה
טז כָּל־פֶּטֶר רֶחֶם הַזְּכָרִים וְכָל־בְּכוֹר בָּנַי אֶפְדֶּה׃ וְהָיָה לְאוֹת
עַל־יָדְכָה וּלְטוֹטָפֹת בֵּין עֵינֶיךָ כִּי בְּחֹזֶק יָד הוֹצִיאָנוּ יְהוָה
יז מִמִּצְרָיִם׃ וַיְהִי בְּשַׁלַּח **בשלח**
פַּרְעֹה אֶת־הָעָם וְלֹא־נָחָם אֱלֹהִים דֶּרֶךְ אֶרֶץ פְּלִשְׁתִּים כִּי קָרוֹב מַסַּע דֶּרֶךְ
הוּא כִּי ׀ אָמַר אֱלֹהִים פֶּן־יִנָּחֵם הָעָם בִּרְאֹתָם מִלְחָמָה וְשָׁבוּ הַמִּדְבָּר
יח מִצְרָיְמָה׃ וַיַּסֵּב אֱלֹהִים ׀ אֶת־הָעָם דֶּרֶךְ הַמִּדְבָּר יַם־סוּף לְאֵיתָם:
יט וַחֲמֻשִׁים עָלוּ בְנֵי־יִשְׂרָאֵל מֵאֶרֶץ מִצְרָיִם׃ וַיִּקַּח מֹשֶׁה אֶת־
עַצְמוֹת יוֹסֵף עִמּוֹ כִּי הַשְׁבֵּעַ הִשְׁבִּיעַ אֶת־בְּנֵי יִשְׂרָאֵל לֵאמֹר
פָּקֹד יִפְקֹד אֱלֹהִים אֶתְכֶם וְהַעֲלִיתֶם אֶת־עַצְמֹתַי מִזֶּה אִתְּכֶם׃
כ כא וַיִּסְעוּ מִסֻּכֹּת וַיַּחֲנוּ בְאֵתָם בִּקְצֵה הַמִּדְבָּר׃ וַיהוָה הֹלֵךְ לִפְנֵיהֶם עַמּוּד הֶעָנָן
יוֹמָם בְּעַמּוּד עָנָן לַנְחֹתָם הַדֶּרֶךְ וְלַיְלָה בְּעַמּוּד אֵשׁ לְהָאִיר לָהֶם וְעַמּוּד הָאֵשׁ:

כב לָלֶכֶת יוֹמָם וָלָיְלָה: לֹא־יָמִישׁ עַמּוּד הֶעָנָן יוֹמָם וְעַמּוּד הָאֵשׁ
לָיְלָה לִפְנֵי הָעָם:

חֲזָרַת
יִשְׂרָאֵל
וַחֲנִיָּתָם
לְיַד הַיָּם:

יד א וַיְדַבֵּר יְהֹוָה אֶל־מֹשֶׁה לֵּאמֹר: דַּבֵּר אֶל־בְּנֵי יִשְׂרָאֵל וְיָשֻׁבוּ וְיַחֲנוּ
לִפְנֵי פִּי הַחִירֹת בֵּין מִגְדֹּל וּבֵין הַיָּם לִפְנֵי בַּעַל צְפֹן נִכְחוֹ תַחֲנוּ
ב עַל־הַיָּם: וְאָמַר פַּרְעֹה לִבְנֵי יִשְׂרָאֵל נְבֻכִים הֵם בָּאָרֶץ
ג סָגַר עֲלֵיהֶם הַמִּדְבָּר: וְחִזַּקְתִּי אֶת־לֵב־פַּרְעֹה וְרָדַף אַחֲרֵיהֶם
ד וְאִכָּבְדָה בְּפַרְעֹה וּבְכָל־חֵילוֹ וְיָדְעוּ מִצְרַיִם כִּי־אֲנִי יְהֹוָה

רְדִיפַת
פַּרְעֹה אַחַר
יִשְׂרָאֵל:

ה וַיַּעֲשׂוּ־כֵן: וַיֻּגַּד לְמֶלֶךְ מִצְרַיִם כִּי בָרַח הָעָם וַיֵּהָפֵךְ לְבַב פַּרְעֹה
וַעֲבָדָיו אֶל־הָעָם וַיֹּאמְרוּ מַה־זֹּאת עָשִׂינוּ כִּי־שִׁלַּחְנוּ אֶת־
ו יִשְׂרָאֵל מֵעָבְדֵנוּ: וַיֶּאְסֹר אֶת־רִכְבּוֹ וְאֶת־עַמּוֹ לָקַח עִמּוֹ: וַיִּקַּח
ז שֵׁשׁ־מֵאוֹת רֶכֶב בָּחוּר וְכֹל רֶכֶב מִצְרָיִם וְשָׁלִשִׁם עַל־כֻּלּוֹ:
ח וַיְחַזֵּק יְהֹוָה אֶת־לֵב פַּרְעֹה מֶלֶךְ מִצְרַיִם וַיִּרְדֹּף אַחֲרֵי בְּנֵי

שני

ט יִשְׂרָאֵל וּבְנֵי יִשְׂרָאֵל יֹצְאִים בְּיָד רָמָה: וַיִּרְדְּפוּ מִצְרַיִם אַחֲרֵיהֶם
וַיַּשִּׂיגוּ אוֹתָם חֹנִים עַל־הַיָּם כָּל־סוּס רֶכֶב פַּרְעֹה וּפָרָשָׁיו וְחֵילוֹ

צַעֲקַת
יִשְׂרָאֵל
וּתְשׁוּבַת
מֹשֶׁה:

י עַל־פִּי הַחִירֹת לִפְנֵי בַּעַל צְפֹן: וּפַרְעֹה הִקְרִיב וַיִּשְׂאוּ בְנֵי־
יִשְׂרָאֵל אֶת־עֵינֵיהֶם וְהִנֵּה מִצְרַיִם נֹסֵעַ אַחֲרֵיהֶם וַיִּירְאוּ מְאֹד
יא וַיִּצְעֲקוּ בְנֵי־יִשְׂרָאֵל אֶל־יְהֹוָה: וַיֹּאמְרוּ אֶל־מֹשֶׁה הֲמִבְּלִי אֵין־
קְבָרִים בְּמִצְרַיִם לְקַחְתָּנוּ לָמוּת בַּמִּדְבָּר מַה־זֹּאת עָשִׂיתָ לָּנוּ
יב לְהוֹצִיאָנוּ מִמִּצְרָיִם: הֲלֹא־זֶה הַדָּבָר אֲשֶׁר דִּבַּרְנוּ אֵלֶיךָ
בְמִצְרַיִם לֵאמֹר חֲדַל מִמֶּנּוּ וְנַעַבְדָה אֶת־מִצְרָיִם כִּי טוֹב לָנוּ
יג עֲבֹד אֶת־מִצְרַיִם מִמֻּתֵנוּ בַּמִּדְבָּר: וַיֹּאמֶר מֹשֶׁה אֶל־הָעָם
אַל־תִּירָאוּ הִתְיַצְּבוּ וּרְאוּ אֶת־יְשׁוּעַת יְהֹוָה אֲשֶׁר־יַעֲשֶׂה לָכֶם
הַיּוֹם כִּי אֲשֶׁר רְאִיתֶם אֶת־מִצְרַיִם הַיּוֹם לֹא תֹסִפוּ לִרְאֹתָם
יד עוֹד עַד־עוֹלָם: יְהֹוָה יִלָּחֵם לָכֶם וְאַתֶּם תַּחֲרִישׁוּן:
טו וַיֹּאמֶר יְהֹוָה אֶל־מֹשֶׁה מַה־תִּצְעַק אֵלָי דַּבֵּר אֶל־בְּנֵי־יִשְׂרָאֵל

שלישי

קְרִיעַת יַם סוּף:

טז וְיִסָּעוּ: וְאַתָּה הָרֵם אֶת־מַטְּךָ וּנְטֵה אֶת־יָדְךָ עַל־הַיָּם וּבְקָעֵהוּ
יז וְיָבֹאוּ בְנֵי־יִשְׂרָאֵל בְּתוֹךְ הַיָּם בַּיַּבָּשָׁה: וַאֲנִי הִנְנִי מְחַזֵּק אֶת־לֵב
מִצְרַיִם וְיָבֹאוּ אַחֲרֵיהֶם וְאִכָּבְדָה בְּפַרְעֹה וּבְכָל־חֵילוֹ בְּרִכְבּוֹ
יח וּבְפָרָשָׁיו: וְיָדְעוּ מִצְרַיִם כִּי־אֲנִי יְהוָה בְּהִכָּבְדִי בְּפַרְעֹה בְּרִכְבּוֹ
יט וּבְפָרָשָׁיו: וַיִּסַּע מַלְאַךְ הָאֱלֹהִים הַהֹלֵךְ לִפְנֵי מַחֲנֵה יִשְׂרָאֵל
וַיֵּלֶךְ מֵאַחֲרֵיהֶם וַיִּסַּע עַמּוּד הֶעָנָן מִפְּנֵיהֶם וַיַּעֲמֹד מֵאַחֲרֵיהֶם:
כ וַיָּבֹא בֵּין ׀ מַחֲנֵה מִצְרַיִם וּבֵין מַחֲנֵה יִשְׂרָאֵל וַיְהִי הֶעָנָן וְהַחֹשֶׁךְ
כא וַיָּאֶר אֶת־הַלָּיְלָה וְלֹא־קָרַב זֶה אֶל־זֶה כָּל־הַלָּיְלָה: וַיֵּט מֹשֶׁה
אֶת־יָדוֹ עַל־הַיָּם וַיּוֹלֶךְ יְהוָה ׀ אֶת־הַיָּם בְּרוּחַ קָדִים עַזָּה
כב כָּל־הַלַּיְלָה וַיָּשֶׂם אֶת־הַיָּם לֶחָרָבָה וַיִּבָּקְעוּ הַמָּיִם: וַיָּבֹאוּ בְנֵי־
יִשְׂרָאֵל בְּתוֹךְ הַיָּם בַּיַּבָּשָׁה וְהַמַּיִם לָהֶם חוֹמָה מִימִינָם
כג וּמִשְּׂמֹאלָם: וַיִּרְדְּפוּ מִצְרַיִם וַיָּבֹאוּ אַחֲרֵיהֶם כֹּל סוּס פַּרְעֹה
כד רִכְבּוֹ וּפָרָשָׁיו אֶל־תּוֹךְ הַיָּם: וַיְהִי בְּאַשְׁמֹרֶת הַבֹּקֶר וַיַּשְׁקֵף יְהוָה
אֶל־מַחֲנֵה מִצְרַיִם בְּעַמּוּד אֵשׁ וְעָנָן וַיָּהָם אֵת מַחֲנֵה מִצְרָיִם:
כה וַיָּסַר אֵת אֹפַן מַרְכְּבֹתָיו וַיְנַהֲגֵהוּ בִּכְבֵדֻת וַיֹּאמֶר מִצְרַיִם אָנוּסָה
מִפְּנֵי יִשְׂרָאֵל כִּי יְהוָה נִלְחָם לָהֶם בְּמִצְרָיִם:

רְדִיפַת מִצְרַיִם אֶל תּוֹךְ הַיָּם:

רביעי טְבִיעַת הַמִּצְרִים:

כו וַיֹּאמֶר יְהוָה אֶל־מֹשֶׁה נְטֵה אֶת־יָדְךָ עַל־הַיָּם וְיָשֻׁבוּ הַמַּיִם
כז עַל־מִצְרַיִם עַל־רִכְבּוֹ וְעַל־פָּרָשָׁיו: וַיֵּט מֹשֶׁה אֶת־יָדוֹ עַל־הַיָּם
וַיָּשָׁב הַיָּם לִפְנוֹת בֹּקֶר לְאֵיתָנוֹ וּמִצְרַיִם נָסִים לִקְרָאתוֹ וַיְנַעֵר
כח יְהוָה אֶת־מִצְרַיִם בְּתוֹךְ הַיָּם: וַיָּשֻׁבוּ הַמַּיִם וַיְכַסּוּ אֶת־הָרֶכֶב
וְאֶת־הַפָּרָשִׁים לְכֹל חֵיל פַּרְעֹה הַבָּאִים אַחֲרֵיהֶם בַּיָּם לֹא־נִשְׁאַר
כט בָּהֶם עַד־אֶחָד: וּבְנֵי יִשְׂרָאֵל הָלְכוּ בַיַּבָּשָׁה בְּתוֹךְ הַיָּם וְהַמַּיִם
ל לָהֶם חֹמָה מִימִינָם וּמִשְּׂמֹאלָם: וַיּוֹשַׁע יְהוָה בַּיּוֹם הַהוּא אֶת־
יִשְׂרָאֵל מִיַּד מִצְרָיִם וַיַּרְא יִשְׂרָאֵל אֶת־מִצְרַיִם מֵת עַל־שְׂפַת
לא הַיָּם: וַיַּרְא יִשְׂרָאֵל אֶת־הַיָּד הַגְּדֹלָה אֲשֶׁר עָשָׂה יְהוָה בְּמִצְרַיִם

תְּשׁוּעַת יִשְׂרָאֵל וֶאֱמוּנָתָם בַּה׳:

וַיִּֽירְא֤וּ הָעָם֙ אֶת־יְהוָ֑ה וַיַּֽאֲמִ֙ינוּ֙ בַּֽיהוָ֔ה וּבְמֹשֶׁ֖ה עַבְדּֽוֹ׃

טו א אָ֣ז יָשִֽׁיר־מֹשֶׁה֩ וּבְנֵ֨י יִשְׂרָאֵ֜ל אֶת־הַשִּׁירָ֤ה הַזֹּאת֙ לַֽיהוָ֔ה וַיֹּאמְר֖וּ שִׁירַת הַיָּם עַל גְּבוּרַת ה׳:
לֵאמֹ֑ר אָשִׁ֤ירָה לַֽיהוָה֙ כִּֽי־גָאֹ֣ה גָּאָ֔ה ס֥וּס
ב וְרֹכְב֖וֹ רָמָ֥ה בַיָּֽם׃ עָזִּ֤י וְזִמְרָת֙ יָ֔הּ וַֽיְהִי־לִ֖י
לִֽישׁוּעָ֑ה זֶ֤ה אֵלִי֙ וְאַנְוֵ֔הוּ אֱלֹהֵ֥י
ג אָבִ֖י וַאֲרֹמְמֶֽנְהוּ׃ יְהוָ֖ה אִ֣ישׁ מִלְחָמָ֑ה יְהוָ֖ה
ד שְׁמֽוֹ׃ מַרְכְּבֹ֥ת פַּרְעֹ֛ה וְחֵיל֖וֹ יָרָ֣ה בַיָּ֑ם וּמִבְחַ֥ר
ה שָֽׁלִשָׁ֖יו טֻבְּע֥וּ בְיַם־סֽוּף׃ תְּהֹמֹ֖ת יְכַסְיֻ֑מוּ יָרְד֥וּ בִמְצוֹלֹ֖ת כְּמוֹ־
ו אָֽבֶן׃ יְמִֽינְךָ֣ יְהוָ֔ה נֶאְדָּרִ֖י בַּכֹּ֑חַ יְמִֽינְךָ֥
ז יְהוָ֖ה תִּרְעַ֥ץ אוֹיֵֽב׃ וּבְרֹ֥ב גְּאוֹנְךָ֖ תַּהֲרֹ֣ס
ח קָמֶ֑יךָ תְּשַׁלַּח֙ חֲרֹ֣נְךָ֔ יֹאכְלֵ֖מוֹ כַּקַּֽשׁ׃ וּבְר֤וּחַ
אַפֶּ֙יךָ֙ נֶ֣עֶרְמוּ מַ֔יִם נִצְּב֥וּ כְמוֹ־נֵ֖ד
ט נֹזְלִ֑ים קָֽפְא֥וּ תְהֹמֹ֖ת בְּלֶב־יָֽם׃ אָמַ֥ר
אוֹיֵ֛ב אֶרְדֹּ֥ף אַשִּׂ֖יג אֲחַלֵּ֣ק שָׁלָ֑ל תִּמְלָאֵ֣מוֹ
י נַפְשִׁ֔י אָרִ֣יק חַרְבִּ֔י תּוֹרִישֵׁ֖מוֹ יָדִֽי׃ נָשַׁ֥פְתָּ
בְרֽוּחֲךָ֖ כִּסָּ֣מוֹ יָ֑ם צָֽלֲלוּ֙ כַּֽעוֹפֶ֔רֶת בְּמַ֖יִם
יא אַדִּירִֽים׃ מִֽי־כָמֹ֤כָה בָּֽאֵלִם֙ יְהוָ֔ה מִ֖י
כָּמֹ֣כָה נֶאְדָּ֣ר בַּקֹּ֑דֶשׁ נוֹרָ֥א תְהִלֹּ֖ת עֹ֥שֵׂה
יב יג פֶֽלֶא׃ נָטִ֙יתָ֙ יְמִ֣ינְךָ֔ תִּבְלָעֵ֖מוֹ אָֽרֶץ׃ נָחִ֥יתָ בַּקָּשָׁה עַל עָתִיד יִשְׂרָאֵל וּבִנְיַן הַמִּקְדָּשׁ:
בְחַסְדְּךָ֖ עַם־ז֣וּ גָּאָ֑לְתָּ נֵהַ֥לְתָּ בְעָזְּךָ֖ אֶל־נְוֵ֥ה
יד קָדְשֶֽׁךָ׃ שָֽׁמְע֥וּ עַמִּ֖ים יִרְגָּז֑וּן חִ֣יל
טו אָחַ֔ז יֹשְׁבֵ֖י פְּלָֽשֶׁת׃ אָ֤ז נִבְהֲלוּ֙ אַלּוּפֵ֣י
אֱד֔וֹם אֵילֵ֣י מוֹאָ֔ב יֹֽאחֲזֵ֖מוֹ רָ֑עַד נָמֹ֕גוּ
טז כֹּ֖ל יֹשְׁבֵ֥י כְנָֽעַן׃ תִּפֹּ֨ל עֲלֵיהֶ֤ם אֵימָ֙תָה֙

וָפַ֔חַד בִּגְדֹ֥ל זְרוֹעֲךָ֖ יִדְּמ֣וּ כָּאָ֑בֶן עַד־
יַעֲבֹ֤ר עַמְּךָ֙ יְהוָ֔ה עַֽד־יַעֲבֹ֖ר עַם־ז֥וּ
יז קָנִֽיתָ׃ תְּבִאֵ֗מוֹ וְתִטָּעֵ֙מוֹ֙ בְּהַ֣ר נַחֲלָֽתְךָ֔ מָכ֧וֹן
לְשִׁבְתְּךָ֛ פָּעַ֖לְתָּ יְהוָ֑ה מִקְּדָ֕שׁ אֲדֹנָ֖י כּוֹנְנ֥וּ
יח יט יָדֶֽיךָ׃ יְהוָ֥ה ׀ יִמְלֹ֖ךְ לְעֹלָ֥ם וָעֶֽד׃ כִּ֣י
חֲתִימַת הַשִּׁירָה:
בָא֩ ס֨וּס פַּרְעֹ֜ה בְּרִכְבּ֤וֹ וּבְפָרָשָׁיו֙ בַּיָּ֔ם וַיָּ֧שֶׁב יְהוָ֛ה עֲלֵהֶ֖ם אֶת־מֵ֣י
הַיָּ֑ם וּבְנֵ֧י יִשְׂרָאֵ֛ל הָלְכ֥וּ בַיַּבָּשָׁ֖ה בְּת֥וֹךְ הַיָּֽם׃

שִׁירַת מִרְיָם הַנְּבִיאָה:
כ וַתִּקַּח֩ מִרְיָ֨ם הַנְּבִיאָ֜ה אֲח֧וֹת אַהֲרֹ֛ן אֶת־הַתֹּ֖ף בְּיָדָ֑הּ וַתֵּצֶ֤אןָ
כא כָֽל־הַנָּשִׁים֙ אַחֲרֶ֔יהָ בְּתֻפִּ֖ים וּבִמְחֹלֹֽת׃ וַתַּ֥עַן לָהֶ֖ם מִרְיָ֑ם שִׁ֤ירוּ
הַמְתָּקַת הַמַּיִם וּמְסִירַת חֻקִּים:
כב לַֽיהוָה֙ כִּֽי־גָאֹ֣ה גָּאָ֔ה ס֥וּס וְרֹכְב֖וֹ רָמָ֥ה בַיָּֽם׃ וַיַּסַּ֨ע
מֹשֶׁ֤ה אֶת־יִשְׂרָאֵל֙ מִיַּם־ס֔וּף וַיֵּצְא֖וּ אֶל־מִדְבַּר־שׁ֑וּר וַיֵּלְכ֧וּ
כג שְׁלֹֽשֶׁת־יָמִ֛ים בַּמִּדְבָּ֖ר וְלֹא־מָ֥צְאוּ מָֽיִם׃ וַיָּבֹ֣אוּ מָרָ֔תָה וְלֹ֣א יָֽכְל֗וּ
לִשְׁתֹּ֥ת מַ֙יִם֙ מִמָּרָ֔ה כִּ֥י מָרִ֖ים הֵ֑ם עַל־כֵּ֥ן קָרָֽא־שְׁמָ֖הּ מָרָֽה׃
כד כה וַיִּלֹּ֧נוּ הָעָ֛ם עַל־מֹשֶׁ֥ה לֵּאמֹ֖ר מַה־נִּשְׁתֶּֽה׃ וַיִּצְעַ֣ק אֶל־יְהוָ֗ה וַיּוֹרֵ֤הוּ
יְהוָה֙ עֵ֔ץ וַיַּשְׁלֵךְ֙ אֶל־הַמַּ֔יִם וַֽיִּמְתְּק֖וּ הַמָּ֑יִם שָׁ֣ם שָׂ֥ם ל֛וֹ חֹ֥ק
כו וּמִשְׁפָּ֖ט וְשָׁ֥ם נִסָּֽהוּ׃ וַיֹּ֡אמֶר אִם־שָׁמ֣וֹעַ תִּשְׁמַ֡ע לְק֣וֹל ׀ יְהוָ֣ה
אֱלֹהֶ֗יךָ וְהַיָּשָׁ֤ר בְּעֵינָיו֙ תַּעֲשֶׂ֔ה וְהַֽאֲזַנְתָּ֙ לְמִצְוֺתָ֔יו וְשָׁמַרְתָּ֖
כָּל־חֻקָּ֑יו כָּֽל־הַמַּחֲלָ֞ה אֲשֶׁר־שַׂ֤מְתִּי בְמִצְרַ֙יִם֙ לֹא־אָשִׂ֣ים עָלֶ֔יךָ
חמישי
כז כִּ֛י אֲנִ֥י יְהוָ֖ה רֹפְאֶֽךָ׃ וַיָּבֹ֣אוּ אֵילִ֔מָה וְשָׁ֗ם
בְּנֵי יִשְׂרָאֵל בְּאֵילִם:
שְׁתֵּ֥ים עֶשְׂרֵ֛ה עֵינֹ֥ת מַ֖יִם וְשִׁבְעִ֣ים תְּמָרִ֑ים וַיַּחֲנוּ־שָׁ֖ם עַל־הַמָּֽיִם׃
טז א וַיִּסְעוּ֙ מֵֽאֵילִ֔ם וַיָּבֹ֜אוּ כָּל־עֲדַ֤ת בְּנֵֽי־יִשְׂרָאֵל֙ אֶל־מִדְבַּר־סִ֔ין
אֲשֶׁ֥ר בֵּין־אֵילִ֖ם וּבֵ֣ין סִינָ֑י בַּחֲמִשָּׁ֨ה עָשָׂ֥ר יוֹם֙ לַחֹ֣דֶשׁ הַשֵּׁנִ֔י
ב לְצֵאתָ֖ם מֵאֶ֥רֶץ מִצְרָֽיִם׃ וילינו וַיִּלּ֜וֹנוּ כָּל־עֲדַ֧ת בְּנֵֽי־יִשְׂרָאֵ֛ל
תְּלוּנַּת יִשְׂרָאֵל עַל מְזוֹנָם:
ג עַל־מֹשֶׁ֥ה וְעַֽל־אַהֲרֹ֖ן בַּמִּדְבָּֽר׃ וַיֹּאמְר֨וּ אֲלֵהֶ֜ם בְּנֵ֣י יִשְׂרָאֵ֗ל

מִֽי־יִתֵּ֨ן מוּתֵ֤נוּ בְיַד־יְהוָה֙ בְּאֶ֣רֶץ מִצְרַ֔יִם בְּשִׁבְתֵּ֙נוּ֙ עַל־סִ֣יר
הַבָּשָׂ֔ר בְּאָכְלֵ֥נוּ לֶ֖חֶם לָשֹׂ֑בַע כִּֽי־הוֹצֵאתֶ֤ם אֹתָ֙נוּ֙ אֶל־הַמִּדְבָּ֣ר
ד הַזֶּ֔ה לְהָמִ֛ית אֶת־כָּל־הַקָּהָ֥ל הַזֶּ֖ה בָּרָעָֽב׃ וַיֹּ֤אמֶר יְהוָה֙ בְּשׂוֹרַת הַמָּן:
אֶל־מֹשֶׁ֔ה הִנְנִ֨י מַמְטִ֥יר לָכֶ֛ם לֶ֖חֶם מִן־הַשָּׁמָ֑יִם וְיָצָ֨א הָעָ֤ם וְלָֽקְטוּ֙
ה דְּבַר־י֣וֹם בְּיוֹמ֔וֹ לְמַ֧עַן אֲנַסֶּ֛נּוּ הֲיֵלֵ֥ךְ בְּתוֹרָתִ֖י אִם־לֹֽא׃ וְהָיָה֙ בַּיּ֣וֹם
הַשִּׁשִּׁ֔י וְהֵכִ֖ינוּ אֵ֣ת אֲשֶׁר־יָבִ֑יאוּ וְהָיָ֣ה מִשְׁנֶ֔ה עַ֥ל אֲשֶׁר־יִלְקְט֖וּ
ו י֥וֹם ׀ יֽוֹם׃ וַיֹּ֤אמֶר מֹשֶׁה֙ וְאַהֲרֹ֔ן אֶל־כָּל־בְּנֵ֖י יִשְׂרָאֵ֑ל עֶ֕רֶב
ז וִֽידַעְתֶּ֕ם כִּ֧י יְהוָ֛ה הוֹצִ֥יא אֶתְכֶ֖ם מֵאֶ֥רֶץ מִצְרָֽיִם׃ וּבֹ֗קֶר וּרְאִיתֶם֙
אֶת־כְּב֣וֹד יְהוָ֔ה בְּשָׁמְע֥וֹ אֶת־תְּלֻנֹּתֵיכֶ֖ם עַל־יְהוָ֑ה וְנַ֣חְנוּ מָ֔ה כִּ֥י
ח תלונו תַלִּ֖ינוּ עָלֵֽינוּ׃ וַיֹּ֣אמֶר מֹשֶׁ֗ה בְּתֵ֣ת יְהוָה֩ לָכֶ֨ם בָּעֶ֜רֶב בָּשָׂ֣ר
לֶֽאֱכֹ֗ל וְלֶ֤חֶם בַּבֹּ֙קֶר֙ לִשְׂבֹּ֔עַ בִּשְׁמֹ֣עַ יְהוָ֔ה אֶת־תְּלֻנֹּ֣תֵיכֶ֔ם
אֲשֶׁר־אַתֶּ֥ם מַלִּינִ֖ם עָלָ֑יו וְנַ֣חְנוּ מָ֔ה לֹא־עָלֵ֥ינוּ תְלֻנֹּתֵיכֶ֖ם כִּ֥י
ט עַל־יְהוָֽה׃ וַיֹּ֤אמֶר מֹשֶׁה֙ אֶֽל־אַהֲרֹ֔ן אֱמֹ֗ר אֶֽל־כָּל־עֲדַת֙ בְּנֵ֣י
י יִשְׂרָאֵ֔ל קִרְב֖וּ לִפְנֵ֣י יְהוָ֑ה כִּ֣י שָׁמַ֔ע אֵ֖ת תְּלֻנֹּתֵיכֶֽם׃ וַיְהִ֗י כְּדַבֵּ֤ר
אַהֲרֹן֙ אֶל־כָּל־עֲדַ֣ת בְּנֵֽי־יִשְׂרָאֵ֔ל וַיִּפְנ֖וּ אֶל־הַמִּדְבָּ֑ר וְהִנֵּה֙ כְּב֣וֹד
יְהוָ֔ה נִרְאָ֖ה בֶּעָנָֽן׃

יא יב וַיְדַבֵּ֥ר יְהוָ֖ה אֶל־מֹשֶׁ֥ה לֵּאמֹֽר׃ שָׁמַ֗עְתִּי אֶת־תְּלוּנֹּת֮ בְּנֵ֣י יִשְׂרָאֵל֒ שִׁשִּׁי
דַּבֵּ֨ר אֲלֵהֶ֜ם לֵאמֹ֗ר בֵּ֤ין הָֽעַרְבַּ֙יִם֙ תֹּאכְל֣וּ בָשָׂ֔ר וּבַבֹּ֖קֶר תִּשְׂבְּעוּ־ יְרִידַת הַמָּן,
יג לָ֑חֶם וִֽידַעְתֶּ֕ם כִּ֛י אֲנִ֥י יְהוָ֖ה אֱלֹהֵיכֶֽם׃ וַיְהִ֣י בָעֶ֔רֶב וַתַּ֣עַל הַשְּׂלָ֔ו וַעֲלִיַּת הַשְּׂלָו:
וַתְּכַ֖ס אֶת־הַֽמַּחֲנֶ֑ה וּבַבֹּ֗קֶר הָֽיְתָה֙ שִׁכְבַ֣ת הַטַּ֔ל סָבִ֖יב לַֽמַּחֲנֶֽה׃ [2448]
יד וַתַּ֖עַל שִׁכְבַ֣ת הַטָּ֑ל וְהִנֵּ֞ה עַל־פְּנֵ֣י הַמִּדְבָּ֗ר דַּ֚ק מְחֻסְפָּ֔ס דַּ֥ק כַּכְּפֹ֖ר
טו עַל־הָאָֽרֶץ׃ וַיִּרְא֣וּ בְנֵֽי־יִשְׂרָאֵ֗ל וַיֹּ֨אמְר֜וּ אִ֤ישׁ אֶל־אָחִיו֙ מָ֣ן ה֔וּא
כִּ֛י לֹ֥א יָדְע֖וּ מַה־ה֑וּא וַיֹּ֤אמֶר מֹשֶׁה֙ אֲלֵהֶ֔ם ה֣וּא הַלֶּ֔חֶם אֲשֶׁ֨ר נָתַ֧ן
טז יְהוָ֛ה לָכֶ֖ם לְאָכְלָֽה׃ זֶ֤ה הַדָּבָר֙ אֲשֶׁ֣ר צִוָּ֣ה יְהוָ֔ה לִקְט֣וּ מִמֶּ֔נּוּ אִ֖ישׁ
לְפִ֣י אָכְל֑וֹ עֹ֣מֶר לַגֻּלְגֹּ֗לֶת מִסְפַּר֙ נַפְשֹׁ֣תֵיכֶ֔ם אִ֛ישׁ לַאֲשֶׁ֥ר בְּאָהֳל֖וֹ

יז יח תִּקָּחוּ: וַיַּעֲשׂוּ־כֵן בְּנֵי יִשְׂרָאֵל וַיִּלְקְטוּ הַמַּרְבֶּה וְהַמַּמְעִיט: וַיָּמֹדּוּ
בָעֹמֶר וְלֹא הֶעְדִּיף הַמַּרְבֶּה וְהַמַּמְעִיט לֹא הֶחְסִיר אִישׁ
יט לְפִי־אָכְלוֹ לָקָטוּ: וַיֹּאמֶר מֹשֶׁה אֲלֵהֶם אִישׁ אַל־יוֹתֵר מִמֶּנּוּ
כ עַד־בֹּקֶר: וְלֹא־שָׁמְעוּ אֶל־מֹשֶׁה וַיּוֹתִרוּ אֲנָשִׁים מִמֶּנּוּ עַד־בֹּקֶר
כא וַיָּרֻם תּוֹלָעִים וַיִּבְאַשׁ וַיִּקְצֹף עֲלֵהֶם מֹשֶׁה: וַיִּלְקְטוּ אֹתוֹ בַּבֹּקֶר
לְקִיטַת הַמָּן לְשַׁבָּת:
כב בַּבֹּקֶר אִישׁ כְּפִי אָכְלוֹ וְחַם הַשֶּׁמֶשׁ וְנָמָס: וַיְהִי ׀ בַּיּוֹם הַשִּׁשִּׁי
לָקְטוּ לֶחֶם מִשְׁנֶה שְׁנֵי הָעֹמֶר לָאֶחָד וַיָּבֹאוּ כָּל־נְשִׂיאֵי הָעֵדָה
כג וַיַּגִּידוּ לְמֹשֶׁה: וַיֹּאמֶר אֲלֵהֶם הוּא אֲשֶׁר דִּבֶּר יְהוָה שַׁבָּתוֹן
שַׁבַּת־קֹדֶשׁ לַיהוָה מָחָר אֵת אֲשֶׁר־תֹּאפוּ אֵפוּ וְאֵת אֲשֶׁר־תְּבַשְּׁלוּ
כד בַּשֵּׁלוּ וְאֵת כָּל־הָעֹדֵף הַנִּיחוּ לָכֶם לְמִשְׁמֶרֶת עַד־הַבֹּקֶר: וַיַּנִּיחוּ
אֹתוֹ עַד־הַבֹּקֶר כַּאֲשֶׁר צִוָּה מֹשֶׁה וְלֹא הִבְאִישׁ וְרִמָּה לֹא־הָיְתָה
כה בּוֹ: וַיֹּאמֶר מֹשֶׁה אִכְלֻהוּ הַיּוֹם כִּי־שַׁבָּת הַיּוֹם לַיהוָה הַיּוֹם לֹא
כו תִמְצָאֻהוּ בַּשָּׂדֶה: שֵׁשֶׁת יָמִים תִּלְקְטֻהוּ וּבַיּוֹם הַשְּׁבִיעִי שַׁבָּת
כז לֹא יִהְיֶה־בּוֹ: וַיְהִי בַּיּוֹם הַשְּׁבִיעִי יָצְאוּ מִן־הָעָם לִלְקֹט וְלֹא
כח מָצָאוּ: וַיֹּאמֶר יְהוָה אֶל־מֹשֶׁה עַד־אָנָה מֵאַנְתֶּם
כט לִשְׁמֹר מִצְוֹתַי וְתוֹרֹתָי: רְאוּ כִּי־יְהוָה נָתַן לָכֶם הַשַּׁבָּת עַל־כֵּן
הוּא נֹתֵן לָכֶם בַּיּוֹם הַשִּׁשִּׁי לֶחֶם יוֹמָיִם שְׁבוּ ׀ אִישׁ תַּחְתָּיו
ל אַל־יֵצֵא אִישׁ מִמְּקֹמוֹ בַּיּוֹם הַשְּׁבִיעִי: וַיִּשְׁבְּתוּ הָעָם בַּיּוֹם
לא הַשְּׁבִעִי: וַיִּקְרְאוּ בֵית־יִשְׂרָאֵל אֶת־שְׁמוֹ מָן וְהוּא כְּזֶרַע גַּד לָבָן
נְתִינַת הַמָּן לְמִשְׁמֶרֶת:
לב וְטַעְמוֹ כְּצַפִּיחִת בִּדְבָשׁ: וַיֹּאמֶר מֹשֶׁה זֶה הַדָּבָר אֲשֶׁר צִוָּה יְהוָה
מְלֹא הָעֹמֶר מִמֶּנּוּ לְמִשְׁמֶרֶת לְדֹרֹתֵיכֶם לְמַעַן ׀ יִרְאוּ אֶת־
הַלֶּחֶם אֲשֶׁר הֶאֱכַלְתִּי אֶתְכֶם בַּמִּדְבָּר בְּהוֹצִיאִי אֶתְכֶם מֵאֶרֶץ
לג מִצְרָיִם: וַיֹּאמֶר מֹשֶׁה אֶל־אַהֲרֹן קַח צִנְצֶנֶת אַחַת וְתֶן־שָׁמָּה
מְלֹא־הָעֹמֶר מָן וְהַנַּח אֹתוֹ לִפְנֵי יְהוָה לְמִשְׁמֶרֶת לְדֹרֹתֵיכֶם:
לד כַּאֲשֶׁר צִוָּה יְהוָה אֶל־מֹשֶׁה וַיַּנִּיחֵהוּ אַהֲרֹן לִפְנֵי הָעֵדֻת

לה לְמִשְׁמָרֶת: וּבְנֵי יִשְׂרָאֵל אָכְלוּ אֶת־הַמָּן אַרְבָּעִים שָׁנָה עַד־בֹּאָם אֶל־אֶרֶץ נוֹשָׁבֶת אֶת־הַמָּן אָכְלוּ עַד־בֹּאָם אֶל־קְצֵה אֶרֶץ כְּנָעַן:

לו וְהָעֹמֶר עֲשִׂרִית הָאֵיפָה הוּא:

יז וַיִּסְעוּ כָּל־עֲדַת בְּנֵי־יִשְׂרָאֵל מִמִּדְבַּר־סִין לְמַסְעֵיהֶם עַל־פִּי

שביעי
הַעֲדֵר מַיִם
בִּרְפִידִים:

יְהוָה וַיַּחֲנוּ בִּרְפִידִים וְאֵין מַיִם לִשְׁתֹּת הָעָם: וַיָּרֶב הָעָם עִם־מֹשֶׁה וַיֹּאמְרוּ תְּנוּ־לָנוּ מַיִם וְנִשְׁתֶּה וַיֹּאמֶר לָהֶם מֹשֶׁה

ג מַה־תְּרִיבוּן עִמָּדִי מַה־תְּנַסּוּן אֶת־יְהוָה: וַיִּצְמָא שָׁם הָעָם לַמַּיִם וַיָּלֶן הָעָם עַל־מֹשֶׁה וַיֹּאמֶר לָמָּה זֶּה הֶעֱלִיתָנוּ מִמִּצְרַיִם

ד לְהָמִית אֹתִי וְאֶת־בָּנַי וְאֶת־מִקְנַי בַּצָּמָא: וַיִּצְעַק מֹשֶׁה אֶל־יְהוָה

הוֹצָאַת
הַמַּיִם
מֵהַצּוּר:
[2448]

ה לֵאמֹר מָה אֶעֱשֶׂה לָעָם הַזֶּה עוֹד מְעַט וּסְקָלֻנִי: וַיֹּאמֶר יְהוָה אֶל־מֹשֶׁה עֲבֹר לִפְנֵי הָעָם וְקַח אִתְּךָ מִזִּקְנֵי יִשְׂרָאֵל וּמַטְּךָ אֲשֶׁר

ו הִכִּיתָ בּוֹ אֶת־הַיְאֹר קַח בְּיָדְךָ וְהָלָכְתָּ: הִנְנִי עֹמֵד לְפָנֶיךָ שָׁם ׀ עַל־הַצּוּר בְּחֹרֵב וְהִכִּיתָ בַצּוּר וְיָצְאוּ מִמֶּנּוּ מַיִם וְשָׁתָה הָעָם

ז וַיַּעַשׂ כֵּן מֹשֶׁה לְעֵינֵי זִקְנֵי יִשְׂרָאֵל: וַיִּקְרָא שֵׁם הַמָּקוֹם מַסָּה וּמְרִיבָה עַל־רִיב ׀ בְּנֵי יִשְׂרָאֵל וְעַל נַסֹּתָם אֶת־יְהוָה לֵאמֹר הֲיֵשׁ יְהוָה בְּקִרְבֵּנוּ אִם־אָיִן:

ח וַיָּבֹא עֲמָלֵק וַיִּלָּחֶם עִם־יִשְׂרָאֵל בִּרְפִידִם: וַיֹּאמֶר מֹשֶׁה אֶל־

מִלְחֶמֶת
עֲמָלֵק:
[2448]

יְהוֹשֻׁעַ בְּחַר־לָנוּ אֲנָשִׁים וְצֵא הִלָּחֵם בַּעֲמָלֵק מָחָר אָנֹכִי נִצָּב

י עַל־רֹאשׁ הַגִּבְעָה וּמַטֵּה הָאֱלֹהִים בְּיָדִי: וַיַּעַשׂ יְהוֹשֻׁעַ כַּאֲשֶׁר אָמַר־לוֹ מֹשֶׁה לְהִלָּחֵם בַּעֲמָלֵק וּמֹשֶׁה אַהֲרֹן וְחוּר עָלוּ רֹאשׁ

יא הַגִּבְעָה: וְהָיָה כַּאֲשֶׁר יָרִים מֹשֶׁה יָדוֹ וְגָבַר יִשְׂרָאֵל וְכַאֲשֶׁר יָנִיחַ

יב יָדוֹ וְגָבַר עֲמָלֵק: וִידֵי מֹשֶׁה כְּבֵדִים וַיִּקְחוּ־אֶבֶן וַיָּשִׂימוּ תַחְתָּיו וַיֵּשֶׁב עָלֶיהָ וְאַהֲרֹן וְחוּר תָּמְכוּ בְיָדָיו מִזֶּה אֶחָד וּמִזֶּה אֶחָד

יג וַיְהִי יָדָיו אֱמוּנָה עַד־בֹּא הַשָּׁמֶשׁ: וַיַּחֲלֹשׁ יְהוֹשֻׁעַ אֶת־עֲמָלֵק וְאֶת־עַמּוֹ לְפִי־חָרֶב:

מפטיר — מְצְוַת מְחִיַּת עֲמָלֵק:

יד וַיֹּאמֶר יְהוָה אֶל־מֹשֶׁה כְּתֹב זֹאת זִכָּרוֹן בַּסֵּפֶר וְשִׂים בְּאָזְנֵי
טו יְהוֹשֻׁעַ כִּי־מָחֹה אֶמְחֶה אֶת־זֵכֶר עֲמָלֵק מִתַּחַת הַשָּׁמָיִם׃ וַיִּבֶן
טז מֹשֶׁה מִזְבֵּחַ וַיִּקְרָא שְׁמוֹ יְהוָה ׀ נִסִּי׃ וַיֹּאמֶר כִּי־יָד עַל־כֵּס
יָהּ מִלְחָמָה לַיהוָה בַּעֲמָלֵק מִדֹּר דֹּר׃

יתרו — בִּיאַת יִתְרוֹ עִם צִפּוֹרָה וּבָנֶיהָ:

יח א וַיִּשְׁמַע יִתְרוֹ כֹהֵן מִדְיָן חֹתֵן מֹשֶׁה אֵת כָּל־אֲשֶׁר עָשָׂה אֱלֹהִים
לְמֹשֶׁה וּלְיִשְׂרָאֵל עַמּוֹ כִּי־הוֹצִיא יְהוָה אֶת־יִשְׂרָאֵל מִמִּצְרָיִם׃
ב וַיִּקַּח יִתְרוֹ חֹתֵן מֹשֶׁה אֶת־צִפֹּרָה אֵשֶׁת מֹשֶׁה אַחַר שִׁלּוּחֶיהָ׃
ג וְאֵת שְׁנֵי בָנֶיהָ אֲשֶׁר שֵׁם הָאֶחָד גֵּרְשֹׁם כִּי אָמַר גֵּר הָיִיתִי בְּאֶרֶץ
ד נָכְרִיָּה׃ וְשֵׁם הָאֶחָד אֱלִיעֶזֶר כִּי־אֱלֹהֵי אָבִי בְּעֶזְרִי וַיַּצִּלֵנִי מֵחֶרֶב
ה פַּרְעֹה׃ וַיָּבֹא יִתְרוֹ חֹתֵן מֹשֶׁה וּבָנָיו וְאִשְׁתּוֹ אֶל־מֹשֶׁה אֶל־
ו הַמִּדְבָּר אֲשֶׁר־הוּא חֹנֶה שָׁם הַר הָאֱלֹהִים׃ וַיֹּאמֶר אֶל־מֹשֶׁה

קַבָּלַת פְּנֵי יִתְרוֹ עַל יְדֵי מֹשֶׁה:

ז אֲנִי חֹתֶנְךָ יִתְרוֹ בָּא אֵלֶיךָ וְאִשְׁתְּךָ וּשְׁנֵי בָנֶיהָ עִמָּהּ׃ וַיֵּצֵא
מֹשֶׁה לִקְרַאת חֹתְנוֹ וַיִּשְׁתַּחוּ וַיִּשַּׁק־לוֹ וַיִּשְׁאֲלוּ אִישׁ־לְרֵעֵהוּ
ח לְשָׁלוֹם וַיָּבֹאוּ הָאֹהֱלָה׃ וַיְסַפֵּר מֹשֶׁה לְחֹתְנוֹ אֵת כָּל־אֲשֶׁר עָשָׂה
יְהוָה לְפַרְעֹה וּלְמִצְרַיִם עַל אוֹדֹת יִשְׂרָאֵל אֵת כָּל־הַתְּלָאָה

שִׂמְחַת יִתְרוֹ בְּהַצָּלַת יִשְׂרָאֵל:

ט אֲשֶׁר מְצָאָתַם בַּדֶּרֶךְ וַיַּצִּלֵם יְהוָה׃ וַיִּחַדְּ יִתְרוֹ עַל כָּל־הַטּוֹבָה
י אֲשֶׁר־עָשָׂה יְהוָה לְיִשְׂרָאֵל אֲשֶׁר הִצִּילוֹ מִיַּד מִצְרָיִם׃ וַיֹּאמֶר
יִתְרוֹ בָּרוּךְ יְהוָה אֲשֶׁר הִצִּיל אֶתְכֶם מִיַּד מִצְרַיִם וּמִיַּד פַּרְעֹה
יא אֲשֶׁר הִצִּיל אֶת־הָעָם מִתַּחַת יַד־מִצְרָיִם׃ עַתָּה יָדַעְתִּי כִּי־גָדוֹל
יב יְהוָה מִכָּל־הָאֱלֹהִים כִּי בַדָּבָר אֲשֶׁר זָדוּ עֲלֵיהֶם׃ וַיִּקַּח יִתְרוֹ
חֹתֵן מֹשֶׁה עֹלָה וּזְבָחִים לֵאלֹהִים וַיָּבֹא אַהֲרֹן וְכֹל ׀ זִקְנֵי יִשְׂרָאֵל

שני

יג לֶאֱכָל־לֶחֶם עִם־חֹתֵן מֹשֶׁה לִפְנֵי הָאֱלֹהִים׃ וַיְהִי מִמָּחֳרָת וַיֵּשֶׁב
מֹשֶׁה לִשְׁפֹּט אֶת־הָעָם וַיַּעֲמֹד הָעָם עַל־מֹשֶׁה מִן־הַבֹּקֶר

עֲצַת יִתְרוֹ, מִנּוּי שׁוֹפְטִים:

יד עַד־הָעָרֶב׃ וַיַּרְא חֹתֵן מֹשֶׁה אֵת כָּל־אֲשֶׁר־הוּא עֹשֶׂה לָעָם
וַיֹּאמֶר מָה־הַדָּבָר הַזֶּה אֲשֶׁר אַתָּה עֹשֶׂה לָעָם מַדּוּעַ אַתָּה

טו יוֹשֵׁב לְבַדֶּךָ וְכָל־הָעָם נִצָּב עָלֶיךָ מִן־בֹּקֶר עַד־עָרֶב: וַיֹּאמֶר

טז מֹשֶׁה לְחֹתְנוֹ כִּי־יָבֹא אֵלַי הָעָם לִדְרֹשׁ אֱלֹהִים: כִּי־יִהְיֶה לָהֶם
דָּבָר בָּא אֵלַי וְשָׁפַטְתִּי בֵּין אִישׁ וּבֵין רֵעֵהוּ וְהוֹדַעְתִּי אֶת־חֻקֵּי

יז הָאֱלֹהִים וְאֶת־תּוֹרֹתָיו: וַיֹּאמֶר חֹתֵן מֹשֶׁה אֵלָיו לֹא־טוֹב הַדָּבָר

יח אֲשֶׁר אַתָּה עֹשֶׂה: נָבֹל תִּבֹּל גַּם־אַתָּה גַּם־הָעָם הַזֶּה אֲשֶׁר עִמָּךְ

יט כִּי־כָבֵד מִמְּךָ הַדָּבָר לֹא־תוּכַל עֲשֹׂהוּ לְבַדֶּךָ: עַתָּה שְׁמַע בְּקֹלִי
אִיעָצְךָ וִיהִי אֱלֹהִים עִמָּךְ הֱיֵה אַתָּה לָעָם מוּל הָאֱלֹהִים וְהֵבֵאתָ

כ אַתָּה אֶת־הַדְּבָרִים אֶל־הָאֱלֹהִים: וְהִזְהַרְתָּה אֶתְהֶם אֶת־הַחֻקִּים
וְאֶת־הַתּוֹרֹת וְהוֹדַעְתָּ לָהֶם אֶת־הַדֶּרֶךְ יֵלְכוּ בָהּ וְאֶת־הַמַּעֲשֶׂה

כא אֲשֶׁר יַעֲשׂוּן: וְאַתָּה תֶחֱזֶה מִכָּל־הָעָם אַנְשֵׁי־חַיִל יִרְאֵי אֱלֹהִים
אַנְשֵׁי אֱמֶת שֹׂנְאֵי בָצַע וְשַׂמְתָּ עֲלֵהֶם שָׂרֵי אֲלָפִים שָׂרֵי מֵאוֹת

כב שָׂרֵי חֲמִשִּׁים וְשָׂרֵי עֲשָׂרֹת: וְשָׁפְטוּ אֶת־הָעָם בְּכָל־עֵת וְהָיָה
כָּל־הַדָּבָר הַגָּדֹל יָבִיאוּ אֵלֶיךָ וְכָל־הַדָּבָר הַקָּטֹן יִשְׁפְּטוּ־הֵם

כג וְהָקֵל מֵעָלֶיךָ וְנָשְׂאוּ אִתָּךְ: אִם אֶת־הַדָּבָר הַזֶּה תַּעֲשֶׂה וְצִוְּךָ
אֱלֹהִים וְיָכָלְתָּ עֲמֹד וְגַם כָּל־הָעָם הַזֶּה עַל־מְקֹמוֹ יָבֹא בְשָׁלוֹם:

שלישי
קְבָלַת
הָעֵצָה:
כד וַיִּשְׁמַע מֹשֶׁה לְקוֹל חֹתְנוֹ וַיַּעַשׂ כֹּל אֲשֶׁר אָמָר: וַיִּבְחַר מֹשֶׁה
אַנְשֵׁי־חַיִל מִכָּל־יִשְׂרָאֵל וַיִּתֵּן אֹתָם רָאשִׁים עַל־הָעָם שָׂרֵי

כה אֲלָפִים שָׂרֵי מֵאוֹת שָׂרֵי חֲמִשִּׁים וְשָׂרֵי עֲשָׂרֹת: וְשָׁפְטוּ אֶת־הָעָם
בְּכָל־עֵת אֶת־הַדָּבָר הַקָּשֶׁה יְבִיאוּן אֶל־מֹשֶׁה וְכָל־הַדָּבָר הַקָּטֹן

כו יִשְׁפּוּטוּ הֵם: וַיְשַׁלַּח מֹשֶׁה אֶת־חֹתְנוֹ וַיֵּלֶךְ לוֹ אֶל־אַרְצוֹ:

רביעי
בִּיאַת
יִשְׂרָאֵל
לְמִדְבַּר סִינַי:
[2448]
יט א בַּחֹדֶשׁ הַשְּׁלִישִׁי לְצֵאת בְּנֵי־יִשְׂרָאֵל מֵאֶרֶץ מִצְרָיִם בַּיּוֹם הַזֶּה

ב בָּאוּ מִדְבַּר סִינָי: וַיִּסְעוּ מֵרְפִידִים וַיָּבֹאוּ מִדְבַּר סִינַי וַיַּחֲנוּ

בְּחִירַת
יִשְׂרָאֵל
לְעַם סְגֻלָּה:
ג בַּמִּדְבָּר וַיִּחַן־שָׁם יִשְׂרָאֵל נֶגֶד הָהָר: וּמֹשֶׁה עָלָה אֶל־הָאֱלֹהִים
וַיִּקְרָא אֵלָיו יְהֹוָה מִן־הָהָר לֵאמֹר כֹּה תֹאמַר לְבֵית יַעֲקֹב וְתַגֵּיד

ד לִבְנֵי יִשְׂרָאֵל: אַתֶּם רְאִיתֶם אֲשֶׁר עָשִׂיתִי לְמִצְרָיִם וָאֶשָּׂא אֶתְכֶם

ה עַל־כַּנְפֵי נְשָׁרִים וָאָבִא אֶתְכֶם אֵלָי: וְעַתָּה אִם־שָׁמוֹעַ תִּשְׁמְעוּ
בְּקֹלִי וּשְׁמַרְתֶּם אֶת־בְּרִיתִי וִהְיִיתֶם לִי סְגֻלָּה מִכָּל־הָעַמִּים
ו כִּי־לִי כָּל־הָאָרֶץ: וְאַתֶּם תִּהְיוּ־לִי מַמְלֶכֶת כֹּהֲנִים וְגוֹי קָדוֹשׁ

חמישי
"נַעֲשֶׂה וְנִשְׁמָע":

ז אֵלֶּה הַדְּבָרִים אֲשֶׁר תְּדַבֵּר אֶל־בְּנֵי יִשְׂרָאֵל: וַיָּבֹא מֹשֶׁה וַיִּקְרָא
לְזִקְנֵי הָעָם וַיָּשֶׂם לִפְנֵיהֶם אֵת כָּל־הַדְּבָרִים הָאֵלֶּה אֲשֶׁר צִוָּהוּ
ח יְהוָה: וַיַּעֲנוּ כָל־הָעָם יַחְדָּו וַיֹּאמְרוּ כֹּל אֲשֶׁר־דִּבֶּר יְהוָה נַעֲשֶׂה

הַצִּוּוּיִים לִקְרַאת מַעֲמַד הַר סִינָי:

ט וַיָּשֶׁב מֹשֶׁה אֶת־דִּבְרֵי הָעָם אֶל־יְהוָה: וַיֹּאמֶר יְהוָה אֶל־מֹשֶׁה
הִנֵּה אָנֹכִי בָּא אֵלֶיךָ בְּעַב הֶעָנָן בַּעֲבוּר יִשְׁמַע הָעָם בְּדַבְּרִי
עִמָּךְ וְגַם־בְּךָ יַאֲמִינוּ לְעוֹלָם וַיַּגֵּד מֹשֶׁה אֶת־דִּבְרֵי הָעָם
י אֶל־יְהוָה: וַיֹּאמֶר יְהוָה אֶל־מֹשֶׁה לֵךְ אֶל־הָעָם וְקִדַּשְׁתָּם הַיּוֹם
יא וּמָחָר וְכִבְּסוּ שִׂמְלֹתָם: וְהָיוּ נְכֹנִים לַיּוֹם הַשְּׁלִישִׁי כִּי ׀ בַּיּוֹם
יב הַשְּׁלִשִׁי יֵרֵד יְהוָה לְעֵינֵי כָל־הָעָם עַל־הַר סִינָי: וְהִגְבַּלְתָּ
אֶת־הָעָם סָבִיב לֵאמֹר הִשָּׁמְרוּ לָכֶם עֲלוֹת בָּהָר וּנְגֹעַ בְּקָצֵהוּ
יג כָּל־הַנֹּגֵעַ בָּהָר מוֹת יוּמָת: לֹא־תִגַּע בּוֹ יָד כִּי־סָקוֹל יִסָּקֵל
אוֹ־יָרֹה יִיָּרֶה אִם־בְּהֵמָה אִם־אִישׁ לֹא יִחְיֶה בִּמְשֹׁךְ הַיֹּבֵל הֵמָּה
יד יַעֲלוּ בָהָר: וַיֵּרֶד מֹשֶׁה מִן־הָהָר אֶל־הָעָם וַיְקַדֵּשׁ אֶת־הָעָם
טו וַיְכַבְּסוּ שִׂמְלֹתָם: וַיֹּאמֶר אֶל־הָעָם הֱיוּ נְכֹנִים לִשְׁלֹשֶׁת יָמִים

גִּלּוּי כְּבוֹד ה' עַל הַר סִינָי:

טז אַל־תִּגְּשׁוּ אֶל־אִשָּׁה: וַיְהִי בַיּוֹם הַשְּׁלִישִׁי בִּהְיֹת הַבֹּקֶר וַיְהִי
קֹלֹת וּבְרָקִים וְעָנָן כָּבֵד עַל־הָהָר וְקֹל שֹׁפָר חָזָק מְאֹד וַיֶּחֱרַד
יז כָּל־הָעָם אֲשֶׁר בַּמַּחֲנֶה: וַיּוֹצֵא מֹשֶׁה אֶת־הָעָם לִקְרַאת הָאֱלֹהִים
יח מִן־הַמַּחֲנֶה וַיִּתְיַצְּבוּ בְּתַחְתִּית הָהָר: וְהַר סִינַי עָשַׁן כֻּלּוֹ מִפְּנֵי
אֲשֶׁר יָרַד עָלָיו יְהוָה בָּאֵשׁ וַיַּעַל עֲשָׁנוֹ כְּעֶשֶׁן הַכִּבְשָׁן וַיֶּחֱרַד
יט כָּל־הָהָר מְאֹד: וַיְהִי קוֹל הַשֹּׁפָר הוֹלֵךְ וְחָזֵק מְאֹד מֹשֶׁה יְדַבֵּר

ששי

כ וְהָאֱלֹהִים יַעֲנֶנּוּ בְקוֹל: וַיֵּרֶד יְהוָה עַל־הַר סִינַי אֶל־רֹאשׁ הָהָר
כא וַיִּקְרָא יְהוָה לְמֹשֶׁה אֶל־רֹאשׁ הָהָר וַיַּעַל מֹשֶׁה: וַיֹּאמֶר יְהוָה

אֶל־מֹשֶׁה רֵד הָעֵד בָּעָם פֶּן־יֶהֶרְסוּ אֶל־יְהוָה לִרְאוֹת וְנָפַל מִמֶּנּוּ
כב רָב׃ וְגַם הַכֹּהֲנִים הַנִּגָּשִׁים אֶל־יְהוָה יִתְקַדָּשׁוּ פֶּן־יִפְרֹץ בָּהֶם
כג יְהוָה׃ וַיֹּאמֶר מֹשֶׁה אֶל־יְהוָה לֹא־יוּכַל הָעָם לַעֲלֹת אֶל־הַר סִינָי
כד כִּי־אַתָּה הַעֵדֹתָה בָּנוּ לֵאמֹר הַגְבֵּל אֶת־הָהָר וְקִדַּשְׁתּוֹ׃ וַיֹּאמֶר
אֵלָיו יְהוָה לֶךְ־רֵד וְעָלִיתָ אַתָּה וְאַהֲרֹן עִמָּךְ וְהַכֹּהֲנִים וְהָעָם
כה אַל־יֶהֶרְסוּ לַעֲלֹת אֶל־יְהוָה פֶּן־יִפְרָץ־בָּם׃ וַיֵּרֶד מֹשֶׁה אֶל־הָעָם
כ א וַיֹּאמֶר אֲלֵהֶם׃ וַיְדַבֵּר אֱלֹהִים אֵת כָּל־הַדְּבָרִים
ב הָאֵלֶּה לֵאמֹר׃ אָנֹכִי יְהוָה אֱלֹהֶיךָ אֲשֶׁר
הוֹצֵאתִיךָ מֵאֶרֶץ מִצְרַיִם מִבֵּית עֲבָדִים לֹא־יִהְיֶה־לְךָ אֱלֹהִים
ג אֲחֵרִים עַל־פָּנָי׃ לֹא־תַעֲשֶׂה לְךָ פֶסֶל וְכָל־תְּמוּנָה אֲשֶׁר בַּשָּׁמַיִם
מִמַּעַל וַאֲשֶׁר בָּאָרֶץ מִתָּחַת וַאֲשֶׁר בַּמַּיִם מִתַּחַת לָאָרֶץ׃
ד לֹא־תִשְׁתַּחֲוֶה לָהֶם וְלֹא תָעָבְדֵם כִּי אָנֹכִי יְהוָה אֱלֹהֶיךָ אֵל קַנָּא
פֹּקֵד עֲוֹן אָבֹת עַל־בָּנִים עַל־שִׁלֵּשִׁים וְעַל־רִבֵּעִים לְשֹׂנְאָי׃
ה ו וְעֹשֶׂה חֶסֶד לַאֲלָפִים לְאֹהֲבַי וּלְשֹׁמְרֵי מִצְוֺתָי׃ לֹא
תִשָּׂא אֶת־שֵׁם־יְהוָה אֱלֹהֶיךָ לַשָּׁוְא כִּי לֹא יְנַקֶּה יְהוָה אֵת
אֲשֶׁר־יִשָּׂא אֶת־שְׁמוֹ לַשָּׁוְא׃
ז ח זָכוֹר אֶת־יוֹם הַשַּׁבָּת לְקַדְּשׁוֹ׃ שֵׁשֶׁת יָמִים תַּעֲבֹד וְעָשִׂיתָ
ט כָּל־מְלַאכְתֶּךָ׃ וְיוֹם הַשְּׁבִיעִי שַׁבָּת לַיהוָה אֱלֹהֶיךָ לֹא־תַעֲשֶׂה
כָל־מְלָאכָה אַתָּה ׀ וּבִנְךָ וּבִתֶּךָ עַבְדְּךָ וַאֲמָתְךָ וּבְהֶמְתֶּךָ וְגֵרְךָ
י אֲשֶׁר בִּשְׁעָרֶיךָ׃ כִּי שֵׁשֶׁת־יָמִים עָשָׂה יְהוָה אֶת־הַשָּׁמַיִם
וְאֶת־הָאָרֶץ אֶת־הַיָּם וְאֶת־כָּל־אֲשֶׁר־בָּם וַיָּנַח בַּיּוֹם הַשְּׁבִיעִי עַל־
יא כֵּן בֵּרַךְ יְהוָה אֶת־יוֹם הַשַּׁבָּת וַיְקַדְּשֵׁהוּ׃ כַּבֵּד אֶת־אָבִיךָ
וְאֶת־אִמֶּךָ לְמַעַן יַאֲרִכוּן יָמֶיךָ עַל הָאֲדָמָה אֲשֶׁר־יְהוָה אֱלֹהֶיךָ נֹתֵן
יב לָךְ׃ לֹא תִרְצָח לֹא
תִנְאָף לֹא תִגְנֹב לֹא־

אַזְהָרָה שֶׁלֹּא לְהִתְקָרֵב לָהָר׃

עֲשֶׂרֶת הַדִּבְּרוֹת׃

יג לֹא תַעֲנֶה בְרֵעֲךָ עֵד שָׁקֶר׃
תַחְמֹד בֵּית רֵעֶךָ לֹא־תַחְמֹד אֵשֶׁת רֵעֶךָ וְעַבְדּוֹ
וַאֲמָתוֹ וְשׁוֹרוֹ וַחֲמֹרוֹ וְכֹל אֲשֶׁר לְרֵעֶךָ׃

שביעי

יד וְכָל־הָעָם רֹאִים אֶת־הַקּוֹלֹת וְאֶת־הַלַּפִּידִם וְאֵת קוֹל הַשֹּׁפָר

בַּקָּשַׁת יִשְׂרָאֵל שֶׁמֹּשֶׁה יְדַבֵּר עִמָּם:

טו וְאֶת־הָהָר עָשֵׁן וַיַּרְא הָעָם וַיָּנֻעוּ וַיַּעַמְדוּ מֵרָחֹק׃ וַיֹּאמְרוּ
אֶל־מֹשֶׁה דַּבֵּר־אַתָּה עִמָּנוּ וְנִשְׁמָעָה וְאַל־יְדַבֵּר עִמָּנוּ אֱלֹהִים
טז פֶּן־נָמוּת׃ וַיֹּאמֶר מֹשֶׁה אֶל־הָעָם אַל־תִּירָאוּ כִּי לְבַעֲבוּר נַסּוֹת
אֶתְכֶם בָּא הָאֱלֹהִים וּבַעֲבוּר תִּהְיֶה יִרְאָתוֹ עַל־פְּנֵיכֶם לְבִלְתִּי
יז תֶחֱטָאוּ׃ וַיַּעֲמֹד הָעָם מֵרָחֹק וּמֹשֶׁה נִגַּשׁ אֶל־הָעֲרָפֶל אֲשֶׁר־שָׁם

מפטיר

מִצְווֹת נוֹסָפוֹת:

יח הָאֱלֹהִים׃ וַיֹּאמֶר יְהוָה אֶל־מֹשֶׁה כֹּה תֹאמַר אֶל־בְּנֵי
יט יִשְׂרָאֵל אַתֶּם רְאִיתֶם כִּי מִן־הַשָּׁמַיִם דִּבַּרְתִּי עִמָּכֶם׃ לֹא תַעֲשׂוּן
כ אִתִּי אֱלֹהֵי כֶסֶף וֵאלֹהֵי זָהָב לֹא תַעֲשׂוּ לָכֶם׃ מִזְבַּח אֲדָמָה
תַּעֲשֶׂה־לִּי וְזָבַחְתָּ עָלָיו אֶת־עֹלֹתֶיךָ וְאֶת־שְׁלָמֶיךָ אֶת־צֹאנְךָ
וְאֶת־בְּקָרֶךָ בְּכָל־הַמָּקוֹם אֲשֶׁר אַזְכִּיר אֶת־שְׁמִי אָבוֹא אֵלֶיךָ
כא וּבֵרַכְתִּיךָ׃ וְאִם־מִזְבַּח אֲבָנִים תַּעֲשֶׂה־לִּי לֹא־תִבְנֶה אֶתְהֶן גָּזִית
כב כִּי חַרְבְּךָ הֵנַפְתָּ עָלֶיהָ וַתְּחַלְלֶהָ׃ וְלֹא־תַעֲלֶה בְמַעֲלֹת עַל־מִזְבְּחִי
אֲשֶׁר לֹא־תִגָּלֶה עֶרְוָתְךָ עָלָיו׃

משפטים

דִּין עֶבֶד עִבְרִי:

כא א ב וְאֵלֶּה הַמִּשְׁפָּטִים אֲשֶׁר תָּשִׂים לִפְנֵיהֶם׃ כִּי תִקְנֶה עֶבֶד עִבְרִי
ג שֵׁשׁ שָׁנִים יַעֲבֹד וּבַשְּׁבִעִת יֵצֵא לַחָפְשִׁי חִנָּם׃ אִם־בְּגַפּוֹ יָבֹא
ד בְּגַפּוֹ יֵצֵא אִם־בַּעַל אִשָּׁה הוּא וְיָצְאָה אִשְׁתּוֹ עִמּוֹ׃ אִם־אֲדֹנָיו
יִתֶּן־לוֹ אִשָּׁה וְיָלְדָה־לוֹ בָנִים אוֹ בָנוֹת הָאִשָּׁה וִילָדֶיהָ תִּהְיֶה

דִּין הַנִּרְצָע:

ה לַאדֹנֶיהָ וְהוּא יֵצֵא בְגַפּוֹ׃ וְאִם־אָמֹר יֹאמַר הָעֶבֶד אָהַבְתִּי
ו אֶת־אֲדֹנִי אֶת־אִשְׁתִּי וְאֶת־בָּנָי לֹא אֵצֵא חָפְשִׁי׃ וְהִגִּישׁוֹ אֲדֹנָיו
אֶל־הָאֱלֹהִים וְהִגִּישׁוֹ אֶל־הַדֶּלֶת אוֹ אֶל־הַמְּזוּזָה וְרָצַע אֲדֹנָיו
אֶת־אָזְנוֹ בַּמַּרְצֵעַ וַעֲבָדוֹ לְעֹלָם׃

דִּין אָמָה עִבְרִיָּה:

ז וְכִי־

ח יִמְכֹּר אִישׁ אֶת־בִּתּוֹ לְאָמָה לֹא תֵצֵא כְּצֵאת הָעֲבָדִים: אִם־רָעָה
בְעֵינֵי אֲדֹנֶיהָ אֲשֶׁר־לוֹ לֹא יְעָדָהּ וְהֶפְדָּהּ לְעַם נָכְרִי לֹא־

ט יִמְשֹׁל לְמָכְרָהּ בְּבִגְדוֹ־בָהּ: וְאִם־לִבְנוֹ יִיעָדֶנָּה כְּמִשְׁפַּט

י הַבָּנוֹת יַעֲשֶׂה־לָּהּ: אִם־אַחֶרֶת יִקַּח־לוֹ שְׁאֵרָהּ כְּסוּתָהּ

יא וְעֹנָתָהּ לֹא יִגְרָע: וְאִם־שְׁלָשׁ־אֵלֶּה לֹא יַעֲשֶׂה לָהּ וְיָצְאָה חִנָּם

יב אֵין כָּסֶף: מַכֵּה אִישׁ וָמֵת מוֹת יוּמָת:

דִּין הָרוֹצֵחַ:

יג וַאֲשֶׁר לֹא צָדָה וְהָאֱלֹהִים אִנָּה לְיָדוֹ וְשַׂמְתִּי לְךָ מָקוֹם אֲשֶׁר יָנוּס

יד שָׁמָּה: וְכִי־יָזִד אִישׁ עַל־רֵעֵהוּ לְהָרְגוֹ בְעָרְמָה מֵעִם

טו מִזְבְּחִי תִּקָּחֶנּוּ לָמוּת: וּמַכֵּה אָבִיו וְאִמּוֹ מוֹת

טז יוּמָת: וְגֹנֵב אִישׁ וּמְכָרוֹ וְנִמְצָא בְיָדוֹ מוֹת

יז יוּמָת: וּמְקַלֵּל אָבִיו וְאִמּוֹ מוֹת יוּמָת: וְכִי־

דִּינֵי חַבָּלוֹת וְהַפָּאוֹת:

יח יְרִיבֻן אֲנָשִׁים וְהִכָּה־אִישׁ אֶת־רֵעֵהוּ בְּאֶבֶן אוֹ בְאֶגְרֹף וְלֹא יָמוּת

יט וְנָפַל לְמִשְׁכָּב: אִם־יָקוּם וְהִתְהַלֵּךְ בַּחוּץ עַל־מִשְׁעַנְתּוֹ וְנִקָּה

כ הַמַּכֶּה רַק שִׁבְתּוֹ יִתֵּן וְרַפֹּא יְרַפֵּא: וְכִי־יַכֶּה אִישׁ

שֵׁנִי

כא אֶת־עַבְדּוֹ אוֹ אֶת־אֲמָתוֹ בַּשֵּׁבֶט וּמֵת תַּחַת יָדוֹ נָקֹם יִנָּקֵם: אַךְ

כב אִם־יוֹם אוֹ יוֹמַיִם יַעֲמֹד לֹא יֻקַּם כִּי כַסְפּוֹ הוּא: וְכִי־

יִנָּצוּ אֲנָשִׁים וְנָגְפוּ אִשָּׁה הָרָה וְיָצְאוּ יְלָדֶיהָ וְלֹא יִהְיֶה אָסוֹן
עָנוֹשׁ יֵעָנֵשׁ כַּאֲשֶׁר יָשִׁית עָלָיו בַּעַל הָאִשָּׁה וְנָתַן בִּפְלִלִים:

כג וְאִם־אָסוֹן יִהְיֶה וְנָתַתָּה נֶפֶשׁ תַּחַת נָפֶשׁ: עַיִן תַּחַת עַיִן שֵׁן

כה תַּחַת שֵׁן יָד תַּחַת יָד רֶגֶל תַּחַת רָגֶל: כְּוִיָּה תַּחַת כְּוִיָּה פֶּצַע

כו תַּחַת פָּצַע חַבּוּרָה תַּחַת חַבּוּרָה: וְכִי־יַכֶּה אִישׁ אֶת־

עֵין עַבְדּוֹ אוֹ־אֶת־עֵין אֲמָתוֹ וְשִׁחֲתָהּ לַחָפְשִׁי יְשַׁלְּחֶנּוּ תַּחַת

כז עֵינוֹ: וְאִם־שֵׁן עַבְדּוֹ אוֹ־שֵׁן אֲמָתוֹ יַפִּיל לַחָפְשִׁי יְשַׁלְּחֶנּוּ תַּחַת
שִׁנּוֹ:

כח וְכִי־יִגַּח שׁוֹר אֶת־אִישׁ אוֹ אֶת־אִשָּׁה וָמֵת סָקוֹל יִסָּקֵל הַשּׁוֹר

נִזְקֵי שׁוֹר

וְלֹא יֵאָכֵל אֶת־בְּשָׂרוֹ וּבַעַל הַשּׁוֹר נָקִי: וְאִם שׁוֹר נַגָּח הוּא כט

מִתְּמֹל שִׁלְשֹׁם וְהוּעַד בִּבְעָלָיו וְלֹא יִשְׁמְרֶנּוּ וְהֵמִית אִישׁ אוֹ

אִשָּׁה הַשּׁוֹר יִסָּקֵל וְגַם־בְּעָלָיו יוּמָת: אִם־כֹּפֶר יוּשַׁת עָלָיו וְנָתַן ל

פִּדְיֹן נַפְשׁוֹ כְּכֹל אֲשֶׁר־יוּשַׁת עָלָיו: אוֹ־בֵן יִגָּח אוֹ־בַת יִגָּח לא

כַּמִּשְׁפָּט הַזֶּה יֵעָשֶׂה לּוֹ: אִם־עֶבֶד יִגַּח הַשּׁוֹר אוֹ אָמָה כֶּסֶף ׀ לב

נזקי בור שְׁלֹשִׁים שְׁקָלִים יִתֵּן לַאדֹנָיו וְהַשּׁוֹר יִסָּקֵל: וְכִי־ לג

יִפְתַּח אִישׁ בּוֹר אוֹ כִּי־יִכְרֶה אִישׁ בֹּר וְלֹא יְכַסֶּנּוּ וְנָפַל־שָׁמָּה

שׁוֹר אוֹ חֲמוֹר: בַּעַל הַבּוֹר יְשַׁלֵּם כֶּסֶף יָשִׁיב לִבְעָלָיו וְהַמֵּת לד

שׁוֹר
שֶׁנָּגַח
שׁוֹר: יִהְיֶה־לּוֹ: וְכִי־יִגֹּף לה

שׁוֹר־אִישׁ אֶת־שׁוֹר רֵעֵהוּ וָמֵת וּמָכְרוּ אֶת־הַשּׁוֹר הַחַי וְחָצוּ

אֶת־כַּסְפּוֹ וְגַם אֶת־הַמֵּת יֶחֱצוּן: אוֹ נוֹדַע כִּי שׁוֹר נַגָּח הוּא

מִתְּמוֹל שִׁלְשֹׁם וְלֹא יִשְׁמְרֶנּוּ בְּעָלָיו שַׁלֵּם יְשַׁלֵּם שׁוֹר תַּחַת

הַשּׁוֹר וְהַמֵּת יִהְיֶה־לּוֹ: כִּי יִגְנֹב־אִישׁ שׁוֹר אוֹ־שֶׂה לז

נזקי שן
ורגל: וּטְבָחוֹ אוֹ מְכָרוֹ חֲמִשָּׁה בָקָר יְשַׁלֵּם תַּחַת הַשּׁוֹר וְאַרְבַּע־צֹאן

תַּחַת הַשֶּׂה: אִם־בַּמַּחְתֶּרֶת יִמָּצֵא הַגַּנָּב וְהֻכָּה וָמֵת אֵין לוֹ דָּמִים: א כב

אִם־זָרְחָה הַשֶּׁמֶשׁ עָלָיו דָּמִים לוֹ שַׁלֵּם יְשַׁלֵּם אִם־אֵין לוֹ וְנִמְכַּר ב

בִּגְנֵבָתוֹ: אִם־הִמָּצֵא תִמָּצֵא בְיָדוֹ הַגְּנֵבָה מִשּׁוֹר עַד־חֲמוֹר ג

שלישי
נזקי אש: עַד־שֶׂה חַיִּים שְׁנַיִם יְשַׁלֵּם: כִּי יַבְעֶר־אִישׁ שָׂדֶה ד

אוֹ־כֶרֶם וְשִׁלַּח אֶת־בְּעִירֹה וּבִעֵר בִּשְׂדֵה אַחֵר מֵיטַב שָׂדֵהוּ

וּמֵיטַב כַּרְמוֹ יְשַׁלֵּם: כִּי־תֵצֵא אֵשׁ ה

וּמָצְאָה קֹצִים וְנֶאֱכַל גָּדִישׁ אוֹ הַקָּמָה אוֹ הַשָּׂדֶה שַׁלֵּם יְשַׁלֵּם

דיני
השומרים: הַמַּבְעִר אֶת־הַבְּעֵרָה: כִּי־יִתֵּן אִישׁ אֶל־רֵעֵהוּ כֶּסֶף ו

אוֹ־כֵלִים לִשְׁמֹר וְגֻנַּב מִבֵּית הָאִישׁ אִם־יִמָּצֵא הַגַּנָּב יְשַׁלֵּם

שְׁנָיִם: אִם־לֹא יִמָּצֵא הַגַּנָּב וְנִקְרַב בַּעַל־הַבַּיִת אֶל־הָאֱלֹהִים ז

אִם־לֹא שָׁלַח יָדוֹ בִּמְלֶאכֶת רֵעֵהוּ: עַל־כָּל־דְּבַר־פֶּשַׁע עַל־שׁוֹר ח

עַל־חֲמוֹר עַל־שֶׂה עַל־שַׂלְמָה עַל־כָּל־אֲבֵדָה אֲשֶׁר יֹאמַר כִּי־
הוּא זֶה עַד הָאֱלֹהִים יָבֹא דְּבַר־שְׁנֵיהֶם אֲשֶׁר יַרְשִׁיעֻן אֱלֹהִים
ט יְשַׁלֵּם שְׁנַיִם לְרֵעֵהוּ׃ כִּי־יִתֵּן אִישׁ
אֶל־רֵעֵהוּ חֲמוֹר אוֹ־שׁוֹר אוֹ־שֶׂה וְכָל־בְּהֵמָה לִשְׁמֹר וּמֵת אוֹ־
י נִשְׁבַּר אוֹ־נִשְׁבָּה אֵין רֹאֶה׃ שְׁבֻעַת יְהוָה תִּהְיֶה בֵּין שְׁנֵיהֶם
אִם־לֹא שָׁלַח יָדוֹ בִּמְלֶאכֶת רֵעֵהוּ וְלָקַח בְּעָלָיו וְלֹא יְשַׁלֵּם׃
יא יב וְאִם־גָּנֹב יִגָּנֵב מֵעִמּוֹ יְשַׁלֵּם לִבְעָלָיו׃ אִם־טָרֹף יִטָּרֵף יְבִאֵהוּ עֵד
הַטְּרֵפָה לֹא יְשַׁלֵּם׃
יג וְכִי־יִשְׁאַל אִישׁ מֵעִם רֵעֵהוּ וְנִשְׁבַּר אוֹ־מֵת בְּעָלָיו אֵין־עִמּוֹ
יד שַׁלֵּם יְשַׁלֵּם׃ אִם־בְּעָלָיו עִמּוֹ לֹא יְשַׁלֵּם אִם־שָׂכִיר הוּא בָּא
טו בִּשְׂכָרוֹ׃ וְכִי־יְפַתֶּה אִישׁ בְּתוּלָה אֲשֶׁר לֹא־אֹרָשָׂה — הַמְפַתֶּה:
טז וְשָׁכַב עִמָּהּ מָהֹר יִמְהָרֶנָּה לּוֹ לְאִשָּׁה׃ אִם־מָאֵן יְמָאֵן אָבִיהָ
יז לְתִתָּהּ לוֹ כֶּסֶף יִשְׁקֹל כְּמֹהַר הַבְּתוּלֹת׃ מְכַשֵּׁפָה לֹא
יח יט תְחַיֶּה׃ כָּל־שֹׁכֵב עִם־בְּהֵמָה מוֹת יוּמָת׃ זֹבֵחַ
כ לָאֱלֹהִים יָחֳרָם בִּלְתִּי לַיהוָה לְבַדּוֹ׃ וְגֵר לֹא־תוֹנֶה וְלֹא תִלְחָצֶנּוּ — אַזְהָרָה עַל צַעַר
כא כִּי־גֵרִים הֱיִיתֶם בְּאֶרֶץ מִצְרָיִם׃ כָּל־אַלְמָנָה וְיָתוֹם לֹא תְעַנּוּן׃ — אַלְמָנָה וְיָתוֹם:
כב אִם־עַנֵּה תְעַנֶּה אֹתוֹ כִּי אִם־צָעֹק יִצְעַק אֵלַי שָׁמֹעַ אֶשְׁמַע
כג צַעֲקָתוֹ׃ וְחָרָה אַפִּי וְהָרַגְתִּי אֶתְכֶם בֶּחָרֶב וְהָיוּ נְשֵׁיכֶם אַלְמָנוֹת
וּבְנֵיכֶם יְתֹמִים׃
כד אִם־כֶּסֶף ׀ תַּלְוֶה אֶת־עַמִּי אֶת־הֶעָנִי עִמָּךְ לֹא־תִהְיֶה לוֹ כְּנֹשֶׁה — דִּינֵי הַלְוָאָה
כה לֹא־תְשִׂימוּן עָלָיו נֶשֶׁךְ׃ אִם־חָבֹל תַּחְבֹּל שַׂלְמַת רֵעֶךָ עַד־בֹּא — וּמַשְׁכּוֹן:
כו הַשֶּׁמֶשׁ תְּשִׁיבֶנּוּ לוֹ׃ כִּי הִוא כְסוּתֹה לְבַדָּהּ הִוא שִׂמְלָתוֹ
לְעֹרוֹ בַּמֶּה יִשְׁכָּב וְהָיָה כִּי־יִצְעַק אֵלַי וְשָׁמַעְתִּי כִּי־חַנּוּן
כז אָנִי׃ אֱלֹהִים לֹא תְקַלֵּל וְנָשִׂיא בְעַמְּךָ לֹא תָאֹר׃ — רביעי מִצְוֹת בֵּין
כח כט מְלֵאָתְךָ וְדִמְעֲךָ לֹא תְאַחֵר בְּכוֹר בָּנֶיךָ תִּתֶּן־לִי׃ כֵּן־תַּעֲשֶׂה — אָדָם לַמָּקוֹם:

לְשֹׁרְךָ לְצֹאנֶךָ שִׁבְעַת יָמִים יִהְיֶה עִם־אִמּוֹ בַּיּוֹם הַשְּׁמִינִי
ל תִּתְּנוֹ־לִי׃ וְאַנְשֵׁי־קֹדֶשׁ תִּהְיוּן לִי וּבָשָׂר בַּשָּׂדֶה טְרֵפָה לֹא
אַזְהָרָה עַל עֵדוּת שֶׁקֶר:
כג א תֹאכֵלוּ לַכֶּלֶב תַּשְׁלִכוּן אֹתוֹ׃ לֹא תִשָּׂא שֵׁמַע שָׁוְא
ב אַל־תָּשֶׁת יָדְךָ עִם־רָשָׁע לִהְיֹת עֵד חָמָס׃ לֹא־תִהְיֶה אַחֲרֵי־
ג רַבִּים לְרָעֹת וְלֹא־תַעֲנֶה עַל־רִב לִנְטֹת אַחֲרֵי רַבִּים לְהַטֹּת׃ וְדָל
הֲשָׁבַת אֲבֵדָה וּפְרִיקָה:
ד לֹא תֶהְדַּר בְּרִיבוֹ׃ כִּי תִפְגַּע שׁוֹר
ה אֹיִבְךָ אוֹ חֲמֹרוֹ תֹּעֶה הָשֵׁב תְּשִׁיבֶנּוּ לוֹ׃ כִּי־תִרְאֶה
חֲמוֹר שֹׂנַאֲךָ רֹבֵץ תַּחַת מַשָּׂאוֹ וְחָדַלְתָּ מֵעֲזֹב לוֹ עָזֹב תַּעֲזֹב
חמישי
מִצְוֺת הַדַּיָּנִים:
ו ז עִמּוֹ׃ לֹא תַטֶּה מִשְׁפַּט אֶבְיֹנְךָ בְּרִיבוֹ׃ מִדְּבַר־שֶׁקֶר
ח תִּרְחָק וְנָקִי וְצַדִּיק אַל־תַּהֲרֹג כִּי לֹא־אַצְדִּיק רָשָׁע׃ וְשֹׁחַד לֹא
אַזְהָרָה עַל אוֹנָאַת הַגֵּר:
ט תִקָּח כִּי הַשֹּׁחַד יְעַוֵּר פִּקְחִים וִיסַלֵּף דִּבְרֵי צַדִּיקִים׃ וְגֵר לֹא
תִלְחָץ וְאַתֶּם יְדַעְתֶּם אֶת־נֶפֶשׁ הַגֵּר כִּי־גֵרִים הֱיִיתֶם בְּאֶרֶץ
י מִצְרָיִם׃ וְשֵׁשׁ שָׁנִים תִּזְרַע אֶת־אַרְצֶךָ וְאָסַפְתָּ אֶת־תְּבוּאָתָהּ׃
הַשְּׁמִטָּה וְהַשַּׁבָּת:
יא וְהַשְּׁבִיעִת תִּשְׁמְטֶנָּה וּנְטַשְׁתָּהּ וְאָכְלוּ אֶבְיֹנֵי עַמֶּךָ וְיִתְרָם
יב תֹּאכַל חַיַּת הַשָּׂדֶה כֵּן־תַּעֲשֶׂה לְכַרְמְךָ לְזֵיתֶךָ׃ שֵׁשֶׁת יָמִים
תַּעֲשֶׂה מַעֲשֶׂיךָ וּבַיּוֹם הַשְּׁבִיעִי תִּשְׁבֹּת לְמַעַן יָנוּחַ שׁוֹרְךָ
יג וַחֲמֹרֶךָ וְיִנָּפֵשׁ בֶּן־אֲמָתְךָ וְהַגֵּר׃ וּבְכֹל אֲשֶׁר־אָמַרְתִּי אֲלֵיכֶם
תִּשָּׁמֵרוּ וְשֵׁם אֱלֹהִים אֲחֵרִים לֹא תַזְכִּירוּ לֹא יִשָּׁמַע עַל־פִּיךָ׃
שָׁלֹשׁ רְגָלִים:
יד טו שָׁלֹשׁ רְגָלִים תָּחֹג לִי בַּשָּׁנָה׃ אֶת־חַג הַמַּצּוֹת תִּשְׁמֹר שִׁבְעַת
יָמִים תֹּאכַל מַצּוֹת כַּאֲשֶׁר צִוִּיתִךָ לְמוֹעֵד חֹדֶשׁ הָאָבִיב כִּי־בוֹ
טז יָצָאתָ מִמִּצְרָיִם וְלֹא־יֵרָאוּ פָנַי רֵיקָם׃ וְחַג הַקָּצִיר בִּכּוּרֵי מַעֲשֶׂיךָ
אֲשֶׁר תִּזְרַע בַּשָּׂדֶה וְחַג הָאָסִף בְּצֵאת הַשָּׁנָה בְּאָסְפְּךָ אֶת־
יז מַעֲשֶׂיךָ מִן־הַשָּׂדֶה׃ שָׁלֹשׁ פְּעָמִים בַּשָּׁנָה יֵרָאֶה כָּל־זְכוּרְךָ
יח אֶל־פְּנֵי הָאָדֹן ׀ יְהוָה׃ לֹא־תִזְבַּח עַל־חָמֵץ דַּם־זִבְחִי וְלֹא־יָלִין
יט חֵלֶב־חַגִּי עַד־בֹּקֶר׃ רֵאשִׁית בִּכּוּרֵי אַדְמָתְךָ תָּבִיא בֵּית יְהוָה

אֱלֹהֶיךָ לֹא־תְבַשֵּׁל גְּדִי בַּחֲלֵב אִמּֽוֹ:

ששי
בְּעוּר
עֲבוֹדָה
זָרָה:

כ הִנֵּה אָנֹכִי שֹׁלֵחַ מַלְאָךְ לְפָנֶיךָ לִשְׁמׇרְךָ בַּדָּרֶךְ וְלַהֲבִיאֲךָ

כא אֶל־הַמָּקוֹם אֲשֶׁר הֲכִנֹתִי: הִשָּׁמֶר מִפָּנָיו וּשְׁמַע בְּקֹלוֹ אַל־תַּמֵּר

בּוֹ כִּי לֹא יִשָּׂא לְפִשְׁעֲכֶם כִּי שְׁמִי בְּקִרְבּֽוֹ: כב כִּי אִם־שָׁמוֹעַ תִּשְׁמַע

בְּקֹלוֹ וְעָשִׂיתָ כֹּל אֲשֶׁר אֲדַבֵּר וְאָיַבְתִּי אֶת־אֹיְבֶיךָ וְצַרְתִּי אֶת־

צֹרְרֶיךָ: כג כִּי־יֵלֵךְ מַלְאָכִי לְפָנֶיךָ וֶהֱבִיאֲךָ אֶל־הָאֱמֹרִי וְהַֽחִתִּי

וְהַפְּרִזִּי וְהַכְּנַעֲנִי הַחִוִּי וְהַיְבוּסִי וְהִכְחַדְתִּֽיו: כד לֹא־תִשְׁתַּחֲוֶה

לֵאלֹֽהֵיהֶם וְלֹא תָעׇבְדֵם וְלֹא תַעֲשֶׂה כְּמַעֲשֵׂיהֶם כִּי הָרֵס תְּהָרְסֵם

וְשַׁבֵּר תְּשַׁבֵּר מַצֵּבֹֽתֵיהֶֽם: כה וַעֲבַדְתֶּם אֵת יְהֹוָה אֱלֹֽהֵיכֶם וּבֵרַךְ

שביעי

אֶת־לַחְמְךָ וְאֶת־מֵימֶיךָ וַהֲסִרֹתִי מַחֲלָה מִקִּרְבֶּֽךָ: כו לֹא

תִהְיֶה מְשַׁכֵּלָה וַעֲקָרָה בְּאַרְצֶךָ אֶת־מִסְפַּר יָמֶיךָ אֲמַלֵּֽא:

גֵּרֵשׁ
הַכְּנַעֲנִי
מִפְּנֵי
יִשְׂרָאֵל:

כז אֶת־אֵֽימָתִי אֲשַׁלַּח לְפָנֶיךָ וְהַמֹּתִי אֶת־כׇּל־הָעָם אֲשֶׁר תָּבֹא

בָּהֶם וְנָתַתִּי אֶת־כׇּל־אֹיְבֶיךָ אֵלֶיךָ עֹֽרֶף: כח וְשָׁלַחְתִּי אֶת־הַצִּרְעָה

לְפָנֶיךָ וְגֵרְשָׁה אֶת־הַחִוִּי אֶת־הַֽכְּנַעֲנִי וְאֶת־הַחִתִּי מִלְּפָנֶֽיךָ: כט לֹא

אֲגָרְשֶׁנּוּ מִפָּנֶיךָ בְּשָׁנָה אֶחָת פֶּן־תִּהְיֶה הָאָרֶץ שְׁמָמָה וְרַבָּה

עָלֶיךָ חַיַּת הַשָּׂדֶֽה: ל מְעַט מְעַט אֲגָרְשֶׁנּוּ מִפָּנֶיךָ עַד אֲשֶׁר תִּפְרֶה

וְנָחַלְתָּ אֶת־הָאָֽרֶץ: לא וְשַׁתִּי אֶת־גְּבֻֽלְךָ מִיַּם־סוּף וְעַד־יָם פְּלִשְׁתִּים

וּמִמִּדְבָּר עַד־הַנָּהָר כִּי ׀ אֶתֵּן בְּיֶדְכֶם אֵת יֹשְׁבֵי הָאָרֶץ וְגֵרַשְׁתָּמוֹ

מִפָּנֶֽיךָ: לב לֹא־תִכְרֹת לָהֶם וְלֵאלֹֽהֵיהֶם בְּרִֽית: לג לֹא יֵשְׁבוּ בְּאַרְצְךָ

פֶּן־יַחֲטִיאוּ אֹתְךָ לִי כִּי תַעֲבֹד אֶת־אֱלֹֽהֵיהֶם כִּי־יִהְיֶה לְךָ

לְמוֹקֵֽשׁ:

כד
כְּרִיתַת
הַבְּרִית
בְּמַתַּן
תּוֹרָה:

כד א וְאֶל־מֹשֶׁה אָמַר עֲלֵה אֶל־יְהֹוָה אַתָּה וְאַהֲרֹן נָדָב וַאֲבִיהוּא

ב וְשִׁבְעִים מִזִּקְנֵי יִשְׂרָאֵל וְהִשְׁתַּחֲוִיתֶם מֵרָחֹֽק: וְנִגַּשׁ מֹשֶׁה לְבַדּוֹ

ג אֶל־יְהֹוָה וְהֵם לֹא יִגָּשׁוּ וְהָעָם לֹא יַעֲלוּ עִמּֽוֹ: וַיָּבֹא מֹשֶׁה וַיְסַפֵּר

לָעָם אֵת כׇּל־דִּבְרֵי יְהֹוָה וְאֵת כׇּל־הַמִּשְׁפָּטִים וַיַּעַן כׇּל־הָעָם קוֹל

ד אֶחָד וַיֹּאמְרוּ כָּל־הַדְּבָרִים אֲשֶׁר־דִּבֶּר יְהוָה נַעֲשֶׂה: וַיִּכְתֹּב מֹשֶׁה
אֵת כָּל־דִּבְרֵי יְהוָה וַיַּשְׁכֵּם בַּבֹּקֶר וַיִּבֶן מִזְבֵּחַ תַּחַת הָהָר וּשְׁתֵּים
ה עֶשְׂרֵה מַצֵּבָה לִשְׁנֵים עָשָׂר שִׁבְטֵי יִשְׂרָאֵל: וַיִּשְׁלַח אֶת־נַעֲרֵי בְּנֵי
ו יִשְׂרָאֵל וַיַּעֲלוּ עֹלֹת וַיִּזְבְּחוּ זְבָחִים שְׁלָמִים לַיהוָה פָּרִים: וַיִּקַּח
ז מֹשֶׁה חֲצִי הַדָּם וַיָּשֶׂם בָּאַגָּנֹת וַחֲצִי הַדָּם זָרַק עַל־הַמִּזְבֵּחַ: וַיִּקַּח
סֵפֶר הַבְּרִית וַיִּקְרָא בְּאָזְנֵי הָעָם וַיֹּאמְרוּ כֹּל אֲשֶׁר־דִּבֶּר יְהוָה
ח נַעֲשֶׂה וְנִשְׁמָע: וַיִּקַּח מֹשֶׁה אֶת־הַדָּם וַיִּזְרֹק עַל־הָעָם וַיֹּאמֶר הִנֵּה
דַם־הַבְּרִית אֲשֶׁר כָּרַת יְהוָה עִמָּכֶם עַל כָּל־הַדְּבָרִים הָאֵלֶּה:

רְאִיַּת כְּבוֹד ה׳ עַל יְדֵי הַזְּקֵנִים:

ט וַיַּעַל מֹשֶׁה וְאַהֲרֹן נָדָב וַאֲבִיהוּא וְשִׁבְעִים מִזִּקְנֵי יִשְׂרָאֵל: וַיִּרְאוּ
אֵת אֱלֹהֵי יִשְׂרָאֵל וְתַחַת רַגְלָיו כְּמַעֲשֵׂה לִבְנַת הַסַּפִּיר וּכְעֶצֶם
יא הַשָּׁמַיִם לָטֹהַר: וְאֶל־אֲצִילֵי בְּנֵי יִשְׂרָאֵל לֹא שָׁלַח יָדוֹ וַיֶּחֱזוּ
יב אֶת־הָאֱלֹהִים וַיֹּאכְלוּ וַיִּשְׁתּוּ: וַיֹּאמֶר יְהוָה

אֶל־מֹשֶׁה עֲלֵה אֵלַי הָהָרָה וֶהְיֵה־שָׁם וְאֶתְּנָה לְךָ אֶת־לֻחֹת
יג הָאֶבֶן וְהַתּוֹרָה וְהַמִּצְוָה אֲשֶׁר כָּתַבְתִּי לְהוֹרֹתָם: וַיָּקָם מֹשֶׁה
יד וִיהוֹשֻׁעַ מְשָׁרְתוֹ וַיַּעַל מֹשֶׁה אֶל־הַר הָאֱלֹהִים: וְאֶל־הַזְּקֵנִים
אָמַר שְׁבוּ־לָנוּ בָזֶה עַד אֲשֶׁר־נָשׁוּב אֲלֵיכֶם וְהִנֵּה אַהֲרֹן וְחוּר
טו עִמָּכֶם מִי־בַעַל דְּבָרִים יִגַּשׁ אֲלֵהֶם: וַיַּעַל מֹשֶׁה אֶל־הָהָר וַיְכַס

טז הֶעָנָן אֶת־הָהָר: וַיִּשְׁכֹּן כְּבוֹד־יְהוָה עַל־הַר סִינַי וַיְכַסֵּהוּ הֶעָנָן
יז שֵׁשֶׁת יָמִים וַיִּקְרָא אֶל־מֹשֶׁה בַּיּוֹם הַשְּׁבִיעִי מִתּוֹךְ הֶעָנָן: וּמַרְאֵה
יח כְּבוֹד יְהוָה כְּאֵשׁ אֹכֶלֶת בְּרֹאשׁ הָהָר לְעֵינֵי בְּנֵי יִשְׂרָאֵל: וַיָּבֹא
מֹשֶׁה בְּתוֹךְ הֶעָנָן וַיַּעַל אֶל־הָהָר וַיְהִי מֹשֶׁה בָּהָר אַרְבָּעִים יוֹם
וְאַרְבָּעִים לָיְלָה:

תרומה

כה א ב וַיְדַבֵּר יְהוָה אֶל־מֹשֶׁה לֵּאמֹר: דַּבֵּר אֶל־בְּנֵי יִשְׂרָאֵל וְיִקְחוּ־לִי
תְּרוּמָה מֵאֵת כָּל־אִישׁ אֲשֶׁר יִדְּבֶנּוּ לִבּוֹ תִּקְחוּ אֶת־תְּרוּמָתִי:
ג ד וְזֹאת הַתְּרוּמָה אֲשֶׁר תִּקְחוּ מֵאִתָּם זָהָב וָכֶסֶף וּנְחֹשֶׁת: וּתְכֵלֶת

ה וְאַרְגָּמָן וְתוֹלַעַת שָׁנִי וְשֵׁשׁ וְעִזִּים: וְעֹרֹת אֵילִם מְאָדָּמִים וְעֹרֹת

ו תְּחָשִׁים וַעֲצֵי שִׁטִּים: שֶׁמֶן לַמָּאֹר בְּשָׂמִים לְשֶׁמֶן הַמִּשְׁחָה

ז וְלִקְטֹרֶת הַסַּמִּים: אַבְנֵי־שֹׁהַם וְאַבְנֵי מִלֻּאִים לָאֵפֹד וְלַחֹשֶׁן:

ח וְעָשׂוּ לִי מִקְדָּשׁ וְשָׁכַנְתִּי בְּתוֹכָם: כְּכֹל אֲשֶׁר אֲנִי מַרְאֶה

ט אוֹתְךָ אֵת תַּבְנִית הַמִּשְׁכָּן וְאֵת תַּבְנִית כָּל־כֵּלָיו וְכֵן

תַּעֲשׂוּ:

צווי
מעשה
הארון:

י וְעָשׂוּ אֲרוֹן עֲצֵי שִׁטִּים אַמָּתַיִם וָחֵצִי אָרְכּוֹ

יא וְאַמָּה וָחֵצִי רָחְבּוֹ וְאַמָּה וָחֵצִי קֹמָתוֹ: וְצִפִּיתָ אֹתוֹ זָהָב טָהוֹר

יב מִבַּיִת וּמִחוּץ תְּצַפֶּנּוּ וְעָשִׂיתָ עָלָיו זֵר זָהָב סָבִיב: וְיָצַקְתָּ לּוֹ

אַרְבַּע טַבְּעֹת זָהָב וְנָתַתָּה עַל אַרְבַּע פַּעֲמֹתָיו וּשְׁתֵּי טַבָּעֹת

יג עַל־צַלְעוֹ הָאֶחָת וּשְׁתֵּי טַבָּעֹת עַל־צַלְעוֹ הַשֵּׁנִית: וְעָשִׂיתָ בַדֵּי

יד עֲצֵי שִׁטִּים וְצִפִּיתָ אֹתָם זָהָב: וְהֵבֵאתָ אֶת־הַבַּדִּים בַּטַּבָּעֹת עַל

טו צַלְעֹת הָאָרֹן לָשֵׂאת אֶת־הָאָרֹן בָּהֶם: בְּטַבְּעֹת הָאָרֹן יִהְיוּ

טז הַבַּדִּים לֹא יָסֻרוּ מִמֶּנּוּ: וְנָתַתָּ אֶל־הָאָרֹן אֵת הָעֵדֻת אֲשֶׁר אֶתֵּן

שני
צווי
הַכַּפֹּרֶת
וְהַכְּרוּבִים:

יז אֵלֶיךָ: וְעָשִׂיתָ כַפֹּרֶת זָהָב טָהוֹר אַמָּתַיִם וָחֵצִי אָרְכָּהּ וְאַמָּה

יח וָחֵצִי רָחְבָּהּ: וְעָשִׂיתָ שְׁנַיִם כְּרֻבִים זָהָב מִקְשָׁה תַּעֲשֶׂה אֹתָם

יט מִשְּׁנֵי קְצוֹת הַכַּפֹּרֶת: וַעֲשֵׂה כְּרוּב אֶחָד מִקָּצָה מִזֶּה וּכְרוּב־אֶחָד

מִקָּצָה מִזֶּה מִן־הַכַּפֹּרֶת תַּעֲשׂוּ אֶת־הַכְּרֻבִים עַל־שְׁנֵי קְצוֹתָיו:

כ וְהָיוּ הַכְּרֻבִים פֹּרְשֵׂי כְנָפַיִם לְמַעְלָה סֹכְכִים בְּכַנְפֵיהֶם עַל־

הַכַּפֹּרֶת וּפְנֵיהֶם אִישׁ אֶל־אָחִיו אֶל־הַכַּפֹּרֶת יִהְיוּ פְּנֵי הַכְּרֻבִים:

כא וְנָתַתָּ אֶת־הַכַּפֹּרֶת עַל־הָאָרֹן מִלְמָעְלָה וְאֶל־הָאָרֹן תִּתֵּן אֶת־

כב הָעֵדֻת אֲשֶׁר אֶתֵּן אֵלֶיךָ: וְנוֹעַדְתִּי לְךָ שָׁם וְדִבַּרְתִּי אִתְּךָ מֵעַל

הַכַּפֹּרֶת מִבֵּין שְׁנֵי הַכְּרֻבִים אֲשֶׁר עַל־אֲרֹן הָעֵדֻת אֵת כָּל־אֲשֶׁר

אֲצַוֶּה אוֹתְךָ אֶל־בְּנֵי יִשְׂרָאֵל:

צווי
מַעֲשֵׂה
הַשֻּׁלְחָן:

כג וְעָשִׂיתָ שֻׁלְחָן עֲצֵי שִׁטִּים אַמָּתַיִם אָרְכּוֹ וְאַמָּה רָחְבּוֹ וְאַמָּה

כד וָחֵצִי קֹמָתוֹ: וְצִפִּיתָ אֹתוֹ זָהָב טָהוֹר וְעָשִׂיתָ לּוֹ זֵר זָהָב סָבִיב:

וְעָשִׂיתָ לּוֹ מִסְגֶּרֶת טֹפַח סָבִיב וְעָשִׂיתָ זֵר־זָהָב לְמִסְגַּרְתּוֹ סָבִיב: כה

וְעָשִׂיתָ לּוֹ אַרְבַּע טַבְּעֹת זָהָב וְנָתַתָּ אֶת־הַטַּבָּעֹת עַל אַרְבַּע כו

הַפֵּאֹת אֲשֶׁר לְאַרְבַּע רַגְלָיו: לְעֻמַּת הַמִּסְגֶּרֶת תִּהְיֶיןָ הַטַּבָּעֹת כז

לְבָתִּים לְבַדִּים לָשֵׂאת אֶת־הַשֻּׁלְחָן: וְעָשִׂיתָ אֶת־הַבַּדִּים עֲצֵי כח

שִׁטִּים וְצִפִּיתָ אֹתָם זָהָב וְנִשָּׂא־בָם אֶת־הַשֻּׁלְחָן: וְעָשִׂיתָ קְּעָרֹתָיו כט

וְכַפֹּתָיו וּקְשׂוֹתָיו וּמְנַקִּיֹּתָיו אֲשֶׁר יֻסַּךְ בָּהֵן זָהָב טָהוֹר תַּעֲשֶׂה

אֹתָם: וְנָתַתָּ עַל־הַשֻּׁלְחָן לֶחֶם פָּנִים לְפָנַי תָּמִיד: ל

צַוּוּי
מַעֲשֵׂה
הַמְּנוֹרָה
וְעָשִׂיתָ מְנֹרַת זָהָב טָהוֹר מִקְשָׁה תֵּיעָשֶׂה הַמְּנוֹרָה יְרֵכָהּ וְקָנָהּ לא

גְּבִיעֶיהָ כַּפְתֹּרֶיהָ וּפְרָחֶיהָ מִמֶּנָּה יִהְיוּ: וְשִׁשָּׁה קָנִים יֹצְאִים לב

מִצִּדֶּיהָ שְׁלֹשָׁה ׀ קְנֵי מְנֹרָה מִצִּדָּהּ הָאֶחָד וּשְׁלֹשָׁה קְנֵי מְנֹרָה

מִצִּדָּהּ הַשֵּׁנִי: שְׁלֹשָׁה גְבִעִים מְשֻׁקָּדִים בַּקָּנֶה הָאֶחָד כַּפְתֹּר לג

וָפֶרַח וּשְׁלֹשָׁה גְבִעִים מְשֻׁקָּדִים בַּקָּנֶה הָאֶחָד כַּפְתֹּר וָפָרַח כֵּן

לְשֵׁשֶׁת הַקָּנִים הַיֹּצְאִים מִן־הַמְּנֹרָה: וּבַמְּנֹרָה אַרְבָּעָה גְבִעִים לד

מְשֻׁקָּדִים כַּפְתֹּרֶיהָ וּפְרָחֶיהָ: וְכַפְתֹּר תַּחַת שְׁנֵי הַקָּנִים מִמֶּנָּה לה

וְכַפְתֹּר תַּחַת שְׁנֵי הַקָּנִים מִמֶּנָּה וְכַפְתֹּר תַּחַת־שְׁנֵי הַקָּנִים מִמֶּנָּה

לְשֵׁשֶׁת הַקָּנִים הַיֹּצְאִים מִן־הַמְּנֹרָה: כַּפְתֹּרֵיהֶם וּקְנֹתָם מִמֶּנָּה לו

יִהְיוּ כֻּלָּהּ מִקְשָׁה אַחַת זָהָב טָהוֹר: וְעָשִׂיתָ אֶת־נֵרֹתֶיהָ שִׁבְעָה לז

וְהֶעֱלָה אֶת־נֵרֹתֶיהָ וְהֵאִיר עַל־עֵבֶר פָּנֶיהָ: וּמַלְקָחֶיהָ וּמַחְתֹּתֶיהָ לח

זָהָב טָהוֹר: כִּכַּר זָהָב טָהוֹר יַעֲשֶׂה אֹתָהּ אֵת כָּל־הַכֵּלִים הָאֵלֶּה: לט

שְׁלִישִׁי
צַוּוּי
מַעֲשֵׂה
יְרִיעוֹת
הַמִּשְׁכָּן:
וּרְאֵה וַעֲשֵׂה בְּתַבְנִיתָם אֲשֶׁר־אַתָּה מָרְאֶה בָּהָר: וְאֶת־ מ כו

הַמִּשְׁכָּן תַּעֲשֶׂה עֶשֶׂר יְרִיעֹת שֵׁשׁ מָשְׁזָר וּתְכֵלֶת וְאַרְגָּמָן וְתֹלַעַת

שָׁנִי כְּרֻבִים מַעֲשֵׂה חֹשֵׁב תַּעֲשֶׂה אֹתָם: אֹרֶךְ ׀ הַיְרִיעָה הָאַחַת ב

שְׁמֹנֶה וְעֶשְׂרִים בָּאַמָּה וְרֹחַב אַרְבַּע בָּאַמָּה הַיְרִיעָה הָאֶחָת

מִדָּה אַחַת לְכָל־הַיְרִיעֹת: חֲמֵשׁ הַיְרִיעֹת תִּהְיֶיןָ חֹבְרֹת אִשָּׁה ג

אֶל־אֲחֹתָהּ וְחָמֵשׁ יְרִיעֹת חֹבְרֹת אִשָּׁה אֶל־אֲחֹתָהּ: וְעָשִׂיתָ ד

לֻלָאֹת תְּכֵלֶת עַל שְׂפַת הַיְרִיעָה הָאֶחָת מִקָּצָה בַּחֹבָרֶת וְכֵן
ה תַּעֲשֶׂה בִּשְׂפַת הַיְרִיעָה הַקִּיצוֹנָה בַּמַּחְבֶּרֶת הַשֵּׁנִית: חֲמִשִּׁים
לֻלָאֹת תַּעֲשֶׂה בַּיְרִיעָה הָאֶחָת וַחֲמִשִּׁים לֻלָאֹת תַּעֲשֶׂה בִּקְצֵה
הַיְרִיעָה אֲשֶׁר בַּמַּחְבֶּרֶת הַשֵּׁנִית מַקְבִּילֹת הַלֻּלָאֹת אִשָּׁה
ו אֶל־אֲחֹתָהּ: וְעָשִׂיתָ חֲמִשִּׁים קַרְסֵי זָהָב וְחִבַּרְתָּ אֶת־הַיְרִיעֹת
ז אִשָּׁה אֶל־אֲחֹתָהּ בַּקְּרָסִים וְהָיָה הַמִּשְׁכָּן אֶחָד: וְעָשִׂיתָ יְרִיעֹת — יְרִיעוֹת הָאֹהֶל:
עִזִּים לְאֹהֶל עַל־הַמִּשְׁכָּן עַשְׁתֵּי־עֶשְׂרֵה יְרִיעֹת תַּעֲשֶׂה אֹתָם:
ח אֹרֶךְ ׀ הַיְרִיעָה הָאַחַת שְׁלֹשִׁים בָּאַמָּה וְרֹחַב אַרְבַּע בָּאַמָּה
ט הַיְרִיעָה הָאֶחָת מִדָּה אַחַת לְעַשְׁתֵּי עֶשְׂרֵה יְרִיעֹת: וְחִבַּרְתָּ
אֶת־חֲמֵשׁ הַיְרִיעֹת לְבָד וְאֶת־שֵׁשׁ הַיְרִיעֹת לְבָד וְכָפַלְתָּ אֶת־
י הַיְרִיעָה הַשִּׁשִּׁית אֶל־מוּל פְּנֵי הָאֹהֶל: וְעָשִׂיתָ חֲמִשִּׁים לֻלָאֹת
עַל שְׂפַת הַיְרִיעָה הָאֶחָת הַקִּיצֹנָה בַּחֹבָרֶת וַחֲמִשִּׁים לֻלָאֹת עַל
יא שְׂפַת הַיְרִיעָה הַחֹבֶרֶת הַשֵּׁנִית: וְעָשִׂיתָ קַרְסֵי נְחֹשֶׁת חֲמִשִּׁים
וְהֵבֵאתָ אֶת־הַקְּרָסִים בַּלֻּלָאֹת וְחִבַּרְתָּ אֶת־הָאֹהֶל וְהָיָה אֶחָד:
יב וְסֶרַח הָעֹדֵף בִּירִיעֹת הָאֹהֶל חֲצִי הַיְרִיעָה הָעֹדֶפֶת תִּסְרַח עַל
יג אֲחֹרֵי הַמִּשְׁכָּן: וְהָאַמָּה מִזֶּה וְהָאַמָּה מִזֶּה בָּעֹדֵף בְּאֹרֶךְ יְרִיעֹת
הָאֹהֶל יִהְיֶה סָרוּחַ עַל־צִדֵּי הַמִּשְׁכָּן מִזֶּה וּמִזֶּה לְכַסֹּתוֹ:
יד וְעָשִׂיתָ מִכְסֶה לָאֹהֶל עֹרֹת אֵילִם מְאָדָּמִים וּמִכְסֵה עֹרֹת — צִוּוּי הַמִּכְסֶה לָאֹהֶל:
תְּחָשִׁים מִלְמָעְלָה:

טו טז וְעָשִׂיתָ אֶת־הַקְּרָשִׁים לַמִּשְׁכָּן עֲצֵי שִׁטִּים עֹמְדִים: עֶשֶׂר אַמּוֹת — רביעי קַרְשֵׁי הַמִּשְׁכָּן, הָאֲדָנִים וְהַבְּרִיחִים:
יז אֹרֶךְ הַקָּרֶשׁ וְאַמָּה וַחֲצִי הָאַמָּה רֹחַב הַקֶּרֶשׁ הָאֶחָד: שְׁתֵּי יָדוֹת
לַקֶּרֶשׁ הָאֶחָד מְשֻׁלָּבֹת אִשָּׁה אֶל־אֲחֹתָהּ כֵּן תַּעֲשֶׂה לְכֹל קַרְשֵׁי
יח הַמִּשְׁכָּן: וְעָשִׂיתָ אֶת־הַקְּרָשִׁים לַמִּשְׁכָּן עֶשְׂרִים קֶרֶשׁ לִפְאַת
יט נֶגְבָּה תֵימָנָה: וְאַרְבָּעִים אַדְנֵי־כֶסֶף תַּעֲשֶׂה תַּחַת עֶשְׂרִים
הַקָּרֶשׁ שְׁנֵי אֲדָנִים תַּחַת־הַקֶּרֶשׁ הָאֶחָד לִשְׁתֵּי יְדֹתָיו וּשְׁנֵי

כ אֲדָנִ֗ים תַּֽחַת־הַקֶּ֤רֶשׁ הָֽאֶחָד֙ לִשְׁתֵּ֣י יְדֹתָ֔יו: וּלְצֶ֧לַע הַמִּשְׁכָּ֛ן הַשֵּׁנִ֖ית
כא לִפְאַ֣ת צָפ֑וֹן עֶשְׂרִ֖ים קָֽרֶשׁ: וְאַרְבָּעִ֥ים אַדְנֵיהֶ֖ם כָּ֑סֶף שְׁנֵ֣י אֲדָנִ֗ים
כב תַּ֚חַת הַקֶּ֣רֶשׁ הָאֶחָ֔ד וּשְׁנֵ֣י אֲדָנִ֔ים תַּ֖חַת הַקֶּ֥רֶשׁ הָאֶחָֽד: וּֽלְיַרְכְּתֵ֥י
כג הַמִּשְׁכָּ֖ן יָ֑מָּה תַּעֲשֶׂ֖ה שִׁשָּׁ֥ה קְרָשִֽׁים: וּשְׁנֵ֤י קְרָשִׁים֙ תַּעֲשֶׂ֔ה
כד לִמְקֻצְעֹ֖ת הַמִּשְׁכָּ֑ן בַּיַּרְכָתָֽיִם: וְיִהְי֣וּ תֹֽאֲמִם֮ מִלְּמַטָּה֒ וְיַחְדָּ֗ו
יִהְי֤וּ תַמִּים֙ עַל־רֹאשׁ֔וֹ אֶל־הַטַּבַּ֖עַת הָאֶחָ֑ת כֵּ֚ן יִהְיֶ֣ה לִשְׁנֵיהֶ֔ם
כה לִשְׁנֵ֥י הַמִּקְצֹעֹ֖ת יִהְיֽוּ: וְהָיוּ֙ שְׁמֹנָ֣ה קְרָשִׁ֔ים וְאַדְנֵיהֶ֣ם כֶּ֔סֶף שִׁשָּׁ֥ה
עָשָׂ֖ר אֲדָנִ֑ים שְׁנֵ֣י אֲדָנִ֗ים תַּ֚חַת הַקֶּ֣רֶשׁ הָאֶחָ֔ד וּשְׁנֵ֣י אֲדָנִ֔ים תַּ֖חַת
כו הַקֶּ֥רֶשׁ הָאֶחָֽד: וְעָשִׂ֥יתָ בְרִיחִ֖ם עֲצֵ֣י שִׁטִּ֑ים חֲמִשָּׁ֕ה לְקַרְשֵׁ֥י
כז צֶֽלַע־הַמִּשְׁכָּ֖ן הָאֶחָֽד: וַחֲמִשָּׁ֣ה בְרִיחִ֔ם לְקַרְשֵׁ֥י צֶֽלַע־הַמִּשְׁכָּ֖ן
הַשֵּׁנִ֑ית וַחֲמִשָּׁ֣ה בְרִיחִ֗ם לְקַרְשֵׁי֙ צֶ֣לַע הַמִּשְׁכָּ֔ן לַיַּרְכָתַ֖יִם יָֽמָּה:
כח וְהַבְּרִ֥יחַ הַתִּיכֹ֖ן בְּת֣וֹךְ הַקְּרָשִׁ֑ים מַבְרִ֕חַ מִן־הַקָּצֶ֖ה אֶל־
כט הַקָּצֶֽה: וְאֶת־הַקְּרָשִׁ֞ים תְּצַפֶּ֣ה זָהָ֗ב וְאֶת־טַבְּעֹֽתֵיהֶם֙ תַּעֲשֶׂ֣ה זָהָ֔ב
ל בָּתִּ֖ים לַבְּרִיחִ֑ם וְצִפִּיתָ֥ אֶת־הַבְּרִיחִ֖ם זָהָֽב: וַהֲקֵמֹתָ֖ אֶת־הַמִּשְׁכָּ֑ן
לא כְּמִ֨שְׁפָּט֔וֹ אֲשֶׁ֥ר הָרְאֵ֖יתָ בָּהָֽר: וְעָשִׂ֣יתָ פָרֹ֗כֶת תְּכֵ֛לֶת
וְאַרְגָּמָ֥ן וְתוֹלַ֖עַת שָׁנִ֑י וְשֵׁ֣שׁ מָשְׁזָ֔ר מַעֲשֵׂ֥ה חֹשֵׁ֛ב יַעֲשֶׂ֥ה אֹתָ֖הּ
לב כְּרֻבִֽים: וְנָתַתָּ֣ה אֹתָ֗הּ עַל־אַרְבָּעָה֙ עַמּוּדֵ֣י שִׁטִּ֔ים מְצֻפִּ֣ים זָהָ֔ב
לג וָוֵיהֶ֖ם זָהָ֑ב עַל־אַרְבָּעָ֖ה אַדְנֵי־כָֽסֶף: וְנָתַתָּ֣ה אֶת־הַפָּרֹ֘כֶת֮ תַּ֣חַת
הַקְּרָסִים֒ וְהֵבֵאתָ֥ שָׁ֙מָּה֙ מִבֵּ֣ית לַפָּרֹ֔כֶת אֵ֖ת אֲר֣וֹן הָעֵד֑וּת
לד וְהִבְדִּילָ֤ה הַפָּרֹ֙כֶת֙ לָכֶ֔ם בֵּ֣ין הַקֹּ֔דֶשׁ וּבֵ֖ין קֹ֥דֶשׁ הַקֳּדָשִֽׁים: וְנָתַתָּ֙
לה אֶת־הַכַּפֹּ֔רֶת עַ֖ל אֲר֣וֹן הָעֵדֻ֑ת בְּקֹ֖דֶשׁ הַקֳּדָשִֽׁים: וְשַׂמְתָּ֤ אֶת־
הַשֻּׁלְחָן֙ מִח֣וּץ לַפָּרֹ֔כֶת וְאֶת־הַמְּנֹרָה֙ נֹ֣כַח הַשֻּׁלְחָ֔ן עַ֛ל צֶ֥לַע
לו הַמִּשְׁכָּ֖ן תֵּימָ֑נָה וְהַ֙שֻּׁלְחָ֔ן תִּתֵּ֖ן עַל־צֶ֥לַע צָפֽוֹן: וְעָשִׂ֤יתָ מָסָךְ֙
לְפֶ֣תַח הָאֹ֔הֶל תְּכֵ֥לֶת וְאַרְגָּמָ֛ן וְתוֹלַ֥עַת שָׁנִ֖י וְשֵׁ֣שׁ מָשְׁזָ֑ר מַעֲשֵׂ֖ה
לז רֹקֵֽם: וְעָשִׂ֣יתָ לַמָּסָ֗ךְ חֲמִשָּׁה֙ עַמּוּדֵ֣י שִׁטִּ֔ים וְצִפִּיתָ֤ אֹתָם֙ זָהָ֔ב

חמישי
צִוּוּי הַפָּרֹכֶת וְהַמָּסָךְ:

כז א וָוֵיהֶ֣ם זָהָ֑ב וְיָצַקְתָּ֣ לָהֶ֔ם חֲמִשָּׁ֖ה אַדְנֵ֥י נְחֹֽשֶׁת׃ וְעָשִׂ֥יתָ ששי צִוּוּי מִזְבַּח הַנְּחֹשֶׁת:
אֶת־הַמִּזְבֵּ֖חַ עֲצֵ֣י שִׁטִּ֑ים חָמֵשׁ֩ אַמּ֨וֹת אֹ֜רֶךְ וְחָמֵ֧שׁ אַמּ֣וֹת רֹ֗חַב
ב רָב֤וּעַ יִהְיֶה֙ הַמִּזְבֵּ֔חַ וְשָׁלֹ֥שׁ אַמּ֖וֹת קֹמָתֽוֹ׃ וְעָשִׂ֣יתָ קַרְנֹתָ֗יו
עַ֚ל אַרְבַּ֣ע פִּנֹּתָ֔יו מִמֶּ֖נּוּ תִּהְיֶ֣יןָ קַרְנֹתָ֑יו וְצִפִּיתָ֥ אֹת֖וֹ נְחֹֽשֶׁת׃
ג וְעָשִׂ֤יתָ סִּירֹתָיו֙ לְדַשְּׁנ֔וֹ וְיָעָיו֙ וּמִזְרְקֹתָ֔יו וּמִזְלְגֹתָ֖יו וּמַחְתֹּתָ֑יו
ד לְכָל־כֵּלָ֖יו תַּעֲשֶׂ֥ה נְחֹֽשֶׁת׃ וְעָשִׂ֤יתָ לּוֹ֙ מִכְבָּ֔ר מַעֲשֵׂ֖ה רֶ֣שֶׁת נְחֹ֑שֶׁת
וְעָשִׂ֣יתָ עַל־הָרֶ֗שֶׁת אַרְבַּע֙ טַבְּעֹ֣ת נְחֹ֔שֶׁת עַ֖ל אַרְבַּ֥ע קְצוֹתָֽיו׃
ה וְנָתַתָּ֣ה אֹתָ֗הּ תַּ֛חַת כַּרְכֹּ֥ב הַמִּזְבֵּ֖חַ מִלְּמָ֑טָּה וְהָיְתָ֣ה הָרֶ֔שֶׁת עַ֖ד
ו חֲצִ֥י הַמִּזְבֵּֽחַ׃ וְעָשִׂ֤יתָ בַדִּים֙ לַמִּזְבֵּ֔חַ בַּדֵּ֖י עֲצֵ֣י שִׁטִּ֑ים וְצִפִּיתָ֥
ז אֹתָ֖ם נְחֹֽשֶׁת׃ וְהוּבָ֥א אֶת־בַּדָּ֖יו בַּטַּבָּעֹ֑ת וְהָי֣וּ הַבַּדִּ֗ים עַל־שְׁתֵּ֛י
ח צַלְעֹ֥ת הַמִּזְבֵּ֖חַ בִּשְׂאֵ֥ת אֹתֽוֹ׃ נְב֥וּב לֻחֹ֖ת תַּעֲשֶׂ֣ה אֹת֑וֹ כַּאֲשֶׁ֨ר
ט הֶרְאָ֥ה אֹתְךָ֛ בָּהָ֖ר כֵּ֥ן יַעֲשֽׂוּ׃ וְעָשִׂ֕יתָ אֵ֖ת חֲצַ֣ר הַמִּשְׁכָּ֑ן שביעי צִוּוּי חֲצַר הַמִּשְׁכָּן:
לִפְאַ֣ת נֶֽגֶב־תֵּ֩ימָנָ֩ה קְלָעִ֨ים לֶחָצֵ֜ר שֵׁ֣שׁ מָשְׁזָ֗ר מֵאָ֤ה בָֽאַמָּה֙ אֹ֔רֶךְ
י לַפֵּאָ֖ה הָאֶחָֽת׃ וְעַמֻּדָ֣יו עֶשְׂרִ֔ים וְאַדְנֵיהֶ֥ם עֶשְׂרִ֖ים נְחֹ֑שֶׁת וָוֵ֧י
יא הָֽעַמֻּדִ֛ים וַחֲשֻׁקֵיהֶ֖ם כָּֽסֶף׃ וְכֵ֨ן לִפְאַ֤ת צָפוֹן֙ בָּאֹ֔רֶךְ קְלָעִ֖ים מֵ֣אָה
אֹ֑רֶךְ וְעַמֻּדָ֣יו עֶשְׂרִ֗ים וְאַדְנֵיהֶ֤ם עֶשְׂרִים֙ נְחֹ֔שֶׁת וָוֵ֧י הָֽעַמֻּדִ֛ים
יב וַחֲשֻׁקֵיהֶ֖ם כָּֽסֶף׃ וְרֹ֤חַב הֶחָצֵר֙ לִפְאַת־יָ֔ם קְלָעִ֖ים חֲמִשִּׁ֣ים אַמָּ֑ה
יג עַמֻּדֵיהֶ֣ם עֲשָׂרָ֔ה וְאַדְנֵיהֶ֖ם עֲשָׂרָֽה׃ וְרֹ֣חַב הֶחָצֵ֗ר לִפְאַ֛ת קֵ֥דְמָה
יד מִזְרָ֖חָה חֲמִשִּׁ֥ים אַמָּֽה׃ וַחֲמֵ֧שׁ עֶשְׂרֵ֛ה אַמָּ֖ה קְלָעִ֣ים לַכָּתֵ֑ף
טו עַמֻּדֵיהֶ֣ם שְׁלֹשָׁ֔ה וְאַדְנֵיהֶ֖ם שְׁלֹשָֽׁה׃ וְלַכָּתֵף֙ הַשֵּׁנִ֔ית חֲמֵ֥שׁ עֶשְׂרֵ֖ה
טז קְלָעִ֑ים עַמֻּדֵיהֶ֣ם שְׁלֹשָׁ֔ה וְאַדְנֵיהֶ֖ם שְׁלֹשָֽׁה׃ וּלְשַׁ֨עַר הֶחָצֵ֜ר מָסָ֣ךְ ׀
עֶשְׂרִ֣ים אַמָּ֗ה תְּכֵ֨לֶת וְאַרְגָּמָ֜ן וְתוֹלַ֧עַת שָׁנִ֛י וְשֵׁ֥שׁ מָשְׁזָ֖ר מַעֲשֵׂ֣ה
יז רֹקֵ֑ם עַמֻּדֵיהֶם֙ אַרְבָּעָ֔ה וְאַדְנֵיהֶ֖ם אַרְבָּעָֽה׃ כָּל־עַמּוּדֵ֨י הֶחָצֵ֤ר מפטיר
יח סָבִיב֙ מְחֻשָּׁקִ֣ים כֶּ֔סֶף וָוֵיהֶ֖ם כָּ֑סֶף וְאַדְנֵיהֶ֖ם נְחֹֽשֶׁת׃ אֹ֣רֶךְ הֶחָצֵר֩
מֵאָ֨ה בָֽאַמָּ֜ה וְרֹ֣חַב ׀ חֲמִשִּׁ֣ים בַּחֲמִשִּׁ֗ים וְקֹמָ֛ה חָמֵ֥שׁ אַמּ֖וֹת שֵׁ֣שׁ

יט מָשְׁזָר וְאַדְנֵיהֶם נְחֹשֶׁת׃ לְכֹל כְּלֵי הַמִּשְׁכָּן בְּכֹל עֲבֹדָתוֹ
כ וְכָל־יְתֵדֹתָיו וְכָל־יִתְדֹת הֶחָצֵר נְחֹשֶׁת׃ וְאַתָּה **תצוה**
תְּצַוֶּה ׀ אֶת־בְּנֵי יִשְׂרָאֵל וְיִקְחוּ אֵלֶיךָ שֶׁמֶן זַיִת זָךְ כָּתִית לַמָּאוֹר הַשֶּׁמֶן לַמָּאוֹר:
כא לְהַעֲלֹת נֵר תָּמִיד׃ בְּאֹהֶל מוֹעֵד מִחוּץ לַפָּרֹכֶת אֲשֶׁר עַל־הָעֵדֻת
יַעֲרֹךְ אֹתוֹ אַהֲרֹן וּבָנָיו מֵעֶרֶב עַד־בֹּקֶר לִפְנֵי יְהוָה חֻקַּת עוֹלָם
כח א לְדֹרֹתָם מֵאֵת בְּנֵי יִשְׂרָאֵל׃ וְאַתָּה הַקְרֵב אֵלֶיךָ אֶת־ הַכֹּהֲנִים
אַהֲרֹן אָחִיךָ וְאֶת־בָּנָיו אִתּוֹ מִתּוֹךְ בְּנֵי יִשְׂרָאֵל לְכַהֲנוֹ־לִי אַהֲרֹן וּבִגְדֵי הַכְּהֻנָּה:
ב נָדָב וַאֲבִיהוּא אֶלְעָזָר וְאִיתָמָר בְּנֵי אַהֲרֹן׃ וְעָשִׂיתָ בִגְדֵי־קֹדֶשׁ
ג לְאַהֲרֹן אָחִיךָ לְכָבוֹד וּלְתִפְאָרֶת׃ וְאַתָּה תְּדַבֵּר אֶל־כָּל־חַכְמֵי־
לֵב אֲשֶׁר מִלֵּאתִיו רוּחַ חָכְמָה וְעָשׂוּ אֶת־בִּגְדֵי אַהֲרֹן לְקַדְּשׁוֹ
ד לְכַהֲנוֹ־לִי׃ וְאֵלֶּה הַבְּגָדִים אֲשֶׁר יַעֲשׂוּ חֹשֶׁן וְאֵפוֹד וּמְעִיל וּכְתֹנֶת
תַּשְׁבֵּץ מִצְנֶפֶת וְאַבְנֵט וְעָשׂוּ בִגְדֵי־קֹדֶשׁ לְאַהֲרֹן אָחִיךָ וּלְבָנָיו
ה לְכַהֲנוֹ־לִי׃ וְהֵם יִקְחוּ אֶת־הַזָּהָב וְאֶת־הַתְּכֵלֶת וְאֶת־הָאַרְגָּמָן
וְאֶת־תּוֹלַעַת הַשָּׁנִי וְאֶת־הַשֵּׁשׁ׃

ו וְעָשׂוּ אֶת־הָאֵפֹד זָהָב תְּכֵלֶת וְאַרְגָּמָן תּוֹלַעַת שָׁנִי וְשֵׁשׁ מָשְׁזָר צִוּוּי מַעֲשֵׂה
ז מַעֲשֵׂה חֹשֵׁב׃ שְׁתֵּי כְתֵפֹת חֹבְרֹת יִהְיֶה־לּוֹ אֶל־שְׁנֵי קְצוֹתָיו הָאֵפוֹד:
ח וְחֻבָּר׃ וְחֵשֶׁב אֲפֻדָּתוֹ אֲשֶׁר עָלָיו כְּמַעֲשֵׂהוּ מִמֶּנּוּ יִהְיֶה זָהָב
ט תְּכֵלֶת וְאַרְגָּמָן וְתוֹלַעַת שָׁנִי וְשֵׁשׁ מָשְׁזָר׃ וְלָקַחְתָּ אֶת־שְׁתֵּי
י אַבְנֵי־שֹׁהַם וּפִתַּחְתָּ עֲלֵיהֶם שְׁמוֹת בְּנֵי יִשְׂרָאֵל׃ שִׁשָּׁה מִשְּׁמֹתָם
עַל הָאֶבֶן הָאֶחָת וְאֶת־שְׁמוֹת הַשִּׁשָּׁה הַנּוֹתָרִים עַל־הָאֶבֶן הַשֵּׁנִית
יא כְּתוֹלְדֹתָם׃ מַעֲשֵׂה חָרַשׁ אֶבֶן פִּתּוּחֵי חֹתָם תְּפַתַּח אֶת־שְׁתֵּי
הָאֲבָנִים עַל־שְׁמֹת בְּנֵי יִשְׂרָאֵל מֻסַבֹּת מִשְׁבְּצוֹת זָהָב תַּעֲשֶׂה
יב אֹתָם׃ וְשַׂמְתָּ אֶת־שְׁתֵּי הָאֲבָנִים עַל כִּתְפֹת הָאֵפֹד אַבְנֵי זִכָּרֹן
לִבְנֵי יִשְׂרָאֵל וְנָשָׂא אַהֲרֹן אֶת־שְׁמוֹתָם לִפְנֵי יְהוָה עַל־שְׁתֵּי
יג יד כְּתֵפָיו לְזִכָּרֹן׃ וְעָשִׂיתָ מִשְׁבְּצֹת זָהָב׃ וּשְׁתֵּי שַׁרְשְׁרֹת שני

זָהָב טָהוֹר מִגְבָּלֹת תַּעֲשֶׂה אֹתָם מַעֲשֵׂה עֲבֹת וְנָתַתָּה אֶת־
טו שַׁרְשְׁרֹת הָעֲבֹתֹת עַל־הַמִּשְׁבְּצֹת׃ וְעָשִׂיתָ צִוּוּי מַעֲשֵׂה הַחֹשֶׁן:
חֹשֶׁן מִשְׁפָּט מַעֲשֵׂה חֹשֵׁב כְּמַעֲשֵׂה אֵפֹד תַּעֲשֶׂנּוּ זָהָב תְּכֵלֶת
טז וְאַרְגָּמָן וְתוֹלַעַת שָׁנִי וְשֵׁשׁ מָשְׁזָר תַּעֲשֶׂה אֹתוֹ׃ רָבוּעַ יִהְיֶה
יז כָּפוּל זֶרֶת אָרְכּוֹ וְזֶרֶת רָחְבּוֹ׃ וּמִלֵּאתָ בוֹ מִלֻּאַת אֶבֶן אַרְבָּעָה
יח טוּרִים אָבֶן טוּר אֹדֶם פִּטְדָה וּבָרֶקֶת הַטּוּר הָאֶחָד׃ וְהַטּוּר הַשֵּׁנִי
יט כ נֹפֶךְ סַפִּיר וְיָהֲלֹם׃ וְהַטּוּר הַשְּׁלִישִׁי לֶשֶׁם שְׁבוֹ וְאַחְלָמָה׃ וְהַטּוּר
הָרְבִיעִי תַּרְשִׁישׁ וְשֹׁהַם וְיָשְׁפֵה מְשֻׁבָּצִים זָהָב יִהְיוּ בְּמִלּוּאֹתָם׃
כא וְהָאֲבָנִים תִּהְיֶיןָ עַל־שְׁמֹת בְּנֵי־יִשְׂרָאֵל שְׁתֵּים עֶשְׂרֵה עַל־
שְׁמֹתָם פִּתּוּחֵי חוֹתָם אִישׁ עַל־שְׁמוֹ תִּהְיֶיןָ לִשְׁנֵי עָשָׂר שָׁבֶט׃
כב וְעָשִׂיתָ עַל־הַחֹשֶׁן שַׁרְשֹׁת גַּבְלֻת מַעֲשֵׂה עֲבֹת זָהָב טָהוֹר׃
כג וְעָשִׂיתָ עַל־הַחֹשֶׁן שְׁתֵּי טַבְּעוֹת זָהָב וְנָתַתָּ אֶת־שְׁתֵּי הַטַּבָּעוֹת
כד עַל־שְׁנֵי קְצוֹת הַחֹשֶׁן׃ וְנָתַתָּה אֶת־שְׁתֵּי עֲבֹתֹת הַזָּהָב עַל־שְׁתֵּי
כה הַטַּבָּעֹת אֶל־קְצוֹת הַחֹשֶׁן׃ וְאֵת שְׁתֵּי קְצוֹת שְׁתֵּי הָעֲבֹתֹת תִּתֵּן
עַל־שְׁתֵּי הַמִּשְׁבְּצוֹת וְנָתַתָּה עַל־כִּתְפוֹת הָאֵפֹד אֶל־מוּל פָּנָיו׃
כו וְעָשִׂיתָ שְׁתֵּי טַבְּעוֹת זָהָב וְשַׂמְתָּ אֹתָם עַל־שְׁנֵי קְצוֹת הַחֹשֶׁן
כז עַל־שְׂפָתוֹ אֲשֶׁר אֶל־עֵבֶר הָאֵפוֹד בָּיְתָה׃ וְעָשִׂיתָ שְׁתֵּי טַבְּעוֹת
זָהָב וְנָתַתָּה אֹתָם עַל־שְׁתֵּי כִתְפוֹת הָאֵפוֹד מִלְּמַטָּה מִמּוּל פָּנָיו
כח לְעֻמַּת מֶחְבַּרְתּוֹ מִמַּעַל לְחֵשֶׁב הָאֵפוֹד׃ וְיִרְכְּסוּ אֶת־הַחֹשֶׁן
מִטַּבְּעֹתָו אֶל־טַבְּעֹת הָאֵפוֹד בִּפְתִיל תְּכֵלֶת לִהְיוֹת עַל־חֵשֶׁב
כט הָאֵפוֹד וְלֹא־יִזַּח הַחֹשֶׁן מֵעַל הָאֵפוֹד׃ וְנָשָׂא אַהֲרֹן אֶת־שְׁמוֹת
בְּנֵי־יִשְׂרָאֵל בְּחֹשֶׁן הַמִּשְׁפָּט עַל־לִבּוֹ בְּבֹאוֹ אֶל־הַקֹּדֶשׁ לְזִכָּרֹן
ל לִפְנֵי־יְהוָה תָּמִיד׃ וְנָתַתָּ אֶל־חֹשֶׁן הַמִּשְׁפָּט אֶת־הָאוּרִים וְאֶת־
הַתֻּמִּים וְהָיוּ עַל־לֵב אַהֲרֹן בְּבֹאוֹ לִפְנֵי יְהוָה וְנָשָׂא אַהֲרֹן אֶת־
לא מִשְׁפַּט בְּנֵי־יִשְׂרָאֵל עַל־לִבּוֹ לִפְנֵי יְהוָה תָּמִיד׃ וְעָשִׂיתָ שלישי

צִוּוּי מַעֲשֵׂה הַמְּעִיל:

אֶת־מְעִיל הָאֵפוֹד כְּלִיל תְּכֵלֶת׃ וְהָיָה פִי־רֹאשׁוֹ בְּתוֹכוֹ שָׂפָה לב
יִהְיֶה לְּפִיו סָבִיב מַעֲשֵׂה אֹרֵג כְּפִי תַחְרָא יִהְיֶה־לּוֹ לֹא
יִקָּרֵעַ׃ וְעָשִׂיתָ עַל־שׁוּלָיו רִמֹּנֵי תְּכֵלֶת וְאַרְגָּמָן וְתוֹלַעַת שָׁנִי לג
עַל־שׁוּלָיו סָבִיב וּפַעֲמֹנֵי זָהָב בְּתוֹכָם סָבִיב׃ פַּעֲמֹן זָהָב וְרִמּוֹן לד
פַּעֲמֹן זָהָב וְרִמּוֹן עַל־שׁוּלֵי הַמְּעִיל סָבִיב׃ וְהָיָה עַל־אַהֲרֹן לה
לְשָׁרֵת וְנִשְׁמַע קוֹלוֹ בְּבֹאוֹ אֶל־הַקֹּדֶשׁ לִפְנֵי יְהוָה וּבְצֵאתוֹ וְלֹא

צִוּוּי מַעֲשֵׂה הַצִּיץ וּשְׁאָר הַבְּגָדִים:

יָמוּת׃ וְעָשִׂיתָ צִּיץ זָהָב טָהוֹר לו
וּפִתַּחְתָּ עָלָיו פִּתּוּחֵי חֹתָם קֹדֶשׁ לַיהוָה׃ וְשַׂמְתָּ אֹתוֹ עַל־פְּתִיל לז
תְּכֵלֶת וְהָיָה עַל־הַמִּצְנָפֶת אֶל־מוּל פְּנֵי־הַמִּצְנֶפֶת יִהְיֶה׃ וְהָיָה לח
עַל־מֵצַח אַהֲרֹן וְנָשָׂא אַהֲרֹן אֶת־עֲוֺן הַקֳּדָשִׁים אֲשֶׁר יַקְדִּישׁוּ
בְּנֵי יִשְׂרָאֵל לְכָל־מַתְּנֹת קָדְשֵׁיהֶם וְהָיָה עַל־מִצְחוֹ תָּמִיד לְרָצוֹן
לָהֶם לִפְנֵי יְהוָה׃ וְשִׁבַּצְתָּ הַכְּתֹנֶת שֵׁשׁ וְעָשִׂיתָ מִצְנֶפֶת שֵׁשׁ לט
וְאַבְנֵט תַּעֲשֶׂה מַעֲשֵׂה רֹקֵם׃ וְלִבְנֵי אַהֲרֹן תַּעֲשֶׂה כֻתֳּנֹת וְעָשִׂיתָ מ
לָהֶם אַבְנֵטִים וּמִגְבָּעוֹת תַּעֲשֶׂה לָהֶם לְכָבוֹד וּלְתִפְאָרֶת׃
וְהִלְבַּשְׁתָּ אֹתָם אֶת־אַהֲרֹן אָחִיךָ וְאֶת־בָּנָיו אִתּוֹ וּמָשַׁחְתָּ אֹתָם מא
וּמִלֵּאתָ אֶת־יָדָם וְקִדַּשְׁתָּ אֹתָם וְכִהֲנוּ לִי׃ וַעֲשֵׂה לָהֶם מִכְנְסֵי־ מב
בָד לְכַסּוֹת בְּשַׂר עֶרְוָה מִמָּתְנַיִם וְעַד־יְרֵכַיִם יִהְיוּ׃ וְהָיוּ מג
עַל־אַהֲרֹן וְעַל־בָּנָיו בְּבֹאָם ׀ אֶל־אֹהֶל מוֹעֵד אוֹ בְגִשְׁתָּם אֶל־
הַמִּזְבֵּחַ לְשָׁרֵת בַּקֹּדֶשׁ וְלֹא־יִשְׂאוּ עָוֺן וָמֵתוּ חֻקַּת עוֹלָם לוֹ

רביעי
צִוּוּי קִדּוּשׁ הַמִּשְׁכָּן וְהַכֹּהֲנִים:

וּלְזַרְעוֹ אַחֲרָיו׃ וְזֶה הַדָּבָר אֲשֶׁר־תַּעֲשֶׂה לָהֶם לְקַדֵּשׁ א כט
אֹתָם לְכַהֵן לִי לְקַח פַּר אֶחָד בֶּן־בָּקָר וְאֵילִם שְׁנַיִם תְּמִימִם׃
וְלֶחֶם מַצּוֹת וְחַלֹּת מַצֹּת בְּלוּלֹת בַּשֶּׁמֶן וּרְקִיקֵי מַצּוֹת מְשֻׁחִים ב
בַּשָּׁמֶן סֹלֶת חִטִּים תַּעֲשֶׂה אֹתָם׃ וְנָתַתָּ אוֹתָם עַל־סַל אֶחָד ג

הֲכָנַת הַכֹּהֲנִים:

וְהִקְרַבְתָּ אֹתָם בַּסָּל וְאֶת־הַפָּר וְאֵת שְׁנֵי הָאֵילִם׃ וְאֶת־אַהֲרֹן ד
וְאֶת־בָּנָיו תַּקְרִיב אֶל־פֶּתַח אֹהֶל מוֹעֵד וְרָחַצְתָּ אֹתָם בַּמָּיִם׃

ה וְלָקַחְתָּ אֶת־הַבְּגָדִים וְהִלְבַּשְׁתָּ אֶת־אַהֲרֹן אֶת־הַכֻּתֹּנֶת וְאֵת מְעִיל הָאֵפֹד וְאֶת־הָאֵפֹד וְאֶת־הַחֹשֶׁן וְאָפַדְתָּ לוֹ בְּחֵשֶׁב הָאֵפֹד:

ו וְשַׂמְתָּ הַמִּצְנֶפֶת עַל־רֹאשׁוֹ וְנָתַתָּ אֶת־נֵזֶר הַקֹּדֶשׁ עַל־הַמִּצְנָפֶת:

ז וְלָקַחְתָּ אֶת־שֶׁמֶן הַמִּשְׁחָה וְיָצַקְתָּ עַל־רֹאשׁוֹ וּמָשַׁחְתָּ אֹתוֹ:

ח וְאֶת־בָּנָיו תַּקְרִיב וְהִלְבַּשְׁתָּם כֻּתֳּנֹת: וְחָגַרְתָּ אֹתָם אַבְנֵט אַהֲרֹן וּבָנָיו וְחָבַשְׁתָּ לָהֶם מִגְבָּעֹת וְהָיְתָה לָהֶם כְּהֻנָּה לְחֻקַּת עוֹלָם

י וּמִלֵּאתָ יַד־אַהֲרֹן וְיַד־בָּנָיו: וְהִקְרַבְתָּ אֶת־הַפָּר לִפְנֵי אֹהֶל מוֹעֵד

צַוֵּי הַקְרָבַת קָרְבְּנוֹת הַמִּלּוּאִים:

יא וְסָמַךְ אַהֲרֹן וּבָנָיו אֶת־יְדֵיהֶם עַל־רֹאשׁ הַפָּר: וְשָׁחַטְתָּ אֶת־הַפָּר

יב לִפְנֵי יְהוָה פֶּתַח אֹהֶל מוֹעֵד: וְלָקַחְתָּ מִדַּם הַפָּר וְנָתַתָּה עַל־קַרְנֹת הַמִּזְבֵּחַ בְּאֶצְבָּעֶךָ וְאֶת־כָּל־הַדָּם תִּשְׁפֹּךְ אֶל־יְסוֹד

יג הַמִּזְבֵּחַ: וְלָקַחְתָּ אֶת־כָּל־הַחֵלֶב הַמְכַסֶּה אֶת־הַקֶּרֶב וְאֵת הַיֹּתֶרֶת עַל־הַכָּבֵד וְאֵת שְׁתֵּי הַכְּלָיֹת וְאֶת־הַחֵלֶב אֲשֶׁר עֲלֵיהֶן

יד וְהִקְטַרְתָּ הַמִּזְבֵּחָה: וְאֶת־בְּשַׂר הַפָּר וְאֶת־עֹרוֹ וְאֶת־פִּרְשׁוֹ

טו תִּשְׂרֹף בָּאֵשׁ מִחוּץ לַמַּחֲנֶה חַטָּאת הוּא: וְאֶת־הָאַיִל הָאֶחָד תִּקָּח

טז וְסָמְכוּ אַהֲרֹן וּבָנָיו אֶת־יְדֵיהֶם עַל־רֹאשׁ הָאָיִל: וְשָׁחַטְתָּ אֶת־

יז הָאַיִל וְלָקַחְתָּ אֶת־דָּמוֹ וְזָרַקְתָּ עַל־הַמִּזְבֵּחַ סָבִיב: וְאֶת־הָאַיִל תְּנַתֵּחַ לִנְתָחָיו וְרָחַצְתָּ קִרְבּוֹ וּכְרָעָיו וְנָתַתָּ עַל־נְתָחָיו וְעַל־

יח רֹאשׁוֹ: וְהִקְטַרְתָּ אֶת־כָּל־הָאַיִל הַמִּזְבֵּחָה עֹלָה הוּא לַיהוָה רֵיחַ

יט נִיחוֹחַ אִשֶּׁה לַיהוָה הוּא: וְלָקַחְתָּ אֵת הָאַיִל הַשֵּׁנִי וְסָמַךְ אַהֲרֹן

חֲמִישִׁי

קִדּוּשׁ הַכֹּהֲנִים בְּדַם הָאָיִל:

כ וּבָנָיו אֶת־יְדֵיהֶם עַל־רֹאשׁ הָאָיִל: וְשָׁחַטְתָּ אֶת־הָאַיִל וְלָקַחְתָּ מִדָּמוֹ וְנָתַתָּה עַל־תְּנוּךְ אֹזֶן אַהֲרֹן וְעַל־תְּנוּךְ אֹזֶן בָּנָיו הַיְמָנִית וְעַל־בֹּהֶן יָדָם הַיְמָנִית וְעַל־בֹּהֶן רַגְלָם הַיְמָנִית וְזָרַקְתָּ אֶת־הַדָּם

כא עַל־הַמִּזְבֵּחַ סָבִיב: וְלָקַחְתָּ מִן־הַדָּם אֲשֶׁר עַל־הַמִּזְבֵּחַ וּמִשֶּׁמֶן הַמִּשְׁחָה וְהִזֵּיתָ עַל־אַהֲרֹן וְעַל־בְּגָדָיו וְעַל־בָּנָיו וְעַל־

כב בִּגְדֵי בָנָיו אִתּוֹ וְקָדַשׁ הוּא וּבְגָדָיו וּבָנָיו וּבִגְדֵי בָנָיו אִתּוֹ: וְלָקַחְתָּ

מִן־הָאַ֫יִל הַחֵ֜לֶב וְהָאַלְיָה֙ וְאֶת־הַחֵ֣לֶב ׀ הַֽמְכַסֶּ֣ה אֶת־הַקֶּ֗רֶב וְאֵ֣ת
יֹתֶ֣רֶת הַכָּבֵ֗ד וְאֵ֣ת ׀ שְׁתֵּ֣י הַכְּלָיֹ֗ת וְאֶת־הַחֵ֙לֶב֙ אֲשֶׁ֣ר עֲלֵהֶ֔ן וְאֵ֖ת
שׁ֣וֹק הַיָּמִ֑ין כִּ֛י אֵ֥יל מִלֻּאִ֖ים הֽוּא: וְכִכַּ֨ר לֶ֜חֶם אַחַ֗ת וְֽחַלַּ֨ת לֶ֣חֶם כג

שֶׁ֜מֶן אַחַ֗ת וְרָקִ֣יק אֶחָ֔ד מִסַּל֙ הַמַּצּ֔וֹת אֲשֶׁ֖ר לִפְנֵ֣י יְהֹוָֽה: וְשַׂמְתָּ֣ כד
הַכֹּ֔ל עַ֚ל כַּפֵּ֣י אַֽהֲרֹ֔ן וְעַ֖ל כַּפֵּ֣י בָנָ֑יו וְהֵנַפְתָּ֥ אֹתָ֛ם תְּנוּפָ֖ה לִפְנֵ֥י
יְהֹוָֽה: וְלָקַחְתָּ֤ אֹתָם֙ מִיָּדָ֔ם וְהִקְטַרְתָּ֥ הַמִּזְבֵּ֖חָה עַל־הָֽעֹלָ֑ה לְרֵ֤יחַ כה
נִיחֹ֙חַ֙ לִפְנֵ֣י יְהֹוָ֔ה אִשֶּׁ֥ה ה֖וּא לַֽיהֹוָֽה: וְלָֽקַחְתָּ֣ אֶת־הֶֽחָזֶ֗ה מֵאֵ֤יל כו
הַמִּלֻּאִים֙ אֲשֶׁ֣ר לְאַֽהֲרֹ֔ן וְהֵנַפְתָּ֥ אֹת֛וֹ תְּנוּפָ֖ה לִפְנֵ֣י יְהֹוָ֑ה וְהָיָ֥ה לְךָ֖
לְמָנָֽה: וְקִדַּשְׁתָּ֣ אֵ֣ת ׀ חֲזֵ֣ה הַתְּנוּפָ֗ה וְאֵת֙ שׁ֣וֹק הַתְּרוּמָ֔ה אֲשֶׁ֥ר כז
הוּנַ֖ף וַֽאֲשֶׁ֣ר הוּרָ֑ם מֵאֵיל֙ הַמִּלֻּאִ֔ים מֵֽאֲשֶׁ֥ר לְאַֽהֲרֹ֖ן וּמֵֽאֲשֶׁ֥ר לְבָנָֽיו:
וְהָיָה֩ לְאַֽהֲרֹ֨ן וּלְבָנָ֜יו לְחָק־עוֹלָ֗ם מֵאֵת֙ בְּנֵ֣י יִשְׂרָאֵ֔ל כִּ֥י תְרוּמָ֖ה כח
ה֑וּא וּתְרוּמָ֞ה יִֽהְיֶ֨ה מֵאֵ֤ת בְּנֵֽי־יִשְׂרָאֵל֙ מִזִּבְחֵ֣י שַׁלְמֵיהֶ֔ם
תְּרֽוּמָתָ֖ם לַֽיהֹוָֽה: וּבִגְדֵ֤י הַקֹּ֨דֶשׁ֙ אֲשֶׁ֣ר לְאַֽהֲרֹ֔ן יִֽהְי֥וּ לְבָנָ֖יו אַֽחֲרָ֑יו כט
לְמָשְׁחָ֣ה בָהֶ֔ם וּלְמַלֵּא־בָ֖ם אֶת־יָדָֽם: שִׁבְעַ֣ת יָמִ֗ים יִלְבָּשָׁ֧ם הַכֹּהֵ֛ן ל

אֲכִילַת
בָּשָׂר

תַּחְתָּ֖יו מִבָּנָ֑יו אֲשֶׁ֥ר יָבֹ֛א אֶל־אֹ֥הֶל מוֹעֵ֖ד לְשָׁרֵ֥ת בַּקֹּֽדֶשׁ: וְאֵ֛ת לא

הַקֳּדָשִׁים:

אֵ֥יל הַמִּלֻּאִ֖ים תִּקָּ֑ח וּבִשַּׁלְתָּ֥ אֶת־בְּשָׂר֖וֹ בְּמָקֹ֥ם קָדֹֽשׁ: וְאָכַ֨ל אַֽהֲרֹ֤ן לב
וּבָנָיו֙ אֶת־בְּשַׂ֣ר הָאַ֔יִל וְאֶת־הַלֶּ֖חֶם אֲשֶׁ֣ר בַּסָּ֑ל פֶּ֖תַח אֹ֥הֶל מוֹעֵֽד:
וְאָֽכְל֤וּ אֹתָם֙ אֲשֶׁ֣ר כֻּפַּ֣ר בָּהֶ֔ם לְמַלֵּ֥א אֶת־יָדָ֖ם לְקַדֵּ֣שׁ אֹתָ֑ם וְזָ֥ר לג
לֹא־יֹאכַ֖ל כִּי־קֹ֥דֶשׁ הֵֽם: וְאִם־יִוָּתֵ֞ר מִבְּשַׂ֧ר הַמִּלֻּאִ֛ים וּמִן־הַלֶּ֖חֶם לד
עַד־הַבֹּ֑קֶר וְשָֽׂרַפְתָּ֤ אֶת־הַנּוֹתָר֙ בָּאֵ֔שׁ לֹ֥א יֵֽאָכֵ֖ל כִּי־קֹ֥דֶשׁ הֽוּא:
וְעָשִׂ֜יתָ לְאַֽהֲרֹ֤ן וּלְבָנָיו֙ כָּ֔כָה כְּכֹ֥ל אֲשֶׁר־צִוִּ֖יתִי אֹתָ֑כָה שִׁבְעַ֥ת לה

קִדּוּשׁ
הַמִּזְבֵּֽחַ:

יָמִ֖ים תְּמַלֵּ֥א יָדָֽם: וּפַ֨ר חַטָּ֜את תַּֽעֲשֶׂ֤ה לַיּוֹם֙ עַל־הַכִּפֻּרִ֔ים לו
וְחִטֵּאתָ֙ עַל־הַמִּזְבֵּ֔חַ בְּכַפֶּרְךָ֖ עָלָ֑יו וּמָֽשַׁחְתָּ֥ אֹת֖וֹ לְקַדְּשֽׁוֹ:
שִׁבְעַ֣ת יָמִ֗ים תְּכַפֵּר֙ עַל־הַמִּזְבֵּ֔חַ וְקִדַּשְׁתָּ֖ אֹת֑וֹ וְהָיָ֤ה הַמִּזְבֵּ֙חַ֙ לז

ששי

קֹ֣דֶשׁ קָֽדָשִׁ֔ים כָּל־הַנֹּגֵ֥עַ בַּמִּזְבֵּ֖חַ יִקְדָּֽשׁ: וְזֶ֕ה אֲשֶׁ֥ר לח

מִצְוֹת
עוֹלָם
הַתָּמִיד:

תַּעֲשֶׂה עַל־הַמִּזְבֵּחַ   כְּבָשִׂים בְּנֵי־שָׁנָה שְׁנַיִם לַיּוֹם תָּמִיד:

לט אֶת־הַכֶּבֶשׂ הָאֶחָד תַּעֲשֶׂה בַבֹּקֶר וְאֵת הַכֶּבֶשׂ הַשֵּׁנִי תַּעֲשֶׂה בֵּין

מ הָעַרְבָּיִם: וְעִשָּׂרֹן סֹלֶת בָּלוּל בְּשֶׁמֶן כָּתִית רֶבַע הַהִין וְנֵסֶךְ

מא רְבִיעִת הַהִין יַיִן לַכֶּבֶשׂ הָאֶחָד: וְאֵת הַכֶּבֶשׂ הַשֵּׁנִי תַּעֲשֶׂה בֵּין

הָעַרְבָּיִם כְּמִנְחַת הַבֹּקֶר וּכְנִסְכָּהּ תַּעֲשֶׂה־לָּהּ לְרֵיחַ נִיחֹחַ

מב אִשֶּׁה לַיהֹוָה: עֹלַת תָּמִיד לְדֹרֹתֵיכֶם פֶּתַח אֹהֶל־מוֹעֵד לִפְנֵי

מג יְהֹוָה אֲשֶׁר אִוָּעֵד לָכֶם שָׁמָּה לְדַבֵּר אֵלֶיךָ שָׁם: וְנֹעַדְתִּי שָׁמָּה

הַשְׁרָאַת
הַשְּׁכִינָה:

מד לִבְנֵי יִשְׂרָאֵל וְנִקְדַּשׁ בִּכְבֹדִי: וְקִדַּשְׁתִּי אֶת־אֹהֶל מוֹעֵד וְאֶת־

מה הַמִּזְבֵּחַ וְאֶת־אַהֲרֹן וְאֶת־בָּנָיו אֲקַדֵּשׁ לְכַהֵן לִי: וְשָׁכַנְתִּי בְּתוֹךְ

מו בְּנֵי יִשְׂרָאֵל וְהָיִיתִי לָהֶם לֵאלֹהִים: וְיָדְעוּ כִּי אֲנִי יְהֹוָה אֱלֹהֵיהֶם

אֲשֶׁר הוֹצֵאתִי אֹתָם מֵאֶרֶץ מִצְרַיִם לְשָׁכְנִי בְתוֹכָם אֲנִי יְהֹוָה

אֱלֹהֵיהֶם:

שְׁבִיעִי
צִוּוּי מִזְבַּח
הַזָּהָב:

ל וְעָשִׂיתָ מִזְבֵּחַ מִקְטַר קְטֹרֶת עֲצֵי שִׁטִּים תַּעֲשֶׂה אֹתוֹ: אַמָּה

אָרְכּוֹ וְאַמָּה רָחְבּוֹ רָבוּעַ יִהְיֶה וְאַמָּתַיִם קֹמָתוֹ מִמֶּנּוּ קַרְנֹתָיו:

ג וְצִפִּיתָ אֹתוֹ זָהָב טָהוֹר אֶת־גַּגּוֹ וְאֶת־קִירֹתָיו סָבִיב וְאֶת־קַרְנֹתָיו

ד וְעָשִׂיתָ לּוֹ זֵר זָהָב סָבִיב: וּשְׁתֵּי טַבְּעֹת זָהָב תַּעֲשֶׂה־לּוֹ מִתַּחַת

לְזֵרוֹ עַל שְׁתֵּי צַלְעֹתָיו תַּעֲשֶׂה עַל־שְׁנֵי צִדָּיו וְהָיָה לְבָתִּים

ה לְבַדִּים לָשֵׂאת אֹתוֹ בָּהֵמָּה: וְעָשִׂיתָ אֶת־הַבַּדִּים עֲצֵי שִׁטִּים

ו וְצִפִּיתָ אֹתָם זָהָב: וְנָתַתָּה אֹתוֹ לִפְנֵי הַפָּרֹכֶת אֲשֶׁר עַל־אֲרֹן

הָעֵדֻת לִפְנֵי הַכַּפֹּרֶת אֲשֶׁר עַל־הָעֵדֻת אֲשֶׁר אִוָּעֵד לְךָ שָׁמָּה:

ז וְהִקְטִיר עָלָיו אַהֲרֹן קְטֹרֶת סַמִּים בַּבֹּקֶר בַּבֹּקֶר בְּהֵיטִיבוֹ

מַפְטִיר

ח אֶת־הַנֵּרֹת יַקְטִירֶנָּה: וּבְהַעֲלֹת אַהֲרֹן אֶת־הַנֵּרֹת בֵּין הָעַרְבַּיִם

ט יַקְטִירֶנָּה קְטֹרֶת תָּמִיד לִפְנֵי יְהֹוָה לְדֹרֹתֵיכֶם: לֹא־תַעֲלוּ עָלָיו

י קְטֹרֶת זָרָה וְעֹלָה וּמִנְחָה וְנֵסֶךְ לֹא תִסְּכוּ עָלָיו: וְכִפֶּר אַהֲרֹן

עַל־קַרְנֹתָיו אַחַת בַּשָּׁנָה מִדַּם חַטַּאת הַכִּפֻּרִים אַחַת בַּשָּׁנָה

יְכַפֵּר עָלָיו לְדֹרֹתֵיכֶם קֹדֶשׁ־קָדָשִׁים הוּא לַיהוָה׃

כי תשא
מִצְוַת מַחֲצִית הַשָּׁקֶל:

יא יב וַיְדַבֵּר יְהוָה אֶל־מֹשֶׁה לֵּאמֹר׃ כִּי תִשָּׂא אֶת־רֹאשׁ בְּנֵי־יִשְׂרָאֵל
לִפְקֻדֵיהֶם וְנָתְנוּ אִישׁ כֹּפֶר נַפְשׁוֹ לַיהוָה בִּפְקֹד אֹתָם וְלֹא־יִהְיֶה
יג בָהֶם נֶגֶף בִּפְקֹד אֹתָם׃ זֶה ׀ יִתְּנוּ כָּל־הָעֹבֵר עַל־הַפְּקֻדִים
מַחֲצִית הַשֶּׁקֶל בְּשֶׁקֶל הַקֹּדֶשׁ עֶשְׂרִים גֵּרָה הַשֶּׁקֶל מַחֲצִית
יד הַשֶּׁקֶל תְּרוּמָה לַיהוָה׃ כֹּל הָעֹבֵר עַל־הַפְּקֻדִים מִבֶּן עֶשְׂרִים
טו שָׁנָה וָמָעְלָה יִתֵּן תְּרוּמַת יְהוָה׃ הֶעָשִׁיר לֹא־יַרְבֶּה וְהַדַּל לֹא
יַמְעִיט מִמַּחֲצִית הַשָּׁקֶל לָתֵת אֶת־תְּרוּמַת יְהוָה לְכַפֵּר עַל־
טז נַפְשֹׁתֵיכֶם׃ וְלָקַחְתָּ אֶת־כֶּסֶף הַכִּפֻּרִים מֵאֵת בְּנֵי יִשְׂרָאֵל וְנָתַתָּ
אֹתוֹ עַל־עֲבֹדַת אֹהֶל מוֹעֵד וְהָיָה לִבְנֵי יִשְׂרָאֵל לְזִכָּרוֹן לִפְנֵי
יְהוָה לְכַפֵּר עַל־נַפְשֹׁתֵיכֶם׃

הַכִּיּוֹר וְתַפְקִידוֹ:

יז יח וַיְדַבֵּר יְהוָה אֶל־מֹשֶׁה לֵּאמֹר׃ וְעָשִׂיתָ כִּיּוֹר נְחֹשֶׁת וְכַנּוֹ נְחֹשֶׁת
לְרָחְצָה וְנָתַתָּ אֹתוֹ בֵּין־אֹהֶל מוֹעֵד וּבֵין הַמִּזְבֵּחַ וְנָתַתָּ שָׁמָּה
יט כ מָיִם׃ וְרָחֲצוּ אַהֲרֹן וּבָנָיו מִמֶּנּוּ אֶת־יְדֵיהֶם וְאֶת־רַגְלֵיהֶם׃ בְּבֹאָם
אֶל־אֹהֶל מוֹעֵד יִרְחֲצוּ־מַיִם וְלֹא יָמֻתוּ אוֹ בְגִשְׁתָּם אֶל־הַמִּזְבֵּחַ
כא לְשָׁרֵת לְהַקְטִיר אִשֶּׁה לַיהוָה׃ וְרָחֲצוּ יְדֵיהֶם וְרַגְלֵיהֶם וְלֹא יָמֻתוּ
וְהָיְתָה לָהֶם חָק־עוֹלָם לוֹ וּלְזַרְעוֹ לְדֹרֹתָם׃

עֲשִׂיַּת שֶׁמֶן הַמִּשְׁחָה:

כב כג וַיְדַבֵּר יְהוָה אֶל־מֹשֶׁה לֵּאמֹר׃ וְאַתָּה קַח־לְךָ בְּשָׂמִים רֹאשׁ
מָר־דְּרוֹר חֲמֵשׁ מֵאוֹת וְקִנְּמָן־בֶּשֶׂם מַחֲצִיתוֹ חֲמִשִּׁים וּמָאתָיִם
כד וּקְנֵה־בֹשֶׂם חֲמִשִּׁים וּמָאתָיִם׃ וְקִדָּה חֲמֵשׁ מֵאוֹת בְּשֶׁקֶל הַקֹּדֶשׁ
כה וְשֶׁמֶן זַיִת הִין׃ וְעָשִׂיתָ אֹתוֹ שֶׁמֶן מִשְׁחַת־קֹדֶשׁ רֹקַח מִרְקַחַת

מְשִׁיחַת הַמִּשְׁכָּן וְכֵלָיו:

כו מַעֲשֵׂה רֹקֵחַ שֶׁמֶן מִשְׁחַת־קֹדֶשׁ יִהְיֶה׃ וּמָשַׁחְתָּ בוֹ אֶת־אֹהֶל
כז מוֹעֵד וְאֵת אֲרוֹן הָעֵדֻת׃ וְאֶת־הַשֻּׁלְחָן וְאֶת־כָּל־כֵּלָיו וְאֶת־
כח הַמְּנֹרָה וְאֶת־כֵּלֶיהָ וְאֵת מִזְבַּח הַקְּטֹרֶת׃ וְאֶת־מִזְבַּח הָעֹלָה וְאֶת־
כט כָּל־כֵּלָיו וְאֶת־הַכִּיֹּר וְאֶת־כַּנּוֹ׃ וְקִדַּשְׁתָּ אֹתָם וְהָיוּ קֹדֶשׁ קָדָשִׁים

מְשִׁיחַת
אַהֲרֹן
וּבָנָיו:

ל כָּל־הַנֹּגֵעַ בָּהֶם יִקְדָּשׁ: וְאֶת־אַהֲרֹן וְאֶת־בָּנָיו תִּמְשָׁח וְקִדַּשְׁתָּ

לא אֹתָם לְכַהֵן לִי: וְאֶל־בְּנֵי יִשְׂרָאֵל תְּדַבֵּר לֵאמֹר שֶׁמֶן מִשְׁחַת־קֹדֶשׁ

לב יִהְיֶה זֶה לִי לְדֹרֹתֵיכֶם: עַל־בְּשַׂר אָדָם לֹא יִיסָךְ וּבְמַתְכֻּנְתּוֹ לֹא

לג תַעֲשׂוּ כָּמֹהוּ קֹדֶשׁ הוּא קֹדֶשׁ יִהְיֶה לָכֶם: אִישׁ אֲשֶׁר יִרְקַח כָּמֹהוּ

לד וַאֲשֶׁר יִתֵּן מִמֶּנּוּ עַל־זָר וְנִכְרַת מֵעַמָּיו: וַיֹּאמֶר יְהוָה

מַעֲשֵׂה
הַקְּטֹרֶת:

אֶל־מֹשֶׁה קַח־לְךָ סַמִּים נָטָף ׀ וּשְׁחֵלֶת וְחֶלְבְּנָה סַמִּים וּלְבֹנָה

לה זַכָּה בַּד בְּבַד יִהְיֶה: וְעָשִׂיתָ אֹתָהּ קְטֹרֶת רֹקַח מַעֲשֵׂה רוֹקֵחַ

לו מְמֻלָּח טָהוֹר קֹדֶשׁ: וְשָׁחַקְתָּ מִמֶּנָּה הָדֵק וְנָתַתָּה מִמֶּנָּה לִפְנֵי

הָעֵדֻת בְּאֹהֶל מוֹעֵד אֲשֶׁר אִוָּעֵד לְךָ שָׁמָּה קֹדֶשׁ קָדָשִׁים תִּהְיֶה

לז לָכֶם: וְהַקְּטֹרֶת אֲשֶׁר תַּעֲשֶׂה בְּמַתְכֻּנְתָּהּ לֹא תַעֲשׂוּ לָכֶם קֹדֶשׁ

לח תִּהְיֶה לְךָ לַיהוָה: אִישׁ אֲשֶׁר־יַעֲשֶׂה כָמוֹהָ לְהָרִיחַ בָּהּ

לא א וְנִכְרַת מֵעַמָּיו: וַיְדַבֵּר יְהוָה אֶל־מֹשֶׁה לֵּאמֹר:

בֹּנֵי
הַמִּשְׁכָּן
וּמַעֲשֵׂיהֶם:

ב רְאֵה קָרָאתִי בְשֵׁם בְּצַלְאֵל בֶּן־אוּרִי בֶן־חוּר לְמַטֵּה יְהוּדָה:

ג וָאֲמַלֵּא אֹתוֹ רוּחַ אֱלֹהִים בְּחָכְמָה וּבִתְבוּנָה וּבְדַעַת וּבְכָל־

ד מְלָאכָה: לַחְשֹׁב מַחֲשָׁבֹת לַעֲשׂוֹת בַּזָּהָב וּבַכֶּסֶף וּבַנְּחֹשֶׁת:

ה וּבַחֲרֹשֶׁת אֶבֶן לְמַלֹּאת וּבַחֲרֹשֶׁת עֵץ לַעֲשׂוֹת בְּכָל־מְלָאכָה:

ו וַאֲנִי הִנֵּה נָתַתִּי אִתּוֹ אֵת אָהֳלִיאָב בֶּן־אֲחִיסָמָךְ לְמַטֵּה־דָן וּבְלֵב

ז כָּל־חֲכַם־לֵב נָתַתִּי חָכְמָה וְעָשׂוּ אֵת כָּל־אֲשֶׁר צִוִּיתִךָ: אֵת ׀ אֹהֶל

מוֹעֵד וְאֶת־הָאָרֹן לָעֵדֻת וְאֶת־הַכַּפֹּרֶת אֲשֶׁר עָלָיו וְאֵת כָּל־כְּלֵי

ח הָאֹהֶל: וְאֶת־הַשֻּׁלְחָן וְאֶת־כֵּלָיו וְאֶת־הַמְּנֹרָה הַטְּהֹרָה וְאֶת־כָּל־

ט כֵּלֶיהָ וְאֵת מִזְבַּח הַקְּטֹרֶת: וְאֶת־מִזְבַּח הָעֹלָה וְאֶת־כָּל־כֵּלָיו

י וְאֶת־הַכִּיּוֹר וְאֶת־כַּנּוֹ: וְאֵת בִּגְדֵי הַשְּׂרָד וְאֶת־בִּגְדֵי הַקֹּדֶשׁ

יא לְאַהֲרֹן הַכֹּהֵן וְאֶת־בִּגְדֵי בָנָיו לְכַהֵן: וְאֵת שֶׁמֶן הַמִּשְׁחָה וְאֶת־

קְטֹרֶת הַסַּמִּים לַקֹּדֶשׁ כְּכֹל אֲשֶׁר־צִוִּיתִךָ יַעֲשׂוּ:

יב וַיֹּאמֶר יְהוָה אֶל־מֹשֶׁה לֵּאמֹר: וְאַתָּה דַּבֵּר אֶל־בְּנֵי יִשְׂרָאֵל

אַזְהָרָה עַל שְׁמִירַת הַשַּׁבָּת:

לֵאמֹר אַךְ אֶת־שַׁבְּתֹתַי תִּשְׁמֹרוּ כִּי אוֹת הִוא בֵּינִי וּבֵינֵיכֶם
לְדֹרֹתֵיכֶם לָדַעַת כִּי אֲנִי יְהוָה מְקַדִּשְׁכֶם: וּשְׁמַרְתֶּם אֶת־הַשַּׁבָּת יד
כִּי קֹדֶשׁ הִוא לָכֶם מְחַלְלֶיהָ מוֹת יוּמָת כִּי כָּל־הָעֹשֶׂה בָהּ
מְלָאכָה וְנִכְרְתָה הַנֶּפֶשׁ הַהִוא מִקֶּרֶב עַמֶּיהָ: שֵׁשֶׁת יָמִים יֵעָשֶׂה טו
מְלָאכָה וּבַיּוֹם הַשְּׁבִיעִי שַׁבַּת שַׁבָּתוֹן קֹדֶשׁ לַיהוָה כָּל־הָעֹשֶׂה
מְלָאכָה בְּיוֹם הַשַּׁבָּת מוֹת יוּמָת: וְשָׁמְרוּ בְנֵי־יִשְׂרָאֵל אֶת־הַשַּׁבָּת טז
לַעֲשׂוֹת אֶת־הַשַּׁבָּת לְדֹרֹתָם בְּרִית עוֹלָם: בֵּינִי וּבֵין בְּנֵי יִשְׂרָאֵל יז
אוֹת הִוא לְעֹלָם כִּי־שֵׁשֶׁת יָמִים עָשָׂה יְהוָה אֶת־הַשָּׁמַיִם
שני וְאֶת־הָאָרֶץ וּבַיּוֹם הַשְּׁבִיעִי שָׁבַת וַיִּנָּפַשׁ: וַיִּתֵּן אֶל־ יח
מֹשֶׁה כְּכַלֹּתוֹ לְדַבֵּר אִתּוֹ בְּהַר סִינַי שְׁנֵי לֻחֹת הָעֵדֻת לֻחֹת אֶבֶן
חֵטְא הָעֵגֶל: כְּתֻבִים בְּאֶצְבַּע אֱלֹהִים: וַיַּרְא הָעָם כִּי־בֹשֵׁשׁ מֹשֶׁה לָרֶדֶת א לב
[2448] מִן־הָהָר וַיִּקָּהֵל הָעָם עַל־אַהֲרֹן וַיֹּאמְרוּ אֵלָיו קוּם ׀ עֲשֵׂה־לָנוּ
אֱלֹהִים אֲשֶׁר יֵלְכוּ לְפָנֵינוּ כִּי־זֶה ׀ מֹשֶׁה הָאִישׁ אֲשֶׁר הֶעֱלָנוּ
מֵאֶרֶץ מִצְרַיִם לֹא יָדַעְנוּ מֶה־הָיָה לוֹ: וַיֹּאמֶר אֲלֵהֶם אַהֲרֹן ב
פָּרְקוּ נִזְמֵי הַזָּהָב אֲשֶׁר בְּאָזְנֵי נְשֵׁיכֶם בְּנֵיכֶם וּבְנֹתֵיכֶם וְהָבִיאוּ
אֵלָי: וַיִּתְפָּרְקוּ כָּל־הָעָם אֶת־נִזְמֵי הַזָּהָב אֲשֶׁר בְּאָזְנֵיהֶם וַיָּבִיאוּ ג
אֶל־אַהֲרֹן: וַיִּקַּח מִיָּדָם וַיָּצַר אֹתוֹ בַּחֶרֶט וַיַּעֲשֵׂהוּ עֵגֶל מַסֵּכָה ד
וַיֹּאמְרוּ אֵלֶּה אֱלֹהֶיךָ יִשְׂרָאֵל אֲשֶׁר הֶעֱלוּךָ מֵאֶרֶץ מִצְרָיִם: וַיַּרְא ה
אַהֲרֹן וַיִּבֶן מִזְבֵּחַ לְפָנָיו וַיִּקְרָא אַהֲרֹן וַיֹּאמַר חַג לַיהוָה מָחָר:
וַיַּשְׁכִּימוּ מִמָּחֳרָת וַיַּעֲלוּ עֹלֹת וַיַּגִּשׁוּ שְׁלָמִים וַיֵּשֶׁב הָעָם לֶאֱכֹל ו
וְשָׁתוֹ וַיָּקֻמוּ לְצַחֵק:

חֲרוֹן אַף ה׳ וּתְפִלַּת מֹשֶׁה:

וַיְדַבֵּר יְהוָה אֶל־מֹשֶׁה לֶךְ־רֵד כִּי שִׁחֵת עַמְּךָ אֲשֶׁר הֶעֱלֵיתָ ז
מֵאֶרֶץ מִצְרָיִם: סָרוּ מַהֵר מִן־הַדֶּרֶךְ אֲשֶׁר צִוִּיתִם עָשׂוּ לָהֶם ח
עֵגֶל מַסֵּכָה וַיִּשְׁתַּחֲווּ־לוֹ וַיִּזְבְּחוּ־לוֹ וַיֹּאמְרוּ אֵלֶּה אֱלֹהֶיךָ
יִשְׂרָאֵל אֲשֶׁר הֶעֱלוּךָ מֵאֶרֶץ מִצְרָיִם: וַיֹּאמֶר יְהוָה אֶל־מֹשֶׁה ט

י רָאִ֙יתִי֙ אֶת־הָעָ֣ם הַזֶּ֔ה וְהִנֵּ֥ה עַם־קְשֵׁה־עֹ֖רֶף הֽוּא: וְעַתָּה֙ הַנִּ֣יחָה

יא לִ֗י וְיִֽחַר־אַפִּ֤י בָהֶם֙ וַאֲכַלֵּ֔ם וְאֶעֱשֶׂ֥ה אוֹתְךָ֖ לְג֣וֹי גָּד֑וֹל: וַיְחַ֣ל מֹשֶׁ֔ה אֶת־פְּנֵ֖י יְהֹוָ֣ה אֱלֹהָ֑יו וַיֹּ֗אמֶר לָמָ֤ה יְהֹוָה֙ יֶחֱרֶ֤ה אַפְּךָ֙ בְּעַמֶּ֔ךָ אֲשֶׁ֤ר

יב הוֹצֵ֙אתָ֙ מֵאֶ֣רֶץ מִצְרַ֔יִם בְּכֹ֥חַ גָּד֖וֹל וּבְיָ֣ד חֲזָקָֽה: לָמָּה֩ יֹאמְר֨וּ מִצְרַ֜יִם לֵאמֹ֗ר בְּרָעָ֤ה הֽוֹצִיאָם֙ לַהֲרֹ֤ג אֹתָם֙ בֶּֽהָרִ֔ים וּלְכַ֨לֹּתָ֔ם מֵעַ֖ל פְּנֵ֣י הָֽאֲדָמָ֑ה שׁ֚וּב מֵחֲר֣וֹן אַפֶּ֔ךָ וְהִנָּחֵ֥ם עַל־הָרָעָ֖ה לְעַמֶּֽךָ:

יג זְכֹ֡ר לְאַבְרָהָם֩ לְיִצְחָ֨ק וּלְיִשְׂרָאֵ֜ל עֲבָדֶ֗יךָ אֲשֶׁ֨ר נִשְׁבַּ֣עְתָּ לָהֶם֮ בָּךְ֒ וַתְּדַבֵּ֣ר אֲלֵהֶ֔ם אַרְבֶּה֙ אֶֽת־זַרְעֲכֶ֔ם כְּכוֹכְבֵ֖י הַשָּׁמָ֑יִם וְכׇל־

יד הָאָ֨רֶץ הַזֹּ֜את אֲשֶׁ֣ר אָמַ֗רְתִּי אֶתֵּן֙ לְזַרְעֲכֶ֔ם וְנָחֲל֖וּ לְעֹלָֽם: וַיִּנָּ֖חֶם יְהֹוָ֑ה עַל־הָ֣רָעָ֔ה אֲשֶׁ֥ר דִּבֶּ֖ר לַעֲשׂ֥וֹת לְעַמּֽוֹ:

יְרִידַת מֹשֶׁה מֵהָהָר וְשִׁבֻּר הַלּוּחוֹת:

טו וַיִּ֜פֶן וַיֵּ֤רֶד מֹשֶׁה֙ מִן־הָהָ֔ר וּשְׁנֵ֛י לֻחֹ֥ת הָעֵדֻ֖ת בְּיָד֑וֹ לֻחֹ֣ת כְּתֻבִ֗ים

טז מִשְּׁנֵ֣י עֶבְרֵיהֶ֔ם מִזֶּ֥ה וּמִזֶּ֖ה הֵ֣ם כְּתֻבִֽים: וְהַ֨לֻּחֹ֔ת מַעֲשֵׂ֥ה אֱלֹהִ֖ים

יז הֵ֑מָּה וְהַמִּכְתָּ֗ב מִכְתַּ֤ב אֱלֹהִים֙ ה֔וּא חָר֖וּת עַל־הַלֻּחֹֽת: וַיִּשְׁמַ֧ע יְהוֹשֻׁ֛עַ אֶת־ק֥וֹל הָעָ֖ם בְּרֵעֹ֑ה וַיֹּ֙אמֶר֙ אֶל־מֹשֶׁ֔ה ק֥וֹל מִלְחָמָ֖ה

יח בַּֽמַּחֲנֶֽה: וַיֹּ֗אמֶר אֵ֥ין קוֹל֙ עֲנ֣וֹת גְּבוּרָ֔ה וְאֵ֥ין ק֖וֹל עֲנ֣וֹת חֲלוּשָׁ֑ה

יט ק֣וֹל עַנּ֔וֹת אָנֹכִ֖י שֹׁמֵֽעַ: וַֽיְהִ֗י כַּאֲשֶׁ֤ר קָרַב֙ אֶל־הַֽמַּחֲנֶ֔ה וַיַּ֥רְא אֶת־הָעֵ֖גֶל וּמְחֹלֹ֑ת וַיִּֽחַר־אַ֣ף מֹשֶׁ֗ה וַיַּשְׁלֵ֤ךְ מִיָּדָו֙ אֶת־הַלֻּחֹ֔ת

כ וַיְשַׁבֵּ֥ר אֹתָ֖ם תַּ֥חַת הָהָֽר: וַיִּקַּ֞ח אֶת־הָעֵ֨גֶל אֲשֶׁ֤ר עָשׂוּ֙ וַיִּשְׂרֹ֣ף בָּאֵ֔שׁ וַיִּטְחַ֖ן עַ֣ד אֲשֶׁר־דָּ֑ק וַיִּ֙זֶר֙ עַל־פְּנֵ֣י הַמַּ֔יִם וַיַּ֖שְׁקְ אֶת־בְּנֵ֥י

תּוֹכַחַת מֹשֶׁה לְאַהֲרֹן וּתְשׁוּבָתוֹ:

כא יִשְׂרָאֵֽל: וַיֹּ֤אמֶר מֹשֶׁה֙ אֶֽל־אַהֲרֹ֔ן מֶֽה־עָשָׂ֥ה לְךָ֖ הָעָ֣ם הַזֶּ֑ה

כב כִּֽי־הֵבֵ֥אתָ עָלָ֖יו חֲטָאָ֥ה גְדֹלָֽה: וַיֹּ֣אמֶר אַהֲרֹ֔ן אַל־יִ֥חַר אַ֖ף אֲדֹנִ֑י

כג אַתָּה֙ יָדַ֣עְתָּ אֶת־הָעָ֔ם כִּ֥י בְרָ֖ע הֽוּא: וַיֹּ֣אמְרוּ לִ֗י עֲשֵׂה־לָ֣נוּ אֱלֹהִ֔ים אֲשֶׁ֥ר יֵלְכ֖וּ לְפָנֵ֑ינוּ כִּי־זֶ֣ה ׀ מֹשֶׁ֣ה הָאִ֗ישׁ אֲשֶׁ֤ר הֶֽעֱלָ֙נוּ֙

כד מֵאֶ֣רֶץ מִצְרַ֔יִם לֹ֥א יָדַ֖עְנוּ מֶה־הָ֥יָה לֽוֹ: וָאֹמַ֤ר לָהֶם֙ לְמִ֣י זָהָ֔ב

כה הִתְפָּרָ֖קוּ וַיִּתְּנוּ־לִ֑י וָאַשְׁלִכֵ֣הוּ בָאֵ֔שׁ וַיֵּצֵ֖א הָעֵ֥גֶל הַזֶּֽה: וַיַּ֤רְא מֹשֶׁה֙

אֶת־הָעָם כִּי פָרֻעַ הוּא כִּי־פְרָעֹה אַהֲרֹן לְשִׁמְצָה בְּקָמֵיהֶם:
כו וַיַּעֲמֹד מֹשֶׁה בְּשַׁעַר הַמַּחֲנֶה וַיֹּאמֶר מִי לַיהוָה אֵלָי וַיֵּאָסְפוּ אֵלָיו
כז כָּל־בְּנֵי לֵוִי: וַיֹּאמֶר לָהֶם כֹּה־אָמַר יְהוָה אֱלֹהֵי יִשְׂרָאֵל שִׂימוּ
אִישׁ־חַרְבּוֹ עַל־יְרֵכוֹ עִבְרוּ וָשׁוּבוּ מִשַּׁעַר לָשַׁעַר בַּמַּחֲנֶה וְהִרְגוּ
כח אִישׁ־אֶת־אָחִיו וְאִישׁ אֶת־רֵעֵהוּ וְאִישׁ אֶת־קְרֹבוֹ: וַיַּעֲשׂוּ בְנֵי־לֵוִי
כִּדְבַר מֹשֶׁה וַיִּפֹּל מִן־הָעָם בַּיּוֹם הַהוּא כִּשְׁלֹשֶׁת אַלְפֵי אִישׁ:
כט וַיֹּאמֶר מֹשֶׁה מִלְאוּ יֶדְכֶם הַיּוֹם לַיהוָה כִּי אִישׁ בִּבְנוֹ וּבְאָחִיו
ל וְלָתֵת עֲלֵיכֶם הַיּוֹם בְּרָכָה: וַיְהִי מִמָּחֳרָת וַיֹּאמֶר מֹשֶׁה אֶל־הָעָם
אַתֶּם חֲטָאתֶם חֲטָאָה גְדֹלָה וְעַתָּה אֶעֱלֶה אֶל־יְהוָה אוּלַי אֲכַפְּרָה
לא בְּעַד חַטַּאתְכֶם: וַיָּשָׁב מֹשֶׁה אֶל־יְהוָה וַיֹּאמַר אָנָּא חָטָא הָעָם
לב הַזֶּה חֲטָאָה גְדֹלָה וַיַּעֲשׂוּ לָהֶם אֱלֹהֵי זָהָב: וְעַתָּה אִם־תִּשָּׂא
לג חַטָּאתָם וְאִם־אַיִן מְחֵנִי נָא מִסִּפְרְךָ אֲשֶׁר כָּתָבְתָּ: וַיֹּאמֶר יְהוָה
לד אֶל־מֹשֶׁה מִי אֲשֶׁר חָטָא־לִי אֶמְחֶנּוּ מִסִּפְרִי: וְעַתָּה לֵךְ ׀ נְחֵה
אֶת־הָעָם אֶל אֲשֶׁר־דִּבַּרְתִּי לָךְ הִנֵּה מַלְאָכִי יֵלֵךְ לְפָנֶיךָ וּבְיוֹם
לה פָּקְדִי וּפָקַדְתִּי עֲלֵיהֶם חַטָּאתָם: וַיִּגֹּף יְהוָה אֶת־הָעָם עַל אֲשֶׁר
לג א עָשׂוּ אֶת־הָעֵגֶל אֲשֶׁר עָשָׂה אַהֲרֹן: וַיְדַבֵּר יְהוָה
אֶל־מֹשֶׁה לֵךְ עֲלֵה מִזֶּה אַתָּה וְהָעָם אֲשֶׁר הֶעֱלִיתָ מֵאֶרֶץ מִצְרָיִם
אֶל־הָאָרֶץ אֲשֶׁר נִשְׁבַּעְתִּי לְאַבְרָהָם לְיִצְחָק וּלְיַעֲקֹב לֵאמֹר
ב לְזַרְעֲךָ אֶתְּנֶנָּה: וְשָׁלַחְתִּי לְפָנֶיךָ מַלְאָךְ וְגֵרַשְׁתִּי אֶת־הַכְּנַעֲנִי
ג הָאֱמֹרִי וְהַחִתִּי וְהַפְּרִזִּי הַחִוִּי וְהַיְבוּסִי: אֶל־אֶרֶץ זָבַת חָלָב וּדְבָשׁ
כִּי לֹא אֶעֱלֶה בְּקִרְבְּךָ כִּי עַם־קְשֵׁה־עֹרֶף אַתָּה פֶּן־אֲכֶלְךָ
ד בַּדָּרֶךְ: וַיִּשְׁמַע הָעָם אֶת־הַדָּבָר הָרָע הַזֶּה וַיִּתְאַבָּלוּ וְלֹא־שָׁתוּ
ה אִישׁ עֶדְיוֹ עָלָיו: וַיֹּאמֶר יְהוָה אֶל־מֹשֶׁה אֱמֹר אֶל־בְּנֵי־יִשְׂרָאֵל
אַתֶּם עַם־קְשֵׁה־עֹרֶף רֶגַע אֶחָד אֶעֱלֶה בְקִרְבְּךָ וְכִלִּיתִיךָ וְעַתָּה
ו הוֹרֵד עֶדְיְךָ מֵעָלֶיךָ וְאֵדְעָה מָה אֶעֱשֶׂה־לָּךְ: וַיִּתְנַצְּלוּ בְנֵי־

הָעֲנָשַׁת הַחוֹטְאִים:

תְּפִלַּת מֹשֶׁה שֵׁנִית:

הִסְתַּלְּקוּת הַשְּׁכִינָה וְהוֹרָדַת הָעֲדָיִים:

נְטִיַּת
הָאֹהֶל
מִחוּץ
לַמַּחֲנֶה:

ז יִשְׂרָאֵל אֶת־עֶדְיָם מֵהַר חוֹרֵב: וּמֹשֶׁה יִקַּח אֶת־הָאֹהֶל וְנָטָה־לֽוֹ ׀
מִחוּץ לַֽמַּחֲנֶה הַרְחֵק מִן־הַֽמַּחֲנֶה וְקָרָא לוֹ אֹהֶל מוֹעֵד וְהָיָה

ח כָּל־מְבַקֵּשׁ יְהֹוָה יֵצֵא אֶל־אֹהֶל מוֹעֵד אֲשֶׁר מִחוּץ לַֽמַּחֲנֶה: וְהָיָה
כְּצֵאת מֹשֶׁה אֶל־הָאֹהֶל יָקוּמוּ כָּל־הָעָם וְנִצְּבוּ אִישׁ פֶּתַח אׇהֳלֽוֹ

ט וְהִבִּיטוּ אַֽחֲרֵי מֹשֶׁה עַד־בֹּאוֹ הָאֹהֱלָה: וְהָיָה כְּבֹא מֹשֶׁה הָאֹהֱלָה
יֵרֵד עַמּוּד הֶֽעָנָן וְעָמַד פֶּתַח הָאֹהֶל וְדִבֶּר עִם־מֹשֶׁה: וְרָאָה

י כָל־הָעָם אֶת־עַמּוּד הֶֽעָנָן עֹמֵד פֶּתַח הָאֹהֶל וְקָם כָּל־הָעָם
וְהִֽשְׁתַּחֲווּ אִישׁ פֶּתַח אׇהֳלֽוֹ: וְדִבֶּר יְהֹוָה אֶל־מֹשֶׁה פָּנִים אֶל־פָּנִים

יא כַּאֲשֶׁר יְדַבֵּר אִישׁ אֶל־רֵעֵהוּ וְשָׁב אֶל־הַֽמַּחֲנֶה וּמְשָׁרְתוֹ יְהוֹשֻׁעַ
בִּן־נוּן נַעַר לֹא יָמִישׁ מִתּוֹךְ הָאֹֽהֶל:

שלישי
תְּחַת
מֹשֶׁה
לְהַשְׁבַּת
הַשְּׁכִינָה:

יב וַיֹּאמֶר מֹשֶׁה אֶל־יְהֹוָה רְאֵה אַתָּה אֹמֵר אֵלַי הַעַל אֶת־הָעָם הַזֶּה
וְאַתָּה לֹא הֽוֹדַעְתַּנִי אֵת אֲשֶׁר־תִּשְׁלַח עִמִּי וְאַתָּה אָמַרְתָּ

יג יְדַעְתִּיךָ בְשֵׁם וְגַם־מָצָאתָ חֵן בְּעֵינָי: וְעַתָּה אִם־נָא מָצָאתִי חֵן
בְּעֵינֶיךָ הֽוֹדִעֵנִי נָא אֶת־דְּרָכֶךָ וְאֵדָעֲךָ לְמַעַן אֶמְצָא־חֵן בְּעֵינֶיךָ

יד וּרְאֵה כִּי עַמְּךָ הַגּוֹי הַזֶּה: וַיֹּאמַר פָּנַי יֵלֵכוּ וַהֲנִחֹתִי לָֽךְ: וַיֹּאמֶר

טו אֵלָיו אִם־אֵין פָּנֶיךָ הֹֽלְכִים אַֽל־תַּעֲלֵנוּ מִזֶּֽה: וּבַמֶּה ׀ יִוָּדַע אֵפוֹא
כִּֽי־מָצָאתִי חֵן בְּעֵינֶיךָ אֲנִי וְעַמֶּךָ הֲלוֹא בְּלֶכְתְּךָ עִמָּנוּ וְנִפְלִינוּ
אֲנִי וְעַמְּךָ מִכָּל־הָעָם אֲשֶׁר עַל־פְּנֵי הָֽאֲדָמָֽה:

רביעי
רְאִיַּת
כְּבוֹד ה':

טז וַיֹּאמֶר יְהֹוָה אֶל־מֹשֶׁה גַּם אֶת־הַדָּבָר הַזֶּה אֲשֶׁר דִּבַּרְתָּ אֶעֱשֶׂה
כִּֽי־מָצָאתָ חֵן בְּעֵינַי וָאֵדָעֲךָ בְּשֵֽׁם: וַיֹּאמַר הַרְאֵנִי נָא אֶת־כְּבֹדֶֽךָ:

יז וַיֹּאמֶר אֲנִי אַעֲבִיר כָּל־טוּבִי עַל־פָּנֶיךָ וְקָרָאתִי בְשֵׁם יְהֹוָה

יח לְפָנֶיךָ וְחַנֹּתִי אֶת־אֲשֶׁר אָחֹן וְרִֽחַמְתִּי אֶת־אֲשֶׁר אֲרַחֵֽם: וַיֹּאמֶר

יט לֹא תוּכַל לִרְאֹת אֶת־פָּנָי כִּי לֹֽא־יִרְאַנִי הָֽאָדָם וָחָֽי: וַיֹּאמֶר יְהֹוָה

כ הִנֵּה מָקוֹם אִתִּי וְנִצַּבְתָּ עַל־הַצּֽוּר: וְהָיָה בַּֽעֲבֹר כְּבֹדִי וְשַׂמְתִּיךָ

כא בְּנִקְרַת הַצּוּר וְשַׂכֹּתִי כַפִּי עָלֶיךָ עַד־עָבְרִֽי: וַהֲסִרֹתִי אֶת־כַּפִּי

וְרָאִ֖יתָ אֶת־אֲחֹרָ֑י וּפָנַ֖י לֹ֥א יֵרָאֽוּ׃

חמישי פְּסִילַת לוּחוֹת שְׁנִיִּים:

לד א וַיֹּ֤אמֶר יְהוָה֙ אֶל־מֹשֶׁ֔ה פְּסָל־לְךָ֛ שְׁנֵֽי־לֻחֹ֥ת אֲבָנִ֖ים כָּרִאשֹׁנִ֑ים
וְכָתַבְתִּי֙ עַל־הַלֻּחֹ֔ת אֶת־הַדְּבָרִ֔ים אֲשֶׁ֥ר הָי֛וּ עַל־הַלֻּחֹ֥ת
ב הָרִאשֹׁנִ֖ים אֲשֶׁ֥ר שִׁבַּֽרְתָּ׃ וֶהְיֵ֥ה נָכ֖וֹן לַבֹּ֑קֶר וְעָלִ֤יתָ בַבֹּ֙קֶר֙
ג אֶל־הַ֣ר סִינַ֔י וְנִצַּבְתָּ֥ לִ֛י שָׁ֖ם עַל־רֹ֥אשׁ הָהָֽר׃ וְאִישׁ֙ לֹא־יַעֲלֶ֣ה
עִמָּ֔ךְ וְגַם־אִ֥ישׁ אַל־יֵרָ֖א בְּכָל־הָהָ֑ר גַּם־הַצֹּ֤אן וְהַבָּקָר֙ אַל־יִרְע֔וּ
ד אֶל־מ֖וּל הָהָ֥ר הַהֽוּא׃ וַיִּפְסֹ֡ל שְׁנֵֽי־לֻחֹ֨ת אֲבָנִ֜ים כָּרִאשֹׁנִ֗ים וַיַּשְׁכֵּ֨ם
מֹשֶׁ֤ה בַבֹּ֙קֶר֙ וַיַּ֙עַל֙ אֶל־הַ֣ר סִינַ֔י כַּאֲשֶׁ֛ר צִוָּ֥ה יְהוָ֖ה אֹת֑וֹ וַיִּקַּ֣ח

י"ג מִדּוֹת שֶׁל רַחֲמִים:

ה בְּיָד֔וֹ שְׁנֵ֖י לֻחֹ֥ת אֲבָנִֽים׃ וַיֵּ֤רֶד יְהוָה֙ בֶּֽעָנָ֔ן וַיִּתְיַצֵּ֥ב עִמּ֖וֹ שָׁ֑ם וַיִּקְרָ֥א
ו בְשֵׁ֖ם יְהוָֽה׃ וַיַּעֲבֹ֨ר יְהוָ֥ה ׀ עַל־פָּנָיו֮ וַיִּקְרָא֒ יְהוָ֣ה ׀ יְהוָ֔ה אֵ֥ל רַח֖וּם
ז וְחַנּ֑וּן אֶ֥רֶךְ אַפַּ֖יִם וְרַב־חֶ֥סֶד וֶאֱמֶֽת׃ נֹצֵ֥ר חֶ֙סֶד֙ לָאֲלָפִ֔ים נֹשֵׂ֥א
עָוֺ֛ן וָפֶ֖שַׁע וְחַטָּאָ֑ה וְנַקֵּה֙ לֹ֣א יְנַקֶּ֔ה פֹּקֵ֣ד ׀ עֲוֺ֣ן אָב֗וֹת עַל־בָּנִים֙
ח וְעַל־בְּנֵ֣י בָנִ֔ים עַל־שִׁלֵּשִׁ֖ים וְעַל־רִבֵּעִֽים׃ וַיְמַהֵ֖ר מֹשֶׁ֑ה וַיִּקֹּ֥ד
ט אַ֖רְצָה וַיִּשְׁתָּֽחוּ׃ וַיֹּ֡אמֶר אִם־נָא֩ מָצָ֨אתִי חֵ֤ן בְּעֵינֶ֙יךָ֙ אֲדֹנָ֔י
יֵֽלֶךְ־נָ֥א אֲדֹנָ֖י בְּקִרְבֵּ֑נוּ כִּ֤י עַם־קְשֵׁה־עֹ֙רֶף֙ ה֔וּא וְסָלַחְתָּ֛ לַעֲוֺנֵ֥נוּ

ששי כְּרִיתַת בְּרִית עִם יִשְׂרָאֵל:

י וּלְחַטָּאתֵ֖נוּ וּנְחַלְתָּֽנוּ׃ וַיֹּ֗אמֶר הִנֵּ֣ה אָנֹכִי֮ כֹּרֵ֣ת בְּרִית֒ נֶ֤גֶד כָּל־עַמְּךָ֙
אֶֽעֱשֶׂ֣ה נִפְלָאֹ֔ת אֲשֶׁ֛ר לֹא־נִבְרְא֥וּ בְכָל־הָאָ֖רֶץ וּבְכָל־הַגּוֹיִ֑ם וְרָאָ֣ה
כָל־הָ֠עָם אֲשֶׁר־אַתָּ֨ה בְקִרְבּ֜וֹ אֶת־מַעֲשֵׂ֤ה יְהוָה֙ כִּֽי־נוֹרָ֣א ה֔וּא
יא אֲשֶׁ֥ר אֲנִ֖י עֹשֶׂ֥ה עִמָּֽךְ׃ שְׁמָ֨ר־לְךָ֔ אֵ֛ת אֲשֶׁ֥ר אָנֹכִ֖י מְצַוְּךָ֣ הַיּ֑וֹם
הִנְנִ֧י גֹרֵ֣שׁ מִפָּנֶ֗יךָ אֶת־הָֽאֱמֹרִי֙ וְהַֽכְּנַעֲנִ֔י וְהַֽחִתִּי֙ וְהַפְּרִזִּ֔י וְהַֽחִוִּ֖י

אַזְהָרָה מִכְּרִיתַת בְּרִית עִם יוֹשְׁבֵי הָאָרֶץ:

יב וְהַיְבוּסִֽי׃ הִשָּׁ֣מֶר לְךָ֗ פֶּן־תִּכְרֹ֤ת בְּרִית֙ לְיוֹשֵׁ֣ב הָאָ֔רֶץ אֲשֶׁ֥ר אַתָּ֖ה
יג בָּ֣א עָלֶ֑יהָ פֶּן־יִהְיֶ֥ה לְמוֹקֵ֖שׁ בְּקִרְבֶּֽךָ׃ כִּ֤י אֶת־מִזְבְּחֹתָם֙ תִּתֹּצ֔וּן
יד וְאֶת־מַצֵּבֹתָ֖ם תְּשַׁבֵּר֑וּן וְאֶת־אֲשֵׁרָ֖יו תִּכְרֹתֽוּן׃ כִּ֛י לֹ֥א תִֽשְׁתַּחֲוֶ֖ה
טו לְאֵ֣ל אַחֵ֑ר כִּ֤י יְהוָה֙ קַנָּ֣א שְׁמ֔וֹ אֵ֥ל קַנָּ֖א הֽוּא׃ פֶּן־תִּכְרֹ֥ת בְּרִ֖ית
לְיוֹשֵׁ֣ב הָאָ֑רֶץ וְזָנ֣וּ ׀ אַחֲרֵ֣י אֱלֹֽהֵיהֶ֗ם וְזָבְחוּ֙ לֵֽאלֹהֵיהֶ֔ם וְקָרָ֣א לְךָ֔

וְאָכַלְתָּ מִזִּבְחוֹ: וְלָקַחְתָּ מִבְּנֹתָיו לְבָנֶיךָ וְזָנוּ בְנֹתָיו אַחֲרֵי אֱלֹהֵיהֶן

וְהִזְנוּ אֶת־בָּנֶיךָ אַחֲרֵי אֱלֹהֵיהֶן: אֱלֹהֵי מַסֵּכָה לֹא תַעֲשֶׂה־לָּךְ:

שלש רגלים:

אֶת־חַג הַמַּצּוֹת תִּשְׁמֹר שִׁבְעַת יָמִים תֹּאכַל מַצּוֹת אֲשֶׁר צִוִּיתִךָ

לְמוֹעֵד חֹדֶשׁ הָאָבִיב כִּי בְּחֹדֶשׁ הָאָבִיב יָצָאתָ מִמִּצְרָיִם:

כָּל־פֶּטֶר רֶחֶם לִי וְכָל־מִקְנְךָ תִּזָּכָר פֶּטֶר שׁוֹר וָשֶׂה: וּפֶטֶר חֲמוֹר

תִּפְדֶּה בְשֶׂה וְאִם־לֹא תִפְדֶּה וַעֲרַפְתּוֹ כֹּל בְּכוֹר בָּנֶיךָ תִּפְדֶּה

וְלֹא־יֵרָאוּ פָנַי רֵיקָם: שֵׁשֶׁת יָמִים תַּעֲבֹד וּבַיּוֹם הַשְּׁבִיעִי תִּשְׁבֹּת

בֶּחָרִישׁ וּבַקָּצִיר תִּשְׁבֹּת: וְחַג שָׁבֻעֹת תַּעֲשֶׂה לְךָ בִּכּוּרֵי קְצִיר

חִטִּים וְחַג הָאָסִיף תְּקוּפַת הַשָּׁנָה: שָׁלֹשׁ פְּעָמִים בַּשָּׁנָה יֵרָאֶה

כָּל־זְכוּרְךָ אֶת־פְּנֵי הָאָדֹן ׀ יְהוָה אֱלֹהֵי יִשְׂרָאֵל: כִּי־אוֹרִישׁ גּוֹיִם

מִפָּנֶיךָ וְהִרְחַבְתִּי אֶת־גְּבֻלֶךָ וְלֹא־יַחְמֹד אִישׁ אֶת־אַרְצְךָ

בַּעֲלֹתְךָ לֵרָאוֹת אֶת־פְּנֵי יְהוָה אֱלֹהֶיךָ שָׁלֹשׁ פְּעָמִים בַּשָּׁנָה:

לֹא־תִשְׁחַט עַל־חָמֵץ דַּם־זִבְחִי וְלֹא־יָלִין לַבֹּקֶר זֶבַח חַג הַפָּסַח:

בכורים ואסור בשר בחלב:

רֵאשִׁית בִּכּוּרֵי אַדְמָתְךָ תָּבִיא בֵּית יְהוָה אֱלֹהֶיךָ לֹא־תְבַשֵּׁל

גְּדִי בַּחֲלֵב אִמּוֹ:

שביעי כתיבת לוחות שניים:

וַיֹּאמֶר יְהוָה אֶל־מֹשֶׁה כְּתָב־לְךָ אֶת־הַדְּבָרִים הָאֵלֶּה כִּי ׀ עַל־פִּי

הַדְּבָרִים הָאֵלֶּה כָּרַתִּי אִתְּךָ בְּרִית וְאֶת־יִשְׂרָאֵל: וַיְהִי־שָׁם

עִם־יְהוָה אַרְבָּעִים יוֹם וְאַרְבָּעִים לַיְלָה לֶחֶם לֹא אָכַל וּמַיִם

לֹא שָׁתָה וַיִּכְתֹּב עַל־הַלֻּחֹת אֵת דִּבְרֵי הַבְּרִית עֲשֶׂרֶת הַדְּבָרִים:

קרני ההוד:

וַיְהִי בְּרֶדֶת מֹשֶׁה מֵהַר סִינַי וּשְׁנֵי לֻחֹת הָעֵדֻת בְּיַד־מֹשֶׁה

בְּרִדְתּוֹ מִן־הָהָר וּמֹשֶׁה לֹא־יָדַע כִּי קָרַן עוֹר פָּנָיו בְּדַבְּרוֹ אִתּוֹ:

וַיַּרְא אַהֲרֹן וְכָל־בְּנֵי יִשְׂרָאֵל אֶת־מֹשֶׁה וְהִנֵּה קָרַן עוֹר פָּנָיו

וַיִּירְאוּ מִגֶּשֶׁת אֵלָיו: וַיִּקְרָא אֲלֵהֶם מֹשֶׁה וַיָּשֻׁבוּ אֵלָיו אַהֲרֹן

וְכָל־הַנְּשִׂאִים בָּעֵדָה וַיְדַבֵּר מֹשֶׁה אֲלֵהֶם: וְאַחֲרֵי־כֵן נִגְּשׁוּ

כָּל־בְּנֵי יִשְׂרָאֵל וַיְצַוֵּם אֵת כָּל־אֲשֶׁר דִּבֶּר יְהוָה אִתּוֹ בְּהַר סִינָי:

מפטיר
לג לד וַיְכַל מֹשֶׁה מִדַּבֵּר אִתָּם וַיִּתֵּן עַל־פָּנָיו מַסְוֶה: וּבְבֹא מֹשֶׁה לִפְנֵי
יְהוָה לְדַבֵּר אִתּוֹ יָסִיר אֶת־הַמַּסְוֶה עַד־צֵאתוֹ וְיָצָא וְדִבֶּר
לה אֶל־בְּנֵי יִשְׂרָאֵל אֵת אֲשֶׁר יְצֻוֶּה: וְרָאוּ בְנֵי־יִשְׂרָאֵל אֶת־פְּנֵי
מֹשֶׁה כִּי קָרַן עוֹר פְּנֵי מֹשֶׁה וְהֵשִׁיב מֹשֶׁה אֶת־הַמַּסְוֶה עַל־פָּנָיו
לה א עַד־בֹּאוֹ לְדַבֵּר אִתּוֹ: וַיַּקְהֵל מֹשֶׁה אֶת־כָּל־עֲדַת בְּנֵי

ויקהל
אַזְהָרָה מִמְּלָאכָה בְּשַׁבָּת:

יִשְׂרָאֵל וַיֹּאמֶר אֲלֵהֶם אֵלֶּה הַדְּבָרִים אֲשֶׁר־צִוָּה יְהוָה לַעֲשֹׂת
ב אֹתָם: שֵׁשֶׁת יָמִים תֵּעָשֶׂה מְלָאכָה וּבַיּוֹם הַשְּׁבִיעִי יִהְיֶה לָכֶם
ג קֹדֶשׁ שַׁבַּת שַׁבָּתוֹן לַיהוָה כָּל־הָעֹשֶׂה בוֹ מְלָאכָה יוּמָת: לֹא־
תְבַעֲרוּ אֵשׁ בְּכֹל מֹשְׁבֹתֵיכֶם בְּיוֹם הַשַּׁבָּת:

צִוּוּי מֹשֶׁה עַל תְּרוּמַת הַמִּשְׁכָּן:
[2448]

ד וַיֹּאמֶר מֹשֶׁה אֶל־כָּל־עֲדַת בְּנֵי־יִשְׂרָאֵל לֵאמֹר זֶה הַדָּבָר אֲשֶׁר־
ה צִוָּה יְהוָה לֵאמֹר: קְחוּ מֵאִתְּכֶם תְּרוּמָה לַיהוָה כֹּל נְדִיב לִבּוֹ
ו יְבִיאֶהָ אֵת תְּרוּמַת יְהוָה זָהָב וָכֶסֶף וּנְחֹשֶׁת: וּתְכֵלֶת וְאַרְגָּמָן
ז וְתוֹלַעַת שָׁנִי וְשֵׁשׁ וְעִזִּים: וְעֹרֹת אֵילִם מְאָדָּמִים וְעֹרֹת תְּחָשִׁים
ח וַעֲצֵי שִׁטִּים: וְשֶׁמֶן לַמָּאוֹר וּבְשָׂמִים לְשֶׁמֶן הַמִּשְׁחָה וְלִקְטֹרֶת
ט י הַסַּמִּים: וְאַבְנֵי־שֹׁהַם וְאַבְנֵי מִלֻּאִים לָאֵפוֹד וְלַחֹשֶׁן: וְכָל־חֲכַם־
יא לֵב בָּכֶם יָבֹאוּ וְיַעֲשׂוּ אֵת כָּל־אֲשֶׁר צִוָּה יְהוָה: אֶת־הַמִּשְׁכָּן
אֶת־אָהֳלוֹ וְאֶת־מִכְסֵהוּ אֶת־קְרָסָיו וְאֶת־קְרָשָׁיו אֶת־בְּרִיחָו
יב אֶת־עַמֻּדָיו וְאֶת־אֲדָנָיו: אֶת־הָאָרֹן וְאֶת־בַּדָּיו אֶת־הַכַּפֹּרֶת וְאֵת
יג פָּרֹכֶת הַמָּסָךְ: אֶת־הַשֻּׁלְחָן וְאֶת־בַּדָּיו וְאֶת־כָּל־כֵּלָיו וְאֵת לֶחֶם
יד הַפָּנִים: וְאֶת־מְנֹרַת הַמָּאוֹר וְאֶת־כֵּלֶיהָ וְאֶת־נֵרֹתֶיהָ וְאֵת שֶׁמֶן
טו הַמָּאוֹר: וְאֶת־מִזְבַּח הַקְּטֹרֶת וְאֶת־בַּדָּיו וְאֵת שֶׁמֶן הַמִּשְׁחָה
טז וְאֵת קְטֹרֶת הַסַּמִּים וְאֶת־מָסַךְ הַפֶּתַח לְפֶתַח הַמִּשְׁכָּן: אֵת ׀
מִזְבַּח הָעֹלָה וְאֶת־מִכְבַּר הַנְּחֹשֶׁת אֲשֶׁר־לוֹ אֶת־בַּדָּיו וְאֶת־כָּל־
יז כֵּלָיו אֶת־הַכִּיֹּר וְאֶת־כַּנּוֹ: אֵת קַלְעֵי הֶחָצֵר אֶת־עַמֻּדָיו וְאֶת־
יח אֲדָנֶיהָ וְאֵת מָסַךְ שַׁעַר הֶחָצֵר: אֶת־יִתְדֹת הַמִּשְׁכָּן וְאֶת־יִתְדֹת

יט הֶחָצֵר וְאֶת־מֵיתְרֵיהֶם: אֶת־בִּגְדֵי הַשְּׂרָד לְשָׁרֵת בַּקֹּדֶשׁ אֶת־

כ בִּגְדֵי הַקֹּדֶשׁ לְאַהֲרֹן הַכֹּהֵן וְאֶת־בִּגְדֵי בָנָיו לְכַהֵן: וַיֵּצְאוּ

כא כָּל־עֲדַת בְּנֵי־יִשְׂרָאֵל מִלִּפְנֵי מֹשֶׁה: וַיָּבֹאוּ כָּל־אִישׁ אֲשֶׁר־נְשָׂאוֹ

שני
התנדבות
העם
לתרומה:

לִבּוֹ וְכֹל אֲשֶׁר נָדְבָה רוּחוֹ אֹתוֹ הֵבִיאוּ אֶת־תְּרוּמַת יְהֹוָה

כב לִמְלֶאכֶת אֹהֶל מוֹעֵד וּלְכָל־עֲבֹדָתוֹ וּלְבִגְדֵי הַקֹּדֶשׁ: וַיָּבֹאוּ

הָאֲנָשִׁים עַל־הַנָּשִׁים כֹּל ׀ נְדִיב לֵב הֵבִיאוּ חָח וָנֶזֶם וְטַבַּעַת

וְכוּמָז כָּל־כְּלִי זָהָב וְכָל־אִישׁ אֲשֶׁר הֵנִיף תְּנוּפַת זָהָב לַיהֹוָה:

כג וְכָל־אִישׁ אֲשֶׁר־נִמְצָא אִתּוֹ תְּכֵלֶת וְאַרְגָּמָן וְתוֹלַעַת שָׁנִי וְשֵׁשׁ

כד וְעִזִּים וְעֹרֹת אֵילִם מְאָדָּמִים וְעֹרֹת תְּחָשִׁים הֵבִיאוּ: כָּל־מֵרִים

תְּרוּמַת כֶּסֶף וּנְחֹשֶׁת הֵבִיאוּ אֵת תְּרוּמַת יְהֹוָה וְכֹל אֲשֶׁר נִמְצָא

כה אִתּוֹ עֲצֵי שִׁטִּים לְכָל־מְלֶאכֶת הָעֲבֹדָה הֵבִיאוּ: וְכָל־אִשָּׁה

חַכְמַת־לֵב בְּיָדֶיהָ טָווּ וַיָּבִיאוּ מַטְוֶה אֶת־הַתְּכֵלֶת וְאֶת־הָאַרְגָּמָן

כו אֶת־תּוֹלַעַת הַשָּׁנִי וְאֶת־הַשֵּׁשׁ: וְכָל־הַנָּשִׁים אֲשֶׁר נָשָׂא לִבָּן

אֹתָנָה בְּחָכְמָה טָווּ אֶת־הָעִזִּים: וְהַנְּשִׂאִם הֵבִיאוּ אֵת אַבְנֵי הַשֹּׁהַם

כח וְאֵת אַבְנֵי הַמִּלֻּאִים לָאֵפוֹד וְלַחֹשֶׁן: וְאֶת־הַבֹּשֶׂם וְאֶת־הַשָּׁמֶן

כט לְמָאוֹר וּלְשֶׁמֶן הַמִּשְׁחָה וְלִקְטֹרֶת הַסַּמִּים: כָּל־אִישׁ וְאִשָּׁה אֲשֶׁר

נָדַב לִבָּם אֹתָם לְהָבִיא לְכָל־הַמְּלָאכָה אֲשֶׁר צִוָּה יְהֹוָה לַעֲשׂוֹת

בְּיַד־מֹשֶׁה הֵבִיאוּ בְנֵי־יִשְׂרָאֵל נְדָבָה לַיהֹוָה:

שלישי
/שני
מִנּוּי בּוֹנֵי
הַמִּשְׁכָּן:

ל וַיֹּאמֶר מֹשֶׁה אֶל־בְּנֵי יִשְׂרָאֵל רְאוּ קָרָא יְהֹוָה בְּשֵׁם בְּצַלְאֵל

לא בֶּן־אוּרִי בֶן־חוּר לְמַטֵּה יְהוּדָה: וַיְמַלֵּא אֹתוֹ רוּחַ אֱלֹהִים

לב בְּחָכְמָה בִּתְבוּנָה וּבְדַעַת וּבְכָל־מְלָאכָה: וְלַחְשֹׁב מַחֲשָׁבֹת

לג לַעֲשׂוֹת בַּזָּהָב וּבַכֶּסֶף וּבַנְּחֹשֶׁת: וּבַחֲרֹשֶׁת אֶבֶן לְמַלֹּאת וּבַחֲרֹשֶׁת

לד עֵץ לַעֲשׂוֹת בְּכָל־מְלֶאכֶת מַחֲשָׁבֶת: וּלְהוֹרֹת נָתַן בְּלִבּוֹ הוּא

לה וְאָהֳלִיאָב בֶּן־אֲחִיסָמָךְ לְמַטֵּה־דָן: מִלֵּא אֹתָם חָכְמַת־לֵב

לַעֲשׂוֹת כָּל־מְלֶאכֶת חָרָשׁ ׀ וְחֹשֵׁב וְרֹקֵם בַּתְּכֵלֶת וּבָאַרְגָּמָן

בְּתוֹלַ֣עַת הַשָּׁנִ֔י וּבַשֵּׁ֖שׁ וְאֹרֵ֑ג עֹשֵׂי֙ כָּל־מְלָאכָ֔ה וְחֹשְׁבֵ֖י מַחֲשָׁבֹֽת׃
לו א וְעָשָׂה֩ בְצַלְאֵ֨ל וְאָהֳלִיאָ֜ב וְכֹ֣ל ׀ אִ֣ישׁ חֲכַם־לֵ֗ב אֲשֶׁר֩ נָתַ֨ן יְהוָ֜ה
חָכְמָ֤ה וּתְבוּנָה֙ בָּהֵ֔מָּה לָדַ֣עַת לַעֲשֹׂ֔ת אֶֽת־כָּל־מְלֶ֖אכֶת עֲבֹדַ֣ת
ב הַקֹּ֑דֶשׁ לְכֹ֥ל אֲשֶׁר־צִוָּ֖ה יְהוָֽה׃ וַיִּקְרָ֣א מֹשֶׁ֗ה אֶל־בְּצַלְאֵל֮ וְאֶל־
אָֽהֳלִיאָב֒ וְאֶל֙ כָּל־אִ֣ישׁ חֲכַם־לֵ֔ב אֲשֶׁ֨ר נָתַ֧ן יְהוָ֛ה חָכְמָ֖ה בְּלִבּ֑וֹ
אסוף התרומות ועשית הכלים:
ג כֹּ֚ל אֲשֶׁ֣ר נְשָׂא֣וֹ לִבּ֔וֹ לְקָרְבָ֥ה אֶל־הַמְּלָאכָ֖ה לַעֲשֹׂ֥ת אֹתָֽהּ׃ וַיִּקְח֞וּ
מִלִּפְנֵ֣י מֹשֶׁ֗ה אֵ֤ת כָּל־הַתְּרוּמָה֙ אֲשֶׁ֨ר הֵבִ֜יאוּ בְּנֵ֣י יִשְׂרָאֵ֗ל
לִמְלֶ֛אכֶת עֲבֹדַ֥ת הַקֹּ֖דֶשׁ לַעֲשֹׂ֣ת אֹתָ֑הּ וְ֠הֵם הֵבִ֨יאוּ אֵלָ֥יו ע֛וֹד
ד נְדָבָ֖ה בַּבֹּ֥קֶר בַּבֹּֽקֶר׃ וַיָּבֹ֙אוּ֙ כָּל־הַ֣חֲכָמִ֔ים הָעֹשִׂ֕ים אֵ֖ת כָּל־
מְלֶ֣אכֶת הַקֹּ֑דֶשׁ אִֽישׁ־אִ֥ישׁ מִמְּלַאכְתּ֖וֹ אֲשֶׁר־הֵ֥מָּה עֹשִֽׂים׃
ה וַיֹּאמְרוּ֙ אֶל־מֹשֶׁ֣ה לֵּאמֹ֔ר מַרְבִּ֥ים הָעָ֖ם לְהָבִ֑יא מִדֵּ֤י הָֽעֲבֹדָה֙
הפסקת התרומה:
ו לַמְּלָאכָ֔ה אֲשֶׁר־צִוָּ֥ה יְהוָ֖ה לַעֲשֹׂ֥ת אֹתָֽהּ׃ וַיְצַ֣ו מֹשֶׁ֗ה וַיַּעֲבִ֨ירוּ
ק֥וֹל בַּֽמַּחֲנֶה֮ לֵאמֹר֒ אִ֣ישׁ וְאִשָּׁ֗ה אַל־יַֽעֲשׂוּ־ע֛וֹד מְלָאכָ֖ה לִתְרוּמַ֣ת
ז הַקֹּ֑דֶשׁ וַיִּכָּלֵ֥א הָעָ֖ם מֵהָבִֽיא׃ וְהַמְּלָאכָ֗ה הָיְתָ֥ה דַיָּ֛ם לְכָל־
רביעי עשית יריעות המשכן:
ח הַמְּלָאכָ֖ה לַעֲשׂ֣וֹת אֹתָ֑הּ וְהוֹתֵֽר׃ וַיַּעֲשׂ֨וּ כָֽל־חֲכַם־לֵ֜ב
בְּעֹשֵׂ֧י הַמְּלָאכָ֛ה אֶת־הַמִּשְׁכָּ֖ן עֶ֣שֶׂר יְרִיעֹ֑ת שֵׁ֣שׁ מָשְׁזָ֗ר וּתְכֵ֤לֶת
ט וְאַרְגָּמָן֙ וְתוֹלַ֣עַת שָׁנִ֔י כְּרֻבִ֛ים מַעֲשֵׂ֥ה חֹשֵׁ֖ב עָשָׂ֥ה אֹתָֽם׃ אֹ֜רֶךְ
הַיְרִיעָ֣ה הָאַחַ֗ת שְׁמֹנֶ֤ה וְעֶשְׂרִים֙ בָּֽאַמָּ֔ה וְרֹ֙חַב֙ אַרְבַּ֣ע בָּֽאַמָּ֔ה
י הַיְרִיעָ֖ה הָאֶחָ֑ת מִדָּ֥ה אַחַ֖ת לְכָל־הַיְרִיעֹֽת׃ וַיְחַבֵּר֙ אֶת־חֲמֵ֣שׁ
הַיְרִיעֹ֔ת אַחַ֖ת אֶל־אֶחָ֑ת וְחָמֵ֤שׁ יְרִיעֹת֙ חִבַּ֔ר אַחַ֖ת אֶל־אֶחָֽת׃
יא וַיַּ֜עַשׂ לֻֽלְאֹ֣ת תְּכֵ֗לֶת עַ֣ל שְׂפַ֤ת הַיְרִיעָה֙ הָֽאֶחָ֔ת מִקָּצָ֖ה בַּמַּחְבָּ֑רֶת
יב כֵּ֤ן עָשָׂה֙ בִּשְׂפַ֣ת הַיְרִיעָ֔ה הַקִּ֣יצוֹנָ֔ה בַּמַּחְבֶּ֖רֶת הַשֵּׁנִֽית׃ חֲמִשִּׁ֣ים
לֻֽלָאֹ֗ת עָשָׂה֮ בַּיְרִיעָ֣ה הָאֶחָת֒ וַחֲמִשִּׁ֣ים לֻֽלָאֹ֗ת עָשָׂה֙ בִּקְצֵ֣ה
הַיְרִיעָ֔ה אֲשֶׁ֖ר בַּמַּחְבֶּ֣רֶת הַשֵּׁנִ֑ית מַקְבִּילֹת֙ הַלֻּ֣לָאֹ֔ת אַחַ֖ת אֶל־
יג אֶחָֽת׃ וַיַּ֕עַשׂ חֲמִשִּׁ֖ים קַרְסֵ֣י זָהָ֑ב וַיְחַבֵּ֨ר אֶת־הַיְרִיעֹ֜ת אַחַ֤ת

אֶל־אַחַת בַּקְּרָסִים וַיְהִי הַמִּשְׁכָּן אֶחָד׃
יד וַיַּעַשׂ יְרִיעֹת עִזִּים לְאֹהֶל עַל־הַמִּשְׁכָּן עַשְׁתֵּי־עֶשְׂרֵה יְרִיעֹת עָשָׂה עֲשִׂיַּת
טו אֹתָם׃ אֹרֶךְ הַיְרִיעָה הָאַחַת שְׁלֹשִׁים בָּאַמָּה וְאַרְבַּע אַמּוֹת רֹחַב יְרִיעוֹת הָאֹהֶל:
טז הַיְרִיעָה הָאֶחָת מִדָּה אַחַת לְעַשְׁתֵּי עֶשְׂרֵה יְרִיעֹת׃ וַיְחַבֵּר אֶת־
יז חֲמֵשׁ הַיְרִיעֹת לְבָד וְאֶת־שֵׁשׁ הַיְרִיעֹת לְבָד׃ וַיַּעַשׂ לֻלָאֹת חֲמִשִּׁים
עַל שְׂפַת הַיְרִיעָה הַקִּיצֹנָה בַּמַּחְבָּרֶת וַחֲמִשִּׁים לֻלָאֹת עָשָׂה עַל־
יח שְׂפַת הַיְרִיעָה הַחֹבֶרֶת הַשֵּׁנִית׃ וַיַּעַשׂ קַרְסֵי נְחֹשֶׁת חֲמִשִּׁים לְחַבֵּר עֲשִׂיַּת מִכְסֵה
יט אֶת־הָאֹהֶל לִהְיֹת אֶחָד׃ וַיַּעַשׂ מִכְסֶה לָאֹהֶל עֹרֹת אֵילִם מְאָדָּמִים הָאֹהֶל:
כ וּמִכְסֵה עֹרֹת תְּחָשִׁים מִלְמָעְלָה׃ וַיַּעַשׂ אֶת־הַקְּרָשִׁים חמישי עֲשִׂיַּת
כא לַמִּשְׁכָּן עֲצֵי שִׁטִּים עֹמְדִים׃ עֶשֶׂר אַמֹּת אֹרֶךְ הַקָּרֶשׁ וְאַמָּה הַקְּרָשִׁים, הָאֲדָנִים
כב וַחֲצִי הָאַמָּה רֹחַב הַקֶּרֶשׁ הָאֶחָד׃ שְׁתֵּי יָדֹת לַקֶּרֶשׁ הָאֶחָד וְהַבְּרִיחִים:
כג מְשֻׁלָּבֹת אַחַת אֶל־אֶחָת כֵּן עָשָׂה לְכֹל קַרְשֵׁי הַמִּשְׁכָּן׃ וַיַּעַשׂ
אֶת־הַקְּרָשִׁים לַמִּשְׁכָּן עֶשְׂרִים קְרָשִׁים לִפְאַת נֶגֶב תֵּימָנָה׃
כד וְאַרְבָּעִים אַדְנֵי־כֶסֶף עָשָׂה תַּחַת עֶשְׂרִים הַקְּרָשִׁים שְׁנֵי אֲדָנִים
תַּחַת־הַקֶּרֶשׁ הָאֶחָד לִשְׁתֵּי יְדֹתָיו וּשְׁנֵי אֲדָנִים תַּחַת־הַקֶּרֶשׁ
כה הָאֶחָד לִשְׁתֵּי יְדֹתָיו׃ וּלְצֶלַע הַמִּשְׁכָּן הַשֵּׁנִית לִפְאַת צָפוֹן עָשָׂה
כו עֶשְׂרִים קְרָשִׁים׃ וְאַרְבָּעִים אַדְנֵיהֶם כָּסֶף שְׁנֵי אֲדָנִים תַּחַת
כז הַקֶּרֶשׁ הָאֶחָד וּשְׁנֵי אֲדָנִים תַּחַת הַקֶּרֶשׁ הָאֶחָד׃ וּלְיַרְכְּתֵי הַמִּשְׁכָּן
כח יָמָּה עָשָׂה שִׁשָּׁה קְרָשִׁים׃ וּשְׁנֵי קְרָשִׁים עָשָׂה לִמְקֻצְעֹת הַמִּשְׁכָּן
כט בַּיַּרְכָתָיִם׃ וְהָיוּ תוֹאֲמִם מִלְּמַטָּה וְיַחְדָּו יִהְיוּ תַמִּים אֶל־רֹאשׁוֹ
ל אֶל־הַטַּבַּעַת הָאֶחָת כֵּן עָשָׂה לִשְׁנֵיהֶם לִשְׁנֵי הַמִּקְצֹעֹת׃ וְהָיוּ
שְׁמֹנָה קְרָשִׁים וְאַדְנֵיהֶם כֶּסֶף שִׁשָּׁה עָשָׂר אֲדָנִים שְׁנֵי אֲדָנִים
לא שְׁנֵי אֲדָנִים תַּחַת הַקֶּרֶשׁ הָאֶחָד׃ וַיַּעַשׂ בְּרִיחֵי עֲצֵי שִׁטִּים חֲמִשָּׁה
לב לְקַרְשֵׁי צֶלַע־הַמִּשְׁכָּן הָאֶחָת׃ וַחֲמִשָּׁה בְרִיחִם לְקַרְשֵׁי צֶלַע־
הַמִּשְׁכָּן הַשֵּׁנִית וַחֲמִשָּׁה בְרִיחִם לְקַרְשֵׁי הַמִּשְׁכָּן לַיַּרְכָתַיִם יָמָּה׃

לג וַיַּעַשׂ אֶת־הַבְּרִיחַ הַתִּיכֹן לִבְרֹחַ בְּתוֹךְ הַקְּרָשִׁים מִן־הַקָּצֶה
לד אֶל־הַקָּצֶה׃ וְאֶת־הַקְּרָשִׁים צִפָּה זָהָב וְאֶת־טַבְּעֹתָם עָשָׂה זָהָב
לה בָּתִּים לַבְּרִיחִם וַיְצַף אֶת־הַבְּרִיחִם זָהָב׃ וַיַּעַשׂ אֶת־הַפָּרֹכֶת
עֲשִׂיַּת הַפָּרֹכֶת וְהַמָּסָךְ:
תְּכֵלֶת וְאַרְגָּמָן וְתוֹלַעַת שָׁנִי וְשֵׁשׁ מָשְׁזָר מַעֲשֵׂה חֹשֵׁב עָשָׂה
לו אֹתָהּ כְּרֻבִים׃ וַיַּעַשׂ לָהּ אַרְבָּעָה עַמּוּדֵי שִׁטִּים וַיְצַפֵּם זָהָב
לז וָוֵיהֶם זָהָב וַיִּצֹק לָהֶם אַרְבָּעָה אַדְנֵי־כָסֶף׃ וַיַּעַשׂ מָסָךְ לְפֶתַח
הָאֹהֶל תְּכֵלֶת וְאַרְגָּמָן וְתוֹלַעַת שָׁנִי וְשֵׁשׁ מָשְׁזָר מַעֲשֵׂה רֹקֵם׃
לח וְאֶת־עַמּוּדָיו חֲמִשָּׁה וְאֶת־וָוֵיהֶם וְצִפָּה רָאשֵׁיהֶם וַחֲשֻׁקֵיהֶם זָהָב
וְאַדְנֵיהֶם חֲמִשָּׁה נְחֹשֶׁת׃

לז א וַיַּעַשׂ בְּצַלְאֵל אֶת־הָאָרֹן עֲצֵי שִׁטִּים אַמָּתַיִם וָחֵצִי אָרְכּוֹ וְאַמָּה
עֲשִׂיַּת הָאָרוֹן:
ב וָחֵצִי רָחְבּוֹ וְאַמָּה וָחֵצִי קֹמָתוֹ׃ וַיְצַפֵּהוּ זָהָב טָהוֹר מִבַּיִת וּמִחוּץ
ג וַיַּעַשׂ לוֹ זֵר זָהָב סָבִיב׃ וַיִּצֹק לוֹ אַרְבַּע טַבְּעֹת זָהָב עַל אַרְבַּע
פַּעֲמֹתָיו וּשְׁתֵּי טַבָּעֹת עַל־צַלְעוֹ הָאֶחָת וּשְׁתֵּי טַבָּעֹת עַל־צַלְעוֹ
ד ה הַשֵּׁנִית׃ וַיַּעַשׂ בַּדֵּי עֲצֵי שִׁטִּים וַיְצַף אֹתָם זָהָב׃ וַיָּבֵא אֶת־הַבַּדִּים
ו בַּטַּבָּעֹת עַל צַלְעֹת הָאָרֹן לָשֵׂאת אֶת־הָאָרֹן׃ וַיַּעַשׂ כַּפֹּרֶת זָהָב
עֲשִׂיַּת הַכַּפֹּרֶת וְהַכְּרוּבִים:
ז טָהוֹר אַמָּתַיִם וָחֵצִי אָרְכָּהּ וְאַמָּה וָחֵצִי רָחְבָּהּ׃ וַיַּעַשׂ שְׁנֵי
ח כְרֻבִים זָהָב מִקְשָׁה עָשָׂה אֹתָם מִשְּׁנֵי קְצוֹת הַכַּפֹּרֶת׃ כְּרוּב־
אֶחָד מִקָּצָה מִזֶּה וּכְרוּב־אֶחָד מִקָּצָה מִזֶּה מִן־הַכַּפֹּרֶת עָשָׂה
ט אֶת־הַכְּרֻבִים מִשְּׁנֵי קצוותו קְצוֹתָיו׃ וַיִּהְיוּ הַכְּרֻבִים פֹּרְשֵׂי כְנָפַיִם
לְמַעְלָה סֹכְכִים בְּכַנְפֵיהֶם עַל־הַכַּפֹּרֶת וּפְנֵיהֶם אִישׁ אֶל־אָחִיו
אֶל־הַכַּפֹּרֶת הָיוּ פְּנֵי הַכְּרֻבִים׃

י וַיַּעַשׂ אֶת־הַשֻּׁלְחָן עֲצֵי שִׁטִּים אַמָּתַיִם אָרְכּוֹ וְאַמָּה רָחְבּוֹ וְאַמָּה
עֲשִׂיַּת הַשֻּׁלְחָן:
יא יב וָחֵצִי קֹמָתוֹ׃ וַיְצַף אֹתוֹ זָהָב טָהוֹר וַיַּעַשׂ לוֹ זֵר זָהָב סָבִיב׃ וַיַּעַשׂ
יג לוֹ מִסְגֶּרֶת טֹפַח סָבִיב וַיַּעַשׂ זֵר־זָהָב לְמִסְגַּרְתּוֹ סָבִיב׃ וַיִּצֹק
לוֹ אַרְבַּע טַבְּעֹת זָהָב וַיִּתֵּן אֶת־הַטַּבָּעֹת עַל אַרְבַּע הַפֵּאֹת אֲשֶׁר

יד לְאַרְבַּע רַגְלָיו׃ לְעֻמַּת הַמִּסְגֶּרֶת הָיוּ הַטַּבָּעֹת בָּתִּים לַבַּדִּים
טו לָשֵׂאת אֶת־הַשֻּׁלְחָן׃ וַיַּעַשׂ אֶת־הַבַּדִּים עֲצֵי שִׁטִּים וַיְצַף אֹתָם
טז זָהָב לָשֵׂאת אֶת־הַשֻּׁלְחָן׃ וַיַּעַשׂ אֶת־הַכֵּלִים ׀ אֲשֶׁר עַל־הַשֻּׁלְחָן
אֶת־קְעָרֹתָיו וְאֶת־כַּפֹּתָיו וְאֵת מְנַקִּיֹּתָיו וְאֶת־הַקְּשָׂוֹת אֲשֶׁר
יֻסַּךְ בָּהֵן זָהָב טָהוֹר׃

ששי /שלישי/
עֲשִׂיַּת הַמְּנוֹרָה:

יז וַיַּעַשׂ אֶת־הַמְּנֹרָה זָהָב טָהוֹר מִקְשָׁה עָשָׂה אֶת־הַמְּנֹרָה יְרֵכָהּ
יח וְקָנָהּ גְּבִיעֶיהָ כַּפְתֹּרֶיהָ וּפְרָחֶיהָ מִמֶּנָּה הָיוּ׃ וְשִׁשָּׁה קָנִים יֹצְאִים
מִצִּדֶּיהָ שְׁלֹשָׁה ׀ קְנֵי מְנֹרָה מִצִּדָּהּ הָאֶחָד וּשְׁלֹשָׁה קְנֵי מְנֹרָה
יט מִצִּדָּהּ הַשֵּׁנִי׃ שְׁלֹשָׁה גְבִעִים מְשֻׁקָּדִים בַּקָּנֶה הָאֶחָד כַּפְתֹּר
וָפֶרַח וּשְׁלֹשָׁה גְבִעִים מְשֻׁקָּדִים בְּקָנֶה אֶחָד כַּפְתֹּר וָפָרַח כֵּן
כ לְשֵׁשֶׁת הַקָּנִים הַיֹּצְאִים מִן־הַמְּנֹרָה׃ וּבַמְּנֹרָה אַרְבָּעָה גְבִעִים
כא מְשֻׁקָּדִים כַּפְתֹּרֶיהָ וּפְרָחֶיהָ׃ וְכַפְתֹּר תַּחַת שְׁנֵי הַקָּנִים מִמֶּנָּה
וְכַפְתֹּר תַּחַת שְׁנֵי הַקָּנִים מִמֶּנָּה וְכַפְתֹּר תַּחַת־שְׁנֵי הַקָּנִים מִמֶּנָּה
כב לְשֵׁשֶׁת הַקָּנִים הַיֹּצְאִים מִמֶּנָּה׃ כַּפְתֹּרֵיהֶם וּקְנֹתָם מִמֶּנָּה הָיוּ
כג כֻּלָּהּ מִקְשָׁה אַחַת זָהָב טָהוֹר׃ וַיַּעַשׂ אֶת־נֵרֹתֶיהָ שִׁבְעָה
כד וּמַלְקָחֶיהָ וּמַחְתֹּתֶיהָ זָהָב טָהוֹר׃ כִּכָּר זָהָב טָהוֹר עָשָׂה אֹתָהּ
וְאֵת כָּל־כֵּלֶיהָ׃

עֲשִׂיַּת מִזְבַּח הַזָּהָב:

כה וַיַּעַשׂ אֶת־מִזְבַּח הַקְּטֹרֶת עֲצֵי שִׁטִּים אַמָּה אָרְכּוֹ וְאַמָּה רָחְבּוֹ
כו רָבוּעַ וְאַמָּתַיִם קֹמָתוֹ מִמֶּנּוּ הָיוּ קַרְנֹתָיו׃ וַיְצַף אֹתוֹ זָהָב טָהוֹר
אֶת־גַּגּוֹ וְאֶת־קִירֹתָיו סָבִיב וְאֶת־קַרְנֹתָיו וַיַּעַשׂ לוֹ זֵר זָהָב סָבִיב׃
כז וּשְׁתֵּי טַבְּעֹת זָהָב עָשָׂה־לוֹ ׀ מִתַּחַת לְזֵרוֹ עַל שְׁתֵּי צַלְעֹתָיו עַל
כח שְׁנֵי צִדָּיו לְבָתִּים לְבַדִּים לָשֵׂאת אֹתוֹ בָּהֶם׃ וַיַּעַשׂ אֶת־הַבַּדִּים
כט עֲצֵי שִׁטִּים וַיְצַף אֹתָם זָהָב׃ וַיַּעַשׂ אֶת־שֶׁמֶן הַמִּשְׁחָה קֹדֶשׁ

שביעי /רביעי/
עֲשִׂיַּת מִזְבַּח הַנְּחֹשֶׁת:

לח א וְאֶת־קְטֹרֶת הַסַּמִּים טָהוֹר מַעֲשֵׂה רֹקֵחַ׃ וַיַּעַשׂ
אֶת־מִזְבַּח הָעֹלָה עֲצֵי שִׁטִּים חָמֵשׁ אַמּוֹת אָרְכּוֹ וְחָמֵשׁ־אַמּוֹת

ב רָחְבּוֹ רָבוּעַ וְשָׁלֹשׁ אַמּוֹת קֹמָתוֹ: וַיַּעַשׂ קַרְנֹתָיו עַל אַרְבַּע
ג פִּנֹּתָיו מִמֶּנּוּ הָיוּ קַרְנֹתָיו וַיְצַף אֹתוֹ נְחֹשֶׁת: וַיַּעַשׂ אֶת־כָּל־כְּלֵי
הַמִּזְבֵּחַ אֶת־הַסִּירֹת וְאֶת־הַיָּעִים וְאֶת־הַמִּזְרָקֹת אֶת־הַמִּזְלָגֹת
ד וְאֶת־הַמַּחְתֹּת כָּל־כֵּלָיו עָשָׂה נְחֹשֶׁת: וַיַּעַשׂ לַמִּזְבֵּחַ מִכְבָּר
ה מַעֲשֵׂה רֶשֶׁת נְחֹשֶׁת תַּחַת כַּרְכֻּבּוֹ מִלְּמַטָּה עַד־חֶצְיוֹ: וַיִּצֹק אַרְבַּע
ו טַבָּעֹת בְּאַרְבַּע הַקְּצָוֹת לְמִכְבַּר הַנְּחֹשֶׁת בָּתִּים לַבַּדִּים: וַיַּעַשׂ
ז אֶת־הַבַּדִּים עֲצֵי שִׁטִּים וַיְצַף אֹתָם נְחֹשֶׁת: וַיָּבֵא אֶת־הַבַּדִּים
בַּטַּבָּעֹת עַל צַלְעֹת הַמִּזְבֵּחַ לָשֵׂאת אֹתוֹ בָּהֶם נְבוּב לֻחֹת עָשָׂה
ח אֹתוֹ: וַיַּעַשׂ אֵת הַכִּיּוֹר נְחֹשֶׁת עֲשִׂיַּת הַכִּיּוֹר וְכַנּוֹ:
וְאֵת כַּנּוֹ נְחֹשֶׁת בְּמַרְאֹת הַצֹּבְאֹת אֲשֶׁר צָבְאוּ פֶּתַח אֹהֶל
ט מוֹעֵד: וַיַּעַשׂ אֶת־הֶחָצֵר לִפְאַת ׀ נֶגֶב תֵּימָנָה קַלְעֵי עֲשִׂיַּת חֲצַר הַמִּשְׁכָּן:
י הֶחָצֵר שֵׁשׁ מָשְׁזָר מֵאָה בָּאַמָּה: עַמּוּדֵיהֶם עֶשְׂרִים וְאַדְנֵיהֶם
יא עֶשְׂרִים נְחֹשֶׁת וָוֵי הָעַמּוּדִים וַחֲשֻׁקֵיהֶם כָּסֶף: וְלִפְאַת צָפוֹן מֵאָה
בָאַמָּה עַמּוּדֵיהֶם עֶשְׂרִים וְאַדְנֵיהֶם עֶשְׂרִים נְחֹשֶׁת וָוֵי הָעַמּוּדִים
יב וַחֲשֻׁקֵיהֶם כָּסֶף: וְלִפְאַת־יָם קְלָעִים חֲמִשִּׁים בָּאַמָּה עַמּוּדֵיהֶם
יג עֲשָׂרָה וְאַדְנֵיהֶם עֲשָׂרָה וָוֵי הָעַמֻּדִים וַחֲשׁוּקֵיהֶם כָּסֶף: וְלִפְאַת
יד קֵדְמָה מִזְרָחָה חֲמִשִּׁים אַמָּה: קְלָעִים חֲמֵשׁ־עֶשְׂרֵה אַמָּה אֶל־
טו הַכָּתֵף עַמּוּדֵיהֶם שְׁלֹשָׁה וְאַדְנֵיהֶם שְׁלֹשָׁה: וְלַכָּתֵף הַשֵּׁנִית מִזֶּה
וּמִזֶּה לְשַׁעַר הֶחָצֵר קְלָעִים חֲמֵשׁ עֶשְׂרֵה אַמָּה עַמֻּדֵיהֶם שְׁלֹשָׁה
טז יז וְאַדְנֵיהֶם שְׁלֹשָׁה: כָּל־קַלְעֵי הֶחָצֵר סָבִיב שֵׁשׁ מָשְׁזָר: וְהָאֲדָנִים
לָעַמֻּדִים נְחֹשֶׁת וָוֵי הָעַמּוּדִים וַחֲשׁוּקֵיהֶם כֶּסֶף וְצִפּוּי רָאשֵׁיהֶם
יח כָּסֶף וְהֵם מְחֻשָּׁקִים כֶּסֶף כֹּל עַמֻּדֵי הֶחָצֵר: וּמָסַךְ שַׁעַר הֶחָצֵר מפטיר
מַעֲשֵׂה רֹקֵם תְּכֵלֶת וְאַרְגָּמָן וְתוֹלַעַת שָׁנִי וְשֵׁשׁ מָשְׁזָר וְעֶשְׂרִים
אַמָּה אֹרֶךְ וְקוֹמָה בְרֹחַב חָמֵשׁ אַמּוֹת לְעֻמַּת קַלְעֵי הֶחָצֵר:
יט וְעַמֻּדֵיהֶם אַרְבָּעָה וְאַדְנֵיהֶם אַרְבָּעָה נְחֹשֶׁת וָוֵיהֶם כֶּסֶף וְצִפּוּי

כ רָאשֵׁיהֶם וַחֲשֻׁקֵיהֶם כָּסֶף: וְכָל־הַיְתֵדֹת לַמִּשְׁכָּן וְלֶחָצֵר סָבִיב

כא נְחֹשֶׁת: אֵלֶּה פְקוּדֵי הַמִּשְׁכָּן

פקודי בֹּנֵי הַמִּשְׁכָּן:

מִשְׁכַּן הָעֵדֻת אֲשֶׁר פֻּקַּד עַל־פִּי מֹשֶׁה עֲבֹדַת הַלְוִיִּם בְּיַד

כב אִיתָמָר בֶּן־אַהֲרֹן הַכֹּהֵן: וּבְצַלְאֵל בֶּן־אוּרִי בֶן־חוּר לְמַטֵּה יְהוּדָה

כג עָשָׂה אֵת כָּל־אֲשֶׁר־צִוָּה יְהוָה אֶת־מֹשֶׁה: וְאִתּוֹ אָהֳלִיאָב בֶּן־

אֲחִיסָמָךְ לְמַטֵּה־דָן חָרָשׁ וְחֹשֵׁב וְרֹקֵם בַּתְּכֵלֶת וּבָאַרְגָּמָן

כד וּבְתוֹלַעַת הַשָּׁנִי וּבַשֵּׁשׁ: כָּל־הַזָּהָב הֶעָשׂוּי לַמְּלָאכָה

סְכוּם הַזָּהָב, הַכֶּסֶף וְהַנְּחֹשֶׁת:

בְּכֹל מְלֶאכֶת הַקֹּדֶשׁ וַיְהִי ׀ זְהַב הַתְּנוּפָה תֵּשַׁע וְעֶשְׂרִים כִּכָּר

כה וּשְׁבַע מֵאוֹת וּשְׁלֹשִׁים שֶׁקֶל בְּשֶׁקֶל הַקֹּדֶשׁ: וְכֶסֶף פְּקוּדֵי הָעֵדָה

מְאַת כִּכָּר וְאֶלֶף וּשְׁבַע מֵאוֹת וַחֲמִשָּׁה וְשִׁבְעִים שֶׁקֶל בְּשֶׁקֶל

כו הַקֹּדֶשׁ: בֶּקַע לַגֻּלְגֹּלֶת מַחֲצִית הַשֶּׁקֶל בְּשֶׁקֶל הַקֹּדֶשׁ לְכֹל הָעֹבֵר

עַל־הַפְּקֻדִים מִבֶּן עֶשְׂרִים שָׁנָה וָמַעְלָה לְשֵׁשׁ־מֵאוֹת אֶלֶף

כז וּשְׁלֹשֶׁת אֲלָפִים וַחֲמֵשׁ מֵאוֹת וַחֲמִשִּׁים: וַיְהִי מְאַת כִּכַּר הַכֶּסֶף

לָצֶקֶת אֵת אַדְנֵי הַקֹּדֶשׁ וְאֵת אַדְנֵי הַפָּרֹכֶת מְאַת אֲדָנִים לִמְאַת

כח הַכִּכָּר כִּכָּר לָאָדֶן: וְאֶת־הָאֶלֶף וּשְׁבַע הַמֵּאוֹת וַחֲמִשָּׁה וְשִׁבְעִים

כט עָשָׂה וָוִים לָעַמּוּדִים וְצִפָּה רָאשֵׁיהֶם וְחִשַּׁק אֹתָם: וּנְחֹשֶׁת

ל הַתְּנוּפָה שִׁבְעִים כִּכָּר וְאַלְפַּיִם וְאַרְבַּע־מֵאוֹת שָׁקֶל: וַיַּעַשׂ בָּהּ

אֶת־אַדְנֵי פֶּתַח אֹהֶל מוֹעֵד וְאֵת מִזְבַּח הַנְּחֹשֶׁת וְאֶת־מִכְבַּר

לא הַנְּחֹשֶׁת אֲשֶׁר־לוֹ וְאֵת כָּל־כְּלֵי הַמִּזְבֵּחַ: וְאֶת־אַדְנֵי הֶחָצֵר

סָבִיב וְאֶת־אַדְנֵי שַׁעַר הֶחָצֵר וְאֵת כָּל־יִתְדֹת הַמִּשְׁכָּן וְאֶת־כָּל־

לט א יִתְדֹת הֶחָצֵר סָבִיב: וּמִן־הַתְּכֵלֶת וְהָאַרְגָּמָן וְתוֹלַעַת הַשָּׁנִי עָשׂוּ

בִגְדֵי־שְׂרָד לְשָׁרֵת בַּקֹּדֶשׁ וַיַּעֲשׂוּ אֶת־בִּגְדֵי הַקֹּדֶשׁ אֲשֶׁר לְאַהֲרֹן

כַּאֲשֶׁר צִוָּה יְהוָה אֶת־מֹשֶׁה:

ב וַיַּעַשׂ אֶת־הָאֵפֹד זָהָב תְּכֵלֶת וְאַרְגָּמָן וְתוֹלַעַת שָׁנִי וְשֵׁשׁ מָשְׁזָר:

שני /חמישי/

ג וַיְרַקְּעוּ אֶת־פַּחֵי הַזָּהָב וְקִצֵּץ פְּתִילִם לַעֲשׂוֹת בְּתוֹךְ הַתְּכֵלֶת

עֲשִׂיַּת הָאֵפוֹד:

וּבְת֤וֹךְ הָֽאַרְגָּמָן֙ וּבְת֖וֹךְ תּוֹלַ֣עַת הַשָּׁנִ֑י וּבְת֣וֹךְ הַשֵּׁ֔שׁ מַעֲשֵׂ֖ה חֹשֵֽׁב׃
ד ה כְּתֵפֹ֥ת עָֽשׂוּ־ל֖וֹ חֹֽבְרֹ֑ת עַל־שְׁנֵ֥י קצוותו קְצוֹתָ֖יו חֻבָּֽר׃ וְחֵ֨שֶׁב אֲפֻדָּת֜וֹ
אֲשֶׁ֣ר עָלָ֗יו מִמֶּ֣נּוּ הוּא֙ כְּמַֽעֲשֵׂ֔הוּ זָהָ֕ב תְּכֵ֥לֶת וְאַרְגָּמָ֖ן וְתוֹלַ֣עַת
ו שָׁנִ֑י וְשֵׁ֖שׁ מָשְׁזָ֑ר כַּאֲשֶׁ֛ר צִוָּ֥ה יְהוָ֖ה אֶת־מֹשֶֽׁה׃ וַֽיַּעֲשׂוּ֙
אֶת־אַבְנֵ֣י הַשֹּׁ֔הַם מֻֽסַבֹּ֖ת מִשְׁבְּצֹ֣ת זָהָ֑ב מְפֻתָּחֹת֙ פִּתּוּחֵ֣י חוֹתָ֔ם
ז עַל־שְׁמ֖וֹת בְּנֵ֥י יִשְׂרָאֵֽל׃ וַיָּ֣שֶׂם אֹתָ֗ם עַ֚ל כִּתְפֹ֣ת הָֽאֵפֹ֔ד אַבְנֵ֥י
זִכָּר֖וֹן לִבְנֵ֣י יִשְׂרָאֵ֑ל כַּאֲשֶׁ֛ר צִוָּ֥ה יְהוָ֖ה אֶת־מֹשֶֽׁה׃
ח וַיַּ֧עַשׂ אֶת־הַחֹ֛שֶׁן מַעֲשֵׂ֥ה חֹשֵׁ֖ב כְּמַעֲשֵׂ֣ה אֵפֹ֑ד זָהָ֗ב תְּכֵ֧לֶת וְאַרְגָּמָ֛ן (עֲשִׂיַּת הַחֹשֶׁן:)
ט וְתוֹלַ֥עַת שָׁנִ֖י וְשֵׁ֥שׁ מָשְׁזָֽר׃ רָב֧וּעַ הָיָ֛ה כָּפ֖וּל עָשׂ֣וּ אֶת־הַחֹ֑שֶׁן
י זֶ֧רֶת אָרְכּ֛וֹ וְזֶ֥רֶת רָחְבּ֖וֹ כָּפֽוּל׃ וַיְמַ֨לְאוּ־ב֔וֹ אַרְבָּעָ֖ה ט֣וּרֵי אָ֑בֶן ט֗וּר
יא אֹ֤דֶם פִּטְדָה֙ וּבָרֶ֔קֶת הַטּ֖וּר הָאֶחָֽד׃ וְהַטּ֖וּר הַשֵּׁנִ֑י נֹ֥פֶךְ סַפִּ֖יר
יב יג וְיָהֲלֹֽם׃ וְהַטּ֖וּר הַשְּׁלִישִׁ֑י לֶ֥שֶׁם שְׁב֖וֹ וְאַחְלָֽמָה׃ וְהַטּוּר֙ הָֽרְבִיעִ֔י
יד תַּרְשִׁ֥ישׁ שֹׁ֖הַם וְיָשְׁפֵ֑ה מֽוּסַבֹּ֛ת מִשְׁבְּצ֥וֹת זָהָ֖ב בְּמִלֻּאֹתָֽם׃ וְ֠הָאֲבָנִים
עַל־שְׁמֹ֨ת בְּנֵֽי־יִשְׂרָאֵ֥ל הֵ֛נָּה שְׁתֵּ֥ים עֶשְׂרֵ֖ה עַל־שְׁמֹתָ֑ם פִּתּוּחֵ֨י
טו חֹתָ֜ם אִ֣ישׁ עַל־שְׁמ֗וֹ לִשְׁנֵ֥ים עָשָׂ֖ר שָֽׁבֶט׃ וַיַּעֲשׂ֥וּ עַל־הַחֹ֖שֶׁן
טז שַֽׁרְשְׁרֹ֣ת גַּבְלֻ֑ת מַעֲשֵׂ֣ה עֲבֹ֔ת זָהָ֖ב טָהֽוֹר׃ וַֽיַּעֲשׂ֗וּ שְׁתֵּי֙ מִשְׁבְּצֹ֣ת
זָהָ֔ב וּשְׁתֵּ֖י טַבְּעֹ֣ת זָהָ֑ב וַֽיִּתְּנ֗וּ אֶת־שְׁתֵּי֙ הַטַּבָּעֹ֔ת עַל־שְׁנֵ֖י קְצ֥וֹת
יז הַחֹֽשֶׁן׃ וַֽיִּתְּנ֗וּ שְׁתֵּי֙ הָעֲבֹתֹ֣ת הַזָּהָ֔ב עַל־שְׁתֵּ֖י הַטַּבָּעֹ֑ת עַל־קְצ֖וֹת
יח הַחֹֽשֶׁן׃ וְאֵ֨ת שְׁתֵּ֤י קְצוֹת֙ שְׁתֵּ֣י הָעֲבֹתֹ֔ת נָתְנ֖וּ עַל־שְׁתֵּ֣י הַֽמִּשְׁבְּצֹ֑ת
יט וַֽיִּתְּנֻ֛ם עַל־כִּתְפֹ֥ת הָאֵפֹ֖ד אֶל־מ֥וּל פָּנָֽיו׃ וַֽיַּעֲשׂ֗וּ שְׁתֵּי֙ טַבְּעֹ֣ת זָהָ֔ב
וַיָּשִׂ֕ימוּ עַל־שְׁנֵ֖י קְצ֣וֹת הַחֹ֑שֶׁן עַל־שְׂפָת֕וֹ אֲשֶׁ֛ר אֶל־עֵ֥בֶר הָאֵפֹ֖ד
כ בָּֽיְתָה׃ וַֽיַּעֲשׂוּ֮ שְׁתֵּ֣י טַבְּעֹ֣ת זָהָב֒ וַֽיִּתְּנֻ֡ם עַל־שְׁתֵּי֩ כִתְפֹ֨ת הָאֵפֹ֤ד
מִלְּמַ֙טָּה֙ מִמּ֣וּל פָּנָ֔יו לְעֻמַּ֖ת מֶחְבַּרְתּ֑וֹ מִמַּ֕עַל לְחֵ֖שֶׁב הָאֵפֹֽד׃
כא וַיִּרְכְּס֣וּ אֶת־הַ֠חֹשֶׁן מִטַּבְּעֹתָ֞יו אֶל־טַבְּעֹ֣ת הָאֵפֹ֗ד בִּפְתִ֣יל תְּכֵ֔לֶת
לִֽהְיֹת֙ עַל־חֵ֣שֶׁב הָאֵפֹ֔ד וְלֹֽא־יִזַּ֣ח הַחֹ֔שֶׁן מֵעַ֖ל הָאֵפֹ֑ד כַּאֲשֶׁ֛ר

צִוָּה יְהוָה אֶת־מֹשֶׁה׃
כב כג וַיַּעַשׂ אֶת־מְעִיל הָאֵפֹד מַעֲשֵׂה אֹרֵג כְּלִיל תְּכֵלֶת׃ וּפִי־הַמְּעִיל שלישי /ששי/
כד בְּתוֹכוֹ כְּפִי תַחְרָא שָׂפָה לְפִיו סָבִיב לֹא יִקָּרֵעַ׃ וַיַּעֲשׂוּ עַל־שׁוּלֵי עֲשִׂיַּת הַמְּעִיל׃
כה הַמְּעִיל רִמּוֹנֵי תְּכֵלֶת וְאַרְגָּמָן וְתוֹלַעַת שָׁנִי מָשְׁזָר׃ וַיַּעֲשׂוּ פַעֲמֹנֵי
זָהָב טָהוֹר וַיִּתְּנוּ אֶת־הַפַּעֲמֹנִים בְּתוֹךְ הָרִמֹּנִים עַל־שׁוּלֵי הַמְּעִיל
כו סָבִיב בְּתוֹךְ הָרִמֹּנִים׃ פַּעֲמֹן וְרִמֹּן פַּעֲמֹן וְרִמֹּן עַל־שׁוּלֵי הַמְּעִיל
כז סָבִיב לְשָׁרֵת כַּאֲשֶׁר צִוָּה יְהוָה אֶת־מֹשֶׁה׃ וַיַּעֲשׂוּ עֲשִׂיַּת הַכָּתְנוֹת וּשְׁאָר בִּגְדֵי כֹּהֵן הֶדְיוֹט׃
כח אֶת־הַכָּתְנֹת שֵׁשׁ מַעֲשֵׂה אֹרֵג לְאַהֲרֹן וּלְבָנָיו׃ וְאֵת הַמִּצְנֶפֶת
שֵׁשׁ וְאֶת־פַּאֲרֵי הַמִּגְבָּעֹת שֵׁשׁ וְאֶת־מִכְנְסֵי הַבָּד שֵׁשׁ מָשְׁזָר׃
כט וְאֶת־הָאַבְנֵט שֵׁשׁ מָשְׁזָר וּתְכֵלֶת וְאַרְגָּמָן וְתוֹלַעַת שָׁנִי מַעֲשֵׂה
ל רֹקֵם כַּאֲשֶׁר צִוָּה יְהוָה אֶת־מֹשֶׁה׃ וַיַּעֲשׂוּ אֶת־צִיץ עֲשִׂיַּת הַצִּיץ׃
נֵזֶר־הַקֹּדֶשׁ זָהָב טָהוֹר וַיִּכְתְּבוּ עָלָיו מִכְתַּב פִּתּוּחֵי חוֹתָם קֹדֶשׁ
לא לַיהוָה׃ וַיִּתְּנוּ עָלָיו פְּתִיל תְּכֵלֶת לָתֵת עַל־הַמִּצְנֶפֶת מִלְמָעְלָה
לב כַּאֲשֶׁר צִוָּה יְהוָה אֶת־מֹשֶׁה׃ וַתֵּכֶל כָּל־עֲבֹדַת מִשְׁכַּן
אֹהֶל מוֹעֵד וַיַּעֲשׂוּ בְּנֵי יִשְׂרָאֵל כְּכֹל אֲשֶׁר צִוָּה יְהוָה אֶת־מֹשֶׁה
כֵּן עָשׂוּ׃
לג וַיָּבִיאוּ אֶת־הַמִּשְׁכָּן אֶל־מֹשֶׁה אֶת־הָאֹהֶל וְאֶת־כָּל־כֵּלָיו קְרָסָיו רביעי מְסִירַת הַמִּשְׁכָּן וְכֵלָיו׃
לד קְרָשָׁיו בְּרִיחָו וְעַמֻּדָיו וַאֲדָנָיו׃ וְאֶת־מִכְסֵה עוֹרֹת הָאֵילִם
הַמְאָדָּמִים וְאֶת־מִכְסֵה עֹרֹת הַתְּחָשִׁים וְאֵת פָּרֹכֶת הַמָּסָךְ׃
לה לו אֶת־אֲרוֹן הָעֵדֻת וְאֶת־בַּדָּיו וְאֵת הַכַּפֹּרֶת׃ אֶת־הַשֻּׁלְחָן אֶת־כָּל־
לז כֵּלָיו וְאֵת לֶחֶם הַפָּנִים׃ אֶת־הַמְּנֹרָה הַטְּהֹרָה אֶת־נֵרֹתֶיהָ נֵרֹת
לח הַמַּעֲרָכָה וְאֶת־כָּל־כֵּלֶיהָ וְאֵת שֶׁמֶן הַמָּאוֹר׃ וְאֵת מִזְבַּח הַזָּהָב
וְאֵת שֶׁמֶן הַמִּשְׁחָה וְאֵת קְטֹרֶת הַסַּמִּים וְאֵת מָסַךְ פֶּתַח הָאֹהֶל׃
לט אֵת ׀ מִזְבַּח הַנְּחֹשֶׁת וְאֶת־מִכְבַּר הַנְּחֹשֶׁת אֲשֶׁר־לוֹ אֶת־בַּדָּיו
מ וְאֶת־כָּל־כֵּלָיו אֶת־הַכִּיֹּר וְאֶת־כַּנּוֹ׃ אֵת קַלְעֵי הֶחָצֵר אֶת־

עַמֻּדֶיהָ וְאֶת־אֲדָנֶיהָ וְאֶת־הַמָּסָךְ לְשַׁעַר הֶחָצֵר אֶת־מֵיתָרָיו
מא וִיתֵדֹתֶיהָ וְאֵת כָּל־כְּלֵי עֲבֹדַת הַמִּשְׁכָּן לְאֹהֶל מוֹעֵד: אֶת־בִּגְדֵי
הַשְּׂרָד לְשָׁרֵת בַּקֹּדֶשׁ אֶת־בִּגְדֵי הַקֹּדֶשׁ לְאַהֲרֹן הַכֹּהֵן וְאֶת־בִּגְדֵי
מב בָנָיו לְכַהֵן: כְּכֹל אֲשֶׁר־צִוָּה יְהוָה אֶת־מֹשֶׁה כֵּן עָשׂוּ בְּנֵי יִשְׂרָאֵל
מג אֵת כָּל־הָעֲבֹדָה: וַיַּרְא מֹשֶׁה אֶת־כָּל־הַמְּלָאכָה וְהִנֵּה עָשׂוּ
אֹתָהּ כַּאֲשֶׁר צִוָּה יְהוָה כֵּן עָשׂוּ וַיְבָרֶךְ אֹתָם מֹשֶׁה:

חמישי /שביעי/
מ א ב וַיְדַבֵּר יְהוָה אֶל־מֹשֶׁה לֵּאמֹר: בְּיוֹם־הַחֹדֶשׁ הָרִאשׁוֹן בְּאֶחָד
צִוּוּי לַהֲקָמַת הַמִּשְׁכָּן וּמְשִׁיחָתוֹ:
ג לַחֹדֶשׁ תָּקִים אֶת־מִשְׁכַּן אֹהֶל מוֹעֵד: וְשַׂמְתָּ שָׁם אֵת אֲרוֹן
ד הָעֵדוּת וְסַכֹּתָ עַל־הָאָרֹן אֶת־הַפָּרֹכֶת: וְהֵבֵאתָ אֶת־הַשֻּׁלְחָן
וְעָרַכְתָּ אֶת־עֶרְכּוֹ וְהֵבֵאתָ אֶת־הַמְּנֹרָה וְהַעֲלֵיתָ אֶת־נֵרֹתֶיהָ:
ה וְנָתַתָּה אֶת־מִזְבַּח הַזָּהָב לִקְטֹרֶת לִפְנֵי אֲרוֹן הָעֵדֻת וְשַׂמְתָּ
ו אֶת־מָסַךְ הַפֶּתַח לַמִּשְׁכָּן: וְנָתַתָּה אֵת מִזְבַּח הָעֹלָה לִפְנֵי פֶּתַח
ז מִשְׁכַּן אֹהֶל־מוֹעֵד: וְנָתַתָּ אֶת־הַכִּיֹּר בֵּין־אֹהֶל מוֹעֵד וּבֵין
ח הַמִּזְבֵּחַ וְנָתַתָּ שָׁם מָיִם: וְשַׂמְתָּ אֶת־הֶחָצֵר סָבִיב וְנָתַתָּ אֶת־
ט מָסַךְ שַׁעַר הֶחָצֵר: וְלָקַחְתָּ אֶת־שֶׁמֶן הַמִּשְׁחָה וּמָשַׁחְתָּ אֶת־
הַמִּשְׁכָּן וְאֶת־כָּל־אֲשֶׁר־בּוֹ וְקִדַּשְׁתָּ אֹתוֹ וְאֶת־כָּל־כֵּלָיו וְהָיָה
י קֹדֶשׁ: וּמָשַׁחְתָּ אֶת־מִזְבַּח הָעֹלָה וְאֶת־כָּל־כֵּלָיו וְקִדַּשְׁתָּ אֶת־
יא הַמִּזְבֵּחַ וְהָיָה הַמִּזְבֵּחַ קֹדֶשׁ קָדָשִׁים: וּמָשַׁחְתָּ אֶת־הַכִּיֹּר
הַלְבָּשַׁת אַהֲרֹן וּבָנָיו בְּבִגְדֵיהֶם:
יב וְאֶת־כַּנּוֹ וְקִדַּשְׁתָּ אֹתוֹ: וְהִקְרַבְתָּ אֶת־אַהֲרֹן וְאֶת־בָּנָיו אֶל־פֶּתַח
יג אֹהֶל מוֹעֵד וְרָחַצְתָּ אֹתָם בַּמָּיִם: וְהִלְבַּשְׁתָּ אֶת־אַהֲרֹן אֵת בִּגְדֵי
יד הַקֹּדֶשׁ וּמָשַׁחְתָּ אֹתוֹ וְקִדַּשְׁתָּ אֹתוֹ וְכִהֵן לִי: וְאֶת־בָּנָיו תַּקְרִיב
טו וְהִלְבַּשְׁתָּ אֹתָם כֻּתֳּנֹת: וּמָשַׁחְתָּ אֹתָם כַּאֲשֶׁר מָשַׁחְתָּ אֶת־אֲבִיהֶם
וְכִהֲנוּ לִי וְהָיְתָה לִהְיֹת לָהֶם מָשְׁחָתָם לִכְהֻנַּת עוֹלָם לְדֹרֹתָם:

ששי
טז וַיַּעַשׂ מֹשֶׁה כְּכֹל אֲשֶׁר צִוָּה יְהוָה אֹתוֹ כֵּן עָשָׂה:
הֲקָמַת הַמִּשְׁכָּן:
יז וַיְהִי בַּחֹדֶשׁ הָרִאשׁוֹן בַּשָּׁנָה הַשֵּׁנִית בְּאֶחָד לַחֹדֶשׁ הוּקַם הַמִּשְׁכָּן:
[2449]

יח וַיָּקֶם מֹשֶׁה אֶת־הַמִּשְׁכָּן וַיִּתֵּן אֶת־אֲדָנָיו וַיָּשֶׂם אֶת־קְרָשָׁיו וַיִּתֵּן

יט אֶת־בְּרִיחָיו וַיָּקֶם אֶת־עַמּוּדָיו: וַיִּפְרֹשׂ אֶת־הָאֹהֶל עַל־הַמִּשְׁכָּן

וַיָּשֶׂם אֶת־מִכְסֵה הָאֹהֶל עָלָיו מִלְמָעְלָה כַּאֲשֶׁר צִוָּה יְהוָה

כ אֶת־מֹשֶׁה: וַיִּקַּח וַיִּתֵּן אֶת־הָעֵדֻת אֶל־הָאָרֹן וַיָּשֶׂם

הַעֲמָדַת
הַכֵּלִים
בִּמְקוֹמָם,
וְחִנּוּכָם:

אֶת־הַבַּדִּים עַל־הָאָרֹן וַיִּתֵּן אֶת־הַכַּפֹּרֶת עַל־הָאָרֹן מִלְמָעְלָה:

כא וַיָּבֵא אֶת־הָאָרֹן אֶל־הַמִּשְׁכָּן וַיָּשֶׂם אֵת פָּרֹכֶת הַמָּסָךְ וַיָּסֶךְ עַל

כב אֲרוֹן הָעֵדוּת כַּאֲשֶׁר צִוָּה יְהוָה אֶת־מֹשֶׁה: וַיִּתֵּן אֶת־

הַשֻּׁלְחָן בְּאֹהֶל מוֹעֵד עַל יֶרֶךְ הַמִּשְׁכָּן צָפֹנָה מִחוּץ לַפָּרֹכֶת:

כג וַיַּעֲרֹךְ עָלָיו עֵרֶךְ לֶחֶם לִפְנֵי יְהוָה כַּאֲשֶׁר צִוָּה יְהוָה אֶת־

כד מֹשֶׁה: וַיָּשֶׂם אֶת־הַמְּנֹרָה בְּאֹהֶל מוֹעֵד נֹכַח הַשֻּׁלְחָן

כה עַל יֶרֶךְ הַמִּשְׁכָּן נֶגְבָּה: וַיַּעַל הַנֵּרֹת לִפְנֵי יְהוָה כַּאֲשֶׁר צִוָּה יְהוָה

כו אֶת־מֹשֶׁה: וַיָּשֶׂם אֶת־מִזְבַּח הַזָּהָב בְּאֹהֶל מוֹעֵד לִפְנֵי

כז הַפָּרֹכֶת: וַיַּקְטֵר עָלָיו קְטֹרֶת סַמִּים כַּאֲשֶׁר צִוָּה יְהוָה אֶת־

כח מֹשֶׁה: וַיָּשֶׂם אֶת־מָסַךְ הַפֶּתַח לַמִּשְׁכָּן: כט וְאֵת מִזְבַּח

שביעי

הָעֹלָה שָׂם פֶּתַח מִשְׁכַּן אֹהֶל־מוֹעֵד וַיַּעַל עָלָיו אֶת־הָעֹלָה

ל וְאֶת־הַמִּנְחָה כַּאֲשֶׁר צִוָּה יְהוָה אֶת־מֹשֶׁה: וַיָּשֶׂם אֶת־

הַכִּיֹּר בֵּין־אֹהֶל מוֹעֵד וּבֵין הַמִּזְבֵּחַ וַיִּתֵּן שָׁמָּה מַיִם לְרָחְצָה:

לא וְרָחֲצוּ מִמֶּנּוּ מֹשֶׁה וְאַהֲרֹן וּבָנָיו אֶת־יְדֵיהֶם וְאֶת־רַגְלֵיהֶם: בְּבֹאָם

אֶל־אֹהֶל מוֹעֵד וּבְקָרְבָתָם אֶל־הַמִּזְבֵּחַ יִרְחָצוּ כַּאֲשֶׁר צִוָּה

הֲקָמַת
הֶחָצֵר:

לג יְהוָה אֶת־מֹשֶׁה: וַיָּקֶם אֶת־הֶחָצֵר

סָבִיב לַמִּשְׁכָּן וְלַמִּזְבֵּחַ וַיִּתֵּן אֶת־מָסַךְ שַׁעַר הֶחָצֵר וַיְכַל מֹשֶׁה

אֶת־הַמְּלָאכָה:

מפטיר
כְּבוֹד ה'
עַל
הַמִּשְׁכָּן:

לד וַיְכַס הֶעָנָן אֶת־אֹהֶל מוֹעֵד וּכְבוֹד יְהוָה מָלֵא אֶת־הַמִּשְׁכָּן:

לה וְלֹא־יָכֹל מֹשֶׁה לָבוֹא אֶל־אֹהֶל מוֹעֵד כִּי־שָׁכַן עָלָיו הֶעָנָן וּכְבוֹד

לו יְהוָה מָלֵא אֶת־הַמִּשְׁכָּן: וּבְהֵעָלוֹת הֶעָנָן מֵעַל הַמִּשְׁכָּן יִסְעוּ

לז בְּנֵֽי־יִשְׂרָאֵ֑ל בְּכֹ֖ל מַסְעֵיהֶֽם׃ וְאִם־לֹ֥א יֵעָלֶ֖ה הֶעָנָ֑ן וְלֹ֣א
לח יִסְע֔וּ עַד־י֖וֹם הֵעָלֹתֽוֹ׃ כִּי֩ עֲנַ֨ן יְהוָ֤ה עַל־הַמִּשְׁכָּן֙ יוֹמָ֔ם וְאֵ֕שׁ
תִּהְיֶ֥ה לַ֖יְלָה בּ֑וֹ לְעֵינֵ֥י כָל־בֵּֽית־יִשְׂרָאֵ֖ל בְּכָל־מַסְעֵיהֶֽם׃

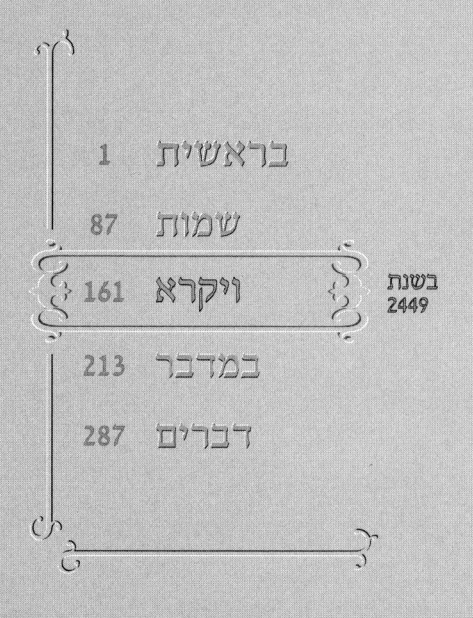

בשנת
2449

ויקרא

ויקרא מִצְוַת הַקָּרְבָּנוֹת:

א א ב וַיִּקְרָא אֶל־מֹשֶׁה וַיְדַבֵּר יְהוָה אֵלָיו מֵאֹהֶל מוֹעֵד לֵאמֹר: דַּבֵּר
אֶל־בְּנֵי יִשְׂרָאֵל וְאָמַרְתָּ אֲלֵהֶם אָדָם כִּי־יַקְרִיב מִכֶּם קָרְבָּן
לַיהוָה מִן־הַבְּהֵמָה מִן־הַבָּקָר וּמִן־הַצֹּאן תַּקְרִיבוּ אֶת־קָרְבַּנְכֶם:

עוֹלַת הַבָּקָר:

ג אִם־עֹלָה קָרְבָּנוֹ מִן־הַבָּקָר זָכָר תָּמִים יַקְרִיבֶנּוּ אֶל־פֶּתַח אֹהֶל
ד מוֹעֵד יַקְרִיב אֹתוֹ לִרְצֹנוֹ לִפְנֵי יְהוָה: וְסָמַךְ יָדוֹ עַל רֹאשׁ הָעֹלָה
ה וְנִרְצָה לוֹ לְכַפֵּר עָלָיו: וְשָׁחַט אֶת־בֶּן הַבָּקָר לִפְנֵי יְהוָה וְהִקְרִיבוּ
בְּנֵי אַהֲרֹן הַכֹּהֲנִים אֶת־הַדָּם וְזָרְקוּ אֶת־הַדָּם עַל־הַמִּזְבֵּחַ
ו סָבִיב אֲשֶׁר־פֶּתַח אֹהֶל מוֹעֵד: וְהִפְשִׁיט אֶת־הָעֹלָה וְנִתַּח אֹתָהּ
ז לִנְתָחֶיהָ: וְנָתְנוּ בְּנֵי אַהֲרֹן הַכֹּהֵן אֵשׁ עַל־הַמִּזְבֵּחַ וְעָרְכוּ עֵצִים
ח עַל־הָאֵשׁ: וְעָרְכוּ בְּנֵי אַהֲרֹן הַכֹּהֲנִים אֵת הַנְּתָחִים אֶת־הָרֹאשׁ
וְאֶת־הַפָּדֶר עַל־הָעֵצִים אֲשֶׁר עַל־הָאֵשׁ אֲשֶׁר עַל־הַמִּזְבֵּחַ:
ט וְקִרְבּוֹ וּכְרָעָיו יִרְחַץ בַּמָּיִם וְהִקְטִיר הַכֹּהֵן אֶת־הַכֹּל הַמִּזְבֵּחָה
י עֹלָה אִשֵּׁה רֵיחַ־נִיחוֹחַ לַיהוָה: וְאִם־מִן־הַצֹּאן

עוֹלַת הַצֹּאן:

קָרְבָּנוֹ מִן־הַכְּשָׂבִים אוֹ מִן־הָעִזִּים לְעֹלָה זָכָר תָּמִים יַקְרִיבֶנּוּ:
יא וְשָׁחַט אֹתוֹ עַל יֶרֶךְ הַמִּזְבֵּחַ צָפֹנָה לִפְנֵי יְהוָה וְזָרְקוּ בְּנֵי אַהֲרֹן
יב הַכֹּהֲנִים אֶת־דָּמוֹ עַל־הַמִּזְבֵּחַ סָבִיב: וְנִתַּח אֹתוֹ לִנְתָחָיו
וְאֶת־רֹאשׁוֹ וְאֶת־פִּדְרוֹ וְעָרַךְ הַכֹּהֵן אֹתָם עַל־הָעֵצִים אֲשֶׁר
יג עַל־הָאֵשׁ אֲשֶׁר עַל־הַמִּזְבֵּחַ: וְהַקֶּרֶב וְהַכְּרָעַיִם יִרְחַץ בַּמָּיִם
וְהִקְרִיב הַכֹּהֵן אֶת־הַכֹּל וְהִקְטִיר הַמִּזְבֵּחָה עֹלָה הוּא אִשֵּׁה רֵיחַ
נִיחֹחַ לַיהוָה:

שני עוֹלַת הָעוֹף:

יד וְאִם מִן־הָעוֹף עֹלָה קָרְבָּנוֹ לַיהוָה וְהִקְרִיב מִן־הַתֹּרִים אוֹ מִן־בְּנֵי
טו הַיּוֹנָה אֶת־קָרְבָּנוֹ: וְהִקְרִיבוֹ הַכֹּהֵן אֶל־הַמִּזְבֵּחַ וּמָלַק אֶת־
טז רֹאשׁוֹ וְהִקְטִיר הַמִּזְבֵּחָה וְנִמְצָה דָמוֹ עַל קִיר הַמִּזְבֵּחַ: וְהֵסִיר

אֶת־מֻרְאָתוֹ בְּנֹצָתָהּ וְהִשְׁלִיךְ אֹתָהּ אֵצֶל הַמִּזְבֵּחַ קֵדְמָה
יז אֶל־מְקוֹם הַדָּשֶׁן׃ וְשִׁסַּע אֹתוֹ בִכְנָפָיו לֹא יַבְדִּיל וְהִקְטִיר אֹתוֹ
הַכֹּהֵן הַמִּזְבֵּחָה עַל־הָעֵצִים אֲשֶׁר עַל־הָאֵשׁ עֹלָה הוּא אִשֵּׁה
ב א רֵיחַ נִיחֹחַ לַיהוָה׃ וְנֶפֶשׁ כִּי־ (מִנְחַת סֹלֶת׃)
תַקְרִיב קָרְבַּן מִנְחָה לַיהוָה סֹלֶת יִהְיֶה קָרְבָּנוֹ וְיָצַק עָלֶיהָ שֶׁמֶן
ב וְנָתַן עָלֶיהָ לְבֹנָה׃ וֶהֱבִיאָהּ אֶל־בְּנֵי אַהֲרֹן הַכֹּהֲנִים וְקָמַץ מִשָּׁם
מְלֹא קֻמְצוֹ מִסָּלְתָּהּ וּמִשַּׁמְנָהּ עַל כָּל־לְבֹנָתָהּ וְהִקְטִיר
הַכֹּהֵן אֶת־אַזְכָּרָתָהּ הַמִּזְבֵּחָה אִשֵּׁה רֵיחַ נִיחֹחַ לַיהוָה׃
ג וְהַנּוֹתֶרֶת מִן־הַמִּנְחָה לְאַהֲרֹן וּלְבָנָיו קֹדֶשׁ קָדָשִׁים מֵאִשֵּׁי
ד יְהוָה׃ וְכִי תַקְרִב קָרְבַּן מִנְחָה מַאֲפֵה (מִנְחַת מַאֲפֵה תַנּוּר׃)
תַנּוּר סֹלֶת חַלּוֹת מַצֹּת בְּלוּלֹת בַּשֶּׁמֶן וּרְקִיקֵי מַצּוֹת מְשֻׁחִים
ה בַּשָּׁמֶן׃ וְאִם־מִנְחָה עַל־הַמַּחֲבַת קָרְבָּנֶךָ סֹלֶת בְּלוּלָה (מִנְחַת מַחֲבַת׃)
ו בַשֶּׁמֶן מַצָּה תִהְיֶה׃ פָּתוֹת אֹתָהּ פִּתִּים וְיָצַקְתָּ עָלֶיהָ שָׁמֶן
ז מִנְחָה הִוא׃ וְאִם־מִנְחַת מַרְחֶשֶׁת קָרְבָּנֶךָ (שלישי)
ח סֹלֶת בַּשֶּׁמֶן תֵּעָשֶׂה׃ וְהֵבֵאתָ אֶת־הַמִּנְחָה אֲשֶׁר יֵעָשֶׂה מֵאֵלֶּה (מִנְחַת מַרְחֶשֶׁת וְדִינֵי הַמִּנְחָה׃)
ט לַיהוָה וְהִקְרִיבָהּ אֶל־הַכֹּהֵן וְהִגִּישָׁהּ אֶל־הַמִּזְבֵּחַ׃ וְהֵרִים
הַכֹּהֵן מִן־הַמִּנְחָה אֶת־אַזְכָּרָתָהּ וְהִקְטִיר הַמִּזְבֵּחָה אִשֵּׁה רֵיחַ
י נִיחֹחַ לַיהוָה׃ וְהַנּוֹתֶרֶת מִן־הַמִּנְחָה לְאַהֲרֹן וּלְבָנָיו קֹדֶשׁ
יא קָדָשִׁים מֵאִשֵּׁי יְהוָה׃ כָּל־הַמִּנְחָה אֲשֶׁר תַּקְרִיבוּ לַיהוָה לֹא (אִסּוּר חָמֵץ וּדְבַשׁ לַמִּזְבֵּחַ׃)
תֵעָשֶׂה חָמֵץ כִּי כָל־שְׂאֹר וְכָל־דְּבַשׁ לֹא־תַקְטִירוּ מִמֶּנּוּ אִשֶּׁה
יב לַיהוָה׃ קָרְבַּן רֵאשִׁית תַּקְרִיבוּ אֹתָם לַיהוָה וְאֶל־הַמִּזְבֵּחַ
יג לֹא־יַעֲלוּ לְרֵיחַ נִיחֹחַ׃ וְכָל־קָרְבַּן מִנְחָתְךָ בַּמֶּלַח תִּמְלָח וְלֹא
תַשְׁבִּית מֶלַח בְּרִית אֱלֹהֶיךָ מֵעַל מִנְחָתֶךָ עַל כָּל־קָרְבָּנְךָ תַּקְרִיב
יד מֶלַח׃ וְאִם־תַּקְרִיב מִנְחַת בִּכּוּרִים לַיהוָה אָבִיב קָלוּי (מִנְחַת הָעֹמֶר׃)
טו בָּאֵשׁ גֶּרֶשׂ כַּרְמֶל תַּקְרִיב אֵת מִנְחַת בִּכּוּרֶיךָ׃ וְנָתַתָּ עָלֶיהָ שֶׁמֶן

טו וְשַׂמְתָּ עָלֶיהָ לְבֹנָה מִנְחָה הִוא: וְהִקְטִיר הַכֹּהֵן אֶת־אַזְכָּרָתָהּ
מִגִּרְשָׂהּ וּמִשַּׁמְנָהּ עַל כָּל־לְבֹנָתָהּ אִשֶּׁה לַיהוָה:
ג א וְאִם־זֶבַח שְׁלָמִים קָרְבָּנוֹ אִם מִן־הַבָּקָר הוּא מַקְרִיב אִם־זָכָר רביעי שְׁלָמֵי
ב אִם־נְקֵבָה תָּמִים יַקְרִיבֶנּוּ לִפְנֵי יְהוָה: וְסָמַךְ יָדוֹ עַל־רֹאשׁ בָקָר:
קָרְבָּנוֹ וּשְׁחָטוֹ פֶּתַח אֹהֶל מוֹעֵד וְזָרְקוּ בְּנֵי אַהֲרֹן הַכֹּהֲנִים
ג אֶת־הַדָּם עַל־הַמִּזְבֵּחַ סָבִיב: וְהִקְרִיב מִזֶּבַח הַשְּׁלָמִים אִשֶּׁה
לַיהוָה אֶת־הַחֵלֶב הַמְכַסֶּה אֶת־הַקֶּרֶב וְאֵת כָּל־הַחֵלֶב אֲשֶׁר
ד עַל־הַקֶּרֶב: וְאֵת שְׁתֵּי הַכְּלָיֹת וְאֶת־הַחֵלֶב אֲשֶׁר עֲלֵהֶן אֲשֶׁר
עַל־הַכְּסָלִים וְאֶת־הַיֹּתֶרֶת עַל־הַכָּבֵד עַל־הַכְּלָיוֹת יְסִירֶנָּה:
ה וְהִקְטִירוּ אֹתוֹ בְנֵי־אַהֲרֹן הַמִּזְבֵּחָה עַל־הָעֹלָה אֲשֶׁר עַל־הָעֵצִים
אֲשֶׁר עַל־הָאֵשׁ אִשֵּׁה רֵיחַ נִיחֹחַ לַיהוָה:
ו וְאִם־מִן־הַצֹּאן קָרְבָּנוֹ לְזֶבַח שְׁלָמִים לַיהוָה זָכָר אוֹ נְקֵבָה תָּמִים שְׁלָמֵי
ז יַקְרִיבֶנּוּ: אִם־כֶּשֶׂב הוּא־מַקְרִיב אֶת־קָרְבָּנוֹ וְהִקְרִיב אֹתוֹ לִפְנֵי כְּבָשִׂים:
ח יְהוָה: וְסָמַךְ אֶת־יָדוֹ עַל־רֹאשׁ קָרְבָּנוֹ וְשָׁחַט אֹתוֹ לִפְנֵי אֹהֶל
ט מוֹעֵד וְזָרְקוּ בְּנֵי אַהֲרֹן אֶת־דָּמוֹ עַל־הַמִּזְבֵּחַ סָבִיב: וְהִקְרִיב
מִזֶּבַח הַשְּׁלָמִים אִשֶּׁה לַיהוָה חֶלְבּוֹ הָאַלְיָה תְמִימָה לְעֻמַּת
הֶעָצֶה יְסִירֶנָּה וְאֶת־הַחֵלֶב הַמְכַסֶּה אֶת־הַקֶּרֶב וְאֵת כָּל־הַחֵלֶב
י אֲשֶׁר עַל־הַקֶּרֶב: וְאֵת שְׁתֵּי הַכְּלָיֹת וְאֶת־הַחֵלֶב אֲשֶׁר עֲלֵהֶן אֲשֶׁר
עַל־הַכְּסָלִים וְאֶת־הַיֹּתֶרֶת עַל־הַכָּבֵד עַל־הַכְּלָיֹת יְסִירֶנָּה:
יא וְהִקְטִירוֹ הַכֹּהֵן הַמִּזְבֵּחָה לֶחֶם אִשֶּׁה לַיהוָה:
יב יג וְאִם עֵז קָרְבָּנוֹ וְהִקְרִיבוֹ לִפְנֵי יְהוָה: וְסָמַךְ אֶת־יָדוֹ עַל־רֹאשׁוֹ שְׁלָמֵי
וְשָׁחַט אֹתוֹ לִפְנֵי אֹהֶל מוֹעֵד וְזָרְקוּ בְּנֵי אַהֲרֹן אֶת־דָּמוֹ עִזִּים:
יד עַל־הַמִּזְבֵּחַ סָבִיב: וְהִקְרִיב מִמֶּנּוּ קָרְבָּנוֹ אִשֶּׁה לַיהוָה
אֶת־הַחֵלֶב הַמְכַסֶּה אֶת־הַקֶּרֶב וְאֵת כָּל־הַחֵלֶב אֲשֶׁר עַל־
טו הַקֶּרֶב: וְאֵת שְׁתֵּי הַכְּלָיֹת וְאֶת־הַחֵלֶב אֲשֶׁר עֲלֵהֶן אֲשֶׁר

עַל־הַכְּסָלִים וְאֶת־הַיֹּתֶרֶת עַל־הַכָּבֵד עַל־הַכְּלָיוֹת יְסִירֶנָּה׃
טז וְהִקְטִירָם הַכֹּהֵן הַמִּזְבֵּחָה לֶחֶם אִשֶּׁה לְרֵיחַ נִיחֹחַ כָּל־חֵלֶב
יז לַיהוָה׃ חֻקַּת עוֹלָם לְדֹרֹתֵיכֶם בְּכֹל מוֹשְׁבֹתֵיכֶם כָּל־חֵלֶב
וְכָל־דָּם לֹא תֹאכֵלוּ׃

ד א ב וַיְדַבֵּר יְהוָה אֶל־מֹשֶׁה לֵּאמֹר׃ דַּבֵּר אֶל־בְּנֵי יִשְׂרָאֵל לֵאמֹר נֶפֶשׁ (חמישי)
כִּי־תֶחֱטָא בִשְׁגָגָה מִכֹּל מִצְוֺת יְהוָה אֲשֶׁר לֹא תֵעָשֶׂינָה וְעָשָׂה (פַּר כֹּהֵן מָשִׁיחַ׃)
ג מֵאַחַת מֵהֵנָּה׃ אִם הַכֹּהֵן הַמָּשִׁיחַ יֶחֱטָא לְאַשְׁמַת הָעָם וְהִקְרִיב
עַל חַטָּאתוֹ אֲשֶׁר חָטָא פַּר בֶּן־בָּקָר תָּמִים לַיהוָה לְחַטָּאת׃
ד וְהֵבִיא אֶת־הַפָּר אֶל־פֶּתַח אֹהֶל מוֹעֵד לִפְנֵי יְהוָה וְסָמַךְ אֶת־יָדוֹ
ה עַל־רֹאשׁ הַפָּר וְשָׁחַט אֶת־הַפָּר לִפְנֵי יְהוָה׃ וְלָקַח הַכֹּהֵן הַמָּשִׁיחַ
ו מִדַּם הַפָּר וְהֵבִיא אֹתוֹ אֶל־אֹהֶל מוֹעֵד׃ וְטָבַל הַכֹּהֵן אֶת־אֶצְבָּעוֹ
בַּדָּם וְהִזָּה מִן־הַדָּם שֶׁבַע פְּעָמִים לִפְנֵי יְהוָה אֶת־פְּנֵי פָּרֹכֶת
ז הַקֹּדֶשׁ׃ וְנָתַן הַכֹּהֵן מִן־הַדָּם עַל־קַרְנוֹת מִזְבַּח קְטֹרֶת הַסַּמִּים
לִפְנֵי יְהוָה אֲשֶׁר בְּאֹהֶל מוֹעֵד וְאֵת ׀ כָּל־דַּם הַפָּר יִשְׁפֹּךְ
ח אֶל־יְסוֹד מִזְבַּח הָעֹלָה אֲשֶׁר־פֶּתַח אֹהֶל מוֹעֵד׃ וְאֶת־כָּל־חֵלֶב
פַּר הַחַטָּאת יָרִים מִמֶּנּוּ אֶת־הַחֵלֶב הַמְכַסֶּה עַל־הַקֶּרֶב וְאֵת
ט כָּל־הַחֵלֶב אֲשֶׁר עַל־הַקֶּרֶב׃ וְאֵת שְׁתֵּי הַכְּלָיֹת וְאֶת־הַחֵלֶב
אֲשֶׁר עֲלֵיהֶן אֲשֶׁר עַל־הַכְּסָלִים וְאֶת־הַיֹּתֶרֶת עַל־הַכָּבֵד עַל־
י הַכְּלָיוֹת יְסִירֶנָּה׃ כַּאֲשֶׁר יוּרַם מִשּׁוֹר זֶבַח הַשְּׁלָמִים וְהִקְטִירָם
יא הַכֹּהֵן עַל מִזְבַּח הָעֹלָה׃ וְאֶת־עוֹר הַפָּר וְאֶת־כָּל־בְּשָׂרוֹ עַל־
יב רֹאשׁוֹ וְעַל־כְּרָעָיו וְקִרְבּוֹ וּפִרְשׁוֹ׃ וְהוֹצִיא אֶת־כָּל־הַפָּר אֶל־
מִחוּץ לַמַּחֲנֶה אֶל־מָקוֹם טָהוֹר אֶל־שֶׁפֶךְ הַדֶּשֶׁן וְשָׂרַף אֹתוֹ
עַל־עֵצִים בָּאֵשׁ עַל־שֶׁפֶךְ הַדֶּשֶׁן יִשָּׂרֵף׃

יג וְאִם כָּל־עֲדַת יִשְׂרָאֵל יִשְׁגּוּ וְנֶעְלַם דָּבָר מֵעֵינֵי הַקָּהָל וְעָשׂוּ (פַּר הֶעְלֵם דָּבָר שֶׁל צִבּוּר׃)
יד אַחַת מִכָּל־מִצְוֺת יְהוָה אֲשֶׁר לֹא־תֵעָשֶׂינָה וְאָשֵׁמוּ׃ וְנוֹדְעָה

הַחַטָּאת אֲשֶׁר חָטְאוּ עָלֶיהָ וְהִקְרִיבוּ הַקָּהָל פַּר בֶּן־בָּקָר לְחַטָּאת

טו וְהֵבִיאוּ אֹתוֹ לִפְנֵי אֹהֶל מוֹעֵד: וְסָמְכוּ זִקְנֵי הָעֵדָה אֶת־יְדֵיהֶם

טז עַל־רֹאשׁ הַפָּר לִפְנֵי יְהֹוָה וְשָׁחַט אֶת־הַפָּר לִפְנֵי יְהֹוָה: וְהֵבִיא

יז הַכֹּהֵן הַמָּשִׁיחַ מִדַּם הַפָּר אֶל־אֹהֶל מוֹעֵד: וְטָבַל הַכֹּהֵן אֶצְבָּעוֹ

מִן־הַדָּם וְהִזָּה שֶׁבַע פְּעָמִים לִפְנֵי יְהֹוָה אֵת פְּנֵי הַפָּרֹכֶת:

יח וּמִן־הַדָּם יִתֵּן ׀ עַל־קַרְנֹת הַמִּזְבֵּחַ אֲשֶׁר לִפְנֵי יְהֹוָה אֲשֶׁר בְּאֹהֶל

מוֹעֵד וְאֵת כָּל־הַדָּם יִשְׁפֹּךְ אֶל־יְסוֹד מִזְבַּח הָעֹלָה אֲשֶׁר־פֶּתַח

יט אֹהֶל מוֹעֵד: וְאֵת כָּל־חֶלְבּוֹ יָרִים מִמֶּנּוּ וְהִקְטִיר הַמִּזְבֵּחָה: וְעָשָׂה

לַפָּר כַּאֲשֶׁר עָשָׂה לְפַר הַחַטָּאת כֵּן יַעֲשֶׂה־לּוֹ וְכִפֶּר עֲלֵהֶם הַכֹּהֵן

כא וְנִסְלַח לָהֶם: וְהוֹצִיא אֶת־הַפָּר אֶל־מִחוּץ לַמַּחֲנֶה וְשָׂרַף אֹתוֹ

כַּאֲשֶׁר שָׂרַף אֵת הַפָּר הָרִאשׁוֹן חַטַּאת הַקָּהָל הוּא:

כב אֲשֶׁר נָשִׂיא יֶחֱטָא וְעָשָׂה אַחַת מִכָּל־מִצְוֹת יְהֹוָה אֱלֹהָיו אֲשֶׁר
חַטַּאת
נָשִׂיא:

כג לֹא־תֵעָשֶׂינָה בִּשְׁגָגָה וְאָשֵׁם: אוֹ־הוֹדַע אֵלָיו חַטָּאתוֹ אֲשֶׁר חָטָא

כד בָּהּ וְהֵבִיא אֶת־קָרְבָּנוֹ שְׂעִיר עִזִּים זָכָר תָּמִים: וְסָמַךְ יָדוֹ

עַל־רֹאשׁ הַשָּׂעִיר וְשָׁחַט אֹתוֹ בִּמְקוֹם אֲשֶׁר־יִשְׁחַט אֶת־הָעֹלָה

כה לִפְנֵי יְהֹוָה חַטָּאת הוּא: וְלָקַח הַכֹּהֵן מִדַּם הַחַטָּאת בְּאֶצְבָּעוֹ

וְנָתַן עַל־קַרְנֹת מִזְבַּח הָעֹלָה וְאֶת־דָּמוֹ יִשְׁפֹּךְ אֶל־יְסוֹד מִזְבַּח

כו הָעֹלָה: וְאֶת־כָּל־חֶלְבּוֹ יַקְטִיר הַמִּזְבֵּחָה כְּחֵלֶב זֶבַח הַשְּׁלָמִים

וְכִפֶּר עָלָיו הַכֹּהֵן מֵחַטָּאתוֹ וְנִסְלַח לוֹ:
שׁשּׁי
חַטַּאת
יָחִיד,
שְׂעִירָה:

כז וְאִם־נֶפֶשׁ אַחַת תֶּחֱטָא בִשְׁגָגָה מֵעַם הָאָרֶץ בַּעֲשֹׂתָהּ אַחַת

כח מִמִּצְוֹת יְהֹוָה אֲשֶׁר לֹא־תֵעָשֶׂינָה וְאָשֵׁם: אוֹ הוֹדַע אֵלָיו חַטָּאתוֹ

אֲשֶׁר חָטָא וְהֵבִיא קָרְבָּנוֹ שְׂעִירַת עִזִּים תְּמִימָה נְקֵבָה עַל־

כט חַטָּאתוֹ אֲשֶׁר חָטָא: וְסָמַךְ אֶת־יָדוֹ עַל רֹאשׁ הַחַטָּאת וְשָׁחַט

ל אֶת־הַחַטָּאת בִּמְקוֹם הָעֹלָה: וְלָקַח הַכֹּהֵן מִדָּמָהּ בְּאֶצְבָּעוֹ וְנָתַן

עַל־קַרְנֹת מִזְבַּח הָעֹלָה וְאֶת־כָּל־דָּמָהּ יִשְׁפֹּךְ אֶל־יְסוֹד

לא הַמִּזְבֵּחַ: וְאֶת־כָּל־חֶלְבָּהּ יָסִיר כַּאֲשֶׁר הוּסַר חֵלֶב מֵעַל זֶבַח
הַשְּׁלָמִים וְהִקְטִיר הַכֹּהֵן הַמִּזְבֵּחָה לְרֵיחַ נִיחֹחַ לַיהוָה וְכִפֶּר
עָלָיו הַכֹּהֵן וְנִסְלַח לוֹ:
לב לג וְאִם־כֶּבֶשׂ יָבִיא קָרְבָּנוֹ לְחַטָּאת נְקֵבָה תְמִימָה יְבִיאֶנָּה: וְסָמַךְ
חַטָּאת יָחִיד, כִּשְׂבָּה:
אֶת־יָדוֹ עַל רֹאשׁ הַחַטָּאת וְשָׁחַט אֹתָהּ לְחַטָּאת בִּמְקוֹם אֲשֶׁר
לד יִשְׁחַט אֶת־הָעֹלָה: וְלָקַח הַכֹּהֵן מִדַּם הַחַטָּאת בְּאֶצְבָּעוֹ וְנָתַן
עַל־קַרְנֹת מִזְבַּח הָעֹלָה וְאֶת־כָּל־דָּמָהּ יִשְׁפֹּךְ אֶל־יְסוֹד
לה הַמִּזְבֵּחַ: וְאֶת־כָּל־חֶלְבָּהּ יָסִיר כַּאֲשֶׁר יוּסַר חֵלֶב־הַכֶּשֶׂב
מִזֶּבַח הַשְּׁלָמִים וְהִקְטִיר הַכֹּהֵן אֹתָם הַמִּזְבֵּחָה עַל אִשֵּׁי יְהוָה
וְכִפֶּר עָלָיו הַכֹּהֵן עַל־חַטָּאתוֹ אֲשֶׁר־חָטָא וְנִסְלַח לוֹ:

ה א וְנֶפֶשׁ כִּי־תֶחֱטָא וְשָׁמְעָה קוֹל אָלָה וְהוּא עֵד אוֹ רָאָה אוֹ יָדָע
קָרְבָּן עוֹלֶה וְיוֹרֵד:
ב אִם־לוֹא יַגִּיד וְנָשָׂא עֲוֹנוֹ: אוֹ נֶפֶשׁ אֲשֶׁר תִּגַּע בְּכָל־דָּבָר טָמֵא
אוֹ בְנִבְלַת חַיָּה טְמֵאָה אוֹ בְּנִבְלַת בְּהֵמָה טְמֵאָה אוֹ בְּנִבְלַת
ג שֶׁרֶץ טָמֵא וְנֶעְלַם מִמֶּנּוּ וְהוּא טָמֵא וְאָשֵׁם: אוֹ כִי יִגַּע בְּטֻמְאַת
אָדָם לְכֹל טֻמְאָתוֹ אֲשֶׁר יִטְמָא בָּהּ וְנֶעְלַם מִמֶּנּוּ וְהוּא יָדַע
ד וְאָשֵׁם: אוֹ נֶפֶשׁ כִּי תִשָּׁבַע לְבַטֵּא בִשְׂפָתַיִם לְהָרַע ׀ אוֹ לְהֵיטִיב
לְכֹל אֲשֶׁר יְבַטֵּא הָאָדָם בִּשְׁבֻעָה וְנֶעְלַם מִמֶּנּוּ וְהוּא־יָדַע וְאָשֵׁם
ה לְאַחַת מֵאֵלֶּה: וְהָיָה כִי־יֶאְשַׁם לְאַחַת מֵאֵלֶּה וְהִתְוַדָּה אֲשֶׁר
ו חָטָא עָלֶיהָ: וְהֵבִיא אֶת־אֲשָׁמוֹ לַיהוָה עַל חַטָּאתוֹ אֲשֶׁר חָטָא
נְקֵבָה מִן־הַצֹּאן כִּשְׂבָּה אוֹ־שְׂעִירַת עִזִּים לְחַטָּאת וְכִפֶּר עָלָיו
ז הַכֹּהֵן מֵחַטָּאתוֹ: וְאִם־לֹא תַגִּיעַ יָדוֹ דֵּי שֶׂה וְהֵבִיא אֶת־אֲשָׁמוֹ
אֲשֶׁר חָטָא שְׁתֵּי תֹרִים אוֹ־שְׁנֵי בְנֵי־יוֹנָה לַיהוָה אֶחָד לְחַטָּאת
ח וְאֶחָד לְעֹלָה: וְהֵבִיא אֹתָם אֶל־הַכֹּהֵן וְהִקְרִיב אֶת־אֲשֶׁר לַחַטָּאת
ט רִאשׁוֹנָה וּמָלַק אֶת־רֹאשׁוֹ מִמּוּל עָרְפּוֹ וְלֹא יַבְדִּיל: וְהִזָּה מִדַּם
הַחַטָּאת עַל־קִיר הַמִּזְבֵּחַ וְהַנִּשְׁאָר בַּדָּם יִמָּצֵה אֶל־יְסוֹד

י הַמִּזְבֵּחַ חַטָּאת הוּא׃ וְאֶת־הַשֵּׁנִי יַעֲשֶׂה עֹלָה כַּמִּשְׁפָּט וְכִפֶּר
יא עָלָיו הַכֹּהֵן מֵחַטָּאתוֹ אֲשֶׁר־חָטָא וְנִסְלַח לוֹ׃ וְאִם־ שביעי
לֹא תַשִּׂיג יָדוֹ לִשְׁתֵּי תֹרִים אוֹ לִשְׁנֵי בְנֵי־יוֹנָה וְהֵבִיא אֶת־קָרְבָּנוֹ
אֲשֶׁר חָטָא עֲשִׂירִת הָאֵפָה סֹלֶת לְחַטָּאת לֹא־יָשִׂים עָלֶיהָ שֶׁמֶן
יב וְלֹא־יִתֵּן עָלֶיהָ לְבֹנָה כִּי חַטָּאת הִוא׃ וֶהֱבִיאָהּ אֶל־הַכֹּהֵן
וְקָמַץ הַכֹּהֵן ׀ מִמֶּנָּה מְלוֹא קֻמְצוֹ אֶת־אַזְכָּרָתָהּ וְהִקְטִיר
יג הַמִּזְבֵּחָה עַל אִשֵּׁי יְהוָה חַטָּאת הִוא׃ וְכִפֶּר עָלָיו הַכֹּהֵן עַל־
חַטָּאתוֹ אֲשֶׁר־חָטָא מֵאַחַת מֵאֵלֶּה וְנִסְלַח לוֹ וְהָיְתָה לַכֹּהֵן
יד כַּמִּנְחָה׃ וַיְדַבֵּר יְהוָה אֶל־מֹשֶׁה לֵּאמֹר׃ אָשָׁם מְעִילוֹת:
טו נֶפֶשׁ כִּי־תִמְעֹל מַעַל וְחָטְאָה בִּשְׁגָגָה מִקָּדְשֵׁי יְהוָה וְהֵבִיא
אֶת־אֲשָׁמוֹ לַיהוָה אַיִל תָּמִים מִן־הַצֹּאן בְּעֶרְכְּךָ כֶּסֶף־שְׁקָלִים
טז בְּשֶׁקֶל־הַקֹּדֶשׁ לְאָשָׁם׃ וְאֵת אֲשֶׁר חָטָא מִן־הַקֹּדֶשׁ יְשַׁלֵּם
וְאֶת־חֲמִישִׁתוֹ יוֹסֵף עָלָיו וְנָתַן אֹתוֹ לַכֹּהֵן וְהַכֹּהֵן יְכַפֵּר עָלָיו
בְּאֵיל הָאָשָׁם וְנִסְלַח לוֹ׃

יז וְאִם־נֶפֶשׁ כִּי תֶחֱטָא וְעָשְׂתָה אַחַת מִכָּל־מִצְוֹת יְהוָה אֲשֶׁר לֹא אָשָׁם תָּלוּי:
יח תֵעָשֶׂינָה וְלֹא־יָדַע וְאָשֵׁם וְנָשָׂא עֲוֹנוֹ׃ וְהֵבִיא אַיִל תָּמִים מִן־הַצֹּאן
בְּעֶרְכְּךָ לְאָשָׁם אֶל־הַכֹּהֵן וְכִפֶּר עָלָיו הַכֹּהֵן עַל שִׁגְגָתוֹ אֲשֶׁר־שָׁגָג
יט וְהוּא לֹא־יָדַע וְנִסְלַח לוֹ׃ אָשָׁם הוּא אָשֹׁם אָשַׁם לַיהוָה׃
כ כא וַיְדַבֵּר יְהוָה אֶל־מֹשֶׁה לֵּאמֹר׃ נֶפֶשׁ כִּי תֶחֱטָא וּמָעֲלָה מַעַל אָשָׁם גְּזֵלוֹת:
בַּיהוָה וְכִחֵשׁ בַּעֲמִיתוֹ בְּפִקָּדוֹן אוֹ־בִתְשׂוּמֶת יָד אוֹ בְגָזֵל אוֹ
כב עָשַׁק אֶת־עֲמִיתוֹ׃ אוֹ־מָצָא אֲבֵדָה וְכִחֶשׁ בָּהּ וְנִשְׁבַּע עַל־שָׁקֶר
כג עַל־אַחַת מִכֹּל אֲשֶׁר־יַעֲשֶׂה הָאָדָם לַחֲטֹא בָהֵנָּה׃ וְהָיָה כִּי־יֶחֱטָא
וְאָשֵׁם וְהֵשִׁיב אֶת־הַגְּזֵלָה אֲשֶׁר גָּזָל אוֹ אֶת־הָעֹשֶׁק אֲשֶׁר עָשָׁק
אוֹ אֶת־הַפִּקָּדוֹן אֲשֶׁר הָפְקַד אִתּוֹ אוֹ אֶת־הָאֲבֵדָה אֲשֶׁר מָצָא׃
כד אוֹ מִכֹּל אֲשֶׁר־יִשָּׁבַע עָלָיו לַשֶּׁקֶר וְשִׁלַּם אֹתוֹ בְּרֹאשׁוֹ וַחֲמִשִׁתָיו מפטיר

כה יֹסֵף עָלָיו לַאֲשֶׁר הוּא לוֹ יִתְּנֶנּוּ בְּיוֹם אַשְׁמָתוֹ: וְאֶת־אֲשָׁמוֹ יָבִיא
כו לַיהוָה אֵיל תָּמִים מִן־הַצֹּאן בְּעֶרְכְּךָ לְאָשָׁם אֶל־הַכֹּהֵן: וְכִפֶּר
עָלָיו הַכֹּהֵן לִפְנֵי יְהוָה וְנִסְלַח לוֹ עַל־אַחַת מִכֹּל אֲשֶׁר־יַעֲשֶׂה
לְאַשְׁמָה בָהּ:

ו א ב צו וַיְדַבֵּר יְהוָה אֶל־מֹשֶׁה לֵּאמֹר: צַו אֶת־אַהֲרֹן וְאֶת־בָּנָיו לֵאמֹר
תְּרוּמַת הַדֶּשֶׁן וְהוֹצָאָתוֹ: זֹאת תּוֹרַת הָעֹלָה הִוא הָעֹלָה עַל מוֹקְדָה עַל־הַמִּזְבֵּחַ כָּל־
ג הַלַּיְלָה עַד־הַבֹּקֶר וְאֵשׁ הַמִּזְבֵּחַ תּוּקַד בּוֹ: וְלָבַשׁ הַכֹּהֵן מִדּוֹ
בַד וּמִכְנְסֵי־בַד יִלְבַּשׁ עַל־בְּשָׂרוֹ וְהֵרִים אֶת־הַדֶּשֶׁן אֲשֶׁר תֹּאכַל
ד הָאֵשׁ אֶת־הָעֹלָה עַל־הַמִּזְבֵּחַ וְשָׂמוֹ אֵצֶל הַמִּזְבֵּחַ: וּפָשַׁט
אֶת־בְּגָדָיו וְלָבַשׁ בְּגָדִים אֲחֵרִים וְהוֹצִיא אֶת־הַדֶּשֶׁן אֶל־מִחוּץ
ה קִיּוּם הָאֵשׁ: לַמַּחֲנֶה אֶל־מָקוֹם טָהוֹר: וְהָאֵשׁ עַל־הַמִּזְבֵּחַ תּוּקַד־בּוֹ לֹא
תִכְבֶּה וּבִעֵר עָלֶיהָ הַכֹּהֵן עֵצִים בַּבֹּקֶר בַּבֹּקֶר וְעָרַךְ עָלֶיהָ הָעֹלָה
ו וְהִקְטִיר עָלֶיהָ חֶלְבֵי הַשְּׁלָמִים: אֵשׁ תָּמִיד תּוּקַד עַל־הַמִּזְבֵּחַ
ז תּוֹרַת הַמִּנְחָה: לֹא תִכְבֶּה: וְזֹאת תּוֹרַת הַמִּנְחָה הַקְרֵב אֹתָהּ בְּנֵי־
ח אַהֲרֹן לִפְנֵי יְהוָה אֶל־פְּנֵי הַמִּזְבֵּחַ: וְהֵרִים מִמֶּנּוּ בְּקֻמְצוֹ מִסֹּלֶת
הַמִּנְחָה וּמִשַּׁמְנָהּ וְאֵת כָּל־הַלְּבֹנָה אֲשֶׁר עַל־הַמִּנְחָה וְהִקְטִיר
ט הַמִּזְבֵּחַ רֵיחַ נִיחֹחַ אַזְכָּרָתָהּ לַיהוָה: וְהַנּוֹתֶרֶת מִמֶּנָּה יֹאכְלוּ
אַהֲרֹן וּבָנָיו מַצּוֹת תֵּאָכֵל בְּמָקוֹם קָדֹשׁ בַּחֲצַר אֹהֶל־מוֹעֵד
י יֹאכְלוּהָ: לֹא תֵאָפֶה חָמֵץ חֶלְקָם נָתַתִּי אֹתָהּ מֵאִשָּׁי קֹדֶשׁ קָדָשִׁים
יא הִוא כַּחַטָּאת וְכָאָשָׁם: כָּל־זָכָר בִּבְנֵי אַהֲרֹן יֹאכְלֶנָּה חָק־עוֹלָם
לְדֹרֹתֵיכֶם מֵאִשֵּׁי יְהוָה כֹּל אֲשֶׁר־יִגַּע בָּהֶם יִקְדָּשׁ:

יב יג שני וַיְדַבֵּר יְהוָה אֶל־מֹשֶׁה לֵּאמֹר: זֶה קָרְבַּן אַהֲרֹן וּבָנָיו אֲשֶׁר־
מִנְחַת חֲבִיתִּין: יַקְרִיבוּ לַיהוָה בְּיוֹם הִמָּשַׁח אֹתוֹ עֲשִׂירִת הָאֵפָה סֹלֶת מִנְחָה
יד תָּמִיד מַחֲצִיתָהּ בַּבֹּקֶר וּמַחֲצִיתָהּ בָּעָרֶב: עַל־מַחֲבַת בַּשֶּׁמֶן
תֵּעָשֶׂה מֻרְבֶּכֶת תְּבִיאֶנָּה תֻּפִינֵי מִנְחַת פִּתִּים תַּקְרִיב רֵיחַ־

טו נִיחֹחַ֮ לַיהוָה֒ וְהַכֹּהֵ֨ן הַמָּשִׁ֧יחַ תַּחְתָּ֛יו מִבָּנָ֖יו יַעֲשֶׂ֣ה אֹתָ֑הּ

טז חָק־עוֹלָ֕ם לַיהוָ֖ה כָּלִ֣יל תָּקְטָ֑ר וְכָל־מִנְחַ֥ת כֹּהֵ֛ן כָּלִ֥יל תִּהְיֶ֖ה לֹ֥א תֵאָכֵֽל׃

תּוֹרַת
הַחַטָּאת

יח וַיְדַבֵּ֥ר יְהוָ֖ה אֶל־מֹשֶׁ֥ה לֵּאמֹֽר׃ דַּבֵּ֤ר אֶֽל־אַהֲרֹן֙ וְאֶל־בָּנָ֣יו לֵאמֹ֔ר זֹ֥את תּוֹרַ֖ת הַֽחַטָּ֑את בִּמְקֹ֡ום אֲשֶׁר֩ תִּשָּׁחֵ֨ט הָעֹלָ֜ה תִּשָּׁחֵ֤ט

יט הַֽחַטָּאת֙ לִפְנֵ֣י יְהוָ֔ה קֹ֥דֶשׁ קָֽדָשִׁ֖ים הִֽוא׃ הַכֹּהֵ֛ן הַֽמְחַטֵּ֥א אֹתָ֖הּ

כ יֹאכֲלֶ֑נָּה בְּמָק֤וֹם קָדֹשׁ֙ תֵּֽאָכֵ֔ל בַּֽחֲצַ֖ר אֹ֣הֶל מוֹעֵֽד׃ כֹּ֛ל אֲשֶׁר־יִגַּ֥ע בִּבְשָׂרָ֖הּ יִקְדָּ֑שׁ וַאֲשֶׁ֨ר יִזֶּ֤ה מִדָּמָהּ֙ עַל־הַבֶּ֔גֶד אֲשֶׁר֙ יִזֶּ֣ה עָלֶ֔יהָ

כא תְּכַבֵּ֖ס בְּמָק֥וֹם קָדֹֽשׁ׃ וּכְלִי־חֶ֛רֶשׂ אֲשֶׁ֥ר תְּבֻשַּׁל־בּ֖וֹ יִשָּׁבֵ֑ר וְאִם־בִּכְלִ֤י נְחֹ֨שֶׁת֙ בֻּשָּׁ֔לָה וּמֹרַ֥ק וְשֻׁטַּ֖ף בַּמָּֽיִם׃ כָּל־זָכָ֥ר בַּכֹּהֲנִ֖ים יֹאכַ֣ל

כב אֹתָ֑הּ קֹ֥דֶשׁ קָֽדָשִׁ֖ים הִֽוא׃ וְכָל־חַטָּ֡את אֲשֶׁר֩ יוּבָ֨א מִדָּמָ֜הּ

כג אֶל־אֹ֧הֶל מוֹעֵ֛ד לְכַפֵּ֥ר בַּקֹּ֖דֶשׁ לֹ֣א תֵאָכֵ֑ל בָּאֵ֖שׁ תִּשָּׂרֵֽף׃

תּוֹרַת
הָאָשָׁם׃

ז וְזֹ֥את תּוֹרַ֖ת הָֽאָשָׁ֑ם קֹ֥דֶשׁ קָֽדָשִׁ֖ים הֽוּא׃ בִּמְק֗וֹם אֲשֶׁ֤ר יִשְׁחֲטוּ֙ אֶת־הָ֣עֹלָ֔ה יִשְׁחֲט֖וּ אֶת־הָֽאָשָׁ֑ם וְאֶת־דָּמ֛וֹ יִזְרֹ֥ק עַל־הַמִּזְבֵּ֖חַ

ג סָבִֽיב׃ וְאֵ֥ת כָּל־חֶלְבּ֖וֹ יַקְרִ֣יב מִמֶּ֑נּוּ אֵ֚ת הָֽאַלְיָ֔ה וְאֶת־הַחֵ֖לֶב

ד הַֽמְכַסֶּ֥ה אֶת־הַקֶּֽרֶב׃ וְאֵת֙ שְׁתֵּ֣י הַכְּלָיֹ֔ת וְאֶת־הַחֵ֨לֶב֙ אֲשֶׁ֣ר עֲלֵיהֶ֔ן אֲשֶׁ֖ר עַל־הַכְּסָלִ֑ים וְאֶת־הַיֹּתֶ֨רֶת֙ עַל־הַכָּבֵ֔ד עַל־הַכְּלָיֹ֖ת

ה יְסִירֶֽנָּה׃ וְהִקְטִ֨יר אֹתָ֤ם הַכֹּהֵן֙ הַמִּזְבֵּ֔חָה אִשֶּׁ֖ה לַיהוָ֑ה אָשָׁ֖ם הֽוּא׃

ו כָּל־זָכָ֥ר בַּכֹּהֲנִ֖ים יֹֽאכְלֶ֑נּוּ בְּמָק֤וֹם קָדוֹשׁ֙ יֵֽאָכֵ֔ל קֹ֥דֶשׁ קָֽדָשִׁ֖ים

ז הֽוּא׃ כַּֽחַטָּאת֙ כָּֽאָשָׁ֔ם תּוֹרָ֥ה אַחַ֖ת לָהֶ֑ם הַכֹּהֵ֛ן אֲשֶׁ֥ר יְכַפֶּר־בּ֖וֹ

חֵ֫לֶק
הַכֹּהֲנִ֑ים
בָּֽעוֹלָ֖ה
וּבַמִּנְחָֽה׃

ח ל֥וֹ יִהְיֶֽה׃ וְהַ֨כֹּהֵ֔ן הַמַּקְרִ֖יב אֶת־עֹ֣לַת אִ֑ישׁ ע֤וֹר הָֽעֹלָה֙ אֲשֶׁ֣ר

ט הִקְרִ֔יב לַכֹּהֵ֖ן ל֥וֹ יִהְיֶֽה׃ וְכָל־מִנְחָ֗ה אֲשֶׁ֤ר תֵּֽאָפֶה֙ בַּתַּנּ֔וּר וְכָל־נַעֲשָׂ֥ה בַמַּרְחֶ֖שֶׁת וְעַֽל־מַחֲבַ֑ת לַכֹּהֵ֛ן הַמַּקְרִ֥יב אֹתָ֖הּ ל֥וֹ

י תִֽהְיֶֽה׃ וְכָל־מִנְחָ֥ה בְלוּלָֽה־בַשֶּׁ֖מֶן וַחֲרֵבָ֑ה לְכָל־בְּנֵ֧י אַהֲרֹ֛ן תִּהְיֶ֖ה אִ֥ישׁ כְּאָחִֽיו׃

שלישי וְזֹאת תּוֹרַת זֶבַח הַשְּׁלָמִים אֲשֶׁר יַקְרִיב לַיהֹוָה: אִם עַל־תּוֹדָה

תּוֹרַת הַשְּׁלָמִים יַקְרִיבֶנּוּ וְהִקְרִיב ׀ עַל־זֶבַח הַתּוֹדָה חַלּוֹת מַצּוֹת בְּלוּלֹת בַּשֶּׁמֶן
וְהַתּוֹדָה

וּרְקִיקֵי מַצּוֹת מְשֻׁחִים בַּשָּׁמֶן וְסֹלֶת מֻרְבֶּכֶת חַלֹּת בְּלוּלֹת בַּשָּׁמֶן:

יג עַל־חַלֹּת לֶחֶם חָמֵץ יַקְרִיב קׇרְבָּנוֹ עַל־זֶבַח תּוֹדַת שְׁלָמָיו:

יד וְהִקְרִיב מִמֶּנּוּ אֶחָד מִכׇּל־קׇרְבָּן תְּרוּמָה לַיהֹוָה לַכֹּהֵן הַזֹּרֵק

טו אֶת־דַּם הַשְּׁלָמִים לוֹ יִהְיֶה: וּבְשַׂר זֶבַח תּוֹדַת שְׁלָמָיו בְּיוֹם

טז קׇרְבָּנוֹ יֵאָכֵל לֹא־יַנִּיחַ מִמֶּנּוּ עַד־בֹּקֶר: וְאִם־נֶדֶר ׀ אוֹ נְדָבָה

זֶבַח קׇרְבָּנוֹ בְּיוֹם הַקְרִיבוֹ אֶת־זִבְחוֹ יֵאָכֵל וּמִמׇּחֳרָת וְהַנּוֹתָר

דִּין הַפִּגּוּל מִמֶּנּוּ יֵאָכֵל: וְהַנּוֹתָר מִבְּשַׂר הַזָּבַח בַּיּוֹם הַשְּׁלִישִׁי בָּאֵשׁ יִשָּׂרֵף:
וְהַטָּמֵא

יח וְאִם הֵאָכֹל יֵאָכֵל מִבְּשַׂר־זֶבַח שְׁלָמָיו בַּיּוֹם הַשְּׁלִישִׁי לֹא יֵרָצֶה

הַמַּקְרִיב אֹתוֹ לֹא יֵחָשֵׁב לוֹ פִּגּוּל יִהְיֶה וְהַנֶּפֶשׁ הָאֹכֶלֶת מִמֶּנּוּ

יט עֲוֺנָהּ תִּשָּׂא: וְהַבָּשָׂר אֲשֶׁר־יִגַּע בְּכׇל־טָמֵא לֹא יֵאָכֵל בָּאֵשׁ

כ יִשָּׂרֵף וְהַבָּשָׂר כׇּל־טָהוֹר יֹאכַל בָּשָׂר: וְהַנֶּפֶשׁ אֲשֶׁר־תֹּאכַל בָּשָׂר

מִזֶּבַח הַשְּׁלָמִים אֲשֶׁר לַיהֹוָה וְטֻמְאָתוֹ עָלָיו וְנִכְרְתָה הַנֶּפֶשׁ

כא הַהִוא מֵעַמֶּיהָ: וְנֶפֶשׁ כִּי־תִגַּע בְּכׇל־טָמֵא בְּטֻמְאַת אָדָם אוֹ ׀

בִּבְהֵמָה טְמֵאָה אוֹ בְּכׇל־שֶׁקֶץ טָמֵא וְאָכַל מִבְּשַׂר־זֶבַח הַשְּׁלָמִים

אִסּוּר חֵלֶב אֲשֶׁר לַיהֹוָה וְנִכְרְתָה הַנֶּפֶשׁ הַהִוא מֵעַמֶּיהָ: וַיְדַבֵּר יְהֹוָה אֶל־מֹשֶׁה
וְדָם:

כג לֵּאמֹר: דַּבֵּר אֶל־בְּנֵי יִשְׂרָאֵל לֵאמֹר כׇּל־חֵלֶב שׁוֹר וְכֶשֶׂב וָעֵז

כד לֹא תֹאכֵלוּ: וְחֵלֶב נְבֵלָה וְחֵלֶב טְרֵפָה יֵעָשֶׂה לְכׇל־מְלָאכָה וְאָכֹל

כה לֹא תֹאכְלֻהוּ: כִּי כׇּל־אֹכֵל חֵלֶב מִן־הַבְּהֵמָה אֲשֶׁר יַקְרִיב מִמֶּנָּה

אִשֶּׁה לַיהֹוָה וְנִכְרְתָה הַנֶּפֶשׁ הָאֹכֶלֶת מֵעַמֶּיהָ: וְכׇל־דָּם לֹא

כו תֹאכְלוּ בְּכֹל מוֹשְׁבֹתֵיכֶם לָעוֹף וְלַבְּהֵמָה: כׇּל־נֶפֶשׁ אֲשֶׁר־תֹּאכַל

כׇּל־דָּם וְנִכְרְתָה הַנֶּפֶשׁ הַהִוא מֵעַמֶּיהָ:

תְּנוּפַת הַשְּׁלָמִים וַיְדַבֵּר יְהֹוָה אֶל־מֹשֶׁה לֵּאמֹר: דַּבֵּר אֶל־בְּנֵי יִשְׂרָאֵל לֵאמֹר
וְחֵלֶק

הַכֹּהֲנִים הַמַּקְרִיב אֶת־זֶבַח שְׁלָמָיו לַיהֹוָה יָבִיא אֶת־קׇרְבָּנוֹ לַיהֹוָה מִזֶּבַח

ל שְׁלָמָיו: יָדָיו תְּבִיאֶינָה אֵת אִשֵּׁי יְהוָה אֶת־הַחֵלֶב עַל־הֶחָזֶה
לא יְבִיאֶנּוּ אֵת הֶחָזֶה לְהָנִיף אֹתוֹ תְּנוּפָה לִפְנֵי יְהוָה: וְהִקְטִיר הַכֹּהֵן
לב אֶת־הַחֵלֶב הַמִּזְבֵּחָה וְהָיָה הֶחָזֶה לְאַהֲרֹן וּלְבָנָיו: וְאֵת שׁוֹק
לג הַיָּמִין תִּתְּנוּ תְרוּמָה לַכֹּהֵן מִזִּבְחֵי שַׁלְמֵיכֶם: הַמַּקְרִיב אֶת־דַּם
הַשְּׁלָמִים וְאֶת־הַחֵלֶב מִבְּנֵי אַהֲרֹן לוֹ תִהְיֶה שׁוֹק הַיָּמִין לְמָנָה:
לד כִּי אֶת־חֲזֵה הַתְּנוּפָה וְאֵת ׀ שׁוֹק הַתְּרוּמָה לָקַחְתִּי מֵאֵת
בְּנֵי־יִשְׂרָאֵל מִזִּבְחֵי שַׁלְמֵיהֶם וָאֶתֵּן אֹתָם לְאַהֲרֹן הַכֹּהֵן וּלְבָנָיו
לה לְחָק־עוֹלָם מֵאֵת בְּנֵי יִשְׂרָאֵל: זֹאת מִשְׁחַת אַהֲרֹן וּמִשְׁחַת בָּנָיו
לו מֵאִשֵּׁי יְהוָה בְּיוֹם הִקְרִיב אֹתָם לְכַהֵן לַיהוָה: אֲשֶׁר צִוָּה
יְהוָה לָתֵת לָהֶם בְּיוֹם מָשְׁחוֹ אֹתָם מֵאֵת בְּנֵי יִשְׂרָאֵל חֻקַּת
לז עוֹלָם לְדֹרֹתָם: זֹאת הַתּוֹרָה לָעֹלָה לַמִּנְחָה וְלַחַטָּאת וְלָאָשָׁם
לח וְלַמִּלּוּאִים וּלְזֶבַח הַשְּׁלָמִים: אֲשֶׁר צִוָּה יְהוָה אֶת־מֹשֶׁה בְּהַר
סִינָי בְּיוֹם צַוֹּתוֹ אֶת־בְּנֵי יִשְׂרָאֵל לְהַקְרִיב אֶת־קָרְבְּנֵיהֶם לַיהוָה
בְּמִדְבַּר סִינָי:

ח א ב וַיְדַבֵּר יְהוָה אֶל־מֹשֶׁה לֵּאמֹר: קַח אֶת־אַהֲרֹן וְאֶת־בָּנָיו אִתּוֹ רביעי
וְאֵת הַבְּגָדִים וְאֵת שֶׁמֶן הַמִּשְׁחָה וְאֵת ׀ פַּר הַחַטָּאת וְאֵת שְׁנֵי קִדּוּשׁ הַמִּשְׁכָּן וְהַכֹּהֲנִים:
ג הָאֵילִים וְאֵת סַל הַמַּצּוֹת: וְאֵת כָּל־הָעֵדָה הַקְהֵל אֶל־פֶּתַח אֹהֶל
ד מוֹעֵד: וַיַּעַשׂ מֹשֶׁה כַּאֲשֶׁר צִוָּה יְהוָה אֹתוֹ וַתִּקָּהֵל הָעֵדָה
ה אֶל־פֶּתַח אֹהֶל מוֹעֵד: וַיֹּאמֶר מֹשֶׁה אֶל־הָעֵדָה זֶה הַדָּבָר
ו אֲשֶׁר־צִוָּה יְהוָה לַעֲשׂוֹת: וַיַּקְרֵב מֹשֶׁה אֶת־אַהֲרֹן וְאֶת־בָּנָיו הֲכָנַת הַכֹּהֲנִים:
ז וַיִּרְחַץ אֹתָם בַּמָּיִם: וַיִּתֵּן עָלָיו אֶת־הַכֻּתֹּנֶת וַיַּחְגֹּר אֹתוֹ בָּאַבְנֵט
וַיַּלְבֵּשׁ אֹתוֹ אֶת־הַמְּעִיל וַיִּתֵּן עָלָיו אֶת־הָאֵפֹד וַיַּחְגֹּר אֹתוֹ
ח בְּחֵשֶׁב הָאֵפֹד וַיֶּאְפֹּד לוֹ בּוֹ: וַיָּשֶׂם עָלָיו אֶת־הַחֹשֶׁן וַיִּתֵּן
ט אֶל־הַחֹשֶׁן אֶת־הָאוּרִים וְאֶת־הַתֻּמִּים: וַיָּשֶׂם אֶת־הַמִּצְנֶפֶת עַל־
רֹאשׁוֹ וַיָּשֶׂם עַל־הַמִּצְנֶפֶת אֶל־מוּל פָּנָיו אֵת צִיץ הַזָּהָב נֵזֶר

הַקֹּדֶשׁ כַּאֲשֶׁר צִוָּה יְהוָה אֶת־מֹשֶׁה׃ וַיִּקַּח מֹשֶׁה אֶת־שֶׁמֶן י
הַמִּשְׁחָה וַיִּמְשַׁח אֶת־הַמִּשְׁכָּן וְאֶת־כָּל־אֲשֶׁר־בּוֹ וַיְקַדֵּשׁ אֹתָם׃
יא וַיַּז מִמֶּנּוּ עַל־הַמִּזְבֵּחַ שֶׁבַע פְּעָמִים וַיִּמְשַׁח אֶת־הַמִּזְבֵּחַ
יב וְאֶת־כָּל־כֵּלָיו וְאֶת־הַכִּיֹּר וְאֶת־כַּנּוֹ לְקַדְּשָׁם׃ וַיִּצֹק מִשֶּׁמֶן
יג הַמִּשְׁחָה עַל רֹאשׁ אַהֲרֹן וַיִּמְשַׁח אֹתוֹ לְקַדְּשׁוֹ׃ וַיַּקְרֵב מֹשֶׁה
אֶת־בְּנֵי אַהֲרֹן וַיַּלְבִּשֵׁם כֻּתֳּנֹת וַיַּחְגֹּר אֹתָם אַבְנֵט וַיַּחֲבֹשׁ לָהֶם
יד מִגְבָּעוֹת כַּאֲשֶׁר צִוָּה יְהוָה אֶת־מֹשֶׁה׃ וַיַּגֵּשׁ אֵת פַּר הַחַטָּאת חמישי
הַקְרָבַת קָרְבְּנוֹת הַמִּלּוּאִים:
טו וַיִּסְמֹךְ אַהֲרֹן וּבָנָיו אֶת־יְדֵיהֶם עַל־רֹאשׁ פַּר הַחַטָּאת׃ וַיִּשְׁחָט
וַיִּקַּח מֹשֶׁה אֶת־הַדָּם וַיִּתֵּן עַל־קַרְנוֹת הַמִּזְבֵּחַ סָבִיב בְּאֶצְבָּעוֹ
וַיְחַטֵּא אֶת־הַמִּזְבֵּחַ וְאֶת־הַדָּם יָצַק אֶל־יְסוֹד הַמִּזְבֵּחַ
טז וַיְקַדְּשֵׁהוּ לְכַפֵּר עָלָיו׃ וַיִּקַּח אֶת־כָּל־הַחֵלֶב אֲשֶׁר עַל־הַקֶּרֶב
וְאֵת יֹתֶרֶת הַכָּבֵד וְאֶת־שְׁתֵּי הַכְּלָיֹת וְאֶת־חֶלְבְּהֶן וַיַּקְטֵר מֹשֶׁה
יז הַמִּזְבֵּחָה׃ וְאֶת־הַפָּר וְאֶת־עֹרוֹ וְאֶת־בְּשָׂרוֹ וְאֶת־פִּרְשׁוֹ שָׂרַף
יח בָּאֵשׁ מִחוּץ לַמַּחֲנֶה כַּאֲשֶׁר צִוָּה יְהוָה אֶת־מֹשֶׁה׃ וַיַּקְרֵב אֵת אֵיל
יט הָעֹלָה וַיִּסְמְכוּ אַהֲרֹן וּבָנָיו אֶת־יְדֵיהֶם עַל־רֹאשׁ הָאָיִל׃ וַיִּשְׁחָט
כ וַיִּזְרֹק מֹשֶׁה אֶת־הַדָּם עַל־הַמִּזְבֵּחַ סָבִיב׃ וְאֶת־הָאַיִל נִתַּח
לִנְתָחָיו וַיַּקְטֵר מֹשֶׁה אֶת־הָרֹאשׁ וְאֶת־הַנְּתָחִים וְאֶת־הַפָּדֶר׃
כא וְאֶת־הַקֶּרֶב וְאֶת־הַכְּרָעַיִם רָחַץ בַּמָּיִם וַיַּקְטֵר מֹשֶׁה אֶת־כָּל־
הָאַיִל הַמִּזְבֵּחָה עֹלָה הוּא לְרֵיחַ־נִיחֹחַ אִשֶּׁה הוּא לַיהוָה
כב כַּאֲשֶׁר צִוָּה יְהוָה אֶת־מֹשֶׁה׃ וַיַּקְרֵב אֶת־הָאַיִל הַשֵּׁנִי אֵיל ששי
הַמִּלֻּאִים וַיִּסְמְכוּ אַהֲרֹן וּבָנָיו אֶת־יְדֵיהֶם עַל־רֹאשׁ הָאָיִל׃
קִדּוּשׁ הַכֹּהֲנִים בְּדַם הָאַיִל:
כג וַיִּשְׁחָט ׀ וַיִּקַּח מֹשֶׁה מִדָּמוֹ וַיִּתֵּן עַל־תְּנוּךְ אֹזֶן־אַהֲרֹן הַיְמָנִית
כד וְעַל־בֹּהֶן יָדוֹ הַיְמָנִית וְעַל־בֹּהֶן רַגְלוֹ הַיְמָנִית׃ וַיַּקְרֵב אֶת־בְּנֵי
אַהֲרֹן וַיִּתֵּן מֹשֶׁה מִן־הַדָּם עַל־תְּנוּךְ אָזְנָם הַיְמָנִית וְעַל־בֹּהֶן
יָדָם הַיְמָנִית וְעַל־בֹּהֶן רַגְלָם הַיְמָנִית וַיִּזְרֹק מֹשֶׁה אֶת־הַדָּם

כה עַל־הַמִּזְבֵּ֖חַ סָבִ֑יב: וַיִּקַּ֣ח אֶת־הַחֵ֣לֶב וְאֶת־הָֽאַלְיָ֗ה וְאֶת־כָּל־
הַחֵ֙לֶב֙ אֲשֶׁ֣ר עַל־הַקֶּ֔רֶב וְאֵת֙ יֹתֶ֣רֶת הַכָּבֵ֔ד וְאֶת־שְׁתֵּ֥י הַכְּלָיֹ֖ת

כו וְאֶת־חֶלְבְּהֶ֑ן וְאֵ֖ת שׁ֣וֹק הַיָּמִֽין: וּמִסַּ֨ל הַמַּצּ֜וֹת אֲשֶׁ֣ר ׀ לִפְנֵ֣י יְהוָ֗ה
לָ֠קַח חַלַּ֨ת מַצָּ֤ה אַחַת֙ וְֽחַלַּ֨ת לֶ֤חֶם שֶׁ֙מֶן֙ אַחַ֔ת וְרָקִ֖יק אֶחָ֑ד וַיָּ֙שֶׂם֙

כז עַל־הַ֣חֲלָבִ֔ים וְעַ֖ל שׁ֣וֹק הַיָּמִֽין: וַיִּתֵּ֣ן אֶת־הַכֹּ֔ל עַ֚ל כַּפֵּ֣י אַֽהֲרֹ֔ן וְעַ֖ל

כח כַּפֵּ֣י בָנָ֑יו וַיָּ֧נֶף אֹתָ֛ם תְּנוּפָ֖ה לִפְנֵ֥י יְהוָֽה: וַיִּקַּ֨ח מֹשֶׁ֤ה אֹתָם֙ מֵעַ֣ל
כַּפֵּיהֶ֔ם וַיַּקְטֵ֥ר הַמִּזְבֵּ֖חָה עַל־הָֽעֹלָ֑ה מִלֻּאִ֥ים הֵם֙ לְרֵ֣יחַ נִיחֹ֔חַ

כט אִשֶּׁ֥ה ה֖וּא לַֽיהוָֽה: וַיִּקַּ֤ח מֹשֶׁה֙ אֶת־הֶ֣חָזֶ֔ה וַיְנִיפֵ֥הוּ תְנוּפָ֖ה לִפְנֵ֣י
יְהוָ֑ה מֵאֵ֣יל הַמִּלֻּאִ֗ים לְמֹשֶׁ֤ה הָיָה֙ לְמָנָ֔ה כַּֽאֲשֶׁ֛ר צִוָּ֥ה יְהוָ֖ה

שביעי

ל אֶת־מֹשֶֽׁה: וַיִּקַּ֨ח מֹשֶׁ֜ה מִשֶּׁ֣מֶן הַמִּשְׁחָ֗ה וּמִן־הַדָּם֮ אֲשֶׁ֣ר עַל־
הַמִּזְבֵּ֒חַ֒ וַיַּ֤ז עַֽל־אַֽהֲרֹן֙ עַל־בְּגָדָ֔יו וְעַל־בָּנָ֛יו וְעַל־בִּגְדֵ֥י בָנָ֖יו אִתּ֑וֹ
וַיְקַדֵּ֤שׁ אֶֽת־אַֽהֲרֹן֙ אֶת־בְּגָדָ֔יו וְאֶת־בָּנָ֛יו וְאֶת־בִּגְדֵ֥י בָנָ֖יו אִתּֽוֹ:

אֲכִילַת
בְּשַׂר
הַקֳּדָשִׁים:

לא וַיֹּ֨אמֶר מֹשֶׁ֜ה אֶל־אַֽהֲרֹ֣ן וְאֶל־בָּנָ֗יו בַּשְּׁל֤וּ אֶת־הַבָּשָׂר֙ פֶּ֚תַח אֹ֣הֶל
מוֹעֵ֔ד וְשָׁם֙ תֹּֽאכְל֣וּ אֹת֔וֹ וְאֶ֨ת־הַלֶּ֔חֶם אֲשֶׁ֖ר בְּסַ֣ל הַמִּלֻּאִ֑ים כַּֽאֲשֶׁ֣ר

לב צִוֵּ֔יתִי לֵאמֹ֔ר אַֽהֲרֹ֥ן וּבָנָ֖יו יֹֽאכְלֻֽהוּ: וְהַנּוֹתָ֥ר בַּבָּשָׂ֖ר וּבַלָּ֑חֶם בָּאֵ֖שׁ

מפטיר

לג תִּשְׂרֹֽפוּ: וּמִפֶּ֩תַח֩ אֹ֨הֶל מוֹעֵ֜ד לֹ֤א תֵֽצְאוּ֙ שִׁבְעַ֣ת יָמִ֔ים עַ֚ד י֣וֹם
לד מְלֹ֔את יְמֵ֖י מִלֻּֽאֵיכֶ֑ם כִּ֚י שִׁבְעַ֣ת יָמִ֔ים יְמַלֵּ֖א אֶת־יֶדְכֶֽם: כַּֽאֲשֶׁ֥ר
לה עָשָׂ֖ה בַּיּ֣וֹם הַזֶּ֑ה צִוָּ֧ה יְהוָ֛ה לַֽעֲשֹׂ֖ת לְכַפֵּ֥ר עֲלֵיכֶֽם: וּפֶ֩תַח֩ אֹ֨הֶל
מוֹעֵ֜ד תֵּֽשְׁב֗וּ יוֹמָ֤ם וָלַ֙יְלָה֙ שִׁבְעַ֣ת יָמִ֔ים וּשְׁמַרְתֶּ֛ם אֶת־מִשְׁמֶ֥רֶת

לו יְהוָ֖ה וְלֹ֣א תָמ֑וּתוּ כִּי־כֵ֖ן צֻוֵּֽיתִי: וַיַּ֥עַשׂ אַֽהֲרֹ֖ן וּבָנָ֑יו אֵ֚ת כָּל־

שְׁמִינִי
צַוִּי
הַשְּׁמִינִי
לַמִּלּוּאִים:

ט א הַדְּבָרִ֔ים אֲשֶׁ֛ר צִוָּ֥ה יְהוָ֖ה בְּיַד־מֹשֶֽׁה: וַיְהִי֙ בַּיּ֣וֹם

הַשְּׁמִינִ֔י קָרָ֣א מֹשֶׁ֔ה לְאַֽהֲרֹ֖ן וּלְבָנָ֑יו וּלְזִקְנֵ֖י יִשְׂרָאֵֽל: וַיֹּ֣אמֶר
אֶֽל־אַֽהֲרֹ֗ן קַח־לְ֠ךָ עֵ֣גֶל בֶּן־בָּקָ֧ר לְחַטָּ֛את וְאַ֥יִל לְעֹלָ֖ה תְּמִימִ֑ם

ג וְהַקְרֵ֖ב לִפְנֵ֥י יְהוָֽה: וְאֶל־בְּנֵ֤י יִשְׂרָאֵל֙ תְּדַבֵּ֣ר לֵאמֹ֔ר קְח֥וּ שְׂעִיר־
ד עִזִּים֙ לְחַטָּ֔את וְעֵ֨גֶל וָכֶ֧בֶשׂ בְּנֵֽי־שָׁנָ֛ה תְּמִימִ֖ם לְעֹלָֽה: וְשׁ֣וֹר וָאַ֗יִל

לִשְׁלָמִים לִזְבֹּחַ לִפְנֵי יְהוָה וּמִנְחָה בְּלוּלָה בַשָּׁמֶן כִּי הַיּוֹם יְהוָה
ה נִרְאָה אֲלֵיכֶם׃ וַיִּקְחוּ אֵת אֲשֶׁר צִוָּה מֹשֶׁה אֶל־פְּנֵי אֹהֶל מוֹעֵד
ו וַיִּקְרְבוּ כָּל־הָעֵדָה וַיַּעַמְדוּ לִפְנֵי יְהוָה׃ וַיֹּאמֶר מֹשֶׁה זֶה הַדָּבָר
ז אֲשֶׁר־צִוָּה יְהוָה תַּעֲשׂוּ וְיֵרָא אֲלֵיכֶם כְּבוֹד יְהוָה׃ וַיֹּאמֶר מֹשֶׁה הַקְרָבַת הַקָּרְבָּנוֹת:
אֶל־אַהֲרֹן קְרַב אֶל־הַמִּזְבֵּחַ וַעֲשֵׂה אֶת־חַטָּאתְךָ וְאֶת־עֹלָתֶךָ
וְכַפֵּר בַּעַדְךָ וּבְעַד הָעָם וַעֲשֵׂה אֶת־קָרְבַּן הָעָם וְכַפֵּר בַּעֲדָם
ח כַּאֲשֶׁר צִוָּה יְהוָה׃ וַיִּקְרַב אַהֲרֹן אֶל־הַמִּזְבֵּחַ וַיִּשְׁחַט אֶת־עֵגֶל
ט הַחַטָּאת אֲשֶׁר־לוֹ׃ וַיַּקְרִבוּ בְּנֵי אַהֲרֹן אֶת־הַדָּם אֵלָיו וַיִּטְבֹּל
אֶצְבָּעוֹ בַּדָּם וַיִּתֵּן עַל־קַרְנוֹת הַמִּזְבֵּחַ וְאֶת־הַדָּם יָצַק אֶל־
י יְסוֹד הַמִּזְבֵּחַ׃ וְאֶת־הַחֵלֶב וְאֶת־הַכְּלָיֹת וְאֶת־הַיֹּתֶרֶת מִן־הַכָּבֵד
מִן־הַחַטָּאת הִקְטִיר הַמִּזְבֵּחָה כַּאֲשֶׁר צִוָּה יְהוָה אֶת־מֹשֶׁה׃
יא יב וְאֶת־הַבָּשָׂר וְאֶת־הָעוֹר שָׂרַף בָּאֵשׁ מִחוּץ לַמַּחֲנֶה׃ וַיִּשְׁחַט
אֶת־הָעֹלָה וַיַּמְצִאוּ בְּנֵי אַהֲרֹן אֵלָיו אֶת־הַדָּם וַיִּזְרְקֵהוּ עַל־
יג הַמִּזְבֵּחַ סָבִיב׃ וְאֶת־הָעֹלָה הִמְצִיאוּ אֵלָיו לִנְתָחֶיהָ וְאֶת־הָרֹאשׁ
יד וַיַּקְטֵר עַל־הַמִּזְבֵּחַ׃ וַיִּרְחַץ אֶת־הַקֶּרֶב וְאֶת־הַכְּרָעָיִם וַיַּקְטֵר
טו עַל־הָעֹלָה הַמִּזְבֵּחָה׃ וַיַּקְרֵב אֵת קָרְבַּן הָעָם וַיִּקַּח אֶת־שְׂעִיר
טז הַחַטָּאת אֲשֶׁר לָעָם וַיִּשְׁחָטֵהוּ וַיְחַטְּאֵהוּ כָּרִאשׁוֹן׃ וַיַּקְרֵב
יז אֶת־הָעֹלָה וַיַּעֲשֶׂהָ כַּמִּשְׁפָּט׃ וַיַּקְרֵב אֶת־הַמִּנְחָה וַיְמַלֵּא כַפּוֹ שני
יח מִמֶּנָּה וַיַּקְטֵר עַל־הַמִּזְבֵּחַ מִלְּבַד עֹלַת הַבֹּקֶר׃ וַיִּשְׁחַט אֶת־
הַשּׁוֹר וְאֶת־הָאַיִל זֶבַח הַשְּׁלָמִים אֲשֶׁר לָעָם וַיַּמְצִאוּ בְּנֵי אַהֲרֹן
יט אֶת־הַדָּם אֵלָיו וַיִּזְרְקֵהוּ עַל־הַמִּזְבֵּחַ סָבִיב׃ וְאֶת־הַחֲלָבִים
מִן־הַשּׁוֹר וּמִן־הָאַיִל הָאַלְיָה וְהַמְכַסֶּה וְהַכְּלָיֹת וְיֹתֶרֶת הַכָּבֵד׃
כ כא וַיָּשִׂימוּ אֶת־הַחֲלָבִים עַל־הֶחָזוֹת וַיַּקְטֵר הַחֲלָבִים הַמִּזְבֵּחָה׃ וְאֵת
הֶחָזוֹת וְאֵת שׁוֹק הַיָּמִין הֵנִיף אַהֲרֹן תְּנוּפָה לִפְנֵי יְהוָה כַּאֲשֶׁר
כב צִוָּה מֹשֶׁה׃ וַיִּשָּׂא אַהֲרֹן אֶת־יָדָו אֶל־הָעָם וַיְבָרְכֵם וַיֵּרֶד מֵעֲשֹׂת בִּרְכַּת אַהֲרֹן:

כג הַֽחַטָּ֖את וְהָֽעֹלָ֥ה וְהַשְּׁלָמִֽים׃ וַיָּבֹ֨א מֹשֶׁ֤ה וְאַהֲרֹן֙ אֶל־אֹ֣הֶל מוֹעֵ֔ד
שלישי
כד וַיֵּ֣צְא֔וּ וַֽיְבָרֲכ֖וּ אֶת־הָעָ֑ם וַיֵּרָ֥א כְבוֹד־יְהוָ֖ה אֶל־כָּל־הָעָֽם׃ וַתֵּ֤צֵא
אֵשׁ֙ מִלִּפְנֵ֣י יְהוָ֔ה וַתֹּ֨אכַל֙ עַל־הַמִּזְבֵּ֔חַ אֶת־הָעֹלָ֖ה וְאֶת־
מות נָדָב וַאֲבִיהוּא:
י א הַחֲלָבִ֑ים וַיַּ֤רְא כָּל־הָעָם֙ וַיָּרֹ֔נּוּ וַֽיִּפְּל֖וּ עַל־פְּנֵיהֶֽם׃ וַיִּקְח֣וּ בְנֵֽי־
[2449]
אַ֠הֲרֹן נָדָ֨ב וַאֲבִיה֜וּא אִ֣ישׁ מַחְתָּת֗וֹ וַיִּתְּנ֤וּ בָהֵן֙ אֵ֔שׁ וַיָּשִׂ֥ימוּ עָלֶ֖יהָ
ב קְטֹ֑רֶת וַיַּקְרִ֜בוּ לִפְנֵ֤י יְהוָה֙ אֵ֣שׁ זָרָ֔ה אֲשֶׁ֧ר לֹ֦א צִוָּ֖ה אֹתָֽם׃ וַתֵּ֥צֵא
ג אֵ֛שׁ מִלִּפְנֵ֥י יְהוָ֖ה וַתֹּ֣אכַל אוֹתָ֑ם וַיָּמֻ֖תוּ לִפְנֵ֥י יְהוָֽה׃ וַיֹּ֨אמֶר מֹשֶׁ֜ה
אֶֽל־אַהֲרֹ֗ן ה֠וּא אֲשֶׁר־דִּבֶּ֨ר יְהוָ֤ה ׀ לֵאמֹר֙ בִּקְרֹבַ֣י אֶקָּדֵ֔שׁ
ד וְעַל־פְּנֵ֥י כָל־הָעָ֖ם אֶכָּבֵ֑ד וַיִּדֹּ֖ם אַהֲרֹֽן׃ וַיִּקְרָ֣א מֹשֶׁ֗ה אֶל־מִֽישָׁאֵל֙
וְאֶ֣ל אֶלְצָפָ֔ן בְּנֵ֥י עֻזִּיאֵ֖ל דֹּ֣ד אַהֲרֹ֑ן וַיֹּ֣אמֶר אֲלֵהֶ֗ם קִ֠רְבוּ שְׂא֤וּ
ה אֶת־אֲחֵיכֶם֙ מֵאֵ֣ת פְּנֵֽי־הַקֹּ֔דֶשׁ אֶל־מִח֖וּץ לַֽמַּחֲנֶֽה׃ וַֽיִּקְרְב֗וּ
ו וַיִּשָּׂאֻם֙ בְּכֻתֳּנֹתָ֔ם אֶל־מִח֖וּץ לַֽמַּחֲנֶ֑ה כַּאֲשֶׁ֖ר דִּבֶּ֥ר מֹשֶֽׁה׃ וַיֹּ֣אמֶר
מֹשֶׁ֣ה אֶֽל־אַהֲרֹ֡ן וּלְאֶלְעָזָר֩ וּלְאִֽיתָמָ֨ר ׀ בָּנָ֜יו רָאשֵׁיכֶ֣ם אַל־
תִּפְרָ֣עוּ ׀ וּבִגְדֵיכֶ֤ם לֹֽא־תִפְרֹ֙מוּ֙ וְלֹ֣א תָמֻ֔תוּ וְעַ֥ל כָּל־הָעֵדָ֖ה יִקְצֹ֑ף
וַאֲחֵיכֶם֙ כָּל־בֵּ֣ית יִשְׂרָאֵ֔ל יִבְכּוּ֙ אֶת־הַשְּׂרֵפָ֔ה אֲשֶׁ֖ר שָׂרַ֥ף יְהוָֽה׃
ז וּמִפֶּ֨תַח אֹ֤הֶל מוֹעֵד֙ לֹ֣א תֵֽצְא֔וּ פֶּן־תָּמֻ֑תוּ כִּי־שֶׁ֛מֶן מִשְׁחַ֥ת יְהוָ֖ה
עֲלֵיכֶ֑ם וַֽיַּעֲשׂ֖וּ כִּדְבַ֥ר מֹשֶֽׁה׃
אַזְהָרַת שְׁתוּיֵי יַיִן:
ח ט וַיְדַבֵּ֣ר יְהוָ֔ה אֶֽל־אַהֲרֹ֖ן לֵאמֹֽר׃ יַ֣יִן וְשֵׁכָ֞ר אַל־תֵּ֣שְׁתְּ ׀ אַתָּ֣ה ׀
וּבָנֶ֣יךָ אִתָּ֗ךְ בְּבֹאֲכֶ֛ם אֶל־אֹ֥הֶל מוֹעֵ֖ד וְלֹ֣א תָמֻ֑תוּ חֻקַּ֥ת עוֹלָ֖ם
י לְדֹרֹתֵיכֶֽם׃ וּֽלְהַבְדִּ֔יל בֵּ֥ין הַקֹּ֖דֶשׁ וּבֵ֣ין הַחֹ֑ל וּבֵ֥ין הַטָּמֵ֖א וּבֵ֥ין
יא הַטָּהֽוֹר׃ וּלְהוֹרֹ֖ת אֶת־בְּנֵ֣י יִשְׂרָאֵ֑ל אֵ֚ת כָּל־הַ֣חֻקִּ֔ים אֲשֶׁ֨ר דִּבֶּ֧ר
יְהוָ֛ה אֲלֵיהֶ֖ם בְּיַד־מֹשֶֽׁה׃
רביעי
יב וַיְדַבֵּ֨ר מֹשֶׁ֜ה אֶֽל־אַהֲרֹ֗ן וְאֶ֣ל אֶלְעָזָ֣ר וְאֶל־אִיתָמָ֣ר ׀ בָּנָיו֮ הַנּֽוֹתָרִים֒
צִוּוּי אֲכִילַת הַמִּנְחָה וְהַקָּרְבָּנוֹת:
קְח֣וּ אֶת־הַמִּנְחָ֗ה הַנּוֹתֶ֙רֶת֙ מֵאִשֵּׁ֣י יְהוָ֔ה וְאִכְל֥וּהָ מַצּ֖וֹת אֵ֣צֶל
יג הַמִּזְבֵּ֑חַ כִּ֛י קֹ֥דֶשׁ קָֽדָשִׁ֖ים הִֽוא׃ וַאֲכַלְתֶּ֤ם אֹתָהּ֙ בְּמָק֣וֹם קָד֔וֹשׁ

יד כִּי חָקְךָ וְחָק־בָּנֶיךָ הוּא מֵאִשֵּׁי יְהוָה כִּי־כֵן צֻוֵּיתִי: וְאֵת חֲזֵה
הַתְּנוּפָה וְאֵת ׀ שׁוֹק הַתְּרוּמָה תֹּאכְלוּ בְּמָקוֹם טָהוֹר אַתָּה וּבָנֶיךָ
וּבְנֹתֶיךָ אִתָּךְ כִּי־חָקְךָ וְחָק־בָּנֶיךָ נִתְּנוּ מִזִּבְחֵי שַׁלְמֵי בְּנֵי
טו יִשְׂרָאֵל: שׁוֹק הַתְּרוּמָה וַחֲזֵה הַתְּנוּפָה עַל אִשֵּׁי הַחֲלָבִים יָבִיאוּ
לְהָנִיף תְּנוּפָה לִפְנֵי יְהוָה וְהָיָה לְךָ וּלְבָנֶיךָ אִתְּךָ לְחָק־עוֹלָם
טז כַּאֲשֶׁר צִוָּה יְהוָה: וְאֵת ׀ שְׂעִיר הַחַטָּאת דָּרֹשׁ דָּרַשׁ מֹשֶׁה וְהִנֵּה — חמישי
שֹׂרָף וַיִּקְצֹף עַל־אֶלְעָזָר וְעַל־אִיתָמָר בְּנֵי אַהֲרֹן הַנּוֹתָרִם — שְׂרֵפַת הַחַטָּאת וְתוֹכַחַת מֹשֶׁה:
יז לֵאמֹר: מַדּוּעַ לֹא־אֲכַלְתֶּם אֶת־הַחַטָּאת בִּמְקוֹם הַקֹּדֶשׁ כִּי
קֹדֶשׁ קָדָשִׁים הִוא וְאֹתָהּ ׀ נָתַן לָכֶם לָשֵׂאת אֶת־עֲוֹן הָעֵדָה
יח לְכַפֵּר עֲלֵיהֶם לִפְנֵי יְהוָה: הֵן לֹא־הוּבָא אֶת־דָּמָהּ אֶל־הַקֹּדֶשׁ
יט פְּנִימָה אָכוֹל תֹּאכְלוּ אֹתָהּ בַּקֹּדֶשׁ כַּאֲשֶׁר צִוֵּיתִי: וַיְדַבֵּר אַהֲרֹן
אֶל־מֹשֶׁה הֵן הַיּוֹם הִקְרִיבוּ אֶת־חַטָּאתָם וְאֶת־עֹלָתָם לִפְנֵי
יְהוָה וַתִּקְרֶאנָה אֹתִי כָּאֵלֶּה וְאָכַלְתִּי חַטָּאת הַיּוֹם הַיִּיטַב בְּעֵינֵי
כ יְהוָה: וַיִּשְׁמַע מֹשֶׁה וַיִּיטַב בְּעֵינָיו:

יא א ב וַיְדַבֵּר יְהוָה אֶל־מֹשֶׁה וְאֶל־אַהֲרֹן לֵאמֹר אֲלֵהֶם: דַּבְּרוּ אֶל־בְּנֵי — ששי
יִשְׂרָאֵל לֵאמֹר זֹאת הַחַיָּה אֲשֶׁר תֹּאכְלוּ מִכָּל־הַבְּהֵמָה אֲשֶׁר — סִימָנֵי בְהֵמָה וְחַיָּה:
ג עַל־הָאָרֶץ: כֹּל ׀ מַפְרֶסֶת פַּרְסָה וְשֹׁסַעַת שֶׁסַע פְּרָסֹת מַעֲלַת
ד גֵּרָה בַּבְּהֵמָה אֹתָהּ תֹּאכֵלוּ: אַךְ אֶת־זֶה לֹא תֹאכְלוּ מִמַּעֲלֵי
הַגֵּרָה וּמִמַּפְרִסֵי הַפַּרְסָה אֶת־הַגָּמָל כִּי־מַעֲלֵה גֵרָה הוּא וּפַרְסָה
ה אֵינֶנּוּ מַפְרִיס טָמֵא הוּא לָכֶם: וְאֶת־הַשָּׁפָן כִּי־מַעֲלֵה גֵרָה הוּא
ו וּפַרְסָה לֹא יַפְרִיס טָמֵא הוּא לָכֶם: וְאֶת־הָאַרְנֶבֶת כִּי־מַעֲלַת
ז גֵּרָה הִוא וּפַרְסָה לֹא הִפְרִיסָה טְמֵאָה הִוא לָכֶם: וְאֶת־הַחֲזִיר
כִּי־מַפְרִיס פַּרְסָה הוּא וְשֹׁסַע שֶׁסַע פַּרְסָה וְהוּא גֵּרָה לֹא־יִגָּר
ח טָמֵא הוּא לָכֶם: מִבְּשָׂרָם לֹא תֹאכֵלוּ וּבְנִבְלָתָם לֹא תִגָּעוּ
ט טְמֵאִים הֵם לָכֶם: אֶת־זֶה תֹּאכְלוּ מִכֹּל אֲשֶׁר בַּמָּיִם כֹּל אֲשֶׁר־לוֹ — סִימָנֵי דָגִים:

י סְנַפִּיר וְקַשְׂקֶשֶׂת בַּמַּיִם בַּיַּמִּים וּבַנְּחָלִים אֹתָם תֹּאכֵלוּ: וְכֹל
אֲשֶׁר אֵין־לוֹ סְנַפִּיר וְקַשְׂקֶשֶׂת בַּיַּמִּים וּבַנְּחָלִים מִכֹּל שֶׁרֶץ
יא הַמַּיִם וּמִכֹּל נֶפֶשׁ הַחַיָּה אֲשֶׁר בַּמָּיִם שֶׁקֶץ הֵם לָכֶם: וְשֶׁקֶץ יִהְיוּ
יב לָכֶם מִבְּשָׂרָם לֹא תֹאכֵלוּ וְאֶת־נִבְלָתָם תְּשַׁקֵּצוּ: כֹּל אֲשֶׁר
יג אֵין־לוֹ סְנַפִּיר וְקַשְׂקֶשֶׂת בַּמָּיִם שֶׁקֶץ הוּא לָכֶם: וְאֶת־אֵלֶּה הָעוֹפוֹת הַטְּמֵאִים:
תְּשַׁקְּצוּ מִן־הָעוֹף לֹא יֵאָכְלוּ שֶׁקֶץ הֵם אֶת־הַנֶּשֶׁר וְאֶת־הַפֶּרֶס
יד טו וְאֵת הָעָזְנִיָּה: וְאֶת־הַדָּאָה וְאֶת־הָאַיָּה לְמִינָהּ: אֵת כָּל־עֹרֵב
טז לְמִינוֹ: וְאֵת בַּת הַיַּעֲנָה וְאֶת־הַתַּחְמָס וְאֶת־הַשָּׁחַף וְאֶת־הַנֵּץ
יז יח לְמִינֵהוּ: וְאֶת־הַכּוֹס וְאֶת־הַשָּׁלָךְ וְאֶת־הַיַּנְשׁוּף: וְאֶת־הַתִּנְשֶׁמֶת
יט וְאֶת־הַקָּאָת וְאֶת־הָרָחָם: וְאֵת הַחֲסִידָה הָאֲנָפָה לְמִינָהּ וְאֶת־
כ הַדּוּכִיפַת וְאֶת־הָעֲטַלֵּף: כֹּל שֶׁרֶץ הָעוֹף הַהֹלֵךְ עַל־אַרְבַּע שֶׁקֶץ סִימָנֵי שֶׁרֶץ הָעוֹף:
כא הוּא לָכֶם: אַךְ אֶת־זֶה תֹּאכְלוּ מִכֹּל שֶׁרֶץ הָעוֹף הַהֹלֵךְ
עַל־אַרְבַּע אֲשֶׁר־לוֹ לא כְרָעַיִם מִמַּעַל לְרַגְלָיו לְנַתֵּר בָּהֵן
כב עַל־הָאָרֶץ: אֶת־אֵלֶּה מֵהֶם תֹּאכֵלוּ אֶת־הָאַרְבֶּה לְמִינוֹ וְאֶת־
כג הַסָּלְעָם לְמִינֵהוּ וְאֶת־הַחַרְגֹּל לְמִינֵהוּ וְאֶת־הֶחָגָב לְמִינֵהוּ: וְכֹל
כד שֶׁרֶץ הָעוֹף אֲשֶׁר־לוֹ אַרְבַּע רַגְלָיִם שֶׁקֶץ הוּא לָכֶם: וּלְאֵלֶּה טֻמְאַת נִבְלַת בְּהֵמָה טְמֵאָה:
כה תִּטַּמָּאוּ כָּל־הַנֹּגֵעַ בְּנִבְלָתָם יִטְמָא עַד־הָעָרֶב: וְכָל־הַנֹּשֵׂא
כו מִנִּבְלָתָם יְכַבֵּס בְּגָדָיו וְטָמֵא עַד־הָעָרֶב: לְכָל־הַבְּהֵמָה אֲשֶׁר
הִוא מַפְרֶסֶת פַּרְסָה וְשֶׁסַע ׀ אֵינֶנָּה שֹׁסַעַת וְגֵרָה אֵינֶנָּה מַעֲלָה
כז טְמֵאִים הֵם לָכֶם כָּל־הַנֹּגֵעַ בָּהֶם יִטְמָא: וְכֹל ׀ הוֹלֵךְ עַל־כַּפָּיו
בְּכָל־הַחַיָּה הַהֹלֶכֶת עַל־אַרְבַּע טְמֵאִים הֵם לָכֶם כָּל־הַנֹּגֵעַ
כח בְּנִבְלָתָם יִטְמָא עַד־הָעָרֶב: וְהַנֹּשֵׂא אֶת־נִבְלָתָם יְכַבֵּס בְּגָדָיו
כט וְטָמֵא עַד־הָעָרֶב טְמֵאִים הֵמָּה לָכֶם: וְזֶה טֻמְאַת שֶׁרֶץ:
לָכֶם הַטָּמֵא בַּשֶּׁרֶץ הַשֹּׁרֵץ עַל־הָאָרֶץ הַחֹלֶד וְהָעַכְבָּר וְהַצָּב
ל לא לְמִינֵהוּ: וְהָאֲנָקָה וְהַכֹּחַ וְהַלְּטָאָה וְהַחֹמֶט וְהַתִּנְשָׁמֶת: אֵלֶּה

הַטְּמֵאִים לָכֶם בְּכָל־הַשֶּׁרֶץ כָּל־הַנֹּגֵעַ בָּהֶם בְּמֹתָם יִטְמָא

עַד־הָעָרֶב: וְכֹל אֲשֶׁר־יִפֹּל־עָלָיו מֵהֶם ׀ בְּמֹתָם יִטְמָא מִכָּל־ **לב** טֻמְאַת כֵּלִים.

כְּלִי־עֵץ אוֹ בֶגֶד אוֹ־עוֹר אוֹ שָׂק כָּל־כְּלִי אֲשֶׁר־יֵעָשֶׂה מְלָאכָה

בָּהֶם בַּמַּיִם יוּבָא וְטָמֵא עַד־הָעֶרֶב וְטָהֵר: וְכָל־כְּלִי־חֶרֶשׂ **לג** שביעי

אֲשֶׁר־יִפֹּל מֵהֶם אֶל־תּוֹכוֹ כֹּל אֲשֶׁר בְּתוֹכוֹ יִטְמָא וְאֹתוֹ תִשְׁבֹּרוּ:

מִכָּל־הָאֹכֶל אֲשֶׁר יֵאָכֵל אֲשֶׁר יָבוֹא עָלָיו מַיִם יִטְמָא וְכָל־מַשְׁקֶה **לד** טֻמְאַת אֳכָלִין.

אֲשֶׁר יִשָּׁתֶה בְּכָל־כְּלִי יִטְמָא: וְכֹל אֲשֶׁר־יִפֹּל מִנִּבְלָתָם ׀ עָלָיו **לה**

יִטְמָא תַּנּוּר וְכִירַיִם יֻתָּץ טְמֵאִים הֵם וּטְמֵאִים יִהְיוּ לָכֶם: אַךְ **לו** בְּהֵמָה טְהוֹרָה.

מַעְיָן וּבוֹר מִקְוֵה־מַיִם יִהְיֶה טָהוֹר וְנֹגֵעַ בְּנִבְלָתָם יִטְמָא:

וְכִי יִפֹּל מִנִּבְלָתָם עַל־כָּל־זֶרַע זֵרוּעַ אֲשֶׁר יִזָּרֵעַ טָהוֹר **לז**

הוּא: וְכִי יֻתַּן־מַיִם עַל־זֶרַע וְנָפַל מִנִּבְלָתָם עָלָיו טָמֵא הוּא **לח**

לָכֶם: וְכִי יָמוּת מִן־הַבְּהֵמָה אֲשֶׁר־הִיא לָכֶם לְאָכְלָה **לט** טֻמְאַת נִבְלַת בְּהֵמָה טְהוֹרָה.

הַנֹּגֵעַ בְּנִבְלָתָהּ יִטְמָא עַד־הָעָרֶב: וְהָאֹכֵל מִנִּבְלָתָהּ יְכַבֵּס **מ**

בְּגָדָיו וְטָמֵא עַד־הָעָרֶב וְהַנֹּשֵׂא אֶת־נִבְלָתָהּ יְכַבֵּס בְּגָדָיו

וְטָמֵא עַד־הָעָרֶב: וְכָל־הַשֶּׁרֶץ הַשֹּׁרֵץ עַל־הָאָרֶץ שֶׁקֶץ הוּא לֹא **מא** סִכּוּם הַמַּאֲכָלוֹת הָאֲסוּרוֹת.

יֵאָכֵל: כֹּל הוֹלֵךְ עַל־גָּחוֹן וְכֹל ׀ הוֹלֵךְ עַל־אַרְבַּע עַד כָּל־מַרְבֵּה **מב**

רַגְלַיִם לְכָל־הַשֶּׁרֶץ הַשֹּׁרֵץ עַל־הָאָרֶץ לֹא תֹאכְלוּם כִּי־שֶׁקֶץ

הֵם: אַל־תְּשַׁקְּצוּ אֶת־נַפְשֹׁתֵיכֶם בְּכָל־הַשֶּׁרֶץ הַשֹּׁרֵץ וְלֹא תִטַּמְּאוּ **מג**

בָּהֶם וְנִטְמֵתֶם בָּם: כִּי אֲנִי יְהוָה אֱלֹהֵיכֶם וְהִתְקַדִּשְׁתֶּם וִהְיִיתֶם **מד**

קְדֹשִׁים כִּי קָדוֹשׁ אָנִי וְלֹא תְטַמְּאוּ אֶת־נַפְשֹׁתֵיכֶם בְּכָל־הַשֶּׁרֶץ

הָרֹמֵשׂ עַל־הָאָרֶץ: כִּי ׀ אֲנִי יְהוָה הַמַּעֲלֶה אֶתְכֶם מֵאֶרֶץ מִצְרַיִם **מה** מפטיר

לִהְיֹת לָכֶם לֵאלֹהִים וִהְיִיתֶם קְדֹשִׁים כִּי קָדוֹשׁ אָנִי: זֹאת **מו**

תּוֹרַת הַבְּהֵמָה וְהָעוֹף וְכֹל נֶפֶשׁ הַחַיָּה הָרֹמֶשֶׂת בַּמָּיִם וּלְכָל־

נֶפֶשׁ הַשֹּׁרֶצֶת עַל־הָאָרֶץ: לְהַבְדִּיל בֵּין הַטָּמֵא וּבֵין הַטָּהֹר וּבֵין **מז**

הַחַיָּה הַנֶּאֱכֶלֶת וּבֵין הַחַיָּה אֲשֶׁר לֹא תֵאָכֵל:

יב א וַיְדַבֵּר יְהֹוָה אֶל־מֹשֶׁה לֵּאמֹר: דַּבֵּר אֶל־בְּנֵי יִשְׂרָאֵל לֵאמֹר
תזריע
טֻמְאַת
יוֹלֶדֶת
וְקָרְבְּנוֹתֶיהָ:
אִשָּׁה כִּי תַזְרִיעַ וְיָלְדָה זָכָר וְטָמְאָה שִׁבְעַת יָמִים כִּימֵי נִדַּת

ג דְּוֺתָהּ תִּטְמָא: וּבַיּוֹם הַשְּׁמִינִי יִמּוֹל בְּשַׂר עָרְלָתוֹ: וּשְׁלֹשִׁים
יוֹם וּשְׁלֹשֶׁת יָמִים תֵּשֵׁב בִּדְמֵי טָהֳרָה בְּכָל־קֹדֶשׁ לֹא־תִגָּע

ה וְאֶל־הַמִּקְדָּשׁ לֹא תָבֹא עַד־מְלֹאת יְמֵי טָהֳרָהּ: וְאִם־נְקֵבָה
תֵלֵד וְטָמְאָה שְׁבֻעַיִם כְּנִדָּתָהּ וְשִׁשִּׁים יוֹם וְשֵׁשֶׁת יָמִים תֵּשֵׁב

ו עַל־דְּמֵי טָהֳרָה: וּבִמְלֹאת ׀ יְמֵי טָהֳרָהּ לְבֵן אוֹ לְבַת תָּבִיא
כֶּבֶשׂ בֶּן־שְׁנָתוֹ לְעֹלָה וּבֶן־יוֹנָה אוֹ־תֹר לְחַטָּאת אֶל־פֶּתַח

ז אֹהֶל־מוֹעֵד אֶל־הַכֹּהֵן: וְהִקְרִיבוֹ לִפְנֵי יְהֹוָה וְכִפֶּר עָלֶיהָ וְטָהֲרָה
מִמְּקֹר דָּמֶיהָ זֹאת תּוֹרַת הַיֹּלֶדֶת לַזָּכָר אוֹ לַנְּקֵבָה: וְאִם־לֹא

ח תִמְצָא יָדָהּ דֵּי שֶׂה וְלָקְחָה שְׁתֵּי־תֹרִים אוֹ שְׁנֵי בְּנֵי יוֹנָה אֶחָד
לְעֹלָה וְאֶחָד לְחַטָּאת וְכִפֶּר עָלֶיהָ הַכֹּהֵן וְטָהֵרָה:

יג א וַיְדַבֵּר יְהֹוָה אֶל־מֹשֶׁה וְאֶל־אַהֲרֹן לֵאמֹר: אָדָם כִּי־יִהְיֶה
נִגְעֵי עוֹר
בָּשָׂר:
בְעוֹר־בְּשָׂרוֹ שְׂאֵת אוֹ־סַפַּחַת אוֹ בַהֶרֶת וְהָיָה בְעוֹר־בְּשָׂרוֹ
לְנֶגַע צָרָעַת וְהוּבָא אֶל־אַהֲרֹן הַכֹּהֵן אוֹ אֶל־אַחַד מִבָּנָיו

ג הַכֹּהֲנִים: וְרָאָה הַכֹּהֵן אֶת־הַנֶּגַע בְּעוֹר־הַבָּשָׂר וְשֵׂעָר בַּנֶּגַע הָפַךְ ׀
לָבָן וּמַרְאֵה הַנֶּגַע עָמֹק מֵעוֹר בְּשָׂרוֹ נֶגַע צָרַעַת הוּא וְרָאָהוּ

ד הַכֹּהֵן וְטִמֵּא אֹתוֹ: וְאִם־בַּהֶרֶת לְבָנָה הִוא בְּעוֹר בְּשָׂרוֹ וְעָמֹק
אֵין־מַרְאֶהָ מִן־הָעוֹר וּשְׂעָרָה לֹא־הָפַךְ לָבָן וְהִסְגִּיר הַכֹּהֵן

ה אֶת־הַנֶּגַע שִׁבְעַת יָמִים: וְרָאָהוּ הַכֹּהֵן בַּיּוֹם הַשְּׁבִיעִי וְהִנֵּה הַנֶּגַע
עָמַד בְּעֵינָיו לֹא־פָשָׂה הַנֶּגַע בָּעוֹר וְהִסְגִּירוֹ הַכֹּהֵן שִׁבְעַת יָמִים

ו שֵׁנִית: וְרָאָה הַכֹּהֵן אֹתוֹ בַּיּוֹם הַשְּׁבִיעִי שֵׁנִית וְהִנֵּה כֵּהָה הַנֶּגַע
שני
וְלֹא־פָשָׂה הַנֶּגַע בָּעוֹר וְטִהֲרוֹ הַכֹּהֵן מִסְפַּחַת הִוא וְכִבֶּס בְּגָדָיו

ז וְטָהֵר: וְאִם־פָּשֹׂה תִפְשֶׂה הַמִּסְפַּחַת בָּעוֹר אַחֲרֵי הֵרָאֹתוֹ אֶל־
ח הַכֹּהֵן לְטָהֳרָתוֹ וְנִרְאָה שֵׁנִית אֶל־הַכֹּהֵן: וְרָאָה הַכֹּהֵן וְהִנֵּה

פָּשְׂתָה הַמִּסְפַּחַת בָּעוֹר וְטִמְּאוֹ הַכֹּהֵן צָרַעַת הִוא׃
דִּינֵי צָרַעַת׃
נֶגַע צָרַעַת כִּי תִהְיֶה בְּאָדָם וְהוּבָא אֶל־הַכֹּהֵן׃ וְרָאָה הַכֹּהֵן ט י
וְהִנֵּה שְׂאֵת־לְבָנָה בָּעוֹר וְהִיא הָפְכָה שֵׂעָר לָבָן וּמִחְיַת בָּשָׂר חַי
בַּשְׂאֵת׃ צָרַעַת נוֹשֶׁנֶת הִוא בְּעוֹר בְּשָׂרוֹ וְטִמְּאוֹ הַכֹּהֵן לֹא יַסְגִּרֶנּוּ יא
כִּי טָמֵא הוּא׃ וְאִם־פָּרוֹחַ תִּפְרַח הַצָּרַעַת בָּעוֹר וְכִסְּתָה יב
הַצָּרַעַת אֵת כָּל־עוֹר הַנֶּגַע מֵרֹאשׁוֹ וְעַד־רַגְלָיו לְכָל־מַרְאֵה עֵינֵי
הַכֹּהֵן׃ וְרָאָה הַכֹּהֵן וְהִנֵּה כִסְּתָה הַצָּרַעַת אֶת־כָּל־בְּשָׂרוֹ וְטִהַר יג
אֶת־הַנָּגַע כֻּלּוֹ הָפַךְ לָבָן טָהוֹר הוּא׃ וּבְיוֹם הֵרָאוֹת בּוֹ בָּשָׂר חַי יד
יִטְמָא׃ וְרָאָה הַכֹּהֵן אֶת־הַבָּשָׂר הַחַי וְטִמְּאוֹ הַבָּשָׂר הַחַי טָמֵא טו
הוּא צָרַעַת הוּא׃ אוֹ כִי יָשׁוּב הַבָּשָׂר הַחַי וְנֶהְפַּךְ לְלָבָן וּבָא טז
אֶל־הַכֹּהֵן׃ וְרָאָהוּ הַכֹּהֵן וְהִנֵּה נֶהְפַּךְ הַנֶּגַע לְלָבָן וְטִהַר הַכֹּהֵן יז
אֶת־הַנֶּגַע טָהוֹר הוּא׃

שלישי
נִגְעֵי שְׁחִין׃
וּבָשָׂר כִּי־יִהְיֶה בוֹ־בְעֹרוֹ שְׁחִין וְנִרְפָּא׃ וְהָיָה בִּמְקוֹם הַשְּׁחִין יח יט
שְׂאֵת לְבָנָה אוֹ בַהֶרֶת לְבָנָה אֲדַמְדָּמֶת וְנִרְאָה אֶל־הַכֹּהֵן׃ וְרָאָה כ
הַכֹּהֵן וְהִנֵּה מַרְאֶהָ שָׁפָל מִן־הָעוֹר וּשְׂעָרָהּ הָפַךְ לָבָן וְטִמְּאוֹ
הַכֹּהֵן נֶגַע־צָרַעַת הִוא בַּשְּׁחִין פָּרָחָה׃ וְאִם ׀ יִרְאֶנָּה הַכֹּהֵן וְהִנֵּה כא
אֵין־בָּהּ שֵׂעָר לָבָן וּשְׁפָלָה אֵינֶנָּה מִן־הָעוֹר וְהִיא כֵהָה וְהִסְגִּירוֹ
הַכֹּהֵן שִׁבְעַת יָמִים׃ וְאִם־פָּשֹׂה תִפְשֶׂה בָּעוֹר וְטִמֵּא הַכֹּהֵן אֹתוֹ כב
נֶגַע הִוא׃ וְאִם־תַּחְתֶּיהָ תַּעֲמֹד הַבַּהֶרֶת לֹא פָשָׂתָה צָרֶבֶת הַשְּׁחִין כג
רביעי /שני/
נִגְעֵי מִכְוָה׃
הִוא וְטִהֲרוֹ הַכֹּהֵן׃ אוֹ בָשָׂר כִּי־יִהְיֶה בְעֹרוֹ מִכְוַת־ כד
אֵשׁ וְהָיְתָה מִחְיַת הַמִּכְוָה בַּהֶרֶת לְבָנָה אֲדַמְדֶּמֶת אוֹ לְבָנָה׃
וְרָאָה אֹתָהּ הַכֹּהֵן וְהִנֵּה נֶהְפַּךְ שֵׂעָר לָבָן בַּבַּהֶרֶת וּמַרְאֶהָ כה
עָמֹק מִן־הָעוֹר צָרַעַת הִוא בַּמִּכְוָה פָּרָחָה וְטִמֵּא אֹתוֹ הַכֹּהֵן נֶגַע
צָרַעַת הִוא׃ וְאִם ׀ יִרְאֶנָּה הַכֹּהֵן וְהִנֵּה אֵין־בַּבַּהֶרֶת שֵׂעָר לָבָן כו
וּשְׁפָלָה אֵינֶנָּה מִן־הָעוֹר וְהִוא כֵהָה וְהִסְגִּירוֹ הַכֹּהֵן שִׁבְעַת יָמִים׃

כז וְרָאָהוּ הַכֹּהֵן בַּיּוֹם הַשְּׁבִיעִי אִם־פָּשֹׂה תִפְשֶׂה בָּעוֹר וְטִמֵּא הַכֹּהֵן
כח אֹתוֹ נֶגַע צָרַעַת הִוא׃ וְאִם־תַּחְתֶּיהָ תַעֲמֹד הַבַּהֶרֶת לֹא־פָשְׂתָה
בָעוֹר וְהִוא כֵהָה שְׂאֵת הַמִּכְוָה הִוא וְטִהֲרוֹ הַכֹּהֵן כִּי־צָרֶבֶת
הַמִּכְוָה הִוא׃

כט ל וְאִישׁ אוֹ אִשָּׁה כִּי־יִהְיֶה בוֹ נָגַע בְּרֹאשׁ אוֹ בְזָקָן׃ וְרָאָה הַכֹּהֵן חמישי נִגְעֵי נֶתֶק:
אֶת־הַנֶּגַע וְהִנֵּה מַרְאֵהוּ עָמֹק מִן־הָעוֹר וּבוֹ שֵׂעָר צָהֹב דָּק וְטִמֵּא
לא אֹתוֹ הַכֹּהֵן נֶתֶק הוּא צָרַעַת הָרֹאשׁ אוֹ הַזָּקָן הוּא׃ וְכִי־יִרְאֶה
הַכֹּהֵן אֶת־נֶגַע הַנֶּתֶק וְהִנֵּה אֵין־מַרְאֵהוּ עָמֹק מִן־הָעוֹר וְשֵׂעָר
לב שָׁחֹר אֵין בּוֹ וְהִסְגִּיר הַכֹּהֵן אֶת־נֶגַע הַנֶּתֶק שִׁבְעַת יָמִים׃ וְרָאָה
הַכֹּהֵן אֶת־הַנֶּגַע בַּיּוֹם הַשְּׁבִיעִי וְהִנֵּה לֹא־פָשָׂה הַנֶּתֶק וְלֹא־הָיָה
לג בוֹ שֵׂעָר צָהֹב וּמַרְאֵה הַנֶּתֶק אֵין עָמֹק מִן־הָעוֹר׃ וְהִתְגַּלָּח
וְאֶת־הַנֶּתֶק לֹא יְגַלֵּחַ וְהִסְגִּיר הַכֹּהֵן אֶת־הַנֶּתֶק שִׁבְעַת יָמִים
לד שֵׁנִית׃ וְרָאָה הַכֹּהֵן אֶת־הַנֶּתֶק בַּיּוֹם הַשְּׁבִיעִי וְהִנֵּה לֹא־פָשָׂה
הַנֶּתֶק בָּעוֹר וּמַרְאֵהוּ אֵינֶנּוּ עָמֹק מִן־הָעוֹר וְטִהַר אֹתוֹ הַכֹּהֵן
לה וְכִבֶּס בְּגָדָיו וְטָהֵר׃ וְאִם־פָּשֹׂה יִפְשֶׂה הַנֶּתֶק בָּעוֹר אַחֲרֵי טָהֳרָתוֹ׃
לו וְרָאָהוּ הַכֹּהֵן וְהִנֵּה פָּשָׂה הַנֶּתֶק בָּעוֹר לֹא־יְבַקֵּר הַכֹּהֵן לַשֵּׂעָר
לז הַצָּהֹב טָמֵא הוּא׃ וְאִם־בְּעֵינָיו עָמַד הַנֶּתֶק וְשֵׂעָר שָׁחֹר צָמַח־בּוֹ
לח נִרְפָּא הַנֶּתֶק טָהוֹר הוּא וְטִהֲרוֹ הַכֹּהֵן׃ וְאִישׁ אוֹ־אִשָּׁה בֹּהַק- נֶגַע טָהוֹר:
לט כִּי־יִהְיֶה בְעוֹר־בְּשָׂרָם בֶּהָרֹת בֶּהָרֹת לְבָנֹת׃ וְרָאָה הַכֹּהֵן וְהִנֵּה
בְעוֹר־בְּשָׂרָם בֶּהָרֹת כֵּהוֹת לְבָנֹת בֹּהַק הוּא פָּרַח בָּעוֹר טָהוֹר
מ הוּא׃ וְאִישׁ כִּי יִמָּרֵט ששי /שלישי/
מא רֹאשׁוֹ קֵרֵחַ הוּא טָהוֹר הוּא׃ וְאִם מִפְּאַת פָּנָיו יִמָּרֵט רֹאשׁוֹ קָרַחַת וְגַבַּחַת:
מב גִּבֵּחַ הוּא טָהוֹר הוּא׃ וְכִי־יִהְיֶה בַקָּרַחַת אוֹ בַגַּבַּחַת נֶגַע לָבָן
מג אֲדַמְדָּם צָרַעַת פֹּרַחַת הִוא בְּקָרַחְתּוֹ אוֹ בְגַבַּחְתּוֹ׃ וְרָאָה אֹתוֹ
הַכֹּהֵן וְהִנֵּה שְׂאֵת־הַנֶּגַע לְבָנָה אֲדַמְדֶּמֶת בְּקָרַחְתּוֹ אוֹ בְגַבַּחְתּוֹ

מד כְּמַרְאֵה צָרַעַת עוֹר בָּשָׂר: אִישׁ־צָרוּעַ הוּא טָמֵא הוּא טַמֵּא
מה יְטַמְּאֶנּוּ הַכֹּהֵן בְּרֹאשׁוֹ נִגְעוֹ: וְהַצָּרוּעַ אֲשֶׁר־בּוֹ הַנֶּגַע בְּגָדָיו דִּינֵי הַצָּרוּעַ:
יִהְיוּ פְרֻמִים וְרֹאשׁוֹ יִהְיֶה פָרוּעַ וְעַל־שָׂפָם יַעְטֶה וְטָמֵא ׀
מו טָמֵא יִקְרָא: כָּל־יְמֵי אֲשֶׁר הַנֶּגַע בּוֹ יִטְמָא טָמֵא הוּא בָּדָד יֵשֵׁב
מז מִחוּץ לַמַּחֲנֶה מוֹשָׁבוֹ: וְהַבֶּגֶד כִּי־יִהְיֶה בוֹ נֶגַע נִגְעֵי בְגָדִים:
מח צָרָעַת בְּבֶגֶד צֶמֶר אוֹ בְּבֶגֶד פִּשְׁתִּים: אוֹ בִשְׁתִי אוֹ בְעֵרֶב
מט לַפִּשְׁתִּים וְלַצָּמֶר אוֹ בְעוֹר אוֹ בְּכָל־מְלֶאכֶת עוֹר: וְהָיָה הַנֶּגַע
יְרַקְרַק ׀ אוֹ אֲדַמְדָּם בַּבֶּגֶד אוֹ בָעוֹר אוֹ־בַשְּׁתִי אוֹ־בָעֵרֶב אוֹ
נ בְכָל־כְּלִי־עוֹר נֶגַע צָרַעַת הוּא וְהָרְאָה אֶת־הַכֹּהֵן: וְרָאָה הַכֹּהֵן
נא אֶת־הַנָּגַע וְהִסְגִּיר אֶת־הַנֶּגַע שִׁבְעַת יָמִים: וְרָאָה אֶת־הַנֶּגַע
בַּיּוֹם הַשְּׁבִיעִי כִּי־פָשָׂה הַנֶּגַע בַּבֶּגֶד אוֹ־בַשְּׁתִי אוֹ־בָעֵרֶב אוֹ
בָעוֹר לְכֹל אֲשֶׁר־יֵעָשֶׂה הָעוֹר לִמְלָאכָה צָרַעַת מַמְאֶרֶת הַנֶּגַע
נב טָמֵא הוּא: וְשָׂרַף אֶת־הַבֶּגֶד אוֹ אֶת־הַשְּׁתִי ׀ אוֹ אֶת־הָעֵרֶב
בַּצֶּמֶר אוֹ בַפִּשְׁתִּים אוֹ אֶת־כָּל־כְּלִי הָעוֹר אֲשֶׁר־יִהְיֶה בוֹ הַנָּגַע
נג כִּי־צָרַעַת מַמְאֶרֶת הִוא בָּאֵשׁ תִּשָּׂרֵף: וְאִם יִרְאֶה הַכֹּהֵן וְהִנֵּה
לֹא־פָשָׂה הַנֶּגַע בַּבֶּגֶד אוֹ בַשְּׁתִי אוֹ בָעֵרֶב אוֹ בְּכָל־כְּלִי־עוֹר:
נד וְצִוָּה הַכֹּהֵן וְכִבְּסוּ אֵת אֲשֶׁר־בּוֹ הַנָּגַע וְהִסְגִּירוֹ שִׁבְעַת־יָמִים
נה שֵׁנִית: וְרָאָה הַכֹּהֵן אַחֲרֵי ׀ הֻכַּבֵּס אֶת־הַנֶּגַע וְהִנֵּה לֹא־הָפַךְ שביעי /רביעי/
הַנֶּגַע אֶת־עֵינוֹ וְהַנֶּגַע לֹא־פָשָׂה טָמֵא הוּא בָּאֵשׁ תִּשְׂרְפֶנּוּ פְּחֶתֶת
נו הִוא בְּקָרַחְתּוֹ אוֹ בְגַבַּחְתּוֹ: וְאִם רָאָה הַכֹּהֵן וְהִנֵּה כֵּהָה הַנֶּגַע
אַחֲרֵי הֻכַּבֵּס אֹתוֹ וְקָרַע אֹתוֹ מִן־הַבֶּגֶד אוֹ מִן־הָעוֹר אוֹ
נז מִן־הַשְּׁתִי אוֹ מִן־הָעֵרֶב: וְאִם־תֵּרָאֶה עוֹד בַּבֶּגֶד אוֹ־בַשְּׁתִי מפטיר
אוֹ־בָעֵרֶב אוֹ בְכָל־כְּלִי־עוֹר פֹּרַחַת הִוא בָּאֵשׁ תִּשְׂרְפֶנּוּ אֵת
נח אֲשֶׁר־בּוֹ הַנָּגַע: וְהַבֶּגֶד אוֹ־הַשְּׁתִי אוֹ־הָעֵרֶב אוֹ־כָל־כְּלִי הָעוֹר
נט אֲשֶׁר תְּכַבֵּס וְסָר מֵהֶם הַנָּגַע וְכֻבַּס שֵׁנִית וְטָהֵר: זֹאת תּוֹרַת

נֶגַע צָרַעַת בֶּגֶד הַצֶּמֶר ׀ אוֹ הַפִּשְׁתִּים אוֹ הַשְּׁתִי אוֹ הָעֵרֶב אוֹ
כָּל־כְּלִי־עוֹר לְטַהֲרוֹ אוֹ לְטַמְּאוֹ׃

יד א ב וַיְדַבֵּר יְהוָה אֶל־מֹשֶׁה לֵּאמֹר׃ זֹאת תִּהְיֶה תּוֹרַת הַמְּצֹרָע בְּיוֹם מצורע
ג טָהֳרָתוֹ וְהוּבָא אֶל־הַכֹּהֵן׃ וְיָצָא הַכֹּהֵן אֶל־מִחוּץ לַמַּחֲנֶה וְרָאָה טָהֳרַת הַמְּצֹרָע:
ד הַכֹּהֵן וְהִנֵּה נִרְפָּא נֶגַע־הַצָּרַעַת מִן־הַצָּרוּעַ׃ וְצִוָּה הַכֹּהֵן וְלָקַח
לַמִּטַּהֵר שְׁתֵּי־צִפֳּרִים חַיּוֹת טְהֹרוֹת וְעֵץ אֶרֶז וּשְׁנִי תוֹלַעַת וְאֵזֹב׃
ה וְצִוָּה הַכֹּהֵן וְשָׁחַט אֶת־הַצִּפּוֹר הָאֶחָת אֶל־כְּלִי־חֶרֶשׂ עַל־מַיִם
ו חַיִּים׃ אֶת־הַצִּפֹּר הַחַיָּה יִקַּח אֹתָהּ וְאֶת־עֵץ הָאֶרֶז וְאֶת־שְׁנִי
הַתּוֹלַעַת וְאֶת־הָאֵזֹב וְטָבַל אוֹתָם וְאֵת ׀ הַצִּפֹּר הַחַיָּה בְּדַם
ז הַצִּפֹּר הַשְּׁחֻטָה עַל הַמַּיִם הַחַיִּים׃ וְהִזָּה עַל הַמִּטַּהֵר מִן־הַצָּרַעַת
שֶׁבַע פְּעָמִים וְטִהֲרוֹ וְשִׁלַּח אֶת־הַצִּפֹּר הַחַיָּה עַל־פְּנֵי הַשָּׂדֶה׃
ח וְכִבֶּס הַמִּטַּהֵר אֶת־בְּגָדָיו וְגִלַּח אֶת־כָּל־שְׂעָרוֹ וְרָחַץ בַּמַּיִם
וְטָהֵר וְאַחַר יָבוֹא אֶל־הַמַּחֲנֶה וְיָשַׁב מִחוּץ לְאָהֳלוֹ שִׁבְעַת יָמִים׃
ט וְהָיָה בַיּוֹם הַשְּׁבִיעִי יְגַלַּח אֶת־כָּל־שְׂעָרוֹ אֶת־רֹאשׁוֹ וְאֶת־זְקָנוֹ
וְאֵת גַּבֹּת עֵינָיו וְאֶת־כָּל־שְׂעָרוֹ יְגַלֵּחַ וְכִבֶּס אֶת־בְּגָדָיו וְרָחַץ
י אֶת־בְּשָׂרוֹ בַּמַּיִם וְטָהֵר׃ וּבַיּוֹם הַשְּׁמִינִי יִקַּח שְׁנֵי־כְבָשִׂים קָרְבְּנוֹת
תְּמִימִם וְכַבְשָׂה אַחַת בַּת־שְׁנָתָהּ תְּמִימָה וּשְׁלֹשָׁה עֶשְׂרֹנִים מְצֹרָע עָשִׁיר:
יא סֹלֶת מִנְחָה בְּלוּלָה בַשֶּׁמֶן וְלֹג אֶחָד שָׁמֶן׃ וְהֶעֱמִיד הַכֹּהֵן
הַמְטַהֵר אֵת הָאִישׁ הַמִּטַּהֵר וְאֹתָם לִפְנֵי יְהוָה פֶּתַח אֹהֶל מוֹעֵד׃
יב וְלָקַח הַכֹּהֵן אֶת־הַכֶּבֶשׂ הָאֶחָד וְהִקְרִיב אֹתוֹ לְאָשָׁם וְאֶת־לֹג
יג הַשָּׁמֶן וְהֵנִיף אֹתָם תְּנוּפָה לִפְנֵי יְהוָה׃ וְשָׁחַט אֶת־הַכֶּבֶשׂ בִּמְקוֹם שני
אֲשֶׁר יִשְׁחַט אֶת־הַחַטָּאת וְאֶת־הָעֹלָה בִּמְקוֹם הַקֹּדֶשׁ כִּי
יד כַּחַטָּאת הָאָשָׁם הוּא לַכֹּהֵן קֹדֶשׁ קָדָשִׁים הוּא׃ וְלָקַח הַכֹּהֵן
מִדַּם הָאָשָׁם וְנָתַן הַכֹּהֵן עַל־תְּנוּךְ אֹזֶן הַמִּטַּהֵר הַיְמָנִית
טו וְעַל־בֹּהֶן יָדוֹ הַיְמָנִית וְעַל־בֹּהֶן רַגְלוֹ הַיְמָנִית׃ וְלָקַח הַכֹּהֵן מִלֹּג

טז הַשָּׁ֑מֶן וְיָצַ֛ק עַל־כַּ֥ף הַכֹּהֵ֖ן הַשְּׂמָאלִֽית׃ וְטָבַ֤ל הַכֹּהֵן֙ אֶת־אֶצְבָּע֣וֹ
הַיְמָנִ֔ית מִן־הַשֶּׁ֕מֶן אֲשֶׁ֥ר עַל־כַּפּ֖וֹ הַשְּׂמָאלִ֑ית וְהִזָּ֨ה מִן־הַשֶּׁ֧מֶן
יז בְּאֶצְבָּע֛וֹ שֶׁ֥בַע פְּעָמִ֖ים לִפְנֵ֥י יְהוָֽה׃ וּמִיֶּ֨תֶר הַשֶּׁ֜מֶן אֲשֶׁ֣ר עַל־כַּפּ֗וֹ
יִתֵּ֤ן הַכֹּהֵן֙ עַל־תְּנ֞וּךְ אֹ֤זֶן הַמִּטַּהֵר֙ הַיְמָנִ֔ית וְעַל־בֹּ֤הֶן יָדוֹ֙ הַיְמָנִ֔ית
יח וְעַל־בֹּ֥הֶן רַגְל֖וֹ הַיְמָנִ֑ית עַ֖ל דַּ֥ם הָאָשָֽׁם׃ וְהַנּוֹתָ֗ר בַּשֶּׁ֙מֶן֙ אֲשֶׁר֙
עַל־כַּ֣ף הַכֹּהֵ֔ן יִתֵּ֖ן עַל־רֹ֣אשׁ הַמִּטַּהֵ֑ר וְכִפֶּ֥ר עָלָ֛יו הַכֹּהֵ֖ן לִפְנֵ֥י
יט יְהוָֽה׃ וְעָשָׂ֤ה הַכֹּהֵן֙ אֶת־הַ֣חַטָּ֔את וְכִפֶּ֕ר עַל־הַמִּטַּהֵ֖ר מִטֻּמְאָת֑וֹ
כ וְאַחַ֖ר יִשְׁחַ֥ט אֶת־הָעֹלָֽה׃ וְהֶעֱלָ֧ה הַכֹּהֵ֛ן אֶת־הָעֹלָ֥ה וְאֶת־הַמִּנְחָ֖ה
כא הַמִּזְבֵּ֑חָה וְכִפֶּ֥ר עָלָ֛יו הַכֹּהֵ֖ן וְטָהֵֽר׃ וְאִם־דַּ֣ל ה֗וּא וְאֵ֣ין
יָדוֹ֮ מַשֶּׂגֶת֒ וְלָקַ֨ח כֶּ֤בֶשׂ אֶחָד֙ אָשָׁ֔ם לִתְנוּפָ֖ה לְכַפֵּ֣ר עָלָ֑יו וְעִשָּׂר֨וֹן
כב סֹ֜לֶת אֶחָ֨ד בָּל֧וּל בַּשֶּׁ֛מֶן לְמִנְחָ֖ה וְלֹ֥ג שָֽׁמֶן׃ וּשְׁתֵּ֣י תֹרִ֗ים א֤וֹ שְׁנֵי֙
כג בְּנֵ֣י יוֹנָ֔ה אֲשֶׁ֥ר תַּשִּׂ֖יג יָד֑וֹ וְהָיָ֤ה אֶחָד֙ חַטָּ֔את וְהָאֶחָ֖ד עֹלָֽה׃ וְהֵבִ֨יא
אֹתָ֜ם בַּיּ֧וֹם הַשְּׁמִינִ֛י לְטָהֳרָת֖וֹ אֶל־הַכֹּהֵ֑ן אֶל־פֶּ֛תַח אֹֽהֶל־מוֹעֵ֖ד
כד לִפְנֵ֥י יְהוָֽה׃ וְלָקַ֧ח הַכֹּהֵ֛ן אֶת־כֶּ֥בֶשׂ הָאָשָׁ֖ם וְאֶת־לֹ֣ג הַשָּׁ֑מֶן וְהֵנִ֨יף
כה אֹתָ֥ם הַכֹּהֵ֛ן תְּנוּפָ֖ה לִפְנֵ֥י יְהוָֽה׃ וְשָׁחַט֮ אֶת־כֶּ֣בֶשׂ הָאָשָׁם֒ וְלָקַ֣ח
הַכֹּהֵן֮ מִדַּ֣ם הָאָשָׁם֒ וְנָתַ֛ן עַל־תְּנ֥וּךְ אֹֽזֶן־הַמִּטַּהֵ֖ר הַיְמָנִ֑ית וְעַל־
כו בֹּ֤הֶן יָדוֹ֙ הַיְמָנִ֔ית וְעַל־בֹּ֥הֶן רַגְל֖וֹ הַיְמָנִֽית׃ וּמִן־הַשֶּׁ֖מֶן יִצֹ֣ק הַכֹּהֵ֑ן
כז עַל־כַּ֥ף הַכֹּהֵ֖ן הַשְּׂמָאלִֽית׃ וְהִזָּ֤ה הַכֹּהֵן֙ בְּאֶצְבָּע֣וֹ הַיְמָנִ֔ית מִן־
כח הַשֶּׁ֕מֶן אֲשֶׁ֥ר עַל־כַּפּ֖וֹ הַשְּׂמָאלִ֑ית שֶׁ֥בַע פְּעָמִ֖ים לִפְנֵ֥י יְהוָֽה׃ וְנָתַ֨ן
הַכֹּהֵ֜ן מִן־הַשֶּׁ֣מֶן ׀ אֲשֶׁ֣ר עַל־כַּפּ֗וֹ עַל־תְּנ֞וּךְ אֹ֤זֶן הַמִּטַּהֵר֙ הַיְמָנִ֔ית
וְעַל־בֹּ֤הֶן יָדוֹ֙ הַיְמָנִ֔ית וְעַל־בֹּ֥הֶן רַגְל֖וֹ הַיְמָנִ֑ית עַל־מְק֖וֹם דַּ֥ם
כט הָאָשָֽׁם׃ וְהַנּוֹתָ֗ר מִן־הַשֶּׁ֙מֶן֙ אֲשֶׁר֙ עַל־כַּ֣ף הַכֹּהֵ֔ן יִתֵּ֖ן עַל־רֹ֣אשׁ
ל הַמִּטַּהֵ֑ר לְכַפֵּ֥ר עָלָ֖יו לִפְנֵ֥י יְהוָֽה׃ וְעָשָׂ֤ה אֶת־הָֽאֶחָד֙ מִן־הַתֹּרִ֔ים
לא א֖וֹ מִן־בְּנֵ֣י הַיּוֹנָ֑ה מֵאֲשֶׁ֥ר תַּשִּׂ֖יג יָדֽוֹ׃ אֵ֣ת אֲשֶׁר־תַּשִּׂ֞יג יָד֗וֹ
אֶת־הָאֶחָ֥ד חַטָּ֛את וְאֶת־הָאֶחָ֥ד עֹלָ֖ה עַל־הַמִּנְחָ֑ה וְכִפֶּ֧ר הַכֹּהֵ֛ן עַ֥ל

שלישי /חמישי/ קָרְבְּנוֹת מְצֹרָע עָנִי:

לב הַמִּטַּהֵ֖ר לִפְנֵ֥י יְהוָֽה׃ זֹ֣את תּוֹרַ֔ת אֲשֶׁר־בּ֖וֹ נֶ֣גַע צָרָ֑עַת אֲשֶׁ֛ר
לֹא־תַשִּׂ֥יג יָד֖וֹ בְּטָהֳרָתֽוֹ׃
לג לד וַיְדַבֵּ֣ר יְהוָ֔ה אֶל־מֹשֶׁ֥ה וְאֶֽל־אַהֲרֹ֖ן לֵאמֹֽר׃ כִּ֤י תָבֹ֙אוּ֙ אֶל־אֶ֣רֶץ רביעי /ששי/
כְּנַ֔עַן אֲשֶׁ֥ר אֲנִ֛י נֹתֵ֥ן לָכֶ֖ם לַאֲחֻזָּ֑ה וְנָתַתִּי֙ נֶ֣גַע צָרַ֔עַת בְּבֵ֖ית אֶ֥רֶץ נִגְעֵי
לה אֲחֻזַּתְכֶֽם׃ וּבָא֙ אֲשֶׁר־ל֣וֹ הַבַּ֔יִת וְהִגִּ֥יד לַכֹּהֵ֖ן לֵאמֹ֑ר כְּנֶ֕גַע נִרְאָ֥ה בָתִּים:
לו לִ֖י בַּבָּֽיִת׃ וְצִוָּ֨ה הַכֹּהֵ֜ן וּפִנּ֣וּ אֶת־הַבַּ֗יִת בְּטֶ֨רֶם יָבֹ֤א הַכֹּהֵן֙ לִרְא֣וֹת
אֶת־הַנֶּ֔גַע וְלֹ֥א יִטְמָ֖א כָּל־אֲשֶׁ֣ר בַּבָּ֑יִת וְאַ֛חַר כֵּ֥ן יָבֹ֥א הַכֹּהֵ֖ן לִרְא֥וֹת
לז אֶת־הַבָּֽיִת׃ וְרָאָ֣ה אֶת־הַנֶּ֗גַע וְהִנֵּ֤ה הַנֶּ֙גַע֙ בְּקִירֹ֣ת הַבַּ֔יִת
שְׁקַעֲרוּרֹת֙ יְרַקְרַקֹּ֔ת א֖וֹ אֲדַמְדַּמֹּ֑ת וּמַרְאֵיהֶ֥ן שָׁפָ֖ל מִן־הַקִּֽיר׃
לח וְיָצָ֧א הַכֹּהֵ֛ן מִן־הַבַּ֖יִת אֶל־פֶּ֣תַח הַבָּ֑יִת וְהִסְגִּ֥יר אֶת־הַבַּ֖יִת שִׁבְעַ֥ת
לט יָמִֽים׃ וְשָׁ֥ב הַכֹּהֵ֖ן בַּיּ֣וֹם הַשְּׁבִיעִ֑י וְרָאָ֕ה וְהִנֵּ֛ה פָּשָׂ֥ה הַנֶּ֖גַע בְּקִירֹ֥ת
מ הַבָּֽיִת׃ וְצִוָּה֙ הַכֹּהֵ֔ן וְחִלְּצוּ֙ אֶת־הָ֣אֲבָנִ֔ים אֲשֶׁ֥ר בָּהֵ֖ן הַנָּ֑גַע
מא וְהִשְׁלִ֤יכוּ אֶתְהֶן֙ אֶל־מִח֣וּץ לָעִ֔יר אֶל־מָק֖וֹם טָמֵֽא׃ וְאֶת־הַבַּ֛יִת
יַקְצִ֥עַ מִבַּ֖יִת סָבִ֑יב וְשָׁ֣פְכ֔וּ אֶת־הֶֽעָפָר֙ אֲשֶׁ֣ר הִקְצ֔וּ אֶל־מִח֣וּץ
מב לָעִ֔יר אֶל־מָק֖וֹם טָמֵֽא׃ וְלָֽקְחוּ֙ אֲבָנִ֣ים אֲחֵר֔וֹת וְהֵבִ֖יאוּ אֶל־תַּ֣חַת
מג הָאֲבָנִ֑ים וְעָפָ֥ר אַחֵ֛ר יִקַּ֖ח וְטָ֥ח אֶת־הַבָּֽיִת׃ וְאִם־יָשׁ֤וּב הַנֶּ֙גַע֙ וּפָרַ֣ח
בַּבַּ֔יִת אַחַ֖ר חִלֵּ֣ץ אֶת־הָאֲבָנִ֑ים וְאַחֲרֵ֛י הִקְצ֥וֹת אֶת־הַבַּ֖יִת וְאַחֲרֵ֥י
מד הִטּֽוֹחַ׃ וּבָא֙ הַכֹּהֵ֔ן וְרָאָ֕ה וְהִנֵּ֛ה פָּשָׂ֥ה הַנֶּ֖גַע בַּבָּ֑יִת צָרַ֨עַת מַמְאֶ֥רֶת
מה הִ֛וא בַּבַּ֖יִת טָמֵ֥א הֽוּא׃ וְנָתַ֣ץ אֶת־הַבַּ֗יִת אֶת־אֲבָנָיו֙ וְאֶת־עֵצָ֔יו
וְאֵ֖ת כָּל־עֲפַ֣ר הַבָּ֑יִת וְהוֹצִיא֙ אֶל־מִח֣וּץ לָעִ֔יר אֶל־מָק֖וֹם טָמֵֽא׃
מו מז וְהַבָּא֙ אֶל־הַבַּ֔יִת כָּל־יְמֵ֖י הִסְגִּ֣יר אֹת֑וֹ יִטְמָ֖א עַד־הָעָֽרֶב׃ וְהַשֹּׁכֵ֣ב
מח בַּבַּ֔יִת יְכַבֵּ֖ס אֶת־בְּגָדָ֑יו וְהָאֹכֵ֣ל בַּבַּ֔יִת יְכַבֵּ֖ס אֶת־בְּגָדָֽיו׃ וְאִם־בֹּ֨א
יָבֹ֜א הַכֹּהֵ֗ן וְרָאָה֙ וְהִנֵּ֙ה לֹא־פָשָׂ֤ה הַנֶּ֙גַע֙ בַּבַּ֔יִת אַחֲרֵ֖י הִטֹּ֣חַ
מט אֶת־הַבָּ֑יִת וְטִהַ֤ר הַכֹּהֵן֙ אֶת־הַבַּ֔יִת כִּ֥י נִרְפָּ֖א הַנָּֽגַע׃ וְלָקַ֛ח לְחַטֵּ֥א
נ אֶת־הַבַּ֖יִת שְׁתֵּ֣י צִפֳּרִ֑ים וְעֵ֣ץ אֶ֔רֶז וּשְׁנִ֥י תוֹלַ֖עַת וְאֵזֹֽב׃ וְשָׁחַ֛ט

נא אֶת־הַצִּפֹּר הָאֶחָת אֶל־כְּלִי־חֶרֶשׂ עַל־מַיִם חַיִּים: וְלָקַח אֶת־עֵץ
הָאֶרֶז וְאֶת־הָאֵזֹב וְאֵת ׀ שְׁנִי הַתּוֹלַעַת וְאֵת הַצִּפֹּר הַחַיָּה וְטָבַל
אֹתָם בְּדַם הַצִּפֹּר הַשְּׁחוּטָה וּבַמַּיִם הַחַיִּים וְהִזָּה אֶל־הַבַּיִת שֶׁבַע
נב פְּעָמִים: וְחִטֵּא אֶת־הַבַּיִת בְּדַם הַצִּפּוֹר וּבַמַּיִם הַחַיִּים וּבַצִּפֹּר
נג הַחַיָּה וּבְעֵץ הָאֶרֶז וּבָאֵזֹב וּבִשְׁנִי הַתּוֹלָעַת: וְשִׁלַּח אֶת־הַצִּפֹּר
הַחַיָּה אֶל־מִחוּץ לָעִיר אֶל־פְּנֵי הַשָּׂדֶה וְכִפֶּר עַל־הַבַּיִת וְטָהֵר:
חמישי נד נה זֹאת הַתּוֹרָה לְכָל־נֶגַע הַצָּרַעַת וְלַנָּתֶק: וּלְצָרַעַת הַבֶּגֶד וְלַבָּיִת:
נו נז וְלַשְׂאֵת וְלַסַּפַּחַת וְלַבֶּהָרֶת: לְהוֹרֹת בְּיוֹם הַטָּמֵא וּבְיוֹם הַטָּהֹר
זֹאת תּוֹרַת הַצָּרָעַת:

טו א ב טֻמְאַת הַזָּב: וַיְדַבֵּר יְהוָה אֶל־מֹשֶׁה וְאֶל־אַהֲרֹן לֵאמֹר: דַּבְּרוּ אֶל־בְּנֵי יִשְׂרָאֵל
וַאֲמַרְתֶּם אֲלֵהֶם אִישׁ אִישׁ כִּי יִהְיֶה זָב מִבְּשָׂרוֹ זוֹבוֹ טָמֵא
ג הוּא: וְזֹאת תִּהְיֶה טֻמְאָתוֹ בְּזוֹבוֹ רָר בְּשָׂרוֹ אֶת־זוֹבוֹ אוֹ־הֶחְתִּים
ד בְּשָׂרוֹ מִזּוֹבוֹ טֻמְאָתוֹ הִוא: כָּל־הַמִּשְׁכָּב אֲשֶׁר יִשְׁכַּב עָלָיו הַזָּב
ה יִטְמָא וְכָל־הַכְּלִי אֲשֶׁר־יֵשֵׁב עָלָיו יִטְמָא: וְאִישׁ אֲשֶׁר יִגַּע
ו בְּמִשְׁכָּבוֹ יְכַבֵּס בְּגָדָיו וְרָחַץ בַּמַּיִם וְטָמֵא עַד־הָעָרֶב: וְהַיֹּשֵׁב
עַל־הַכְּלִי אֲשֶׁר־יֵשֵׁב עָלָיו הַזָּב יְכַבֵּס בְּגָדָיו וְרָחַץ בַּמַּיִם וְטָמֵא
ז עַד־הָעָרֶב: וְהַנֹּגֵעַ בִּבְשַׂר הַזָּב יְכַבֵּס בְּגָדָיו וְרָחַץ בַּמַּיִם וְטָמֵא
ח עַד־הָעָרֶב: וְכִי־יָרֹק הַזָּב בַּטָּהוֹר וְכִבֶּס בְּגָדָיו וְרָחַץ בַּמַּיִם וְטָמֵא
ט י עַד־הָעָרֶב: וְכָל־הַמֶּרְכָּב אֲשֶׁר יִרְכַּב עָלָיו הַזָּב יִטְמָא: וְכָל־הַנֹּגֵעַ
בְּכֹל אֲשֶׁר יִהְיֶה תַחְתָּיו יִטְמָא עַד־הָעָרֶב וְהַנּוֹשֵׂא אוֹתָם יְכַבֵּס
יא בְּגָדָיו וְרָחַץ בַּמַּיִם וְטָמֵא עַד־הָעָרֶב: וְכֹל אֲשֶׁר יִגַּע־בּוֹ הַזָּב וְיָדָיו
לֹא־שָׁטַף בַּמָּיִם וְכִבֶּס בְּגָדָיו וְרָחַץ בַּמַּיִם וְטָמֵא עַד־הָעָרֶב:
יב וּכְלִי־חֶרֶשׂ אֲשֶׁר־יִגַּע־בּוֹ הַזָּב יִשָּׁבֵר וְכָל־כְּלִי־עֵץ יִשָּׁטֵף בַּמָּיִם:
יג טָהֳרַת הַזָּב וְקָרְבְּנוֹתָיו: וְכִי־יִטְהַר הַזָּב מִזּוֹבוֹ וְסָפַר לוֹ שִׁבְעַת יָמִים לְטָהֳרָתוֹ וְכִבֶּס בְּגָדָיו
יד וְרָחַץ בְּשָׂרוֹ בְּמַיִם חַיִּים וְטָהֵר: וּבַיּוֹם הַשְּׁמִינִי יִקַּח־לוֹ שְׁתֵּי תֹרִים

אוֹ שְׁנֵי בְּנֵי יוֹנָה וּבָא ׀ לִפְנֵי יְהוָה אֶל־פֶּתַח אֹהֶל מוֹעֵד וּנְתָנָם
טו אֶל־הַכֹּהֵן: וְעָשָׂה אֹתָם הַכֹּהֵן אֶחָד חַטָּאת וְהָאֶחָד עֹלָה וְכִפֶּר
טז עָלָיו הַכֹּהֵן לִפְנֵי יְהוָה מִזּוֹבוֹ: וְאִישׁ כִּי־תֵצֵא מִמֶּנּוּ ששי /שביעי/
שִׁכְבַת־זָרַע וְרָחַץ בַּמַּיִם אֶת־כָּל־בְּשָׂרוֹ וְטָמֵא עַד־הָעָרֶב: טֻמְאַת שִׁכְבַת
יז וְכָל־בֶּגֶד וְכָל־עוֹר אֲשֶׁר־יִהְיֶה עָלָיו שִׁכְבַת־זָרַע וְכֻבַּס בַּמַּיִם זָרַע:
יח וְטָמֵא עַד־הָעָרֶב: וְאִשָּׁה אֲשֶׁר יִשְׁכַּב אִישׁ אֹתָהּ שִׁכְבַת־זָרַע
וְרָחֲצוּ בַמַּיִם וְטָמְאוּ עַד־הָעָרֶב:
יט וְאִשָּׁה כִּי־תִהְיֶה זָבָה דָּם יִהְיֶה זֹבָהּ בִּבְשָׂרָהּ שִׁבְעַת יָמִים טֻמְאַת נִדָּה:
כ תִּהְיֶה בְנִדָּתָהּ וְכָל־הַנֹּגֵעַ בָּהּ יִטְמָא עַד־הָעָרֶב: וְכֹל אֲשֶׁר
תִּשְׁכַּב עָלָיו בְּנִדָּתָהּ יִטְמָא וְכֹל אֲשֶׁר־תֵּשֵׁב עָלָיו יִטְמָא:
כא וְכָל־הַנֹּגֵעַ בְּמִשְׁכָּבָהּ יְכַבֵּס בְּגָדָיו וְרָחַץ בַּמַּיִם וְטָמֵא עַד־
כב הָעָרֶב: וְכָל־הַנֹּגֵעַ בְּכָל־כְּלִי אֲשֶׁר־תֵּשֵׁב עָלָיו יְכַבֵּס בְּגָדָיו
כג וְרָחַץ בַּמַּיִם וְטָמֵא עַד־הָעָרֶב: וְאִם עַל־הַמִּשְׁכָּב הוּא אוֹ
עַל־הַכְּלִי אֲשֶׁר־הִוא יֹשֶׁבֶת־עָלָיו בְּנָגְעוֹ־בוֹ יִטְמָא עַד־הָעָרֶב:
כד וְאִם שָׁכֹב יִשְׁכַּב אִישׁ אֹתָהּ וּתְהִי נִדָּתָהּ עָלָיו וְטָמֵא שִׁבְעַת
כה יָמִים וְכָל־הַמִּשְׁכָּב אֲשֶׁר־יִשְׁכַּב עָלָיו יִטְמָא: וְאִשָּׁה טֻמְאַת זָבָה:
כִּי־יָזוּב זוֹב דָּמָהּ יָמִים רַבִּים בְּלֹא עֶת־נִדָּתָהּ אוֹ כִי־תָזוּב
עַל־נִדָּתָהּ כָּל־יְמֵי זוֹב טֻמְאָתָהּ כִּימֵי נִדָּתָהּ תִּהְיֶה טְמֵאָה
כו הִוא: כָּל־הַמִּשְׁכָּב אֲשֶׁר־תִּשְׁכַּב עָלָיו כָּל־יְמֵי זוֹבָהּ כְּמִשְׁכַּב
נִדָּתָהּ יִהְיֶה־לָּהּ וְכָל־הַכְּלִי אֲשֶׁר תֵּשֵׁב עָלָיו טָמֵא יִהְיֶה
כז כְּטֻמְאַת נִדָּתָהּ: וְכָל־הַנּוֹגֵעַ בָּם יִטְמָא וְכִבֶּס בְּגָדָיו וְרָחַץ טָהֳרַת הַזָּבָה
כח בַּמַּיִם וְטָמֵא עַד־הָעָרֶב: וְאִם־טָהֲרָה מִזּוֹבָהּ וְסָפְרָה לָּהּ וְקָרְבְּנוֹתֶיהָ:
כט שִׁבְעַת יָמִים וְאַחַר תִּטְהָר: וּבַיּוֹם הַשְּׁמִינִי תִּקַּח־לָהּ שְׁתֵּי שביעי
תֹרִים אוֹ שְׁנֵי בְּנֵי יוֹנָה וְהֵבִיאָה אוֹתָם אֶל־הַכֹּהֵן אֶל־פֶּתַח אֹהֶל
ל מוֹעֵד: וְעָשָׂה הַכֹּהֵן אֶת־הָאֶחָד חַטָּאת וְאֶת־הָאֶחָד עֹלָה וְכִפֶּר

מפטיר

לא עָלֶיהָ הַכֹּהֵן לִפְנֵי יְהוָה מִזּוֹב טֻמְאָתָהּ׃ וְהִזַּרְתֶּם אֶת־בְּנֵי
יִשְׂרָאֵל מִטֻּמְאָתָם וְלֹא יָמֻתוּ בְּטֻמְאָתָם בְּטַמְּאָם אֶת־מִשְׁכָּנִי
לב אֲשֶׁר בְּתוֹכָם׃ זֹאת תּוֹרַת הַזָּב וַאֲשֶׁר תֵּצֵא מִמֶּנּוּ שִׁכְבַת־זֶרַע
לג לְטָמְאָה־בָהּ׃ וְהַדָּוָה בְּנִדָּתָהּ וְהַזָּב אֶת־זוֹבוֹ לַזָּכָר וְלַנְּקֵבָה
וּלְאִישׁ אֲשֶׁר יִשְׁכַּב עִם־טְמֵאָה׃

אחרי מות

אַזְהָרַת הַכְּנִיסָה לְקֹדֶשׁ הַקֳּדָשִׁים: סֵדֶר עֲבוֹדַת יוֹם הַכִּפּוּרִים:

טז א וַיְדַבֵּר יְהוָה אֶל־מֹשֶׁה אַחֲרֵי מוֹת שְׁנֵי בְּנֵי אַהֲרֹן בְּקָרְבָתָם
ב לִפְנֵי־יְהוָה וַיָּמֻתוּ׃ וַיֹּאמֶר יְהוָה אֶל־מֹשֶׁה דַּבֵּר אֶל־אַהֲרֹן אָחִיךָ
וְאַל־יָבֹא בְכָל־עֵת אֶל־הַקֹּדֶשׁ מִבֵּית לַפָּרֹכֶת אֶל־פְּנֵי הַכַּפֹּרֶת
ג אֲשֶׁר עַל־הָאָרֹן וְלֹא יָמוּת כִּי בֶּעָנָן אֵרָאֶה עַל־הַכַּפֹּרֶת׃ בְּזֹאת
יָבֹא אַהֲרֹן אֶל־הַקֹּדֶשׁ בְּפַר בֶּן־בָּקָר לְחַטָּאת וְאַיִל לְעֹלָה׃
ד כְּתֹנֶת־בַּד קֹדֶשׁ יִלְבָּשׁ וּמִכְנְסֵי־בַד יִהְיוּ עַל־בְּשָׂרוֹ וּבְאַבְנֵט
בַּד יַחְגֹּר וּבְמִצְנֶפֶת בַּד יִצְנֹף בִּגְדֵי־קֹדֶשׁ הֵם וְרָחַץ בַּמַּיִם
ה אֶת־בְּשָׂרוֹ וּלְבֵשָׁם׃ וּמֵאֵת עֲדַת בְּנֵי יִשְׂרָאֵל יִקַּח שְׁנֵי־שְׂעִירֵי
ו עִזִּים לְחַטָּאת וְאַיִל אֶחָד לְעֹלָה׃ וְהִקְרִיב אַהֲרֹן אֶת־פַּר הַחַטָּאת
ז אֲשֶׁר־לוֹ וְכִפֶּר בַּעֲדוֹ וּבְעַד בֵּיתוֹ׃ וְלָקַח אֶת־שְׁנֵי הַשְּׂעִירִם
ח וְהֶעֱמִיד אֹתָם לִפְנֵי יְהוָה פֶּתַח אֹהֶל מוֹעֵד׃ וְנָתַן אַהֲרֹן עַל־שְׁנֵי
ט הַשְּׂעִירִם גֹּרָלוֹת גּוֹרָל אֶחָד לַיהוָה וְגוֹרָל אֶחָד לַעֲזָאזֵל׃ וְהִקְרִיב
אַהֲרֹן אֶת־הַשָּׂעִיר אֲשֶׁר עָלָה עָלָיו הַגּוֹרָל לַיהוָה וְעָשָׂהוּ חַטָּאת׃
י וְהַשָּׂעִיר אֲשֶׁר עָלָה עָלָיו הַגּוֹרָל לַעֲזָאזֵל יָעֳמַד־חַי לִפְנֵי יְהוָה
יא לְכַפֵּר עָלָיו לְשַׁלַּח אֹתוֹ לַעֲזָאזֵל הַמִּדְבָּרָה׃ וְהִקְרִיב אַהֲרֹן
אֶת־פַּר הַחַטָּאת אֲשֶׁר־לוֹ וְכִפֶּר בַּעֲדוֹ וּבְעַד בֵּיתוֹ וְשָׁחַט אֶת־פַּר
יב הַחַטָּאת אֲשֶׁר־לוֹ׃ וְלָקַח מְלֹא־הַמַּחְתָּה גַּחֲלֵי־אֵשׁ מֵעַל הַמִּזְבֵּחַ
מִלִּפְנֵי יְהוָה וּמְלֹא חָפְנָיו קְטֹרֶת סַמִּים דַּקָּה וְהֵבִיא מִבֵּית
יג לַפָּרֹכֶת׃ וְנָתַן אֶת־הַקְּטֹרֶת עַל־הָאֵשׁ לִפְנֵי יְהוָה וְכִסָּה ׀ עֲנַן
יד הַקְּטֹרֶת אֶת־הַכַּפֹּרֶת אֲשֶׁר עַל־הָעֵדוּת וְלֹא יָמוּת׃ וְלָקַח

מִדַּם הַפָּר וְהִזָּה בְאֶצְבָּעוֹ עַל־פְּנֵי הַכַּפֹּרֶת קֵדְמָה וְלִפְנֵי הַכַּפֹּרֶת
טו יַזֶּה שֶׁבַע־פְּעָמִים מִן־הַדָּם בְּאֶצְבָּעוֹ׃ וְשָׁחַט אֶת־שְׂעִיר הַחַטָּאת
אֲשֶׁר לָעָם וְהֵבִיא אֶת־דָּמוֹ אֶל־מִבֵּית לַפָּרֹכֶת וְעָשָׂה אֶת־דָּמוֹ
כַּאֲשֶׁר עָשָׂה לְדַם הַפָּר וְהִזָּה אֹתוֹ עַל־הַכַּפֹּרֶת וְלִפְנֵי הַכַּפֹּרֶת׃
טז וְכִפֶּר עַל־הַקֹּדֶשׁ מִטֻּמְאֹת בְּנֵי יִשְׂרָאֵל וּמִפִּשְׁעֵיהֶם לְכָל־
חַטֹּאתָם וְכֵן יַעֲשֶׂה לְאֹהֶל מוֹעֵד הַשֹּׁכֵן אִתָּם בְּתוֹךְ טֻמְאֹתָם׃
יז וְכָל־אָדָם לֹא־יִהְיֶה ׀ בְּאֹהֶל מוֹעֵד בְּבֹאוֹ לְכַפֵּר בַּקֹּדֶשׁ עַד־
יח צֵאתוֹ וְכִפֶּר בַּעֲדוֹ וּבְעַד בֵּיתוֹ וּבְעַד כָּל־קְהַל יִשְׂרָאֵל׃ וְיָצָא שני
אֶל־הַמִּזְבֵּחַ אֲשֶׁר לִפְנֵי־יְהוָה וְכִפֶּר עָלָיו וְלָקַח מִדַּם הַפָּר
יט וּמִדַּם הַשָּׂעִיר וְנָתַן עַל־קַרְנוֹת הַמִּזְבֵּחַ סָבִיב׃ וְהִזָּה עָלָיו
מִן־הַדָּם בְּאֶצְבָּעוֹ שֶׁבַע פְּעָמִים וְטִהֲרוֹ וְקִדְּשׁוֹ מִטֻּמְאֹת בְּנֵי
כ יִשְׂרָאֵל׃ וְכִלָּה מִכַּפֵּר אֶת־הַקֹּדֶשׁ וְאֶת־אֹהֶל מוֹעֵד וְאֶת־
כא הַמִּזְבֵּחַ וְהִקְרִיב אֶת־הַשָּׂעִיר הֶחָי׃ וְסָמַךְ אַהֲרֹן אֶת־שְׁתֵּי יָדָו
עַל רֹאשׁ הַשָּׂעִיר הַחַי וְהִתְוַדָּה עָלָיו אֶת־כָּל־עֲוֺנֹת בְּנֵי יִשְׂרָאֵל
וְאֶת־כָּל־פִּשְׁעֵיהֶם לְכָל־חַטֹּאתָם וְנָתַן אֹתָם עַל־רֹאשׁ הַשָּׂעִיר
כב וְשִׁלַּח בְּיַד־אִישׁ עִתִּי הַמִּדְבָּרָה׃ וְנָשָׂא הַשָּׂעִיר עָלָיו אֶת־כָּל־
כג עֲוֺנֹתָם אֶל־אֶרֶץ גְּזֵרָה וְשִׁלַּח אֶת־הַשָּׂעִיר בַּמִּדְבָּר׃ וּבָא אַהֲרֹן
אֶל־אֹהֶל מוֹעֵד וּפָשַׁט אֶת־בִּגְדֵי הַבָּד אֲשֶׁר לָבַשׁ בְּבֹאוֹ
כד אֶל־הַקֹּדֶשׁ וְהִנִּיחָם שָׁם׃ וְרָחַץ אֶת־בְּשָׂרוֹ בַמַּיִם בְּמָקוֹם קָדוֹשׁ
וְלָבַשׁ אֶת־בְּגָדָיו וְיָצָא וְעָשָׂה אֶת־עֹלָתוֹ וְאֶת־עֹלַת הָעָם וְכִפֶּר
כה בַּעֲדוֹ וּבְעַד הָעָם׃ וְאֵת חֵלֶב הַחַטָּאת יַקְטִיר הַמִּזְבֵּחָה׃ שלישי /שני/
כו וְהַמְשַׁלֵּחַ אֶת־הַשָּׂעִיר לַעֲזָאזֵל יְכַבֵּס בְּגָדָיו וְרָחַץ אֶת־בְּשָׂרוֹ
כז בַּמַּיִם וְאַחֲרֵי־כֵן יָבוֹא אֶל־הַמַּחֲנֶה׃ וְאֵת פַּר הַחַטָּאת וְאֵת ׀
שְׂעִיר הַחַטָּאת אֲשֶׁר הוּבָא אֶת־דָּמָם לְכַפֵּר בַּקֹּדֶשׁ יוֹצִיא
אֶל־מִחוּץ לַמַּחֲנֶה וְשָׂרְפוּ בָאֵשׁ אֶת־עֹרֹתָם וְאֶת־בְּשָׂרָם וְאֶת־

כח פִּרְשָׁם: וְהַשֹּׂרֵף אֹתָם יְכַבֵּס בְּגָדָיו וְרָחַץ אֶת־בְּשָׂרוֹ בַּמָּיִם
מִצְוֹת יוֹם הַכִּפֻּרִים:
כט וְאַחֲרֵי־כֵן יָבוֹא אֶל־הַמַּחֲנֶה: וְהָיְתָה לָכֶם לְחֻקַּת עוֹלָם בַּחֹדֶשׁ
הַשְּׁבִיעִי בֶּעָשׂוֹר לַחֹדֶשׁ תְּעַנּוּ אֶת־נַפְשֹׁתֵיכֶם וְכָל־מְלָאכָה לֹא
ל תַעֲשׂוּ הָאֶזְרָח וְהַגֵּר הַגָּר בְּתוֹכְכֶם: כִּי־בַיּוֹם הַזֶּה יְכַפֵּר עֲלֵיכֶם
לא לְטַהֵר אֶתְכֶם מִכֹּל חַטֹּאתֵיכֶם לִפְנֵי יְהוָה תִּטְהָרוּ: שַׁבַּת שַׁבָּתוֹן
לב הִיא לָכֶם וְעִנִּיתֶם אֶת־נַפְשֹׁתֵיכֶם חֻקַּת עוֹלָם: וְכִפֶּר הַכֹּהֵן
אֲשֶׁר־יִמְשַׁח אֹתוֹ וַאֲשֶׁר יְמַלֵּא אֶת־יָדוֹ לְכַהֵן תַּחַת אָבִיו וְלָבַשׁ
לג אֶת־בִּגְדֵי הַבָּד בִּגְדֵי הַקֹּדֶשׁ: וְכִפֶּר אֶת־מִקְדַּשׁ הַקֹּדֶשׁ וְאֶת־
אֹהֶל מוֹעֵד וְאֶת־הַמִּזְבֵּחַ יְכַפֵּר וְעַל הַכֹּהֲנִים וְעַל־כָּל־עַם
לד הַקָּהָל יְכַפֵּר: וְהָיְתָה־זֹּאת לָכֶם לְחֻקַּת עוֹלָם לְכַפֵּר עַל־בְּנֵי
יִשְׂרָאֵל מִכָּל־חַטֹּאתָם אַחַת בַּשָּׁנָה וַיַּעַשׂ כַּאֲשֶׁר צִוָּה יְהוָה
אֶת־מֹשֶׁה:

רביעי
אַזְהָרַת שְׁחוּטֵי חוּץ:
יז א ב וַיְדַבֵּר יְהוָה אֶל־מֹשֶׁה לֵּאמֹר: דַּבֵּר אֶל־אַהֲרֹן וְאֶל־בָּנָיו וְאֶל
כָּל־בְּנֵי יִשְׂרָאֵל וְאָמַרְתָּ אֲלֵיהֶם זֶה הַדָּבָר אֲשֶׁר־צִוָּה יְהוָה
ג לֵאמֹר: אִישׁ אִישׁ מִבֵּית יִשְׂרָאֵל אֲשֶׁר יִשְׁחַט שׁוֹר אוֹ־כֶשֶׂב
ד אוֹ־עֵז בַּמַּחֲנֶה אוֹ אֲשֶׁר יִשְׁחַט מִחוּץ לַמַּחֲנֶה: וְאֶל־פֶּתַח אֹהֶל
מוֹעֵד לֹא הֱבִיאוֹ לְהַקְרִיב קָרְבָּן לַיהוָה לִפְנֵי מִשְׁכַּן יְהוָה דָּם
יֵחָשֵׁב לָאִישׁ הַהוּא דָּם שָׁפָךְ וְנִכְרַת הָאִישׁ הַהוּא מִקֶּרֶב עַמּוֹ:
ה לְמַעַן אֲשֶׁר יָבִיאוּ בְּנֵי יִשְׂרָאֵל אֶת־זִבְחֵיהֶם אֲשֶׁר הֵם זֹבְחִים
עַל־פְּנֵי הַשָּׂדֶה וֶהֱבִיאֻם לַיהוָה אֶל־פֶּתַח אֹהֶל מוֹעֵד אֶל־הַכֹּהֵן
ו וְזָבְחוּ זִבְחֵי שְׁלָמִים לַיהוָה אוֹתָם: וְזָרַק הַכֹּהֵן אֶת־הַדָּם
עַל־מִזְבַּח יְהוָה פֶּתַח אֹהֶל מוֹעֵד וְהִקְטִיר הַחֵלֶב לְרֵיחַ נִיחֹחַ
ז לַיהוָה: וְלֹא־יִזְבְּחוּ עוֹד אֶת־זִבְחֵיהֶם לַשְּׂעִירִם אֲשֶׁר הֵם זֹנִים
חמישי /שלישי/
ח אַחֲרֵיהֶם חֻקַּת עוֹלָם תִּהְיֶה־זֹּאת לָהֶם לְדֹרֹתָם: וַאֲלֵהֶם תֹּאמַר
אִישׁ אִישׁ מִבֵּית יִשְׂרָאֵל וּמִן־הַגֵּר אֲשֶׁר־יָגוּר בְּתוֹכָם אֲשֶׁר־

ט יַעֲלֶה עֹלָה אוֹ־זָבַח׃ וְאֶל־פֶּתַח אֹהֶל מוֹעֵד לֹא יְבִיאֶנּוּ לַעֲשׂוֹת
י אֹתוֹ לַיהוָה וְנִכְרַת הָאִישׁ הַהוּא מֵעַמָּיו׃ וְאִישׁ אִישׁ מִבֵּית יִשְׂרָאֵל אַזְהָרַת אֲכִילַת דָּם׃
וּמִן־הַגֵּר הַגָּר בְּתוֹכָם אֲשֶׁר יֹאכַל כָּל־דָּם וְנָתַתִּי פָנַי בַּנֶּפֶשׁ
יא הָאֹכֶלֶת אֶת־הַדָּם וְהִכְרַתִּי אֹתָהּ מִקֶּרֶב עַמָּהּ׃ כִּי נֶפֶשׁ הַבָּשָׂר
בַּדָּם הִוא וַאֲנִי נְתַתִּיו לָכֶם עַל־הַמִּזְבֵּחַ לְכַפֵּר עַל־נַפְשֹׁתֵיכֶם
יב כִּי־הַדָּם הוּא בַּנֶּפֶשׁ יְכַפֵּר׃ עַל־כֵּן אָמַרְתִּי לִבְנֵי יִשְׂרָאֵל
כָּל־נֶפֶשׁ מִכֶּם לֹא־תֹאכַל דָּם וְהַגֵּר הַגָּר בְּתוֹכְכֶם לֹא־יֹאכַל דָּם׃
יג וְאִישׁ אִישׁ מִבְּנֵי יִשְׂרָאֵל וּמִן־הַגֵּר הַגָּר בְּתוֹכָם אֲשֶׁר יָצוּד צֵיד מִצְוַת כִּסּוּי הַדָּם׃
יד חַיָּה אוֹ־עוֹף אֲשֶׁר יֵאָכֵל וְשָׁפַךְ אֶת־דָּמוֹ וְכִסָּהוּ בֶּעָפָר׃ כִּי־נֶפֶשׁ
כָּל־בָּשָׂר דָּמוֹ בְנַפְשׁוֹ הוּא וָאֹמַר לִבְנֵי יִשְׂרָאֵל דַּם כָּל־בָּשָׂר
לֹא תֹאכֵלוּ כִּי נֶפֶשׁ כָּל־בָּשָׂר דָּמוֹ הִוא כָּל־אֹכְלָיו יִכָּרֵת׃
טו וְכָל־נֶפֶשׁ אֲשֶׁר תֹּאכַל נְבֵלָה וּטְרֵפָה בָּאֶזְרָח וּבַגֵּר וְכִבֶּס בְּגָדָיו
טז וְרָחַץ בַּמַּיִם וְטָמֵא עַד־הָעֶרֶב וְטָהֵר׃ וְאִם לֹא יְכַבֵּס וּבְשָׂרוֹ לֹא
יִרְחָץ וְנָשָׂא עֲוֺנוֹ׃
יח א ב וַיְדַבֵּר יְהוָה אֶל־מֹשֶׁה לֵּאמֹר׃ דַּבֵּר אֶל־בְּנֵי יִשְׂרָאֵל וְאָמַרְתָּ אַזְהָרַת עֲרָיוֹת׃
ג אֲלֵהֶם אֲנִי יְהוָה אֱלֹהֵיכֶם׃ כְּמַעֲשֵׂה אֶרֶץ־מִצְרַיִם אֲשֶׁר יְשַׁבְתֶּם־
בָּהּ לֹא תַעֲשׂוּ וּכְמַעֲשֵׂה אֶרֶץ־כְּנַעַן אֲשֶׁר אֲנִי מֵבִיא אֶתְכֶם
ד שָׁמָּה לֹא תַעֲשׂוּ וּבְחֻקֹּתֵיהֶם לֹא תֵלֵכוּ׃ אֶת־מִשְׁפָּטַי תַּעֲשׂוּ
ה וְאֶת־חֻקֹּתַי תִּשְׁמְרוּ לָלֶכֶת בָּהֶם אֲנִי יְהוָה אֱלֹהֵיכֶם׃ וּשְׁמַרְתֶּם
אֶת־חֻקֹּתַי וְאֶת־מִשְׁפָּטַי אֲשֶׁר יַעֲשֶׂה אֹתָם הָאָדָם וָחַי בָּהֶם אֲנִי
ו יְהוָה׃ אִישׁ אִישׁ אֶל־כָּל־שְׁאֵר בְּשָׂרוֹ לֹא תִקְרְבוּ ששי
ז לְגַלּוֹת עֶרְוָה אֲנִי יְהוָה׃ עֶרְוַת אָבִיךָ וְעֶרְוַת אִמְּךָ לֹא
ח תְגַלֵּה אִמְּךָ הִוא לֹא תְגַלֶּה עֶרְוָתָהּ׃ עֶרְוַת אֵשֶׁת־
ט אָבִיךָ לֹא תְגַלֵּה עֶרְוַת אָבִיךָ הִוא׃ עֶרְוַת אֲחוֹתְךָ
בַת־אָבִיךָ אוֹ בַת־אִמֶּךָ מוֹלֶדֶת בַּיִת אוֹ מוֹלֶדֶת חוּץ לֹא תְגַלֶּה

י עֶרְוָתָן׃ עֶרְוַת בַּת־בִּנְךָ אוֹ
יא בַת־בִּתְּךָ לֹא תְגַלֶּה עֶרְוָתָן כִּי עֶרְוָתְךָ הֵנָּה׃ עֶרְוַת
בַּת־אֵשֶׁת אָבִיךָ מוֹלֶדֶת אָבִיךָ אֲחוֹתְךָ הִוא לֹא תְגַלֶּה
יב עֶרְוָתָהּ׃ עֶרְוַת אֲחוֹת־אָבִיךָ לֹא תְגַלֵּה שְׁאֵר אָבִיךָ
יג הִוא׃ עֶרְוַת אֲחוֹת־אִמְּךָ לֹא תְגַלֵּה כִּי־שְׁאֵר אִמְּךָ
יד הִוא׃ עֶרְוַת אֲחִי־אָבִיךָ לֹא תְגַלֵּה אֶל־אִשְׁתּוֹ לֹא
טו תִקְרָב דֹּדָתְךָ הִוא׃ עֶרְוַת כַּלָּתְךָ לֹא תְגַלֵּה אֵשֶׁת
טז בִּנְךָ הִוא לֹא תְגַלֶּה עֶרְוָתָהּ׃ עֶרְוַת אֵשֶׁת־אָחִיךָ לֹא
יז תְגַלֵּה עֶרְוַת אָחִיךָ הִוא׃ עֶרְוַת אִשָּׁה וּבִתָּהּ לֹא
תְגַלֵּה אֶת־בַּת־בְּנָהּ וְאֶת־בַּת־בִּתָּהּ לֹא תִקַּח לְגַלּוֹת עֶרְוָתָהּ
יח שַׁאֲרָה הֵנָּה זִמָּה הִוא׃ וְאִשָּׁה אֶל־אֲחֹתָהּ לֹא תִקָּח לִצְרֹר לְגַלּוֹת
יט עֶרְוָתָהּ עָלֶיהָ בְּחַיֶּיהָ׃ וְאֶל־אִשָּׁה בְּנִדַּת טֻמְאָתָהּ לֹא תִקְרַב
כ לְגַלּוֹת עֶרְוָתָהּ׃ וְאֶל־אֵשֶׁת עֲמִיתְךָ לֹא־תִתֵּן שְׁכָבְתְּךָ לְזָרַע
כא לְטָמְאָה־בָהּ׃ וּמִזַּרְעֲךָ לֹא־תִתֵּן לְהַעֲבִיר לַמֹּלֶךְ וְלֹא תְחַלֵּל
כב אֶת־שֵׁם אֱלֹהֶיךָ אֲנִי יְהוָה׃ וְאֶת־זָכָר לֹא תִשְׁכַּב מִשְׁכְּבֵי אִשָּׁה שביעי /רביעי/
כג תּוֹעֵבָה הִוא׃ וּבְכָל־בְּהֵמָה לֹא־תִתֵּן שְׁכָבְתְּךָ לְטָמְאָה־בָהּ
כד וְאִשָּׁה לֹא־תַעֲמֹד לִפְנֵי בְהֵמָה לְרִבְעָהּ תֶּבֶל הוּא׃ אַל־תִּטַּמְּאוּ חֹמֶר הָאִסּוּרִים:
בְּכָל־אֵלֶּה כִּי בְכָל־אֵלֶּה נִטְמְאוּ הַגּוֹיִם אֲשֶׁר־אֲנִי מְשַׁלֵּחַ
כה מִפְּנֵיכֶם׃ וַתִּטְמָא הָאָרֶץ וָאֶפְקֹד עֲוֺנָהּ עָלֶיהָ וַתָּקִא הָאָרֶץ
כו אֶת־יֹשְׁבֶיהָ׃ וּשְׁמַרְתֶּם אַתֶּם אֶת־חֻקֹּתַי וְאֶת־מִשְׁפָּטַי וְלֹא
כז תַעֲשׂוּ מִכֹּל הַתּוֹעֵבֹת הָאֵלֶּה הָאֶזְרָח וְהַגֵּר הַגָּר בְּתוֹכְכֶם׃ כִּי
אֶת־כָּל־הַתּוֹעֵבֹת הָאֵל עָשׂוּ אַנְשֵׁי־הָאָרֶץ אֲשֶׁר לִפְנֵיכֶם וַתִּטְמָא
כח הָאָרֶץ׃ וְלֹא־תָקִיא הָאָרֶץ אֶתְכֶם בְּטַמַּאֲכֶם אֹתָהּ כַּאֲשֶׁר קָאָה מפטיר
כט אֶת־הַגּוֹי אֲשֶׁר לִפְנֵיכֶם׃ כִּי כָּל־אֲשֶׁר יַעֲשֶׂה מִכֹּל הַתּוֹעֵבֹת
ל הָאֵלֶּה וְנִכְרְתוּ הַנְּפָשׁוֹת הָעֹשֹׂת מִקֶּרֶב עַמָּם׃ וּשְׁמַרְתֶּם אֶת־

מִשְׁמַרְתִּי לְבִלְתִּי עֲשׂוֹת מֵחֻקּוֹת הַתּוֹעֵבֹת אֲשֶׁר נַעֲשׂוּ לִפְנֵיכֶם
וְלֹא תִטַּמְּאוּ בָּהֶם אֲנִי יְהוָה אֱלֹהֵיכֶם׃
יט א ב וַיְדַבֵּר יְהוָה אֶל־מֹשֶׁה לֵּאמֹר׃ דַּבֵּר אֶל־כָּל־עֲדַת בְּנֵי־יִשְׂרָאֵל **קדשים** צִוּוּי
וְאָמַרְתָּ אֲלֵהֶם קְדֹשִׁים תִּהְיוּ כִּי קָדוֹשׁ אֲנִי יְהוָה אֱלֹהֵיכֶם׃ הַקְּדֻשָּׁה:
ג אִישׁ אִמּוֹ וְאָבִיו תִּירָאוּ וְאֶת־שַׁבְּתֹתַי תִּשְׁמֹרוּ אֲנִי יְהוָה
ד אֱלֹהֵיכֶם׃ אַל־תִּפְנוּ אֶל־הָאֱלִילִם וֵאלֹהֵי מַסֵּכָה לֹא תַעֲשׂוּ לָכֶם
ה אֲנִי יְהוָה אֱלֹהֵיכֶם׃ וְכִי תִזְבְּחוּ זֶבַח שְׁלָמִים לַיהוָה לִרְצֹנְכֶם דִּין הַנּוֹתָר וְהַפִּגּוּל:
ו תִּזְבָּחֻהוּ׃ בְּיוֹם זִבְחֲכֶם יֵאָכֵל וּמִמָּחֳרָת וְהַנּוֹתָר עַד־יוֹם
ז הַשְּׁלִישִׁי בָּאֵשׁ יִשָּׂרֵף׃ וְאִם הֵאָכֹל יֵאָכֵל בַּיּוֹם הַשְּׁלִישִׁי פִּגּוּל
ח הוּא לֹא יֵרָצֶה׃ וְאֹכְלָיו עֲוֺנוֹ יִשָּׂא כִּי־אֶת־קֹדֶשׁ יְהוָה חִלֵּל
ט וְנִכְרְתָה הַנֶּפֶשׁ הַהִוא מֵעַמֶּיהָ׃ וּבְקֻצְרְכֶם אֶת־קְצִיר אַרְצְכֶם מַתְּנוֹת עֲנִיִּים:
י לֹא תְכַלֶּה פְּאַת שָׂדְךָ לִקְצֹר וְלֶקֶט קְצִירְךָ לֹא תְלַקֵּט׃ וְכַרְמְךָ
לֹא תְעוֹלֵל וּפֶרֶט כַּרְמְךָ לֹא תְלַקֵּט לֶעָנִי וְלַגֵּר תַּעֲזֹב אֹתָם אֲנִי
יא יְהוָה אֱלֹהֵיכֶם׃ לֹא תִּגְנֹבוּ וְלֹא־תְכַחֲשׁוּ וְלֹא־תְשַׁקְּרוּ אִישׁ אִסּוּרִים בֵּין אָדָם לַחֲבֵרוֹ:
יב בַּעֲמִיתוֹ׃ וְלֹא־תִשָּׁבְעוּ בִשְׁמִי לַשָּׁקֶר וְחִלַּלְתָּ אֶת־שֵׁם אֱלֹהֶיךָ
יג אֲנִי יְהוָה׃ לֹא־תַעֲשֹׁק אֶת־רֵעֲךָ וְלֹא תִגְזֹל לֹא־תָלִין פְּעֻלַּת
יד שָׂכִיר אִתְּךָ עַד־בֹּקֶר׃ לֹא־תְקַלֵּל חֵרֵשׁ וְלִפְנֵי עִוֵּר לֹא תִתֵּן
טו מִכְשֹׁל וְיָרֵאתָ מֵּאֱלֹהֶיךָ אֲנִי יְהוָה׃ לֹא־תַעֲשׂוּ עָוֶל בַּמִּשְׁפָּט שני /חמישי/
לֹא־תִשָּׂא פְנֵי־דָל וְלֹא תֶהְדַּר פְּנֵי גָדוֹל בְּצֶדֶק תִּשְׁפֹּט עֲמִיתֶךָ׃
טז לֹא־תֵלֵךְ רָכִיל בְּעַמֶּיךָ לֹא תַעֲמֹד עַל־דַּם רֵעֶךָ אֲנִי יְהוָה׃
יז לֹא־תִשְׂנָא אֶת־אָחִיךָ בִּלְבָבֶךָ הוֹכֵחַ תּוֹכִיחַ אֶת־עֲמִיתֶךָ
יח וְלֹא־תִשָּׂא עָלָיו חֵטְא׃ לֹא־תִקֹּם וְלֹא־תִטֹּר אֶת־בְּנֵי עַמֶּךָ
יט וְאָהַבְתָּ לְרֵעֲךָ כָּמוֹךָ אֲנִי יְהוָה׃ אֶת־חֻקֹּתַי תִּשְׁמֹרוּ בְּהֶמְתְּךָ אִסּוּרֵי כִּלְאַיִם:
לֹא־תַרְבִּיעַ כִּלְאַיִם שָׂדְךָ לֹא־תִזְרַע כִּלְאָיִם וּבֶגֶד כִּלְאַיִם
כ שַׁעַטְנֵז לֹא יַעֲלֶה עָלֶיךָ׃ וְאִישׁ כִּי־יִשְׁכַּב אֶת־אִשָּׁה שִׁכְבַת־זֶרַע דִּין שִׁפְחָה חֲרוּפָה:

וְהִ֤וא שִׁפְחָה֙ נֶחֱרֶ֣פֶת לְאִ֔ישׁ וְהׇפְדֵּה֙ לֹ֣א נִפְדָּ֔תָה א֥וֹ חֻפְשָׁ֖ה לֹ֣א

כא נִתַּן־לָ֑הּ בִּקֹּ֧רֶת תִּֽהְיֶ֛ה לֹ֥א יוּמְת֖וּ כִּי־לֹ֥א חֻפָּֽשָׁה׃ וְהֵבִ֤יא

כב אֶת־אֲשָׁמוֹ֙ לַֽיהֹוָ֔ה אֶל־פֶּ֖תַח אֹ֣הֶל מוֹעֵ֑ד אֵ֖יל אָשָֽׁם׃ וְכִפֶּר֩ עָלָ֨יו

הַכֹּהֵ֜ן בְּאֵ֤יל הָֽאָשָׁם֙ לִפְנֵ֣י יְהֹוָ֔ה עַל־חַטָּאת֖וֹ אֲשֶׁ֣ר חָטָ֑א וְנִסְלַ֣ח

ל֔וֹ מֵחַטָּאת֖וֹ אֲשֶׁ֥ר חָטָֽא׃

שלישי
כג וְכִֽי־תָבֹ֣אוּ אֶל־הָאָ֗רֶץ וּנְטַעְתֶּם֙ כׇּל־עֵ֣ץ מַֽאֲכָ֔ל וַֽעֲרַלְתֶּ֥ם עׇרְלָת֖וֹ
דיני ערלה

ורביעי
כד אֶת־פִּרְי֑וֹ שָׁלֹ֣שׁ שָׁנִ֗ים יִֽהְיֶ֥ה לָכֶ֛ם עֲרֵלִ֖ים לֹ֥א יֵֽאָכֵֽל׃ וּבַשָּׁנָה֙

כה הָֽרְבִיעִ֔ת יִֽהְיֶ֖ה כׇּל־פִּרְי֑וֹ קֹ֥דֶשׁ הִלּוּלִ֖ים לַֽיהֹוָֽה׃ וּבַשָּׁנָ֣ה הַֽחֲמִישִׁ֗ת
אזהרות מתועבות הגוים

כו תֹּֽאכְלוּ֙ אֶת־פִּרְי֔וֹ לְהוֹסִ֥יף לָכֶ֖ם תְּבֽוּאָת֑וֹ אֲנִ֖י יְהֹוָ֥ה אֱלֹֽהֵיכֶֽם׃ לֹ֥א

כז תֹֽאכְל֖וּ עַל־הַדָּ֑ם לֹ֥א תְנַֽחֲשׁ֖וּ וְלֹ֥א תְעוֹנֵֽנוּ׃ לֹ֣א תַקִּ֔פוּ פְּאַ֖ת

כח רֹֽאשְׁכֶ֑ם וְלֹ֣א תַשְׁחִ֔ית אֵ֖ת פְּאַ֥ת זְקָנֶֽךָ׃ וְשֶׂ֣רֶט לָנֶ֗פֶשׁ לֹ֤א תִתְּנוּ֙
אסורים ומצוות

כט בִּבְשַׂרְכֶ֔ם וּכְתֹ֣בֶת קַֽעֲקַ֔ע לֹ֥א תִתְּנ֖וּ בָּכֶ֑ם אֲנִ֖י יְהֹוָֽה׃ אַל־תְּחַלֵּ֤ל

ל אֶֽת־בִּתְּךָ֙ לְהַזְנוֹתָ֔הּ וְלֹֽא־תִזְנֶ֣ה הָאָ֔רֶץ וּמָֽלְאָ֥ה הָאָ֖רֶץ זִמָּֽה׃

לא אֶת־שַׁבְּתֹתַ֣י תִּשְׁמֹ֔רוּ וּמִקְדָּשִׁ֖י תִּירָ֑אוּ אֲנִ֖י יְהֹוָֽה׃ אַל־תִּפְנ֤וּ

אֶל־הָֽאֹבֹת֙ וְאֶל־הַיִּדְּעֹנִ֔ים אַל־תְּבַקְשׁ֖וּ לְטׇמְאָ֣ה בָהֶ֑ם אֲנִ֖י יְהֹוָ֥ה

לב אֱלֹֽהֵיכֶֽם׃ מִפְּנֵ֤י שֵׂיבָה֙ תָּק֔וּם וְהָֽדַרְתָּ֖ פְּנֵ֣י זָקֵ֑ן וְיָרֵ֥אתָ מֵּֽאֱלֹהֶ֖יךָ

רביעי /וששי
לג אֲנִ֥י יְהֹוָֽה׃ וְכִֽי־יָג֧וּר אִתְּךָ֛ גֵּ֖ר בְּאַרְצְכֶ֑ם לֹ֥א תוֹנ֖וּ אֹתֽוֹ׃
אהבת הגר

לד כְּאֶזְרָ֣ח מִכֶּם֩ יִֽהְיֶ֨ה לָכֶ֜ם הַגֵּ֣ר ׀ הַגָּ֣ר אִתְּכֶ֗ם וְאָֽהַבְתָּ֥ לוֹ֙ כָּמ֔וֹךָ
צדוק המשקלות

לה כִּֽי־גֵרִ֥ים הֱיִיתֶ֖ם בְּאֶ֣רֶץ מִצְרָ֑יִם אֲנִ֖י יְהֹוָ֥ה אֱלֹֽהֵיכֶֽם׃ לֹא־תַֽעֲשׂ֥וּ

עָ֨וֶל֙ בַּמִּשְׁפָּ֔ט בַּמִּדָּ֕ה בַּמִּשְׁקָ֖ל וּבַמְּשׂוּרָֽה׃ מֹ֧אזְנֵי צֶ֣דֶק אַבְנֵי־צֶ֗דֶק

לו אֵ֥יפַת צֶ֛דֶק וְהִ֥ין צֶ֖דֶק יִֽהְיֶ֣ה לָכֶ֑ם אֲנִי֙ יְהֹוָ֣ה אֱלֹֽהֵיכֶ֔ם אֲשֶׁר־

לז הוֹצֵ֥אתִי אֶתְכֶ֖ם מֵאֶ֥רֶץ מִצְרָֽיִם׃ וּשְׁמַרְתֶּ֤ם אֶת־כׇּל־חֻקֹּתַי֙ וְאֶת־

כׇּל־מִשְׁפָּטַ֔י וַֽעֲשִׂיתֶ֖ם אֹתָ֑ם אֲנִ֖י יְהֹוָֽה׃

חמישי
כ א וַיְדַבֵּ֥ר יְהֹוָ֖ה אֶל־מֹשֶׁ֥ה לֵּאמֹֽר׃ וְאֶל־בְּנֵ֣י יִשְׂרָאֵל֮ תֹּאמַר֒ אִ֣ישׁ אִ֜ישׁ

מִבְּנֵ֣י יִשְׂרָאֵ֗ל וּמִן־הַגֵּ֤ר ׀ הַגָּ֣ר בְּיִשְׂרָאֵ֔ל אֲשֶׁ֨ר יִתֵּ֧ן מִזַּרְע֛וֹ

ג לַמֹּ֖לֶךְ מ֣וֹת יוּמָ֑ת עַ֥ם הָאָ֖רֶץ יִרְגְּמֻ֥הוּ בָאָֽבֶן׃ וַאֲנִ֞י אֶתֵּ֤ן אֶת־פָּנַי֙
בָּאִ֣ישׁ הַה֔וּא וְהִכְרַתִּ֥י אֹת֖וֹ מִקֶּ֣רֶב עַמּ֑וֹ כִּ֤י מִזַּרְעוֹ֙ נָתַ֣ן לַמֹּ֔לֶךְ
ד לְמַ֗עַן טַמֵּא֙ אֶת־מִקְדָּשִׁ֔י וּלְחַלֵּ֖ל אֶת־שֵׁ֥ם קָדְשִֽׁי׃ וְאִ֡ם הַעְלֵ֣ם
יַעְלִ֩ימוּ֩ עַ֨ם הָאָ֜רֶץ אֶת־עֵֽינֵיהֶם֙ מִן־הָאִ֣ישׁ הַה֔וּא בְּתִתּ֥וֹ מִזַּרְע֖וֹ
ה לַמֹּ֑לֶךְ לְבִלְתִּ֖י הָמִ֥ית אֹתֽוֹ׃ וְשַׂמְתִּ֨י אֲנִ֧י אֶת־פָּנַ֛י בָּאִ֥ישׁ הַה֖וּא
וּבְמִשְׁפַּחְתּ֑וֹ וְהִכְרַתִּ֨י אֹת֜וֹ וְאֵ֣ת ׀ כָּל־הַזֹּנִ֣ים אַחֲרָ֗יו לִזְנ֛וֹת אַחֲרֵ֥י
ו הַמֹּ֖לֶךְ מִקֶּ֥רֶב עַמָּֽם׃ וְהַנֶּ֗פֶשׁ אֲשֶׁ֨ר תִּפְנֶ֤ה אֶל־הָאֹבֹת֙ וְאֶל־
הַיִּדְּעֹנִ֔ים לִזְנֹ֖ת אַחֲרֵיהֶ֑ם וְנָתַתִּ֤י אֶת־פָּנַי֙ בַּנֶּ֣פֶשׁ הַהִ֔וא וְהִכְרַתִּ֥י
ז אֹת֖וֹ מִקֶּ֥רֶב עַמּֽוֹ׃ וְהִ֨תְקַדִּשְׁתֶּ֔ם וִהְיִיתֶ֖ם קְדֹשִׁ֑ים כִּ֛י אֲנִ֥י יְהוָ֖ה
ח אֱלֹהֵיכֶֽם׃ וּשְׁמַרְתֶּם֙ אֶת־חֻקֹּתַ֔י וַעֲשִׂיתֶ֖ם אֹתָ֑ם אֲנִ֥י יְהוָ֖ה
ט מְקַדִּשְׁכֶֽם׃ כִּֽי־אִ֣ישׁ אִ֗ישׁ אֲשֶׁ֨ר יְקַלֵּ֧ל אֶת־אָבִ֛יו וְאֶת־אִמּ֖וֹ מ֣וֹת
י יוּמָ֑ת אָבִ֧יו וְאִמּ֛וֹ קִלֵּ֖ל דָּמָ֥יו בּֽוֹ׃ וְאִ֗ישׁ אֲשֶׁ֤ר יִנְאַף֙ אֶת־אֵ֣שֶׁת
אִ֔ישׁ אֲשֶׁ֥ר יִנְאַ֖ף אֶת־אֵ֣שֶׁת רֵעֵ֑הוּ מֽוֹת־יוּמַ֥ת הַנֹּאֵ֖ף וְהַנֹּאָֽפֶת׃
יא וְאִ֗ישׁ אֲשֶׁ֤ר יִשְׁכַּב֙ אֶת־אֵ֣שֶׁת אָבִ֔יו עֶרְוַ֥ת אָבִ֖יו גִּלָּ֑ה מֽוֹת־יוּמְת֥וּ
יב שְׁנֵיהֶ֖ם דְּמֵיהֶ֥ם בָּֽם׃ וְאִ֗ישׁ אֲשֶׁ֤ר יִשְׁכַּב֙ אֶת־כַּלָּת֔וֹ מ֥וֹת יֽוּמְת֖וּ
יג שְׁנֵיהֶ֑ם תֶּ֥בֶל עָשׂ֖וּ דְּמֵיהֶ֥ם בָּֽם׃ וְאִ֗ישׁ אֲשֶׁ֨ר יִשְׁכַּ֤ב אֶת־זָכָר֙
מִשְׁכְּבֵ֣י אִשָּׁ֔ה תּוֹעֵבָ֥ה עָשׂ֖וּ שְׁנֵיהֶ֑ם מ֥וֹת יוּמָ֖תוּ דְּמֵיהֶ֥ם בָּֽם׃
יד וְאִ֗ישׁ אֲשֶׁ֨ר יִקַּ֧ח אֶת־אִשָּׁ֛ה וְאֶת־אִמָּ֖הּ זִמָּ֣ה הִ֑וא בָּאֵ֣שׁ יִשְׂרְפ֤וּ
טו אֹתוֹ֙ וְאֶתְהֶ֔ן וְלֹא־תִהְיֶ֥ה זִמָּ֖ה בְּתוֹכְכֶֽם׃ וְאִ֗ישׁ אֲשֶׁ֨ר יִתֵּ֧ן שְׁכָבְתּ֛וֹ
טז בִּבְהֵמָ֖ה מ֣וֹת יוּמָ֑ת וְאֶת־הַבְּהֵמָ֖ה תַּהֲרֹֽגוּ׃ וְאִשָּׁ֗ה אֲשֶׁ֨ר תִּקְרַ֤ב
אֶל־כָּל־בְּהֵמָה֙ לְרִבְעָ֣ה אֹתָ֔הּ וְהָרַגְתָּ֥ אֶת־הָאִשָּׁ֖ה וְאֶת־הַבְּהֵמָ֑ה
יז מ֥וֹת יוּמָ֖תוּ דְּמֵיהֶ֥ם בָּֽם׃ וְאִ֣ישׁ אֲשֶׁר־יִקַּ֣ח אֶת־אֲחֹת֡וֹ בַּת־אָבִ֣יו
א֣וֹ בַת־אִ֠מּ֠וֹ וְרָאָ֨ה אֶת־עֶרְוָתָ֜הּ וְהִֽיא־תִרְאֶ֤ה אֶת־עֶרְוָתוֹ֙ חֶ֣סֶד
יח ה֔וּא וְנִ֨כְרְת֔וּ לְעֵינֵ֖י בְּנֵ֣י עַמָּ֑ם עֶרְוַ֧ת אֲחֹת֛וֹ גִּלָּ֖ה עֲוֺנ֥וֹ יִשָּֽׂא׃ וְאִ֡ישׁ
אֲשֶׁר־יִשְׁכַּ֨ב אֶת־אִשָּׁ֜ה דָּוָ֗ה וְגִלָּ֤ה אֶת־עֶרְוָתָהּ֙ אֶת־מְקֹרָ֣הּ

עָנְשֵׁי עוֹבְדֵי הַמֹּלֶךְ וּבַעַל אוֹב:

ששי /שביעי/

עָנְשֵׁי הָעֲרָיוֹת:

הֶעֱרָה וְהִוא גִּלְּתָה אֶת־מְקוֹר דָּמֶיהָ וְנִכְרְתוּ שְׁנֵיהֶם מִקֶּרֶב עַמָּם׃
יט וְעֶרְוַת אֲחוֹת אִמְּךָ וַאֲחוֹת אָבִיךָ לֹא תְגַלֵּה כִּי אֶת־שְׁאֵרוֹ הֶעֱרָה
כ עֲוֺנָם יִשָּׂאוּ׃ וְאִישׁ אֲשֶׁר יִשְׁכַּב אֶת־דֹּדָתוֹ עֶרְוַת דֹּדוֹ גִּלָּה חֶטְאָם
כא יִשָּׂאוּ עֲרִירִים יָמֻתוּ׃ וְאִישׁ אֲשֶׁר יִקַּח אֶת־אֵשֶׁת אָחִיו נִדָּה הִוא
כב עֶרְוַת אָחִיו גִּלָּה עֲרִירִים יִהְיוּ׃ וּשְׁמַרְתֶּם אֶת־כָּל־חֻקֹּתַי
וְאֶת־כָּל־מִשְׁפָּטַי וַעֲשִׂיתֶם אֹתָם וְלֹא־תָקִיא אֶתְכֶם הָאָרֶץ אֲשֶׁר
שביעי לְפָרֵשׁ מֵחֻקּוֹת הַגּוֹיִם:
כג אֲנִי מֵבִיא אֶתְכֶם שָׁמָּה לָשֶׁבֶת בָּהּ׃ וְלֹא תֵלְכוּ בְּחֻקֹּת הַגּוֹי
אֲשֶׁר־אֲנִי מְשַׁלֵּחַ מִפְּנֵיכֶם כִּי אֶת־כָּל־אֵלֶּה עָשׂוּ וָאָקֻץ בָּם׃
כד וָאֹמַר לָכֶם אַתֶּם תִּירְשׁוּ אֶת־אַדְמָתָם וַאֲנִי אֶתְּנֶנָּה לָכֶם לָרֶשֶׁת
אֹתָהּ אֶרֶץ זָבַת חָלָב וּדְבָשׁ אֲנִי יְהֹוָה אֱלֹהֵיכֶם אֲשֶׁר־הִבְדַּלְתִּי
מפטיר
כה אֶתְכֶם מִן־הָעַמִּים׃ וְהִבְדַּלְתֶּם בֵּין־הַבְּהֵמָה הַטְּהֹרָה לַטְּמֵאָה
וּבֵין־הָעוֹף הַטָּמֵא לַטָּהֹר וְלֹא־תְשַׁקְּצוּ אֶת־נַפְשֹׁתֵיכֶם בַּבְּהֵמָה
וּבָעוֹף וּבְכֹל אֲשֶׁר תִּרְמֹשׂ הָאֲדָמָה אֲשֶׁר־הִבְדַּלְתִּי לָכֶם לְטַמֵּא׃
כו וִהְיִיתֶם לִי קְדֹשִׁים כִּי קָדוֹשׁ אֲנִי יְהֹוָה וָאַבְדִּל אֶתְכֶם
כז מִן־הָעַמִּים לִהְיוֹת לִי׃ וְאִישׁ אוֹ־אִשָּׁה כִּי־יִהְיֶה בָהֶם אוֹב אוֹ
יִדְּעֹנִי מוֹת יוּמָתוּ בָּאֶבֶן יִרְגְּמוּ אֹתָם דְּמֵיהֶם בָּם׃

אמר קְדֻשַּׁת הַכֹּהֲנִים:
כא א וַיֹּאמֶר יְהֹוָה אֶל־מֹשֶׁה אֱמֹר אֶל־הַכֹּהֲנִים בְּנֵי אַהֲרֹן וְאָמַרְתָּ
ב אֲלֵהֶם לְנֶפֶשׁ לֹא־יִטַּמָּא בְּעַמָּיו׃ כִּי אִם־לִשְׁאֵרוֹ הַקָּרֹב אֵלָיו
ג לְאִמּוֹ וּלְאָבִיו וְלִבְנוֹ וּלְבִתּוֹ וּלְאָחִיו׃ וְלַאֲחֹתוֹ הַבְּתוּלָה הַקְּרוֹבָה
ד אֵלָיו אֲשֶׁר לֹא־הָיְתָה לְאִישׁ לָהּ יִטַּמָּא׃ לֹא יִטַּמָּא בַּעַל בְּעַמָּיו
ה לְהֵחַלּוֹ׃ לֹא־יִקְרְחוּ יקרחה קָרְחָה בְּרֹאשָׁם וּפְאַת זְקָנָם לֹא יְגַלֵּחוּ
ו וּבִבְשָׂרָם לֹא יִשְׂרְטוּ שָׂרָטֶת׃ קְדֹשִׁים יִהְיוּ לֵאלֹהֵיהֶם וְלֹא
יְחַלְּלוּ שֵׁם אֱלֹהֵיהֶם כִּי אֶת־אִשֵּׁי יְהֹוָה לֶחֶם אֱלֹהֵיהֶם הֵם
ז מַקְרִיבִם וְהָיוּ קֹדֶשׁ׃ אִשָּׁה זֹנָה וַחֲלָלָה לֹא יִקָּחוּ וְאִשָּׁה גְּרוּשָׁה
ח מֵאִישָׁהּ לֹא יִקָּחוּ כִּי־קָדֹשׁ הוּא לֵאלֹהָיו׃ וְקִדַּשְׁתּוֹ כִּי־אֶת־לֶחֶם

אֱלֹהֶיךָ הוּא מַקְרִיב קָדֹשׁ יִהְיֶה־לָּךְ כִּי קָדוֹשׁ אֲנִי יְהוָֹה
מְקַדִּשְׁכֶם: וּבַת אִישׁ כֹּהֵן כִּי תֵחֵל לִזְנוֹת אֶת־אָבִיהָ הִיא ט
מְחַלֶּלֶת בָּאֵשׁ תִּשָּׂרֵף: וְהַכֹּהֵן הַגָּדוֹל מֵאֶחָיו אֲשֶׁר־יוּצַק י
דִּינֵי הַכֹּהֵן הַגָּדוֹל:
עַל־רֹאשׁוֹ | שֶׁמֶן הַמִּשְׁחָה וּמִלֵּא אֶת־יָדוֹ לִלְבֹּשׁ אֶת־הַבְּגָדִים
אֶת־רֹאשׁוֹ לֹא יִפְרָע וּבְגָדָיו לֹא יִפְרֹם: וְעַל כָּל־נַפְשֹׁת מֵת לֹא יא
יָבֹא לְאָבִיו וּלְאִמּוֹ לֹא יִטַּמָּא: וּמִן־הַמִּקְדָּשׁ לֹא יֵצֵא וְלֹא יְחַלֵּל יב
אֵת מִקְדַּשׁ אֱלֹהָיו כִּי נֵזֶר שֶׁמֶן מִשְׁחַת אֱלֹהָיו עָלָיו אֲנִי יְהוָֹה:
וְהוּא אִשָּׁה בִבְתוּלֶיהָ יִקָּח: אַלְמָנָה וּגְרוּשָׁה וַחֲלָלָה זֹנָה אֶת־אֵלֶּה יג יד
לֹא יִקָּח כִּי אִם־בְּתוּלָה מֵעַמָּיו יִקַּח אִשָּׁה: וְלֹא־יְחַלֵּל זַרְעוֹ טו
בְּעַמָּיו כִּי אֲנִי יְהוָֹה מְקַדְּשׁוֹ: וַיְדַבֵּר יְהוָֹה אֶל־מֹשֶׁה טז
שני מומי כֹּהֲנִים:
לֵּאמֹר: דַּבֵּר אֶל־אַהֲרֹן לֵאמֹר אִישׁ מִזַּרְעֲךָ לְדֹרֹתָם אֲשֶׁר יִהְיֶה יז
בוֹ מוּם לֹא יִקְרַב לְהַקְרִיב לֶחֶם אֱלֹהָיו: כִּי כָל־אִישׁ אֲשֶׁר־בּוֹ יח
מוּם לֹא יִקְרָב אִישׁ עִוֵּר אוֹ פִסֵּחַ אוֹ חָרֻם אוֹ שָׂרוּעַ: אוֹ אִישׁ יט
אֲשֶׁר־יִהְיֶה בוֹ שֶׁבֶר רָגֶל אוֹ שֶׁבֶר יָד: אוֹ־גִבֵּן אוֹ־דַק אוֹ תְּבַלֻּל כ
בְּעֵינוֹ אוֹ גָרָב אוֹ יַלֶּפֶת אוֹ מְרוֹחַ אָשֶׁךְ: כָּל־אִישׁ אֲשֶׁר־בּוֹ כא
מוּם מִזֶּרַע אַהֲרֹן הַכֹּהֵן לֹא יִגַּשׁ לְהַקְרִיב אֶת־אִשֵּׁי יְהוָֹה מוּם בּוֹ
אֵת לֶחֶם אֱלֹהָיו לֹא יִגַּשׁ לְהַקְרִיב: לֶחֶם אֱלֹהָיו מִקָּדְשֵׁי הַקֳּדָשִׁים כב
וּמִן־הַקֳּדָשִׁים יֹאכֵל: אַךְ אֶל־הַפָּרֹכֶת לֹא יָבֹא וְאֶל־הַמִּזְבֵּחַ לֹא כג
יִגַּשׁ כִּי־מוּם בּוֹ וְלֹא יְחַלֵּל אֶת־מִקְדָּשַׁי כִּי אֲנִי יְהוָֹה מְקַדְּשָׁם:
וַיְדַבֵּר מֹשֶׁה אֶל־אַהֲרֹן וְאֶל־בָּנָיו וְאֶל־כָּל־בְּנֵי יִשְׂרָאֵל: כד
וַיְדַבֵּר יְהוָֹה אֶל־מֹשֶׁה לֵּאמֹר: דַּבֵּר אֶל־אַהֲרֹן וְאֶל־בָּנָיו וְיִנָּזְרוּ א ב כב
אַזְהָרַת אֲכִילַת קֳדָשִׁים בְּטֻמְאָה:
מִקָּדְשֵׁי בְנֵי־יִשְׂרָאֵל וְלֹא יְחַלְּלוּ אֶת־שֵׁם קָדְשִׁי אֲשֶׁר הֵם
מַקְדִּשִׁים לִי אֲנִי יְהוָֹה: אֱמֹר אֲלֵהֶם לְדֹרֹתֵיכֶם כָּל־אִישׁ | ג
אֲשֶׁר־יִקְרַב מִכָּל־זַרְעֲכֶם אֶל־הַקֳּדָשִׁים אֲשֶׁר יַקְדִּישׁוּ בְנֵי־
יִשְׂרָאֵל לַיהוָֹה וְטֻמְאָתוֹ עָלָיו וְנִכְרְתָה הַנֶּפֶשׁ הַהִוא מִלְּפָנַי אֲנִי

ד יְהוָה: אִישׁ אִישׁ מִזֶּרַע אַהֲרֹן וְהוּא צָרוּעַ אוֹ זָב בַּקֳּדָשִׁים לֹא
יֹאכַל עַד אֲשֶׁר יִטְהָר וְהַנֹּגֵעַ בְּכָל־טְמֵא־נֶפֶשׁ אוֹ אִישׁ אֲשֶׁר־
ה תֵּצֵא מִמֶּנּוּ שִׁכְבַת־זָרַע: אוֹ־אִישׁ אֲשֶׁר יִגַּע בְּכָל־שֶׁרֶץ אֲשֶׁר
ו יִטְמָא־לוֹ אוֹ בְאָדָם אֲשֶׁר יִטְמָא־לוֹ לְכֹל טֻמְאָתוֹ: נֶפֶשׁ אֲשֶׁר
תִּגַּע־בּוֹ וְטָמְאָה עַד־הָעָרֶב וְלֹא יֹאכַל מִן־הַקֳּדָשִׁים כִּי אִם־
ז רָחַץ בְּשָׂרוֹ בַּמָּיִם: וּבָא הַשֶּׁמֶשׁ וְטָהֵר וְאַחַר יֹאכַל מִן־הַקֳּדָשִׁים
ח כִּי לַחְמוֹ הוּא: נְבֵלָה וּטְרֵפָה לֹא יֹאכַל לְטָמְאָה־בָהּ אֲנִי יְהוָה:
ט וְשָׁמְרוּ אֶת־מִשְׁמַרְתִּי וְלֹא־יִשְׂאוּ עָלָיו חֵטְא וּמֵתוּ בוֹ כִּי יְחַלְּלֻהוּ
י אֲנִי יְהוָה מְקַדְּשָׁם: וְכָל־זָר לֹא־יֹאכַל קֹדֶשׁ תּוֹשַׁב כֹּהֵן וְשָׂכִיר אוֹכְלֵי
יא לֹא־יֹאכַל קֹדֶשׁ: וְכֹהֵן כִּי־יִקְנֶה נֶפֶשׁ קִנְיַן כַּסְפּוֹ הוּא יֹאכַל בּוֹ תְרוּמָה:
יב וִילִיד בֵּיתוֹ הֵם יֹאכְלוּ בְלַחְמוֹ: וּבַת־כֹּהֵן כִּי תִהְיֶה לְאִישׁ זָר
יג הִוא בִּתְרוּמַת הַקֳּדָשִׁים לֹא תֹאכֵל: וּבַת־כֹּהֵן כִּי תִהְיֶה אַלְמָנָה
וּגְרוּשָׁה וְזֶרַע אֵין לָהּ וְשָׁבָה אֶל־בֵּית אָבִיהָ כִּנְעוּרֶיהָ מִלֶּחֶם
יד אָבִיהָ תֹּאכֵל וְכָל־זָר לֹא־יֹאכַל בּוֹ: וְאִישׁ כִּי־יֹאכַל קֹדֶשׁ בִּשְׁגָגָה
טו וְיָסַף חֲמִשִׁיתוֹ עָלָיו וְנָתַן לַכֹּהֵן אֶת־הַקֹּדֶשׁ: וְלֹא יְחַלְּלוּ
טז אֶת־קָדְשֵׁי בְּנֵי יִשְׂרָאֵל אֵת אֲשֶׁר־יָרִימוּ לַיהוָה: וְהִשִּׂיאוּ אוֹתָם
עֲוֺן אַשְׁמָה בְּאָכְלָם אֶת־קָדְשֵׁיהֶם כִּי אֲנִי יְהוָה מְקַדְּשָׁם:
יז יח וַיְדַבֵּר יְהוָה אֶל־מֹשֶׁה לֵּאמֹר: דַּבֵּר אֶל־אַהֲרֹן וְאֶל־בָּנָיו וְאֶל שלישי
כָּל־בְּנֵי יִשְׂרָאֵל וְאָמַרְתָּ אֲלֵהֶם אִישׁ אִישׁ מִבֵּית יִשְׂרָאֵל מוּמֵי קָדָשִׁים:
וּמִן־הַגֵּר בְּיִשְׂרָאֵל אֲשֶׁר יַקְרִיב קָרְבָּנוֹ לְכָל־נִדְרֵיהֶם וּלְכָל־
יט נִדְבוֹתָם אֲשֶׁר־יַקְרִיבוּ לַיהוָה לְעֹלָה: לִרְצֹנְכֶם תָּמִים זָכָר בַּבָּקָר
כ בַּכְּשָׂבִים וּבָעִזִּים: כֹּל אֲשֶׁר־בּוֹ מוּם לֹא תַקְרִיבוּ כִּי־לֹא לְרָצוֹן
כא יִהְיֶה לָכֶם: וְאִישׁ כִּי־יַקְרִיב זֶבַח־שְׁלָמִים לַיהוָה לְפַלֵּא־נֶדֶר
אוֹ לִנְדָבָה בַּבָּקָר אוֹ בַצֹּאן תָּמִים יִהְיֶה לְרָצוֹן כָּל־מוּם לֹא
כב יִהְיֶה־בּוֹ: עַוֶּרֶת אוֹ שָׁבוּר אוֹ־חָרוּץ אוֹ־יַבֶּלֶת אוֹ גָרָב אוֹ

יַלֶּפֶת לֹא־תַקְרִ֤יבוּ אֵ֙לֶּה֙ לַֽיהֹוָ֔ה וְאִשֶּׁ֗ה לֹֽא־תִתְּנ֥וּ מֵהֶ֖ם עַל־

כג הַמִּזְבֵּ֖חַ לַֽיהֹוָֽה׃ וְשׁ֥וֹר וָשֶׂ֖ה שָׂר֣וּעַ וְקָל֑וּט נְדָבָה֙ תַּעֲשֶׂ֣ה אֹת֔וֹ

כד וּלְנֵ֖דֶר לֹ֥א יֵרָצֶֽה׃ וּמָע֤וּךְ וְכָתוּת֙ וְנָת֣וּק וְכָר֔וּת לֹ֥א תַקְרִ֖יבוּ

כה לַֽיהֹוָ֑ה וּֽבְאַרְצְכֶ֖ם לֹ֥א תַעֲשֽׂוּ׃ וּמִיַּ֣ד בֶּן־נֵכָ֗ר לֹ֥א תַקְרִ֛יבוּ

אֶת־לֶ֥חֶם אֱלֹֽהֵיכֶ֖ם מִכׇּל־אֵ֑לֶּה כִּ֣י מׇשְׁחָתָ֤ם בָּהֶם֙ מ֣וּם בָּ֔ם לֹ֥א

כו יֵרָצ֖וּ לָכֶֽם׃ וַיְדַבֵּ֥ר יְהֹוָ֖ה אֶל־מֹשֶׁ֥ה לֵּאמֹֽר׃

זְמַן רְצוּי הַקׇּרְבָּן׃

שׁ֣וֹר אוֹ־

כֶ֤שֶׂב אוֹ־עֵז֙ כִּ֣י יִוָּלֵ֔ד וְהָיָ֛ה שִׁבְעַ֥ת יָמִ֖ים תַּ֣חַת אִמּ֑וֹ וּמִיּ֤וֹם

אִסּוּר "אֹת֥וֹ וְאֶת־בְּנֽוֹ׃"

כח הַשְּׁמִינִי֙ וָהָ֔לְאָה יֵרָצֶ֕ה לְקׇרְבַּ֥ן אִשֶּׁ֖ה לַֽיהֹוָֽה׃ וְשׁ֖וֹר אוֹ־שֶׂ֑ה

כט וְאֹת֣וֹ וְאֶת־בְּנ֔וֹ לֹ֥א תִשְׁחֲט֖וּ בְּי֥וֹם אֶחָֽד׃ וְכִֽי־תִזְבְּח֥וּ זֶֽבַח־תּוֹדָ֖ה לַֽיהֹוָ֑ה

ל לִֽרְצֹנְכֶ֖ם תִּזְבָּֽחוּ׃ בַּיּ֤וֹם הַהוּא֙ יֵֽאָכֵ֔ל לֹֽא־תוֹתִ֥ירוּ מִמֶּ֖נּוּ עַד־בֹּ֑קֶר

לא אֲנִ֖י יְהֹוָֽה׃ וּשְׁמַרְתֶּם֙ מִצְוֺתַ֔י וַעֲשִׂיתֶ֖ם אֹתָ֑ם אֲנִ֖י יְהֹוָֽה׃ וְלֹ֤א

מִצְוַת קִדּוּשׁ הַשֵּׁם׃

תְחַלְּלוּ֙ אֶת־שֵׁ֣ם קׇדְשִׁ֔י וְנִ֨קְדַּשְׁתִּ֔י בְּת֖וֹךְ בְּנֵ֣י יִשְׂרָאֵ֑ל אֲנִ֥י יְהֹוָ֖ה

לג מְקַדִּשְׁכֶֽם׃ הַמּוֹצִ֤יא אֶתְכֶם֙ מֵאֶ֣רֶץ מִצְרַ֔יִם לִהְי֥וֹת לָכֶ֖ם

לֵֽאלֹהִ֑ים אֲנִ֖י יְהֹוָֽה׃

כג א וַיְדַבֵּ֥ר יְהֹוָ֖ה אֶל־מֹשֶׁ֥ה לֵּאמֹֽר׃ דַּבֵּ֞ר אֶל־בְּנֵ֤י יִשְׂרָאֵל֙ וְאָמַרְתָּ֣

רְבִיעִי שְׁמִירַת הַמּוֹעֲדִים וְהַשַּׁבָּת׃

אֲלֵהֶ֔ם מוֹעֲדֵ֣י יְהֹוָ֔ה אֲשֶׁר־תִּקְרְא֥וּ אֹתָ֖ם מִקְרָאֵ֣י קֹ֑דֶשׁ אֵ֥לֶּה הֵ֖ם

ג מוֹעֲדָֽי׃ שֵׁ֣שֶׁת יָמִים֮ תֵּעָשֶׂ֣ה מְלָאכָה֒ וּבַיּ֣וֹם הַשְּׁבִיעִ֗י שַׁבַּ֤ת

שַׁבָּתוֹן֙ מִקְרָא־קֹ֔דֶשׁ כׇּל־מְלָאכָ֖ה לֹ֣א תַעֲשׂ֑וּ שַׁבָּ֥ת הִוא֙ לַֽיהֹוָ֔ה

בְּכֹ֖ל מוֹשְׁבֹֽתֵיכֶֽם׃

ד אֵ֚לֶּה מוֹעֲדֵ֣י יְהֹוָ֔ה מִקְרָאֵ֖י קֹ֑דֶשׁ אֲשֶׁר־תִּקְרְא֥וּ אֹתָ֖ם בְּמוֹעֲדָֽם׃

חַג הַמַּצּוֹת׃

ה בַּחֹ֣דֶשׁ הָרִאשׁ֗וֹן בְּאַרְבָּעָ֥ה עָשָׂ֛ר לַחֹ֖דֶשׁ בֵּ֣ין הָעַרְבָּ֑יִם פֶּ֖סַח

ו לַֽיהֹוָֽה׃ וּבַחֲמִשָּׁ֨ה עָשָׂ֥ר יוֹם֙ לַחֹ֣דֶשׁ הַזֶּ֔ה חַ֥ג הַמַּצּ֖וֹת לַֽיהֹוָ֑ה

ז שִׁבְעַ֥ת יָמִ֖ים מַצּ֣וֹת תֹּאכֵֽלוּ׃ בַּיּוֹם֙ הָֽרִאשׁ֔וֹן מִקְרָא־קֹ֖דֶשׁ

ח יִהְיֶ֣ה לָכֶ֑ם כׇּל־מְלֶ֥אכֶת עֲבֹדָ֖ה לֹ֥א תַעֲשֽׂוּ׃ וְהִקְרַבְתֶּ֥ם אִשֶּׁ֛ה

לַֽיהֹוָ֖ה שִׁבְעַ֣ת יָמִ֑ים בַּיּ֤וֹם הַשְּׁבִיעִי֙ מִקְרָא־קֹ֔דֶשׁ כׇּל־מְלֶ֥אכֶת

עֲבֹדָה לֹא תַעֲשׂוּ:

קׇרְבַּן
הָעֹמֶר וַיְדַבֵּר יְהֹוָה אֶל־מֹשֶׁה לֵּאמֹר: דַּבֵּר אֶל־בְּנֵי יִשְׂרָאֵל וְאָמַרְתָּ
אֲלֵהֶם כִּי־תָבֹאוּ אֶל־הָאָרֶץ אֲשֶׁר אֲנִי נֹתֵן לָכֶם וּקְצַרְתֶּם
אֶת־קְצִירָהּ וַהֲבֵאתֶם אֶת־עֹמֶר רֵאשִׁית קְצִירְכֶם אֶל־הַכֹּהֵן:
יא וְהֵנִיף אֶת־הָעֹמֶר לִפְנֵי יְהֹוָה לִרְצֹנְכֶם מִמָּחֳרַת הַשַּׁבָּת יְנִיפֶנּוּ
הַכֹּהֵן: יב וַעֲשִׂיתֶם בְּיוֹם הֲנִיפְכֶם אֶת־הָעֹמֶר כֶּבֶשׂ תָּמִים בֶּן־שְׁנָתוֹ
לְעֹלָה לַיהֹוָה: יג וּמִנְחָתוֹ שְׁנֵי עֶשְׂרֹנִים סֹלֶת בְּלוּלָה בַשֶּׁמֶן אִשֶּׁה
לַיהֹוָה רֵיחַ נִיחֹחַ וְנִסְכֹּה יַיִן רְבִיעִת הַהִין: יד וְלֶחֶם וְקָלִי וְכַרְמֶל
לֹא תֹאכְלוּ עַד־עֶצֶם הַיּוֹם הַזֶּה עַד הֲבִיאֲכֶם אֶת־קָרְבַּן אֱלֹהֵיכֶם
סְפִירַת
הָעֹמֶר חֻקַּת עוֹלָם לְדֹרֹתֵיכֶם בְּכֹל מֹשְׁבֹתֵיכֶם: טו וּסְפַרְתֶּם
לָכֶם מִמָּחֳרַת הַשַּׁבָּת מִיּוֹם הֲבִיאֲכֶם אֶת־עֹמֶר הַתְּנוּפָה שֶׁבַע
שַׁבָּתוֹת תְּמִימֹת תִּהְיֶינָה: טז עַד מִמָּחֳרַת הַשַּׁבָּת הַשְּׁבִיעִת
תִּסְפְּרוּ חֲמִשִּׁים יוֹם וְהִקְרַבְתֶּם מִנְחָה חֲדָשָׁה לַיהֹוָה:
חַג
הַשָּׁבֻעוֹת
וְקׇרְבְּנוֹתָיו יז מִמּוֹשְׁבֹתֵיכֶם תָּבִיאּוּ ׀ לֶחֶם תְּנוּפָה שְׁתַּיִם שְׁנֵי עֶשְׂרֹנִים סֹלֶת
תִּהְיֶינָה חָמֵץ תֵּאָפֶינָה בִּכּוּרִים לַיהֹוָה: יח וְהִקְרַבְתֶּם עַל־הַלֶּחֶם
שִׁבְעַת כְּבָשִׂים תְּמִימִם בְּנֵי שָׁנָה וּפַר בֶּן־בָּקָר אֶחָד וְאֵילִם
שְׁנָיִם יִהְיוּ עֹלָה לַיהֹוָה וּמִנְחָתָם וְנִסְכֵּיהֶם אִשֵּׁה רֵיחַ־נִיחֹחַ
לַיהֹוָה: יט וַעֲשִׂיתֶם שְׂעִיר־עִזִּים אֶחָד לְחַטָּאת וּשְׁנֵי כְבָשִׂים בְּנֵי
שָׁנָה לְזֶבַח שְׁלָמִים: כ וְהֵנִיף הַכֹּהֵן ׀ אֹתָם עַל לֶחֶם הַבִּכֻּרִים
תְּנוּפָה לִפְנֵי יְהֹוָה עַל־שְׁנֵי כְּבָשִׂים קֹדֶשׁ יִהְיוּ לַיהֹוָה לַכֹּהֵן:
כא וּקְרָאתֶם בְּעֶצֶם ׀ הַיּוֹם הַזֶּה מִקְרָא־קֹדֶשׁ יִהְיֶה לָכֶם כָּל־
מְלֶאכֶת עֲבֹדָה לֹא תַעֲשׂוּ חֻקַּת עוֹלָם בְּכָל־מוֹשְׁבֹתֵיכֶם
לְדֹרֹתֵיכֶם: כב וּבְקֻצְרְכֶם אֶת־קְצִיר אַרְצְכֶם לֹא־תְכַלֶּה פְּאַת שָׂדְךָ
בְּקֻצְרֶךָ וְלֶקֶט קְצִירְךָ לֹא תְלַקֵּט לֶעָנִי וְלַגֵּר תַּעֲזֹב אֹתָם אֲנִי
יְהֹוָה אֱלֹהֵיכֶם:

חמישי ראשׁ השָּׁנָה:

כג כד וַיְדַבֵּר יְהוָה אֶל־מֹשֶׁה לֵּאמֹר׃ דַּבֵּר אֶל־בְּנֵי יִשְׂרָאֵל לֵאמֹר
בַּחֹדֶשׁ הַשְּׁבִיעִי בְּאֶחָד לַחֹדֶשׁ יִהְיֶה לָכֶם שַׁבָּתוֹן זִכְרוֹן
כה תְּרוּעָה מִקְרָא־קֹדֶשׁ׃ כָּל־מְלֶאכֶת עֲבֹדָה לֹא תַעֲשׂוּ וְהִקְרַבְתֶּם
כו כז אִשֶּׁה לַיהוָה׃ וַיְדַבֵּר יְהוָה אֶל־מֹשֶׁה לֵּאמֹר׃ אַךְ

יום הכִּפּוּרים:

בֶּעָשׂוֹר לַחֹדֶשׁ הַשְּׁבִיעִי הַזֶּה יוֹם הַכִּפֻּרִים הוּא מִקְרָא־קֹדֶשׁ
יִהְיֶה לָכֶם וְעִנִּיתֶם אֶת־נַפְשֹׁתֵיכֶם וְהִקְרַבְתֶּם אִשֶּׁה לַיהוָה׃
כח וְכָל־מְלָאכָה לֹא תַעֲשׂוּ בְּעֶצֶם הַיּוֹם הַזֶּה כִּי יוֹם כִּפֻּרִים הוּא
כט לְכַפֵּר עֲלֵיכֶם לִפְנֵי יְהוָה אֱלֹהֵיכֶם׃ כִּי כָל־הַנֶּפֶשׁ אֲשֶׁר לֹא־
ל תְעֻנֶּה בְּעֶצֶם הַיּוֹם הַזֶּה וְנִכְרְתָה מֵעַמֶּיהָ׃ וְכָל־הַנֶּפֶשׁ אֲשֶׁר
תַּעֲשֶׂה כָּל־מְלָאכָה בְּעֶצֶם הַיּוֹם הַזֶּה וְהַאֲבַדְתִּי אֶת־הַנֶּפֶשׁ
לא הַהִוא מִקֶּרֶב עַמָּהּ׃ כָּל־מְלָאכָה לֹא תַעֲשׂוּ חֻקַּת עוֹלָם
לב לְדֹרֹתֵיכֶם בְּכֹל מֹשְׁבֹתֵיכֶם׃ שַׁבַּת שַׁבָּתוֹן הוּא לָכֶם וְעִנִּיתֶם
אֶת־נַפְשֹׁתֵיכֶם בְּתִשְׁעָה לַחֹדֶשׁ בָּעֶרֶב מֵעֶרֶב עַד־עֶרֶב תִּשְׁבְּתוּ
שַׁבַּתְּכֶם׃

ששי חַג הסֻּכּוֹת וּמִצְוֹתָיו:

לג לד וַיְדַבֵּר יְהוָה אֶל־מֹשֶׁה לֵּאמֹר׃ דַּבֵּר אֶל־בְּנֵי יִשְׂרָאֵל לֵאמֹר
בַּחֲמִשָּׁה עָשָׂר יוֹם לַחֹדֶשׁ הַשְּׁבִיעִי הַזֶּה חַג הַסֻּכּוֹת שִׁבְעַת
לה יָמִים לַיהוָה׃ בַּיּוֹם הָרִאשׁוֹן מִקְרָא־קֹדֶשׁ כָּל־מְלֶאכֶת עֲבֹדָה
לו לֹא תַעֲשׂוּ׃ שִׁבְעַת יָמִים תַּקְרִיבוּ אִשֶּׁה לַיהוָה בַּיּוֹם הַשְּׁמִינִי
מִקְרָא־קֹדֶשׁ יִהְיֶה לָכֶם וְהִקְרַבְתֶּם אִשֶּׁה לַיהוָה עֲצֶרֶת הִוא
לז כָּל־מְלֶאכֶת עֲבֹדָה לֹא תַעֲשׂוּ׃ אֵלֶּה מוֹעֲדֵי יְהוָה אֲשֶׁר־תִּקְרְאוּ
אֹתָם מִקְרָאֵי קֹדֶשׁ לְהַקְרִיב אִשֶּׁה לַיהוָה עֹלָה וּמִנְחָה זֶבַח
לח וּנְסָכִים דְּבַר־יוֹם בְּיוֹמוֹ׃ מִלְּבַד שַׁבְּתֹת יְהוָה וּמִלְּבַד מַתְּנוֹתֵיכֶם
וּמִלְּבַד כָּל־נִדְרֵיכֶם וּמִלְּבַד כָּל־נִדְבֹתֵיכֶם אֲשֶׁר תִּתְּנוּ לַיהוָה׃
לט אַךְ בַּחֲמִשָּׁה עָשָׂר יוֹם לַחֹדֶשׁ הַשְּׁבִיעִי בְּאָסְפְּכֶם אֶת־תְּבוּאַת
הָאָרֶץ תָּחֹגּוּ אֶת־חַג־יְהוָה שִׁבְעַת יָמִים בַּיּוֹם הָרִאשׁוֹן שַׁבָּתוֹן

מ וּבַיּוֹם הַשְּׁמִינִי שַׁבָּתוֹן: וּלְקַחְתֶּם לָכֶם בַּיּוֹם הָרִאשׁוֹן פְּרִי עֵץ
הָדָר כַּפֹּת תְּמָרִים וַעֲנַף עֵץ־עָבֹת וְעַרְבֵי־נָחַל וּשְׂמַחְתֶּם לִפְנֵי
מא יְהוָה אֱלֹהֵיכֶם שִׁבְעַת יָמִים: וְחַגֹּתֶם אֹתוֹ חַג לַיהוָה שִׁבְעַת
יָמִים בַּשָּׁנָה חֻקַּת עוֹלָם לְדֹרֹתֵיכֶם בַּחֹדֶשׁ הַשְּׁבִיעִי תָּחֹגּוּ אֹתוֹ:
מב בַּסֻּכֹּת תֵּשְׁבוּ שִׁבְעַת יָמִים כָּל־הָאֶזְרָח בְּיִשְׂרָאֵל יֵשְׁבוּ בַּסֻּכֹּת:
מג לְמַעַן יֵדְעוּ דֹרֹתֵיכֶם כִּי בַסֻּכּוֹת הוֹשַׁבְתִּי אֶת־בְּנֵי יִשְׂרָאֵל
מד בְּהוֹצִיאִי אוֹתָם מֵאֶרֶץ מִצְרָיִם אֲנִי יְהוָה אֱלֹהֵיכֶם: וַיְדַבֵּר מֹשֶׁה
אֶת־מֹעֲדֵי יְהוָה אֶל־בְּנֵי יִשְׂרָאֵל:

שביעי נֵרוֹת הַמְּנוֹרָה:

כד א ב וַיְדַבֵּר יְהוָה אֶל־מֹשֶׁה לֵּאמֹר: צַו אֶת־בְּנֵי יִשְׂרָאֵל וְיִקְחוּ אֵלֶיךָ
ג שֶׁמֶן זַיִת זָךְ כָּתִית לַמָּאוֹר לְהַעֲלֹת נֵר תָּמִיד: מִחוּץ לְפָרֹכֶת
הָעֵדֻת בְּאֹהֶל מוֹעֵד יַעֲרֹךְ אֹתוֹ אַהֲרֹן מֵעֶרֶב עַד־בֹּקֶר לִפְנֵי
ד יְהוָה תָּמִיד חֻקַּת עוֹלָם לְדֹרֹתֵיכֶם: עַל הַמְּנֹרָה הַטְּהֹרָה יַעֲרֹךְ
אֶת־הַנֵּרוֹת לִפְנֵי יְהוָה תָּמִיד:

לֶחֶם הַפָּנִים:

ה וְלָקַחְתָּ סֹלֶת וְאָפִיתָ אֹתָהּ שְׁתֵּים עֶשְׂרֵה חַלּוֹת שְׁנֵי עֶשְׂרֹנִים
ו יִהְיֶה הַחַלָּה הָאֶחָת: וְשַׂמְתָּ אוֹתָם שְׁתַּיִם מַעֲרָכוֹת שֵׁשׁ
ז הַמַּעֲרָכֶת עַל הַשֻּׁלְחָן הַטָּהֹר לִפְנֵי יְהוָה: וְנָתַתָּ עַל־הַמַּעֲרֶכֶת
ח לְבֹנָה זַכָּה וְהָיְתָה לַלֶּחֶם לְאַזְכָּרָה אִשֶּׁה לַיהוָה: בְּיוֹם הַשַּׁבָּת
בְּיוֹם הַשַּׁבָּת יַעַרְכֶנּוּ לִפְנֵי יְהוָה תָּמִיד מֵאֵת בְּנֵי־יִשְׂרָאֵל בְּרִית
ט עוֹלָם: וְהָיְתָה לְאַהֲרֹן וּלְבָנָיו וַאֲכָלֻהוּ בְּמָקוֹם קָדֹשׁ כִּי קֹדֶשׁ
י קָדָשִׁים הוּא לוֹ מֵאִשֵּׁי יְהוָה חָק־עוֹלָם: וַיֵּצֵא

הַמְגַדֵּף וְעָנְשׁוֹ:

בֶּן־אִשָּׁה יִשְׂרְאֵלִית וְהוּא בֶּן־אִישׁ מִצְרִי בְּתוֹךְ בְּנֵי יִשְׂרָאֵל
יא וַיִּנָּצוּ בַּמַּחֲנֶה בֶּן הַיִּשְׂרְאֵלִית וְאִישׁ הַיִּשְׂרְאֵלִי: וַיִּקֹּב בֶּן־הָאִשָּׁה
הַיִּשְׂרְאֵלִית אֶת־הַשֵּׁם וַיְקַלֵּל וַיָּבִיאוּ אֹתוֹ אֶל־מֹשֶׁה וְשֵׁם אִמּוֹ
יב שְׁלֹמִית בַּת־דִּבְרִי לְמַטֵּה־דָן: וַיַּנִּיחֻהוּ בַּמִּשְׁמָר לִפְרֹשׁ לָהֶם
עַל־פִּי יְהוָה:

יג יד וַיְדַבֵּר יְהוָה אֶל־מֹשֶׁה לֵּאמֹר׃ הוֹצֵא אֶת־הַמְקַלֵּל אֶל־מִחוּץ
לַמַּחֲנֶה וְסָמְכוּ כָל־הַשֹּׁמְעִים אֶת־יְדֵיהֶם עַל־רֹאשׁוֹ וְרָגְמוּ אֹתוֹ
טו כָּל־הָעֵדָה׃ וְאֶל־בְּנֵי יִשְׂרָאֵל תְּדַבֵּר לֵאמֹר אִישׁ אִישׁ כִּי־יְקַלֵּל
טז אֱלֹהָיו וְנָשָׂא חֶטְאוֹ׃ וְנֹקֵב שֵׁם־יְהוָה מוֹת יוּמָת רָגוֹם יִרְגְּמוּ־בוֹ
יז כָּל־הָעֵדָה כַּגֵּר כָּאֶזְרָח בְּנָקְבוֹ־שֵׁם יוּמָת׃ וְאִישׁ כִּי יַכֶּה כָּל־נֶפֶשׁ
יח אָדָם מוֹת יוּמָת׃ וּמַכֵּה נֶפֶשׁ־בְּהֵמָה יְשַׁלְּמֶנָּה נֶפֶשׁ תַּחַת נָפֶשׁ׃
יט כ וְאִישׁ כִּי־יִתֵּן מוּם בַּעֲמִיתוֹ כַּאֲשֶׁר עָשָׂה כֵּן יֵעָשֶׂה לּוֹ׃ שֶׁבֶר דִּין חוֹבֵל וּמַזִּיק:
תַּחַת שֶׁבֶר עַיִן תַּחַת עַיִן שֵׁן תַּחַת שֵׁן כַּאֲשֶׁר יִתֵּן מוּם בָּאָדָם
כא כב כֵּן יִנָּתֶן בּוֹ׃ וּמַכֵּה בְהֵמָה יְשַׁלְּמֶנָּה וּמַכֵּה אָדָם יוּמָת׃ מִשְׁפַּט מפטיר
אֶחָד יִהְיֶה לָכֶם כַּגֵּר כָּאֶזְרָח יִהְיֶה כִּי אֲנִי יְהוָה אֱלֹהֵיכֶם׃
כג וַיְדַבֵּר מֹשֶׁה אֶל־בְּנֵי יִשְׂרָאֵל וַיּוֹצִיאוּ אֶת־הַמְקַלֵּל אֶל־מִחוּץ
לַמַּחֲנֶה וַיִּרְגְּמוּ אֹתוֹ אָבֶן וּבְנֵי־יִשְׂרָאֵל עָשׂוּ כַּאֲשֶׁר צִוָּה יְהוָה
אֶת־מֹשֶׁה׃

כה א ב וַיְדַבֵּר יְהוָה אֶל־מֹשֶׁה בְּהַר סִינַי לֵאמֹר׃ דַּבֵּר אֶל־בְּנֵי יִשְׂרָאֵל **בהר**
וְאָמַרְתָּ אֲלֵהֶם כִּי תָבֹאוּ אֶל־הָאָרֶץ אֲשֶׁר אֲנִי נֹתֵן לָכֶם וְשָׁבְתָה מִצְוַת הַשְּׁמִטָּה:
ג הָאָרֶץ שַׁבָּת לַיהוָה׃ שֵׁשׁ שָׁנִים תִּזְרַע שָׂדֶךָ וְשֵׁשׁ שָׁנִים תִּזְמֹר
ד כַּרְמֶךָ וְאָסַפְתָּ אֶת־תְּבוּאָתָהּ׃ וּבַשָּׁנָה הַשְּׁבִיעִת שַׁבַּת שַׁבָּתוֹן
יִהְיֶה לָאָרֶץ שַׁבָּת לַיהוָה שָׂדְךָ לֹא תִזְרָע וְכַרְמְךָ לֹא תִזְמֹר׃
ה אֵת סְפִיחַ קְצִירְךָ לֹא תִקְצוֹר וְאֶת־עִנְּבֵי נְזִירֶךָ לֹא תִבְצֹר
ו שְׁנַת שַׁבָּתוֹן יִהְיֶה לָאָרֶץ׃ וְהָיְתָה שַׁבַּת הָאָרֶץ לָכֶם
לְאָכְלָה לְךָ וּלְעַבְדְּךָ וְלַאֲמָתֶךָ וְלִשְׂכִירְךָ וּלְתוֹשָׁבְךָ הַגָּרִים
ז עִמָּךְ׃ וְלִבְהֶמְתְּךָ וְלַחַיָּה אֲשֶׁר בְּאַרְצֶךָ תִּהְיֶה כָל־תְּבוּאָתָהּ
ח לֶאֱכֹל׃ וְסָפַרְתָּ לְךָ שֶׁבַע שַׁבְּתֹת שָׁנִים שֶׁבַע שָׁנִים מִצְוַת הַיּוֹבֵל:
שֶׁבַע פְּעָמִים וְהָיוּ לְךָ יְמֵי שֶׁבַע שַׁבְּתֹת הַשָּׁנִים תֵּשַׁע וְאַרְבָּעִים
ט שָׁנָה׃ וְהַעֲבַרְתָּ שׁוֹפַר תְּרוּעָה בַּחֹדֶשׁ הַשְּׁבִעִי בֶּעָשׂוֹר לַחֹדֶשׁ

בְּיוֹם הַכִּפֻּרִים תַּעֲבִירוּ שׁוֹפָר בְּכָל־אַרְצְכֶם׃ וְקִדַּשְׁתֶּם אֵת שְׁנַת י
הַחֲמִשִּׁים שָׁנָה וּקְרָאתֶם דְּרוֹר בָּאָרֶץ לְכָל־יֹשְׁבֶיהָ יוֹבֵל הִוא
תִּהְיֶה לָכֶם וְשַׁבְתֶּם אִישׁ אֶל־אֲחֻזָּתוֹ וְאִישׁ אֶל־מִשְׁפַּחְתּוֹ
תָּשֻׁבוּ׃ יוֹבֵל הִוא שְׁנַת הַחֲמִשִּׁים שָׁנָה תִּהְיֶה לָכֶם לֹא תִזְרָעוּ יא
וְלֹא תִקְצְרוּ אֶת־סְפִיחֶיהָ וְלֹא תִבְצְרוּ אֶת־נְזִרֶיהָ׃ כִּי יוֹבֵל הִוא יב
קֹדֶשׁ תִּהְיֶה לָכֶם מִן־הַשָּׂדֶה תֹּאכְלוּ אֶת־תְּבוּאָתָהּ׃ בִּשְׁנַת יג
שני — הַיּוֹבֵל הַזֹּאת תָּשֻׁבוּ אִישׁ אֶל־אֲחֻזָּתוֹ׃ וְכִי־תִמְכְּרוּ מִמְכָּר יד
אִסּוּר אוֹנָאָה׃ — לַעֲמִיתֶךָ אוֹ קָנֹה מִיַּד עֲמִיתֶךָ אַל־תּוֹנוּ אִישׁ אֶת־אָחִיו׃ בְּמִסְפַּר טו
שָׁנִים אַחַר הַיּוֹבֵל תִּקְנֶה מֵאֵת עֲמִיתֶךָ בְּמִסְפַּר שְׁנֵי־תְבוּאֹת
יִמְכָּר־לָךְ׃ לְפִי ׀ רֹב הַשָּׁנִים תַּרְבֶּה מִקְנָתוֹ וּלְפִי מְעֹט הַשָּׁנִים טז
תַּמְעִיט מִקְנָתוֹ כִּי מִסְפַּר תְּבוּאֹת הוּא מֹכֵר לָךְ׃ וְלֹא תוֹנוּ אִישׁ יז
אֶת־עֲמִיתוֹ וְיָרֵאתָ מֵאֱלֹהֶיךָ כִּי אֲנִי יְהוָה אֱלֹהֵיכֶם׃ וַעֲשִׂיתֶם יח
אֶת־חֻקֹּתַי וְאֶת־מִשְׁפָּטַי תִּשְׁמְרוּ וַעֲשִׂיתֶם אֹתָם וִישַׁבְתֶּם עַל־
שלישי /שני/ — הָאָרֶץ לָבֶטַח׃ וְנָתְנָה הָאָרֶץ פִּרְיָהּ וַאֲכַלְתֶּם לָשֹׂבַע וִישַׁבְתֶּם יט
הַשֶּׁפַע בִּזְכוּת הַשְּׁמִטָּה׃ — לָבֶטַח עָלֶיהָ׃ וְכִי תֹאמְרוּ מַה־נֹּאכַל בַּשָּׁנָה הַשְּׁבִיעִת הֵן לֹא כ
נִזְרָע וְלֹא נֶאֱסֹף אֶת־תְּבוּאָתֵנוּ׃ וְצִוִּיתִי אֶת־בִּרְכָתִי לָכֶם בַּשָּׁנָה כא
הַשִּׁשִּׁית וְעָשָׂת אֶת־הַתְּבוּאָה לִשְׁלֹשׁ הַשָּׁנִים׃ וּזְרַעְתֶּם אֵת כב
הַשָּׁנָה הַשְּׁמִינִת וַאֲכַלְתֶּם מִן־הַתְּבוּאָה יָשָׁן עַד ׀ הַשָּׁנָה
הַתְּשִׁיעִת עַד־בּוֹא תְּבוּאָתָהּ תֹּאכְלוּ יָשָׁן׃ וְהָאָרֶץ לֹא תִמָּכֵר כג
לִצְמִתֻת כִּי־לִי הָאָרֶץ כִּי־גֵרִים וְתוֹשָׁבִים אַתֶּם עִמָּדִי׃ וּבְכֹל כד
רביעי — אֶרֶץ אֲחֻזַּתְכֶם גְּאֻלָּה תִּתְּנוּ לָאָרֶץ׃ כִּי־ כה
דִּין שְׂדֵה אֲחֻזָּה׃ — יָמוּךְ אָחִיךָ וּמָכַר מֵאֲחֻזָּתוֹ וּבָא גֹאֲלוֹ הַקָּרֹב אֵלָיו וְגָאַל אֵת
מִמְכַּר אָחִיו׃ וְאִישׁ כִּי לֹא יִהְיֶה־לּוֹ גֹּאֵל וְהִשִּׂיגָה יָדוֹ וּמָצָא כו
כְּדֵי גְאֻלָּתוֹ׃ וְחִשַּׁב אֶת־שְׁנֵי מִמְכָּרוֹ וְהֵשִׁיב אֶת־הָעֹדֵף לָאִישׁ כז
אֲשֶׁר מָכַר־לוֹ וְשָׁב לַאֲחֻזָּתוֹ׃ וְאִם לֹא־מָצְאָה יָדוֹ דֵּי הָשִׁיב לוֹ כח

וְהָיָה מִמְכָּרוֹ בְּיַד הַקֹּנֶה אֹתוֹ עַד שְׁנַת הַיּוֹבֵל וְיָצָא בַּיֹּבֵל וְשָׁב
כט לַאֲחֻזָּתוֹ: וְאִישׁ כִּי־יִמְכֹּר בֵּית־מוֹשַׁב עִיר חוֹמָה חמישי /שלישי/
ל וְהָיְתָה גְּאֻלָּתוֹ עַד־תֹּם שְׁנַת מִמְכָּרוֹ יָמִים תִּהְ־יֶה גְאֻלָּתוֹ: וְאִם
לֹא־יִגָּאֵל עַד־מְלֹאת לוֹ שָׁנָה תְמִימָה וְקָם הַבַּיִת אֲשֶׁר־בָּעִיר
אֲשֶׁר־לוֹ לא חֹמָה לַצְּמִיתֻת לַקֹּנֶה אֹתוֹ לְדֹרֹתָיו לֹא יֵצֵא בַּיֹּבֵל:
לא וּבָתֵּי הַחֲצֵרִים אֲשֶׁר אֵין־לָהֶם חֹמָה סָבִיב עַל־שְׂדֵה הָאָרֶץ
לב יֵחָשֵׁב גְּאֻלָּה תִּהְ־יֶה־לּוֹ וּבַיֹּבֵל יֵצֵא: וְעָרֵי הַלְוִיִּם בָּתֵּי עָרֵי
לג אֲחֻזָּתָם גְּאֻלַּת עוֹלָם תִּהְ־יֶה לַלְוִיִּם: וַאֲשֶׁר יִגְאַל מִן־הַלְוִיִּם
וְיָצָא מִמְכַּר־בַּיִת וְעִיר אֲחֻזָּתוֹ בַּיֹּבֵל כִּי בָתֵּי עָרֵי הַלְוִיִּם הִוא
לד אֲחֻזָּתָם בְּתוֹךְ בְּנֵי יִשְׂרָאֵל: וּשְׂדֵה מִגְרַשׁ עָרֵיהֶם לֹא יִמָּכֵר
לה כִּי־אֲחֻזַּת עוֹלָם הוּא לָהֶם: וְכִי־יָמוּךְ אָחִיךָ וּמָטָה
לו יָדוֹ עִמָּךְ וְהֶחֱזַקְתָּ בּוֹ גֵּר וְתוֹשָׁב וָחַי עִמָּךְ: אַל־תִּקַּח מֵאִתּוֹ
לז נֶשֶׁךְ וְתַרְבִּית וְיָרֵאתָ מֵאֱלֹהֶיךָ וְחֵי אָחִיךָ עִמָּךְ: אֶת־כַּסְפְּךָ
לח לֹא־תִתֵּן לוֹ בְּנֶשֶׁךְ וּבְמַרְבִּית לֹא־תִתֵּן אָכְלֶךָ: אֲנִי יְהוָה אֱלֹהֵיכֶם
אֲשֶׁר־הוֹצֵאתִי אֶתְכֶם מֵאֶרֶץ מִצְרָיִם לָתֵת לָכֶם אֶת־אֶרֶץ כְּנַעַן
לט לִהְ־יוֹת לָכֶם לֵאלֹהִים: וְכִי־יָמוּךְ אָחִיךָ ששי /רביעי/
מ עִמָּךְ וְנִמְכַּר־לָךְ לֹא־תַעֲבֹד בּוֹ עֲבֹדַת עָבֶד: כְּשָׂכִיר כְּתוֹשָׁב
מא יִהְ־יֶה עִמָּךְ עַד־שְׁנַת הַיֹּבֵל יַעֲבֹד עִמָּךְ: וְיָצָא מֵעִמָּךְ הוּא
מב וּבָנָיו עִמּוֹ וְשָׁב אֶל־מִשְׁפַּחְתּוֹ וְאֶל־אֲחֻזַּת אֲבֹתָיו יָשׁוּב: כִּי־
עֲבָדַי הֵם אֲשֶׁר־הוֹצֵאתִי אֹתָם מֵאֶרֶץ מִצְרָיִם לֹא יִמָּכְרוּ מִמְכֶּרֶת
מג מד עָבֶד: לֹא־תִרְדֶּה בוֹ בְּפָרֶךְ וְיָרֵאתָ מֵאֱלֹהֶיךָ: וְעַבְדְּךָ וַאֲמָתְךָ
אֲשֶׁר יִהְ־יוּ־לָךְ מֵאֵת הַגּוֹיִם אֲשֶׁר סְבִיבֹתֵיכֶם מֵהֶם תִּקְנוּ עֶבֶד
מה וְאָמָה: וְגַם מִבְּנֵי הַתּוֹשָׁבִים הַגָּרִים עִמָּכֶם מֵהֶם תִּקְנוּ
וּמִמִּשְׁפַּחְתָּם אֲשֶׁר עִמָּכֶם אֲשֶׁר הוֹלִידוּ בְּאַרְצְכֶם וְהָיוּ לָכֶם
מו לַאֲחֻזָּה: וְהִתְנַחַלְתֶּם אֹתָם לִבְנֵיכֶם אַחֲרֵיכֶם לָרֶשֶׁת אֲחֻזָּה

בָּתֵּי עָרֵי חוֹמָה וּבָתֵּי הַחֲצֵרִים:

אִסּוּר רִבִּית:

עֶבֶד עִבְרִי וְעֶבֶד כְּנַעֲנִי:

לְעֹלָם בָּהֶם תַּעֲבֹדוּ וּבְאַחֵיכֶם בְּנֵי־יִשְׂרָאֵל אִישׁ בְּאָחִיו לֹא־
מז תִרְדֶּה בוֹ בְּפָרֶךְ: וְכִי תַשִּׂיג יַד גֵּר וְתוֹשָׁב עִמָּךְ וּמָךְ שביעי הַנִּמְכָּר
אָחִיךָ עִמּוֹ וְנִמְכַּר לְגֵר תּוֹשָׁב עִמָּךְ אוֹ לְעֵקֶר מִשְׁפַּחַת גֵּר: לְגוֹי:
מח מט אַחֲרֵי נִמְכַּר גְּאֻלָּה תִּהְיֶה־לּוֹ אֶחָד מֵאֶחָיו יִגְאָלֶנּוּ: אוֹ־דֹדוֹ אוֹ
בֶן־דֹּדוֹ יִגְאָלֶנּוּ אוֹ־מִשְּׁאֵר בְּשָׂרוֹ מִמִּשְׁפַּחְתּוֹ יִגְאָלֶנּוּ אוֹ־הִשִּׂיגָה
נ יָדוֹ וְנִגְאָל: וְחִשַּׁב עִם־קֹנֵהוּ מִשְּׁנַת הִמָּכְרוֹ לוֹ עַד שְׁנַת הַיֹּבֵל
וְהָיָה כֶּסֶף מִמְכָּרוֹ בְּמִסְפַּר שָׁנִים כִּימֵי שָׂכִיר יִהְיֶה עִמּוֹ:
נא אִם־עוֹד רַבּוֹת בַּשָּׁנִים לְפִיהֶן יָשִׁיב גְּאֻלָּתוֹ מִכֶּסֶף מִקְנָתוֹ:
נב וְאִם־מְעַט נִשְׁאַר בַּשָּׁנִים עַד־שְׁנַת הַיֹּבֵל וְחִשַּׁב־לוֹ כְּפִי שָׁנָיו
נג יָשִׁיב אֶת־גְּאֻלָּתוֹ: כִּשְׂכִיר שָׁנָה בְּשָׁנָה יִהְיֶה עִמּוֹ לֹא־יִרְדֶּנּוּ
נד בְּפֶרֶךְ לְעֵינֶיךָ: וְאִם־לֹא יִגָּאֵל בְּאֵלֶּה וְיָצָא בִּשְׁנַת הַיֹּבֵל הוּא
נה וּבָנָיו עִמּוֹ: כִּי־לִי בְנֵי־יִשְׂרָאֵל עֲבָדִים עֲבָדַי הֵם אֲשֶׁר־הוֹצֵאתִי מפטיר
כו א אוֹתָם מֵאֶרֶץ מִצְרָיִם אֲנִי יְהוָה אֱלֹהֵיכֶם: לֹא־תַעֲשׂוּ לָכֶם אֱלִילִם אִסּוּר
וּפֶסֶל וּמַצֵּבָה לֹא־תָקִימוּ לָכֶם וְאֶבֶן מַשְׂכִּית לֹא תִתְּנוּ אֱלִילִים וְאֶבֶן
ב בְּאַרְצְכֶם לְהִשְׁתַּחֲוֺת עָלֶיהָ כִּי אֲנִי יְהוָה אֱלֹהֵיכֶם: אֶת־שַׁבְּתֹתַי מַשְׂכִּית:
תִּשְׁמֹרוּ וּמִקְדָּשִׁי תִּירָאוּ אֲנִי יְהוָה:

ג ד אִם־בְּחֻקֹּתַי תֵּלֵכוּ וְאֶת־מִצְוֺתַי תִּשְׁמְרוּ וַעֲשִׂיתֶם אֹתָם: וְנָתַתִּי **בחקתי**
גִשְׁמֵיכֶם בְּעִתָּם וְנָתְנָה הָאָרֶץ יְבוּלָהּ וְעֵץ הַשָּׂדֶה יִתֵּן פִּרְיוֹ: הַבְּרָכָה בְּקִיּוּם הַמִּצְווֹת:
ה וְהִשִּׂיג לָכֶם דַּיִשׁ אֶת־בָּצִיר וּבָצִיר יַשִּׂיג אֶת־זָרַע וַאֲכַלְתֶּם
ו לַחְמְכֶם לָשֹׂבַע וִישַׁבְתֶּם לָבֶטַח בְּאַרְצְכֶם: וְנָתַתִּי שָׁלוֹם בָּאָרֶץ שני
וּשְׁכַבְתֶּם וְאֵין מַחֲרִיד וְהִשְׁבַּתִּי חַיָּה רָעָה מִן־הָאָרֶץ וְחֶרֶב
ז לֹא־תַעֲבֹר בְּאַרְצְכֶם: וּרְדַפְתֶּם אֶת־אֹיְבֵיכֶם וְנָפְלוּ לִפְנֵיכֶם
ח לֶחָרֶב: וְרָדְפוּ מִכֶּם חֲמִשָּׁה מֵאָה וּמֵאָה מִכֶּם רְבָבָה יִרְדֹּפוּ
ט וְנָפְלוּ אֹיְבֵיכֶם לִפְנֵיכֶם לֶחָרֶב: וּפָנִיתִי אֲלֵיכֶם וְהִפְרֵיתִי אֶתְכֶם
י וְהִרְבֵּיתִי אֶתְכֶם וַהֲקִימֹתִי אֶת־בְּרִיתִי אִתְּכֶם: וַאֲכַלְתֶּם יָשָׁן שלישי /חמישי/

יא נוֹשָׁ֑ן וְיָשָׁ֕ן מִפְּנֵ֥י חָדָ֖שׁ תּוֹצִֽיאוּ׃ וְנָתַתִּ֥י מִשְׁכָּנִ֖י בְּתוֹכְכֶ֑ם וְלֹֽא־
יב תִגְעַ֥ל נַפְשִׁ֖י אֶתְכֶֽם׃ וְהִתְהַלַּכְתִּי֙ בְּת֣וֹכְכֶ֔ם וְהָיִ֥יתִי לָכֶ֖ם לֵֽאלֹהִ֑ים
יג וְאַתֶּ֖ם תִּֽהְיוּ־לִ֥י לְעָֽם׃ אֲנִ֞י יְהוָ֣ה אֱלֹהֵיכֶ֗ם אֲשֶׁ֨ר הוֹצֵ֤אתִי אֶתְכֶם֙
מֵאֶ֣רֶץ מִצְרַ֔יִם מִֽהְיֹ֥ת לָהֶ֖ם עֲבָדִ֑ים וָאֶשְׁבֹּר֙ מֹטֹ֣ת עֻלְּכֶ֔ם וָאוֹלֵ֥ךְ
אֶתְכֶ֖ם קֽוֹמְמִיּֽוּת׃
יד טו וְאִם־לֹ֥א תִשְׁמְע֖וּ לִ֑י וְלֹ֣א תַעֲשׂ֔וּ אֵ֥ת כָּל־הַמִּצְוֺ֖ת הָאֵֽלֶּה׃ וְאִם־
בְּחֻקֹּתַ֣י תִּמְאָ֔סוּ וְאִ֥ם אֶת־מִשְׁפָּטַ֖י תִּגְעַ֣ל נַפְשְׁכֶ֑ם לְבִלְתִּ֤י עֲשׂוֹת֙
הָעֹנֶשׁ בְּמָאִיסַת הַמִּצְוֹת:
טז אֶת־כָּל־מִצְוֺתַ֔י לְהַפְרְכֶ֖ם אֶת־בְּרִיתִֽי׃ אַף־אֲנִ֞י אֶֽעֱשֶׂה־זֹּ֣את לָכֶ֗ם
וְהִפְקַדְתִּ֨י עֲלֵיכֶ֤ם בֶּֽהָלָה֙ אֶת־הַשַּׁחֶ֣פֶת וְאֶת־הַקַּדַּ֔חַת מְכַלּ֥וֹת
עֵינַ֖יִם וּמְדִיבֹ֣ת נָ֑פֶשׁ וּזְרַעְתֶּ֤ם לָרִיק֙ זַרְעֲכֶ֔ם וַאֲכָלֻ֖הוּ אֹיְבֵיכֶֽם׃
יז וְנָתַתִּ֤י פָנַי֙ בָּכֶ֔ם וְנִגַּפְתֶּ֖ם לִפְנֵ֣י אֹיְבֵיכֶ֑ם וְרָד֤וּ בָכֶם֙ שֹׂנְאֵיכֶ֔ם
יח וְנַסְתֶּ֖ם וְאֵין־רֹדֵ֥ף אֶתְכֶֽם׃ וְאִ֨ם־עַד־אֵ֔לֶּה לֹ֥א תִשְׁמְע֖וּ לִ֑י וְיָסַפְתִּי֙
יט לְיַסְּרָ֣ה אֶתְכֶ֔ם שֶׁ֖בַע עַל־חַטֹּאתֵיכֶֽם׃ וְשָׁבַרְתִּ֖י אֶת־גְּא֣וֹן עֻזְּכֶ֑ם
כ וְנָתַתִּ֤י אֶת־שְׁמֵיכֶם֙ כַּבַּרְזֶ֔ל וְאֶת־אַרְצְכֶ֖ם כַּנְּחֻשָֽׁה׃ וְתַ֥ם לָרִ֖יק
כֹּֽחֲכֶ֑ם וְלֹֽא־תִתֵּ֤ן אַרְצְכֶם֙ אֶת־יְבוּלָ֔הּ וְעֵ֣ץ הָאָ֔רֶץ לֹ֥א יִתֵּ֖ן פִּרְיֽוֹ׃
כא וְאִם־תֵּלְכ֤וּ עִמִּי֙ קֶ֔רִי וְלֹ֥א תֹאב֖וּ לִשְׁמֹ֣עַ לִ֑י וְיָסַפְתִּ֤י עֲלֵיכֶם֙
כב מַכָּ֔ה שֶׁ֖בַע כְּחַטֹּאתֵיכֶֽם׃ וְהִשְׁלַחְתִּ֨י בָכֶ֜ם אֶת־חַיַּ֤ת הַשָּׂדֶה֙
וְשִׁכְּלָ֣ה אֶתְכֶ֔ם וְהִכְרִ֙יתָה֙ אֶת־בְּהֶמְתְּכֶ֔ם וְהִמְעִ֖יטָה אֶתְכֶ֑ם
כג וְנָשַׁ֖מּוּ דַּרְכֵיכֶֽם׃ וְאִ֨ם־בְּאֵ֔לֶּה לֹ֥א תִוָּסְר֖וּ לִ֑י וַהֲלַכְתֶּ֥ם עִמִּ֖י קֶֽרִי׃
כד וְהָלַכְתִּ֧י אַף־אֲנִ֛י עִמָּכֶ֖ם בְּקֶ֑רִי וְהִכֵּיתִ֤י אֶתְכֶם֙ גַּם־אָ֔נִי שֶׁ֖בַע
כה עַל־חַטֹּאתֵיכֶֽם׃ וְהֵבֵאתִ֨י עֲלֵיכֶ֜ם חֶ֗רֶב נֹקֶ֙מֶת֙ נְקַם־בְּרִ֔ית
וְנֶאֱסַפְתֶּ֖ם אֶל־עָרֵיכֶ֑ם וְשִׁלַּ֤חְתִּי דֶ֙בֶר֙ בְּת֣וֹכְכֶ֔ם וְנִתַּתֶּ֖ם בְּיַד־אוֹיֵֽב׃
כו בְּשִׁבְרִ֣י לָכֶם֮ מַטֵּה־לֶ֒חֶם֒ וְ֠אָפוּ עֶ֣שֶׂר נָשִׁ֤ים לַחְמְכֶם֙ בְּתַנּ֣וּר אֶחָ֔ד
כז וְהֵשִׁ֥יבוּ לַחְמְכֶ֖ם בַּמִּשְׁקָ֑ל וַאֲכַלְתֶּ֖ם וְלֹ֥א תִשְׂבָּֽעוּ׃ וְאִ֨ם־
כח בְּזֹ֔את לֹ֥א תִשְׁמְע֖וּ לִ֑י וַהֲלַכְתֶּ֥ם עִמִּ֖י בְּקֶֽרִי׃ וְהָלַכְתִּ֥י עִמָּכֶ֖ם

בַּחֲמַת־קֶ֑רִי וְיִסַּרְתִּ֤י אֶתְכֶם֙ אַף־אָ֔נִי שֶׁ֖בַע עַל־חַטֹּאתֵיכֶֽם:

כט וַאֲכַלְתֶּ֖ם בְּשַׂ֣ר בְּנֵיכֶ֑ם וּבְשַׂ֥ר בְּנֹתֵיכֶ֖ם תֹּאכֵֽלוּ: וְהִשְׁמַדְתִּ֞י אֶת־
בָּמֹֽתֵיכֶ֗ם וְהִכְרַתִּי֙ אֶת־חַמָּ֣נֵיכֶ֔ם וְנָֽתַתִּי֙ אֶת־פִּגְרֵיכֶ֔ם עַל־פִּגְרֵ֖י
לא גִּלּֽוּלֵיכֶ֑ם וְגָֽעֲלָ֥ה נַפְשִׁ֖י אֶתְכֶֽם: וְנָֽתַתִּ֤י אֶת־עָֽרֵיכֶם֙ חָרְבָּ֔ה
וַהֲשִׁמּֽוֹתִ֖י אֶת־מִקְדְּשֵׁיכֶ֑ם וְלֹ֣א אָרִ֔יחַ בְּרֵ֖יחַ נִיחֹֽחֲכֶֽם:
לב וַהֲשִׁמֹּתִ֥י אֲנִ֖י אֶת־הָאָ֑רֶץ וְשָֽׁמְמ֤וּ עָלֶ֨יהָ֙ אֹֽיְבֵיכֶ֔ם הַיֹּֽשְׁבִ֖ים בָּֽהּ:
לג וְאֶתְכֶם֙ אֱזָרֶ֣ה בַגּוֹיִ֔ם וַהֲרִֽיקֹתִ֥י אַחֲרֵיכֶ֖ם חָ֑רֶב וְהָֽיְתָ֤ה אַרְצְכֶם֙
שְׁמָמָ֔ה וְעָֽרֵיכֶ֖ם יִֽהְי֥וּ חָרְבָּֽה: אָ֣ז תִּרְצֶ֤ה הָאָ֨רֶץ֙ אֶת־שַׁבְּתֹתֶ֔יהָ
לד כֹּ֚ל יְמֵ֣י הָֽשַּׁמָּ֔ה וְאַתֶּ֖ם בְּאֶ֣רֶץ אֹֽיְבֵיכֶ֑ם אָ֚ז תִּשְׁבַּ֣ת הָאָ֔רֶץ וְהִרְצָ֖ת
אֶת־שַׁבְּתֹתֶֽיהָ: כָּל־יְמֵ֣י הָֽשַּׁמָּ֔ה תִּשְׁבֹּ֑ת אֵ֣ת אֲשֶׁ֧ר לֹֽא־שָֽׁבְתָ֛ה
לה בְּשַׁבְּתֹֽתֵיכֶ֖ם בְּשִׁבְתְּכֶ֥ם עָלֶֽיהָ: וְהַנִּשְׁאָרִ֣ים בָּכֶ֗ם וְהֵבֵ֤אתִי מֹ֨רֶךְ֙
בִּלְבָבָ֔ם בְּאַרְצֹ֖ת אֹֽיְבֵיהֶ֑ם וְרָדַ֤ף אֹתָם֙ ק֣וֹל עָלֶ֣ה נִדָּ֔ף וְנָ֧סוּ
לז מְנֻֽסַת־חֶ֛רֶב וְנָֽפְל֖וּ וְאֵ֣ין רֹדֵֽף: וְכָֽשְׁל֧וּ אִישׁ־בְּאָחִ֛יו כְּמִפְּנֵי־חֶ֖רֶב
וְרֹדֵ֣ף אָ֑יִן וְלֹא־תִֽהְיֶ֤ה לָכֶם֙ תְּקוּמָ֔ה לִפְנֵ֖י אֹֽיְבֵיכֶֽם: וַאֲבַדְתֶּ֖ם
לח בַּגּוֹיִ֑ם וְאָֽכְלָ֣ה אֶתְכֶ֔ם אֶ֖רֶץ אֹֽיְבֵיכֶֽם: וְהַנִּשְׁאָרִ֣ים בָּכֶ֗ם יִמַּ֨קּוּ֙
לט בַּֽעֲוֺנָ֔ם בְּאַרְצֹ֖ת אֹֽיְבֵיכֶ֑ם וְאַ֛ף בַּֽעֲוֺנֹ֥ת אֲבֹתָ֖ם אִתָּ֥ם יִמָּֽקּוּ: וְהִתְוַדּ֤וּ
מ אֶת־עֲוֺנָם֙ וְאֶת־עֲוֺ֣ן אֲבֹתָ֔ם בְּמַֽעֲלָ֖ם אֲשֶׁ֣ר מָֽעֲלוּ־בִ֑י וְאַ֕ף אֲשֶׁר־
הָֽלְכ֥וּ עִמִּ֖י בְּקֶֽרִי: אַף־אֲנִ֗י אֵלֵ֤ךְ עִמָּם֙ בְּקֶ֔רִי וְהֵֽבֵאתִ֣י אֹתָ֔ם בְּאֶ֖רֶץ

רַחֲמֵ֣י ה'
עַל־יְדֵ֣י
הַתְּשׁוּבָ֑ה

מב אֹֽיְבֵיהֶ֑ם אוֹ־אָ֣ז יִכָּנַ֗ע לְבָבָם֙ הֶֽעָרֵ֔ל וְאָ֖ז יִרְצ֣וּ אֶת־עֲוֺנָֽם: וְזָֽכַרְתִּ֖י
אֶת־בְּרִיתִ֣י יַֽעֲק֑וֹב וְאַ֨ף אֶת־בְּרִיתִ֤י יִצְחָק֙ וְאַ֖ף אֶת־בְּרִיתִ֧י
אַבְרָהָ֛ם אֶזְכֹּ֖ר וְהָאָ֥רֶץ אֶזְכֹּֽר: וְהָאָ֩רֶץ֩ תֵּֽעָזֵ֨ב מֵהֶ֜ם וְתִ֣רֶץ
מג אֶת־שַׁבְּתֹתֶ֗יהָ בָּהְשַׁמָּה֙ מֵהֶ֔ם וְהֵ֖ם יִרְצ֣וּ אֶת־עֲוֺנָ֑ם יַ֣עַן וּבְיַ֔עַן
בְּמִשְׁפָּטַ֣י מָאָ֔סוּ וְאֶת־חֻקֹּתַ֖י גָּֽעֲלָ֥ה נַפְשָֽׁם: וְאַף־גַּם־זֹ֠את
מד בִּֽהְיוֹתָ֞ם בְּאֶ֣רֶץ אֹֽיְבֵיהֶ֗ם לֹֽא־מְאַסְתִּ֤ים וְלֹֽא־גְעַלְתִּים֙ לְכַלֹּתָ֔ם
מה לְהָפֵ֥ר בְּרִיתִ֖י אִתָּ֑ם כִּ֛י אֲנִ֥י יְהֹוָ֖ה אֱלֹֽהֵיהֶֽם: וְזָֽכַרְתִּ֥י לָהֶ֖ם בְּרִ֥ית

רִאשֹׁנִ֑ים אֲשֶׁ֣ר הוֹצֵ֣אתִי־אֹתָ֩ם מֵאֶ֨רֶץ מִצְרַ֜יִם לְעֵינֵ֣י הַגּוֹיִ֗ם

מו לִהְי֥וֹת לָהֶ֖ם לֵאלֹהִ֑ים אֲנִ֖י יְהֹוָֽה: אֵ֠לֶּה הַחֻקִּ֨ים וְהַמִּשְׁפָּטִ֜ים

וְהַתּוֹרֹ֗ת אֲשֶׁר֙ נָתַ֣ן יְהֹוָ֔ה בֵּינ֕וֹ וּבֵ֖ין בְּנֵ֣י יִשְׂרָאֵ֑ל בְּהַ֥ר סִינַ֖י

בְּיַד־מֹשֶֽׁה:

רביעי (ששי)
כז א וַיְדַבֵּ֥ר יְהֹוָ֖ה אֶל־מֹשֶׁ֥ה לֵּאמֹֽר: דַּבֵּ֞ר אֶל־בְּנֵ֤י יִשְׂרָאֵל֙ וְאָֽמַרְתָּ֣

דיני ערכין:
ב אֲלֵהֶ֔ם אִ֕ישׁ כִּ֥י יַפְלִ֖א נֶ֑דֶר בְּעֶרְכְּךָ֥ נְפָשֹׁ֖ת לַֽיהֹוָֽה: וְהָיָ֤ה עֶרְכְּךָ֙

ג הַזָּכָ֔ר מִבֶּן֙ עֶשְׂרִ֣ים שָׁנָ֔ה וְעַ֖ד בֶּן־שִׁשִּׁ֣ים שָׁנָ֑ה וְהָיָ֣ה עֶרְכְּךָ֗

ד חֲמִשִּׁ֛ים שֶׁ֥קֶל כֶּ֖סֶף בְּשֶׁ֥קֶל הַקֹּֽדֶשׁ: וְאִם־נְקֵבָ֖ה הִ֑וא וְהָיָ֥ה עֶרְכְּךָ֖

ה שְׁלֹשִׁ֥ים שָֽׁקֶל: וְאִ֨ם מִבֶּן־חָמֵ֜שׁ שָׁנִ֗ים וְעַד֙ בֶּן־עֶשְׂרִ֣ים שָׁנָ֔ה

וְהָיָ֧ה עֶרְכְּךָ֛ הַזָּכָ֖ר עֶשְׂרִ֣ים שְׁקָלִ֑ים וְלַנְּקֵבָ֖ה עֲשֶׂ֥רֶת שְׁקָלִֽים:

ו וְאִ֣ם מִבֶּן־חֹ֗דֶשׁ וְעַד֙ בֶּן־חָמֵ֣שׁ שָׁנִ֔ים וְהָיָ֤ה עֶרְכְּךָ֙ הַזָּכָ֔ר חֲמִשָּׁ֖ה

ז שְׁקָלִ֣ים כָּ֑סֶף וְלַנְּקֵבָ֣ה עֶרְכְּךָ֔ שְׁלֹ֥שֶׁת שְׁקָלִ֖ים כָּֽסֶף: וְ֠אִם מִבֶּן־

שִׁשִּׁ֨ים שָׁנָ֤ה וָמַ֨עְלָה֙ אִם־זָכָ֔ר וְהָיָ֣ה עֶרְכְּךָ֔ חֲמִשָּׁ֥ה עָשָׂ֖ר שָׁ֑קֶל

ח וְלַנְּקֵבָ֖ה עֲשָׂרָ֥ה שְׁקָלִֽים: וְאִם־מָ֨ךְ הוּא֙ מֵֽעֶרְכֶּ֔ךָ וְהֶֽעֱמִידוֹ֙ לִפְנֵ֣י

הַכֹּהֵ֔ן וְהֶֽעֱרִ֥יךְ אֹת֖וֹ הַכֹּהֵ֑ן עַל־פִּ֗י אֲשֶׁ֤ר תַּשִּׂיג֙ יַ֣ד הַנֹּדֵ֔ר יַעֲרִיכֶ֖נּוּ

אסור תמורה:
ט הַכֹּהֵֽן: וְאִם־בְּהֵמָ֔ה אֲשֶׁ֨ר יַקְרִ֧יבוּ מִמֶּ֛נָּה קׇרְבָּ֖ן לַֽיהֹוָ֑ה

י כֹּל֩ אֲשֶׁ֨ר יִתֵּ֥ן מִמֶּ֛נּוּ לַֽיהֹוָ֖ה יִֽהְיֶה־קֹּֽדֶשׁ: לֹ֣א יַחֲלִיפֶ֗נּוּ וְלֹֽא־יָמִ֥יר

אֹת֛וֹ ט֥וֹב בְּרָ֖ע אוֹ־רַ֣ע בְּט֑וֹב וְאִם־הָמֵ֨ר יָמִ֤יר בְּהֵמָה֙ בִּבְהֵמָ֔ה

הקדשת בתים וקרקעות ופדיונם:
יא וְהָֽיָה־ה֥וּא וּתְמֽוּרָת֖וֹ יִֽהְיֶה־קֹּֽדֶשׁ: וְאִם֙ כׇּל־בְּהֵמָ֣ה טְמֵאָ֔ה אֲשֶׁ֨ר

לֹֽא־יַקְרִ֧יבוּ מִמֶּ֛נָּה קׇרְבָּ֖ן לַֽיהֹוָ֑ה וְהֶֽעֱמִ֥יד אֶת־הַבְּהֵמָ֖ה לִפְנֵ֥י

יב הַכֹּהֵֽן: וְהֶֽעֱרִ֤יךְ הַכֹּהֵן֙ אֹתָ֔הּ בֵּ֥ין ט֖וֹב וּבֵ֣ין רָ֑ע כְּעֶרְכְּךָ֥ הַכֹּהֵ֖ן

יג כֵּ֥ן יִֽהְיֶֽה: וְאִם־גָּאֹ֖ל יִגְאָלֶ֑נָּה וְיָסַ֥ף חֲמִֽישִׁת֖וֹ עַל־עֶרְכֶּֽךָ: וְאִ֗ישׁ

יד כִּֽי־יַקְדִּ֨שׁ אֶת־בֵּית֜וֹ קֹ֣דֶשׁ לַֽיהֹוָ֗ה וְהֶֽעֱרִיכוֹ֙ הַכֹּהֵ֔ן בֵּ֥ין ט֖וֹב וּבֵ֣ין

טו רָ֑ע כַּֽאֲשֶׁ֨ר יַֽעֲרִ֥יךְ אֹת֛וֹ הַכֹּהֵ֖ן כֵּ֥ן יָקֽוּם: וְאִ֨ם־הַמַּקְדִּ֔ישׁ יִגְאַ֖ל

חמישי (שביעי)
טז אֶת־בֵּית֑וֹ וְ֠יָסַ֠ף חֲמִישִׁ֧ית כֶּֽסֶף־עֶרְכְּךָ֛ עָלָ֖יו וְהָ֥יָה לֽוֹ: וְאִ֣ם ׀

מִשְּׂדֵה אֲחֻזָּתוֹ יַקְדִּישׁ אִישׁ לַיהוָה וְהָיָה עֶרְכְּךָ לְפִי זַרְעוֹ זֶרַע
יז חֹמֶר שְׂעֹרִים בַּחֲמִשִּׁים שֶׁקֶל כָּסֶף: אִם־מִשְּׁנַת הַיֹּבֵל יַקְדִּישׁ
יח שָׂדֵהוּ כְּעֶרְכְּךָ יָקוּם: וְאִם־אַחַר הַיֹּבֵל יַקְדִּישׁ שָׂדֵהוּ וְחִשַּׁב־לוֹ
הַכֹּהֵן אֶת־הַכֶּסֶף עַל־פִּי הַשָּׁנִים הַנּוֹתָרֹת עַד שְׁנַת הַיֹּבֵל וְנִגְרַע
יט מֵעֶרְכֶּךָ: וְאִם־גָּאֹל יִגְאַל אֶת־הַשָּׂדֶה הַמַּקְדִּישׁ אֹתוֹ וְיָסַף
כ חֲמִשִׁית כֶּסֶף־עֶרְכְּךָ עָלָיו וְקָם לוֹ: וְאִם־לֹא יִגְאַל אֶת־הַשָּׂדֶה
כא וְאִם־מָכַר אֶת־הַשָּׂדֶה לְאִישׁ אַחֵר לֹא יִגָּאֵל עוֹד: וְהָיָה הַשָּׂדֶה
בְּצֵאתוֹ בַיֹּבֵל קֹדֶשׁ לַיהוָה כִּשְׂדֵה הַחֵרֶם לַכֹּהֵן תִּהְיֶה אֲחֻזָּתוֹ:
כב וְאִם אֶת־שְׂדֵה מִקְנָתוֹ אֲשֶׁר לֹא מִשְּׂדֵה אֲחֻזָּתוֹ יַקְדִּישׁ לַיהוָה: ששי
כג וְחִשַּׁב־לוֹ הַכֹּהֵן אֵת מִכְסַת הָעֶרְכְּךָ עַד שְׁנַת הַיֹּבֵל וְנָתַן
כד אֶת־הָעֶרְכְּךָ בַּיּוֹם הַהוּא קֹדֶשׁ לַיהוָה: בִּשְׁנַת הַיּוֹבֵל יָשׁוּב
כה הַשָּׂדֶה לַאֲשֶׁר קָנָהוּ מֵאִתּוֹ לַאֲשֶׁר־לוֹ אֲחֻזַּת הָאָרֶץ: וְכָל־עֶרְכְּךָ
כו יִהְיֶה בְּשֶׁקֶל הַקֹּדֶשׁ עֶשְׂרִים גֵּרָה יִהְיֶה הַשָּׁקֶל: אַךְ־בְּכוֹר
אֲשֶׁר־יְבֻכַּר לַיהוָה בִּבְהֵמָה לֹא־יַקְדִּישׁ אִישׁ אֹתוֹ אִם־שׁוֹר
כז אִם־שֶׂה לַיהוָה הוּא: וְאִם בַּבְּהֵמָה הַטְּמֵאָה וּפָדָה בְעֶרְכֶּךָ וְיָסַף
כח חֲמִשִׁתוֹ עָלָיו וְאִם־לֹא יִגָּאֵל וְנִמְכַּר בְּעֶרְכֶּךָ: אַךְ־כָּל־חֵרֶם אֲשֶׁר דִּינֵי חֲרָמִים:
יַחֲרִם אִישׁ לַיהוָה מִכָּל־אֲשֶׁר־לוֹ מֵאָדָם וּבְהֵמָה וּמִשְּׂדֵה
אֲחֻזָּתוֹ לֹא יִמָּכֵר וְלֹא יִגָּאֵל כָּל־חֵרֶם קֹדֶשׁ־קָדָשִׁים הוּא
כט לַיהוָה: כָּל־חֵרֶם אֲשֶׁר יָחֳרַם מִן־הָאָדָם לֹא יִפָּדֶה מוֹת יוּמָת: שביעי
ל וְכָל־מַעְשַׂר הָאָרֶץ מִזֶּרַע הָאָרֶץ מִפְּרִי הָעֵץ לַיהוָה הוּא קֹדֶשׁ מַעֲשֵׂר שֵׁנִי וּמַעֲשַׂר בְּהֵמָה:
לא לַיהוָה: וְאִם־גָּאֹל יִגְאַל אִישׁ מִמַּעַשְׂרוֹ חֲמִשִׁיתוֹ יֹסֵף עָלָיו:
לב וְכָל־מַעְשַׂר בָּקָר וָצֹאן כֹּל אֲשֶׁר־יַעֲבֹר תַּחַת הַשָּׁבֶט הָעֲשִׂירִי מפטיר
לג יִהְיֶה־קֹּדֶשׁ לַיהוָה: לֹא יְבַקֵּר בֵּין־טוֹב לָרַע וְלֹא יְמִירֶנּוּ וְאִם־
לד הָמֵר יְמִירֶנּוּ וְהָיָה־הוּא וּתְמוּרָתוֹ יִהְיֶה־קֹּדֶשׁ לֹא יִגָּאֵל: אֵלֶּה
הַמִּצְוֹת אֲשֶׁר צִוָּה יְהוָה אֶת־מֹשֶׁה אֶל־בְּנֵי יִשְׂרָאֵל בְּהַר סִינָי:

בין השנים
2449-2488

במדבר

א א וַיְדַבֵּר יְהוָה אֶל־מֹשֶׁה בְּמִדְבַּר סִינַי בְּאֹהֶל מוֹעֵד בְּאֶחָד לַחֹדֶשׁ **במדבר**
ב הַשֵּׁנִי בַּשָּׁנָה הַשֵּׁנִית לְצֵאתָם מֵאֶרֶץ מִצְרַיִם לֵאמֹר: שְׂאוּ הַצִּוּוּי לִמְנוֹת אֶת יִשְׂרָאֵל:
אֶת־רֹאשׁ כָּל־עֲדַת בְּנֵי־יִשְׂרָאֵל לְמִשְׁפְּחֹתָם לְבֵית אֲבֹתָם [2449]
ג בְּמִסְפַּר שֵׁמוֹת כָּל־זָכָר לְגֻלְגְּלֹתָם: מִבֶּן עֶשְׂרִים שָׁנָה וָמַעְלָה
כָּל־יֹצֵא צָבָא בְּיִשְׂרָאֵל תִּפְקְדוּ אֹתָם לְצִבְאֹתָם אַתָּה וְאַהֲרֹן:
ד וְאִתְּכֶם יִהְיוּ אִישׁ אִישׁ לַמַּטֶּה אִישׁ רֹאשׁ לְבֵית־אֲבֹתָיו הוּא:
ה וְאֵלֶּה שְׁמוֹת הָאֲנָשִׁים אֲשֶׁר יַעַמְדוּ אִתְּכֶם לִרְאוּבֵן אֱלִיצוּר הַנְּשִׂיאִים הַמְסַיְּעִים לַמִּנְיָן:
ו ז בֶּן־שְׁדֵיאוּר: לְשִׁמְעוֹן שְׁלֻמִיאֵל בֶּן־צוּרִישַׁדָּי: לִיהוּדָה נַחְשׁוֹן
ח ט בֶּן־עַמִּינָדָב: לְיִשָּׂשכָר נְתַנְאֵל בֶּן־צוּעָר: לִזְבוּלֻן אֱלִיאָב בֶּן־
י חֵלֹן: לִבְנֵי יוֹסֵף לְאֶפְרַיִם אֱלִישָׁמָע בֶּן־עַמִּיהוּד לִמְנַשֶּׁה גַּמְלִיאֵל
יא יב בֶּן־פְּדָהצוּר: לְבִנְיָמִן אֲבִידָן בֶּן־גִּדְעֹנִי: לְדָן אֲחִיעֶזֶר בֶּן־
יג יד עַמִּישַׁדָּי: לְאָשֵׁר פַּגְעִיאֵל בֶּן־עָכְרָן: לְגָד אֶלְיָסָף בֶּן־דְּעוּאֵל:
טו טז לְנַפְתָּלִי אֲחִירַע בֶּן־עֵינָן: אֵלֶּה קריאי קְרוּאֵי הָעֵדָה נְשִׂיאֵי מַטּוֹת
יז אֲבוֹתָם רָאשֵׁי אַלְפֵי יִשְׂרָאֵל הֵם: וַיִּקַּח מֹשֶׁה וְאַהֲרֹן אֵת הָאֲנָשִׁים בִּצּוּעַ הַמִּנְיָן:
יח הָאֵלֶּה אֲשֶׁר נִקְּבוּ בְּשֵׁמוֹת: וְאֵת כָּל־הָעֵדָה הִקְהִילוּ בְּאֶחָד
לַחֹדֶשׁ הַשֵּׁנִי וַיִּתְיַלְדוּ עַל־מִשְׁפְּחֹתָם לְבֵית אֲבֹתָם בְּמִסְפַּר
יט שֵׁמוֹת מִבֶּן עֶשְׂרִים שָׁנָה וָמַעְלָה לְגֻלְגְּלֹתָם: כַּאֲשֶׁר צִוָּה יְהוָה
כ אֶת־מֹשֶׁה וַיִּפְקְדֵם בְּמִדְבַּר סִינָי: וַיִּהְיוּ **שני**
בְנֵי־רְאוּבֵן בְּכֹר יִשְׂרָאֵל תּוֹלְדֹתָם לְמִשְׁפְּחֹתָם לְבֵית אֲבֹתָם פֵּרוּט מִנְיַן הַשְּׁבָטִים:
בְּמִסְפַּר שֵׁמוֹת לְגֻלְגְּלֹתָם כָּל־זָכָר מִבֶּן עֶשְׂרִים שָׁנָה וָמַעְלָה
כא כֹּל יֹצֵא צָבָא: פְּקֻדֵיהֶם לְמַטֵּה רְאוּבֵן שִׁשָּׁה וְאַרְבָּעִים אֶלֶף
וַחֲמֵשׁ מֵאוֹת:
כב לִבְנֵי שִׁמְעוֹן תּוֹלְדֹתָם לְמִשְׁפְּחֹתָם לְבֵית אֲבֹתָם פְּקֻדָיו בְּמִסְפַּר

שֵׁמוֹת לְגֻלְגְּלֹתָם כָּל־זָכָר מִבֶּן עֶשְׂרִים שָׁנָה וָמַעְלָה כֹּל יֹצֵא
כג צָבָא: פְּקֻדֵיהֶם לְמַטֵּה שִׁמְעוֹן תִּשְׁעָה וַחֲמִשִּׁים אֶלֶף וּשְׁלֹשׁ
מֵאוֹת:
כד לִבְנֵי גָד תּוֹלְדֹתָם לְמִשְׁפְּחֹתָם לְבֵית אֲבֹתָם בְּמִסְפַּר שֵׁמוֹת מִבֶּן
כה עֶשְׂרִים שָׁנָה וָמַעְלָה כֹּל יֹצֵא צָבָא: פְּקֻדֵיהֶם לְמַטֵּה גָד חֲמִשָּׁה
וְאַרְבָּעִים אֶלֶף וְשֵׁשׁ מֵאוֹת וַחֲמִשִּׁים:
כו לִבְנֵי יְהוּדָה תּוֹלְדֹתָם לְמִשְׁפְּחֹתָם לְבֵית אֲבֹתָם בְּמִסְפַּר שֵׁמֹת
כז מִבֶּן עֶשְׂרִים שָׁנָה וָמַעְלָה כֹּל יֹצֵא צָבָא: פְּקֻדֵיהֶם לְמַטֵּה יְהוּדָה
אַרְבָּעָה וְשִׁבְעִים אֶלֶף וְשֵׁשׁ מֵאוֹת:
כח לִבְנֵי יִשָּׂשכָר תּוֹלְדֹתָם לְמִשְׁפְּחֹתָם לְבֵית אֲבֹתָם בְּמִסְפַּר שֵׁמֹת
כט מִבֶּן עֶשְׂרִים שָׁנָה וָמַעְלָה כֹּל יֹצֵא צָבָא: פְּקֻדֵיהֶם לְמַטֵּה
יִשָּׂשכָר אַרְבָּעָה וַחֲמִשִּׁים אֶלֶף וְאַרְבַּע מֵאוֹת:
ל לִבְנֵי זְבוּלֻן תּוֹלְדֹתָם לְמִשְׁפְּחֹתָם לְבֵית אֲבֹתָם בְּמִסְפַּר שֵׁמֹת
לא מִבֶּן עֶשְׂרִים שָׁנָה וָמַעְלָה כֹּל יֹצֵא צָבָא: פְּקֻדֵיהֶם לְמַטֵּה זְבוּלֻן
שִׁבְעָה וַחֲמִשִּׁים אֶלֶף וְאַרְבַּע מֵאוֹת:
לב לִבְנֵי יוֹסֵף לִבְנֵי אֶפְרַיִם תּוֹלְדֹתָם לְמִשְׁפְּחֹתָם לְבֵית אֲבֹתָם
לג בְּמִסְפַּר שֵׁמֹת מִבֶּן עֶשְׂרִים שָׁנָה וָמַעְלָה כֹּל יֹצֵא צָבָא: פְּקֻדֵיהֶם
לְמַטֵּה אֶפְרָיִם אַרְבָּעִים אֶלֶף וַחֲמֵשׁ מֵאוֹת:
לד לִבְנֵי מְנַשֶּׁה תּוֹלְדֹתָם לְמִשְׁפְּחֹתָם לְבֵית אֲבֹתָם בְּמִסְפַּר שֵׁמוֹת
לה מִבֶּן עֶשְׂרִים שָׁנָה וָמַעְלָה כֹּל יֹצֵא צָבָא: פְּקֻדֵיהֶם לְמַטֵּה מְנַשֶּׁה
שְׁנַיִם וּשְׁלֹשִׁים אֶלֶף וּמָאתָיִם:
לו לִבְנֵי בִנְיָמִן תּוֹלְדֹתָם לְמִשְׁפְּחֹתָם לְבֵית אֲבֹתָם בְּמִסְפַּר שֵׁמֹת
לז מִבֶּן עֶשְׂרִים שָׁנָה וָמַעְלָה כֹּל יֹצֵא צָבָא: פְּקֻדֵיהֶם לְמַטֵּה בִנְיָמִן
חֲמִשָּׁה וּשְׁלֹשִׁים אֶלֶף וְאַרְבַּע מֵאוֹת:
לח לִבְנֵי דָן תּוֹלְדֹתָם לְמִשְׁפְּחֹתָם לְבֵית אֲבֹתָם בְּמִסְפַּר שֵׁמֹת מִבֶּן

לט עֶשְׂרִים שָׁנָה וָמַעְלָה כֹּל יֹצֵא צָבָא: פְּקֻדֵיהֶם לְמַטֵּה דָן שְׁנַיִם
וְשִׁשִּׁים אֶלֶף וּשְׁבַע מֵאוֹת:
מ לִבְנֵי אָשֵׁר תּוֹלְדֹתָם לְמִשְׁפְּחֹתָם לְבֵית אֲבֹתָם בְּמִסְפַּר שֵׁמֹת
מא מִבֶּן עֶשְׂרִים שָׁנָה וָמַעְלָה כֹּל יֹצֵא צָבָא: פְּקֻדֵיהֶם לְמַטֵּה אָשֵׁר
אֶחָד וְאַרְבָּעִים אֶלֶף וַחֲמֵשׁ מֵאוֹת:
מב בְּנֵי נַפְתָּלִי תּוֹלְדֹתָם לְמִשְׁפְּחֹתָם לְבֵית אֲבֹתָם בְּמִסְפַּר שֵׁמֹת
מג מִבֶּן עֶשְׂרִים שָׁנָה וָמַעְלָה כֹּל יֹצֵא צָבָא: פְּקֻדֵיהֶם לְמַטֵּה נַפְתָּלִי
שְׁלֹשָׁה וַחֲמִשִּׁים אֶלֶף וְאַרְבַּע מֵאוֹת:
מד אֵלֶּה הַפְּקֻדִים אֲשֶׁר פָּקַד מֹשֶׁה וְאַהֲרֹן וּנְשִׂיאֵי יִשְׂרָאֵל שְׁנֵים סִכּוּם הַמִּנְיָן:
מה עָשָׂר אִישׁ אִישׁ־אֶחָד לְבֵית־אֲבֹתָיו הָיוּ: וַיִּהְיוּ כָּל־פְּקוּדֵי
בְנֵי־יִשְׂרָאֵל לְבֵית אֲבֹתָם מִבֶּן עֶשְׂרִים שָׁנָה וָמַעְלָה כָּל־יֹצֵא
מו צָבָא בְּיִשְׂרָאֵל: וַיִּהְיוּ כָּל־הַפְּקֻדִים שֵׁשׁ־מֵאוֹת אֶלֶף וּשְׁלֹשֶׁת
מז אֲלָפִים וַחֲמֵשׁ מֵאוֹת וַחֲמִשִּׁים: וְהַלְוִיִּם לְמַטֵּה אֲבֹתָם לֹא
הָתְפָּקְדוּ בְּתוֹכָם:
מח מט וַיְדַבֵּר יְהוָה אֶל־מֹשֶׁה לֵּאמֹר: אַךְ אֶת־מַטֵּה לֵוִי לֹא תִפְקֹד יִעוּד הַלְוִיִּם:
נ וְאֶת־רֹאשָׁם לֹא תִשָּׂא בְּתוֹךְ בְּנֵי יִשְׂרָאֵל: וְאַתָּה הַפְקֵד אֶת־
הַלְוִיִּם עַל־מִשְׁכַּן הָעֵדֻת וְעַל כָּל־כֵּלָיו וְעַל כָּל־אֲשֶׁר־לוֹ הֵמָּה
יִשְׂאוּ אֶת־הַמִּשְׁכָּן וְאֶת־כָּל־כֵּלָיו וְהֵם יְשָׁרְתֻהוּ וְסָבִיב לַמִּשְׁכָּן
נא יַחֲנוּ: וּבִנְסֹעַ הַמִּשְׁכָּן יוֹרִידוּ אֹתוֹ הַלְוִיִּם וּבַחֲנֹת הַמִּשְׁכָּן יָקִימוּ
נב אֹתוֹ הַלְוִיִּם וְהַזָּר הַקָּרֵב יוּמָת: וְחָנוּ בְּנֵי יִשְׂרָאֵל אִישׁ עַל־מַחֲנֵהוּ
נג וְאִישׁ עַל־דִּגְלוֹ לְצִבְאֹתָם: וְהַלְוִיִּם יַחֲנוּ סָבִיב לְמִשְׁכַּן הָעֵדֻת
וְלֹא־יִהְיֶה קֶצֶף עַל־עֲדַת בְּנֵי יִשְׂרָאֵל וְשָׁמְרוּ הַלְוִיִּם אֶת־
נד מִשְׁמֶרֶת מִשְׁכַּן הָעֵדוּת: וַיַּעֲשׂוּ בְּנֵי יִשְׂרָאֵל כְּכֹל אֲשֶׁר צִוָּה
יְהוָה אֶת־מֹשֶׁה כֵּן עָשׂוּ:
ב א ב וַיְדַבֵּר יְהוָה אֶל־מֹשֶׁה וְאֶל־אַהֲרֹן לֵאמֹר: אִישׁ עַל־דִּגְלוֹ בְאֹתֹת שלישי

סֵדֶר חֲנִיַּת הַדְּגָלִים׃

לְבֵית אֲבֹתָם יַחֲנוּ בְּנֵי יִשְׂרָאֵל מִנֶּגֶד סָבִיב לְאֹהֶל־מוֹעֵד יַחֲנוּ׃
וְהַחֹנִים קֵדְמָה מִזְרָחָה דֶּגֶל מַחֲנֵה יְהוּדָה לְצִבְאֹתָם וְנָשִׂיא לִבְנֵי ג
יְהוּדָה נַחְשׁוֹן בֶּן־עַמִּינָדָב׃ וּצְבָאוֹ וּפְקֻדֵיהֶם אַרְבָּעָה וְשִׁבְעִים ד
אֶלֶף וְשֵׁשׁ מֵאוֹת׃ וְהַחֹנִים עָלָיו מַטֵּה יִשָּׂשכָר וְנָשִׂיא לִבְנֵי ה
יִשָּׂשכָר נְתַנְאֵל בֶּן־צוּעָר׃ וּצְבָאוֹ וּפְקֻדָיו אַרְבָּעָה וַחֲמִשִּׁים אֶלֶף ו
וְאַרְבַּע מֵאוֹת׃ מַטֵּה זְבוּלֻן וְנָשִׂיא לִבְנֵי זְבוּלֻן אֱלִיאָב בֶּן־חֵלֹן׃ ז
וּצְבָאוֹ וּפְקֻדָיו שִׁבְעָה וַחֲמִשִּׁים אֶלֶף וְאַרְבַּע מֵאוֹת׃ כָּל־הַפְּקֻדִים ח ט
לְמַחֲנֵה יְהוּדָה מְאַת אֶלֶף וּשְׁמֹנִים אֶלֶף וְשֵׁשֶׁת־אֲלָפִים וְאַרְבַּע־
מֵאוֹת לְצִבְאֹתָם רִאשֹׁנָה יִסָּעוּ׃ דֶּגֶל מַחֲנֵה רְאוּבֵן י
תֵּימָנָה לְצִבְאֹתָם וְנָשִׂיא לִבְנֵי רְאוּבֵן אֱלִיצוּר בֶּן־שְׁדֵיאוּר׃
וּצְבָאוֹ וּפְקֻדָיו שִׁשָּׁה וְאַרְבָּעִים אֶלֶף וַחֲמֵשׁ מֵאוֹת׃ וְהַחוֹנִם עָלָיו יא יב
מַטֵּה שִׁמְעוֹן וְנָשִׂיא לִבְנֵי שִׁמְעוֹן שְׁלֻמִיאֵל בֶּן־צוּרִישַׁדָּי׃
וּצְבָאוֹ וּפְקֻדֵיהֶם תִּשְׁעָה וַחֲמִשִּׁים אֶלֶף וּשְׁלֹשׁ מֵאוֹת׃ וּמַטֵּה גָּד יג יד
וְנָשִׂיא לִבְנֵי גָד אֶלְיָסָף בֶּן־רְעוּאֵל׃ וּצְבָאוֹ וּפְקֻדֵיהֶם חֲמִשָּׁה טו
וְאַרְבָּעִים אֶלֶף וְשֵׁשׁ מֵאוֹת וַחֲמִשִּׁים׃ כָּל־הַפְּקֻדִים לְמַחֲנֵה טז
רְאוּבֵן מְאַת אֶלֶף וְאֶחָד וַחֲמִשִּׁים אֶלֶף וְאַרְבַּע־מֵאוֹת וַחֲמִשִּׁים
לְצִבְאֹתָם וּשְׁנִיִּם יִסָּעוּ׃ וְנָסַע אֹהֶל־מוֹעֵד מַחֲנֵה יז
הַלְוִיִּם בְּתוֹךְ הַמַּחֲנֹת כַּאֲשֶׁר יַחֲנוּ כֵּן יִסָּעוּ אִישׁ עַל־יָדוֹ
לְדִגְלֵיהֶם׃ דֶּגֶל מַחֲנֵה אֶפְרַיִם לְצִבְאֹתָם יָמָּה וְנָשִׂיא יח
לִבְנֵי אֶפְרַיִם אֱלִישָׁמָע בֶּן־עַמִּיהוּד׃ וּצְבָאוֹ וּפְקֻדֵיהֶם אַרְבָּעִים יט
אֶלֶף וַחֲמֵשׁ מֵאוֹת׃ וְעָלָיו מַטֵּה מְנַשֶּׁה וְנָשִׂיא לִבְנֵי מְנַשֶּׁה כ
גַּמְלִיאֵל בֶּן־פְּדָהצוּר׃ וּצְבָאוֹ וּפְקֻדֵיהֶם שְׁנַיִם וּשְׁלֹשִׁים אֶלֶף כא
וּמָאתָיִם׃ וּמַטֵּה בִּנְיָמִן וְנָשִׂיא לִבְנֵי בִנְיָמִן אֲבִידָן בֶּן־גִּדְעֹנִי׃ כב
וּצְבָאוֹ וּפְקֻדֵיהֶם חֲמִשָּׁה וּשְׁלֹשִׁים אֶלֶף וְאַרְבַּע מֵאוֹת׃ כָּל־ כג כד
הַפְּקֻדִים לְמַחֲנֵה אֶפְרַיִם מְאַת אֶלֶף וּשְׁמֹנַת־אֲלָפִים וּמֵאָה

כה לְצִבְאֹתָ֖ם וּשְׁלֹשִׁ֥ים יָסָּֽעוּ:   דֶּ֖גֶל מַחֲנֵ֥ה דָֽן

כו צָפֹ֑נָה לְצִבְאֹתָ֑ם וְנָשִׂיא֙ לִבְנֵ֣י דָ֔ן אֲחִיעֶ֖זֶר בֶּן־עַמִּישַׁדָּֽי: וּצְבָא֖וֹ

כז וּפְקֻדֵיהֶ֑ם שְׁנַ֧יִם וְשִׁשִּׁ֛ים אֶ֖לֶף וּשְׁבַ֥ע מֵאֽוֹת: וְהַחֹנִ֥ים עָלָ֖יו מַטֵּ֥ה

כח אָשֵׁ֑ר וְנָשִׂיא֙ לִבְנֵ֣י אָשֵׁ֔ר פַּגְעִיאֵ֖ל בֶּן־עָכְרָֽן: וּצְבָא֖וֹ וּפְקֻדֵיהֶ֑ם

כט אֶחָ֧ד וְאַרְבָּעִ֛ים אֶ֖לֶף וַחֲמֵ֣שׁ מֵאֽוֹת: וּמַטֵּ֖ה נַפְתָּלִ֑י וְנָשִׂיא֙ לִבְנֵ֣י

ל נַפְתָּלִ֔י אֲחִירַ֖ע בֶּן־עֵינָֽן: וּצְבָא֖וֹ וּפְקֻדֵיהֶ֑ם שְׁלֹשָׁ֧ה וַחֲמִשִּׁ֛ים אֶ֖לֶף

לא וְאַרְבַּ֥ע מֵאֽוֹת: כָּל־הַפְּקֻדִ֞ים לְמַחֲנֵ֣ה דָ֗ן מְאַ֥ת אֶ֙לֶף֙ וְשִׁבְעָ֤ה

וַחֲמִשִּׁ֥ים אֶ֙לֶף֙ וְשֵׁ֣שׁ מֵא֔וֹת לָאַחֲרֹנָ֖ה יִסְע֥וּ לְדִגְלֵיהֶֽם:

לב אֵ֛לֶּה פְּקוּדֵ֥י בְנֵֽי־יִשְׂרָאֵ֖ל לְבֵ֣ית אֲבֹתָ֑ם כָּל־פְּקוּדֵ֤י הַֽמַּחֲנֹת֙

לְצִבְאֹתָ֔ם שֵׁשׁ־מֵא֥וֹת אֶ֙לֶף֙ וּשְׁלֹ֣שֶׁת אֲלָפִ֔ים וַחֲמֵ֥שׁ מֵא֖וֹת

לג וַחֲמִשִּֽׁים: וְהַ֣לְוִיִּ֔ם לֹ֣א הָתְפָּֽקְד֔וּ בְּת֖וֹךְ בְּנֵ֣י יִשְׂרָאֵ֑ל כַּאֲשֶׁ֛ר צִוָּ֥ה

לד יְהֹוָ֖ה אֶת־מֹשֶֽׁה: וַֽיַּעֲשׂ֖וּ בְּנֵ֣י יִשְׂרָאֵ֑ל כְּ֠כֹ֠ל אֲשֶׁר־צִוָּ֨ה יְהֹוָ֜ה

אֶת־מֹשֶׁ֗ה כֵּֽן־חָנ֤וּ לְדִגְלֵיהֶם֙ וְכֵ֣ן נָסָ֔עוּ אִ֥ישׁ לְמִשְׁפְּחֹתָ֖יו עַל־בֵּ֥ית

אֲבֹתָֽיו:

רביעי
שמות בני
אהרן:

ג וְאֵ֛לֶּה תּוֹלְדֹ֥ת אַהֲרֹ֖ן וּמֹשֶׁ֑ה בְּי֗וֹם דִּבֶּ֧ר יְהֹוָ֛ה אֶת־מֹשֶׁ֖ה בְּהַ֥ר סִינָֽי:

ב וְאֵ֛לֶּה שְׁמ֥וֹת בְּנֵֽי־אַהֲרֹ֖ן הַבְּכֹ֣ר ׀ נָדָ֑ב וַאֲבִיה֕וּא אֶלְעָזָ֖ר וְאִיתָמָֽר:

ג אֵ֗לֶּה שְׁמוֹת֙ בְּנֵ֣י אַהֲרֹ֔ן הַכֹּהֲנִ֖ים הַמְּשֻׁחִ֑ים אֲשֶׁר־מִלֵּ֥א יָדָ֖ם לְכַהֵֽן:

ד וַיָּ֣מׇת נָדָ֣ב וַאֲבִיה֡וּא לִפְנֵ֣י יְהֹוָ֡ה בְּֽהַקְרִבָם֩ אֵ֨שׁ זָרָ֜ה לִפְנֵ֣י יְהֹוָ֗ה

בְּמִדְבַּ֣ר סִינַ֔י וּבָנִ֖ים לֹא־הָי֣וּ לָהֶ֑ם וַיְכַהֵ֤ן אֶלְעָזָר֙ וְאִ֣יתָמָ֔ר עַל־פְּנֵ֖י

אַהֲרֹ֥ן אֲבִיהֶֽם:

מנוי הלוים
ופרוט
משימתם:

ה וַיְדַבֵּ֥ר יְהֹוָ֖ה אֶל־מֹשֶׁ֥ה לֵּאמֹֽר: הַקְרֵב֙ אֶת־מַטֵּ֣ה לֵוִ֔י וְהַֽעֲמַדְתָּ֣

ו אֹת֔וֹ לִפְנֵ֖י אַהֲרֹ֣ן הַכֹּהֵ֑ן וְשֵׁרְת֖וּ אֹתֽוֹ: וְשָׁמְר֣וּ אֶת־מִשְׁמַרְתּ֗וֹ

וְאֶת־מִשְׁמֶ֙רֶת֙ כׇּל־הָ֣עֵדָ֔ה לִפְנֵ֖י אֹ֣הֶל מוֹעֵ֑ד לַעֲבֹ֖ד אֶת־עֲבֹדַ֥ת

ח הַמִּשְׁכָּֽן: וְשָׁמְר֗וּ אֶֽת־כׇּל־כְּלֵי֙ אֹ֣הֶל מוֹעֵ֔ד וְאֶֽת־מִשְׁמֶ֖רֶת בְּנֵ֣י

ט יִשְׂרָאֵ֑ל לַעֲבֹ֖ד אֶת־עֲבֹדַ֥ת הַמִּשְׁכָּֽן: וְנָתַתָּה֙ אֶת־הַֽלְוִיִּ֔ם לְאַהֲרֹ֖ן

י וּלְבָנָיו נְתוּנִם נְתוּנִם הֵמָּה לוֹ מֵאֵת בְּנֵי יִשְׂרָאֵל: וְאֶת־אַהֲרֹן
וְאֶת־בָּנָיו תִּפְקֹד וְשָׁמְרוּ אֶת־כְּהֻנָּתָם וְהַזָּר הַקָּרֵב יוּמָת:

הַלְוִיִּם בִּמְקוֹם הַבְּכוֹרוֹת:

יא יב וַיְדַבֵּר יְהוָה אֶל־מֹשֶׁה לֵּאמֹר: וַאֲנִי הִנֵּה לָקַחְתִּי אֶת־הַלְוִיִּם
מִתּוֹךְ בְּנֵי יִשְׂרָאֵל תַּחַת כָּל־בְּכוֹר פֶּטֶר רֶחֶם מִבְּנֵי יִשְׂרָאֵל וְהָיוּ
יג לִי הַלְוִיִּם: כִּי לִי כָּל־בְּכוֹר בְּיוֹם הַכֹּתִי כָל־בְּכוֹר בְּאֶרֶץ מִצְרַיִם
הִקְדַּשְׁתִּי לִי כָל־בְּכוֹר בְּיִשְׂרָאֵל מֵאָדָם עַד־בְּהֵמָה לִי יִהְיוּ
אֲנִי יְהוָה:

חמישי
מִנְיַן בְּנֵי לֵוִי וּמִשְׁפְּחוֹ׳:

יד טו וַיְדַבֵּר יְהוָה אֶל־מֹשֶׁה בְּמִדְבַּר סִינַי לֵאמֹר: פְּקֹד אֶת־בְּנֵי לֵוִי
לְבֵית אֲבֹתָם לְמִשְׁפְּחֹתָם כָּל־זָכָר מִבֶּן־חֹדֶשׁ וָמַעְלָה תִּפְקְדֵם:
טז יז וַיִּפְקֹד אֹתָם מֹשֶׁה עַל־פִּי יְהוָה כַּאֲשֶׁר צֻוָּה: וַיִּהְיוּ־אֵלֶּה בְנֵי־
יח לֵוִי בִּשְׁמֹתָם גֵּרְשׁוֹן וּקְהָת וּמְרָרִי: וְאֵלֶּה שְׁמוֹת בְּנֵי־גֵרְשׁוֹן
יט לְמִשְׁפְּחֹתָם לִבְנִי וְשִׁמְעִי: וּבְנֵי קְהָת לְמִשְׁפְּחֹתָם עַמְרָם וְיִצְהָר
כ חֶבְרוֹן וְעֻזִּיאֵל: וּבְנֵי מְרָרִי לְמִשְׁפְּחֹתָם מַחְלִי וּמוּשִׁי אֵלֶּה הֵם

מִנְיַן בְּנֵי גֵרְשׁוֹן, וַעֲבוֹדָתָם:

כא מִשְׁפְּחֹת הַלֵּוִי לְבֵית אֲבֹתָם: לְגֵרְשׁוֹן מִשְׁפַּחַת הַלִּבְנִי וּמִשְׁפַּחַת
כב הַשִּׁמְעִי אֵלֶּה הֵם מִשְׁפְּחֹת הַגֵּרְשֻׁנִּי: פְּקֻדֵיהֶם בְּמִסְפַּר כָּל־זָכָר
מִבֶּן־חֹדֶשׁ וָמָעְלָה פְּקֻדֵיהֶם שִׁבְעַת אֲלָפִים וַחֲמֵשׁ מֵאוֹת:
כג כד מִשְׁפְּחֹת הַגֵּרְשֻׁנִּי אַחֲרֵי הַמִּשְׁכָּן יַחֲנוּ יָמָּה: וּנְשִׂיא בֵית־אָב
כה לַגֵּרְשֻׁנִּי אֶלְיָסָף בֶּן־לָאֵל: וּמִשְׁמֶרֶת בְּנֵי־גֵרְשׁוֹן בְּאֹהֶל מוֹעֵד
כו הַמִּשְׁכָּן וְהָאֹהֶל מִכְסֵהוּ וּמָסַךְ פֶּתַח אֹהֶל מוֹעֵד: וְקַלְעֵי הֶחָצֵר
וְאֶת־מָסַךְ פֶּתַח הֶחָצֵר אֲשֶׁר עַל־הַמִּשְׁכָּן וְעַל־הַמִּזְבֵּחַ סָבִיב

מִנְיַן בְּנֵי קְהָת, וַעֲבוֹדָתָם:

כז וְאֵת מֵיתָרָיו לְכֹל עֲבֹדָתוֹ: וְלִקְהָת מִשְׁפַּחַת
הָעַמְרָמִי וּמִשְׁפַּחַת הַיִּצְהָרִי וּמִשְׁפַּחַת הַחֶבְרֹנִי וּמִשְׁפַּחַת
כח הָעָזִּיאֵלִי אֵלֶּה הֵם מִשְׁפְּחֹת הַקְּהָתִי: בְּמִסְפַּר כָּל־זָכָר מִבֶּן־
חֹדֶשׁ וָמָעְלָה שְׁמֹנַת אֲלָפִים וְשֵׁשׁ מֵאוֹת שֹׁמְרֵי מִשְׁמֶרֶת
כט ל הַקֹּדֶשׁ: מִשְׁפְּחֹת בְּנֵי־קְהָת יַחֲנוּ עַל יֶרֶךְ הַמִּשְׁכָּן תֵּימָנָה: וּנְשִׂיא

לא בֵּית־אָב לְמִשְׁפְּחֹת הַקְּהָתִי אֱלִיצָפָן בֶּן־עֻזִּיאֵל׃ וּמִשְׁמַרְתָּם
הָאָרֹן וְהַשֻּׁלְחָן וְהַמְּנֹרָה וְהַמִּזְבְּחֹת וּכְלֵי הַקֹּדֶשׁ אֲשֶׁר יְשָׁרְתוּ
לב בָּהֶם וְהַמָּסָךְ וְכֹל עֲבֹדָתוֹ׃ וּנְשִׂיא נְשִׂיאֵי הַלֵּוִי אֶלְעָזָר בֶּן־אַהֲרֹן
לג הַכֹּהֵן פְּקֻדַּת שֹׁמְרֵי מִשְׁמֶרֶת הַקֹּדֶשׁ׃ לִמְרָרִי מִשְׁפַּחַת הַמַּחְלִי מִנְיַן בְּנֵי מְרָרִי,
לד וּמִשְׁפַּחַת הַמּוּשִׁי אֵלֶּה הֵם מִשְׁפְּחֹת מְרָרִי׃ וּפְקֻדֵיהֶם בְּמִסְפַּר וַעֲבוֹדָתָם׃
לה כָּל־זָכָר מִבֶּן־חֹדֶשׁ וָמָעְלָה שֵׁשֶׁת אֲלָפִים וּמָאתָיִם׃ וּנְשִׂיא
בֵית־אָב לְמִשְׁפְּחֹת מְרָרִי צוּרִיאֵל בֶּן־אֲבִיחָיִל עַל יֶרֶךְ הַמִּשְׁכָּן
לו יַחֲנוּ צָפֹנָה׃ וּפְקֻדַּת מִשְׁמֶרֶת בְּנֵי מְרָרִי קַרְשֵׁי הַמִּשְׁכָּן וּבְרִיחָיו
לז וְעַמֻּדָיו וַאֲדָנָיו וְכָל־כֵּלָיו וְכֹל עֲבֹדָתוֹ׃ וְעַמֻּדֵי הֶחָצֵר סָבִיב
לח וְאַדְנֵיהֶם וִיתֵדֹתָם וּמֵיתְרֵיהֶם׃ וְהַחֹנִים לִפְנֵי הַמִּשְׁכָּן קֵדְמָה
לִפְנֵי אֹהֶל־מוֹעֵד ׀ מִזְרָחָה מֹשֶׁה ׀ וְאַהֲרֹן וּבָנָיו שֹׁמְרִים
מִשְׁמֶרֶת הַמִּקְדָּשׁ לְמִשְׁמֶרֶת בְּנֵי יִשְׂרָאֵל וְהַזָּר הַקָּרֵב יוּמָת׃
לט כָּל־פְּקוּדֵי הַלְוִיִּם אֲשֶׁר פָּקַד מֹשֶׁה וְאַהֲרֹן עַל־פִּי יְהוָה ואהרן נקוד׃
לְמִשְׁפְּחֹתָם כָּל־זָכָר מִבֶּן־חֹדֶשׁ וָמַעְלָה שְׁנַיִם וְעֶשְׂרִים
מ אָלֶף׃ וַיֹּאמֶר יְהוָה אֶל־מֹשֶׁה פְּקֹד כָּל־בְּכֹר זָכָר לִבְנֵי ששי מִנְיַן
מא יִשְׂרָאֵל מִבֶּן־חֹדֶשׁ וָמָעְלָה וְשָׂא אֵת מִסְפַּר שְׁמֹתָם׃ וְלָקַחְתָּ הַבְּכוֹרוֹת׃
אֶת־הַלְוִיִּם לִי אֲנִי יְהוָה תַּחַת כָּל־בְּכֹר בִּבְנֵי יִשְׂרָאֵל וְאֵת
מב בֶּהֱמַת הַלְוִיִּם תַּחַת כָּל־בְּכוֹר בְּבֶהֱמַת בְּנֵי יִשְׂרָאֵל׃ וַיִּפְקֹד מֹשֶׁה
מג כַּאֲשֶׁר צִוָּה יְהוָה אֹתוֹ אֶת־כָּל־בְּכוֹר בִּבְנֵי יִשְׂרָאֵל׃ וַיְהִי כָל־
בְּכוֹר זָכָר בְּמִסְפַּר שֵׁמֹת מִבֶּן־חֹדֶשׁ וָמַעְלָה לִפְקֻדֵיהֶם שְׁנַיִם
וְעֶשְׂרִים אֶלֶף שְׁלֹשָׁה וְשִׁבְעִים וּמָאתָיִם׃

מד מה וַיְדַבֵּר יְהוָה אֶל־מֹשֶׁה לֵּאמֹר׃ קַח אֶת־הַלְוִיִּם תַּחַת כָּל־בְּכוֹר פִּדְיוֹן הַבְּכוֹרוֹת
בִּבְנֵי יִשְׂרָאֵל וְאֶת־בֶּהֱמַת הַלְוִיִּם תַּחַת בְּהֶמְתָּם וְהָיוּ־לִי הַלְוִיִּם הָעוֹדְפִים׃
מו אֲנִי יְהוָה׃ וְאֵת פְּדוּיֵי הַשְּׁלֹשָׁה וְהַשִּׁבְעִים וְהַמָּאתַיִם הָעֹדְפִים
מז עַל־הַלְוִיִּם מִבְּכוֹר בְּנֵי יִשְׂרָאֵל׃ וְלָקַחְתָּ חֲמֵשֶׁת חֲמֵשֶׁת שְׁקָלִים

לַגֻּלְגֹּלֶת בְּשֶׁקֶל הַקֹּדֶשׁ תִּקָּח עֶשְׂרִים גֵּרָה הַשָּׁקֶל׃ וְנָתַתָּה הַכֶּסֶף מח
לְאַהֲרֹן וּלְבָנָיו פְּדוּיֵי הָעֹדְפִים בָּהֶם׃ וַיִּקַּח מֹשֶׁה אֵת כֶּסֶף מט
הַפִּדְיוֹם מֵאֵת הָעֹדְפִים עַל פְּדוּיֵי הַלְוִיִּם׃ מֵאֵת בְּכוֹר בְּנֵי נ
יִשְׂרָאֵל לָקַח אֶת־הַכָּסֶף חֲמִשָּׁה וְשִׁשִּׁים וּשְׁלֹשׁ מֵאוֹת וָאֶלֶף
בְּשֶׁקֶל הַקֹּדֶשׁ׃ וַיִּתֵּן מֹשֶׁה אֶת־כֶּסֶף הַפְּדֻיִם לְאַהֲרֹן וּלְבָנָיו עַל־פִּי נא
יְהוָה כַּאֲשֶׁר צִוָּה יְהוָה אֶת־מֹשֶׁה׃

שביעי
וַיְדַבֵּר יְהוָה אֶל־מֹשֶׁה וְאֶל־אַהֲרֹן לֵאמֹר׃ נָשֹׂא אֶת־רֹאשׁ בְּנֵי ד א ב
עֲבוֹדַת בְּנֵי קְהָת׃
קְהָת מִתּוֹךְ בְּנֵי לֵוִי לְמִשְׁפְּחֹתָם לְבֵית אֲבֹתָם׃ מִבֶּן שְׁלֹשִׁים ג
שָׁנָה וָמַעְלָה וְעַד בֶּן־חֲמִשִּׁים שָׁנָה כָּל־בָּא לַצָּבָא לַעֲשׂוֹת
מְלָאכָה בְּאֹהֶל מוֹעֵד׃ זֹאת עֲבֹדַת בְּנֵי־קְהָת בְּאֹהֶל מוֹעֵד קֹדֶשׁ ד
פֵּרוּק הַמִּשְׁכָּן לְמַסָּע׃
הַקֳּדָשִׁים׃ וּבָא אַהֲרֹן וּבָנָיו בִּנְסֹעַ הַמַּחֲנֶה וְהוֹרִדוּ אֵת פָּרֹכֶת ה
הַמָּסָךְ וְכִסּוּ־בָהּ אֵת אֲרֹן הָעֵדֻת׃ וְנָתְנוּ עָלָיו כְּסוּי עוֹר תַּחַשׁ ו
וּפָרְשׂוּ בֶגֶד־כְּלִיל תְּכֵלֶת מִלְמָעְלָה וְשָׂמוּ בַּדָּיו׃ וְעַל ׀ שֻׁלְחַן ז
הַפָּנִים יִפְרְשׂוּ בֶּגֶד תְּכֵלֶת וְנָתְנוּ עָלָיו אֶת־הַקְּעָרֹת וְאֶת־הַכַּפֹּת
וְאֶת־הַמְּנַקִּיֹּת וְאֵת קְשׂוֹת הַנָּסֶךְ וְלֶחֶם הַתָּמִיד עָלָיו יִהְיֶה׃
וּפָרְשׂוּ עֲלֵיהֶם בֶּגֶד תּוֹלַעַת שָׁנִי וְכִסּוּ אֹתוֹ בְּמִכְסֵה עוֹר תָּחַשׁ ח
וְשָׂמוּ אֶת־בַּדָּיו׃ וְלָקְחוּ ׀ בֶּגֶד תְּכֵלֶת וְכִסּוּ אֶת־מְנֹרַת הַמָּאוֹר ט
וְאֶת־נֵרֹתֶיהָ וְאֶת־מַלְקָחֶיהָ וְאֶת־מַחְתֹּתֶיהָ וְאֵת כָּל־כְּלֵי שַׁמְנָהּ
אֲשֶׁר יְשָׁרְתוּ־לָהּ בָּהֶם׃ וְנָתְנוּ אֹתָהּ וְאֶת־כָּל־כֵּלֶיהָ אֶל־ י
מִכְסֵה עוֹר תָּחַשׁ וְנָתְנוּ עַל־הַמּוֹט׃ וְעַל ׀ מִזְבַּח הַזָּהָב יִפְרְשׂוּ יא
בֶּגֶד תְּכֵלֶת וְכִסּוּ אֹתוֹ בְּמִכְסֵה עוֹר תָּחַשׁ וְשָׂמוּ אֶת־בַּדָּיו׃ וְלָקְחוּ יב
אֶת־כָּל־כְּלֵי הַשָּׁרֵת אֲשֶׁר יְשָׁרְתוּ־בָם בַּקֹּדֶשׁ וְנָתְנוּ אֶל־בֶּגֶד
תְּכֵלֶת וְכִסּוּ אוֹתָם בְּמִכְסֵה עוֹר תָּחַשׁ וְנָתְנוּ עַל־הַמּוֹט׃ וְדִשְּׁנוּ יג
אֶת־הַמִּזְבֵּחַ וּפָרְשׂוּ עָלָיו בֶּגֶד אַרְגָּמָן׃ וְנָתְנוּ עָלָיו אֶת־כָּל־ יד
כֵּלָיו אֲשֶׁר יְשָׁרְתוּ עָלָיו בָּהֶם אֶת־הַמַּחְתֹּת אֶת־הַמִּזְלָגֹת וְאֶת־

הַיָּעִים וְאֶת־הַמִּזְרָקֹת כֹּל כְּלֵי הַמִּזְבֵּחַ וּפָרְשׂוּ עָלָיו כְּסוּי עוֹר
טו תַּחַשׁ וְשָׂמוּ בַדָּיו: וְכִלָּה אַהֲרֹן־וּבָנָיו לְכַסֹּת אֶת־הַקֹּדֶשׁ וְאֶת־
כָּל־כְּלֵי הַקֹּדֶשׁ בִּנְסֹעַ הַמַּחֲנֶה וְאַחֲרֵי־כֵן יָבֹאוּ בְנֵי־קְהָת
לָשֵׂאת וְלֹא־יִגְּעוּ אֶל־הַקֹּדֶשׁ וָמֵתוּ אֵלֶּה מַשָּׂא בְנֵי־קְהָת בְּאֹהֶל
טז מוֹעֵד: וּפְקֻדַּת אֶלְעָזָר ׀ בֶּן־אַהֲרֹן הַכֹּהֵן שֶׁמֶן הַמָּאוֹר וּקְטֹרֶת
הַסַּמִּים וּמִנְחַת הַתָּמִיד וְשֶׁמֶן הַמִּשְׁחָה פְּקֻדַּת כָּל־הַמִּשְׁכָּן
וְכָל־אֲשֶׁר־בּוֹ בְּקֹדֶשׁ וּבְכֵלָיו:
יז יח וַיְדַבֵּר יְהוָה אֶל־מֹשֶׁה וְאֶל־אַהֲרֹן לֵאמֹר: אַל־תַּכְרִיתוּ אֶת־שֵׁבֶט מפטיר
יט מִשְׁפְּחֹת הַקְּהָתִי מִתּוֹךְ הַלְוִיִּם: וְזֹאת ׀ עֲשׂוּ לָהֶם וְחָיוּ וְלֹא יָמֻתוּ אַזְהָרָה לִבְנֵי קְהָת:
בְּגִשְׁתָּם אֶת־קֹדֶשׁ הַקֳּדָשִׁים אַהֲרֹן וּבָנָיו יָבֹאוּ וְשָׂמוּ אוֹתָם אִישׁ
כ אִישׁ עַל־עֲבֹדָתוֹ וְאֶל־מַשָּׂאוֹ: וְלֹא־יָבֹאוּ לִרְאוֹת כְּבַלַּע אֶת־
הַקֹּדֶשׁ וָמֵתוּ:
כא כב וַיְדַבֵּר יְהוָה אֶל־מֹשֶׁה לֵּאמֹר: נָשֹׂא אֶת־רֹאשׁ בְּנֵי גֵרְשׁוֹן גַּם־הֵם **נשא** עֲבוֹדַת בְּנֵי
כג לְבֵית אֲבֹתָם לְמִשְׁפְּחֹתָם: מִבֶּן שְׁלֹשִׁים שָׁנָה וָמַעְלָה עַד גֵּרְשׁוֹן:
בֶּן־חֲמִשִּׁים שָׁנָה תִּפְקֹד אוֹתָם כָּל־הַבָּא לִצְבֹא צָבָא לַעֲבֹד
כד עֲבֹדָה בְּאֹהֶל מוֹעֵד: זֹאת עֲבֹדַת מִשְׁפְּחֹת הַגֵּרְשֻׁנִּי לַעֲבֹד
כה וּלְמַשָּׂא: וְנָשְׂאוּ אֶת־יְרִיעֹת הַמִּשְׁכָּן וְאֶת־אֹהֶל מוֹעֵד מִכְסֵהוּ
וּמִכְסֵה הַתַּחַשׁ אֲשֶׁר־עָלָיו מִלְמָעְלָה וְאֶת־מָסַךְ פֶּתַח אֹהֶל
כו מוֹעֵד: וְאֵת קַלְעֵי הֶחָצֵר וְאֶת־מָסַךְ ׀ פֶּתַח ׀ שַׁעַר הֶחָצֵר אֲשֶׁר
עַל־הַמִּשְׁכָּן וְעַל־הַמִּזְבֵּחַ סָבִיב וְאֵת מֵיתְרֵיהֶם וְאֶת־כָּל־כְּלֵי
כז עֲבֹדָתָם וְאֵת כָּל־אֲשֶׁר יֵעָשֶׂה לָהֶם וְעָבָדוּ: עַל־פִּי אַהֲרֹן וּבָנָיו
תִּהְיֶה כָּל־עֲבֹדַת בְּנֵי הַגֵּרְשֻׁנִּי לְכָל־מַשָּׂאָם וּלְכֹל עֲבֹדָתָם
כח וּפְקַדְתֶּם עֲלֵהֶם בְּמִשְׁמֶרֶת אֵת כָּל־מַשָּׂאָם: זֹאת עֲבֹדַת
מִשְׁפְּחֹת בְּנֵי הַגֵּרְשֻׁנִּי בְּאֹהֶל מוֹעֵד וּמִשְׁמַרְתָּם בְּיַד אִיתָמָר
כט בֶּן־אַהֲרֹן הַכֹּהֵן: בְּנֵי מְרָרִי לְמִשְׁפְּחֹתָם עֲבוֹדַת בְּנֵי מְרָרִי:

ל לְבֵית־אֲבֹתָם תִּפְקֹד אֹתָם: מִבֶּן שְׁלֹשִׁים שָׁנָה וָמַעְלָה וְעַד
בֶּן־חֲמִשִּׁים שָׁנָה תִּפְקְדֵם כָּל־הַבָּא לַצָּבָא לַעֲבֹד אֶת־עֲבֹדַת
לא אֹהֶל מוֹעֵד: וְזֹאת מִשְׁמֶרֶת מַשָּׂאָם לְכָל־עֲבֹדָתָם בְּאֹהֶל מוֹעֵד
לב קַרְשֵׁי הַמִּשְׁכָּן וּבְרִיחָיו וְעַמּוּדָיו וַאֲדָנָיו: וְעַמּוּדֵי הֶחָצֵר סָבִיב
וְאַדְנֵיהֶם וִיתֵדֹתָם וּמֵיתְרֵיהֶם לְכָל־כְּלֵיהֶם וּלְכֹל עֲבֹדָתָם
לג וּבְשֵׁמֹת תִּפְקְדוּ אֶת־כְּלֵי מִשְׁמֶרֶת מַשָּׂאָם: זֹאת עֲבֹדַת מִשְׁפְּחֹת
בְּנֵי מְרָרִי לְכָל־עֲבֹדָתָם בְּאֹהֶל מוֹעֵד בְּיַד אִיתָמָר בֶּן־אַהֲרֹן
מִנְיַן הָעוֹבְדִים בִּבְנֵי קְהָת:
לד הַכֹּהֵן: וַיִּפְקֹד מֹשֶׁה וְאַהֲרֹן וּנְשִׂיאֵי הָעֵדָה אֶת־בְּנֵי הַקְּהָתִי
לה לְמִשְׁפְּחֹתָם וּלְבֵית אֲבֹתָם: מִבֶּן שְׁלֹשִׁים שָׁנָה וָמַעְלָה וְעַד
לו בֶּן־חֲמִשִּׁים שָׁנָה כָּל־הַבָּא לַצָּבָא לַעֲבֹדָה בְּאֹהֶל מוֹעֵד: וַיִּהְיוּ
לז פְקֻדֵיהֶם לְמִשְׁפְּחֹתָם אַלְפַּיִם שְׁבַע מֵאוֹת וַחֲמִשִּׁים: אֵלֶּה פְּקוּדֵי
מִשְׁפְּחֹת הַקְּהָתִי כָּל־הָעֹבֵד בְּאֹהֶל מוֹעֵד אֲשֶׁר פָּקַד מֹשֶׁה
שני
מִנְיַן הָעוֹבְדִים בִּבְנֵי גֵרְשׁוֹן:
לח וְאַהֲרֹן עַל־פִּי יְהוָה בְּיַד־מֹשֶׁה: וּפְקוּדֵי בְּנֵי גֵּרְשׁוֹן
לט לְמִשְׁפְּחוֹתָם וּלְבֵית אֲבֹתָם: מִבֶּן שְׁלֹשִׁים שָׁנָה וָמַעְלָה וְעַד
מ בֶּן־חֲמִשִּׁים שָׁנָה כָּל־הַבָּא לַצָּבָא לַעֲבֹדָה בְּאֹהֶל מוֹעֵד: וַיִּהְיוּ
פְּקֻדֵיהֶם לְמִשְׁפְּחֹתָם לְבֵית אֲבֹתָם אַלְפַּיִם וְשֵׁשׁ מֵאוֹת וּשְׁלֹשִׁים:
מא אֵלֶּה פְקוּדֵי מִשְׁפְּחֹת בְּנֵי גֵרְשׁוֹן כָּל־הָעֹבֵד בְּאֹהֶל מוֹעֵד אֲשֶׁר
מִנְיַן הָעוֹבְדִים בִּבְנֵי מְרָרִי:
מב פָּקַד מֹשֶׁה וְאַהֲרֹן עַל־פִּי יְהוָה: וּפְקוּדֵי מִשְׁפְּחֹת בְּנֵי מְרָרִי
מג לְמִשְׁפְּחֹתָם לְבֵית אֲבֹתָם: מִבֶּן שְׁלֹשִׁים שָׁנָה וָמַעְלָה וְעַד
מד בֶּן־חֲמִשִּׁים שָׁנָה כָּל־הַבָּא לַצָּבָא לַעֲבֹדָה בְּאֹהֶל מוֹעֵד: וַיִּהְיוּ
מה פְקֻדֵיהֶם לְמִשְׁפְּחֹתָם שְׁלֹשֶׁת אֲלָפִים וּמָאתָיִם: אֵלֶּה פְּקוּדֵי
מִשְׁפְּחֹת בְּנֵי מְרָרִי אֲשֶׁר פָּקַד מֹשֶׁה וְאַהֲרֹן עַל־פִּי יְהוָה
סַךְ הָעוֹבְדִים בְּשֵׁבֶט לֵוִי:
מו בְּיַד־מֹשֶׁה: כָּל־הַפְּקֻדִים אֲשֶׁר פָּקַד מֹשֶׁה וְאַהֲרֹן וּנְשִׂיאֵי
מז יִשְׂרָאֵל אֶת־הַלְוִיִּם לְמִשְׁפְּחֹתָם וּלְבֵית אֲבֹתָם: מִבֶּן שְׁלֹשִׁים
שָׁנָה וָמַעְלָה וְעַד בֶּן־חֲמִשִּׁים שָׁנָה כָּל־הַבָּא לַעֲבֹד עֲבֹדַת

מח עֲבֹדָה וַעֲבֹדַת מַשָּׂא בְּאֹהֶל מוֹעֵד: וַיִּהְיוּ פְּקֻדֵיהֶם שְׁמֹנַת
מט אֲלָפִים וַחֲמֵשׁ מֵאוֹת וּשְׁמֹנִים: עַל־פִּי יְהוָה פָּקַד אוֹתָם בְּיַד־
מֹשֶׁה אִישׁ אִישׁ עַל־עֲבֹדָתוֹ וְעַל־מַשָּׂאוֹ וּפְקֻדָיו אֲשֶׁר־צִוָּה יְהוָה
אֶת־מֹשֶׁה:
ה א ב וַיְדַבֵּר יְהוָה אֶל־מֹשֶׁה לֵּאמֹר: צַו אֶת־בְּנֵי יִשְׂרָאֵל וִישַׁלְּחוּ שלישי שִׁלּוּחַ הַטְּמֵאִים:
ג מִן־הַמַּחֲנֶה כָּל־צָרוּעַ וְכָל־זָב וְכֹל טָמֵא לָנָפֶשׁ: מִזָּכָר עַד־
נְקֵבָה תְּשַׁלֵּחוּ אֶל־מִחוּץ לַמַּחֲנֶה תְּשַׁלְּחוּם וְלֹא יְטַמְּאוּ אֶת־
ד מַחֲנֵיהֶם אֲשֶׁר אֲנִי שֹׁכֵן בְּתוֹכָם: וַיַּעֲשׂוּ־כֵן בְּנֵי יִשְׂרָאֵל וַיְשַׁלְּחוּ
אוֹתָם אֶל־מִחוּץ לַמַּחֲנֶה כַּאֲשֶׁר דִּבֶּר יְהוָה אֶל־מֹשֶׁה כֵּן עָשׂוּ
בְּנֵי יִשְׂרָאֵל:
ה ו וַיְדַבֵּר יְהוָה אֶל־מֹשֶׁה לֵּאמֹר: דַּבֵּר אֶל־בְּנֵי יִשְׂרָאֵל אִישׁ דִּין הַגּוֹזֵל וְנִשְׁבָּע וְגֵזֶל הַגֵּר:
אוֹ־אִשָּׁה כִּי יַעֲשׂוּ מִכָּל־חַטֹּאת הָאָדָם לִמְעֹל מַעַל בַּיהוָה
ז וְאָשְׁמָה הַנֶּפֶשׁ הַהִוא: וְהִתְוַדּוּ אֶת־חַטָּאתָם אֲשֶׁר עָשׂוּ וְהֵשִׁיב
אֶת־אֲשָׁמוֹ בְּרֹאשׁוֹ וַחֲמִישִׁתוֹ יֹסֵף עָלָיו וְנָתַן לַאֲשֶׁר אָשַׁם לוֹ:
ח וְאִם־אֵין לָאִישׁ גֹּאֵל לְהָשִׁיב הָאָשָׁם אֵלָיו הָאָשָׁם הַמּוּשָׁב לַיהוָה
ט לַכֹּהֵן מִלְּבַד אֵיל הַכִּפֻּרִים אֲשֶׁר יְכַפֶּר־בּוֹ עָלָיו: וְכָל־תְּרוּמָה נְתִינַת הַמַּתָּנוֹת לַכֹּהֵן:
י לְכָל־קָדְשֵׁי בְנֵי־יִשְׂרָאֵל אֲשֶׁר־יַקְרִיבוּ לַכֹּהֵן לוֹ יִהְיֶה: וְאִישׁ
אֶת־קֳדָשָׁיו לוֹ יִהְיוּ אִישׁ אֲשֶׁר־יִתֵּן לַכֹּהֵן לוֹ יִהְיֶה:
יא יב וַיְדַבֵּר יְהוָה אֶל־מֹשֶׁה לֵּאמֹר: דַּבֵּר אֶל־בְּנֵי יִשְׂרָאֵל וְאָמַרְתָּ רביעי פָּרָשַׁת סוֹטָה:
יג אֲלֵהֶם אִישׁ אִישׁ כִּי־תִשְׂטֶה אִשְׁתּוֹ וּמָעֲלָה בוֹ מָעַל: וְשָׁכַב
אִישׁ אֹתָהּ שִׁכְבַת־זֶרַע וְנֶעְלַם מֵעֵינֵי אִישָׁהּ וְנִסְתְּרָה וְהִיא
יד נִטְמָאָה וְעֵד אֵין בָּהּ וְהִוא לֹא נִתְפָּשָׂה: וְעָבַר עָלָיו רוּחַ־קִנְאָה
וְקִנֵּא אֶת־אִשְׁתּוֹ וְהִוא נִטְמָאָה אוֹ־עָבַר עָלָיו רוּחַ־קִנְאָה וְקִנֵּא
טו אֶת־אִשְׁתּוֹ וְהִיא לֹא נִטְמָאָה: וְהֵבִיא הָאִישׁ אֶת־אִשְׁתּוֹ אֶל־
הַכֹּהֵן וְהֵבִיא אֶת־קָרְבָּנָהּ עָלֶיהָ עֲשִׂירִת הָאֵיפָה קֶמַח שְׂעֹרִים

לֹא־יִצֹק עָלָיו שֶׁמֶן וְלֹא־יִתֵּן עָלָיו לְבֹנָה כִּי־מִנְחַת קְנָאֹת הוּא
מִנְחַת זִכָּרוֹן מַזְכֶּרֶת עָוֺן: וְהִקְרִיב אֹתָהּ הַכֹּהֵן וְהֶעֱמִדָהּ לִפְנֵי טז
יְהוָה: וְלָקַח הַכֹּהֵן מַיִם קְדֹשִׁים בִּכְלִי־חָרֶשׂ וּמִן־הֶעָפָר אֲשֶׁר יז
יִהְיֶה בְּקַרְקַע הַמִּשְׁכָּן יִקַּח הַכֹּהֵן וְנָתַן אֶל־הַמָּיִם: וְהֶעֱמִיד יח
הַכֹּהֵן אֶת־הָאִשָּׁה לִפְנֵי יְהוָה וּפָרַע אֶת־רֹאשׁ הָאִשָּׁה וְנָתַן
עַל־כַּפֶּיהָ אֵת מִנְחַת הַזִּכָּרוֹן מִנְחַת קְנָאֹת הִוא וּבְיַד הַכֹּהֵן יִהְיוּ
מֵי הַמָּרִים הַמְאָרְרִים: וְהִשְׁבִּיעַ אֹתָהּ הַכֹּהֵן וְאָמַר אֶל־הָאִשָּׁה יט
אִם־לֹא שָׁכַב אִישׁ אֹתָךְ וְאִם־לֹא שָׂטִית טֻמְאָה תַּחַת אִישֵׁךְ
הִנָּקִי מִמֵּי הַמָּרִים הַמְאָרְרִים הָאֵלֶּה: וְאַתְּ כִּי שָׂטִית תַּחַת אִישֵׁךְ כ
וְכִי נִטְמֵאת וַיִּתֵּן אִישׁ בָּךְ אֶת־שְׁכָבְתּוֹ מִבַּלְעֲדֵי אִישֵׁךְ:
וְהִשְׁבִּיעַ הַכֹּהֵן אֶת־הָאִשָּׁה בִּשְׁבֻעַת הָאָלָה וְאָמַר הַכֹּהֵן לָאִשָּׁה כא
יִתֵּן יְהוָה אוֹתָךְ לְאָלָה וְלִשְׁבֻעָה בְּתוֹךְ עַמֵּךְ בְּתֵת יְהוָה אֶת־יְרֵכֵךְ
נֹפֶלֶת וְאֶת־בִּטְנֵךְ צָבָה: וּבָאוּ הַמַּיִם הַמְאָרְרִים הָאֵלֶּה בְּמֵעַיִךְ כב
לַצְבּוֹת בֶּטֶן וְלַנְפִּל יָרֵךְ וְאָמְרָה הָאִשָּׁה אָמֵן ׀ אָמֵן: וְכָתַב כג
אֶת־הָאָלֹת הָאֵלֶּה הַכֹּהֵן בַּסֵּפֶר וּמָחָה אֶל־מֵי הַמָּרִים: וְהִשְׁקָה כד
אֶת־הָאִשָּׁה אֶת־מֵי הַמָּרִים הַמְאָרְרִים וּבָאוּ בָהּ הַמַּיִם
הַמְאָרְרִים לְמָרִים: וְלָקַח הַכֹּהֵן מִיַּד הָאִשָּׁה אֵת מִנְחַת הַקְּנָאֹת כה
וְהֵנִיף אֶת־הַמִּנְחָה לִפְנֵי יְהוָה וְהִקְרִיב אֹתָהּ אֶל־הַמִּזְבֵּחַ:
וְקָמַץ הַכֹּהֵן מִן־הַמִּנְחָה אֶת־אַזְכָּרָתָהּ וְהִקְטִיר הַמִּזְבֵּחָה וְאַחַר כו
יַשְׁקֶה אֶת־הָאִשָּׁה אֶת־הַמָּיִם: וְהִשְׁקָהּ אֶת־הַמַּיִם וְהָיְתָה אִם־ כז
נִטְמְאָה וַתִּמְעֹל מַעַל בְּאִישָׁהּ וּבָאוּ בָהּ הַמַּיִם הַמְאָרְרִים
לְמָרִים וְצָבְתָה בִטְנָהּ וְנָפְלָה יְרֵכָהּ וְהָיְתָה הָאִשָּׁה לְאָלָה
בְּקֶרֶב עַמָּהּ: וְאִם־לֹא נִטְמְאָה הָאִשָּׁה וּטְהֹרָה הִוא וְנִקְּתָה כח
וְנִזְרְעָה זָרַע: זֹאת תּוֹרַת הַקְּנָאֹת אֲשֶׁר תִּשְׂטֶה אִשָּׁה תַּחַת כט
אִישָׁהּ וְנִטְמָאָה: אוֹ אִישׁ אֲשֶׁר תַּעֲבֹר עָלָיו רוּחַ קִנְאָה וְקִנֵּא ל

אֶת־אִשְׁתּ֑וֹ וְהֶעֱמִ֤יד אֶת־הָֽאִשָּׁה֙ לִפְנֵ֣י יְהוָ֔ה וְעָ֤שָׂה לָהּ֙ הַכֹּהֵ֔ן
לא אֵ֥ת כָּל־הַתּוֹרָ֖ה הַזֹּֽאת׃ וְנִקָּ֥ה הָאִ֖ישׁ מֵעָוֺ֑ן וְהָאִשָּׁ֣ה הַהִ֔וא תִּשָּׂ֖א
אֶת־עֲוֺנָֽהּ׃

ו א ב וַיְדַבֵּ֥ר יְהוָ֖ה אֶל־מֹשֶׁ֥ה לֵּאמֹֽר׃ דַּבֵּר֙ אֶל־בְּנֵ֣י יִשְׂרָאֵ֔ל וְאָמַרְתָּ֖ פָּרָשַׁת
אֲלֵהֶ֑ם אִ֣ישׁ אֽוֹ־אִשָּׁ֗ה כִּ֤י יַפְלִא֙ לִנְדֹּר֙ נֶ֣דֶר נָזִ֔יר לְהַזִּ֖יר לַיהוָֽה׃ נָזִיר:
ג מִיַּ֤יִן וְשֵׁכָר֙ יַזִּ֔יר חֹ֥מֶץ יַ֛יִן וְחֹ֥מֶץ שֵׁכָ֖ר לֹ֣א יִשְׁתֶּ֑ה וְכָל־מִשְׁרַ֤ת
ד עֲנָבִים֙ לֹ֣א יִשְׁתֶּ֔ה וַעֲנָבִ֛ים לַחִ֥ים וִיבֵשִׁ֖ים לֹ֥א יֹאכֵֽל׃ כֹּ֖ל יְמֵ֣י
נִזְר֑וֹ מִכֹּל֩ אֲשֶׁ֨ר יֵעָשֶׂ֜ה מִגֶּ֣פֶן הַיַּ֗יִן מֵחַרְצַנִּ֛ים וְעַד־זָ֖ג לֹ֥א יֹאכֵֽל׃
ה כָּל־יְמֵי֙ נֶ֣דֶר נִזְר֔וֹ תַּ֖עַר לֹא־יַעֲבֹ֣ר עַל־רֹאשׁ֑וֹ עַד־מְלֹ֨את הַיָּמִ֜ם
ו אֲשֶׁר־יַזִּ֤יר לַֽיהוָה֙ קָדֹ֣שׁ יִֽהְיֶ֔ה גַּדֵּ֥ל פֶּ֖רַע שְׂעַ֥ר רֹאשֽׁוֹ׃ כָּל־יְמֵ֥י
ז הַזִּיר֖וֹ לַיהוָ֑ה עַל־נֶ֥פֶשׁ מֵ֖ת לֹ֥א יָבֹֽא׃ לְאָבִ֣יו וּלְאִמּ֗וֹ לְאָחִיו֙
ח וּלְאַ֣חֹת֔וֹ לֹֽא־יִטַּמָּ֥א לָהֶ֖ם בְּמֹתָ֑ם כִּ֛י נֵ֥זֶר אֱלֹהָ֖יו עַל־רֹאשֽׁוֹ׃ כֹּ֖ל
ט יְמֵ֣י נִזְר֑וֹ קָדֹ֥שׁ ה֖וּא לַיהוָֽה׃ וְכִֽי־יָמ֨וּת מֵ֤ת עָלָיו֙ בְּפֶ֣תַע פִּתְאֹ֔ם קָרְבַּן
וְטִמֵּ֖א רֹ֣אשׁ נִזְר֑וֹ וְגִלַּ֤ח רֹאשׁוֹ֙ בְּי֣וֹם טָהֳרָת֔וֹ בַּיּ֥וֹם הַשְּׁבִיעִ֖י הַנָּזִיר
י יְגַלְּחֶֽנּוּ׃ וּבַיּ֣וֹם הַשְּׁמִינִ֗י יָבִא֙ שְׁתֵּ֣י תֹרִ֔ים א֥וֹ שְׁנֵ֖י בְּנֵ֣י יוֹנָ֑ה בְּטֻמְאָתוֹ:
יא אֶל־הַכֹּהֵ֔ן אֶל־פֶּ֖תַח אֹ֥הֶל מוֹעֵֽד׃ וְעָשָׂ֣ה הַכֹּהֵ֗ן אֶחָ֤ד לְחַטָּאת֙
וְאֶחָ֣ד לְעֹלָ֔ה וְכִפֶּ֣ר עָלָ֔יו מֵאֲשֶׁ֥ר חָטָ֖א עַל־הַנָּ֑פֶשׁ וְקִדַּ֥שׁ אֶת־
יב רֹאשׁ֖וֹ בַּיּ֥וֹם הַהֽוּא׃ וְהִזִּ֤יר לַֽיהוָה֙ אֶת־יְמֵ֣י נִזְר֔וֹ וְהֵבִ֛יא כֶּ֥בֶשׂ
יג בֶּן־שְׁנָת֖וֹ לְאָשָׁ֑ם וְהַיָּמִ֤ים הָרִאשֹׁנִים֙ יִפְּל֔וּ כִּ֥י טָמֵ֖א נִזְרֽוֹ׃ וְזֹ֛את קָרְבַּן
תּוֹרַ֥ת הַנָּזִ֖יר בְּי֗וֹם מְלֹאת֙ יְמֵ֣י נִזְר֔וֹ יָבִ֣יא אֹת֔וֹ אֶל־פֶּ֖תַח אֹ֥הֶל הַנָּזִיר
יד מוֹעֵֽד׃ וְהִקְרִ֣יב אֶת־קָרְבָּנ֣וֹ לַיהוָ֡ה כֶּבֶשׂ֩ בֶּן־שְׁנָת֨וֹ תָמִ֤ים אֶחָד֙ בְּטָהֳרָתוֹ:
לְעֹלָ֔ה וְכַבְשָׂ֨ה אַחַ֧ת בַּת־שְׁנָתָ֛הּ תְּמִימָ֖ה לְחַטָּ֑את וְאַֽיִל־אֶחָ֥ד
טו תָּמִ֖ים לִשְׁלָמִֽים׃ וְסַ֣ל מַצּ֗וֹת סֹ֤לֶת חַלֹּת֙ בְּלוּלֹ֣ת בַּשֶּׁ֔מֶן וּרְקִיקֵ֥י
טז מַצּ֖וֹת מְשֻׁחִ֣ים בַּשָּׁ֑מֶן וּמִנְחָתָ֖ם וְנִסְכֵּיהֶֽם׃ וְהִקְרִ֥יב הַכֹּהֵ֖ן לִפְנֵ֣י
יז יְהוָ֑ה וְעָשָׂ֥ה אֶת־חַטָּאת֖וֹ וְאֶת־עֹלָתֽוֹ׃ וְאֶת־הָאַ֜יִל יַעֲשֶׂ֨ה זֶ֤בַח

שְׁלָמִים לַיהוָה עַל סַל הַמַּצּוֹת וְעָשָׂה הַכֹּהֵן אֶת־מִנְחָתוֹ
יח וְאֶת־נִסְכּוֹ: וְגִלַּח הַנָּזִיר פֶּתַח אֹהֶל מוֹעֵד אֶת־רֹאשׁ נִזְרוֹ וְלָקַח
אֶת־שְׂעַר רֹאשׁ נִזְרוֹ וְנָתַן עַל־הָאֵשׁ אֲשֶׁר־תַּחַת זֶבַח הַשְּׁלָמִים:
יט וְלָקַח הַכֹּהֵן אֶת־הַזְּרֹעַ בְּשֵׁלָה מִן־הָאַיִל וְחַלַּת מַצָּה אַחַת
מִן־הַסַּל וּרְקִיק מַצָּה אֶחָד וְנָתַן עַל־כַּפֵּי הַנָּזִיר אַחַר הִתְגַּלְּחוֹ
כ אֶת־נִזְרוֹ: וְהֵנִיף אוֹתָם הַכֹּהֵן ׀ תְּנוּפָה לִפְנֵי יְהוָה קֹדֶשׁ הוּא
לַכֹּהֵן עַל חֲזֵה הַתְּנוּפָה וְעַל שׁוֹק הַתְּרוּמָה וְאַחַר יִשְׁתֶּה הַנָּזִיר
כא יָיִן: זֹאת תּוֹרַת הַנָּזִיר אֲשֶׁר יִדֹּר קָרְבָּנוֹ לַיהוָה עַל־נִזְרוֹ מִלְּבַד
אֲשֶׁר־תַּשִּׂיג יָדוֹ כְּפִי נִדְרוֹ אֲשֶׁר יִדֹּר כֵּן יַעֲשֶׂה עַל תּוֹרַת
נִזְרוֹ:

בִּרְכַּת כֹּהֲנִים:
כב כג וַיְדַבֵּר יְהוָה אֶל־מֹשֶׁה לֵּאמֹר: דַּבֵּר אֶל־אַהֲרֹן וְאֶל־בָּנָיו לֵאמֹר
כד כֹּה תְבָרְכוּ אֶת־בְּנֵי יִשְׂרָאֵל אָמוֹר לָהֶם: יְבָרֶכְךָ יְהוָה
כה וְיִשְׁמְרֶךָ: יָאֵר יְהוָה ׀ פָּנָיו אֵלֶיךָ
כו וִיחֻנֶּךָּ: יִשָּׂא יְהוָה ׀ פָּנָיו אֵלֶיךָ וְיָשֵׂם לְךָ
כז שָׁלוֹם: וְשָׂמוּ אֶת־שְׁמִי עַל־בְּנֵי יִשְׂרָאֵל וַאֲנִי

חמישי מַתְּנוֹת הַנְּשִׂיאִם לַמִּשְׁכָּן:
ז א אֲבָרְכֵם: וַיְהִי בְּיוֹם כַּלּוֹת מֹשֶׁה
לְהָקִים אֶת־הַמִּשְׁכָּן וַיִּמְשַׁח אֹתוֹ וַיְקַדֵּשׁ אֹתוֹ וְאֶת־כָּל־כֵּלָיו
ב וְאֶת־הַמִּזְבֵּחַ וְאֶת־כָּל־כֵּלָיו וַיִּמְשָׁחֵם וַיְקַדֵּשׁ אֹתָם: וַיַּקְרִיבוּ
נְשִׂיאֵי יִשְׂרָאֵל רָאשֵׁי בֵּית אֲבֹתָם הֵם נְשִׂיאֵי הַמַּטֹּת הֵם הָעֹמְדִים
ג עַל־הַפְּקֻדִים: וַיָּבִיאוּ אֶת־קָרְבָּנָם לִפְנֵי יְהוָה שֵׁשׁ־עֶגְלֹת צָב
וּשְׁנֵי־עָשָׂר בָּקָר עֲגָלָה עַל־שְׁנֵי הַנְּשִׂאִים וְשׁוֹר לְאֶחָד וַיַּקְרִיבוּ

חֶלְקַת הָעֲגָלוֹת לַלְוִיִּם:
ד ה אוֹתָם לִפְנֵי הַמִּשְׁכָּן: וַיֹּאמֶר יְהוָה אֶל־מֹשֶׁה לֵּאמֹר: קַח מֵאִתָּם
וְהָיוּ לַעֲבֹד אֶת־עֲבֹדַת אֹהֶל מוֹעֵד וְנָתַתָּה אוֹתָם אֶל־הַלְוִיִּם
ו אִישׁ כְּפִי עֲבֹדָתוֹ: וַיִּקַּח מֹשֶׁה אֶת־הָעֲגָלֹת וְאֶת־הַבָּקָר וַיִּתֵּן
ז אוֹתָם אֶל־הַלְוִיִּם: אֵת ׀ שְׁתֵּי הָעֲגָלוֹת וְאֵת אַרְבַּעַת הַבָּקָר נָתַן

ח לִבְנֵי גֵרְשׁוֹן כְּפִי עֲבֹדָתָם: וְאֵת ׀ אַרְבַּע הָעֲגָלֹת וְאֵת שְׁמֹנַת
הַבָּקָר נָתַן לִבְנֵי מְרָרִי כְּפִי עֲבֹדָתָם בְּיַד אִיתָמָר בֶּן־אַהֲרֹן
ט הַכֹּהֵן: וְלִבְנֵי קְהָת לֹא נָתָן כִּי־עֲבֹדַת הַקֹּדֶשׁ עֲלֵהֶם בַּכָּתֵף
קָרְבְּנוֹת הַנְּשִׂיאִים לַחֲנֻכַּת הַמִּזְבֵּחַ:
י יִשָּׂאוּ: וַיַּקְרִיבוּ הַנְּשִׂאִים אֵת חֲנֻכַּת הַמִּזְבֵּחַ בְּיוֹם הִמָּשַׁח אֹתוֹ
יא וַיַּקְרִיבוּ הַנְּשִׂיאִם אֶת־קָרְבָּנָם לִפְנֵי הַמִּזְבֵּחַ: וַיֹּאמֶר יְהוָה
אֶל־מֹשֶׁה נָשִׂיא אֶחָד לַיּוֹם נָשִׂיא אֶחָד לַיּוֹם יַקְרִיבוּ אֶת־
קָרְבַּן נְשִׂיא שֵׁבֶט יְהוּדָה:
יב קָרְבָּנָם לַחֲנֻכַּת הַמִּזְבֵּחַ: וַיְהִי הַמַּקְרִיב בַּיּוֹם
יג הָרִאשׁוֹן אֶת־קָרְבָּנוֹ נַחְשׁוֹן בֶּן־עַמִּינָדָב לְמַטֵּה יְהוּדָה: וְקָרְבָּנוֹ
קַעֲרַת־כֶּסֶף אַחַת שְׁלֹשִׁים וּמֵאָה מִשְׁקָלָהּ מִזְרָק אֶחָד כֶּסֶף
שִׁבְעִים שֶׁקֶל בְּשֶׁקֶל הַקֹּדֶשׁ שְׁנֵיהֶם ׀ מְלֵאִים סֹלֶת בְּלוּלָה
יד טו בַשֶּׁמֶן לְמִנְחָה: כַּף אַחַת עֲשָׂרָה זָהָב מְלֵאָה קְטֹרֶת: פַּר אֶחָד
טז בֶּן־בָּקָר אַיִל אֶחָד כֶּבֶשׂ־אֶחָד בֶּן־שְׁנָתוֹ לְעֹלָה: שְׂעִיר־עִזִּים
יז אֶחָד לְחַטָּאת: וּלְזֶבַח הַשְּׁלָמִים בָּקָר שְׁנַיִם אֵילִם חֲמִשָּׁה
עַתּוּדִים חֲמִשָּׁה כְּבָשִׂים בְּנֵי־שָׁנָה חֲמִשָּׁה זֶה קָרְבַּן נַחְשׁוֹן
בֶּן־עַמִּינָדָב:
קָרְבַּן נְשִׂיא שֵׁבֶט יִשָּׂשכָר:
יח יט בַּיּוֹם הַשֵּׁנִי הִקְרִיב נְתַנְאֵל בֶּן־צוּעָר נְשִׂיא יִשָּׂשכָר: הִקְרִב
אֶת־קָרְבָּנוֹ קַעֲרַת־כֶּסֶף אַחַת שְׁלֹשִׁים וּמֵאָה מִשְׁקָלָהּ מִזְרָק
אֶחָד כֶּסֶף שִׁבְעִים שֶׁקֶל בְּשֶׁקֶל הַקֹּדֶשׁ שְׁנֵיהֶם ׀ מְלֵאִים סֹלֶת
כ כא בְּלוּלָה בַשֶּׁמֶן לְמִנְחָה: כַּף אַחַת עֲשָׂרָה זָהָב מְלֵאָה קְטֹרֶת: פַּר
כב אֶחָד בֶּן־בָּקָר אַיִל אֶחָד כֶּבֶשׂ־אֶחָד בֶּן־שְׁנָתוֹ לְעֹלָה: שְׂעִיר־
כג עִזִּים אֶחָד לְחַטָּאת: וּלְזֶבַח הַשְּׁלָמִים בָּקָר שְׁנַיִם אֵילִם חֲמִשָּׁה
עַתֻּדִים חֲמִשָּׁה כְּבָשִׂים בְּנֵי־שָׁנָה חֲמִשָּׁה זֶה קָרְבַּן נְתַנְאֵל
בֶּן־צוּעָר:
קָרְבַּן נְשִׂיא שֵׁבֶט זְבוּלֻן:
כד כה בַּיּוֹם הַשְּׁלִישִׁי נָשִׂיא לִבְנֵי זְבוּלֻן אֱלִיאָב בֶּן־חֵלֹן: קָרְבָּנוֹ
קַעֲרַת־כֶּסֶף אַחַת שְׁלֹשִׁים וּמֵאָה מִשְׁקָלָהּ מִזְרָק אֶחָד כֶּסֶף

שִׁבְעִים שֶׁקֶל בְּשֶׁקֶל הַקֹּדֶשׁ שְׁנֵיהֶם ׀ מְלֵאִים סֹלֶת בְּלוּלָה
בַשֶּׁמֶן לְמִנְחָה: כַּף אַחַת עֲשָׂרָה זָהָב מְלֵאָה קְטֹרֶת: פַּר אֶחָד כו כז
בֶּן־בָּקָר אַיִל אֶחָד כֶּבֶשׂ־אֶחָד בֶּן־שְׁנָתוֹ לְעֹלָה: שְׂעִיר־עִזִּים כח
אֶחָד לְחַטָּאת: וּלְזֶבַח הַשְּׁלָמִים בָּקָר שְׁנַיִם אֵילִם חֲמִשָּׁה כט
עַתֻּדִים חֲמִשָּׁה כְּבָשִׂים בְּנֵי־שָׁנָה חֲמִשָּׁה זֶה קָרְבַּן אֱלִיאָב
בֶּן־חֵלֹן:

קָרְבַּן נְשִׂיא שֵׁבֶט רְאוּבֵן: בַּיּוֹם הָרְבִיעִי נָשִׂיא לִבְנֵי רְאוּבֵן אֱלִיצוּר בֶּן־שְׁדֵיאוּר: קָרְבָּנוֹ ל לא
קַעֲרַת־כֶּסֶף אַחַת שְׁלֹשִׁים וּמֵאָה מִשְׁקָלָהּ מִזְרָק אֶחָד כֶּסֶף
שִׁבְעִים שֶׁקֶל בְּשֶׁקֶל הַקֹּדֶשׁ שְׁנֵיהֶם ׀ מְלֵאִים סֹלֶת בְּלוּלָה
בַשֶּׁמֶן לְמִנְחָה: כַּף אַחַת עֲשָׂרָה זָהָב מְלֵאָה קְטֹרֶת: פַּר אֶחָד לב לג
בֶּן־בָּקָר אַיִל אֶחָד כֶּבֶשׂ־אֶחָד בֶּן־שְׁנָתוֹ לְעֹלָה: שְׂעִיר־עִזִּים לד
אֶחָד לְחַטָּאת: וּלְזֶבַח הַשְּׁלָמִים בָּקָר שְׁנַיִם אֵילִם חֲמִשָּׁה לה
עַתֻּדִים חֲמִשָּׁה כְּבָשִׂים בְּנֵי־שָׁנָה חֲמִשָּׁה זֶה קָרְבַּן אֱלִיצוּר
בֶּן־שְׁדֵיאוּר:

קָרְבַּן נְשִׂיא שֵׁבֶט שִׁמְעוֹן: בַּיּוֹם הַחֲמִישִׁי נָשִׂיא לִבְנֵי שִׁמְעוֹן שְׁלֻמִיאֵל בֶּן־צוּרִישַׁדָּי: לו
קָרְבָּנוֹ קַעֲרַת־כֶּסֶף אַחַת שְׁלֹשִׁים וּמֵאָה מִשְׁקָלָהּ מִזְרָק אֶחָד לז
כֶּסֶף שִׁבְעִים שֶׁקֶל בְּשֶׁקֶל הַקֹּדֶשׁ שְׁנֵיהֶם ׀ מְלֵאִים סֹלֶת בְּלוּלָה
בַשֶּׁמֶן לְמִנְחָה: כַּף אַחַת עֲשָׂרָה זָהָב מְלֵאָה קְטֹרֶת: פַּר אֶחָד לח לט
בֶּן־בָּקָר אַיִל אֶחָד כֶּבֶשׂ־אֶחָד בֶּן־שְׁנָתוֹ לְעֹלָה: שְׂעִיר־עִזִּים מ
אֶחָד לְחַטָּאת: וּלְזֶבַח הַשְּׁלָמִים בָּקָר שְׁנַיִם אֵילִם חֲמִשָּׁה מא
עַתֻּדִים חֲמִשָּׁה כְּבָשִׂים בְּנֵי־שָׁנָה חֲמִשָּׁה זֶה קָרְבַּן שְׁלֻמִיאֵל
בֶּן־צוּרִישַׁדָּי:

ששי קָרְבַּן נְשִׂיא שֵׁבֶט גָּד: בַּיּוֹם הַשִּׁשִּׁי נָשִׂיא לִבְנֵי גָד אֶלְיָסָף בֶּן־דְּעוּאֵל: קָרְבָּנוֹ קַעֲרַת־ מב מג
כֶּסֶף אַחַת שְׁלֹשִׁים וּמֵאָה מִשְׁקָלָהּ מִזְרָק אֶחָד כֶּסֶף שִׁבְעִים
שֶׁקֶל בְּשֶׁקֶל הַקֹּדֶשׁ שְׁנֵיהֶם ׀ מְלֵאִים סֹלֶת בְּלוּלָה בַשֶּׁמֶן

מד מה לְמִנְחָה: כַּף אַחַת עֲשָׂרָה זָהָב מְלֵאָה קְטֹרֶת: פַּר אֶחָד בֶּן־בָּקָר
מו אַיִל אֶחָד כֶּבֶשׂ־אֶחָד בֶּן־שְׁנָתוֹ לְעֹלָה: שְׂעִיר־עִזִּים אֶחָד
מז לְחַטָּאת: וּלְזֶבַח הַשְּׁלָמִים בָּקָר שְׁנַיִם אֵילִם חֲמִשָּׁה עַתֻּדִים
חֲמִשָּׁה כְּבָשִׂים בְּנֵי־שָׁנָה חֲמִשָּׁה זֶה קָרְבַּן אֱלְיָסָף בֶּן־
דְּעוּאֵל:

קָרְבַּן נְשִׂיא שֵׁבֶט אֶפְרָיִם:

מח מט בַּיּוֹם הַשְּׁבִיעִי נָשִׂיא לִבְנֵי אֶפְרָיִם אֱלִישָׁמָע בֶּן־עַמִּיהוּד: קָרְבָּנוֹ
קַעֲרַת־כֶּסֶף אַחַת שְׁלֹשִׁים וּמֵאָה מִשְׁקָלָהּ מִזְרָק אֶחָד כֶּסֶף
שִׁבְעִים שֶׁקֶל בְּשֶׁקֶל הַקֹּדֶשׁ שְׁנֵיהֶם ׀ מְלֵאִים סֹלֶת בְּלוּלָה
נ נא בַשֶּׁמֶן לְמִנְחָה: כַּף אַחַת עֲשָׂרָה זָהָב מְלֵאָה קְטֹרֶת: פַּר אֶחָד
נב בֶּן־בָּקָר אַיִל אֶחָד כֶּבֶשׂ־אֶחָד בֶּן־שְׁנָתוֹ לְעֹלָה: שְׂעִיר־עִזִּים
נג אֶחָד לְחַטָּאת: וּלְזֶבַח הַשְּׁלָמִים בָּקָר שְׁנַיִם אֵילִם חֲמִשָּׁה
עַתֻּדִים חֲמִשָּׁה כְּבָשִׂים בְּנֵי־שָׁנָה חֲמִשָּׁה זֶה קָרְבַּן אֱלִישָׁמָע
בֶּן־עַמִּיהוּד:

קָרְבַּן נְשִׂיא שֵׁבֶט מְנַשֶּׁה:

נד נה בַּיּוֹם הַשְּׁמִינִי נָשִׂיא לִבְנֵי מְנַשֶּׁה גַּמְלִיאֵל בֶּן־פְּדָהצוּר: קָרְבָּנוֹ
קַעֲרַת־כֶּסֶף אַחַת שְׁלֹשִׁים וּמֵאָה מִשְׁקָלָהּ מִזְרָק אֶחָד כֶּסֶף
שִׁבְעִים שֶׁקֶל בְּשֶׁקֶל הַקֹּדֶשׁ שְׁנֵיהֶם ׀ מְלֵאִים סֹלֶת בְּלוּלָה
נו נז בַשֶּׁמֶן לְמִנְחָה: כַּף אַחַת עֲשָׂרָה זָהָב מְלֵאָה קְטֹרֶת: פַּר אֶחָד
נח בֶּן־בָּקָר אַיִל אֶחָד כֶּבֶשׂ־אֶחָד בֶּן־שְׁנָתוֹ לְעֹלָה: שְׂעִיר־עִזִּים
נט אֶחָד לְחַטָּאת: וּלְזֶבַח הַשְּׁלָמִים בָּקָר שְׁנַיִם אֵילִם חֲמִשָּׁה
עַתֻּדִים חֲמִשָּׁה כְּבָשִׂים בְּנֵי־שָׁנָה חֲמִשָּׁה זֶה קָרְבַּן גַּמְלִיאֵל
בֶּן־פְּדָהצוּר:

קָרְבַּן נְשִׂיא שֵׁבֶט בִּנְיָמִן:

ס סא בַּיּוֹם הַתְּשִׁיעִי נָשִׂיא לִבְנֵי בִנְיָמִן אֲבִידָן בֶּן־גִּדְעֹנִי: קָרְבָּנוֹ
קַעֲרַת־כֶּסֶף אַחַת שְׁלֹשִׁים וּמֵאָה מִשְׁקָלָהּ מִזְרָק אֶחָד כֶּסֶף
שִׁבְעִים שֶׁקֶל בְּשֶׁקֶל הַקֹּדֶשׁ שְׁנֵיהֶם ׀ מְלֵאִים סֹלֶת בְּלוּלָה
סב סג בַשֶּׁמֶן לְמִנְחָה: כַּף אַחַת עֲשָׂרָה זָהָב מְלֵאָה קְטֹרֶת: פַּר אֶחָד

סד בֶּן־בָּקָר אַיִל אֶחָד כֶּבֶשׂ־אֶחָד בֶּן־שְׁנָתוֹ לְעֹלָה: שְׂעִיר־עִזִּים
סה אֶחָד לְחַטָּאת: וּלְזֶבַח הַשְּׁלָמִים בָּקָר שְׁנַיִם אֵילִם חֲמִשָּׁה
עַתֻּדִים חֲמִשָּׁה כְּבָשִׂים בְּנֵי־שָׁנָה חֲמִשָּׁה זֶה קָרְבַּן אֲבִידָן
בֶּן־גִּדְעֹנִי:

סו סז בַּיּוֹם הָעֲשִׂירִי נָשִׂיא לִבְנֵי דָן אֲחִיעֶזֶר בֶּן־עַמִּישַׁדָּי: קָרְבָּנוֹ קָרְבַּן נְשִׂיא שֵׁבֶט דָּן:
קַעֲרַת־כֶּסֶף אַחַת שְׁלֹשִׁים וּמֵאָה מִשְׁקָלָהּ מִזְרָק אֶחָד כֶּסֶף
שִׁבְעִים שֶׁקֶל בְּשֶׁקֶל הַקֹּדֶשׁ שְׁנֵיהֶם ׀ מְלֵאִים סֹלֶת בְּלוּלָה
סח סט בַשֶּׁמֶן לְמִנְחָה: כַּף אַחַת עֲשָׂרָה זָהָב מְלֵאָה קְטֹרֶת: פַּר אֶחָד
ע בֶּן־בָּקָר אַיִל אֶחָד כֶּבֶשׂ־אֶחָד בֶּן־שְׁנָתוֹ לְעֹלָה: שְׂעִיר־עִזִּים
עא אֶחָד לְחַטָּאת: וּלְזֶבַח הַשְּׁלָמִים בָּקָר שְׁנַיִם אֵילִם חֲמִשָּׁה
עַתֻּדִים חֲמִשָּׁה כְּבָשִׂים בְּנֵי־שָׁנָה חֲמִשָּׁה זֶה קָרְבַּן אֲחִיעֶזֶר
בֶּן־עַמִּישַׁדָּי:

עב בְּיוֹם עַשְׁתֵּי עָשָׂר יוֹם נָשִׂיא לִבְנֵי אָשֵׁר פַּגְעִיאֵל בֶּן־עָכְרָן: שביעי
עג קָרְבָּנוֹ קַעֲרַת־כֶּסֶף אַחַת שְׁלֹשִׁים וּמֵאָה מִשְׁקָלָהּ מִזְרָק אֶחָד קָרְבַּן נְשִׂיא שֵׁבֶט אָשֵׁר:
כֶּסֶף שִׁבְעִים שֶׁקֶל בְּשֶׁקֶל הַקֹּדֶשׁ שְׁנֵיהֶם ׀ מְלֵאִים סֹלֶת בְּלוּלָה
עד עה בַשֶּׁמֶן לְמִנְחָה: כַּף אַחַת עֲשָׂרָה זָהָב מְלֵאָה קְטֹרֶת: פַּר אֶחָד
עו בֶּן־בָּקָר אַיִל אֶחָד כֶּבֶשׂ־אֶחָד בֶּן־שְׁנָתוֹ לְעֹלָה: שְׂעִיר־עִזִּים
עז אֶחָד לְחַטָּאת: וּלְזֶבַח הַשְּׁלָמִים בָּקָר שְׁנַיִם אֵילִם חֲמִשָּׁה
עַתֻּדִים חֲמִשָּׁה כְּבָשִׂים בְּנֵי־שָׁנָה חֲמִשָּׁה זֶה קָרְבַּן פַּגְעִיאֵל
בֶּן־עָכְרָן:

עח עט בְּיוֹם שְׁנֵים עָשָׂר יוֹם נָשִׂיא לִבְנֵי נַפְתָּלִי אֲחִירַע בֶּן־עֵינָן: קָרְבָּנוֹ קָרְבַּן נְשִׂיא שֵׁבֶט נַפְתָּלִי:
קַעֲרַת־כֶּסֶף אַחַת שְׁלֹשִׁים וּמֵאָה מִשְׁקָלָהּ מִזְרָק אֶחָד כֶּסֶף
שִׁבְעִים שֶׁקֶל בְּשֶׁקֶל הַקֹּדֶשׁ שְׁנֵיהֶם ׀ מְלֵאִים סֹלֶת בְּלוּלָה
פ פא בַשֶּׁמֶן לְמִנְחָה: כַּף אַחַת עֲשָׂרָה זָהָב מְלֵאָה קְטֹרֶת: פַּר אֶחָד
פב בֶּן־בָּקָר אַיִל אֶחָד כֶּבֶשׂ־אֶחָד בֶּן־שְׁנָתוֹ לְעֹלָה: שְׂעִיר־עִזִּים

פג אֶחָד לְחַטָּאת: וּלְזֶבַח הַשְּׁלָמִים בָּקָר שְׁנַיִם אֵילִם חֲמִשָּׁה
עַתֻּדִים חֲמִשָּׁה כְּבָשִׂים בְּנֵי־שָׁנָה חֲמִשָּׁה זֶה קָרְבַּן אֲחִירַע
בֶּן־עֵינָן:
פד זֹאת ׀ חֲנֻכַּת הַמִּזְבֵּחַ בְּיוֹם הִמָּשַׁח אֹתוֹ מֵאֵת נְשִׂיאֵי יִשְׂרָאֵל סִכּוּם קָרְבְּנוֹת הַנְּשִׂיאִים:
קַעֲרֹת כֶּסֶף שְׁתֵּים עֶשְׂרֵה מִזְרְקֵי־כֶסֶף שְׁנֵים עָשָׂר כַּפּוֹת זָהָב
פה שְׁתֵּים עֶשְׂרֵה: שְׁלֹשִׁים וּמֵאָה הַקְּעָרָה הָאַחַת כֶּסֶף וְשִׁבְעִים
הַמִּזְרָק הָאֶחָד כֹּל כֶּסֶף הַכֵּלִים אַלְפַּיִם וְאַרְבַּע־מֵאוֹת בְּשֶׁקֶל
פו הַקֹּדֶשׁ: כַּפּוֹת זָהָב שְׁתֵּים־עֶשְׂרֵה מְלֵאֹת קְטֹרֶת עֲשָׂרָה עֲשָׂרָה
פז הַכַּף בְּשֶׁקֶל הַקֹּדֶשׁ כָּל־זְהַב הַכַּפּוֹת עֶשְׂרִים וּמֵאָה: כָּל־הַבָּקָר מפטיר
לָעֹלָה שְׁנֵים עָשָׂר פָּרִים אֵילִם שְׁנֵים־עָשָׂר כְּבָשִׂים בְּנֵי־שָׁנָה
פח שְׁנֵים עָשָׂר וּמִנְחָתָם וּשְׂעִירֵי עִזִּים שְׁנֵים עָשָׂר לְחַטָּאת: וְכֹל
בְּקַר ׀ זֶבַח הַשְּׁלָמִים עֶשְׂרִים וְאַרְבָּעָה פָּרִים אֵילִם שִׁשִּׁים
עַתֻּדִים שִׁשִּׁים כְּבָשִׂים בְּנֵי־שָׁנָה שִׁשִּׁים זֹאת חֲנֻכַּת הַמִּזְבֵּחַ
פט אַחֲרֵי הִמָּשַׁח אֹתוֹ: וּבְבֹא מֹשֶׁה אֶל־אֹהֶל מוֹעֵד לְדַבֵּר אִתּוֹ מְקוֹם הִתְגַּלּוּת ה׳ בַּמִּשְׁכָּן:
וַיִּשְׁמַע אֶת־הַקּוֹל מִדַּבֵּר אֵלָיו מֵעַל הַכַּפֹּרֶת אֲשֶׁר עַל־אֲרֹן
הָעֵדֻת מִבֵּין שְׁנֵי הַכְּרֻבִים וַיְדַבֵּר אֵלָיו:
ח א ב וַיְדַבֵּר יְהוָה אֶל־מֹשֶׁה לֵּאמֹר: דַּבֵּר אֶל־אַהֲרֹן וְאָמַרְתָּ אֵלָיו **בהעלתך** הַדְלָקַת הַמְּנוֹרָה וּמַעֲשֶׂיהָ:
בְּהַעֲלֹתְךָ אֶת־הַנֵּרֹת אֶל־מוּל פְּנֵי הַמְּנוֹרָה יָאִירוּ שִׁבְעַת
ג הַנֵּרוֹת: וַיַּעַשׂ כֵּן אַהֲרֹן אֶל־מוּל פְּנֵי הַמְּנוֹרָה הֶעֱלָה נֵרֹתֶיהָ
ד כַּאֲשֶׁר צִוָּה יְהוָה אֶת־מֹשֶׁה: וְזֶה מַעֲשֵׂה הַמְּנֹרָה מִקְשָׁה זָהָב
עַד־יְרֵכָהּ עַד־פִּרְחָהּ מִקְשָׁה הִוא כַּמַּרְאֶה אֲשֶׁר הֶרְאָה יְהוָה
אֶת־מֹשֶׁה כֵּן עָשָׂה אֶת־הַמְּנֹרָה:
ה ו וַיְדַבֵּר יְהוָה אֶל־מֹשֶׁה לֵּאמֹר: קַח אֶת־הַלְוִיִּם מִתּוֹךְ בְּנֵי יִשְׂרָאֵל חִנּוּךְ הַלְוִיִּם לָעֲבוֹדָה:
ז וְטִהַרְתָּ אֹתָם: וְכֹה־תַעֲשֶׂה לָהֶם לְטַהֲרָם הַזֵּה עֲלֵיהֶם מֵי חַטָּאת
ח וְהֶעֱבִירוּ תַעַר עַל־כָּל־בְּשָׂרָם וְכִבְּסוּ בִגְדֵיהֶם וְהִטֶּהָרוּ: וְלָקְחוּ

פַּר בֶּן־בָּקָר וּמִנְחָתוֹ סֹלֶת בְּלוּלָה בַשָּׁמֶן וּפַר־שֵׁנִי בֶן־בָּקָר תִּקַּח לְחַטָּאת: וְהִקְרַבְתָּ אֶת־הַלְוִיִּם לִפְנֵי אֹהֶל מוֹעֵד וְהִקְהַלְתָּ ט אֶת־כָּל־עֲדַת בְּנֵי יִשְׂרָאֵל: וְהִקְרַבְתָּ אֶת־הַלְוִיִּם לִפְנֵי יְהוָה י וְסָמְכוּ בְנֵי־יִשְׂרָאֵל אֶת־יְדֵיהֶם עַל־הַלְוִיִּם: וְהֵנִיף אַהֲרֹן אֶת־ יא הַלְוִיִּם תְּנוּפָה לִפְנֵי יְהוָה מֵאֵת בְּנֵי יִשְׂרָאֵל וְהָיוּ לַעֲבֹד אֶת־עֲבֹדַת יְהוָה: וְהַלְוִיִּם יִסְמְכוּ אֶת־יְדֵיהֶם עַל רֹאשׁ הַפָּרִים יב וַעֲשֵׂה אֶת־הָאֶחָד חַטָּאת וְאֶת־הָאֶחָד עֹלָה לַיהוָה לְכַפֵּר עַל־הַלְוִיִּם: וְהַעֲמַדְתָּ אֶת־הַלְוִיִּם לִפְנֵי אַהֲרֹן וְלִפְנֵי בָנָיו וְהֵנַפְתָּ יג אֹתָם תְּנוּפָה לַיהוָה: וְהִבְדַּלְתָּ אֶת־הַלְוִיִּם מִתּוֹךְ בְּנֵי יִשְׂרָאֵל יד שני וְהָיוּ לִי הַלְוִיִּם: וְאַחֲרֵי־כֵן יָבֹאוּ הַלְוִיִּם לַעֲבֹד אֶת־אֹהֶל מוֹעֵד טו וְטִהַרְתָּ אֹתָם וְהֵנַפְתָּ אֹתָם תְּנוּפָה: כִּי נְתֻנִים נְתֻנִים הֵמָּה לִי טז מִתּוֹךְ בְּנֵי יִשְׂרָאֵל תַּחַת פִּטְרַת כָּל־רֶחֶם בְּכוֹר כֹּל מִבְּנֵי יִשְׂרָאֵל לָקַחְתִּי אֹתָם לִי: כִּי לִי כָל־בְּכוֹר בִּבְנֵי יִשְׂרָאֵל בָּאָדָם וּבַבְּהֵמָה יז בְּיוֹם הַכֹּתִי כָל־בְּכוֹר בְּאֶרֶץ מִצְרַיִם הִקְדַּשְׁתִּי אֹתָם לִי: וָאֶקַּח יח אֶת־הַלְוִיִּם תַּחַת כָּל־בְּכוֹר בִּבְנֵי יִשְׂרָאֵל: וָאֶתְּנָה אֶת־הַלְוִיִּם יט נְתֻנִים לְאַהֲרֹן וּלְבָנָיו מִתּוֹךְ בְּנֵי יִשְׂרָאֵל לַעֲבֹד אֶת־עֲבֹדַת בְּנֵי־יִשְׂרָאֵל בְּאֹהֶל מוֹעֵד וּלְכַפֵּר עַל־בְּנֵי יִשְׂרָאֵל וְלֹא יִהְיֶה בִּבְנֵי יִשְׂרָאֵל נֶגֶף בְּגֶשֶׁת בְּנֵי־יִשְׂרָאֵל אֶל־הַקֹּדֶשׁ: וַיַּעַשׂ מֹשֶׁה כ וְאַהֲרֹן וְכָל־עֲדַת בְּנֵי־יִשְׂרָאֵל לַלְוִיִּם כְּכֹל אֲשֶׁר־צִוָּה יְהוָה אֶת־מֹשֶׁה לַלְוִיִּם כֵּן עָשׂוּ לָהֶם בְּנֵי יִשְׂרָאֵל: וַיִּתְחַטְּאוּ הַלְוִיִּם כא וַיְכַבְּסוּ בִּגְדֵיהֶם וַיָּנֶף אַהֲרֹן אֹתָם תְּנוּפָה לִפְנֵי יְהוָה וַיְכַפֵּר עֲלֵיהֶם אַהֲרֹן לְטַהֲרָם: וְאַחֲרֵי־כֵן בָּאוּ הַלְוִיִּם לַעֲבֹד אֶת־ כב עֲבֹדָתָם בְּאֹהֶל מוֹעֵד לִפְנֵי אַהֲרֹן וְלִפְנֵי בָנָיו כַּאֲשֶׁר צִוָּה יְהוָה אֶת־מֹשֶׁה עַל־הַלְוִיִּם כֵּן עָשׂוּ לָהֶם: וַיְדַבֵּר יְהוָה כג אֶל־מֹשֶׁה לֵּאמֹר: זֹאת אֲשֶׁר לַלְוִיִּם מִבֶּן חָמֵשׁ וְעֶשְׂרִים שָׁנָה כד

גִּיל הַלְוִיִּם לַעֲבוֹדָה:

כה וָמַעְלָה יָבוֹא לִצְבֹא צָבָא בַּעֲבֹדַת אֹהֶל מוֹעֵד: וּמִבֶּן חֲמִשִּׁים

כו שָׁנָה יָשׁוּב מִצְּבָא הָעֲבֹדָה וְלֹא יַעֲבֹד עוֹד: וְשֵׁרֵת אֶת־אֶחָיו
בְּאֹהֶל מוֹעֵד לִשְׁמֹר מִשְׁמֶרֶת וַעֲבֹדָה לֹא יַעֲבֹד כָּכָה תַּעֲשֶׂה
לַלְוִיִּם בְּמִשְׁמְרֹתָם:

שלישי
צַוִּי
לַעֲשׂוֹת
פָּסַח:

ט וַיְדַבֵּר יְהוָה אֶל־מֹשֶׁה בְמִדְבַּר־סִינַי בַּשָּׁנָה הַשֵּׁנִית לְצֵאתָם

ב מֵאֶרֶץ מִצְרַיִם בַּחֹדֶשׁ הָרִאשׁוֹן לֵאמֹר: וְיַעֲשׂוּ בְנֵי־יִשְׂרָאֵל

ג אֶת־הַפָּסַח בְּמוֹעֲדוֹ: בְּאַרְבָּעָה עָשָׂר־יוֹם בַּחֹדֶשׁ הַזֶּה בֵּין
הָעַרְבַּיִם תַּעֲשׂוּ אֹתוֹ בְּמֹעֲדוֹ כְּכָל־חֻקֹּתָיו וּכְכָל־מִשְׁפָּטָיו תַּעֲשׂוּ

ה אֹתוֹ: וַיְדַבֵּר מֹשֶׁה אֶל־בְּנֵי יִשְׂרָאֵל לַעֲשֹׂת הַפָּסַח: וַיַּעֲשׂוּ
אֶת־הַפֶּסַח בָּרִאשׁוֹן בְּאַרְבָּעָה עָשָׂר יוֹם לַחֹדֶשׁ בֵּין הָעַרְבַּיִם
בְּמִדְבַּר סִינָי כְּכֹל אֲשֶׁר צִוָּה יְהוָה אֶת־מֹשֶׁה כֵּן עָשׂוּ בְּנֵי

טֻעֲנַת
הַטְּמֵאִים:

ו יִשְׂרָאֵל: וַיְהִי אֲנָשִׁים אֲשֶׁר הָיוּ טְמֵאִים לְנֶפֶשׁ אָדָם וְלֹא־יָכְלוּ
לַעֲשֹׂת־הַפֶּסַח בַּיּוֹם הַהוּא וַיִּקְרְבוּ לִפְנֵי מֹשֶׁה וְלִפְנֵי אַהֲרֹן בַּיּוֹם

ז הַהוּא: וַיֹּאמְרוּ הָאֲנָשִׁים הָהֵמָּה אֵלָיו אֲנַחְנוּ טְמֵאִים לְנֶפֶשׁ אָדָם
לָמָּה נִגָּרַע לְבִלְתִּי הַקְרִיב אֶת־קָרְבַּן יְהוָה בְּמֹעֲדוֹ בְּתוֹךְ בְּנֵי

ח יִשְׂרָאֵל: וַיֹּאמֶר אֲלֵהֶם מֹשֶׁה עִמְדוּ וְאֶשְׁמְעָה מַה־יְצַוֶּה יְהוָה
לָכֶם:

פֶּסַח שֵׁנִי:
רְחֹקָה
נָקוּד:

ט וַיְדַבֵּר יְהוָה אֶל־מֹשֶׁה לֵּאמֹר: דַּבֵּר אֶל־בְּנֵי יִשְׂרָאֵל לֵאמֹר אִישׁ

י אִישׁ כִּי־יִהְיֶה־טָמֵא לָנֶפֶשׁ אוֹ בְדֶרֶךְ רְחֹקָה לָכֶם אוֹ

יא לְדֹרֹתֵיכֶם וְעָשָׂה פֶסַח לַיהוָה: בַּחֹדֶשׁ הַשֵּׁנִי בְּאַרְבָּעָה עָשָׂר יוֹם

יב בֵּין הָעַרְבַּיִם יַעֲשׂוּ אֹתוֹ עַל־מַצּוֹת וּמְרֹרִים יֹאכְלֻהוּ: לֹא־יַשְׁאִירוּ
מִמֶּנּוּ עַד־בֹּקֶר וְעֶצֶם לֹא יִשְׁבְּרוּ־בוֹ כְּכָל־חֻקַּת הַפֶּסַח יַעֲשׂוּ

יג אֹתוֹ: וְהָאִישׁ אֲשֶׁר־הוּא טָהוֹר וּבְדֶרֶךְ לֹא־הָיָה וְחָדַל לַעֲשׂוֹת
הַפֶּסַח וְנִכְרְתָה הַנֶּפֶשׁ הַהִוא מֵעַמֶּיהָ כִּי קָרְבַּן יְהוָה לֹא הִקְרִיב

יד בְּמֹעֲדוֹ חֶטְאוֹ יִשָּׂא הָאִישׁ הַהוּא: וְכִי־יָגוּר אִתְּכֶם גֵּר וְעָשָׂה

פֶּסַח לַיהוָה כְּחֻקַּת הַפֶּסַח וּכְמִשְׁפָּטוֹ כֵּן יַעֲשֶׂה חֻקָּה אַחַת
רביעי יִהְיֶה לָכֶם וְלַגֵּר וּלְאֶזְרַח הָאָרֶץ: טו וּבְיוֹם הָקִים
הַסִּימָן לַחֲנִיָּה וּלְמַסָּע: אֶת־הַמִּשְׁכָּן כִּסָּה הֶעָנָן אֶת־הַמִּשְׁכָּן לְאֹהֶל הָעֵדֻת וּבָעֶרֶב
יִהְיֶה עַל־הַמִּשְׁכָּן כְּמַרְאֵה־אֵשׁ עַד־בֹּקֶר: טז כֵּן יִהְיֶה תָמִיד
הֶעָנָן יְכַסֶּנּוּ וּמַרְאֵה־אֵשׁ לָיְלָה: יז וּלְפִי הֵעָלֹת הֶעָנָן מֵעַל הָאֹהֶל
וְאַחֲרֵי כֵן יִסְעוּ בְּנֵי יִשְׂרָאֵל וּבִמְקוֹם אֲשֶׁר יִשְׁכָּן־שָׁם הֶעָנָן שָׁם
יַחֲנוּ בְּנֵי יִשְׂרָאֵל: יח עַל־פִּי יְהוָה יִסְעוּ בְּנֵי יִשְׂרָאֵל וְעַל־פִּי יְהוָה
יַחֲנוּ כָּל־יְמֵי אֲשֶׁר יִשְׁכֹּן הֶעָנָן עַל־הַמִּשְׁכָּן יַחֲנוּ: יט וּבְהַאֲרִיךְ הֶעָנָן
עַל־הַמִּשְׁכָּן יָמִים רַבִּים וְשָׁמְרוּ בְנֵי־יִשְׂרָאֵל אֶת־מִשְׁמֶרֶת יְהוָה
וְלֹא יִסָּעוּ: כ וְיֵשׁ אֲשֶׁר יִהְיֶה הֶעָנָן יָמִים מִסְפָּר עַל־הַמִּשְׁכָּן
עַל־פִּי יְהוָה יַחֲנוּ וְעַל־פִּי יְהוָה יִסָּעוּ: כא וְיֵשׁ אֲשֶׁר־יִהְיֶה הֶעָנָן
מֵעֶרֶב עַד־בֹּקֶר וְנַעֲלָה הֶעָנָן בַּבֹּקֶר וְנָסָעוּ אוֹ יוֹמָם וָלַיְלָה וְנַעֲלָה
הֶעָנָן וְנָסָעוּ: כב אוֹ־יֹמַיִם אוֹ־חֹדֶשׁ אוֹ־יָמִים בְּהַאֲרִיךְ הֶעָנָן עַל־
הַמִּשְׁכָּן לִשְׁכֹּן עָלָיו יַחֲנוּ בְנֵי־יִשְׂרָאֵל וְלֹא יִסָּעוּ וּבְהֵעָלֹתוֹ יִסָּעוּ:
כג עַל־פִּי יְהוָה יַחֲנוּ וְעַל־פִּי יְהוָה יִסָּעוּ אֶת־מִשְׁמֶרֶת יְהוָה שָׁמָרוּ
עַל־פִּי יְהוָה בְּיַד־מֹשֶׁה:

חֲצוֹצְרוֹת כֶּסֶף וְתַפְקִידָן: י א וַיְדַבֵּר יְהוָה אֶל־מֹשֶׁה לֵּאמֹר: ב עֲשֵׂה לְךָ שְׁתֵּי חֲצוֹצְרֹת כֶּסֶף
מִקְשָׁה תַּעֲשֶׂה אֹתָם וְהָיוּ לְךָ לְמִקְרָא הָעֵדָה וּלְמַסַּע אֶת־
הַמַּחֲנוֹת: ג וְתָקְעוּ בָּהֵן וְנוֹעֲדוּ אֵלֶיךָ כָּל־הָעֵדָה אֶל־פֶּתַח אֹהֶל
מוֹעֵד: ד וְאִם־בְּאַחַת יִתְקָעוּ וְנוֹעֲדוּ אֵלֶיךָ הַנְּשִׂיאִים רָאשֵׁי אַלְפֵי
יִשְׂרָאֵל: ה וּתְקַעְתֶּם תְּרוּעָה וְנָסְעוּ הַמַּחֲנוֹת הַחֹנִים קֵדְמָה:
ו וּתְקַעְתֶּם תְּרוּעָה שֵׁנִית וְנָסְעוּ הַמַּחֲנוֹת הַחֹנִים תֵּימָנָה תְּרוּעָה
יִתְקְעוּ לְמַסְעֵיהֶם: ז וּבְהַקְהִיל אֶת־הַקָּהָל תִּתְקְעוּ וְלֹא תָרִיעוּ:
ח וּבְנֵי אַהֲרֹן הַכֹּהֲנִים יִתְקְעוּ בַּחֲצֹצְרוֹת וְהָיוּ לָכֶם לְחֻקַּת עוֹלָם
לְדֹרֹתֵיכֶם: ט וְכִי־תָבֹאוּ מִלְחָמָה בְּאַרְצְכֶם עַל־הַצַּר הַצֹּרֵר אֶתְכֶם

וַהֲרֵעֹתֶם בַּחֲצֹצְרֹת וְנִזְכַּרְתֶּם לִפְנֵי יְהוָה אֱלֹהֵיכֶם וְנוֹשַׁעְתֶּם
י מֵאֹיְבֵיכֶם: וּבְיוֹם שִׂמְחַתְכֶם וּבְמוֹעֲדֵיכֶם וּבְרָאשֵׁי חָדְשֵׁכֶם
וּתְקַעְתֶּם בַּחֲצֹצְרֹת עַל עֹלֹתֵיכֶם וְעַל זִבְחֵי שַׁלְמֵיכֶם וְהָיוּ לָכֶם
לְזִכָּרוֹן לִפְנֵי אֱלֹהֵיכֶם אֲנִי יְהוָה אֱלֹהֵיכֶם:

חמישי
סֵדֶר מַסַּע הַדְּגָלִים:
[2449]

יא וַיְהִי בַּשָּׁנָה הַשֵּׁנִית בַּחֹדֶשׁ הַשֵּׁנִי בְּעֶשְׂרִים בַּחֹדֶשׁ נַעֲלָה הֶעָנָן
יב מֵעַל מִשְׁכַּן הָעֵדֻת: וַיִּסְעוּ בְנֵי־יִשְׂרָאֵל לְמַסְעֵיהֶם מִמִּדְבַּר סִינָי
יג וַיִּשְׁכֹּן הֶעָנָן בְּמִדְבַּר פָּארָן: וַיִּסְעוּ בָּרִאשֹׁנָה עַל־פִּי יְהוָה
יד בְּיַד־מֹשֶׁה: וַיִּסַּע דֶּגֶל מַחֲנֵה בְנֵי־יְהוּדָה בָּרִאשֹׁנָה לְצִבְאֹתָם
טו וְעַל־צְבָאוֹ נַחְשׁוֹן בֶּן־עַמִּינָדָב: וְעַל־צְבָא מַטֵּה בְּנֵי יִשָּׂשכָר
טז נְתַנְאֵל בֶּן־צוּעָר: וְעַל־צְבָא מַטֵּה בְּנֵי זְבוּלֻן אֱלִיאָב בֶּן־חֵלֹן:
יז וְהוּרַד הַמִּשְׁכָּן וְנָסְעוּ בְנֵי־גֵרְשׁוֹן וּבְנֵי מְרָרִי נֹשְׂאֵי הַמִּשְׁכָּן:
יח וְנָסַע דֶּגֶל מַחֲנֵה רְאוּבֵן לְצִבְאֹתָם וְעַל־צְבָאוֹ אֱלִיצוּר בֶּן־
יט שְׁדֵיאוּר: וְעַל־צְבָא מַטֵּה בְּנֵי שִׁמְעוֹן שְׁלֻמִיאֵל בֶּן־צוּרִישַׁדָּי:
כ
כא וְעַל־צְבָא מַטֵּה בְנֵי־גָד אֶלְיָסָף בֶּן־דְּעוּאֵל: וְנָסְעוּ הַקְּהָתִים
כב נֹשְׂאֵי הַמִּקְדָּשׁ וְהֵקִימוּ אֶת־הַמִּשְׁכָּן עַד־בֹּאָם: וְנָסַע דֶּגֶל מַחֲנֵה
כג בְנֵי־אֶפְרַיִם לְצִבְאֹתָם וְעַל־צְבָאוֹ אֱלִישָׁמָע בֶּן־עַמִּיהוּד: וְעַל־
כד צְבָא מַטֵּה בְּנֵי מְנַשֶּׁה גַּמְלִיאֵל בֶּן־פְּדָהצוּר: וְעַל־צְבָא מַטֵּה בְּנֵי
כה בִנְיָמִן אֲבִידָן בֶּן־גִּדְעוֹנִי: וְנָסַע דֶּגֶל מַחֲנֵה בְנֵי־דָן מְאַסֵּף
כו לְכָל־הַמַּחֲנֹת לְצִבְאֹתָם וְעַל־צְבָאוֹ אֲחִיעֶזֶר בֶּן־עַמִּישַׁדָּי: וְעַל־
כז צְבָא מַטֵּה בְּנֵי אָשֵׁר פַּגְעִיאֵל בֶּן־עָכְרָן: וְעַל־צְבָא מַטֵּה בְּנֵי
כח נַפְתָּלִי אֲחִירַע בֶּן־עֵינָן: אֵלֶּה מַסְעֵי בְנֵי־יִשְׂרָאֵל לְצִבְאֹתָם

יִתְרוֹ
מִתְבַּקֵּשׁ
לְהִצְטָרֵף
לַמַּסָּע:

כט וַיִּסָּעוּ: וַיֹּאמֶר מֹשֶׁה לְחֹבָב בֶּן־
רְעוּאֵל הַמִּדְיָנִי חֹתֵן מֹשֶׁה נֹסְעִים ׀ אֲנַחְנוּ אֶל־הַמָּקוֹם אֲשֶׁר
אָמַר יְהוָה אֹתוֹ אֶתֵּן לָכֶם לְכָה אִתָּנוּ וְהֵטַבְנוּ לָךְ כִּי־יְהוָה
ל דִּבֶּר־טוֹב עַל־יִשְׂרָאֵל: וַיֹּאמֶר אֵלָיו לֹא אֵלֵךְ כִּי אִם־אֶל־אַרְצִי

לא וְאֶל־מוֹלַדְתִּי אֵלֵךְ: וַיֹּאמֶר אַל־נָא תַּעֲזֹב אֹתָנוּ כִּי ׀ עַל־כֵּן
לב יָדַעְתָּ חֲנֹתֵנוּ בַּמִּדְבָּר וְהָיִיתָ לָּנוּ לְעֵינָיִם: וְהָיָה כִּי־תֵלֵךְ עִמָּנוּ
מַסַּע הָאָרוֹן וְהֶעָנָן:
לג וְהָיָה ׀ הַטּוֹב הַהוּא אֲשֶׁר יֵיטִיב יְהוָה עִמָּנוּ וְהֵטַבְנוּ לָךְ: וַיִּסְעוּ
מֵהַר יְהוָה דֶּרֶךְ שְׁלֹשֶׁת יָמִים וַאֲרוֹן בְּרִית־יְהוָה נֹסֵעַ לִפְנֵיהֶם
לד דֶּרֶךְ שְׁלֹשֶׁת יָמִים לָתוּר לָהֶם מְנוּחָה: וַעֲנַן יְהוָה עֲלֵיהֶם יוֹמָם
שִׁשִּׁי
דִּבְרֵי מֹשֶׁה בְּמַסַּע וּבַחֲנִיָּה:
לה בְּנָסְעָם מִן־הַמַּחֲנֶה: נ וַיְהִי בִּנְסֹעַ הָאָרֹן וַיֹּאמֶר
לו מֹשֶׁה קוּמָה ׀ יְהוָה וְיָפֻצוּ אֹיְבֶיךָ וְיָנֻסוּ מְשַׂנְאֶיךָ מִפָּנֶיךָ: וּבְנֻחֹה
יֹאמַר שׁוּבָה יְהוָה רִבְבוֹת אַלְפֵי יִשְׂרָאֵל: נ

הַמִּתְאוֹנְנִים וְנֶעְנָשִׁים:
יא א וַיְהִי הָעָם כְּמִתְאֹנְנִים רַע בְּאָזְנֵי יְהוָה וַיִּשְׁמַע יְהוָה וַיִּחַר אַפּוֹ
ב וַתִּבְעַר־בָּם אֵשׁ יְהוָה וַתֹּאכַל בִּקְצֵה הַמַּחֲנֶה: וַיִּצְעַק הָעָם
ג אֶל־מֹשֶׁה וַיִּתְפַּלֵּל מֹשֶׁה אֶל־יְהוָה וַתִּשְׁקַע הָאֵשׁ: וַיִּקְרָא
בְּכִי הַמִּתְאַוִּים:
ד שֵׁם־הַמָּקוֹם הַהוּא תַּבְעֵרָה כִּי־בָעֲרָה בָם אֵשׁ יְהוָה: וְהָאסַפְסֻף
אֲשֶׁר בְּקִרְבּוֹ הִתְאַוּוּ תַּאֲוָה וַיָּשֻׁבוּ וַיִּבְכּוּ גַּם בְּנֵי יִשְׂרָאֵל וַיֹּאמְרוּ
ה מִי יַאֲכִלֵנוּ בָּשָׂר: זָכַרְנוּ אֶת־הַדָּגָה אֲשֶׁר־נֹאכַל בְּמִצְרַיִם חִנָּם
אֵת הַקִּשֻּׁאִים וְאֵת הָאֲבַטִּחִים וְאֶת־הֶחָצִיר וְאֶת־הַבְּצָלִים
ו וְאֶת־הַשּׁוּמִים: וְעַתָּה נַפְשֵׁנוּ יְבֵשָׁה אֵין כֹּל בִּלְתִּי אֶל־הַמָּן
ז ח עֵינֵינוּ: וְהַמָּן כִּזְרַע־גַּד הוּא וְעֵינוֹ כְּעֵין הַבְּדֹלַח: שָׁטוּ הָעָם
וְלָקְטוּ וְטָחֲנוּ בָרֵחַיִם אוֹ דָכוּ בַּמְּדֹכָה וּבִשְּׁלוּ בַּפָּרוּר וְעָשׂוּ אֹתוֹ
ט עֻגוֹת וְהָיָה טַעְמוֹ כְּטַעַם לְשַׁד הַשָּׁמֶן: וּבְרֶדֶת הַטַּל עַל־הַמַּחֲנֶה
תְּלוּנַת מֹשֶׁה בְּאָזְנֵי ה׳:
י לָיְלָה יֵרֵד הַמָּן עָלָיו: וַיִּשְׁמַע מֹשֶׁה אֶת־הָעָם בֹּכֶה לְמִשְׁפְּחֹתָיו
יא אִישׁ לְפֶתַח אָהֳלוֹ וַיִּחַר־אַף יְהוָה מְאֹד וּבְעֵינֵי מֹשֶׁה רָע: וַיֹּאמֶר
מֹשֶׁה אֶל־יְהוָה לָמָה הֲרֵעֹתָ לְעַבְדֶּךָ וְלָמָּה לֹא־מָצָתִי חֵן בְּעֵינֶיךָ
יב לָשׂוּם אֶת־מַשָּׂא כָּל־הָעָם הַזֶּה עָלָי: הֶאָנֹכִי הָרִיתִי אֵת כָּל־הָעָם
הַזֶּה אִם־אָנֹכִי יְלִדְתִּיהוּ כִּי־תֹאמַר אֵלַי שָׂאֵהוּ בְחֵיקֶךָ כַּאֲשֶׁר
יג יִשָּׂא הָאֹמֵן אֶת־הַיֹּנֵק עַל הָאֲדָמָה אֲשֶׁר נִשְׁבַּעְתָּ לַאֲבֹתָיו: מֵאַיִן

לִי בָּשָׂר לָתֵת לְכָל־הָעָם הַזֶּה כִּי־יִבְכּוּ עָלַי לֵאמֹר תְּנָה־לָּנוּ
יד בָשָׂר וְנֹאכֵלָה׃ לֹא־אוּכַל אָנֹכִי לְבַדִּי לָשֵׂאת אֶת־כָּל־הָעָם הַזֶּה
טו כִּי כָבֵד מִמֶּנִּי׃ וְאִם־כָּכָה ׀ אַתְּ־עֹשֶׂה לִּי הָרְגֵנִי נָא הָרֹג
אִם־מָצָאתִי חֵן בְּעֵינֶיךָ וְאַל־אֶרְאֶה בְּרָעָתִי׃
טז וַיֹּאמֶר יְהוָה אֶל־מֹשֶׁה אֶסְפָה־לִּי שִׁבְעִים אִישׁ מִזִּקְנֵי יִשְׂרָאֵל
אֲשֶׁר יָדַעְתָּ כִּי־הֵם זִקְנֵי הָעָם וְשֹׁטְרָיו וְלָקַחְתָּ אֹתָם אֶל־אֹהֶל
יז מוֹעֵד וְהִתְיַצְּבוּ שָׁם עִמָּךְ׃ וְיָרַדְתִּי וְדִבַּרְתִּי עִמְּךָ שָׁם וְאָצַלְתִּי
מִן־הָרוּחַ אֲשֶׁר עָלֶיךָ וְשַׂמְתִּי עֲלֵיהֶם וְנָשְׂאוּ אִתְּךָ בְּמַשָּׂא
יח הָעָם וְלֹא־תִשָּׂא אַתָּה לְבַדֶּךָ׃ וְאֶל־הָעָם תֹּאמַר הִתְקַדְּשׁוּ לְמָחָר
וַאֲכַלְתֶּם בָּשָׂר כִּי בְּכִיתֶם בְּאָזְנֵי יְהוָה לֵאמֹר מִי יַאֲכִלֵנוּ בָּשָׂר
יט כִּי־טוֹב לָנוּ בְּמִצְרָיִם וְנָתַן יְהוָה לָכֶם בָּשָׂר וַאֲכַלְתֶּם׃ לֹא יוֹם
אֶחָד תֹּאכְלוּן וְלֹא יוֹמָיִם וְלֹא ׀ חֲמִשָּׁה יָמִים וְלֹא עֲשָׂרָה יָמִים
כ וְלֹא עֶשְׂרִים יוֹם׃ עַד ׀ חֹדֶשׁ יָמִים עַד אֲשֶׁר־יֵצֵא מֵאַפְּכֶם וְהָיָה
לָכֶם לְזָרָא יַעַן כִּי־מְאַסְתֶּם אֶת־יְהוָה אֲשֶׁר בְּקִרְבְּכֶם וַתִּבְכּוּ
כא לְפָנָיו לֵאמֹר לָמָּה זֶּה יָצָאנוּ מִמִּצְרָיִם׃ וַיֹּאמֶר מֹשֶׁה שֵׁשׁ־מֵאוֹת
אֶלֶף רַגְלִי הָעָם אֲשֶׁר אָנֹכִי בְּקִרְבּוֹ וְאַתָּה אָמַרְתָּ בָּשָׂר אֶתֵּן
כב לָהֶם וְאָכְלוּ חֹדֶשׁ יָמִים׃ הֲצֹאן וּבָקָר יִשָּׁחֵט לָהֶם וּמָצָא לָהֶם
אִם אֶת־כָּל־דְּגֵי הַיָּם יֵאָסֵף לָהֶם וּמָצָא לָהֶם׃
כג וַיֹּאמֶר יְהוָה אֶל־מֹשֶׁה הֲיַד יְהוָה תִּקְצָר עַתָּה תִרְאֶה הֲיִקְרְךָ
כד דְבָרִי אִם־לֹא׃ וַיֵּצֵא מֹשֶׁה וַיְדַבֵּר אֶל־הָעָם אֵת דִּבְרֵי יְהוָה
וַיֶּאֱסֹף שִׁבְעִים אִישׁ מִזִּקְנֵי הָעָם וַיַּעֲמֵד אֹתָם סְבִיבֹת הָאֹהֶל׃
כה וַיֵּרֶד יְהוָה ׀ בֶּעָנָן וַיְדַבֵּר אֵלָיו וַיָּאצֶל מִן־הָרוּחַ אֲשֶׁר עָלָיו
וַיִּתֵּן עַל־שִׁבְעִים אִישׁ הַזְּקֵנִים וַיְהִי כְּנוֹחַ עֲלֵיהֶם הָרוּחַ
כו וַיִּתְנַבְּאוּ וְלֹא יָסָפוּ׃ וַיִּשָּׁאֲרוּ שְׁנֵי־אֲנָשִׁים ׀ בַּמַּחֲנֶה שֵׁם הָאֶחָד ׀
אֶלְדָּד וְשֵׁם הַשֵּׁנִי מֵידָד וַתָּנַח עֲלֵהֶם הָרוּחַ וְהֵמָּה בַּכְּתֻבִים

צִוּוּי ה' לְהוֹסָפַת הַזְּקֵנִים לַהַנְהָגָה:

סִפּוּק הַבָּשָׂר:

הַאֲצָלַת הָרוּחַ וְהִתְנַבְּאוּת אֶלְדָּד וּמֵידָד:

כז וְלֹא יָצְאוּ הָאֹהֱלָה וַיִּתְנַבְּאוּ בַּמַּחֲנֶה: וַיָּרָץ הַנַּעַר וַיַּגֵּד לְמֹשֶׁה
כח וַיֹּאמַר אֶלְדָּד וּמֵידָד מִתְנַבְּאִים בַּמַּחֲנֶה: וַיַּעַן יְהוֹשֻׁעַ בִּן־נוּן
כט מְשָׁרֵת מֹשֶׁה מִבְּחֻרָיו וַיֹּאמַר אֲדֹנִי מֹשֶׁה כְּלָאֵם: וַיֹּאמֶר לוֹ
מֹשֶׁה הַמְקַנֵּא אַתָּה לִי וּמִי יִתֵּן כָּל־עַם יְהוָה נְבִיאִים כִּי־יִתֵּן
ל יְהוָה אֶת־רוּחוֹ עֲלֵיהֶם: וַיֵּאָסֵף מֹשֶׁה אֶל־הַמַּחֲנֶה הוּא וְזִקְנֵי שביעי
לא יִשְׂרָאֵל: וְרוּחַ נָסַע ׀ מֵאֵת יְהוָה וַיָּגָז שַׂלְוִים מִן־הַיָּם וַיִּטֹּשׁ הַגָּעַת הַשְּׂלָוִים
עַל־הַמַּחֲנֶה כְּדֶרֶךְ יוֹם כֹּה וּכְדֶרֶךְ יוֹם כֹּה סְבִיבוֹת הַמַּחֲנֶה וְעֹנֶשׁ הַמִּתְאַוִּים:
לב וּכְאַמָּתַיִם עַל־פְּנֵי הָאָרֶץ: וַיָּקָם הָעָם כָּל־הַיּוֹם הַהוּא וְכָל־
הַלַּיְלָה וְכֹל ׀ יוֹם הַמָּחֳרָת וַיַּאַסְפוּ אֶת־הַשְּׂלָו הַמַּמְעִיט אָסַף
לג עֲשָׂרָה חֳמָרִים וַיִּשְׁטְחוּ לָהֶם שָׁטוֹחַ סְבִיבוֹת הַמַּחֲנֶה: הַבָּשָׂר
עוֹדֶנּוּ בֵּין שִׁנֵּיהֶם טֶרֶם יִכָּרֵת וְאַף יְהוָה חָרָה בָעָם וַיַּךְ יְהוָה
לד בָּעָם מַכָּה רַבָּה מְאֹד: וַיִּקְרָא אֶת־שֵׁם־הַמָּקוֹם הַהוּא קִבְרוֹת
לה הַתַּאֲוָה כִּי־שָׁם קָבְרוּ אֶת־הָעָם הַמִּתְאַוִּים: מִקִּבְרוֹת הַתַּאֲוָה
נָסְעוּ הָעָם חֲצֵרוֹת וַיִּהְיוּ בַּחֲצֵרוֹת:

יב א וַתְּדַבֵּר מִרְיָם וְאַהֲרֹן בְּמֹשֶׁה עַל־אֹדוֹת הָאִשָּׁה הַכֻּשִׁית אֲשֶׁר חֵטְא מִרְיָם:
ב לָקָח כִּי־אִשָּׁה כֻשִׁית לָקָח: וַיֹּאמְרוּ הֲרַק אַךְ־בְּמֹשֶׁה דִּבֶּר יְהוָה
ג הֲלֹא גַּם־בָּנוּ דִבֵּר וַיִּשְׁמַע יְהוָה: וְהָאִישׁ מֹשֶׁה עָנָו מְאֹד מִכֹּל
ד הָאָדָם אֲשֶׁר עַל־פְּנֵי הָאֲדָמָה: וַיֹּאמֶר יְהוָה פִּתְאֹם
אֶל־מֹשֶׁה וְאֶל־אַהֲרֹן וְאֶל־מִרְיָם צְאוּ שְׁלָשְׁתְּכֶם אֶל־אֹהֶל מוֹעֵד
ה וַיֵּצְאוּ שְׁלָשְׁתָּם: וַיֵּרֶד יְהוָה בְּעַמּוּד עָנָן וַיַּעֲמֹד פֶּתַח הָאֹהֶל
ו וַיִּקְרָא אַהֲרֹן וּמִרְיָם וַיֵּצְאוּ שְׁנֵיהֶם: וַיֹּאמֶר שִׁמְעוּ־נָא דְבָרָי
אִם־יִהְיֶה נְבִיאֲכֶם יְהוָה בַּמַּרְאָה אֵלָיו אֶתְוַדָּע בַּחֲלוֹם
ז ח אֲדַבֶּר־בּוֹ: לֹא־כֵן עַבְדִּי מֹשֶׁה בְּכָל־בֵּיתִי נֶאֱמָן הוּא: פֶּה אֶל־פֶּה
אֲדַבֶּר־בּוֹ וּמַרְאֶה וְלֹא בְחִידֹת וּתְמֻנַת יְהוָה יַבִּיט וּמַדּוּעַ לֹא
ט יְרֵאתֶם לְדַבֵּר בְּעַבְדִּי בְמֹשֶׁה: וַיִּחַר־אַף יְהוָה בָּם וַיֵּלַךְ: וְהֶעָנָן

סָר מֵעַל הָאֹהֶל וְהִנֵּה מִרְיָם מְצֹרַעַת כַּשָּׁלֶג וַיִּפֶן אַהֲרֹן אֶל־מִרְיָם
יא וְהִנֵּה מְצֹרָעַת׃ וַיֹּאמֶר אַהֲרֹן אֶל־מֹשֶׁה בִּי אֲדֹנִי אַל־נָא תָשֵׁת
יב עָלֵינוּ חַטָּאת אֲשֶׁר נוֹאַלְנוּ וַאֲשֶׁר חָטָאנוּ׃ אַל־נָא תְהִי כַּמֵּת
יג אֲשֶׁר בְּצֵאתוֹ מֵרֶחֶם אִמּוֹ וַיֵּאָכֵל חֲצִי בְשָׂרוֹ׃ וַיִּצְעַק מֹשֶׁה תְּפִלַּת מֹשֶׁה
אֶל־יְהוָה לֵאמֹר אֵל נָא רְפָא נָא לָהּ׃ וּרְפוּאַת מִרְיָם׃
יד וַיֹּאמֶר יְהוָה אֶל־מֹשֶׁה וְאָבִיהָ יָרֹק יָרַק בְּפָנֶיהָ הֲלֹא תִכָּלֵם מַפְטִיר
שִׁבְעַת יָמִים תִּסָּגֵר שִׁבְעַת יָמִים מִחוּץ לַמַּחֲנֶה וְאַחַר תֵּאָסֵף׃
טו וַתִּסָּגֵר מִרְיָם מִחוּץ לַמַּחֲנֶה שִׁבְעַת יָמִים וְהָעָם לֹא נָסַע
טז עַד־הֵאָסֵף מִרְיָם׃ וְאַחַר נָסְעוּ הָעָם מֵחֲצֵרוֹת וַיַּחֲנוּ בְּמִדְבַּר
פָּארָן׃

יג א ב וַיְדַבֵּר יְהוָה אֶל־מֹשֶׁה לֵּאמֹר׃ שְׁלַח־לְךָ אֲנָשִׁים וְיָתֻרוּ אֶת־אֶרֶץ **שלח** שְׁלוּחַ
כְּנַעַן אֲשֶׁר־אֲנִי נֹתֵן לִבְנֵי יִשְׂרָאֵל אִישׁ אֶחָד אִישׁ אֶחָד לְמַטֵּה הַמְרַגְּלִים וּשְׁמוֹתָם׃
ג אֲבֹתָיו תִּשְׁלָחוּ כֹּל נָשִׂיא בָהֶם׃ וַיִּשְׁלַח אֹתָם מֹשֶׁה מִמִּדְבַּר [2449]
ד פָּארָן עַל־פִּי יְהוָה כֻּלָּם אֲנָשִׁים רָאשֵׁי בְנֵי־יִשְׂרָאֵל הֵמָּה׃ וְאֵלֶּה
ה שְׁמוֹתָם לְמַטֵּה רְאוּבֵן שַׁמּוּעַ בֶּן־זַכּוּר׃ לְמַטֵּה שִׁמְעוֹן שָׁפָט
ו ז בֶּן־חוֹרִי׃ לְמַטֵּה יְהוּדָה כָּלֵב בֶּן־יְפֻנֶּה׃ לְמַטֵּה יִשָּׂשכָר יִגְאָל
ח ט בֶּן־יוֹסֵף׃ לְמַטֵּה אֶפְרָיִם הוֹשֵׁעַ בִּן־נוּן׃ לְמַטֵּה בִנְיָמִן פַּלְטִי
י יא בֶּן־רָפוּא׃ לְמַטֵּה זְבוּלֻן גַּדִּיאֵל בֶּן־סוֹדִי׃ לְמַטֵּה יוֹסֵף לְמַטֵּה
יב יג מְנַשֶּׁה גַּדִּי בֶּן־סוּסִי׃ לְמַטֵּה דָן עַמִּיאֵל בֶּן־גְּמַלִּי׃ לְמַטֵּה אָשֵׁר
יד טו סְתוּר בֶּן־מִיכָאֵל׃ לְמַטֵּה נַפְתָּלִי נַחְבִּי בֶּן־וָפְסִי׃ לְמַטֵּה גָד
טז גְּאוּאֵל בֶּן־מָכִי׃ אֵלֶּה שְׁמוֹת הָאֲנָשִׁים אֲשֶׁר־שָׁלַח מֹשֶׁה לָתוּר
יז אֶת־הָאָרֶץ וַיִּקְרָא מֹשֶׁה לְהוֹשֵׁעַ בִּן־נוּן יְהוֹשֻׁעַ׃ וַיִּשְׁלַח אֹתָם פֵּרוּט מַטְּרַת
מֹשֶׁה לָתוּר אֶת־אֶרֶץ כְּנָעַן וַיֹּאמֶר אֲלֵהֶם עֲלוּ זֶה בַּנֶּגֶב וַעֲלִיתֶם הַשְּׁלִיחוּת׃
יח אֶת־הָהָר׃ וּרְאִיתֶם אֶת־הָאָרֶץ מַה־הִוא וְאֶת־הָעָם הַיֹּשֵׁב עָלֶיהָ
יט הֶחָזָק הוּא הֲרָפֶה הַמְעַט הוּא אִם־רָב׃ וּמָה הָאָרֶץ אֲשֶׁר־הוּא

יֹשֵׁב בָּהּ הֲטוֹבָה הִוא אִם־רָעָה וּמָה הֶעָרִים אֲשֶׁר־הוּא יוֹשֵׁב
כ בָּהֵנָּה הַבְּמַחֲנִים אִם בְּמִבְצָרִים: וּמָה הָאָרֶץ הַשְּׁמֵנָה הִוא
אִם־רָזָה הֲיֵשׁ־בָּהּ עֵץ אִם־אַיִן וְהִתְחַזַּקְתֶּם וּלְקַחְתֶּם מִפְּרִי
כא הָאָרֶץ וְהַיָּמִים יְמֵי בִּכּוּרֵי עֲנָבִים: וַיַּעֲלוּ וַיָּתֻרוּ אֶת־הָאָרֶץ שני דֶּרֶךְ
כב מִמִּדְבַּר־צִן עַד־רְחֹב לְבֹא חֲמָת: וַיַּעֲלוּ בַנֶּגֶב וַיָּבֹא עַד־חֶבְרוֹן הַמְרַגְּלִים
וְשָׁם אֲחִימַן שֵׁשַׁי וְתַלְמַי יְלִידֵי הָעֲנָק וְחֶבְרוֹן שֶׁבַע שָׁנִים בָּאָרֶץ:
כג נִבְנְתָה לִפְנֵי צֹעַן מִצְרָיִם: וַיָּבֹאוּ עַד־נַחַל אֶשְׁכֹּל וַיִּכְרְתוּ מִשָּׁם
זְמוֹרָה וְאֶשְׁכּוֹל עֲנָבִים אֶחָד וַיִּשָּׂאֻהוּ בַמּוֹט בִּשְׁנָיִם וּמִן־
כד הָרִמֹּנִים וּמִן־הַתְּאֵנִים: לַמָּקוֹם הַהוּא קָרָא נַחַל אֶשְׁכּוֹל עַל
כה אֹדוֹת הָאֶשְׁכּוֹל אֲשֶׁר־כָּרְתוּ מִשָּׁם בְּנֵי יִשְׂרָאֵל: וַיָּשֻׁבוּ מִתּוּר הוֹצָאַת דִּבַּת
כו הָאָרֶץ מִקֵּץ אַרְבָּעִים יוֹם: וַיֵּלְכוּ וַיָּבֹאוּ אֶל־מֹשֶׁה וְאֶל־אַהֲרֹן הָאָרֶץ:
וְאֶל־כָּל־עֲדַת בְּנֵי־יִשְׂרָאֵל אֶל־מִדְבַּר פָּארָן קָדֵשָׁה וַיָּשִׁיבוּ אֹתָם
כז דָּבָר וְאֶת־כָּל־הָעֵדָה וַיַּרְאוּם אֶת־פְּרִי הָאָרֶץ: וַיְסַפְּרוּ־לוֹ
וַיֹּאמְרוּ בָּאנוּ אֶל־הָאָרֶץ אֲשֶׁר שְׁלַחְתָּנוּ וְגַם זָבַת חָלָב וּדְבַשׁ
כח הִוא וְזֶה־פִּרְיָהּ: אֶפֶס כִּי־עַז הָעָם הַיֹּשֵׁב בָּאָרֶץ וְהֶעָרִים בְּצֻרוֹת
כט גְּדֹלֹת מְאֹד וְגַם־יְלִדֵי הָעֲנָק רָאִינוּ שָׁם: עֲמָלֵק יוֹשֵׁב בְּאֶרֶץ
הַנֶּגֶב וְהַחִתִּי וְהַיְבוּסִי וְהָאֱמֹרִי יוֹשֵׁב בָּהָר וְהַכְּנַעֲנִי יֹשֵׁב
ל עַל־הַיָּם וְעַל יַד הַיַּרְדֵּן: וַיַּהַס כָּלֵב אֶת־הָעָם אֶל־מֹשֶׁה וַיֹּאמֶר וּכּוֹחַ כָּלֵב עִם
לא עָלֹה נַעֲלֶה וְיָרַשְׁנוּ אֹתָהּ כִּי־יָכוֹל נוּכַל לָהּ: וְהָאֲנָשִׁים אֲשֶׁר הַמְרַגְּלִים:
עָלוּ עִמּוֹ אָמְרוּ לֹא נוּכַל לַעֲלוֹת אֶל־הָעָם כִּי־חָזָק הוּא מִמֶּנּוּ:
לב וַיֹּצִיאוּ דִּבַּת הָאָרֶץ אֲשֶׁר תָּרוּ אֹתָהּ אֶל־בְּנֵי יִשְׂרָאֵל לֵאמֹר
הָאָרֶץ אֲשֶׁר עָבַרְנוּ בָהּ לָתוּר אֹתָהּ אֶרֶץ אֹכֶלֶת יוֹשְׁבֶיהָ הִוא
לג וְכָל־הָעָם אֲשֶׁר־רָאִינוּ בְתוֹכָהּ אַנְשֵׁי מִדּוֹת: וְשָׁם רָאִינוּ
אֶת־הַנְּפִילִים בְּנֵי עֲנָק מִן־הַנְּפִלִים וַנְּהִי בְעֵינֵינוּ כַּחֲגָבִים וְכֵן
יד א הָיִינוּ בְּעֵינֵיהֶם: וַתִּשָּׂא כָּל־הָעֵדָה וַיִּתְּנוּ אֶת־קוֹלָם וַיִּבְכּוּ הָעָם בְּכִי הָעָם וּתְלוּנָּתוֹ:

ב בַּלַּ֥יְלָה הַהֽוּא׃ וַיִּלֹּ֗נוּ עַל־מֹשֶׁ֣ה וְעַֽל־אַהֲרֹ֔ן כֹּ֖ל בְּנֵ֣י יִשְׂרָאֵ֑ל
וַֽיֹּאמְר֨וּ אֲלֵהֶ֜ם כָּל־הָֽעֵדָ֗ה לוּ־מַ֙תְנוּ֙ בְּאֶ֣רֶץ מִצְרַ֔יִם א֛וֹ בַּמִּדְבָּ֥ר
ג הַזֶּ֖ה לוּ־מָֽתְנוּ׃ וְלָמָ֣ה יְ֠הֹוָה מֵבִ֨יא אֹתָ֜נוּ אֶל־הָאָ֤רֶץ הַזֹּאת֙ לִנְפֹּ֣ל
בַּחֶ֔רֶב נָשֵׁ֥ינוּ וְטַפֵּ֖נוּ יִהְי֣וּ לָבַ֑ז הֲל֧וֹא ט֦וֹב לָ֖נוּ שׁ֥וּב מִצְרָֽיְמָה׃
ד ה וַיֹּאמְר֖וּ אִ֣ישׁ אֶל־אָחִ֑יו נִתְּנָ֥ה רֹ֖אשׁ וְנָשׁ֥וּבָה מִצְרָֽיְמָה׃ וַיִּפֹּ֥ל מֹשֶׁ֛ה תְּגוּבַת מֹשֶׁה
ו וְאַהֲרֹ֖ן עַל־פְּנֵיהֶ֑ם לִפְנֵ֕י כָּל־קְהַ֥ל עֲדַ֖ת בְּנֵ֥י יִשְׂרָאֵֽל׃ וִיהוֹשֻׁ֣עַ וְאַהֲרֹן וִיהוֹשֻׁעַ
בִּן־נ֗וּן וְכָלֵב֙ בֶּן־יְפֻנֶּ֔ה מִן־הַתָּרִ֖ים אֶת־הָאָ֑רֶץ קָרְע֖וּ בִּגְדֵיהֶֽם׃ וְכָלֵב׃
ז וַיֹּאמְר֔וּ אֶל־כָּל־עֲדַ֥ת בְּנֵֽי־יִשְׂרָאֵ֖ל לֵאמֹ֑ר הָאָ֗רֶץ אֲשֶׁ֨ר עָבַ֤רְנוּ
ח בָהּ֙ לָת֣וּר אֹתָ֔הּ טוֹבָ֥ה הָאָ֖רֶץ מְאֹ֥ד מְאֹֽד׃ אִם־חָפֵ֥ץ בָּ֙נוּ֙ יְהֹוָ֔ה שלישי
וְהֵבִ֤יא אֹתָ֙נוּ֙ אֶל־הָאָ֣רֶץ הַזֹּ֔את וּנְתָנָ֖הּ לָ֑נוּ אֶ֕רֶץ אֲשֶׁר־הִ֛וא זָבַ֥ת
ט חָלָ֖ב וּדְבָֽשׁ׃ אַ֣ךְ בַּֽיהֹוָה֮ אַל־תִּמְרֹ֒דוּ֒ וְאַתֶּ֗ם אַל־תִּֽירְאוּ֙ אֶת־עַ֣ם
הָאָ֔רֶץ כִּ֥י לַחְמֵ֖נוּ הֵ֑ם סָ֣ר צִלָּ֧ם מֵעֲלֵיהֶ֛ם וַֽיהֹוָ֥ה אִתָּ֖נוּ אַל־תִּירָאֻֽם׃
י וַיֹּֽאמְרוּ֙ כָּל־הָ֣עֵדָ֔ה לִרְגּ֥וֹם אֹתָ֖ם בָּאֲבָנִ֑ים וּכְב֣וֹד יְהֹוָ֗ה נִרְאָה֙
בְּאֹ֣הֶל מוֹעֵ֔ד אֶֽל־כָּל־בְּנֵ֖י יִשְׂרָאֵֽל׃

יא וַיֹּ֤אמֶר יְהֹוָה֙ אֶל־מֹשֶׁ֔ה עַד־אָ֥נָה יְנַאֲצֻ֖נִי הָעָ֣ם הַזֶּ֑ה וְעַד־אָ֙נָה֙ כַּעַס ה׳ עַל הָעָם
יב לֹא־יַאֲמִ֣ינוּ בִ֔י בְּכֹל֙ הָֽאֹת֔וֹת אֲשֶׁ֥ר עָשִׂ֖יתִי בְּקִרְבּֽוֹ׃ אַכֶּ֥נּוּ בַדֶּ֖בֶר וּתְפִלַּת
יג וְאוֹרִשֶׁ֑נּוּ וְאֶֽעֱשֶׂה֙ אֹֽתְךָ֔ לְגוֹי־גָּד֥וֹל וְעָצ֖וּם מִמֶּֽנּוּ׃ וַיֹּ֥אמֶר מֹשֶׁ֖ה מֹשֶׁה׃
אֶל־יְהֹוָ֑ה וְשָֽׁמְע֣וּ מִצְרַ֔יִם כִּֽי־הֶעֱלִ֧יתָ בְכֹחֲךָ֛ אֶת־הָעָ֥ם הַזֶּ֖ה
יד מִקִּרְבּֽוֹ׃ וְאָֽמְר֗וּ אֶל־יוֹשֵׁב֮ הָאָ֣רֶץ הַזֹּאת֒ שָֽׁמְעוּ֙ כִּֽי־אַתָּ֣ה יְהֹוָ֔ה
בְּקֶ֖רֶב הָעָ֣ם הַזֶּ֑ה אֲשֶׁר־עַ֨יִן בְּעַ֜יִן נִרְאָ֣ה ׀ אַתָּ֣ה יְהֹוָ֗ה וַעֲנָֽנְךָ֙ עֹמֵ֣ד
עֲלֵהֶ֔ם וּבְעַמֻּ֣ד עָנָ֗ן אַתָּ֨ה הֹלֵ֤ךְ לִפְנֵיהֶם֙ יוֹמָ֔ם וּבְעַמּ֥וּד אֵ֖שׁ לָֽיְלָה׃
טו וְהֵמַתָּ֛ה אֶת־הָעָ֥ם הַזֶּ֖ה כְּאִ֣ישׁ אֶחָ֑ד וְאָֽמְרוּ֙ הַגּוֹיִ֔ם אֲשֶׁר־שָׁמְע֥וּ
טז אֶֽת־שִׁמְעֲךָ֖ לֵאמֹֽר׃ מִבִּלְתִּ֞י יְכֹ֣לֶת יְהֹוָ֗ה לְהָבִיא֙ אֶת־הָעָ֣ם הַזֶּ֔ה
יז אֶל־הָאָ֖רֶץ אֲשֶׁר־נִשְׁבַּ֣ע לָהֶ֑ם וַיִּשְׁחָטֵ֖ם בַּמִּדְבָּֽר׃ וְעַתָּ֕ה יִגְדַּל־נָ֖א
יח כֹּ֣חַ אֲדֹנָ֑י כַּאֲשֶׁ֥ר דִּבַּ֖רְתָּ לֵאמֹֽר׃ יְהֹוָ֗ה אֶ֤רֶךְ אַפַּ֙יִם֙ וְרַב־חֶ֔סֶד

נֹשֵׂא עָוֺן וָפָשַׁע וְנַקֵּה לֹא יְנַקֶּה פֹּקֵד עֲוֺן אָבוֹת עַל־בָּנִים
יט עַל־שִׁלֵּשִׁים וְעַל־רִבֵּעִים: סְלַח־נָא לַעֲוֺן הָעָם הַזֶּה כְּגֹדֶל חַסְדֶּךָ
כ וְכַאֲשֶׁר נָשָׂאתָה לָעָם הַזֶּה מִמִּצְרַיִם וְעַד־הֵנָּה: וַיֹּאמֶר יְהוָה
כא סָלַחְתִּי כִּדְבָרֶךָ: וְאוּלָם חַי־אָנִי וְיִמָּלֵא כְבוֹד־יְהוָה אֶת־כָּל־
כב הָאָרֶץ: כִּי כָל־הָאֲנָשִׁים הָרֹאִים אֶת־כְּבֹדִי וְאֶת־אֹתֹתַי אֲשֶׁר־
עָשִׂיתִי בְמִצְרַיִם וּבַמִּדְבָּר וַיְנַסּוּ אֹתִי זֶה עֶשֶׂר פְּעָמִים וְלֹא
כג שָׁמְעוּ בְּקוֹלִי: אִם־יִרְאוּ אֶת־הָאָרֶץ אֲשֶׁר נִשְׁבַּעְתִּי לַאֲבֹתָם
כד וְכָל־מְנַאֲצַי לֹא יִרְאוּהָ: וְעַבְדִּי כָלֵב עֵקֶב הָיְתָה רוּחַ אַחֶרֶת
עִמּוֹ וַיְמַלֵּא אַחֲרָי וַהֲבִיאֹתִיו אֶל־הָאָרֶץ אֲשֶׁר־בָּא שָׁמָּה וְזַרְעוֹ
כה יוֹרִשֶׁנָּה: וְהָעֲמָלֵקִי וְהַכְּנַעֲנִי יוֹשֵׁב בָּעֵמֶק מָחָר פְּנוּ וּסְעוּ לָכֶם
הַמִּדְבָּר דֶּרֶךְ יַם־סוּף:

כו כז וַיְדַבֵּר יְהוָה אֶל־מֹשֶׁה וְאֶל־אַהֲרֹן לֵאמֹר: עַד־מָתַי לָעֵדָה הָרָעָה
הַזֹּאת אֲשֶׁר הֵמָּה מַלִּינִים עָלָי אֶת־תְּלֻנּוֹת בְּנֵי יִשְׂרָאֵל אֲשֶׁר
כח הֵמָּה מַלִּינִים עָלַי שָׁמָעְתִּי: אֱמֹר אֲלֵהֶם חַי־אָנִי נְאֻם־יְהוָה
כט אִם־לֹא כַּאֲשֶׁר דִּבַּרְתֶּם בְּאָזְנָי כֵּן אֶעֱשֶׂה לָכֶם: בַּמִּדְבָּר הַזֶּה
יִפְּלוּ פִגְרֵיכֶם וְכָל־פְּקֻדֵיכֶם לְכָל־מִסְפַּרְכֶם מִבֶּן עֶשְׂרִים שָׁנָה
ל וָמָעְלָה אֲשֶׁר הֲלִינֹתֶם עָלָי: אִם־אַתֶּם תָּבֹאוּ אֶל־הָאָרֶץ אֲשֶׁר
נָשָׂאתִי אֶת־יָדִי לְשַׁכֵּן אֶתְכֶם בָּהּ כִּי אִם־כָּלֵב בֶּן־יְפֻנֶּה
לא וִיהוֹשֻׁעַ בִּן־נוּן: וְטַפְּכֶם אֲשֶׁר אֲמַרְתֶּם לָבַז יִהְיֶה וְהֵבֵיאתִי
לב אֹתָם וְיָדְעוּ אֶת־הָאָרֶץ אֲשֶׁר מְאַסְתֶּם בָּהּ: וּפִגְרֵיכֶם אַתֶּם
לג יִפְּלוּ בַּמִּדְבָּר הַזֶּה: וּבְנֵיכֶם יִהְיוּ רֹעִים בַּמִּדְבָּר אַרְבָּעִים שָׁנָה
לד וְנָשְׂאוּ אֶת־זְנוּתֵיכֶם עַד־תֹּם פִּגְרֵיכֶם בַּמִּדְבָּר: בְּמִסְפַּר הַיָּמִים
אֲשֶׁר־תַּרְתֶּם אֶת־הָאָרֶץ אַרְבָּעִים יוֹם יוֹם לַשָּׁנָה יוֹם לַשָּׁנָה
לה תִּשְׂאוּ אֶת־עֲוֺנֹתֵיכֶם אַרְבָּעִים שָׁנָה וִידַעְתֶּם אֶת־תְּנוּאָתִי: אֲנִי
יְהוָה דִּבַּרְתִּי אִם־לֹא ׀ זֹאת אֶעֱשֶׂה לְכָל־הָעֵדָה הָרָעָה הַזֹּאת

תְּשׁוּבַת ה' לְמֹשֶׁה:

רביעי
עֹנֶשׁ הַמְרַגְּלִים וְהָעָם:

לו הַנּוֹעָדִים עָלָי בַּמִּדְבָּר הַזֶּה יִתַּמּוּ וְשָׁם יָמֻתוּ: וְהָאֲנָשִׁים אֲשֶׁר־
שָׁלַח מֹשֶׁה לָתוּר אֶת־הָאָרֶץ וַיָּשֻׁבוּ וילונו וַיַּלִּינוּ עָלָיו אֶת־כָּל־
לז הָעֵדָה לְהוֹצִיא דִבָּה עַל־הָאָרֶץ: וַיָּמֻתוּ הָאֲנָשִׁים מוֹצִאֵי דִבַּת־
לח הָאָרֶץ רָעָה בַּמַּגֵּפָה לִפְנֵי יְהֹוָה: וִיהוֹשֻׁעַ בִּן־נוּן וְכָלֵב בֶּן־יְפֻנֶּה
לט חָיוּ מִן־הָאֲנָשִׁים הָהֵם הַהֹלְכִים לָתוּר אֶת־הָאָרֶץ: וַיְדַבֵּר מֹשֶׁה
אֶת־הַדְּבָרִים הָאֵלֶּה אֶל־כָּל־בְּנֵי יִשְׂרָאֵל וַיִּתְאַבְּלוּ הָעָם מְאֹד:
מ וַיַּשְׁכִּמוּ בַבֹּקֶר וַיַּעֲלוּ אֶל־רֹאשׁ־הָהָר לֵאמֹר הִנֶּנּוּ וְעָלִינוּ אֶל־ הַמַּעְפִּילִים וְעָנְשָׁם:
מא הַמָּקוֹם אֲשֶׁר־אָמַר יְהֹוָה כִּי חָטָאנוּ: וַיֹּאמֶר מֹשֶׁה לָמָּה זֶּה אַתֶּם
מב עֹבְרִים אֶת־פִּי יְהֹוָה וְהִוא לֹא תִצְלָח: אַל־תַּעֲלוּ כִּי אֵין יְהֹוָה
מג בְּקִרְבְּכֶם וְלֹא תִּנָּגְפוּ לִפְנֵי אֹיְבֵיכֶם: כִּי הָעֲמָלֵקִי וְהַכְּנַעֲנִי שָׁם
לִפְנֵיכֶם וּנְפַלְתֶּם בֶּחָרֶב כִּי־עַל־כֵּן שַׁבְתֶּם מֵאַחֲרֵי יְהֹוָה וְלֹא־
מד יִהְיֶה יְהֹוָה עִמָּכֶם: וַיַּעְפִּלוּ לַעֲלוֹת אֶל־רֹאשׁ הָהָר וַאֲרוֹן
מה בְּרִית־יְהֹוָה וּמֹשֶׁה לֹא־מָשׁוּ מִקֶּרֶב הַמַּחֲנֶה: וַיֵּרֶד הָעֲמָלֵקִי
וְהַכְּנַעֲנִי הַיֹּשֵׁב בָּהָר הַהוּא וַיַּכּוּם וַיַּכְּתוּם עַד־הַחָרְמָה:
טו א ב וַיְדַבֵּר יְהֹוָה אֶל־מֹשֶׁה לֵּאמֹר: דַּבֵּר אֶל־בְּנֵי יִשְׂרָאֵל וְאָמַרְתָּ מִצְוַת נִסְכֵּי הַקָּרְבָּן:
אֲלֵהֶם כִּי תָבֹאוּ אֶל־אֶרֶץ מוֹשְׁבֹתֵיכֶם אֲשֶׁר אֲנִי נֹתֵן לָכֶם:
ג וַעֲשִׂיתֶם אִשֶּׁה לַיהֹוָה עֹלָה אוֹ־זֶבַח לְפַלֵּא־נֶדֶר אוֹ בִנְדָבָה אוֹ
בְּמֹעֲדֵיכֶם לַעֲשׂוֹת רֵיחַ נִיחֹחַ לַיהֹוָה מִן־הַבָּקָר אוֹ מִן־
ד הַצֹּאן: וְהִקְרִיב הַמַּקְרִיב קָרְבָּנוֹ לַיהֹוָה מִנְחָה סֹלֶת עִשָּׂרוֹן בָּלוּל
ה בִּרְבִעִית הַהִין שָׁמֶן: וְיַיִן לַנֶּסֶךְ רְבִיעִית הַהִין תַּעֲשֶׂה עַל־הָעֹלָה
ו אוֹ לַזָּבַח לַכֶּבֶשׂ הָאֶחָד: אוֹ לָאַיִל תַּעֲשֶׂה מִנְחָה סֹלֶת שְׁנֵי
ז עֶשְׂרֹנִים בְּלוּלָה בַשֶּׁמֶן שְׁלִשִׁית הַהִין: וְיַיִן לַנֶּסֶךְ שְׁלִשִׁית הַהִין
ח תַּקְרִיב רֵיחַ־נִיחֹחַ לַיהֹוָה: וְכִי־תַעֲשֶׂה בֶן־בָּקָר עֹלָה אוֹ־זָבַח חמישי
ט לְפַלֵּא־נֶדֶר אוֹ־שְׁלָמִים לַיהֹוָה: וְהִקְרִיב עַל־בֶּן־הַבָּקָר מִנְחָה
י סֹלֶת שְׁלֹשָׁה עֶשְׂרֹנִים בָּלוּל בַּשֶּׁמֶן חֲצִי הַהִין: וְיַיִן תַּקְרִיב לַנֶּסֶךְ

יא חֲצִ֣י הַהִ֑ין אִשֵּׁ֥ה רֵֽיחַ־נִיחֹ֖חַ לַיהוָֽה׃ כָּ֣כָה יֵעָשֶׂ֗ה לַשּׁוֹר֙ הָֽאֶחָ֔ד
יב א֖וֹ לָאַ֣יִל הָאֶחָ֑ד אֽוֹ־לַשֶּׂ֥ה בַכְּבָשִׂ֖ים א֥וֹ בָעִזִּֽים׃ כַּמִּסְפָּ֖ר אֲשֶׁ֣ר
יג תַּעֲשׂ֑וּ כָּ֛כָה תַּעֲשׂ֥וּ לָאֶחָ֖ד כְּמִסְפָּרָֽם׃ כָּל־הָאֶזְרָ֥ח יַעֲשֶׂה־כָּ֖כָה
יד אֶת־אֵ֑לֶּה לְהַקְרִ֛יב אִשֵּׁ֥ה רֵֽיחַ־נִיחֹ֖חַ לַיהוָֽה׃ וְכִֽי־יָג֨וּר אִתְּכֶ֜ם
גֵּ֗ר א֤וֹ אֲשֶׁר־בְּתֽוֹכְכֶם֙ לְדֹרֹ֣תֵיכֶ֔ם וְעָשָׂ֛ה אִשֵּׁ֥ה רֵֽיחַ־נִיחֹ֖חַ
טו לַיהוָ֑ה כַּאֲשֶׁ֥ר תַּעֲשׂ֖וּ כֵּ֥ן יַעֲשֶֽׂה׃ הַקָּהָ֕ל חֻקָּ֥ה אַחַ֛ת לָכֶ֖ם וְלַגֵּ֣ר
טז הַגָּ֑ר חֻקַּ֤ת עוֹלָם֙ לְדֹרֹ֣תֵיכֶ֔ם כָּכֶ֛ם כַּגֵּ֥ר יִהְיֶ֖ה לִפְנֵ֥י יְהוָֽה׃ תּוֹרָ֥ה
אַחַ֛ת וּמִשְׁפָּ֥ט אֶחָ֖ד יִהְיֶ֣ה לָכֶ֑ם וְלַגֵּ֖ר הַגָּ֥ר אִתְּכֶֽם׃

ששי
מִצְוַת חַלָּה:

יז יח וַיְדַבֵּ֥ר יְהוָ֖ה אֶל־מֹשֶׁ֥ה לֵּאמֹֽר׃ דַּבֵּר֙ אֶל־בְּנֵ֣י יִשְׂרָאֵ֔ל וְאָמַרְתָּ֖ אֲלֵהֶ֑ם
יט בְּבֹֽאֲכֶם֙ אֶל־הָאָ֔רֶץ אֲשֶׁ֛ר אֲנִ֥י מֵבִ֥יא אֶתְכֶ֖ם שָֽׁמָּה׃ וְהָיָ֕ה בַּאֲכָלְכֶ֖ם
כ מִלֶּ֣חֶם הָאָ֑רֶץ תָּרִ֥ימוּ תְרוּמָ֖ה לַיהוָֽה׃ רֵאשִׁית֙ עֲרִסֹ֣תֵכֶ֔ם חַלָּ֖ה
כא תָּרִ֣ימוּ תְרוּמָ֑ה כִּתְרוּמַ֣ת גֹּ֔רֶן כֵּ֖ן תָּרִ֥ימוּ אֹתָֽהּ׃ מֵרֵאשִׁית֙

קָרְבַּן שִׁגְגַת הָעָם בַּעֲבוֹדָה זָרָה:

כב עֲרִסֹ֣תֵיכֶ֔ם תִּתְּנ֥וּ לַיהוָ֖ה תְּרוּמָ֑ה לְדֹרֹ֖תֵיכֶֽם׃ וְכִ֣י תִשְׁגּ֔וּ
וְלֹ֣א תַעֲשׂ֔וּ אֵ֥ת כָּל־הַמִּצְוֺ֖ת הָאֵ֑לֶּה אֲשֶׁר־דִּבֶּ֥ר יְהוָ֖ה אֶל־מֹשֶֽׁה׃
כג אֵת֩ כָּל־אֲשֶׁ֨ר צִוָּ֤ה יְהוָה֙ אֲלֵיכֶ֔ם בְּיַד־מֹשֶׁ֑ה מִן־הַיּ֞וֹם אֲשֶׁ֨ר צִוָּ֧ה
כד יְהוָ֛ה וָהָ֖לְאָה לְדֹרֹתֵיכֶֽם׃ וְהָיָ֗ה אִ֣ם מֵעֵינֵ֣י הָעֵדָה֮ נֶֽעֶשְׂתָ֣ה לִשְׁגָגָה֒
וְעָשׂ֣וּ כָל־הָעֵדָ֡ה פַּ֣ר בֶּן־בָּקָר֩ אֶחָ֨ד לְעֹלָ֜ה לְרֵ֤יחַ נִיחֹ֙חַ֙ לַיהוָ֔ה
כה וּמִנְחָת֥וֹ וְנִסְכּ֖וֹ כַּמִּשְׁפָּ֑ט וּשְׂעִיר־עִזִּ֥ים אֶחָ֖ד לְחַטָּֽת׃ וְכִפֶּ֣ר הַכֹּהֵ֗ן
עַֽל־כָּל־עֲדַ֛ת בְּנֵ֥י יִשְׂרָאֵ֖ל וְנִסְלַ֣ח לָהֶ֑ם כִּֽי־שְׁגָגָ֣ה הִ֔וא וְהֵ֡ם הֵבִ֣יאוּ
אֶת־קָרְבָּנָם֩ אִשֶּׁ֨ה לַיהוָ֜ה וְחַטָּאתָ֛ם לִפְנֵ֥י יְהוָ֖ה עַל־שִׁגְגָתָֽם׃
כו וְנִסְלַ֗ח לְכָל־עֲדַת֙ בְּנֵ֣י יִשְׂרָאֵ֔ל וְלַגֵּ֖ר הַגָּ֣ר בְּתוֹכָ֑ם כִּ֥י לְכָל־הָעָ֖ם

שביעי
קָרְבַּן שִׁגְגַת יָחִיד בַּעֲבוֹדָה זָרָה:

כז בִּשְׁגָגָֽה׃ וְאִם־נֶ֥פֶשׁ אַחַ֖ת
כח תֶּחֱטָ֣א בִשְׁגָגָ֑ה וְהִקְרִ֛יבָה עֵ֥ז בַּת־שְׁנָתָ֖הּ לְחַטָּֽאת׃ וְכִפֶּ֣ר הַכֹּהֵ֗ן
עַל־הַנֶּ֥פֶשׁ הַשֹּׁגֶ֛גֶת בְּחֶטְאָ֥ה בִשְׁגָגָ֖ה לִפְנֵ֣י יְהוָ֑ה לְכַפֵּ֥ר עָלָ֖יו וְנִסְלַ֥ח
כט לֽוֹ׃ הָֽאֶזְרָח֙ בִּבְנֵ֣י יִשְׂרָאֵ֔ל וְלַגֵּ֖ר הַגָּ֣ר בְּתוֹכָ֑ם תּוֹרָ֤ה אַחַת֙ יִהְיֶ֣ה

ל לָכֶם לַעֹשֶׂה בִּשְׁגָגָה: וְהַנֶּפֶשׁ אֲשֶׁר־תַּעֲשֶׂה ׀ בְּיָד רָמָה מִן־
הָאֶזְרָח וּמִן־הַגֵּר אֶת־יְהוָה הוּא מְגַדֵּף וְנִכְרְתָה הַנֶּפֶשׁ הַהִוא
לא מִקֶּרֶב עַמָּהּ: כִּי דְבַר־יְהוָה בָּזָה וְאֶת־מִצְוָתוֹ הֵפַר הִכָּרֵת ׀
תִּכָּרֵת הַנֶּפֶשׁ הַהִוא עֲוֺנָה בָהּ:
לב וַיִּהְיוּ בְנֵי־יִשְׂרָאֵל בַּמִּדְבָּר וַיִּמְצְאוּ אִישׁ מְקֹשֵׁשׁ עֵצִים בְּיוֹם הַמְקוֹשֵׁשׁ וּמִשְׁפָּטוֹ:
לג הַשַּׁבָּת: וַיַּקְרִיבוּ אֹתוֹ הַמֹּצְאִים אֹתוֹ מְקֹשֵׁשׁ עֵצִים אֶל־מֹשֶׁה
לד וְאֶל־אַהֲרֹן וְאֶל כָּל־הָעֵדָה: וַיַּנִּיחוּ אֹתוֹ בַּמִּשְׁמָר כִּי לֹא פֹרַשׁ
לה מַה־יֵּעָשֶׂה לוֹ: וַיֹּאמֶר יְהוָה אֶל־מֹשֶׁה מוֹת יוּמַת
לו הָאִישׁ רָגוֹם אֹתוֹ בָאֲבָנִים כָּל־הָעֵדָה מִחוּץ לַמַּחֲנֶה: וַיֹּצִיאוּ
אֹתוֹ כָּל־הָעֵדָה אֶל־מִחוּץ לַמַּחֲנֶה וַיִּרְגְּמוּ אֹתוֹ בָּאֲבָנִים וַיָּמֹת
כַּאֲשֶׁר צִוָּה יְהוָה אֶת־מֹשֶׁה:
לז לח וַיֹּאמֶר יְהוָה אֶל־מֹשֶׁה לֵּאמֹר: דַּבֵּר אֶל־בְּנֵי יִשְׂרָאֵל וְאָמַרְתָּ מפטיר פָּרָשַׁת צִיצִית:
אֲלֵהֶם וְעָשׂוּ לָהֶם צִיצִת עַל־כַּנְפֵי בִגְדֵיהֶם לְדֹרֹתָם וְנָתְנוּ
לט עַל־צִיצִת הַכָּנָף פְּתִיל תְּכֵלֶת: וְהָיָה לָכֶם לְצִיצִת וּרְאִיתֶם אֹתוֹ
וּזְכַרְתֶּם אֶת־כָּל־מִצְוֺת יְהוָה וַעֲשִׂיתֶם אֹתָם וְלֹא־תָתֻרוּ אַחֲרֵי
מ לְבַבְכֶם וְאַחֲרֵי עֵינֵיכֶם אֲשֶׁר־אַתֶּם זֹנִים אַחֲרֵיהֶם: לְמַעַן תִּזְכְּרוּ
מא וַעֲשִׂיתֶם אֶת־כָּל־מִצְוֺתָי וִהְיִיתֶם קְדֹשִׁים לֵאלֹהֵיכֶם: אֲנִי יְהוָה
אֱלֹהֵיכֶם אֲשֶׁר הוֹצֵאתִי אֶתְכֶם מֵאֶרֶץ מִצְרַיִם לִהְיוֹת לָכֶם
לֵאלֹהִים אֲנִי יְהוָה אֱלֹהֵיכֶם:

טז א וַיִּקַּח קֹרַח בֶּן־יִצְהָר בֶּן־קְהָת בֶּן־לֵוִי וְדָתָן וַאֲבִירָם בְּנֵי אֱלִיאָב **קורח** מַחֲלָקְתּוֹ שֶׁל קֹרַח: **[2449]**
ב וְאוֹן בֶּן־פֶּלֶת בְּנֵי רְאוּבֵן: וַיָּקֻמוּ לִפְנֵי מֹשֶׁה וַאֲנָשִׁים מִבְּנֵי־
יִשְׂרָאֵל חֲמִשִּׁים וּמָאתָיִם נְשִׂיאֵי עֵדָה קְרִאֵי מוֹעֵד אַנְשֵׁי־שֵׁם:
ג וַיִּקָּהֲלוּ עַל־מֹשֶׁה וְעַל־אַהֲרֹן וַיֹּאמְרוּ אֲלֵהֶם רַב־לָכֶם כִּי כָל־
הָעֵדָה כֻּלָּם קְדֹשִׁים וּבְתוֹכָם יְהוָה וּמַדּוּעַ תִּתְנַשְּׂאוּ עַל־קְהַל
ד ה יְהוָה: וַיִּשְׁמַע מֹשֶׁה וַיִּפֹּל עַל־פָּנָיו: וַיְדַבֵּר אֶל־קֹרַח וְאֶל־כָּל־

מִבְחַן הַקְּטֹרֶת: עֲדָתוֹ לֵאמֹר בֹּקֶר וְיֹדַע יְהוָה אֶת־אֲשֶׁר־לוֹ וְאֶת־הַקָּדוֹשׁ
וְהִקְרִיב אֵלָיו וְאֵת אֲשֶׁר יִבְחַר־בּוֹ יַקְרִיב אֵלָיו: זֹאת עֲשׂוּ ו
קְחוּ־לָכֶם מַחְתּוֹת קֹרַח וְכָל־עֲדָתוֹ: וּתְנוּ בָהֵן ׀ אֵשׁ וְשִׂימוּ ז
עֲלֵיהֶן ׀ קְטֹרֶת לִפְנֵי יְהוָה מָחָר וְהָיָה הָאִישׁ אֲשֶׁר־יִבְחַר יְהוָה
נִסְיוֹן מֹשֶׁה לְפִיּוּס: הוּא הַקָּדוֹשׁ רַב־לָכֶם בְּנֵי לֵוִי: וַיֹּאמֶר מֹשֶׁה אֶל־קֹרַח שִׁמְעוּ־נָא ח
בְּנֵי לֵוִי: הַמְעַט מִכֶּם כִּי־הִבְדִּיל אֱלֹהֵי יִשְׂרָאֵל אֶתְכֶם מֵעֲדַת ט
יִשְׂרָאֵל לְהַקְרִיב אֶתְכֶם אֵלָיו לַעֲבֹד אֶת־עֲבֹדַת מִשְׁכַּן יְהוָה
וְלַעֲמֹד לִפְנֵי הָעֵדָה לְשָׁרְתָם: וַיַּקְרֵב אֹתְךָ וְאֶת־כָּל־אַחֶיךָ י
בְנֵי־לֵוִי אִתָּךְ וּבִקַּשְׁתֶּם גַּם־כְּהֻנָּה: לָכֵן אַתָּה וְכָל־עֲדָתְךָ יא
הַנֹּעָדִים עַל־יְהוָה וְאַהֲרֹן מַה־הוּא כִּי תלונו תַלִּינוּ עָלָיו: וַיִּשְׁלַח יב
מֹשֶׁה לִקְרֹא לְדָתָן וְלַאֲבִירָם בְּנֵי אֱלִיאָב וַיֹּאמְרוּ לֹא נַעֲלֶה:
הַמְעַט כִּי הֶעֱלִיתָנוּ מֵאֶרֶץ זָבַת חָלָב וּדְבַשׁ לַהֲמִיתֵנוּ בַּמִּדְבָּר יג
שני כִּי־תִשְׂתָּרֵר עָלֵינוּ גַּם־הִשְׂתָּרֵר: אַף לֹא אֶל־אֶרֶץ זָבַת חָלָב יד
וּדְבַשׁ הֲבִיאֹתָנוּ וַתִּתֶּן־לָנוּ נַחֲלַת שָׂדֶה וָכָרֶם הַעֵינֵי הָאֲנָשִׁים
הָהֵם תְּנַקֵּר לֹא נַעֲלֶה: וַיִּחַר לְמֹשֶׁה מְאֹד וַיֹּאמֶר אֶל־יְהוָה טו
אַל־תֵּפֶן אֶל־מִנְחָתָם לֹא חֲמוֹר אֶחָד מֵהֶם נָשָׂאתִי וְלֹא הֲרֵעֹתִי
קְרִיאַת מֹשֶׁה לְהַקְטִיר קְטֹרֶת: אֶת־אַחַד מֵהֶם: וַיֹּאמֶר מֹשֶׁה אֶל־קֹרַח אַתָּה וְכָל־עֲדָתְךָ הֱיוּ טז
לִפְנֵי יְהוָה אַתָּה וָהֵם וְאַהֲרֹן מָחָר: וּקְחוּ ׀ אִישׁ מַחְתָּתוֹ וּנְתַתֶּם יז
עֲלֵיהֶם קְטֹרֶת וְהִקְרַבְתֶּם לִפְנֵי יְהוָה אִישׁ מַחְתָּתוֹ חֲמִשִּׁים
וּמָאתַיִם מַחְתֹּת וְאַתָּה וְאַהֲרֹן אִישׁ מַחְתָּתוֹ: וַיִּקְחוּ אִישׁ מַחְתָּתוֹ יח
וַיִּתְּנוּ עֲלֵיהֶם אֵשׁ וַיָּשִׂימוּ עֲלֵיהֶם קְטֹרֶת וַיַּעַמְדוּ פֶּתַח אֹהֶל מוֹעֵד
וּמֹשֶׁה וְאַהֲרֹן: וַיַּקְהֵל עֲלֵיהֶם קֹרַח אֶת־כָּל־הָעֵדָה אֶל־פֶּתַח אֹהֶל יט
שלישי מוֹעֵד וַיֵּרָא כְבוֹד־יְהוָה אֶל־כָּל־הָעֵדָה: וַיְדַבֵּר יְהוָה כ
כַּעַס ה' וּתְפִלַּת מֹשֶׁה: אֶל־מֹשֶׁה וְאֶל־אַהֲרֹן לֵאמֹר: הִבָּדְלוּ מִתּוֹךְ הָעֵדָה הַזֹּאת וַאֲכַלֶּה כא
אֹתָם כְּרָגַע: וַיִּפְּלוּ עַל־פְּנֵיהֶם וַיֹּאמְרוּ אֵל אֱלֹהֵי הָרוּחֹת לְכָל־ כב

כג בְּשַׂר הָאִישׁ אֶחָד יֶחֱטָא וְעַל כָּל־הָעֵדָה תִּקְצֹף: וַיְדַבֵּר
כד יְהוָה אֶל־מֹשֶׁה לֵּאמֹר: דַּבֵּר אֶל־הָעֵדָה לֵאמֹר הֵעָלוּ מִסָּבִיב
כה לְמִשְׁכַּן־קֹרַח דָּתָן וַאֲבִירָם: וַיָּקָם מֹשֶׁה וַיֵּלֶךְ אֶל־דָּתָן וַאֲבִירָם
כו וַיֵּלְכוּ אַחֲרָיו זִקְנֵי יִשְׂרָאֵל: וַיְדַבֵּר אֶל־הָעֵדָה לֵאמֹר סוּרוּ נָא
מֵעַל אָהֳלֵי הָאֲנָשִׁים הָרְשָׁעִים הָאֵלֶּה וְאַל־תִּגְּעוּ בְּכָל־אֲשֶׁר
כז לָהֶם פֶּן־תִּסָּפוּ בְּכָל־חַטֹּאתָם: וַיֵּעָלוּ מֵעַל מִשְׁכַּן־קֹרַח דָּתָן
וַאֲבִירָם מִסָּבִיב וְדָתָן וַאֲבִירָם יָצְאוּ נִצָּבִים פֶּתַח אָהֳלֵיהֶם
כח וּנְשֵׁיהֶם וּבְנֵיהֶם וְטַפָּם: וַיֹּאמֶר מֹשֶׁה בְּזֹאת תֵּדְעוּן כִּי־יְהוָה
כט שְׁלָחַנִי לַעֲשׂוֹת אֵת כָּל־הַמַּעֲשִׂים הָאֵלֶּה כִּי־לֹא מִלִּבִּי: אִם־
כְּמוֹת כָּל־הָאָדָם יְמֻתוּן אֵלֶּה וּפְקֻדַּת כָּל־הָאָדָם יִפָּקֵד עֲלֵיהֶם
ל לֹא יְהוָה שְׁלָחָנִי: וְאִם־בְּרִיאָה יִבְרָא יְהוָה וּפָצְתָה הָאֲדָמָה
אֶת־פִּיהָ וּבָלְעָה אֹתָם וְאֶת־כָּל־אֲשֶׁר לָהֶם וְיָרְדוּ חַיִּים שְׁאֹלָה
לא וִידַעְתֶּם כִּי נִאֲצוּ הָאֲנָשִׁים הָאֵלֶּה אֶת־יְהוָה: וַיְהִי כְּכַלֹּתוֹ לְדַבֵּר
לב אֵת כָּל־הַדְּבָרִים הָאֵלֶּה וַתִּבָּקַע הָאֲדָמָה אֲשֶׁר תַּחְתֵּיהֶם: וַתִּפְתַּח
הָאָרֶץ אֶת־פִּיהָ וַתִּבְלַע אֹתָם וְאֶת־בָּתֵּיהֶם וְאֵת כָּל־הָאָדָם
לג אֲשֶׁר לְקֹרַח וְאֵת כָּל־הָרְכוּשׁ: וַיֵּרְדוּ הֵם וְכָל־אֲשֶׁר לָהֶם חַיִּים
לד שְׁאֹלָה וַתְּכַס עֲלֵיהֶם הָאָרֶץ וַיֹּאבְדוּ מִתּוֹךְ הַקָּהָל: וְכָל־יִשְׂרָאֵל
לה אֲשֶׁר סְבִיבֹתֵיהֶם נָסוּ לְקֹלָם כִּי אָמְרוּ פֶּן־תִּבְלָעֵנוּ הָאָרֶץ: וְאֵשׁ
יָצְאָה מֵאֵת יְהוָה וַתֹּאכַל אֵת הַחֲמִשִּׁים וּמָאתַיִם אִישׁ מַקְרִיבֵי
יז א הַקְּטֹרֶת: וַיְדַבֵּר יְהוָה
ב אֶל־מֹשֶׁה לֵּאמֹר: אֱמֹר אֶל־אֶלְעָזָר בֶּן־אַהֲרֹן הַכֹּהֵן וְיָרֵם אֶת־
ג הַמַּחְתֹּת מִבֵּין הַשְּׂרֵפָה וְאֶת־הָאֵשׁ זְרֵה־הָלְאָה כִּי קָדֵשׁוּ: אֵת
מַחְתּוֹת הַחַטָּאִים הָאֵלֶּה בְּנַפְשֹׁתָם וְעָשׂוּ אֹתָם רִקֻּעֵי פַחִים
צִפּוּי לַמִּזְבֵּחַ כִּי־הִקְרִיבֻם לִפְנֵי־יְהוָה וַיִּקְדָּשׁוּ וְיִהְיוּ לְאוֹת
ד לִבְנֵי יִשְׂרָאֵל: וַיִּקַּח אֶלְעָזָר הַכֹּהֵן אֵת מַחְתּוֹת הַנְּחֹשֶׁת אֲשֶׁר

צִוּוּי לְהִתְרַחֵק מִמִּשְׁכַּן קֹרַח:

בְּלִיעַת עֲדַת קֹרַח וּשְׂרֵפָתָם:

לְקִיחַת הַמַּחְתּוֹת לְצִפּוּי לַמִּזְבֵּחַ:

הִקְרִיבוּ הַשְּׂרֻפִים וַיְרַקְּעוּם צִפּוּי לַמִּזְבֵּחַ: זִכָּרוֹן לִבְנֵי יִשְׂרָאֵל ה
לְמַעַן אֲשֶׁר לֹא־יִקְרַב אִישׁ זָר אֲשֶׁר לֹא מִזֶּרַע אַהֲרֹן הוּא
לְהַקְטִיר קְטֹרֶת לִפְנֵי יְהוָה וְלֹא־יִהְיֶה כְקֹרַח וְכַעֲדָתוֹ כַּאֲשֶׁר
דִּבֶּר יְהוָה בְּיַד־מֹשֶׁה לוֹ:

תְּלוּנַּת הָעָם:

וַיִּלֹּנוּ כָּל־עֲדַת בְּנֵי־יִשְׂרָאֵל מִמָּחֳרָת עַל־מֹשֶׁה וְעַל־אַהֲרֹן ו
לֵאמֹר אַתֶּם הֲמִתֶּם אֶת־עַם יְהוָה: וַיְהִי בְּהִקָּהֵל הָעֵדָה עַל־מֹשֶׁה ז
וְעַל־אַהֲרֹן וַיִּפְנוּ אֶל־אֹהֶל מוֹעֵד וְהִנֵּה כִסָּהוּ הֶעָנָן וַיֵּרָא כְּבוֹד
יְהוָה: וַיָּבֹא מֹשֶׁה וְאַהֲרֹן אֶל־פְּנֵי אֹהֶל מוֹעֵד: וַיְדַבֵּר ח ט

רביעי הַמַּגֵּפָה וַעֲצִירָתָהּ בַּקְּטֹרֶת:

יְהוָה אֶל־מֹשֶׁה לֵּאמֹר: הֵרֹמּוּ מִתּוֹךְ הָעֵדָה הַזֹּאת וַאֲכַלֶּה אֹתָם י
כְּרָגַע וַיִּפְּלוּ עַל־פְּנֵיהֶם: וַיֹּאמֶר מֹשֶׁה אֶל־אַהֲרֹן קַח אֶת־הַמַּחְתָּה יא
וְתֶן־עָלֶיהָ אֵשׁ מֵעַל הַמִּזְבֵּחַ וְשִׂים קְטֹרֶת וְהוֹלֵךְ מְהֵרָה
אֶל־הָעֵדָה וְכַפֵּר עֲלֵיהֶם כִּי־יָצָא הַקֶּצֶף מִלִּפְנֵי יְהוָה הֵחֵל הַנָּגֶף:
וַיִּקַּח אַהֲרֹן כַּאֲשֶׁר ׀ דִּבֶּר מֹשֶׁה וַיָּרָץ אֶל־תּוֹךְ הַקָּהָל וְהִנֵּה הֵחֵל יב
הַנֶּגֶף בָּעָם וַיִּתֵּן אֶת־הַקְּטֹרֶת וַיְכַפֵּר עַל־הָעָם: וַיַּעֲמֹד בֵּין־הַמֵּתִים יג
וּבֵין הַחַיִּים וַתֵּעָצַר הַמַּגֵּפָה: וַיִּהְיוּ הַמֵּתִים בַּמַּגֵּפָה אַרְבָּעָה עָשָׂר יד
אֶלֶף וּשְׁבַע מֵאוֹת מִלְּבַד הַמֵּתִים עַל־דְּבַר־קֹרַח: וַיָּשָׁב אַהֲרֹן טו
אֶל־מֹשֶׁה אֶל־פֶּתַח אֹהֶל מוֹעֵד וְהַמַּגֵּפָה נֶעֱצָרָה:

חמישי פְּרִיחַת מַטֵּה אַהֲרֹן:

וַיְדַבֵּר יְהוָה אֶל־מֹשֶׁה לֵּאמֹר: דַּבֵּר ׀ אֶל־בְּנֵי יִשְׂרָאֵל וְקַח מֵאִתָּם טז יז
מַטֶּה מַטֶּה לְבֵית אָב מֵאֵת כָּל־נְשִׂיאֵהֶם לְבֵית אֲבֹתָם שְׁנֵים
עָשָׂר מַטּוֹת אִישׁ אֶת־שְׁמוֹ תִּכְתֹּב עַל־מַטֵּהוּ: וְאֵת שֵׁם אַהֲרֹן יח
תִּכְתֹּב עַל־מַטֵּה לֵוִי כִּי מַטֶּה אֶחָד לְרֹאשׁ בֵּית אֲבוֹתָם: וְהִנַּחְתָּם יט
בְּאֹהֶל מוֹעֵד לִפְנֵי הָעֵדוּת אֲשֶׁר אִוָּעֵד לָכֶם שָׁמָּה: וְהָיָה הָאִישׁ כ
אֲשֶׁר אֶבְחַר־בּוֹ מַטֵּהוּ יִפְרָח וַהֲשִׁכֹּתִי מֵעָלַי אֶת־תְּלֻנּוֹת בְּנֵי
יִשְׂרָאֵל אֲשֶׁר הֵם מַלִּינִם עֲלֵיכֶם: וַיְדַבֵּר מֹשֶׁה אֶל־בְּנֵי יִשְׂרָאֵל כא
וַיִּתְּנוּ אֵלָיו ׀ כָּל־נְשִׂיאֵיהֶם מַטֶּה לְנָשִׂיא אֶחָד מַטֶּה לְנָשִׂיא

אֶחָד֙ לְבֵ֣ית אֲבֹתָ֔ם שְׁנֵ֥ים עָשָׂ֖ר מַטּ֑וֹת וּמַטֵּ֥ה אַהֲרֹ֖ן בְּת֥וֹךְ

כב מַטּוֹתָֽם: וַיַּנַּ֥ח מֹשֶׁ֛ה אֶת־הַמַּטֹּ֖ת לִפְנֵ֣י יְהוָ֑ה בְּאֹ֖הֶל הָעֵדֻֽת: וַיְהִ֣י
מִֽמָּחֳרָ֗ת וַיָּבֹ֤א מֹשֶׁה֙ אֶל־אֹ֣הֶל הָעֵד֔וּת וְהִנֵּ֛ה פָּרַ֥ח מַטֵּֽה־אַהֲרֹ֖ן

כד לְבֵ֣ית לֵוִ֑י וַיֹּ֤צֵֽא פֶ֨רַח֙ וַיָּ֣צֵֽץ צִ֔יץ וַיִּגְמֹ֖ל שְׁקֵדִֽים: וַיֹּצֵ֨א מֹשֶׁ֤ה
אֶת־כָּל־הַמַּטֹּת֙ מִלִּפְנֵ֣י יְהוָ֔ה אֶֽל־כָּל־בְּנֵ֖י יִשְׂרָאֵ֑ל וַיִּרְא֥וּ וַיִּקְח֖וּ
אִ֥ישׁ מַטֵּֽהוּ:

ששי
מַטֵּה אַהֲרֹן
לְמִשְׁמָרֶת:

כה וַיֹּ֨אמֶר יְהוָ֜ה אֶל־מֹשֶׁ֗ה הָשֵׁ֞ב אֶת־מַטֵּ֤ה אַהֲרֹן֙ לִפְנֵ֣י הָעֵד֔וּת
לְמִשְׁמֶ֥רֶת לְא֖וֹת לִבְנֵי־מֶ֑רִי וּתְכַ֧ל תְּלוּנֹּתָ֛ם מֵעָלַ֖י וְלֹ֥א יָמֻֽתוּ:

כו וַיַּ֖עַשׂ מֹשֶׁ֑ה כַּאֲשֶׁ֨ר צִוָּ֧ה יְהוָ֛ה אֹת֖וֹ כֵּ֥ן עָשָֽׂה:

פֶּחַד הָעָם
מִמִּשְׁכָּנֹ״ה:

כז וַיֹּֽאמְרוּ֙ בְּנֵ֣י יִשְׂרָאֵ֔ל אֶל־מֹשֶׁ֖ה לֵאמֹ֑ר הֵ֥ן גָּוַ֛עְנוּ אָבַ֖דְנוּ כֻּלָּ֥נוּ

כח אָבָֽדְנוּ: כֹּ֣ל הַקָּרֵ֧ב ׀ הַקָּרֵ֛ב אֶל־מִשְׁכַּ֥ן יְהוָ֖ה יָמ֑וּת הַאִ֥ם תַּ֖מְנוּ

הָאַחֲרָיוּת
הַמֻּטֶּלֶת
עַל
אַהֲרֹן
וּבָנָיו:

יח א לִגְוֹֽעַ: וַיֹּ֤אמֶר יְהוָה֙ אֶֽל־אַהֲרֹ֔ן אַתָּ֗ה וּבָנֶ֤יךָ וּבֵית־
אָבִ֨יךָ֙ אִתָּ֔ךְ תִּשְׂא֖וּ אֶת־עֲוֺ֣ן הַמִּקְדָּ֑שׁ וְאַתָּ֗ה וּבָנֶ֤יךָ אִתְּךָ֙ תִּשְׂא֔וּ

ב אֶת־עֲוֺ֖ן כְּהֻנַּתְכֶֽם: וְגַ֣ם אֶת־אַחֶ֩יךָ֩ מַטֵּ֨ה לֵוִ֜י שֵׁ֤בֶט אָבִ֨יךָ֙ הַקְרֵ֣ב
אִתָּ֔ךְ וְיִלָּו֥וּ עָלֶ֖יךָ וִישָׁרְת֑וּךָ וְאַתָּה֙ וּבָנֶ֣יךָ אִתָּ֔ךְ לִפְנֵ֖י אֹ֥הֶל הָעֵדֻֽת:

ג וְשָׁ֣מְר֔וּ מִֽשְׁמַרְתְּךָ֔ וּמִשְׁמֶ֖רֶת כָּל־הָאֹ֑הֶל אַ֣ךְ אֶל־כְּלֵ֤י הַקֹּ֨דֶשׁ֙

ד וְאֶל־הַמִּזְבֵּ֨חַ֙ לֹ֣א יִקְרָ֔בוּ וְלֹֽא־יָמֻ֥תוּ גַם־הֵ֖ם גַּם־אַתֶּֽם: וְנִלְו֣וּ
עָלֶ֔יךָ וְשָׁ֣מְר֔וּ אֶת־מִשְׁמֶ֨רֶת֙ אֹ֣הֶל מוֹעֵ֔ד לְכֹ֖ל עֲבֹדַ֣ת הָאֹ֑הֶל וְזָ֖ר

ה לֹא־יִקְרַ֥ב אֲלֵיכֶֽם: וּשְׁמַרְתֶּ֗ם אֵ֚ת מִשְׁמֶ֣רֶת הַקֹּ֔דֶשׁ וְאֵ֖ת מִשְׁמֶ֣רֶת

ו הַמִּזְבֵּ֑חַ וְלֹֽא־יִהְיֶ֥ה ע֛וֹד קֶ֖צֶף עַל־בְּנֵ֥י יִשְׂרָאֵֽל: וַאֲנִ֞י הִנֵּ֧ה
לָקַ֣חְתִּי אֶת־אֲחֵיכֶ֣ם הַלְוִיִּ֗ם מִתּ֖וֹךְ בְּנֵ֣י יִשְׂרָאֵ֑ל לָכֶ֞ם מַתָּנָ֤ה נְתֻנִים֙

ז לַֽיהוָ֔ה לַעֲבֹ֕ד אֶת־עֲבֹדַ֖ת אֹ֣הֶל מוֹעֵֽד: וְאַתָּ֣ה וּבָנֶ֣יךָ אִ֠תְּךָ֠ תִּשְׁמְר֨וּ
אֶת־כְּהֻנַּתְכֶ֜ם לְכָל־דְּבַ֤ר הַמִּזְבֵּ֨חַ֙ וּלְמִבֵּ֣ית לַפָּרֹ֔כֶת וַעֲבַדְתֶּ֑ם
עֲבֹדַ֣ת מַתָּנָ֗ה אֶתֵּן֙ אֶת־כְּהֻנַּתְכֶ֔ם וְהַזָּ֥ר הַקָּרֵ֖ב יוּמָֽת:

ח וַיְדַבֵּ֣ר יְהוָה֮ אֶֽל־אַהֲרֹן֒ וַאֲנִי֙ הִנֵּ֤ה נָתַ֨תִּֽי֙ לְךָ֔ אֶת־מִשְׁמֶ֖רֶת תְּרוּמֹתָ֑י

פרוט מַתְּנוֹת הַכְּהֻנָּה:

לְכָל־קָדְשֵׁי בְנֵי־יִשְׂרָאֵל לְךָ נְתַתִּים לְמָשְׁחָה וּלְבָנֶיךָ לְחָק־
ט עוֹלָם: זֶה־יִהְיֶה לְךָ מִקֹּדֶשׁ הַקֳּדָשִׁים מִן־הָאֵשׁ כָּל־קָרְבָּנָם
לְכָל־מִנְחָתָם וּלְכָל־חַטָּאתָם וּלְכָל־אֲשָׁמָם אֲשֶׁר יָשִׁיבוּ לִי
י קֹדֶשׁ קָדָשִׁים לְךָ הוּא וּלְבָנֶיךָ: בְּקֹדֶשׁ הַקֳּדָשִׁים תֹּאכְלֶנּוּ
יא כָּל־זָכָר יֹאכַל אֹתוֹ קֹדֶשׁ יִהְיֶה־לָּךְ: וְזֶה־לְּךָ תְּרוּמַת מַתָּנָם
לְכָל־תְּנוּפֹת בְּנֵי יִשְׂרָאֵל לְךָ נְתַתִּים וּלְבָנֶיךָ וְלִבְנֹתֶיךָ אִתְּךָ
יב לְחָק־עוֹלָם כָּל־טָהוֹר בְּבֵיתְךָ יֹאכַל אֹתוֹ: כֹּל חֵלֶב יִצְהָר
וְכָל־חֵלֶב תִּירוֹשׁ וְדָגָן רֵאשִׁיתָם אֲשֶׁר־יִתְּנוּ לַיהוָה לְךָ נְתַתִּים:
יג בִּכּוּרֵי כָּל־אֲשֶׁר בְּאַרְצָם אֲשֶׁר־יָבִיאוּ לַיהוָה לְךָ יִהְיֶה כָּל־טָהוֹר
יד טו בְּבֵיתְךָ יֹאכְלֶנּוּ: כָּל־חֵרֶם בְּיִשְׂרָאֵל לְךָ יִהְיֶה: כָּל־פֶּטֶר רֶחֶם
לְכָל־בָּשָׂר אֲשֶׁר־יַקְרִיבוּ לַיהוָה בָּאָדָם וּבַבְּהֵמָה יִהְיֶה־לָּךְ אַךְ ׀
פָּדֹה תִפְדֶּה אֵת בְּכוֹר הָאָדָם וְאֵת בְּכוֹר־הַבְּהֵמָה הַטְּמֵאָה תִּפְדֶּה:
טז וּפְדוּיָו מִבֶּן־חֹדֶשׁ תִּפְדֶּה בְּעֶרְכְּךָ כֶּסֶף חֲמֵשֶׁת שְׁקָלִים בְּשֶׁקֶל
יז הַקֹּדֶשׁ עֶשְׂרִים גֵּרָה הוּא: אַךְ בְּכוֹר־שׁוֹר אוֹ־בְכוֹר כֶּשֶׂב אוֹ־בְכוֹר
עֵז לֹא תִפְדֶּה קֹדֶשׁ הֵם אֶת־דָּמָם תִּזְרֹק עַל־הַמִּזְבֵּחַ וְאֶת־חֶלְבָּם
יח תַּקְטִיר אִשֶּׁה לְרֵיחַ נִיחֹחַ לַיהוָה: וּבְשָׂרָם יִהְיֶה־לָּךְ כַּחֲזֵה
יט הַתְּנוּפָה וּכְשׁוֹק הַיָּמִין לְךָ יִהְיֶה: כֹּל ׀ תְּרוּמֹת הַקֳּדָשִׁים אֲשֶׁר
יָרִימוּ בְנֵי־יִשְׂרָאֵל לַיהוָה נָתַתִּי לְךָ וּלְבָנֶיךָ וְלִבְנֹתֶיךָ אִתְּךָ לְחָק־
כ עוֹלָם בְּרִית מֶלַח עוֹלָם הִוא לִפְנֵי יְהוָה לְךָ וּלְזַרְעֲךָ אִתָּךְ: וַיֹּאמֶר
יְהוָה אֶל־אַהֲרֹן בְּאַרְצָם לֹא תִנְחָל וְחֵלֶק לֹא־יִהְיֶה לְךָ בְּתוֹכָם

שביעי פרוט מַתְּנוֹת לְוִיָּה:

כא אֲנִי חֶלְקְךָ וְנַחֲלָתְךָ בְּתוֹךְ בְּנֵי יִשְׂרָאֵל: וְלִבְנֵי לֵוִי הִנֵּה
נָתַתִּי כָל־מַעֲשֵׂר בְּיִשְׂרָאֵל לְנַחֲלָה חֵלֶף עֲבֹדָתָם אֲשֶׁר־הֵם
כב עֹבְדִים אֶת־עֲבֹדַת אֹהֶל מוֹעֵד: וְלֹא־יִקְרְבוּ עוֹד בְּנֵי יִשְׂרָאֵל
כג אֶל־אֹהֶל מוֹעֵד לָשֵׂאת חֵטְא לָמוּת: וְעָבַד הַלֵּוִי הוּא אֶת־עֲבֹדַת
אֹהֶל מוֹעֵד וְהֵם יִשְׂאוּ עֲוֹנָם חֻקַּת עוֹלָם לְדֹרֹתֵיכֶם וּבְתוֹךְ בְּנֵי

כד יִשְׂרָאֵל לֹא יִנְחֲלוּ נַחֲלָה: כִּי אֶת־מַעְשַׂר בְּנֵי־יִשְׂרָאֵל אֲשֶׁר
יָרִימוּ לַיהוָֹה תְּרוּמָה נָתַתִּי לַלְוִיִּם לְנַחֲלָה עַל־כֵּן אָמַרְתִּי לָהֶם
בְּתוֹךְ בְּנֵי יִשְׂרָאֵל לֹא יִנְחֲלוּ נַחֲלָה:

מצות
תרומת
מעשר:

כה וַיְדַבֵּר יְהוָֹה אֶל־מֹשֶׁה לֵּאמֹר: וְאֶל־הַלְוִיִּם תְּדַבֵּר וְאָמַרְתָּ אֲלֵהֶם
כִּי־תִקְחוּ מֵאֵת בְּנֵי־יִשְׂרָאֵל אֶת־הַמַּעֲשֵׂר אֲשֶׁר נָתַתִּי לָכֶם
מֵאִתָּם בְּנַחֲלַתְכֶם וַהֲרֵמֹתֶם מִמֶּנּוּ תְּרוּמַת יְהוָֹה מַעֲשֵׂר מִן־
כז הַמַּעֲשֵׂר: וְנֶחְשַׁב לָכֶם תְּרוּמַתְכֶם כַּדָּגָן מִן־הַגֹּרֶן וְכַמְלֵאָה
כח מִן־הַיָּקֶב: כֵּן תָּרִימוּ גַם־אַתֶּם תְּרוּמַת יְהוָֹה מִכֹּל מַעְשְׂרֹתֵיכֶם
אֲשֶׁר תִּקְחוּ מֵאֵת בְּנֵי יִשְׂרָאֵל וּנְתַתֶּם מִמֶּנּוּ אֶת־תְּרוּמַת יְהוָֹה
כט לְאַהֲרֹן הַכֹּהֵן: מִכֹּל מַתְּנֹתֵיכֶם תָּרִימוּ אֵת כָּל־תְּרוּמַת יְהוָֹה

מפטיר

ל מִכָּל־חֶלְבּוֹ אֶת־מִקְדְּשׁוֹ מִמֶּנּוּ: וְאָמַרְתָּ אֲלֵהֶם בַּהֲרִימְכֶם אֶת־
חֶלְבּוֹ מִמֶּנּוּ וְנֶחְשַׁב לַלְוִיִּם כִּתְבוּאַת גֹּרֶן וְכִתְבוּאַת יָקֶב:
לא וַאֲכַלְתֶּם אֹתוֹ בְּכָל־מָקוֹם אַתֶּם וּבֵיתְכֶם כִּי־שָׂכָר הוּא לָכֶם
לב חֵלֶף עֲבֹדַתְכֶם בְּאֹהֶל מוֹעֵד: וְלֹא־תִשְׂאוּ עָלָיו חֵטְא בַּהֲרִימְכֶם
אֶת־חֶלְבּוֹ מִמֶּנּוּ וְאֶת־קָדְשֵׁי בְנֵי־יִשְׂרָאֵל לֹא תְחַלְּלוּ וְלֹא
תָמוּתוּ:

חקת
מצות פרה
אדמה:

יט א וַיְדַבֵּר יְהוָֹה אֶל־מֹשֶׁה וְאֶל־אַהֲרֹן לֵאמֹר: זֹאת חֻקַּת הַתּוֹרָה
אֲשֶׁר־צִוָּה יְהוָֹה לֵאמֹר דַּבֵּר ׀ אֶל־בְּנֵי יִשְׂרָאֵל וְיִקְחוּ אֵלֶיךָ פָרָה
אֲדֻמָּה תְּמִימָה אֲשֶׁר אֵין־בָּהּ מוּם אֲשֶׁר לֹא־עָלָה עָלֶיהָ עֹל:
ג וּנְתַתֶּם אֹתָהּ אֶל־אֶלְעָזָר הַכֹּהֵן וְהוֹצִיא אֹתָהּ אֶל־מִחוּץ
ד לַמַּחֲנֶה וְשָׁחַט אֹתָהּ לְפָנָיו: וְלָקַח אֶלְעָזָר הַכֹּהֵן מִדָּמָהּ
בְּאֶצְבָּעוֹ וְהִזָּה אֶל־נֹכַח פְּנֵי אֹהֶל־מוֹעֵד מִדָּמָהּ שֶׁבַע פְּעָמִים:
ה וְשָׂרַף אֶת־הַפָּרָה לְעֵינָיו אֶת־עֹרָהּ וְאֶת־בְּשָׂרָהּ וְאֶת־דָּמָהּ
ו עַל־פִּרְשָׁהּ יִשְׂרֹף: וְלָקַח הַכֹּהֵן עֵץ אֶרֶז וְאֵזוֹב וּשְׁנִי תוֹלָעַת
ז וְהִשְׁלִיךְ אֶל־תּוֹךְ שְׂרֵפַת הַפָּרָה: וְכִבֶּס בְּגָדָיו הַכֹּהֵן

וְרָחַץ בְּשָׂרוֹ בַּמָּיִם וְאַחַר יָבֹא אֶל־הַמַּחֲנֶה וְטָמֵא הַכֹּהֵן עַד־
הָעָרֶב: וְהַשֹּׂרֵף אֹתָהּ יְכַבֵּס בְּגָדָיו בַּמַּיִם וְרָחַץ בְּשָׂרוֹ בַּמָּיִם ח
וְטָמֵא עַד־הָעָרֶב: וְאָסַף ׀ אִישׁ טָהוֹר אֵת אֵפֶר הַפָּרָה וְהִנִּיחַ ט
מִחוּץ לַמַּחֲנֶה בְּמָקוֹם טָהוֹר וְהָיְתָה לַעֲדַת בְּנֵי־יִשְׂרָאֵל
לְמִשְׁמֶרֶת לְמֵי נִדָּה חַטָּאת הִוא: וְכִבֶּס הָאֹסֵף אֶת־אֵפֶר הַפָּרָה י
אֶת־בְּגָדָיו וְטָמֵא עַד־הָעָרֶב וְהָיְתָה לִבְנֵי יִשְׂרָאֵל וְלַגֵּר הַגָּר
(טֻמְאַת מֵת, וְהִטַּהֲרוּתָהּ:) בְּתוֹכָם לְחֻקַּת עוֹלָם: הַנֹּגֵעַ בְּמֵת לְכָל־נֶפֶשׁ אָדָם וְטָמֵא שִׁבְעַת יא
יָמִים: הוּא יִתְחַטָּא־בוֹ בַּיּוֹם הַשְּׁלִישִׁי וּבַיּוֹם הַשְּׁבִיעִי יִטְהָר יב
וְאִם־לֹא יִתְחַטָּא בַּיּוֹם הַשְּׁלִישִׁי וּבַיּוֹם הַשְּׁבִיעִי לֹא יִטְהָר:
כָּל־הַנֹּגֵעַ בְּמֵת בְּנֶפֶשׁ הָאָדָם אֲשֶׁר־יָמוּת וְלֹא יִתְחַטָּא אֶת־ יג
מִשְׁכַּן יְהוָה טִמֵּא וְנִכְרְתָה הַנֶּפֶשׁ הַהִוא מִיִּשְׂרָאֵל כִּי מֵי נִדָּה
לֹא־זֹרַק עָלָיו טָמֵא יִהְיֶה עוֹד טֻמְאָתוֹ בוֹ: זֹאת הַתּוֹרָה אָדָם יד
כִּי־יָמוּת בְּאֹהֶל כָּל־הַבָּא אֶל־הָאֹהֶל וְכָל־אֲשֶׁר בָּאֹהֶל יִטְמָא
שִׁבְעַת יָמִים: וְכֹל כְּלִי פָתוּחַ אֲשֶׁר אֵין־צָמִיד פָּתִיל עָלָיו טו
טָמֵא הוּא: וְכֹל אֲשֶׁר־יִגַּע עַל־פְּנֵי הַשָּׂדֶה בַּחֲלַל־חֶרֶב אוֹ בְמֵת טז
אוֹ־בְעֶצֶם אָדָם אוֹ בְקָבֶר יִטְמָא שִׁבְעַת יָמִים: וְלָקְחוּ לַטָּמֵא יז
(שני) מֵעֲפַר שְׂרֵפַת הַחַטָּאת וְנָתַן עָלָיו מַיִם חַיִּים אֶל־כֶּלִי: וְלָקַח יח
אֵזוֹב וְטָבַל בַּמַּיִם אִישׁ טָהוֹר וְהִזָּה עַל־הָאֹהֶל וְעַל־כָּל־הַכֵּלִים
וְעַל־הַנְּפָשׁוֹת אֲשֶׁר הָיוּ־שָׁם וְעַל־הַנֹּגֵעַ בַּעֶצֶם אוֹ בֶחָלָל אוֹ
בַמֵּת אוֹ בַקָּבֶר: וְהִזָּה הַטָּהֹר עַל־הַטָּמֵא בַּיּוֹם הַשְּׁלִישִׁי וּבַיּוֹם יט
הַשְּׁבִיעִי וְחִטְּאוֹ בַּיּוֹם הַשְּׁבִיעִי וְכִבֶּס בְּגָדָיו וְרָחַץ בַּמַּיִם וְטָהֵר
(אִסּוּר טֻמְאַת הַמִּקְדָּשׁ:) בָּעָרֶב: וְאִישׁ אֲשֶׁר־יִטְמָא וְלֹא יִתְחַטָּא וְנִכְרְתָה הַנֶּפֶשׁ הַהִוא כ
מִתּוֹךְ הַקָּהָל כִּי אֶת־מִקְדַּשׁ יְהוָה טִמֵּא מֵי נִדָּה לֹא־זֹרַק עָלָיו
טָמֵא הוּא: וְהָיְתָה לָהֶם לְחֻקַּת עוֹלָם וּמַזֵּה מֵי־הַנִּדָּה יְכַבֵּס כא
בְּגָדָיו וְהַנֹּגֵעַ בְּמֵי הַנִּדָּה יִטְמָא עַד־הָעָרֶב: וְכֹל אֲשֶׁר־יִגַּע־בּוֹ כב

הַטָּמֵא יִטְמָא וְהַנֶּפֶשׁ הַנֹּגַעַת תִּטְמָא עַד־הָעָרֶב׃
כ א וַיָּבֹאוּ בְנֵי־יִשְׂרָאֵל כָּל־הָעֵדָה מִדְבַּר־צִן בַּחֹדֶשׁ הָרִאשׁוֹן וַיֵּשֶׁב מוֹת מִרְיָם וְצִמָּאוֹן הָעָם׃ [2488]
ב הָעָם בְּקָדֵשׁ וַתָּמָת שָׁם מִרְיָם וַתִּקָּבֵר שָׁם׃ וְלֹא־הָיָה מַיִם לָעֵדָה
ג וַיִּקָּהֲלוּ עַל־מֹשֶׁה וְעַל־אַהֲרֹן׃ וַיָּרֶב הָעָם עִם־מֹשֶׁה וַיֹּאמְרוּ
ד לֵאמֹר וְלוּ גָוַעְנוּ בִּגְוַע אַחֵינוּ לִפְנֵי יְהוָה׃ וְלָמָה הֲבֵאתֶם
אֶת־קְהַל יְהוָה אֶל־הַמִּדְבָּר הַזֶּה לָמוּת שָׁם אֲנַחְנוּ וּבְעִירֵנוּ׃
ה וְלָמָה הֶעֱלִיתֻנוּ מִמִּצְרַיִם לְהָבִיא אֹתָנוּ אֶל־הַמָּקוֹם הָרָע הַזֶּה
ו לֹא׀ מְקוֹם זֶרַע וּתְאֵנָה וְגֶפֶן וְרִמּוֹן וּמַיִם אַיִן לִשְׁתּוֹת׃ וַיָּבֹא
מֹשֶׁה וְאַהֲרֹן מִפְּנֵי הַקָּהָל אֶל־פֶּתַח אֹהֶל מוֹעֵד וַיִּפְּלוּ עַל־פְּנֵיהֶם
וַיֵּרָא כְבוֹד־יְהוָה אֲלֵיהֶם׃
ז ח וַיְדַבֵּר יְהוָה אֶל־מֹשֶׁה לֵּאמֹר׃ קַח אֶת־הַמַּטֶּה וְהַקְהֵל אֶת־הָעֵדָה שלישי /שני/ חֵטְא מֵי מְרִיבָה׃
אַתָּה וְאַהֲרֹן אָחִיךָ וְדִבַּרְתֶּם אֶל־הַסֶּלַע לְעֵינֵיהֶם וְנָתַן מֵימָיו
וְהוֹצֵאתָ לָהֶם מַיִם מִן־הַסֶּלַע וְהִשְׁקִיתָ אֶת־הָעֵדָה וְאֶת־בְּעִירָם׃
ט י וַיִּקַּח מֹשֶׁה אֶת־הַמַּטֶּה מִלִּפְנֵי יְהוָה כַּאֲשֶׁר צִוָּהוּ׃ וַיַּקְהִלוּ מֹשֶׁה
וְאַהֲרֹן אֶת־הַקָּהָל אֶל־פְּנֵי הַסָּלַע וַיֹּאמֶר לָהֶם שִׁמְעוּ־נָא הַמֹּרִים
יא הֲמִן־הַסֶּלַע הַזֶּה נוֹצִיא לָכֶם מָיִם׃ וַיָּרֶם מֹשֶׁה אֶת־יָדוֹ וַיַּךְ
אֶת־הַסֶּלַע בְּמַטֵּהוּ פַּעֲמָיִם וַיֵּצְאוּ מַיִם רַבִּים וַתֵּשְׁתְּ הָעֵדָה
יב וּבְעִירָם׃ וַיֹּאמֶר יְהוָה אֶל־מֹשֶׁה וְאֶל־אַהֲרֹן יַעַן לֹא־ עֹנֶשׁ מֹשֶׁה וְאַהֲרֹן׃
הֶאֱמַנְתֶּם בִּי לְהַקְדִּישֵׁנִי לְעֵינֵי בְּנֵי יִשְׂרָאֵל לָכֵן לֹא תָבִיאוּ
יג אֶת־הַקָּהָל הַזֶּה אֶל־הָאָרֶץ אֲשֶׁר־נָתַתִּי לָהֶם׃ הֵמָּה מֵי מְרִיבָה
יד אֲשֶׁר־רָבוּ בְנֵי־יִשְׂרָאֵל אֶת־יְהוָה וַיִּקָּדֵשׁ בָּם׃ וַיִּשְׁלַח רביעי בַּקָּשַׁת הַמַּעֲבָר מֵאֱדוֹם, וְסֵרוּבוֹ׃
מֹשֶׁה מַלְאָכִים מִקָּדֵשׁ אֶל־מֶלֶךְ אֱדוֹם כֹּה אָמַר אָחִיךָ יִשְׂרָאֵל
טו אַתָּה יָדַעְתָּ אֵת כָּל־הַתְּלָאָה אֲשֶׁר מְצָאָתְנוּ׃ וַיֵּרְדוּ אֲבֹתֵינוּ
מִצְרַיְמָה וַנֵּשֶׁב בְּמִצְרַיִם יָמִים רַבִּים וַיָּרֵעוּ לָנוּ מִצְרַיִם
טז וְלַאֲבֹתֵינוּ׃ וַנִּצְעַק אֶל־יְהוָה וַיִּשְׁמַע קֹלֵנוּ וַיִּשְׁלַח מַלְאָךְ וַיֹּצִאֵנוּ

יז מִמִּצְרָיִם וְהִנֵּה אֲנַחְנוּ בְקָדֵשׁ עִיר קְצֵה גְבוּלֶךָ: נַעְבְּרָה־נָּא
בְאַרְצֶךָ לֹא נַעֲבֹר בְּשָׂדֶה וּבְכֶרֶם וְלֹא נִשְׁתֶּה מֵי בְאֵר דֶּרֶךְ
הַמֶּלֶךְ נֵלֵךְ לֹא נִטֶּה יָמִין וּשְׂמֹאול עַד אֲשֶׁר־נַעֲבֹר גְּבֻלֶךָ:
יח וַיֹּאמֶר אֵלָיו אֱדוֹם לֹא תַעֲבֹר בִּי פֶּן־בַּחֶרֶב אֵצֵא לִקְרָאתֶךָ:
יט וַיֹּאמְרוּ אֵלָיו בְּנֵי־יִשְׂרָאֵל בַּמְסִלָּה נַעֲלֶה וְאִם־מֵימֶיךָ נִשְׁתֶּה
כ אֲנִי וּמִקְנַי וְנָתַתִּי מִכְרָם רַק אֵין־דָּבָר בְּרַגְלַי אֶעֱבֹרָה: וַיֹּאמֶר
כא לֹא תַעֲבֹר וַיֵּצֵא אֱדוֹם לִקְרָאתוֹ בְּעַם כָּבֵד וּבְיָד חֲזָקָה: וַיְמָאֵן ׀
אֱדוֹם נְתֹן אֶת־יִשְׂרָאֵל עֲבֹר בִּגְבֻלוֹ וַיֵּט יִשְׂרָאֵל מֵעָלָיו:
כב כג וַיִּסְעוּ מִקָּדֵשׁ וַיָּבֹאוּ בְנֵי־יִשְׂרָאֵל כָּל־הָעֵדָה הֹר הָהָר: וַיֹּאמֶר חמישי /שלישי/
יְהוָה אֶל־מֹשֶׁה וְאֶל־אַהֲרֹן בְּהֹר הָהָר עַל־גְּבוּל אֶרֶץ־אֱדוֹם מוֹת אַהֲרֹן וְכִהוּן אֶלְעָזָר: [2488]
כד לֵאמֹר: יֵאָסֵף אַהֲרֹן אֶל־עַמָּיו כִּי לֹא יָבֹא אֶל־הָאָרֶץ אֲשֶׁר
כה נָתַתִּי לִבְנֵי יִשְׂרָאֵל עַל אֲשֶׁר־מְרִיתֶם אֶת־פִּי לְמֵי מְרִיבָה: קַח
כו אֶת־אַהֲרֹן וְאֶת־אֶלְעָזָר בְּנוֹ וְהַעַל אֹתָם הֹר הָהָר: וְהַפְשֵׁט
אֶת־אַהֲרֹן אֶת־בְּגָדָיו וְהִלְבַּשְׁתָּם אֶת־אֶלְעָזָר בְּנוֹ וְאַהֲרֹן יֵאָסֵף
כז וּמֵת שָׁם: וַיַּעַשׂ מֹשֶׁה כַּאֲשֶׁר צִוָּה יְהוָה וַיַּעֲלוּ אֶל־הֹר הָהָר
כח לְעֵינֵי כָּל־הָעֵדָה: וַיַּפְשֵׁט מֹשֶׁה אֶת־אַהֲרֹן אֶת־בְּגָדָיו וַיַּלְבֵּשׁ
אֹתָם אֶת־אֶלְעָזָר בְּנוֹ וַיָּמָת אַהֲרֹן שָׁם בְּרֹאשׁ הָהָר וַיֵּרֶד מֹשֶׁה
כט וְאֶלְעָזָר מִן־הָהָר: וַיִּרְאוּ כָּל־הָעֵדָה כִּי גָוַע אַהֲרֹן וַיִּבְכּוּ
כא א אֶת־אַהֲרֹן שְׁלֹשִׁים יוֹם כֹּל בֵּית יִשְׂרָאֵל: וַיִּשְׁמַע מִלְחֶמֶת הַכְּנַעֲנִי:
הַכְּנַעֲנִי מֶלֶךְ־עֲרָד יֹשֵׁב הַנֶּגֶב כִּי בָּא יִשְׂרָאֵל דֶּרֶךְ הָאֲתָרִים
ב וַיִּלָּחֶם בְּיִשְׂרָאֵל וַיִּשְׁבְּ ׀ מִמֶּנּוּ שֶׁבִי: וַיִּדַּר יִשְׂרָאֵל נֶדֶר לַיהוָה
וַיֹּאמַר אִם־נָתֹן תִּתֵּן אֶת־הָעָם הַזֶּה בְּיָדִי וְהַחֲרַמְתִּי אֶת־עָרֵיהֶם:
ג וַיִּשְׁמַע יְהוָה בְּקוֹל יִשְׂרָאֵל וַיִּתֵּן אֶת־הַכְּנַעֲנִי וַיַּחֲרֵם אֶתְהֶם
וְאֶת־עָרֵיהֶם וַיִּקְרָא שֵׁם־הַמָּקוֹם חָרְמָה: הַתְּלוּנָה עַל קֹשִׁי הַדֶּרֶךְ:
ד וַיִּסְעוּ מֵהֹר הָהָר דֶּרֶךְ יַם־סוּף לִסְבֹב אֶת־אֶרֶץ אֱדוֹם וַתִּקְצַר

ה נֶפֶשׁ־הָעָם בַּדָּרֶךְ: וַיְדַבֵּר הָעָם בֵּאלֹהִים וּבְמֹשֶׁה לָמָה הֶעֱלִיתֻנוּ
מִמִּצְרַיִם לָמוּת בַּמִּדְבָּר כִּי אֵין לֶחֶם וְאֵין מַיִם וְנַפְשֵׁנוּ קָצָה

ו בַּלֶּחֶם הַקְּלֹקֵל: וַיְשַׁלַּח יְהֹוָה בָּעָם אֵת הַנְּחָשִׁים הַשְּׂרָפִים וַיְנַשְּׁכוּ

הַנְּחָשִׁים הַשְּׂרָפִים:

ז אֶת־הָעָם וַיָּמָת עַם־רָב מִיִּשְׂרָאֵל: וַיָּבֹא הָעָם אֶל־מֹשֶׁה וַיֹּאמְרוּ
חָטָאנוּ כִּי־דִבַּרְנוּ בַיהֹוָה וָבָךְ הִתְפַּלֵּל אֶל־יְהֹוָה וְיָסֵר מֵעָלֵינוּ

ח אֶת־הַנָּחָשׁ וַיִּתְפַּלֵּל מֹשֶׁה בְּעַד הָעָם: וַיֹּאמֶר יְהֹוָה אֶל־מֹשֶׁה
עֲשֵׂה לְךָ שָׂרָף וְשִׂים אֹתוֹ עַל־נֵס וְהָיָה כָּל־הַנָּשׁוּךְ וְרָאָה אֹתוֹ

ט וָחָי: וַיַּעַשׂ מֹשֶׁה נְחַשׁ נְחֹשֶׁת וַיְשִׂמֵהוּ עַל־הַנֵּס וְהָיָה אִם־נָשַׁךְ

י הַנָּחָשׁ אֶת־אִישׁ וְהִבִּיט אֶל־נְחַשׁ הַנְּחֹשֶׁת וָחָי: וַיִּסְעוּ בְּנֵי

ששי
מַסְעוֹת בְּנֵי
יִשְׂרָאֵל:

יא יִשְׂרָאֵל וַיַּחֲנוּ בְּאֹבֹת: וַיִּסְעוּ מֵאֹבֹת וַיַּחֲנוּ בְּעִיֵּי הָעֲבָרִים בַּמִּדְבָּר

יב אֲשֶׁר עַל־פְּנֵי מוֹאָב מִמִּזְרַח הַשָּׁמֶשׁ: מִשָּׁם נָסָעוּ וַיַּחֲנוּ בְּנַחַל

יג זָרֶד: מִשָּׁם נָסָעוּ וַיַּחֲנוּ מֵעֵבֶר אַרְנוֹן אֲשֶׁר בַּמִּדְבָּר הַיֹּצֵא מִגְּבֻל

נִסֵּי נַחַל
אַרְנוֹן:

יד הָאֱמֹרִי כִּי אַרְנוֹן גְּבוּל מוֹאָב בֵּין מוֹאָב וּבֵין הָאֱמֹרִי: עַל־כֵּן
יֵאָמַר בְּסֵפֶר מִלְחֲמֹת יְהֹוָה אֶת־וָהֵב בְּסוּפָה וְאֶת־הַנְּחָלִים אַרְנוֹן:

טו וְאֶשֶׁד הַנְּחָלִים אֲשֶׁר נָטָה לְשֶׁבֶת עָר וְנִשְׁעַן לִגְבוּל מוֹאָב:

טז וּמִשָּׁם בְּאֵרָה הִוא הַבְּאֵר אֲשֶׁר אָמַר יְהֹוָה לְמֹשֶׁה אֱסֹף

שִׁירַת
הַבְּאֵר:

יז אֶת־הָעָם וְאֶתְּנָה לָהֶם מָיִם: אָז יָשִׁיר יִשְׂרָאֵל אֶת־

יח הַשִּׁירָה הַזֹּאת עֲלִי בְאֵר עֱנוּ־לָהּ: בְּאֵר חֲפָרוּהָ שָׂרִים כָּרוּהָ

יט נְדִיבֵי הָעָם בִּמְחֹקֵק בְּמִשְׁעֲנֹתָם וּמִמִּדְבָּר מַתָּנָה: וּמִמַּתָּנָה

כ נַחֲלִיאֵל וּמִנַּחֲלִיאֵל בָּמוֹת: וּמִבָּמוֹת הַגַּיְא אֲשֶׁר בִּשְׂדֵה מוֹאָב
רֹאשׁ הַפִּסְגָּה וְנִשְׁקָפָה עַל־פְּנֵי הַיְשִׁימֹן:

כא וַיִּשְׁלַח יִשְׂרָאֵל מַלְאָכִים אֶל־סִיחֹן מֶלֶךְ־הָאֱמֹרִי לֵאמֹר:

שביעי
/רביעי/
מַעֲבַר
יִשְׂרָאֵל
בְּסִיחֹון
וּמִלְחַמְתּוֹ:

כב אֶעְבְּרָה בְאַרְצֶךָ לֹא נִטֶּה בְּשָׂדֶה וּבְכֶרֶם לֹא נִשְׁתֶּה מֵי בְאֵר

כג בְּדֶרֶךְ הַמֶּלֶךְ נֵלֵךְ עַד אֲשֶׁר־נַעֲבֹר גְּבֻלֶךָ: וְלֹא־נָתַן סִיחֹן
אֶת־יִשְׂרָאֵל עֲבֹר בִּגְבֻלוֹ וַיֶּאֱסֹף סִיחֹן אֶת־כָּל־עַמּוֹ וַיֵּצֵא לִקְרַאת

[2488]

כד יִשְׂרָאֵל הַמִּדְבָּרָה וַיָּבֹא יָהְצָה וַיִּלָּחֶם בְּיִשְׂרָאֵל: וַיַּכֵּהוּ יִשְׂרָאֵל
לְפִי־חָרֶב וַיִּירַשׁ אֶת־אַרְצוֹ מֵאַרְנֹן עַד־יַבֹּק עַד־בְּנֵי עַמּוֹן כִּי
כה עַז גְּבוּל בְּנֵי עַמּוֹן: וַיִּקַּח יִשְׂרָאֵל אֵת כָּל־הֶעָרִים הָאֵלֶּה וַיֵּשֶׁב
כו יִשְׂרָאֵל בְּכָל־עָרֵי הָאֱמֹרִי בְּחֶשְׁבּוֹן וּבְכָל־בְּנֹתֶיהָ: כִּי חֶשְׁבּוֹן
עִיר סִיחֹן מֶלֶךְ הָאֱמֹרִי הִוא וְהוּא נִלְחַם בְּמֶלֶךְ מוֹאָב הָרִאשׁוֹן
דִּבְרֵי הַמּוֹשְׁלִים עַל סִיחוֹן וּמוֹאָב:
כז וַיִּקַּח אֶת־כָּל־אַרְצוֹ מִיָּדוֹ עַד־אַרְנֹן: עַל־כֵּן יֹאמְרוּ הַמֹּשְׁלִים
כח בֹּאוּ חֶשְׁבּוֹן תִּבָּנֶה וְתִכּוֹנֵן עִיר סִיחוֹן: כִּי־אֵשׁ יָצְאָה מֵחֶשְׁבּוֹן
כט לֶהָבָה מִקִּרְיַת סִיחֹן אָכְלָה עָר מוֹאָב בַּעֲלֵי בָּמוֹת אַרְנֹן: אוֹי־לְךָ
מוֹאָב אָבַדְתָּ עַם־כְּמוֹשׁ נָתַן בָּנָיו פְּלֵיטִם וּבְנֹתָיו בַּשְּׁבִית לְמֶלֶךְ
ל אֱמֹרִי סִיחוֹן: וַנִּירָם אָבַד חֶשְׁבּוֹן עַד־דִּיבֹן וַנַּשִּׁים עַד־נֹפַח
לא לב אֲשֶׁר עַד־מֵידְבָא: וַיֵּשֶׁב יִשְׂרָאֵל בְּאֶרֶץ הָאֱמֹרִי: וַיִּשְׁלַח מֹשֶׁה
כִּבּוּשׁ עָרֵי הָאֱמוֹרִי וְעוֹג:
לְרַגֵּל אֶת־יַעְזֵר וַיִּלְכְּדוּ בְּנֹתֶיהָ ויירש וַיּוֹרֶשׁ אֶת־הָאֱמֹרִי אֲשֶׁר־
לג שָׁם: וַיִּפְנוּ וַיַּעֲלוּ דֶּרֶךְ הַבָּשָׁן וַיֵּצֵא עוֹג מֶלֶךְ־הַבָּשָׁן לִקְרָאתָם
לד הוּא וְכָל־עַמּוֹ לַמִּלְחָמָה אֶדְרֶעִי: וַיֹּאמֶר יְהוָה אֶל־מֹשֶׁה אַל־
תִּירָא אֹתוֹ כִּי בְיָדְךָ נָתַתִּי אֹתוֹ וְאֶת־כָּל־עַמּוֹ וְאֶת־אַרְצוֹ וְעָשִׂיתָ
לּוֹ כַּאֲשֶׁר עָשִׂיתָ לְסִיחֹן מֶלֶךְ הָאֱמֹרִי אֲשֶׁר יוֹשֵׁב בְּחֶשְׁבּוֹן:
לה וַיַּכּוּ אֹתוֹ וְאֶת־בָּנָיו וְאֶת־כָּל־עַמּוֹ עַד־בִּלְתִּי הִשְׁאִיר־לוֹ שָׂרִיד
כב א וַיִּירְשׁוּ אֶת־אַרְצוֹ: וַיִּסְעוּ בְּנֵי יִשְׂרָאֵל וַיַּחֲנוּ בְּעַרְבוֹת מוֹאָב
בלק
פַּחַד מוֹאָב מִיִּשְׂרָאֵל:
ב מֵעֵבֶר לְיַרְדֵּן יְרֵחוֹ: וַיַּרְא בָּלָק בֶּן־צִפּוֹר אֵת כָּל־
ג אֲשֶׁר־עָשָׂה יִשְׂרָאֵל לָאֱמֹרִי: וַיָּגָר מוֹאָב מִפְּנֵי הָעָם מְאֹד כִּי
ד רַב־הוּא וַיָּקָץ מוֹאָב מִפְּנֵי בְּנֵי יִשְׂרָאֵל: וַיֹּאמֶר מוֹאָב אֶל־זִקְנֵי
מִדְיָן עַתָּה יְלַחֲכוּ הַקָּהָל אֶת־כָּל־סְבִיבֹתֵינוּ כִּלְחֹךְ הַשּׁוֹר אֵת
[2488]
בַּקָּשַׁת בָּלָק מִבִּלְעָם לְקַלֵּל אֶת יִשְׂרָאֵל:
ה יֶרֶק הַשָּׂדֶה וּבָלָק בֶּן־צִפּוֹר מֶלֶךְ לְמוֹאָב בָּעֵת הַהִוא: וַיִּשְׁלַח
מַלְאָכִים אֶל־בִּלְעָם בֶּן־בְּעֹר פְּתוֹרָה אֲשֶׁר עַל־הַנָּהָר אֶרֶץ
בְּנֵי־עַמּוֹ לִקְרֹא־לוֹ לֵאמֹר הִנֵּה עַם יָצָא מִמִּצְרַיִם הִנֵּה כִסָּה

א אֶת־עֵין הָאָ֔רֶץ וְה֥וּא יֹשֵׁ֖ב מִמֻּלִֽי: וְעַתָּה֩ לְכָה־נָּ֨א אָֽרָה־לִּ֜י אֶת־הָעָ֣ם הַזֶּ֗ה כִּֽי־עָצ֥וּם הוּא֙ מִמֶּ֔נִּי אוּלַ֤י אוּכַל֙ נַכֶּה־בּ֔וֹ וַאֲגָרְשֶׁ֖נּוּ מִן־הָאָ֑רֶץ כִּ֣י יָדַ֗עְתִּי אֵ֤ת אֲשֶׁר־תְּבָרֵךְ֙ מְבֹרָ֔ךְ וַאֲשֶׁ֥ר

ז תָּאֹ֖ר יוּאָֽר: וַיֵּ֨לְכ֜וּ זִקְנֵ֤י מוֹאָב֙ וְזִקְנֵ֣י מִדְיָ֔ן וּקְסָמִ֖ים בְּיָדָ֑ם וַיָּבֹ֙אוּ֙ אֶל־בִּלְעָ֔ם וַיְדַבְּר֥וּ אֵלָ֖יו דִּבְרֵ֥י בָלָֽק:

ח וַיֹּ֣אמֶר אֲלֵיהֶ֗ם לִ֤ינוּ פֹה֙ הַלַּ֔יְלָה וַהֲשִׁבֹתִ֤י אֶתְכֶם֙ דָּבָ֔ר כַּאֲשֶׁ֛ר יְדַבֵּ֥ר יְהֹוָ֖ה אֵלָ֑י וַיֵּשְׁב֥וּ שָׂרֵֽי־מוֹאָ֖ב עִם־בִּלְעָֽם:

ט וַיָּבֹ֥א אֱלֹהִ֖ים אֶל־בִּלְעָ֑ם וַיֹּ֕אמֶר מִ֛י הָאֲנָשִׁ֥ים הָאֵ֖לֶּה עִמָּֽךְ:

התגלות ה' לבלעם:

י וַיֹּ֥אמֶר בִּלְעָ֖ם אֶל־הָאֱלֹהִ֑ים בָּלָ֧ק בֶּן־צִפֹּ֛ר מֶ֥לֶךְ מוֹאָ֖ב שָׁלַ֥ח אֵלָֽי:

יא הִנֵּ֤ה הָעָם֙ הַיֹּצֵ֣א מִמִּצְרַ֔יִם וַיְכַ֖ס אֶת־עֵ֣ין הָאָ֑רֶץ עַתָּ֗ה לְכָ֤ה קָֽבָה־לִּי֙ אֹת֔וֹ אוּלַ֥י אוּכַ֛ל לְהִלָּ֥חֶם בּ֖וֹ וְגֵרַשְׁתִּֽיו:

יב וַיֹּ֤אמֶר אֱלֹהִים֙ אֶל־בִּלְעָ֔ם לֹ֥א תֵלֵ֖ךְ עִמָּהֶ֑ם לֹ֤א תָאֹר֙ אֶת־הָעָ֔ם כִּ֥י בָר֖וּךְ הֽוּא:

שני /חמישי/

יג וַיָּ֤קָם בִּלְעָם֙ בַּבֹּ֔קֶר וַיֹּ֙אמֶר֙ אֶל־שָׂרֵ֣י בָלָ֔ק לְכ֖וּ אֶל־אַרְצְכֶ֑ם כִּ֚י מֵאֵ֣ן יְהֹוָ֔ה לְתִתִּ֖י לַהֲלֹ֥ךְ עִמָּכֶֽם:

סרוב בלעם לבא עמהם:

יד וַיָּק֙וּמוּ֙ שָׂרֵ֣י מוֹאָ֔ב וַיָּבֹ֖אוּ אֶל־בָּלָ֑ק וַיֹּ֣אמְר֔וּ מֵאֵ֥ן בִּלְעָ֖ם הֲלֹ֥ךְ עִמָּֽנוּ:

טו וַיֹּ֥סֶף ע֖וֹד בָּלָ֑ק שְׁלֹ֣חַ שָׂרִ֔ים רַבִּ֥ים וְנִכְבָּדִ֖ים מֵאֵֽלֶּה:

טז וַיָּבֹ֖אוּ אֶל־בִּלְעָ֑ם וַיֹּ֣אמְרוּ ל֗וֹ כֹּ֤ה אָמַר֙ בָּלָ֣ק בֶּן־צִפּ֔וֹר אַל־נָ֥א תִמָּנַ֖ע מֵהֲלֹ֥ךְ אֵלָֽי:

יז כִּֽי־כַבֵּ֤ד אֲכַבֶּדְךָ֙ מְאֹ֔ד וְכֹ֛ל אֲשֶׁר־תֹּאמַ֥ר אֵלַ֖י אֶֽעֱשֶׂ֑ה וּלְכָה־נָּא֙ קָֽבָה־לִּ֔י אֵ֖ת הָעָ֥ם הַזֶּֽה:

יח וַיַּ֣עַן בִּלְעָ֗ם וַיֹּ֙אמֶר֙ אֶל־עַבְדֵ֣י בָלָ֔ק אִם־יִתֶּן־לִ֥י בָלָ֛ק מְלֹ֥א בֵית֖וֹ כֶּ֣סֶף וְזָהָ֑ב לֹ֣א אוּכַ֗ל לַעֲבֹר֙ אֶת־פִּי֙ יְהֹוָ֣ה אֱלֹהָ֔י לַעֲשׂ֥וֹת קְטַנָּ֖ה א֥וֹ גְדוֹלָֽה:

יט וְעַתָּ֗ה שְׁב֨וּ נָ֥א בָזֶ֛ה גַּם־אַתֶּ֖ם הַלָּ֑יְלָה וְאֵ֣דְעָ֔ה מַה־יֹּסֵ֥ף יְהֹוָ֖ה דַּבֵּ֥ר עִמִּֽי:

כ וַיָּבֹ֨א אֱלֹהִ֥ים ׀ אֶל־בִּלְעָם֮ לַיְלָה֒ וַיֹּ֣אמֶר ל֗וֹ אִם־לִקְרֹ֤א לְךָ֙ בָּ֣אוּ הָאֲנָשִׁ֔ים ק֖וּם לֵ֣ךְ אִתָּ֑ם וְאַ֗ךְ אֶת־הַדָּבָ֛ר אֲשֶׁר־אֲדַבֵּ֥ר אֵלֶ֖יךָ אֹת֥וֹ תַעֲשֶֽׂה:

שלישי /הקשות/

כא וַיָּ֤קָם בִּלְעָם֙ בַּבֹּ֔קֶר וַֽיַּחֲבֹ֖שׁ אֶת־אֲתֹנ֑וֹ וַיֵּ֖לֶךְ עִם־שָׂרֵ֥י מוֹאָֽב:

כב וַיִּֽחַר־אַ֣ף אֱלֹהִים֮ כִּֽי־הוֹלֵ֣ךְ הוּא֒ וַיִּתְיַצֵּ֞ב מַלְאַ֧ךְ יְהֹוָ֛ה בַּדֶּ֖רֶךְ לְשָׂטָ֣ן ל֑וֹ וְהוּא֙

לבלעם:

רֹכֵב עַל־אֲתֹנוֹ וּשְׁנֵי נְעָרָיו עִמּוֹ: וַתֵּרֶא הָאָתוֹן אֶת־מַלְאַךְ יְהֹוָה כג

נִצָּב בַּדֶּרֶךְ וְחַרְבּוֹ שְׁלוּפָה בְּיָדוֹ וַתֵּט הָאָתוֹן מִן־הַדֶּרֶךְ וַתֵּלֶךְ

בַּשָּׂדֶה וַיַּךְ בִּלְעָם אֶת־הָאָתוֹן לְהַטֹּתָהּ הַדָּרֶךְ: וַיַּעֲמֹד מַלְאַךְ כד

יְהֹוָה בְּמִשְׁעוֹל הַכְּרָמִים גָּדֵר מִזֶּה וְגָדֵר מִזֶּה: וַתֵּרֶא הָאָתוֹן כה

אֶת־מַלְאַךְ יְהֹוָה וַתִּלָּחֵץ אֶל־הַקִּיר וַתִּלְחַץ אֶת־רֶגֶל בִּלְעָם

אֶל־הַקִּיר וַיֹּסֶף לְהַכֹּתָהּ: וַיּוֹסֶף מַלְאַךְ־יְהֹוָה עֲבוֹר וַיַּעֲמֹד כו

בְּמָקוֹם צָר אֲשֶׁר אֵין־דֶּרֶךְ לִנְטוֹת יָמִין וּשְׂמֹאול: וַתֵּרֶא הָאָתוֹן כז

אֶת־מַלְאַךְ יְהֹוָה וַתִּרְבַּץ תַּחַת בִּלְעָם וַיִּחַר־אַף בִּלְעָם וַיַּךְ

אֶת־הָאָתוֹן בַּמַּקֵּל: וַיִּפְתַּח יְהֹוָה אֶת־פִּי הָאָתוֹן וַתֹּאמֶר לְבִלְעָם כח

מֶה־עָשִׂיתִי לְךָ כִּי הִכִּיתָנִי זֶה שָׁלֹשׁ רְגָלִים: וַיֹּאמֶר בִּלְעָם כט

לָאָתוֹן כִּי הִתְעַלַּלְתְּ בִּי לוּ יֶשׁ־חֶרֶב בְּיָדִי כִּי עַתָּה הֲרַגְתִּיךְ:

וַתֹּאמֶר הָאָתוֹן אֶל־בִּלְעָם הֲלוֹא אָנֹכִי אֲתֹנְךָ אֲשֶׁר־רָכַבְתָּ עָלַי ל

מֵעוֹדְךָ עַד־הַיּוֹם הַזֶּה הַהַסְכֵּן הִסְכַּנְתִּי לַעֲשׂוֹת לְךָ כֹּה וַיֹּאמֶר

לֹא: וַיְגַל יְהֹוָה אֶת־עֵינֵי בִלְעָם וַיַּרְא אֶת־מַלְאַךְ יְהֹוָה נִצָּב לא

בַּדֶּרֶךְ וְחַרְבּוֹ שְׁלֻפָה בְּיָדוֹ וַיִּקֹּד וַיִּשְׁתַּחוּ לְאַפָּיו: וַיֹּאמֶר אֵלָיו לב

מַלְאַךְ יְהֹוָה עַל־מָה הִכִּיתָ אֶת־אֲתֹנְךָ זֶה שָׁלוֹשׁ רְגָלִים הִנֵּה

אָנֹכִי יָצָאתִי לְשָׂטָן כִּי־יָרַט הַדֶּרֶךְ לְנֶגְדִּי: וַתִּרְאַנִי הָאָתוֹן וַתֵּט לג

לְפָנַי זֶה שָׁלֹשׁ רְגָלִים אוּלַי נָטְתָה מִפָּנַי כִּי עַתָּה גַּם־אֹתְכָה

הָרַגְתִּי וְאוֹתָהּ הֶחֱיֵיתִי: וַיֹּאמֶר בִּלְעָם אֶל־מַלְאַךְ יְהֹוָה חָטָאתִי לד

כִּי לֹא יָדַעְתִּי כִּי אַתָּה נִצָּב לִקְרָאתִי בַּדָּרֶךְ וְעַתָּה אִם־רַע

בְּעֵינֶיךָ אָשׁוּבָה לִּי: וַיֹּאמֶר מַלְאַךְ יְהֹוָה אֶל־בִּלְעָם לֵךְ עִם־ לה

הָאֲנָשִׁים וְאֶפֶס אֶת־הַדָּבָר אֲשֶׁר־אֲדַבֵּר אֵלֶיךָ אֹתוֹ תְדַבֵּר וַיֵּלֶךְ

בִּלְעָם עִם־שָׂרֵי בָלָק: וַיִּשְׁמַע בָּלָק כִּי־בָא בִלְעָם וַיֵּצֵא לִקְרָאתוֹ לו

אֶל־עִיר מוֹאָב אֲשֶׁר עַל־גְּבוּל אַרְנֹן אֲשֶׁר בִּקְצֵה הַגְּבוּל: וַיֹּאמֶר לז

בָּלָק אֶל־בִּלְעָם הֲלֹא שָׁלֹחַ שָׁלַחְתִּי אֵלֶיךָ לִקְרֹא־לָךְ לָמָּה

לח לֹא־הָלַכְתָּ אֵלָי הַאֻמְנָם לֹא אוּכַל כַּבְּדֶךָ׃ וַיֹּאמֶר בִּלְעָם אֶל־בָּלָק
הִנֵּה־בָאתִי אֵלֶיךָ עַתָּה הֲיָכֹל אוּכַל דַּבֵּר מְאוּמָה הַדָּבָר אֲשֶׁר
לט יָשִׂים אֱלֹהִים בְּפִי אֹתוֹ אֲדַבֵּר׃ וַיֵּלֶךְ בִּלְעָם עִם־בָּלָק וַיָּבֹאוּ (רביעי /ששי/)
מ קִרְיַת חֻצוֹת׃ וַיִּזְבַּח בָּלָק בָּקָר וָצֹאן וַיְשַׁלַּח לְבִלְעָם וְלַשָּׂרִים
מא אֲשֶׁר אִתּוֹ׃ וַיְהִי בַבֹּקֶר וַיִּקַּח בָּלָק אֶת־בִּלְעָם וַיַּעֲלֵהוּ בָּמוֹת
כג א בָּעַל וַיַּרְא מִשָּׁם קְצֵה הָעָם׃ וַיֹּאמֶר בִּלְעָם אֶל־בָּלָק בְּנֵה־לִי (הַהֲכָנוֹת לְקַבָּלַת הַנְּבוּאָה:)
בָזֶה שִׁבְעָה מִזְבְּחֹת וְהָכֵן לִי בָּזֶה שִׁבְעָה פָרִים וְשִׁבְעָה אֵילִים׃
ב וַיַּעַשׂ בָּלָק כַּאֲשֶׁר דִּבֶּר בִּלְעָם וַיַּעַל בָּלָק וּבִלְעָם פָּר וָאַיִל
ג בַּמִּזְבֵּחַ׃ וַיֹּאמֶר בִּלְעָם לְבָלָק הִתְיַצֵּב עַל־עֹלָתֶךָ וְאֵלְכָה אוּלַי
יִקָּרֵה יְהוָה לִקְרָאתִי וּדְבַר מַה־יַּרְאֵנִי וְהִגַּדְתִּי לָךְ וַיֵּלֶךְ שֶׁפִי׃
ד וַיִּקָּר אֱלֹהִים אֶל־בִּלְעָם וַיֹּאמֶר אֵלָיו אֶת־שִׁבְעַת הַמִּזְבְּחֹת
ה עָרַכְתִּי וָאַעַל פָּר וָאַיִל בַּמִּזְבֵּחַ׃ וַיָּשֶׂם יְהוָה דָּבָר בְּפִי בִלְעָם
ו וַיֹּאמֶר שׁוּב אֶל־בָּלָק וְכֹה תְדַבֵּר׃ וַיָּשָׁב אֵלָיו וְהִנֵּה נִצָּב (בִּרְכַּת בִּלְעָם:)
ז עַל־עֹלָתוֹ הוּא וְכָל־שָׂרֵי מוֹאָב׃ וַיִּשָּׂא מְשָׁלוֹ וַיֹּאמַר מִן־אֲרָם
יַנְחֵנִי בָלָק מֶלֶךְ־מוֹאָב מֵהַרְרֵי־קֶדֶם לְכָה אָרָה־לִּי יַעֲקֹב וּלְכָה
ח זֹעֲמָה יִשְׂרָאֵל׃ מָה אֶקֹּב לֹא קַבֹּה אֵל וּמָה אֶזְעֹם לֹא זָעַם יְהוָה׃
ט כִּי־מֵרֹאשׁ צֻרִים אֶרְאֶנּוּ וּמִגְּבָעוֹת אֲשׁוּרֶנּוּ הֶן־עָם לְבָדָד יִשְׁכֹּן
י וּבַגּוֹיִם לֹא יִתְחַשָּׁב׃ מִי מָנָה עֲפַר יַעֲקֹב וּמִסְפָּר אֶת־רֹבַע
יא יִשְׂרָאֵל תָּמֹת נַפְשִׁי מוֹת יְשָׁרִים וּתְהִי אַחֲרִיתִי כָּמֹהוּ׃ וַיֹּאמֶר (כַּעַס בָּלָק:)
בָּלָק אֶל־בִּלְעָם מֶה עָשִׂיתָ לִי לָקֹב אֹיְבַי לְקַחְתִּיךָ וְהִנֵּה בֵּרַכְתָּ
יב בָרֵךְ׃ וַיַּעַן וַיֹּאמַר הֲלֹא אֵת אֲשֶׁר יָשִׂים יְהוָה בְּפִי אֹתוֹ אֶשְׁמֹר
יג לְדַבֵּר׃ וַיֹּאמֶר אֵלָיו בָּלָק לְךָ־נָּא אִתִּי אֶל־מָקוֹם אַחֵר אֲשֶׁר (חמישי הַהֲכָנוֹת לְקַבָּלַת הַנְּבוּאָה בַּשֵּׁנִית:)
תִּרְאֶנּוּ מִשָּׁם אֶפֶס קָצֵהוּ תִרְאֶה וְכֻלּוֹ לֹא תִרְאֶה וְקָבְנוֹ־לִי מִשָּׁם׃
יד וַיִּקָּחֵהוּ שְׂדֵה צֹפִים אֶל־רֹאשׁ הַפִּסְגָּה וַיִּבֶן שִׁבְעָה מִזְבְּחֹת וַיַּעַל
טו פָּר וָאַיִל בַּמִּזְבֵּחַ׃ וַיֹּאמֶר אֶל־בָּלָק הִתְיַצֵּב כֹּה עַל־עֹלָתֶךָ

טז וְאָנֹכִי אִקָּרֶה כֹּה: וַיִּקָּר יְהוָה אֶל־בִּלְעָם וַיָּשֶׂם דָּבָר בְּפִיו וַיֹּאמֶר
יז שׁוּב אֶל־בָּלָק וְכֹה תְדַבֵּר: וַיָּבֹא אֵלָיו וְהִנּוֹ נִצָּב עַל־עֹלָתוֹ וְשָׂרֵי
יח מוֹאָב אִתּוֹ וַיֹּאמֶר לוֹ בָּלָק מַה־דִּבֶּר יְהוָה: וַיִּשָּׂא מְשָׁלוֹ וַיֹּאמַר

בִּרְכַּת בִּלְעָם בַּשֵּׁנִית:

יט קוּם בָּלָק וּשְׁמָע הַאֲזִינָה עָדַי בְּנוֹ צִפֹּר: לֹא אִישׁ אֵל וִיכַזֵּב
וּבֶן־אָדָם וְיִתְנֶחָם הַהוּא אָמַר וְלֹא יַעֲשֶׂה וְדִבֶּר וְלֹא יְקִימֶנָּה:
כ כא הִנֵּה בָרֵךְ לָקָחְתִּי וּבֵרֵךְ וְלֹא אֲשִׁיבֶנָּה: לֹא־הִבִּיט אָוֶן בְּיַעֲקֹב
וְלֹא־רָאָה עָמָל בְּיִשְׂרָאֵל יְהוָה אֱלֹהָיו עִמּוֹ וּתְרוּעַת מֶלֶךְ בּוֹ:
כב כג אֵל מוֹצִיאָם מִמִּצְרָיִם כְּתוֹעֲפֹת רְאֵם לוֹ: כִּי לֹא־נַחַשׁ בְּיַעֲקֹב
וְלֹא־קֶסֶם בְּיִשְׂרָאֵל כָּעֵת יֵאָמֵר לְיַעֲקֹב וּלְיִשְׂרָאֵל מַה־פָּעַל

תּוֹכֵחַת בָּלָק וּתְשׁוּבַת בִּלְעָם:

כד אֵל: הֶן־עָם כְּלָבִיא יָקוּם וְכַאֲרִי יִתְנַשָּׂא לֹא יִשְׁכַּב עַד־יֹאכַל
כה טֶרֶף וְדַם־חֲלָלִים יִשְׁתֶּה: וַיֹּאמֶר בָּלָק אֶל־בִּלְעָם גַּם־קֹב לֹא
כו תִקֳּבֶנּוּ גַּם־בָּרֵךְ לֹא תְבָרְכֶנּוּ: וַיַּעַן בִּלְעָם וַיֹּאמֶר אֶל־בָּלָק הֲלֹא

ששי /שביעי/

כז דִּבַּרְתִּי אֵלֶיךָ לֵאמֹר כֹּל אֲשֶׁר־יְדַבֵּר יְהוָה אֹתוֹ אֶעֱשֶׂה: וַיֹּאמֶר

הַהֲכָנוֹת לְקַבָּלַת הַנְּבוּאָה בַּשְּׁלִישִׁית:

בָּלָק אֶל־בִּלְעָם לְכָה־נָּא אֶקָּחֲךָ אֶל־מָקוֹם אַחֵר אוּלַי יִישַׁר
כח בְּעֵינֵי הָאֱלֹהִים וְקַבֹּתוֹ לִי מִשָּׁם: וַיִּקַּח בָּלָק אֶת־בִּלְעָם רֹאשׁ
כט הַפְּעוֹר הַנִּשְׁקָף עַל־פְּנֵי הַיְשִׁימֹן: וַיֹּאמֶר בִּלְעָם אֶל־בָּלָק
בְּנֵה־לִי בָזֶה שִׁבְעָה מִזְבְּחֹת וְהָכֵן לִי בָּזֶה שִׁבְעָה פָרִים וְשִׁבְעָה
ל אֵילִם: וַיַּעַשׂ בָּלָק כַּאֲשֶׁר אָמַר בִּלְעָם וַיַּעַל פָּר וָאַיִל בַּמִּזְבֵּחַ:
כד א וַיַּרְא בִּלְעָם כִּי טוֹב בְּעֵינֵי יְהוָה לְבָרֵךְ אֶת־יִשְׂרָאֵל וְלֹא־הָלַךְ
ב כְּפַעַם־בְּפַעַם לִקְרַאת נְחָשִׁים וַיָּשֶׁת אֶל־הַמִּדְבָּר פָּנָיו: וַיִּשָּׂא
בִלְעָם אֶת־עֵינָיו וַיַּרְא אֶת־יִשְׂרָאֵל שֹׁכֵן לִשְׁבָטָיו וַתְּהִי עָלָיו

בִּרְכַּת בִּלְעָם בַּשְּׁלִישִׁית:

ג רוּחַ אֱלֹהִים: וַיִּשָּׂא מְשָׁלוֹ וַיֹּאמַר נְאֻם בִּלְעָם בְּנוֹ בְעֹר וּנְאֻם
ד הַגֶּבֶר שְׁתֻם הָעָיִן: נְאֻם שֹׁמֵעַ אִמְרֵי־אֵל אֲשֶׁר מַחֲזֵה שַׁדַּי
ה יֶחֱזֶה נֹפֵל וּגְלוּי עֵינָיִם: מַה־טֹּבוּ אֹהָלֶיךָ יַעֲקֹב מִשְׁכְּנֹתֶיךָ
ו יִשְׂרָאֵל: כִּנְחָלִים נִטָּיוּ כְּגַנֹּת עֲלֵי נָהָר כַּאֲהָלִים נָטַע יְהוָה

ז כְּאֲרָזִים עֲלֵי־מָיִם: יִזַּל־מַיִם מִדָּלְיָו וְזַרְעוֹ בְּמַיִם רַבִּים וְיָרֹם

ח מֵאֲגַג מַלְכּוֹ וְתִנַּשֵּׂא מַלְכֻתוֹ: אֵל מוֹצִיאוֹ מִמִּצְרַיִם כְּתוֹעֲפֹת

ט רְאֵם לוֹ יֹאכַל גּוֹיִם צָרָיו וְעַצְמֹתֵיהֶם יְגָרֵם וְחִצָּיו יִמְחָץ: כָּרַע

שָׁכַב כַּאֲרִי וּכְלָבִיא מִי יְקִימֶנּוּ מְבָרֲכֶיךָ בָרוּךְ וְאֹרֲרֶיךָ אָרוּר:

גרוש בלעם לארצו:

י וַיִּחַר־אַף בָּלָק אֶל־בִּלְעָם וַיִּסְפֹּק אֶת־כַּפָּיו וַיֹּאמֶר בָּלָק אֶל־

בִּלְעָם לָקֹב אֹיְבַי קְרָאתִיךָ וְהִנֵּה בֵּרַכְתָּ בָרֵךְ זֶה שָׁלֹשׁ פְּעָמִים:

יא וְעַתָּה בְּרַח־לְךָ אֶל־מְקוֹמֶךָ אָמַרְתִּי כַּבֵּד אֲכַבֶּדְךָ וְהִנֵּה מְנָעֲךָ

יב יְהֹוָה מִכָּבוֹד: וַיֹּאמֶר בִּלְעָם אֶל־בָּלָק הֲלֹא גַּם אֶל־מַלְאָכֶיךָ

יג אֲשֶׁר־שָׁלַחְתָּ אֵלַי דִּבַּרְתִּי לֵאמֹר: אִם־יִתֶּן־לִי בָלָק מְלֹא בֵיתוֹ

כֶּסֶף וְזָהָב לֹא אוּכַל לַעֲבֹר אֶת־פִּי יְהֹוָה לַעֲשׂוֹת טוֹבָה אוֹ רָעָה

שביעי עצת בלעם, ובנאתו לאחרית הימים:

יד מִלִּבִּי אֲשֶׁר־יְדַבֵּר יְהֹוָה אֹתוֹ אֲדַבֵּר: וְעַתָּה הִנְנִי הוֹלֵךְ לְעַמִּי

לְכָה אִיעָצְךָ אֲשֶׁר יַעֲשֶׂה הָעָם הַזֶּה לְעַמְּךָ בְּאַחֲרִית הַיָּמִים:

טו וַיִּשָּׂא מְשָׁלוֹ וַיֹּאמַר נְאֻם בִּלְעָם בְּנוֹ בְעֹר וּנְאֻם הַגֶּבֶר שְׁתֻם

טז הָעָיִן: נְאֻם שֹׁמֵעַ אִמְרֵי־אֵל וְיֹדֵעַ דַּעַת עֶלְיוֹן מַחֲזֵה שַׁדַּי

יז יֶחֱזֶה נֹפֵל וּגְלוּי עֵינָיִם: אֶרְאֶנּוּ וְלֹא עַתָּה אֲשׁוּרֶנּוּ וְלֹא קָרוֹב

דָּרַךְ כּוֹכָב מִיַּעֲקֹב וְקָם שֵׁבֶט מִיִּשְׂרָאֵל וּמָחַץ פַּאֲתֵי מוֹאָב

יח וְקַרְקַר כָּל־בְּנֵי־שֵׁת: וְהָיָה אֱדוֹם יְרֵשָׁה וְהָיָה יְרֵשָׁה שֵׂעִיר אֹיְבָיו

יט וְיִשְׂרָאֵל עֹשֶׂה חָיִל: וְיֵרְדְּ מִיַּעֲקֹב וְהֶאֱבִיד שָׂרִיד מֵעִיר: וַיַּרְא

כ אֶת־עֲמָלֵק וַיִּשָּׂא מְשָׁלוֹ וַיֹּאמַר רֵאשִׁית גּוֹיִם עֲמָלֵק וְאַחֲרִיתוֹ

כא עֲדֵי אֹבֵד: וַיַּרְא אֶת־הַקֵּינִי וַיִּשָּׂא מְשָׁלוֹ וַיֹּאמַר אֵיתָן מוֹשָׁבֶךָ

כב וְשִׂים בַּסֶּלַע קִנֶּךָ: כִּי אִם־יִהְיֶה לְבָעֵר קָיִן עַד־מָה אַשּׁוּר

כג תִּשְׁבֶּךָּ: וַיִּשָּׂא מְשָׁלוֹ וַיֹּאמַר אוֹי מִי יִחְיֶה מִשֻּׂמוֹ אֵל: וְצִים מִיַּד

כד כִּתִּים וְעִנּוּ אַשּׁוּר וְעִנּוּ־עֵבֶר וְגַם־הוּא עֲדֵי אֹבֵד: וַיָּקָם בִּלְעָם

כה וַיֵּלֶךְ וַיָּשָׁב לִמְקֹמוֹ וְגַם־בָּלָק הָלַךְ לְדַרְכּוֹ:

כה א וַיֵּשֶׁב יִשְׂרָאֵל בַּשִּׁטִּים וַיָּחֶל הָעָם לִזְנוֹת אֶל־בְּנוֹת מוֹאָב: עֲוֹן פְּעוֹר:

ב וַתִּקְרֶ֣אןָ לָעָ֔ם לְזִבְחֵ֖י אֱלֹהֵיהֶ֑ן וַיֹּ֣אכַל הָעָ֔ם וַיִּֽשְׁתַּחֲוֻ֖ לֵאלֹהֵיהֶֽן׃

ג וַיִּצָּ֥מֶד יִשְׂרָאֵ֖ל לְבַ֣עַל פְּע֑וֹר וַיִּֽחַר־אַ֥ף יְהוָ֖ה בְּיִשְׂרָאֵֽל׃ וַיֹּ֨אמֶר
יְהוָ֜ה אֶל־מֹשֶׁ֗ה קַ֚ח אֶת־כׇּל־רָאשֵׁ֣י הָעָ֔ם וְהוֹקַ֥ע אוֹתָ֛ם לַיהוָ֖ה

ה נֶ֣גֶד הַשָּׁ֑מֶשׁ וְיָשֹׁ֛ב חֲר֥וֹן אַף־יְהוָ֖ה מִיִּשְׂרָאֵֽל׃ וַיֹּ֣אמֶר מֹשֶׁ֗ה
אֶל־שֹׁפְטֵ֖י יִשְׂרָאֵ֑ל הִרְגוּ֙ אִ֣ישׁ אֲנָשָׁ֔יו הַנִּצְמָדִ֖ים לְבַ֥עַל פְּעֽוֹר׃

מעשׂה
זמרי
וקנאות
פינחס
מפטיר
ו וְהִנֵּ֡ה אִישׁ֩ מִבְּנֵ֨י יִשְׂרָאֵ֜ל בָּ֗א וַיַּקְרֵ֤ב אֶל־אֶחָיו֙ אֶת־הַמִּדְיָנִ֔ית
לְעֵינֵ֣י מֹשֶׁ֔ה וּלְעֵינֵ֖י כׇּל־עֲדַ֣ת בְּנֵֽי־יִשְׂרָאֵ֑ל וְהֵ֣מָּה בֹכִ֔ים פֶּ֖תַח

ז אֹ֥הֶל מוֹעֵֽד׃ וַיַּ֗רְא פִּֽינְחָס֙ בֶּן־אֶלְעָזָ֔ר בֶּן־אַהֲרֹ֖ן הַכֹּהֵ֑ן וַיָּ֙קׇם֙

ח מִתּ֣וֹךְ הָֽעֵדָ֔ה וַיִּקַּ֥ח רֹ֖מַח בְּיָדֽוֹ׃ וַ֠יָּבֹ֠א אַחַ֨ר אִֽישׁ־יִשְׂרָאֵ֜ל אֶל־
הַקֻּבָּ֗ה וַיִּדְקֹר֙ אֶת־שְׁנֵיהֶ֔ם אֵ֚ת אִ֣ישׁ יִשְׂרָאֵ֔ל וְאֶת־הָאִשָּׁ֖ה אֶל־

ט קֳבָתָ֑הּ וַתֵּֽעָצַר֙ הַמַּגֵּפָ֔ה מֵעַ֖ל בְּנֵ֥י יִשְׂרָאֵֽל׃ וַיִּֽהְי֕וּ הַמֵּתִ֖ים
בַּמַּגֵּפָ֑ה אַרְבָּעָ֥ה וְעֶשְׂרִ֖ים אָֽלֶף׃

פינחס
שׂכרו של
פינחס:
י וַיְדַבֵּ֥ר יְהוָ֖ה אֶל־מֹשֶׁ֥ה לֵּאמֹֽר׃ פִּֽינְחָ֨ס בֶּן־אֶלְעָזָ֜ר בֶּן־אַהֲרֹ֣ן הַכֹּהֵ֗ן
הֵשִׁ֤יב אֶת־חֲמָתִי֙ מֵעַ֣ל בְּנֵֽי־יִשְׂרָאֵ֔ל בְּקַנְא֥וֹ אֶת־קִנְאָתִ֖י בְּתוֹכָ֑ם

יב וְלֹא־כִלִּ֥יתִי אֶת־בְּנֵֽי־יִשְׂרָאֵ֖ל בְּקִנְאָתִֽי׃ לָכֵ֖ן אֱמֹ֑ר הִנְנִ֨י נֹתֵ֥ן ל֛וֹ

יג אֶת־בְּרִיתִ֖י שָׁלֽוֹם׃ וְהָ֤יְתָה לּוֹ֙ וּלְזַרְע֣וֹ אַחֲרָ֔יו בְּרִ֖ית כְּהֻנַּ֣ת עוֹלָ֑ם

שׁמות
הרוגים:
יד תַּ֗חַת אֲשֶׁ֤ר קִנֵּא֙ לֵֽאלֹהָ֔יו וַיְכַפֵּ֖ר עַל־בְּנֵ֥י יִשְׂרָאֵֽל׃ וְשֵׁם֩ אִ֨ישׁ
יִשְׂרָאֵ֜ל הַמֻּכֶּ֗ה אֲשֶׁ֤ר הֻכָּה֙ אֶת־הַמִּדְיָנִ֔ית זִמְרִ֖י בֶּן־סָל֑וּא נְשִׂ֛יא

טו בֵֽית־אָ֖ב לַשִּׁמְעֹנִֽי׃ וְשֵׁ֨ם הָֽאִשָּׁ֧ה הַמֻּכָּ֛ה הַמִּדְיָנִ֖ית כׇּזְבִּ֣י בַת־צ֑וּר
רֹ֣אשׁ אֻמּ֥וֹת בֵּֽית־אָ֛ב בְּמִדְיָ֖ן הֽוּא׃

צוּוּי לשׂנֹא
את
הפדינים:
טז וַיְדַבֵּ֥ר יְהוָ֖ה אֶל־מֹשֶׁ֥ה לֵּאמֹֽר׃ צָר֖וֹר אֶת־הַמִּדְיָנִ֑ים וְהִכִּיתֶ֖ם

יז אוֹתָֽם׃ כִּ֣י צֹרְרִ֥ים הֵם֙ לָכֶ֔ם בְּנִכְלֵיהֶ֛ם אֲשֶׁר־נִכְּל֥וּ לָכֶ֖ם עַל־
דְּבַר־פְּע֑וֹר וְעַל־דְּבַ֞ר כׇּזְבִּ֣י בַת־נְשִׂ֣יא מִדְיָ֗ן אֲחֹתָם֙ הַמֻּכָּ֣ה
בְיוֹם־הַמַּגֵּפָ֖ה עַל־דְּבַר־פְּעֽוֹר׃ וַיְהִ֖י אַחֲרֵ֣י הַמַּגֵּפָ֑ה

כו א וַיֹּ֤אמֶר יְהוָה֙ אֶל־מֹשֶׁ֔ה וְאֶ֧ל אֶלְעָזָ֛ר בֶּן־אַהֲרֹ֥ן הַכֹּהֵ֖ן לֵאמֹֽר׃ שְׂאֹ֗וּ

אֶת־רֹאשׁ ׀ כָּל־עֲדַת בְּנֵי־יִשְׂרָאֵל מִבֶּן עֶשְׂרִים שָׁנָה וָמַעְלָה מְנִיַּת
ג לְבֵית אֲבֹתָם כָּל־יֹצֵא צָבָא בְּיִשְׂרָאֵל: וַיְדַבֵּר מֹשֶׁה וְאֶלְעָזָר יִשְׂרָאֵל אַחַר
ד הַכֹּהֵן אֹתָם בְּעַרְבֹת מוֹאָב עַל־יַרְדֵּן יְרֵחוֹ לֵאמֹר: מִבֶּן עֶשְׂרִים הַמַּגֵּפָה:
שָׁנָה וָמָעְלָה כַּאֲשֶׁר צִוָּה יְהוָה אֶת־מֹשֶׁה וּבְנֵי יִשְׂרָאֵל הַיֹּצְאִים
ה מֵאֶרֶץ מִצְרָיִם: רְאוּבֵן בְּכוֹר יִשְׂרָאֵל בְּנֵי רְאוּבֵן חֲנוֹךְ מִשְׁפַּחַת שני
ו הַחֲנֹכִי לְפַלּוּא מִשְׁפַּחַת הַפַּלֻּאִי: לְחֶצְרֹן מִשְׁפַּחַת הַחֶצְרוֹנִי מִשְׁפְּחוֹת רְאוּבֵן
ז לְכַרְמִי מִשְׁפַּחַת הַכַּרְמִי: אֵלֶּה מִשְׁפְּחֹת הָרְאוּבֵנִי וַיִּהְיוּ וּמִנְיָנָן:
ח פְקֻדֵיהֶם שְׁלֹשָׁה וְאַרְבָּעִים אֶלֶף וּשְׁבַע מֵאוֹת וּשְׁלֹשִׁים: וּבְנֵי
ט פַלּוּא אֱלִיאָב: וּבְנֵי אֱלִיאָב נְמוּאֵל וְדָתָן וַאֲבִירָם הוּא־דָתָן
וַאֲבִירָם קרואי קְרִיאֵי הָעֵדָה אֲשֶׁר הִצּוּ עַל־מֹשֶׁה וְעַל־אַהֲרֹן
י בַּעֲדַת־קֹרַח בְּהַצֹּתָם עַל־יְהוָה: וַתִּפְתַּח הָאָרֶץ אֶת־פִּיהָ וַתִּבְלַע
אֹתָם וְאֶת־קֹרַח בְּמוֹת הָעֵדָה בַּאֲכֹל הָאֵשׁ אֵת חֲמִשִּׁים וּמָאתַיִם
יא יב אִישׁ וַיִּהְיוּ לְנֵס: וּבְנֵי־קֹרַח לֹא־מֵתוּ: בְּנֵי מִשְׁפְּחוֹת
שִׁמְעוֹן לְמִשְׁפְּחֹתָם לִנְמוּאֵל מִשְׁפַּחַת הַנְּמוּאֵלִי לְיָמִין מִשְׁפַּחַת שִׁמְעוֹן וּמִנְיָנָן:
יג הַיָּמִינִי לְיָכִין מִשְׁפַּחַת הַיָּכִינִי: לְזֶרַח מִשְׁפַּחַת הַזַּרְחִי לְשָׁאוּל
יד מִשְׁפַּחַת הַשָּׁאוּלִי: אֵלֶּה מִשְׁפְּחֹת הַשִּׁמְעֹנִי שְׁנַיִם וְעֶשְׂרִים אֶלֶף
טו וּמָאתָיִם: בְּנֵי גָד לְמִשְׁפְּחֹתָם לִצְפוֹן מִשְׁפַּחַת מִשְׁפְּחוֹת
טז הַצְּפוֹנִי לְחַגִּי מִשְׁפַּחַת הַחַגִּי לְשׁוּנִי מִשְׁפַּחַת הַשּׁוּנִי: לְאָזְנִי גָּד וּמִנְיָנָן:
יז מִשְׁפַּחַת הָאָזְנִי לְעֵרִי מִשְׁפַּחַת הָעֵרִי: לַאֲרוֹד מִשְׁפַּחַת הָאֲרוֹדִי
יח לְאַרְאֵלִי מִשְׁפַּחַת הָאַרְאֵלִי: אֵלֶּה מִשְׁפְּחֹת בְּנֵי־גָד לִפְקֻדֵיהֶם
יט אַרְבָּעִים אֶלֶף וַחֲמֵשׁ מֵאוֹת: בְּנֵי יְהוּדָה מִשְׁפְּחוֹת
כ עֵר וְאוֹנָן וַיָּמָת עֵר וְאוֹנָן בְּאֶרֶץ כְּנָעַן: וַיִּהְיוּ בְנֵי־יְהוּדָה יְהוּדָה וּמִנְיָנָן:
לְמִשְׁפְּחֹתָם לְשֵׁלָה מִשְׁפַּחַת הַשֵּׁלָנִי לְפֶרֶץ מִשְׁפַּחַת הַפַּרְצִי
כא לְזֶרַח מִשְׁפַּחַת הַזַּרְחִי: וַיִּהְיוּ בְנֵי־פֶרֶץ לְחֶצְרֹן מִשְׁפַּחַת הַחֶצְרֹנִי
כב לְחָמוּל מִשְׁפַּחַת הֶחָמוּלִי: אֵלֶּה מִשְׁפְּחֹת יְהוּדָה לִפְקֻדֵיהֶם שִׁשָּׁה

מִשְׁפְּחוֹת יִשָּׂשכָר וּמִנְיָנָן:

וְשִׁבְעִים אֶלֶף וַחֲמֵשׁ מֵאוֹת׃ בְּנֵי יִשָּׂשכָר כג
לְמִשְׁפְּחֹתָם תּוֹלָע מִשְׁפַּחַת הַתּוֹלָעִי לְפֻוָּה מִשְׁפַּחַת הַפּוּנִי׃
לְיָשׁוּב מִשְׁפַּחַת הַיָּשֻׁבִי לְשִׁמְרֹן מִשְׁפַּחַת הַשִּׁמְרֹנִי׃ אֵלֶּה כד כה
מִשְׁפְּחֹת יִשָּׂשכָר לִפְקֻדֵיהֶם אַרְבָּעָה וְשִׁשִּׁים אֶלֶף וּשְׁלֹשׁ

מִשְׁפְּחוֹת זְבוּלֻן וּמִנְיָנָן:

מֵאוֹת׃ בְּנֵי זְבוּלֻן לְמִשְׁפְּחֹתָם לְסֶרֶד כו
מִשְׁפַּחַת הַסַּרְדִּי לְאֵלוֹן מִשְׁפַּחַת הָאֵלֹנִי לְיַחְלְאֵל מִשְׁפַּחַת
הַיַּחְלְאֵלִי׃ אֵלֶּה מִשְׁפְּחֹת הַזְּבוּלֹנִי לִפְקֻדֵיהֶם שִׁשִּׁים אֶלֶף וַחֲמֵשׁ כז
מֵאוֹת׃ בְּנֵי יוֹסֵף לְמִשְׁפְּחֹתָם כח

מִשְׁפְּחוֹת מְנַשֶּׁה וּמִנְיָנָן:

מְנַשֶּׁה וְאֶפְרָיִם׃ בְּנֵי מְנַשֶּׁה לְמָכִיר מִשְׁפַּחַת הַמָּכִירִי וּמָכִיר כט
הוֹלִיד אֶת־גִּלְעָד לְגִלְעָד מִשְׁפַּחַת הַגִּלְעָדִי׃ אֵלֶּה בְּנֵי גִלְעָד ל
אִיעֶזֶר מִשְׁפַּחַת הָאִיעֶזְרִי לְחֵלֶק מִשְׁפַּחַת הַחֶלְקִי׃ וְאַשְׂרִיאֵל לא
מִשְׁפַּחַת הָאַשְׂרִאֵלִי וְשֶׁכֶם מִשְׁפַּחַת הַשִּׁכְמִי׃ וּשְׁמִידָע מִשְׁפַּחַת לב
הַשְּׁמִידָעִי וְחֵפֶר מִשְׁפַּחַת הַחֶפְרִי׃ וּצְלָפְחָד בֶּן־חֵפֶר לֹא־הָיוּ לוֹ לג
בָּנִים כִּי אִם־בָּנוֹת וְשֵׁם בְּנוֹת צְלָפְחָד מַחְלָה וְנֹעָה חָגְלָה מִלְכָּה
וְתִרְצָה׃ אֵלֶּה מִשְׁפְּחֹת מְנַשֶּׁה וּפְקֻדֵיהֶם שְׁנַיִם וַחֲמִשִּׁים אֶלֶף לד

מִשְׁפְּחוֹת אֶפְרָיִם וּמִנְיָנָן:

וּשְׁבַע מֵאוֹת׃ אֵלֶּה בְנֵי־אֶפְרַיִם לְמִשְׁפְּחֹתָם לְשׁוּתֶלַח לה
מִשְׁפַּחַת הַשֻּׁתַלְחִי לְבֶכֶר מִשְׁפַּחַת הַבַּכְרִי לְתַחַן מִשְׁפַּחַת
הַתַּחֲנִי׃ וְאֵלֶּה בְּנֵי שׁוּתָלַח לְעֵרָן מִשְׁפַּחַת הָעֵרָנִי׃ אֵלֶּה מִשְׁפְּחֹת לו לז
בְּנֵי־אֶפְרַיִם לִפְקֻדֵיהֶם שְׁנַיִם וּשְׁלֹשִׁים אֶלֶף וַחֲמֵשׁ מֵאוֹת אֵלֶּה

מִשְׁפְּחוֹת בִּנְיָמִין וּמִנְיָנָן:

בְנֵי־יוֹסֵף לְמִשְׁפְּחֹתָם׃ בְּנֵי בִנְיָמִן לְמִשְׁפְּחֹתָם לְבֶלַע לח
מִשְׁפַּחַת הַבַּלְעִי לְאַשְׁבֵּל מִשְׁפַּחַת הָאַשְׁבֵּלִי לַאֲחִירָם מִשְׁפַּחַת
הָאֲחִירָמִי׃ לִשְׁפוּפָם מִשְׁפַּחַת הַשּׁוּפָמִי לְחוּפָם מִשְׁפַּחַת לט
הַחוּפָמִי׃ וַיִּהְיוּ בְנֵי־בֶלַע אַרְדְּ וְנַעֲמָן מִשְׁפַּחַת הָאַרְדִּי לְנַעֲמָן מ
מִשְׁפַּחַת הַנַּעֲמִי׃ אֵלֶּה בְנֵי־בִנְיָמִן לְמִשְׁפְּחֹתָם וּפְקֻדֵיהֶם חֲמִשָּׁה מא

מִשְׁפְּחוֹת דָּן וּמִנְיָנָן:

וְאַרְבָּעִים אֶלֶף וְשֵׁשׁ מֵאוֹת׃ אֵלֶּה בְנֵי־דָן מב

לְמִשְׁפְּחֹתָם לְשׁוּחָם מִשְׁפַּחַת הַשּׁוּחָמִי אֵלֶּה מִשְׁפְּחֹת דָּן
מג לְמִשְׁפְּחֹתָם: כָּל־מִשְׁפְּחֹת הַשּׁוּחָמִי לִפְקֻדֵיהֶם אַרְבָּעָה וְשִׁשִּׁים
מד אֶלֶף וְאַרְבַּע מֵאוֹת: בְּנֵי אָשֵׁר

מִשְׁפְּחוֹת אָשֵׁר וּמִנְיָנָן:

לְמִשְׁפְּחֹתָם לְיִמְנָה מִשְׁפַּחַת הַיִּמְנָה לְיִשְׁוִי מִשְׁפַּחַת הַיִּשְׁוִי
מה לִבְרִיעָה מִשְׁפַּחַת הַבְּרִיעִי: לִבְנֵי בְרִיעָה לְחֶבֶר מִשְׁפַּחַת הַחֶבְרִי
מו מז לְמַלְכִּיאֵל מִשְׁפַּחַת הַמַּלְכִּיאֵלִי: וְשֵׁם בַּת־אָשֵׁר שָׂרַח: אֵלֶּה
מִשְׁפְּחֹת בְּנֵי־אָשֵׁר לִפְקֻדֵיהֶם שְׁלֹשָׁה וַחֲמִשִּׁים אֶלֶף וְאַרְבַּע
מח מֵאוֹת: בְּנֵי נַפְתָּלִי לְמִשְׁפְּחֹתָם לְיַחְצְאֵל מִשְׁפַּחַת

מִשְׁפְּחוֹת נַפְתָּלִי וּמִנְיָנָן:

מט הַיַּחְצְאֵלִי לְגוּנִי מִשְׁפַּחַת הַגּוּנִי: לְיֵצֶר מִשְׁפַּחַת הַיִּצְרִי לְשִׁלֵּם
נ מִשְׁפַּחַת הַשִּׁלֵּמִי: אֵלֶּה מִשְׁפְּחֹת נַפְתָּלִי לְמִשְׁפְּחֹתָם וּפְקֻדֵיהֶם
נא חֲמִשָּׁה וְאַרְבָּעִים אֶלֶף וְאַרְבַּע מֵאוֹת: אֵלֶּה פְּקוּדֵי בְּנֵי יִשְׂרָאֵל
שֵׁשׁ־מֵאוֹת אֶלֶף וָאָלֶף שְׁבַע מֵאוֹת וּשְׁלֹשִׁים:

סַךְ כָּל הַפְּקוּדִים:

נב נג וַיְדַבֵּר יְהוָה אֶל־מֹשֶׁה לֵּאמֹר: לָאֵלֶּה תֵּחָלֵק הָאָרֶץ בְּנַחֲלָה
נד בְּמִסְפַּר שֵׁמוֹת: לָרַב תַּרְבֶּה נַחֲלָתוֹ וְלַמְעַט תַּמְעִיט נַחֲלָתוֹ
נה אִישׁ לְפִי פְקֻדָיו יֻתַּן נַחֲלָתוֹ: אַךְ־בְּגוֹרָל יֵחָלֵק אֶת־הָאָרֶץ
נו לִשְׁמוֹת מַטּוֹת־אֲבֹתָם יִנְחָלוּ: עַל־פִּי הַגּוֹרָל תֵּחָלֵק נַחֲלָתוֹ בֵּין
נז רַב לִמְעָט: וְאֵלֶּה פְקוּדֵי הַלֵּוִי לְמִשְׁפְּחֹתָם לַגֵּרְשׁוֹן

שלישי צִוּוּי חֲלֻקַּת הָאָרֶץ בְּגוֹרָל:

מִשְׁפַּחַת הַגֵּרְשֻׁנִּי לִקְהָת מִשְׁפַּחַת הַקְּהָתִי לִמְרָרִי מִשְׁפַּחַת
נח הַמְּרָרִי: אֵלֶּה | מִשְׁפְּחֹת לֵוִי מִשְׁפַּחַת הַלִּבְנִי מִשְׁפַּחַת הַחֶבְרֹנִי
מִשְׁפַּחַת הַמַּחְלִי מִשְׁפַּחַת הַמּוּשִׁי מִשְׁפַּחַת הַקָּרְחִי וּקְהָת הוֹלִד
נט אֶת־עַמְרָם: וְשֵׁם | אֵשֶׁת עַמְרָם יוֹכֶבֶד בַּת־לֵוִי אֲשֶׁר יָלְדָה
אֹתָהּ לְלֵוִי בְּמִצְרָיִם וַתֵּלֶד לְעַמְרָם אֶת־אַהֲרֹן וְאֶת־מֹשֶׁה וְאֵת
ס מִרְיָם אֲחֹתָם: וַיִּוָּלֵד לְאַהֲרֹן אֶת־נָדָב וְאֶת־אֲבִיהוּא אֶת־אֶלְעָזָר
סא וְאֶת־אִיתָמָר: וַיָּמָת נָדָב וַאֲבִיהוּא בְּהַקְרִיבָם אֵשׁ־זָרָה לִפְנֵי
סב יְהוָה: וַיִּהְיוּ פְקֻדֵיהֶם שְׁלֹשָׁה וְעֶשְׂרִים אֶלֶף כָּל־זָכָר מִבֶּן־חֹדֶשׁ

מִשְׁפְּחוֹת הַלֵּוִי וּמִנְיָנָן:

וּמָעְלָה כִּי לֹא הָתְפָּקְדוּ בְּתוֹךְ בְּנֵי יִשְׂרָאֵל כִּי לֹא־נִתַּן לָהֶם
סג נַחֲלָה בְּתוֹךְ בְּנֵי יִשְׂרָאֵל׃ אֵלֶּה פְּקוּדֵי מֹשֶׁה וְאֶלְעָזָר הַכֹּהֵן אֲשֶׁר
סד פָּקְדוּ אֶת־בְּנֵי יִשְׂרָאֵל בְּעַרְבֹת מוֹאָב עַל יַרְדֵּן יְרֵחוֹ׃ וּבְאֵלֶּה
לֹא־הָיָה אִישׁ מִפְּקוּדֵי מֹשֶׁה וְאַהֲרֹן הַכֹּהֵן אֲשֶׁר פָּקְדוּ אֶת־בְּנֵי
סה יִשְׂרָאֵל בְּמִדְבַּר סִינָי׃ כִּי־אָמַר יְהוָה לָהֶם מוֹת יָמֻתוּ בַּמִּדְבָּר
וְלֹא־נוֹתַר מֵהֶם אִישׁ כִּי אִם־כָּלֵב בֶּן־יְפֻנֶּה וִיהוֹשֻׁעַ בִּן־
כז א נוּן׃ וַתִּקְרַבְנָה בְּנוֹת צְלָפְחָד בֶּן־חֵפֶר בֶּן־גִּלְעָד בֶּן־
מָכִיר בֶּן־מְנַשֶּׁה לְמִשְׁפְּחֹת מְנַשֶּׁה בֶן־יוֹסֵף וְאֵלֶּה שְׁמוֹת בְּנֹתָיו
ב מַחְלָה נֹעָה וְחָגְלָה וּמִלְכָּה וְתִרְצָה׃ וַתַּעֲמֹדְנָה לִפְנֵי מֹשֶׁה וְלִפְנֵי
אֶלְעָזָר הַכֹּהֵן וְלִפְנֵי הַנְּשִׂיאִם וְכָל־הָעֵדָה פֶּתַח אֹהֶל־מוֹעֵד
ג לֵאמֹר׃ אָבִינוּ מֵת בַּמִּדְבָּר וְהוּא לֹא־הָיָה בְּתוֹךְ הָעֵדָה הַנּוֹעָדִים
ד עַל־יְהוָה בַּעֲדַת־קֹרַח כִּי־בְחֶטְאוֹ מֵת וּבָנִים לֹא־הָיוּ לוֹ׃ לָמָּה
יִגָּרַע שֵׁם־אָבִינוּ מִתּוֹךְ מִשְׁפַּחְתּוֹ כִּי אֵין לוֹ בֵּן תְּנָה־לָּנוּ אֲחֻזָּה
ה בְּתוֹךְ אֲחֵי אָבִינוּ׃ וַיַּקְרֵב מֹשֶׁה אֶת־מִשְׁפָּטָן לִפְנֵי יְהוָה׃
ו ז וַיֹּאמֶר יְהוָה אֶל־מֹשֶׁה לֵּאמֹר׃ כֵּן בְּנוֹת צְלָפְחָד דֹּבְרֹת נָתֹן תִּתֵּן
לָהֶם אֲחֻזַּת נַחֲלָה בְּתוֹךְ אֲחֵי אֲבִיהֶם וְהַעֲבַרְתָּ אֶת־נַחֲלַת אֲבִיהֶן
ח לָהֶן׃ וְאֶל־בְּנֵי יִשְׂרָאֵל תְּדַבֵּר לֵאמֹר אִישׁ כִּי־יָמוּת וּבֵן אֵין לוֹ
ט וְהַעֲבַרְתֶּם אֶת־נַחֲלָתוֹ לְבִתּוֹ׃ וְאִם־אֵין לוֹ בַּת וּנְתַתֶּם אֶת־נַחֲלָתוֹ
י לְאֶחָיו׃ וְאִם־אֵין לוֹ אַחִים וּנְתַתֶּם אֶת־נַחֲלָתוֹ לַאֲחֵי אָבִיו׃
יא וְאִם־אֵין אַחִים לְאָבִיו וּנְתַתֶּם אֶת־נַחֲלָתוֹ לִשְׁאֵרוֹ הַקָּרֹב אֵלָיו
מִמִּשְׁפַּחְתּוֹ וְיָרַשׁ אֹתָהּ וְהָיְתָה לִבְנֵי יִשְׂרָאֵל לְחֻקַּת מִשְׁפָּט
כַּאֲשֶׁר צִוָּה יְהוָה אֶת־מֹשֶׁה׃

יב וַיֹּאמֶר יְהוָה אֶל־מֹשֶׁה עֲלֵה אֶל־הַר הָעֲבָרִים הַזֶּה וּרְאֵה
יג אֶת־הָאָרֶץ אֲשֶׁר נָתַתִּי לִבְנֵי יִשְׂרָאֵל׃ וְרָאִיתָה אֹתָהּ וְנֶאֱסַפְתָּ
יד אֶל־עַמֶּיךָ גַּם־אָתָּה כַּאֲשֶׁר נֶאֱסַף אַהֲרֹן אָחִיךָ׃ כַּאֲשֶׁר מְרִיתֶם

דִּבְרֵי סִכּוּם לַמִּנְיָן:

טַעֲנַת בְּנוֹת צְלָפְחָד לִירֻשָּׁה בָּאָרֶץ:

רביעי

תְּשׁוּבַת ה׳ לְטַעֲנָתָן, וְסֵדֶר הַנְּחָלוֹת:

הוֹדָעַת ה׳ לְמֹשֶׁה עַל מוֹתוֹ הַקָּרֵב:

פִּי בְּמִדְבַּר־צִן בִּמְרִיבַת הָעֵדָה לְהַקְדִּישֵׁנִי בַמַּיִם לְעֵינֵיהֶם הֵם
טו מֵי־מְרִיבַת קָדֵשׁ מִדְבַּר־צִן׃ וַיְדַבֵּר מֹשֶׁה אֶל־יְהוָה
טז לֵאמֹר׃ יִפְקֹד יְהוָה אֱלֹהֵי הָרוּחֹת לְכָל־בָּשָׂר אִישׁ עַל־הָעֵדָה׃
יז אֲשֶׁר־יֵצֵא לִפְנֵיהֶם וַאֲשֶׁר יָבֹא לִפְנֵיהֶם וַאֲשֶׁר יוֹצִיאֵם וַאֲשֶׁר
יְבִיאֵם וְלֹא תִהְיֶה עֲדַת יְהוָה כַּצֹּאן אֲשֶׁר אֵין־לָהֶם רֹעֶה׃
יח וַיֹּאמֶר יְהוָה אֶל־מֹשֶׁה קַח־לְךָ אֶת־יְהוֹשֻׁעַ בִּן־נוּן אִישׁ
יט אֲשֶׁר־רוּחַ בּוֹ וְסָמַכְתָּ אֶת־יָדְךָ עָלָיו׃ וְהַעֲמַדְתָּ אֹתוֹ לִפְנֵי
כ אֶלְעָזָר הַכֹּהֵן וְלִפְנֵי כָּל־הָעֵדָה וְצִוִּיתָה אֹתוֹ לְעֵינֵיהֶם׃ וְנָתַתָּה
כא מֵהוֹדְךָ עָלָיו לְמַעַן יִשְׁמְעוּ כָּל־עֲדַת בְּנֵי יִשְׂרָאֵל׃ וְלִפְנֵי אֶלְעָזָר
הַכֹּהֵן יַעֲמֹד וְשָׁאַל לוֹ בְּמִשְׁפַּט הָאוּרִים לִפְנֵי יְהוָה עַל־פִּיו יֵצְאוּ
כב וְעַל־פִּיו יָבֹאוּ הוּא וְכָל־בְּנֵי־יִשְׂרָאֵל אִתּוֹ וְכָל־הָעֵדָה׃ וַיַּעַשׂ
מֹשֶׁה כַּאֲשֶׁר צִוָּה יְהוָה אֹתוֹ וַיִּקַּח אֶת־יְהוֹשֻׁעַ וַיַּעֲמִדֵהוּ לִפְנֵי
כג אֶלְעָזָר הַכֹּהֵן וְלִפְנֵי כָּל־הָעֵדָה׃ וַיִּסְמֹךְ אֶת־יָדָיו עָלָיו וַיְצַוֵּהוּ
כַּאֲשֶׁר דִּבֶּר יְהוָה בְּיַד־מֹשֶׁה׃

בְּחִירַת יְהוֹשֻׁעַ לְמַנְהִיג הַבָּא׃

כח א ב וַיְדַבֵּר יְהוָה אֶל־מֹשֶׁה לֵּאמֹר׃ צַו אֶת־בְּנֵי יִשְׂרָאֵל וְאָמַרְתָּ אֲלֵהֶם
אֶת־קָרְבָּנִי לַחְמִי לְאִשַּׁי רֵיחַ נִיחֹחִי תִּשְׁמְרוּ לְהַקְרִיב לִי
ג בְּמוֹעֲדוֹ׃ וְאָמַרְתָּ לָהֶם זֶה הָאִשֶּׁה אֲשֶׁר תַּקְרִיבוּ לַיהוָה כְּבָשִׂים
ד בְּנֵי־שָׁנָה תְמִימִם שְׁנַיִם לַיּוֹם עֹלָה תָמִיד׃ אֶת־הַכֶּבֶשׂ אֶחָד
ה תַּעֲשֶׂה בַבֹּקֶר וְאֵת הַכֶּבֶשׂ הַשֵּׁנִי תַּעֲשֶׂה בֵּין הָעַרְבָּיִם׃ וַעֲשִׂירִית
ו הָאֵיפָה סֹלֶת לְמִנְחָה בְּלוּלָה בְּשֶׁמֶן כָּתִית רְבִיעִת הַהִין׃ עֹלַת
ז תָּמִיד הָעֲשֻׂיָה בְּהַר סִינַי לְרֵיחַ נִיחֹחַ אִשֶּׁה לַיהוָה׃ וְנִסְכּוֹ
ח רְבִיעִת הַהִין לַכֶּבֶשׂ הָאֶחָד בַּקֹּדֶשׁ הַסֵּךְ נֶסֶךְ שֵׁכָר לַיהוָה׃ וְאֵת
הַכֶּבֶשׂ הַשֵּׁנִי תַּעֲשֶׂה בֵּין הָעַרְבָּיִם כְּמִנְחַת הַבֹּקֶר וּכְנִסְכּוֹ תַּעֲשֶׂה
אִשֵּׁה רֵיחַ נִיחֹחַ לַיהוָה׃

חמישי קָרְבַּן הַתָּמִיד׃

ט וּבְיוֹם הַשַּׁבָּת שְׁנֵי־כְבָשִׂים בְּנֵי־שָׁנָה תְּמִימִם וּשְׁנֵי עֶשְׂרֹנִים

מוּסַף שַׁבָּת׃

סֹלֶת מִנְחָה בְּלוּלָה בַשֶּׁמֶן וְנִסְכּוֹ: עֹלַת שַׁבַּת בְּשַׁבַּתּוֹ עַל־עֹלַת י
הַתָּמִיד וְנִסְכָּהּ:
מוסף ראש חֹדֶשׁ: וּבְרָאשֵׁי חָדְשֵׁיכֶם תַּקְרִיבוּ עֹלָה לַיהוָה פָּרִים בְּנֵי־בָקָר שְׁנַיִם יא
וְאַיִל אֶחָד כְּבָשִׂים בְּנֵי־שָׁנָה שִׁבְעָה תְּמִימִם: וּשְׁלֹשָׁה עֶשְׂרֹנִים יב
סֹלֶת מִנְחָה בְּלוּלָה בַשֶּׁמֶן לַפָּר הָאֶחָד וּשְׁנֵי עֶשְׂרֹנִים
סֹלֶת מִנְחָה בְּלוּלָה בַשֶּׁמֶן לָאַיִל הָאֶחָד: וְעִשָּׂרֹן עִשָּׂרוֹן סֹלֶת יג
מִנְחָה בְּלוּלָה בַשֶּׁמֶן לַכֶּבֶשׂ הָאֶחָד עֹלָה רֵיחַ נִיחֹחַ אִשֶּׁה
לַיהוָה: וְנִסְכֵּיהֶם חֲצִי הַהִין יִהְיֶה לַפָּר וּשְׁלִישִׁת הַהִין לָאַיִל יד
וּרְבִיעִת הַהִין לַכֶּבֶשׂ יָיִן זֹאת עֹלַת חֹדֶשׁ בְּחָדְשׁוֹ לְחָדְשֵׁי הַשָּׁנָה:
וּשְׂעִיר עִזִּים אֶחָד לְחַטָּאת לַיהוָה עַל־עֹלַת הַתָּמִיד יֵעָשֶׂה טו
ששי וְנִסְכּוֹ: וּבַחֹדֶשׁ הָרִאשׁוֹן בְּאַרְבָּעָה עָשָׂר יוֹם לַחֹדֶשׁ טז
מוסף חַג הַמַּצּוֹת: פֶּסַח לַיהוָה: וּבַחֲמִשָּׁה עָשָׂר יוֹם לַחֹדֶשׁ הַזֶּה חָג שִׁבְעַת יָמִים יז
מַצּוֹת יֵאָכֵל: בַּיּוֹם הָרִאשׁוֹן מִקְרָא־קֹדֶשׁ כָּל־מְלֶאכֶת עֲבֹדָה יח
לֹא תַעֲשׂוּ: וְהִקְרַבְתֶּם אִשֶּׁה עֹלָה לַיהוָה פָּרִים בְּנֵי־בָקָר שְׁנַיִם יט
וְאַיִל אֶחָד וְשִׁבְעָה כְבָשִׂים בְּנֵי שָׁנָה תְּמִימִם יִהְיוּ לָכֶם:
וּמִנְחָתָם סֹלֶת בְּלוּלָה בַשָּׁמֶן שְׁלֹשָׁה עֶשְׂרֹנִים לַפָּר וּשְׁנֵי כ
עֶשְׂרֹנִים לָאַיִל תַּעֲשׂוּ: עִשָּׂרוֹן עִשָּׂרוֹן תַּעֲשֶׂה לַכֶּבֶשׂ הָאֶחָד כא
לְשִׁבְעַת הַכְּבָשִׂים: וּשְׂעִיר חַטָּאת אֶחָד לְכַפֵּר עֲלֵיכֶם: מִלְּבַד כב כג
עֹלַת הַבֹּקֶר אֲשֶׁר לְעֹלַת הַתָּמִיד תַּעֲשׂוּ אֶת־אֵלֶּה: כָּאֵלֶּה תַּעֲשׂוּ כד
לַיּוֹם שִׁבְעַת יָמִים לֶחֶם אִשֵּׁה רֵיחַ־נִיחֹחַ לַיהוָה עַל־עוֹלַת
הַתָּמִיד יֵעָשֶׂה וְנִסְכּוֹ: וּבַיּוֹם הַשְּׁבִיעִי מִקְרָא־קֹדֶשׁ יִהְיֶה לָכֶם כה
מוסף חַג הַשָּׁבוּעוֹת: כָּל־מְלֶאכֶת עֲבֹדָה לֹא תַעֲשׂוּ: וּבְיוֹם כו
הַבִּכּוּרִים בְּהַקְרִיבְכֶם מִנְחָה חֲדָשָׁה לַיהוָה בְּשָׁבֻעֹתֵיכֶם מִקְרָא־
קֹדֶשׁ יִהְיֶה לָכֶם כָּל־מְלֶאכֶת עֲבֹדָה לֹא תַעֲשׂוּ: וְהִקְרַבְתֶּם כז
עוֹלָה לְרֵיחַ נִיחֹחַ לַיהוָה פָּרִים בְּנֵי־בָקָר שְׁנַיִם אַיִל אֶחָד

כח שִׁבְעָה כְבָשִׂים בְּנֵי שָׁנָה׃ וּמִנְחָתָם סֹלֶת בְּלוּלָה בַשָּׁמֶן שְׁלֹשָׁה
כט עֶשְׂרֹנִים לַפָּר הָאֶחָד שְׁנֵי עֶשְׂרֹנִים לָאַיִל הָאֶחָד׃ עִשָּׂרוֹן
ל עִשָּׂרוֹן לַכֶּבֶשׂ הָאֶחָד לְשִׁבְעַת הַכְּבָשִׂים׃ שְׂעִיר עִזִּים אֶחָד
לא לְכַפֵּר עֲלֵיכֶם׃ מִלְּבַד עֹלַת הַתָּמִיד וּמִנְחָתוֹ תַּעֲשׂוּ תְּמִימִם
יִהְיוּ־לָכֶם וְנִסְכֵּיהֶם׃

מוסף ראש הַשָּׁנָה:

כט א וּבַחֹדֶשׁ הַשְּׁבִיעִי בְּאֶחָד לַחֹדֶשׁ מִקְרָא־קֹדֶשׁ יִהְיֶה לָכֶם
ב כָּל־מְלֶאכֶת עֲבֹדָה לֹא תַעֲשׂוּ יוֹם תְּרוּעָה יִהְיֶה לָכֶם׃ וַעֲשִׂיתֶם
עֹלָה לְרֵיחַ נִיחֹחַ לַיהוָה פַּר בֶּן־בָּקָר אֶחָד אַיִל אֶחָד כְּבָשִׂים
ג בְּנֵי־שָׁנָה שִׁבְעָה תְּמִימִם׃ וּמִנְחָתָם סֹלֶת בְּלוּלָה בַשָּׁמֶן שְׁלֹשָׁה
ד עֶשְׂרֹנִים לַפָּר שְׁנֵי עֶשְׂרֹנִים לָאָיִל׃ וְעִשָּׂרוֹן אֶחָד לַכֶּבֶשׂ הָאֶחָד
ה לְשִׁבְעַת הַכְּבָשִׂים׃ וּשְׂעִיר־עִזִּים אֶחָד חַטָּאת לְכַפֵּר עֲלֵיכֶם׃
ו מִלְּבַד עֹלַת הַחֹדֶשׁ וּמִנְחָתָהּ וְעֹלַת הַתָּמִיד וּמִנְחָתָהּ וְנִסְכֵּיהֶם
ז כְּמִשְׁפָּטָם לְרֵיחַ נִיחֹחַ אִשֶּׁה לַיהוָה׃ וּבֶעָשׂוֹר לַחֹדֶשׁ

מוסף יום הַכִּפּוּרִים:

הַשְּׁבִיעִי הַזֶּה מִקְרָא־קֹדֶשׁ יִהְיֶה לָכֶם וְעִנִּיתֶם אֶת־נַפְשֹׁתֵיכֶם
ח כָּל־מְלָאכָה לֹא תַעֲשׂוּ׃ וְהִקְרַבְתֶּם עֹלָה לַיהוָה רֵיחַ נִיחֹחַ פַּר
בֶּן־בָּקָר אֶחָד אַיִל אֶחָד כְּבָשִׂים בְּנֵי־שָׁנָה שִׁבְעָה תְּמִימִם יִהְיוּ
ט לָכֶם׃ וּמִנְחָתָם סֹלֶת בְּלוּלָה בַשָּׁמֶן שְׁלֹשָׁה עֶשְׂרֹנִים לַפָּר שְׁנֵי
י עֶשְׂרֹנִים לָאַיִל הָאֶחָד׃ עִשָּׂרוֹן עִשָּׂרוֹן לַכֶּבֶשׂ הָאֶחָד לְשִׁבְעַת
יא הַכְּבָשִׂים׃ שְׂעִיר־עִזִּים אֶחָד חַטָּאת מִלְּבַד חַטַּאת הַכִּפֻּרִים וְעֹלַת
יב הַתָּמִיד וּמִנְחָתָהּ וְנִסְכֵּיהֶם׃ וּבַחֲמִשָּׁה עָשָׂר יוֹם

שביעי מוּסְפֵי חַג הַסֻּכּוֹת:

לַחֹדֶשׁ הַשְּׁבִיעִי מִקְרָא־קֹדֶשׁ יִהְיֶה לָכֶם כָּל־מְלֶאכֶת עֲבֹדָה
יג לֹא תַעֲשׂוּ וְחַגֹּתֶם חַג לַיהוָה שִׁבְעַת יָמִים׃ וְהִקְרַבְתֶּם עֹלָה אִשֵּׁה
רֵיחַ נִיחֹחַ לַיהוָה פָּרִים בְּנֵי־בָקָר שְׁלֹשָׁה עָשָׂר אֵילִם שְׁנָיִם
יד כְּבָשִׂים בְּנֵי־שָׁנָה אַרְבָּעָה עָשָׂר תְּמִימִם יִהְיוּ׃ וּמִנְחָתָם סֹלֶת
בְּלוּלָה בַשָּׁמֶן שְׁלֹשָׁה עֶשְׂרֹנִים לַפָּר הָאֶחָד לִשְׁלֹשָׁה עָשָׂר פָּרִים

ועשרון נקוד:

טו שְׁנֵי עֶשְׂרֹנִים לָאַיִל הָאֶחָד לִשְׁנֵי הָאֵילִם: וְעִשָּׂרוֹן עִשָּׂרוֹן לַכֶּבֶשׂ
טז הָאֶחָד לְאַרְבָּעָה עָשָׂר כְּבָשִׂים: וּשְׂעִיר־עִזִּים אֶחָד חַטָּאת
יז מִלְּבַד עֹלַת הַתָּמִיד מִנְחָתָהּ וְנִסְכָּהּ: וּבַיּוֹם הַשֵּׁנִי
פָּרִים בְּנֵי־בָקָר שְׁנֵים עָשָׂר אֵילִם שְׁנָיִם כְּבָשִׂים בְּנֵי־שָׁנָה
יח אַרְבָּעָה עָשָׂר תְּמִימִם: וּמִנְחָתָם וְנִסְכֵּיהֶם לַפָּרִים לָאֵילִם
יט וְלַכְּבָשִׂים בְּמִסְפָּרָם כַּמִּשְׁפָּט: וּשְׂעִיר־עִזִּים אֶחָד חַטָּאת מִלְּבַד
כ עֹלַת הַתָּמִיד וּמִנְחָתָהּ וְנִסְכֵּיהֶם: וּבַיּוֹם
הַשְּׁלִישִׁי פָּרִים עַשְׁתֵּי־עָשָׂר אֵילִם שְׁנָיִם כְּבָשִׂים בְּנֵי־שָׁנָה
כא אַרְבָּעָה עָשָׂר תְּמִימִם: וּמִנְחָתָם וְנִסְכֵּיהֶם לַפָּרִים לָאֵילִם
כב וְלַכְּבָשִׂים בְּמִסְפָּרָם כַּמִּשְׁפָּט: וּשְׂעִיר חַטָּאת אֶחָד מִלְּבַד עֹלַת
כג הַתָּמִיד וּמִנְחָתָהּ וְנִסְכָּהּ: וּבַיּוֹם הָרְבִיעִי
פָּרִים עֲשָׂרָה אֵילִם שְׁנָיִם כְּבָשִׂים בְּנֵי־שָׁנָה אַרְבָּעָה עָשָׂר
כד תְּמִימִם: מִנְחָתָם וְנִסְכֵּיהֶם לַפָּרִים לָאֵילִם וְלַכְּבָשִׂים בְּמִסְפָּרָם
כה כַּמִּשְׁפָּט: וּשְׂעִיר־עִזִּים אֶחָד חַטָּאת מִלְּבַד עֹלַת הַתָּמִיד
כו מִנְחָתָהּ וְנִסְכָּהּ: וּבַיּוֹם הַחֲמִישִׁי
פָּרִים תִּשְׁעָה אֵילִם שְׁנָיִם כְּבָשִׂים בְּנֵי־שָׁנָה אַרְבָּעָה עָשָׂר
כז תְּמִימִם: וּמִנְחָתָם וְנִסְכֵּיהֶם לַפָּרִים לָאֵילִם וְלַכְּבָשִׂים בְּמִסְפָּרָם
כח כַּמִּשְׁפָּט: וּשְׂעִיר חַטָּאת אֶחָד מִלְּבַד עֹלַת הַתָּמִיד וּמִנְחָתָהּ
כט וְנִסְכָּהּ: וּבַיּוֹם הַשִּׁשִּׁי פָּרִים שְׁמֹנָה אֵילִם שְׁנָיִם
ל כְּבָשִׂים בְּנֵי־שָׁנָה אַרְבָּעָה עָשָׂר תְּמִימִם: וּמִנְחָתָם וְנִסְכֵּיהֶם
לא לַפָּרִים לָאֵילִם וְלַכְּבָשִׂים בְּמִסְפָּרָם כַּמִּשְׁפָּט: וּשְׂעִיר חַטָּאת
לב אֶחָד מִלְּבַד עֹלַת הַתָּמִיד מִנְחָתָהּ וּנְסָכֶיהָ: וּבַיּוֹם
הַשְּׁבִיעִי פָּרִים שִׁבְעָה אֵילִם שְׁנָיִם כְּבָשִׂים בְּנֵי־שָׁנָה אַרְבָּעָה
לג עָשָׂר תְּמִימִם: וּמִנְחָתָם וְנִסְכֵּהֶם לַפָּרִים לָאֵילִם וְלַכְּבָשִׂים
לד בְּמִסְפָּרָם כְּמִשְׁפָּטָם: וּשְׂעִיר חַטָּאת אֶחָד מִלְּבַד עֹלַת הַתָּמִיד

לה מִנְחָתָהּ וְנִסְכָּהּ׃ בַּיּוֹם הַשְּׁמִינִי עֲצֶרֶת תִּהְיֶה — מפטיר מוסף שְׁמִינִי עֲצֶרֶת:
לו לָכֶם כָּל־מְלֶאכֶת עֲבֹדָה לֹא תַעֲשׂוּ׃ וְהִקְרַבְתֶּם עֹלָה אִשֵּׁה רֵיחַ
נִיחֹחַ לַיהוָה פַּר אֶחָד אַיִל אֶחָד כְּבָשִׂים בְּנֵי־שָׁנָה שִׁבְעָה
לז תְּמִימִם׃ מִנְחָתָם וְנִסְכֵּיהֶם לַפָּר לָאַיִל וְלַכְּבָשִׂים בְּמִסְפָּרָם
לח כַּמִּשְׁפָּט׃ וּשְׂעִיר חַטָּאת אֶחָד מִלְּבַד עֹלַת הַתָּמִיד וּמִנְחָתָהּ
לט וְנִסְכָּהּ׃ אֵלֶּה תַּעֲשׂוּ לַיהוָה בְּמוֹעֲדֵיכֶם לְבַד מִנִּדְרֵיכֶם
וְנִדְבֹתֵיכֶם לְעֹלֹתֵיכֶם וּלְמִנְחֹתֵיכֶם וּלְנִסְכֵּיכֶם וּלְשַׁלְמֵיכֶם׃
ל א וַיֹּאמֶר מֹשֶׁה אֶל־בְּנֵי יִשְׂרָאֵל כְּכֹל אֲשֶׁר־צִוָּה יְהוָה אֶת־
מֹשֶׁה׃
ב וַיְדַבֵּר מֹשֶׁה אֶל־רָאשֵׁי הַמַּטּוֹת לִבְנֵי יִשְׂרָאֵל לֵאמֹר זֶה הַדָּבָר — מטות פָּרָשַׁת נְדָרִים:
ג אֲשֶׁר צִוָּה יְהוָה׃ אִישׁ כִּי־יִדֹּר נֶדֶר לַיהוָה אוֹ־הִשָּׁבַע שְׁבֻעָה
לֶאְסֹר אִסָּר עַל־נַפְשׁוֹ לֹא יַחֵל דְּבָרוֹ כְּכָל־הַיֹּצֵא מִפִּיו יַעֲשֶׂה׃
ד וְאִשָּׁה כִּי־תִדֹּר נֶדֶר לַיהוָה וְאָסְרָה אִסָּר בְּבֵית אָבִיהָ בִּנְעֻרֶיהָ׃ — נִדְרֵי נַעֲרָה בְּבֵית אָבִיהָ:
ה וְשָׁמַע אָבִיהָ אֶת־נִדְרָהּ וֶאֱסָרָהּ אֲשֶׁר אָסְרָה עַל־נַפְשָׁהּ
וְהֶחֱרִישׁ לָהּ אָבִיהָ וְקָמוּ כָּל־נְדָרֶיהָ וְכָל־אִסָּר אֲשֶׁר־אָסְרָה
ו עַל־נַפְשָׁהּ יָקוּם׃ וְאִם־הֵנִיא אָבִיהָ אֹתָהּ בְּיוֹם שָׁמְעוֹ כָּל־
נְדָרֶיהָ וֶאֱסָרֶיהָ אֲשֶׁר־אָסְרָה עַל־נַפְשָׁהּ לֹא יָקוּם וַיהוָה יִסְלַח־
ז לָהּ כִּי־הֵנִיא אָבִיהָ אֹתָהּ׃ וְאִם־הָיוֹ תִהְיֶה לְאִישׁ וּנְדָרֶיהָ — נֶדֶר נַעֲרָה מְאֹרָסָה:
ח עָלֶיהָ אוֹ מִבְטָא שְׂפָתֶיהָ אֲשֶׁר אָסְרָה עַל־נַפְשָׁהּ׃ וְשָׁמַע
אִישָׁהּ בְּיוֹם שָׁמְעוֹ וְהֶחֱרִישׁ לָהּ וְקָמוּ נְדָרֶיהָ וֶאֱסָרָהּ אֲשֶׁר־
ט אָסְרָה עַל־נַפְשָׁהּ יָקֻמוּ׃ וְאִם בְּיוֹם שְׁמֹעַ אִישָׁהּ יָנִיא אוֹתָהּ
וְהֵפֵר אֶת־נִדְרָהּ אֲשֶׁר עָלֶיהָ וְאֵת מִבְטָא שְׂפָתֶיהָ אֲשֶׁר אָסְרָה — נִדְרֵי אַלְמָנָה וּגְרוּשָׁה, וְנִדְרֵי אִשָּׁה נְשׂוּאָה:
י עַל־נַפְשָׁהּ וַיהוָה יִסְלַח־לָהּ׃ וְנֵדֶר אַלְמָנָה וּגְרוּשָׁה כֹּל אֲשֶׁר־
יא אָסְרָה עַל־נַפְשָׁהּ יָקוּם עָלֶיהָ׃ וְאִם־בֵּית אִישָׁהּ נָדָרָה אוֹ־
יב אָסְרָה אִסָּר עַל־נַפְשָׁהּ בִּשְׁבֻעָה׃ וְשָׁמַע אִישָׁהּ וְהֶחֱרִשׁ לָהּ

לֹא הֵנִיא אֹתָהּ וְקָמוּ כָּל־נְדָרֶיהָ וְכָל־אִסָּר אֲשֶׁר־אָסְרָה
יג עַל־נַפְשָׁהּ יָקוּם׃ וְאִם־הָפֵר יָפֵר אֹתָם ׀ אִישָׁהּ בְּיוֹם שָׁמְעוֹ
כָּל־מוֹצָא שְׂפָתֶיהָ לִנְדָרֶיהָ וּלְאִסַּר נַפְשָׁהּ לֹא יָקוּם אִישָׁהּ
יד הֲפֵרָם וַיהוָה יִסְלַח־לָהּ׃ כָּל־נֵדֶר וְכָל־שְׁבֻעַת אִסָּר לְעַנֹּת נָפֶשׁ
טו אִישָׁהּ יְקִימֶנּוּ וְאִישָׁהּ יְפֵרֶנּוּ׃ וְאִם־הַחֲרֵשׁ יַחֲרִישׁ לָהּ
אִישָׁהּ מִיּוֹם אֶל־יוֹם וְהֵקִים אֶת־כָּל־נְדָרֶיהָ אוֹ אֶת־כָּל־
אֱסָרֶיהָ אֲשֶׁר עָלֶיהָ הֵקִים אֹתָם כִּי־הֶחֱרִשׁ לָהּ בְּיוֹם שָׁמְעוֹ׃
טז יז וְאִם־הָפֵר יָפֵר אֹתָם אַחֲרֵי שָׁמְעוֹ וְנָשָׂא אֶת־עֲוֺנָהּ׃ אֵלֶּה הַחֻקִּים
אֲשֶׁר צִוָּה יְהוָה אֶת־מֹשֶׁה בֵּין אִישׁ לְאִשְׁתּוֹ בֵּין־אָב לְבִתּוֹ
בִּנְעֻרֶיהָ בֵּית אָבִיהָ׃

לא א ב וַיְדַבֵּר יְהוָה אֶל־מֹשֶׁה לֵּאמֹר׃ נְקֹם נִקְמַת בְּנֵי יִשְׂרָאֵל מֵאֵת
ג הַמִּדְיָנִים אַחַר תֵּאָסֵף אֶל־עַמֶּיךָ׃ וַיְדַבֵּר מֹשֶׁה אֶל־הָעָם לֵאמֹר
הֵחָלְצוּ מֵאִתְּכֶם אֲנָשִׁים לַצָּבָא וְיִהְיוּ עַל־מִדְיָן לָתֵת נִקְמַת־
ד יְהוָה בְּמִדְיָן׃ אֶלֶף לַמַּטֶּה אֶלֶף לַמַּטֶּה לְכֹל מַטּוֹת יִשְׂרָאֵל
ה תִּשְׁלְחוּ לַצָּבָא׃ וַיִּמָּסְרוּ מֵאַלְפֵי יִשְׂרָאֵל אֶלֶף לַמַּטֶּה שְׁנֵים־עָשָׂר
ו אֶלֶף חֲלוּצֵי צָבָא׃ וַיִּשְׁלַח אֹתָם מֹשֶׁה אֶלֶף לַמַּטֶּה לַצָּבָא אֹתָם
וְאֶת־פִּינְחָס בֶּן־אֶלְעָזָר הַכֹּהֵן לַצָּבָא וּכְלֵי הַקֹּדֶשׁ וַחֲצֹצְרוֹת
ז הַתְּרוּעָה בְּיָדוֹ׃ וַיִּצְבְּאוּ עַל־מִדְיָן כַּאֲשֶׁר צִוָּה יְהוָה אֶת־מֹשֶׁה
ח וַיַּהַרְגוּ כָּל־זָכָר׃ וְאֶת־מַלְכֵי מִדְיָן הָרְגוּ עַל־חַלְלֵיהֶם אֶת־אֱוִי
וְאֶת־רֶקֶם וְאֶת־צוּר וְאֶת־חוּר וְאֶת־רֶבַע חֲמֵשֶׁת מַלְכֵי מִדְיָן
ט וְאֵת בִּלְעָם בֶּן־בְּעוֹר הָרְגוּ בֶּחָרֶב׃ וַיִּשְׁבּוּ בְנֵי־יִשְׂרָאֵל אֶת־נְשֵׁי
מִדְיָן וְאֶת־טַפָּם וְאֵת כָּל־בְּהֶמְתָּם וְאֶת־כָּל־מִקְנֵהֶם וְאֶת־כָּל־
י חֵילָם בָּזָזוּ׃ וְאֵת כָּל־עָרֵיהֶם בְּמוֹשְׁבֹתָם וְאֵת כָּל־טִירֹתָם שָׂרְפוּ
יא בָּאֵשׁ׃ וַיִּקְחוּ אֶת־כָּל־הַשָּׁלָל וְאֵת כָּל־הַמַּלְקוֹחַ בָּאָדָם
יב וּבַבְּהֵמָה׃ וַיָּבִאוּ אֶל־מֹשֶׁה וְאֶל־אֶלְעָזָר הַכֹּהֵן וְאֶל־

שני
נִקְמַת יִשְׂרָאֵל בַּמִּדְיָנִים:

הֲרִיגַת מַלְכֵי מִדְיָן וּבִזָּתָם:

עֲדַ֥ת בְּנֵֽי־יִשְׂרָאֵ֖ל אֶת־הַשְּׁבִ֥י וְאֶת־הַמַּלְק֖וֹחַ וְאֶת־הַשָּׁלָ֑ל אֶל־
יג הַֽמַּחֲנֶ֔ה אֶל־עַֽרְבֹ֣ת מוֹאָ֔ב אֲשֶׁ֖ר עַל־יַרְדֵּ֥ן יְרֵחֽוֹ׃ וַ֠יֵּצְא֠וּ שלישי /שני/
מֹשֶׁ֨ה וְאֶלְעָזָ֧ר הַכֹּהֵ֛ן וְכָל־נְשִׂיאֵ֥י הָעֵדָ֖ה לִקְרָאתָ֑ם אֶל־מִח֖וּץ הַצִּוּוּי לַהֲרֹג הַנָּשִׁים וְהַטַּף:
יד לַֽמַּחֲנֶֽה׃ וַיִּקְצֹ֣ף מֹשֶׁ֔ה עַ֖ל פְּקוּדֵ֣י הֶחָ֑יִל שָׂרֵ֤י הָאֲלָפִים֙ וְשָׂרֵ֣י הַמֵּא֔וֹת
טו הַבָּאִ֖ים מִצְּבָ֥א הַמִּלְחָמָֽה׃ וַיֹּ֥אמֶר אֲלֵיהֶ֖ם מֹשֶׁ֑ה הַֽחִיִּיתֶ֖ם כָּל־
טז נְקֵבָֽה׃ הֵ֣ן הֵ֜נָּה הָי֨וּ לִבְנֵ֤י יִשְׂרָאֵל֙ בִּדְבַ֣ר בִּלְעָ֔ם לִמְסָר־מַ֥עַל בַּֽיהוָ֖ה
יז עַל־דְּבַר־פְּע֑וֹר וַתְּהִ֥י הַמַּגֵּפָ֖ה בַּעֲדַ֥ת יְהוָֽה׃ וְעַתָּ֕ה הִרְג֥וּ כָל־זָכָ֖ר
יח בַּטָּ֑ף וְכָל־אִשָּׁ֗ה יֹדַ֥עַת אִ֛ישׁ לְמִשְׁכַּ֥ב זָכָ֖ר הֲרֹֽגוּ׃ וְכֹל֙ הַטַּ֣ף בַּנָּשִׁ֔ים
יט אֲשֶׁ֥ר לֹא־יָדְע֖וּ מִשְׁכַּ֣ב זָכָ֑ר הַחֲי֖וּ לָכֶֽם׃ וְאַתֶּ֗ם חֲנ֛וּ מִח֥וּץ לַֽמַּחֲנֶ֖ה טָהֳרַת הָאֲנָשִׁים וְהַכֵּלִים הַטְּמֵאִים:
שִׁבְעַ֣ת יָמִ֑ים כֹּל֩ הֹרֵ֨ג נֶ֜פֶשׁ וְכֹ֣ל ׀ נֹגֵ֣עַ בֶּֽחָלָ֗ל תִּֽתְחַטְּא֞וּ בַּיּ֤וֹם
כ הַשְּׁלִישִׁי֙ וּבַיּ֣וֹם הַשְּׁבִיעִ֔י אַתֶּ֖ם וּשְׁבִיכֶֽם׃ וְכָל־בֶּ֛גֶד וְכָל־כְּלִי־ע֖וֹר
כא וְכָל־מַעֲשֵׂ֥ה עִזִּ֛ים וְכָל־כְּלִי־עֵ֖ץ תִּתְחַטָּֽאוּ׃ וַיֹּ֨אמֶר דִּינֵי הַגְעָלַת כֵּלִים:
אֶלְעָזָ֤ר הַכֹּהֵן֙ אֶל־אַנְשֵׁ֣י הַצָּבָ֔א הַבָּאִ֖ים לַמִּלְחָמָ֑ה זֹ֚את חֻקַּ֣ת
כב הַתּוֹרָ֔ה אֲשֶׁר־צִוָּ֥ה יְהוָ֖ה אֶת־מֹשֶֽׁה׃ אַ֥ךְ אֶת־הַזָּהָ֖ב וְאֶת־הַכָּ֑סֶף
כג אֶת־הַנְּחֹ֙שֶׁת֙ אֶת־הַבַּרְזֶ֔ל אֶֽת־הַבְּדִ֖יל וְאֶת־הָעֹפָֽרֶת׃ כָּל־דָּבָ֞ר
אֲשֶׁר־יָבֹ֣א בָאֵ֗שׁ תַּעֲבִ֤ירוּ בָאֵשׁ֙ וְטָהֵ֔ר אַ֕ךְ בְּמֵ֥י נִדָּ֖ה יִתְחַטָּ֑א וְכֹ֨ל
כד אֲשֶׁ֧ר לֹא־יָבֹ֛א בָּאֵ֖שׁ תַּעֲבִ֥ירוּ בַמָּֽיִם׃ וְכִבַּסְתֶּ֥ם בִּגְדֵיכֶ֛ם בַּיּ֥וֹם
כה הַשְּׁבִיעִ֖י וּטְהַרְתֶּ֑ם וְאַחַ֖ר תָּבֹ֥אוּ אֶל־הַֽמַּחֲנֶֽה׃ וַיֹּ֥אמֶר רביעי צַו חֲלֻקַּת הַשָּׁלָל וַהֲרָמַת הַמֶּכֶס:
כו יְהוָ֖ה אֶל־מֹשֶׁ֥ה לֵּאמֹֽר׃ שָׂ֗א אֵ֣ת רֹ֤אשׁ מַלְק֙וֹחַ֙ הַשְּׁבִ֔י בָּאָדָ֖ם
כז וּבַבְּהֵמָ֑ה אַתָּה֙ וְאֶלְעָזָ֣ר הַכֹּהֵ֔ן וְרָאשֵׁ֖י אֲב֥וֹת הָעֵדָֽה׃ וְחָצִ֙יתָ֙
אֶת־הַמַּלְק֔וֹחַ בֵּ֚ין תֹּפְשֵׂ֣י הַמִּלְחָמָ֔ה הַיֹּצְאִ֖ים לַצָּבָ֑א וּבֵ֖ין
כח כָּל־הָעֵדָֽה׃ וַהֲרֵמֹתָ֨ מֶ֜כֶס לַֽיהוָ֗ה מֵאֵ֞ת אַנְשֵׁ֤י הַמִּלְחָמָה֙ הַיֹּצְאִ֣ים
לַצָּבָ֔א אֶחָ֣ד נֶ֔פֶשׁ מֵחֲמֵ֖שׁ הַמֵּא֑וֹת מִן־הָֽאָדָם֙ וּמִן־הַבָּקָ֔ר וּמִן־
כט הַחֲמֹרִ֖ים וּמִן־הַצֹּֽאן׃ מִמַּחֲצִיתָ֖ם תִּקָּ֑חוּ וְנָתַתָּ֛ה לְאֶלְעָזָ֥ר הַכֹּהֵ֖ן
ל תְּרוּמַ֥ת יְהוָֽה׃ וּמִמַּחֲצִ֨ת בְּנֵֽי־יִשְׂרָאֵ֜ל תִּקַּ֣ח ׀ אֶחָ֣ד ׀ אָחֻ֣ז מִן־

הַחֲמִשִּׁים מִן־הָאָדָם מִן־הַבָּקָר מִן־הַחֲמֹרִים וּמִן־הַצֹּאן מִכָּל־
לא הַבְּהֵמָה וְנָתַתָּה אֹתָם לַלְוִיִּם שֹׁמְרֵי מִשְׁמֶרֶת מִשְׁכַּן יְהוָה: וַיַּעַשׂ
פֵּרוּט הַשָּׁלָל:
לב מֹשֶׁה וְאֶלְעָזָר הַכֹּהֵן כַּאֲשֶׁר צִוָּה יְהוָה אֶת־מֹשֶׁה: וַיְהִי הַמַּלְקוֹחַ
יֶתֶר הַבָּז אֲשֶׁר בָּזְזוּ עַם הַצָּבָא צֹאן שֵׁשׁ־מֵאוֹת אֶלֶף וְשִׁבְעִים
לג לד אֶלֶף וַחֲמֵשֶׁת אֲלָפִים: וּבָקָר שְׁנַיִם וְשִׁבְעִים אָלֶף: וַחֲמֹרִים אֶחָד
לה וְשִׁשִּׁים אָלֶף: וְנֶפֶשׁ אָדָם מִן־הַנָּשִׁים אֲשֶׁר לֹא־יָדְעוּ מִשְׁכַּב
חֵלֶק יוֹצְאֵי הַצָּבָא וְהַמֶּכֶס:
לו זָכָר כָּל־נֶפֶשׁ שְׁנַיִם וּשְׁלֹשִׁים אָלֶף: וַתְּהִי הַמֶּחֱצָה חֵלֶק הַיֹּצְאִים
בַּצָּבָא מִסְפַּר הַצֹּאן שְׁלֹשׁ־מֵאוֹת אֶלֶף וּשְׁלֹשִׁים אֶלֶף וְשִׁבְעַת
לז אֲלָפִים וַחֲמֵשׁ מֵאוֹת: וַיְהִי הַמֶּכֶס לַיהוָה מִן־הַצֹּאן שֵׁשׁ מֵאוֹת
לח חָמֵשׁ וְשִׁבְעִים: וְהַבָּקָר שִׁשָּׁה וּשְׁלֹשִׁים אָלֶף וּמִכְסָם לַיהוָה
לט שְׁנַיִם וְשִׁבְעִים: וַחֲמֹרִים שְׁלֹשִׁים אֶלֶף וַחֲמֵשׁ מֵאוֹת וּמִכְסָם
מ לַיהוָה אֶחָד וְשִׁשִּׁים: וְנֶפֶשׁ אָדָם שִׁשָּׁה עָשָׂר אָלֶף וּמִכְסָם לַיהוָה
מא שְׁנַיִם וּשְׁלֹשִׁים נָפֶשׁ: וַיִּתֵּן מֹשֶׁה אֶת־מֶכֶס תְּרוּמַת יְהוָה
חמישי פֵּרוּט חֵלֶק הָעָם:
מב לְאֶלְעָזָר הַכֹּהֵן כַּאֲשֶׁר צִוָּה יְהוָה אֶת־מֹשֶׁה: וּמִמַּחֲצִית בְּנֵי
מג יִשְׂרָאֵל אֲשֶׁר חָצָה מֹשֶׁה מִן־הָאֲנָשִׁים הַצֹּבְאִים: וַתְּהִי מֶחֱצַת
הָעֵדָה מִן־הַצֹּאן שְׁלֹשׁ־מֵאוֹת אֶלֶף וּשְׁלֹשִׁים אֶלֶף שִׁבְעַת
מד מה אֲלָפִים וַחֲמֵשׁ מֵאוֹת: וּבָקָר שִׁשָּׁה וּשְׁלֹשִׁים אָלֶף: וַחֲמֹרִים
מו מז שְׁלֹשִׁים אֶלֶף וַחֲמֵשׁ מֵאוֹת: וְנֶפֶשׁ אָדָם שִׁשָּׁה עָשָׂר אָלֶף: וַיִּקַּח
מֹשֶׁה מִמַּחֲצִת בְּנֵי־יִשְׂרָאֵל אֶת־הָאָחֻז אֶחָד מִן־הַחֲמִשִּׁים
מִן־הָאָדָם וּמִן־הַבְּהֵמָה וַיִּתֵּן אֹתָם לַלְוִיִּם שֹׁמְרֵי מִשְׁמֶרֶת
הַקְרָבַת הַתַּכְשִׁיטִים לְכַפָּרָה:
מח מִשְׁכַּן יְהוָה כַּאֲשֶׁר צִוָּה יְהוָה אֶת־מֹשֶׁה: וַיִּקְרְבוּ אֶל־מֹשֶׁה
הַפְּקֻדִים אֲשֶׁר לְאַלְפֵי הַצָּבָא שָׂרֵי הָאֲלָפִים וְשָׂרֵי הַמֵּאוֹת:
מט וַיֹּאמְרוּ אֶל־מֹשֶׁה עֲבָדֶיךָ נָשְׂאוּ אֶת־רֹאשׁ אַנְשֵׁי הַמִּלְחָמָה אֲשֶׁר
נ בְּיָדֵנוּ וְלֹא־נִפְקַד מִמֶּנּוּ אִישׁ: וַנַּקְרֵב אֶת־קָרְבַּן יְהוָה אִישׁ אֲשֶׁר
מָצָא כְלִי־זָהָב אֶצְעָדָה וְצָמִיד טַבַּעַת עָגִיל וְכוּמָז לְכַפֵּר עַל־

נא נַפְשֹׁתֵינוּ לִפְנֵי יְהוָה׃ וַיִּקַּח מֹשֶׁה וְאֶלְעָזָר הַכֹּהֵן אֶת־הַזָּהָב מֵאִתָּם
נב כֹּל כְּלִי מַעֲשֶׂה׃ וַיְהִי ׀ כָּל־זְהַב הַתְּרוּמָה אֲשֶׁר הֵרִימוּ לַיהוָה שִׁשָּׁה
עָשָׂר אֶלֶף שְׁבַע־מֵאוֹת וַחֲמִשִּׁים שָׁקֶל מֵאֵת שָׂרֵי הָאֲלָפִים וּמֵאֵת
נג נד שָׂרֵי הַמֵּאוֹת׃ אַנְשֵׁי הַצָּבָא בָּזְזוּ אִישׁ לוֹ׃ וַיִּקַּח מֹשֶׁה וְאֶלְעָזָר
הַכֹּהֵן אֶת־הַזָּהָב מֵאֵת שָׂרֵי הָאֲלָפִים וְהַמֵּאוֹת וַיָּבִאוּ אֹתוֹ אֶל־אֹהֶל
מוֹעֵד זִכָּרוֹן לִבְנֵי־יִשְׂרָאֵל לִפְנֵי יְהוָה׃

ששי /שלישי/

לב א וּמִקְנֶה ׀ רַב הָיָה לִבְנֵי רְאוּבֵן וְלִבְנֵי־גָד עָצוּם מְאֹד וַיִּרְאוּ
אֶת־אֶרֶץ יַעְזֵר וְאֶת־אֶרֶץ גִּלְעָד וְהִנֵּה הַמָּקוֹם מְקוֹם מִקְנֶה׃

בַּקָּשַׁת בְּנֵי רְאוּבֵן וְגָד אֶת עֵבֶר הַיַּרְדֵּן:

ב וַיָּבֹאוּ בְנֵי־גָד וּבְנֵי רְאוּבֵן וַיֹּאמְרוּ אֶל־מֹשֶׁה וְאֶל־אֶלְעָזָר הַכֹּהֵן
ג וְאֶל־נְשִׂיאֵי הָעֵדָה לֵאמֹר׃ עֲטָרוֹת וְדִיבֹן וְיַעְזֵר וְנִמְרָה וְחֶשְׁבּוֹן
ד וְאֶלְעָלֵה וּשְׂבָם וּנְבוֹ וּבְעֹן׃ הָאָרֶץ אֲשֶׁר הִכָּה יְהוָה לִפְנֵי עֲדַת
ה יִשְׂרָאֵל אֶרֶץ מִקְנֶה הִוא וְלַעֲבָדֶיךָ מִקְנֶה׃ וַיֹּאמְרוּ
אִם־מָצָאנוּ חֵן בְּעֵינֶיךָ יֻתַּן אֶת־הָאָרֶץ הַזֹּאת לַעֲבָדֶיךָ לַאֲחֻזָּה
ו אַל־תַּעֲבִרֵנוּ אֶת־הַיַּרְדֵּן׃ וַיֹּאמֶר מֹשֶׁה לִבְנֵי־גָד וְלִבְנֵי רְאוּבֵן

תּוֹכַחַת מֹשֶׁה:

ז הַאַחֵיכֶם יָבֹאוּ לַמִּלְחָמָה וְאַתֶּם תֵּשְׁבוּ פֹה׃ וְלָמָּה תנואון תְנִיאוּן
אֶת־לֵב בְּנֵי יִשְׂרָאֵל מֵעֲבֹר אֶל־הָאָרֶץ אֲשֶׁר־נָתַן לָהֶם יְהוָה׃
ח כֹּה עָשׂוּ אֲבֹתֵיכֶם בְּשָׁלְחִי אֹתָם מִקָּדֵשׁ בַּרְנֵעַ לִרְאוֹת אֶת־
ט הָאָרֶץ׃ וַיַּעֲלוּ עַד־נַחַל אֶשְׁכּוֹל וַיִּרְאוּ אֶת־הָאָרֶץ וַיָּנִיאוּ אֶת־לֵב
בְּנֵי יִשְׂרָאֵל לְבִלְתִּי־בֹא אֶל־הָאָרֶץ אֲשֶׁר־נָתַן לָהֶם יְהוָה׃
י יא וַיִּחַר־אַף יְהוָה בַּיּוֹם הַהוּא וַיִּשָּׁבַע לֵאמֹר׃ אִם־יִרְאוּ הָאֲנָשִׁים
הָעֹלִים מִמִּצְרַיִם מִבֶּן עֶשְׂרִים שָׁנָה וָמַעְלָה אֵת הָאֲדָמָה אֲשֶׁר
יב נִשְׁבַּעְתִּי לְאַבְרָהָם לְיִצְחָק וּלְיַעֲקֹב כִּי לֹא־מִלְאוּ אַחֲרָי׃ בִּלְתִּי
כָּלֵב בֶּן־יְפֻנֶּה הַקְּנִזִּי וִיהוֹשֻׁעַ בִּן־נוּן כִּי מִלְאוּ אַחֲרֵי יְהוָה׃
יג וַיִּחַר־אַף יְהוָה בְּיִשְׂרָאֵל וַיְנִעֵם בַּמִּדְבָּר אַרְבָּעִים שָׁנָה עַד־תֹּם
יד כָּל־הַדּוֹר הָעֹשֶׂה הָרַע בְּעֵינֵי יְהוָה׃ וְהִנֵּה קַמְתֶּם תַּחַת אֲבֹתֵיכֶם

תַּרְבּוּת אֲנָשִׁים חַטָּאִים לִסְפּוֹת עוֹד עַל חֲרוֹן אַף־יְהוָה אֶל־
טו יִשְׂרָאֵל: כִּי תְשׁוּבֻן מֵאַחֲרָיו וְיָסַף עוֹד לְהַנִּיחוֹ בַּמִּדְבָּר וְשִׁחַתֶּם
טז לְכָל־הָעָם הַזֶּה: וַיִּגְּשׁוּ אֵלָיו וַיֹּאמְרוּ גִּדְרֹת צֹאן

תְּשׁוּבַת בְּנֵי רְאוּבֵן וּבְנֵי גָד:

יז נִבְנֶה לְמִקְנֵנוּ פֹּה וְעָרִים לְטַפֵּנוּ: וַאֲנַחְנוּ נֵחָלֵץ חֻשִׁים לִפְנֵי בְּנֵי
יִשְׂרָאֵל עַד אֲשֶׁר אִם־הֲבִיאֹנֻם אֶל־מְקוֹמָם וְיָשַׁב טַפֵּנוּ בְּעָרֵי
יח הַמִּבְצָר מִפְּנֵי יֹשְׁבֵי הָאָרֶץ: לֹא נָשׁוּב אֶל־בָּתֵּינוּ עַד הִתְנַחֵל
יט בְּנֵי יִשְׂרָאֵל אִישׁ נַחֲלָתוֹ: כִּי לֹא נִנְחַל אִתָּם מֵעֵבֶר לַיַּרְדֵּן
וָהָלְאָה כִּי בָאָה נַחֲלָתֵנוּ אֵלֵינוּ מֵעֵבֶר הַיַּרְדֵּן מִזְרָחָה:

שביעי /רביעי/

הִתְרַצּוּת מֹשֶׁה וּתְנָאוֹ:

כ וַיֹּאמֶר אֲלֵיהֶם מֹשֶׁה אִם־תַּעֲשׂוּן אֶת־הַדָּבָר הַזֶּה אִם־תֵּחָלְצוּ
כא לִפְנֵי יְהוָה לַמִּלְחָמָה: וְעָבַר לָכֶם כָּל־חָלוּץ אֶת־הַיַּרְדֵּן לִפְנֵי
כב יְהוָה עַד הוֹרִישׁוֹ אֶת־אֹיְבָיו מִפָּנָיו: וְנִכְבְּשָׁה הָאָרֶץ לִפְנֵי יְהוָה
וְאַחַר תָּשֻׁבוּ וִהְיִיתֶם נְקִיִּם מֵיְהוָה וּמִיִּשְׂרָאֵל וְהָיְתָה הָאָרֶץ
כג הַזֹּאת לָכֶם לַאֲחֻזָּה לִפְנֵי יְהוָה: וְאִם־לֹא תַעֲשׂוּן כֵּן הִנֵּה חֲטָאתֶם
כד לַיהוָה וּדְעוּ חַטַּאתְכֶם אֲשֶׁר תִּמְצָא אֶתְכֶם: בְּנוּ־לָכֶם עָרִים
כה לְטַפְּכֶם וּגְדֵרֹת לְצֹנַאֲכֶם וְהַיֹּצֵא מִפִּיכֶם תַּעֲשׂוּ: וַיֹּאמֶר בְּנֵי־גָד
וּבְנֵי רְאוּבֵן אֶל־מֹשֶׁה לֵאמֹר עֲבָדֶיךָ יַעֲשׂוּ כַּאֲשֶׁר אֲדֹנִי מְצַוֶּה:
כו טַפֵּנוּ נָשֵׁינוּ מִקְנֵנוּ וְכָל־בְּהֶמְתֵּנוּ יִהְיוּ־שָׁם בְּעָרֵי הַגִּלְעָד:
כז וַעֲבָדֶיךָ יַעַבְרוּ כָּל־חֲלוּץ צָבָא לִפְנֵי יְהוָה לַמִּלְחָמָה כַּאֲשֶׁר אֲדֹנִי
כח דֹּבֵר: וַיְצַו לָהֶם מֹשֶׁה אֵת אֶלְעָזָר הַכֹּהֵן וְאֵת יְהוֹשֻׁעַ בִּן־נוּן
כט וְאֶת־רָאשֵׁי אֲבוֹת הַמַּטּוֹת לִבְנֵי יִשְׂרָאֵל: וַיֹּאמֶר מֹשֶׁה אֲלֵהֶם
אִם־יַעַבְרוּ בְנֵי־גָד וּבְנֵי־רְאוּבֵן ׀ אִתְּכֶם אֶת־הַיַּרְדֵּן כָּל־חָלוּץ

מִנּוּי אֶלְעָזָר וִיהוֹשֻׁעַ עַל בִּצּוּעַ הַתְּנַאי:

לַמִּלְחָמָה לִפְנֵי יְהוָה וְנִכְבְּשָׁה הָאָרֶץ לִפְנֵיכֶם וּנְתַתֶּם לָהֶם
ל אֶת־אֶרֶץ הַגִּלְעָד לַאֲחֻזָּה: וְאִם־לֹא יַעַבְרוּ חֲלוּצִים אִתְּכֶם
לא וְנֹאחֲזוּ בְתֹכְכֶם בְּאֶרֶץ כְּנָעַן: וַיַּעֲנוּ בְנֵי־גָד וּבְנֵי רְאוּבֵן לֵאמֹר
לב אֵת אֲשֶׁר דִּבֶּר יְהוָה אֶל־עֲבָדֶיךָ כֵּן נַעֲשֶׂה: נַחְנוּ נַעֲבֹר חֲלוּצִים

לב לִפְנֵ֣י יְהוָֹ֔ה אֶ֥רֶץ כְּנַ֖עַן וְאִתָּ֑נוּ אֲחֻזַּ֣ת נַחֲלָתֵ֔נוּ מֵעֵ֖בֶר לַיַּרְדֵּֽן: וַיִּתֵּ֣ן

לָהֶ֣ם ׀ מֹשֶׁ֡ה לִבְנֵי־גָד֩ וְלִבְנֵ֨י רְאוּבֵ֜ן וְלַחֲצִ֣י ׀ שֵׁ֣בֶט ׀ מְנַשֶּׁ֣ה

בֶן־יוֹסֵ֗ף אֶת־מַמְלֶ֨כֶת֙ סִיחֹן֙ מֶ֣לֶךְ הָֽאֱמֹרִ֔י וְאֶת־מַמְלֶ֔כֶת עוֹג֙

עָרֵ֣י בְנֵי־גָ֥ד מֶ֣לֶךְ הַבָּשָׁ֑ן הָאָ֗רֶץ לְעָרֶ֨יהָ֙ בִּגְבֻלֹ֔ת עָרֵ֥י הָאָ֖רֶץ סָבִֽיב: וַיִּבְנ֣וּ

וְרֵאוּבֵֽן: לד בְנֵי־גָ֔ד אֶת־דִּיבֹ֖ן וְאֶת־עֲטָרֹ֑ת וְאֵ֖ת עֲרֹעֵֽר: וְאֶת־עַטְרֹ֥ת שׁוֹפָ֛ן

לה וְאֶת־יַעְזֵ֖ר וְיָגְבֳּהָֽה: וְאֶת־בֵּ֥ית נִמְרָ֖ה וְאֶת־בֵּ֣ית הָרָ֑ן עָרֵ֥י מִבְצָ֖ר

לו וְגִדְרֹ֣ת צֹ֑אן: וּבְנֵ֣י רְאוּבֵ֗ן בָּנוּ֙ אֶת־חֶשְׁבּ֔וֹן וְאֶת־אֶלְעָלֵ֖א וְאֵ֥ת

לח קִרְיָתָֽיִם: וְאֶת־נְב֞וֹ וְאֶת־בַּ֣עַל מְע֗וֹן מֽוּסַבֹּ֥ת שֵׁ֖ם וְאֶת־שִׂבְמָ֑ה

כִּבּ֖וּשׁ בְּנֵ֥י וַיִּקְרְא֣וּ בְשֵׁמֹ֔ת אֶת־שְׁמ֖וֹת הֶעָרִ֑ים אֲשֶׁ֖ר בָּנֽוּ: וַיֵּ֨לְכ֜וּ בְּנֵ֤י מָכִיר֙

מְנַשֶּֽׁה: לט בֶן־מְנַשֶּׁ֛ה גִּלְעָ֖דָה וַֽיִּלְכְּדֻ֑הָ וַיּ֖וֹרֶשׁ אֶת־הָאֱמֹרִ֥י אֲשֶׁר־בָּֽהּ: וַיִּתֵּ֨ן

מפטיר מ מֹשֶׁ֤ה אֶת־הַגִּלְעָד֙ לְמָכִ֣יר בֶּן־מְנַשֶּׁ֔ה וַיֵּ֖שֶׁב בָּֽהּ: וְיָאִ֣יר בֶּן־

מא מְנַשֶּׁ֗ה הָלַךְ֙ וַיִּלְכֹּ֣ד אֶת־חַוֹּֽתֵיהֶ֔ם וַיִּקְרָ֥א אֶתְהֶ֖ן חַוֹּ֥ת יָאִֽיר: וְנֹ֣בַח

מב הָלַ֔ךְ וַיִּלְכֹּ֥ד אֶת־קְנָ֖ת וְאֶת־בְּנֹתֶ֑יהָ וַיִּקְרָ֧א לָ֦הֿ נֹ֖בַח בִּשְׁמֽוֹ:

מסעי לג א אֵ֜לֶּה מַסְעֵ֣י בְנֵֽי־יִשְׂרָאֵ֗ל אֲשֶׁ֥ר יָצְא֛וּ מֵאֶ֥רֶץ מִצְרַ֖יִם לְצִבְאֹתָ֑ם

הַמַּסָּעוֹת ב בְּיַד־מֹשֶׁ֣ה וְאַהֲרֹֽן: וַיִּכְתֹּ֨ב מֹשֶׁ֜ה אֶת־מוֹצָאֵיהֶ֛ם לְמַסְעֵיהֶ֖ם עַל־פִּ֣י

מִמִּצְרַיִם ג **עַד עַרְבוֹת** יְהוָֹ֑ה וְאֵ֥לֶּה מַסְעֵיהֶ֖ם לְמוֹצָאֵיהֶֽם: וַיִּסְע֤וּ מֵֽרַעְמְסֵס֙ בַּחֹ֣דֶשׁ

מוֹאָב: הָרִאשׁ֔וֹן בַּחֲמִשָּׁ֥ה עָשָׂ֛ר י֖וֹם לַחֹ֣דֶשׁ הָרִאשׁ֑וֹן מִֽמָּחֳרַ֣ת הַפֶּ֗סַח

[2448] יָצְא֤וּ בְנֵֽי־יִשְׂרָאֵל֙ בְּיָ֣ד רָמָ֔ה לְעֵינֵ֖י כָּל־מִצְרָֽיִם: וּמִצְרַ֣יִם

ד מְקַבְּרִ֗ים אֵת֩ אֲשֶׁ֨ר הִכָּ֤ה יְהוָֹה֙ בָּהֶ֔ם כָּל־בְּכ֑וֹר וּבֵאלֹֽהֵיהֶ֔ם עָשָׂ֥ה

ה יְהוָֹ֖ה שְׁפָטִֽים: וַיִּסְע֥וּ בְנֵֽי־יִשְׂרָאֵ֖ל מֵֽרַעְמְסֵ֑ס וַיַּחֲנ֖וּ בְּסֻכֹּֽת: וַיִּסְע֖וּ

ו מִסֻּכֹּ֑ת וַיַּחֲנ֣וּ בְאֵתָ֔ם אֲשֶׁ֖ר בִּקְצֵ֥ה הַמִּדְבָּֽר: וַיִּסְעוּ֙ מֵֽאֵתָ֔ם וַיָּ֜שָׁב

ז עַל־פִּ֣י הַחִירֹ֗ת אֲשֶׁר֙ עַל־פְּנֵ֣י בַּ֣עַל צְפ֔וֹן וַֽיַּחֲנ֖וּ לִפְנֵ֥י מִגְדֹּֽל: וַיִּסְעוּ֙

ח מִפְּנֵ֣י הַֽחִירֹ֔ת וַיַּֽעַבְר֥וּ בְתוֹךְ־הַיָּ֖ם הַמִּדְבָּ֑רָה וַיֵּ֨לְכ֜וּ דֶּ֣רֶךְ שְׁלֹ֤שֶׁת

ט יָמִים֙ בְּמִדְבַּ֣ר אֵתָ֔ם וַֽיַּחֲנ֖וּ בְּמָרָֽה: וַיִּסְעוּ֙ מִמָּרָ֔ה וַיָּבֹ֖אוּ אֵילִ֑מָה

וּבְאֵילִ֗ם שְׁתֵּ֥ים עֶשְׂרֵ֛ה עֵינֹ֥ת מַ֖יִם וְשִׁבְעִ֣ים תְּמָרִ֑ים וַיַּחֲנוּ־שָֽׁם:

שני י יא וַיִּסְעוּ מֵאֵילִם וַיַּחֲנוּ עַל־יַם־סוּף׃ וַיִּסְעוּ מִיַּם־סוּף וַיַּחֲנוּ
יב יג בְּמִדְבַּר־סִין׃ וַיִּסְעוּ מִמִּדְבַּר־סִין וַיַּחֲנוּ בְּדׇפְקָה׃ וַיִּסְעוּ מִדׇּפְקָה
יד וַיַּחֲנוּ בְּאָלוּשׁ׃ וַיִּסְעוּ מֵאָלוּשׁ וַיַּחֲנוּ בִּרְפִידִם וְלֹא־הָיָה שָׁם מַיִם
טו טז לָעָם לִשְׁתּוֹת׃ וַיִּסְעוּ מֵרְפִידִם וַיַּחֲנוּ בְּמִדְבַּר סִינָי׃ וַיִּסְעוּ
יז מִמִּדְבַּר סִינָי וַיַּחֲנוּ בְּקִבְרֹת הַתַּאֲוָה׃ וַיִּסְעוּ מִקִּבְרֹת הַתַּאֲוָה
יח יט וַיַּחֲנוּ בַּחֲצֵרֹת׃ וַיִּסְעוּ מֵחֲצֵרֹת וַיַּחֲנוּ בְּרִתְמָה׃ וַיִּסְעוּ מֵרִתְמָה [2468]
כ כא וַיַּחֲנוּ בְּרִמֹּן פָּרֶץ׃ וַיִּסְעוּ מֵרִמֹּן פָּרֶץ וַיַּחֲנוּ בְּלִבְנָה׃ וַיִּסְעוּ מִלִּבְנָה
כב כג וַיַּחֲנוּ בְּרִסָּה׃ וַיִּסְעוּ מֵרִסָּה וַיַּחֲנוּ בִּקְהֵלָתָה׃ וַיִּסְעוּ מִקְּהֵלָתָה
כד כה וַיַּחֲנוּ בְּהַר־שָׁפֶר׃ וַיִּסְעוּ מֵהַר־שָׁפֶר וַיַּחֲנוּ בַּחֲרָדָה׃ וַיִּסְעוּ
כו כז מֵחֲרָדָה וַיַּחֲנוּ בְּמַקְהֵלֹת׃ וַיִּסְעוּ מִמַּקְהֵלֹת וַיַּחֲנוּ בְּתָחַת׃ וַיִּסְעוּ
כח כט מִתָּחַת וַיַּחֲנוּ בְּתָרַח׃ וַיִּסְעוּ מִתָּרַח וַיַּחֲנוּ בְּמִתְקָה׃ וַיִּסְעוּ
ל לא מִמִּתְקָה וַיַּחֲנוּ בְּחַשְׁמֹנָה׃ וַיִּסְעוּ מֵחַשְׁמֹנָה וַיַּחֲנוּ בְּמֹסֵרוֹת׃ וַיִּסְעוּ
לב מִמֹּסֵרוֹת וַיַּחֲנוּ בִּבְנֵי יַעֲקָן׃ וַיִּסְעוּ מִבְּנֵי יַעֲקָן וַיַּחֲנוּ בְּחֹר הַגִּדְגָּד׃
לג לד וַיִּסְעוּ מֵחֹר הַגִּדְגָּד וַיַּחֲנוּ בְּיׇטְבָתָה׃ וַיִּסְעוּ מִיׇּטְבָתָה וַיַּחֲנוּ
לה לו בְּעַבְרֹנָה׃ וַיִּסְעוּ מֵעַבְרֹנָה וַיַּחֲנוּ בְּעֶצְיֹן גָּבֶר׃ וַיִּסְעוּ מֵעֶצְיֹן גָּבֶר
לז וַיַּחֲנוּ בְמִדְבַּר־צִן הִוא קָדֵשׁ׃ וַיִּסְעוּ מִקָּדֵשׁ וַיַּחֲנוּ בְּהֹר הָהָר בִּקְצֵה
לח אֶרֶץ אֱדוֹם׃ וַיַּעַל אַהֲרֹן הַכֹּהֵן אֶל־הֹר הָהָר עַל־פִּי יְהוָה וַיָּמׇת [2488]
שָׁם בִּשְׁנַת הָאַרְבָּעִים לְצֵאת בְּנֵי־יִשְׂרָאֵל מֵאֶרֶץ מִצְרַיִם בַּחֹדֶשׁ
לט הַחֲמִישִׁי בְּאֶחָד לַחֹדֶשׁ׃ וְאַהֲרֹן בֶּן־שָׁלֹשׁ וְעֶשְׂרִים וּמְאַת שָׁנָה
מ בְּמֹתוֹ בְּהֹר הָהָר׃ וַיִּשְׁמַע הַכְּנַעֲנִי מֶלֶךְ עֲרָד וְהוּא־
מא יֹשֵׁב בַּנֶּגֶב בְּאֶרֶץ כְּנָעַן בְּבֹא בְּנֵי יִשְׂרָאֵל׃ וַיִּסְעוּ מֵהֹר הָהָר וַיַּחֲנוּ
מב מג בְּצַלְמֹנָה׃ וַיִּסְעוּ מִצַּלְמֹנָה וַיַּחֲנוּ בְּפוּנֹן׃ וַיִּסְעוּ מִפּוּנֹן וַיַּחֲנוּ
מד מה בְּאֹבֹת׃ וַיִּסְעוּ מֵאֹבֹת וַיַּחֲנוּ בְּעִיֵּי הָעֲבָרִים בִּגְבוּל מוֹאָב׃ וַיִּסְעוּ
מו מֵעִיִּים וַיַּחֲנוּ בְּדִיבֹן גָּד׃ וַיִּסְעוּ מִדִּיבֹן גָּד וַיַּחֲנוּ בְּעַלְמֹן
מז דִּבְלָתָיְמָה׃ וַיִּסְעוּ מֵעַלְמֹן דִּבְלָתָיְמָה וַיַּחֲנוּ בְּהָרֵי הָעֲבָרִים לִפְנֵי

מח נְבוֹ: וַיִּסְעוּ מֵהָרֵי הָעֲבָרִים וַיַּחֲנוּ בְּעַרְבֹת מוֹאָב עַל יַרְדֵּן יְרֵחוֹ:
מט וַיַּחֲנוּ עַל־הַיַּרְדֵּן מִבֵּית הַיְשִׁמֹת עַד אָבֵל הַשִּׁטִּים בְּעַרְבֹת
נ מוֹאָב: וַיְדַבֵּר יְהוָה אֶל־מֹשֶׁה | שלישי /חמישי/
נא בְּעַרְבֹת מוֹאָב עַל־יַרְדֵּן יְרֵחוֹ לֵאמֹר: דַּבֵּר אֶל־בְּנֵי יִשְׂרָאֵל
וְאָמַרְתָּ אֲלֵהֶם כִּי אַתֶּם עֹבְרִים אֶת־הַיַּרְדֵּן אֶל־אֶרֶץ כְּנָעַן: | צווי ירשת הארץ ואבוד עבודה זרה:
נב וְהוֹרַשְׁתֶּם אֶת־כָּל־יֹשְׁבֵי הָאָרֶץ מִפְּנֵיכֶם וְאִבַּדְתֶּם אֵת כָּל־
מַשְׂכִּיֹּתָם וְאֵת כָּל־צַלְמֵי מַסֵּכֹתָם תְּאַבֵּדוּ וְאֵת כָּל־בָּמוֹתָם
נג תַּשְׁמִידוּ: וְהוֹרַשְׁתֶּם אֶת־הָאָרֶץ וִישַׁבְתֶּם־בָּהּ כִּי לָכֶם נָתַתִּי
נד אֶת־הָאָרֶץ לָרֶשֶׁת אֹתָהּ: וְהִתְנַחַלְתֶּם אֶת־הָאָרֶץ בְּגוֹרָל
לְמִשְׁפְּחֹתֵיכֶם לָרַב תַּרְבּוּ אֶת־נַחֲלָתוֹ וְלַמְעַט תַּמְעִיט אֶת־
נַחֲלָתוֹ אֶל אֲשֶׁר־יֵצֵא לוֹ שָׁמָּה הַגּוֹרָל לוֹ יִהְיֶה לְמַטּוֹת
נה אֲבֹתֵיכֶם תִּתְנֶחָלוּ: וְאִם־לֹא תוֹרִישׁוּ אֶת־יֹשְׁבֵי הָאָרֶץ מִפְּנֵיכֶם | אזהרה מהשלכה עם הכנענים:
וְהָיָה אֲשֶׁר תּוֹתִירוּ מֵהֶם לְשִׂכִּים בְּעֵינֵיכֶם וְלִצְנִינִם בְּצִדֵּיכֶם
נו וְצָרְרוּ אֶתְכֶם עַל־הָאָרֶץ אֲשֶׁר אַתֶּם יֹשְׁבִים בָּהּ: וְהָיָה כַּאֲשֶׁר
דִּמִּיתִי לַעֲשׂוֹת לָהֶם אֶעֱשֶׂה לָכֶם:

לד א וַיְדַבֵּר יְהוָה אֶל־מֹשֶׁה לֵּאמֹר: ב צַו אֶת־בְּנֵי יִשְׂרָאֵל וְאָמַרְתָּ | גבולות הארץ:
אֲלֵהֶם כִּי־אַתֶּם בָּאִים אֶל־הָאָרֶץ כְּנָעַן זֹאת הָאָרֶץ אֲשֶׁר תִּפֹּל
ג לָכֶם בְּנַחֲלָה אֶרֶץ כְּנַעַן לִגְבֻלֹתֶיהָ: וְהָיָה לָכֶם פְּאַת־נֶגֶב
מִמִּדְבַּר־צִן עַל־יְדֵי אֱדוֹם וְהָיָה לָכֶם גְּבוּל נֶגֶב מִקְצֵה יָם־הַמֶּלַח
ד קֵדְמָה: וְנָסַב לָכֶם הַגְּבוּל מִנֶּגֶב לְמַעֲלֵה עַקְרַבִּים וְעָבַר צִנָה
והיה וְהָיוּ תּוֹצְאֹתָיו מִנֶּגֶב לְקָדֵשׁ בַּרְנֵעַ וְיָצָא חֲצַר־אַדָּר וְעָבַר
ה עַצְמֹנָה: וְנָסַב הַגְּבוּל מֵעַצְמוֹן נַחְלָה מִצְרָיִם וְהָיוּ תוֹצְאֹתָיו
ו הַיָּמָּה: וּגְבוּל יָם וְהָיָה לָכֶם הַיָּם הַגָּדוֹל וּגְבוּל זֶה־יִהְיֶה לָכֶם
ז גְּבוּל יָם: וְזֶה־יִהְיֶה לָכֶם גְּבוּל צָפוֹן מִן־הַיָּם הַגָּדֹל תְּתָאוּ לָכֶם
ח הֹר הָהָר: מֵהֹר הָהָר תְּתָאוּ לְבֹא חֲמָת וְהָיוּ תּוֹצְאֹת הַגְּבֻל צְדָדָה:

ט וְיָצָא הַגְּבֻל זִפְרֹנָה וְהָיוּ תוֹצְאֹתָיו חֲצַר עֵינָן זֶה־יִהְיֶה לָכֶם
י גְּבוּל צָפוֹן: וְהִתְאַוִּיתֶם לָכֶם לִגְבוּל קֵדְמָה מֵחֲצַר עֵינָן שְׁפָמָה:
יא וְיָרַד הַגְּבֻל מִשְּׁפָם הָרִבְלָה מִקֶּדֶם לָעָיִן וְיָרַד הַגְּבֻל וּמָחָה
יב עַל־כֶּתֶף יָם־כִּנֶּרֶת קֵדְמָה: וְיָרַד הַגְּבוּל הַיַּרְדֵּנָה וְהָיוּ תוֹצְאֹתָיו
יג יָם הַמֶּלַח זֹאת תִּהְיֶה לָכֶם הָאָרֶץ לִגְבֻלֹתֶיהָ סָבִיב: וַיְצַו מֹשֶׁה
אֶת־בְּנֵי יִשְׂרָאֵל לֵאמֹר זֹאת הָאָרֶץ אֲשֶׁר תִּתְנַחֲלוּ אֹתָהּ בְּגוֹרָל
יד אֲשֶׁר צִוָּה יְהוָה לָתֵת לְתִשְׁעַת הַמַּטּוֹת וַחֲצִי הַמַּטֶּה: כִּי לָקְחוּ
מַטֵּה בְנֵי הָרְאוּבֵנִי לְבֵית אֲבֹתָם וּמַטֵּה בְנֵי־הַגָּדִי לְבֵית אֲבֹתָם
טו וַחֲצִי מַטֵּה מְנַשֶּׁה לָקְחוּ נַחֲלָתָם: שְׁנֵי הַמַּטּוֹת וַחֲצִי הַמַּטֶּה
לָקְחוּ נַחֲלָתָם מֵעֵבֶר לְיַרְדֵּן יְרֵחוֹ קֵדְמָה מִזְרָחָה:

טז יז וַיְדַבֵּר יְהוָה אֶל־מֹשֶׁה לֵּאמֹר: אֵלֶּה שְׁמוֹת הָאֲנָשִׁים אֲשֶׁר־יִנְחֲלוּ רביעי /ששי/
יח לָכֶם אֶת־הָאָרֶץ אֶלְעָזָר הַכֹּהֵן וִיהוֹשֻׁעַ בִּן־נוּן: וְנָשִׂיא אֶחָד שְׁמוֹת
יט נָשִׂיא אֶחָד מִמַּטֶּה תִּקְחוּ לִנְחֹל אֶת־הָאָרֶץ: וְאֵלֶּה שְׁמוֹת מַנְחִילֵי הָאָרֶץ:
כ הָאֲנָשִׁים לְמַטֵּה יְהוּדָה כָּלֵב בֶּן־יְפֻנֶּה: וּלְמַטֵּה בְּנֵי שִׁמְעוֹן
כא כב שְׁמוּאֵל בֶּן־עַמִּיהוּד: לְמַטֵּה בִנְיָמִן אֱלִידָד בֶּן־כִּסְלוֹן: וּלְמַטֵּה
כג בְנֵי־דָן נָשִׂיא בֻּקִּי בֶּן־יָגְלִי: לִבְנֵי יוֹסֵף לְמַטֵּה בְנֵי־מְנַשֶּׁה נָשִׂיא
כד חַנִּיאֵל בֶּן־אֵפֹד: וּלְמַטֵּה בְנֵי־אֶפְרַיִם נָשִׂיא קְמוּאֵל בֶּן־שִׁפְטָן:
כה כו וּלְמַטֵּה בְנֵי־זְבוּלֻן נָשִׂיא אֱלִיצָפָן בֶּן־פַּרְנָךְ: וּלְמַטֵּה בְנֵי־יִשָּׂשכָר
כז נָשִׂיא פַּלְטִיאֵל בֶּן־עַזָּן: וּלְמַטֵּה בְנֵי־אָשֵׁר נָשִׂיא אֲחִיהוּד בֶּן־
כח כט שְׁלֹמִי: וּלְמַטֵּה בְנֵי־נַפְתָּלִי נָשִׂיא פְּדַהְאֵל בֶּן־עַמִּיהוּד: אֵלֶּה
אֲשֶׁר צִוָּה יְהוָה לְנַחֵל אֶת־בְּנֵי־יִשְׂרָאֵל בְּאֶרֶץ כְּנָעַן:

לה א ב וַיְדַבֵּר יְהוָה אֶל־מֹשֶׁה בְּעַרְבֹת מוֹאָב עַל־יַרְדֵּן יְרֵחוֹ לֵאמֹר: צַו חמישי
אֶת־בְּנֵי יִשְׂרָאֵל וְנָתְנוּ לַלְוִיִּם מִנַּחֲלַת אֲחֻזָּתָם עָרִים לָשָׁבֶת הַצָּו לְהַפְרָשַׁת
ג וּמִגְרָשׁ לֶעָרִים סְבִיבֹתֵיהֶם תִּתְּנוּ לַלְוִיִּם: וְהָיוּ הֶעָרִים לָהֶם עָרִים לַלְוִיִּם:
לָשָׁבֶת וּמִגְרְשֵׁיהֶם יִהְיוּ לִבְהֶמְתָּם וְלִרְכֻשָׁם וּלְכֹל חַיָּתָם:

ד וּמִגְרְשֵׁי֙ הֶעָרִ֔ים אֲשֶׁ֥ר תִּתְּנ֖וּ לַלְוִיִּ֑ם מִקִּ֤יר הָעִיר֙ וָח֔וּצָה אֶ֥לֶף
ה אַמָּ֖ה סָבִֽיב׃ וּמַדֹּתֶ֞ם מִח֣וּץ לָעִ֗יר אֶת־פְּאַת־קֵ֣דְמָה אַלְפַּ֪יִם
בָּֽאַמָּ֟ה וְאֶת־פְּאַת־נֶ֜גֶב אַלְפַּ֧יִם בָּאַמָּ֗ה וְאֶת־פְּאַת־יָ֣ם ׀ אַלְפַּ֪יִם
בָּֽאַמָּ֟ה וְאֵ֨ת פְּאַ֥ת צָפ֛וֹן אַלְפַּ֥יִם בָּאַמָּ֖ה וְהָעִ֣יר בַּתָּ֑וֶךְ זֶ֚ה יִהְיֶ֣ה
ו לָהֶ֔ם מִגְרְשֵׁ֖י הֶעָרִֽים׃ וְאֵ֣ת הֶעָרִ֗ים אֲשֶׁ֤ר תִּתְּנוּ֙ לַלְוִיִּ֔ם אֵ֚ת
שֵׁשׁ־עָרֵ֣י הַמִּקְלָ֔ט אֲשֶׁ֣ר תִּתְּנ֔וּ לָנֻ֥ס שָׁ֖מָּה הָרֹצֵ֑חַ וַעֲלֵיהֶ֣ם תִּתְּנ֔וּ
ז אַרְבָּעִ֥ים וּשְׁתַּ֖יִם עִֽיר׃ כָּל־הֶֽעָרִ֗ים אֲשֶׁ֤ר תִּתְּנוּ֙ לַלְוִיִּ֔ם אַרְבָּעִ֥ים
ח וּשְׁמֹנֶ֖ה עִ֑יר אֶתְהֶ֖ן וְאֶת־מִגְרְשֵׁיהֶֽן׃ וְהֶעָרִ֗ים אֲשֶׁ֤ר תִּתְּנוּ֙ מֵאֲחֻזַּ֣ת
בְּנֵֽי־יִשְׂרָאֵ֔ל מֵאֵ֤ת הָרַב֙ תַּרְבּ֔וּ וּמֵאֵ֥ת הַמְעַ֖ט תַּמְעִ֑יטוּ אִ֗ישׁ כְּפִ֤י
נַחֲלָתוֹ֙ אֲשֶׁ֣ר יִנְחָ֔לוּ יִתֵּ֥ן מֵעָרָ֖יו לַלְוִיִּֽם׃
ט וַיְדַבֵּ֥ר יְהוָ֖ה אֶל־מֹשֶׁ֥ה לֵּאמֹֽר׃ דַּבֵּר֙ אֶל־בְּנֵ֣י יִשְׂרָאֵ֔ל וְאָמַרְתָּ֖ ששי /שביעי/
יא אֲלֵהֶ֑ם כִּ֥י אַתֶּ֛ם עֹבְרִ֥ים אֶת־הַיַּרְדֵּ֖ן אַ֥רְצָה כְּנָֽעַן׃ וְהִקְרִיתֶ֤ם לָכֶם֙ הַפָּרָשַׁת
עָרִ֔ים עָרֵ֥י מִקְלָ֖ט תִּהְיֶ֣ינָה לָכֶ֑ם וְנָ֥ס שָׁ֙מָּה֙ רֹצֵ֔חַ מַכֵּה־נֶ֖פֶשׁ עָרֵי מִקְלָט:
יב בִּשְׁגָגָֽה׃ וְהָי֨וּ לָכֶ֧ם הֶעָרִ֛ים לְמִקְלָ֖ט מִגֹּאֵ֑ל וְלֹ֤א יָמוּת֙ הָרֹצֵ֔חַ
יג עַד־עָמְד֛וֹ לִפְנֵ֥י הָעֵדָ֖ה לַמִּשְׁפָּֽט׃ וְהֶעָרִ֖ים אֲשֶׁ֣ר תִּתֵּ֑נוּ שֵׁשׁ־עָרֵ֥י
יד מִקְלָ֖ט תִּהְיֶ֥ינָה לָכֶֽם׃ אֵ֣ת ׀ שְׁלֹ֣שׁ הֶעָרִ֗ים תִּתְּנוּ֙ מֵעֵ֣בֶר לַיַּרְדֵּ֔ן
וְאֵת֙ שְׁלֹ֣שׁ הֶֽעָרִ֔ים תִּתְּנ֖וּ בְּאֶ֣רֶץ כְּנָ֑עַן עָרֵ֥י מִקְלָ֖ט תִּהְיֶֽינָה׃
טו לִבְנֵ֨י יִשְׂרָאֵ֜ל וְלַגֵּ֣ר וְלַתּוֹשָׁב֙ בְּתוֹכָ֔ם תִּהְיֶ֛ינָה שֵׁשׁ־הֶעָרִ֥ים
טז הָאֵ֖לֶּה לְמִקְלָ֑ט לָנ֣וּס שָׁ֔מָּה כָּל־מַכֵּה־נֶ֖פֶשׁ בִּשְׁגָגָֽה׃ וְאִם־בִּכְלִ֨י דִּינֵי
יז בַרְזֶ֧ל ׀ הִכָּ֛הוּ וַיָּמֹ֖ת רֹצֵ֣חַ ה֑וּא מ֥וֹת יוּמַ֖ת הָרֹצֵֽחַ׃ וְאִ֡ם בְּאֶ֣בֶן הָרוֹצֵחַ
יָד֩ אֲשֶׁר־יָמ֨וּת בָּ֥הּ הִכָּ֖הוּ וַיָּמֹ֑ת רֹצֵ֣חַ ה֑וּא מ֥וֹת יוּמַ֖ת הָרֹצֵֽחַ׃ בְּמֵזִיד:
יח א֠וֹ בִּכְלִ֨י עֵֽץ־יָ֤ד אֲשֶׁר־יָמוּת֙ בּ֔וֹ הִכָּ֖הוּ וַיָּמֹ֑ת רֹצֵ֣חַ ה֑וּא מ֥וֹת
יט יוּמַ֖ת הָרֹצֵֽחַ׃ גֹּאֵ֣ל הַדָּ֔ם ה֥וּא יָמִ֖ית אֶת־הָרֹצֵ֑חַ בְּפִגְעוֹ־ב֖וֹ ה֥וּא
כ יְמִתֶֽנּוּ׃ וְאִם־בְּשִׂנְאָ֖ה יֶהְדָּפֶ֑נּוּ אֽוֹ־הִשְׁלִ֥יךְ עָלָ֛יו בִּצְדִיָּ֖ה וַיָּמֹֽת׃
כא א֣וֹ בְאֵיבָ֞ה הִכָּ֤הוּ בְיָדוֹ֙ וַיָּמֹ֔ת מֽוֹת־יוּמַ֥ת הַמַּכֶּ֖ה רֹצֵ֣חַ ה֑וּא גֹּאֵ֣ל

כב הַדָּם יָמִית אֶת־הָרֹצֵחַ בְּפִגְעוֹ־בוֹ׃ וְאִם־בְּפֶתַע בְּלֹא־אֵיבָה
כג הֲדָפוֹ אוֹ־הִשְׁלִיךְ עָלָיו כָּל־כְּלִי בְּלֹא צְדִיָּה׃ אוֹ בְכָל־אֶבֶן
אֲשֶׁר־יָמוּת בָּהּ בְּלֹא רְאוֹת וַיַּפֵּל עָלָיו וַיָּמֹת וְהוּא לֹא־אוֹיֵב
כד לוֹ וְלֹא מְבַקֵּשׁ רָעָתוֹ׃ וְשָׁפְטוּ הָעֵדָה בֵּין הַמַּכֶּה וּבֵין גֹּאֵל הַדָּם
כה עַל הַמִּשְׁפָּטִים הָאֵלֶּה׃ וְהִצִּילוּ הָעֵדָה אֶת־הָרֹצֵחַ מִיַּד גֹּאֵל
הַדָּם וְהֵשִׁיבוּ אֹתוֹ הָעֵדָה אֶל־עִיר מִקְלָטוֹ אֲשֶׁר־נָס שָׁמָּה וְיָשַׁב
בָּהּ עַד־מוֹת הַכֹּהֵן הַגָּדֹל אֲשֶׁר־מָשַׁח אֹתוֹ בְּשֶׁמֶן הַקֹּדֶשׁ׃
כו וְאִם־יָצֹא יֵצֵא הָרֹצֵחַ אֶת־גְּבוּל עִיר מִקְלָטוֹ אֲשֶׁר יָנוּס שָׁמָּה׃
כז וּמָצָא אֹתוֹ גֹּאֵל הַדָּם מִחוּץ לִגְבוּל עִיר מִקְלָטוֹ וְרָצַח גֹּאֵל הַדָּם
כח אֶת־הָרֹצֵחַ אֵין לוֹ דָּם׃ כִּי בְעִיר מִקְלָטוֹ יֵשֵׁב עַד־מוֹת הַכֹּהֵן
הַגָּדֹל וְאַחֲרֵי־מוֹת הַכֹּהֵן הַגָּדֹל יָשׁוּב הָרֹצֵחַ אֶל־אֶרֶץ
כט אֲחֻזָּתוֹ׃ וְהָיוּ אֵלֶּה לָכֶם לְחֻקַּת מִשְׁפָּט לְדֹרֹתֵיכֶם בְּכֹל
ל מוֹשְׁבֹתֵיכֶם׃ כָּל־מַכֵּה־נֶפֶשׁ לְפִי עֵדִים יִרְצַח אֶת־הָרֹצֵחַ וְעֵד
לא אֶחָד לֹא־יַעֲנֶה בְנֶפֶשׁ לָמוּת׃ וְלֹא־תִקְחוּ כֹפֶר לְנֶפֶשׁ רֹצֵחַ
לב אֲשֶׁר־הוּא רָשָׁע לָמוּת כִּי־מוֹת יוּמָת׃ וְלֹא־תִקְחוּ כֹפֶר לָנוּס
לג אֶל־עִיר מִקְלָטוֹ לָשׁוּב לָשֶׁבֶת בָּאָרֶץ עַד־מוֹת הַכֹּהֵן׃ וְלֹא־
תַחֲנִיפוּ אֶת־הָאָרֶץ אֲשֶׁר אַתֶּם בָּהּ כִּי הַדָּם הוּא יַחֲנִיף
אֶת־הָאָרֶץ וְלָאָרֶץ לֹא־יְכֻפַּר לַדָּם אֲשֶׁר שֻׁפַּךְ־בָּהּ כִּי־אִם בְּדַם
לד שֹׁפְכוֹ׃ וְלֹא תְטַמֵּא אֶת־הָאָרֶץ אֲשֶׁר אַתֶּם יֹשְׁבִים בָּהּ אֲשֶׁר
אֲנִי שֹׁכֵן בְּתוֹכָהּ כִּי אֲנִי יְהֹוָה שֹׁכֵן בְּתוֹךְ בְּנֵי יִשְׂרָאֵל׃
לו א וַיִּקְרְבוּ רָאשֵׁי הָאָבוֹת לְמִשְׁפַּחַת בְּנֵי־גִלְעָד בֶּן־מָכִיר בֶּן־מְנַשֶּׁה
מִמִּשְׁפְּחֹת בְּנֵי יוֹסֵף וַיְדַבְּרוּ לִפְנֵי מֹשֶׁה וְלִפְנֵי הַנְּשִׂאִים רָאשֵׁי
ב אָבוֹת לִבְנֵי יִשְׂרָאֵל׃ וַיֹּאמְרוּ אֶת־אֲדֹנִי צִוָּה יְהֹוָה לָתֵת אֶת־
הָאָרֶץ בְּנַחֲלָה בְּגוֹרָל לִבְנֵי יִשְׂרָאֵל וַאדֹנִי צֻוָּה בַיהֹוָה לָתֵת
ג אֶת־נַחֲלַת צְלָפְחָד אָחִינוּ לִבְנֹתָיו׃ וְהָיוּ לְאֶחָד מִבְּנֵי שִׁבְטֵי

דִּינֵי הָרוֹצֵחַ בִּשְׁגָגָה:

שִׁיבַת הָרוֹצֵחַ בְּמוֹת הַכֹּהֵן הַגָּדוֹל:

אִסּוּר לְקִיחַת כֹּפֶר מֵהָרוֹצֵחַ:

שביעי

טַעֲנַת בְּנֵי יוֹסֵף לְאִי הַעֲבָרַת נַחֲלָה:

בְּנֵי־יִשְׂרָאֵל לְנָשִׁים וְנִגְרְעָה נַחֲלָתָן מִנַּחֲלַת אֲבֹתֵינוּ וְנוֹסַף עַל
נַחֲלַת הַמַּטֶּה אֲשֶׁר תִּהְיֶינָה לָהֶם וּמִגֹּרַל נַחֲלָתֵנוּ יִגָּרֵעַ׃
ד וְאִם־יִהְיֶה הַיֹּבֵל לִבְנֵי יִשְׂרָאֵל וְנוֹסְפָה נַחֲלָתָן עַל נַחֲלַת הַמַּטֶּה
ה אֲשֶׁר תִּהְיֶינָה לָהֶם וּמִנַּחֲלַת מַטֵּה אֲבֹתֵינוּ יִגָּרַע נַחֲלָתָן׃ וַיְצַו
מֹשֶׁה אֶת־בְּנֵי יִשְׂרָאֵל עַל־פִּי יְהוָה לֵאמֹר כֵּן מַטֵּה בְנֵי־יוֹסֵף
ו דֹּבְרִים׃ זֶה הַדָּבָר אֲשֶׁר־צִוָּה יְהוָה לִבְנוֹת צְלָפְחָד לֵאמֹר לַטּוֹב
בְּעֵינֵיהֶם תִּהְיֶינָה לְנָשִׁים אַךְ לְמִשְׁפַּחַת מַטֵּה אֲבִיהֶם תִּהְיֶינָה
ז לְנָשִׁים׃ וְלֹא־תִסֹּב נַחֲלָה לִבְנֵי יִשְׂרָאֵל מִמַּטֶּה אֶל־מַטֶּה כִּי אִישׁ
ח בְּנַחֲלַת מַטֵּה אֲבֹתָיו יִדְבְּקוּ בְּנֵי יִשְׂרָאֵל׃ וְכָל־בַּת יֹרֶשֶׁת נַחֲלָה
מִמַּטּוֹת בְּנֵי יִשְׂרָאֵל לְאֶחָד מִמִּשְׁפַּחַת מַטֵּה אָבִיהָ תִּהְיֶה לְאִשָּׁה
ט לְמַעַן יִירְשׁוּ בְּנֵי יִשְׂרָאֵל אִישׁ נַחֲלַת אֲבֹתָיו׃ וְלֹא־תִסֹּב נַחֲלָה
מִמַּטֶּה לְמַטֶּה אַחֵר כִּי־אִישׁ בְּנַחֲלָתוֹ יִדְבְּקוּ מַטּוֹת בְּנֵי יִשְׂרָאֵל׃
י יא כַּאֲשֶׁר צִוָּה יְהוָה אֶת־מֹשֶׁה כֵּן עָשׂוּ בְּנוֹת צְלָפְחָד׃ וַתִּהְיֶינָה
מַחְלָה תִרְצָה וְחָגְלָה וּמִלְכָּה וְנֹעָה בְּנוֹת צְלָפְחָד לִבְנֵי דֹדֵיהֶן
יב לְנָשִׁים׃ מִמִּשְׁפְּחֹת בְּנֵי־מְנַשֶּׁה בֶן־יוֹסֵף הָיוּ לְנָשִׁים וַתְּהִי נַחֲלָתָן
יג עַל־מַטֵּה מִשְׁפַּחַת אֲבִיהֶן׃ אֵלֶּה הַמִּצְוֹת וְהַמִּשְׁפָּטִים אֲשֶׁר צִוָּה
יְהוָה בְּיַד־מֹשֶׁה אֶל־בְּנֵי יִשְׂרָאֵל בְּעַרְבֹת מוֹאָב עַל יַרְדֵּן יְרֵחוֹ׃

תְּשׁוּבַת ה׳ לְטַעֲנָתָם וְאִסּוּר הֲסִבַּת הַנַּחֲלָה׃

מפטיר נְשׂוּאֵי בְּנוֹת צְלָפְחָד לִבְנֵי דוֹדֵיהֶן׃

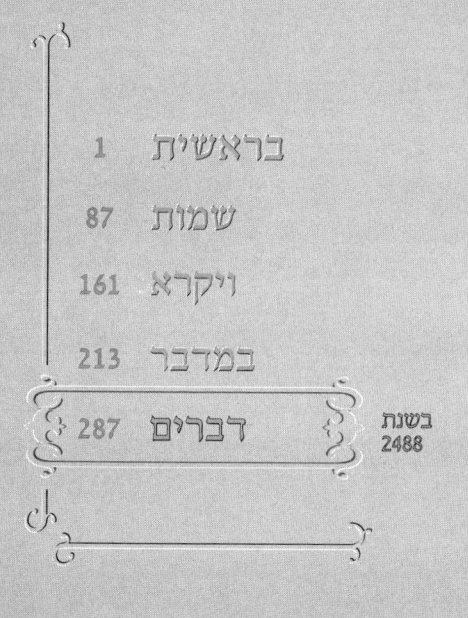

בשנת
2488

דברים

א א אֵלֶּה הַדְּבָרִים אֲשֶׁר דִּבֶּר מֹשֶׁה אֶל־כָּל־יִשְׂרָאֵל בְּעֵבֶר הַיַּרְדֵּן
בַּמִּדְבָּר בָּעֲרָבָה מוֹל סוּף בֵּין־פָּארָן וּבֵין־תֹּפֶל וְלָבָן וַחֲצֵרֹת
ב וְדִי זָהָב: אַחַד עָשָׂר יוֹם מֵחֹרֵב דֶּרֶךְ הַר־שֵׂעִיר עַד קָדֵשׁ
ג בַּרְנֵעַ: וַיְהִי בְּאַרְבָּעִים שָׁנָה בְּעַשְׁתֵּי־עָשָׂר חֹדֶשׁ בְּאֶחָד לַחֹדֶשׁ
דִּבֶּר מֹשֶׁה אֶל־בְּנֵי יִשְׂרָאֵל כְּכֹל אֲשֶׁר צִוָּה יְהוָה אֹתוֹ אֲלֵהֶם:
ד אַחֲרֵי הַכֹּתוֹ אֵת סִיחֹן מֶלֶךְ הָאֱמֹרִי אֲשֶׁר יוֹשֵׁב בְּחֶשְׁבּוֹן וְאֵת
ה עוֹג מֶלֶךְ הַבָּשָׁן אֲשֶׁר־יוֹשֵׁב בְּעַשְׁתָּרֹת בְּאֶדְרֶעִי: בְּעֵבֶר הַיַּרְדֵּן
ו בְּאֶרֶץ מוֹאָב הוֹאִיל מֹשֶׁה בֵּאֵר אֶת־הַתּוֹרָה הַזֹּאת לֵאמֹר: יְהוָה
ז אֱלֹהֵינוּ דִּבֶּר אֵלֵינוּ בְּחֹרֵב לֵאמֹר רַב־לָכֶם שֶׁבֶת בָּהָר הַזֶּה: פְּנוּ ׀
וּסְעוּ לָכֶם וּבֹאוּ הַר הָאֱמֹרִי וְאֶל־כָּל־שְׁכֵנָיו בָּעֲרָבָה בָהָר
וּבַשְּׁפֵלָה וּבַנֶּגֶב וּבְחוֹף הַיָּם אֶרֶץ הַכְּנַעֲנִי וְהַלְּבָנוֹן עַד־הַנָּהָר
ח הַגָּדֹל נְהַר־פְּרָת: רְאֵה נָתַתִּי לִפְנֵיכֶם אֶת־הָאָרֶץ בֹּאוּ וּרְשׁוּ
אֶת־הָאָרֶץ אֲשֶׁר נִשְׁבַּע יְהוָה לַאֲבֹתֵיכֶם לְאַבְרָהָם לְיִצְחָק
ט וּלְיַעֲקֹב לָתֵת לָהֶם וּלְזַרְעָם אַחֲרֵיהֶם: וָאֹמַר אֲלֵכֶם בָּעֵת הַהִוא
י לֵאמֹר לֹא־אוּכַל לְבַדִּי שְׂאֵת אֶתְכֶם: יְהוָה אֱלֹהֵיכֶם הִרְבָּה אֶתְכֶם
יא וְהִנְּכֶם הַיּוֹם כְּכוֹכְבֵי הַשָּׁמַיִם לָרֹב: יְהוָה אֱלֹהֵי אֲבוֹתֵכֶם יֹסֵף
עֲלֵיכֶם כָּכֶם אֶלֶף פְּעָמִים וִיבָרֵךְ אֶתְכֶם כַּאֲשֶׁר דִּבֶּר לָכֶם:
יב יג אֵיכָה אֶשָּׂא לְבַדִּי טָרְחֲכֶם וּמַשַּׂאֲכֶם וְרִיבְכֶם: הָבוּ לָכֶם אֲנָשִׁים
יד חֲכָמִים וּנְבֹנִים וִידֻעִים לְשִׁבְטֵיכֶם וַאֲשִׂימֵם בְּרָאשֵׁיכֶם: וַתַּעֲנוּ
טו אֹתִי וַתֹּאמְרוּ טוֹב־הַדָּבָר אֲשֶׁר־דִּבַּרְתָּ לַעֲשׂוֹת: וָאֶקַּח אֶת־
רָאשֵׁי שִׁבְטֵיכֶם אֲנָשִׁים חֲכָמִים וִידֻעִים וָאֶתֵּן אֹתָם רָאשִׁים
עֲלֵיכֶם שָׂרֵי אֲלָפִים וְשָׂרֵי מֵאוֹת וְשָׂרֵי חֲמִשִּׁים וְשָׂרֵי עֲשָׂרֹת
טז וְשֹׁטְרִים לְשִׁבְטֵיכֶם: וָאֲצַוֶּה אֶת־שֹׁפְטֵיכֶם בָּעֵת הַהִוא לֵאמֹר

שָׁמֹעַ בֵּין־אֲחֵיכֶם וּשְׁפַטְתֶּם צֶדֶק בֵּין־אִישׁ וּבֵין־אָחִיו וּבֵין גֵּרוֹ:
לֹא־תַכִּירוּ פָנִים בַּמִּשְׁפָּט כַּקָּטֹן כַּגָּדֹל תִּשְׁמָעוּן לֹא תָגוּרוּ יז
מִפְּנֵי־אִישׁ כִּי הַמִּשְׁפָּט לֵאלֹהִים הוּא וְהַדָּבָר אֲשֶׁר יִקְשֶׁה מִכֶּם
תַּקְרִבוּן אֵלַי וּשְׁמַעְתִּיו: וָאֲצַוֶּה אֶתְכֶם בָּעֵת הַהִוא אֵת כָּל־ יח
מַסַּע יִשְׂרָאֵל עַד גְּבוּל הָאָרֶץ:
הַדְּבָרִים אֲשֶׁר תַּעֲשׂוּן: וַנִּסַּע מֵחֹרֵב וַנֵּלֶךְ אֵת כָּל־הַמִּדְבָּר יט
הַגָּדוֹל וְהַנּוֹרָא הַהוּא אֲשֶׁר רְאִיתֶם דֶּרֶךְ הַר הָאֱמֹרִי כַּאֲשֶׁר
צִוָּה יְהֹוָה אֱלֹהֵינוּ אֹתָנוּ וַנָּבֹא עַד קָדֵשׁ בַּרְנֵעַ: וָאֹמַר אֲלֵכֶם כ
בָּאתֶם עַד־הַר הָאֱמֹרִי אֲשֶׁר־יְהֹוָה אֱלֹהֵינוּ נֹתֵן לָנוּ: רְאֵה נָתַן כא
יְהֹוָה אֱלֹהֶיךָ לְפָנֶיךָ אֶת־הָאָרֶץ עֲלֵה רֵשׁ כַּאֲשֶׁר דִּבֶּר יְהֹוָה
שלישי
סִפּוּר חֵטְא הַמְרַגְּלִים:
אֱלֹהֵי אֲבֹתֶיךָ לָךְ אַל־תִּירָא וְאַל־תֵּחָת: וַתִּקְרְבוּן אֵלַי כֻּלְּכֶם כב
וַתֹּאמְרוּ נִשְׁלְחָה אֲנָשִׁים לְפָנֵינוּ וְיַחְפְּרוּ־לָנוּ אֶת־הָאָרֶץ וְיָשִׁבוּ
אֹתָנוּ דָּבָר אֶת־הַדֶּרֶךְ אֲשֶׁר נַעֲלֶה־בָּהּ וְאֵת הֶעָרִים אֲשֶׁר
נָבֹא אֲלֵיהֶן: וַיִּיטַב בְּעֵינַי הַדָּבָר וָאֶקַּח מִכֶּם שְׁנֵים עָשָׂר אֲנָשִׁים כג
אִישׁ אֶחָד לַשָּׁבֶט: וַיִּפְנוּ וַיַּעֲלוּ הָהָרָה וַיָּבֹאוּ עַד־נַחַל אֶשְׁכֹּל כד
וַיְרַגְּלוּ אֹתָהּ: וַיִּקְחוּ בְיָדָם מִפְּרִי הָאָרֶץ וַיּוֹרִדוּ אֵלֵינוּ וַיָּשִׁבוּ כה
אֹתָנוּ דָבָר וַיֹּאמְרוּ טוֹבָה הָאָרֶץ אֲשֶׁר־יְהֹוָה אֱלֹהֵינוּ נֹתֵן לָנוּ:
וְלֹא אֲבִיתֶם לַעֲלֹת וַתַּמְרוּ אֶת־פִּי יְהֹוָה אֱלֹהֵיכֶם: וַתֵּרָגְנוּ כו כז
בְאָהֳלֵיכֶם וַתֹּאמְרוּ בְּשִׂנְאַת יְהֹוָה אֹתָנוּ הוֹצִיאָנוּ מֵאֶרֶץ מִצְרָיִם
לָתֵת אֹתָנוּ בְּיַד הָאֱמֹרִי לְהַשְׁמִידֵנוּ: אָנָה ׀ אֲנַחְנוּ עֹלִים אַחֵינוּ כח
הֵמַסּוּ אֶת־לְבָבֵנוּ לֵאמֹר עַם גָּדוֹל וָרָם מִמֶּנּוּ עָרִים גְּדֹלֹת
דִּבְרֵי חִזּוּק וְתוֹכָחָה עַל חֶטְאָם:
וּבְצוּרֹת בַּשָּׁמָיִם וְגַם־בְּנֵי עֲנָקִים רָאִינוּ שָׁם: וָאֹמַר אֲלֵכֶם כט
לֹא־תַעַרְצוּן וְלֹא־תִירְאוּן מֵהֶם: יְהֹוָה אֱלֹהֵיכֶם הַהֹלֵךְ לִפְנֵיכֶם ל
הוּא יִלָּחֵם לָכֶם כְּכֹל אֲשֶׁר עָשָׂה אִתְּכֶם בְּמִצְרַיִם לְעֵינֵיכֶם:
וּבַמִּדְבָּר אֲשֶׁר רָאִיתָ אֲשֶׁר נְשָׂאֲךָ יְהֹוָה אֱלֹהֶיךָ כַּאֲשֶׁר לא
יִשָּׂא־אִישׁ אֶת־בְּנוֹ בְּכָל־הַדֶּרֶךְ אֲשֶׁר הֲלַכְתֶּם עַד־בֹּאֲכֶם

לב עַד־הַמָּקוֹם הַזֶּה: וּבַדָּבָר הַזֶּה אֵינְכֶם מַאֲמִינִם בַּיהוָה אֱלֹהֵיכֶם:
לג הַהֹלֵךְ לִפְנֵיכֶם בַּדֶּרֶךְ לָתוּר לָכֶם מָקוֹם לַחֲנֹתְכֶם בָּאֵשׁ ׀
לד לַיְלָה לַרְאֹתְכֶם בַּדֶּרֶךְ אֲשֶׁר תֵּלְכוּ־בָהּ וּבֶעָנָן יוֹמָם: וַיִּשְׁמַע כַּעַס ה׳, וְעֹנֶשׁ
לה יְהוָה אֶת־קוֹל דִּבְרֵיכֶם וַיִּקְצֹף וַיִּשָּׁבַע לֵאמֹר: אִם־יִרְאֶה אִישׁ הַחוֹטְאִים:
בָּאֲנָשִׁים הָאֵלֶּה הַדּוֹר הָרָע הַזֶּה אֵת הָאָרֶץ הַטּוֹבָה אֲשֶׁר
לו נִשְׁבַּעְתִּי לָתֵת לַאֲבֹתֵיכֶם: זוּלָתִי כָּלֵב בֶּן־יְפֻנֶּה הוּא יִרְאֶנָּה
וְלוֹ־אֶתֵּן אֶת־הָאָרֶץ אֲשֶׁר דָּרַךְ־בָּהּ וּלְבָנָיו יַעַן אֲשֶׁר מִלֵּא
לז אַחֲרֵי יְהוָה: גַּם־בִּי הִתְאַנַּף יְהוָה בִּגְלַלְכֶם לֵאמֹר גַּם־אַתָּה
לח לֹא־תָבֹא שָׁם: יְהוֹשֻׁעַ בִּן־נוּן הָעֹמֵד לְפָנֶיךָ הוּא יָבֹא שָׁמָּה
לט אֹתוֹ חַזֵּק כִּי־הוּא יַנְחִלֶנָּה אֶת־יִשְׂרָאֵל: וְטַפְּכֶם אֲשֶׁר אֲמַרְתֶּם רביעי
לָבַז יִהְיֶה וּבְנֵיכֶם אֲשֶׁר לֹא־יָדְעוּ הַיּוֹם טוֹב וָרָע הֵמָּה יָבֹאוּ
מ שָׁמָּה וְלָהֶם אֶתְּנֶנָּה וְהֵם יִירָשׁוּהָ: וְאַתֶּם פְּנוּ לָכֶם וּסְעוּ הַמִּדְבָּרָה
מא דֶּרֶךְ יַם־סוּף: וַתַּעֲנוּ ׀ וַתֹּאמְרוּ אֵלַי חָטָאנוּ לַיהוָה אֲנַחְנוּ נַעֲלֶה חֵטְא
וְנִלְחַמְנוּ כְּכֹל אֲשֶׁר־צִוָּנוּ יְהוָה אֱלֹהֵינוּ וַתַּחְגְּרוּ אִישׁ אֶת־כְּלֵי הַמַּעְפִּילִים:
מב מִלְחַמְתּוֹ וַתָּהִינוּ לַעֲלֹת הָהָרָה: וַיֹּאמֶר יְהוָה אֵלַי אֱמֹר לָהֶם לֹא
תַעֲלוּ וְלֹא־תִלָּחֲמוּ כִּי אֵינֶנִּי בְּקִרְבְּכֶם וְלֹא תִּנָּגְפוּ לִפְנֵי
מג אֹיְבֵיכֶם: וָאֲדַבֵּר אֲלֵיכֶם וְלֹא שְׁמַעְתֶּם וַתַּמְרוּ אֶת־פִּי יְהוָה
מד וַתָּזִדוּ וַתַּעֲלוּ הָהָרָה: וַיֵּצֵא הָאֱמֹרִי הַיֹּשֵׁב בָּהָר הַהוּא לִקְרַאתְכֶם
וַיִּרְדְּפוּ אֶתְכֶם כַּאֲשֶׁר תַּעֲשֶׂינָה הַדְּבֹרִים וַיַּכְּתוּ אֶתְכֶם בְּשֵׂעִיר
מה עַד־חָרְמָה: וַתָּשֻׁבוּ וַתִּבְכּוּ לִפְנֵי יְהוָה וְלֹא־שָׁמַע יְהוָה בְּקֹלְכֶם
מו וְלֹא הֶאֱזִין אֲלֵיכֶם: וַתֵּשְׁבוּ בְקָדֵשׁ יָמִים רַבִּים כַּיָּמִים אֲשֶׁר
ב א יְשַׁבְתֶּם: וַנֵּפֶן וַנִּסַּע הַמִּדְבָּרָה דֶּרֶךְ יַם־סוּף כַּאֲשֶׁר דִּבֶּר יְהוָה
ב אֵלָי וַנָּסָב אֶת־הַר־שֵׂעִיר יָמִים רַבִּים: וַיֹּאמֶר יְהוָה חמישי אַזְהָרָה
ג אֵלַי לֵאמֹר: רַב־לָכֶם סֹב אֶת־הָהָר הַזֶּה פְּנוּ לָכֶם צָפֹנָה: שֶׁלֹּא
ד וְאֶת־הָעָם צַו לֵאמֹר אַתֶּם עֹבְרִים בִּגְבוּל אֲחֵיכֶם בְּנֵי־עֵשָׂו לְהִתְגָּרוֹת בִּבְנֵי עֵשָׂו:

הַיֹּשְׁבִים בְּשֵׂעִיר וַיִּירְא֣וּ מִכֶּם וְנִשְׁמַרְתֶּ֖ם מְאֹ֑ד אַל־תִּתְגָּר֣וּ בָ֔ם ה

כִּ֣י לֹא־אֶתֵּ֨ן לָכֶ֜ם מֵֽאַרְצָ֗ם עַ֚ד מִדְרַ֣ךְ כַּף־רָ֔גֶל כִּֽי־יְרֻשָּׁ֣ה לְעֵשָׂ֔ו

נָתַ֖תִּי אֶת־הַ֣ר שֵׂעִֽיר׃ אֹ֣כֶל תִּשְׁבְּר֧וּ מֵֽאִתָּ֛ם בַּכֶּ֖סֶף וַאֲכַלְתֶּ֑ם ו

וְגַם־מַ֜יִם תִּכְר֧וּ מֵאִתָּ֛ם בַּכֶּ֖סֶף וּשְׁתִיתֶֽם׃ כִּי֩ יְהֹוָ֨ה אֱלֹהֶ֜יךָ בֵּֽרַכְךָ֗ ז

בְּכֹל֙ מַעֲשֵׂ֣ה יָדֶ֔ךָ יָדַ֣ע לֶכְתְּךָ֔ אֶת־הַמִּדְבָּ֥ר הַגָּדֹ֖ל הַזֶּ֑ה זֶ֣ה ׀

אַרְבָּעִ֣ים שָׁנָ֗ה יְהֹוָ֤ה אֱלֹהֶ֙יךָ֙ עִמָּ֔ךְ לֹ֥א חָסַ֖רְתָּ דָּבָֽר׃ וַֽנַּעֲבֹ֗ר מֵאֵ֧ת ח

אַחֵ֣ינוּ בְנֵי־עֵשָׂ֗ו הַיֹּֽשְׁבִים֙ בְּשֵׂעִ֔יר מִדֶּ֙רֶךְ֙ הָֽעֲרָבָ֔ה מֵאֵילַ֥ת

שֶׁלֹּא
לְהִתְגָּרוֹת
בְּמוֹאָב:

וּמֵעֶצְיֹ֖ן גָּ֑בֶר וַנֵּ֙פֶן֙ וַֽנַּעֲבֹ֔ר דֶּ֖רֶךְ מִדְבַּ֣ר מוֹאָֽב׃ וַיֹּ֨אמֶר ט

יְהֹוָ֜ה אֵלַ֗י אַל־תָּ֙צַר֙ אֶת־מוֹאָ֔ב וְאַל־תִּתְגָּ֥ר בָּ֖ם מִלְחָמָ֑ה כִּ֣י

לֹֽא־אֶתֵּ֨ן לְךָ֤ מֵֽאַרְצוֹ֙ יְרֻשָּׁ֔ה כִּ֣י לִבְנֵי־ל֔וֹט נָתַ֥תִּי אֶת־עָ֖ר יְרֻשָּֽׁה׃

הָאֵמִ֥ים לְפָנִ֖ים יָ֣שְׁבוּ בָ֑הּ עַ֣ם גָּד֥וֹל וְרַ֛ב וָרָ֖ם כָּעֲנָקִֽים׃ רְפָאִ֞ים יֹֽא

יֵחָשְׁב֤וּ אַף־הֵם֙ כָּֽעֲנָקִ֔ים וְהַמֹּ֣אָבִ֔ים יִקְרְא֥וּ לָהֶ֖ם אֵמִֽים׃ וּבְשֵׂעִ֞יר יֹב

יָשְׁב֣וּ הַחֹרִים֮ לְפָנִים֒ וּבְנֵ֧י עֵשָׂ֣ו יִֽירָשׁ֗וּם וַיַּשְׁמִידוּם֙ מִפְּנֵיהֶ֔ם

וַיֵּשְׁב֖וּ תַּחְתָּ֑ם כַּאֲשֶׁ֧ר עָשָׂ֣ה יִשְׂרָאֵ֗ל לְאֶ֙רֶץ֙ יְרֻשָּׁת֔וֹ אֲשֶׁר־נָתַ֥ן

מַעֲבַר נַחַל
זֶרֶד נָתַם
דּוֹר
הַמִּדְבָּר:

יְהֹוָ֖ה לָהֶֽם׃ עַתָּ֗ה קֻ֚מוּ וְעִבְר֣וּ לָכֶ֔ם אֶת־נַ֣חַל זָ֑רֶד וַֽנַּעֲבֹ֖ר אֶת־נַ֥חַל יג

זָֽרֶד׃ וְהַיָּמִ֞ים אֲשֶׁר־הָלַ֣כְנוּ ׀ מִקָּדֵ֣שׁ בַּרְנֵ֗עַ עַ֤ד אֲשֶׁר־עָבַ֙רְנוּ֙ יד

אֶת־נַ֣חַל זֶ֔רֶד שְׁלֹשִׁ֥ים וּשְׁמֹנֶ֖ה שָׁנָ֑ה עַד־תֹּ֨ם כׇּל־הַדּ֜וֹר אַנְשֵׁ֤י

הַמִּלְחָמָה֙ מִקֶּ֣רֶב הַֽמַּחֲנֶ֔ה כַּאֲשֶׁ֛ר נִשְׁבַּ֥ע יְהֹוָ֖ה לָהֶֽם׃ וְגַ֤ם יַד־יְהֹוָה֙ טו

הָ֣יְתָה בָּ֔ם לְהֻמָּ֖ם מִקֶּ֣רֶב הַֽמַּחֲנֶ֑ה עַ֖ד תֻּמָּֽם׃ וַיְהִ֨י כַאֲשֶׁר־תַּ֜מּוּ טז

כׇּל־אַנְשֵׁ֧י הַמִּלְחָמָ֛ה לָמ֖וּת מִקֶּ֥רֶב הָעָֽם׃ וַיְדַבֵּ֥ר יְהֹוָ֖ה יז

שֶׁלֹּא
לְהִתְגָּרוֹת
בִּבְנֵי עַמּוֹן:

אֵלַ֥י לֵאמֹֽר׃ אַתָּ֨ה עֹבֵ֥ר הַיּ֛וֹם אֶת־גְּב֥וּל מוֹאָ֖ב אֶת־עָֽר׃ וְקָרַבְתָּ֗ יח יט

מ֚וּל בְּנֵ֣י עַמּ֔וֹן אַל־תְּצֻרֵ֖ם וְאַל־תִּתְגָּ֣ר בָּ֑ם כִּ֣י לֹֽא־אֶ֠תֵּ֠ן מֵאֶ֨רֶץ

בְּנֵי־עַמּ֥וֹן לְךָ֛ יְרֻשָּׁ֖ה כִּ֥י לִבְנֵי־ל֖וֹט נְתַתִּ֥יהָ יְרֻשָּֽׁה׃ אֶֽרֶץ־רְפָאִ֞ים כ

תֵּחָשֵׁ֧ב אַף־הִ֛וא רְפָאִ֥ים יָֽשְׁבוּ־בָ֖הּ לְפָנִ֑ים וְהָֽעַמֹּנִ֔ים יִקְרְא֥וּ

לָהֶ֖ם זַמְזֻמִּֽים׃ עַ֣ם גָּד֥וֹל וְרַ֛ב וָרָ֖ם כָּעֲנָקִ֑ים וַיַּשְׁמִידֵ֤ם יְהֹוָה֙ כא

מִפְּנֵיהֶם וַיִּירָשֻׁם וַיֵּשְׁבוּ תַחְתָּם: כַּאֲשֶׁר עָשָׂה לִבְנֵי עֵשָׂו
כב הַיֹּשְׁבִים בְּשֵׂעִיר אֲשֶׁר הִשְׁמִיד אֶת־הַחֹרִי מִפְּנֵיהֶם וַיִּירָשֻׁם
כג וַיֵּשְׁבוּ תַחְתָּם עַד הַיּוֹם הַזֶּה: וְהָעַוִּים הַיֹּשְׁבִים בַּחֲצֵרִים עַד־עַזָּה

צוּי
הַהִתְגָּרוּת
בְּסִיחֹון

כד כַּפְתֹּרִים הַיֹּצְאִים מִכַּפְתֹּר הִשְׁמִידֻם וַיֵּשְׁבוּ תַחְתָּם: קוּמוּ סְּעוּ
וְעִבְרוּ אֶת־נַחַל אַרְנֹן רְאֵה נָתַתִּי בְיָדְךָ אֶת־סִיחֹן מֶלֶךְ־חֶשְׁבּוֹן
כה הָאֱמֹרִי וְאֶת־אַרְצוֹ הָחֵל רָשׁ וְהִתְגָּר בּוֹ מִלְחָמָה: הַיּוֹם הַזֶּה אָחֵל
תֵּת פַּחְדְּךָ וְיִרְאָתְךָ עַל־פְּנֵי הָעַמִּים תַּחַת כָּל־הַשָּׁמָיִם אֲשֶׁר
כו יִשְׁמְעוּן שִׁמְעֲךָ וְרָגְזוּ וְחָלוּ מִפָּנֶיךָ: וָאֶשְׁלַח מַלְאָכִים מִמִּדְבַּר
קְדֵמוֹת אֶל־סִיחוֹן מֶלֶךְ חֶשְׁבּוֹן דִּבְרֵי שָׁלוֹם לֵאמֹר: אֶעְבְּרָה
כז בְאַרְצֶךָ בַּדֶּרֶךְ בַּדֶּרֶךְ אֵלֵךְ לֹא אָסוּר יָמִין וּשְׂמֹאול: אֹכֶל בַּכֶּסֶף
כח תַּשְׁבִּרֵנִי וְאָכַלְתִּי וּמַיִם בַּכֶּסֶף תִּתֶּן־לִי וְשָׁתִיתִי רַק אֶעְבְּרָה
כט בְרַגְלָי: כַּאֲשֶׁר עָשׂוּ־לִי בְּנֵי עֵשָׂו הַיֹּשְׁבִים בְּשֵׂעִיר וְהַמּוֹאָבִים
הַיֹּשְׁבִים בְּעָר עַד אֲשֶׁר־אֶעֱבֹר אֶת־הַיַּרְדֵּן אֶל־הָאָרֶץ אֲשֶׁר־
ל יְהוָה אֱלֹהֵינוּ נֹתֵן לָנוּ: וְלֹא אָבָה סִיחֹן מֶלֶךְ חֶשְׁבּוֹן הַעֲבִרֵנוּ בּוֹ
כִּי־הִקְשָׁה יְהוָה אֱלֹהֶיךָ אֶת־רוּחוֹ וְאִמֵּץ אֶת־לְבָבוֹ לְמַעַן תִּתּוֹ

שׁשׁי
הַמִּלְחָמָה
בְּסִיחֹון
וְכִבּוּשׁוֹ:

לא בְיָדְךָ כַּיּוֹם הַזֶּה: וַיֹּאמֶר יְהוָה אֵלַי
רְאֵה הַחִלֹּתִי תֵּת לְפָנֶיךָ אֶת־סִיחֹן וְאֶת־אַרְצוֹ הָחֵל רָשׁ לָרֶשֶׁת
לב אֶת־אַרְצוֹ: וַיֵּצֵא סִיחֹן לִקְרָאתֵנוּ הוּא וְכָל־עַמּוֹ לַמִּלְחָמָה
לג יָהְצָה: וַיִּתְּנֵהוּ יְהוָה אֱלֹהֵינוּ לְפָנֵינוּ וַנַּךְ אֹתוֹ וְאֶת־בָּנָו וְאֶת־
לד כָּל־עַמּוֹ: וַנִּלְכֹּד אֶת־כָּל־עָרָיו בָּעֵת הַהִוא וַנַּחֲרֵם אֶת־כָּל־עִיר
לה מְתִם וְהַנָּשִׁים וְהַטָּף לֹא הִשְׁאַרְנוּ שָׂרִיד: רַק הַבְּהֵמָה בָּזַזְנוּ לָנוּ
לו וּשְׁלַל הֶעָרִים אֲשֶׁר לָכָדְנוּ: מֵעֲרֹעֵר אֲשֶׁר עַל־שְׂפַת־נַחַל אַרְנֹן
וְהָעִיר אֲשֶׁר בַּנַּחַל וְעַד־הַגִּלְעָד לֹא הָיְתָה קִרְיָה אֲשֶׁר שָׂגְבָה
לז מִמֶּנּוּ אֶת־הַכֹּל נָתַן יְהוָה אֱלֹהֵינוּ לְפָנֵינוּ: רַק אֶל־אֶרֶץ בְּנֵי־עַמּוֹן
לֹא קָרָבְתָּ כָּל־יַד נַחַל יַבֹּק וְעָרֵי הָהָר וְכֹל אֲשֶׁר־צִוָּה יְהוָה

ג א אֱלֹהֵינוּ: וַנֵּפֶן וַנַּעַל דֶּרֶךְ הַבָּשָׁן וַיֵּצֵא עוֹג מֶלֶךְ־הַבָּשָׁן לִקְרָאתֵנוּ הַמִּלְחָמָה בְּעוֹג
ב הוּא וְכָל־עַמּוֹ לַמִּלְחָמָה אֶדְרֶעִי: וַיֹּאמֶר יְהוָה אֵלַי אַל־תִּירָא וְכִבּוּשׁוֹ:
אֹתוֹ כִּי בְיָדְךָ נָתַתִּי אֹתוֹ וְאֶת־כָּל־עַמּוֹ וְאֶת־אַרְצוֹ וְעָשִׂיתָ לּוֹ
ג כַּאֲשֶׁר עָשִׂיתָ לְסִיחֹן מֶלֶךְ הָאֱמֹרִי אֲשֶׁר יוֹשֵׁב בְּחֶשְׁבּוֹן: וַיִּתֵּן
יְהוָה אֱלֹהֵינוּ בְּיָדֵנוּ גַּם אֶת־עוֹג מֶלֶךְ־הַבָּשָׁן וְאֶת־כָּל־עַמּוֹ וַנַּכֵּהוּ
ד עַד־בִּלְתִּי הִשְׁאִיר־לוֹ שָׂרִיד: וַנִּלְכֹּד אֶת־כָּל־עָרָיו בָּעֵת הַהִוא
לֹא הָיְתָה קִרְיָה אֲשֶׁר לֹא־לָקַחְנוּ מֵאִתָּם שִׁשִּׁים עִיר כָּל־חֶבֶל
ה אַרְגֹּב מַמְלֶכֶת עוֹג בַּבָּשָׁן: כָּל־אֵלֶּה עָרִים בְּצֻרֹת חוֹמָה גְבֹהָה
ו דְּלָתַיִם וּבְרִיחַ לְבַד מֵעָרֵי הַפְּרָזִי הַרְבֵּה מְאֹד: וַנַּחֲרֵם אוֹתָם
כַּאֲשֶׁר עָשִׂינוּ לְסִיחֹן מֶלֶךְ חֶשְׁבּוֹן הַחֲרֵם כָּל־עִיר מְתִם הַנָּשִׁים
ז ח וְהַטָּף: וְכָל־הַבְּהֵמָה וּשְׁלַל הֶעָרִים בַּזּוֹנוּ לָנוּ: וַנִּקַּח בָּעֵת הַהִוא
אֶת־הָאָרֶץ מִיַּד שְׁנֵי מַלְכֵי הָאֱמֹרִי אֲשֶׁר בְּעֵבֶר הַיַּרְדֵּן מִנַּחַל
ט אַרְנֹן עַד־הַר חֶרְמוֹן: צִידֹנִים יִקְרְאוּ לְחֶרְמוֹן שִׂרְיֹן וְהָאֱמֹרִי
י יִקְרְאוּ־לוֹ שְׂנִיר: כֹּל ׀ עָרֵי הַמִּישֹׁר וְכָל־הַגִּלְעָד וְכָל־הַבָּשָׁן
יא עַד־סַלְכָה וְאֶדְרֶעִי עָרֵי מַמְלֶכֶת עוֹג בַּבָּשָׁן: כִּי רַק־עוֹג מֶלֶךְ מִדַּת
הַבָּשָׁן נִשְׁאַר מִיֶּתֶר הָרְפָאִים הִנֵּה עַרְשׂוֹ עֶרֶשׂ בַּרְזֶל הֲלֹה הִוא עֶרֶשׂ עוֹג:
בְּרַבַּת בְּנֵי עַמּוֹן תֵּשַׁע אַמּוֹת אָרְכָּהּ וְאַרְבַּע אַמּוֹת רָחְבָּהּ
יב בְּאַמַּת־אִישׁ: וְאֶת־הָאָרֶץ הַזֹּאת יָרַשְׁנוּ בָּעֵת הַהִוא מֵעֲרֹעֵר הוֹרָשַׁת
אֲשֶׁר־עַל־נַחַל אַרְנֹן וַחֲצִי הַר־הַגִּלְעָד וְעָרָיו נָתַתִּי לָראוּבֵנִי אֶרֶץ סִיחוֹן
יג וְלַגָּדִי: וְיֶתֶר הַגִּלְעָד וְכָל־הַבָּשָׁן מַמְלֶכֶת עוֹג נָתַתִּי לַחֲצִי שֵׁבֶט וְעוֹג:
הַמְנַשֶּׁה כֹּל חֶבֶל הָאַרְגֹּב לְכָל־הַבָּשָׁן הַהוּא יִקָּרֵא אֶרֶץ רְפָאִים:
יד יָאִיר בֶּן־מְנַשֶּׁה לָקַח אֶת־כָּל־חֶבֶל אַרְגֹּב עַד־גְּבוּל הַגְּשׁוּרִי
וְהַמַּעֲכָתִי וַיִּקְרָא אֹתָם עַל־שְׁמוֹ אֶת־הַבָּשָׁן חַוֹּת יָאִיר עַד הַיּוֹם
טו טז הַזֶּה: וּלְמָכִיר נָתַתִּי אֶת־הַגִּלְעָד: וְלָראוּבֵנִי וְלַגָּדִי נָתַתִּי מִן־ שביעי
הַגִּלְעָד וְעַד־נַחַל אַרְנֹן תּוֹךְ הַנַּחַל וּגְבֻל וְעַד יַבֹּק הַנַּחַל גְּבוּל

יז בְּנֵי עַמּוֹן: וְהָעֲרָבָה וְהַיַּרְדֵּן וּגְבֻל מִכִּנֶּרֶת וְעַד יָם הָעֲרָבָה יָם
יח הַמֶּלַח תַּחַת אַשְׁדֹּת הַפִּסְגָּה מִזְרָחָה: וָאֲצַו אֶתְכֶם בָּעֵת הַהִוא תְּנָאֵי בְּנֵי גָד וּבְנֵי רְאוּבֵן:
לֵאמֹר יְהוָה אֱלֹהֵיכֶם נָתַן לָכֶם אֶת־הָאָרֶץ הַזֹּאת לְרִשְׁתָּהּ
יט חֲלוּצִים תַּעַבְרוּ לִפְנֵי אֲחֵיכֶם בְּנֵי־יִשְׂרָאֵל כָּל־בְּנֵי־חָיִל: רַק
נְשֵׁיכֶם וְטַפְּכֶם וּמִקְנֵכֶם יָדַעְתִּי כִּי־מִקְנֶה רַב לָכֶם יֵשְׁבוּ
כ בְּעָרֵיכֶם אֲשֶׁר נָתַתִּי לָכֶם: עַד אֲשֶׁר־יָנִיחַ יְהוָה ׀ לַאֲחֵיכֶם מפטיר
כָּכֶם וְיָרְשׁוּ גַם־הֵם אֶת־הָאָרֶץ אֲשֶׁר יְהוָה אֱלֹהֵיכֶם נֹתֵן לָהֶם
כא בְּעֵבֶר הַיַּרְדֵּן וְשַׁבְתֶּם אִישׁ לִירֻשָּׁתוֹ אֲשֶׁר נָתַתִּי לָכֶם: וְאֶת־ דִּבְרֵי חִזּוּק לִיהוֹשֻׁעַ:
יְהוֹשׁוּעַ צִוֵּיתִי בָּעֵת הַהִוא לֵאמֹר עֵינֶיךָ הָרֹאֹת אֵת כָּל־אֲשֶׁר
עָשָׂה יְהוָה אֱלֹהֵיכֶם לִשְׁנֵי הַמְּלָכִים הָאֵלֶּה כֵּן־יַעֲשֶׂה יְהוָה
כב לְכָל־הַמַּמְלָכוֹת אֲשֶׁר אַתָּה עֹבֵר שָׁמָּה: לֹא תִּירָאוּם כִּי יְהוָה
כג אֱלֹהֵיכֶם הוּא הַנִּלְחָם לָכֶם: וָאֶתְחַנַּן אֶל־יְהוָה בָּעֵת **ואתחנן**
כד הַהִוא לֵאמֹר: אֲדֹנָי יְהוִה אַתָּה הַחִלּוֹתָ לְהַרְאוֹת אֶת־עַבְדְּךָ תְּחִנַּת מֹשֶׁה לְהִכָּנֵס לָאָרֶץ:
אֶת־גָּדְלְךָ וְאֶת־יָדְךָ הַחֲזָקָה אֲשֶׁר מִי־אֵל בַּשָּׁמַיִם וּבָאָרֶץ **[2488]**
כה אֲשֶׁר־יַעֲשֶׂה כְמַעֲשֶׂיךָ וְכִגְבוּרֹתֶךָ: אֶעְבְּרָה־נָּא וְאֶרְאֶה אֶת־
הָאָרֶץ הַטּוֹבָה אֲשֶׁר בְּעֵבֶר הַיַּרְדֵּן הָהָר הַטּוֹב הַזֶּה וְהַלְּבָנֹן:
כו וַיִּתְעַבֵּר יְהוָה בִּי לְמַעַנְכֶם וְלֹא שָׁמַע אֵלָי וַיֹּאמֶר יְהוָה אֵלַי
כז רַב־לָךְ אַל־תּוֹסֶף דַּבֵּר אֵלַי עוֹד בַּדָּבָר הַזֶּה: עֲלֵה ׀ רֹאשׁ
הַפִּסְגָּה וְשָׂא עֵינֶיךָ יָמָּה וְצָפֹנָה וְתֵימָנָה וּמִזְרָחָה וּרְאֵה בְעֵינֶיךָ
כח כִּי־לֹא תַעֲבֹר אֶת־הַיַּרְדֵּן הַזֶּה: וְצַו אֶת־יְהוֹשֻׁעַ וְחַזְּקֵהוּ וְאַמְּצֵהוּ
כִּי־הוּא יַעֲבֹר לִפְנֵי הָעָם הַזֶּה וְהוּא יַנְחִיל אוֹתָם אֶת־הָאָרֶץ
כט אֲשֶׁר תִּרְאֶה: וַנֵּשֶׁב בַּגָּיְא מוּל בֵּית פְּעוֹר:
ד א וְעַתָּה יִשְׂרָאֵל שְׁמַע אֶל־הַחֻקִּים וְאֶל־הַמִּשְׁפָּטִים אֲשֶׁר אָנֹכִי הַמִּצְוֹת וְאַזְהָרָה שֶׁלֹּא לְשַׁנּוֹתָן:
מְלַמֵּד אֶתְכֶם לַעֲשׂוֹת לְמַעַן תִּחְיוּ וּבָאתֶם וִירִשְׁתֶּם אֶת־הָאָרֶץ
ב אֲשֶׁר יְהוָה אֱלֹהֵי אֲבֹתֵיכֶם נֹתֵן לָכֶם: לֹא תֹסִפוּ עַל־הַדָּבָר אֲשֶׁר

אָנֹכִי מְצַוֶּה אֶתְכֶם וְלֹא תִגְרְעוּ מִמֶּנּוּ לִשְׁמֹר אֶת־מִצְוֺת יְהוָה
אֱלֹהֵיכֶם אֲשֶׁר אָנֹכִי מְצַוֶּה אֶתְכֶם׃ עֵינֵיכֶם הָרֹאוֹת אֵת ג
אֲשֶׁר־עָשָׂה יְהוָה בְּבַעַל פְּעוֹר כִּי כָל־הָאִישׁ אֲשֶׁר הָלַךְ אַחֲרֵי
בַעַל־פְּעוֹר הִשְׁמִידוֹ יְהוָה אֱלֹהֶיךָ מִקִּרְבֶּךָ׃ וְאַתֶּם הַדְּבֵקִים ד
שני שֶׁבַח יִשְׂרָאֵל וְחָכְמָתָם:
בַּיהוָה אֱלֹהֵיכֶם חַיִּים כֻּלְּכֶם הַיּוֹם׃ רְאֵה ׀ לִמַּדְתִּי אֶתְכֶם חֻקִּים ה
וּמִשְׁפָּטִים כַּאֲשֶׁר צִוַּנִי יְהוָה אֱלֹהָי לַעֲשׂוֹת כֵּן בְּקֶרֶב הָאָרֶץ
אֲשֶׁר אַתֶּם בָּאִים שָׁמָּה לְרִשְׁתָּהּ׃ וּשְׁמַרְתֶּם וַעֲשִׂיתֶם כִּי הִוא ו
חָכְמַתְכֶם וּבִינַתְכֶם לְעֵינֵי הָעַמִּים אֲשֶׁר יִשְׁמְעוּן אֵת כָּל־
הַחֻקִּים הָאֵלֶּה וְאָמְרוּ רַק עַם־חָכָם וְנָבוֹן הַגּוֹי הַגָּדוֹל הַזֶּה׃ כִּי ז
מִי־גוֹי גָדוֹל אֲשֶׁר־לוֹ אֱלֹהִים קְרֹבִים אֵלָיו כַּיהוָה אֱלֹהֵינוּ
בְּכָל־קָרְאֵנוּ אֵלָיו׃ וּמִי גּוֹי גָּדוֹל אֲשֶׁר־לוֹ חֻקִּים וּמִשְׁפָּטִים ח
אַזְהָרַת שִׁכְחַת הַתּוֹרָה וּמַעֲמַד הַר סִינָי:
צַדִּיקִם כְּכֹל הַתּוֹרָה הַזֹּאת אֲשֶׁר אָנֹכִי נֹתֵן לִפְנֵיכֶם הַיּוֹם׃ רַק ט
הִשָּׁמֶר לְךָ וּשְׁמֹר נַפְשְׁךָ מְאֹד פֶּן־תִּשְׁכַּח אֶת־הַדְּבָרִים אֲשֶׁר־
רָאוּ עֵינֶיךָ וּפֶן־יָסוּרוּ מִלְּבָבְךָ כֹּל יְמֵי חַיֶּיךָ וְהוֹדַעְתָּם לְבָנֶיךָ
וְלִבְנֵי בָנֶיךָ׃ יוֹם אֲשֶׁר עָמַדְתָּ לִפְנֵי יְהוָה אֱלֹהֶיךָ בְּחֹרֵב בֶּאֱמֹר י
יְהוָה אֵלַי הַקְהֶל־לִי אֶת־הָעָם וְאַשְׁמִעֵם אֶת־דְּבָרָי אֲשֶׁר יִלְמְדוּן
לְיִרְאָה אֹתִי כָּל־הַיָּמִים אֲשֶׁר הֵם חַיִּים עַל־הָאֲדָמָה וְאֶת־
בְּנֵיהֶם יְלַמֵּדוּן׃ וַתִּקְרְבוּן וַתַּעַמְדוּן תַּחַת הָהָר וְהָהָר בֹּעֵר יא
בָּאֵשׁ עַד־לֵב הַשָּׁמַיִם חֹשֶׁךְ עָנָן וַעֲרָפֶל׃ וַיְדַבֵּר יְהוָה אֲלֵיכֶם יב
מִתּוֹךְ הָאֵשׁ קוֹל דְּבָרִים אַתֶּם שֹׁמְעִים וּתְמוּנָה אֵינְכֶם רֹאִים
זוּלָתִי קוֹל׃ וַיַּגֵּד לָכֶם אֶת־בְּרִיתוֹ אֲשֶׁר צִוָּה אֶתְכֶם לַעֲשׂוֹת יג
עֲשֶׂרֶת הַדְּבָרִים וַיִּכְתְּבֵם עַל־שְׁנֵי לֻחוֹת אֲבָנִים׃ וְאֹתִי צִוָּה יְהוָה יד
בָּעֵת הַהִוא לְלַמֵּד אֶתְכֶם חֻקִּים וּמִשְׁפָּטִים לַעֲשֹׂתְכֶם אֹתָם
אַזְהָרַת עֲבוֹדָה זָרָה לְסוּגֶיהָ:
בָּאָרֶץ אֲשֶׁר אַתֶּם עֹבְרִים שָׁמָּה לְרִשְׁתָּהּ׃ וְנִשְׁמַרְתֶּם מְאֹד טו
לְנַפְשֹׁתֵיכֶם כִּי לֹא רְאִיתֶם כָּל־תְּמוּנָה בְּיוֹם דִּבֶּר יְהוָה אֲלֵיכֶם

טז בְּחֹרֵב מִתּוֹךְ הָאֵשׁ: פֶּן־תַּשְׁחִתוּן וַעֲשִׂיתֶם לָכֶם פֶּסֶל תְּמוּנַת
יז כָּל־סָמֶל תַּבְנִית זָכָר אוֹ נְקֵבָה: תַּבְנִית כָּל־בְּהֵמָה אֲשֶׁר בָּאָרֶץ
יח תַּבְנִית כָּל־צִפּוֹר כָּנָף אֲשֶׁר תָּעוּף בַּשָּׁמָיִם: תַּבְנִית כָּל־
רֹמֵשׂ בָּאֲדָמָה תַּבְנִית כָּל־דָּגָה אֲשֶׁר־בַּמַּיִם מִתַּחַת לָאָרֶץ:
יט וּפֶן־תִּשָּׂא עֵינֶיךָ הַשָּׁמַיְמָה וְרָאִיתָ אֶת־הַשֶּׁמֶשׁ וְאֶת־הַיָּרֵחַ
וְאֶת־הַכּוֹכָבִים כֹּל צְבָא הַשָּׁמַיִם וְנִדַּחְתָּ וְהִשְׁתַּחֲוִיתָ לָהֶם
וַעֲבַדְתָּם אֲשֶׁר חָלַק יְהוָה אֱלֹהֶיךָ אֹתָם לְכֹל הָעַמִּים תַּחַת
כ כָּל־הַשָּׁמָיִם: וְאֶתְכֶם לָקַח יְהוָה וַיּוֹצִא אֶתְכֶם מִכּוּר הַבַּרְזֶל
כא מִמִּצְרָיִם לִהְיוֹת לוֹ לְעַם נַחֲלָה כַּיּוֹם הַזֶּה: וַיהוָה הִתְאַנַּף־בִּי
עַל־דִּבְרֵיכֶם וַיִּשָּׁבַע לְבִלְתִּי עָבְרִי אֶת־הַיַּרְדֵּן וּלְבִלְתִּי־בֹא
כב אֶל־הָאָרֶץ הַטּוֹבָה אֲשֶׁר יְהוָה אֱלֹהֶיךָ נֹתֵן לְךָ נַחֲלָה: כִּי אָנֹכִי
מֵת בָּאָרֶץ הַזֹּאת אֵינֶנִּי עֹבֵר אֶת־הַיַּרְדֵּן וְאַתֶּם עֹבְרִים
כג וִירִשְׁתֶּם אֶת־הָאָרֶץ הַטּוֹבָה הַזֹּאת: הִשָּׁמְרוּ לָכֶם פֶּן־תִּשְׁכְּחוּ
אֶת־בְּרִית יְהוָה אֱלֹהֵיכֶם אֲשֶׁר כָּרַת עִמָּכֶם וַעֲשִׂיתֶם לָכֶם פֶּסֶל
כד תְּמוּנַת כֹּל אֲשֶׁר צִוְּךָ יְהוָה אֱלֹהֶיךָ: כִּי יְהוָה אֱלֹהֶיךָ אֵשׁ אֹכְלָה
הוּא אֵל קַנָּא:
כה כִּי־תוֹלִיד בָּנִים וּבְנֵי בָנִים וְנוֹשַׁנְתֶּם בָּאָרֶץ וְהִשְׁחַתֶּם וַעֲשִׂיתֶם
פֶסֶל תְּמוּנַת כֹּל וַעֲשִׂיתֶם הָרַע בְּעֵינֵי יְהוָה־אֱלֹהֶיךָ לְהַכְעִיסוֹ:
כו הַעִידֹתִי בָכֶם הַיּוֹם אֶת־הַשָּׁמַיִם וְאֶת־הָאָרֶץ כִּי־אָבֹד תֹּאבֵדוּן
מַהֵר מֵעַל הָאָרֶץ אֲשֶׁר אַתֶּם עֹבְרִים אֶת־הַיַּרְדֵּן שָׁמָּה לְרִשְׁתָּהּ
כז לֹא־תַאֲרִיכֻן יָמִים עָלֶיהָ כִּי הִשָּׁמֵד תִּשָּׁמֵדוּן: וְהֵפִיץ יְהוָה אֶתְכֶם
בָּעַמִּים וְנִשְׁאַרְתֶּם מְתֵי מִסְפָּר בַּגּוֹיִם אֲשֶׁר יְנַהֵג יְהוָה אֶתְכֶם
כח שָׁמָּה: וַעֲבַדְתֶּם־שָׁם אֱלֹהִים מַעֲשֵׂה יְדֵי אָדָם עֵץ וָאֶבֶן אֲשֶׁר
כט לֹא־יִרְאוּן וְלֹא יִשְׁמְעוּן וְלֹא יֹאכְלוּן וְלֹא יְרִיחֻן: וּבִקַּשְׁתֶּם מִשָּׁם
אֶת־יְהוָה אֱלֹהֶיךָ וּמָצָאתָ כִּי תִדְרְשֶׁנּוּ בְּכָל־לְבָבְךָ וּבְכָל־נַפְשֶׁךָ:

עָנְשֵׁי עֲבוֹדָה זָרָה:

הַתְּשׁוּבָה וְקַבָּלָתָהּ:

ל בַּצַּר לְךָ וּמְצָאוּךָ כֹּל הַדְּבָרִים הָאֵלֶּה בְּאַחֲרִית הַיָּמִים וְשַׁבְתָּ
לא עַד־יְהוָה אֱלֹהֶיךָ וְשָׁמַעְתָּ בְּקֹלוֹ: כִּי אֵל רַחוּם יְהוָה אֱלֹהֶיךָ לֹא
יַרְפְּךָ וְלֹא יַשְׁחִיתֶךָ וְלֹא יִשְׁכַּח אֶת־בְּרִית אֲבֹתֶיךָ אֲשֶׁר נִשְׁבַּע
לב לָהֶם: כִּי שְׁאַל־נָא לְיָמִים רִאשֹׁנִים אֲשֶׁר־הָיוּ לְפָנֶיךָ לְמִן־הַיּוֹם
בְּחִירַת עַם יִשְׂרָאֵל בִּלְבַד:
אֲשֶׁר בָּרָא אֱלֹהִים ׀ אָדָם עַל־הָאָרֶץ וּלְמִקְצֵה הַשָּׁמַיִם
וְעַד־קְצֵה הַשָּׁמָיִם הֲנִהְיָה כַּדָּבָר הַגָּדוֹל הַזֶּה אוֹ הֲנִשְׁמַע
לג כָּמֹהוּ: הֲשָׁמַע עָם קוֹל אֱלֹהִים מְדַבֵּר מִתּוֹךְ־הָאֵשׁ כַּאֲשֶׁר־
לד שָׁמַעְתָּ אַתָּה וַיֶּחִי: אוֹ ׀ הֲנִסָּה אֱלֹהִים לָבוֹא לָקַחַת לוֹ גוֹי
מִקֶּרֶב גּוֹי בְּמַסֹּת בְּאֹתֹת וּבְמוֹפְתִים וּבְמִלְחָמָה וּבְיָד חֲזָקָה
וּבִזְרוֹעַ נְטוּיָה וּבְמוֹרָאִים גְּדֹלִים כְּכֹל אֲשֶׁר־עָשָׂה לָכֶם יְהוָה
לה אֱלֹהֵיכֶם בְּמִצְרַיִם לְעֵינֶיךָ: אַתָּה הָרְאֵתָ לָדַעַת כִּי יְהוָה הוּא
לו הָאֱלֹהִים אֵין עוֹד מִלְבַדּוֹ: מִן־הַשָּׁמַיִם הִשְׁמִיעֲךָ אֶת־קֹלוֹ
לְיַסְּרֶךָּ וְעַל־הָאָרֶץ הֶרְאֲךָ אֶת־אִשּׁוֹ הַגְּדוֹלָה וּדְבָרָיו שָׁמַעְתָּ
לז מִתּוֹךְ הָאֵשׁ: וְתַחַת כִּי אָהַב אֶת־אֲבֹתֶיךָ וַיִּבְחַר בְּזַרְעוֹ אַחֲרָיו
לח וַיּוֹצִאֲךָ בְּפָנָיו בְּכֹחוֹ הַגָּדֹל מִמִּצְרָיִם: לְהוֹרִישׁ גּוֹיִם גְּדֹלִים
וַעֲצֻמִים מִמְּךָ מִפָּנֶיךָ לַהֲבִיאֲךָ לָתֶת־לְךָ אֶת־אַרְצָם נַחֲלָה כַּיּוֹם
לט הַזֶּה: וְיָדַעְתָּ הַיּוֹם וַהֲשֵׁבֹתָ אֶל־לְבָבֶךָ כִּי יְהוָה הוּא הָאֱלֹהִים
חִיּוּב יְדִיעַת ה':
מ בַּשָּׁמַיִם מִמַּעַל וְעַל־הָאָרֶץ מִתָּחַת אֵין עוֹד: וְשָׁמַרְתָּ אֶת־חֻקָּיו
וְאֶת־מִצְוֺתָיו אֲשֶׁר אָנֹכִי מְצַוְּךָ הַיּוֹם אֲשֶׁר יִיטַב לְךָ וּלְבָנֶיךָ
אַחֲרֶיךָ וּלְמַעַן תַּאֲרִיךְ יָמִים עַל־הָאֲדָמָה אֲשֶׁר יְהוָה אֱלֹהֶיךָ
נֹתֵן לְךָ כָּל־הַיָּמִים:

שלישי
הַבְדָּלַת עָרֵי מִקְלָט:
מא מב אָז יַבְדִּיל מֹשֶׁה שָׁלֹשׁ עָרִים בְּעֵבֶר הַיַּרְדֵּן מִזְרְחָה שָׁמֶשׁ: לָנֻס
שָׁמָּה רוֹצֵחַ אֲשֶׁר יִרְצַח אֶת־רֵעֵהוּ בִּבְלִי־דַעַת וְהוּא לֹא־שֹׂנֵא
מג לוֹ מִתְּמֹל שִׁלְשֹׁם וְנָס אֶל־אַחַת מִן־הֶעָרִים הָאֵל וָחָי: אֶת־בֶּצֶר
בַּמִּדְבָּר בְּאֶרֶץ הַמִּישֹׁר לָראוּבֵנִי וְאֶת־רָאמֹת בַּגִּלְעָד לַגָּדִי

מד וְאֶת־גּוֹלָן בַּבָּשָׁן לַמְנַשִּׁי: וְזֹאת הַתּוֹרָה אֲשֶׁר־שָׂם מֹשֶׁה לִפְנֵי
מה בְּנֵי יִשְׂרָאֵל: אֵלֶּה הָעֵדֹת וְהַחֻקִּים וְהַמִּשְׁפָּטִים אֲשֶׁר דִּבֶּר מֹשֶׁה הַמָּקוֹם בּוֹ
מו אֶל־בְּנֵי יִשְׂרָאֵל בְּצֵאתָם מִמִּצְרָיִם: בְּעֵבֶר הַיַּרְדֵּן בַּגַּיְא מוּל בֵּית דִּבֵּר מֹשֶׁה לְיִשְׂרָאֵל:
פְּעוֹר בְּאֶרֶץ סִיחֹן מֶלֶךְ הָאֱמֹרִי אֲשֶׁר יוֹשֵׁב בְּחֶשְׁבּוֹן אֲשֶׁר הִכָּה
מז מֹשֶׁה וּבְנֵי יִשְׂרָאֵל בְּצֵאתָם מִמִּצְרָיִם: וַיִּירְשׁוּ אֶת־אַרְצוֹ
וְאֶת־אֶרֶץ ׀ עוֹג מֶלֶךְ־הַבָּשָׁן שְׁנֵי מַלְכֵי הָאֱמֹרִי אֲשֶׁר בְּעֵבֶר
מח הַיַּרְדֵּן מִזְרַח שָׁמֶשׁ: מֵעֲרֹעֵר אֲשֶׁר עַל־שְׂפַת־נַחַל אַרְנֹן וְעַד־הַר
מט שִׂיאֹן הוּא חֶרְמוֹן: וְכָל־הָעֲרָבָה עֵבֶר הַיַּרְדֵּן מִזְרָחָה וְעַד יָם
הָעֲרָבָה תַּחַת אַשְׁדֹּת הַפִּסְגָּה:

ה א וַיִּקְרָא מֹשֶׁה אֶל־כָּל־יִשְׂרָאֵל וַיֹּאמֶר אֲלֵהֶם שְׁמַע יִשְׂרָאֵל רביעי תֵּאוּר
אֶת־הַחֻקִּים וְאֶת־הַמִּשְׁפָּטִים אֲשֶׁר אָנֹכִי דֹּבֵר בְּאָזְנֵיכֶם הַיּוֹם מַעֲמַד הַר סִינָי:
ב וּלְמַדְתֶּם אֹתָם וּשְׁמַרְתֶּם לַעֲשֹׂתָם: יְהוָה אֱלֹהֵינוּ כָּרַת עִמָּנוּ
ג בְּרִית בְּחֹרֵב: לֹא אֶת־אֲבֹתֵינוּ כָּרַת יְהוָה אֶת־הַבְּרִית הַזֹּאת כִּי
ד אִתָּנוּ אֲנַחְנוּ אֵלֶּה פֹה הַיּוֹם כֻּלָּנוּ חַיִּים: פָּנִים ׀ בְּפָנִים דִּבֶּר יְהוָה
ה עִמָּכֶם בָּהָר מִתּוֹךְ הָאֵשׁ: אָנֹכִי עֹמֵד בֵּין־יְהוָה וּבֵינֵיכֶם בָּעֵת
הַהִוא לְהַגִּיד לָכֶם אֶת־דְּבַר יְהוָה כִּי יְרֵאתֶם מִפְּנֵי הָאֵשׁ
ו וְלֹא־עֲלִיתֶם בָּהָר לֵאמֹר: אָנֹכִי עֲשֶׂרֶת הַדִּבְּרוֹת:
יְהוָה אֱלֹהֶיךָ אֲשֶׁר הוֹצֵאתִיךָ מֵאֶרֶץ מִצְרַיִם מִבֵּית עֲבָדִים
ז ח לֹא־יִהְיֶה לְךָ אֱלֹהִים אֲחֵרִים עַל־פָּנָי: לֹא־תַעֲשֶׂה לְךָ פֶסֶל
כָּל־תְּמוּנָה אֲשֶׁר בַּשָּׁמַיִם מִמַּעַל וַאֲשֶׁר בָּאָרֶץ מִתָּחַת וַאֲשֶׁר
ט בַּמַּיִם מִתַּחַת לָאָרֶץ: לֹא־תִשְׁתַּחֲוֶה לָהֶם וְלֹא תָעָבְדֵם כִּי אָנֹכִי
יְהוָה אֱלֹהֶיךָ אֵל קַנָּא פֹּקֵד עֲוֺן אָבוֹת עַל־בָּנִים וְעַל־שִׁלֵּשִׁים
י וְעַל־רִבֵּעִים לְשֹׂנְאָי: וְעֹשֶׂה חֶסֶד לַאֲלָפִים לְאֹהֲבַי וּלְשֹׁמְרֵי מצותו
יא מִצְוֺתָי: לֹא תִשָּׂא אֶת־שֵׁם־יְהוָה אֱלֹהֶיךָ לַשָּׁוְא כִּי לֹא
יב יְנַקֶּה יְהוָה אֵת אֲשֶׁר־יִשָּׂא אֶת־שְׁמוֹ לַשָּׁוְא: שָׁמוֹר

יג אֶת־י֥וֹם הַשַּׁבָּ֖ת לְקַדְּשׁ֑וֹ כַּאֲשֶׁ֥ר צִוְּךָ֖ יְהוָ֥ה אֱלֹהֶֽיךָ׃ שֵׁ֤שֶׁת יָמִים֙
יד תַּֽעֲבֹ֔ד וְעָשִׂ֖יתָ כָּל־מְלַאכְתֶּֽךָ׃ וְי֙וֹם֙ הַשְּׁבִיעִ֔י שַׁבָּ֖ת לַיהוָ֣ה אֱלֹהֶ֑יךָ
לֹ֣א תַעֲשֶׂ֣ה כָל־מְלָאכָ֡ה אַתָּ֣ה וּבִנְךָֽ־וּבִתֶּ֣ךָ וְעַבְדְּךָֽ־וַאֲמָתֶ֩ךָ֩
וְשֽׁוֹרְךָ֨ וַחֲמֹֽרְךָ֜ וְכָל־בְּהֶמְתֶּ֗ךָ וְגֵֽרְךָ֙ אֲשֶׁ֣ר בִּשְׁעָרֶ֔יךָ לְמַ֗עַן יָנ֛וּחַ
טו עַבְדְּךָ֥ וַאֲמָתְךָ֖ כָּמֽוֹךָ׃ וְזָכַרְתָּ֗ כִּ֣י עֶ֤בֶד הָיִ֙יתָ֙ בְּאֶ֣רֶץ מִצְרַ֔יִם
וַיֹּצִ֨אֲךָ֜ יְהוָ֤ה אֱלֹהֶ֙יךָ֙ מִשָּׁ֔ם בְּיָ֥ד חֲזָקָ֖ה וּבִזְרֹ֣עַ נְטוּיָ֑ה עַל־כֵּ֗ן צִוְּךָ֙
טז יְהוָ֣ה אֱלֹהֶ֔יךָ לַעֲשׂ֖וֹת אֶת־י֥וֹם הַשַּׁבָּֽת׃ כַּבֵּ֤ד
אֶת־אָבִ֙יךָ֙ וְאֶת־אִמֶּ֔ךָ כַּאֲשֶׁ֥ר צִוְּךָ֖ יְהוָ֣ה אֱלֹהֶ֑יךָ לְמַ֣עַן ׀ יַאֲרִיכֻ֣ן
יָמֶ֗יךָ וּלְמַ֙עַן֙ יִ֣יטַב לָ֔ךְ עַ֚ל הָֽאֲדָמָ֔ה אֲשֶׁר־יְהוָ֥ה אֱלֹהֶ֖יךָ נֹתֵ֥ן
יז לָֽךְ׃ לֹ֖א תִּרְצָֽח׃ וְלֹ֖א
תִּנְאָֽף׃ וְלֹ֖א תִּגְנֹֽב׃ וְלֹא־
יח תַעֲנֶ֥ה בְרֵעֲךָ֖ עֵ֥ד שָֽׁוְא׃ וְלֹ֥א
תַחְמֹ֖ד אֵ֣שֶׁת רֵעֶ֑ךָ וְלֹ֨א תִתְאַוֶּ֜ה בֵּ֣ית רֵעֶ֗ךָ שָׂדֵ֜הוּ
יט וְעַבְדּ֤וֹ וַאֲמָתוֹ֙ שׁוֹר֣וֹ וַחֲמֹר֔וֹ וְכֹ֖ל אֲשֶׁ֥ר לְרֵעֶֽךָ׃ אֶת־

חמישי
פַּחַד הָעָם
בְּמַעֲמַד
הַר סִינַי׃

הַדְּבָרִ֣ים הָאֵ֡לֶּה דִּבֶּ֣ר יְהוָה֩ אֶל־כָּל־קְהַלְכֶ֨ם בָּהָ֜ר מִתּ֣וֹךְ הָאֵ֗שׁ
הֶֽעָנָן֙ וְהָֽעֲרָפֶ֔ל ק֥וֹל גָּד֖וֹל וְלֹ֣א יָסָ֑ף וַֽיִּכְתְּבֵ֗ם עַל־שְׁנֵי֙ לֻחֹ֣ת אֲבָנִ֔ים
כ וַֽיִּתְּנֵ֖ם אֵלָֽי׃ וַיְהִ֗י כְּשָׁמְעֲכֶ֤ם אֶת־הַקּוֹל֙ מִתּ֣וֹךְ הַחֹ֔שֶׁךְ וְהָהָ֖ר בֹּעֵ֣ר
כא בָּאֵ֑שׁ וַתִּקְרְב֣וּן אֵלַ֔י כָּל־רָאשֵׁ֥י שִׁבְטֵיכֶ֖ם וְזִקְנֵיכֶֽם׃ וַתֹּאמְר֗וּ הֵ֣ן
הֶרְאָ֜נוּ יְהוָ֤ה אֱלֹהֵ֙ינוּ֙ אֶת־כְּבֹד֣וֹ וְאֶת־גָּדְל֔וֹ וְאֶת־קֹל֥וֹ שָׁמַ֖עְנוּ
מִתּ֣וֹךְ הָאֵ֑שׁ הַיּ֤וֹם הַזֶּה֙ רָאִ֔ינוּ כִּֽי־יְדַבֵּ֧ר אֱלֹהִ֛ים אֶת־הָאָדָ֖ם וָחָֽי׃
כב וְעַתָּה֙ לָ֣מָּה נָמ֔וּת כִּ֣י תֹֽאכְלֵ֔נוּ הָאֵ֥שׁ הַגְּדֹלָ֖ה הַזֹּ֑את אִם־יֹסְפִ֣ים ׀
כג אֲנַ֗חְנוּ לִ֠שְׁמֹעַ אֶת־ק֨וֹל יְהוָ֧ה אֱלֹהֵ֛ינוּ ע֖וֹד וָמָֽתְנוּ׃ כִּ֣י מִ֣י
כָל־בָּשָׂ֡ר אֲשֶׁ֣ר שָׁמַ֣ע קוֹל֩ אֱלֹהִ֨ים חַיִּ֜ים מְדַבֵּ֧ר מִתּוֹךְ־הָאֵ֛שׁ
כד כָּמֹ֖נוּ וַיֶּֽחִי׃ קְרַ֤ב אַתָּה֙ וּֽשֲׁמָ֔ע אֵ֛ת כָּל־אֲשֶׁ֥ר יֹאמַ֖ר יְהוָ֣ה אֱלֹהֵ֑ינוּ
וְאַ֣תְּ ׀ תְּדַבֵּ֣ר אֵלֵ֗ינוּ אֵת֩ כָּל־אֲשֶׁ֨ר יְדַבֵּ֜ר יְהוָ֧ה אֱלֹהֵ֛ינוּ אֵלֶ֖יךָ

כה וְשָׁמַעְנוּ וְעָשִׂינוּ: וַיִּשְׁמַע יְהוָה אֶת־קוֹל דִּבְרֵיכֶם בְּדַבֶּרְכֶם אֵלָי (תְּגוּבַת ה׳ לְבַקָּשָׁתָם:)
וַיֹּאמֶר יְהוָה אֵלַי שָׁמַעְתִּי אֶת־קוֹל דִּבְרֵי הָעָם הַזֶּה אֲשֶׁר דִּבְּרוּ
כו אֵלֶיךָ הֵיטִיבוּ כָּל־אֲשֶׁר דִּבֵּרוּ: מִי־יִתֵּן וְהָיָה לְבָבָם זֶה לָהֶם
לְיִרְאָה אֹתִי וְלִשְׁמֹר אֶת־כָּל־מִצְוֺתַי כָּל־הַיָּמִים לְמַעַן יִיטַב לָהֶם
כז כח וְלִבְנֵיהֶם לְעֹלָם: לֵךְ אֱמֹר לָהֶם שׁוּבוּ לָכֶם לְאָהֳלֵיכֶם: וְאַתָּה
פֹּה עֲמֹד עִמָּדִי וַאֲדַבְּרָה אֵלֶיךָ אֵת כָּל־הַמִּצְוָה וְהַחֻקִּים
וְהַמִּשְׁפָּטִים אֲשֶׁר תְּלַמְּדֵם וְעָשׂוּ בָאָרֶץ אֲשֶׁר אָנֹכִי נֹתֵן לָהֶם
כט לְרִשְׁתָּהּ: וּשְׁמַרְתֶּם לַעֲשׂוֹת כַּאֲשֶׁר צִוָּה יְהוָה אֱלֹהֵיכֶם אֶתְכֶם
ל לֹא תָסֻרוּ יָמִין וּשְׂמֹאל: בְּכָל־הַדֶּרֶךְ אֲשֶׁר צִוָּה יְהוָה אֱלֹהֵיכֶם
אֶתְכֶם תֵּלֵכוּ לְמַעַן תִּחְיוּן וְטוֹב לָכֶם וְהַאֲרַכְתֶּם יָמִים בָּאָרֶץ
ו א אֲשֶׁר תִּירָשׁוּן: וְזֹאת הַמִּצְוָה הַחֻקִּים וְהַמִּשְׁפָּטִים אֲשֶׁר צִוָּה (יִעוּד הַמִּצְוֹת:)
יְהוָה אֱלֹהֵיכֶם לְלַמֵּד אֶתְכֶם לַעֲשׂוֹת בָּאָרֶץ אֲשֶׁר אַתֶּם עֹבְרִים
ב שָׁמָּה לְרִשְׁתָּהּ: לְמַעַן תִּירָא אֶת־יְהוָה אֱלֹהֶיךָ לִשְׁמֹר אֶת־
כָּל־חֻקֹּתָיו וּמִצְוֺתָיו אֲשֶׁר אָנֹכִי מְצַוֶּךָּ אַתָּה וּבִנְךָ וּבֶן־בִּנְךָ כֹּל
ג יְמֵי חַיֶּיךָ וּלְמַעַן יַאֲרִכֻן יָמֶיךָ: וְשָׁמַעְתָּ יִשְׂרָאֵל וְשָׁמַרְתָּ לַעֲשׂוֹת
אֲשֶׁר יִיטַב לְךָ וַאֲשֶׁר תִּרְבּוּן מְאֹד כַּאֲשֶׁר דִּבֶּר יְהוָה אֱלֹהֵי
אֲבֹתֶיךָ לָךְ אֶרֶץ זָבַת חָלָב וּדְבָשׁ:
ד ה שְׁמַע יִשְׂרָאֵל יְהוָה אֱלֹהֵינוּ יְהוָה | אֶחָד: וְאָהַבְתָּ אֵת יְהוָה (ששי קַבָּלַת עֹל מַלְכוּת שָׁמַיִם:)
ו אֱלֹהֶיךָ בְּכָל־לְבָבְךָ וּבְכָל־נַפְשְׁךָ וּבְכָל־מְאֹדֶךָ: וְהָיוּ הַדְּבָרִים
ז הָאֵלֶּה אֲשֶׁר אָנֹכִי מְצַוְּךָ הַיּוֹם עַל־לְבָבֶךָ: וְשִׁנַּנְתָּם לְבָנֶיךָ וְדִבַּרְתָּ (חִיּוּבֵי לִמּוּד הַתּוֹרָה, תְּפִלִּין וּמְזוּזָה:)
בָּם בְּשִׁבְתְּךָ בְּבֵיתֶךָ וּבְלֶכְתְּךָ בַדֶּרֶךְ וּבְשָׁכְבְּךָ וּבְקוּמֶךָ:
ח ט וּקְשַׁרְתָּם לְאוֹת עַל־יָדֶךָ וְהָיוּ לְטֹטָפֹת בֵּין עֵינֶיךָ: וּכְתַבְתָּם
י עַל־מְזֻזוֹת בֵּיתֶךָ וּבִשְׁעָרֶיךָ: וְהָיָה
כִּי יְבִיאֲךָ | יְהוָה אֱלֹהֶיךָ אֶל־הָאָרֶץ אֲשֶׁר נִשְׁבַּע לַאֲבֹתֶיךָ (שֶׁלֹּא לִשְׁכֹּחַ אֶת ה׳ מֵרֹב כֹּל:)
לְאַבְרָהָם לְיִצְחָק וּלְיַעֲקֹב לָתֶת לָךְ עָרִים גְּדֹלֹת וְטֹבֹת אֲשֶׁר

יא לֹא־בָנִיתָ: וּבָתִּים מְלֵאִים כָּל־טוּב אֲשֶׁר לֹא־מִלֵּאתָ וּבֹרֹת
חֲצוּבִים אֲשֶׁר לֹא־חָצַבְתָּ כְּרָמִים וְזֵיתִים אֲשֶׁר לֹא־נָטָעְתָּ
יב וְאָכַלְתָּ וְשָׂבָעְתָּ: הִשָּׁמֶר לְךָ פֶּן־תִּשְׁכַּח אֶת־יְהוָה אֲשֶׁר הוֹצִיאֲךָ
יג מֵאֶרֶץ מִצְרַיִם מִבֵּית עֲבָדִים: אֶת־יְהוָה אֱלֹהֶיךָ תִּירָא וְאֹתוֹ
יד תַעֲבֹד וּבִשְׁמוֹ תִּשָּׁבֵעַ: לֹא תֵלְכוּן אַחֲרֵי אֱלֹהִים אֲחֵרִים
טו מֵאֱלֹהֵי הָעַמִּים אֲשֶׁר סְבִיבוֹתֵיכֶם: כִּי אֵל קַנָּא יְהוָה אֱלֹהֶיךָ
בְּקִרְבֶּךָ פֶּן־יֶחֱרֶה אַף־יְהוָה אֱלֹהֶיךָ בָּךְ וְהִשְׁמִידְךָ מֵעַל פְּנֵי
טז הָאֲדָמָה: לֹא תְנַסּוּ אֶת־יְהוָה אֱלֹהֵיכֶם כַּאֲשֶׁר נִסִּיתֶם
יז בַּמַּסָּה: שָׁמוֹר תִּשְׁמְרוּן אֶת־מִצְוֹת יְהוָה אֱלֹהֵיכֶם וְעֵדֹתָיו וְחֻקָּיו
יח אֲשֶׁר צִוָּךְ: וְעָשִׂיתָ הַיָּשָׁר וְהַטּוֹב בְּעֵינֵי יְהוָה לְמַעַן יִיטַב לָךְ
וּבָאתָ וְיָרַשְׁתָּ אֶת־הָאָרֶץ הַטֹּבָה אֲשֶׁר־נִשְׁבַּע יְהוָה לַאֲבֹתֶיךָ:
יט כ לַהֲדֹף אֶת־כָּל־אֹיְבֶיךָ מִפָּנֶיךָ כַּאֲשֶׁר דִּבֶּר יְהוָה: כִּי־
יִשְׁאָלְךָ בִנְךָ מָחָר לֵאמֹר מָה הָעֵדֹת וְהַחֻקִּים וְהַמִּשְׁפָּטִים אֲשֶׁר
כא צִוָּה יְהוָה אֱלֹהֵינוּ אֶתְכֶם: וְאָמַרְתָּ לְבִנְךָ עֲבָדִים הָיִינוּ לְפַרְעֹה
כב בְּמִצְרָיִם וַיֹּצִיאֵנוּ יְהוָה מִמִּצְרַיִם בְּיָד חֲזָקָה: וַיִּתֵּן יְהוָה אוֹתֹת
וּמֹפְתִים גְּדֹלִים וְרָעִים ׀ בְּמִצְרַיִם בְּפַרְעֹה וּבְכָל־בֵּיתוֹ לְעֵינֵינוּ:
כג וְאוֹתָנוּ הוֹצִיא מִשָּׁם לְמַעַן הָבִיא אֹתָנוּ לָתֶת לָנוּ אֶת־הָאָרֶץ
כד אֲשֶׁר נִשְׁבַּע לַאֲבֹתֵינוּ: וַיְצַוֵּנוּ יְהוָה לַעֲשׂוֹת אֶת־כָּל־הַחֻקִּים
הָאֵלֶּה לְיִרְאָה אֶת־יְהוָה אֱלֹהֵינוּ לְטוֹב לָנוּ כָּל־הַיָּמִים לְחַיֹּתֵנוּ
כה כְּהַיּוֹם הַזֶּה: וּצְדָקָה תִּהְיֶה־לָּנוּ כִּי־נִשְׁמֹר לַעֲשׂוֹת אֶת־כָּל־
ז א הַמִּצְוָה הַזֹּאת לִפְנֵי יְהוָה אֱלֹהֵינוּ כַּאֲשֶׁר צִוָּנוּ: כִּי
יְבִיאֲךָ יְהוָה אֱלֹהֶיךָ אֶל־הָאָרֶץ אֲשֶׁר־אַתָּה בָא־שָׁמָּה לְרִשְׁתָּהּ
וְנָשַׁל גּוֹיִם־רַבִּים ׀ מִפָּנֶיךָ הַחִתִּי וְהַגִּרְגָּשִׁי וְהָאֱמֹרִי וְהַכְּנַעֲנִי
וְהַפְּרִזִּי וְהַחִוִּי וְהַיְבוּסִי שִׁבְעָה גוֹיִם רַבִּים וַעֲצוּמִים מִמֶּךָּ:
ב וּנְתָנָם יְהוָה אֱלֹהֶיךָ לְפָנֶיךָ וְהִכִּיתָם הַחֲרֵם תַּחֲרִים אֹתָם

אַזְהָרַת עֲבוֹדָה זָרָה:

שֶׁלֹּא לְנַסּוֹת אֶת ה׳:

שְׁאֵלַת הַבֵּן הֶחָכָם וְהַתְּשׁוּבָה:

שביעי הַחְרָמַת עַמְמֵי הָאָרֶץ וֵאלֹהֵיהֶם:

ג לֹא־תִכְרֹת לָהֶם בְּרִית וְלֹא תְחָנֵּם: וְלֹא תִתְחַתֵּן בָּם בִּתְּךָ
ד לֹא־תִתֵּן לִבְנוֹ וּבִתּוֹ לֹא־תִקַּח לִבְנֶךָ: כִּי־יָסִיר אֶת־בִּנְךָ מֵאַחֲרַי
וְעָבְדוּ אֱלֹהִים אֲחֵרִים וְחָרָה אַף־יְהוָה בָּכֶם וְהִשְׁמִידְךָ מַהֵר:
ה כִּי־אִם־כֹּה תַעֲשׂוּ לָהֶם מִזְבְּחֹתֵיהֶם תִּתֹּצוּ וּמַצֵּבֹתָם תְּשַׁבֵּרוּ
ו וַאֲשֵׁירֵהֶם תְּגַדֵּעוּן וּפְסִילֵיהֶם תִּשְׂרְפוּן בָּאֵשׁ: כִּי עַם קָדוֹשׁ
אַתָּה לַיהוָה אֱלֹהֶיךָ בְּךָ בָּחַר | יְהוָה אֱלֹהֶיךָ לִהְיוֹת לוֹ לְעַם

יִחוּדוֹ שֶׁל עַם יִשְׂרָאֵל:

ז סְגֻלָּה מִכֹּל הָעַמִּים אֲשֶׁר עַל־פְּנֵי הָאֲדָמָה: לֹא מֵרֻבְּכֶם
מִכָּל־הָעַמִּים חָשַׁק יְהוָה בָּכֶם וַיִּבְחַר בָּכֶם כִּי־אַתֶּם הַמְעַט
ח מִכָּל־הָעַמִּים: כִּי מֵאַהֲבַת יְהוָה אֶתְכֶם וּמִשָּׁמְרוֹ אֶת־הַשְּׁבֻעָה
אֲשֶׁר נִשְׁבַּע לַאֲבֹתֵיכֶם הוֹצִיא יְהוָה אֶתְכֶם בְּיָד חֲזָקָה וַיִּפְדְּךָ

מפטיר

יְדִיעַת שָׂכָר וָעֹנֶשׁ:

ט מִבֵּית עֲבָדִים מִיַּד פַּרְעֹה מֶלֶךְ־מִצְרָיִם: וְיָדַעְתָּ כִּי־יְהוָה אֱלֹהֶיךָ
הוּא הָאֱלֹהִים הָאֵל הַנֶּאֱמָן שֹׁמֵר הַבְּרִית וְהַחֶסֶד לְאֹהֲבָיו וּלְשֹׁמְרֵי
י מִצְוֹתָו לְאֶלֶף דּוֹר: וּמְשַׁלֵּם לְשֹׂנְאָיו אֶל־פָּנָיו לְהַאֲבִידוֹ לֹא יְאַחֵר
יא לְשֹׂנְאוֹ אֶל־פָּנָיו יְשַׁלֶּם־לוֹ: וְשָׁמַרְתָּ אֶת־הַמִּצְוָה וְאֶת־הַחֻקִּים
וְאֶת־הַמִּשְׁפָּטִים אֲשֶׁר אָנֹכִי מְצַוְּךָ הַיּוֹם לַעֲשׂוֹתָם:

עקב

הַבְּרָכוֹת לְשׁוֹמְרֵי הַמִּצְווֹת:

יב וְהָיָה | עֵקֶב תִּשְׁמְעוּן אֵת הַמִּשְׁפָּטִים הָאֵלֶּה וּשְׁמַרְתֶּם וַעֲשִׂיתֶם
אֹתָם וְשָׁמַר יְהוָה אֱלֹהֶיךָ לְךָ אֶת־הַבְּרִית וְאֶת־הַחֶסֶד אֲשֶׁר
יג נִשְׁבַּע לַאֲבֹתֶיךָ: וַאֲהֵבְךָ וּבֵרַכְךָ וְהִרְבֶּךָ וּבֵרַךְ פְּרִי־בִטְנְךָ
וּפְרִי־אַדְמָתֶךָ דְּגָנְךָ וְתִירֹשְׁךָ וְיִצְהָרֶךָ שְׁגַר־אֲלָפֶיךָ וְעַשְׁתְּרֹת
יד צֹאנֶךָ עַל הָאֲדָמָה אֲשֶׁר־נִשְׁבַּע לַאֲבֹתֶיךָ לָתֶת לָךְ: בָּרוּךְ תִּהְיֶה
טו מִכָּל־הָעַמִּים לֹא־יִהְיֶה בְךָ עָקָר וַעֲקָרָה וּבִבְהֶמְתֶּךָ: וְהֵסִיר
יְהוָה מִמְּךָ כָּל־חֹלִי וְכָל־מַדְוֵי מִצְרַיִם הָרָעִים אֲשֶׁר יָדַעְתָּ לֹא
טז יְשִׂימָם בָּךְ וּנְתָנָם בְּכָל־שֹׂנְאֶיךָ: וְאָכַלְתָּ אֶת־כָּל־הָעַמִּים אֲשֶׁר
יְהוָה אֱלֹהֶיךָ נֹתֵן לָךְ לֹא־תָחוֹס עֵינְךָ עֲלֵיהֶם וְלֹא תַעֲבֹד

אֵין לְפַחֵד מֵהָאֻמּוֹת:

יז אֶת־אֱלֹהֵיהֶם כִּי־מוֹקֵשׁ הוּא לָךְ: כִּי תֹאמַר בִּלְבָבְךָ

יח רַבִּ֛ים הַגּוֹיִ֥ם הָאֵ֖לֶּה מִמֶּ֑נִּי אֵיכָ֥ה אוּכַ֖ל לְהוֹרִישָֽׁם׃ לֹ֥א תִירָ֖א
מֵהֶ֑ם זָכֹ֣ר תִּזְכֹּ֗ר אֵ֤ת אֲשֶׁר־עָשָׂה֙ יְהוָ֣ה אֱלֹהֶ֔יךָ לְפַרְעֹ֖ה וּלְכָל־
יט מִצְרָֽיִם׃ הַמַּסֹּ֨ת הַגְּדֹלֹ֜ת אֲשֶׁר־רָא֣וּ עֵינֶ֗יךָ וְהָאֹתֹ֤ת וְהַמֹּֽפְתִים֙
וְהַיָּ֤ד הַחֲזָקָה֙ וְהַזְּרֹ֣עַ הַנְּטוּיָ֔ה אֲשֶׁ֥ר הוֹצִאֲךָ֖ יְהוָ֣ה אֱלֹהֶ֑יךָ
כֵּֽן־יַעֲשֶׂ֞ה יְהוָ֤ה אֱלֹהֶ֙יךָ֙ לְכָל־הָ֣עַמִּ֔ים אֲשֶׁר־אַתָּ֥ה יָרֵ֖א מִפְּנֵיהֶֽם׃
כ וְגַם֙ אֶת־הַצִּרְעָ֔ה יְשַׁלַּ֛ח יְהוָ֥ה אֱלֹהֶ֖יךָ בָּ֑ם עַד־אֲבֹ֗ד הַנִּשְׁאָרִ֛ים
כא וְהַנִּסְתָּרִ֖ים מִפָּנֶֽיךָ׃ לֹ֥א תַעֲרֹ֖ץ מִפְּנֵיהֶ֑ם כִּֽי־יְהוָ֤ה אֱלֹהֶ֙יךָ֙ בְּקִרְבֶּ֔ךָ
כב אֵ֥ל גָּד֖וֹל וְנוֹרָֽא׃ וְנָשַׁל֩ יְהוָ֨ה אֱלֹהֶ֜יךָ אֶת־הַגּוֹיִ֥ם הָאֵ֛ל מִפָּנֶ֖יךָ
מְעַ֣ט מְעָ֑ט לֹ֤א תוּכַל֙ כַּלֹּתָ֣ם מַהֵ֔ר פֶּן־תִּרְבֶּ֥ה עָלֶ֖יךָ חַיַּ֥ת הַשָּׂדֶֽה׃
כג וּנְתָנָ֛ם יְהוָ֥ה אֱלֹהֶ֖יךָ לְפָנֶ֑יךָ וְהָמָם֙ מְהוּמָ֣ה גְדֹלָ֔ה עַ֖ד הִשָּׁמְדָֽם׃
כד וְנָתַ֤ן מַלְכֵיהֶם֙ בְּיָדֶ֔ךָ וְהַאֲבַדְתָּ֣ אֶת־שְׁמָ֔ם מִתַּ֖חַת הַשָּׁמָ֑יִם לֹֽא־
כה יִתְיַצֵּ֥ב אִישׁ֙ בְּפָנֶ֔יךָ עַ֥ד הִשְׁמִדְךָ֖ אֹתָֽם׃ פְּסִילֵ֥י אֱלֹהֵיהֶ֖ם תִּשְׂרְפ֣וּן
בָּאֵ֑שׁ לֹֽא־תַחְמֹד֩ כֶּ֨סֶף וְזָהָ֤ב עֲלֵיהֶם֙ וְלָקַחְתָּ֣ לָ֔ךְ פֶּ֚ן תִּוָּקֵ֣שׁ בּ֔וֹ כִּ֧י
כו תוֹעֲבַ֛ת יְהוָ֥ה אֱלֹהֶ֖יךָ הֽוּא׃ וְלֹא־תָבִ֤יא תוֹעֵבָה֙ אֶל־בֵּיתֶ֔ךָ וְהָיִ֥יתָ
חֵ֖רֶם כָּמֹ֑הוּ שַׁקֵּ֧ץ ׀ תְּשַׁקְּצֶ֛נּוּ וְתַעֵ֥ב ׀ תְּֽתַעֲבֶ֖נּוּ כִּי־חֵ֥רֶם הֽוּא׃

הַצִּרְעָה וְהַהַשְׁמָדָה הָאִטִּית:

שֶׁלֹּא לַחְמֹד מֵעֲבוֹדָה זָרָה:

ח א כָּל־הַמִּצְוָ֗ה אֲשֶׁ֨ר אָנֹכִ֧י מְצַוְּךָ֛ הַיּ֖וֹם תִּשְׁמְר֣וּן לַעֲשׂ֑וֹת לְמַ֨עַן
תִּחְי֜וּן וּרְבִיתֶ֗ם וּבָאתֶם֙ וִֽירִשְׁתֶּ֣ם אֶת־הָאָ֔רֶץ אֲשֶׁר־נִשְׁבַּ֥ע יְהוָ֖ה
ב לַאֲבֹתֵיכֶֽם׃ וְזָכַרְתָּ֣ אֶת־כָּל־הַדֶּ֗רֶךְ אֲשֶׁ֨ר הוֹלִֽיכְךָ֜ יְהוָ֧ה אֱלֹהֶ֛יךָ
זֶ֛ה אַרְבָּעִ֥ים שָׁנָ֖ה בַּמִּדְבָּ֑ר לְמַ֨עַן עַנֹּֽתְךָ֜ לְנַסֹּֽתְךָ֗ לָדַ֜עַת אֶת־אֲשֶׁ֧ר
ג בִּֽלְבָבְךָ֛ הֲתִשְׁמֹ֥ר מִצְוֺתָ֖ו אִם־לֹֽא׃ וַיְעַנְּךָ֮ וַיַּרְעִבֶ֒ךָ֒ וַיַּאֲכִֽלְךָ֤
אֶת־הַמָּן֙ אֲשֶׁ֣ר לֹא־יָדַ֔עְתָּ וְלֹ֥א יָדְע֖וּן אֲבֹתֶ֑יךָ לְמַ֣עַן הוֹדִֽיעֲךָ֗ כִּ֠י
לֹ֣א עַל־הַלֶּ֤חֶם לְבַדּוֹ֙ יִחְיֶ֣ה הָֽאָדָ֔ם כִּ֛י עַל־כָּל־מוֹצָ֥א פִֽי־יְהוָ֖ה
ד יִחְיֶ֥ה הָאָדָֽם׃ שִׂמְלָ֨תְךָ֜ לֹ֤א בָלְתָה֙ מֵעָלֶ֔יךָ וְרַגְלְךָ֖ לֹ֣א בָצֵ֑קָה זֶ֖ה
ה אַרְבָּעִ֥ים שָׁנָֽה׃ וְיָדַעְתָּ֖ עִם־לְבָבֶ֑ךָ כִּ֗י כַּאֲשֶׁ֨ר יְיַסֵּ֥ר אִישׁ֙ אֶת־בְּנ֔וֹ
ו יְהוָ֥ה אֱלֹהֶ֖יךָ מְיַסְּרֶֽךָּ׃ וְשָׁ֣מַרְתָּ֔ אֶת־מִצְוֺ֖ת יְהוָ֣ה אֱלֹהֶ֑יךָ לָלֶ֥כֶת

הַנְהָגַת ה' בַּמִּדְבָּר לְמַעַן נַסּוֹתָם:

מַעֲלוֹת אֶרֶץ יִשְׂרָאֵל:

ז בִּדְרָכָיו וּלְיִרְאָה אֹתוֹ: כִּי יְהוָה אֱלֹהֶיךָ מְבִיאֲךָ אֶל־אֶרֶץ טוֹבָה
ח אֶרֶץ נַחֲלֵי מָיִם עֲיָנֹת וּתְהֹמֹת יֹצְאִים בַּבִּקְעָה וּבָהָר: אֶרֶץ חִטָּה
ט וּשְׂעֹרָה וְגֶפֶן וּתְאֵנָה וְרִמּוֹן אֶרֶץ־זֵית שֶׁמֶן וּדְבָשׁ: אֶרֶץ אֲשֶׁר

מִצְוַת בִּרְכַּת הַמָּזוֹן:

לֹא בְמִסְכֵּנֻת תֹּאכַל־בָּהּ לֶחֶם לֹא־תֶחְסַר כֹּל בָּהּ אֶרֶץ אֲשֶׁר
י אֲבָנֶיהָ בַרְזֶל וּמֵהֲרָרֶיהָ תַּחְצֹב נְחֹשֶׁת: וְאָכַלְתָּ וְשָׂבָעְתָּ וּבֵרַכְתָּ

שני אַזְהָרָה מִפְּנֵי כְּפִיּוּת הַטּוֹבָה:

יא אֶת־יְהוָה אֱלֹהֶיךָ עַל־הָאָרֶץ הַטֹּבָה אֲשֶׁר נָתַן־לָךְ: הִשָּׁמֶר לְךָ
פֶּן־תִּשְׁכַּח אֶת־יְהוָה אֱלֹהֶיךָ לְבִלְתִּי שְׁמֹר מִצְוֹתָיו וּמִשְׁפָּטָיו
יב וְחֻקֹּתָיו אֲשֶׁר אָנֹכִי מְצַוְּךָ הַיּוֹם: פֶּן־תֹּאכַל וְשָׂבָעְתָּ וּבָתִּים טֹבִים
יג תִּבְנֶה וְיָשָׁבְתָּ: וּבְקָרְךָ וְצֹאנְךָ יִרְבְּיֻן וְכֶסֶף וְזָהָב יִרְבֶּה־לָּךְ וְכֹל
יד אֲשֶׁר־לְךָ יִרְבֶּה: וְרָם לְבָבֶךָ וְשָׁכַחְתָּ אֶת־יְהוָה אֱלֹהֶיךָ הַמּוֹצִיאֲךָ

תַּכְלִית הַנִּסְיוֹנוֹת, הַטּוֹבָה:

טו מֵאֶרֶץ מִצְרַיִם מִבֵּית עֲבָדִים: הַמּוֹלִיכְךָ בַּמִּדְבָּר ׀ הַגָּדֹל וְהַנּוֹרָא
נָחָשׁ ׀ שָׂרָף וְעַקְרָב וְצִמָּאוֹן אֲשֶׁר אֵין־מָיִם הַמּוֹצִיא לְךָ מַיִם
טז מִצּוּר הַחַלָּמִישׁ: הַמַּאֲכִלְךָ מָן בַּמִּדְבָּר אֲשֶׁר לֹא־יָדְעוּן אֲבֹתֶיךָ

הַכֹּחַ וְהָעֹשֶׁר, מַה הוּא:

יז לְמַעַן עַנֹּתְךָ וּלְמַעַן נַסֹּתֶךָ לְהֵיטִבְךָ בְּאַחֲרִיתֶךָ: וְאָמַרְתָּ בִּלְבָבֶךָ
יח כֹּחִי וְעֹצֶם יָדִי עָשָׂה לִי אֶת־הַחַיִל הַזֶּה: וְזָכַרְתָּ אֶת־יְהוָה אֱלֹהֶיךָ
כִּי הוּא הַנֹּתֵן לְךָ כֹּחַ לַעֲשׂוֹת חָיִל לְמַעַן הָקִים אֶת־בְּרִיתוֹ
אֲשֶׁר־נִשְׁבַּע לַאֲבֹתֶיךָ כַּיּוֹם הַזֶּה:

אַזְהָרַת עֲבוֹדָה זָרָה:

יט וְהָיָה אִם־שָׁכֹחַ תִּשְׁכַּח אֶת־יְהוָה אֱלֹהֶיךָ וְהָלַכְתָּ אַחֲרֵי אֱלֹהִים
אֲחֵרִים וַעֲבַדְתָּם וְהִשְׁתַּחֲוִיתָ לָהֶם הַעִדֹתִי בָכֶם הַיּוֹם כִּי אָבֹד
כ תֹּאבֵדוּן: כַּגּוֹיִם אֲשֶׁר יְהוָה מַאֲבִיד מִפְּנֵיכֶם כֵּן תֹּאבֵדוּן עֵקֶב
לֹא תִשְׁמְעוּן בְּקוֹל יְהוָה אֱלֹהֵיכֶם:

הַסִּבּוֹת לְהוֹרָשַׁת הָאָרֶץ לְיִשְׂרָאֵל:

ט א שְׁמַע יִשְׂרָאֵל אַתָּה עֹבֵר הַיּוֹם אֶת־הַיַּרְדֵּן לָבֹא לָרֶשֶׁת גּוֹיִם
ב גְּדֹלִים וַעֲצֻמִים מִמֶּךָּ עָרִים גְּדֹלֹת וּבְצֻרֹת בַּשָּׁמָיִם: עַם־גָּדוֹל
וָרָם בְּנֵי עֲנָקִים אֲשֶׁר אַתָּה יָדַעְתָּ וְאַתָּה שָׁמַעְתָּ מִי יִתְיַצֵּב
ג לִפְנֵי בְּנֵי עֲנָק: וְיָדַעְתָּ הַיּוֹם כִּי יְהוָה אֱלֹהֶיךָ הוּא־הָעֹבֵר לְפָנֶיךָ

אֵשׁ אֹכְלָה הוּא יַשְׁמִידֵם וְהוּא יַכְנִיעֵם לְפָנֶיךָ וְהוֹרַשְׁתָּם

שלישי

ד וְהַאֲבַדְתָּם מַהֵר כַּאֲשֶׁר דִּבֶּר יְהוָה לָךְ: אַל־תֹּאמַר בִּלְבָבְךָ בַּהֲדֹף
יְהוָה אֱלֹהֶיךָ אֹתָם | מִלְּפָנֶיךָ לֵאמֹר בְּצִדְקָתִי הֱבִיאַנִי יְהוָה לָרֶשֶׁת
אֶת־הָאָרֶץ הַזֹּאת וּבְרִשְׁעַת הַגּוֹיִם הָאֵלֶּה יְהוָה מוֹרִישָׁם מִפָּנֶיךָ:
ה לֹא בְצִדְקָתְךָ וּבְיֹשֶׁר לְבָבְךָ אַתָּה בָא לָרֶשֶׁת אֶת־אַרְצָם כִּי
בְּרִשְׁעַת | הַגּוֹיִם הָאֵלֶּה יְהוָה אֱלֹהֶיךָ מוֹרִישָׁם מִפָּנֶיךָ וּלְמַעַן
הָקִים אֶת־הַדָּבָר אֲשֶׁר נִשְׁבַּע יְהוָה לַאֲבֹתֶיךָ לְאַבְרָהָם לְיִצְחָק
ו וּלְיַעֲקֹב: וְיָדַעְתָּ כִּי לֹא בְצִדְקָתְךָ יְהוָה אֱלֹהֶיךָ נֹתֵן לְךָ אֶת־

זְכִירַת חֲטָאֵי יִשְׂרָאֵל בַּמִּדְבָּר:

ז הָאָרֶץ הַטּוֹבָה הַזֹּאת לְרִשְׁתָּהּ כִּי עַם־קְשֵׁה־עֹרֶף אָתָּה: זְכֹר
אַל־תִּשְׁכַּח אֵת אֲשֶׁר־הִקְצַפְתָּ אֶת־יְהוָה אֱלֹהֶיךָ בַּמִּדְבָּר לְמִן־
הַיּוֹם אֲשֶׁר־יָצָאתָ | מֵאֶרֶץ מִצְרַיִם עַד־בֹּאֲכֶם עַד־הַמָּקוֹם הַזֶּה
ח מַמְרִים הֱיִיתֶם עִם־יְהוָה: וּבְחֹרֵב הִקְצַפְתֶּם אֶת־יְהוָה וַיִּתְאַנַּף

קַבָּלַת הַלּוּחוֹת הָרִאשׁוֹנִים:

ט יְהוָה בָּכֶם לְהַשְׁמִיד אֶתְכֶם: בַּעֲלֹתִי הָהָרָה לָקַחַת לוּחֹת הָאֲבָנִים
לוּחֹת הַבְּרִית אֲשֶׁר־כָּרַת יְהוָה עִמָּכֶם וָאֵשֵׁב בָּהָר אַרְבָּעִים יוֹם
י וְאַרְבָּעִים לַיְלָה לֶחֶם לֹא אָכַלְתִּי וּמַיִם לֹא שָׁתִיתִי: וַיִּתֵּן יְהוָה
אֵלַי אֶת־שְׁנֵי לוּחֹת הָאֲבָנִים כְּתֻבִים בְּאֶצְבַּע אֱלֹהִים וַעֲלֵיהֶם
כְּכָל־הַדְּבָרִים אֲשֶׁר דִּבֶּר יְהוָה עִמָּכֶם בָּהָר מִתּוֹךְ הָאֵשׁ בְּיוֹם
יא הַקָּהָל: וַיְהִי מִקֵּץ אַרְבָּעִים יוֹם וְאַרְבָּעִים לַיְלָה נָתַן יְהוָה אֵלַי

כַּעַס ה' עַל הָעֵגֶל:

יב אֶת־שְׁנֵי לֻחֹת הָאֲבָנִים לֻחוֹת הַבְּרִית: וַיֹּאמֶר יְהוָה אֵלַי קוּם רֵד
מַהֵר מִזֶּה כִּי שִׁחֵת עַמְּךָ אֲשֶׁר הוֹצֵאתָ מִמִּצְרָיִם סָרוּ מַהֵר
יג מִן־הַדֶּרֶךְ אֲשֶׁר צִוִּיתִם עָשׂוּ לָהֶם מַסֵּכָה: וַיֹּאמֶר יְהוָה אֵלַי
יד לֵאמֹר רָאִיתִי אֶת־הָעָם הַזֶּה וְהִנֵּה עַם־קְשֵׁה־עֹרֶף הוּא: הֶרֶף
מִמֶּנִּי וְאַשְׁמִידֵם וְאֶמְחֶה אֶת־שְׁמָם מִתַּחַת הַשָּׁמָיִם וְאֶעֱשֶׂה
טו אוֹתְךָ לְגוֹי־עָצוּם וָרָב מִמֶּנּוּ: וָאֵפֶן וָאֵרֵד מִן־הָהָר וְהָהָר בֹּעֵר
טז בָּאֵשׁ וּשְׁנֵי לוּחֹת הַבְּרִית עַל שְׁתֵּי יָדָי: וָאֵרֶא וְהִנֵּה חֲטָאתֶם

לַיהֹוָה אֱלֹהֵיכֶם עֲשִׂיתֶם לָכֶם עֵגֶל מַסֵּכָה סַרְתֶּם מַהֵר מִן־הַדֶּרֶךְ

יז אֲשֶׁר־צִוָּה יְהֹוָה אֶתְכֶם: וָאֶתְפֹּשׂ בִּשְׁנֵי הַלֻּחֹת וָאַשְׁלִכֵם מֵעַל

תְּפִלַּת מֹשֶׁה בְּעַד יִשְׂרָאֵל וְאַהֲרֹן:

יח שְׁתֵּי יָדָי וָאֲשַׁבְּרֵם לְעֵינֵיכֶם: וָאֶתְנַפַּל לִפְנֵי יְהֹוָה כָּרִאשֹׁנָה

אַרְבָּעִים יוֹם וְאַרְבָּעִים לַיְלָה לֶחֶם לֹא אָכַלְתִּי וּמַיִם לֹא שָׁתִיתִי

עַל כָּל־חַטַּאתְכֶם אֲשֶׁר חֲטָאתֶם לַעֲשׂוֹת הָרַע בְּעֵינֵי יְהֹוָה

יט לְהַכְעִיסוֹ: כִּי יָגֹרְתִּי מִפְּנֵי הָאַף וְהַחֵמָה אֲשֶׁר קָצַף יְהֹוָה עֲלֵיכֶם

כ לְהַשְׁמִיד אֶתְכֶם וַיִּשְׁמַע יְהֹוָה אֵלַי גַּם בַּפַּעַם הַהִוא: וּבְאַהֲרֹן

הִתְאַנַּף יְהֹוָה מְאֹד לְהַשְׁמִידוֹ וָאֶתְפַּלֵּל גַּם־בְּעַד אַהֲרֹן בָּעֵת

שְׂרֵפַת הָעֵגֶל:

כא הַהִוא: וְאֶת־חַטַּאתְכֶם אֲשֶׁר־עֲשִׂיתֶם אֶת־הָעֵגֶל לָקַחְתִּי וָאֶשְׂרֹף

אֹתוֹ | בָּאֵשׁ וָאֶכֹּת אֹתוֹ טָחוֹן הֵיטֵב עַד אֲשֶׁר־דַּק לְעָפָר וָאַשְׁלִךְ

הַמְּקוֹמוֹת בָּהֶם הִקְצִיפוּ אֶת ה':

כב אֶת־עֲפָרוֹ אֶל־הַנַּחַל הַיֹּרֵד מִן־הָהָר: וּבְתַבְעֵרָה וּבְמַסָּה וּבְקִבְרֹת

כג הַתַּאֲוָה מַקְצִפִים הֱיִיתֶם אֶת־יְהֹוָה: וּבִשְׁלֹחַ יְהֹוָה אֶתְכֶם

מִקָּדֵשׁ בַּרְנֵעַ לֵאמֹר עֲלוּ וּרְשׁוּ אֶת־הָאָרֶץ אֲשֶׁר נָתַתִּי לָכֶם

וַתַּמְרוּ אֶת־פִּי יְהֹוָה אֱלֹהֵיכֶם וְלֹא הֶאֱמַנְתֶּם לוֹ וְלֹא שְׁמַעְתֶּם

תְּפִלַּת מֹשֶׁה בְּעַד הָעָם:

כד בְּקֹלוֹ: מַמְרִים הֱיִיתֶם עִם־יְהֹוָה מִיּוֹם דַּעְתִּי אֶתְכֶם: וָאֶתְנַפַּל

כה לִפְנֵי יְהֹוָה אֵת אַרְבָּעִים הַיּוֹם וְאֶת־אַרְבָּעִים הַלַּיְלָה אֲשֶׁר

כו הִתְנַפָּלְתִּי כִּי־אָמַר יְהֹוָה לְהַשְׁמִיד אֶתְכֶם: וָאֶתְפַּלֵּל אֶל־יְהֹוָה

וָאֹמַר אֲדֹנָי יֱהֹוִה אַל־תַּשְׁחֵת עַמְּךָ וְנַחֲלָתְךָ אֲשֶׁר פָּדִיתָ בְּגָדְלֶךָ

כז אֲשֶׁר־הוֹצֵאתָ מִמִּצְרַיִם בְּיָד חֲזָקָה: זְכֹר לַעֲבָדֶיךָ לְאַבְרָהָם

לְיִצְחָק וּלְיַעֲקֹב אַל־תֵּפֶן אֶל־קְשִׁי הָעָם הַזֶּה וְאֶל־רִשְׁעוֹ וְאֶל־

כח חַטָּאתוֹ: פֶּן־יֹאמְרוּ הָאָרֶץ אֲשֶׁר הוֹצֵאתָנוּ מִשָּׁם מִבְּלִי יְכֹלֶת

יְהֹוָה לַהֲבִיאָם אֶל־הָאָרֶץ אֲשֶׁר־דִּבֶּר לָהֶם וּמִשִּׂנְאָתוֹ אוֹתָם

כט הוֹצִיאָם לַהֲמִתָם בַּמִּדְבָּר: וְהֵם עַמְּךָ וְנַחֲלָתֶךָ אֲשֶׁר הוֹצֵאתָ

בְּכֹחֲךָ הַגָּדֹל וּבִזְרֹעֲךָ הַנְּטוּיָה:

י א בָּעֵת הַהִוא אָמַר יְהֹוָה אֵלַי פְּסָל־לְךָ שְׁנֵי־לֻוחֹת אֲבָנִים רביעי

כָּרִאשֹׁנִים וַעֲלֵה אֵלַי הָהָרָה וְעָשִׂיתָ לְּךָ אֲרוֹן עֵץ: וְאֶכְתֹּב ב

עַל־הַלֻּחֹת אֶת־הַדְּבָרִים אֲשֶׁר הָיוּ עַל־הַלֻּחֹת הָרִאשֹׁנִים אֲשֶׁר

שִׁבַּרְתָּ וְשַׂמְתָּם בָּאָרוֹן: וָאַעַשׂ אֲרוֹן עֲצֵי שִׁטִּים וָאֶפְסֹל שְׁנֵי־ ג

לֻחֹת אֲבָנִים כָּרִאשֹׁנִים וָאַעַל הָהָרָה וּשְׁנֵי הַלֻּחֹת בְּיָדִי: וַיִּכְתֹּב ד

עַל־הַלֻּחֹת כַּמִּכְתָּב הָרִאשׁוֹן אֵת עֲשֶׂרֶת הַדְּבָרִים אֲשֶׁר דִּבֶּר

יְהוָה אֲלֵיכֶם בָּהָר מִתּוֹךְ הָאֵשׁ בְּיוֹם הַקָּהָל וַיִּתְּנֵם יְהוָה אֵלָי:

וָאֵפֶן וָאֵרֵד מִן־הָהָר וָאָשִׂם אֶת־הַלֻּחֹת בָּאָרוֹן אֲשֶׁר עָשִׂיתִי ה

וַיִּהְיוּ שָׁם כַּאֲשֶׁר צִוַּנִי יְהוָה: וּבְנֵי יִשְׂרָאֵל נָסְעוּ מִבְּאֵרֹת ו

בְּנֵי־יַעֲקָן מוֹסֵרָה שָׁם מֵת אַהֲרֹן וַיִּקָּבֵר שָׁם וַיְכַהֵן אֶלְעָזָר בְּנוֹ

תַּחְתָּיו: מִשָּׁם נָסְעוּ הַגֻּדְגֹּדָה וּמִן־הַגֻּדְגֹּדָה יָטְבָתָה אֶרֶץ נַחֲלֵי ז

מָיִם: בָּעֵת הַהִוא הִבְדִּיל יְהוָה אֶת־שֵׁבֶט הַלֵּוִי לָשֵׂאת אֶת־אֲרוֹן ח

בְּרִית־יְהוָה לַעֲמֹד לִפְנֵי יְהוָה לְשָׁרְתוֹ וּלְבָרֵךְ בִּשְׁמוֹ עַד הַיּוֹם

הַזֶּה: עַל־כֵּן לֹא־הָיָה לְלֵוִי חֵלֶק וְנַחֲלָה עִם־אֶחָיו יְהוָה הוּא ט

נַחֲלָתוֹ כַּאֲשֶׁר דִּבֶּר יְהוָה אֱלֹהֶיךָ לוֹ: וְאָנֹכִי עָמַדְתִּי בָהָר כַּיָּמִים י

הָרִאשֹׁנִים אַרְבָּעִים יוֹם וְאַרְבָּעִים לָיְלָה וַיִּשְׁמַע יְהוָה אֵלַי גַּם

בַּפַּעַם הַהִוא לֹא־אָבָה יְהוָה הַשְׁחִיתֶךָ: וַיֹּאמֶר יְהוָה אֵלַי קוּם יא

לֵךְ לְמַסַּע לִפְנֵי הָעָם וְיָבֹאוּ וְיִירְשׁוּ אֶת־הָאָרֶץ אֲשֶׁר־נִשְׁבַּעְתִּי

לַאֲבֹתָם לָתֵת לָהֶם:

וְעַתָּה יִשְׂרָאֵל מָה יְהוָה אֱלֹהֶיךָ שֹׁאֵל מֵעִמָּךְ כִּי אִם־לְיִרְאָה יב

אֶת־יְהוָה אֱלֹהֶיךָ לָלֶכֶת בְּכָל־דְּרָכָיו וּלְאַהֲבָה אֹתוֹ וְלַעֲבֹד

אֶת־יְהוָה אֱלֹהֶיךָ בְּכָל־לְבָבְךָ וּבְכָל־נַפְשֶׁךָ: לִשְׁמֹר אֶת־מִצְוֹת יג

יְהוָה וְאֶת־חֻקֹּתָיו אֲשֶׁר אָנֹכִי מְצַוְּךָ הַיּוֹם לְטוֹב לָךְ: הֵן לַיהוָה יד

אֱלֹהֶיךָ הַשָּׁמַיִם וּשְׁמֵי הַשָּׁמָיִם הָאָרֶץ וְכָל־אֲשֶׁר־בָּהּ: רַק טו

בַּאֲבֹתֶיךָ חָשַׁק יְהוָה לְאַהֲבָה אוֹתָם וַיִּבְחַר בְּזַרְעָם אַחֲרֵיהֶם

בָּכֶם מִכָּל־הָעַמִּים כַּיּוֹם הַזֶּה: וּמַלְתֶּם אֵת עָרְלַת לְבַבְכֶם טז

(Margin notes):

לוחות
שניים

מסעות
ישראל
ומות
אהרן

הבדלת
שבט לוי

חמישי
צווי על
שמירת
המצוות

חביבות
זרע
האבות

יז וְעָרְפְּכֶם לֹא תַקְשׁוּ עוֹד: כִּי יְהוָה אֱלֹהֵיכֶם הוּא אֱלֹהֵי הָאֱלֹהִים גְּדֻלַּת ה׳, וְהַצִּוּוּי לְדָבְקָה בּוֹ:
וַאֲדֹנֵי הָאֲדֹנִים הָאֵל הַגָּדֹל הַגִּבֹּר וְהַנּוֹרָא אֲשֶׁר לֹא־יִשָּׂא פָנִים
יח וְלֹא יִקַּח שֹׁחַד: עֹשֶׂה מִשְׁפַּט יָתוֹם וְאַלְמָנָה וְאֹהֵב גֵּר לָתֶת לוֹ
יט לֶחֶם וְשִׂמְלָה: וַאֲהַבְתֶּם אֶת־הַגֵּר כִּי־גֵרִים הֱיִיתֶם בְּאֶרֶץ מִצְרָיִם:
כ אֶת־יְהוָה אֱלֹהֶיךָ תִּירָא אֹתוֹ תַעֲבֹד וּבוֹ תִדְבָּק וּבִשְׁמוֹ תִּשָּׁבֵעַ:
כא הוּא תְהִלָּתְךָ וְהוּא אֱלֹהֶיךָ אֲשֶׁר־עָשָׂה אִתְּךָ אֶת־הַגְּדֹלֹת וְאֶת־ זְכִירַת מַעֲשֵׂי ה׳ לְיִשְׂרָאֵל:
כב הַנּוֹרָאֹת הָאֵלֶּה אֲשֶׁר רָאוּ עֵינֶיךָ: בְּשִׁבְעִים נֶפֶשׁ יָרְדוּ אֲבֹתֶיךָ
יא א מִצְרָיְמָה וְעַתָּה שָׂמְךָ יְהוָה אֱלֹהֶיךָ כְּכוֹכְבֵי הַשָּׁמַיִם לָרֹב: וְאָהַבְתָּ
אֵת יְהוָה אֱלֹהֶיךָ וְשָׁמַרְתָּ מִשְׁמַרְתּוֹ וְחֻקֹּתָיו וּמִשְׁפָּטָיו וּמִצְוֺתָיו
ב כָּל־הַיָּמִים: וִידַעְתֶּם הַיּוֹם כִּי ׀ לֹא אֶת־בְּנֵיכֶם אֲשֶׁר לֹא־יָדְעוּ
וַאֲשֶׁר לֹא־רָאוּ אֶת־מוּסַר יְהוָה אֱלֹהֵיכֶם אֶת־גָּדְלוֹ אֶת־יָדוֹ
ג הַחֲזָקָה וּזְרֹעוֹ הַנְּטוּיָה: וְאֶת־אֹתֹתָיו וְאֶת־מַעֲשָׂיו אֲשֶׁר עָשָׂה
ד בְּתוֹךְ מִצְרָיִם לְפַרְעֹה מֶלֶךְ־מִצְרַיִם וּלְכָל־אַרְצוֹ: וַאֲשֶׁר עָשָׂה
לְחֵיל מִצְרַיִם לְסוּסָיו וּלְרִכְבּוֹ אֲשֶׁר הֵצִיף אֶת־מֵי יַם־סוּף
ה עַל־פְּנֵיהֶם בְּרָדְפָם אַחֲרֵיכֶם וַיְאַבְּדֵם יְהוָה עַד הַיּוֹם הַזֶּה: וַאֲשֶׁר
ו עָשָׂה לָכֶם בַּמִּדְבָּר עַד־בֹּאֲכֶם עַד־הַמָּקוֹם הַזֶּה: וַאֲשֶׁר עָשָׂה
לְדָתָן וְלַאֲבִירָם בְּנֵי אֱלִיאָב בֶּן־רְאוּבֵן אֲשֶׁר פָּצְתָה הָאָרֶץ
אֶת־פִּיהָ וַתִּבְלָעֵם וְאֶת־בָּתֵּיהֶם וְאֶת־אָהֳלֵיהֶם וְאֵת כָּל־הַיְקוּם
ז אֲשֶׁר בְּרַגְלֵיהֶם בְּקֶרֶב כָּל־יִשְׂרָאֵל: כִּי עֵינֵיכֶם הָרֹאֹת אֶת־כָּל־
ח מַעֲשֵׂה יְהוָה הַגָּדֹל אֲשֶׁר עָשָׂה: וּשְׁמַרְתֶּם אֶת־כָּל־הַמִּצְוָה אֲשֶׁר בִּרְכַּת הָאָרֶץ בִּזְכוּת הַמִּצְוֹת:
אָנֹכִי מְצַוְּךָ הַיּוֹם לְמַעַן תֶּחֶזְקוּ וּבָאתֶם וִירִשְׁתֶּם אֶת־הָאָרֶץ
ט אֲשֶׁר אַתֶּם עֹבְרִים שָׁמָּה לְרִשְׁתָּהּ: וּלְמַעַן תַּאֲרִיכוּ יָמִים
עַל־הָאֲדָמָה אֲשֶׁר נִשְׁבַּע יְהוָה לַאֲבֹתֵיכֶם לָתֵת לָהֶם וּלְזַרְעָם
י אֶרֶץ זָבַת חָלָב וּדְבָשׁ: כִּי הָאָרֶץ ששי
אֲשֶׁר אַתָּה בָא־שָׁמָּה לְרִשְׁתָּהּ לֹא כְאֶרֶץ מִצְרַיִם הִוא אֲשֶׁר מַעֲלַת הָאָרֶץ:

יֹצֵאתֶם מִשָּׁם אֲשֶׁר תִּזְרַע אֶת־זַרְעֲךָ וְהִשְׁקִיתָ בְרַגְלְךָ כְּגַן הַיָּרָק׃
יא וְהָאָרֶץ אֲשֶׁר אַתֶּם עֹבְרִים שָׁמָּה לְרִשְׁתָּהּ אֶרֶץ הָרִים וּבְקָעֹת
יב לִמְטַר הַשָּׁמַיִם תִּשְׁתֶּה־מָּיִם׃ אֶרֶץ אֲשֶׁר־יְהוָה אֱלֹהֶיךָ דֹּרֵשׁ
אֹתָהּ תָּמִיד עֵינֵי יְהוָה אֱלֹהֶיךָ בָּהּ מֵרֵשִׁית הַשָּׁנָה וְעַד אַחֲרִית
יג שָׁנָה׃ וְהָיָה אִם־ (קַבָּלַת עֹל מִצְוֹת׃)
שָׁמֹעַ תִּשְׁמְעוּ אֶל־מִצְוֹתַי אֲשֶׁר אָנֹכִי מְצַוֶּה אֶתְכֶם הַיּוֹם
לְאַהֲבָה אֶת־יְהוָה אֱלֹהֵיכֶם וּלְעָבְדוֹ בְּכָל־לְבַבְכֶם וּבְכָל־
יד נַפְשְׁכֶם׃ וְנָתַתִּי מְטַר־אַרְצְכֶם בְּעִתּוֹ יוֹרֶה וּמַלְקוֹשׁ וְאָסַפְתָּ דְגָנֶךָ
טו וְתִירֹשְׁךָ וְיִצְהָרֶךָ׃ וְנָתַתִּי עֵשֶׂב בְּשָׂדְךָ לִבְהֶמְתֶּךָ וְאָכַלְתָּ
טז וְשָׂבָעְתָּ׃ הִשָּׁמְרוּ לָכֶם פֶּן־יִפְתֶּה לְבַבְכֶם וְסַרְתֶּם וַעֲבַדְתֶּם
יז אֱלֹהִים אֲחֵרִים וְהִשְׁתַּחֲוִיתֶם לָהֶם׃ וְחָרָה אַף־יְהוָה בָּכֶם וְעָצַר (עֲבוֹדָה זָרָה וְעָנְשָׁהּ׃)
אֶת־הַשָּׁמַיִם וְלֹא־יִהְיֶה מָטָר וְהָאֲדָמָה לֹא תִתֵּן אֶת־יְבוּלָהּ
יח וַאֲבַדְתֶּם מְהֵרָה מֵעַל הָאָרֶץ הַטֹּבָה אֲשֶׁר יְהוָה נֹתֵן לָכֶם׃ וְשַׂמְתֶּם (מִצְוַת תְּפִלִּין, תַּלְמוּד תּוֹרָה וּמְזוּזָה׃)
אֶת־דְּבָרַי אֵלֶּה עַל־לְבַבְכֶם וְעַל־נַפְשְׁכֶם וּקְשַׁרְתֶּם אֹתָם לְאוֹת
יט עַל־יֶדְכֶם וְהָיוּ לְטוֹטָפֹת בֵּין עֵינֵיכֶם׃ וְלִמַּדְתֶּם אֹתָם אֶת־בְּנֵיכֶם
לְדַבֵּר בָּם בְּשִׁבְתְּךָ בְּבֵיתֶךָ וּבְלֶכְתְּךָ בַדֶּרֶךְ וּבְשָׁכְבְּךָ וּבְקוּמֶךָ׃
כ כא וּכְתַבְתָּם עַל־מְזוּזוֹת בֵּיתֶךָ וּבִשְׁעָרֶיךָ׃ לְמַעַן יִרְבּוּ יְמֵיכֶם וִימֵי
בְנֵיכֶם עַל הָאֲדָמָה אֲשֶׁר נִשְׁבַּע יְהוָה לַאֲבֹתֵיכֶם לָתֵת לָהֶם
כב כִּימֵי הַשָּׁמַיִם עַל־הָאָרֶץ׃ כִּי אִם־שָׁמֹר תִּשְׁמְרוּן (שבי׳ ומפ׳ בִּזְכוּת הַתּוֹרָה וְהַמִּצְוֹות יְנַצְּחוּ הָאֻמּוֹת׃)
אֶת־כָּל־הַמִּצְוָה הַזֹּאת אֲשֶׁר אָנֹכִי מְצַוֶּה אֶתְכֶם לַעֲשֹׂתָהּ
לְאַהֲבָה אֶת־יְהוָה אֱלֹהֵיכֶם לָלֶכֶת בְּכָל־דְּרָכָיו וּלְדָבְקָה־בוֹ׃
כג וְהוֹרִישׁ יְהוָה אֶת־כָּל־הַגּוֹיִם הָאֵלֶּה מִלִּפְנֵיכֶם וִירִשְׁתֶּם גּוֹיִם
כד גְּדֹלִים וַעֲצֻמִים מִכֶּם׃ כָּל־הַמָּקוֹם אֲשֶׁר תִּדְרֹךְ כַּף־רַגְלְכֶם בּוֹ
לָכֶם יִהְיֶה מִן־הַמִּדְבָּר וְהַלְּבָנוֹן מִן־הַנָּהָר נְהַר־פְּרָת וְעַד הַיָּם
כה הָאַחֲרוֹן יִהְיֶה גְּבֻלְכֶם׃ לֹא־יִתְיַצֵּב אִישׁ בִּפְנֵיכֶם פַּחְדְּכֶם

ומוֹרַאֲכֶם יִתֵּן ׀ יְהוָֹה אֱלֹהֵיכֶם עַל־פְּנֵי כָל־הָאָרֶץ אֲשֶׁר תִּדְרְכוּ־
בָהּ כַּאֲשֶׁר דִּבֶּר לָכֶם: רְאֵה אָנֹכִי נֹתֵן לִפְנֵיכֶם

ראה
הַבְּרָכָה
וְהַקְּלָלָה
לְפִי
הַמַּעֲשִׂים:

כו הַיּוֹם בְּרָכָה וּקְלָלָה: אֶת־הַבְּרָכָה אֲשֶׁר תִּשְׁמְעוּ אֶל־מִצְוֹת יְהוָֹה
כח אֱלֹהֵיכֶם אֲשֶׁר אָנֹכִי מְצַוֶּה אֶתְכֶם הַיּוֹם: וְהַקְּלָלָה אִם־לֹא
תִשְׁמְעוּ אֶל־מִצְוֹת יְהוָֹה אֱלֹהֵיכֶם וְסַרְתֶּם מִן־הַדֶּרֶךְ אֲשֶׁר אָנֹכִי
מְצַוֶּה אֶתְכֶם הַיּוֹם לָלֶכֶת אַחֲרֵי אֱלֹהִים אֲחֵרִים אֲשֶׁר לֹא־

מִצְוַת
נְתִינַת
הַבְּרָכָה
וְהַקְּלָלָה:

כט יְדַעְתֶּם: וְהָיָה כִּי יְבִיאֲךָ יְהוָֹה אֱלֹהֶיךָ אֶל־הָאָרֶץ אֲשֶׁר־
אַתָּה בָא־שָׁמָּה לְרִשְׁתָּהּ וְנָתַתָּה אֶת־הַבְּרָכָה עַל־הַר גְּרִזִים
ל וְאֶת־הַקְּלָלָה עַל־הַר עֵיבָל: הֲלֹא־הֵמָּה בְּעֵבֶר הַיַּרְדֵּן אַחֲרֵי דֶּרֶךְ
מְבוֹא הַשֶּׁמֶשׁ בְּאֶרֶץ הַכְּנַעֲנִי הַיֹּשֵׁב בָּעֲרָבָה מוּל הַגִּלְגָּל אֵצֶל
לא אֵלוֹנֵי מֹרֶה: כִּי אַתֶּם עֹבְרִים אֶת־הַיַּרְדֵּן לָבֹא לָרֶשֶׁת אֶת־הָאָרֶץ
אֲשֶׁר־יְהוָֹה אֱלֹהֵיכֶם נֹתֵן לָכֶם וִירִשְׁתֶּם אֹתָהּ וִישַׁבְתֶּם־בָּהּ:
לב וּשְׁמַרְתֶּם לַעֲשׂוֹת אֵת כָּל־הַחֻקִּים וְאֶת־הַמִּשְׁפָּטִים אֲשֶׁר אָנֹכִי

מִצְוַת
אִבּוּד
עֲבוֹדָה
זָרָה:

יב א נֹתֵן לִפְנֵיכֶם הַיּוֹם: אֵלֶּה הַחֻקִּים וְהַמִּשְׁפָּטִים אֲשֶׁר תִּשְׁמְרוּן
לַעֲשׂוֹת בָּאָרֶץ אֲשֶׁר נָתַן יְהוָֹה אֱלֹהֵי אֲבֹתֶיךָ לְךָ לְרִשְׁתָּהּ
ב כָּל־הַיָּמִים אֲשֶׁר־אַתֶּם חַיִּים עַל־הָאֲדָמָה: אַבֵּד תְּאַבְּדוּן אֶת־
כָּל־הַמְּקֹמוֹת אֲשֶׁר עָבְדוּ־שָׁם הַגּוֹיִם אֲשֶׁר אַתֶּם יֹרְשִׁים אֹתָם
אֶת־אֱלֹהֵיהֶם עַל־הֶהָרִים הָרָמִים וְעַל־הַגְּבָעוֹת וְתַחַת כָּל־עֵץ
ג רַעֲנָן: וְנִתַּצְתֶּם אֶת־מִזְבְּחֹתָם וְשִׁבַּרְתֶּם אֶת־מַצֵּבֹתָם וַאֲשֵׁרֵיהֶם
תִּשְׂרְפוּן בָּאֵשׁ וּפְסִילֵי אֱלֹהֵיהֶם תְּגַדֵּעוּן וְאִבַּדְתֶּם אֶת־שְׁמָם

הַמְּקוֹמוֹת
הָרְאוּיִם
לְהַקְרָבַת
קָרְבָּנוֹת:

ה מִן־הַמָּקוֹם הַהוּא: לֹא־תַעֲשׂוּן כֵּן לַיהוָֹה אֱלֹהֵיכֶם: כִּי אִם־אֶל־
הַמָּקוֹם אֲשֶׁר־יִבְחַר יְהוָֹה אֱלֹהֵיכֶם מִכָּל־שִׁבְטֵיכֶם לָשׂוּם אֶת־
ו שְׁמוֹ שָׁם לְשִׁכְנוֹ תִדְרְשׁוּ וּבָאתָ שָּׁמָּה: וַהֲבֵאתֶם שָׁמָּה עֹלֹתֵיכֶם
וְזִבְחֵיכֶם וְאֵת מַעְשְׂרֹתֵיכֶם וְאֵת תְּרוּמַת יֶדְכֶם וְנִדְרֵיכֶם
ז וְנִדְבֹתֵיכֶם וּבְכֹרֹת בְּקַרְכֶם וְצֹאנְכֶם: וַאֲכַלְתֶּם־שָׁם לִפְנֵי יְהוָֹה

אֱלֹהֵיכֶם וּשְׂמַחְתֶּם בְּכֹל מִשְׁלַח יֶדְכֶם אַתֶּם וּבָתֵּיכֶם אֲשֶׁר בֵּרַכְךָ
ח יְהוָה אֱלֹהֶיךָ: לֹא תַעֲשׂוּן כְּכֹל אֲשֶׁר אֲנַחְנוּ עֹשִׂים פֹּה הַיּוֹם
אִסּוּר בָּמוֹת וּשְׁחוּטֵי חוּץ:
ט אִישׁ כָּל־הַיָּשָׁר בְּעֵינָיו: כִּי לֹא־בָאתֶם עַד־עָתָּה אֶל־הַמְּנוּחָה
י וְאֶל־הַנַּחֲלָה אֲשֶׁר־יְהוָה אֱלֹהֶיךָ נֹתֵן לָךְ: וַעֲבַרְתֶּם אֶת־הַיַּרְדֵּן
וִישַׁבְתֶּם בָּאָרֶץ אֲשֶׁר־יְהוָה אֱלֹהֵיכֶם מַנְחִיל אֶתְכֶם וְהֵנִיחַ לָכֶם
שני
יא מִכָּל־אֹיְבֵיכֶם מִסָּבִיב וִישַׁבְתֶּם־בֶּטַח: וְהָיָה הַמָּקוֹם אֲשֶׁר־יִבְחַר
יְהוָה אֱלֹהֵיכֶם בּוֹ לְשַׁכֵּן שְׁמוֹ שָׁם שָׁמָּה תָבִיאוּ אֵת כָּל־אֲשֶׁר
אָנֹכִי מְצַוֶּה אֶתְכֶם עוֹלֹתֵיכֶם וְזִבְחֵיכֶם מַעְשְׂרֹתֵיכֶם וּתְרֻמַת
יב יֶדְכֶם וְכֹל מִבְחַר נִדְרֵיכֶם אֲשֶׁר תִּדְּרוּ לַיהוָה: וּשְׂמַחְתֶּם לִפְנֵי
יְהוָה אֱלֹהֵיכֶם אַתֶּם וּבְנֵיכֶם וּבְנֹתֵיכֶם וְעַבְדֵיכֶם וְאַמְהֹתֵיכֶם
יג וְהַלֵּוִי אֲשֶׁר בְּשַׁעֲרֵיכֶם כִּי אֵין לוֹ חֵלֶק וְנַחֲלָה אִתְּכֶם: הִשָּׁמֶר
יד לְךָ פֶּן־תַּעֲלֶה עֹלֹתֶיךָ בְּכָל־מָקוֹם אֲשֶׁר תִּרְאֶה: כִּי אִם־בַּמָּקוֹם
אֲשֶׁר־יִבְחַר יְהוָה בְּאַחַד שְׁבָטֶיךָ שָׁם תַּעֲלֶה עֹלֹתֶיךָ וְשָׁם תַּעֲשֶׂה
הֶתֵּר פְּסוּלֵי הַמֻּקְדָּשִׁין וְאִסּוּר אֲכִילַת דָּם:
טו כֹּל אֲשֶׁר אָנֹכִי מְצַוֶּךָּ: רַק בְּכָל־אַוַּת נַפְשְׁךָ תִּזְבַּח ׀ וְאָכַלְתָּ בָשָׂר
כְּבִרְכַּת יְהוָה אֱלֹהֶיךָ אֲשֶׁר נָתַן־לְךָ בְּכָל־שְׁעָרֶיךָ הַטָּמֵא וְהַטָּהוֹר
טז יֹאכְלֶנּוּ כַּצְּבִי וְכָאַיָּל: רַק הַדָּם לֹא תֹאכֵלוּ עַל־הָאָרֶץ תִּשְׁפְּכֶנּוּ
אֲכִילַת מַעֲשֵׂר שֵׁנִי:
יז כַּמָּיִם: לֹא־תוּכַל לֶאֱכֹל בִּשְׁעָרֶיךָ מַעְשַׂר דְּגָנְךָ וְתִירֹשְׁךָ וְיִצְהָרֶךָ
וּבְכֹרֹת בְּקָרְךָ וְצֹאנֶךָ וְכָל־נְדָרֶיךָ אֲשֶׁר תִּדֹּר וְנִדְבֹתֶיךָ וּתְרוּמַת
יח יָדֶךָ: כִּי אִם־לִפְנֵי יְהוָה אֱלֹהֶיךָ תֹּאכְלֶנּוּ בַּמָּקוֹם אֲשֶׁר יִבְחַר
יְהוָה אֱלֹהֶיךָ בּוֹ אַתָּה וּבִנְךָ וּבִתֶּךָ וְעַבְדְּךָ וַאֲמָתֶךָ וְהַלֵּוִי אֲשֶׁר
יט בִּשְׁעָרֶיךָ וְשָׂמַחְתָּ לִפְנֵי יְהוָה אֱלֹהֶיךָ בְּכֹל מִשְׁלַח יָדֶךָ: הִשָּׁמֶר
אֲכִילַת בְּשַׂר חֻלִּין:
כ לְךָ פֶּן־תַּעֲזֹב אֶת־הַלֵּוִי כָּל־יָמֶיךָ עַל־אַדְמָתֶךָ: כִּי־
יַרְחִיב יְהוָה אֱלֹהֶיךָ אֶת־גְּבֻלְךָ כַּאֲשֶׁר דִּבֶּר־לָךְ וְאָמַרְתָּ אֹכְלָה
בָשָׂר כִּי־תְאַוֶּה נַפְשְׁךָ לֶאֱכֹל בָּשָׂר בְּכָל־אַוַּת נַפְשְׁךָ תֹּאכַל בָּשָׂר:
כא כִּי־יִרְחַק מִמְּךָ הַמָּקוֹם אֲשֶׁר יִבְחַר יְהוָה אֱלֹהֶיךָ לָשׂוּם שְׁמוֹ

שָׁם וְזָבַחְתָּ֙ מִבְּקָֽרְךָ֣ וּמִצֹּֽאנְךָ֮ אֲשֶׁ֣ר נָתַ֣ן יְהוָה֮ לְךָ֒ כַּאֲשֶׁ֖ר צִוִּיתִֽךָ

כב וְאָ֣כַלְתָּ֔ בִּשְׁעָרֶ֖יךָ בְּכֹ֖ל אַוַּ֣ת נַפְשֶֽׁךָ׃ אַ֗ךְ כַּאֲשֶׁ֨ר יֵאָכֵ֤ל אֶֽת־הַצְּבִי֙

כג וְאֶת־הָ֣אַיָּ֔ל כֵּ֖ן תֹּאכְלֶ֑נּוּ הַטָּמֵא֙ וְהַטָּה֔וֹר יַחְדָּ֖ו יֹאכְלֶֽנּוּ׃ רַ֣ק חֲזַ֗ק לְבִלְתִּי֙ אֲכֹ֣ל הַדָּ֔ם כִּ֥י הַדָּ֖ם ה֣וּא הַנָּ֑פֶשׁ וְלֹא־תֹאכַ֥ל הַנֶּ֖פֶשׁ

כד עִם־הַבָּשָֽׂר׃ לֹ֖א תֹּאכְלֶ֑נּוּ עַל־הָאָ֥רֶץ תִּשְׁפְּכֶ֖נּוּ כַּמָּֽיִם׃

כה לֹ֖א תֹּאכְלֶ֑נּוּ לְמַ֨עַן יִיטַ֤ב לְךָ֙ וּלְבָנֶ֣יךָ אַחֲרֶ֔יךָ כִּֽי־תַעֲשֶׂ֥ה הַיָּשָׁ֖ר בְּעֵינֵ֥י יְהוָֽה׃

אִסּוּר אֲכִילַת קָדָשִׁים מִחוּץ לַמִּקְדָּשׁ׃

כו רַ֣ק קָֽדָשֶׁ֛יךָ אֲשֶׁר־יִהְי֥וּ לְךָ֖ וּנְדָרֶ֑יךָ תִּשָּׂ֣א וּבָ֔אתָ אֶל־הַמָּק֖וֹם

כז אֲשֶׁר־יִבְחַ֣ר יְהוָֽה׃ וְעָשִׂ֤יתָ עֹֽלֹתֶ֙יךָ֙ הַבָּשָׂ֣ר וְהַדָּ֔ם עַל־מִזְבַּ֖ח יְהוָ֣ה אֱלֹהֶ֑יךָ וְדַם־זְבָחֶ֗יךָ יִשָּׁפֵךְ֙ עַל־מִזְבַּח֙ יְהוָ֣ה אֱלֹהֶ֔יךָ וְהַבָּשָׂ֖ר

כח תֹּאכֵֽל׃ שְׁמֹ֣ר וְשָׁמַעְתָּ֗ אֵ֚ת כָּל־הַדְּבָרִ֣ים הָאֵ֔לֶּה אֲשֶׁ֥ר אָנֹכִ֖י מְצַוֶּ֑ךָּ לְמַ֩עַן֩ יִיטַ֨ב לְךָ֜ וּלְבָנֶ֤יךָ אַחֲרֶ֙יךָ֙ עַד־עוֹלָ֔ם כִּ֤י תַעֲשֶׂה֙ הַטּ֔וֹב

כט וְהַיָּשָׁ֔ר בְּעֵינֵ֖י יְהוָ֥ה אֱלֹהֶֽיךָ׃ כִּֽי־יַכְרִית֩ יְהוָ֨ה אֱלֹהֶ֜יךָ אֶת־הַגּוֹיִ֗ם אֲשֶׁ֨ר אַתָּ֥ה בָא־שָׁ֛מָּה לָרֶ֥שֶׁת אוֹתָ֖ם מִפָּנֶ֑יךָ וְיָרַשְׁתָּ֣

שְׁלִישִׁי אַזְהָרָה מִקֶּלֶל אַחַר עֲבוֹדָה זָרָה׃

ל אֹתָ֔ם וְיָשַׁבְתָּ֖ בְּאַרְצָֽם׃ הִשָּׁ֣מֶר לְךָ֗ פֶּן־תִּנָּקֵשׁ֙ אַחֲרֵיהֶ֔ם אַחֲרֵ֖י הִשָּׁמְדָ֣ם מִפָּנֶ֑יךָ וּפֶן־תִּדְרֹ֨שׁ לֵֽאלֹהֵיהֶ֜ם לֵאמֹ֗ר אֵיכָ֨ה יַעַבְד֜וּ

לא הַגּוֹיִ֤ם הָאֵ֙לֶּה֙ אֶת־אֱלֹ֣הֵיהֶ֔ם וְאֶעֱשֶׂה־כֵּ֖ן גַּם־אָֽנִי׃ לֹא־תַעֲשֶׂ֣ה כֵ֔ן לַיהוָ֖ה אֱלֹהֶ֑יךָ כִּי֩ כָל־תּוֹעֲבַ֨ת יְהוָ֜ה אֲשֶׁ֣ר שָׂנֵ֗א עָשׂוּ֙ לֵאלֹ֣הֵיהֶ֔ם

לֹא לְשַׁנּוֹת הַמִּצְווֹת׃

יג א כִּ֣י גַ֤ם אֶת־בְּנֵיהֶם֙ וְאֶת־בְּנֹ֣תֵיהֶ֔ם יִשְׂרְפ֥וּ בָאֵ֖שׁ לֵֽאלֹהֵיהֶֽם׃ אֵ֣ת כָּל־הַדָּבָ֗ר אֲשֶׁ֤ר אָנֹכִי֙ מְצַוֶּ֣ה אֶתְכֶ֔ם אֹת֥וֹ תִשְׁמְר֖וּ לַעֲשׂ֑וֹת לֹא־תֹסֵ֣ף עָלָ֔יו וְלֹ֥א תִגְרַ֖ע מִמֶּֽנּוּ׃

דִּין נְבִיא שֶׁקֶר וְעָנְשׁוֹ׃

ב כִּֽי־יָק֤וּם בְּקִרְבְּךָ֙ נָבִ֔יא א֖וֹ חֹלֵ֣ם חֲל֑וֹם וְנָתַ֥ן אֵלֶ֛יךָ א֖וֹת א֥וֹ מוֹפֵֽת׃

ג וּבָ֤א הָאוֹת֙ וְהַמּוֹפֵ֔ת אֲשֶׁר־דִּבֶּ֥ר אֵלֶ֖יךָ לֵאמֹ֑ר נֵֽלְכָ֞ה אַחֲרֵ֨י אֱלֹהִ֧ים

ד אֲחֵרִ֛ים אֲשֶׁ֥ר לֹֽא־יְדַעְתָּ֖ם וְנָֽעָבְדֵֽם׃ לֹ֣א תִשְׁמַ֗ע אֶל־דִּבְרֵי֙ הַנָּבִ֣יא הַה֔וּא א֛וֹ אֶל־חוֹלֵ֥ם הַחֲל֖וֹם הַה֑וּא כִּ֣י מְנַסֶּ֞ה יְהוָ֤ה אֱלֹֽהֵיכֶם֙ אֶתְכֶ֔ם לָדַ֗עַת הֲיִשְׁכֶ֤ם אֹֽהֲבִים֙ אֶת־יְהוָ֣ה אֱלֹֽהֵיכֶ֔ם בְּכָל־לְבַבְכֶ֖ם וּבְכָל־

נַפְשְׁכֶם: אַחֲרֵי יְהֹוָה אֱלֹהֵיכֶם תֵּלֵכוּ וְאֹתוֹ תִירָאוּ וְאֶת־מִצְוֺתָיו ה

תִּשְׁמֹרוּ וּבְקֹלוֹ תִשְׁמָעוּ וְאֹתוֹ תַעֲבֹדוּ וּבוֹ תִדְבָּקוּן: וְהַנָּבִיא הַהוּא ו

אוֹ חֹלֵם הַחֲלוֹם הַהוּא יוּמָת כִּי דִבֶּר־סָרָה עַל־יְהֹוָה אֱלֹהֵיכֶם

הַמּוֹצִיא אֶתְכֶם ׀ מֵאֶרֶץ מִצְרַיִם וְהַפֹּדְךָ מִבֵּית עֲבָדִים לְהַדִּיחֲךָ

מִן־הַדֶּרֶךְ אֲשֶׁר צִוְּךָ יְהֹוָה אֱלֹהֶיךָ לָלֶכֶת בָּהּ וּבִעַרְתָּ הָרָע

מִקִּרְבֶּךָ: כִּי יְסִיתְךָ אָחִיךָ בֶן־אִמֶּךָ ז

הַמֵּסִית
לַעֲבוֹדָה
זָרָה
וְעָנְשׁוֹ

אוֹ־בִנְךָ אוֹ־בִתְּךָ אוֹ ׀ אֵשֶׁת חֵיקֶךָ אוֹ רֵעֲךָ אֲשֶׁר כְּנַפְשְׁךָ בַּסֵּתֶר

לֵאמֹר נֵלְכָה וְנַעַבְדָה אֱלֹהִים אֲחֵרִים אֲשֶׁר לֹא יָדַעְתָּ אַתָּה

וַאֲבֹתֶיךָ: מֵאֱלֹהֵי הָעַמִּים אֲשֶׁר סְבִיבֹתֵיכֶם הַקְּרֹבִים אֵלֶיךָ אוֹ ח

הָרְחֹקִים מִמֶּךָּ מִקְצֵה הָאָרֶץ וְעַד־קְצֵה הָאָרֶץ: לֹא־תֹאבֶה לוֹ ט

וְלֹא תִשְׁמַע אֵלָיו וְלֹא־תָחוֹס עֵינְךָ עָלָיו וְלֹא־תַחְמֹל וְלֹא־תְכַסֶּה

עָלָיו: כִּי הָרֹג תַּהַרְגֶנּוּ יָדְךָ תִּהְיֶה־בּוֹ בָרִאשׁוֹנָה לַהֲמִיתוֹ וְיַד י

כָּל־הָעָם בָּאַחֲרֹנָה: וּסְקַלְתּוֹ בָאֲבָנִים וָמֵת כִּי בִקֵּשׁ לְהַדִּיחֲךָ יא

מֵעַל יְהֹוָה אֱלֹהֶיךָ הַמּוֹצִיאֲךָ מֵאֶרֶץ מִצְרַיִם מִבֵּית עֲבָדִים:

וְכָל־יִשְׂרָאֵל יִשְׁמְעוּ וְיִרָאוּן וְלֹא־יוֹסִפוּ לַעֲשׂוֹת כַּדָּבָר הָרָע הַזֶּה יב

בְּקִרְבֶּךָ: כִּי־תִשְׁמַע בְּאַחַת עָרֶיךָ אֲשֶׁר יְהֹוָה אֱלֹהֶיךָ יג

דִּין עִיר
הַנִּדַּחַת:

נֹתֵן לְךָ לָשֶׁבֶת שָׁם לֵאמֹר: יָצְאוּ אֲנָשִׁים בְּנֵי־בְלִיַּעַל מִקִּרְבֶּךָ יד

וַיַּדִּיחוּ אֶת־יֹשְׁבֵי עִירָם לֵאמֹר נֵלְכָה וְנַעַבְדָה אֱלֹהִים אֲחֵרִים

אֲשֶׁר לֹא־יְדַעְתֶּם: וְדָרַשְׁתָּ וְחָקַרְתָּ וְשָׁאַלְתָּ הֵיטֵב וְהִנֵּה אֱמֶת טו

נָכוֹן הַדָּבָר נֶעֶשְׂתָה הַתּוֹעֵבָה הַזֹּאת בְּקִרְבֶּךָ: הַכֵּה תַכֶּה אֶת־ טז

יֹשְׁבֵי הָעִיר הַהִוא לְפִי־חָרֶב הַחֲרֵם אֹתָהּ וְאֶת־כָּל־אֲשֶׁר־בָּהּ

וְאֶת־בְּהֶמְתָּהּ לְפִי־חָרֶב: וְאֶת־כָּל־שְׁלָלָהּ תִּקְבֹּץ אֶל־תּוֹךְ יז

רְחֹבָהּ וְשָׂרַפְתָּ בָאֵשׁ אֶת־הָעִיר וְאֶת־כָּל־שְׁלָלָהּ כָּלִיל לַיהֹוָה

אֱלֹהֶיךָ וְהָיְתָה תֵּל עוֹלָם לֹא תִבָּנֶה עוֹד: וְלֹא־יִדְבַּק בְּיָדְךָ יח

מְאוּמָה מִן־הַחֵרֶם לְמַעַן יָשׁוּב יְהֹוָה מֵחֲרוֹן אַפּוֹ וְנָתַן־לְךָ רַחֲמִים

יט וְרִחַמְךָ וְהִרְבֶּךָ כַּאֲשֶׁר נִשְׁבַּע לַאֲבֹתֶיךָ: כִּי תִשְׁמַע בְּקוֹל יְהוָה
אֱלֹהֶיךָ לִשְׁמֹר אֶת־כָּל־מִצְוֹתָיו אֲשֶׁר אָנֹכִי מְצַוְּךָ הַיּוֹם לַעֲשׂוֹת
יד א הַיָּשָׁר בְּעֵינֵי יְהוָה אֱלֹהֶיךָ: בָּנִים אַתֶּם לַיהוָה
רביעי
ב אֱלֹהֵיכֶם לֹא תִתְגֹּדְדוּ וְלֹא־תָשִׂימוּ קָרְחָה בֵּין עֵינֵיכֶם לָמֵת: כִּי
הַבְדָּלוֹת מֵחֻקֵּי הָעַמִּים:
עַם קָדוֹשׁ אַתָּה לַיהוָה אֱלֹהֶיךָ וּבְךָ בָּחַר יְהוָה לִהְיוֹת לוֹ לְעַם
ג סְגֻלָּה מִכֹּל הָעַמִּים אֲשֶׁר עַל־פְּנֵי הָאֲדָמָה: לֹא תֹאכַל
בְּהֵמָה וְחַיָּה הַמֻּתָּרוֹת וְסִימָנֵיהֶן:
ד כָּל־תּוֹעֵבָה: זֹאת הַבְּהֵמָה אֲשֶׁר תֹּאכֵלוּ שׁוֹר שֵׂה כְשָׂבִים וְשֵׂה
ה ו עִזִּים: אַיָּל וּצְבִי וְיַחְמוּר וְאַקּוֹ וְדִישֹׁן וּתְאוֹ וָזָמֶר: וְכָל־בְּהֵמָה
מַפְרֶסֶת פַּרְסָה וְשֹׁסַעַת שֶׁסַע שְׁתֵּי פְרָסוֹת מַעֲלַת גֵּרָה בַּבְּהֵמָה
ז אֹתָהּ תֹּאכֵלוּ: אַךְ אֶת־זֶה לֹא תֹאכְלוּ מִמַּעֲלֵי הַגֵּרָה וּמִמַּפְרִיסֵי
הַפַּרְסָה הַשְּׁסוּעָה אֶת־הַגָּמָל וְאֶת־הָאַרְנֶבֶת וְאֶת־הַשָּׁפָן כִּי־
מַעֲלֵה גֵרָה הֵמָּה וּפַרְסָה לֹא הִפְרִיסוּ טְמֵאִים הֵם לָכֶם:
ח וְאֶת־הַחֲזִיר כִּי־מַפְרִיס פַּרְסָה הוּא וְלֹא גֵרָה טָמֵא הוּא לָכֶם
ט מִבְּשָׂרָם לֹא תֹאכֵלוּ וּבְנִבְלָתָם לֹא תִגָּעוּ: אֶת־זֶה
סִימָנֵי הַדָּגִים הָאֲסוּרִים וְהַמֻּתָּרִים:
תֹּאכְלוּ מִכֹּל אֲשֶׁר בַּמָּיִם כֹּל אֲשֶׁר־לוֹ סְנַפִּיר וְקַשְׂקֶשֶׂת תֹּאכֵלוּ:
י וְכֹל אֲשֶׁר אֵין־לוֹ סְנַפִּיר וְקַשְׂקֶשֶׂת לֹא תֹאכֵלוּ טָמֵא הוּא
יא לָכֶם: כָּל־צִפּוֹר
הָעוֹפוֹת הַמֻּתָּרִים וְהָאֲסוּרִים:
יב טְהֹרָה תֹּאכֵלוּ: וְזֶה אֲשֶׁר לֹא־תֹאכְלוּ מֵהֶם הַנֶּשֶׁר וְהַפֶּרֶס
יג יד וְהָעָזְנִיָּה: וְהָרָאָה וְאֶת־הָאַיָּה וְהַדַּיָּה לְמִינָהּ: וְאֵת כָּל־עֹרֵב
טו לְמִינוֹ: וְאֵת בַּת הַיַּעֲנָה וְאֶת־הַתַּחְמָס וְאֶת־הַשָּׁחַף וְאֶת־הַנֵּץ
טז יז לְמִינֵהוּ: אֶת־הַכּוֹס וְאֶת־הַיַּנְשׁוּף וְהַתִּנְשָׁמֶת: וְהַקָּאָת וְאֶת־
יח הָרָחָמָה וְאֶת־הַשָּׁלָךְ: וְהַחֲסִידָה וְהָאֲנָפָה לְמִינָהּ וְהַדּוּכִיפַת
יט כ וְהָעֲטַלֵּף: וְכֹל שֶׁרֶץ הָעוֹף טָמֵא הוּא לָכֶם לֹא יֵאָכֵלוּ: כָּל־עוֹף
כא טָהוֹר תֹּאכֵלוּ: לֹא תֹאכְלוּ כָל־נְבֵלָה לַגֵּר אֲשֶׁר־בִּשְׁעָרֶיךָ תִּתְּנֶנָּה
אִסּוּר נְבֵלָה:
וַאֲכָלָהּ אוֹ מָכֹר לְנָכְרִי כִּי עַם קָדוֹשׁ אַתָּה לַיהוָה אֱלֹהֶיךָ

לֹֽא־תְבַשֵּׁ֥ל גְּדִ֖י בַּחֲלֵ֥ב אִמּֽוֹ׃
כב עַשֵּׂ֣ר תְּעַשֵּׂ֔ר אֵ֖ת כָּל־תְּבוּאַ֣ת זַרְעֶ֑ךָ הַיֹּצֵ֥א הַשָּׂדֶ֖ה שָׁנָ֥ה שָׁנָֽה׃ חמישי דִּין מַעֲשַׂר שֵׁנִי:
כג וְאָכַלְתָּ֞ לִפְנֵ֣י ׀ יְהוָ֣ה אֱלֹהֶ֗יךָ בַּמָּק֣וֹם אֲשֶׁר־יִבְחַר֮ לְשַׁכֵּ֣ן שְׁמ֣וֹ שָׁם֒
מַעְשַׂ֤ר דְּגָֽנְךָ֙ תִּירֹֽשְׁךָ֣ וְיִצְהָרֶ֔ךָ וּבְכֹרֹ֥ת בְּקָרְךָ֖ וְצֹאנֶ֑ךָ לְמַ֣עַן תִּלְמַ֗ד
כד לְיִרְאָ֛ה אֶת־יְהוָ֥ה אֱלֹהֶ֖יךָ כָּל־הַיָּמִֽים׃ וְכִֽי־יִרְבֶּ֨ה מִמְּךָ֜ הַדֶּ֗רֶךְ כִּ֣י
לֹ֣א תוּכַל֮ שְׂאֵתוֹ֒ כִּֽי־יִרְחַ֤ק מִמְּךָ֙ הַמָּק֔וֹם אֲשֶׁ֤ר יִבְחַר֙ יְהוָ֣ה אֱלֹהֶ֔יךָ
כה לָשׂ֥וּם שְׁמ֖וֹ שָׁ֑ם כִּ֥י יְבָרֶכְךָ֖ יְהוָ֥ה אֱלֹהֶֽיךָ׃ וְנָתַתָּ֖ה בַּכָּ֑סֶף וְצַרְתָּ֤
הַכֶּ֙סֶף֙ בְּיָ֣דְךָ֔ וְהָלַכְתָּ֙ אֶל־הַמָּק֔וֹם אֲשֶׁ֥ר יִבְחַ֛ר יְהוָ֥ה אֱלֹהֶ֖יךָ בּֽוֹ׃
כו וְנָתַתָּ֣ה הַכֶּ֡סֶף בְּכֹל֩ אֲשֶׁר־תְּאַוֶּ֨ה נַפְשְׁךָ֜ בַּבָּקָ֣ר וּבַצֹּ֗אן וּבַיַּ֙יִן֙
וּבַשֵּׁכָ֔ר וּבְכֹ֛ל אֲשֶׁ֥ר תִּֽשְׁאָלְךָ֖ נַפְשֶׁ֑ךָ וְאָכַ֣לְתָּ שָּׁ֗ם לִפְנֵי֙ יְהוָ֣ה
כז אֱלֹהֶ֔יךָ וְשָׂמַחְתָּ֖ אַתָּ֥ה וּבֵיתֶֽךָ׃ וְהַלֵּוִ֥י אֲשֶׁר־בִּשְׁעָרֶ֖יךָ לֹ֣א תַעַזְבֶ֑נּוּ
כח כִּ֣י אֵ֥ין ל֛וֹ חֵ֥לֶק וְנַחֲלָ֖ה עִמָּֽךְ׃ מִקְצֵ֣ה ׀ שָׁלֹ֣שׁ שָׁנִ֗ים מִצְוַת בִּעוּר מַעַשְׂרוֹת:
תּוֹצִיא֙ אֶת־כָּל־מַעְשַׂר֙ תְּבוּאָ֣תְךָ֔ בַּשָּׁנָ֖ה הַהִ֑וא וְהִנַּחְתָּ֖ בִּשְׁעָרֶֽיךָ׃
כט וּבָ֣א הַלֵּוִ֡י כִּ֣י אֵֽין־לוֹ֩ חֵ֨לֶק וְנַחֲלָ֜ה עִמָּ֗ךְ וְהַגֵּ֨ר וְהַיָּת֤וֹם וְהָֽאַלְמָנָה֙
אֲשֶׁ֣ר בִּשְׁעָרֶ֔יךָ וְאָכְל֖וּ וְשָׂבֵ֑עוּ לְמַ֤עַן יְבָרֶכְךָ֙ יְהוָ֣ה אֱלֹהֶ֔יךָ
טו א בְּכָל־מַעֲשֵׂ֥ה יָדְךָ֖ אֲשֶׁ֥ר תַּעֲשֶֽׂה׃ מִקֵּ֥ץ שֶֽׁבַע־שָׁנִ֖ים ששי מִצְוַת שְׁמִטַּת כְּסָפִים:
ב תַּעֲשֶׂ֥ה שְׁמִטָּֽה׃ וְזֶה֮ דְּבַ֣ר הַשְּׁמִטָּה֒ שָׁמ֗וֹט כָּל־בַּ֙עַל֙ מַשֵּׁ֣ה יָד֔וֹ
אֲשֶׁ֥ר יַשֶּׁ֖ה בְּרֵעֵ֑הוּ לֹֽא־יִגֹּ֤שׂ אֶת־רֵעֵ֙הוּ֙ וְאֶת־אָחִ֔יו כִּֽי־קָרָ֥א שְׁמִטָּ֖ה
ג לַיהוָֽה׃ אֶת־הַנָּכְרִ֖י תִּגֹּ֑שׂ וַאֲשֶׁ֨ר יִהְיֶ֥ה לְךָ֛ אֶת־אָחִ֖יךָ תַּשְׁמֵ֥ט
ד יָדֶֽךָ׃ אֶ֕פֶס כִּ֛י לֹ֥א יִֽהְיֶה־בְּךָ֖ אֶבְי֑וֹן כִּֽי־בָרֵ֤ךְ יְבָרֶכְךָ֙ יְהוָ֔ה בָּאָ֕רֶץ
ה אֲשֶׁר֙ יְהוָ֣ה אֱלֹהֶ֔יךָ נֹתֵֽן־לְךָ֥ נַחֲלָ֖ה לְרִשְׁתָּֽהּ׃ רַ֚ק אִם־שָׁמ֣וֹעַ
תִּשְׁמַ֔ע בְּק֖וֹל יְהוָ֣ה אֱלֹהֶ֑יךָ לִשְׁמֹ֤ר לַעֲשׂוֹת֙ אֶת־כָּל־הַמִּצְוָ֣ה הַזֹּ֔את
ו אֲשֶׁ֛ר אָנֹכִ֥י מְצַוְּךָ֖ הַיּֽוֹם׃ כִּֽי־יְהוָ֤ה אֱלֹהֶ֙יךָ֙ בֵּֽרַכְךָ֔ כַּאֲשֶׁ֖ר דִּבֶּר־לָ֑ךְ
וְהַעֲבַטְתָּ֞ גּוֹיִ֣ם רַבִּ֗ים וְאַתָּה֙ לֹ֣א תַעֲבֹ֔ט וּמָֽשַׁלְתָּ֙ בְּגוֹיִ֣ם רַבִּ֔ים וּבְךָ֖
ז לֹ֥א יִמְשֹֽׁלוּ׃ כִּֽי־יִהְיֶ֨ה בְךָ֜ אֶבְי֗וֹן מֵאַחַ֤ד אַחֶ֙יךָ֙ בְּאַחַ֣ד

שְׁעָרֶ֫יךָ בְּאַרְצְךָ֫ אֲשֶׁר־יְהוָ֣ה אֱלֹהֶ֫יךָ נֹתֵ֣ן לָ֑ךְ לֹ֤א תְאַמֵּץ֙ אֶת־ מצות צדקה

ח לְבָ֣בְךָ֔ וְלֹ֤א תִקְפֹּץ֙ אֶת־יָ֣דְךָ֔ מֵאָחִ֖יךָ הָאֶבְיֽוֹן׃ כִּֽי־פָתֹ֧חַ תִּפְתַּ֛ח

ט אֶת־יָ֣דְךָ֖ ל֑וֹ וְהַעֲבֵט֙ תַּעֲבִיטֶ֔נּוּ דֵּ֚י מַחְסֹר֔וֹ אֲשֶׁ֥ר יֶחְסַ֖ר לֽוֹ׃ הִשָּׁ֣מֶר אזהרה מהמנעות להלוות
לְךָ֡ פֶּן־יִהְיֶ֣ה דָבָר֩ עִם־לְבָבְךָ֨ בְלִיַּ֜עַל לֵאמֹ֗ר קָֽרְבָ֣ה שְׁנַֽת־הַשֶּׁ֨בַע֙
שְׁנַ֣ת הַשְּׁמִטָּ֔ה וְרָעָ֣ה עֵֽינְךָ֗ בְּאָחִ֨יךָ֙ הָֽאֶבְי֔וֹן וְלֹ֥א תִתֵּ֖ן ל֑וֹ וְקָרָ֤א

י עָלֶ֨יךָ֙ אֶל־יְהוָ֔ה וְהָיָ֥ה בְךָ֖ חֵֽטְא׃ נָת֤וֹן תִּתֵּן֙ ל֔וֹ וְלֹא־יֵרַ֥ע לְבָבְךָ֖
בְּתִתְּךָ֣ ל֑וֹ כִּ֞י בִּגְלַ֣ל ׀ הַדָּבָ֣ר הַזֶּ֗ה יְבָרֶכְךָ֙ יְהוָ֣ה אֱלֹהֶ֔יךָ בְּכָֽל־מַעֲשֶׂ֔ךָ

יא וּבְכֹ֖ל מִשְׁלַ֥ח יָדֶֽךָ׃ כִּ֛י לֹא־יֶחְדַּ֥ל אֶבְי֖וֹן מִקֶּ֣רֶב הָאָ֑רֶץ עַל־כֵּ֞ן
אָנֹכִ֤י מְצַוְּךָ֙ לֵאמֹ֔ר פָּתֹ֨חַ תִּפְתַּ֤ח אֶת־יָֽדְךָ֙ לְאָחִ֣יךָ לַעֲנִיֶּ֔ךָ

יב וּלְאֶבְיֹֽנְךָ֖ בְּאַרְצֶֽךָ׃   כִּֽי־יִמָּכֵ֨ר לְךָ֜ אָחִ֣יךָ הָֽעִבְרִ֗י א֚וֹ דין הענקה
הָֽעִבְרִיָּ֔ה וַעֲבָֽדְךָ֖ שֵׁ֣שׁ שָׁנִ֑ים וּבַשָּׁנָה֙ הַשְּׁבִיעִ֔ת תְּשַׁלְּחֶ֥נּוּ חָפְשִׁ֖י

יג מֵעִמָּֽךְ׃ וְכִֽי־תְשַׁלְּחֶ֥נּוּ חָפְשִׁ֖י מֵֽעִמָּ֑ךְ לֹ֥א תְשַׁלְּחֶ֖נּוּ רֵיקָֽם׃ הַעֲנֵ֤יק
תַּעֲנִיק֙ ל֔וֹ מִצֹּ֣אנְךָ֔ וּמִֽגָּרְנְךָ֖ וּמִיִּקְבֶ֑ךָ אֲשֶׁ֧ר בֵּרַכְךָ֛ יְהוָ֥ה אֱלֹהֶ֖יךָ

טו תִּתֶּן־לֽוֹ׃ וְזָ֣כַרְתָּ֗ כִּ֤י עֶ֨בֶד֙ הָיִ֨יתָ֙ בְּאֶ֣רֶץ מִצְרַ֔יִם וַֽיִּפְדְּךָ֖ יְהוָ֣ה אֱלֹהֶ֑יךָ

טז עַל־כֵּ֞ן אָנֹכִ֧י מְצַוְּךָ֛ אֶת־הַדָּבָ֥ר הַזֶּ֖ה הַיּֽוֹם׃ וְהָיָה֙ כִּֽי־יֹאמַ֣ר אֵלֶ֔יךָ דין הנרצע

יז לֹ֥א אֵצֵ֖א מֵעִמָּ֑ךְ כִּ֤י אֲהֵֽבְךָ֙ וְאֶת־בֵּיתֶ֔ךָ כִּי־ט֥וֹב ל֖וֹ עִמָּֽךְ׃ וְלָקַחְתָּ֣
אֶת־הַמַּרְצֵ֗עַ וְנָתַתָּ֤ה בְאָזְנוֹ֙ וּבַדֶּ֔לֶת וְהָיָ֥ה לְךָ֖ עֶ֣בֶד עוֹלָ֑ם וְאַ֥ף

יח לַאֲמָתְךָ֖ תַּעֲשֶׂה־כֵּֽן׃ לֹא־יִקְשֶׁ֣ה בְעֵינֶ֗ךָ בְּשַׁלֵּֽחֲךָ֨ אֹת֤וֹ חָפְשִׁי֙
מֵֽעִמָּ֔ךְ כִּ֗י מִשְׁנֶה֙ שְׂכַ֣ר שָׂכִ֔יר עֲבָֽדְךָ֖ שֵׁ֣שׁ שָׁנִ֑ים וּבֵֽרַכְךָ֙ יְהוָ֣ה
אֱלֹהֶ֔יךָ בְּכֹ֖ל אֲשֶׁ֥ר תַּעֲשֶֽׂה׃

יט כָּֽל־הַבְּכ֡וֹר אֲשֶׁר֩ יִוָּלֵ֨ד בִּבְקָֽרְךָ֤ וּבְצֹֽאנְךָ֙ הַזָּכָ֔ר תַּקְדִּ֖ישׁ לַיהוָ֣ה שביעי דיני בכור בהמה׃

כ אֱלֹהֶ֑יךָ לֹ֤א תַעֲבֹד֙ בִּבְכֹ֣ר שׁוֹרֶ֔ךָ וְלֹ֥א תָגֹ֖ז בְּכ֣וֹר צֹאנֶֽךָ׃ לִפְנֵי֩ יְהוָ֨ה
אֱלֹהֶ֜יךָ תֹֽאכֲלֶ֣נּוּ שָׁנָ֣ה בְשָׁנָ֔ה בַּמָּק֖וֹם אֲשֶׁר־יִבְחַ֣ר יְהוָ֑ה אַתָּ֖ה

כא וּבֵיתֶֽךָ׃ וְכִֽי־יִהְיֶ֨ה ב֜וֹ מ֗וּם פִּסֵּ֨חַ֙ א֣וֹ עִוֵּ֔ר כֹּ֖ל מ֣וּם רָ֑ע לֹ֣א תִזְבָּחֶ֔נּוּ

כב לַיהוָ֖ה אֱלֹהֶֽיךָ׃ בִּשְׁעָרֶ֖יךָ תֹּאכֲלֶ֑נּוּ הַטָּמֵ֤א וְהַטָּהוֹר֙ יַחְדָּ֔ו כַּצְּבִ֖י

וְכָאַיָּ֑ל רַ֤ק אֶת־דָּמוֹ֙ לֹ֣א תֹאכֵ֔ל עַל־הָאָ֥רֶץ תִּשְׁפְּכֶ֖נּוּ כַּמָּֽיִם׃ כג

שָׁמוֹר֙ אֶת־חֹ֣דֶשׁ הָֽאָבִ֔יב וְעָשִׂ֣יתָ פֶּ֔סַח לַיהֹוָ֖ה אֱלֹהֶ֑יךָ כִּ֞י בְּחֹ֣דֶשׁ **טז** א
הָֽאָבִ֗יב הוֹצִ֨יאֲךָ֜ יְהֹוָ֧ה אֱלֹהֶ֛יךָ מִמִּצְרַ֖יִם לָֽיְלָה׃ וְזָבַ֥חְתָּ פֶּ֛סַח לַֽיהֹוָ֥ה ב
אֱלֹהֶ֖יךָ צֹ֣אן וּבָקָ֑ר בַּמָּקוֹם֙ אֲשֶׁר־יִבְחַ֣ר יְהֹוָ֔ה לְשַׁכֵּ֥ן שְׁמ֖וֹ שָֽׁם׃
לֹא־תֹאכַ֤ל עָלָיו֙ חָמֵ֔ץ שִׁבְעַ֥ת יָמִ֛ים תֹּֽאכַל־עָלָ֥יו מַצּ֖וֹת לֶ֣חֶם עֹ֑נִי ג
כִּ֣י בְחִפָּז֗וֹן יָצָ֙אתָ֙ מֵאֶ֣רֶץ מִצְרַ֔יִם לְמַ֣עַן תִּזְכֹּ֗ר אֶת־י֤וֹם צֵֽאתְךָ֙
מֵאֶ֣רֶץ מִצְרַ֔יִם כֹּ֖ל יְמֵ֥י חַיֶּֽיךָ׃ וְלֹֽא־יֵרָאֶ֨ה לְךָ֥ שְׂאֹ֛ר בְּכָל־גְּבֻֽלְךָ֖ ד
שִׁבְעַ֣ת יָמִ֑ים וְלֹֽא־יָלִ֣ין מִן־הַבָּשָׂ֗ר אֲשֶׁ֨ר תִּזְבַּ֥ח בָּעֶ֛רֶב בַּיּ֥וֹם
הָֽרִאשׁ֖וֹן לַבֹּֽקֶר׃ לֹ֣א תוּכַ֔ל לִזְבֹּ֖חַ אֶת־הַפָּ֑סַח בְּאַחַ֖ד שְׁעָרֶ֔יךָ ה
אֲשֶׁר־יְהֹוָ֥ה אֱלֹהֶ֖יךָ נֹתֵ֣ן לָֽךְ׃ כִּ֠י אִֽם־אֶל־הַמָּק֞וֹם אֲשֶׁר־יִבְחַ֨ר ו
יְהֹוָ֤ה אֱלֹהֶ֙יךָ֙ לְשַׁכֵּ֣ן שְׁמ֔וֹ שָׁ֛ם תִּזְבַּ֥ח אֶת־הַפֶּ֖סַח בָּעָ֑רֶב כְּב֣וֹא
הַשֶּׁ֔מֶשׁ מוֹעֵ֖ד צֵֽאתְךָ֥ מִמִּצְרָֽיִם׃ וּבִשַּׁלְתָּ֙ וְאָ֣כַלְתָּ֔ בַּמָּק֕וֹם אֲשֶׁ֥ר ז
יִבְחַ֖ר יְהֹוָ֣ה אֱלֹהֶ֑יךָ בּ֑וֹ וּפָנִ֣יתָ בַבֹּ֔קֶר וְהָלַכְתָּ֖ לְאֹֽהָלֶֽיךָ׃ שֵׁ֤שֶׁת ח
יָמִים֙ תֹּאכַ֣ל מַצּ֔וֹת וּבַיּ֣וֹם הַשְּׁבִיעִ֗י עֲצֶ֙רֶת֙ לַיהֹוָ֣ה אֱלֹהֶ֔יךָ לֹ֥א
תַֽעֲשֶׂ֖ה מְלָאכָֽה׃ שִׁבְעָ֥ה שָֽׁבֻעֹ֖ת ט

חַג
הַמַּצּוֹת

סְפִירַת
הָעֹמֶר וְחַג
שָׁבוּעוֹת

תִּסְפָּר־לָ֑ךְ מֵהָחֵ֤ל חֶרְמֵשׁ֙ בַּקָּמָ֔ה תָּחֵ֣ל לִסְפֹּ֔ר שִׁבְעָ֖ה שָׁבֻעֽוֹת׃
וְעָשִׂ֜יתָ חַ֤ג שָׁבֻעוֹת֙ לַיהֹוָ֣ה אֱלֹהֶ֔יךָ מִסַּ֛ת נִדְבַ֥ת יָֽדְךָ֖ אֲשֶׁ֣ר תִּתֵּ֑ן י
כַּאֲשֶׁ֥ר יְבָֽרֶכְךָ֖ יְהֹוָ֣ה אֱלֹהֶֽיךָ׃ וְשָׂמַחְתָּ֞ לִפְנֵ֣י ׀ יְהֹוָ֣ה אֱלֹהֶ֗יךָ אַתָּ֨ה יא
וּבִנְךָ֣ וּבִתֶּךָ֮ וְעַבְדְּךָ֣ וַאֲמָתֶךָ֒ וְהַלֵּוִ֙י אֲשֶׁ֣ר בִּשְׁעָרֶ֔יךָ וְהַגֵּ֛ר וְהַיָּת֥וֹם
וְהָֽאַלְמָנָ֖ה אֲשֶׁ֣ר בְּקִרְבֶּ֑ךָ בַּמָּק֗וֹם אֲשֶׁ֤ר יִבְחַר֙ יְהֹוָ֣ה אֱלֹהֶ֔יךָ לְשַׁכֵּ֥ן
שְׁמ֖וֹ שָֽׁם׃ וְזָ֣כַרְתָּ֔ כִּי־עֶ֥בֶד הָיִ֖יתָ בְּמִצְרָ֑יִם וְשָׁמַרְתָּ֣ וְעָשִׂ֔יתָ יב
אֶת־הַֽחֻקִּ֖ים הָאֵֽלֶּה׃

מַפְטִיר
חַג הַסֻּכּוֹת

חַ֧ג הַסֻּכֹּ֛ת תַּעֲשֶׂ֥ה לְךָ֖ שִׁבְעַ֣ת יָמִ֑ים בְּאָ֨סְפְּךָ֔ מִֽגָּרְנְךָ֖ וּמִיִּקְבֶֽךָ׃ יג
וְשָׂמַחְתָּ֖ בְּחַגֶּ֑ךָ אַתָּ֨ה וּבִנְךָ֤ וּבִתֶּ֙ךָ֙ וְעַבְדְּךָ֣ וַאֲמָתֶ֔ךָ וְהַלֵּוִ֗י וְהַגֵּ֛ר יד
וְהַיָּת֥וֹם וְהָֽאַלְמָנָ֖ה אֲשֶׁ֣ר בִּשְׁעָרֶֽיךָ׃ שִׁבְעַ֣ת יָמִ֗ים תָּחֹג֙ לַֽיהֹוָ֣ה טו

אֱלֹהֶ֔יךָ בַּמָּק֖וֹם אֲשֶׁר־יִבְחַ֣ר יְהֹוָ֑ה כִּ֣י יְבָרֶכְךָ֞ יְהֹוָ֣ה אֱלֹהֶ֗יךָ בְּכֹ֤ל

מצות ראיה

טו תְּבוּאָ֣תְךָ֙ וּבְכֹל֙ מַעֲשֵׂ֣ה יָדֶ֔יךָ וְהָיִ֖יתָ אַ֥ךְ שָׂמֵֽחַ: שָׁל֣וֹשׁ פְּעָמִ֣ים ׀ בַּשָּׁנָ֡ה יֵרָאֶ֨ה כָל־זְכוּרְךָ֜ אֶת־פְּנֵ֣י ׀ יְהֹוָ֣ה אֱלֹהֶ֗יךָ בַּמָּקוֹם֙ אֲשֶׁ֣ר יִבְחָ֔ר בְּחַ֧ג הַמַּצּ֛וֹת וּבְחַ֥ג הַשָּׁבֻע֖וֹת וּבְחַ֣ג הַסֻּכּ֑וֹת וְלֹ֧א יֵרָאֶ֛ה

טז אֶת־פְּנֵ֥י יְהֹוָ֖ה רֵיקָֽם: אִ֖ישׁ כְּמַתְּנַ֣ת יָד֑וֹ כְּבִרְכַּ֛ת יְהֹוָ֥ה אֱלֹהֶ֖יךָ

שפטים
מנוי
שופטים
ושוטרים
והנהגתם:

יח אֲשֶׁ֥ר נָֽתַן־לָֽךְ: שֹׁפְטִ֣ים וְשֹֽׁטְרִ֗ים תִּֽתֶּן־לְךָ֙ בְּכָל־שְׁעָרֶ֔יךָ אֲשֶׁ֨ר יְהֹוָ֧ה אֱלֹהֶ֛יךָ נֹתֵ֥ן לְךָ֖ לִשְׁבָטֶ֑יךָ וְשָׁפְט֥וּ אֶת־הָעָ֖ם

יט מִשְׁפַּט־צֶֽדֶק: לֹֽא־תַטֶּ֣ה מִשְׁפָּ֔ט לֹ֥א תַכִּ֖יר פָּנִ֑ים וְלֹֽא־תִקַּ֣ח שֹׁ֔חַד

כ כִּ֣י הַשֹּׁ֗חַד יְעַוֵּר֙ עֵינֵ֣י חֲכָמִ֔ים וִיסַלֵּ֖ף דִּבְרֵ֣י צַדִּיקִֽם: צֶ֥דֶק צֶ֖דֶק תִּרְדֹּ֑ף לְמַ֤עַן תִּֽחְיֶה֙ וְיָֽרַשְׁתָּ֣ אֶת־הָאָ֔רֶץ אֲשֶׁר־יְהֹוָ֥ה אֱלֹהֶ֖יךָ נֹתֵ֥ן

אסור
אשרה
ומצבה:

כא לָֽךְ: לֹֽא־תִטַּ֥ע לְךָ֛ אֲשֵׁרָ֖ה כָּל־עֵ֑ץ אֵ֗צֶל מִזְבַּ֛ח יְהֹוָ֥ה

כב אֱלֹהֶ֖יךָ אֲשֶׁ֥ר תַּֽעֲשֶׂה־לָּֽךְ: וְלֹֽא־תָקִ֥ים לְךָ֖ מַצֵּבָ֑ה אֲשֶׁ֥ר שָׂנֵ֖א יְהֹוָ֥ה

אסור
הקרבת
בעל מום:

יז א אֱלֹהֶֽיךָ: לֹֽא־תִזְבַּח֩ לַֽיהֹוָ֨ה אֱלֹהֶ֜יךָ שׁ֣וֹר וָשֶׂ֗ה אֲשֶׁ֨ר יִֽהְיֶ֥ה בוֹ֙ מ֔וּם כֹּ֖ל דָּבָ֣ר רָ֑ע כִּ֧י תֽוֹעֲבַ֛ת יְהֹוָ֥ה

העובדת
עובד
עבודה
זרה:

ב אֱלֹהֶ֖יךָ הֽוּא: כִּֽי־יִמָּצֵ֤א בְקִרְבְּךָ֙ בְּאַחַ֣ד שְׁעָרֶ֔יךָ אֲשֶׁר־יְהֹוָ֥ה אֱלֹהֶ֖יךָ נֹתֵ֣ן לָ֑ךְ אִ֣ישׁ אֽוֹ־אִשָּׁ֗ה אֲשֶׁ֨ר יַֽעֲשֶׂ֜ה אֶת־הָרַ֨ע בְּעֵינֵ֧י

ג יְהֹוָֽה־אֱלֹהֶ֛יךָ לַֽעֲבֹ֥ר בְּרִיתֽוֹ: וַיֵּ֗לֶךְ וַֽיַּֽעֲבֹד֙ אֱלֹהִ֣ים אֲחֵרִ֔ים וַיִּשְׁתַּ֖חוּ לָהֶ֑ם וְלַשֶּׁ֣מֶשׁ ׀ א֣וֹ לַיָּרֵ֗חַ א֛וֹ לְכָל־צְבָ֥א הַשָּׁמַ֖יִם אֲשֶׁ֥ר לֹֽא־

ד צִוִּֽיתִי: וְהֻֽגַּד־לְךָ֖ וְשָׁמָ֑עְתָּ וְדָֽרַשְׁתָּ֣ הֵיטֵ֔ב וְהִנֵּ֤ה אֱמֶת֙ נָכ֣וֹן הַדָּבָ֔ר

ה נֶֽעֶשְׂתָ֛ה הַתּֽוֹעֵבָ֥ה הַזֹּ֖את בְּיִשְׂרָאֵֽל: וְהֽוֹצֵאתָ֞ אֶת־הָאִ֣ישׁ הַה֗וּא א֚וֹ אֶת־הָֽאִשָּׁ֣ה הַהִ֔וא אֲשֶׁ֣ר עָ֠שׂוּ אֶת־הַדָּבָ֨ר הָרָ֤ע הַזֶּה֙ אֶל־שְׁעָרֶ֔יךָ אֶת־הָאִ֕ישׁ א֖וֹ אֶת־הָֽאִשָּׁ֑ה וּסְקַלְתָּ֥ם בָּֽאֲבָנִ֖ים וָמֵֽתוּ:

ו עַל־פִּ֣י ׀ שְׁנַ֣יִם עֵדִ֗ים א֛וֹ שְׁלֹשָׁ֥ה עֵדִ֖ים יוּמַ֣ת הַמֵּ֑ת לֹ֣א יוּמַ֔ת

ז עַל־פִּ֖י עֵ֣ד אֶחָֽד: יַ֣ד הָֽעֵדִ֞ים תִּֽהְיֶה־בּ֤וֹ בָרִֽאשֹׁנָה֙ לַֽהֲמִית֔וֹ וְיַ֥ד כָּל־הָעָ֖ם בָּאַֽחֲרֹנָ֑ה וּבִֽעַרְתָּ֥ הָרָ֖ע מִקִּרְבֶּֽךָ:

ח כִּי יִפָּלֵא מִמְּךָ דָבָר לַמִּשְׁפָּט בֵּין־דָּם ׀ לְדָם בֵּין־דִּין לְדִין וּבֵין מִצְוַת הַשְּׁמִיעָה לַסַּנְהֶדְרִין:
נֶגַע לָנֶגַע דִּבְרֵי רִיבֹת בִּשְׁעָרֶיךָ וְקַמְתָּ וְעָלִיתָ אֶל־הַמָּקוֹם אֲשֶׁר
ט יִבְחַר יְהוָה אֱלֹהֶיךָ בּוֹ: וּבָאתָ אֶל־הַכֹּהֲנִים הַלְוִיִּם וְאֶל־הַשֹּׁפֵט
אֲשֶׁר יִהְיֶה בַּיָּמִים הָהֵם וְדָרַשְׁתָּ וְהִגִּידוּ לְךָ אֵת דְּבַר הַמִּשְׁפָּט:
י וְעָשִׂיתָ עַל־פִּי הַדָּבָר אֲשֶׁר יַגִּידוּ לְךָ מִן־הַמָּקוֹם הַהוּא אֲשֶׁר
יא יִבְחַר יְהוָה וְשָׁמַרְתָּ לַעֲשׂוֹת כְּכֹל אֲשֶׁר יוֹרוּךָ: עַל־פִּי הַתּוֹרָה
אֲשֶׁר יוֹרוּךָ וְעַל־הַמִּשְׁפָּט אֲשֶׁר־יֹאמְרוּ לְךָ תַּעֲשֶׂה לֹא תָסוּר
יב מִן־הַדָּבָר אֲשֶׁר־יַגִּידוּ לְךָ יָמִין וּשְׂמֹאל: וְהָאִישׁ אֲשֶׁר־יַעֲשֶׂה דִּין זָקֵן מַמְרֵא:
בְזָדוֹן לְבִלְתִּי שְׁמֹעַ אֶל־הַכֹּהֵן הָעֹמֵד לְשָׁרֶת שָׁם אֶת־יְהוָה
אֱלֹהֶיךָ אוֹ אֶל־הַשֹּׁפֵט וּמֵת הָאִישׁ הַהוּא וּבִעַרְתָּ הָרָע מִיִּשְׂרָאֵל:
יג יד וְכָל־הָעָם יִשְׁמְעוּ וְיִרָאוּ וְלֹא יְזִידוּן עוֹד: כִּי־תָבֹא שני
אֶל־הָאָרֶץ אֲשֶׁר יְהוָה אֱלֹהֶיךָ נֹתֵן לָךְ וִירִשְׁתָּהּ וְיָשַׁבְתָּה בָּהּ דִּין הַמֶּלֶךְ:
טו וְאָמַרְתָּ אָשִׂימָה עָלַי מֶלֶךְ כְּכָל־הַגּוֹיִם אֲשֶׁר סְבִיבֹתָי: שׂוֹם
תָּשִׂים עָלֶיךָ מֶלֶךְ אֲשֶׁר יִבְחַר יְהוָה אֱלֹהֶיךָ בּוֹ מִקֶּרֶב אַחֶיךָ
תָּשִׂים עָלֶיךָ מֶלֶךְ לֹא תוּכַל לָתֵת עָלֶיךָ אִישׁ נָכְרִי אֲשֶׁר
טז לֹא־אָחִיךָ הוּא: רַק לֹא־יַרְבֶּה־לּוֹ סוּסִים וְלֹא־יָשִׁיב אֶת־הָעָם
מִצְרַיְמָה לְמַעַן הַרְבּוֹת סוּס וַיהוָה אָמַר לָכֶם לֹא תֹסִפוּן לָשׁוּב
יז בַּדֶּרֶךְ הַזֶּה עוֹד: וְלֹא יַרְבֶּה־לּוֹ נָשִׁים וְלֹא יָסוּר לְבָבוֹ וְכֶסֶף
יח וְזָהָב לֹא יַרְבֶּה־לּוֹ מְאֹד: וְהָיָה כְשִׁבְתּוֹ עַל כִּסֵּא מַמְלַכְתּוֹ וְכָתַב
לוֹ אֶת־מִשְׁנֵה הַתּוֹרָה הַזֹּאת עַל־סֵפֶר מִלִּפְנֵי הַכֹּהֲנִים הַלְוִיִּם:
יט וְהָיְתָה עִמּוֹ וְקָרָא בוֹ כָּל־יְמֵי חַיָּיו לְמַעַן יִלְמַד לְיִרְאָה אֶת־יְהוָה
אֱלֹהָיו לִשְׁמֹר אֶת־כָּל־דִּבְרֵי הַתּוֹרָה הַזֹּאת וְאֶת־הַחֻקִּים הָאֵלֶּה
כ לַעֲשֹׂתָם: לְבִלְתִּי רוּם־לְבָבוֹ מֵאֶחָיו וּלְבִלְתִּי סוּר מִן־הַמִּצְוָה
יָמִין וּשְׂמֹאול לְמַעַן יַאֲרִיךְ יָמִים עַל־מַמְלַכְתּוֹ הוּא וּבָנָיו בְּקֶרֶב
יח א יִשְׂרָאֵל: לֹא־יִהְיֶה שלישי

לַכֹּהֲנִים הַלְוִיִּם כָּל־שֵׁבֶט לֵוִי חֵלֶק וְנַחֲלָה עִם־יִשְׂרָאֵל אִשֵּׁי יְהוָה
שֵׁבֶט לֵוִי בַּחֲלֻקַּת הָאָרֶץ׃
ב וְנַחֲלָתוֹ יֹאכֵלוּן׃ וְנַחֲלָה לֹא־יִהְיֶה־לּוֹ בְּקֶרֶב אֶחָיו יְהוָה הוּא
ג נַחֲלָתוֹ כַּאֲשֶׁר דִּבֶּר־לוֹ׃ וְזֶה יִהְיֶה מִשְׁפַּט הַכֹּהֲנִים
מֵאֵת הָעָם מֵאֵת זֹבְחֵי הַזֶּבַח אִם־שׁוֹר אִם־שֶׂה וְנָתַן לַכֹּהֵן הַזְּרֹעַ
ד וְהַלְּחָיַיִם וְהַקֵּבָה׃ רֵאשִׁית דְּגָנְךָ תִּירֹשְׁךָ וְיִצְהָרֶךָ וְרֵאשִׁית גֵּז
ה צֹאנְךָ תִּתֶּן־לוֹ׃ כִּי בוֹ בָּחַר יְהוָה אֱלֹהֶיךָ מִכָּל־שְׁבָטֶיךָ לַעֲמֹד
ו לְשָׁרֵת בְּשֵׁם־יְהוָה הוּא וּבָנָיו כָּל־הַיָּמִים׃ וְכִי־יָבֹא
הַלֵּוִי מֵאַחַד שְׁעָרֶיךָ מִכָּל־יִשְׂרָאֵל אֲשֶׁר־הוּא גָּר שָׁם וּבָא
ז בְּכָל־אַוַּת נַפְשׁוֹ אֶל־הַמָּקוֹם אֲשֶׁר־יִבְחַר יְהוָה׃ וְשֵׁרֵת בְּשֵׁם
ח יְהוָה אֱלֹהָיו כְּכָל־אֶחָיו הַלְוִיִּם הָעֹמְדִים שָׁם לִפְנֵי יְהוָה׃ חֵלֶק
ט כְּחֵלֶק יֹאכֵלוּ לְבַד מִמְכָּרָיו עַל־הָאָבוֹת׃ כִּי אַתָּה בָּא
אֶל־הָאָרֶץ אֲשֶׁר־יְהוָה אֱלֹהֶיךָ נֹתֵן לָךְ לֹא־תִלְמַד לַעֲשׂוֹת
י כְּתוֹעֲבֹת הַגּוֹיִם הָהֵם׃ לֹא־יִמָּצֵא בְךָ מַעֲבִיר בְּנוֹ־וּבִתּוֹ בָּאֵשׁ
יא קֹסֵם קְסָמִים מְעוֹנֵן וּמְנַחֵשׁ וּמְכַשֵּׁף׃ וְחֹבֵר חָבֶר וְשֹׁאֵל אוֹב
יב וְיִדְּעֹנִי וְדֹרֵשׁ אֶל־הַמֵּתִים׃ כִּי־תוֹעֲבַת יְהוָה כָּל־עֹשֵׂה אֵלֶּה
יג וּבִגְלַל הַתּוֹעֵבֹת הָאֵלֶּה יְהוָה אֱלֹהֶיךָ מוֹרִישׁ אוֹתָם מִפָּנֶיךָ׃ תָּמִים
יד תִּהְיֶה עִם יְהוָה אֱלֹהֶיךָ׃ כִּי ׀ הַגּוֹיִם הָאֵלֶּה אֲשֶׁר אַתָּה יוֹרֵשׁ
אוֹתָם אֶל־מְעֹנְנִים וְאֶל־קֹסְמִים יִשְׁמָעוּ וְאַתָּה לֹא כֵן נָתַן לְךָ
טו יְהוָה אֱלֹהֶיךָ׃ נָבִיא מִקִּרְבְּךָ מֵאַחֶיךָ כָּמֹנִי יָקִים לְךָ יְהוָה אֱלֹהֶיךָ
הַחוֹבָה לִשְׁמֹעַ לְדִבְרֵי הַנָּבִיא׃
טז אֵלָיו תִּשְׁמָעוּן׃ כְּכֹל אֲשֶׁר־שָׁאַלְתָּ מֵעִם יְהוָה אֱלֹהֶיךָ בְּחֹרֵב
בְּיוֹם הַקָּהָל לֵאמֹר לֹא אֹסֵף לִשְׁמֹעַ אֶת־קוֹל יְהוָה אֱלֹהָי
יז וְאֶת־הָאֵשׁ הַגְּדֹלָה הַזֹּאת לֹא־אֶרְאֶה עוֹד וְלֹא אָמוּת׃ וַיֹּאמֶר
יח יְהוָה אֵלָי הֵיטִיבוּ אֲשֶׁר דִּבֵּרוּ׃ נָבִיא אָקִים לָהֶם מִקֶּרֶב אֲחֵיהֶם
כָּמוֹךָ וְנָתַתִּי דְבָרַי בְּפִיו וְדִבֶּר אֲלֵיהֶם אֵת כָּל־אֲשֶׁר אֲצַוֶּנּוּ׃
יט וְהָיָה הָאִישׁ אֲשֶׁר לֹא־יִשְׁמַע אֶל־דְּבָרַי אֲשֶׁר יְדַבֵּר בִּשְׁמִי אָנֹכִי

כ אֶדְרֹ֖שׁ מֵעִמּֽוֹ׃ אַ֣ךְ הַנָּבִ֡יא אֲשֶׁ֣ר יָזִיד֩ לְדַבֵּ֨ר דָּבָ֜ר בִּשְׁמִ֗י אֵ֣ת דִּין נְבִיא
אֲשֶׁ֤ר לֹֽא־צִוִּיתִיו֙ לְדַבֵּ֔ר וַאֲשֶׁ֣ר יְדַבֵּ֔ר בְּשֵׁ֖ם אֱלֹהִ֣ים אֲחֵרִ֑ים וּמֵ֖ת הַשֶּׁקֶר:
כא הַנָּבִ֥יא הַהֽוּא׃ וְכִ֥י תֹאמַ֖ר בִּלְבָבֶ֑ךָ אֵיכָה֙ נֵדַ֣ע אֶת־הַדָּבָ֔ר אֲשֶׁ֥ר
כב לֹֽא־דִבְּר֖וֹ יְהוָֽה׃ אֲשֶׁר֩ יְדַבֵּ֨ר הַנָּבִ֜יא בְּשֵׁ֣ם יְהוָ֗ה וְלֹֽא־יִהְיֶ֤ה
הַדָּבָר֙ וְלֹ֣א יָבֹ֔א ה֣וּא הַדָּבָ֔ר אֲשֶׁ֥ר לֹֽא־דִבְּר֖וֹ יְהוָ֑ה בְּזָדוֹן֙ דִּבְּר֣וֹ
יט א הַנָּבִ֔יא לֹ֥א תָג֖וּר מִמֶּֽנּוּ׃ כִּֽי־יַכְרִ֞ית יְהוָ֤ה אֱלֹהֶ֨יךָ֙ עָרֵי מִקְלָט
אֶת־הַגּוֹיִ֔ם אֲשֶׁר֙ יְהוָ֣ה אֱלֹהֶ֔יךָ נֹתֵ֥ן לְךָ֖ אֶת־אַרְצָ֑ם וִֽירִשְׁתָּ֕ם וְהַגּוֹלִים אֲלֵיהֶם:
ב וְיָשַׁבְתָּ֥ בְעָרֵיהֶ֖ם וּבְבָתֵּיהֶֽם׃ שָׁל֥וֹשׁ עָרִ֖ים תַּבְדִּ֣יל לָ֑ךְ בְּת֣וֹךְ
ג אַרְצְךָ֔ אֲשֶׁר֙ יְהוָ֣ה אֱלֹהֶ֔יךָ נֹתֵ֥ן לְךָ֖ לְרִשְׁתָּֽהּ׃ תָּכִ֣ין לְךָ֮ הַדֶּ֒רֶךְ֒
וְשִׁלַּשְׁתָּ֙ אֶת־גְּב֣וּל אַרְצְךָ֔ אֲשֶׁ֥ר יַנְחִֽילְךָ֖ יְהוָ֣ה אֱלֹהֶ֑יךָ וְהָיָ֕ה לָנ֥וּס
ד שָׁ֖מָּה כָּל־רֹצֵֽחַ׃ וְזֶה֙ דְּבַ֣ר הָֽרֹצֵ֔חַ אֲשֶׁר־יָנ֥וּס שָׁ֖מָּה וָחָ֑י אֲשֶׁ֨ר
יַכֶּ֤ה אֶת־רֵעֵ֨הוּ֙ בִּבְלִי־דַ֔עַת וְה֛וּא לֹא־שֹׂנֵ֥א ל֖וֹ מִתְּמֹ֥ל שִׁלְשֹֽׁם׃
ה וַאֲשֶׁ֨ר יָבֹ֣א אֶת־רֵעֵ֣הוּ בַיַּ֘עַר֮ לַחְטֹ֣ב עֵצִים֒ וְנִדְּחָ֨ה יָד֤וֹ בַגַּרְזֶן֙
לִכְרֹ֣ת הָעֵ֔ץ וְנָשַׁ֤ל הַבַּרְזֶל֙ מִן־הָעֵ֔ץ וּמָצָ֥א אֶת־רֵעֵ֖הוּ וָמֵ֑ת ה֗וּא
ו יָנ֛וּס אֶל־אַחַ֥ת הֶעָרִים־הָאֵ֖לֶּה וָחָֽי׃ פֶּן־יִרְדֹּף֩ גֹּאֵ֨ל הַדָּ֜ם אַחֲרֵ֣י
הָרֹצֵ֗חַ כִּֽי־יֵחַם֮ לְבָבוֹ֒ וְהִשִּׂיג֛וֹ כִּֽי־יִרְבֶּ֥ה הַדֶּ֖רֶךְ וְהִכָּ֣הוּ נָ֑פֶשׁ וְלוֹ֙
ז אֵ֣ין מִשְׁפַּט־מָ֔וֶת כִּ֠י לֹ֣א שֹׂנֵ֥א ה֛וּא ל֖וֹ מִתְּמ֥וֹל שִׁלְשֽׁוֹם׃ עַל־כֵּ֛ן
ח אָנֹכִ֥י מְצַוְּךָ֖ לֵאמֹ֑ר שָׁלֹ֥שׁ עָרִ֖ים תַּבְדִּ֥יל לָֽךְ׃ וְאִם־יַרְחִ֞יב יְהוָ֤ה
אֱלֹהֶ֨יךָ֙ אֶת־גְּבֻ֣לְךָ֔ כַּאֲשֶׁ֥ר נִשְׁבַּ֖ע לַאֲבֹתֶ֑יךָ וְנָ֤תַן לְךָ֙ אֶת־כָּל־
ט הָאָ֔רֶץ אֲשֶׁ֥ר דִּבֶּ֖ר לָתֵ֥ת לַאֲבֹתֶֽיךָ׃ כִּֽי־תִשְׁמֹר֩ אֶת־כָּל־הַמִּצְוָ֨ה
הַזֹּ֜את לַעֲשֹׂתָ֗הּ אֲשֶׁ֣ר אָנֹכִ֣י מְצַוְּךָ֮ הַיּוֹם֒ לְאַהֲבָ֞ה אֶת־יְהוָ֧ה
אֱלֹהֶ֛יךָ וְלָלֶ֥כֶת בִּדְרָכָ֖יו כָּל־הַיָּמִ֑ים וְיָסַפְתָּ֨ לְךָ֥ ע֛וֹד שָׁלֹ֥שׁ עָרִ֖ים
י עַ֖ל הַשָּׁלֹ֥שׁ הָאֵֽלֶּה׃ וְלֹ֤א יִשָּׁפֵךְ֙ דָּ֣ם נָקִ֔י בְּקֶ֣רֶב אַרְצְךָ֔ אֲשֶׁר֙ יְהוָ֣ה
אֱלֹהֶ֔יךָ נֹתֵ֥ן לְךָ֖ נַחֲלָ֑ה וְהָיָ֥ה עָלֶ֖יךָ דָּמִֽים׃
יא וְכִֽי־יִהְיֶ֥ה אִישׁ֙ שֹׂנֵ֣א לְרֵעֵ֔הוּ וְאָ֣רַב ל֔וֹ וְקָ֣ם עָלָ֔יו וְהִכָּ֥הוּ נֶ֖פֶשׁ דִּין הָרוֹצֵחַ בְּמֵזִיד:

יב וָמֵת וְנָס אֶל־אַחַת הֶעָרִים הָאֵל׃ וְשָׁלְחוּ זִקְנֵי עִירוֹ וְלָקְחוּ אֹתוֹ
יג מִשָּׁם וְנָתְנוּ אֹתוֹ בְּיַד גֹּאֵל הַדָּם וָמֵת׃ לֹא־תָחוֹס עֵינְךָ עָלָיו
יד וּבִעַרְתָּ דַם־הַנָּקִי מִיִּשְׂרָאֵל וְטוֹב לָךְ׃ לֹא תַסִּיג גְּבוּל
רֵעֲךָ אֲשֶׁר גָּבְלוּ רִאשֹׁנִים בְּנַחֲלָתְךָ אֲשֶׁר תִּנְחַל בָּאָרֶץ אֲשֶׁר
טו יְהוָה אֱלֹהֶיךָ נֹתֵן לְךָ לְרִשְׁתָּהּ׃ לֹא־יָקוּם עֵד אֶחָד
בְּאִישׁ לְכָל־עָוֺן וּלְכָל־חַטָּאת בְּכָל־חֵטְא אֲשֶׁר יֶחֱטָא עַל־פִּי
טז שְׁנֵי עֵדִים אוֹ עַל־פִּי שְׁלֹשָׁה־עֵדִים יָקוּם דָּבָר׃ כִּי־יָקוּם
יז עֵד־חָמָס בְּאִישׁ לַעֲנוֹת בּוֹ סָרָה׃ וְעָמְדוּ שְׁנֵי־הָאֲנָשִׁים אֲשֶׁר־
לָהֶם הָרִיב לִפְנֵי יְהוָה לִפְנֵי הַכֹּהֲנִים וְהַשֹּׁפְטִים אֲשֶׁר יִהְיוּ
יח בַּיָּמִים הָהֵם׃ וְדָרְשׁוּ הַשֹּׁפְטִים הֵיטֵב וְהִנֵּה עֵד־שֶׁקֶר הָעֵד שֶׁקֶר
יט עָנָה בְאָחִיו׃ וַעֲשִׂיתֶם לוֹ כַּאֲשֶׁר זָמַם לַעֲשׂוֹת לְאָחִיו וּבִעַרְתָּ
כ הָרָע מִקִּרְבֶּךָ׃ וְהַנִּשְׁאָרִים יִשְׁמְעוּ וְיִרָאוּ וְלֹא־יֹסִפוּ לַעֲשׂוֹת עוֹד
כא כַּדָּבָר הָרָע הַזֶּה בְּקִרְבֶּךָ׃ וְלֹא תָחוֹס עֵינֶךָ נֶפֶשׁ בְּנֶפֶשׁ עַיִן בְּעַיִן
כ א שֵׁן בְּשֵׁן יָד בְּיָד רֶגֶל בְּרָגֶל׃ כִּי־תֵצֵא לַמִּלְחָמָה
עַל־אֹיְבֶךָ וְרָאִיתָ סוּס וָרֶכֶב עַם רַב מִמְּךָ לֹא תִירָא מֵהֶם
ב כִּי־יְהוָה אֱלֹהֶיךָ עִמָּךְ הַמַּעַלְךָ מֵאֶרֶץ מִצְרָיִם׃ וְהָיָה כְּקָרָבְכֶם
ג אֶל־הַמִּלְחָמָה וְנִגַּשׁ הַכֹּהֵן וְדִבֶּר אֶל־הָעָם׃ וְאָמַר אֲלֵהֶם שְׁמַע
יִשְׂרָאֵל אַתֶּם קְרֵבִים הַיּוֹם לַמִּלְחָמָה עַל־אֹיְבֵיכֶם אַל־יֵרַךְ
ד לְבַבְכֶם אַל־תִּירְאוּ וְאַל־תַּחְפְּזוּ וְאַל־תַּעַרְצוּ מִפְּנֵיהֶם׃ כִּי יְהוָה
אֱלֹהֵיכֶם הַהֹלֵךְ עִמָּכֶם לְהִלָּחֵם לָכֶם עִם־אֹיְבֵיכֶם לְהוֹשִׁיעַ
ה אֶתְכֶם׃ וְדִבְּרוּ הַשֹּׁטְרִים אֶל־הָעָם לֵאמֹר מִי־הָאִישׁ אֲשֶׁר בָּנָה
בַיִת־חָדָשׁ וְלֹא חֲנָכוֹ יֵלֵךְ וְיָשֹׁב לְבֵיתוֹ פֶּן־יָמוּת בַּמִּלְחָמָה וְאִישׁ
ו אַחֵר יַחְנְכֶנּוּ׃ וּמִי־הָאִישׁ אֲשֶׁר־נָטַע כֶּרֶם וְלֹא חִלְּלוֹ יֵלֵךְ וְיָשֹׁב
ז לְבֵיתוֹ פֶּן־יָמוּת בַּמִּלְחָמָה וְאִישׁ אַחֵר יְחַלְּלֶנּוּ׃ וּמִי־הָאִישׁ
אֲשֶׁר־אֵרַשׂ אִשָּׁה וְלֹא לְקָחָהּ יֵלֵךְ וְיָשֹׁב לְבֵיתוֹ פֶּן־יָמוּת

ששי
אִסּוּר הַסָּגַת גְּבוּל:
דִּין עֵד זוֹמֵם:

סֵדֶר הַיְצִיאָה לַמִּלְחָמָה:

ח בַּמִּלְחָמָ֔ה וְאִ֥ישׁ אַחֵ֖ר יִקָּחֶֽנָּה׃ וְיָסְפ֣וּ הַשֹּֽׁטְרִים֮ לְדַבֵּ֣ר אֶל־הָעָם֒
וְאָמְר֗וּ מִֽי־הָאִ֤ישׁ הַיָּרֵא֙ וְרַ֣ךְ הַלֵּבָ֔ב יֵלֵ֖ךְ וְיָשֹׁ֣ב לְבֵית֑וֹ וְלֹ֥א יִמַּ֛ס
ט אֶת־לְבַ֥ב אֶחָ֖יו כִּלְבָבֽוֹ׃ וְהָיָ֛ה כְּכַלֹּ֥ת הַשֹּׁטְרִ֖ים לְדַבֵּ֣ר אֶל־הָעָ֑ם
י וּפָֽקְד֛וּ שָׂרֵ֥י צְבָא֖וֹת בְּרֹ֥אשׁ הָעָֽם׃ כִּֽי־תִקְרַ֣ב אֶל־עִ֔יר
שביעי
דיני מִלְחֶמֶת הָרְשׁוּת:
יא לְהִלָּחֵ֖ם עָלֶ֑יהָ וְקָרָ֥אתָ אֵלֶ֖יהָ לְשָׁלֽוֹם׃ וְהָיָה֙ אִם־שָׁל֣וֹם תַּֽעַנְךָ֔
וּפָֽתְחָ֖ה לָ֑ךְ וְהָיָ֞ה כָּל־הָעָ֣ם הַנִּמְצָא־בָ֗הּ יִהְי֥וּ לְךָ֛ לָמַ֖ס וַעֲבָדֽוּךָ׃
יב וְאִם־לֹ֤א תַשְׁלִים֙ עִמָּ֔ךְ וְעָשְׂתָ֥ה עִמְּךָ֖ מִלְחָמָ֑ה וְצַרְתָּ֖ עָלֶֽיהָ׃
יג וּנְתָנָ֛הּ יְהוָ֥ה אֱלֹהֶ֖יךָ בְּיָדֶ֑ךָ וְהִכִּיתָ֥ אֶת־כָּל־זְכוּרָ֖הּ לְפִי־חָֽרֶב׃
יד רַ֣ק הַ֠נָּשִׁים וְהַטַּ֨ף וְהַבְּהֵמָ֜ה וְכֹל֩ אֲשֶׁ֨ר יִהְיֶ֥ה בָעִ֛יר כָּל־שְׁלָלָ֖הּ
תָּבֹ֣ז לָ֑ךְ וְאָֽכַלְתָּ֙ אֶת־שְׁלַ֣ל אֹיְבֶ֔יךָ אֲשֶׁ֥ר נָתַ֛ן יְהוָ֥ה אֱלֹהֶ֖יךָ לָֽךְ׃
טו כֵּ֤ן תַּעֲשֶׂה֙ לְכָל־הֶ֣עָרִ֔ים הָרְחֹקֹ֥ת מִמְּךָ֖ מְאֹ֑ד אֲשֶׁ֛ר לֹא־מֵעָרֵ֥י
טז הַגּוֹיִֽם־הָאֵ֖לֶּה הֵֽנָּה׃ רַ֗ק מֵעָרֵ֤י הָֽעַמִּים֙ הָאֵ֔לֶּה אֲשֶׁר֙ יְהוָ֣ה אֱלֹהֶ֔יךָ
יז נֹתֵ֥ן לְךָ֖ נַחֲלָ֑ה לֹ֥א תְחַיֶּ֖ה כָּל־נְשָׁמָֽה׃ כִּֽי־הַחֲרֵ֣ם תַּחֲרִימֵ֗ם הַֽחִתִּ֤י
וְהָֽאֱמֹרִי֙ הַכְּנַעֲנִ֣י וְהַפְּרִזִּ֔י הַחִוִּ֖י וְהַיְבוּסִ֑י כַּאֲשֶׁ֥ר צִוְּךָ֖ יְהוָ֥ה אֱלֹהֶֽיךָ׃
יח לְמַ֗עַן אֲשֶׁ֤ר לֹֽא־יְלַמְּד֣וּ אֶתְכֶם֙ לַעֲשׂ֔וֹת כְּכֹל֙ תּֽוֹעֲבֹתָ֔ם אֲשֶׁ֥ר
יט עָשׂ֖וּ לֵאלֹֽהֵיהֶ֑ם וַחֲטָאתֶ֖ם לַיהוָ֥ה אֱלֹהֵיכֶֽם׃ כִּֽי־תָצ֣וּר
אִסּוּר "בַּל תַּשְׁחִית":
אֶל־עִ֞יר יָמִ֣ים רַבִּ֗ים לְהִלָּחֵ֥ם עָלֶ֣יהָ לְתָפְשָׂהּ֒ לֹא־תַשְׁחִ֤ית
אֶת־עֵצָהּ֙ לִנְדֹּ֤חַ עָלָיו֙ גַּרְזֶ֔ן כִּ֚י מִמֶּ֣נּוּ תֹאכֵ֔ל וְאֹת֖וֹ לֹ֣א תִכְרֹ֑ת
כ כִּ֤י הָֽאָדָם֙ עֵ֣ץ הַשָּׂדֶ֔ה לָבֹ֥א מִפָּנֶ֖יךָ בַּמָּצֽוֹר׃ רַ֞ק עֵ֣ץ אֲשֶׁר־תֵּדַ֗ע
כִּֽי־לֹא־עֵ֤ץ מַאֲכָל֙ ה֔וּא אֹת֥וֹ תַשְׁחִ֖ית וְכָרָ֑תָּ וּבָנִ֣יתָ מָצ֗וֹר עַל־
הָעִיר֙ אֲשֶׁר־הִ֨וא עֹשָׂ֧ה עִמְּךָ֛ מִלְחָמָ֖ה עַ֥ד רִדְתָּֽהּ׃

כא א כִּֽי־יִמָּצֵ֣א חָלָ֗ל בָּאֲדָמָה֙ אֲשֶׁר֩ יְהוָ֨ה אֱלֹהֶ֜יךָ נֹתֵ֤ן לְךָ֙ לְרִשְׁתָּ֔הּ
דִּין עֶגְלָה עֲרוּפָה:
ב נֹפֵ֖ל בַּשָּׂדֶ֑ה לֹ֥א נוֹדַ֖ע מִ֥י הִכָּֽהוּ׃ וְיָצְא֥וּ זְקֵנֶ֖יךָ וְשֹׁפְטֶ֑יךָ וּמָדְדוּ֙
ג אֶל־הֶ֣עָרִ֔ים אֲשֶׁ֖ר סְבִיבֹ֥ת הֶחָלָֽל׃ וְהָיָ֣ה הָעִ֔יר הַקְּרֹבָ֖ה אֶל־הֶחָלָ֑ל
וְלָֽקְח֞וּ זִקְנֵ֨י הָעִ֤יר הַהִוא֙ עֶגְלַ֣ת בָּקָ֔ר אֲשֶׁ֤ר לֹֽא־עֻבַּד֙ בָּ֔הּ אֲשֶׁ֥ר

ד לֹא־מָשְׁכָה בְּעֹל: וְהוֹרִדוּ זִקְנֵי הָעִיר הַהִוא אֶת־הָעֶגְלָה אֶל־נַחַל
אֵיתָן אֲשֶׁר לֹא־יֵעָבֵד בּוֹ וְלֹא יִזָּרֵעַ וְעָרְפוּ־שָׁם אֶת־הָעֶגְלָה
ה בַּנָּחַל: וְנִגְּשׁוּ הַכֹּהֲנִים בְּנֵי לֵוִי כִּי בָם בָּחַר יְהוָה אֱלֹהֶיךָ לְשָׁרְתוֹ
ו וּלְבָרֵךְ בְּשֵׁם יְהוָה וְעַל־פִּיהֶם יִהְיֶה כָּל־רִיב וְכָל־נָגַע: וְכֹל
זִקְנֵי הָעִיר הַהִוא הַקְּרֹבִים אֶל־הֶחָלָל יִרְחֲצוּ אֶת־יְדֵיהֶם עַל־
ז הָעֶגְלָה הָעֲרוּפָה בַנָּחַל: וְעָנוּ וְאָמְרוּ יָדֵינוּ לֹא שפכה שָׁפְכוּ מפטיר
ח אֶת־הַדָּם הַזֶּה וְעֵינֵינוּ לֹא רָאוּ: כַּפֵּר לְעַמְּךָ יִשְׂרָאֵל אֲשֶׁר־פָּדִיתָ
יְהוָה וְאַל־תִּתֵּן דָּם נָקִי בְּקֶרֶב עַמְּךָ יִשְׂרָאֵל וְנִכַּפֵּר לָהֶם הַדָּם:
ט וְאַתָּה תְּבַעֵר הַדָּם הַנָּקִי מִקִּרְבֶּךָ כִּי־תַעֲשֶׂה הַיָּשָׁר בְּעֵינֵי
י יְהוָה: כִּי־תֵצֵא **כי תצא**
לַמִּלְחָמָה עַל־אֹיְבֶיךָ וּנְתָנוֹ יְהוָה אֱלֹהֶיךָ בְּיָדֶךָ וְשָׁבִיתָ שִׁבְיוֹ: דִּין יְפַת תֹּאַר:
יא וְרָאִיתָ בַּשִּׁבְיָה אֵשֶׁת יְפַת־תֹּאַר וְחָשַׁקְתָּ בָהּ וְלָקַחְתָּ לְךָ
יב לְאִשָּׁה: וַהֲבֵאתָהּ אֶל־תּוֹךְ בֵּיתֶךָ וְגִלְּחָה אֶת־רֹאשָׁהּ וְעָשְׂתָה
יג אֶת־צִפָּרְנֶיהָ: וְהֵסִירָה אֶת־שִׂמְלַת שִׁבְיָהּ מֵעָלֶיהָ וְיָשְׁבָה
בְּבֵיתֶךָ וּבָכְתָה אֶת־אָבִיהָ וְאֶת־אִמָּהּ יֶרַח יָמִים וְאַחַר כֵּן תָּבוֹא
יד אֵלֶיהָ וּבְעַלְתָּהּ וְהָיְתָה לְךָ לְאִשָּׁה: וְהָיָה אִם־לֹא חָפַצְתָּ בָּהּ
וְשִׁלַּחְתָּהּ לְנַפְשָׁהּ וּמָכֹר לֹא־תִמְכְּרֶנָּה בַּכָּסֶף לֹא־תִתְעַמֵּר
טו בָּהּ תַּחַת אֲשֶׁר עִנִּיתָהּ: כִּי־תִהְיֶיןָ לְאִישׁ שְׁתֵּי אִסּוּר
נָשִׁים הָאַחַת אֲהוּבָה וְהָאַחַת שְׂנוּאָה וְיָלְדוּ־לוֹ בָנִים הָאֲהוּבָה הַעֲבָרַת הַבְּכוֹרָה:
טז וְהַשְּׂנוּאָה וְהָיָה הַבֵּן הַבְּכֹר לַשְּׂנִיאָה: וְהָיָה בְּיוֹם הַנְחִילוֹ אֶת־בָּנָיו
אֵת אֲשֶׁר־יִהְיֶה לוֹ לֹא יוּכַל לְבַכֵּר אֶת־בֶּן־הָאֲהוּבָה עַל־פְּנֵי
יז בֶן־הַשְּׂנוּאָה הַבְּכֹר: כִּי אֶת־הַבְּכֹר בֶּן־הַשְּׂנוּאָה יַכִּיר לָתֶת לוֹ
פִּי שְׁנַיִם בְּכֹל אֲשֶׁר־יִמָּצֵא לוֹ כִּי־הוּא רֵאשִׁית אֹנוֹ לוֹ מִשְׁפַּט
יח הַבְּכֹרָה: כִּי־יִהְיֶה לְאִישׁ בֵּן סוֹרֵר וּמוֹרֶה אֵינֶנּוּ דִּין בֵּן סוֹרֵר
שֹׁמֵעַ בְּקוֹל אָבִיו וּבְקוֹל אִמּוֹ וְיִסְּרוּ אֹתוֹ וְלֹא יִשְׁמַע אֲלֵיהֶם: וּמוֹרֶה:

יט וְתָפְשׂוּ בוֹ אָבִיו וְאִמּוֹ וְהוֹצִיאוּ אֹתוֹ אֶל־זִקְנֵי עִירוֹ וְאֶל־שַׁעַר
כ מְקֹמוֹ: וְאָמְרוּ אֶל־זִקְנֵי עִירוֹ בְּנֵנוּ זֶה סוֹרֵר וּמֹרֶה אֵינֶנּוּ שֹׁמֵעַ
כא בְּקֹלֵנוּ זוֹלֵל וְסֹבֵא: וּרְגָמֻהוּ כָּל־אַנְשֵׁי עִירוֹ בָאֲבָנִים וָמֵת
כב וּבִעַרְתָּ הָרָע מִקִּרְבֶּךָ וְכָל־יִשְׂרָאֵל יִשְׁמְעוּ וְיִרָאוּ: וְכִי־

שני

דִּינֵי תְלִיַּת הַמּוּמָת בְּבֵית דִּין:

יִהְיֶה בְאִישׁ חֵטְא מִשְׁפַּט־מָוֶת וְהוּמָת וְתָלִיתָ אֹתוֹ עַל־עֵץ:
כג לֹא־תָלִין נִבְלָתוֹ עַל־הָעֵץ כִּי־קָבוֹר תִּקְבְּרֶנּוּ בַּיּוֹם הַהוּא
כִּי־קִלְלַת אֱלֹהִים תָּלוּי וְלֹא תְטַמֵּא אֶת־אַדְמָתְךָ אֲשֶׁר יְהוָה

מִצְוַת הֲשָׁבַת אֲבֵדָה:

כב א אֱלֹהֶיךָ נֹתֵן לְךָ נַחֲלָה: לֹא־תִרְאֶה אֶת־שׁוֹר אָחִיךָ
אוֹ אֶת־שֵׂיוֹ נִדָּחִים וְהִתְעַלַּמְתָּ מֵהֶם הָשֵׁב תְּשִׁיבֵם לְאָחִיךָ:
ב וְאִם־לֹא קָרוֹב אָחִיךָ אֵלֶיךָ וְלֹא יְדַעְתּוֹ וַאֲסַפְתּוֹ אֶל־תּוֹךְ בֵּיתֶךָ
ג וְהָיָה עִמְּךָ עַד דְּרֹשׁ אָחִיךָ אֹתוֹ וַהֲשֵׁבֹתוֹ לוֹ: וְכֵן תַּעֲשֶׂה לַחֲמֹרוֹ
וְכֵן תַּעֲשֶׂה לְשִׂמְלָתוֹ וְכֵן תַּעֲשֶׂה לְכָל־אֲבֵדַת אָחִיךָ אֲשֶׁר־תֹּאבַד

מִצְוַת טְעִינָה:

ד מִמֶּנּוּ וּמְצָאתָהּ לֹא תוּכַל לְהִתְעַלֵּם: לֹא־תִרְאֶה
אֶת־חֲמוֹר אָחִיךָ אוֹ שׁוֹרוֹ נֹפְלִים בַּדֶּרֶךְ וְהִתְעַלַּמְתָּ מֵהֶם הָקֵם

אִסּוּר לְבִישַׁת אִשָּׁה בִּגְדֵי גֶבֶר, וּלְהֶפֶךְ:

ה תָּקִים עִמּוֹ: לֹא־יִהְיֶה כְלִי־גֶבֶר עַל־אִשָּׁה וְלֹא־
יִלְבַּשׁ גֶּבֶר שִׂמְלַת אִשָּׁה כִּי תוֹעֲבַת יְהוָה אֱלֹהֶיךָ כָּל־עֹשֵׂה
אֵלֶּה:

מִצְוַת שִׁלּוּחַ הַקֵּן:

ו כִּי יִקָּרֵא קַן־צִפּוֹר ׀ לְפָנֶיךָ בַּדֶּרֶךְ בְּכָל־עֵץ ׀ אוֹ עַל־הָאָרֶץ
אֶפְרֹחִים אוֹ בֵיצִים וְהָאֵם רֹבֶצֶת עַל־הָאֶפְרֹחִים אוֹ עַל־הַבֵּיצִים
ז לֹא־תִקַּח הָאֵם עַל־הַבָּנִים: שַׁלֵּחַ תְּשַׁלַּח אֶת־הָאֵם וְאֶת־הַבָּנִים

שלישי

מִצְוַת מַעֲקֶה:

ח תִּקַּח־לָךְ לְמַעַן יִיטַב לָךְ וְהַאֲרַכְתָּ יָמִים: כִּי
תִבְנֶה בַּיִת חָדָשׁ וְעָשִׂיתָ מַעֲקֶה לְגַגֶּךָ וְלֹא־תָשִׂים דָּמִים
ט בְּבֵיתֶךָ כִּי־יִפֹּל הַנֹּפֵל מִמֶּנּוּ: לֹא־תִזְרַע כַּרְמְךָ כִּלְאָיִם פֶּן־תִּקְדַּשׁ

אִסּוּר כִּלְאַיִם:

י הַמְלֵאָה הַזֶּרַע אֲשֶׁר תִּזְרָע וּתְבוּאַת הַכָּרֶם: לֹא־
יא תַחֲרֹשׁ בְּשׁוֹר־וּבַחֲמֹר יַחְדָּו: לֹא תִלְבַּשׁ שַׁעַטְנֵז צֶמֶר וּפִשְׁתִּים

יב יַחְדָּו׃ גְּדִלִים תַּעֲשֶׂה־לָּךְ עַל־אַרְבַּע כַּנְפוֹת כְּסוּתְךָ מִצְוַת צִיצִית:
יג אֲשֶׁר תְּכַסֶּה־בָּהּ׃ כִּי־יִקַּח אִישׁ אִשָּׁה וּבָא אֵלֶיהָ דִּינֵי מוֹצִיא שֵׁם רָע:
יד וּשְׂנֵאָהּ׃ וְשָׂם לָהּ עֲלִילֹת דְּבָרִים וְהוֹצִא עָלֶיהָ שֵׁם רָע וְאָמַר
אֶת־הָאִשָּׁה הַזֹּאת לָקַחְתִּי וָאֶקְרַב אֵלֶיהָ וְלֹא־מָצָאתִי לָהּ
טו בְּתוּלִים׃ וְלָקַח אֲבִי הַנַּעֲרָ וְאִמָּהּ וְהוֹצִיאוּ אֶת־בְּתוּלֵי הַנַּעֲרָ
טז אֶל־זִקְנֵי הָעִיר הַשָּׁעְרָה׃ וְאָמַר אֲבִי הַנַּעֲרָ אֶל־הַזְּקֵנִים אֶת־בִּתִּי
יז נָתַתִּי לָאִישׁ הַזֶּה לְאִשָּׁה וַיִּשְׂנָאֶהָ׃ וְהִנֵּה־הוּא שָׂם עֲלִילֹת דְּבָרִים
לֵאמֹר לֹא־מָצָאתִי לְבִתְּךָ בְּתוּלִים וְאֵלֶּה בְּתוּלֵי בִתִּי וּפָרְשׂוּ
יח הַשִּׂמְלָה לִפְנֵי זִקְנֵי הָעִיר׃ וְלָקְחוּ זִקְנֵי הָעִיר־הַהִוא אֶת־הָאִישׁ
יט וְיִסְּרוּ אֹתוֹ׃ וְעָנְשׁוּ אֹתוֹ מֵאָה כֶסֶף וְנָתְנוּ לַאֲבִי הַנַּעֲרָה כִּי
הוֹצִיא שֵׁם רָע עַל בְּתוּלַת יִשְׂרָאֵל וְלוֹ־תִהְיֶה לְאִשָּׁה לֹא־יוּכַל
כ לְשַׁלְּחָהּ כָּל־יָמָיו׃ וְאִם־אֱמֶת הָיָה עֹנֶשׁ הַנֹּאֵף:
כא הַדָּבָר הַזֶּה לֹא־נִמְצְאוּ בְתוּלִים לַנַּעֲרָ׃ וְהוֹצִיאוּ אֶת־הַנַּעֲרָ
אֶל־פֶּתַח בֵּית־אָבִיהָ וּסְקָלוּהָ אַנְשֵׁי עִירָהּ בָּאֲבָנִים וָמֵתָה
כִּי־עָשְׂתָה נְבָלָה בְּיִשְׂרָאֵל לִזְנוֹת בֵּית אָבִיהָ וּבִעַרְתָּ הָרָע
כב מִקִּרְבֶּךָ׃ כִּי־יִמָּצֵא אִישׁ שֹׁכֵב ׀ עִם־אִשָּׁה בְעֻלַת־
בַּעַל וּמֵתוּ גַּם־שְׁנֵיהֶם הָאִישׁ הַשֹּׁכֵב עִם־הָאִשָּׁה וְהָאִשָּׁה וּבִעַרְתָּ
כג הָרָע מִיִּשְׂרָאֵל׃ כִּי יִהְיֶה נַעֲרָ בְתוּלָה מְאֹרָשָׂה דִּינֵי נַעֲרָה מְאֹרָסָה:
כד לְאִישׁ וּמְצָאָהּ אִישׁ בָּעִיר וְשָׁכַב עִמָּהּ׃ וְהוֹצֵאתֶם אֶת־שְׁנֵיהֶם
אֶל־שַׁעַר ׀ הָעִיר הַהִוא וּסְקַלְתֶּם אֹתָם בָּאֲבָנִים וָמֵתוּ אֶת־הַנַּעֲרָ
עַל־דְּבַר אֲשֶׁר לֹא־צָעֲקָה בָעִיר וְאֶת־הָאִישׁ עַל־דְּבַר אֲשֶׁר־
כה עִנָּה אֶת־אֵשֶׁת רֵעֵהוּ וּבִעַרְתָּ הָרָע מִקִּרְבֶּךָ׃ וְאִם־
בַּשָּׂדֶה יִמְצָא הָאִישׁ אֶת־הַנַּעֲרָ הַמְאֹרָשָׂה וְהֶחֱזִיק־בָּהּ הָאִישׁ
כו וְשָׁכַב עִמָּהּ וּמֵת הָאִישׁ אֲשֶׁר־שָׁכַב עִמָּהּ לְבַדּוֹ׃ וְלַנַּעֲרָ
לֹא־תַעֲשֶׂה דָבָר אֵין לַנַּעֲרָ חֵטְא מָוֶת כִּי כַּאֲשֶׁר יָקוּם אִישׁ

עַל־רֵעֵ֙הוּ֙ וּרְצָח֣וֹ נֶ֔פֶשׁ כֵּ֖ן הַדָּבָ֣ר הַזֶּֽה: כִּ֥י בַשָּׂדֶ֖ה מְצָאָ֑הּ צָֽעֲקָ֗ה   כו

הַֽנַּעֲרָ֤ה הַמְאֹֽרָשָׂה֙ וְאֵ֥ין מוֹשִׁ֖יעַ לָֽהּ:   כי־   דִּין הָאֹנֵס

יִמְצָ֣א אִ֡ישׁ נַֽעֲרָ֣ה בְתוּלָה֩ אֲשֶׁ֨ר לֹֽא־אֹרָ֜שָׂה וּתְפָשָׂ֖הּ וְשָׁכַ֣ב עִמָּ֑הּ   כח

וְנִמְצָֽאוּ: וְנָתַ֠ן הָאִ֨ישׁ הַשֹּׁכֵ֥ב עִמָּ֛הּ לַֽאֲבִ֥י הַֽנַּעֲרָ֖ה חֲמִשִּׁ֣ים כָּ֑סֶף   כט

וְלֹֽא־תִהְיֶ֤ה לְאִשָּׁה֙ תַּ֣חַת אֲשֶׁ֣ר עִנָּ֔הּ לֹא־יוּכַ֥ל שַׁלְּחָ֖הּ כָּל־

יָמָֽיו: לֹֽא־יִקַּ֥ח אִ֖ישׁ אֶת־אֵ֣שֶׁת אָבִ֑יו וְלֹ֥א יְגַלֶּ֖ה כְּנַ֥ף   כג א

אָבִֽיו: לֹֽא־יָבֹ֧א פְצֽוּעַ־דַּכָּ֛ה וּכְר֥וּת שָׁפְכָ֖ה בִּקְהַ֥ל   ב   הַפְּסוּלִים
לָבֹא בְּקָהָל

יְהֹוָֽה: לֹֽא־יָבֹ֥א מַמְזֵ֖ר בִּקְהַ֣ל יְהֹוָ֑ה גַּ֚ם דּ֣וֹר עֲשִׂירִ֔י   ג   ה':

לֹֽא־יָ֥בֹא ל֖וֹ בִּקְהַ֥ל יְהֹוָֽה: לֹֽא־יָבֹ֨א   ד

עַמּוֹנִ֥י וּמֽוֹאָבִ֖י בִּקְהַ֣ל יְהֹוָ֑ה גַּ֚ם דּ֣וֹר עֲשִׂירִ֔י לֹֽא־יָבֹ֥א לָהֶ֛ם בִּקְהַ֥ל   ה

יְהֹוָ֖ה עַד־עוֹלָֽם: עַל־דְּבַ֞ר אֲשֶׁ֨ר לֹֽא־קִדְּמ֤וּ אֶתְכֶם֙ בַּלֶּ֣חֶם וּבַמַּ֔יִם

בַּדֶּ֖רֶךְ בְּצֵֽאתְכֶ֣ם מִמִּצְרָ֑יִם וַֽאֲשֶׁר֩ שָׂכַ֨ר עָלֶ֜יךָ אֶת־בִּלְעָ֣ם

בֶּן־בְּע֗וֹר מִפְּת֛וֹר אֲרַ֥ם נַֽהֲרַ֖יִם לְקַֽלְלֶֽךָּ: וְלֹֽא־אָבָ֞ה יְהֹוָ֤ה אֱלֹהֶ֨יךָ֙   ו

לִשְׁמֹ֣עַ אֶל־בִּלְעָ֔ם וַיַּֽהֲפֹךְ֩ יְהֹוָ֨ה אֱלֹהֶ֥יךָ לְּךָ֛ אֶת־הַקְּלָלָ֖ה לִבְרָכָ֑ה

כִּ֥י אֲהֵֽבְךָ֖ יְהֹוָ֥ה אֱלֹהֶֽיךָ: לֹֽא־תִדְרֹ֥שׁ שְׁלֹמָ֖ם וְטֹֽבָתָ֑ם כָּל־יָמֶ֖יךָ   ז

לְעוֹלָֽם: לֹֽא־תְתַעֵ֣ב אֲדֹמִ֔י כִּ֥י אָחִ֖יךָ ה֑וּא לֹֽא־תְתַעֵ֣ב   ח   רביעי

מִצְרִ֔י כִּי־גֵ֖ר הָיִ֥יתָ בְאַרְצֽוֹ: בָּנִ֛ים אֲשֶׁר־יִוָּֽלְד֥וּ לָהֶ֖ם דּ֣וֹר שְׁלִישִׁ֑י   ט

יָבֹ֥א לָהֶ֖ם בִּקְהַ֥ל יְהֹוָֽה: כִּֽי־תֵצֵ֥א מַֽחֲנֶ֖ה עַל־אֹֽיְבֶ֑יךָ   י   קְדֻשַּׁת
הַמַּחֲנֶה:

וְנִ֨שְׁמַרְתָּ֔ מִכֹּ֖ל דָּבָ֥ר רָֽע: כִּֽי־יִהְיֶ֤ה בְךָ֙ אִ֔ישׁ אֲשֶׁ֛ר לֹֽא־יִהְיֶ֥ה   יא

טָה֖וֹר מִקְּרֵה־לָ֑יְלָה וְיָצָא֙ אֶל־מִח֣וּץ לַֽמַּֽחֲנֶ֔ה לֹ֥א יָבֹ֖א אֶל־תּ֥וֹךְ

הַֽמַּֽחֲנֶֽה: וְהָיָ֥ה לִפְנֽוֹת־עֶ֖רֶב יִרְחַ֣ץ בַּמָּ֑יִם וּכְבֹ֣א הַשֶּׁ֔מֶשׁ יָבֹ֖א   יב

אֶל־תּ֥וֹךְ הַֽמַּֽחֲנֶֽה: וְיָד֙ תִּֽהְיֶ֥ה לְךָ֖ מִח֣וּץ לַֽמַּֽחֲנֶ֑ה וְיָצָ֥אתָ שָּׁ֖מָּה   יג

ח֑וּץ: וְיָתֵ֛ד תִּֽהְיֶ֥ה לְךָ֖ עַל־אֲזֵנֶ֑ךָ וְהָיָה֙ בְּשִׁבְתְּךָ֣ ח֔וּץ וְחָֽפַרְתָּ֣ה   יד

בָ֔הּ וְשַׁבְתָּ֖ וְכִסִּיתָ֥ אֶת־צֵֽאָתֶֽךָ: כִּי֩ יְהֹוָ֨ה אֱלֹהֶ֜יךָ מִתְהַלֵּ֣ךְ ׀ בְּקֶ֣רֶב   טו

מַֽחֲנֶ֗ךָ לְהַצִּֽילְךָ֙ וְלָתֵ֤ת אֹֽיְבֶ֨יךָ֙ לְפָנֶ֔יךָ וְהָיָ֥ה מַֽחֲנֶ֖יךָ קָד֑וֹשׁ

טו וְלֹא־יִרְאֶה בְךָ֙ עֶרְוַ֣ת דָּבָ֔ר וְשָׁ֖ב מֵאַחֲרֶֽיךָ׃ לֹא־
אִסּוּר
הֶסְגֵּרַת
עֶֽבֶד׃

טז תַסְגִּ֥יר עֶ֖בֶד אֶל־אֲדֹנָ֑יו אֲשֶׁר־יִנָּצֵ֥ל אֵלֶ֖יךָ מֵעִ֥ם אֲדֹנָֽיו׃ עִמְּךָ֞
יֵשֵׁ֣ב בְּקִרְבְּךָ֗ בַּמָּק֧וֹם אֲשֶׁר־יִבְחַ֛ר בְּאַחַ֥ד שְׁעָרֶ֖יךָ בַּטּ֣וֹב ל֑וֹ לֹא
יז תּוֹנֶֽנּוּ׃ לֹא־תִהְיֶ֥ה קְדֵשָׁ֖ה מִבְּנ֥וֹת
אִסּוּר
קָדֵשׁ
וּקְדֵשָׁה
וְאִסּוּר
אֶתְנָֽן׃

יח יִשְׂרָאֵ֑ל וְלֹא־יִהְיֶ֥ה קָדֵ֖שׁ מִבְּנֵ֥י יִשְׂרָאֵֽל׃ לֹא־תָבִיא֩ אֶתְנַ֨ן זוֹנָ֜ה
וּמְחִ֣יר כֶּ֗לֶב בֵּ֛ית יְהֹוָ֥ה אֱלֹהֶ֖יךָ לְכָל־נֶ֑דֶר כִּ֧י תוֹעֲבַ֛ת יְהֹוָ֥ה אֱלֹהֶ֖יךָ
כ גַּם־שְׁנֵיהֶֽם׃ לֹא־תַשִּׁ֣יךְ לְאָחִ֔יךָ נֶ֥שֶׁךְ כֶּ֖סֶף נֶ֣שֶׁךְ אֹ֑כֶל
אִסּוּר
רִבִּֽית׃

כא נֶ֕שֶׁךְ כׇּל־דָּבָ֖ר אֲשֶׁ֣ר יִשָּֽׁךְ׃ לַנׇּכְרִ֣י תַשִּׁ֔יךְ וּלְאָחִ֖יךָ לֹ֣א תַשִּׁ֑יךְ
לְמַ֨עַן יְבָרֶכְךָ֜ יְהֹוָ֣ה אֱלֹהֶ֗יךָ בְּכֹל֙ מִשְׁלַ֣ח יָדֶ֔ךָ עַל־הָאָ֕רֶץ
כב אֲשֶׁר־אַתָּ֥ה בָא־שָׁ֖מָּה לְרִשְׁתָּֽהּ׃ כִּֽי־תִדֹּ֥ר נֶ֙דֶר֙
מִצְוַת
תַּשְׁלוּם
נְדָרִֽים׃

ליהֹוָ֣ה אֱלֹהֶ֔יךָ לֹ֥א תְאַחֵ֖ר לְשַׁלְּמ֑וֹ כִּֽי־דָרֹ֨שׁ יִדְרְשֶׁ֜נּוּ יְהֹוָ֤ה אֱלֹהֶ֙יךָ֙
כג מֵֽעִמָּ֔ךְ וְהָיָ֥ה בְךָ֖ חֵֽטְא׃ וְכִ֥י תֶחְדַּ֖ל לִנְדֹּ֑ר לֹֽא־יִהְיֶ֥ה בְךָ֖ חֵֽטְא׃
כד מוֹצָ֥א שְׂפָתֶ֖יךָ תִּשְׁמֹ֣ר וְעָשִׂ֑יתָ כַּאֲשֶׁ֨ר נָדַ֜רְתָּ לַיהֹוָ֤ה אֱלֹהֶ֙יךָ֙ נְדָבָ֔ה
כה אֲשֶׁ֥ר דִּבַּ֖רְתָּ בְּפִֽיךָ׃ כִּ֤י תָבֹא֙ בְּכֶ֣רֶם רֵעֶ֔ךָ וְאָכַלְתָּ֧
חֲמִישִׁי
דִּין אֲכִילַת
הַפּוֹעֵֽל׃

כו עֲנָבִ֛ים כְּנַפְשְׁךָ֥ שׇׂבְעֶ֖ךָ וְאֶֽל־כֶּלְיְךָ֖ לֹ֥א תִתֵּֽן׃ כִּ֤י תָבֹא֙
בְּקָמַ֣ת רֵעֶ֔ךָ וְקָטַפְתָּ֥ מְלִילֹ֖ת בְּיָדֶ֑ךָ וְחֶרְמֵשׁ֙ לֹ֣א תָנִ֔יף עַ֖ל קָמַ֥ת
כד א רֵעֶֽךָ׃ כִּֽי־יִקַּ֥ח אִ֛ישׁ אִשָּׁ֖ה וּבְעָלָ֑הּ וְהָיָ֞ה אִם־לֹ֧א
דִּינֵ֣י
גֵּרוּשִֽׁין׃

תִמְצָא־חֵ֣ן בְּעֵינָ֗יו כִּי־מָ֤צָא בָהּ֙ עֶרְוַ֣ת דָּבָ֔ר וְכָ֨תַב לָ֜הּ סֵ֤פֶר
ב כְּרִיתֻת֙ וְנָתַ֣ן בְּיָדָ֔הּ וְשִׁלְּחָ֖הּ מִבֵּיתֽוֹ׃ וְיָצְאָ֖ה מִבֵּית֑וֹ וְהָלְכָ֖ה
ג וְהָיְתָ֥ה לְאִישׁ־אַחֵֽר׃ וּשְׂנֵאָהּ֮ הָאִ֣ישׁ הָאַחֲרוֹן֒ וְכָ֨תַב לָ֜הּ סֵ֤פֶר
כְּרִיתֻת֙ וְנָתַ֣ן בְּיָדָ֔הּ וְשִׁלְּחָ֖הּ מִבֵּית֑וֹ א֣וֹ כִ֤י יָמוּת֙ הָאִ֣ישׁ
ד הָאַחֲר֔וֹן אֲשֶׁר־לְקָחָ֥הּ ל֖וֹ לְאִשָּֽׁה׃ לֹא־יוּכַ֣ל בַּעְלָ֣הּ הָרִאשׁ֣וֹן
אֲשֶֽׁר־שִׁלְּחָ֡הּ לָשׁ֣וּב לְקַחְתָּהּ֩ לִֽהְי֨וֹת ל֜וֹ לְאִשָּׁ֗ה אַחֲרֵי֙ אֲשֶׁ֣ר
הֻטַּמָּ֔אָה כִּֽי־תוֹעֵבָ֥ה הִ֖וא לִפְנֵ֣י יְהֹוָ֑ה וְלֹ֤א תַחֲטִיא֙ אֶת־הָאָ֔רֶץ
ה אֲשֶׁר֙ יְהֹוָ֣ה אֱלֹהֶ֔יךָ נֹתֵ֥ן לְךָ֖ נַחֲלָֽה׃ כִּֽי־יִקַּ֥ח אִישׁ֙
שִׁשִּׁי

אִשָּׁה חֲדָשָׁה לֹא יֵצֵא בַּצָּבָא וְלֹא־יַעֲבֹר עָלָיו לְכָל־דָּבָר נָקִי (לְשַׂמֵּחַ אִשָּׁה שֶׁנָּשָׂא:)
יִהְיֶה לְבֵיתוֹ שָׁנָה אֶחָת וְשִׂמַּח אֶת־אִשְׁתּוֹ אֲשֶׁר־לָקָח: לֹא־ ו
יַחֲבֹל רֵחַיִם וָרָכֶב כִּי־נֶפֶשׁ הוּא חֹבֵל: כִּי־יִמָּצֵא אִישׁ ז (עֹנֶשׁ גּוֹנֵב נֶפֶשׁ:)
גֹּנֵב נֶפֶשׁ מֵאֶחָיו מִבְּנֵי יִשְׂרָאֵל וְהִתְעַמֶּר־בּוֹ וּמְכָרוֹ וּמֵת הַגַּנָּב
הַהוּא וּבִעַרְתָּ הָרָע מִקִּרְבֶּךָ: הִשָּׁמֶר בְּנֶגַע־הַצָּרַעַת ח (שֶׁלֹּא לְהָסִיר סִימָנֵי הַטֻּמְאָה:)
לִשְׁמֹר מְאֹד וְלַעֲשׂוֹת כְּכֹל אֲשֶׁר־יוֹרוּ אֶתְכֶם הַכֹּהֲנִים הַלְוִיִּם
כַּאֲשֶׁר צִוִּיתִם תִּשְׁמְרוּ לַעֲשׂוֹת: זָכוֹר אֵת אֲשֶׁר־עָשָׂה יְהוָה ט
אֱלֹהֶיךָ לְמִרְיָם בַּדֶּרֶךְ בְּצֵאתְכֶם מִמִּצְרָיִם: כִּי־תַשֶּׁה י (דִּין הַמַּשְׁכּוֹן:)
בְרֵעֲךָ מַשַּׁאת מְאוּמָה לֹא־תָבֹא אֶל־בֵּיתוֹ לַעֲבֹט עֲבֹטוֹ: בַּחוּץ יא
תַּעֲמֹד וְהָאִישׁ אֲשֶׁר אַתָּה נֹשֶׁה בוֹ יוֹצִיא אֵלֶיךָ אֶת־הַעֲבוֹט
הַחוּצָה: וְאִם־אִישׁ עָנִי הוּא לֹא תִשְׁכַּב בַּעֲבֹטוֹ: הָשֵׁב תָּשִׁיב יב יג
לוֹ אֶת־הַעֲבוֹט כְּבֹא הַשֶּׁמֶשׁ וְשָׁכַב בְּשַׂלְמָתוֹ וּבֵרְכֶךָּ וּלְךָ
תִּהְיֶה צְדָקָה לִפְנֵי יְהוָה אֱלֹהֶיךָ: לֹא־תַעֲשֹׁק יד (שביעי) (תַּשְׁלוּם שְׂכַר שָׂכִיר בִּזְמַנּוֹ:)
שָׂכִיר עָנִי וְאֶבְיוֹן מֵאַחֶיךָ אוֹ מִגֵּרְךָ אֲשֶׁר בְּאַרְצְךָ בִּשְׁעָרֶיךָ:
בְּיוֹמוֹ תִתֵּן שְׂכָרוֹ וְלֹא־תָבוֹא עָלָיו הַשֶּׁמֶשׁ כִּי עָנִי הוּא וְאֵלָיו טו
הוּא נֹשֵׂא אֶת־נַפְשׁוֹ וְלֹא־יִקְרָא עָלֶיךָ אֶל־יְהוָה וְהָיָה בְךָ
חֵטְא: לֹא־יוּמְתוּ אָבוֹת עַל־בָּנִים וּבָנִים לֹא־יוּמְתוּ טז
עַל־אָבוֹת אִישׁ בְּחֶטְאוֹ יוּמָתוּ: לֹא תַטֶּה מִשְׁפַּט גֵּר יז (זְהִירוּת בְּמִשְׁפַּט הַיָּתוֹם וְהָאַלְמָנָה:)
יָתוֹם וְלֹא תַחֲבֹל בֶּגֶד אַלְמָנָה: וְזָכַרְתָּ כִּי עֶבֶד הָיִיתָ בְּמִצְרַיִם יח
וַיִּפְדְּךָ יְהוָה אֱלֹהֶיךָ מִשָּׁם עַל־כֵּן אָנֹכִי מְצַוְּךָ לַעֲשׂוֹת אֶת־הַדָּבָר
הַזֶּה: כִּי תִקְצֹר קְצִירְךָ בְשָׂדֶךָ וְשָׁכַחְתָּ עֹמֶר בַּשָּׂדֶה יט (מַתְּנוֹת עֲנִיִּים:)
לֹא תָשׁוּב לְקַחְתּוֹ לַגֵּר לַיָּתוֹם וְלָאַלְמָנָה יִהְיֶה לְמַעַן יְבָרֶכְךָ
יְהוָה אֱלֹהֶיךָ בְּכֹל מַעֲשֵׂה יָדֶיךָ: כִּי תַחְבֹּט זֵיתְךָ לֹא כ
תְפַאֵר אַחֲרֶיךָ לַגֵּר לַיָּתוֹם וְלָאַלְמָנָה יִהְיֶה: כִּי תִבְצֹר כַּרְמְךָ כא
לֹא תְעוֹלֵל אַחֲרֶיךָ לַגֵּר לַיָּתוֹם וְלָאַלְמָנָה יִהְיֶה: וְזָכַרְתָּ כִּי־עֶבֶד כב

הָיִיתָ בְּאֶרֶץ מִצְרַיִם עַל־כֵּן אָנֹכִי מְצַוְּךָ לַעֲשׂוֹת אֶת־הַדָּבָר

הַזֶּה: כה א כִּי־יִהְיֶה רִיב בֵּין אֲנָשִׁים

דִּינֵי עֹנֶשׁ מַלְקוּת: וְנִגְּשׁוּ אֶל־הַמִּשְׁפָּט וּשְׁפָטוּם וְהִצְדִּיקוּ אֶת־הַצַּדִּיק וְהִרְשִׁיעוּ

ב אֶת־הָרָשָׁע: וְהָיָה אִם־בִּן הַכּוֹת הָרָשָׁע וְהִפִּילוֹ הַשֹּׁפֵט וְהִכָּהוּ

ג לְפָנָיו כְּדֵי רִשְׁעָתוֹ בְּמִסְפָּר: אַרְבָּעִים יַכֶּנּוּ לֹא יֹסִיף פֶּן־יֹסִיף

ד לְהַכֹּתוֹ עַל־אֵלֶּה מַכָּה רַבָּה וְנִקְלָה אָחִיךָ לְעֵינֶיךָ: לֹא־תַחְסֹם

דִּינֵי יִבּוּם וַחֲלִיצָה: ה שׁוֹר בְּדִישׁוֹ: כִּי־יֵשְׁבוּ אַחִים יַחְדָּו וּמֵת אַחַד מֵהֶם

וּבֵן אֵין־לוֹ לֹא־תִהְיֶה אֵשֶׁת־הַמֵּת הַחוּצָה לְאִישׁ זָר יְבָמָהּ

ו יָבֹא עָלֶיהָ וּלְקָחָהּ לוֹ לְאִשָּׁה וְיִבְּמָהּ: וְהָיָה הַבְּכוֹר אֲשֶׁר תֵּלֵד

ז יָקוּם עַל־שֵׁם אָחִיו הַמֵּת וְלֹא־יִמָּחֶה שְׁמוֹ מִיִּשְׂרָאֵל: וְאִם־לֹא

יַחְפֹּץ הָאִישׁ לָקַחַת אֶת־יְבִמְתּוֹ וְעָלְתָה יְבִמְתּוֹ הַשַּׁעְרָה

אֶל־הַזְּקֵנִים וְאָמְרָה מֵאֵן יְבָמִי לְהָקִים לְאָחִיו שֵׁם בְּיִשְׂרָאֵל

ח לֹא אָבָה יַבְּמִי: וְקָרְאוּ־לוֹ זִקְנֵי־עִירוֹ וְדִבְּרוּ אֵלָיו וְעָמַד וְאָמַר

ט לֹא חָפַצְתִּי לְקַחְתָּהּ: וְנִגְּשָׁה יְבִמְתּוֹ אֵלָיו לְעֵינֵי הַזְּקֵנִים וְחָלְצָה

נַעֲלוֹ מֵעַל רַגְלוֹ וְיָרְקָה בְּפָנָיו וְעָנְתָה וְאָמְרָה כָּכָה יֵעָשֶׂה לָאִישׁ

י אֲשֶׁר לֹא־יִבְנֶה אֶת־בֵּית אָחִיו: וְנִקְרָא שְׁמוֹ בְּיִשְׂרָאֵל בֵּית חֲלוּץ

דִּין תַּשְׁלוּם בֹּשֶׁת: הַנָּעַל: יא כִּי־יִנָּצוּ אֲנָשִׁים יַחְדָּו

אִישׁ וְאָחִיו וְקָרְבָה אֵשֶׁת הָאֶחָד לְהַצִּיל אֶת־אִישָׁהּ מִיַּד מַכֵּהוּ

יב וְשָׁלְחָה יָדָהּ וְהֶחֱזִיקָה בִּמְבֻשָׁיו: וְקַצֹּתָה אֶת־כַּפָּהּ לֹא תָחוֹס

צֶדֶק הַמִּשְׁקָלוֹת וְהַמִּדּוֹת: יג עֵינֶךָ: לֹא־יִהְיֶה לְךָ בְּכִיסְךָ אֶבֶן וָאָבֶן גְּדוֹלָה

יד וּקְטַנָּה: לֹא־יִהְיֶה לְךָ בְּבֵיתְךָ אֵיפָה וְאֵיפָה גְּדוֹלָה וּקְטַנָּה: אֶבֶן

טו שְׁלֵמָה וָצֶדֶק יִהְיֶה־לָּךְ אֵיפָה שְׁלֵמָה וָצֶדֶק יִהְיֶה־לָּךְ לְמַעַן

טז יַאֲרִיכוּ יָמֶיךָ עַל הָאֲדָמָה אֲשֶׁר־יְהוָה אֱלֹהֶיךָ נֹתֵן לָךְ: כִּי תוֹעֲבַת

יְהוָה אֱלֹהֶיךָ כָּל־עֹשֵׂה אֵלֶּה כֹּל עֹשֵׂה עָוֶל:

יז זָכוֹר אֵת אֲשֶׁר־עָשָׂה לְךָ עֲמָלֵק בַּדֶּרֶךְ בְּצֵאתְכֶם מִמִּצְרָיִם: מפטיר

זְכִירַת מַעֲשֵׂה עֲמָלֵק:

יח אֲשֶׁר קָרְךָ בַּדֶּרֶךְ וַיְזַנֵּב בְּךָ כָּל־הַנֶּחֱשָׁלִים אַחֲרֶיךָ וְאַתָּה עָיֵף
יט וְיָגֵעַ וְלֹא יָרֵא אֱלֹהִים: וְהָיָה בְּהָנִיחַ יְהוָה אֱלֹהֶיךָ ׀ לְךָ
מִכָּל־אֹיְבֶיךָ מִסָּבִיב בָּאָרֶץ אֲשֶׁר יְהוָה־אֱלֹהֶיךָ נֹתֵן לְךָ
נַחֲלָה לְרִשְׁתָּהּ תִּמְחֶה אֶת־זֵכֶר עֲמָלֵק מִתַּחַת הַשָּׁמָיִם לֹא
תִּשְׁכָּח:

כי תבוא

מִצְוַת הֲבָאַת הַבִּכּוּרִים:

כו א וְהָיָה כִּי־תָבוֹא אֶל־הָאָרֶץ אֲשֶׁר יְהוָה אֱלֹהֶיךָ נֹתֵן לְךָ נַחֲלָה
ב וִירִשְׁתָּהּ וְיָשַׁבְתָּ בָּהּ: וְלָקַחְתָּ מֵרֵאשִׁית ׀ כָּל־פְּרִי הָאֲדָמָה
אֲשֶׁר תָּבִיא מֵאַרְצְךָ אֲשֶׁר יְהוָה אֱלֹהֶיךָ נֹתֵן לָךְ וְשַׂמְתָּ בַטֶּנֶא
וְהָלַכְתָּ אֶל־הַמָּקוֹם אֲשֶׁר יִבְחַר יְהוָה אֱלֹהֶיךָ לְשַׁכֵּן שְׁמוֹ שָׁם:
ג וּבָאתָ אֶל־הַכֹּהֵן אֲשֶׁר יִהְיֶה בַּיָּמִים הָהֵם וְאָמַרְתָּ אֵלָיו הִגַּדְתִּי
הַיּוֹם לַיהוָה אֱלֹהֶיךָ כִּי־בָאתִי אֶל־הָאָרֶץ אֲשֶׁר נִשְׁבַּע יְהוָה
ד לַאֲבֹתֵינוּ לָתֶת לָנוּ: וְלָקַח הַכֹּהֵן הַטֶּנֶא מִיָּדֶךָ וְהִנִּיחוֹ לִפְנֵי מִזְבַּח

מִצְוַת מִקְרָא בִּכּוּרִים:

ה יְהוָה אֱלֹהֶיךָ: וְעָנִיתָ וְאָמַרְתָּ לִפְנֵי ׀ יְהוָה אֱלֹהֶיךָ אֲרַמִּי אֹבֵד
אָבִי וַיֵּרֶד מִצְרַיְמָה וַיָּגָר שָׁם בִּמְתֵי מְעָט וַיְהִי־שָׁם לְגוֹי גָּדוֹל
ו עָצוּם וָרָב: וַיָּרֵעוּ אֹתָנוּ הַמִּצְרִים וַיְעַנּוּנוּ וַיִּתְּנוּ עָלֵינוּ עֲבֹדָה
ז קָשָׁה: וַנִּצְעַק אֶל־יְהוָה אֱלֹהֵי אֲבֹתֵינוּ וַיִּשְׁמַע יְהוָה אֶת־קֹלֵנוּ וַיַּרְא
ח אֶת־עָנְיֵנוּ וְאֶת־עֲמָלֵנוּ וְאֶת־לַחֲצֵנוּ: וַיּוֹצִאֵנוּ יְהוָה מִמִּצְרַיִם בְּיָד
ט חֲזָקָה וּבִזְרֹעַ נְטוּיָה וּבְמֹרָא גָּדֹל וּבְאֹתוֹת וּבְמֹפְתִים: וַיְבִאֵנוּ
אֶל־הַמָּקוֹם הַזֶּה וַיִּתֶּן־לָנוּ אֶת־הָאָרֶץ הַזֹּאת אֶרֶץ זָבַת חָלָב
י וּדְבָשׁ: וְעַתָּה הִנֵּה הֵבֵאתִי אֶת־רֵאשִׁית פְּרִי הָאֲדָמָה אֲשֶׁר־נָתַתָּה
לִּי יְהוָה וְהִנַּחְתּוֹ לִפְנֵי יְהוָה אֱלֹהֶיךָ וְהִשְׁתַּחֲוִיתָ לִפְנֵי יְהוָה אֱלֹהֶיךָ:
יא וְשָׂמַחְתָּ בְכָל־הַטּוֹב אֲשֶׁר נָתַן־לְךָ יְהוָה אֱלֹהֶיךָ וּלְבֵיתֶךָ אַתָּה

שני

וִדּוּי מַעַשְׂרוֹת:

יב וְהַלֵּוִי וְהַגֵּר אֲשֶׁר בְּקִרְבֶּךָ: כִּי תְכַלֶּה לַעְשֵׂר אֶת־כָּל־
מַעְשַׂר תְּבוּאָתְךָ בַּשָּׁנָה הַשְּׁלִישִׁת שְׁנַת הַמַּעֲשֵׂר וְנָתַתָּה לַלֵּוִי
יג לַגֵּר לַיָּתוֹם וְלָאַלְמָנָה וְאָכְלוּ בִשְׁעָרֶיךָ וְשָׂבֵעוּ: וְאָמַרְתָּ לִפְנֵי

יְהוָֹה אֱלֹהֶיךָ בִּעַרְתִּי הַקֹּדֶשׁ מִן־הַבַּיִת וְגַם נְתַתִּיו לַלֵּוִי וְלַגֵּר

לַיָּתוֹם וְלָאַלְמָנָה כְּכָל־מִצְוָתְךָ אֲשֶׁר צִוִּיתָנִי לֹא־עָבַרְתִּי

מִמִּצְוֹתֶיךָ וְלֹא שָׁכָחְתִּי: לֹא־אָכַלְתִּי בְאֹנִי מִמֶּנּוּ וְלֹא־בִעַרְתִּי יד

מִמֶּנּוּ בְּטָמֵא וְלֹא־נָתַתִּי מִמֶּנּוּ לְמֵת שָׁמַעְתִּי בְּקוֹל יְהוָֹה אֱלֹהָי

עָשִׂיתִי כְּכֹל אֲשֶׁר צִוִּיתָנִי: הַשְׁקִיפָה מִמְּעוֹן קָדְשְׁךָ מִן־הַשָּׁמַיִם טו

וּבָרֵךְ אֶת־עַמְּךָ אֶת־יִשְׂרָאֵל וְאֵת הָאֲדָמָה אֲשֶׁר נָתַתָּה לָנוּ כַּאֲשֶׁר

שְׁלִישִׁי
חֲשִׁיבוּת
עַם יִשְׂרָאֵל
בְּעֵינֵי ה':

נִשְׁבַּעְתָּ לַאֲבֹתֵינוּ אֶרֶץ זָבַת חָלָב וּדְבָשׁ: הַיּוֹם טז

הַזֶּה יְהוָֹה אֱלֹהֶיךָ מְצַוְּךָ לַעֲשׂוֹת אֶת־הַחֻקִּים הָאֵלֶּה וְאֶת־

הַמִּשְׁפָּטִים וְשָׁמַרְתָּ וְעָשִׂיתָ אוֹתָם בְּכָל־לְבָבְךָ וּבְכָל־נַפְשֶׁךָ:

אֶת־יְהוָֹה הֶאֱמַרְתָּ הַיּוֹם לִהְיוֹת לְךָ לֵאלֹהִים וְלָלֶכֶת בִּדְרָכָיו יז

וְלִשְׁמֹר חֻקָּיו וּמִצְוֹתָיו וּמִשְׁפָּטָיו וְלִשְׁמֹעַ בְּקֹלוֹ: וַיהוָֹה הֶאֱמִירְךָ יח

הַיּוֹם לִהְיוֹת לוֹ לְעַם סְגֻלָּה כַּאֲשֶׁר דִּבֶּר־לָךְ וְלִשְׁמֹר כָּל־

מִצְוֹתָיו: וּלְתִתְּךָ עֶלְיוֹן עַל כָּל־הַגּוֹיִם אֲשֶׁר עָשָׂה לִתְהִלָּה יט

וּלְשֵׁם וּלְתִפְאָרֶת וְלִהְיֹתְךָ עַם־קָדֹשׁ לַיהוָֹה אֱלֹהֶיךָ כַּאֲשֶׁר

דִּבֵּר:

רְבִיעִי
כְּתִיבַת
הַתּוֹרָה עַל
הָאֲבָנִים:

כז וַיְצַו מֹשֶׁה וְזִקְנֵי יִשְׂרָאֵל אֶת־הָעָם לֵאמֹר שָׁמֹר אֶת־כָּל־הַמִּצְוָה א

אֲשֶׁר אָנֹכִי מְצַוֶּה אֶתְכֶם הַיּוֹם: וְהָיָה בַּיּוֹם אֲשֶׁר תַּעַבְרוּ ב

אֶת־הַיַּרְדֵּן אֶל־הָאָרֶץ אֲשֶׁר־יְהוָֹה אֱלֹהֶיךָ נֹתֵן לָךְ וַהֲקֵמֹתָ לְךָ

אֲבָנִים גְּדֹלוֹת וְשַׂדְתָּ אֹתָם בַּשִּׂיד: וְכָתַבְתָּ עֲלֵיהֶן אֶת־כָּל־דִּבְרֵי ג

הַתּוֹרָה הַזֹּאת בְּעָבְרֶךָ לְמַעַן אֲשֶׁר תָּבֹא אֶל־הָאָרֶץ אֲשֶׁר־יְהוָֹה

אֱלֹהֶיךָ ׀ נֹתֵן לְךָ אֶרֶץ זָבַת חָלָב וּדְבַשׁ כַּאֲשֶׁר דִּבֶּר יְהוָֹה

הַעֲבַרְתָּם
לְהַר עֵיבָל
וּבְנִיַּת
מִזְבֵּחַ:

אֱלֹהֵי־אֲבֹתֶיךָ לָךְ: וְהָיָה בְּעָבְרְכֶם אֶת־הַיַּרְדֵּן תָּקִימוּ אֶת־ ד

הָאֲבָנִים הָאֵלֶּה אֲשֶׁר אָנֹכִי מְצַוֶּה אֶתְכֶם הַיּוֹם בְּהַר עֵיבָל וְשַׂדְתָּ

אוֹתָם בַּשִּׂיד: וּבָנִיתָ שָּׁם מִזְבֵּחַ לַיהוָֹה אֱלֹהֶיךָ מִזְבַּח אֲבָנִים ה

לֹא־תָנִיף עֲלֵיהֶם בַּרְזֶל: אֲבָנִים שְׁלֵמוֹת תִּבְנֶה אֶת־מִזְבַּח יְהוָֹה ו

ז אֱלֹהֶיךָ וְהַעֲלִיתָ עָלָיו עוֹלֹת לַיהוָה אֱלֹהֶיךָ׃ וְזָבַחְתָּ שְׁלָמִים
ח וְאָכַלְתָּ שָּׁם וְשָׂמַחְתָּ לִפְנֵי יְהוָה אֱלֹהֶיךָ׃ וְכָתַבְתָּ עַל־הָאֲבָנִים
ט אֶת־כָּל־דִּבְרֵי הַתּוֹרָה הַזֹּאת בַּאֵר הֵיטֵב׃ וַיְדַבֵּר
מֹשֶׁה וְהַכֹּהֲנִים הַלְוִיִּם אֶל כָּל־יִשְׂרָאֵל לֵאמֹר הַסְכֵּת ׀ וּשְׁמַע
י יִשְׂרָאֵל הַיּוֹם הַזֶּה נִהְיֵיתָ לְעָם לַיהוָה אֱלֹהֶיךָ׃ וְשָׁמַעְתָּ בְּקוֹל
יְהוָה אֱלֹהֶיךָ וְעָשִׂיתָ אֶת־מִצְוֺתָו וְאֶת־חֻקָּיו אֲשֶׁר אָנֹכִי מְצַוְּךָ
יא הַיּוֹם׃ וַיְצַו מֹשֶׁה אֶת־הָעָם בַּיּוֹם
יב הַהוּא לֵאמֹר׃ אֵלֶּה יַעַמְדוּ לְבָרֵךְ אֶת־הָעָם עַל־הַר גְּרִזִים
בְּעָבְרְכֶם אֶת־הַיַּרְדֵּן שִׁמְעוֹן וְלֵוִי וִיהוּדָה וְיִשָּׂשכָר וְיוֹסֵף
יג וּבִנְיָמִן׃ וְאֵלֶּה יַעַמְדוּ עַל־הַקְּלָלָה בְּהַר עֵיבָל רְאוּבֵן גָּד וְאָשֵׁר
יד וּזְבוּלֻן דָּן וְנַפְתָּלִי׃ וְעָנוּ הַלְוִיִּם וְאָמְרוּ אֶל־כָּל־אִישׁ יִשְׂרָאֵל קוֹל
טו רָם׃ אָרוּר הָאִישׁ אֲשֶׁר יַעֲשֶׂה פֶסֶל וּמַסֵּכָה תּוֹעֲבַת
יְהוָה מַעֲשֵׂה יְדֵי חָרָשׁ וְשָׂם בַּסָּתֶר וְעָנוּ כָל־הָעָם וְאָמְרוּ
טז אָמֵן׃ אָרוּר מַקְלֶה אָבִיו וְאִמּוֹ וְאָמַר כָּל־הָעָם
יז אָמֵן׃ אָרוּר מַסִּיג גְּבוּל רֵעֵהוּ וְאָמַר כָּל־הָעָם
יח אָמֵן׃ אָרוּר מַשְׁגֶּה עִוֵּר בַּדָּרֶךְ וְאָמַר כָּל־הָעָם
יט אָמֵן׃ אָרוּר מַטֶּה מִשְׁפַּט גֵּר־יָתוֹם וְאַלְמָנָה וְאָמַר
כ כָּל־הָעָם אָמֵן׃ אָרוּר שֹׁכֵב עִם־אֵשֶׁת אָבִיו כִּי גִלָּה כְּנַף אָבִיו
כא וְאָמַר כָּל־הָעָם אָמֵן׃ אָרוּר שֹׁכֵב עִם־כָּל־בְּהֵמָה
כב וְאָמַר כָּל־הָעָם אָמֵן׃ אָרוּר שֹׁכֵב עִם־אֲחֹתוֹ בַּת־
כג אָבִיו אוֹ בַת־אִמּוֹ וְאָמַר כָּל־הָעָם אָמֵן׃ אָרוּר שֹׁכֵב
כד עִם־חֹתַנְתּוֹ וְאָמַר כָּל־הָעָם אָמֵן׃ אָרוּר מַכֵּה רֵעֵהוּ
כה בַּסָּתֶר וְאָמַר כָּל־הָעָם אָמֵן׃ אָרוּר לֹקֵחַ שֹׁחַד
כו לְהַכּוֹת נֶפֶשׁ דָּם נָקִי וְאָמַר כָּל־הָעָם אָמֵן׃ אָרוּר
אֲשֶׁר לֹא־יָקִים אֶת־דִּבְרֵי הַתּוֹרָה־הַזֹּאת לַעֲשׂוֹת אוֹתָם וְאָמַר

חמישי
הַבְּרָכָה וְהַקְּלָלָה בְּהַר גְּרִזִים וְעֵיבָל׃

כָּל־הָעָם אָמֵן:

הַבְּרָכוֹת
בִּשְׁמִירַת
הַמִּצְוֹת:

כח וְהָיָה אִם־שָׁמוֹעַ תִּשְׁמַע בְּקוֹל יְהֹוָה אֱלֹהֶיךָ לִשְׁמֹר לַעֲשׂוֹת אֶת־כָּל־מִצְוֺתָיו אֲשֶׁר אָנֹכִי מְצַוְּךָ הַיּוֹם וּנְתָנְךָ יְהֹוָה אֱלֹהֶיךָ

ב עֶלְיוֹן עַל כָּל־גּוֹיֵי הָאָרֶץ: וּבָאוּ עָלֶיךָ כָּל־הַבְּרָכוֹת הָאֵלֶּה

ג וְהִשִּׂיגֻךָ כִּי תִשְׁמַע בְּקוֹל יְהֹוָה אֱלֹהֶיךָ: בָּרוּךְ אַתָּה בָּעִיר וּבָרוּךְ

ד אַתָּה בַּשָּׂדֶה: בָּרוּךְ פְּרִי־בִטְנְךָ וּפְרִי אַדְמָתְךָ וּפְרִי בְהֶמְתֶּךָ שְׁגַר

ה אֲלָפֶיךָ וְעַשְׁתְּרוֹת צֹאנֶךָ: בָּרוּךְ טַנְאֲךָ וּמִשְׁאַרְתֶּךָ: בָּרוּךְ אַתָּה

ששי ו בְּבֹאֶךָ וּבָרוּךְ אַתָּה בְּצֵאתֶךָ: יִתֵּן יְהֹוָה אֶת־אֹיְבֶיךָ הַקָּמִים עָלֶיךָ

ז נִגָּפִים לְפָנֶיךָ בְּדֶרֶךְ אֶחָד יֵצְאוּ אֵלֶיךָ וּבְשִׁבְעָה דְרָכִים יָנוּסוּ

ח לְפָנֶיךָ: יְצַו יְהֹוָה אִתְּךָ אֶת־הַבְּרָכָה בַּאֲסָמֶיךָ וּבְכֹל מִשְׁלַח יָדֶךָ

ט וּבֵרַכְךָ בָּאָרֶץ אֲשֶׁר־יְהֹוָה אֱלֹהֶיךָ נֹתֵן לָךְ: יְקִימְךָ יְהֹוָה לוֹ לְעַם קָדוֹשׁ כַּאֲשֶׁר נִשְׁבַּע־לָךְ כִּי תִשְׁמֹר אֶת־מִצְוֺת יְהֹוָה אֱלֹהֶיךָ

י וְהָלַכְתָּ בִּדְרָכָיו: וְרָאוּ כָּל־עַמֵּי הָאָרֶץ כִּי שֵׁם יְהֹוָה נִקְרָא עָלֶיךָ

יא וְיָרְאוּ מִמֶּךָּ: וְהוֹתִרְךָ יְהֹוָה לְטוֹבָה בִּפְרִי בִטְנְךָ וּבִפְרִי בְהֶמְתְּךָ וּבִפְרִי אַדְמָתֶךָ עַל הָאֲדָמָה אֲשֶׁר נִשְׁבַּע יְהֹוָה לַאֲבֹתֶיךָ לָתֶת

יב לָךְ: יִפְתַּח יְהֹוָה ׀ לְךָ אֶת־אוֹצָרוֹ הַטּוֹב אֶת־הַשָּׁמַיִם לָתֵת מְטַר־אַרְצְךָ בְּעִתּוֹ וּלְבָרֵךְ אֵת כָּל־מַעֲשֵׂה יָדֶךָ וְהִלְוִיתָ גּוֹיִם

יג רַבִּים וְאַתָּה לֹא תִלְוֶה: וּנְתָנְךָ יְהֹוָה לְרֹאשׁ וְלֹא לְזָנָב וְהָיִיתָ רַק לְמַעְלָה וְלֹא תִהְיֶה לְמָטָּה כִּי־תִשְׁמַע אֶל־מִצְוֺת ׀ יְהֹוָה

יד אֱלֹהֶיךָ אֲשֶׁר אָנֹכִי מְצַוְּךָ הַיּוֹם לִשְׁמֹר וְלַעֲשׂוֹת: וְלֹא תָסוּר מִכָּל־הַדְּבָרִים אֲשֶׁר אָנֹכִי מְצַוֶּה אֶתְכֶם הַיּוֹם יָמִין וּשְׂמֹאול לָלֶכֶת אַחֲרֵי אֱלֹהִים אֲחֵרִים לְעָבְדָם:

הַקְּלָלוֹת
בְּאִי קִיּוּם
הַמִּצְוֹת:

טו וְהָיָה אִם־לֹא תִשְׁמַע בְּקוֹל יְהֹוָה אֱלֹהֶיךָ לִשְׁמֹר לַעֲשׂוֹת אֶת־כָּל־מִצְוֺתָיו וְחֻקֹּתָיו אֲשֶׁר אָנֹכִי מְצַוְּךָ הַיּוֹם וּבָאוּ עָלֶיךָ

טז כָּל־הַקְּלָלוֹת הָאֵלֶּה וְהִשִּׂיגוּךָ: אָרוּר אַתָּה בָּעִיר וְאָרוּר אַתָּה

יז יח בַּשָּׂדֶה׃ אָרוּר טַנְאֲךָ וּמִשְׁאַרְתֶּךָ׃ אָרוּר פְּרִי־בִטְנְךָ וּפְרִי אַדְמָתֶךָ
יט שְׁגַר אֲלָפֶיךָ וְעַשְׁתְּרֹת צֹאנֶךָ׃ אָרוּר אַתָּה בְּבֹאֶךָ וְאָרוּר אַתָּה
כ בְּצֵאתֶךָ׃ יְשַׁלַּח יְהוָה ׀ בְּךָ אֶת־הַמְּאֵרָה אֶת־הַמְּהוּמָה וְאֶת־
הַמִּגְעֶרֶת בְּכָל־מִשְׁלַח יָדְךָ אֲשֶׁר תַּעֲשֶׂה עַד הִשָּׁמֶדְךָ וְעַד־
כא אֲבָדְךָ מַהֵר מִפְּנֵי רֹעַ מַעֲלָלֶיךָ אֲשֶׁר עֲזַבְתָּנִי׃ יַדְבֵּק יְהוָה בְּךָ
אֶת־הַדָּבֶר עַד כַּלֹּתוֹ אֹתְךָ מֵעַל הָאֲדָמָה אֲשֶׁר־אַתָּה בָא־שָׁמָּה
כב לְרִשְׁתָּהּ׃ יַכְּכָה יְהוָה בַּשַּׁחֶפֶת וּבַקַּדַּחַת וּבַדַּלֶּקֶת וּבַחַרְחֻר
כג וּבַחֶרֶב וּבַשִּׁדָּפוֹן וּבַיֵּרָקוֹן וּרְדָפוּךָ עַד אָבְדֶךָ׃ וְהָיוּ שָׁמֶיךָ אֲשֶׁר
כד עַל־רֹאשְׁךָ נְחֹשֶׁת וְהָאָרֶץ אֲשֶׁר־תַּחְתֶּיךָ בַּרְזֶל׃ יִתֵּן יְהוָה אֶת־
מְטַר אַרְצְךָ אָבָק וְעָפָר מִן־הַשָּׁמַיִם יֵרֵד עָלֶיךָ עַד הִשָּׁמְדָךְ׃
כה יִתֶּנְךָ יְהוָה ׀ נִגָּף לִפְנֵי אֹיְבֶיךָ בְּדֶרֶךְ אֶחָד תֵּצֵא אֵלָיו וּבְשִׁבְעָה
כו דְרָכִים תָּנוּס לְפָנָיו וְהָיִיתָ לְזַעֲוָה לְכֹל מַמְלְכוֹת הָאָרֶץ׃ וְהָיְתָה
נִבְלָתְךָ לְמַאֲכָל לְכָל־עוֹף הַשָּׁמַיִם וּלְבֶהֱמַת הָאָרֶץ וְאֵין מַחֲרִיד׃
כז יַכְּכָה יְהוָה בִּשְׁחִין מִצְרַיִם ובעפלים וּבַטְּחֹרִים וּבַגָּרָב וּבֶחָרֶס
כח אֲשֶׁר לֹא־תוּכַל לְהֵרָפֵא׃ יַכְּכָה יְהוָה בְּשִׁגָּעוֹן וּבְעִוָּרוֹן וּבְתִמְהוֹן
כט לֵבָב׃ וְהָיִיתָ מְמַשֵּׁשׁ בַּצָּהֳרַיִם כַּאֲשֶׁר יְמַשֵּׁשׁ הָעִוֵּר בָּאֲפֵלָה וְלֹא
תַצְלִיחַ אֶת־דְּרָכֶיךָ וְהָיִיתָ אַךְ עָשׁוּק וְגָזוּל כָּל־הַיָּמִים וְאֵין
ל מוֹשִׁיעַ׃ אִשָּׁה תְאָרֵשׂ וְאִישׁ אַחֵר ישגלנה יִשְׁכָּבֶנָּה בַּיִת תִּבְנֶה
לא וְלֹא־תֵשֵׁב בּוֹ כֶּרֶם תִּטַּע וְלֹא תְחַלְּלֶנּוּ׃ שׁוֹרְךָ טָבוּחַ לְעֵינֶיךָ
וְלֹא תֹאכַל מִמֶּנּוּ חֲמֹרְךָ גָּזוּל מִלְּפָנֶיךָ וְלֹא יָשׁוּב לָךְ צֹאנְךָ
לב נְתֻנוֹת לְאֹיְבֶיךָ וְאֵין לְךָ מוֹשִׁיעַ׃ בָּנֶיךָ וּבְנֹתֶיךָ נְתֻנִים לְעַם אַחֵר
לג וְעֵינֶיךָ רֹאוֹת וְכָלוֹת אֲלֵיהֶם כָּל־הַיּוֹם וְאֵין לְאֵל יָדֶךָ׃ פְּרִי
אַדְמָתְךָ וְכָל־יְגִיעֲךָ יֹאכַל עַם אֲשֶׁר לֹא־יָדָעְתָּ וְהָיִיתָ רַק עָשׁוּק
לד וְרָצוּץ כָּל־הַיָּמִים׃ וְהָיִיתָ מְשֻׁגָּע מִמַּרְאֵה עֵינֶיךָ אֲשֶׁר תִּרְאֶה׃
לה יַכְּכָה יְהוָה בִּשְׁחִין רָע עַל־הַבִּרְכַּיִם וְעַל־הַשֹּׁקַיִם אֲשֶׁר לֹא־

לו תּוּכַל לְהֵרָפֵא מִכַּף רַגְלְךָ וְעַד קָדְקֳדֶךָ: יוֹלֵךְ יְהוָה אֹתְךָ
וְאֶת־מַלְכְּךָ אֲשֶׁר תָּקִים עָלֶיךָ אֶל־גּוֹי אֲשֶׁר לֹא־יָדַעְתָּ אַתָּה
לז וַאֲבֹתֶיךָ וְעָבַדְתָּ שָּׁם אֱלֹהִים אֲחֵרִים עֵץ וָאָבֶן: וְהָיִיתָ לְשַׁמָּה
לח לְמָשָׁל וְלִשְׁנִינָה בְּכֹל הָעַמִּים אֲשֶׁר־יְנַהֶגְךָ יְהוָה שָׁמָּה: זֶרַע רַב
לט תּוֹצִיא הַשָּׂדֶה וּמְעַט תֶּאֱסֹף כִּי יַחְסְלֶנּוּ הָאַרְבֶּה: כְּרָמִים תִּטַּע
מ וְעָבָדְתָּ וְיַיִן לֹא־תִשְׁתֶּה וְלֹא תֶאֱגֹר כִּי תֹאכְלֶנּוּ הַתֹּלָעַת: זֵיתִים
מא יִהְיוּ לְךָ בְּכָל־גְּבוּלֶךָ וְשֶׁמֶן לֹא תָסוּךְ כִּי יִשַּׁל זֵיתֶךָ: בָּנִים
מב וּבָנוֹת תּוֹלִיד וְלֹא־יִהְיוּ לָךְ כִּי יֵלְכוּ בַּשֶּׁבִי: כָּל־עֵצְךָ וּפְרִי
מג אַדְמָתֶךָ יְיָרֵשׁ הַצְּלָצַל: הַגֵּר אֲשֶׁר בְּקִרְבְּךָ יַעֲלֶה עָלֶיךָ מַעְלָה
מד מָּעְלָה וְאַתָּה תֵרֵד מַטָּה מָּטָּה: הוּא יַלְוְךָ וְאַתָּה לֹא תַלְוֶנּוּ הוּא
מה יִהְיֶה לְרֹאשׁ וְאַתָּה תִּהְיֶה לְזָנָב: וּבָאוּ עָלֶיךָ כָּל־הַקְּלָלוֹת הַסִּבּוֹת לַצָּרוֹת:
הָאֵלֶּה וּרְדָפוּךָ וְהִשִּׂיגוּךָ עַד הִשָּׁמְדָךְ כִּי־לֹא שָׁמַעְתָּ בְּקוֹל
מו יְהוָה אֱלֹהֶיךָ לִשְׁמֹר מִצְוֹתָיו וְחֻקֹּתָיו אֲשֶׁר צִוָּךְ: וְהָיוּ בְךָ לְאוֹת
מז וּלְמוֹפֵת וּבְזַרְעֲךָ עַד־עוֹלָם: תַּחַת אֲשֶׁר לֹא־עָבַדְתָּ אֶת־יְהוָה
מח אֱלֹהֶיךָ בְּשִׂמְחָה וּבְטוּב לֵבָב מֵרֹב כֹּל: וְעָבַדְתָּ אֶת־אֹיְבֶיךָ אֲשֶׁר הֶמְשֵׁךְ הַקְּלָלוֹת:
יְשַׁלְּחֶנּוּ יְהוָה בָּךְ בְּרָעָב וּבְצָמָא וּבְעֵירֹם וּבְחֹסֶר כֹּל וְנָתַן עֹל
מט בַּרְזֶל עַל־צַוָּארֶךָ עַד הִשְׁמִידוֹ אֹתָךְ: יִשָּׂא יְהוָה עָלֶיךָ גּוֹי
מֵרָחֹק מִקְצֵה הָאָרֶץ כַּאֲשֶׁר יִדְאֶה הַנָּשֶׁר גּוֹי אֲשֶׁר לֹא־תִשְׁמַע
נ לְשֹׁנוֹ: גּוֹי עַז פָּנִים אֲשֶׁר לֹא־יִשָּׂא פָנִים לְזָקֵן וְנַעַר לֹא יָחֹן:
נא וְאָכַל פְּרִי בְהֶמְתְּךָ וּפְרִי־אַדְמָתְךָ עַד הִשָּׁמְדָךְ אֲשֶׁר לֹא־יַשְׁאִיר
לְךָ דָּגָן תִּירוֹשׁ וְיִצְהָר שְׁגַר אֲלָפֶיךָ וְעַשְׁתְּרֹת צֹאנֶךָ עַד הַאֲבִידוֹ
נב אֹתָךְ: וְהֵצַר לְךָ בְּכָל־שְׁעָרֶיךָ עַד רֶדֶת חֹמֹתֶיךָ הַגְּבֹהֹת
וְהַבְּצֻרוֹת אֲשֶׁר אַתָּה בֹּטֵחַ בָּהֵן בְּכָל־אַרְצֶךָ וְהֵצַר לְךָ בְּכָל־
נג שְׁעָרֶיךָ בְּכָל־אַרְצְךָ אֲשֶׁר נָתַן יְהוָה אֱלֹהֶיךָ לָךְ: וְאָכַלְתָּ פְרִי־
בִטְנְךָ בְּשַׂר בָּנֶיךָ וּבְנֹתֶיךָ אֲשֶׁר נָתַן־לְךָ יְהוָה אֱלֹהֶיךָ בְּמָצוֹר

וּבְמָצוֹק֙ אֲשֶׁר־יָצִ֣יק לְךָ֔ אֹיְבֶֽךָ׃ הָאִישׁ֙ הָרַ֣ךְ בְּךָ֔ וְהֶעָנֹ֖ג מְאֹ֑ד נד

תֵּרַ֨ע עֵינ֤וֹ בְאָחִיו֙ וּבְאֵ֣שֶׁת חֵיק֔וֹ וּבְיֶ֥תֶר בָּנָ֖יו אֲשֶׁ֥ר יוֹתִֽיר׃ מִתֵּ֤ת ׀ נה

לְאַחַ֣ד מֵהֶ֔ם מִבְּשַׂ֖ר בָּנָיו֙ אֲשֶׁ֣ר יֹאכֵ֔ל מִבְּלִ֥י הִשְׁאִֽיר־ל֖וֹ כֹּ֑ל

בְּמָצוֹר֙ וּבְמָצ֔וֹק אֲשֶׁ֨ר יָצִ֥יק לְךָ֛ אֹיִבְךָ֖ בְּכָל־שְׁעָרֶֽיךָ׃ הָרַכָּ֣ה בְךָ֗ נו

וְהָעֲנֻגָּ֔ה אֲשֶׁ֨ר לֹא־נִסְּתָ֤ה כַף־רַגְלָהּ֙ הַצֵּ֣ג עַל־הָאָ֔רֶץ מֵהִתְעַנֵּ֖ג

וּמֵרֹ֑ךְ תֵּרַ֤ע עֵינָהּ֙ בְּאִ֣ישׁ חֵיקָ֔הּ וּבִבְנָ֖הּ וּבְבִתָּֽהּ׃ וּֽבְשִׁלְיָתָ֞הּ נז

הַיּוֹצֵ֣ת ׀ מִבֵּ֣ין רַגְלֶ֗יהָ וּבְבָנֶ֙יהָ֙ אֲשֶׁ֣ר תֵּלֵ֔ד כִּֽי־תֹאכְלֵ֥ם בְּחֹֽסֶר־כֹּ֖ל

בַּסָּ֑תֶר בְּמָצוֹר֙ וּבְמָצ֔וֹק אֲשֶׁ֨ר יָצִ֥יק לְךָ֛ אֹיִבְךָ֖ בִּשְׁעָרֶֽיךָ׃ אִם־לֹ֣א נח

תִשְׁמֹ֗ר לַעֲשׂ֜וֹת אֶת־כָּל־דִּבְרֵ֗י הַתּוֹרָ֤ה הַזֹּאת֙ הַכְּתֻבִ֖ים בַּסֵּ֣פֶר

הַזֶּ֑ה לְ֠יִרְאָה אֶת־הַשֵּׁ֞ם הַנִּכְבָּ֤ד וְהַנּוֹרָא֙ הַזֶּ֔ה אֵ֖ת יְהֹוָ֥ה אֱלֹהֶֽיךָ׃

וְהִפְלָ֤א יְהֹוָה֙ אֶת־מַכֹּ֣תְךָ֔ וְאֵ֖ת מַכּ֣וֹת זַרְעֶ֑ךָ מַכּ֤וֹת גְּדֹלֹת֙ נט

וְנֶ֣אֱמָנ֔וֹת וׇחֳלָיִ֥ם רָעִ֖ים וְנֶאֱמָנִֽים׃ וְהֵשִׁ֣יב בְּךָ֗ אֵ֚ת כָּל־מַדְוֵ֣ה ס

מִצְרַ֔יִם אֲשֶׁ֥ר יָגֹ֖רְתָּ מִפְּנֵיהֶ֑ם וְדָבְק֖וּ בָּֽךְ׃ גַּ֤ם כָּל־חֳלִי֙ וְכׇל־מַכָּ֔ה סא

אֲשֶׁר֙ לֹ֣א כָת֔וּב בְּסֵ֖פֶר הַתּוֹרָ֣ה הַזֹּ֑את יַעְלֵ֤ם יְהֹוָה֙ עָלֶ֔יךָ עַ֖ד

הִשָּׁמְדָֽךְ׃ וְנִשְׁאַרְתֶּם֙ בִּמְתֵ֣י מְעָ֔ט תַּ֚חַת אֲשֶׁ֣ר הֱיִיתֶ֔ם כְּכוֹכְבֵ֥י סב

הַשָּׁמַ֖יִם לָרֹ֑ב כִּי־לֹ֣א שָׁמַ֔עְתָּ בְּק֖וֹל יְהֹוָ֥ה אֱלֹהֶֽיךָ׃ וְֽהָיָ֠ה כַּאֲשֶׁר־ סג

שָׂ֨שׂ יְהֹוָ֜ה עֲלֵיכֶ֗ם לְהֵיטִ֣יב אֶתְכֶם֮ וּלְהַרְבּ֣וֹת אֶתְכֶם֒ כֵּ֣ן יָשִׂ֤ישׂ

יְהֹוָה֙ עֲלֵיכֶ֔ם לְהַאֲבִ֥יד אֶתְכֶ֖ם וּלְהַשְׁמִ֣יד אֶתְכֶ֑ם וְנִסַּחְתֶּם֙ מֵעַ֣ל

הָֽאֲדָמָ֔ה אֲשֶׁר־אַתָּ֥ה בָא־שָׁ֖מָּה לְרִשְׁתָּֽהּ׃ וֶהֱפִֽיצְךָ֤ יְהֹוָה֙ בְּכׇל־ סד

הָ֣עַמִּ֔ים מִקְצֵ֥ה הָאָ֖רֶץ וְעַד־קְצֵ֣ה הָאָ֑רֶץ וְעָבַ֨דְתָּ שָּׁ֜ם אֱלֹהִ֣ים

אֲחֵרִ֗ים אֲשֶׁ֧ר לֹא־יָדַ֛עְתָּ אַתָּ֥ה וַאֲבֹתֶ֖יךָ עֵ֥ץ וָאָֽבֶן׃ וּבַגּוֹיִ֤ם הָהֵם֙ סה

לֹ֣א תַרְגִּ֔יעַ וְלֹא־יִהְיֶ֥ה מָנ֖וֹחַ לְכַף־רַגְלֶ֑ךָ וְנָתַן֩ יְהֹוָ֨ה לְךָ֥ שָׁם֙

לֵ֣ב רַגָּ֔ז וְכִלְי֥וֹן עֵינַ֖יִם וְדַאֲב֣וֹן נָ֑פֶשׁ׃ וְהָי֣וּ חַיֶּ֔יךָ תְּלֻאִ֥ים לְךָ֖ מִנֶּ֑גֶד סו

וּפָֽחַדְתָּ֙ לַ֣יְלָה וְיוֹמָ֔ם וְלֹ֥א תַאֲמִ֖ין בְּחַיֶּֽיךָ׃ בַּבֹּ֤קֶר תֹּאמַר֙ מִֽי־יִתֵּ֣ן סז

עֶ֔רֶב וּבָעֶ֥רֶב תֹּאמַ֖ר מִֽי־יִתֵּ֣ן בֹּ֑קֶר מִפַּ֤חַד לְבָֽבְךָ֙ אֲשֶׁ֣ר תִּפְחָ֔ד

סח וּמִמַּרְאֵה עֵינֶיךָ אֲשֶׁר תִּרְאֶה: וֶהֱשִׁיבְךָ יְהוָה מִצְרַיִם בָּאֳנִיּוֹת
בַּדֶּרֶךְ אֲשֶׁר אָמַרְתִּי לְךָ לֹא־תֹסִיף עוֹד לִרְאֹתָהּ וְהִתְמַכַּרְתֶּם
סט שָׁם לְאֹיְבֶיךָ לַעֲבָדִים וְלִשְׁפָחוֹת וְאֵין קֹנֶה: אֵלֶּה
דִבְרֵי הַבְּרִית אֲשֶׁר־צִוָּה יְהוָה אֶת־מֹשֶׁה לִכְרֹת אֶת־בְּנֵי יִשְׂרָאֵל
בְּאֶרֶץ מוֹאָב מִלְּבַד הַבְּרִית אֲשֶׁר־כָּרַת אִתָּם בְּחֹרֵב:

כט א וַיִּקְרָא מֹשֶׁה אֶל־כָּל־יִשְׂרָאֵל וַיֹּאמֶר אֲלֵהֶם אַתֶּם רְאִיתֶם אֵת
שביעי
חַסְדֵּי ה'
מִמִּצְרַיִם
וְעַד הֵנָּה:
כָּל־אֲשֶׁר עָשָׂה יְהוָה לְעֵינֵיכֶם בְּאֶרֶץ מִצְרַיִם לְפַרְעֹה וּלְכָל־
ב עֲבָדָיו וּלְכָל־אַרְצוֹ: הַמַּסּוֹת הַגְּדֹלֹת אֲשֶׁר רָאוּ עֵינֶיךָ הָאֹתֹת
ג וְהַמֹּפְתִים הַגְּדֹלִים הָהֵם: וְלֹא־נָתַן יְהוָה לָכֶם לֵב לָדַעַת וְעֵינַיִם
ד לִרְאוֹת וְאָזְנַיִם לִשְׁמֹעַ עַד הַיּוֹם הַזֶּה: וָאוֹלֵךְ אֶתְכֶם אַרְבָּעִים
שָׁנָה בַּמִּדְבָּר לֹא־בָלוּ שַׂלְמֹתֵיכֶם מֵעֲלֵיכֶם וְנַעַלְךָ לֹא־בָלְתָה
ה מֵעַל רַגְלֶךָ: לֶחֶם לֹא אֲכַלְתֶּם וְיַיִן וְשֵׁכָר לֹא שְׁתִיתֶם לְמַעַן
מפטיר
תֵּדְעוּ כִּי אֲנִי יְהוָה אֱלֹהֵיכֶם: וַתָּבֹאוּ אֶל־הַמָּקוֹם הַזֶּה וַיֵּצֵא סִיחֹן
ו מֶלֶךְ־חֶשְׁבּוֹן וְעוֹג מֶלֶךְ־הַבָּשָׁן לִקְרָאתֵנוּ לַמִּלְחָמָה וַנַּכֵּם: וַנִּקַּח
אֶת־אַרְצָם וַנִּתְּנָהּ לְנַחֲלָה לָרֵאוּבֵנִי וְלַגָּדִי וְלַחֲצִי שֵׁבֶט הַמְנַשִּׁי:
ח וּשְׁמַרְתֶּם אֶת־דִּבְרֵי הַבְּרִית הַזֹּאת וַעֲשִׂיתֶם אֹתָם לְמַעַן
תַּשְׂכִּילוּ אֵת כָּל־אֲשֶׁר תַּעֲשׂוּן:

ט אַתֶּם נִצָּבִים הַיּוֹם כֻּלְּכֶם לִפְנֵי יְהוָה אֱלֹהֵיכֶם רָאשֵׁיכֶם
נצבים
כֻּנּוּס כָּל
יִשְׂרָאֵל
לְמַעֲמַד
הַבְּרִית:
שִׁבְטֵיכֶם זִקְנֵיכֶם וְשֹׁטְרֵיכֶם כֹּל אִישׁ יִשְׂרָאֵל: טַפְּכֶם נְשֵׁיכֶם
י וְגֵרְךָ אֲשֶׁר בְּקֶרֶב מַחֲנֶיךָ מֵחֹטֵב עֵצֶיךָ עַד שֹׁאֵב מֵימֶיךָ: לְעָבְרְךָ
יא בִּבְרִית יְהוָה אֱלֹהֶיךָ וּבְאָלָתוֹ אֲשֶׁר יְהוָה אֱלֹהֶיךָ כֹּרֵת עִמְּךָ
שני
הַיּוֹם: לְמַעַן הָקִים־אֹתְךָ הַיּוֹם לוֹ לְעָם וְהוּא יִהְיֶה־לְךָ
יב לֵאלֹהִים כַּאֲשֶׁר דִּבֶּר־לָךְ וְכַאֲשֶׁר נִשְׁבַּע לַאֲבֹתֶיךָ לְאַבְרָהָם
יג לְיִצְחָק וּלְיַעֲקֹב: וְלֹא אִתְּכֶם לְבַדְּכֶם אָנֹכִי כֹּרֵת אֶת־הַבְּרִית
יד הַזֹּאת וְאֶת־הָאָלָה הַזֹּאת: כִּי אֶת־אֲשֶׁר יֶשְׁנוֹ פֹּה עִמָּנוּ עֹמֵד

הַיּ֔וֹם לִפְנֵ֖י יְהֹוָ֣ה אֱלֹהֵ֑ינוּ וְאֵ֨ת אֲשֶׁ֥ר אֵינֶ֛נּוּ פֹּ֖ה עִמָּ֥נוּ הַיּֽוֹם׃

שלישי

טו כִּֽי־אַתֶּ֣ם יְדַעְתֶּ֔ם אֵ֥ת אֲשֶׁר־יָשַׁ֖בְנוּ בְּאֶ֣רֶץ מִצְרָ֑יִם וְאֵ֧ת אֲשֶׁר־
טז עָבַ֛רְנוּ בְּקֶ֥רֶב הַגּוֹיִ֖ם אֲשֶׁ֥ר עֲבַרְתֶּֽם׃ וַתִּרְאוּ֙ אֶת־שִׁקּ֣וּצֵיהֶ֔ם וְאֵ֖ת
יז גִּלֻּלֵיהֶ֑ם עֵ֣ץ וָאֶ֔בֶן כֶּ֥סֶף וְזָהָ֖ב אֲשֶׁ֥ר עִמָּהֶֽם׃ פֶּן־יֵ֣שׁ בָּ֠כֶם אִ֣ישׁ
אֽוֹ־אִשָּׁ֞ה א֧וֹ מִשְׁפָּחָ֣ה אוֹ־שֵׁ֗בֶט אֲשֶׁר֩ לְבָב֨וֹ פֹנֶ֤ה הַיּוֹם֙ מֵעִם֙
יְהֹוָ֣ה אֱלֹהֵ֔ינוּ לָלֶ֣כֶת לַעֲבֹ֔ד אֶת־אֱלֹהֵ֖י הַגּוֹיִ֣ם הָהֵ֑ם פֶּן־יֵ֣שׁ בָּכֶ֗ם
יח שֹׁ֛רֶשׁ פֹּרֶ֥ה רֹ֖אשׁ וְלַעֲנָֽה׃ וְהָיָ֡ה בְּשָׁמְעוֹ֩ אֶת־דִּבְרֵ֨י הָאָלָ֜ה הַזֹּ֗את
וְהִתְבָּרֵ֨ךְ בִּלְבָב֤וֹ לֵאמֹר֙ שָׁל֣וֹם יִֽהְיֶה־לִּ֔י כִּ֛י בִּשְׁרִר֥וּת לִבִּ֖י אֵלֵ֑ךְ
יט לְמַ֛עַן סְפ֥וֹת הָרָוָ֖ה אֶת־הַצְּמֵאָֽה׃ לֹֽא־יֹאבֶ֣ה יְהֹוָה֮ סְלֹ֣חַ לוֹ֒ כִּ֣י
אָ֠ז יֶעְשַׁ֨ן אַף־יְהֹוָ֤ה וְקִנְאָתוֹ֙ בָּאִ֣ישׁ הַה֔וּא וְרָ֤בְצָה בּוֹ֙ כָּל־הָ֣אָלָ֔ה
הַכְּתוּבָ֖ה בַּסֵּ֣פֶר הַזֶּ֑ה וּמָחָ֤ה יְהֹוָה֙ אֶת־שְׁמ֔וֹ מִתַּ֖חַת הַשָּׁמָֽיִם׃
כ וְהִבְדִּיל֤וֹ יְהֹוָה֙ לְרָעָ֔ה מִכֹּ֖ל שִׁבְטֵ֣י יִשְׂרָאֵ֑ל כְּכֹל֙ אָל֣וֹת הַבְּרִ֔ית
כא הַכְּתוּבָ֕ה בְּסֵ֥פֶר הַתּוֹרָ֖ה הַזֶּֽה׃ וְאָמַ֞ר הַדּ֣וֹר הָאַחֲר֗וֹן בְּנֵיכֶם֙ אֲשֶׁ֤ר
יָק֙וּמוּ֙ מֵאַ֣חֲרֵיכֶ֔ם וְהַ֨נָּכְרִ֔י אֲשֶׁ֥ר יָבֹ֖א מֵאֶ֣רֶץ רְחוֹקָ֑ה וְ֠רָאוּ
אֶת־מַכּ֞וֹת הָאָ֤רֶץ הַהִוא֙ וְאֶת־תַּ֣חֲלֻאֶ֔יהָ אֲשֶׁר־חִלָּ֥ה יְהֹוָ֖ה בָּֽהּ׃
כב גָּפְרִ֣ית וָמֶלַח֮ שְׂרֵפָ֣ה כָל־אַרְצָהּ֒ לֹ֤א תִזָּרַע֙ וְלֹ֣א תַצְמִ֔חַ
וְלֹא־יַעֲלֶ֥ה בָ֖הּ כָּל־עֵ֑שֶׂב כְּמַהְפֵּכַ֞ת סְדֹ֤ם וַעֲמֹרָה֙ אַדְמָ֣ה
כג וּצְבוֹיִ֔ם אֲשֶׁר֙ הָפַ֣ךְ יְהֹוָ֔ה בְּאַפּ֖וֹ וּבַחֲמָתֽוֹ׃ וְאָֽמְרוּ֙ כָּל־הַגּוֹיִ֔ם
עַל־מֶ֨ה עָשָׂ֧ה יְהֹוָ֛ה כָּ֖כָה לָאָ֣רֶץ הַזֹּ֑את מֶ֥ה חֳרִ֛י הָאַ֥ף הַגָּד֖וֹל הַזֶּֽה׃
כד וְאָ֣מְר֔וּ עַ֚ל אֲשֶׁ֣ר עָֽזְב֔וּ אֶת־בְּרִ֥ית יְהֹוָ֖ה אֱלֹהֵ֣י אֲבֹתָ֑ם אֲשֶׁר֙ כָּרַ֣ת
כה עִמָּ֔ם בְּהוֹצִיא֥וֹ אֹתָ֖ם מֵאֶ֥רֶץ מִצְרָֽיִם׃ וַיֵּלְכ֗וּ וַיַּֽעַבְדוּ֙ אֱלֹהִ֣ים
אֲחֵרִ֔ים וַיִּֽשְׁתַּחֲו֖וּ לָהֶ֑ם אֱלֹהִים֙ אֲשֶׁ֣ר לֹֽא־יְדָע֔וּם וְלֹ֥א חָלַ֖ק לָהֶֽם׃
כו וַיִּֽחַר־אַ֥ף יְהֹוָ֖ה בָּאָ֣רֶץ הַהִ֑וא לְהָבִ֤יא עָלֶ֙יהָ֙ אֶת־כָּל־הַקְּלָלָ֔ה
כז הַכְּתוּבָ֖ה בַּסֵּ֥פֶר הַזֶּֽה׃ וַיִּתְּשֵׁ֤ם יְהֹוָה֙ מֵעַ֣ל אַדְמָתָ֔ם בְּאַ֖ף וּבְחֵמָ֑ה
כח וּבְקֶ֖צֶף גָּד֑וֹל וַיַּשְׁלִכֵ֛ם אֶל־אֶ֥רֶץ אַחֶ֖רֶת כַּיּ֥וֹם הַזֶּֽה׃ הַנִּ֨סְתָּרֹ֔ת

עָנְשֵׁי עוֹבְדֵי עֲבוֹדָה זָרָה:

תִּמְהוֹן הַגּוֹיִם עַל עָנְשֵׁי הָאָרֶץ:

לַיהוָה אֱלֹהֵינוּ וְהַנִּגְלֹת לָנוּ וּלְבָנֵינוּ עַד־עוֹלָם לַעֲשׂוֹת אֶת־כָּל־ לָנוּ וּלְבָנֵינוּ עד נקוד:
ל א דִּבְרֵי הַתּוֹרָה הַזֹּאת: וְהָיָה כִי־יָבֹאוּ עָלֶיךָ כָּל־ רביעי /שני/
הַדְּבָרִים הָאֵלֶּה הַבְּרָכָה וְהַקְּלָלָה אֲשֶׁר נָתַתִּי לְפָנֶיךָ וַהֲשֵׁבֹתָ
ב אֶל־לְבָבֶךָ בְּכָל־הַגּוֹיִם אֲשֶׁר הִדִּיחֲךָ יְהוָה אֱלֹהֶיךָ שָׁמָּה: וְשַׁבְתָּ מִצְוַת הַתְּשׁוּבָה:
עַד־יְהוָה אֱלֹהֶיךָ וְשָׁמַעְתָּ בְקֹלוֹ כְּכֹל אֲשֶׁר־אָנֹכִי מְצַוְּךָ הַיּוֹם
ג אַתָּה וּבָנֶיךָ בְּכָל־לְבָבְךָ וּבְכָל־נַפְשֶׁךָ: וְשָׁב יְהוָה אֱלֹהֶיךָ אֶת־
שְׁבוּתְךָ וְרִחֲמֶךָ וְשָׁב וְקִבֶּצְךָ מִכָּל־הָעַמִּים אֲשֶׁר הֱפִיצְךָ יְהוָה
ד אֱלֹהֶיךָ שָׁמָּה: אִם־יִהְיֶה נִדַּחֲךָ בִּקְצֵה הַשָּׁמָיִם מִשָּׁם יְקַבֶּצְךָ
ה יְהוָה אֱלֹהֶיךָ וּמִשָּׁם יִקָּחֶךָ: וֶהֱבִיאֲךָ יְהוָה אֱלֹהֶיךָ אֶל־הָאָרֶץ שְׂכַר הַתְּשׁוּבָה:
ו אֲשֶׁר־יָרְשׁוּ אֲבֹתֶיךָ וִירִשְׁתָּהּ וְהֵיטִבְךָ וְהִרְבְּךָ מֵאֲבֹתֶיךָ: וּמָל
יְהוָה אֱלֹהֶיךָ אֶת־לְבָבְךָ וְאֶת־לְבַב זַרְעֶךָ לְאַהֲבָה אֶת־יְהוָה
ז אֱלֹהֶיךָ בְּכָל־לְבָבְךָ וּבְכָל־נַפְשְׁךָ לְמַעַן חַיֶּיךָ: וְנָתַן יְהוָה אֱלֹהֶיךָ חמישי /שלישי/
אֵת כָּל־הָאָלוֹת הָאֵלֶּה עַל־אֹיְבֶיךָ וְעַל־שֹׂנְאֶיךָ אֲשֶׁר רְדָפוּךָ:
ח וְאַתָּה תָשׁוּב וְשָׁמַעְתָּ בְּקוֹל יְהוָה וְעָשִׂיתָ אֶת־כָּל־מִצְוֺתָיו אֲשֶׁר
ט אָנֹכִי מְצַוְּךָ הַיּוֹם: וְהוֹתִירְךָ יְהוָה אֱלֹהֶיךָ בְּכֹל ׀ מַעֲשֵׂה יָדֶךָ
בִּפְרִי בִטְנְךָ וּבִפְרִי בְהֶמְתְּךָ וּבִפְרִי אַדְמָתְךָ לְטֹבָה כִּי ׀ יָשׁוּב
י יְהוָה לָשׂוּשׂ עָלֶיךָ לְטוֹב כַּאֲשֶׁר־שָׂשׂ עַל־אֲבֹתֶיךָ: כִּי תִשְׁמַע
בְּקוֹל יְהוָה אֱלֹהֶיךָ לִשְׁמֹר מִצְוֺתָיו וְחֻקֹּתָיו הַכְּתוּבָה בְּסֵפֶר
הַתּוֹרָה הַזֶּה כִּי תָשׁוּב אֶל־יְהוָה אֱלֹהֶיךָ בְּכָל־לְבָבְךָ וּבְכָל־
יא נַפְשֶׁךָ: כִּי הַמִּצְוָה הַזֹּאת אֲשֶׁר אָנֹכִי מְצַוְּךָ הַיּוֹם ששי הַתּוֹרָה וְהַמִּצְוֺת, בְּהֶשֵּׂג יַד כֻּלָּם:
יב לֹא־נִפְלֵאת הִוא מִמְּךָ וְלֹא רְחֹקָה הִוא: לֹא בַשָּׁמַיִם הִוא לֵאמֹר
מִי יַעֲלֶה־לָּנוּ הַשָּׁמַיְמָה וְיִקָּחֶהָ לָּנוּ וְיַשְׁמִעֵנוּ אֹתָהּ וְנַעֲשֶׂנָּה:
יג וְלֹא־מֵעֵבֶר לַיָּם הִוא לֵאמֹר מִי יַעֲבָר־לָנוּ אֶל־עֵבֶר הַיָּם וְיִקָּחֶהָ
יד לָּנוּ וְיַשְׁמִעֵנוּ אֹתָהּ וְנַעֲשֶׂנָּה: כִּי־קָרוֹב אֵלֶיךָ הַדָּבָר מְאֹד בְּפִיךָ
טו וּבִלְבָבְךָ לַעֲשֹׂתוֹ: רְאֵה נָתַתִּי לְפָנֶיךָ הַיּוֹם אֶת־ שבי׳ ומפ׳ /רביעי/

הַבְּחִירָה בֵּין טוֹב לָרָע:

טז הַחַיִּים וְאֶת־הַטּוֹב וְאֶת־הַמָּוֶת וְאֶת־הָרָע: אֲשֶׁר אָנֹכִי מְצַוְּךָ
הַיּוֹם לְאַהֲבָה אֶת־יְהוָה אֱלֹהֶיךָ לָלֶכֶת בִּדְרָכָיו וְלִשְׁמֹר מִצְוֺתָיו
וְחֻקֹּתָיו וּמִשְׁפָּטָיו וְחָיִיתָ וְרָבִיתָ וּבֵרַכְךָ יְהוָה אֱלֹהֶיךָ בָּאָרֶץ
יז אֲשֶׁר־אַתָּה בָא־שָׁמָּה לְרִשְׁתָּהּ: וְאִם־יִפְנֶה לְבָבְךָ וְלֹא תִשְׁמָע
יח וְנִדַּחְתָּ וְהִשְׁתַּחֲוִיתָ לֵאלֹהִים אֲחֵרִים וַעֲבַדְתָּם: הִגַּדְתִּי לָכֶם
הַיּוֹם כִּי אָבֹד תֹּאבֵדוּן לֹא־תַאֲרִיכֻן יָמִים עַל־הָאֲדָמָה אֲשֶׁר
יט אַתָּה עֹבֵר אֶת־הַיַּרְדֵּן לָבֹא שָׁמָּה לְרִשְׁתָּהּ: הַעִדֹתִי בָכֶם
הַיּוֹם אֶת־הַשָּׁמַיִם וְאֶת־הָאָרֶץ הַחַיִּים וְהַמָּוֶת נָתַתִּי לְפָנֶיךָ
הַבְּרָכָה וְהַקְּלָלָה וּבָחַרְתָּ בַּחַיִּים לְמַעַן תִּחְיֶה אַתָּה וְזַרְעֶךָ:
כ לְאַהֲבָה אֶת־יְהוָה אֱלֹהֶיךָ לִשְׁמֹעַ בְּקֹלוֹ וּלְדָבְקָה־בוֹ כִּי הוּא
חַיֶּיךָ וְאֹרֶךְ יָמֶיךָ לָשֶׁבֶת עַל־הָאֲדָמָה אֲשֶׁר נִשְׁבַּע יְהוָה
לַאֲבֹתֶיךָ לְאַבְרָהָם לְיִצְחָק וּלְיַעֲקֹב לָתֵת לָהֶם:

וילד

דִּבְרֵי מֹשֶׁה בְּיוֹם מוֹתוֹ: [2488]

לא א ב וַיֵּלֶךְ מֹשֶׁה וַיְדַבֵּר אֶת־הַדְּבָרִים הָאֵלֶּה אֶל־כָּל־יִשְׂרָאֵל: וַיֹּאמֶר
אֲלֵהֶם בֶּן־מֵאָה וְעֶשְׂרִים שָׁנָה אָנֹכִי הַיּוֹם לֹא־אוּכַל עוֹד
ג לָצֵאת וְלָבוֹא וַיהוָה אָמַר אֵלַי לֹא תַעֲבֹר אֶת־הַיַּרְדֵּן הַזֶּה: יְהוָה
אֱלֹהֶיךָ הוּא ׀ עֹבֵר לְפָנֶיךָ הוּא־יַשְׁמִיד אֶת־הַגּוֹיִם הָאֵלֶּה
מִלְּפָנֶיךָ וִירִשְׁתָּם יְהוֹשֻׁעַ הוּא עֹבֵר לְפָנֶיךָ כַּאֲשֶׁר דִּבֶּר יְהוָה:

שני

ד וְעָשָׂה יְהוָה לָהֶם כַּאֲשֶׁר עָשָׂה לְסִיחוֹן וּלְעוֹג מַלְכֵי הָאֱמֹרִי
ה וּלְאַרְצָם אֲשֶׁר הִשְׁמִיד אֹתָם: וּנְתָנָם יְהוָה לִפְנֵיכֶם וַעֲשִׂיתֶם
ו לָהֶם כְּכָל־הַמִּצְוָה אֲשֶׁר צִוִּיתִי אֶתְכֶם: חִזְקוּ וְאִמְצוּ אַל־תִּירְאוּ
וְאַל־תַּעַרְצוּ מִפְּנֵיהֶם כִּי ׀ יְהוָה אֱלֹהֶיךָ הוּא הַהֹלֵךְ עִמָּךְ לֹא
יַרְפְּךָ וְלֹא יַעַזְבֶךָּ:

שלישי /חמישי/

הַעֲבָרַת הַמַּנְהִיגוּת לִיהוֹשֻׁעַ:

ז וַיִּקְרָא מֹשֶׁה לִיהוֹשֻׁעַ וַיֹּאמֶר
אֵלָיו לְעֵינֵי כָל־יִשְׂרָאֵל חֲזַק וֶאֱמָץ כִּי אַתָּה תָּבוֹא אֶת־הָעָם
הַזֶּה אֶל־הָאָרֶץ אֲשֶׁר נִשְׁבַּע יְהוָה לַאֲבֹתָם לָתֵת לָהֶם וְאַתָּה
ח תַּנְחִילֶנָּה אוֹתָם: וַיהוָה הוּא ׀ הַהֹלֵךְ לְפָנֶיךָ הוּא יִהְיֶה עִמָּךְ

ט לֹא יַרְפְּךָ וְלֹא יַעַזְבֶךָּ לֹא תִירָא וְלֹא תֵחָת: וַיִּכְתֹּב מֹשֶׁה
אֶת־הַתּוֹרָה הַזֹּאת וַֽיִּתְּנָהּ אֶל־הַכֹּהֲנִים בְּנֵי לֵוִי הַנֹּשְׂאִים אֶת־
י אֲרוֹן בְּרִית יְהוָה וְאֶל־כָּל־זִקְנֵי יִשְׂרָאֵל: וַיְצַו מֹשֶׁה אוֹתָם לֵאמֹר רביעי
יא מִקֵּץ | שֶׁבַע שָׁנִים בְּמֹעֵד שְׁנַת הַשְּׁמִטָּה בְּחַג הַסֻּכּוֹת: בְּבוֹא מִצְוַת "הַקְהֵל":
כָל־יִשְׂרָאֵל לֵרָאוֹת אֶת־פְּנֵי יְהוָה אֱלֹהֶיךָ בַּמָּקוֹם אֲשֶׁר יִבְחָר
יב תִּקְרָא אֶת־הַתּוֹרָה הַזֹּאת נֶגֶד כָּל־יִשְׂרָאֵל בְּאָזְנֵיהֶם: הַקְהֵל אֶת־
הָעָם הָאֲנָשִׁים וְהַנָּשִׁים וְהַטַּף וְגֵרְךָ אֲשֶׁר בִּשְׁעָרֶיךָ לְמַעַן יִשְׁמְעוּ
וּלְמַעַן יִלְמְדוּ וְיָרְאוּ אֶת־יְהוָה אֱלֹהֵיכֶם וְשָׁמְרוּ לַעֲשׂוֹת אֶת־כָּל־
יג דִּבְרֵי הַתּוֹרָה הַזֹּאת: וּבְנֵיהֶם אֲשֶׁר לֹא־יָדְעוּ יִשְׁמְעוּ וְלָמְדוּ
לְיִרְאָה אֶת־יְהוָה אֱלֹהֵיכֶם כָּל־הַיָּמִים אֲשֶׁר אַתֶּם חַיִּים עַל־
הָאֲדָמָה אֲשֶׁר אַתֶּם עֹבְרִים אֶת־הַיַּרְדֵּן שָׁמָּה לְרִשְׁתָּהּ:
יד וַיֹּאמֶר יְהוָה אֶל־מֹשֶׁה הֵן קָרְבוּ יָמֶיךָ לָמוּת קְרָא אֶת־יְהוֹשֻׁעַ חמישי /ששי/
וְהִתְיַצְּבוּ בְּאֹהֶל מוֹעֵד וַאֲצַוֶּנּוּ וַיֵּלֶךְ מֹשֶׁה וִיהוֹשֻׁעַ וַיִּתְיַצְּבוּ נְבוּאָה לְאַחֲרִית הַיָּמִים עַל חֲטָאֵי הָעָם:
טו בְּאֹהֶל מוֹעֵד: וַיֵּרָא יְהוָה בָּאֹהֶל בְּעַמּוּד עָנָן וַיַּעֲמֹד עַמּוּד הֶעָנָן
טז עַל־פֶּתַח הָאֹהֶל: וַיֹּאמֶר יְהוָה אֶל־מֹשֶׁה הִנְּךָ שֹׁכֵב עִם־אֲבֹתֶיךָ
וְקָם הָעָם הַזֶּה וְזָנָה | אַחֲרֵי | אֱלֹהֵי נֵכַר־הָאָרֶץ אֲשֶׁר הוּא
בָא־שָׁמָּה בְּקִרְבּוֹ וַעֲזָבַנִי וְהֵפֵר אֶת־בְּרִיתִי אֲשֶׁר כָּרַתִּי אִתּוֹ:
יז וְחָרָה אַפִּי בוֹ בַיּוֹם־הַהוּא וַעֲזַבְתִּים וְהִסְתַּרְתִּי פָנַי מֵהֶם וְהָיָה
לֶאֱכֹל וּמְצָאֻהוּ רָעוֹת רַבּוֹת וְצָרוֹת וְאָמַר בַּיּוֹם הַהוּא הֲלֹא עַל
יח כִּי־אֵין אֱלֹהַי בְּקִרְבִּי מְצָאוּנִי הָרָעוֹת הָאֵלֶּה: וְאָנֹכִי הַסְתֵּר
אַסְתִּיר פָּנַי בַּיּוֹם הַהוּא עַל כָּל־הָרָעָה אֲשֶׁר עָשָׂה כִּי פָנָה
יט אֶל־אֱלֹהִים אֲחֵרִים: וְעַתָּה כִּתְבוּ לָכֶם אֶת־הַשִּׁירָה הַזֹּאת מִצְוַת כְּתִיבַת סֵפֶר תּוֹרָה:
וְלַמְּדָהּ אֶת־בְּנֵי־יִשְׂרָאֵל שִׂימָהּ בְּפִיהֶם לְמַעַן תִּהְיֶה־לִּי
כ הַשִּׁירָה הַזֹּאת לְעֵד בִּבְנֵי יִשְׂרָאֵל: כִּי־אֲבִיאֶנּוּ אֶל־הָאֲדָמָה | ששי /שביעי/
אֲשֶׁר־נִשְׁבַּעְתִּי לַאֲבֹתָיו זָבַת חָלָב וּדְבַשׁ וְאָכַל וְשָׂבַע וְדָשֵׁן

וּפָנָ֞ה אֶל־אֱלֹהִ֤ים אֲחֵרִים֙ וַעֲבָד֔וּם וְנִ֣אֲצ֔וּנִי וְהֵפֵ֖ר אֶת־בְּרִיתִֽי׃
כא וְהָיָה֩ כִּֽי־תִמְצֶ֨אןָ אֹת֜וֹ רָע֣וֹת רַבּוֹת֮ וְצָרוֹת֒ וְעָנְתָ֞ה הַשִּׁירָ֨ה הַזֹּ֤את
לְפָנָיו֙ לְעֵ֔ד כִּ֛י לֹ֥א תִשָּׁכַ֖ח מִפִּ֣י זַרְע֑וֹ כִּ֧י יָדַ֣עְתִּי אֶת־יִצְר֗וֹ אֲשֶׁ֨ר
ה֤וּא עֹשֶׂה֙ הַיּ֔וֹם בְּטֶ֣רֶם אֲבִיאֶ֔נּוּ אֶל־הָאָ֖רֶץ אֲשֶׁ֥ר נִשְׁבָּֽעְתִּי׃
כב וַיִּכְתֹּ֥ב מֹשֶׁ֛ה אֶת־הַשִּׁירָ֥ה הַזֹּ֖את בַּיּ֣וֹם הַה֑וּא וַֽיְלַמְּדָ֖הּ אֶת־בְּנֵ֥י
כג יִשְׂרָאֵֽל׃ וַיְצַ֞ו אֶת־יְהוֹשֻׁ֣עַ בִּן־נ֗וּן וַיֹּאמֶר֮ חֲזַ֣ק וֶֽאֱמָץ֒ כִּ֣י אַתָּ֗ה
תָּבִיא֙ אֶת־בְּנֵ֣י יִשְׂרָאֵ֔ל אֶל־הָאָ֖רֶץ אֲשֶׁר־נִשְׁבַּ֣עְתִּי לָהֶ֑ם וְאָנֹכִ֖י
כד אֶֽהְיֶ֥ה עִמָּֽךְ׃ וַיְהִ֣י ׀ כְּכַלּ֣וֹת מֹשֶׁ֗ה לִכְתֹּ֛ב אֶת־דִּבְרֵ֥י הַתּוֹרָֽה־
כה הַזֹּ֖את עַל־סֵ֑פֶר עַ֖ד תֻּמָּֽם׃ וַיְצַ֤ו מֹשֶׁה֙ אֶת־הַלְוִיִּ֔ם נֹשְׂאֵ֛י אֲר֥וֹן
כו בְּרִית־יְהוָ֖ה לֵאמֹֽר׃ לָקֹ֗חַ אֵ֣ת סֵ֤פֶר הַתּוֹרָה֙ הַזֶּ֔ה וְשַׂמְתֶּ֣ם אֹת֔וֹ
כז מִצַּ֛ד אֲר֥וֹן בְּרִית־יְהוָ֖ה אֱלֹהֵיכֶ֑ם וְהָֽיָה־שָׁ֥ם בְּךָ֖ לְעֵֽד׃ כִּ֣י אָנֹכִ֤י
יָדַ֙עְתִּי֙ אֶֽת־מֶרְיְךָ֔ וְאֶֽת־עָרְפְּךָ֖ הַקָּשֶׁ֑ה הֵ֣ן בְּעוֹדֶ֩נִּי֩ חַ֨י עִמָּכֶ֜ם
כח הַיּ֗וֹם מַמְרִ֤ים הֱיִתֶם֙ עִם־יְהוָ֔ה וְאַ֖ף כִּי־אַחֲרֵ֥י מוֹתִֽי׃ הַקְהִ֤ילוּ
אֵלַי֙ אֶת־כָּל־זִקְנֵ֥י שִׁבְטֵיכֶ֖ם וְשֹׁטְרֵיכֶ֑ם וַאֲדַבְּרָ֣ה בְאָזְנֵיהֶ֗ם אֵ֚ת
כט הַדְּבָרִ֣ים הָאֵ֔לֶּה וְאָעִ֣ידָה בָּ֔ם אֶת־הַשָּׁמַ֖יִם וְאֶת־הָאָֽרֶץ׃ כִּ֣י יָדַ֗עְתִּי
אַחֲרֵ֤י מוֹתִי֙ כִּֽי־הַשְׁחֵ֣ת תַּשְׁחִת֔וּן וְסַרְתֶּ֣ם מִן־הַדֶּ֔רֶךְ אֲשֶׁ֥ר צִוִּ֖יתִי
אֶתְכֶ֑ם וְקָרָ֨את אֶתְכֶ֤ם הָֽרָעָה֙ בְּאַחֲרִ֣ית הַיָּמִ֔ים כִּֽי־תַעֲשׂ֤וּ אֶת־הָרַע֙
ל בְּעֵינֵ֣י יְהוָ֔ה לְהַכְעִיס֖וֹ בְּמַעֲשֵׂ֥ה יְדֵיכֶֽם׃ וַיְדַבֵּ֣ר מֹשֶׁ֗ה בְּאָזְנֵי֙ כָּל־
קְהַ֣ל יִשְׂרָאֵ֔ל אֶת־דִּבְרֵ֥י הַשִּׁירָ֖ה הַזֹּ֑את עַ֖ד תֻּמָּֽם׃

כְּתִיבַת הַשִּׁירָה וְדִבְרֵי חִזּוּק לִיהוֹשֻׁעַ׃

שביעי הַצִּוּוּי לְשִׂימַת הַתּוֹרָה מִצַּד הָאָרוֹן׃

מפטיר הַתְרָאַת מֹשֶׁה שֶׁלֹּא לָסוּר מֵאַחַר ה׳׃

האזינו פְּתִיחַת הַשִּׁירָה׃

לב א הַאֲזִ֥ינוּ הַשָּׁמַ֖יִם וַאֲדַבֵּ֑רָה   וְתִשְׁמַ֥ע הָאָ֖רֶץ אִמְרֵי־פִֽי׃
ב יַעֲרֹ֤ף כַּמָּטָר֙ לִקְחִ֔י   תִּזַּ֥ל כַּטַּ֖ל אִמְרָתִ֑י
כִּשְׂעִירִ֣ם עֲלֵי־דֶ֔שֶׁא   וְכִרְבִיבִ֖ים עֲלֵי־עֵֽשֶׂב׃
ג כִּ֛י שֵׁ֥ם יְהוָ֖ה אֶקְרָ֑א   הָב֥וּ גֹ֖דֶל לֵאלֹהֵֽינוּ׃
ד הַצּוּר֙ תָּמִ֣ים פָּעֳל֔וֹ   כִּ֥י כָל־דְּרָכָ֖יו מִשְׁפָּ֑ט

צִדּוּק דִּינֵי ה׳׃

אֵל אֱמוּנָה וְאֵין עָוֶל   צַדִּיק וְיָשָׁר הוּא:
ה שִׁחֵת לוֹ לֹא בָּנָיו מוּמָם   דּוֹר עִקֵּשׁ וּפְתַלְתֹּל:
ו הַ לַיהוָה תִּגְמְלוּ־זֹאת   עַם נָבָל וְלֹא חָכָם   תּוֹכָחָה עַל כְּפִיּוּת
הֲלוֹא־הוּא אָבִיךָ קָּנֶךָ   הוּא עָשְׂךָ וַיְכֹנְנֶךָ:   טוֹבָה:
ז זְכֹר יְמוֹת עוֹלָם   בִּינוּ שְׁנוֹת דֹּר־וָדֹר   שני
שְׁאַל אָבִיךָ וְיַגֵּדְךָ   זְקֵנֶיךָ וְיֹאמְרוּ לָךְ:
ח בְּהַנְחֵל עֶלְיוֹן גּוֹיִם   בְּהַפְרִידוֹ בְּנֵי אָדָם
יַצֵּב גְּבֻלֹת עַמִּים   לְמִסְפַּר בְּנֵי יִשְׂרָאֵל:
ט כִּי חֵלֶק יְהוָה עַמּוֹ   יַעֲקֹב חֶבֶל נַחֲלָתוֹ:
י יִמְצָאֵהוּ בְּאֶרֶץ מִדְבָּר   וּבְתֹהוּ יְלֵל יְשִׁמֹן   חַסְדֵי ה׳
יְסֹבְבֶנְהוּ יְבוֹנְנֵהוּ   יִצְּרֶנְהוּ כְּאִישׁוֹן עֵינוֹ:   עַל עַמּוֹ:
יא כְּנֶשֶׁר יָעִיר קִנּוֹ   עַל־גּוֹזָלָיו יְרַחֵף
יִפְרֹשׂ כְּנָפָיו יִקָּחֵהוּ   יִשָּׂאֵהוּ עַל־אֶבְרָתוֹ:
יב יְהוָה בָּדָד יַנְחֶנּוּ   וְאֵין עִמּוֹ אֵל נֵכָר:
יג יַרְכִּבֵהוּ עַל־בָּמֳתֵי במותי אָרֶץ   וַיֹּאכַל תְּנוּבֹת שָׂדָי   שלישי
וַיֵּנִקֵהוּ דְבַשׁ מִסֶּלַע   וְשֶׁמֶן מֵחַלְמִישׁ צוּר:
יד חֶמְאַת בָּקָר וַחֲלֵב צֹאן   עִם־חֵלֶב כָּרִים וְאֵילִים
בְּנֵי־בָשָׁן וְעַתּוּדִים   עִם־חֵלֶב כִּלְיוֹת חִטָּה
טו וְדַם־עֵנָב תִּשְׁתֶּה־חָמֶר: וַיִּשְׁמַן יְשֻׁרוּן וַיִּבְעָט   שִׁכְחַת ה׳, עֲבוֹדָה
שָׁמַנְתָּ עָבִיתָ כָּשִׂיתָ   וַיִּטֹּשׁ אֱלוֹהַ עָשָׂהוּ   זָרָה וְעָנְשָׁהּ:
טז וַיְנַבֵּל צוּר יְשֻׁעָתוֹ:   יַקְנִאֻהוּ בְּזָרִים
יז בְּתוֹעֵבֹת יַכְעִיסֻהוּ:   יִזְבְּחוּ לַשֵּׁדִים לֹא אֱלֹהַ
אֱלֹהִים לֹא יְדָעוּם   חֲדָשִׁים מִקָּרֹב בָּאוּ
יח לֹא שְׂעָרוּם אֲבֹתֵיכֶם: צוּר יְלָדְךָ תֶּשִׁי
יט וַתִּשְׁכַּח אֵל מְחֹלְלֶךָ:   וַיַּרְא יְהוָה וַיִּנְאָץ   רביעי

מִכַּעַס בָּנָיו וּבְנֹתָיו׃   וַיֹּאמֶר אַסְתִּירָה פָנַי מֵהֶם כ
אֶרְאֶה מָה אַחֲרִיתָם   כִּי דוֹר תַּהְפֻּכֹת הֵמָּה
בָּנִים לֹא־אֵמֻן בָּם׃   הֵם קִנְאוּנִי בְלֹא־אֵל כא
כִּעֲסוּנִי בְּהַבְלֵיהֶם   וַאֲנִי אַקְנִיאֵם בְּלֹא־עָם
בְּגוֹי נָבָל אַכְעִיסֵם׃   כִּי־אֵשׁ קָדְחָה בְאַפִּי כב
וַתִּיקַד עַד־שְׁאוֹל תַּחְתִּית   וַתֹּאכַל אֶרֶץ וִיבֻלָהּ
וַתְּלַהֵט מוֹסְדֵי הָרִים׃   אַסְפֶּה עָלֵימוֹ רָעוֹת כג
חִצַּי אֲכַלֶּה־בָּם׃   מְזֵי רָעָב וּלְחֻמֵי רֶשֶׁף כד
וְקֶטֶב מְרִירִי   וְשֶׁן־בְּהֵמֹת אֲשַׁלַּח־בָּם
עִם־חֲמַת זֹחֲלֵי עָפָר׃   מִחוּץ תְּשַׁכֶּל־חֶרֶב כה

רְצוֹן ה׳ לְהַשְׁמִיד הָעָם לוּלֵא הַגּוֹיִם׃

וּמֵחֲדָרִים אֵימָה   גַּם־בָּחוּר גַּם־בְּתוּלָה
יוֹנֵק עִם־אִישׁ שֵׂיבָה׃   אָמַרְתִּי אַפְאֵיהֶם כו
אַשְׁבִּיתָה מֵאֱנוֹשׁ זִכְרָם׃   לוּלֵי כַּעַס אוֹיֵב אָגוּר כז
פֶּן־יְנַכְּרוּ צָרֵימוֹ   פֶּן־יֹאמְרוּ יָדֵנוּ רָמָה
וְלֹא יְהוָה פָּעַל כָּל־זֹאת׃   כִּי־גוֹי אֹבַד עֵצוֹת הֵמָּה כח

חמישי

חָסֵר הַהִתְבּוֹנְנוּת בְּעָנְשֵׁי ה׳׃

וְאֵין בָּהֶם תְּבוּנָה׃   לוּ חָכְמוּ יַשְׂכִּילוּ זֹאת כט
יָבִינוּ לְאַחֲרִיתָם׃   אֵיכָה יִרְדֹּף אֶחָד אֶלֶף ל
וּשְׁנַיִם יָנִיסוּ רְבָבָה   אִם־לֹא כִּי־צוּרָם מְכָרָם
וַיהוָה הִסְגִּירָם׃   כִּי לֹא כְצוּרֵנוּ צוּרָם לא

פֵּרוּט רָעוֹת הָעָם וְנִקְמַת ה׳ בָּהֶם׃

וְאֹיְבֵינוּ פְּלִילִים׃   כִּי־מִגֶּפֶן סְדֹם גַּפְנָם לב
וּמִשַּׁדְמֹת עֲמֹרָה   עֲנָבֵמוֹ עִנְּבֵי־רוֹשׁ
אַשְׁכְּלֹת מְרֹרֹת לָמוֹ׃   חֲמַת תַּנִּינִם יֵינָם לג
וְרֹאשׁ פְּתָנִים אַכְזָר׃   הֲלֹא־הוּא כָּמֻס עִמָּדִי לד
חָתוּם בְּאוֹצְרֹתָי׃   לִי נָקָם וְשִׁלֵּם לה
לְעֵת תָּמוּט רַגְלָם   כִּי קָרוֹב יוֹם אֵידָם

לו וְחָשׁ עֲתִדֹת לָמוֹ׃ כִּי־יָדִין יְהוָה עַמּוֹ (אַפְסוּת הָאֱלִילִים:)
וְעַל־עֲבָדָיו יִתְנֶחָם כִּי יִרְאֶה כִּי־אָזְלַת יָד
לז וְאֶפֶס עָצוּר וְעָזוּב׃ וְאָמַר אֵי אֱלֹהֵימוֹ
לח צוּר חָסָיוּ בוֹ׃ אֲשֶׁר חֵלֶב זְבָחֵימוֹ יֹאכֵלוּ
יִשְׁתּוּ יֵין נְסִיכָם יָקוּמוּ וְיַעְזְרֻכֶם
לט יְהִי עֲלֵיכֶם סִתְרָה׃ רְאוּ ׀ עַתָּה כִּי אֲנִי אֲנִי הוּא
וְאֵין אֱלֹהִים עִמָּדִי אֲנִי אָמִית וַאֲחַיֶּה
מָחַצְתִּי וַאֲנִי אֶרְפָּא וְאֵין מִיָּדִי מַצִּיל׃
מ כִּי־אֶשָּׂא אֶל־שָׁמַיִם יָדִי וְאָמַרְתִּי חַי אָנֹכִי לְעֹלָם׃ (ששי)
מא אִם־שַׁנּוֹתִי בְּרַק חַרְבִּי וְתֹאחֵז בְּמִשְׁפָּט יָדִי (גְּבוּרַת ה׳ וְנִקְמָתוֹ בַּגּוֹיִם:)
אָשִׁיב נָקָם לְצָרָי וְלִמְשַׂנְאַי אֲשַׁלֵּם׃
מב אַשְׁכִּיר חִצַּי מִדָּם וְחַרְבִּי תֹּאכַל בָּשָׂר
מִדַּם חָלָל וְשִׁבְיָה מֵרֹאשׁ פַּרְעוֹת אוֹיֵב׃
מג הַרְנִינוּ גוֹיִם עַמּוֹ כִּי דַם־עֲבָדָיו יִקּוֹם
וְנָקָם יָשִׁיב לְצָרָיו וְכִפֶּר אַדְמָתוֹ עַמּוֹ׃

מד וַיָּבֹא מֹשֶׁה וַיְדַבֵּר אֶת־כָּל־דִּבְרֵי הַשִּׁירָה־הַזֹּאת בְּאָזְנֵי הָעָם (שביעי הַתְרָאַת מֹשֶׁה עַל שְׁמִירַת הַתּוֹרָה:)
מה הוּא וְהוֹשֵׁעַ בִּן־נוּן׃ וַיְכַל מֹשֶׁה לְדַבֵּר אֶת־כָּל־הַדְּבָרִים הָאֵלֶּה
מו אֶל־כָּל־יִשְׂרָאֵל׃ וַיֹּאמֶר אֲלֵהֶם שִׂימוּ לְבַבְכֶם לְכָל־הַדְּבָרִים
אֲשֶׁר אָנֹכִי מֵעִיד בָּכֶם הַיּוֹם אֲשֶׁר תְּצַוֻּם אֶת־בְּנֵיכֶם לִשְׁמֹר
מז לַעֲשׂוֹת אֶת־כָּל־דִּבְרֵי הַתּוֹרָה הַזֹּאת׃ כִּי לֹא־דָבָר רֵק הוּא מִכֶּם
כִּי־הוּא חַיֵּיכֶם וּבַדָּבָר הַזֶּה תַּאֲרִיכוּ יָמִים עַל־הָאֲדָמָה אֲשֶׁר
אַתֶּם עֹבְרִים אֶת־הַיַּרְדֵּן שָׁמָּה לְרִשְׁתָּהּ׃
מח מט וַיְדַבֵּר יְהוָה אֶל־מֹשֶׁה בְּעֶצֶם הַיּוֹם הַזֶּה לֵאמֹר׃ עֲלֵה אֶל־הַר (מפטיר)
הָעֲבָרִים הַזֶּה הַר־נְבוֹ אֲשֶׁר בְּאֶרֶץ מוֹאָב אֲשֶׁר עַל־פְּנֵי יְרֵחוֹ (צִוּוּי לְמֹשֶׁה עַל מוֹתוֹ:)

נ וּרְאֵה אֶת־אֶרֶץ כְּנַעַן אֲשֶׁר אֲנִי נֹתֵן לִבְנֵי יִשְׂרָאֵל לַאֲחֻזָּה׃ וּמֻת
בָּהָר אֲשֶׁר אַתָּה עֹלֶה שָׁמָּה וְהֵאָסֵף אֶל־עַמֶּיךָ כַּאֲשֶׁר־מֵת
נא אַהֲרֹן אָחִיךָ בְּהֹר הָהָר וַיֵּאָסֶף אֶל־עַמָּיו׃ עַל אֲשֶׁר מְעַלְתֶּם בִּי
בְּתוֹךְ בְּנֵי יִשְׂרָאֵל בְּמֵי־מְרִיבַת קָדֵשׁ מִדְבַּר־צִן עַל אֲשֶׁר
נב לֹא־קִדַּשְׁתֶּם אוֹתִי בְּתוֹךְ בְּנֵי יִשְׂרָאֵל׃ כִּי מִנֶּגֶד תִּרְאֶה אֶת־
הָאָרֶץ וְשָׁמָּה לֹא תָבוֹא אֶל־הָאָרֶץ אֲשֶׁר־אֲנִי נֹתֵן לִבְנֵי
יִשְׂרָאֵל׃

לג א וְזֹאת הַבְּרָכָה אֲשֶׁר בֵּרַךְ מֹשֶׁה אִישׁ הָאֱלֹהִים אֶת־בְּנֵי יִשְׂרָאֵל **וזאת הברכה**
ב לִפְנֵי מוֹתוֹ׃ וַיֹּאמַר יְהוָה מִסִּינַי בָּא וְזָרַח מִשֵּׂעִיר לָמוֹ הוֹפִיעַ בִּרְכַּת
ג מֵהַר פָּארָן וְאָתָה מֵרִבְבֹת קֹדֶשׁ מִימִינוֹ אשדת אֵשׁ דָּת לָמוֹ׃ אַף מֹשֶׁה
חֹבֵב עַמִּים כָּל־קְדֹשָׁיו בְּיָדֶךָ וְהֵם תֻּכּוּ לְרַגְלֶךָ יִשָּׂא מִדַּבְּרֹתֶיךָ׃ לְיִשְׂרָאֵל לִפְנֵי מוֹתוֹ׃
ד ה תּוֹרָה צִוָּה־לָנוּ מֹשֶׁה מוֹרָשָׁה קְהִלַּת יַעֲקֹב׃ וַיְהִי בִישֻׁרוּן מֶלֶךְ
ו בְּהִתְאַסֵּף רָאשֵׁי עָם יַחַד שִׁבְטֵי יִשְׂרָאֵל׃ יְחִי רְאוּבֵן וְאַל־יָמֹת
ז וִיהִי מְתָיו מִסְפָּר׃ וְזֹאת לִיהוּדָה וַיֹּאמַר
שְׁמַע יְהוָה קוֹל יְהוּדָה וְאֶל־עַמּוֹ תְּבִיאֶנּוּ יָדָיו רָב לוֹ וְעֵזֶר
מִצָּרָיו תִּהְיֶה׃

ח וּלְלֵוִי אָמַר תֻּמֶּיךָ וְאוּרֶיךָ לְאִישׁ חֲסִידֶךָ אֲשֶׁר נִסִּיתוֹ בְּמַסָּה שני
ט תְּרִיבֵהוּ עַל־מֵי מְרִיבָה׃ הָאֹמֵר לְאָבִיו וּלְאִמּוֹ לֹא רְאִיתִיו
וְאֶת־אֶחָיו לֹא הִכִּיר וְאֶת־בָּנָו לֹא יָדָע כִּי שָׁמְרוּ אִמְרָתֶךָ
י וּבְרִיתְךָ יִנְצֹרוּ׃ יוֹרוּ מִשְׁפָּטֶיךָ לְיַעֲקֹב וְתוֹרָתְךָ לְיִשְׂרָאֵל יָשִׂימוּ
יא קְטוֹרָה בְּאַפֶּךָ וְכָלִיל עַל־מִזְבְּחֶךָ׃ בָּרֵךְ יְהוָה חֵילוֹ וּפֹעַל יָדָיו
יב תִּרְצֶה מְחַץ מָתְנַיִם קָמָיו וּמְשַׂנְאָיו מִן־יְקוּמוּן׃ לְבִנְיָמִן
אָמַר יְדִיד יְהוָה יִשְׁכֹּן לָבֶטַח עָלָיו חֹפֵף עָלָיו כָּל־הַיּוֹם וּבֵין
יג כְּתֵפָיו שָׁכֵן׃ וּלְיוֹסֵף אָמַר מְבֹרֶכֶת יְהוָה אַרְצוֹ שלישי
יד מִמֶּגֶד שָׁמַיִם מִטָּל וּמִתְּהוֹם רֹבֶצֶת תָּחַת׃ וּמִמֶּגֶד תְּבוּאֹת שָׁמֶשׁ

טו וּמִמֶּגֶד גֶּרֶשׁ יְרָחִים: וּמֵרֹאשׁ הַרְרֵי־קֶדֶם וּמִמֶּגֶד גִּבְעוֹת עוֹלָם:
טז וּמִמֶּגֶד אֶרֶץ וּמְלֹאָהּ וּרְצוֹן שֹׁכְנִי סְנֶה תָּבוֹאתָה לְרֹאשׁ יוֹסֵף
יז וּלְקׇדְקֹד נְזִיר אֶחָיו: בְּכוֹר שׁוֹרוֹ הָדָר לוֹ וְקַרְנֵי רְאֵם קַרְנָיו
בָּהֶם עַמִּים יְנַגַּח יַחְדָּו אַפְסֵי־אָרֶץ וְהֵם רִבְבוֹת אֶפְרַיִם וְהֵם
יח אַלְפֵי מְנַשֶּׁה: וְלִזְבוּלֻן אָמַר שְׂמַח זְבוּלֻן בְּצֵאתֶךָ רביעי
יט וְיִשָּׂשכָר בְּאֹהָלֶיךָ: עַמִּים הַר־יִקְרָאוּ שָׁם יִזְבְּחוּ זִבְחֵי־צֶדֶק כִּי
כ שֶׁפַע יַמִּים יִינָקוּ וּשְׂפֻנֵי טְמוּנֵי חוֹל: וּלְגָד אָמַר בָּרוּךְ
כא מַרְחִיב גָּד כְּלָבִיא שָׁכֵן וְטָרַף זְרוֹעַ אַף־קׇדְקֹד: וַיַּרְא רֵאשִׁית
לוֹ כִּי־שָׁם חֶלְקַת מְחֹקֵק סָפוּן וַיֵּתֵא רָאשֵׁי עָם צִדְקַת יְהֹוָה
כב עָשָׂה וּמִשְׁפָּטָיו עִם־יִשְׂרָאֵל: וּלְדָן אָמַר דָּן גּוּר אַרְיֵה חמישי
כג יְזַנֵּק מִן־הַבָּשָׁן: וּלְנַפְתָּלִי אָמַר נַפְתָּלִי שְׂבַע רָצוֹן וּמָלֵא בִּרְכַּת
כד יְהֹוָה יָם וְדָרוֹם יְרָשָׁה: וּלְאָשֵׁר אָמַר בָּרוּךְ מִבָּנִים
כה אָשֵׁר יְהִי רְצוּי אֶחָיו וְטֹבֵל בַּשֶּׁמֶן רַגְלוֹ: בַּרְזֶל וּנְחֹשֶׁת מִנְעָלֶךָ שֶׁבַח יִשְׂרָאֵל:
כו וּכְיָמֶיךָ דׇּבְאֶךָ: אֵין כָּאֵל יְשֻׁרוּן רֹכֵב שָׁמַיִם בְּעֶזְרֶךָ וּבְגַאֲוָתוֹ
כז שְׁחָקִים: מְעֹנָה אֱלֹהֵי קֶדֶם וּמִתַּחַת זְרֹעֹת עוֹלָם וַיְגָרֶשׁ מִפָּנֶיךָ ששי
כח אוֹיֵב וַיֹּאמֶר הַשְׁמֵד: וַיִּשְׁכֹּן יִשְׂרָאֵל בֶּטַח בָּדָד עֵין יַעֲקֹב
כט אֶל־אֶרֶץ דָּגָן וְתִירוֹשׁ אַף־שָׁמָיו יַעַרְפוּ־טָל: אַשְׁרֶיךָ יִשְׂרָאֵל מִי
כָמוֹךָ עַם נוֹשַׁע בַּיהֹוָה מָגֵן עֶזְרֶךָ וַאֲשֶׁר־חֶרֶב גַּאֲוָתֶךָ וְיִכָּחֲשׁוּ
לד א אֹיְבֶיךָ לָךְ וְאַתָּה עַל־בָּמוֹתֵימוֹ תִדְרֹךְ: וַיַּעַל מֹשֶׁה רְאִיַּת מֹשֶׁה אֶת הָאָרֶץ:
מֵעַרְבֹת מוֹאָב אֶל־הַר נְבוֹ רֹאשׁ הַפִּסְגָּה אֲשֶׁר עַל־פְּנֵי יְרֵחוֹ
ב וַיַּרְאֵהוּ יְהֹוָה אֶת־כׇּל־הָאָרֶץ אֶת־הַגִּלְעָד עַד־דָּן: וְאֵת כׇּל־
נַפְתָּלִי וְאֶת־אֶרֶץ אֶפְרַיִם וּמְנַשֶּׁה וְאֵת כׇּל־אֶרֶץ יְהוּדָה עַד הַיָּם
ג הָאַחֲרוֹן: וְאֶת־הַנֶּגֶב וְאֶת־הַכִּכָּר בִּקְעַת יְרֵחוֹ עִיר הַתְּמָרִים
ד עַד־צֹעַר: וַיֹּאמֶר יְהֹוָה אֵלָיו זֹאת הָאָרֶץ אֲשֶׁר נִשְׁבַּעְתִּי
לְאַבְרָהָם לְיִצְחָק וּלְיַעֲקֹב לֵאמֹר לְזַרְעֲךָ אֶתְּנֶנָּה הֶרְאִיתִיךָ

ה בְּעֵינֶיךָ וְשָׁמָּה לֹא תַעֲבֹר: וַיָּמָת שָׁם מֹשֶׁה עֶבֶד־יְהוָה בְּאֶרֶץ
ו מוֹאָב עַל־פִּי יְהוָה: וַיִּקְבֹּר אֹתוֹ בַגַּי בְּאֶרֶץ מוֹאָב מוּל בֵּית
ז פְּעוֹר וְלֹא־יָדַע אִישׁ אֶת־קְבֻרָתוֹ עַד הַיּוֹם הַזֶּה: וּמֹשֶׁה בֶּן־מֵאָה
ח וְעֶשְׂרִים שָׁנָה בְּמֹתוֹ לֹא־כָהֲתָה עֵינוֹ וְלֹא־נָס לֵחֹה: וַיִּבְכּוּ בְנֵי
יִשְׂרָאֵל אֶת־מֹשֶׁה בְּעַרְבֹת מוֹאָב שְׁלֹשִׁים יוֹם וַיִּתְּמוּ יְמֵי בְכִי
ט אֵבֶל מֹשֶׁה: וִיהוֹשֻׁעַ בִּן־נוּן מָלֵא רוּחַ חָכְמָה כִּי־סָמַךְ מֹשֶׁה
אֶת־יָדָיו עָלָיו וַיִּשְׁמְעוּ אֵלָיו בְּנֵי־יִשְׂרָאֵל וַיַּעֲשׂוּ כַּאֲשֶׁר צִוָּה יְהוָה
י אֶת־מֹשֶׁה: וְלֹא־קָם נָבִיא עוֹד בְּיִשְׂרָאֵל כְּמֹשֶׁה אֲשֶׁר יְדָעוֹ יְהוָה
יא פָּנִים אֶל־פָּנִים: לְכָל־הָאֹתֹת וְהַמּוֹפְתִים אֲשֶׁר שְׁלָחוֹ יְהוָה לַעֲשׂוֹת
יב בְּאֶרֶץ מִצְרָיִם לְפַרְעֹה וּלְכָל־עֲבָדָיו וּלְכָל־אַרְצוֹ: וּלְכֹל הַיָּד
הַחֲזָקָה וּלְכֹל הַמּוֹרָא הַגָּדוֹל אֲשֶׁר עָשָׂה מֹשֶׁה לְעֵינֵי כָּל־יִשְׂרָאֵל:

מוֹת מֹשֶׁה, וּבְכִיַּת יִשְׂרָאֵל: [2488]

הִתְמַנּוּת יְהוֹשֻׁעַ לְמַנְהִיג:

שֶׁבַח מֹשֶׁה וְיִחוּדוֹ:

עשׂרת הדברות
בטעם עליון

דברות דיתרו בטעם עליון

אָנֹכִי יְהוָה אֱלֹהֶיךָ אֲשֶׁר הוֹצֵאתִיךָ מֵאֶרֶץ מִצְרַיִם מִבֵּית עֲבָדִים
לֹא יִהְיֶה־לְךָ אֱלֹהִים אֲחֵרִים עַל־פָּנַי לֹא תַעֲשֶׂה־לְךָ פֶסֶל ׀
וְכָל־תְּמוּנָה אֲשֶׁר בַּשָּׁמַיִם ׀ מִמַּעַל וַאֲשֶׁר בָּאָרֶץ מִתַּחַת וַאֲשֶׁר
בַּמַּיִם ׀ מִתַּחַת לָאָרֶץ לֹא־תִשְׁתַּחֲוֶה לָהֶם וְלֹא תָעָבְדֵם כִּי אָנֹכִי
יְהוָה אֱלֹהֶיךָ אֵל קַנָּא פֹּקֵד עֲוֺן אָבֹת עַל־בָּנִים עַל־שִׁלֵּשִׁים
וְעַל־רִבֵּעִים לְשֹׂנְאָי וְעֹשֶׂה חֶסֶד לַאֲלָפִים לְאֹהֲבַי וּלְשֹׁמְרֵי
מִצְוֺתָי׃ לֹא תִשָּׂא
אֶת־שֵׁם־יְהוָה אֱלֹהֶיךָ לַשָּׁוְא כִּי לֹא יְנַקֶּה יְהוָה אֵת אֲשֶׁר־יִשָּׂא
אֶת־שְׁמוֹ לַשָּׁוְא׃
זָכוֹר אֶת־יוֹם הַשַּׁבָּת לְקַדְּשׁוֹ שֵׁשֶׁת יָמִים תַּעֲבֹד וְעָשִׂיתָ
כָּל־מְלַאכְתֶּךָ וְיוֹם הַשְּׁבִיעִי שַׁבָּת ׀ לַיהוָה אֱלֹהֶיךָ לֹא תַעֲשֶׂה
כָל־מְלָאכָה אַתָּה וּבִנְךָ וּבִתֶּךָ עַבְדְּךָ וַאֲמָתְךָ וּבְהֶמְתֶּךָ וְגֵרְךָ
אֲשֶׁר בִּשְׁעָרֶיךָ כִּי שֵׁשֶׁת־יָמִים עָשָׂה יְהוָה אֶת־הַשָּׁמַיִם וְאֶת־
הָאָרֶץ אֶת־הַיָּם וְאֶת־כָּל־אֲשֶׁר־בָּם וַיָּנַח בַּיּוֹם הַשְּׁבִיעִי עַל־כֵּן
בֵּרַךְ יְהוָה אֶת־יוֹם הַשַּׁבָּת וַיְקַדְּשֵׁהוּ׃ כַּבֵּד אֶת־אָבִיךָ
וְאֶת־אִמֶּךָ לְמַעַן יַאֲרִכוּן יָמֶיךָ עַל הָאֲדָמָה אֲשֶׁר־יְהוָה אֱלֹהֶיךָ
נֹתֵן לָךְ׃ לֹא תִרְצָח׃ לֹא
תִנְאָף׃ לֹא תִגְנֹב׃ לֹא־
תַעֲנֶה בְרֵעֲךָ עֵד שָׁקֶר׃ לֹא־
תַחְמֹד בֵּית רֵעֶךָ לֹא־תַחְמֹד אֵשֶׁת רֵעֶךָ וְעַבְדּוֹ וַאֲמָתוֹ
וְשׁוֹרוֹ וַחֲמֹרוֹ וְכֹל אֲשֶׁר לְרֵעֶךָ׃

פסוק ראשון נהגו לקרותו כשמסיים ברביע כמובא למעלה, אולם לכת״י כתר אר״ץ והקרובים אליו, נקרא כמו בטעם תחתון כיון שע״פ המסורה צ״ל כאן יו״ד דברות, וכן הדברות של ואתחנן, כך:

*אָנֹכִי יְהוָה אֱלֹהֶיךָ אֲשֶׁר הוֹצֵאתִיךָ מֵאֶרֶץ מִצְרַיִם מִבֵּית עֲבָדִים׃

דברות ואתחנן בטעם עליון

אָֽנֹכִי֙ יְהוָ֣ה אֱלֹהֶ֔יךָ אֲשֶׁ֧ר הוֹצֵאתִ֛יךָ מֵאֶ֥רֶץ מִצְרַ֖יִם מִבֵּ֣ית עֲבָדִ֑ים
לֹ֣א יִֽהְיֶֽה־לְךָ֩ אֱלֹהִ֨ים אֲחֵרִ֜ים עַל־פָּנַ֗י לֹ֣א תַֽעֲשֶׂה־לְךָ֥ פֶ֣סֶל ׀
כָּל־תְּמוּנָ֡ה אֲשֶׁ֣ר בַּשָּׁמַ֣יִם ׀ מִמַּ֡עַל וַֽאֲשֶׁר֩ בָּאָ֨רֶץ מִתַּ֜חַת וַאֲשֶׁ֣ר
בַּמַּ֣יִם ׀ מִתַּ֣חַת לָאָ֗רֶץ לֹֽא־תִשְׁתַּחֲוֶ֥ה לָהֶ֛ם וְלֹ֥א תָעָבְדֵ֖ם כִּ֣י אָֽנֹכִ֞י
יְהוָ֤ה אֱלֹהֶ֙יךָ֙ אֵ֣ל קַנָּ֔א פֹּ֠קֵד עֲוֺ֨ן אָב֧וֹת עַל־בָּנִ֛ים וְעַל־שִׁלֵּשִׁ֥ים
וְעַל־רִבֵּעִ֖ים לְשֹֽׂנְאָ֑י וְעֹ֤שֶׂה חֶ֙סֶד֙ לַאֲלָפִ֔ים לְאֹהֲבַ֖י וּלְשֹׁמְרֵ֥י
מִצְוֺתָֽי׃ לֹ֥א תִשָּׂ֛א
אֶת־שֵֽׁם־יְהוָ֥ה אֱלֹהֶ֖יךָ לַשָּׁ֑וְא כִּ֣י לֹ֤א יְנַקֶּה֙ יְהוָ֔ה אֵ֛ת אֲשֶׁר־יִשָּׂ֥א
אֶת־שְׁמ֖וֹ לַשָּֽׁוְא׃ שָׁמ֣וֹר אֶת־י֤וֹם
הַשַּׁבָּת֙ לְקַדְּשׁ֔וֹ כַּאֲשֶׁ֥ר צִוְּךָ֣ ׀ יְהוָ֣ה אֱלֹהֶ֗יךָ שֵׁ֤שֶׁת יָמִים֙ תַּעֲבֹ֔ד
וְעָשִׂ֖יתָ כָּל־מְלַאכְתֶּֽךָ וְי֙וֹם֙ הַשְּׁבִיעִ֜י שַׁבָּ֣ת ׀ לַיהוָ֣ה אֱלֹהֶ֗יךָ לֹ֣א
תַעֲשֶׂ֣ה כָל־מְלָאכָ֡ה אַתָּ֣ה וּבִנְךָֽ־וּבִתֶּ֣ךָ וְעַבְדְּךָֽ־וַ֠אֲמָתֶךָ וְשׁוֹרְךָ֨
וַחֲמֹֽרְךָ֜ וְכָל־בְּהֶמְתֶּ֗ךָ וְגֵֽרְךָ֙ אֲשֶׁ֣ר בִּשְׁעָרֶ֔יךָ לְמַ֗עַן יָנ֛וּחַ עַבְדְּךָ֥
וַאֲמָתְךָ֖ כָּמֽוֹךָ וְזָכַרְתָּ֞ כִּי־עֶ֤בֶד הָיִ֙יתָ֙ ׀ בְּאֶ֣רֶץ מִצְרַ֔יִם וַיֹּצִ֨אֲךָ֜ יְהוָ֤ה
אֱלֹהֶ֙יךָ֙ מִשָּׁם֙ בְּיָ֤ד חֲזָקָה֙ וּבִזְרֹ֣עַ נְטוּיָ֔ה עַל־כֵּ֗ן צִוְּךָ֙ יְהוָ֣ה אֱלֹהֶ֔יךָ
לַעֲשׂ֖וֹת אֶת־י֥וֹם הַשַּׁבָּֽת׃ כַּבֵּ֤ד
אֶת־אָבִ֙יךָ֙ וְאֶת־אִמֶּ֔ךָ כַּאֲשֶׁ֥ר צִוְּךָ֖ יְהוָ֣ה אֱלֹהֶ֑יךָ לְמַ֣עַן ׀ יַאֲרִיכֻ֣ן
יָמֶ֗יךָ וּלְמַ֙עַן֙ יִ֣יטַב לָ֔ךְ עַ֚ל הָאֲדָמָ֔ה אֲשֶׁר־יְהוָ֥ה אֱלֹהֶ֖יךָ נֹתֵ֥ן
לָֽךְ׃ לֹ֖א תִּרְצָֽח׃ וְלֹ֖א
תִּנְאָֽף׃ וְלֹ֖א תִּגְנֹֽב׃ וְלֹֽא־
תַעֲנֶ֥ה בְרֵעֲךָ֖ עֵ֥ד שָֽׁוְא׃ וְלֹ֥א
תַחְמֹ֖ד אֵ֣שֶׁת רֵעֶ֑ךָ וְלֹ֨א תִתְאַוֶּ֜ה בֵּ֣ית רֵעֶ֗ךָ שָׂדֵ֜הוּ וְעַבְדּ֤וֹ
וַאֲמָתוֹ֙ שׁוֹר֣וֹ וַחֲמֹר֔וֹ וְכֹ֖ל אֲשֶׁ֥ר לְרֵעֶֽךָ׃

נביאים

בין השנים 2488-3410

יהושע

צִוּוּי ה' לִיהוֹשֻׁעַ עַל הַכְּנִיסָה לָאָרֶץ:

א א וַיְהִ֗י אַחֲרֵ֛י מ֥וֹת מֹשֶׁ֖ה עֶ֣בֶד יְהוָ֑ה וַיֹּ֤אמֶר יְהוָה֙ אֶל־יְהוֹשֻׁ֣עַ בִּן־נ֔וּן
ב מְשָׁרֵ֥ת מֹשֶׁ֖ה לֵאמֹֽר׃ מֹשֶׁ֥ה עַבְדִּ֖י מֵ֑ת וְעַתָּה֩ ק֨וּם עֲבֹ֜ר
אֶת־הַיַּרְדֵּ֣ן הַזֶּ֗ה אַתָּה֙ וְכָל־הָעָ֣ם הַזֶּ֔ה אֶל־הָאָ֕רֶץ אֲשֶׁ֧ר אָנֹכִ֛י נֹתֵ֥ן
ג לָהֶ֖ם לִבְנֵ֥י יִשְׂרָאֵֽל׃ כָּל־מָק֗וֹם אֲשֶׁ֨ר תִּדְרֹ֧ךְ כַּף־רַגְלְכֶ֛ם בּ֖וֹ לָכֶ֣ם
ד נְתַתִּ֑יו כַּאֲשֶׁ֥ר דִּבַּ֖רְתִּי אֶל־מֹשֶֽׁה׃ מֵהַמִּדְבָּ֨ר וְהַלְּבָנ֜וֹן הַזֶּ֗ה
וְעַד־הַנָּהָ֣ר הַגָּד֣וֹל נְהַר־פְּרָ֗ת כֹּ֚ל אֶ֣רֶץ הַחִתִּ֔ים וְעַד־הַיָּ֥ם הַגָּד֖וֹל
ה מְב֣וֹא הַשָּׁ֑מֶשׁ יִהְיֶ֖ה גְּבוּלְכֶֽם׃ לֹא־יִתְיַצֵּ֥ב אִישׁ֙ לְפָנֶ֔יךָ כֹּ֖ל יְמֵ֣י
חַיֶּ֑יךָ כַּאֲשֶׁ֨ר הָיִ֤יתִי עִם־מֹשֶׁה֙ אֶהְיֶ֣ה עִמָּ֔ךְ לֹ֥א אַרְפְּךָ֖ וְלֹ֥א
ו אֶעֶזְבֶֽךָּ׃ חֲזַ֖ק וֶאֱמָ֑ץ כִּ֣י אַתָּ֗ה תַּנְחִיל֙ אֶת־הָעָ֣ם הַזֶּ֔ה אֶת־הָאָ֕רֶץ

חִזּוּק לִשְׁמִירַת הַתּוֹרָה:

ז אֲשֶׁר־נִשְׁבַּ֥עְתִּי לַאֲבוֹתָ֖ם לָתֵ֥ת לָהֶֽם׃ רַק֩ חֲזַ֨ק וֶאֱמַ֜ץ מְאֹ֗ד
לִשְׁמֹ֤ר לַעֲשׂוֹת֙ כְּכָל־הַתּוֹרָ֗ה אֲשֶׁ֤ר צִוְּךָ֙ מֹשֶׁ֣ה עַבְדִּ֔י אַל־תָּס֥וּר
ח מִמֶּ֖נּוּ יָמִ֣ין וּשְׂמֹ֑אול לְמַ֣עַן תַּשְׂכִּ֔יל בְּכֹ֖ל אֲשֶׁ֥ר תֵּלֵֽךְ׃ לֹֽא־
יָמ֡וּשׁ סֵ֩פֶר֩ הַתּוֹרָ֨ה הַזֶּ֜ה מִפִּ֗יךָ וְהָגִ֤יתָ בּוֹ֙ יוֹמָ֣ם וָלַ֔יְלָה לְמַ֙עַן֙
תִּשְׁמֹ֣ר לַעֲשׂ֔וֹת כְּכָל־הַכָּת֖וּב בּ֑וֹ כִּי־אָ֛ז תַּצְלִ֥יחַ אֶת־דְּרָכֶ֖ךָ וְאָ֥ז
ט תַּשְׂכִּֽיל׃ הֲל֤וֹא צִוִּיתִ֙יךָ֙ חֲזַ֣ק וֶאֱמָ֔ץ אַֽל־תַּעֲרֹ֖ץ וְאַל־תֵּחָ֑ת כִּ֣י
עִמְּךָ֙ יְהוָ֣ה אֱלֹהֶ֔יךָ בְּכֹ֖ל אֲשֶׁ֥ר תֵּלֵֽךְ׃

הֲכָנוֹת לַכְּנִיסָה לָאָרֶץ: [2488]

י יא וַיְצַ֣ו יְהוֹשֻׁ֔עַ אֶת־שֹׁטְרֵ֥י הָעָ֖ם לֵאמֹֽר׃ עִבְר֣וּ ׀ בְּקֶ֣רֶב הַֽמַּחֲנֶ֗ה
וְצַוּ֤וּ אֶת־הָעָם֙ לֵאמֹ֔ר הָכִ֥ינוּ לָכֶ֖ם צֵידָ֑ה כִּ֞י בְּע֣וֹד ׀ שְׁלֹ֣שֶׁת יָמִ֗ים
אַתֶּם֙ עֹבְרִים֙ אֶת־הַיַּרְדֵּ֣ן הַזֶּ֔ה לָבוֹא֙ לָרֶ֣שֶׁת אֶת־הָאָ֔רֶץ אֲשֶׁר֙
יְהוָ֣ה אֱלֹֽהֵיכֶ֔ם נֹתֵ֥ן לָכֶ֖ם לְרִשְׁתָּֽהּ׃

תִּזְכֹּרֶת הַתְּנַאי לִבְנֵי רְאוּבֵן וְגָד:

יב וְלָרֽאוּבֵנִי֙ וְלַגָּדִ֔י וְלַחֲצִ֖י שֵׁ֣בֶט הַֽמְנַשֶּׁ֑ה אָמַ֥ר יְהוֹשֻׁ֖עַ לֵאמֹֽר׃
יג זָכוֹר֙ אֶת־הַדָּבָ֔ר אֲשֶׁ֨ר צִוָּ֥ה אֶתְכֶ֛ם מֹשֶׁ֥ה עֶבֶד־יְהוָ֖ה לֵאמֹ֑ר יְהוָ֤ה
יד אֱלֹהֵיכֶם֙ מֵנִ֣יחַ לָכֶ֔ם וְנָתַ֥ן לָכֶ֖ם אֶת־הָאָ֥רֶץ הַזֹּֽאת׃ נְשֵׁיכֶ֣ם טַפְּכֶם֮

וּמִקְנֵיכֶ֗ם יֵֽשְׁב֨וּ בָּאָ֔רֶץ אֲשֶׁ֨ר נָתַ֥ן לָכֶ֛ם מֹשֶׁ֖ה בְּעֵ֣בֶר הַיַּרְדֵּ֑ן וְאַתֶּ֣ם
תַּעַבְר֣וּ חֲ֠מֻשִׁים לִפְנֵ֨י אֲחֵיכֶ֜ם כֹּ֚ל גִּבּוֹרֵ֣י הַחַ֔יִל וַעֲזַרְתֶּ֖ם אוֹתָֽם׃
טו עַ֠ד אֲשֶׁר־יָנִ֨יחַ יְהוָ֥ה ׀ לַאֲחֵיכֶם֮ כָּכֶם֒ וְיָרְשׁ֣וּ גַם־הֵ֔מָּה אֶת־הָאָ֕רֶץ
אֲשֶׁר־יְהוָ֥ה אֱלֹהֵיכֶ֖ם נֹתֵ֣ן לָהֶ֑ם וְשַׁבְתֶּ֞ם לְאֶ֤רֶץ יְרֻשַּׁתְכֶם֙ וִֽירִשְׁתֶּ֣ם
אוֹתָ֔הּ אֲשֶׁ֣ר ׀ נָתַ֣ן לָכֶ֗ם מֹשֶׁה֙ עֶ֣בֶד יְהוָ֔ה בְּעֵ֥בֶר הַיַּרְדֵּ֖ן מִזְרַ֥ח

תְּשׁוּבַת בְּנֵי רְאוּבֵן וְגָד׃

טז הַשָּֽׁמֶשׁ׃ וַֽיַּעֲנ֔וּ אֶת־יְהוֹשֻׁ֖עַ לֵאמֹ֑ר כֹּ֤ל אֲשֶׁר־צִוִּיתָ֙נוּ֙ נַעֲשֶׂ֔ה וְאֶֽל־
יז כָּל־אֲשֶׁ֥ר תִּשְׁלָחֵ֖נוּ נֵלֵֽךְ׃ כְּכֹ֤ל אֲשֶׁר־שָׁמַ֙עְנוּ֙ אֶל־מֹשֶׁ֔ה כֵּ֖ן נִשְׁמַ֣ע
אֵלֶ֑יךָ רַ֠ק יִֽהְיֶ֞ה יְהוָ֤ה אֱלֹהֶ֙יךָ֙ עִמָּ֔ךְ כַּאֲשֶׁ֥ר הָיָ֖ה עִם־מֹשֶֽׁה׃
יח כָּל־אִ֞ישׁ אֲשֶׁר־יַמְרֶ֣ה אֶת־פִּ֗יךָ וְלֹֽא־יִשְׁמַ֧ע אֶת־דְּבָרֶ֛יךָ לְכֹ֥ל
אֲשֶׁר־תְּצַוֶּ֖נּוּ יוּמָ֑ת רַ֖ק חֲזַ֥ק וֶאֱמָֽץ׃

שִׁלּוּחַ מְרַגְּלִים לִירִיחוֹ׃

ב א וַיִּשְׁלַ֣ח יְהוֹשֻֽׁעַ־בִּן־נ֠וּן מִֽן־הַשִּׁטִּ֞ים שְׁנַֽיִם־אֲנָשִׁ֤ים מְרַגְּלִים֙
חֶ֣רֶשׁ לֵאמֹ֔ר לְכ֛וּ רְא֥וּ אֶת־הָאָ֖רֶץ וְאֶת־יְרִיח֑וֹ וַיֵּ֨לְכ֜וּ וַ֠יָּבֹאוּ
ב בֵּית־אִשָּׁ֥ה זוֹנָ֛ה וּשְׁמָ֥הּ רָחָ֖ב וַיִּשְׁכְּבוּ־שָֽׁמָּה׃ וַיֵּ֣אָמַ֔ר לְמֶ֥לֶךְ
יְרִיח֖וֹ לֵאמֹ֑ר הִנֵּ֨ה אֲנָשִׁ֜ים בָּ֣אוּ הֵ֧נָּה הַלַּ֛יְלָה מִבְּנֵ֥י יִשְׂרָאֵ֖ל לַחְפֹּ֥ר
ג אֶת־הָאָֽרֶץ׃ וַיִּשְׁלַח֙ מֶ֣לֶךְ יְרִיח֔וֹ אֶל־רָחָ֖ב לֵאמֹ֑ר ה֠וֹצִיאִי
הָאֲנָשִׁ֨ים הַבָּאִ֤ים אֵלַ֙יִךְ֙ אֲשֶׁר־בָּ֣אוּ לְבֵיתֵ֔ךְ כִּ֛י לַחְפֹּ֥ר אֶת־כָּל־
ד הָאָ֖רֶץ בָּֽאוּ׃ וַתִּקַּ֧ח הָאִשָּׁ֛ה אֶת־שְׁנֵ֥י הָאֲנָשִׁ֖ים וַֽתִּצְפְּנ֑וֹ וַתֹּ֣אמֶר ׀
ה כֵּ֗ן בָּ֤אוּ אֵלַי֙ הָאֲנָשִׁ֔ים וְלֹ֥א יָדַ֖עְתִּי מֵאַ֥יִן הֵֽמָּה׃ וַיְהִ֨י הַשַּׁ֜עַר
לִסְגּ֗וֹר בַּחֹ֙שֶׁךְ֙ וְהָאֲנָשִׁ֣ים יָצָ֔אוּ לֹ֣א יָדַ֔עְתִּי אָ֥נָה הָלְכ֖וּ הָאֲנָשִׁ֑ים

הַחְבָּאַת הַמְרַגְּלִים וְהַמִּרְדָּף אַחֲרֵיהֶם׃

ו רִדְפ֥וּ מַהֵ֛ר אַחֲרֵיהֶ֖ם כִּ֥י תַשִּׂיגֽוּם׃ וְהִ֖יא הֶעֱלָ֣תַם הַגָּ֑גָה וַֽתִּטְמְנֵם֙
ז בְּפִשְׁתֵּ֣י הָעֵ֔ץ הָעֲרֻכ֥וֹת לָ֖הּ עַל־הַגָּֽג׃ וְהָאֲנָשִׁ֗ים רָדְפ֤וּ אַחֲרֵיהֶם֙
דֶּ֣רֶךְ הַיַּרְדֵּ֔ן עַ֖ל הַֽמַּעְבְּר֑וֹת וְהַשַּׁ֣עַר סָגָ֔רוּ אַחֲרֵ֕י כַּאֲשֶׁ֛ר יָצְא֥וּ

בַּקָּשַׁת רָחָב לְהַצָּלַת מִשְׁפַּחְתָּהּ׃

ח הָרֹדְפִ֖ים אַחֲרֵיהֶֽם׃ וְהֵ֖מָּה טֶ֣רֶם יִשְׁכָּב֑וּן וְהִ֛יא עָלְתָ֥ה עֲלֵיהֶ֖ם
ט עַל־הַגָּֽג׃ וַתֹּ֨אמֶר֙ אֶל־הָ֣אֲנָשִׁ֔ים יָדַ֕עְתִּי כִּֽי־נָתַ֧ן יְהוָ֛ה לָכֶ֖ם
אֶת־הָאָ֑רֶץ וְכִֽי־נָפְלָ֤ה אֵֽימַתְכֶם֙ עָלֵ֔ינוּ וְכִ֥י נָמֹ֛גוּ כָּל־יֹשְׁבֵ֥י הָאָ֖רֶץ

י מִפְּנֵיכֶם: כִּי שָׁמַעְנוּ אֵת אֲשֶׁר־הוֹבִישׁ יְהֹוָה אֶת־מֵי יַם־סוּף
מִפְּנֵיכֶם בְּצֵאתְכֶם מִמִּצְרָיִם וַאֲשֶׁר עֲשִׂיתֶם לִשְׁנֵי מַלְכֵי הָאֱמֹרִי
אֲשֶׁר בְּעֵבֶר הַיַּרְדֵּן לְסִיחֹן וּלְעוֹג אֲשֶׁר הֶחֱרַמְתֶּם אוֹתָם:
יא וַנִּשְׁמַע וַיִּמַּס לְבָבֵנוּ וְלֹא־קָמָה עוֹד רוּחַ בְּאִישׁ מִפְּנֵיכֶם כִּי
יְהֹוָה אֱלֹהֵיכֶם הוּא אֱלֹהִים בַּשָּׁמַיִם מִמַּעַל וְעַל־הָאָרֶץ מִתָּחַת:
יב וְעַתָּה הִשָּׁבְעוּ־נָא לִי בַּיהֹוָה כִּי־עָשִׂיתִי עִמָּכֶם חָסֶד וַעֲשִׂיתֶם
יג גַּם־אַתֶּם עִם־בֵּית אָבִי חֶסֶד וּנְתַתֶּם לִי אוֹת אֱמֶת: וְהַחֲיִתֶם
אֶת־אָבִי וְאֶת־אִמִּי וְאֶת־אַחַי וְאֶת־אַחְיוֹתַי אחותי וְאֵת כָּל־אֲשֶׁר
יד לָהֶם וְהִצַּלְתֶּם אֶת־נַפְשֹׁתֵינוּ מִמָּוֶת: וַיֹּאמְרוּ לָהּ הָאֲנָשִׁים
נַפְשֵׁנוּ תַחְתֵּיכֶם לָמוּת אִם לֹא תַגִּידוּ אֶת־דְּבָרֵנוּ זֶה וְהָיָה
טו בְּתֵת־יְהֹוָה לָנוּ אֶת־הָאָרֶץ וְעָשִׂינוּ עִמָּךְ חֶסֶד וֶאֱמֶת: וַתּוֹרִדֵם
בַּחֶבֶל בְּעַד הַחַלּוֹן כִּי בֵיתָהּ בְּקִיר הַחוֹמָה וּבַחוֹמָה הִיא
טז יוֹשָׁבֶת: וַתֹּאמֶר לָהֶם הָהָרָה לֵּכוּ פֶּן־יִפְגְּעוּ בָכֶם הָרֹדְפִים
וְנַחְבֵּתֶם שָׁמָּה שְׁלֹשֶׁת יָמִים עַד שׁוֹב הָרֹדְפִים וְאַחַר תֵּלְכוּ
יז לְדַרְכְּכֶם: וַיֹּאמְרוּ אֵלֶיהָ הָאֲנָשִׁים נְקִיִּם אֲנַחְנוּ מִשְּׁבֻעָתֵךְ הַזֶּה
יח אֲשֶׁר הִשְׁבַּעְתָּנוּ: הִנֵּה אֲנַחְנוּ בָאִים בָּאָרֶץ אֶת־תִּקְוַת חוּט הַשָּׁנִי
הַזֶּה תִּקְשְׁרִי בַּחַלּוֹן אֲשֶׁר הוֹרַדְתֵּנוּ בוֹ וְאֶת־אָבִיךְ וְאֶת־אִמֵּךְ
יט וְאֶת־אַחַיִךְ וְאֵת כָּל־בֵּית אָבִיךְ תַּאַסְפִי אֵלַיִךְ הַבָּיְתָה: וְהָיָה כֹּל
אֲשֶׁר־יֵצֵא מִדַּלְתֵי בֵיתֵךְ ׀ הַחוּצָה דָּמוֹ בְרֹאשׁוֹ וַאֲנַחְנוּ נְקִיִּם
וְכֹל אֲשֶׁר יִהְיֶה אִתָּךְ בַּבַּיִת דָּמוֹ בְרֹאשֵׁנוּ אִם־יָד תִּהְיֶה־בּוֹ:
כ וְאִם־תַּגִּידִי אֶת־דְּבָרֵנוּ זֶה וְהָיִינוּ נְקִיִּם מִשְּׁבֻעָתֵךְ אֲשֶׁר
כא הִשְׁבַּעְתָּנוּ: וַתֹּאמֶר כְּדִבְרֵיכֶם כֶּן־הוּא וַתְּשַׁלְּחֵם וַיֵּלֵכוּ וַתִּקְשֹׁר
כב אֶת־תִּקְוַת הַשָּׁנִי בַּחַלּוֹן: וַיֵּלְכוּ וַיָּבֹאוּ הָהָרָה וַיֵּשְׁבוּ שָׁם שְׁלֹשֶׁת
יָמִים עַד־שָׁבוּ הָרֹדְפִים וַיְבַקְשׁוּ הָרֹדְפִים בְּכָל־הַדֶּרֶךְ וְלֹא מָצָאוּ:
כג וַיָּשֻׁבוּ שְׁנֵי הָאֲנָשִׁים וַיֵּרְדוּ מֵהָהָר וַיַּעַבְרוּ וַיָּבֹאוּ אֶל־יְהוֹשֻׁעַ

הִתְחַיְּבוּת הַמְרַגְּלִים לְהַצָּלָתָהּ:

סִימַן תִּקְוַת חוּט הַשָּׁנִי:

שׁוּב הַמְרַגְּלִים וְסִפּוּרָם:

כד בִּן־נוּן וַיְסַפְּרוּ־לוֹ אֵת כָּל־הַמֹּצְאוֹת אוֹתָם: וַיֹּאמְרוּ אֶל־יְהוֹשֻׁעַ
כִּי־נָתַן יְהוָה בְּיָדֵנוּ אֶת־כָּל־הָאָרֶץ וְגַם־נָמֹגוּ כָּל־יֹשְׁבֵי הָאָרֶץ
ג א מִפָּנֵינוּ: וַיַּשְׁכֵּם יְהוֹשֻׁעַ בַּבֹּקֶר וַיִּסְעוּ מֵהַשִּׁטִּים
וַיָּבֹאוּ עַד־הַיַּרְדֵּן הוּא וְכָל־בְּנֵי יִשְׂרָאֵל וַיָּלִנוּ שָׁם טֶרֶם יַעֲבֹרוּ:

סֵדֶר תַּהֲלוּכַת אֲרוֹן הַבְּרִית:

ב ג וַיְהִי מִקְצֵה שְׁלֹשֶׁת יָמִים וַיַּעַבְרוּ הַשֹּׁטְרִים בְּקֶרֶב הַמַּחֲנֶה: וַיְצַוּוּ
אֶת־הָעָם לֵאמֹר כִּרְאֹתְכֶם אֵת אֲרוֹן בְּרִית־יְהוָה אֱלֹהֵיכֶם
וְהַכֹּהֲנִים הַלְוִיִּם נֹשְׂאִים אֹתוֹ וְאַתֶּם תִּסְעוּ מִמְּקוֹמְכֶם וַהֲלַכְתֶּם
ד אַחֲרָיו: אַךְ ׀ רָחוֹק יִהְיֶה בֵּינֵיכֶם וּבֵנָיו כְּאַלְפַּיִם אַמָּה בַּמִּדָּה
אַל־תִּקְרְבוּ אֵלָיו לְמַעַן אֲשֶׁר־תֵּדְעוּ אֶת־הַדֶּרֶךְ אֲשֶׁר תֵּלְכוּ־
בָהּ כִּי לֹא עֲבַרְתֶּם בַּדֶּרֶךְ מִתְּמוֹל שִׁלְשׁוֹם:

צִוּוּי לַכֹּהֲנִים לָשֵׂאת הָאָרוֹן:

ה וַיֹּאמֶר יְהוֹשֻׁעַ אֶל־הָעָם הִתְקַדָּשׁוּ כִּי מָחָר יַעֲשֶׂה יְהוָה
ו בְּקִרְבְּכֶם נִפְלָאוֹת: וַיֹּאמֶר יְהוֹשֻׁעַ אֶל־הַכֹּהֲנִים לֵאמֹר שְׂאוּ
אֶת־אֲרוֹן הַבְּרִית וְעִבְרוּ לִפְנֵי הָעָם וַיִּשְׂאוּ אֶת־אֲרוֹן הַבְּרִית
ז וַיֵּלְכוּ לִפְנֵי הָעָם: וַיֹּאמֶר יְהוָה
אֶל־יְהוֹשֻׁעַ הַיּוֹם הַזֶּה אָחֵל גַּדֶּלְךָ בְּעֵינֵי כָּל־יִשְׂרָאֵל אֲשֶׁר
ח יֵדְעוּן כִּי כַּאֲשֶׁר הָיִיתִי עִם־מֹשֶׁה אֶהְיֶה עִמָּךְ: וְאַתָּה תְּצַוֶּה
אֶת־הַכֹּהֲנִים נֹשְׂאֵי אֲרוֹן־הַבְּרִית לֵאמֹר כְּבֹאֲכֶם עַד־קְצֵה מֵי
הַיַּרְדֵּן בַּיַּרְדֵּן תַּעֲמֹדוּ:

הֲכָנַת יִשְׂרָאֵל לִקְרַאת הַנֵּס:

ט וַיֹּאמֶר יְהוֹשֻׁעַ אֶל־בְּנֵי יִשְׂרָאֵל גֹּשׁוּ הֵנָּה וְשִׁמְעוּ אֶת־דִּבְרֵי
י יְהוָה אֱלֹהֵיכֶם: וַיֹּאמֶר יְהוֹשֻׁעַ בְּזֹאת תֵּדְעוּן כִּי אֵל חַי בְּקִרְבְּכֶם
וְהוֹרֵשׁ יוֹרִישׁ מִפְּנֵיכֶם אֶת־הַכְּנַעֲנִי וְאֶת־הַחִתִּי וְאֶת־הַחִוִּי
יא וְאֶת־הַפְּרִזִּי וְאֶת־הַגִּרְגָּשִׁי וְהָאֱמֹרִי וְהַיְבוּסִי: הִנֵּה אֲרוֹן הַבְּרִית
יב אֲדוֹן כָּל־הָאָרֶץ עֹבֵר לִפְנֵיכֶם בַּיַּרְדֵּן: וְעַתָּה קְחוּ לָכֶם שְׁנֵי
יג עָשָׂר אִישׁ מִשִּׁבְטֵי יִשְׂרָאֵל אִישׁ־אֶחָד אִישׁ־אֶחָד לַשָּׁבֶט: וְהָיָה
כְּנוֹחַ כַּפּוֹת רַגְלֵי הַכֹּהֲנִים נֹשְׂאֵי אֲרוֹן יְהוָה אֲדוֹן כָּל־הָאָרֶץ

בְּמֵי הַיַּרְדֵּן מֵי הַיַּרְדֵּן יִכָּרֵתוּן הַמַּיִם הַיֹּרְדִים מִלְמָעְלָה וְיַעַמְדוּ
יד נֵד אֶחָד: וַיְהִי בִּנְסֹעַ הָעָם מֵאָהֳלֵיהֶם לַעֲבֹר אֶת־הַיַּרְדֵּן
טו וְהַכֹּהֲנִים נֹשְׂאֵי הָאָרוֹן הַבְּרִית לִפְנֵי הָעָם: וּכְבוֹא נֹשְׂאֵי הָאָרוֹן

קְרִיעַת מֵי הַיַּרְדֵּן:

עַד־הַיַּרְדֵּן וְרַגְלֵי הַכֹּהֲנִים נֹשְׂאֵי הָאָרוֹן נִטְבְּלוּ בִּקְצֵה הַמָּיִם
טז וְהַיַּרְדֵּן מָלֵא עַל־כָּל־גְּדוֹתָיו כֹּל יְמֵי קָצִיר: וַיַּעַמְדוּ הַמַּיִם
הַיֹּרְדִים מִלְמַעְלָה קָמוּ נֵד־אֶחָד הַרְחֵק מְאֹד באדם מֵאָדָם הָעִיר
אֲשֶׁר מִצַּד צָרְתָן וְהַיֹּרְדִים עַל יָם הָעֲרָבָה יָם־הַמֶּלַח תַּמּוּ נִכְרָתוּ
יז וְהָעָם עָבְרוּ נֶגֶד יְרִיחוֹ: וַיַּעַמְדוּ הַכֹּהֲנִים נֹשְׂאֵי הָאָרוֹן בְּרִית־
יְהוָה בֶּחָרָבָה בְּתוֹךְ הַיַּרְדֵּן הָכֵן וְכָל־יִשְׂרָאֵל עֹבְרִים בֶּחָרָבָה
ד א עַד אֲשֶׁר־תַּמּוּ כָּל־הַגּוֹי לַעֲבֹר אֶת־הַיַּרְדֵּן: וַיְהִי כַּאֲשֶׁר־תַּמּוּ
כָל־הַגּוֹי לַעֲבוֹר אֶת־הַיַּרְדֵּן
ב וַיֹּאמֶר יְהוָה אֶל־יְהוֹשֻׁעַ לֵאמֹר: קְחוּ לָכֶם מִן־הָעָם שְׁנֵים עָשָׂר

צִוּוּי לְקִיחַת הָאֲבָנִים מֵהַיַּרְדֵּן:

ג אֲנָשִׁים אִישׁ־אֶחָד אִישׁ־אֶחָד מִשָּׁבֶט: וְצַוּוּ אוֹתָם לֵאמֹר שְׂאוּ־
לָכֶם מִזֶּה מִתּוֹךְ הַיַּרְדֵּן מִמַּצַּב רַגְלֵי הַכֹּהֲנִים הָכִין שְׁתֵּים־
עֶשְׂרֵה אֲבָנִים וְהַעֲבַרְתֶּם אוֹתָם עִמָּכֶם וְהִנַּחְתֶּם אוֹתָם בַּמָּלוֹן
ד אֲשֶׁר־תָּלִינוּ בוֹ הַלָּיְלָה: וַיִּקְרָא
יְהוֹשֻׁעַ אֶל־שְׁנֵים הֶעָשָׂר אִישׁ אֲשֶׁר הֵכִין מִבְּנֵי יִשְׂרָאֵל
ה אִישׁ־אֶחָד אִישׁ־אֶחָד מִשָּׁבֶט: וַיֹּאמֶר לָהֶם יְהוֹשֻׁעַ עִבְרוּ לִפְנֵי
אֲרוֹן יְהוָה אֱלֹהֵיכֶם אֶל־תּוֹךְ הַיַּרְדֵּן וְהָרִימוּ לָכֶם אִישׁ אֶבֶן
ו אַחַת עַל־שִׁכְמוֹ לְמִסְפַּר שִׁבְטֵי בְנֵי־יִשְׂרָאֵל: לְמַעַן תִּהְיֶה זֹאת
אוֹת בְּקִרְבְּכֶם כִּי־יִשְׁאָלוּן בְּנֵיכֶם מָחָר לֵאמֹר מָה הָאֲבָנִים
ז הָאֵלֶּה לָכֶם: וַאֲמַרְתֶּם לָהֶם אֲשֶׁר נִכְרְתוּ מֵימֵי הַיַּרְדֵּן מִפְּנֵי
אֲרוֹן בְּרִית־יְהוָה בְּעָבְרוֹ בַּיַּרְדֵּן נִכְרְתוּ מֵי הַיַּרְדֵּן וְהָיוּ הָאֲבָנִים
ח הָאֵלֶּה לְזִכָּרוֹן לִבְנֵי יִשְׂרָאֵל עַד־עוֹלָם: וַיַּעֲשׂוּ־כֵן בְנֵי־יִשְׂרָאֵל

בִּצּוּעַ הַצָּו:

כַּאֲשֶׁר צִוָּה יְהוֹשֻׁעַ וַיִּשְׂאוּ שְׁתֵּי־עֶשְׂרֵה אֲבָנִים מִתּוֹךְ הַיַּרְדֵּן

כַּאֲשֶׁר דִּבֶּר יְהוָה אֶל־יְהוֹשֻׁעַ לְמִסְפַּר שִׁבְטֵי בְנֵי־יִשְׂרָאֵל
ט וַיַּעֲבִרוּם עִמָּם אֶל־הַמָּלוֹן וַיַּנִּחוּם שָׁם׃ וּשְׁתֵּים עֶשְׂרֵה אֲבָנִים
הֵקִים יְהוֹשֻׁעַ בְּתוֹךְ הַיַּרְדֵּן תַּחַת מַצַּב רַגְלֵי הַכֹּהֲנִים נֹשְׂאֵי
סֵדֶר מַסַּע הָעָם בַּיַּרְדֵּן׃
י אֲרוֹן הַבְּרִית וַיִּהְיוּ שָׁם עַד הַיּוֹם הַזֶּה׃ וְהַכֹּהֲנִים נֹשְׂאֵי הָאָרוֹן
עֹמְדִים בְּתוֹךְ הַיַּרְדֵּן עַד תֹּם כָּל־הַדָּבָר אֲשֶׁר־צִוָּה יְהוָה
אֶת־יְהוֹשֻׁעַ לְדַבֵּר אֶל־הָעָם כְּכֹל אֲשֶׁר־צִוָּה מֹשֶׁה אֶת־יְהוֹשֻׁעַ
יא וַיְמַהֲרוּ הָעָם וַיַּעֲבֹרוּ׃ וַיְהִי כַּאֲשֶׁר־תַּם כָּל־הָעָם לַעֲבוֹר וַיַּעֲבֹר
מַעֲבַר הֶחָלוּץ לִפְנֵי הָעָם׃
יב אֲרוֹן־יְהוָה וְהַכֹּהֲנִים לִפְנֵי הָעָם׃ וַיַּעַבְרוּ בְּנֵי־רְאוּבֵן וּבְנֵי־גָד
וַחֲצִי שֵׁבֶט הַמְנַשֶּׁה חֲמֻשִׁים לִפְנֵי בְּנֵי יִשְׂרָאֵל כַּאֲשֶׁר דִּבֶּר
יג אֲלֵיהֶם מֹשֶׁה׃ כְּאַרְבָּעִים אֶלֶף חֲלוּצֵי הַצָּבָא עָבְרוּ לִפְנֵי יְהוָה
יד לַמִּלְחָמָה אֶל עַרְבוֹת יְרִיחוֹ׃ בַּיּוֹם הַהוּא גִּדַּל יְהוָה
אֶת־יְהוֹשֻׁעַ בְּעֵינֵי כָּל־יִשְׂרָאֵל וַיִּרְאוּ אֹתוֹ כַּאֲשֶׁר יָרְאוּ אֶת־
מֹשֶׁה כָּל־יְמֵי חַיָּיו׃

חֲזָרַת מֵי הַיַּרְדֵּן לִמְקוֹמָם׃
טו טז וַיֹּאמֶר יְהוָה אֶל־יְהוֹשֻׁעַ לֵאמֹר׃ צַוֵּה אֶת־הַכֹּהֲנִים נֹשְׂאֵי אֲרוֹן
יז הָעֵדוּת וְיַעֲלוּ מִן־הַיַּרְדֵּן׃ וַיְצַו יְהוֹשֻׁעַ אֶת־הַכֹּהֲנִים לֵאמֹר עֲלוּ
יח מִן־הַיַּרְדֵּן׃ וַיְהִי בעלות כַּעֲלוֹת הַכֹּהֲנִים נֹשְׂאֵי אֲרוֹן בְּרִית־יְהוָה
מִתּוֹךְ הַיַּרְדֵּן נִתְּקוּ כַּפּוֹת רַגְלֵי הַכֹּהֲנִים אֶל הֶחָרָבָה וַיָּשֻׁבוּ
מֵי־הַיַּרְדֵּן לִמְקוֹמָם וַיֵּלְכוּ כִתְמוֹל־שִׁלְשׁוֹם עַל־כָּל־גְּדוֹתָיו׃
הֲקָמַת הָאֲבָנִים בַּגִּלְגָּל׃ [2488]
יט וְהָעָם עָלוּ מִן־הַיַּרְדֵּן בֶּעָשׂוֹר לַחֹדֶשׁ הָרִאשׁוֹן וַיַּחֲנוּ בַּגִּלְגָּל
כ בִּקְצֵה מִזְרַח יְרִיחוֹ׃ וְאֵת שְׁתֵּים עֶשְׂרֵה הָאֲבָנִים הָאֵלֶּה אֲשֶׁר
כא לָקְחוּ מִן־הַיַּרְדֵּן הֵקִים יְהוֹשֻׁעַ בַּגִּלְגָּל׃ וַיֹּאמֶר אֶל־בְּנֵי יִשְׂרָאֵל
לֵאמֹר אֲשֶׁר יִשְׁאָלוּן בְּנֵיכֶם מָחָר אֶת־אֲבוֹתָם לֵאמֹר מָה
כב הָאֲבָנִים הָאֵלֶּה׃ וְהוֹדַעְתֶּם אֶת־בְּנֵיכֶם לֵאמֹר בַּיַּבָּשָׁה עָבַר
כג יִשְׂרָאֵל אֶת־הַיַּרְדֵּן הַזֶּה׃ אֲשֶׁר־הוֹבִישׁ יְהוָה אֱלֹהֵיכֶם אֶת־מֵי
הַיַּרְדֵּן מִפְּנֵיכֶם עַד־עָבְרְכֶם כַּאֲשֶׁר עָשָׂה יְהוָה אֱלֹהֵיכֶם

כד לְיַם־סוּף אֲשֶׁר־הוֹבִישׁ מִפָּנֵינוּ עַד־עָבְרֵנוּ׃ לְמַעַן דַּעַת כָּל־עַמֵּי
הָאָרֶץ אֶת־יַד יְהוָה כִּי חֲזָקָה הִיא לְמַעַן יְרָאתֶם אֶת־יְהוָה
אֱלֹהֵיכֶם כָּל־הַיָּמִים׃

פַּחַד הַגּוֹיִם מֵהָעָם:

ה א וַיְהִי כִשְׁמֹעַ כָּל־מַלְכֵי הָאֱמֹרִי אֲשֶׁר בְּעֵבֶר הַיַּרְדֵּן יָמָּה
וְכָל־מַלְכֵי הַכְּנַעֲנִי אֲשֶׁר עַל־הַיָּם אֵת אֲשֶׁר־הוֹבִישׁ יְהוָה
אֶת־מֵי הַיַּרְדֵּן מִפְּנֵי בְנֵי־יִשְׂרָאֵל עַד־עָבְרָם עברנו וַיִּמַּס לְבָבָם
וְלֹא־הָיָה בָם עוֹד רוּחַ מִפְּנֵי בְּנֵי־יִשְׂרָאֵל׃

מִילַת הַיִּלוֹדִים בַּמִּדְבָּר: [2488]

ב בָּעֵת הַהִיא אָמַר יְהוָה אֶל־יְהוֹשֻׁעַ עֲשֵׂה לְךָ חַרְבוֹת צֻרִים וְשׁוּב
ג מֹל אֶת־בְּנֵי־יִשְׂרָאֵל שֵׁנִית׃ וַיַּעַשׂ־לוֹ יְהוֹשֻׁעַ חַרְבוֹת צֻרִים
ד וַיָּמָל אֶת־בְּנֵי יִשְׂרָאֵל אֶל־גִּבְעַת הָעֲרָלוֹת׃ וְזֶה הַדָּבָר אֲשֶׁר־מָל
יְהוֹשֻׁעַ כָּל־הָעָם הַיֹּצֵא מִמִּצְרַיִם הַזְּכָרִים כֹּל ׀ אַנְשֵׁי הַמִּלְחָמָה
ה מֵתוּ בַמִּדְבָּר בַּדֶּרֶךְ בְּצֵאתָם מִמִּצְרָיִם׃ כִּי־מֻלִים הָיוּ כָּל־הָעָם
הַיֹּצְאִים וְכָל־הָעָם הַיִּלֹּדִים בַּמִּדְבָּר בַּדֶּרֶךְ בְּצֵאתָם מִמִּצְרַיִם
ו לֹא־מָלוּ׃ כִּי ׀ אַרְבָּעִים שָׁנָה הָלְכוּ בְנֵי־יִשְׂרָאֵל בַּמִּדְבָּר עַד־תֹּם
כָּל־הַגּוֹי אַנְשֵׁי הַמִּלְחָמָה הַיֹּצְאִים מִמִּצְרַיִם אֲשֶׁר לֹא־שָׁמְעוּ
בְּקוֹל יְהוָה אֲשֶׁר נִשְׁבַּע יְהוָה לָהֶם לְבִלְתִּי הַרְאוֹתָם אֶת־הָאָרֶץ
אֲשֶׁר נִשְׁבַּע יְהוָה לַאֲבוֹתָם לָתֶת לָנוּ אֶרֶץ זָבַת חָלָב וּדְבָשׁ׃
ז וְאֶת־בְּנֵיהֶם הֵקִים תַּחְתָּם אֹתָם מָל יְהוֹשֻׁעַ כִּי־עֲרֵלִים הָיוּ כִּי
ח לֹא־מָלוּ אוֹתָם בַּדָּרֶךְ׃ וַיְהִי כַּאֲשֶׁר־תַּמּוּ כָל־הַגּוֹי לְהִמּוֹל וַיֵּשְׁבוּ
תַחְתָּם בַּמַּחֲנֶה עַד חֲיוֹתָם׃

הַקְרָבַת הַפֶּסַח וְהָעֹמֶר וּשְׁבִיתַת הַמָּן: [2488]

ט וַיֹּאמֶר יְהוָה אֶל־יְהוֹשֻׁעַ הַיּוֹם גַּלּוֹתִי אֶת־חֶרְפַּת מִצְרַיִם
י מֵעֲלֵיכֶם וַיִּקְרָא שֵׁם הַמָּקוֹם הַהוּא גִּלְגָּל עַד הַיּוֹם הַזֶּה׃ וַיַּחֲנוּ
בְנֵי־יִשְׂרָאֵל בַּגִּלְגָּל וַיַּעֲשׂוּ אֶת־הַפֶּסַח בְּאַרְבָּעָה עָשָׂר יוֹם
יא לַחֹדֶשׁ בָּעֶרֶב בְּעַרְבוֹת יְרִיחוֹ׃ וַיֹּאכְלוּ מֵעֲבוּר הָאָרֶץ מִמָּחֳרַת
יב הַפֶּסַח מַצּוֹת וְקָלוּי בְּעֶצֶם הַיּוֹם הַזֶּה׃ וַיִּשְׁבֹּת הַמָּן מִמָּחֳרָת

בְּאָכְלָם֙ מֵעֲב֣וּר הָאָ֔רֶץ וְלֹא־הָ֥יָה ע֛וֹד לִבְנֵ֥י יִשְׂרָאֵ֖ל מָ֑ן וַיֹּאכְל֗וּ
יג מִתְּבוּאַת֙ אֶ֣רֶץ כְּנַ֔עַן בַּשָּׁנָ֖ה הַהִֽיא׃ וַיְהִ֗י בִּֽהְי֣וֹת
יְהוֹשֻׁעַ֮ בִּירִיחוֹ֒ וַיִּשָּׂ֤א עֵינָיו֙ וַיַּ֔רְא וְהִנֵּה־אִישׁ֙ עֹמֵ֣ד לְנֶגְדּ֔וֹ וְחַרְבּ֥וֹ
שְׁלוּפָ֖ה בְּיָד֑וֹ וַיֵּ֨לֶךְ יְהוֹשֻׁ֤עַ אֵלָיו֙ וַיֹּ֣אמֶר ל֔וֹ הֲלָ֥נוּ אַתָּ֖ה
יד אִם־לְצָרֵֽינוּ׃ וַיֹּ֣אמֶר ׀ לֹ֗א כִּ֛י אֲנִ֥י שַׂר־צְבָֽא־יְהוָ֖ה עַתָּ֣ה בָ֑אתִי
וַיִּפֹּל֩ יְהוֹשֻׁ֨עַ אֶל־פָּנָ֥יו אַ֙רְצָה֙ וַיִּשְׁתָּ֔חוּ וַיֹּ֣אמֶר ל֔וֹ מָ֥ה אֲדֹנִ֖י מְדַבֵּ֥ר
טו אֶל־עַבְדּֽוֹ׃ וַיֹּאמֶר֩ שַׂר־צְבָ֨א יְהוָ֜ה אֶל־יְהוֹשֻׁ֗עַ שַׁל־נַֽעַלְךָ֙ מֵעַ֣ל
רַגְלֶ֔ךָ כִּ֣י הַמָּק֗וֹם אֲשֶׁ֥ר אַתָּ֛ה עֹמֵ֥ד עָלָ֖יו קֹ֣דֶשׁ ה֑וּא וַיַּ֥עַשׂ יְהוֹשֻׁ֖עַ
ו א כֵּֽן׃ וִירִיחוֹ֙ סֹגֶ֣רֶת וּמְסֻגֶּ֔רֶת מִפְּנֵ֖י בְּנֵ֣י יִשְׂרָאֵ֑ל אֵ֥ין יוֹצֵ֖א וְאֵ֥ין
ב בָּֽא׃ וַיֹּ֤אמֶר יְהוָה֙ אֶל־יְהוֹשֻׁ֔עַ רְאֵה֙ נָתַ֣תִּי בְיָדְךָ֔
ג אֶת־יְרִיח֖וֹ וְאֶת־מַלְכָּ֑הּ גִּבּוֹרֵ֖י הֶחָֽיִל׃ וְסַבֹּתֶ֣ם אֶת־הָעִ֗יר כֹּ֚ל
אַנְשֵׁ֣י הַמִּלְחָמָ֔ה הַקֵּ֥יף אֶת־הָעִ֖יר פַּ֣עַם אֶחָ֑ת כֹּ֥ה תַעֲשֶׂ֖ה שֵׁ֥שֶׁת
ד יָמִֽים׃ וְשִׁבְעָ֣ה כֹהֲנִ֡ים יִשְׂאוּ֩ שִׁבְעָ֨ה שׁוֹפְר֤וֹת הַיּֽוֹבְלִים֙ לִפְנֵ֣י
הָֽאָר֔וֹן וּבַיּוֹם֙ הַשְּׁבִיעִ֔י תָּסֹ֥בּוּ אֶת־הָעִ֖יר שֶׁ֣בַע פְּעָמִ֑ים וְהַכֹּ֣הֲנִ֔ים
ה יִתְקְע֖וּ בַּשּׁוֹפָרֽוֹת׃ וְהָיָ֞ה בִּמְשֹׁ֣ךְ ׀ בְּקֶ֣רֶן הַיּוֹבֵ֗ל בשמעכם כְּשָׁמְעֲכֶם֙
אֶת־ק֣וֹל הַשּׁוֹפָ֔ר יָרִ֥יעוּ כָל־הָעָ֖ם תְּרוּעָ֣ה גְדוֹלָ֑ה וְ֠נָפְלָה חוֹמַ֨ת
ו הָעִ֜יר תַּחְתֶּ֗יהָ וְעָל֥וּ הָעָ֖ם אִ֥ישׁ נֶגְדּֽוֹ׃ וַיִּקְרָ֞א יְהוֹשֻׁ֤עַ בִּן־נוּן֙
אֶל־הַכֹּ֣הֲנִ֔ים וַיֹּ֣אמֶר אֲלֵהֶ֔ם שְׂא֖וּ אֶת־אֲר֣וֹן הַבְּרִ֑ית וְשִׁבְעָ֣ה כֹהֲנִ֗ים
ז יִשְׂא֞וּ שִׁבְעָ֤ה שׁוֹפְרוֹת֙ יֽוֹבְלִ֔ים לִפְנֵ֖י אֲר֥וֹן יְהוָֽה׃ ויאמרו וַיֹּ֙אמֶר֙
אֶל־הָעָ֔ם עִבְר֖וּ וְסֹ֣בּוּ אֶת־הָעִ֑יר וְהֶ֣חָל֔וּץ יַעֲבֹ֕ר לִפְנֵ֖י אֲר֥וֹן יְהוָֽה׃
ח וַיְהִ֗י כֶּאֱמֹ֣ר יְהוֹשֻׁעַ֮ אֶל־הָעָם֒ וְשִׁבְעָ֣ה הַכֹּהֲנִ֡ים נֹשְׂאִים֩ שִׁבְעָ֨ה
שׁוֹפְר֤וֹת הַיּֽוֹבְלִים֙ לִפְנֵ֣י יְהוָ֔ה עָבְר֕וּ וְתָקְע֖וּ בַּשּׁוֹפָר֑וֹת וַֽאֲרוֹן֙
ט בְּרִ֣ית יְהוָ֔ה הֹלֵ֖ךְ אַחֲרֵיהֶֽם׃ וְהֶֽחָלוּץ֙ הֹלֵ֔ךְ לִפְנֵי֙ הַכֹּ֣הֲנִ֔ים תקעו
תֹּקְעֵ֖י הַשּׁוֹפָר֑וֹת וְהַֽמְאַסֵּף֙ הֹלֵ֣ךְ אַחֲרֵ֣י הָאָר֔וֹן הָל֖וֹךְ וְתָק֥וֹעַ
י בַּשּׁוֹפָרֽוֹת׃ וְאֶת־הָעָ֞ם צִוָּ֤ה יְהוֹשֻׁ֙עַ֙ לֵאמֹ֔ר לֹ֤א תָרִ֙יעוּ֙ וְלֹֽא־

הִתְגַּלּוּת מַלְאַךְ ה' לִיהוֹשֻׁעַ:

צִוּוּי ה' עַל הַקָּפַת יְרִיחוֹ:

צִוּוּי יְהוֹשֻׁעַ לָעָם:

תַשְׁמִיעוּ אֶת־קוֹלְכֶם וְלֹא־יֵצֵא מִפִּיכֶם דָּבָר עַד יוֹם אָמְרִי
יא אֲלֵיכֶם הָרִיעוּ וַהֲרֵיעֹתֶם: וַיַּסֵּב אֲרוֹן־יְהוָה אֶת־הָעִיר הַקֵּף פַּעַם
אַחַת וַיָּבֹאוּ הַמַּחֲנֶה וַיָּלִינוּ בַּמַּחֲנֶה:
יב יג וַיַּשְׁכֵּם יְהוֹשֻׁעַ בַּבֹּקֶר וַיִּשְׂאוּ הַכֹּהֲנִים אֶת־אֲרוֹן יְהוָה: וְשִׁבְעָה
הַכֹּהֲנִים נֹשְׂאִים שִׁבְעָה שׁוֹפְרוֹת הַיֹּבְלִים לִפְנֵי אֲרוֹן יְהוָה
הֹלְכִים הָלוֹךְ וְתָקְעוּ בַּשּׁוֹפָרוֹת וְהֶחָלוּץ הֹלֵךְ לִפְנֵיהֶם וְהַמְאַסֵּף
יד הֹלֵךְ אַחֲרֵי אֲרוֹן יְהוָה הולך הָלוֹךְ וְתָקוֹעַ בַּשּׁוֹפָרוֹת: וַיָּסֹבּוּ
אֶת־הָעִיר בַּיּוֹם הַשֵּׁנִי פַּעַם אַחַת וַיָּשֻׁבוּ הַמַּחֲנֶה כֹּה עָשׂוּ שֵׁשֶׁת
טו יָמִים: וַיְהִי ׀ בַּיּוֹם הַשְּׁבִיעִי וַיַּשְׁכִּמוּ כַּעֲלוֹת הַשַּׁחַר וַיָּסֹבּוּ
אֶת־הָעִיר כַּמִּשְׁפָּט הַזֶּה שֶׁבַע פְּעָמִים רַק בַּיּוֹם הַהוּא סָבְבוּ
טז אֶת־הָעִיר שֶׁבַע פְּעָמִים: וַיְהִי בַּפַּעַם הַשְּׁבִיעִית תָּקְעוּ הַכֹּהֲנִים
בַּשּׁוֹפָרוֹת וַיֹּאמֶר יְהוֹשֻׁעַ אֶל־הָעָם הָרִיעוּ כִּי־נָתַן יְהוָה לָכֶם
יז אֶת־הָעִיר: וְהָיְתָה הָעִיר חֵרֶם הִיא וְכָל־אֲשֶׁר־בָּהּ לַיהוָה רַק
רָחָב הַזּוֹנָה תִּחְיֶה הִיא וְכָל־אֲשֶׁר אִתָּהּ בַּבַּיִת כִּי הֶחְבְּאַתָה
יח אֶת־הַמַּלְאָכִים אֲשֶׁר שָׁלָחְנוּ: וְרַק־אַתֶּם שִׁמְרוּ מִן־הַחֵרֶם
פֶּן־תַּחֲרִימוּ וּלְקַחְתֶּם מִן־הַחֵרֶם וְשַׂמְתֶּם אֶת־מַחֲנֵה יִשְׂרָאֵל
יט לְחֵרֶם וַעֲכַרְתֶּם אוֹתוֹ: וְכֹל ׀ כֶּסֶף וְזָהָב וּכְלֵי נְחֹשֶׁת וּבַרְזֶל
כ קֹדֶשׁ הוּא לַיהוָה אוֹצַר יְהוָה יָבוֹא: וַיָּרַע הָעָם וַיִּתְקְעוּ בַּשֹּׁפָרוֹת
וַיְהִי כִשְׁמֹעַ הָעָם אֶת־קוֹל הַשּׁוֹפָר וַיָּרִיעוּ הָעָם תְּרוּעָה גְדוֹלָה
וַתִּפֹּל הַחוֹמָה תַּחְתֶּיהָ וַיַּעַל הָעָם הָעִירָה אִישׁ נֶגְדּוֹ וַיִּלְכְּדוּ
כא אֶת־הָעִיר: וַיַּחֲרִימוּ אֶת־כָּל־אֲשֶׁר בָּעִיר מֵאִישׁ וְעַד־אִשָּׁה
כב מִנַּעַר וְעַד־זָקֵן וְעַד שׁוֹר וָשֶׂה וַחֲמוֹר לְפִי־חָרֶב: וְלִשְׁנַיִם
הָאֲנָשִׁים הַמְרַגְּלִים אֶת־הָאָרֶץ אָמַר יְהוֹשֻׁעַ בֹּאוּ בֵּית־הָאִשָּׁה
הַזּוֹנָה וְהוֹצִיאוּ מִשָּׁם אֶת־הָאִשָּׁה וְאֶת־כָּל־אֲשֶׁר־לָהּ כַּאֲשֶׁר
כג נִשְׁבַּעְתֶּם לָהּ: וַיָּבֹאוּ הַנְּעָרִים הַמְרַגְּלִים וַיֹּצִיאוּ אֶת־רָחָב

תֵּאוּר הַהַקָּפוֹת עַד נְפִילַת הַחוֹמָה:

הַצִּוּוּי עַל הַחֵרֶם וְהַצָּלַת רָחָב:

כִּבּוּשׁ יְרִיחוֹ, וְהַחְרָמָתָהּ:

וְאֶת־אָבִ֨יהָ וְאֶת־אִמָּ֜הּ וְאֶת־אַחֶ֗יהָ וְאֶת־כָּל־אֲשֶׁר־לָהּ֙ וְאֵ֣ת

כָּל־מִשְׁפְּחוֹתֶ֔יהָ הוֹצִ֑יאוּ וַיַּ֨נִּיח֔וּם מִח֖וּץ לְמַחֲנֵ֥ה יִשְׂרָאֵֽל׃ וְהָעִ֞יר **כד**

שָׂרְפ֤וּ בָאֵשׁ֙ וְכָל־אֲשֶׁר־בָּ֔הּ רַ֣ק ׀ הַכֶּ֣סֶף וְהַזָּהָ֗ב וּכְלֵ֤י הַנְּחֹ֙שֶׁת֙

וְהַבַּרְזֶ֔ל נָתְנ֖וּ אוֹצַ֥ר בֵּית־יְהֹוָֽה׃ וְֽאֶת־רָחָ֣ב הַ֠זּוֹנָ֠ה וְאֶת־בֵּ֨ית אָבִ֤יהָ **כה**

וְאֶת־כָּל־אֲשֶׁר־לָהּ֙ הֶחֱיָ֣ה יְהוֹשֻׁ֔עַ וַתֵּ֙שֶׁב֙ בְּקֶ֣רֶב יִשְׂרָאֵ֔ל עַ֖ד

הַיּ֣וֹם הַזֶּ֑ה כִּ֤י הֶחְבִּ֙יאָה֙ אֶת־הַמַּלְאָכִ֔ים אֲשֶׁר־שָׁלַ֥ח יְהוֹשֻׁ֖עַ

לְרַגֵּ֥ל אֶת־יְרִיחֽוֹ׃

וַיַּשְׁבַּ֣ע יְהוֹשֻׁ֗עַ בָּעֵ֣ת הַהִ֛יא לֵאמֹ֑ר אָר֨וּר הָאִ֜ישׁ לִפְנֵ֤י יְהֹוָה֙ **כו**

אֲשֶׁ֤ר יָקוּם֙ וּבָנָ֞ה אֶת־הָעִ֤יר הַזֹּאת֙ אֶת־יְרִיח֔וֹ בִּבְכֹר֣וֹ יְיַסְּדֶ֔נָּה

וּבִצְעִיר֖וֹ יַצִּ֥יב דְּלָתֶֽיהָ׃ וַיְהִ֥י יְהֹוָ֖ה אֶת־יְהוֹשֻׁ֑עַ וַיְהִ֥י **כז**

שָׁמְע֖וֹ בְּכָל־הָאָֽרֶץ׃ וַיִּמְעֲל֧וּ בְנֵֽי־יִשְׂרָאֵ֛ל מַ֖עַל בַּחֵ֑רֶם וַיִּקַּ֡ח עָכָ֣ן **א ז**

בֶּן־כַּרְמִ֣י בֶן־זַבְדִּי֩ בֶן־זֶ֨רַח לְמַטֵּ֤ה יְהוּדָה֙ מִן־הַחֵ֔רֶם וַיִּֽחַר־אַ֥ף

יְהֹוָ֖ה בִּבְנֵ֥י יִשְׂרָאֵֽל׃ וַיִּשְׁלַח֩ יְהוֹשֻׁ֨עַ אֲנָשִׁ֜ים מִירִיח֗וֹ **ב**

הָעַ֞י אֲשֶׁ֨ר עִם־בֵּ֥ית אָ֙וֶן֙ מִקֶּ֣דֶם לְבֵֽית־אֵ֔ל וַיֹּ֥אמֶר אֲלֵיהֶ֖ם לֵאמֹ֑ר

עֲל֖וּ וְרַגְּל֣וּ אֶת־הָאָ֑רֶץ וַֽיַּעֲלוּ֙ הָאֲנָשִׁ֔ים וַֽיְרַגְּל֖וּ אֶת־הָעָֽי׃ וַיָּשֻׁ֣בוּ **ג**

אֶל־יְהוֹשֻׁ֗עַ וַיֹּאמְר֣וּ אֵלָיו֮ אַל־יַ֣עַל כָּל־הָעָם֒ כְּאַלְפַּ֣יִם אִ֗ישׁ א֚וֹ

כִּשְׁלֹ֣שֶׁת אֲלָפִ֣ים אִ֔ישׁ יַֽעֲל֖וּ וְיַכּ֣וּ אֶת־הָעָ֑י אַל־תְּיַגַּע־שָׁ֙מָּה֙

אֶת־כָּל־הָעָ֔ם כִּ֥י מְעַ֖ט הֵֽמָּה׃ וַיַּעֲל֤וּ מִן־הָעָם֙ שָׁ֔מָּה כִּשְׁלֹ֥שֶׁת **ד**

אֲלָפִ֖ים אִ֑ישׁ וַיָּנֻ֕סוּ לִפְנֵ֖י אַנְשֵׁ֥י הָעָֽי׃ וַיַּכּ֨וּ מֵהֶ֜ם אַנְשֵׁ֥י הָעַ֣י **ה**

כִּשְׁלֹשִׁ֣ים וְשִׁשָּׁ֣ה אִ֗ישׁ וַֽיִּרְדְּפ֞וּם לִפְנֵ֤י הַשַּׁ֙עַר֙ עַד־הַשְּׁבָרִ֔ים

וַיַּכּ֖וּם בַּמּוֹרָ֑ד וַיִּמַּ֥ס לְבַב־הָעָ֖ם וַיְהִ֥י לְמָֽיִם׃ וַיִּקְרַ֨ע יְהוֹשֻׁ֜עַ **ו**

שִׂמְלֹתָ֗יו וַיִּפֹּל֩ עַל־פָּנָ֨יו אַ֜רְצָה לִפְנֵ֨י אֲר֤וֹן יְהֹוָה֙ עַד־הָעֶ֔רֶב ה֖וּא

וְזִקְנֵ֣י יִשְׂרָאֵ֑ל וַיַּעֲל֥וּ עָפָ֖ר עַל־רֹאשָֽׁם׃ וַיֹּ֨אמֶר יְהוֹשֻׁ֜עַ אֲהָ֣הּ ׀ **ז**

אֲדֹנָ֣י יֱהֹוִ֗ה לָמָ֩ה הֵעֲבַ֨רְתָּ הַעֲבִ֜יר אֶת־הָעָ֤ם הַזֶּה֙ אֶת־הַיַּרְדֵּ֔ן

לָתֵ֥ת אֹתָ֛נוּ בְּיַ֥ד הָאֱמֹרִ֖י לְהַאֲבִידֵ֑נוּ וְל֤וּ הוֹאַ֙לְנוּ֙ וַנֵּ֔שֶׁב בְּעֵ֖בֶר

(הערות שוליים:)
קיום ההבטחה
לרחב
קללת יהושע
המעל בחרם
הנפילה הראשונה לכבוש העי
והמפלה
תפלת יהושע אחר המפלה

ח הַיַּרְדֵּן: בִּי אֲדֹנָי מָה אֹמַר אַחֲרֵי אֲשֶׁר הָפַךְ יִשְׂרָאֵל עֹרֶף לִפְנֵי
ט אֹיְבָיו: וְיִשְׁמְעוּ הַכְּנַעֲנִי וְכֹל יֹשְׁבֵי הָאָרֶץ וְנָסַבּוּ עָלֵינוּ וְהִכְרִיתוּ
י אֶת־שְׁמֵנוּ מִן־הָאָרֶץ וּמַה־תַּעֲשֵׂה לְשִׁמְךָ הַגָּדוֹל: וַיֹּאמֶר יְהוָה
יא אֶל־יְהוֹשֻׁעַ קֻם לָךְ לָמָּה זֶּה אַתָּה נֹפֵל עַל־פָּנֶיךָ: חָטָא יִשְׂרָאֵל
וְגַם עָבְרוּ אֶת־בְּרִיתִי אֲשֶׁר צִוִּיתִי אוֹתָם וְגַם לָקְחוּ מִן־הַחֵרֶם
יב וְגַם גָּנְבוּ וְגַם כִּחֲשׁוּ וְגַם שָׂמוּ בִכְלֵיהֶם: וְלֹא יֻכְלוּ בְּנֵי יִשְׂרָאֵל
לָקוּם לִפְנֵי אֹיְבֵיהֶם עֹרֶף יִפְנוּ לִפְנֵי אֹיְבֵיהֶם כִּי הָיוּ לְחֵרֶם לֹא
יג אוֹסִיף לִהְיוֹת עִמָּכֶם אִם־לֹא תַשְׁמִידוּ הַחֵרֶם מִקִּרְבְּכֶם: קֻם
קַדֵּשׁ אֶת־הָעָם וְאָמַרְתָּ הִתְקַדְּשׁוּ לְמָחָר כִּי כֹה אָמַר יְהוָה אֱלֹהֵי
יִשְׂרָאֵל חֵרֶם בְּקִרְבְּךָ יִשְׂרָאֵל לֹא תוּכַל לָקוּם לִפְנֵי אֹיְבֶיךָ
יד עַד־הֲסִירְכֶם הַחֵרֶם מִקִּרְבְּכֶם: וְנִקְרַבְתֶּם בַּבֹּקֶר לְשִׁבְטֵיכֶם
וְהָיָה הַשֵּׁבֶט אֲשֶׁר־יִלְכְּדֶנּוּ יְהוָה יִקְרַב לַמִּשְׁפָּחוֹת וְהַמִּשְׁפָּחָה
אֲשֶׁר־יִלְכְּדֶנָּה יְהוָה תִּקְרַב לַבָּתִּים וְהַבַּיִת אֲשֶׁר יִלְכְּדֶנּוּ יְהוָה
טו יִקְרַב לַגְּבָרִים: וְהָיָה הַנִּלְכָּד בַּחֵרֶם יִשָּׂרֵף בָּאֵשׁ אֹתוֹ וְאֶת־כָּל־
אֲשֶׁר־לוֹ כִּי עָבַר אֶת־בְּרִית יְהוָה וְכִי־עָשָׂה נְבָלָה בְּיִשְׂרָאֵל:
טז וַיַּשְׁכֵּם יְהוֹשֻׁעַ בַּבֹּקֶר וַיַּקְרֵב אֶת־יִשְׂרָאֵל לִשְׁבָטָיו וַיִּלָּכֵד שֵׁבֶט
יז יְהוּדָה: וַיַּקְרֵב אֶת־מִשְׁפַּחַת יְהוּדָה וַיִּלְכֹּד אֵת מִשְׁפַּחַת הַזַּרְחִי
יח וַיַּקְרֵב אֶת־מִשְׁפַּחַת הַזַּרְחִי לַגְּבָרִים וַיִּלָּכֵד זַבְדִּי: וַיַּקְרֵב
אֶת־בֵּיתוֹ לַגְּבָרִים וַיִּלָּכֵד עָכָן בֶּן־כַּרְמִי בֶן־זַבְדִּי בֶן־זֶרַח לְמַטֵּה
יט יְהוּדָה: וַיֹּאמֶר יְהוֹשֻׁעַ אֶל־עָכָן בְּנִי שִׂים־נָא כָבוֹד לַיהוָה אֱלֹהֵי
יִשְׂרָאֵל וְתֶן־לוֹ תוֹדָה וְהַגֶּד־נָא לִי מֶה עָשִׂיתָ אַל־תְּכַחֵד מִמֶּנִּי:
כ וַיַּעַן עָכָן אֶת יְהוֹשֻׁעַ וַיֹּאמַר אָמְנָה אָנֹכִי חָטָאתִי לַיהוָה אֱלֹהֵי
כא יִשְׂרָאֵל וְכָזֹאת וְכָזֹאת עָשִׂיתִי: ואראה וָאֵרֶא בַשָּׁלָל אַדֶּרֶת שִׁנְעָר
אַחַת טוֹבָה וּמָאתַיִם שְׁקָלִים כֶּסֶף וּלְשׁוֹן זָהָב אֶחָד חֲמִשִּׁים
שְׁקָלִים מִשְׁקָלוֹ וָאֶחְמְדֵם וָאֶקָּחֵם וְהִנָּם טְמוּנִים בָּאָרֶץ בְּתוֹךְ

תְּשׁוּבַת ה׳ וְגִלּוּי הַמַּעַל:

צִוּוּי הַגּוֹרָל לְגִלּוּי הַמַּעַל:

מַעֲשֵׂה הַגּוֹרָל וּלְכִידַת עָכָן:

כב הָאָהֳלִי וְהַכֶּסֶף תַּחְתֶּיהָ׃ וַיִּשְׁלַח יְהוֹשֻׁעַ מַלְאָכִים וַיָּרֻצוּ הָאֹהֱלָה
כג וְהִנֵּה טְמוּנָה בְּאָהֳלוֹ וְהַכֶּסֶף תַּחְתֶּיהָ׃ וַיִּקָּחוּם מִתּוֹךְ הָאֹהֶל
וַיְבִאוּם אֶל־יְהוֹשֻׁעַ וְאֶל כָּל־בְּנֵי יִשְׂרָאֵל וַיַּצִּקֻם לִפְנֵי יְהוָה׃
עֹנֶשׁ עָכָן:
כד וַיִּקַּח יְהוֹשֻׁעַ אֶת־עָכָן בֶּן־זֶרַח וְאֶת־הַכֶּסֶף וְאֶת־הָאַדֶּרֶת וְאֶת־
לְשׁוֹן הַזָּהָב וְאֶת־בָּנָיו וְאֶת־בְּנֹתָיו וְאֶת־שׁוֹרוֹ וְאֶת־חֲמֹרוֹ וְאֶת־
צֹאנוֹ וְאֶת־אָהֳלוֹ וְאֶת־כָּל־אֲשֶׁר־לוֹ וְכָל־יִשְׂרָאֵל עִמּוֹ וַיַּעֲלוּ
כה אֹתָם עֵמֶק עָכוֹר׃ וַיֹּאמֶר יְהוֹשֻׁעַ מֶה עֲכַרְתָּנוּ יַעְכָּרְךָ יְהוָה
בַּיּוֹם הַזֶּה וַיִּרְגְּמוּ אֹתוֹ כָל־יִשְׂרָאֵל אֶבֶן וַיִּשְׂרְפוּ אֹתָם בָּאֵשׁ
כו וַיִּסְקְלוּ אֹתָם בָּאֲבָנִים׃ וַיָּקִימוּ עָלָיו גַּל־אֲבָנִים גָּדוֹל עַד הַיּוֹם
הַזֶּה וַיָּשָׁב יְהוָה מֵחֲרוֹן אַפּוֹ עַל־כֵּן קָרָא שֵׁם הַמָּקוֹם הַהוּא
עֵמֶק עָכוֹר עַד הַיּוֹם הַזֶּה׃
מִלְחֶמֶת הָעַי בַּשֵּׁנִית:
ח א וַיֹּאמֶר יְהוָה אֶל־יְהוֹשֻׁעַ אַל־תִּירָא וְאַל־תֵּחָת קַח עִמְּךָ אֵת
כָּל־עַם הַמִּלְחָמָה וְקוּם עֲלֵה הָעָי רְאֵה ׀ נָתַתִּי בְיָדְךָ אֶת־מֶלֶךְ
ב הָעַי וְאֶת־עַמּוֹ וְאֶת־עִירוֹ וְאֶת־אַרְצוֹ׃ וְעָשִׂיתָ לָעַי וּלְמַלְכָּהּ
כַּאֲשֶׁר עָשִׂיתָ לִירִיחוֹ וּלְמַלְכָּהּ רַק־שְׁלָלָהּ וּבְהֶמְתָּהּ תָּבֹזּוּ
ג לָכֶם שִׂים־לְךָ אֹרֵב לָעִיר מֵאַחֲרֶיהָ׃ וַיָּקָם יְהוֹשֻׁעַ וְכָל־עַם
הַמִּלְחָמָה לַעֲלוֹת הָעָי וַיִּבְחַר יְהוֹשֻׁעַ שְׁלֹשִׁים אֶלֶף אִישׁ גִּבּוֹרֵי
ד הַחַיִל וַיִּשְׁלָחֵם לָיְלָה׃ וַיְצַו אֹתָם לֵאמֹר רְאוּ אַתֶּם אֹרְבִים לָעִיר
מֵאַחֲרֵי הָעִיר אַל־תַּרְחִיקוּ מִן־הָעִיר מְאֹד וִהְיִיתֶם כֻּלְּכֶם
ה נְכֹנִים׃ וַאֲנִי וְכָל־הָעָם אֲשֶׁר אִתִּי נִקְרַב אֶל־הָעִיר וְהָיָה כִּי־יֵצְאוּ
ו לִקְרָאתֵנוּ כַּאֲשֶׁר בָּרִאשֹׁנָה וְנַסְנוּ לִפְנֵיהֶם׃ וְיָצְאוּ אַחֲרֵינוּ עַד
הַתִּיקֵנוּ אוֹתָם מִן־הָעִיר כִּי יֹאמְרוּ נָסִים לְפָנֵינוּ כַּאֲשֶׁר
ז בָּרִאשֹׁנָה וְנַסְנוּ לִפְנֵיהֶם׃ וְאַתֶּם תָּקֻמוּ מֵהָאוֹרֵב וְהוֹרַשְׁתֶּם
ח אֶת־הָעִיר וּנְתָנָהּ יְהוָה אֱלֹהֵיכֶם בְּיֶדְכֶם׃ וְהָיָה כְּתָפְשְׂכֶם
אֶת־הָעִיר תַּצִּיתוּ אֶת־הָעִיר בָּאֵשׁ כִּדְבַר יְהוָה תַּעֲשׂוּ רְאוּ צִוִּיתִי

ט אֶתְכֶם: וַיִּשְׁלָחֵם יְהוֹשֻׁעַ וַיֵּלְכוּ אֶל־הַמַּאְרָב וַיֵּשְׁבוּ בֵּין הַצָּבַת הַמַּאְרָב:
בֵּית־אֵל וּבֵין הָעַי מִיָּם לָעָי וַיָּלֶן יְהוֹשֻׁעַ בַּלַּיְלָה הַהוּא בְּתוֹךְ
י הָעָם: וַיַּשְׁכֵּם יְהוֹשֻׁעַ בַּבֹּקֶר וַיִּפְקֹד אֶת־הָעָם וַיַּעַל הוּא וְזִקְנֵי
יא יִשְׂרָאֵל לִפְנֵי הָעָם הָעָי: וְכָל־הָעָם הַמִּלְחָמָה אֲשֶׁר אִתּוֹ עָלוּ
וַיִּגְּשׁוּ וַיָּבֹאוּ נֶגֶד הָעִיר וַיַּחֲנוּ מִצְּפוֹן לָעַי וְהַגַּי בֵּינָו וּבֵין־הָעָי:
יב וַיִּקַּח כַּחֲמֵשֶׁת אֲלָפִים אִישׁ וַיָּשֶׂם אוֹתָם אֹרֵב בֵּין בֵּית־אֵל וּבֵין
יג הָעַי מִיָּם לָעִיר: וַיָּשִׂימוּ הָעָם אֶת־כָּל־הַמַּחֲנֶה אֲשֶׁר מִצְּפוֹן
לָעִיר וְאֶת־עֲקֵבוֹ מִיָּם לָעִיר וַיֵּלֶךְ יְהוֹשֻׁעַ בַּלַּיְלָה הַהוּא בְּתוֹךְ
יד הָעֵמֶק: וַיְהִי כִּרְאוֹת מֶלֶךְ־הָעַי וַיְמַהֲרוּ וַיַּשְׁכִּימוּ וַיֵּצְאוּ אַנְשֵׁי־
הָעִיר לִקְרַאת־יִשְׂרָאֵל לַמִּלְחָמָה הוּא וְכָל־עַמּוֹ לַמּוֹעֵד לִפְנֵי
טו הָעֲרָבָה וְהוּא לֹא יָדַע כִּי־אֹרֵב לוֹ מֵאַחֲרֵי הָעִיר: וַיִּנָּגְעוּ יְהוֹשֻׁעַ הַנְּסִיגָה לְמַרְאִית
טז וְכָל־יִשְׂרָאֵל לִפְנֵיהֶם וַיָּנֻסוּ דֶּרֶךְ הַמִּדְבָּר: וַיִּזָּעֲקוּ כָּל־הָעָם עַיִן:
אֲשֶׁר בעיר בָּעַי לִרְדֹּף אַחֲרֵיהֶם וַיִּרְדְּפוּ אַחֲרֵי יְהוֹשֻׁעַ וַיִּנָּתְקוּ
יז מִן־הָעִיר: וְלֹא־נִשְׁאַר אִישׁ בָּעַי וּבֵית אֵל אֲשֶׁר לֹא־יָצְאוּ אַחֲרֵי
יִשְׂרָאֵל וַיַּעַזְבוּ אֶת־הָעִיר פְּתוּחָה וַיִּרְדְּפוּ אַחֲרֵי יִשְׂרָאֵל:
יח וַיֹּאמֶר יְהֹוָה אֶל־יְהוֹשֻׁעַ נְטֵה בַּכִּידוֹן אֲשֶׁר־בְּיָדְךָ אֶל־הָעַי כִּי כִּבּוּשׁ הָעַי
בְיָדְךָ אֶתְּנֶנָּה וַיֵּט יְהוֹשֻׁעַ בַּכִּידוֹן אֲשֶׁר־בְּיָדוֹ אֶל־הָעִיר: וּשְׂרֵפָתָהּ:
יט וְהָאוֹרֵב קָם מְהֵרָה מִמְּקוֹמוֹ וַיָּרוּצוּ כִּנְטוֹת יָדוֹ וַיָּבֹאוּ הָעִיר
כ וַיִּלְכְּדוּהָ וַיְמַהֲרוּ וַיַּצִּיתוּ אֶת־הָעִיר בָּאֵשׁ: וַיִּפְנוּ אַנְשֵׁי הָעַי
אַחֲרֵיהֶם וַיִּרְאוּ וְהִנֵּה עָלָה עֲשַׁן הָעִיר הַשָּׁמַיְמָה וְלֹא־הָיָה בָהֶם
יָדַיִם לָנוּס הֵנָּה וָהֵנָּה וְהָעָם הַנָּס הַמִּדְבָּר נֶהְפַּךְ אֶל־הָרוֹדֵף:
כא וִיהוֹשֻׁעַ וְכָל־יִשְׂרָאֵל רָאוּ כִּי־לָכַד הָאֹרֵב אֶת־הָעִיר וְכִי עָלָה
כב עֲשַׁן הָעִיר וַיָּשֻׁבוּ וַיַּכּוּ אֶת־אַנְשֵׁי הָעָי: וְאֵלֶּה יָצְאוּ מִן־הָעִיר
לִקְרָאתָם וַיִּהְיוּ לְיִשְׂרָאֵל בַּתָּוֶךְ אֵלֶּה מִזֶּה וְאֵלֶּה מִזֶּה וַיַּכּוּ
כג אוֹתָם עַד־בִּלְתִּי הִשְׁאִיר־לוֹ שָׂרִיד וּפָלִיט: וְאֶת־מֶלֶךְ הָעַי תָּפְשׂוּ

כד חָי וַיַּקְרִבוּ אֹתוֹ אֶל־יְהוֹשֻׁעַ: וַיְהִי כְּכַלּוֹת יִשְׂרָאֵל לַהֲרֹג אֶת־
כָּל־יֹשְׁבֵי הָעַי בַּשָּׂדֶה בַּמִּדְבָּר אֲשֶׁר רְדָפוּם בּוֹ וַיִּפְּלוּ כֻלָּם
לְפִי־חֶרֶב עַד־תֻּמָּם וַיָּשֻׁבוּ כָל־יִשְׂרָאֵל הָעַי וַיַּכּוּ אֹתָהּ לְפִי־
כה חָרֶב: וַיְהִי כָל־הַנֹּפְלִים בַּיּוֹם הַהוּא מֵאִישׁ וְעַד־אִשָּׁה שְׁנֵים
כו עָשָׂר אָלֶף כֹּל אַנְשֵׁי הָעָי: וִיהוֹשֻׁעַ לֹא־הֵשִׁיב יָדוֹ אֲשֶׁר נָטָה
כז בַּכִּידוֹן עַד אֲשֶׁר הֶחֱרִים אֵת כָּל־יֹשְׁבֵי הָעָי: רַק הַבְּהֵמָה וּשְׁלַל
הָעִיר הַהִיא בָּזְזוּ לָהֶם יִשְׂרָאֵל כִּדְבַר יְהוָה אֲשֶׁר צִוָּה אֶת־
כח יְהוֹשֻׁעַ: וַיִּשְׂרֹף יְהוֹשֻׁעַ אֶת־הָעָי וַיְשִׂימֶהָ תֵּל־עוֹלָם שְׁמָמָה עַד
כט הַיּוֹם הַזֶּה: וְאֶת־מֶלֶךְ הָעַי תָּלָה עַל־הָעֵץ עַד־עֵת הָעָרֶב וּכְבוֹא
הַשֶּׁמֶשׁ צִוָּה יְהוֹשֻׁעַ וַיֹּרִידוּ אֶת־נִבְלָתוֹ מִן־הָעֵץ וַיַּשְׁלִיכוּ
אוֹתָהּ אֶל־פֶּתַח שַׁעַר הָעִיר וַיָּקִימוּ עָלָיו גַּל־אֲבָנִים גָּדוֹל
עַד הַיּוֹם הַזֶּה:

הַבְּרִית בְּהַר גְּרִזִּים וְהַר עֵיבָל:

ל אָז יִבְנֶה יְהוֹשֻׁעַ מִזְבֵּחַ לַיהוָה אֱלֹהֵי יִשְׂרָאֵל בְּהַר עֵיבָל:
לא כַּאֲשֶׁר צִוָּה מֹשֶׁה עֶבֶד־יְהוָה אֶת־בְּנֵי יִשְׂרָאֵל כַּכָּתוּב בְּסֵפֶר
תּוֹרַת מֹשֶׁה מִזְבַּח אֲבָנִים שְׁלֵמוֹת אֲשֶׁר לֹא־הֵנִיף עֲלֵיהֶן בַּרְזֶל
לב וַיַּעֲלוּ עָלָיו עֹלוֹת לַיהוָה וַיִּזְבְּחוּ שְׁלָמִים: וַיִּכְתָּב־שָׁם עַל־
הָאֲבָנִים אֵת מִשְׁנֵה תּוֹרַת מֹשֶׁה אֲשֶׁר כָּתַב לִפְנֵי בְּנֵי יִשְׂרָאֵל:
לג וְכָל־יִשְׂרָאֵל וּזְקֵנָיו וְשֹׁטְרִים ׀ וְשֹׁפְטָיו עֹמְדִים מִזֶּה ׀ וּמִזֶּה ׀
לָאָרוֹן נֶגֶד הַכֹּהֲנִים הַלְוִיִּם נֹשְׂאֵי ׀ אֲרוֹן בְּרִית־יְהוָה כַּגֵּר
כָּאֶזְרָח חֶצְיוֹ אֶל־מוּל הַר־גְּרִזִּים וְהַחֶצְיוֹ אֶל־מוּל הַר־עֵיבָל
כַּאֲשֶׁר צִוָּה מֹשֶׁה עֶבֶד־יְהוָה לְבָרֵךְ אֶת־הָעָם יִשְׂרָאֵל בָּרִאשֹׁנָה:
לד וְאַחֲרֵי־כֵן קָרָא אֶת־כָּל־דִּבְרֵי הַתּוֹרָה הַבְּרָכָה וְהַקְּלָלָה כְּכָל־
לה הַכָּתוּב בְּסֵפֶר הַתּוֹרָה: לֹא־הָיָה דָבָר מִכֹּל אֲשֶׁר־צִוָּה מֹשֶׁה אֲשֶׁר
לֹא־קָרָא יְהוֹשֻׁעַ נֶגֶד כָּל־קְהַל יִשְׂרָאֵל וְהַנָּשִׁים וְהַטַּף וְהַגֵּר

הִתְקַבְּצוּת הַמְּלָכִים לְהִלָּחֵם בְּיִשְׂרָאֵל:

ט א הַהֹלֵךְ בְּקִרְבָּם: וַיְהִי כִשְׁמֹעַ כָּל־הַמְּלָכִים אֲשֶׁר בְּעֵבֶר הַיַּרְדֵּן

בָּהָר וּבַשְּׁפֵלָה וּבְכֹל חוֹף הַיָּם הַגָּדוֹל אֶל־מוּל הַלְּבָנוֹן הַחִתִּי
ב וְהָאֱמֹרִי הַכְּנַעֲנִי הַפְּרִזִּי הַחִוִּי וְהַיְבוּסִי׃ וַיִּתְקַבְּצוּ יַחְדָּו לְהִלָּחֵם
עִם־יְהוֹשֻׁעַ וְעִם־יִשְׂרָאֵל פֶּה אֶחָד׃
ג וְיֹשְׁבֵי גִבְעוֹן שָׁמְעוּ אֵת אֲשֶׁר עָשָׂה יְהוֹשֻׁעַ לִירִיחוֹ וְלָעָי׃ עָרְמַת הַגִּבְעוֹנִים׃
ד וַיַּעֲשׂוּ גַם־הֵמָּה בְּעָרְמָה וַיֵּלְכוּ וַיִּצְטַיָּרוּ וַיִּקְחוּ שַׂקִּים בָּלִים
ה לַחֲמוֹרֵיהֶם וְנֹאדוֹת יַיִן בָּלִים וּמְבֻקָּעִים וּמְצֹרָרִים׃ וּנְעָלוֹת
בָּלוֹת וּמְטֻלָּאוֹת בְּרַגְלֵיהֶם וּשְׂלָמוֹת בָּלוֹת עֲלֵיהֶם וְכֹל לֶחֶם
ו צֵידָם יָבֵשׁ הָיָה נִקֻּדִים׃ וַיֵּלְכוּ אֶל־יְהוֹשֻׁעַ אֶל־הַמַּחֲנֶה הַגִּלְגָּל
וַיֹּאמְרוּ אֵלָיו וְאֶל־אִישׁ יִשְׂרָאֵל מֵאֶרֶץ רְחוֹקָה בָּאנוּ וְעַתָּה
ז כִּרְתוּ־לָנוּ בְרִית׃ ויאמרו וַיֹּאמֶר אִישׁ־יִשְׂרָאֵל אֶל־הַחִוִּי אוּלַי
ח בְּקִרְבִּי אַתָּה יוֹשֵׁב וְאֵיךְ אכרות אֶכְרָת־לְךָ בְרִית׃ וַיֹּאמְרוּ
אֶל־יְהוֹשֻׁעַ עֲבָדֶיךָ אֲנָחְנוּ וַיֹּאמֶר אֲלֵיהֶם יְהוֹשֻׁעַ מִי אַתֶּם
ט וּמֵאַיִן תָּבֹאוּ׃ וַיֹּאמְרוּ אֵלָיו מֵאֶרֶץ רְחוֹקָה מְאֹד בָּאוּ עֲבָדֶיךָ
לְשֵׁם יְהוָה אֱלֹהֶיךָ כִּי־שָׁמַעְנוּ שָׁמְעוֹ וְאֵת כָּל־אֲשֶׁר עָשָׂה
י בְּמִצְרָיִם׃ וְאֵת ׀ כָּל־אֲשֶׁר עָשָׂה לִשְׁנֵי מַלְכֵי הָאֱמֹרִי אֲשֶׁר
בְּעֵבֶר הַיַּרְדֵּן לְסִיחוֹן מֶלֶךְ חֶשְׁבּוֹן וּלְעוֹג מֶלֶךְ־הַבָּשָׁן אֲשֶׁר
יא בְּעַשְׁתָּרוֹת׃ וַיֹּאמְרוּ אֵלֵינוּ זְקֵינֵינוּ וְכָל־יֹשְׁבֵי אַרְצֵנוּ לֵאמֹר קְחוּ
בְיֶדְכֶם צֵידָה לַדֶּרֶךְ וּלְכוּ לִקְרָאתָם וַאֲמַרְתֶּם אֲלֵיהֶם עַבְדֵיכֶם
יב אֲנַחְנוּ וְעַתָּה כִּרְתוּ־לָנוּ בְרִית׃ זֶה ׀ לַחְמֵנוּ חָם הִצְטַיַּדְנוּ אֹתוֹ
מִבָּתֵּינוּ בְּיוֹם צֵאתֵנוּ לָלֶכֶת אֲלֵיכֶם וְעַתָּה הִנֵּה יָבֵשׁ וְהָיָה נִקֻּדִים׃
יג וְאֵלֶּה נֹאדוֹת הַיַּיִן אֲשֶׁר מִלֵּאנוּ חֲדָשִׁים וְהִנֵּה הִתְבַּקָּעוּ וְאֵלֶּה
יד שַׂלְמוֹתֵינוּ וּנְעָלֵינוּ בָּלוּ מֵרֹב הַדֶּרֶךְ מְאֹד׃ וַיִּקְחוּ הָאֲנָשִׁים מִצֵּידָם
טו וְאֶת־פִּי יְהוָה לֹא שָׁאָלוּ׃ וַיַּעַשׂ לָהֶם יְהוֹשֻׁעַ שָׁלוֹם וַיִּכְרֹת לָהֶם כְּרִיתַת הַבְּרִית וְגִלּוּי הַתַּרְמִית׃
טז בְּרִית לְחַיּוֹתָם וַיִּשָּׁבְעוּ לָהֶם נְשִׂיאֵי הָעֵדָה׃ וַיְהִי מִקְצֵה שְׁלֹשֶׁת
יָמִים אַחֲרֵי אֲשֶׁר־כָּרְתוּ לָהֶם בְּרִית וַיִּשְׁמְעוּ כִּי־קְרֹבִים הֵם אֵלָיו

יז וּבְקִרְבּ֖וֹ הֵ֥ם יֹשְׁבִֽים׃ וַיִּסְע֣וּ בְנֵֽי־יִשְׂרָאֵ֗ל וַיָּבֹ֛אוּ אֶל־עָרֵיהֶ֖ם בַּיּ֣וֹם
יח הַשְּׁלִישִׁ֑י וְעָרֵיהֶ֗ם גִּבְע֙וֹן וְהַכְּפִירָ֔ה וּבְאֵר֖וֹת וְקִרְיַ֥ת יְעָרִֽים׃ וְלֹ֤א
הִכּוּם֙ בְּנֵ֣י יִשְׂרָאֵ֔ל כִּֽי־נִשְׁבְּע֤וּ לָהֶם֙ נְשִׂיאֵ֣י הָֽעֵדָ֔ה בַּֽיהוָ֖ה אֱלֹהֵ֣י
יט יִשְׂרָאֵ֑ל וַיִּלֹּ֥נוּ כָל־הָעֵדָ֖ה עַל־הַנְּשִׂיאִֽים׃ וַיֹּאמְר֤וּ כָל־הַנְּשִׂיאִים֙
אֶל־כָּל־הָ֣עֵדָ֔ה אֲנַ֙חְנוּ֙ נִשְׁבַּ֣עְנוּ לָהֶ֔ם בַּֽיהוָ֖ה אֱלֹהֵ֣י יִשְׂרָאֵ֑ל וְעַתָּ֕ה
כ לֹ֥א נוּכַ֖ל לִנְגֹּ֥עַ בָּהֶֽם׃ זֹ֛את נַעֲשֶׂ֥ה לָהֶ֖ם וְהַחֲיֵ֣ה אוֹתָ֑ם וְלֹא־יִֽהְיֶ֤ה
כא עָלֵ֙ינוּ֙ קֶ֔צֶף עַל־הַשְּׁבוּעָ֖ה אֲשֶׁר־נִשְׁבַּ֥עְנוּ לָהֶֽם׃ וַיֹּאמְר֧וּ אֲלֵיהֶ֛ם
הַנְּשִׂיאִ֖ים יִחְי֑וּ וַיִּֽהְי֞וּ חֹטְבֵ֤י עֵצִים֙ וְשֹׁאֲבֵי־מַ֙יִם֙ לְכָל־הָ֣עֵדָ֔ה
כב כַּאֲשֶׁ֥ר דִּבְּר֛וּ לָהֶ֖ם הַנְּשִׂיאִֽים׃ וַיִּקְרָ֤א לָהֶם֙ יְהוֹשֻׁ֔עַ וַיְדַבֵּ֥ר
אֲלֵיהֶ֖ם לֵאמֹ֑ר לָ֡מָּה רִמִּיתֶ֨ם אֹתָ֜נוּ לֵאמֹ֗ר רְחוֹקִ֨ים אֲנַ֤חְנוּ מִכֶּם֙
כג מְאֹ֔ד וְאַתֶּ֖ם בְּקִרְבֵּ֥נוּ יֹשְׁבִֽים׃ וְעַתָּ֖ה אֲרוּרִ֣ים אַתֶּ֑ם וְלֹֽא־יִכָּרֵ֨ת
כד מִכֶּ֜ם עֶ֗בֶד וְחֹטְבֵ֥י עֵצִ֛ים וְשֹׁ֥אֲבֵי מַ֖יִם לְבֵ֥ית אֱלֹהָֽי׃ וַיַּעֲנ֨וּ
אֶת־יְהוֹשֻׁ֜עַ וַיֹּאמְר֗וּ כִּי֩ הֻגֵּ֨ד הֻגַּ֤ד לַעֲבָדֶ֙יךָ֙ אֵת֩ אֲשֶׁ֨ר צִוָּ֜ה יְהוָ֣ה
אֱלֹהֶ֗יךָ אֶת־מֹשֶׁ֣ה עַבְדּ֔וֹ לָתֵ֤ת לָכֶם֙ אֶת־כָּל־הָאָ֔רֶץ וּלְהַשְׁמִ֛יד
אֶת־כָּל־יֹשְׁבֵ֥י הָאָ֖רֶץ מִפְּנֵיכֶ֑ם וַנִּירָ֨א מְאֹ֤ד לְנַפְשֹׁתֵ֙ינוּ֙ מִפְּנֵיכֶ֔ם
כה וַֽנַּעֲשֵׂ֖ה אֶת־הַדָּבָ֥ר הַזֶּֽה׃ וְעַתָּ֖ה הִנְנ֣וּ בְיָדֶ֑ךָ כַּטּ֨וֹב וְכַיָּשָׁ֧ר בְּעֵינֶ֛יךָ
כו לַעֲשׂ֥וֹת לָ֖נוּ עֲשֵֽׂה׃ וַיַּ֥עַשׂ לָהֶ֖ם כֵּ֑ן וַיַּצֵּ֥ל אוֹתָ֛ם מִיַּ֥ד בְּנֵֽי־יִשְׂרָאֵ֖ל
כז וְלֹ֥א הֲרָגֽוּם׃ וַיִּתְּנֵ֨ם יְהוֹשֻׁ֜עַ בַּיּ֣וֹם הַה֗וּא חֹטְבֵ֥י עֵצִ֛ים וְשֹׁ֥אֲבֵי
מַ֖יִם לָעֵדָ֑ה וּלְמִזְבַּ֤ח יְהוָה֙ עַד־הַיּ֣וֹם הַזֶּ֔ה אֶל־הַמָּק֖וֹם אֲשֶׁ֥ר
יִבְחָֽר׃

תוכחת יְהוֹשֻׁעַ, הַעֲנָשָׁתָם וְהִתְנַצְּלוּתָם:

י א וַיְהִי֩ כִשְׁמֹ֨עַ אֲדֹֽנִי־צֶ֜דֶק מֶ֣לֶךְ יְרוּשָׁלִַ֗ם כִּֽי־לָכַ֨ד יְהוֹשֻׁ֥עַ אֶת־
הָעַי֮ וַיַּחֲרִימָהּ֒ כַּאֲשֶׁ֨ר עָשָׂ֤ה לִירִיחוֹ֙ וּלְמַלְכָּ֔הּ כֵּן־עָשָׂ֥ה לָעַ֖י
וּלְמַלְכָּ֑הּ וְכִ֨י הִשְׁלִ֜ימוּ יֹשְׁבֵ֤י גִבְעוֹן֙ אֶת־יִשְׂרָאֵ֔ל וַיִּהְי֖וּ
ב בְּקִרְבָּֽם׃ וַיִּֽירְא֣וּ מְאֹ֔ד כִּ֣י עִ֤יר גְּדוֹלָה֙ גִּבְע֔וֹן כְּאַחַ֖ת עָרֵ֣י
ג הַמַּמְלָכָ֑ה וְכִ֨י הִ֤יא גְדוֹלָה֙ מִן־הָעַ֔י וְכָל־אֲנָשֶׁ֖יהָ גִּבֹּרִֽים׃ וַיִּשְׁלַ֡ח

מִלְחֶמֶת מַלְכֵי הָאֱמֹרִי בְּגִבְעוֹן:

אֲדֹנִי־צֶדֶק מֶלֶךְ יְרוּשָׁלַם אֶל־הוֹהָם מֶלֶךְ־חֶבְרוֹן וְאֶל־פִּרְאָם
מֶלֶךְ־יַרְמוּת וְאֶל־יָפִיעַ מֶלֶךְ־לָכִישׁ וְאֶל־דְּבִיר מֶלֶךְ־עֶגְלוֹן
ד לֵאמֹר: עֲלוּ־אֵלַי וְעִזְרֻנִי וְנַכֶּה אֶת־גִּבְעוֹן כִּי־הִשְׁלִימָה אֶת־
ה יְהוֹשֻׁעַ וְאֶת־בְּנֵי יִשְׂרָאֵל: וַיֵּאָסְפוּ וַיַּעֲלוּ חֲמֵשֶׁת | מַלְכֵי הָאֱמֹרִי
מֶלֶךְ יְרוּשָׁלַם מֶלֶךְ־חֶבְרוֹן מֶלֶךְ־יַרְמוּת מֶלֶךְ־לָכִישׁ מֶלֶךְ־
ו עֶגְלוֹן הֵם וְכָל־מַחֲנֵיהֶם וַיַּחֲנוּ עַל־גִּבְעוֹן וַיִּלָּחֲמוּ עָלֶיהָ: וַיִּשְׁלְחוּ

בַּקָּשַׁת הַגִּבְעוֹנִים לְעֶזְרָה מִיהוֹשֻׁעַ:

אַנְשֵׁי גִבְעוֹן אֶל־יְהוֹשֻׁעַ אֶל־הַמַּחֲנֶה הַגִּלְגָּלָה לֵאמֹר אַל־תֶּרֶף
יָדֶיךָ מֵעֲבָדֶיךָ עֲלֵה אֵלֵינוּ מְהֵרָה וְהוֹשִׁיעָה לָּנוּ וְעָזְרֵנוּ כִּי נִקְבְּצוּ
ז אֵלֵינוּ כָּל־מַלְכֵי הָאֱמֹרִי יֹשְׁבֵי הָהָר: וַיַּעַל יְהוֹשֻׁעַ מִן־הַגִּלְגָּל
הוּא וְכָל־עַם הַמִּלְחָמָה עִמּוֹ וְכֹל גִּבּוֹרֵי הֶחָיִל:

מִלְחֶמֶת יְהוֹשֻׁעַ בָּאֱמֹרִי וְנֵס אַבְנֵי הַבָּרָד:

ח וַיֹּאמֶר יְהוָה אֶל־יְהוֹשֻׁעַ אַל־תִּירָא מֵהֶם כִּי בְיָדְךָ נְתַתִּים
ט לֹא־יַעֲמֹד אִישׁ מֵהֶם בְּפָנֶיךָ: וַיָּבֹא אֲלֵיהֶם יְהוֹשֻׁעַ פִּתְאֹם
י כָּל־הַלַּיְלָה עָלָה מִן־הַגִּלְגָּל: וַיְהֻמֵּם יְהוָה לִפְנֵי יִשְׂרָאֵל וַיַּכֵּם
מַכָּה־גְדוֹלָה בְּגִבְעוֹן וַיִּרְדְּפֵם דֶּרֶךְ מַעֲלֵה בֵית־חוֹרֹן וַיַּכֵּם
יא עַד־עֲזֵקָה וְעַד־מַקֵּדָה: וַיְהִי בְּנֻסָם | מִפְּנֵי יִשְׂרָאֵל הֵם בְּמוֹרַד
בֵּית־חוֹרֹן וַיהוָה הִשְׁלִיךְ עֲלֵיהֶם אֲבָנִים גְּדֹלוֹת מִן־הַשָּׁמַיִם
עַד־עֲזֵקָה וַיָּמֻתוּ רַבִּים אֲשֶׁר־מֵתוּ בְּאַבְנֵי הַבָּרָד מֵאֲשֶׁר הָרְגוּ

הַעֲמָדַת הַשֶּׁמֶשׁ:

יב בְּנֵי יִשְׂרָאֵל בֶּחָרֶב: אָז יְדַבֵּר יְהוֹשֻׁעַ לַיהוָה בְּיוֹם תֵּת
יְהוָה אֶת־הָאֱמֹרִי לִפְנֵי בְּנֵי יִשְׂרָאֵל וַיֹּאמֶר | לְעֵינֵי יִשְׂרָאֵל
יג שֶׁמֶשׁ בְּגִבְעוֹן דּוֹם וְיָרֵחַ בְּעֵמֶק אַיָּלוֹן: וַיִּדֹּם הַשֶּׁמֶשׁ וְיָרֵחַ
עָמָד עַד־יִקֹּם גּוֹי אֹיְבָיו הֲלֹא־הִיא כְתוּבָה עַל־סֵפֶר הַיָּשָׁר
יד וַיַּעֲמֹד הַשֶּׁמֶשׁ בַּחֲצִי הַשָּׁמַיִם וְלֹא־אָץ לָבוֹא כְּיוֹם תָּמִים: וְלֹא
הָיָה כַּיּוֹם הַהוּא לְפָנָיו וְאַחֲרָיו לִשְׁמֹעַ יְהוָה בְּקוֹל אִישׁ כִּי יְהוָה
טו נִלְחָם לְיִשְׂרָאֵל: וַיָּשָׁב יְהוֹשֻׁעַ וְכָל־יִשְׂרָאֵל
טז עִמּוֹ אֶל־הַמַּחֲנֶה הַגִּלְגָּלָה: וַיָּנֻסוּ חֲמֵשֶׁת הַמְּלָכִים הָאֵלֶּה וַיֵּחָבְאוּ

לְכִידַת
חֲמֵשֶׁת
הַמְּלָכִים:

יז בַּמְּעָרָה בְּמַקֵּדָה: וַיֻּגַּד לִיהוֹשֻׁעַ לֵאמֹר נִמְצְאוּ חֲמֵשֶׁת הַמְּלָכִים

יח נֶחְבְּאִים בַּמְּעָרָה בְּמַקֵּדָה: וַיֹּאמֶר יְהוֹשֻׁעַ גֹּלּוּ אֲבָנִים גְּדֹלוֹת

יט אֶל־פִּי הַמְּעָרָה וְהַפְקִידוּ עָלֶיהָ אֲנָשִׁים לְשָׁמְרָם: וְאַתֶּם אַל־

תַּעֲמֹדוּ רִדְפוּ אַחֲרֵי אֹיְבֵיכֶם וְזִנַּבְתֶּם אוֹתָם אַל־תִּתְּנוּם לָבוֹא

כ אֶל־עָרֵיהֶם כִּי נְתָנָם יְהוָה אֱלֹהֵיכֶם בְּיֶדְכֶם: וַיְהִי כְּכַלּוֹת יְהוֹשֻׁעַ

וּבְנֵי יִשְׂרָאֵל לְהַכּוֹתָם מַכָּה גְדוֹלָה־מְאֹד עַד־תֻּמָּם וְהַשְּׂרִידִים

כא שָׂרְדוּ מֵהֶם וַיָּבֹאוּ אֶל־עָרֵי הַמִּבְצָר: וַיָּשֻׁבוּ כָל־הָעָם אֶל־

הַמַּחֲנֶה אֶל־יְהוֹשֻׁעַ מַקֵּדָה בְּשָׁלוֹם לֹא־חָרַץ לִבְנֵי יִשְׂרָאֵל

כב לְאִישׁ אֶת־לְשֹׁנוֹ: וַיֹּאמֶר יְהוֹשֻׁעַ פִּתְחוּ אֶת־פִּי הַמְּעָרָה וְהוֹצִיאוּ

כג אֵלַי אֶת־חֲמֵשֶׁת הַמְּלָכִים הָאֵלֶּה מִן־הַמְּעָרָה: וַיַּעֲשׂוּ כֵן וַיֹּצִיאוּ

אֵלָיו אֶת־חֲמֵשֶׁת הַמְּלָכִים הָאֵלֶּה מִן־הַמְּעָרָה אֵת ׀ מֶלֶךְ

יְרוּשָׁלִַם אֶת־מֶלֶךְ חֶבְרוֹן אֶת־מֶלֶךְ יַרְמוּת אֶת־מֶלֶךְ לָכִישׁ

כד אֶת־מֶלֶךְ עֶגְלוֹן: וַיְהִי כְּהוֹצִיאָם אֶת־הַמְּלָכִים הָאֵלֶּה אֶל־יְהוֹשֻׁעַ

וַיִּקְרָא יְהוֹשֻׁעַ אֶל־כָּל־אִישׁ יִשְׂרָאֵל וַיֹּאמֶר אֶל־קְצִינֵי אַנְשֵׁי

הַמִּלְחָמָה הֶהָלְכוּא אִתּוֹ קִרְבוּ שִׂימוּ אֶת־רַגְלֵיכֶם עַל־צַוְּארֵי

הַמְּלָכִים הָאֵלֶּה וַיִּקְרְבוּ וַיָּשִׂימוּ אֶת־רַגְלֵיהֶם עַל־צַוְּארֵיהֶם:

כה וַיֹּאמֶר אֲלֵיהֶם יְהוֹשֻׁעַ אַל־תִּירְאוּ וְאַל־תֵּחָתּוּ חִזְקוּ וְאִמְצוּ כִּי

כָכָה יַעֲשֶׂה יְהוָה לְכָל־אֹיְבֵיכֶם אֲשֶׁר אַתֶּם נִלְחָמִים אוֹתָם:

הֲמָתַת
הַמְּלָכִים
וּתְלִיָּתָם:

כו וַיַּכֵּם יְהוֹשֻׁעַ אַחֲרֵי־כֵן וַיְמִיתֵם וַיִּתְלֵם עַל חֲמִשָּׁה עֵצִים וַיִּהְיוּ

כז תְּלוּיִם עַל־הָעֵצִים עַד־הָעָרֶב: וַיְהִי לְעֵת ׀ בּוֹא הַשֶּׁמֶשׁ צִוָּה

יְהוֹשֻׁעַ וַיֹּרִידוּם מֵעַל הָעֵצִים וַיַּשְׁלִכֻם אֶל־הַמְּעָרָה אֲשֶׁר

נֶחְבְּאוּ־שָׁם וַיָּשִׂמוּ אֲבָנִים גְּדֹלוֹת עַל־פִּי הַמְּעָרָה עַד־עֶצֶם

כִּבּוּשׁ
מַקֵּדָה:

כח הַיּוֹם הַזֶּה: וְאֶת־מַקֵּדָה לָכַד יְהוֹשֻׁעַ בַּיּוֹם הַהוּא וַיַּכֶּהָ

לְפִי־חֶרֶב וְאֶת־מַלְכָּהּ הֶחֱרִם אוֹתָם וְאֶת־כָּל־הַנֶּפֶשׁ אֲשֶׁר־

בָּהּ לֹא הִשְׁאִיר שָׂרִיד וַיַּעַשׂ לְמֶלֶךְ מַקֵּדָה כַּאֲשֶׁר עָשָׂה לְמֶלֶךְ

כט יְרִיחוֹ: וַיַּעֲבֹר יְהוֹשֻׁעַ כִּבּוּשׁ
ל וְכָל־יִשְׂרָאֵל עִמּוֹ מִמַּקֵּדָה לִבְנָה וַיִּלָּחֶם עִם־לִבְנָה: וַיִּתֵּן יְהוָה לִבְנָה:
גַּם־אוֹתָהּ בְּיַד יִשְׂרָאֵל וְאֶת־מַלְכָּהּ וַיַּכֶּהָ לְפִי־חֶרֶב וְאֶת־כָּל־
הַנֶּפֶשׁ אֲשֶׁר־בָּהּ לֹא־הִשְׁאִיר בָּהּ שָׂרִיד וַיַּעַשׂ לְמַלְכָּהּ
לא כַּאֲשֶׁר עָשָׂה לְמֶלֶךְ יְרִיחוֹ: וַיַּעֲבֹר יְהוֹשֻׁעַ וְכָל־ כִּבּוּשׁ
לב יִשְׂרָאֵל עִמּוֹ מִלִּבְנָה לָכִישָׁה וַיִּחַן עָלֶיהָ וַיִּלָּחֶם בָּהּ: וַיִּתֵּן יְהוָה לָכִישׁ:
אֶת־לָכִישׁ בְּיַד יִשְׂרָאֵל וַיִּלְכְּדָהּ בַּיּוֹם הַשֵּׁנִי וַיַּכֶּהָ לְפִי־חֶרֶב
וְאֶת־כָּל־הַנֶּפֶשׁ אֲשֶׁר־בָּהּ כְּכֹל אֲשֶׁר־עָשָׂה לְלִבְנָה:
לג אָז עָלָה הֹרָם מֶלֶךְ גֶּזֶר לַעְזֹר אֶת־לָכִישׁ וַיַּכֵּהוּ יְהוֹשֻׁעַ הַמִּלְחָמָה
לד וְאֶת־עַמּוֹ עַד־בִּלְתִּי הִשְׁאִיר־לוֹ שָׂרִיד: וַיַּעֲבֹר יְהוֹשֻׁעַ וְכָל־ בְּגֶזֶר וְעֶגְלוֹן:
לה יִשְׂרָאֵל עִמּוֹ מִלָּכִישׁ עֶגְלֹנָה וַיַּחֲנוּ עָלֶיהָ וַיִּלָּחֲמוּ עָלֶיהָ: וַיִּלְכְּדוּהָ
בַּיּוֹם הַהוּא וַיַּכּוּהָ לְפִי־חֶרֶב וְאֵת כָּל־הַנֶּפֶשׁ אֲשֶׁר־בָּהּ בַּיּוֹם
הַהוּא הֶחֱרִים כְּכֹל אֲשֶׁר־עָשָׂה לְלָכִישׁ:
לו וַיַּעַל יְהוֹשֻׁעַ וְכָל־יִשְׂרָאֵל עִמּוֹ מֵעֶגְלוֹנָה חֶבְרוֹנָה וַיִּלָּחֲמוּ עָלֶיהָ: כִּבּוּשׁ
לז וַיִּלְכְּדוּהָ וַיַּכּוּהָ־לְפִי־חֶרֶב וְאֶת־מַלְכָּהּ וְאֶת־כָּל־עָרֶיהָ וְאֶת־כָּל־ חֶבְרוֹן:
הַנֶּפֶשׁ אֲשֶׁר־בָּהּ לֹא־הִשְׁאִיר שָׂרִיד כְּכֹל אֲשֶׁר־עָשָׂה לְעֶגְלוֹן
לח וַיַּחֲרֵם אוֹתָהּ וְאֶת־כָּל־הַנֶּפֶשׁ אֲשֶׁר־בָּהּ: וַיָּשָׁב כִּבּוּשׁ
לט יְהוֹשֻׁעַ וְכָל־יִשְׂרָאֵל עִמּוֹ דְּבִרָה וַיִּלָּחֶם עָלֶיהָ: וַיִּלְכְּדָהּ דְּבִיר:
וְאֶת־מַלְכָּהּ וְאֶת־כָּל־עָרֶיהָ וַיַּכּוּם לְפִי־חֶרֶב וַיַּחֲרִימוּ אֶת־כָּל־
נֶפֶשׁ אֲשֶׁר־בָּהּ לֹא הִשְׁאִיר שָׂרִיד כַּאֲשֶׁר עָשָׂה לְחֶבְרוֹן
כֵּן־עָשָׂה לִדְבִרָה וּלְמַלְכָּהּ וְכַאֲשֶׁר עָשָׂה לְלִבְנָה וּלְמַלְכָּהּ:
מ וַיַּכֶּה יְהוֹשֻׁעַ אֶת־כָּל־הָאָרֶץ הָהָר וְהַנֶּגֶב וְהַשְּׁפֵלָה וְהָאֲשֵׁדוֹת סִכּוּם
וְאֵת כָּל־מַלְכֵיהֶם לֹא הִשְׁאִיר שָׂרִיד וְאֵת כָּל־הַנְּשָׁמָה הֶחֱרִים כִּבּוּשׁ
מא כַּאֲשֶׁר צִוָּה יְהוָה אֱלֹהֵי יִשְׂרָאֵל: וַיַּכֵּם יְהוֹשֻׁעַ מִקָּדֵשׁ בַּרְנֵעַ דְּרוֹם
מב וְעַד־עַזָּה וְאֵת כָּל־אֶרֶץ גֹּשֶׁן וְעַד־גִּבְעוֹן: וְאֵת כָּל־הַמְּלָכִים הָאָרֶץ:

הָאֵ֫לֶּה וְאֶת־אַרְצָ֥ם לָכַ֖ד יְהוֹשֻׁ֑עַ פַּ֣עַם אֶחָ֔ת כִּ֚י יְהוָֹה֙ אֱלֹהֵ֣י

יִשְׂרָאֵ֔ל נִלְחָ֖ם לְיִשְׂרָאֵֽל: וַיָּ֤שָׁב יְהוֹשֻׁ֨עַ֙ וְכָל־יִשְׂרָאֵ֣ל עִמּ֔וֹ מג

אֶל־הַֽמַּחֲנֶ֖ה הַגִּלְגָּֽלָה:

<table>
<tr><td>יא</td><td>וַיְהִ֕י כִּשְׁמֹ֖עַ יָבִ֣ין מֶֽלֶךְ־חָצ֑וֹר וַיִּשְׁלַ֗ח אֶל־יוֹבָב֙ מֶ֣לֶךְ מָד֔וֹן</td><td>הִתְוַעֲדוּת
מַלְכֵי
הַצָּפוֹן
לְהִלָּחֵם</td></tr>
</table>

וְאֶל־מֶ֣לֶךְ שִׁמְר֔וֹן וְאֶל־מֶ֖לֶךְ אַכְשָֽׁף: וְאֶל־הַמְּלָכִ֞ים אֲשֶׁ֣ר מִצָּפ֗וֹן ב

בָּהָ֣ר וּבָעֲרָבָ֗ה נֶ֤גֶב כִּנֲרוֹת֙ וּבַשְּׁפֵלָ֔ה וּבְנָפ֖וֹת דּ֣וֹר מִיָּֽם: הַֽכְּנַעֲנִי֙ ג

מִמִּזְרָ֣ח וּמִיָּ֔ם וְהָאֱמֹרִ֧י וְהַֽחִתִּ֛י וְהַפְּרִזִּ֥י וְהַיְבוּסִ֖י בָּהָ֑ר וְהַֽחִוִּי֙ תַּ֣חַת

חֶרְמ֔וֹן בְּאֶ֖רֶץ הַמִּצְפָּֽה: וַיֵּצְא֣וּ הֵ֗ם וְכָל־מַֽחֲנֵיהֶם֙ עִמָּ֔ם עַם־רָ֕ב ד

כַּח֛וֹל אֲשֶׁ֥ר עַל־שְׂפַת־הַיָּ֖ם לָרֹ֑ב וְס֥וּס וָרֶ֖כֶב רַב־מְאֹֽד: וַיִּוָּֽעֲדוּ֙ ה

כֹּ֚ל הַמְּלָכִ֣ים הָאֵ֔לֶּה וַיָּבֹ֕אוּ וַיַּחֲנ֥וּ יַחְדָּ֖ו אֶל־מֵ֣י מֵר֑וֹם לְהִלָּחֵ֖ם

עִם־יִשְׂרָאֵֽל:

<table>
<tr><td>ו</td><td>וַיֹּ֨אמֶר יְהוָֹ֣ה אֶל־יְהוֹשֻׁעַ֮ אַל־תִּירָ֣א מִפְּנֵיהֶם֒ כִּֽי־מָחָ֞ר כָּעֵ֣ת הַזֹּ֗את</td><td>נִצָּחוֹן
יְהוֹשֻׁעַ עַל
מַלְכֵי
הַצָּפוֹן</td></tr>
</table>

אָֽנֹכִ֞י נֹתֵ֧ן אֶת־כֻּלָּ֛ם חֲלָלִ֖ים לִפְנֵ֣י יִשְׂרָאֵ֑ל אֶת־סוּסֵיהֶ֣ם תְּעַקֵּ֔ר

<table>
<tr><td>ז</td><td>וְאֶת־מַרְכְּבֹתֵיהֶ֖ם תִּשְׂרֹ֥ף בָּאֵֽשׁ: וַיָּבֹ֣א יְהוֹשֻׁ֡עַ וְכָל־עַ֣ם הַמִּלְחָמָ֣ה</td><td>כִּדְבַר ה'</td></tr>
</table>

עִמּ֣וֹ עֲלֵיהֶ֡ם עַל־מֵ֥י מֵר֛וֹם פִּתְאֹ֖ם וַֽיִּפְּל֥וּ בָּהֶֽם: וַיִּתְּנֵ֨ם יְהוָֹ֥ה בְּיַֽד־

יִשְׂרָאֵל֮ וַיַּכּוּם֒ וַֽיִּרְדְּפ֞וּם עַד־צִיד֣וֹן רַבָּ֗ה וְעַד֙ מִשְׂרְפ֣וֹת מַ֔יִם

וְעַד־בִּקְעַ֥ת מִצְפֶּ֖ה מִזְרָ֑חָה וַיַּכֻּ֕ם עַד־בִּלְתִּ֥י הִשְׁאִֽיר־לָהֶ֖ם שָׂרִֽיד:

ט וַיַּ֤עַשׂ לָהֶם֙ יְהוֹשֻׁ֔עַ כַּֽאֲשֶׁ֥ר אָֽמַר־ל֖וֹ יְהוָֹ֑ה אֶת־סֽוּסֵיהֶ֣ם עִקֵּ֔ר

<table>
<tr><td>י</td><td>וְאֶת־מַרְכְּבֹֽתֵיהֶ֖ם שָׂרַ֥ף בָּאֵֽשׁ:   וַיָּ֨שָׁב יְהוֹשֻׁ֜עַ בָּעֵ֤ת</td><td>לְכִידַת
חָצוֹר
וּשְׂרֵפָתָהּ</td></tr>
</table>

הַהִיא֙ וַיִּלְכֹּ֣ד אֶת־חָצ֔וֹר וְאֶת־מַלְכָּ֖הּ הִכָּ֣ה בֶחָ֑רֶב כִּֽי־חָצ֣וֹר

לְפָנִ֔ים הִ֣יא רֹ֖אשׁ כָּל־הַמַּמְלָכ֥וֹת הָאֵֽלֶּה: וַ֠יַּכּ֠וּ אֶת־כָּל־הַנֶּ֨פֶשׁ יא

אֲשֶׁר־בָּ֤הּ לְפִי־חֶ֨רֶב֙ הַֽחֲרֵ֔ם לֹ֥א נוֹתַ֖ר כָּל־נְשָׁמָ֑ה וְאֶת־חָצ֖וֹר

שָׂרַ֥ף בָּאֵֽשׁ: וְֽאֶת־כָּל־עָרֵ֣י הַמְּלָכִֽים־הָ֠אֵ֠לֶּה וְֽאֶת־כָּל־מַלְכֵיהֶ֞ם יב

לָכַ֧ד יְהוֹשֻׁ֛עַ וַיַּכֵּ֥ם לְפִי־חֶ֖רֶב הֶֽחֱרִ֣ים אוֹתָ֑ם כַּֽאֲשֶׁ֣ר צִוָּ֔ה מֹשֶׁ֖ה

עֶ֣בֶד יְהוָֹֽה: רַ֣ק כָּל־הֶֽעָרִים֙ הָעֹֽמְד֣וֹת עַל־תִּלָּ֔ם לֹ֥א שְׂרָפָ֖ם יג

יד יִשְׂרָאֵ֖ל זֽוּלָתִ֛י אֶת־חָצ֥וֹר לְבַדָּ֖הּ שָׂרַ֥ף יְהוֹשֻֽׁעַ׃ וְ֠כֹל שְׁלַ֞ל הֶעָרִ֤ים שְׁלַל הֶעָרִים:
הָאֵ֙לֶּה֙ וְהַבְּהֵמָ֔ה בָּזְז֥וּ לָהֶ֖ם בְּנֵ֣י יִשְׂרָאֵ֑ל רַ֣ק אֶֽת־כָּל־הָאָדָ֞ם הִכּ֣וּ
טו לְפִי־חֶ֗רֶב עַד־הִשְׁמִדָם֙ אוֹתָ֔ם לֹ֥א הִשְׁאִ֖ירוּ כָּל־נְשָׁמָֽה׃ כַּאֲשֶׁ֨ר
צִוָּ֤ה יְהוָה֙ אֶת־מֹשֶׁ֣ה עַבְדּ֔וֹ כֵּן־צִוָּ֥ה מֹשֶׁ֖ה אֶת־יְהוֹשֻׁ֑עַ וְכֵן֙ עָשָׂ֣ה
טז יְהוֹשֻׁ֗עַ לֹֽא־הֵסִ֤יר דָּבָר֙ מִכֹּ֔ל אֲשֶׁר־צִוָּ֥ה יְהוָ֖ה אֶת־מֹשֶֽׁה׃ וַיִּקַּ֨ח סִיּוּם כִּבּוּשׁ הָאָרֶץ:
יְהוֹשֻׁ֜עַ אֶת־כָּל־הָאָ֣רֶץ הַזֹּ֗את הָהָ֤ר וְאֶת־כָּל־הַנֶּ֙גֶב֙ וְאֵ֙ת
כָּל־אֶ֣רֶץ הַגֹּ֔שֶׁן וְאֶת־הַשְּׁפֵלָ֖ה וְאֶת־הָעֲרָבָ֑ה וְאֶת־הַ֥ר יִשְׂרָאֵ֖ל
יז וּשְׁפֵלָתֹֽה׃ מִן־הָהָ֤ר הֶֽחָלָק֙ הָעוֹלֶ֣ה שֵׂעִ֔יר וְעַד־בַּ֤עַל גָּד֙ בְּבִקְעַ֣ת
הַלְּבָנ֔וֹן תַּ֖חַת הַר־חֶרְמ֑וֹן וְאֵ֤ת כָּל־מַלְכֵיהֶם֙ לָכַ֔ד וַיַּכֵּ֖ם וַיְמִיתֵֽם׃
יח יָמִ֣ים רַבִּ֗ים עָשָׂ֧ה יְהוֹשֻׁ֛עַ אֶת־כָּל־הַמְּלָכִ֥ים הָאֵ֖לֶּה מִלְחָמָֽה׃
יט לֹֽא־הָיְתָ֣ה עִ֗יר אֲשֶׁ֤ר הִשְׁלִ֙ימָה֙ אֶל־בְּנֵ֣י יִשְׂרָאֵ֔ל בִּלְתִּ֥י הַחִוִּ֖י יֹשְׁבֵ֣י
כ גִבְע֑וֹן אֶת־הַכֹּ֖ל לָקְח֥וּ בַמִּלְחָמָֽה׃ כִּ֣י מֵאֵ֣ת יְהוָ֣ה ׀ הָיְתָ֡ה לְחַזֵּ֣ק
אֶת־לִבָּם֩ לִקְרַ֨את הַמִּלְחָמָ֤ה אֶת־יִשְׂרָאֵל֙ לְמַ֣עַן הַֽחֲרִימָ֔ם
לְבִלְתִּ֥י הֱיֽוֹת־לָהֶ֖ם תְּחִנָּ֑ה כִּ֚י לְמַ֣עַן הַשְׁמִידָ֔ם כַּאֲשֶׁ֛ר צִוָּ֥ה יְהוָ֖ה
כא אֶת־מֹשֶֽׁה׃ וַיָּבֹ֨א יְהוֹשֻׁ֜עַ בָּעֵ֣ת הַהִ֗יא וַיַּכְרֵ֤ת אֶת־ הַשְׁמָדַת הָעֲנָקִים:
הָֽעֲנָקִים֙ מִן־הָהָ֤ר מִן־חֶבְרוֹן֙ מִן־דְּבִ֣ר מִן־עֲנָ֔ב וּמִכֹּל֙ הַ֣ר יְהוּדָ֔ה
כב וּמִכֹּ֖ל הַ֣ר יִשְׂרָאֵ֑ל עִם־עָרֵיהֶ֖ם הֶחֱרִימָ֥ם יְהוֹשֻֽׁעַ׃ לֹֽא־נוֹתַ֣ר
עֲנָקִ֔ים בְּאֶ֖רֶץ בְּנֵ֣י יִשְׂרָאֵ֑ל רַ֗ק בְּעַזָּ֛ה בְּגַ֥ת וּבְאַשְׁדּ֖וֹד נִשְׁאָֽרוּ׃
כג וַיִּקַּ֨ח יְהוֹשֻׁ֜עַ אֶת־כָּל־הָאָ֗רֶץ כְּ֠כֹל אֲשֶׁ֨ר דִּבֶּ֣ר יְהוָה֮ אֶל־מֹשֶׁה֒
וַיִּתְּנָ֨הּ יְהוֹשֻׁ֧עַ לְנַחֲלָ֛ה לְיִשְׂרָאֵ֥ל כְּמַחְלְקֹתָ֖ם לְשִׁבְטֵיהֶ֑ם
יב א וְהָאָ֥רֶץ שָׁקְטָ֖ה מִמִּלְחָמָֽה׃ וְאֵ֣לֶּה ׀ מַלְכֵ֣י הָאָ֗רֶץ אֲשֶׁ֨ר פֵּרוּט מַלְכֵי כְנַעַן - כִּבּוּשׁ מֹשֶׁה:
הִכּ֤וּ בְנֵֽי־יִשְׂרָאֵל֙ וַיִּרְשׁ֣וּ אֶת־אַרְצָ֔ם בְּעֵ֥בֶר הַיַּרְדֵּ֖ן מִזְרְחָ֣ה
ב הַשָּׁ֑מֶשׁ מִנַּ֤חַל אַרְנוֹן֙ עַד־הַ֣ר חֶרְמ֔וֹן וְכָל־הָעֲרָבָ֖ה מִזְרָֽחָה׃ סִיחוֹן֙
מֶ֣לֶךְ הָאֱמֹרִ֔י הַיּוֹשֵׁ֖ב בְּחֶשְׁבּ֑וֹן מֹשֵׁ֡ל מֵעֲרוֹעֵ֡ר אֲשֶׁר֩ עַל־שְׂפַת־
נַ֨חַל אַרְנ֜וֹן וְת֤וֹךְ הַנַּ֙חַל֙ וַחֲצִ֣י הַגִּלְעָ֔ד וְעַד֙ יַבֹּ֣ק הַנַּ֔חַל גְּב֖וּל בְּנֵ֥י

ג עַמּ֔וֹן׃ וְהָעֲרָבָ֞ה עַד־יָ֤ם כִּנְרוֹת֙ מִזְרָ֔חָה וְעַ֨ד יָ֤ם הָעֲרָבָה֙ יָם־הַמֶּ֣לַח
ד מִזְרָ֔חָה דֶּ֖רֶךְ בֵּ֣ית הַיְשִׁמ֑וֹת וּמִתֵּימָ֕ן תַּ֖חַת אַשְׁדּ֥וֹת הַפִּסְגָּֽה׃ וּגְב֗וּל
ע֚וֹג מֶ֣לֶךְ הַבָּשָׁ֔ן מִיֶּ֖תֶר הָרְפָאִ֑ים הַיּוֹשֵׁ֥ב בְּעַשְׁתָּר֖וֹת וּבְאֶדְרֶֽעִי׃
ה וּמֹשֵׁ֡ל בְּהַ֨ר חֶרְמ֤וֹן וּבְסַלְכָה֙ וּבְכָל־הַבָּשָׁ֔ן עַד־גְּב֥וּל הַגְּשׁוּרִ֖י
ו וְהַמַּעֲכָתִ֑י וַחֲצִי֙ הַגִּלְעָ֔ד גְּב֖וּל סִיח֥וֹן מֶלֶךְ־חֶשְׁבּֽוֹן׃ מֹשֶׁ֧ה עֶבֶד־
יְהוָ֛ה וּבְנֵ֥י יִשְׂרָאֵ֖ל הִכּ֑וּם וַֽיִּתְּנָ֡הּ מֹשֶׁ֣ה עֶֽבֶד־יְהוָ֩ה יְרֻשָּׁ֨ה לָרֽאוּבֵנִ֜י
ז וְלַגָּדִ֗י וְלַחֲצִ֖י שֵׁ֥בֶט הַֽמְנַשֶּֽׁה׃ וְאֵ֜לֶּה מַלְכֵ֣י הָאָ֗רֶץ אֲשֶׁ֨ר
הִכָּ֨ה יְהוֹשֻׁ֜עַ וּבְנֵ֣י יִשְׂרָאֵ֗ל בְּעֵ֣בֶר הַיַּרְדֵּן֮ יָמָּה֒ מִבַּ֤עַל גָּד֙ בְּבִקְעַ֣ת
הַלְּבָנ֔וֹן וְעַד־הָהָ֥ר הֶחָלָ֖ק הָעֹלֶ֣ה שֵׂעִ֑ירָה וַיִּתְּנָ֨הּ יְהוֹשֻׁ֜עַ לְשִׁבְטֵ֧י
ח יִשְׂרָאֵ֛ל יְרֻשָּׁ֖ה כְּמַחְלְקֹתָֽם׃ בָּהָ֣ר וּבַשְּׁפֵלָ֗ה וּבָֽעֲרָבָה֙ וּבָ֣אֲשֵׁד֔וֹת
וּבַמִּדְבָּ֖ר וּבַנֶּ֑גֶב הַֽחִתִּי֙ הָֽאֱמֹרִ֔י וְהַֽכְּנַעֲנִ֔י הַפְּרִזִּ֖י הַחִוִּ֥י
וְהַיְבוּסִֽי׃

פֵּרוּט מַלְכֵי כְנַעַן - כִּבּוּשׁ יְהוֹשֻׁעַ:

ט מֶ֧לֶךְ יְרִיח֛וֹ אֶחָ֖ד   מֶ֧לֶךְ הָעַ֛י אֲשֶׁר־מִצַּ֥ד בֵּֽית־אֵ֖ל   אֶחָֽד׃
י מֶ֤לֶךְ יְרֽוּשָׁלִַ֙ם֙   אֶחָ֔ד   מֶ֥לֶךְ חֶבְר֖וֹן   אֶחָֽד׃
יא מֶ֤לֶךְ יַרְמוּת֙   אֶחָ֔ד   מֶ֥לֶךְ לָכִ֖ישׁ   אֶחָֽד׃
יב מֶ֤לֶךְ עֶגְלוֹן֙   אֶחָ֔ד   מֶ֥לֶךְ גֶּ֖זֶר   אֶחָֽד׃
יג מֶ֤לֶךְ דְּבִר֙   אֶחָ֔ד   מֶ֥לֶךְ גֶּ֖דֶר   אֶחָֽד׃
יד מֶ֤לֶךְ חָרְמָה֙   אֶחָ֔ד   מֶ֥לֶךְ עֲרָ֖ד   אֶחָֽד׃
טו מֶ֤לֶךְ לִבְנָה֙   אֶחָ֔ד   מֶ֥לֶךְ עֲדֻלָּ֖ם   אֶחָֽד׃
טז מֶ֤לֶךְ מַקֵּדָה֙   אֶחָ֔ד   מֶ֥לֶךְ בֵּֽית־אֵ֖ל   אֶחָֽד׃
יז מֶ֤לֶךְ תַּפּ֙וּחַ֙   אֶחָ֔ד   מֶ֥לֶךְ חֵ֖פֶר   אֶחָֽד׃
יח מֶ֤לֶךְ אֲפֵק֙   אֶחָ֔ד   מֶ֥לֶךְ לַשָּׁר֖וֹן   אֶחָֽד׃
יט מֶ֤לֶךְ מָדוֹן֙   אֶחָ֔ד   מֶ֥לֶךְ חָצ֖וֹר   אֶחָֽד׃
כ מֶ֨לֶךְ שִׁמְר֤וֹן מְראוֹן֙   אֶחָ֔ד   מֶ֥לֶךְ אַכְשָׁ֖ף   אֶחָֽד׃

כא מֶלֶךְ תַּעְנַךְ אֶחָד מֶלֶךְ מְגִדּוֹ אֶחָד:
כב מֶלֶךְ קֶדֶשׁ אֶחָד מֶלֶךְ־יָקְנְעָם לַכַּרְמֶל אֶחָד:
כג מֶלֶךְ דּוֹר לְנָפַת דּוֹר אֶחָד מֶלֶךְ־גּוֹיִם לְגִלְגָּל אֶחָד:
כד מֶלֶךְ תִּרְצָה אֶחָד כָּל־מְלָכִים שְׁלֹשִׁים וְאֶחָד:

יג א וִיהוֹשֻׁעַ זָקֵן בָּא בַּיָּמִים וַיֹּאמֶר יְהוָה אֵלָיו אַתָּה זָקַנְתָּה בָּאתָ
ב בַיָּמִים וְהָאָרֶץ נִשְׁאֲרָה הַרְבֵּה־מְאֹד לְרִשְׁתָּהּ: זֹאת הָאָרֶץ
ג הַנִּשְׁאָרֶת כָּל־גְּלִילוֹת הַפְּלִשְׁתִּים וְכָל־הַגְּשׁוּרִי: מִן־הַשִּׁיחוֹר
אֲשֶׁר ׀ עַל־פְּנֵי מִצְרַיִם וְעַד גְּבוּל עֶקְרוֹן צָפוֹנָה לַכְּנַעֲנִי תֵּחָשֵׁב
חֲמֵשֶׁת ׀ סַרְנֵי פְלִשְׁתִּים הָעַזָּתִי וְהָאַשְׁדּוֹדִי הָאֶשְׁקְלוֹנִי הַגִּתִּי
ד וְהָעֶקְרוֹנִי וְהָעַוִּים: מִתֵּימָן כָּל־אֶרֶץ הַכְּנַעֲנִי וּמְעָרָה אֲשֶׁר
ה לַצִּידֹנִים עַד־אֲפֵקָה עַד גְּבוּל הָאֱמֹרִי: וְהָאָרֶץ הַגִּבְלִי וְכָל־
הַלְּבָנוֹן מִזְרַח הַשֶּׁמֶשׁ מִבַּעַל גָּד תַּחַת הַר־חֶרְמוֹן עַד לְבוֹא
ו חֲמָת: כָּל־יֹשְׁבֵי הָהָר מִן־הַלְּבָנוֹן עַד־מִשְׂרְפֹת מַיִם כָּל־צִידֹנִים
אָנֹכִי אוֹרִישֵׁם מִפְּנֵי בְּנֵי יִשְׂרָאֵל רַק הַפִּלֶהָ לְיִשְׂרָאֵל בְּנַחֲלָה
ז כַּאֲשֶׁר צִוִּיתִיךָ: וְעַתָּה חַלֵּק אֶת־הָאָרֶץ הַזֹּאת בְּנַחֲלָה לְתִשְׁעַת
ח הַשְּׁבָטִים וַחֲצִי הַשֵּׁבֶט הַמְנַשֶּׁה: עִמּוֹ הָרְאוּבֵנִי וְהַגָּדִי לָקְחוּ
נַחֲלָתָם אֲשֶׁר נָתַן לָהֶם מֹשֶׁה בְּעֵבֶר הַיַּרְדֵּן מִזְרָחָה כַּאֲשֶׁר נָתַן
ט לָהֶם מֹשֶׁה עֶבֶד יְהוָה: מֵעֲרוֹעֵר אֲשֶׁר עַל־שְׂפַת־נַחַל אַרְנוֹן
י וְהָעִיר אֲשֶׁר בְּתוֹךְ־הַנַּחַל וְכָל־הַמִּישֹׁר מֵידְבָא עַד־דִּיבוֹן: וְכֹל
עָרֵי סִיחוֹן מֶלֶךְ הָאֱמֹרִי אֲשֶׁר מָלַךְ בְּחֶשְׁבּוֹן עַד־גְּבוּל בְּנֵי
יא עַמּוֹן: וְהַגִּלְעָד וּגְבוּל הַגְּשׁוּרִי וְהַמַּעֲכָתִי וְכֹל הַר חֶרְמוֹן
יב וְכָל־הַבָּשָׁן עַד־סַלְכָה: כָּל־מַמְלְכוּת עוֹג בַּבָּשָׁן אֲשֶׁר־מָלַךְ
בְּעַשְׁתָּרוֹת וּבְאֶדְרֶעִי הוּא נִשְׁאַר מִיֶּתֶר הָרְפָאִים וַיַּכֵּם מֹשֶׁה
יג וַיֹּרִשֵׁם: וְלֹא הוֹרִישׁוּ בְּנֵי יִשְׂרָאֵל אֶת־הַגְּשׁוּרִי וְאֶת־הַמַּעֲכָתִי

חֶבְלֵי הָאָרֶץ שֶׁטֶּרֶם נִכְבְּשׁוּ:

הַצִּוּוּי לְחַלֵּק הָאָרֶץ בְּגוֹרָל: נַחֲלַת הָרְאוּבֵנִי וְהַגָּדִי:

יד וַיֵּ֨שֶׁב גְּשׁ֤וּר וּמַֽעֲכָת֙ בְּקֶ֣רֶב יִשְׂרָאֵ֔ל עַ֖ד הַיּ֥וֹם הַזֶּֽה׃ רַ֚ק לְשֵׁ֣בֶט
הַלֵּוִ֔י לֹ֥א נָתַ֖ן נַחֲלָ֑ה אִשֵּׁ֞י יְהֹוָ֨ה אֱלֹהֵ֤י יִשְׂרָאֵל֙ ה֣וּא נַחֲלָת֔וֹ כַּאֲשֶׁ֖ר
דִּבֶּר־לֽוֹ׃

נַחֲלַת שֵׁבֶט רְאוּבֵן:

טו טז וַיִּתֵּ֣ן מֹשֶׁ֔ה לְמַטֵּ֖ה בְנֵֽי־רְאוּבֵ֑ן לְמִשְׁפְּחֹתָֽם׃ וַיְהִ֨י לָהֶ֤ם הַגְּבוּל֙
מֵעֲרוֹעֵ֗ר אֲשֶׁר֙ עַל־שְׂפַת־נַ֣חַל אַרְנ֔וֹן וְהָעִיר֙ אֲשֶׁ֣ר בְּתוֹךְ־הַנַּ֔חַל
יז וְכָל־הַמִּישֹׁ֖ר עַל־מֵֽידְבָֽא׃ חֶשְׁבּ֥וֹן וְכָל־עָרֶ֖יהָ אֲשֶׁ֣ר בַּמִּישֹׁ֑ר דִּיבֹן֙
יח יט וּבָמ֣וֹת בַּ֔עַל וּבֵ֖ית בַּ֥עַל מְעֽוֹן׃ וְיַ֥הְצָה וּקְדֵמֹ֖ת וּמֵפָֽעַת׃ וְקִרְיָתַ֣יִם
כ וְשִׂבְמָ֔ה וְצֶ֥רֶת הַשַּׁ֖חַר בְּהַ֥ר הָעֵֽמֶק׃ וּבֵ֥ית פְּע֛וֹר וְאַשְׁדּ֥וֹת הַפִּסְגָּ֖ה
כא וּבֵ֥ית הַיְשִׁמֽוֹת׃ וְכֹל֙ עָרֵ֣י הַמִּישֹׁ֔ר וְכָל־מַמְלְכ֗וּת סִיחוֹן֙ מֶ֣לֶךְ
הָֽאֱמֹרִ֔י אֲשֶׁ֥ר מָלַ֖ךְ בְּחֶשְׁבּ֑וֹן אֲשֶׁר֩ הִכָּ֨ה מֹשֶׁ֜ה אֹת֣וֹ ׀ וְֽאֶת־נְשִׂיאֵ֣י
מִדְיָ֗ן אֶת־אֱוִ֤י וְאֶת־רֶ֙קֶם֙ וְאֶת־צ֤וּר וְאֶת־חוּר֙ וְאֶת־רֶ֔בַע נְסִיכֵ֣י
כב סִיח֔וֹן יֹשְׁבֵ֖י הָאָֽרֶץ׃ וְאֶת־בִּלְעָ֥ם בֶּן־בְּע֖וֹר הַקּוֹסֵ֑ם הָרְג֧וּ בְנֵֽי־
כג יִשְׂרָאֵ֛ל בַּחֶ֖רֶב אֶל־חַלְלֵיהֶֽם׃ וַיְהִ֗י גְּבוּל֙ בְּנֵ֣י רְאוּבֵ֔ן הַיַּרְדֵּ֖ן וּגְב֑וּל
זֹ֡את נַחֲלַ֣ת בְּנֵֽי־רְאוּבֵן֩ לְמִשְׁפְּחוֹתָ֨ם הֶעָרִ֥ים וְחַצְרֵיהֶֽן׃

נַחֲלַת שֵׁבֶט גָּד:

כד כה וַיִּתֵּ֤ן מֹשֶׁה֙ לְמַטֵּה־גָ֔ד לִבְנֵי־גָ֖ד לְמִשְׁפְּחֹתָֽם׃ וַיְהִ֤י לָהֶם֙ הַגְּב֔וּל
יַעְזֵר֙ וְכָל־עָרֵ֣י הַגִּלְעָ֔ד וַחֲצִי֙ אֶ֣רֶץ בְּנֵ֣י עַמּ֔וֹן עַד־עֲרוֹעֵ֕ר אֲשֶׁ֖ר
כו עַל־פְּנֵ֥י רַבָּֽה׃ וּמֵחֶשְׁבּ֛וֹן עַד־רָמַ֥ת הַמִּצְפֶּ֖ה וּבְטֹנִ֑ים וּמִמַּחֲנַ֖יִם
כז עַד־גְּב֥וּל לִדְבִֽר׃ וּבָעֵ֡מֶק בֵּ֣ית הָרָם֩ וּבֵ֨ית נִמְרָ֜ה וְסֻכּ֣וֹת וְצָפ֗וֹן
יֶ֚תֶר מַמְלְכוּת֙ סִיח֣וֹן מֶ֣לֶךְ חֶשְׁבּ֔וֹן הַיַּרְדֵּ֖ן וּגְבֻ֑ל עַד־קְצֵה֙
כח יָם־כִּנֶּ֔רֶת עֵ֥בֶר הַיַּרְדֵּ֖ן מִזְרָֽחָה׃ זֹ֛את נַחֲלַ֥ת בְּנֵי־גָ֖ד לְמִשְׁפְּחֹתָ֑ם

נַחֲלַת חֲצִי שֵׁבֶט מְנַשֶּׁה:

כט הֶעָרִ֖ים וְחַצְרֵיהֶֽם׃ וַיִּתֵּ֣ן מֹשֶׁ֔ה לַחֲצִ֖י שֵׁ֣בֶט מְנַשֶּׁ֑ה וַֽיְהִ֗י
ל לַחֲצִ֛י מַטֵּ֥ה בְנֵֽי־מְנַשֶּׁ֖ה לְמִשְׁפְּחוֹתָֽם׃ וַיְהִ֣י גְבוּלָ֗ם מִֽמַּחֲנַ֙יִם֙
כָּל־הַבָּשָׁן֙ כָּל־מַמְלְכ֣וּת ׀ ע֣וֹג מֶֽלֶךְ־הַבָּשָׁ֔ן וְכָל־חַוֺּ֥ת יָאִ֛יר אֲשֶׁ֥ר
לא בַּבָּשָׁ֖ן שִׁשִּׁ֥ים עִֽיר׃ וַחֲצִ֣י הַגִּלְעָד֮ וְעַשְׁתָּר֣וֹת וְאֶדְרֶ֔עִי עָרֵ֥י
מַמְלְכ֥וּת ע֖וֹג בַּבָּשָׁ֑ן לִבְנֵ֞י מָכִ֣יר בֶּן־מְנַשֶּׁ֗ה לַחֲצִ֧י בְנֵֽי־מָכִ֖יר

לב לְמִשְׁפְּחוֹתָֽם׃ אֵ֚לֶּה אֲשֶׁר־נִחַ֣ל מֹשֶׁ֔ה בְּעַֽרְב֖וֹת מוֹאָ֑ב מֵעֵ֛בֶר
לְיַרְדֵּ֥ן יְרִיח֖וֹ מִזְרָֽחָה׃
לג וּלְשֵׁ֙בֶט֙ הַלֵּוִ֔י לֹֽא־נָתַ֥ן מֹשֶׁ֖ה נַחֲלָ֑ה יְהוָ֞ה אֱלֹהֵ֤י יִשְׂרָאֵל֙ ה֣וּא
יד א נַחֲלָתָ֔ם כַּאֲשֶׁ֖ר דִּבֶּ֥ר לָהֶֽם׃ וְאֵ֛לֶּה אֲשֶׁר־נָחֲל֥וּ בְנֵֽי־ חֶלְקַת הָאָרֶץ לְתִשְׁעָה שְׁבָטִים וָחֵצִי:
יִשְׂרָאֵ֖ל בְּאֶ֣רֶץ כְּנָ֑עַן אֲשֶׁ֨ר נִחֲל֜וּ אוֹתָ֗ם אֶלְעָזָ֤ר הַכֹּהֵן֙ וִיהוֹשֻׁ֣עַ
ב בִּן־נ֔וּן וְרָאשֵׁ֛י אֲב֥וֹת הַמַּטּ֖וֹת לִבְנֵ֥י יִשְׂרָאֵֽל׃ בְּגוֹרַ֖ל נַחֲלָתָ֑ם
כַּאֲשֶׁ֨ר צִוָּ֤ה יְהוָה֙ בְּיַד־מֹשֶׁ֔ה לְתִשְׁעַ֥ת הַמַּטּ֖וֹת וַחֲצִ֥י הַמַּטֶּֽה׃
ג כִּֽי־נָתַ֨ן מֹשֶׁ֜ה נַחֲלַ֨ת שְׁנֵ֤י הַמַּטּוֹת֙ וַחֲצִ֣י הַמַּטֶּ֔ה מֵעֵ֖בֶר לַיַּרְדֵּ֑ן
ד וְלַ֨לְוִיִּ֔ם לֹא־נָתַ֥ן נַחֲלָ֖ה בְּתוֹכָֽם׃ כִּֽי־הָי֧וּ בְנֵֽי־יוֹסֵ֛ף שְׁנֵ֥י מַטּ֖וֹת
מְנַשֶּׁ֣ה וְאֶפְרָ֑יִם וְלֹא־נָ֨תְנוּ חֵ֤לֶק לַלְוִיִּם֙ בָּאָ֔רֶץ כִּ֤י אִם־עָרִים֙
ה לָשֶׁ֔בֶת וּמִ֨גְרְשֵׁיהֶ֔ם לְמִקְנֵיהֶ֖ם וּלְקִנְיָנָֽם׃ כַּאֲשֶׁ֨ר צִוָּ֤ה יְהוָה֙ אֶת־
מֹשֶׁ֔ה כֵּ֥ן עָשׂ֖וּ בְּנֵ֣י יִשְׂרָאֵ֑ל וַֽיַּחְלְק֖וּ אֶת־הָאָֽרֶץ׃
ו וַיִּגְּשׁ֨וּ בְנֵֽי־יְהוּדָ֤ה אֶל־יְהוֹשֻׁ֙עַ֙ בַּגִּלְגָּ֔ל וַיֹּ֣אמֶר אֵלָ֔יו כָּלֵ֥ב בֶּן־יְפֻנֶּ֖ה כָּלֵב מְבַקֵּשׁ אֶת חֶבְרוֹן:
הַקְּנִזִּ֑י אַתָּ֣ה יָדַ֣עְתָּ אֶֽת־הַדָּבָ֡ר אֲשֶׁר־דִּבֶּ֣ר יְהוָה֩ אֶל־מֹשֶׁ֨ה
ז אִישׁ־הָאֱלֹהִ֜ים עַ֧ל אֹדוֹתַ֛י וְעַ֥ל אֹדוֹתֶ֖יךָ בְּקָדֵ֥שׁ בַּרְנֵֽעַ׃ בֶּן־
אַרְבָּעִ֨ים שָׁנָ֜ה אָנֹכִ֗י בִּשְׁלֹ֨חַ מֹשֶׁ֧ה עֶֽבֶד־יְהוָ֛ה אֹתִ֛י מִקָּדֵ֥שׁ [2449]
בַּרְנֵ֖עַ לְרַגֵּ֣ל אֶת־הָאָ֑רֶץ וָאָשֵׁ֤ב אֹתוֹ֙ דָּבָ֔ר כַּאֲשֶׁ֖ר עִם־לְבָבִֽי׃
ח וְאַחַי֙ אֲשֶׁ֣ר עָל֣וּ עִמִּ֔י הִמְסִ֖יו אֶת־לֵ֣ב הָעָ֑ם וְאָנֹכִ֣י מִלֵּ֔אתִי אַחֲרֵ֖י
ט יְהוָ֥ה אֱלֹהָֽי׃ וַיִּשָּׁבַ֣ע מֹשֶׁ֗ה בַּיּ֣וֹם הַהוּא֮ לֵאמֹר֒ אִם־לֹ֗א הָאָ֙רֶץ֙
אֲשֶׁ֨ר דָּרְכָ֤ה רַגְלְךָ֙ בָּ֔הּ לְךָ֧ תִֽהְיֶ֛ה לְנַחֲלָ֥ה וּלְבָנֶ֖יךָ עַד־עוֹלָ֑ם
י כִּ֣י מִלֵּ֔אתָ אַחֲרֵ֖י יְהוָ֥ה אֱלֹהָֽי׃ וְעַתָּ֗ה הִנֵּה֩ הֶחֱיָ֨ה יְהוָ֤ה ׀ אוֹתִי֙
כַּאֲשֶׁ֣ר דִּבֵּ֔ר זֶה֩ אַרְבָּעִ֨ים וְחָמֵ֜שׁ שָׁנָ֗ה מֵאָ֞ז דִּבֶּ֨ר יְהוָ֜ה אֶת־הַדָּבָ֤ר
הַזֶּה֙ אֶל־מֹשֶׁ֔ה אֲשֶׁר־הָלַ֥ךְ יִשְׂרָאֵ֖ל בַּמִּדְבָּ֑ר וְעַתָּה֙ הִנֵּ֣ה אָנֹכִ֔י
יא הַיּ֕וֹם בֶּן־חָמֵ֥שׁ וּשְׁמוֹנִ֖ים שָׁנָֽה׃ עוֹדֶ֨נִּי הַיּ֜וֹם חָזָ֗ק כַּאֲשֶׁר֙ בְּי֨וֹם
שְׁלֹ֤חַ אוֹתִי֙ מֹשֶׁ֔ה כְּכֹ֥חִי אָ֖ז וּכְכֹ֣חִי עָ֑תָּה לַמִּלְחָמָ֖ה וְלָצֵ֥את

וְלָבוֹא׃ וְעַתָּה תְּנָה־לִּי אֶת־הָהָר הַזֶּה אֲשֶׁר־דִּבֶּר יְהוָה בַּיּוֹם הַהוּא יב
כִּי אַתָּה־שָׁמַעְתָּ בַיּוֹם הַהוּא כִּי־עֲנָקִים שָׁם וְעָרִים גְּדֹלוֹת בְּצֻרוֹת
אוּלַי יְהוָה אוֹתִי וְהוֹרַשְׁתִּים כַּאֲשֶׁר דִּבֶּר יְהוָה׃ וַיְבָרְכֵהוּ יְהוֹשֻׁעַ יג
וַיִּתֵּן אֶת־חֶבְרוֹן לְכָלֵב בֶּן־יְפֻנֶּה לְנַחֲלָה׃ עַל־כֵּן הָיְתָה־חֶבְרוֹן יד
לְכָלֵב בֶּן־יְפֻנֶּה הַקְּנִזִּי לְנַחֲלָה עַד הַיּוֹם הַזֶּה יַעַן אֲשֶׁר מִלֵּא אַחֲרֵי
יְהוָה אֱלֹהֵי יִשְׂרָאֵל׃ וְשֵׁם חֶבְרוֹן לְפָנִים קִרְיַת אַרְבַּע הָאָדָם הַגָּדוֹל טו
בָּעֲנָקִים הוּא וְהָאָרֶץ שָׁקְטָה מִמִּלְחָמָה׃

גְּבוּל נַחֲלַת בְּנֵי יְהוּדָה׃

וַיְהִי הַגּוֹרָל לְמַטֵּה בְּנֵי יְהוּדָה לְמִשְׁפְּחֹתָם אֶל־גְּבוּל אֱדוֹם א טו
מִדְבַּר־צִן נֶגְבָּה מִקְצֵה תֵימָן׃ וַיְהִי לָהֶם גְּבוּל נֶגֶב מִקְצֵה יַם ב
הַמֶּלַח מִן־הַלָּשֹׁן הַפֹּנֶה נֶגְבָּה׃ וְיָצָא אֶל־מִנֶּגֶב לְמַעֲלֵה עַקְרַבִּים ג
וְעָבַר צִנָה וְעָלָה מִנֶּגֶב לְקָדֵשׁ בַּרְנֵעַ וְעָבַר חֶצְרוֹן וְעָלָה אַדָּרָה
וְנָסַב הַקַּרְקָעָה׃ וְעָבַר עַצְמוֹנָה וְיָצָא נַחַל מִצְרַיִם והיה וְהָיוּ ד
תֹּצְאוֹת הַגְּבוּל יָמָּה זֶה־יִהְיֶה לָכֶם גְּבוּל נֶגֶב׃ וּגְבוּל קֵדְמָה יָם ה
הַמֶּלַח עַד־קְצֵה הַיַּרְדֵּן וּגְבוּל לִפְאַת צָפוֹנָה מִלְּשׁוֹן הַיָּם מִקְצֵה
הַיַּרְדֵּן׃ וְעָלָה הַגְּבוּל בֵּית חָגְלָה וְעָבַר מִצְּפוֹן לְבֵית הָעֲרָבָה ו
וְעָלָה הַגְּבוּל אֶבֶן בֹּהַן בֶּן־רְאוּבֵן׃ וְעָלָה הַגְּבוּל ׀ דְּבִרָה מֵעֵמֶק ז
עָכוֹר וְצָפוֹנָה פֹּנֶה אֶל־הַגִּלְגָּל אֲשֶׁר־נֹכַח לְמַעֲלֵה אֲדֻמִּים אֲשֶׁר
מִנֶּגֶב לַנָּחַל וְעָבַר הַגְּבוּל אֶל־מֵי־עֵין שֶׁמֶשׁ וְהָיוּ תֹצְאֹתָיו
אֶל־עֵין רֹגֵל׃ וְעָלָה הַגְּבוּל גֵּי בֶן־הִנֹּם אֶל־כֶּתֶף הַיְבוּסִי מִנֶּגֶב ח
הִיא יְרוּשָׁלִָם וְעָלָה הַגְּבוּל אֶל־רֹאשׁ הָהָר אֲשֶׁר עַל־פְּנֵי גֵי־הִנֹּם
יָמָּה אֲשֶׁר בִּקְצֵה עֵמֶק־רְפָאִים צָפֹנָה׃ וְתָאַר הַגְּבוּל מֵרֹאשׁ ט
הָהָר אֶל־מַעְיַן מֵי נֶפְתּוֹחַ וְיָצָא אֶל־עָרֵי הַר־עֶפְרוֹן וְתָאַר
הַגְּבוּל בַּעֲלָה הִיא קִרְיַת יְעָרִים׃ וְנָסַב הַגְּבוּל מִבַּעֲלָה יָמָּה י
אֶל־הַר שֵׂעִיר וְעָבַר אֶל־כֶּתֶף הַר־יְעָרִים מִצָּפוֹנָה הִיא כְסָלוֹן
וְיָרַד בֵּית־שֶׁמֶשׁ וְעָבַר תִּמְנָה׃ וְיָצָא הַגְּבוּל אֶל־כֶּתֶף עֶקְרוֹן יא

צָפוֹנָה וְתָאַר הַגְּבוּל שִׁכְּרוֹנָה וְעָבַר הַר־הַבַּעֲלָה וְיָצָא יַבְנְאֵל
יב וְהָיוּ תֹּצְאוֹת הַגְּבוּל יָמָּה: וּגְבוּל יָם הַיָּמָּה הַגָּדוֹל וּגְבוּל זֶה גְּבוּל
יג בְּנֵי־יְהוּדָה סָבִיב לְמִשְׁפְּחֹתָם: וּלְכָלֵב בֶּן־יְפֻנֶּה נָתַן חֵלֶק בְּתוֹךְ חֵלֶק כָּלֵב בֶּן יְפֻנֶּה:
בְּנֵי־יְהוּדָה אֶל־פִּי יְהוָה לִיהוֹשֻׁעַ אֶת־קִרְיַת אַרְבַּע אֲבִי הָעֲנָק
יד הִיא חֶבְרוֹן: וַיֹּרֶשׁ מִשָּׁם כָּלֵב אֶת־שְׁלוֹשָׁה בְּנֵי הָעֲנָק אֶת־שֵׁשַׁי
טו וְאֶת־אֲחִימַן וְאֶת־תַּלְמַי יְלִידֵי הָעֲנָק: וַיַּעַל מִשָּׁם אֶל־יֹשְׁבֵי
טז דְּבִר וְשֵׁם־דְּבִר לְפָנִים קִרְיַת־סֵפֶר: וַיֹּאמֶר כָּלֵב אֲשֶׁר־יַכֶּה לְכִידַת קִרְיַת סֵפֶר ע״י עָתְנִיאֵל:
אֶת־קִרְיַת־סֵפֶר וּלְכָדָהּ וְנָתַתִּי לוֹ אֶת־עַכְסָה בִתִּי לְאִשָּׁה:
יז וַיִּלְכְּדָהּ עָתְנִיאֵל בֶּן־קְנַז אֲחִי כָלֵב וַיִּתֶּן־לוֹ אֶת־עַכְסָה בִתּוֹ
יח לְאִשָּׁה: וַיְהִי ׀ בְּבוֹאָהּ וַתְּסִיתֵהוּ לִשְׁאוֹל מֵאֵת־אָבִיהָ שָׂדֶה
יט וַתִּצְנַח מֵעַל הַחֲמוֹר וַיֹּאמֶר־לָהּ כָּלֵב מַה־לָּךְ: וַתֹּאמֶר תְּנָה־לִּי
בְרָכָה כִּי אֶרֶץ הַנֶּגֶב נְתַתָּנִי וְנָתַתָּה לִי גֻּלֹּת מָיִם וַיִּתֶּן־לָהּ אֵת
גֻּלֹּת עִלִּיּוֹת וְאֵת גֻּלֹּת תַּחְתִּיּוֹת:

כ כא זֹאת נַחֲלַת מַטֵּה בְנֵי־יְהוּדָה לְמִשְׁפְּחֹתָם: וַיִּהְיוּ הֶעָרִים מִקְצֵה פֵּרוּט עָרֵי נַחֲלַת יְהוּדָה:
לְמַטֵּה בְנֵי־יְהוּדָה אֶל־גְּבוּל אֱדוֹם בַּנֶּגְבָּה קַבְצְאֵל וְעֵדֶר וְיָגוּר:
כב כג כד וְקִינָה וְדִימוֹנָה וְעַדְעָדָה: וְקֶדֶשׁ וְחָצוֹר וְיִתְנָן: זִיף וָטֶלֶם
כה כו וּבְעָלוֹת: וְחָצוֹר ׀ חֲדַתָּה וּקְרִיּוֹת חֶצְרוֹן הִיא חָצוֹר: אֲמָם וּשְׁמַע
כז כח וּמוֹלָדָה: וַחֲצַר גַּדָּה וְחֶשְׁמוֹן וּבֵית פָּלֶט: וַחֲצַר שׁוּעָל וּבְאֵר
כט ל שָׁבַע וּבִזְיוֹתְיָה: בַּעֲלָה וְעִיִּים וָעָצֶם: וְאֶלְתּוֹלַד וּכְסִיל וְחָרְמָה:
לא לב וְצִקְלַג וּמַדְמַנָּה וְסַנְסַנָּה: וּלְבָאוֹת וְשִׁלְחִים וְעַיִן וְרִמּוֹן כָּל־עָרִים
לג עֶשְׂרִים וָתֵשַׁע וְחַצְרֵיהֶן: בַּשְּׁפֵלָה אֶשְׁתָּאוֹל וְצָרְעָה
לד לה וְאַשְׁנָה: וְזָנוֹחַ וְעֵין גַּנִּים תַּפּוּחַ וְהָעֵינָם: יַרְמוּת וַעֲדֻלָּם
לו שׂוֹכֹה וַעֲזֵקָה: וְשַׁעֲרַיִם וַעֲדִיתַיִם וְהַגְּדֵרָה וּגְדֵרֹתָיִם עָרִים
לז אַרְבַּע־עֶשְׂרֵה וְחַצְרֵיהֶן: צְנָן וַחֲדָשָׁה וּמִגְדַּל־גָּד:
לח לט מ וְדִלְעָן וְהַמִּצְפֶּה וְיָקְתְאֵל: לָכִישׁ וּבָצְקַת וְעֶגְלוֹן: וְכַבּוֹן וְלַחְמָס

מא וְכִתְלִישׁ׃ וּגְדֵרוֹת בֵּית־דָּגוֹן וְנַעֲמָה וּמַקֵּדָה עָרִים שֵׁשׁ־עֶשְׂרֵה
מב וְחַצְרֵיהֶן׃ לִבְנָה וָעֶתֶר וְעָשָׁן׃
מג מד וְיִפְתָּח וְאַשְׁנָה וּנְצִיב׃ וּקְעִילָה וְאַכְזִיב וּמָרֵאשָׁה עָרִים תֵּשַׁע
מה מו וְחַצְרֵיהֶן׃ עֶקְרוֹן וּבְנֹתֶיהָ וַחֲצֵרֶיהָ׃ מֵעֶקְרוֹן וָיָמָּה כֹּל
מז אֲשֶׁר־עַל־יַד אַשְׁדּוֹד וְחַצְרֵיהֶן׃ אַשְׁדּוֹד בְּנוֹתֶיהָ
וַחֲצֵרֶיהָ עַזָּה בְּנוֹתֶיהָ וַחֲצֵרֶיהָ עַד־נַחַל מִצְרָיִם וְהַיָּם הגבול הַגָּדוֹל
מח מט וּגְבוּל׃ וּבָהָר שָׁמִיר וְיַתִּיר וְשׂוֹכֹה׃ וְדַנָּה וְקִרְיַת־סַנָּה
נ נא הִיא דְבִר׃ וַעֲנָב וְאֶשְׁתְּמֹה וְעָנִים׃ וְגֹשֶׁן וְחֹלֹן וְגִלֹה
נב עָרִים אַחַת־עֶשְׂרֵה וְחַצְרֵיהֶן׃ אֲרַב וְרוּמָה וְאֶשְׁעָן׃
נג נד וינים וְיָנוּם וּבֵית־תַּפּוּחַ וַאֲפֵקָה׃ וְחֻמְטָה וְקִרְיַת אַרְבַּע הִיא
נה חֶבְרוֹן וְצִיעֹר עָרִים תֵּשַׁע וְחַצְרֵיהֶן׃ מָעוֹן ׀ כַּרְמֶל
נו נז וָזִיף וְיוּטָּה׃ וְיִזְרְעֶאל וְיָקְדְעָם וְזָנוֹחַ׃ הַקַּיִן גִּבְעָה וְתִמְנָה עָרִים
נח נט עֶשֶׂר וְחַצְרֵיהֶן׃ חַלְחוּל בֵּית־צוּר וּגְדוֹר׃ וּמַעֲרָת
וּבֵית־עֲנוֹת וְאֶלְתְּקֹן עָרִים שֵׁשׁ וְחַצְרֵיהֶן׃
ס קִרְיַת־בַּעַל הִיא קִרְיַת יְעָרִים וְהָרַבָּה עָרִים שְׁתַּיִם
סא סב וְחַצְרֵיהֶן׃ בַּמִּדְבָּר בֵּית הָעֲרָבָה מִדִּין וּסְכָכָה׃ וְהַנִּבְשָׁן
סג וְעִיר־הַמֶּלַח וְעֵין גֶּדִי עָרִים שֵׁשׁ וְחַצְרֵיהֶן׃ וְאֶת־הַיְבוּסִי יוֹשְׁבֵי
יְרוּשָׁלִַם לֹא־יוכלו יָכְלוּ בְנֵי־יְהוּדָה לְהוֹרִישָׁם וַיֵּשֶׁב הַיְבוּסִי
אֶת־בְּנֵי יְהוּדָה בִּירוּשָׁלִַם עַד הַיּוֹם הַזֶּה׃
טז א וַיֵּצֵא הַגּוֹרָל לִבְנֵי יוֹסֵף מִיַּרְדֵּן יְרִיחוֹ לְמֵי יְרִיחוֹ מִזְרָחָה הַמִּדְבָּר (הַגּוֹרָל לִבְנֵי יוֹסֵף וּגְבוּלוֹתָיו:)
ב עֹלֶה מִירִיחוֹ בָּהָר בֵּית־אֵל׃ וְיָצָא מִבֵּית־אֵל לוּזָה וְעָבַר אֶל־גְּבוּל
ג הָאַרְכִּי עֲטָרוֹת׃ וְיָרַד־יָמָּה אֶל־גְּבוּל הַיַּפְלֵטִי עַד גְּבוּל בֵּית־
ד חוֹרֹן תַּחְתּוֹן וְעַד־גָּזֶר וְהָיוּ תֹצְאֹתָיו יָמָּה׃ וַיִּנְחֲלוּ בְנֵי־יוֹסֵף מְנַשֶּׁה
ה וְאֶפְרָיִם׃ וַיְהִי גְּבוּל בְּנֵי־אֶפְרַיִם לְמִשְׁפְּחֹתָם וַיְהִי גְּבוּל נַחֲלָתָם (גְּבוּל נַחֲלַת בְּנֵי אֶפְרָיִם:)
ו מִזְרָחָה עַטְרוֹת אַדָּר עַד־בֵּית חוֹרֹן עֶלְיוֹן׃ וְיָצָא הַגְּבוּל הַיָּמָּה

הַמִּכְמְתָת מִצָּפוֹן וְנָסַב הַגְּבוּל מִזְרָחָה תַּאֲנַת שִׁלֹה וְעָבַר אוֹתוֹ

ז מִמִּזְרַח יָנוֹחָה: וְיָרַד מִיָּנוֹחָה עֲטָרוֹת וְנַעֲרָתָה וּפָגַע בִּירִיחוֹ

ח וְיָצָא הַיַּרְדֵּן: מִתַּפּוּחַ יֵלֵךְ הַגְּבוּל יָמָּה נַחַל קָנָה וְהָיוּ תֹצְאֹתָיו

ט הַיָּמָּה זֹאת נַחֲלַת מַטֵּה בְנֵי־אֶפְרַיִם לְמִשְׁפְּחֹתָם: וְהֶעָרִים

הַמֻּבְדָּלוֹת לִבְנֵי אֶפְרַיִם בְּתוֹךְ נַחֲלַת בְּנֵי־מְנַשֶּׁה כָּל־הֶעָרִים

י וְחַצְרֵיהֶן: וְלֹא הוֹרִישׁוּ אֶת־הַכְּנַעֲנִי הַיּוֹשֵׁב בְּגָזֶר וַיֵּשֶׁב הַכְּנַעֲנִי

בְּקֶרֶב אֶפְרַיִם עַד־הַיּוֹם הַזֶּה וַיְהִי לְמַס־עֹבֵד:

הַגּוֹרָל
לִבְנֵי מְנַשֶּׁה
וּגְבוּלוֹתָיו:

יז א וַיְהִי הַגּוֹרָל לְמַטֵּה מְנַשֶּׁה כִּי־הוּא בְּכוֹר יוֹסֵף לְמָכִיר בְּכוֹר

מְנַשֶּׁה אֲבִי הַגִּלְעָד כִּי הוּא הָיָה אִישׁ מִלְחָמָה וַיְהִי־לוֹ הַגִּלְעָד

ב וְהַבָּשָׁן: וַיְהִי לִבְנֵי מְנַשֶּׁה הַנּוֹתָרִים לְמִשְׁפְּחֹתָם לִבְנֵי אֲבִיעֶזֶר

וְלִבְנֵי־חֵלֶק וְלִבְנֵי אַשְׂרִיאֵל וְלִבְנֵי־שֶׁכֶם וְלִבְנֵי־חֵפֶר וְלִבְנֵי

שְׁמִידָע אֵלֶּה בְּנֵי מְנַשֶּׁה בֶּן־יוֹסֵף הַזְּכָרִים לְמִשְׁפְּחֹתָם:

ג וְלִצְלָפְחָד בֶּן־חֵפֶר בֶּן־גִּלְעָד בֶּן־מָכִיר בֶּן־מְנַשֶּׁה לֹא־הָיוּ לוֹ

בָּנִים כִּי אִם־בָּנוֹת וְאֵלֶּה שְׁמוֹת בְּנֹתָיו מַחְלָה וְנֹעָה חָגְלָה מִלְכָּה

ד וְתִרְצָה: וַתִּקְרַבְנָה לִפְנֵי אֶלְעָזָר הַכֹּהֵן וְלִפְנֵי יְהוֹשֻׁעַ בִּן־נוּן

וְלִפְנֵי הַנְּשִׂיאִים לֵאמֹר יְהוָה צִוָּה אֶת־מֹשֶׁה לָתֶת־לָנוּ נַחֲלָה

בְּתוֹךְ אַחֵינוּ וַיִּתֵּן לָהֶם אֶל־פִּי יְהוָה נַחֲלָה בְּתוֹךְ אֲחֵי אֲבִיהֶן:

ה וַיִּפְּלוּ חַבְלֵי־מְנַשֶּׁה עֲשָׂרָה לְבַד מֵאֶרֶץ הַגִּלְעָד וְהַבָּשָׁן אֲשֶׁר

ו מֵעֵבֶר לַיַּרְדֵּן: כִּי בְּנוֹת מְנַשֶּׁה נָחֲלוּ נַחֲלָה בְּתוֹךְ בָּנָיו וְאֶרֶץ

ז הַגִּלְעָד הָיְתָה לִבְנֵי־מְנַשֶּׁה הַנּוֹתָרִים: וַיְהִי גְבוּל־מְנַשֶּׁה מֵאָשֵׁר

הַמִּכְמְתָת אֲשֶׁר עַל־פְּנֵי שְׁכֶם וְהָלַךְ הַגְּבוּל אֶל־הַיָּמִין אֶל־יֹשְׁבֵי

ח עֵין תַּפּוּחַ: לִמְנַשֶּׁה הָיְתָה אֶרֶץ תַּפּוּחַ וְתַפּוּחַ אֶל־גְּבוּל

ט מְנַשֶּׁה לִבְנֵי אֶפְרָיִם: וְיָרַד הַגְּבוּל נַחַל קָנָה נֶגְבָּה לַנַּחַל עָרִים

הָאֵלֶּה לְאֶפְרַיִם בְּתוֹךְ עָרֵי מְנַשֶּׁה וּגְבוּל מְנַשֶּׁה מִצְּפוֹן לַנַּחַל

י וַיְהִי תֹצְאֹתָיו הַיָּמָּה: נֶגְבָּה לְאֶפְרַיִם וְצָפוֹנָה לִמְנַשֶּׁה וַיְהִי הַיָּם

יא גְּבוּלוֹ וּבְאָשֵׁר יִפְגְּעוּן מִצָּפוֹן וּבְיִשָּׂשכָר מִמִּזְרָח: וַיְהִי לִמְנַשֶּׁה
בְּיִשָּׂשכָר וּבְאָשֵׁר בֵּית־שְׁאָן וּבְנוֹתֶיהָ וְיִבְלְעָם וּבְנוֹתֶיהָ וְאֶת־
יֹשְׁבֵי דֹאר וּבְנוֹתֶיהָ וְיֹשְׁבֵי עֵין־דֹּר וּבְנוֹתֶיהָ וְיֹשְׁבֵי תַעְנַךְ
יב וּבְנֹתֶיהָ וְיֹשְׁבֵי מְגִדּוֹ וּבְנוֹתֶיהָ שְׁלֹשֶׁת הַנָּפֶת: וְלֹא יָכְלוּ בְּנֵי
מְנַשֶּׁה לְהוֹרִישׁ אֶת־הֶעָרִים הָאֵלֶּה וַיּוֹאֶל הַכְּנַעֲנִי לָשֶׁבֶת בָּאָרֶץ
יג הַזֹּאת: וַיְהִי כִּי חָזְקוּ בְּנֵי יִשְׂרָאֵל וַיִּתְּנוּ אֶת־הַכְּנַעֲנִי לָמַס וְהוֹרֵשׁ
יד לֹא הוֹרִישׁוֹ: וַיְדַבְּרוּ בְּנֵי יוֹסֵף אֶת־יְהוֹשֻׁעַ לֵאמֹר
מַדּוּעַ נָתַתָּה לִּי נַחֲלָה גּוֹרָל אֶחָד וְחֶבֶל אֶחָד וַאֲנִי עַם־רָב עַד
טו אֲשֶׁר־עַד־כֹּה בֵּרְכַנִי יְהוָה: וַיֹּאמֶר אֲלֵיהֶם יְהוֹשֻׁעַ אִם־עַם־רַב
אַתָּה עֲלֵה לְךָ הַיַּעְרָה וּבֵרֵאתָ לְךָ שָׁם בְּאֶרֶץ הַפְּרִזִּי וְהָרְפָאִים
טז כִּי־אָץ לְךָ הַר־אֶפְרָיִם: וַיֹּאמְרוּ בְּנֵי יוֹסֵף לֹא־יִמָּצֵא לָנוּ הָהָר
וְרֶכֶב בַּרְזֶל בְּכָל־הַכְּנַעֲנִי הַיֹּשֵׁב בְּאֶרֶץ־הָעֵמֶק לַאֲשֶׁר בְּבֵית־
יז שְׁאָן וּבְנוֹתֶיהָ וְלַאֲשֶׁר בְּעֵמֶק יִזְרְעֶאל: וַיֹּאמֶר יְהוֹשֻׁעַ אֶל־בֵּית
יוֹסֵף לְאֶפְרַיִם וְלִמְנַשֶּׁה לֵאמֹר עַם־רַב אַתָּה וְכֹחַ גָּדוֹל לָךְ
יח לֹא־יִהְיֶה לְךָ גּוֹרָל אֶחָד: כִּי הַר יִהְיֶה־לָּךְ כִּי־יַעַר הוּא
וּבֵרֵאתוֹ וְהָיָה לְךָ תֹּצְאֹתָיו כִּי־תוֹרִישׁ אֶת־הַכְּנַעֲנִי כִּי רֶכֶב בַּרְזֶל
לוֹ כִּי חָזָק הוּא:

טַעֲנַת בְּנֵי יוֹסֵף עַל נַחֲלָתָם:

יח א וַיִּקָּהֲלוּ כָּל־עֲדַת בְּנֵי־יִשְׂרָאֵל שִׁלֹה וַיַּשְׁכִּינוּ שָׁם אֶת־אֹהֶל
ב מוֹעֵד וְהָאָרֶץ נִכְבְּשָׁה לִפְנֵיהֶם: וַיִּוָּתְרוּ בִּבְנֵי יִשְׂרָאֵל אֲשֶׁר
ג לֹא־חָלְקוּ אֶת־נַחֲלָתָם שִׁבְעָה שְׁבָטִים: וַיֹּאמֶר יְהוֹשֻׁעַ אֶל־בְּנֵי
יִשְׂרָאֵל עַד־אָנָה אַתֶּם מִתְרַפִּים לָבוֹא לָרֶשֶׁת אֶת־הָאָרֶץ אֲשֶׁר
ד נָתַן לָכֶם יְהוָה אֱלֹהֵי אֲבוֹתֵיכֶם: הָבוּ לָכֶם שְׁלֹשָׁה אֲנָשִׁים לַשָּׁבֶט
וְאֶשְׁלָחֵם וְיָקֻמוּ וְיִתְהַלְּכוּ בָאָרֶץ וְיִכְתְּבוּ אוֹתָהּ לְפִי נַחֲלָתָם
ה וְיָבֹאוּ אֵלָי: וְהִתְחַלְּקוּ אֹתָהּ לְשִׁבְעָה חֲלָקִים יְהוּדָה יַעֲמֹד
ו עַל־גְּבוּלוֹ מִנֶּגֶב וּבֵית יוֹסֵף יַעַמְדוּ עַל־גְּבוּלָם מִצָּפוֹן: וְאַתֶּם

הֲקָמַת מִשְׁכַּן שִׁילֹה: [2502]

הֶמְשֵׁךְ חֲלֻקַּת הָאָרֶץ בְּגוֹרָל:

תִּכְתְּבוּ אֶת־הָאָרֶץ שִׁבְעָה חֲלָקִים וַהֲבֵאתֶם אֵלַי הֵנָּה וְיָרִיתִי
ז לָכֶם גּוֹרָל פֹּה לִפְנֵי יְהוָה אֱלֹהֵינוּ׃ כִּי אֵין־חֵלֶק לַלְוִיִּם בְּקִרְבְּכֶם
כִּי־כְהֻנַּת יְהוָה נַחֲלָתוֹ וְגָד וּרְאוּבֵן וַחֲצִי שֵׁבֶט הַמְנַשֶּׁה לָקְחוּ
נַחֲלָתָם מֵעֵבֶר לַיַּרְדֵּן מִזְרָחָה אֲשֶׁר נָתַן לָהֶם מֹשֶׁה עֶבֶד יְהוָה׃
ח וַיָּקֻמוּ הָאֲנָשִׁים וַיֵּלֵכוּ וַיְצַו יְהוֹשֻׁעַ אֶת־הַהֹלְכִים לִכְתֹּב אֶת־
הָאָרֶץ לֵאמֹר לְכוּ וְהִתְהַלְּכוּ בָאָרֶץ וְכִתְבוּ אוֹתָהּ וְשׁוּבוּ אֵלַי
ט וּפֹה אַשְׁלִיךְ לָכֶם גּוֹרָל לִפְנֵי יְהוָה בְּשִׁלֹה׃ וַיֵּלְכוּ הָאֲנָשִׁים
וַיַּעַבְרוּ בָאָרֶץ וַיִּכְתְּבוּהָ לֶעָרִים לְשִׁבְעָה חֲלָקִים עַל־סֵפֶר וַיָּבֹאוּ
י אֶל־יְהוֹשֻׁעַ אֶל־הַמַּחֲנֶה שִׁלֹה׃ וַיַּשְׁלֵךְ לָהֶם יְהוֹשֻׁעַ גּוֹרָל
בְּשִׁלֹה לִפְנֵי יְהוָה וַיְחַלֶּק־שָׁם יְהוֹשֻׁעַ אֶת־הָאָרֶץ לִבְנֵי יִשְׂרָאֵל
כְּמַחְלְקֹתָם׃

גּוֹרַל בְּנֵי בִנְיָמִין וּגְבוּלוֹתָיו:

יא וַיַּעַל גּוֹרַל מַטֵּה בְנֵי־בִנְיָמִן לְמִשְׁפְּחֹתָם וַיֵּצֵא גְּבוּל גּוֹרָלָם בֵּין
יב בְּנֵי יְהוּדָה וּבֵין בְּנֵי יוֹסֵף׃ וַיְהִי לָהֶם הַגְּבוּל לִפְאַת צָפוֹנָה
מִן־הַיַּרְדֵּן וְעָלָה הַגְּבוּל אֶל־כֶּתֶף יְרִיחוֹ מִצָּפוֹן וְעָלָה בָהָר יָמָּה
יג והיה וְהָיוּ תֹּצְאֹתָיו מִדְבַּרָה בֵּית אָוֶן׃ וְעָבַר מִשָּׁם הַגְּבוּל לוּזָה
אֶל־כֶּתֶף לוּזָה נֶגְבָּה הִיא בֵּית־אֵל וְיָרַד הַגְּבוּל עַטְרוֹת אַדָּר
יד עַל־הָהָר אֲשֶׁר מִנֶּגֶב לְבֵית־חֹרוֹן תַּחְתּוֹן׃ וְתָאַר הַגְּבוּל וְנָסַב
לִפְאַת־יָם נֶגְבָּה מִן־הָהָר אֲשֶׁר עַל־פְּנֵי בֵית־חֹרוֹן נֶגְבָּה והיה
וְהָיוּ תֹצְאֹתָיו אֶל־קִרְיַת־בַּעַל הִיא קִרְיַת יְעָרִים עִיר בְּנֵי יְהוּדָה
טו זֹאת פְּאַת־יָם׃ וּפְאַת־נֶגְבָּה מִקְצֵה קִרְיַת יְעָרִים וְיָצָא הַגְּבוּל
טז יָמָּה וְיָצָא אֶל־מַעְיַן מֵי נֶפְתּוֹחַ׃ וְיָרַד הַגְּבוּל אֶל־קְצֵה הָהָר
אֲשֶׁר עַל־פְּנֵי גֵּי בֶן־הִנֹּם אֲשֶׁר בְּעֵמֶק רְפָאִים צָפוֹנָה וְיָרַד גֵּי
יז הִנֹּם אֶל־כֶּתֶף הַיְבוּסִי נֶגְבָּה וְיָרַד עֵין רֹגֵל׃ וְתָאַר מִצָּפוֹן וְיָצָא
עֵין שֶׁמֶשׁ וְיָצָא אֶל־גְּלִילוֹת אֲשֶׁר־נֹכַח מַעֲלֵה אֲדֻמִּים וְיָרַד
יח אֶבֶן בֹּהַן בֶּן־רְאוּבֵן׃ וְעָבַר אֶל־כֶּתֶף מוּל־הָעֲרָבָה צָפוֹנָה וְיָרַד

יט הָעֲרָבָתָה׃ וְעָבַר הַגְּבוּל אֶל־כֶּתֶף בֵּית־חָגְלָה צָפוֹנָה והיה תצאותיו
וְהָיוּ | תֹּצְאוֹת הַגְּבוּל אֶל־לְשׁוֹן יָם־הַמֶּלַח צָפוֹנָה אֶל־קְצֵה הַיַּרְדֵּן
כ נֶגְבָּה זֶה גְּבוּל נֶגֶב׃ וְהַיַּרְדֵּן יִגְבֹּל־אֹתוֹ לִפְאַת־קֵדְמָה זֹאת נַחֲלַת
בְּנֵי בִנְיָמִן לִגְבוּלֹתֶיהָ סָבִיב לְמִשְׁפְּחֹתָם׃

עָרֵי נַחֲלַת בְּנֵי בִנְיָמִן:

כא וַיִּהְיוּ הֶעָרִים לְמַטֵּה בְּנֵי בִנְיָמִן לְמִשְׁפְּחוֹתֵיהֶם יְרִיחוֹ וּבֵית־חָגְלָה
כב כג וְעֵמֶק קְצִיץ׃ וּבֵית הָעֲרָבָה וּצְמָרַיִם וּבֵית־אֵל׃ וְהָעַוִּים וְהַפָּרָה
כד וְעָפְרָה׃ וּכְפַר העמני הָעַמֹּנָה וְהָעָפְנִי וָגָבַע עָרִים שְׁתֵּים־עֶשְׂרֵה
כה כו וְחַצְרֵיהֶן׃ גִּבְעוֹן וְהָרָמָה וּבְאֵרוֹת׃ וְהַמִּצְפֶּה וְהַכְּפִירָה וְהַמֹּצָה׃
כז כח וְרֶקֶם וְיִרְפְּאֵל וְתַרְאֲלָה׃ וְצֵלַע הָאֶלֶף וְהַיְבוּסִי הִיא יְרוּשָׁלִַם
גִּבְעַת קִרְיַת עָרִים אַרְבַּע־עֶשְׂרֵה וְחַצְרֵיהֶן זֹאת נַחֲלַת בְּנֵי־
בִנְיָמִן לְמִשְׁפְּחֹתָם׃

גּוֹרַל בְּנֵי שִׁמְעוֹן וְעָרֵיהֶם:

יט א וַיֵּצֵא הַגּוֹרָל הַשֵּׁנִי לְשִׁמְעוֹן לְמַטֵּה בְנֵי־שִׁמְעוֹן לְמִשְׁפְּחוֹתָם
ב וַיְהִי נַחֲלָתָם בְּתוֹךְ נַחֲלַת בְּנֵי־יְהוּדָה׃ וַיְהִי לָהֶם בְּנַחֲלָתָם
ג ד בְּאֵר־שֶׁבַע וְשֶׁבַע וּמוֹלָדָה׃ וַחֲצַר שׁוּעָל וּבָלָה וָעָצֶם׃ וְאֶלְתּוֹלַד
ה ו וּבְתוּל וְחָרְמָה׃ וְצִקְלַג וּבֵית־הַמַּרְכָּבוֹת וַחֲצַר סוּסָה׃ וּבֵית
ז לְבָאוֹת וְשָׁרוּחֶן עָרִים שְׁלֹשׁ־עֶשְׂרֵה וְחַצְרֵיהֶן׃ עַיִן | רִמּוֹן וָעֶתֶר
ח וְעָשָׁן עָרִים אַרְבַּע וְחַצְרֵיהֶן׃ וְכָל־הַחֲצֵרִים אֲשֶׁר סְבִיבוֹת
הֶעָרִים הָאֵלֶּה עַד־בַּעֲלַת בְּאֵר רָאמַת נֶגֶב זֹאת נַחֲלַת מַטֵּה
ט בְּנֵי־שִׁמְעוֹן לְמִשְׁפְּחֹתָם׃ מֵחֶבֶל בְּנֵי יְהוּדָה נַחֲלַת בְּנֵי שִׁמְעוֹן
כִּי־הָיָה חֵלֶק בְּנֵי־יְהוּדָה רַב מֵהֶם וַיִּנְחֲלוּ בְנֵי־שִׁמְעוֹן בְּתוֹךְ
נַחֲלָתָם׃

גּוֹרַל בְּנֵי זְבוּלֻן וּגְבוּלוֹתָיו:

י וַיַּעַל הַגּוֹרָל הַשְּׁלִישִׁי לִבְנֵי זְבוּלֻן לְמִשְׁפְּחֹתָם וַיְהִי גְּבוּל נַחֲלָתָם
יא עַד־שָׂרִיד׃ וְעָלָה גְבוּלָם | לַיָּמָּה וּמַרְעֲלָה וּפָגַע בְּדַבָּשֶׁת וּפָגַע
יב אֶל־הַנַּחַל אֲשֶׁר עַל־פְּנֵי יָקְנְעָם׃ וְשָׁב מִשָּׂרִיד קֵדְמָה מִזְרַח
הַשֶּׁמֶשׁ עַל־גְּבוּל כִּסְלֹת תָּבֹר וְיָצָא אֶל־הַדָּבְרַת וְעָלָה יָפִיעַ׃

יג וּמִשָּׁם עָבַר קֵדְמָה מִזְרָחָה גִּתָּה חֵפֶר עִתָּה קָצִין וְיָצָא רִמּוֹן

יד הַמְּתֹאָר הַנֵּעָה׃ וְנָסַב אֹתוֹ הַגְּבוּל מִצְּפוֹן חַנָּתֹן וְהָיוּ תֹּצְאֹתָיו

טו גֵּי יִפְתַּח־אֵל׃ וְקַטָּת וְנַהֲלָל וְשִׁמְרוֹן וְיִדְאֲלָה וּבֵית לָחֶם עָרִים

טז שְׁתֵּים־עֶשְׂרֵה וְחַצְרֵיהֶן׃ זֹאת נַחֲלַת בְּנֵי־זְבוּלֻן לְמִשְׁפְּחוֹתָם הֶעָרִים הָאֵלֶּה וְחַצְרֵיהֶן׃

גּוֹרָל בְּנֵי יִשָּׂשכָר וּגְבוּלוֹתָיו׃

יז לְיִשָּׂשכָר יָצָא הַגּוֹרָל הָרְבִיעִי לִבְנֵי יִשָּׂשכָר לְמִשְׁפְּחוֹתָם׃ וַיְהִי

יח גְּבוּלָם יִזְרְעֶאלָה וְהַכְּסוּלֹת וְשׁוּנֵם׃ וַחֲפָרַיִם וְשִׁיאֹן וַאֲנָחֲרַת׃

כ וְהָרַבִּית וְקִשְׁיוֹן וָאָבֶץ׃ וְרֶמֶת וְעֵין־גַּנִּים וְעֵין חַדָּה וּבֵית פַּצֵּץ׃

כב וּפָגַע הַגְּבוּל בְּתָבוֹר ושחצומה וְשַׁחֲצִימָה וּבֵית שֶׁמֶשׁ וְהָיוּ תֹּצְאוֹת

כג גְּבוּלָם הַיַּרְדֵּן עָרִים שֵׁשׁ־עֶשְׂרֵה וְחַצְרֵיהֶן׃ זֹאת נַחֲלַת מַטֵּה בְנֵי־יִשָּׂשכָר לְמִשְׁפְּחֹתָם הֶעָרִים וְחַצְרֵיהֶן׃

גּוֹרָל בְּנֵי אָשֵׁר וּגְבוּלוֹתָיו׃

כד וַיֵּצֵא הַגּוֹרָל הַחֲמִישִׁי לְמַטֵּה בְנֵי־אָשֵׁר לְמִשְׁפְּחוֹתָם׃ וַיְהִי

כה גְּבוּלָם חֶלְקַת וַחֲלִי וָבֶטֶן וְאַכְשָׁף׃ וְאַלַּמֶּלֶךְ וְעַמְעָד וּמִשְׁאָל

כו וּפָגַע בְּכַרְמֶל הַיָּמָּה וּבְשִׁיחוֹר לִבְנָת׃ וְשָׁב מִזְרַח הַשֶּׁמֶשׁ בֵּית

כז דָּגֹן וּפָגַע בִּזְבֻלוּן וּבְגֵי יִפְתַּח־אֵל צָפוֹנָה בֵּית הָעֵמֶק וּנְעִיאֵל

כח וְיָצָא אֶל־כָּבוּל מִשְּׂמֹאל׃ וְעֶבְרֹן וּרְחֹב וְחַמּוֹן וְקָנָה עַד צִידוֹן

כט רַבָּה׃ וְשָׁב הַגְּבוּל הָרָמָה וְעַד־עִיר מִבְצַר־צֹר וְשָׁב הַגְּבוּל חֹסָה

ל וַיְהוּ תֹצְאֹתָיו הַיָּמָּה מֵחֶבֶל אַכְזִיבָה׃ וְעֻמָה וַאֲפֵק וּרְחֹב

לא עָרִים עֶשְׂרִים וּשְׁתָּיִם וְחַצְרֵיהֶן׃ זֹאת נַחֲלַת מַטֵּה בְנֵי־אָשֵׁר לְמִשְׁפְּחֹתָם הֶעָרִים הָאֵלֶּה וְחַצְרֵיהֶן׃

גּוֹרָל בְּנֵי נַפְתָּלִי וּגְבוּלוֹתָיו׃

לב לִבְנֵי נַפְתָּלִי יָצָא הַגּוֹרָל הַשִּׁשִּׁי לִבְנֵי נַפְתָּלִי לְמִשְׁפְּחֹתָם׃ וַיְהִי

לג גְּבוּלָם מֵחֵלֶף מֵאֵלוֹן בְּצַעֲנַנִּים וַאֲדָמִי הַנֶּקֶב וְיַבְנְאֵל עַד־לַקּוּם

לד וַיְהִי תֹצְאֹתָיו הַיַּרְדֵּן׃ וְשָׁב הַגְּבוּל יָמָּה אַזְנוֹת תָּבוֹר וְיָצָא מִשָּׁם חוּקֹקָה וּפָגַע בִּזְבֻלוּן מִנֶּגֶב וּבְאָשֵׁר פָּגַע מִיָּם וּבִיהוּדָה הַיַּרְדֵּן

לה מִזְרַח הַשָּׁמֶשׁ׃ וְעָרֵי מִבְצָר הַצִּדִּים צֵר וְחַמַּת רַקַּת וְכִנָּרֶת׃

וַאֲדָמָ֧ה וְהָרָמָ֛ה וְחָצֽוֹר: וְקֶ֥דֶשׁ וְאֶדְרֶ֖עִי וְעֵ֣ין חָצֽוֹר: וְיִרְאוֹן֙ לְלָ֤

וּמִגְדַּל־אֵ֥ל חֳרֵ֖ם וּבֵית־עֲנָ֑ת וּבֵ֣ית שָׁ֔מֶשׁ עָרִ֥ים תְּשַׁע־עֶשְׂרֵ֖ה

וְחַצְרֵיהֶֽן: זֹ֗את נַחֲלַ֛ת מַטֵּ֥ה בְנֵֽי־נַפְתָּלִ֖י לְמִשְׁפְּחֹתָ֑ם הֶעָרִ֖ים   לט

וְחַצְרֵיהֶֽן:

לְמַטֵּ֥ה בְנֵי־דָ֖ן לְמִשְׁפְּחֹתָ֑ם יָצָ֖א הַגּוֹרָ֥ל הַשְּׁבִיעִֽי: וַיְהִ֖י גְּב֣וּל   מא   גּוֹרָ֣ל בְּנֵֽי

נַחֲלָתָ֑ם צָרְעָ֥ה וְאֶשְׁתָּא֖וֹל וְעִ֥יר שָֽׁמֶשׁ: וְשַׁעֲלַבִּ֥ין וְאַיָּל֖וֹן וְיִתְלָֽה: מב   דָ֖ן וְֽעֲֽרֵיהֶֽם:

וְאֵיל֥וֹן וְתִמְנָ֖תָה וְעֶקְר֑וֹן: וְאֶלְתְּקֵ֥ה וְגִבְּת֖וֹן וּבַעֲלָֽת: וִיהֻ֥ד וּבְנֵֽי־   מג מד מה

בְרַ֖ק וְגַת־רִמּֽוֹן: וּמֵ֥י הַיַּרְק֖וֹן וְהָֽרַקּ֑וֹן עִם־הַגְּב֖וּל מ֥וּל יָפֽוֹ: וַיֵּצֵ֨א   מו

גְבֽוּל־בְּנֵי־דָ֖ן מֵהֶ֑ם וַיַּעֲל֣וּ בְנֵֽי־דָ֡ן וַיִּלָּחֲמ֣וּ עִם־לֶ֩שֶׁם֩ וַיִּלְכְּד֨וּ

אוֹתָ֜הּ ׀ וַיַּכּ֧וּ אוֹתָ֣הּ לְפִי־חֶ֗רֶב וַיִּֽרְשׁ֤וּ אוֹתָהּ֙ וַיֵּ֣שְׁבוּ בָ֔הּ

וַיִּקְרְא֤וּ לְלֶ֙שֶׁם֙ דָּ֔ן כְּשֵׁ֖ם דָּ֣ן אֲבִיהֶ֑ם: זֹ֗את נַחֲלַ֛ת מַטֵּ֥ה בְנֵי־דָ֖ן   מז   סִכּֽוּם

לְמִשְׁפְּחֹתָ֑ם הֶעָרִ֥ים הָאֵ֖לֶּה וְחַצְרֵיהֶֽן: וַיְכַלּ֥וּ לִנְחֹל־אֶת־   מח   נַחֲלַ֣ת

הָאָ֖רֶץ לִגְבֽוּלֹתֶ֑יהָ וַיִּתְּנ֨וּ בְנֵֽי־יִשְׂרָאֵ֧ל נַחֲלָ֛ה לִיהוֹשֻׁ֥עַ בִּן־נ֖וּן   הָאָ֖רֶץ וְנַחֲלַ֣ת

בְּתוֹכָֽם: עַל־פִּ֨י יְהוָ֜ה נָ֣תְנוּ ל֗וֹ אֶת־הָעִיר֙ אֲשֶׁ֣ר שָׁאָ֔ל אֶת־תִּמְנַת־   נ   יְהוֹשֻֽׁעַ:

סֶ֖רַח בְּהַ֣ר אֶפְרָ֑יִם וַיִּבְנֶ֥ה אֶת־הָעִ֖יר וַיֵּ֥שֶׁב בָּֽהּ: אֵ֣לֶּה הַנְּחָלֹ֡ת   נא

אֲשֶׁ֣ר נִחֲל֣וּ אֶלְעָזָ֣ר הַכֹּהֵ֣ן ׀ וִיהוֹשֻׁ֪עַ בִּן־נ֟וּן וְרָאשֵׁ֣י הָֽאָב֡וֹת

לְמַטּוֹת֩ בְּנֵֽי־יִשְׂרָאֵ֨ל ׀ בְּגוֹרָ֤ל ׀ בְּשִׁלֹה֙ לִפְנֵ֣י יְהוָ֔ה פֶּ֖תַח אֹ֣הֶל

מוֹעֵ֑ד וַיְכַלּ֕וּ מֵֽחַלֵּ֖ק אֶת־הָאָֽרֶץ:

וַיְדַבֵּ֥ר יְהוָ֖ה אֶל־יְהוֹשֻׁ֥עַ לֵאמֹֽר: דַּבֵּ֛ר אֶל־בְּנֵ֥י יִשְׂרָאֵ֖ל לֵאמֹ֑ר   ב   הַפְרָשַׁ֣ת   כ   עָרֵ֣י

תְּנ֤וּ לָכֶם֙ אֶת־עָרֵ֣י הַמִּקְלָ֔ט אֲשֶׁר־דִּבַּ֥רְתִּי אֲלֵיכֶ֖ם בְּיַד־מֹשֶֽׁה: הַמִּקְלָ֣ט

לָנ֣וּס שָׁ֔מָּה רוֹצֵ֕חַ מַכֵּה־נֶ֖פֶשׁ בִּשְׁגָגָ֣ה בִּבְלִי־דָ֑עַת וְהָי֤וּ לָכֶם֙   ג

לְמִקְלָ֔ט מִגֹּאֵ֖ל הַדָּֽם: וְנָ֞ס אֶל־אַחַ֣ת ׀ מֵֽהֶעָרִ֣ים הָאֵ֗לֶּה וְעָמַד֙   ד

פֶּ֙תַח֙ שַׁ֣עַר הָעִ֔יר וְדִבֶּ֛ר בְּאָזְנֵ֛י זִקְנֵֽי־הָעִ֥יר הַהִ֖יא אֶת־דְּבָרָ֑יו

וְאָסְפ֨וּ אֹת֤וֹ הָעִ֙ירָה֙ אֲלֵיהֶ֔ם וְנָתְנוּ־ל֥וֹ מָק֖וֹם וְיָשַׁ֥ב עִמָּֽם: וְכִ֨י   ה

יִרְדֹּ֜ף גֹּאֵ֤ל הַדָּם֙ אַֽחֲרָ֔יו וְלֹֽא־יַסְגִּ֥רוּ אֶת־הָרֹצֵ֖חַ בְּיָד֑וֹ כִּ֤י

בִּבְלִי־דַ֫עַת הִכָּ֣ה אֶת־רֵעֵ֑הוּ וְלֹא־שֹׂנֵ֥א ה֛וּא ל֖וֹ מִתְּמ֥וֹל שִׁלְשֽׁוֹם:

ו וְיָשַׁ֣ב ׀ בָּעִ֣יר הַהִ֗יא עַד־עָמְד֞וֹ לִפְנֵ֤י הָֽעֵדָה֙ לַמִּשְׁפָּ֔ט עַד־מוֹת֙ הַכֹּהֵ֣ן הַגָּד֔וֹל אֲשֶׁ֥ר יִֽהְיֶ֖ה בַּיָּמִ֣ים הָהֵ֑ם אָ֣ז ׀ יָשׁ֣וּב הָֽרוֹצֵ֗חַ וּבָ֤א אֶל־עִירוֹ֙ וְאֶל־בֵּית֔וֹ אֶל־הָעִ֖יר אֲשֶׁר־נָ֥ס מִשָּֽׁם:

ז וַיַּקְדִּ֣שׁוּ אֶת־קֶ֤דֶשׁ בַּגָּלִיל֙ בְּהַ֣ר נַפְתָּלִ֔י וְאֶת־שְׁכֶ֖ם בְּהַ֣ר אֶפְרָ֑יִם וְאֶת־קִרְיַ֥ת אַרְבַּ֛ע הִ֥יא חֶבְר֖וֹן בְּהַ֥ר יְהוּדָֽה:

ח וּמֵעֵ֨בֶר לְיַרְדֵּ֤ן יְרִיחוֹ֙ מִזְרָ֔חָה נָתְנ֞וּ אֶת־בֶּ֤צֶר בַּמִּדְבָּר֙ בַּמִּישֹׁ֔ר מִמַּטֵּ֖ה רְאוּבֵ֑ן וְאֶת־רָאמֹ֤ת בַּגִּלְעָד֙ מִמַּטֵּה־גָ֔ד וְאֶת־גּוֹלָ֥ן [גלון] בַּבָּשָׁ֖ן מִמַּטֵּ֥ה מְנַשֶּֽׁה:

ט אֵ֣לֶּה הָי֞וּ עָרֵ֣י הַמּֽוּעָדָ֗ה לְכֹ֣ל ׀ בְּנֵ֣י יִשְׂרָאֵ֗ל וְלַגֵּר֙ הַגָּ֣ר בְּתוֹכָ֔ם לָנ֣וּס שָׁ֗מָּה כָּל־מַכֵּה־נֶ֤פֶשׁ בִּשְׁגָגָה֙ וְלֹ֣א יָמ֔וּת בְּיַ֖ד גֹּאֵ֣ל הַדָּ֑ם עַד־עָמְד֖וֹ לִפְנֵ֥י הָעֵדָֽה:

כא בִּקֵּשַׁת
הַלְוִיִּם
עָרִים
לָשָֽׁבֶת: א וַֽיִּגְּשׁ֗וּ רָאשֵׁי֙ אֲב֣וֹת הַֽלְוִיִּ֔ם אֶל־אֶלְעָזָר֙ הַכֹּהֵ֔ן וְאֶל־יְהוֹשֻׁ֖עַ

ב בִּן־נ֑וּן וְאֶל־רָאשֵׁ֛י אֲב֥וֹת הַמַּטּ֖וֹת לִבְנֵ֥י יִשְׂרָאֵֽל: וַיְדַבְּר֨וּ אֲלֵיהֶ֜ם בְּשִׁלֹ֗ה בְּאֶ֤רֶץ כְּנַ֨עַן֙ לֵאמֹ֔ר יְהוָ֞ה צִוָּ֤ה בְיַד־מֹשֶׁה֙ לָֽתֶת־לָ֣נוּ עָרִ֣ים לָשָׁ֔בֶת וּמִגְרְשֵׁיהֶ֖ן לִבְהֶמְתֵּֽנוּ:

ג הִפָּרְשַׁת
הֶעָרִים
לַלְוִיִּֽם: וַיִּתְּנ֨וּ בְנֵֽי־יִשְׂרָאֵ֧ל לַלְוִיִּ֛ם מִֽנַּחֲלָתָ֖ם אֶל־פִּ֣י יְהוָ֑ה אֶת־הֶעָרִ֥ים

ד הָאֵ֖לֶּה וְאֶת־מִגְרְשֵׁיהֶֽן: וַיֵּצֵ֣א הַגּוֹרָ֔ל לְמִשְׁפְּחֹ֖ת הַקְּהָתִ֑י וַיְהִ֡י לִבְנֵי֩ אַהֲרֹ֨ן הַכֹּהֵ֜ן מִן־הַלְוִיִּ֗ם מִמַּטֵּ֣ה יְ֠הוּדָה וּמִמַּטֵּ֨ה הַשִּׁמְעֹנִ֜י וּמִמַּטֵּ֤ה

ה בִנְיָמִ֔ן בַּגּוֹרָ֕ל עָרִ֖ים שְׁלֹ֥שׁ עֶשְׂרֵֽה: וְלִבְנֵ֨י קְהָ֜ת הַנּֽוֹתָרִ֗ים מִמִּשְׁפְּחֹ֣ת מַטֵּֽה־אֶ֠פְרַיִם וּֽמִמַּטֵּה־דָ֤ן וּמֵֽחֲצִי֙ מַטֵּ֣ה

ו מְנַשֶּׁ֔ה בַּגּוֹרָ֖ל עָרִ֥ים עָֽשֶׂר: וְלִבְנֵ֣י גֵרְשׁ֗וֹן מִמִּשְׁפְּח֣וֹת מַטֵּֽה־יִשָּׂשכָ֣ר וּמִמַּטֵּֽה־אָ֠שֵׁר וּמִמַּטֵּ֨ה נַפְתָּלִ֜י וּ֠מֵחֲצִי מַטֵּ֨ה מְנַשֶּׁ֤ה

ז בַבָּשָׁן֙ בַּגּוֹרָ֔ל עָרִ֖ים שְׁלֹ֥שׁ עֶשְׂרֵֽה: לִבְנֵ֤י מְרָרִי֙ לְמִשְׁפְּחֹתָ֔ם מִמַּטֵּ֣ה רְאוּבֵ֔ן וּמִמַּטֵּה־גָ֖ד וּמִמַּטֵּ֣ה זְבוּלֻ֑ן עָרִ֖ים

ח שְׁתֵּ֥ים עֶשְׂרֵֽה: וַיִּתְּנ֤וּ בְנֵֽי־יִשְׂרָאֵל֙ לַלְוִיִּ֔ם אֶת־הֶעָרִ֥ים

הָאֵ֖לֶּה וְאֶת־מִגְרְשֵׁיהֶ֑ן כַּאֲשֶׁ֨ר צִוָּ֧ה יְהוָ֛ה בְּיַד־מֹשֶׁ֖ה בַּגּוֹרָֽל:

ט וַיִּתְּנ֗וּ מִמַּטֵּה֙ בְּנֵ֣י יְהוּדָ֔ה וּמִמַּטֵּ֖ה בְּנֵ֣י שִׁמְע֑וֹן אֵ֚ת הֶעָרִ֣ים הָאֵ֔לֶּה

י אֲשֶׁר־יִקְרָ֥א אֶתְהֶ֖ן בְּשֵֽׁם: וַֽיְהִ֗י לִבְנֵ֤י אַהֲרֹן֙ מִמִּשְׁפְּח֣וֹת הַקְּהָתִ֔י

יא מִבְּנֵ֖י לֵוִ֑י כִּ֥י לָהֶ֛ם הָיָ֥ה הַגּוֹרָ֖ל רִֽאשֹׁנָֽה: וַיִּתְּנ֨וּ לָהֶ֜ם אֶת־קִרְיַ֣ת

אַרְבַּ֗ע אֲבִ֤י הָֽעֲנוֹק֙ הִ֣יא חֶבְר֔וֹן בְּהַ֖ר יְהוּדָ֑ה וְאֶת־מִגְרָשֶׁ֖הָ

יב סְבִיבֹתֶֽיהָ: וְאֶת־שְׂדֵ֥ה הָעִ֖יר וְאֶת־חֲצֵרֶ֑יהָ נָתְנ֛וּ לְכָלֵ֥ב בֶּן־יְפֻנֶּ֖ה

בַּאֲחֻזָּתֽוֹ: עָרֵ֥י
הַכֹּהֲנִ֖ים

יג וְלִבְנֵ֣י ׀

אַהֲרֹ֣ן הַכֹּהֵ֗ן נָֽתְנוּ֙ אֶת־עִיר֙ מִקְלַ֣ט הָרֹצֵ֔חַ אֶת־חֶבְר֖וֹן וְאֶת־

יד מִגְרָשֶׁ֑הָ וְאֶת־לִבְנָ֖ה וְאֶת־מִגְרָשֶֽׁהָ: וְאֶת־יַתִּר֙ וְאֶת־מִגְרָשֶׁ֔הָ וְאֶת־

טו אֶשְׁתְּמֹ֖עַ וְאֶת־מִגְרָשֶֽׁהָ: וְאֶת־חֹלֹן֙ וְאֶת־מִגְרָשֶׁ֔הָ וְאֶת־דְּבִ֖ר

טז וְאֶת־מִגְרָשֶֽׁהָ: וְאֶת־עַ֨יִן֙ וְאֶת־מִגְרָשֶׁ֔הָ וְאֶת־יֻטָּ֖ה וְאֶת־מִגְרָשֶׁ֑הָ

אֶת־בֵּ֥ית שֶׁ֖מֶשׁ וְאֶת־מִגְרָשֶׁ֑הָ עָרִ֣ים תֵּ֔שַׁע מֵאֵ֕ת שְׁנֵ֖י הַשְּׁבָטִ֥ים

יז הָאֵֽלֶּה: וּמִמַּטֵּ֣ה בִנְיָמִ֔ן אֶת־גִּבְע֖וֹן וְאֶת־מִגְרָשֶׁ֑הָ אֶת־

יח גֶּ֖בַע וְאֶת־מִגְרָשֶֽׁהָ: אֶת־עֲנָתוֹת֙ וְאֶת־מִגְרָשֶׁ֔הָ וְאֶת־עַלְמ֖וֹן וְאֶת־

יט מִגְרָשֶׁ֑הָ עָרִ֖ים אַרְבַּֽע: כָּל־עָרֵ֧י בְנֵֽי־אַהֲרֹ֛ן הַכֹּהֲנִ֖ים שְׁלֹשׁ־עֶשְׂרֵ֥ה

כ עָרִ֖ים וּמִגְרְשֵׁיהֶֽן: עָרֵ֥י בְנֵ֖י
קְהָֽת: וּלְמִשְׁפְּח֤וֹת בְּנֵֽי־קְהָת֙ הַלְוִיִּ֔ם

כא הַנּֽוֹתָרִ֖ים מִבְּנֵ֣י קְהָ֑ת וַיְהִ֞י עָרֵ֤י גֽוֹרָלָם֙ מִמַּטֵּ֣ה אֶפְרָ֔יִם: וַיִּתְּנ֨וּ

לָהֶ֜ם אֶת־עִ֨יר מִקְלַ֧ט הָרֹצֵ֛חַ אֶת־שְׁכֶ֥ם וְאֶת־מִגְרָשֶׁ֖הָ בְּהַ֣ר

כב אֶפְרָ֑יִם וְאֶת־גֶּ֖זֶר וְאֶת־מִגְרָשֶֽׁהָ: וְאֶת־קִבְצַ֙יִם֙ וְאֶת־מִגְרָשֶׁ֔הָ

כג וְאֶת־בֵּ֥ית חוֹרֹ֖ן וְאֶת־מִגְרָשֶׁ֑הָ עָרִ֖ים אַרְבַּֽע: וּמִמַּטֵּה־

כד דָ֗ן אֶת־אֶלְתְּקֵא֙ וְאֶת־מִגְרָשֶׁ֔הָ אֶת־גִּבְּת֖וֹן וְאֶת־מִגְרָשֶֽׁהָ: אֶת־

אַיָּלוֹן֙ וְאֶת־מִגְרָשֶׁ֔הָ אֶת־גַּת־רִמּ֖וֹן וְאֶת־מִגְרָשֶׁ֑הָ עָרִ֖ים אַרְבַּֽע:

כה וּמִֽמַּחֲצִ֞ית מַטֵּ֣ה מְנַשֶּׁ֗ה אֶת־תַּעְנַךְ֙ וְאֶת־מִגְרָשֶׁ֔הָ וְאֶת־גַּת־

כו רִמּ֖וֹן וְאֶת־מִגְרָשֶׁ֑הָ עָרִ֖ים שְׁתָּֽיִם: כָּל־עָרִ֣ים עֶ֔שֶׂר וּמִגְרְשֵׁיהֶ֑ן

כז לְמִשְׁפְּח֥וֹת בְּנֵֽי־קְהָ֖ת הַנּֽוֹתָרִֽים: וְלִבְנֵ֣י גֵרְשׁ֗וֹן

מִמִּשְׁפְּחֹת הַלְוִיִּם מֵחֲצִי מַטֵּה מְנַשֶּׁה אֶת־עִיר מִקְלַט הָרֹצֵחַ — עָרֵי בְּנֵי גֵרְשׁוֹן:
אֶת־גּוֹלָן גלון בַּבָּשָׁן וְאֶת־מִגְרָשֶׁהָ וְאֶת־בְּעֶשְׁתְּרָה וְאֶת־מִגְרָשֶׁהָ
כח עָרִים שְׁתָּיִם: וּמִמַּטֵּה
יִשָּׂשכָר אֶת־קִשְׁיוֹן וְאֶת־מִגְרָשֶׁהָ אֶת־דָּבְרַת וְאֶת־מִגְרָשֶׁהָ:
כט אֶת־יַרְמוּת וְאֶת־מִגְרָשֶׁהָ אֶת־עֵין גַּנִּים וְאֶת־מִגְרָשֶׁהָ עָרִים
ל אַרְבַּע: וּמִמַּטֵּה אָשֵׁר אֶת־מִשְׁאָל וְאֶת־מִגְרָשֶׁהָ אֶת־
לא עַבְדּוֹן וְאֶת־מִגְרָשֶׁהָ: אֶת־חֶלְקָת וְאֶת־מִגְרָשֶׁהָ וְאֶת־רְחֹב וְאֶת־
לב מִגְרָשֶׁהָ עָרִים אַרְבַּע: וּמִמַּטֵּה
נַפְתָּלִי אֶת־עִיר ׀ מִקְלַט הָרֹצֵחַ אֶת־קֶדֶשׁ בַּגָּלִיל וְאֶת־מִגְרָשֶׁהָ
וְאֶת־חַמֹּת דֹּאר וְאֶת־מִגְרָשֶׁהָ וְאֶת־קַרְתָּן וְאֶת־מִגְרָשֶׁהָ עָרִים
לג שָׁלֹשׁ: כָּל־עָרֵי הַגֵּרְשֻׁנִּי לְמִשְׁפְּחֹתָם שְׁלֹשׁ־עֶשְׂרֵה עִיר
לד וּמִגְרְשֵׁיהֶן: וּלְמִשְׁפְּחוֹת בְּנֵי־מְרָרִי — עָרֵי בְּנֵי מְרָרִי:
הַלְוִיִּם הַנּוֹתָרִים מֵאֵת מַטֵּה זְבוּלֻן אֶת־יָקְנְעָם וְאֶת־מִגְרָשֶׁהָ
לה אֶת־קַרְתָּה וְאֶת־מִגְרָשֶׁהָ: אֶת־דִּמְנָה וְאֶת־מִגְרָשֶׁהָ אֶת־נַהֲלָל
לו וְאֶת־מִגְרָשֶׁהָ עָרִים אַרְבַּע: וּמִמַּטֵּה־
גָד אֶת־עִיר מִקְלַט הָרֹצֵחַ אֶת־רָמֹת בַּגִּלְעָד וְאֶת־מִגְרָשֶׁהָ
לז וְאֶת־מַחֲנַיִם וְאֶת־מִגְרָשֶׁהָ: אֶת־חֶשְׁבּוֹן וְאֶת־מִגְרָשֶׁהָ אֶת־יַעְזֵר
לח וְאֶת־מִגְרָשֶׁהָ כָּל־עָרִים אַרְבַּע: כָּל־הֶעָרִים לִבְנֵי מְרָרִי
לְמִשְׁפְּחֹתָם הַנּוֹתָרִים מִמִּשְׁפְּחוֹת הַלְוִיִּם וַיְהִי גּוֹרָלָם עָרִים
לט שְׁתֵּים עֶשְׂרֵה: כֹּל עָרֵי הַלְוִיִּם בְּתוֹךְ אֲחֻזַּת בְּנֵי־יִשְׂרָאֵל עָרִים
מ אַרְבָּעִים וּשְׁמֹנֶה וּמִגְרְשֵׁיהֶן: תִּהְיֶינָה הֶעָרִים הָאֵלֶּה עִיר עִיר
מא וּמִגְרָשֶׁיהָ סְבִיבֹתֶיהָ כֵּן לְכָל־הֶעָרִים הָאֵלֶּה: וַיִּתֵּן יְהוָה — קִיּוּם הַבְטָחַת ה':
לְיִשְׂרָאֵל אֶת־כָּל־הָאָרֶץ אֲשֶׁר נִשְׁבַּע לָתֵת לַאֲבוֹתָם וַיִּרָשׁוּהָ
מב וַיֵּשְׁבוּ בָהּ: וַיָּנַח יְהוָה לָהֶם מִסָּבִיב כְּכֹל אֲשֶׁר־נִשְׁבַּע לַאֲבוֹתָם
וְלֹא־עָמַד אִישׁ בִּפְנֵיהֶם מִכָּל־אֹיְבֵיהֶם אֵת כָּל־אֹיְבֵיהֶם נָתַן

מג יְהוָה בְּיָדָם׃ לֹא־נָפַל דָּבָר מִכֹּל הַדָּבָר הַטּוֹב אֲשֶׁר־דִּבֶּר יְהוָה
אֶל־בֵּית יִשְׂרָאֵל הַכֹּל בָּא׃

כב א אָז יִקְרָא יְהוֹשֻׁעַ לָרְאוּבֵנִי וְלַגָּדִי וְלַחֲצִי מַטֵּה מְנַשֶּׁה׃ ב וַיֹּאמֶר
אֲלֵיהֶם אַתֶּם שְׁמַרְתֶּם אֵת כָּל־אֲשֶׁר צִוָּה אֶתְכֶם מֹשֶׁה עֶבֶד
ג יְהוָה וַתִּשְׁמְעוּ בְקוֹלִי לְכֹל אֲשֶׁר־צִוִּיתִי אֶתְכֶם׃ לֹא־עֲזַבְתֶּם
אֶת־אֲחֵיכֶם זֶה יָמִים רַבִּים עַד הַיּוֹם הַזֶּה וּשְׁמַרְתֶּם אֶת־
ד מִשְׁמֶרֶת מִצְוַת יְהוָה אֱלֹהֵיכֶם׃ וְעַתָּה הֵנִיחַ יְהוָה אֱלֹהֵיכֶם
לַאֲחֵיכֶם כַּאֲשֶׁר דִּבֶּר לָהֶם וְעַתָּה פְּנוּ וּלְכוּ לָכֶם לְאָהֳלֵיכֶם
אֶל־אֶרֶץ אֲחֻזַּתְכֶם אֲשֶׁר ׀ נָתַן לָכֶם מֹשֶׁה עֶבֶד יְהוָה בְּעֵבֶר
ה הַיַּרְדֵּן׃ רַק ׀ שִׁמְרוּ מְאֹד לַעֲשׂוֹת אֶת־הַמִּצְוָה וְאֶת־הַתּוֹרָה
אֲשֶׁר צִוָּה אֶתְכֶם מֹשֶׁה עֶבֶד־יְהוָה לְאַהֲבָה אֶת־יְהוָה אֱלֹהֵיכֶם
וְלָלֶכֶת בְּכָל־דְּרָכָיו וְלִשְׁמֹר מִצְוֹתָיו וּלְדָבְקָה־בוֹ וּלְעָבְדוֹ בְּכָל־
ו לְבַבְכֶם וּבְכָל־נַפְשְׁכֶם׃ וַיְבָרְכֵם יְהוֹשֻׁעַ וַיְשַׁלְּחֵם וַיֵּלְכוּ אֶל־
אָהֳלֵיהֶם׃

ז וְלַחֲצִי ׀ שֵׁבֶט הַמְנַשֶּׁה נָתַן מֹשֶׁה בַּבָּשָׁן וּלְחֶצְיוֹ נָתַן יְהוֹשֻׁעַ
עִם־אֲחֵיהֶם מעבר בְּעֵבֶר הַיַּרְדֵּן יָמָּה וְגַם כִּי־שִׁלְּחָם יְהוֹשֻׁעַ
ח אֶל־אָהֳלֵיהֶם וַיְבָרְכֵם׃ וַיֹּאמֶר אֲלֵיהֶם לֵאמֹר בִּנְכָסִים רַבִּים
שׁוּבוּ אֶל־אָהֳלֵיכֶם וּבְמִקְנֶה רַב־מְאֹד בְּכֶסֶף וּבְזָהָב וּבִנְחֹשֶׁת
וּבְבַרְזֶל וּבִשְׂלָמוֹת הַרְבֵּה מְאֹד חִלְקוּ שְׁלַל־אֹיְבֵיכֶם עִם־
אֲחֵיכֶם׃

ט וַיָּשֻׁבוּ וַיֵּלְכוּ בְּנֵי־רְאוּבֵן וּבְנֵי־גָד וַחֲצִי ׀ שֵׁבֶט הַמְנַשֶּׁה מֵאֵת
בְּנֵי יִשְׂרָאֵל מִשִּׁלֹה אֲשֶׁר בְּאֶרֶץ־כְּנָעַן לָלֶכֶת אֶל־אֶרֶץ הַגִּלְעָד
אֶל־אֶרֶץ אֲחֻזָּתָם אֲשֶׁר נֹאחֲזוּ־בָהּ עַל־פִּי יְהוָה בְּיַד־מֹשֶׁה׃
י וַיָּבֹאוּ אֶל־גְּלִילוֹת הַיַּרְדֵּן אֲשֶׁר בְּאֶרֶץ כְּנָעַן וַיִּבְנוּ בְנֵי־רְאוּבֵן
וּבְנֵי־גָד וַחֲצִי שֵׁבֶט הַמְנַשֶּׁה שָׁם מִזְבֵּחַ עַל־הַיַּרְדֵּן מִזְבֵּחַ גָּדוֹל

שִׁלּוּחַ בְּנֵי רְאוּבֵן וְגָד לְנַחֲלָתָם: [2502]

נַחֲלַת חֲצִי שֵׁבֶט מְנַשֶּׁה בַּבָּשָׁן:

בִּנְיַן הַמִּזְבֵּחַ עַל הַיַּרְדֵּן:

יא לְמַרְאֵה: וַיִּשְׁמְעוּ בְנֵי־יִשְׂרָאֵל לֵאמֹר הִנֵּה בָנוּ בְנֵי־רְאוּבֵן וּבְנֵי־גָד
וַחֲצִי שֵׁבֶט הַמְנַשֶּׁה אֶת־הַמִּזְבֵּחַ אֶל־מוּל אֶרֶץ כְּנַעַן אֶל־גְּלִילוֹת
יב הַיַּרְדֵּן אֶל־עֵבֶר בְּנֵי יִשְׂרָאֵל: וַיִּשְׁמְעוּ בְּנֵי יִשְׂרָאֵל וַיִּקָּהֲלוּ כָּל־
עֲדַת בְּנֵי־יִשְׂרָאֵל שִׁלֹה לַעֲלוֹת עֲלֵיהֶם לַצָּבָא:

טַעֲנַת בְּנֵי יִשְׂרָאֵל עַל בִּנְיַן הַמִּזְבֵּחַ:

יג וַיִּשְׁלְחוּ בְנֵי־יִשְׂרָאֵל אֶל־בְּנֵי־רְאוּבֵן וְאֶל־בְּנֵי־גָד וְאֶל־חֲצִי
שֵׁבֶט־מְנַשֶּׁה אֶל־אֶרֶץ הַגִּלְעָד אֶת־פִּינְחָס בֶּן־אֶלְעָזָר הַכֹּהֵן:
יד וַעֲשָׂרָה נְשִׂאִים עִמּוֹ נָשִׂיא אֶחָד נָשִׂיא אֶחָד לְבֵית אָב לְכֹל
מַטּוֹת יִשְׂרָאֵל וְאִישׁ רֹאשׁ בֵּית־אֲבוֹתָם הֵמָּה לְאַלְפֵי יִשְׂרָאֵל:
טו וַיָּבֹאוּ אֶל־בְּנֵי־רְאוּבֵן וְאֶל־בְּנֵי־גָד וְאֶל־חֲצִי שֵׁבֶט־מְנַשֶּׁה אֶל־
טז אֶרֶץ הַגִּלְעָד וַיְדַבְּרוּ אִתָּם לֵאמֹר: כֹּה אָמְרוּ כֹּל ׀ עֲדַת יְהוָה
מָה־הַמַּעַל הַזֶּה אֲשֶׁר מְעַלְתֶּם בֵּאלֹהֵי יִשְׂרָאֵל לָשׁוּב הַיּוֹם
מֵאַחֲרֵי יְהוָה בִּבְנוֹתְכֶם לָכֶם מִזְבֵּחַ לִמְרָדְכֶם הַיּוֹם בַּיהוָה:
יז הַמְעַט־לָנוּ אֶת־עֲוֺן פְּעוֹר אֲשֶׁר לֹא־הִטַּהַרְנוּ מִמֶּנּוּ עַד הַיּוֹם
יח הַזֶּה וַיְהִי הַנֶּגֶף בַּעֲדַת יְהוָה: וְאַתֶּם תָּשֻׁבוּ הַיּוֹם מֵאַחֲרֵי יְהוָה
וְהָיָה אַתֶּם תִּמְרְדוּ הַיּוֹם בַּיהוָה וּמָחָר אֶל־כָּל־עֲדַת יִשְׂרָאֵל
יט יִקְצֹף: וְאַךְ אִם־טְמֵאָה אֶרֶץ אֲחֻזַּתְכֶם עִבְרוּ לָכֶם אֶל־אֶרֶץ
אֲחֻזַּת יְהוָה אֲשֶׁר שָׁכַן־שָׁם מִשְׁכַּן יְהוָה וְהֵאָחֲזוּ בְּתוֹכֵנוּ וּבַיהוָה
אַל־תִּמְרֹדוּ וְאֹתָנוּ אַל־תִּמְרֹדוּ בִּבְנֹתְכֶם לָכֶם מִזְבֵּחַ מִבַּלְעֲדֵי
כ מִזְבַּח יְהוָה אֱלֹהֵינוּ: הֲלוֹא ׀ עָכָן בֶּן־זֶרַח מָעַל מַעַל בַּחֵרֶם
וְעַל־כָּל־עֲדַת יִשְׂרָאֵל הָיָה קָצֶף וְהוּא אִישׁ אֶחָד לֹא גָוַע
כא בַּעֲוֺנוֹ: וַיַּעֲנוּ בְּנֵי־רְאוּבֵן
וּבְנֵי־גָד וַחֲצִי שֵׁבֶט הַמְנַשֶּׁה וַיְדַבְּרוּ אֶת־רָאשֵׁי אַלְפֵי יִשְׂרָאֵל:

מַעֲנֵה בְּנֵי רְאוּבֵן וּבְנֵי גָד:

כב אֵל ׀ אֱלֹהִים ׀ יְהוָה אֵל ׀ אֱלֹהִים ׀ יְהוָה הוּא יֹדֵעַ וְיִשְׂרָאֵל הוּא
יֵדָע אִם־בְּמֶרֶד וְאִם־בְּמַעַל בַּיהוָה אַל־תּוֹשִׁיעֵנוּ הַיּוֹם הַזֶּה:
כג לִבְנוֹת לָנוּ מִזְבֵּחַ לָשׁוּב מֵאַחֲרֵי יְהוָה וְאִם־לְהַעֲלוֹת עָלָיו

עֹלָה וּמִנְחָה וְאִם־לַעֲשׂוֹת עָלָיו זִבְחֵי שְׁלָמִים יְהוָה הוּא יְבַקֵּשׁ׃
כד וְאִם־לֹא מִדְּאָגָה מִדָּבָר עָשִׂינוּ אֶת־זֹאת לֵאמֹר מָחָר יֹאמְרוּ
כה בְנֵיכֶם לְבָנֵינוּ לֵאמֹר מַה־לָּכֶם וְלַיהוָה אֱלֹהֵי יִשְׂרָאֵל׃ וּגְבוּל
נָתַן־יְהוָה בֵּינֵנוּ וּבֵינֵיכֶם בְּנֵי־רְאוּבֵן וּבְנֵי־גָד אֶת־הַיַּרְדֵּן אֵין־
לָכֶם חֵלֶק בַּיהוָה וְהִשְׁבִּיתוּ בְנֵיכֶם אֶת־בָּנֵינוּ לְבִלְתִּי יְרֹא
כו אֶת־יְהוָה׃ וַנֹּאמֶר נַעֲשֶׂה־נָּא לָנוּ לִבְנוֹת אֶת־הַמִּזְבֵּחַ לֹא
כז לְעוֹלָה וְלֹא לְזָבַח׃ כִּי עֵד הוּא בֵּינֵינוּ וּבֵינֵיכֶם וּבֵין דֹּרוֹתֵינוּ
אַחֲרֵינוּ לַעֲבֹד אֶת־עֲבֹדַת יְהוָה לְפָנָיו בְּעֹלוֹתֵינוּ וּבִזְבָחֵינוּ
וּבִשְׁלָמֵינוּ וְלֹא־יֹאמְרוּ בְנֵיכֶם מָחָר לְבָנֵינוּ אֵין־לָכֶם חֵלֶק
כח בַּיהוָה׃ וַנֹּאמֶר וְהָיָה כִּי־יֹאמְרוּ אֵלֵינוּ וְאֶל־דֹּרֹתֵינוּ מָחָר וְאָמַרְנוּ
רְאוּ אֶת־תַּבְנִית מִזְבַּח יְהוָה אֲשֶׁר־עָשׂוּ אֲבוֹתֵינוּ לֹא לְעוֹלָה
כט וְלֹא לְזֶבַח כִּי־עֵד הוּא בֵּינֵינוּ וּבֵינֵיכֶם׃ חָלִילָה לָּנוּ מִמֶּנּוּ לִמְרֹד
בַּיהוָה וְלָשׁוּב הַיּוֹם מֵאַחֲרֵי יְהוָה לִבְנוֹת מִזְבֵּחַ לְעֹלָה לְמִנְחָה
וּלְזָבַח מִלְּבַד מִזְבַּח יְהוָה אֱלֹהֵינוּ אֲשֶׁר לִפְנֵי מִשְׁכָּנוֹ׃

קַבָּלַת הַדְּבָרִים וְדִבְרֵי שָׁלוֹם׃

ל וַיִּשְׁמַע פִּינְחָס הַכֹּהֵן וּנְשִׂיאֵי הָעֵדָה וְרָאשֵׁי אַלְפֵי יִשְׂרָאֵל אֲשֶׁר
אִתּוֹ אֶת־הַדְּבָרִים אֲשֶׁר דִּבְּרוּ בְּנֵי־רְאוּבֵן וּבְנֵי־גָד וּבְנֵי מְנַשֶּׁה
לא וַיִּיטַב בְּעֵינֵיהֶם׃ וַיֹּאמֶר פִּינְחָס בֶּן־אֶלְעָזָר הַכֹּהֵן אֶל־בְּנֵי־רְאוּבֵן
וְאֶל־בְּנֵי־גָד וְאֶל־בְּנֵי מְנַשֶּׁה הַיּוֹם ׀ יָדַעְנוּ כִּי־בְתוֹכֵנוּ יְהוָה
אֲשֶׁר לֹא־מְעַלְתֶּם בַּיהוָה הַמַּעַל הַזֶּה אָז הִצַּלְתֶּם אֶת־בְּנֵי
לב יִשְׂרָאֵל מִיַּד יְהוָה׃ וַיָּשָׁב פִּינְחָס בֶּן־אֶלְעָזָר הַכֹּהֵן ׀ וְהַנְּשִׂיאִים
מֵאֵת בְּנֵי־רְאוּבֵן וּמֵאֵת בְּנֵי־גָד מֵאֶרֶץ הַגִּלְעָד אֶל־אֶרֶץ כְּנַעַן
לג אֶל־בְּנֵי יִשְׂרָאֵל וַיָּשִׁבוּ אוֹתָם דָּבָר׃ וַיִּיטַב הַדָּבָר בְּעֵינֵי בְּנֵי
יִשְׂרָאֵל וַיְבָרְכוּ אֱלֹהִים בְּנֵי יִשְׂרָאֵל וְלֹא אָמְרוּ לַעֲלוֹת עֲלֵיהֶם
לַצָּבָא לְשַׁחֵת אֶת־הָאָרֶץ אֲשֶׁר בְּנֵי־רְאוּבֵן וּבְנֵי־גָד יֹשְׁבִים
לד בָּהּ׃ וַיִּקְרְאוּ בְּנֵי־רְאוּבֵן וּבְנֵי־גָד לַמִּזְבֵּחַ כִּי עֵד הוּא בֵּינֹתֵינוּ

כִּי יְהוָה הָאֱלֹהִים׃

כג א וַיְהִי מִיָּמִים רַבִּים אַחֲרֵי אֲשֶׁר־הֵנִיחַ יְהוָה לְיִשְׂרָאֵל מִכָּל־
ב אֹיְבֵיהֶם מִסָּבִיב וִיהוֹשֻׁעַ זָקֵן בָּא בַּיָּמִים׃ וַיִּקְרָא יְהוֹשֻׁעַ
לְכָל־יִשְׂרָאֵל לִזְקֵנָיו וּלְרָאשָׁיו וּלְשֹׁפְטָיו וּלְשֹׁטְרָיו וַיֹּאמֶר אֲלֵהֶם
ג אֲנִי זָקַנְתִּי בָּאתִי בַּיָּמִים׃ וְאַתֶּם רְאִיתֶם אֵת כָּל־אֲשֶׁר עָשָׂה
יְהוָה אֱלֹהֵיכֶם לְכָל־הַגּוֹיִם הָאֵלֶּה מִפְּנֵיכֶם כִּי יְהוָה אֱלֹהֵיכֶם הוּא
ד הַנִּלְחָם לָכֶם׃ רְאוּ הִפַּלְתִּי לָכֶם אֶת־הַגּוֹיִם הַנִּשְׁאָרִים הָאֵלֶּה
בְּנַחֲלָה לְשִׁבְטֵיכֶם מִן־הַיַּרְדֵּן וְכָל־הַגּוֹיִם אֲשֶׁר הִכְרַתִּי וְהַיָּם
ה הַגָּדוֹל מְבוֹא הַשָּׁמֶשׁ׃ וַיהוָה אֱלֹהֵיכֶם הוּא יֶהְדֳּפֵם מִפְּנֵיכֶם
וְהוֹרִישׁ אֹתָם מִלִּפְנֵיכֶם וִירִשְׁתֶּם אֶת־אַרְצָם כַּאֲשֶׁר דִּבֶּר יְהוָה
ו אֱלֹהֵיכֶם לָכֶם׃ וַחֲזַקְתֶּם מְאֹד לִשְׁמֹר וְלַעֲשׂוֹת אֵת כָּל־הַכָּתוּב
ז בְּסֵפֶר תּוֹרַת מֹשֶׁה לְבִלְתִּי סוּר־מִמֶּנּוּ יָמִין וּשְׂמֹאול׃ לְבִלְתִּי־בוֹא
בַּגּוֹיִם הָאֵלֶּה הַנִּשְׁאָרִים הָאֵלֶּה אִתְּכֶם וּבְשֵׁם אֱלֹהֵיהֶם לֹא־
ח תַזְכִּירוּ וְלֹא תַשְׁבִּיעוּ וְלֹא תַעַבְדוּם וְלֹא תִשְׁתַּחֲווּ לָהֶם׃ כִּי
אִם־בַּיהוָה אֱלֹהֵיכֶם תִּדְבָּקוּ כַּאֲשֶׁר עֲשִׂיתֶם עַד הַיּוֹם הַזֶּה׃
ט וַיּוֹרֶשׁ יְהוָה מִפְּנֵיכֶם גּוֹיִם גְּדֹלִים וַעֲצוּמִים וְאַתֶּם לֹא־עָמַד
י אִישׁ בִּפְנֵיכֶם עַד הַיּוֹם הַזֶּה׃ אִישׁ־אֶחָד מִכֶּם יִרְדָּף־אָלֶף כִּי ׀
יא יְהוָה אֱלֹהֵיכֶם הוּא הַנִּלְחָם לָכֶם כַּאֲשֶׁר דִּבֶּר לָכֶם׃ וְנִשְׁמַרְתֶּם
יב מְאֹד לְנַפְשֹׁתֵיכֶם לְאַהֲבָה אֶת־יְהוָה אֱלֹהֵיכֶם׃ כִּי ׀ אִם־שׁוֹב
תָּשׁוּבוּ וּדְבַקְתֶּם בְּיֶתֶר הַגּוֹיִם הָאֵלֶּה הַנִּשְׁאָרִים הָאֵלֶּה אִתְּכֶם
יג וְהִתְחַתַּנְתֶּם בָּהֶם וּבָאתֶם בָּהֶם וְהֵם בָּכֶם׃ יָדוֹעַ תֵּדְעוּ כִּי לֹא
יוֹסִיף יְהוָה אֱלֹהֵיכֶם לְהוֹרִישׁ אֶת־הַגּוֹיִם הָאֵלֶּה מִלִּפְנֵיכֶם וְהָיוּ
לָכֶם לְפַח וּלְמוֹקֵשׁ וּלְשֹׁטֵט בְּצִדֵּיכֶם וְלִצְנִנִים בְּעֵינֵיכֶם עַד־
אֲבָדְכֶם מֵעַל הָאֲדָמָה הַטּוֹבָה הַזֹּאת אֲשֶׁר נָתַן לָכֶם יְהוָה
יד אֱלֹהֵיכֶם׃ וְהִנֵּה אָנֹכִי הוֹלֵךְ הַיּוֹם בְּדֶרֶךְ כָּל־הָאָרֶץ וִידַעְתֶּם

צַוָּאַת יְהוֹשֻׁעַ לִדְבֹּק בְּדֶרֶךְ ה׳:

בְּכָל־לְבַבְכֶם וּבְכָל־נַפְשְׁכֶם כִּי לֹא־נָפַל דָּבָר אֶחָד מִכֹּל ׀
הַדְּבָרִים הַטּוֹבִים אֲשֶׁר דִּבֶּר יְהוָה אֱלֹהֵיכֶם עֲלֵיכֶם הַכֹּל בָּאוּ
לָכֶם לֹא־נָפַל מִמֶּנּוּ דָּבָר אֶחָד: וְהָיָה כַּאֲשֶׁר־בָּא עֲלֵיכֶם טו
כָּל־הַדָּבָר הַטּוֹב אֲשֶׁר דִּבֶּר יְהוָה אֱלֹהֵיכֶם אֲלֵיכֶם כֵּן יָבִיא
יְהוָה עֲלֵיכֶם אֵת כָּל־הַדָּבָר הָרָע עַד־הַשְׁמִידוֹ אוֹתְכֶם מֵעַל
הָאֲדָמָה הַטּוֹבָה הַזֹּאת אֲשֶׁר נָתַן לָכֶם יְהוָה אֱלֹהֵיכֶם: בְּעָבְרְכֶם טז
אֶת־בְּרִית יְהוָה אֱלֹהֵיכֶם אֲשֶׁר צִוָּה אֶתְכֶם וַהֲלַכְתֶּם וַעֲבַדְתֶּם
אֱלֹהִים אֲחֵרִים וְהִשְׁתַּחֲוִיתֶם לָהֶם וְחָרָה אַף־יְהוָה בָּכֶם
וַאֲבַדְתֶּם מְהֵרָה מֵעַל הָאָרֶץ הַטּוֹבָה אֲשֶׁר נָתַן לָכֶם:

כְּנוּס יִשְׂרָאֵל בִּשְׁכֶם וּמוּסַר יְהוֹשֻׁעַ:

כד א וַיֶּאֱסֹף יְהוֹשֻׁעַ אֶת־כָּל־שִׁבְטֵי יִשְׂרָאֵל שְׁכֶמָה וַיִּקְרָא לְזִקְנֵי
יִשְׂרָאֵל וּלְרָאשָׁיו וּלְשֹׁפְטָיו וּלְשֹׁטְרָיו וַיִּתְיַצְּבוּ לִפְנֵי הָאֱלֹהִים:
ב וַיֹּאמֶר יְהוֹשֻׁעַ אֶל־כָּל־הָעָם כֹּה־אָמַר יְהוָה אֱלֹהֵי יִשְׂרָאֵל
בְּעֵבֶר הַנָּהָר יָשְׁבוּ אֲבוֹתֵיכֶם מֵעוֹלָם תֶּרַח אֲבִי אַבְרָהָם וַאֲבִי
נָחוֹר וַיַּעַבְדוּ אֱלֹהִים אֲחֵרִים: וָאֶקַּח אֶת־אֲבִיכֶם אֶת־אַבְרָהָם ג
מֵעֵבֶר הַנָּהָר וָאוֹלֵךְ אוֹתוֹ בְּכָל־אֶרֶץ כְּנָעַן וארב וָאַרְבֶּה אֶת־זַרְעוֹ
וָאֶתֶּן־לוֹ אֶת־יִצְחָק: וָאֶתֵּן לְיִצְחָק אֶת־יַעֲקֹב וְאֶת־עֵשָׂו וָאֶתֵּן ד
לְעֵשָׂו אֶת־הַר שֵׂעִיר לָרֶשֶׁת אוֹתוֹ וְיַעֲקֹב וּבָנָיו יָרְדוּ מִצְרָיִם:
וָאֶשְׁלַח אֶת־מֹשֶׁה וְאֶת־אַהֲרֹן וָאֶגֹּף אֶת־מִצְרַיִם כַּאֲשֶׁר עָשִׂיתִי ה
בְּקִרְבּוֹ וְאַחַר הוֹצֵאתִי אֶתְכֶם: וָאוֹצִיא אֶת־אֲבוֹתֵיכֶם מִמִּצְרַיִם ו
וַתָּבֹאוּ הַיָּמָּה וַיִּרְדְּפוּ מִצְרַיִם אַחֲרֵי אֲבוֹתֵיכֶם בְּרֶכֶב וּבְפָרָשִׁים
יַם־סוּף: וַיִּצְעֲקוּ אֶל־יְהוָה וַיָּשֶׂם מַאֲפֵל בֵּינֵיכֶם ׀ וּבֵין הַמִּצְרִים ז
וַיָּבֵא עָלָיו אֶת־הַיָּם וַיְכַסֵּהוּ וַתִּרְאֶינָה עֵינֵיכֶם אֵת אֲשֶׁר־עָשִׂיתִי
בְּמִצְרָיִם וַתֵּשְׁבוּ בַמִּדְבָּר יָמִים רַבִּים: ואבאה וָאָבִיא אֶתְכֶם ח
אֶל־אֶרֶץ הָאֱמֹרִי הַיּוֹשֵׁב בְּעֵבֶר הַיַּרְדֵּן וַיִּלָּחֲמוּ אִתְּכֶם וָאֶתֵּן
אוֹתָם בְּיֶדְכֶם וַתִּירְשׁוּ אֶת־אַרְצָם וָאַשְׁמִידֵם מִפְּנֵיכֶם: וַיָּקָם ט

בָּלָק בֶּן־צִפּוֹר֙ מֶ֣לֶךְ מוֹאָ֔ב וַיִּלָּ֖חֶם בְּיִשְׂרָאֵ֑ל וַיִּשְׁלַ֗ח וַיִּקְרָ֤א
לְבִלְעָם֙ בֶּן־בְּע֔וֹר לְקַלֵּ֖ל אֶתְכֶֽם: וְלֹ֥א אָבִ֖יתִי לִשְׁמֹ֣עַ לְבִלְעָ֑ם

יא וַיְבָ֤רֶךְ בָּרוֹךְ֙ אֶתְכֶ֔ם וָאַצִּ֥ל אֶתְכֶ֖ם מִיָּדֽוֹ: וַתַּעַבְר֣וּ אֶת־הַיַּרְדֵּן֮
וַתָּבֹ֣אוּ אֶל־יְרִיחוֹ֒ וַיִּלָּחֲמ֣וּ בָכֶ֣ם בַּעֲלֵֽי־יְ֠רִיח֠וֹ הָֽאֱמֹרִ֨י וְהַפְּרִזִּ֜י
וְהַֽכְּנַעֲנִ֣י וְהַֽחִתִּ֗י וְהַגִּרְגָּשִׁי֙ הַֽחִוִּ֣י וְהַיְבוּסִ֔י וָאֶתֵּ֥ן אוֹתָ֖ם בְּיֶדְכֶֽם:

יב וָאֶשְׁלַ֤ח לִפְנֵיכֶם֙ אֶת־הַצִּרְעָ֔ה וַתְּגָ֤רֶשׁ אוֹתָם֙ מִפְּנֵיכֶ֔ם שְׁנֵ֖י מַלְכֵ֣י
הָאֱמֹרִ֑י לֹ֥א בְחַרְבְּךָ֖ וְלֹ֥א בְקַשְׁתֶּֽךָ: וָאֶתֵּ֨ן לָכֶ֜ם אֶ֣רֶץ ׀ אֲשֶׁ֧ר
לֹֽא־יָגַ֣עְתָּ בָּ֗הּ וְעָרִים֙ אֲשֶׁ֣ר לֹֽא־בְנִיתֶ֔ם וַתֵּשְׁב֖וּ בָּהֶ֑ם כְּרָמִ֤ים

יד וְזֵיתִים֙ אֲשֶׁ֣ר לֹֽא־נְטַעְתֶּ֔ם אַתֶּ֖ם אֹכְלִֽים: וְעַתָּ֞ה יְר֧אוּ אֶת־יְהֹוָ֛ה
וְעִבְד֥וּ אֹת֖וֹ בְּתָמִ֣ים וּבֶֽאֱמֶ֑ת וְהָסִ֣ירוּ אֶת־אֱלֹהִ֗ים אֲשֶׁר֩ עָבְד֨וּ
אֲבֽוֹתֵיכֶ֜ם בְּעֵ֤בֶר הַנָּהָר֙ וּבְמִצְרַ֔יִם וְעִבְד֖וּ אֶת־יְהֹוָֽה: וְאִם֩ רַ֨ע

טו בְּֽעֵינֵיכֶ֜ם לַעֲבֹ֣ד אֶת־יְהֹוָ֗ה בַּחֲר֨וּ לָכֶ֣ם הַיּוֹם֮ אֶת־מִ֣י תַֽעֲבֹדוּן֒ אִ֣ם
אֶת־אֱלֹהִ֞ים אֲשֶׁר־עָבְד֣וּ אֲבוֹתֵיכֶ֗ם אֲשֶׁר֙ מֵעֵ֣בֶר בעבר הַנָּהָ֔ר וְאִם֙
אֶת־אֱלֹהֵ֣י הָאֱמֹרִ֔י אֲשֶׁ֥ר אַתֶּ֖ם יֹשְׁבִ֣ים בְּאַרְצָ֑ם וְאָנֹכִ֣י וּבֵיתִ֔י נַעֲבֹ֖ד
אֶת־יְהֹוָֽה:

מַעֲנֵ֥ה הָעָ֖ם
וְהַבְטָחָתֽוֹ:

טז וַיַּ֤עַן הָעָם֙ וַיֹּ֔אמֶר חָלִ֣ילָה לָּ֔נוּ מֵעֲזֹ֖ב אֶת־יְהֹוָ֑ה לַעֲבֹ֖ד אֱלֹהִ֥ים

יז אֲחֵרִֽים: כִּ֚י יְהֹוָ֣ה אֱלֹהֵ֔ינוּ הוּא֩ הַמַּעֲלֶ֨ה אֹתָ֧נוּ וְאֶת־אֲבוֹתֵ֛ינוּ
מֵאֶ֥רֶץ מִצְרַ֖יִם מִבֵּ֣ית עֲבָדִ֑ים וַאֲשֶׁ֧ר עָשָׂ֣ה לְעֵינֵ֗ינוּ אֶת־הָאֹת֤וֹת
הַגְּדֹלוֹת֙ הָאֵ֔לֶּה וַֽיִּשְׁמְרֵ֗נוּ בְּכָל־הַדֶּ֙רֶךְ֙ אֲשֶׁ֣ר הָלַ֣כְנוּ בָ֔הּ וּבְכֹל֙

יח הָ֣עַמִּ֔ים אֲשֶׁ֥ר עָבַ֖רְנוּ בְּקִרְבָּֽם: וַיְגָ֣רֶשׁ יְהֹוָ֗ה אֶת־כָּל־הָֽעַמִּ֔ים
וְאֶת־הָאֱמֹרִ֛י יֹשֵׁ֥ב הָאָ֖רֶץ מִפָּנֵ֑ינוּ גַּם־אֲנַ֙חְנוּ֙ נַעֲבֹ֣ד אֶת־יְהֹוָ֔ה

הַתְרָאַת
יְהוֹשֻֽׁעַ:

יט כִּי־ה֖וּא אֱלֹהֵֽינוּ: וַיֹּ֤אמֶר יְהוֹשֻׁ֙עַ֙ אֶל־הָעָ֔ם לֹ֤א תֽוּכְלוּ֙ לַעֲבֹ֣ד
אֶת־יְהֹוָ֔ה כִּֽי־אֱלֹהִ֥ים קְדֹשִׁ֖ים ה֑וּא אֵֽל־קַנּ֣וֹא ה֔וּא לֹֽא־יִשָּׂ֥א

כ לְפִשְׁעֲכֶ֖ם וּלְחַטֹּאותֵיכֶֽם: כִּ֤י תַֽעַזְבוּ֙ אֶת־יְהֹוָ֔ה וַעֲבַדְתֶּ֖ם אֱלֹהֵ֣י
נֵכָ֑ר וְשָׁ֨ב וְהֵרַ֤ע לָכֶם֙ וְכִלָּ֣ה אֶתְכֶ֔ם אַחֲרֵ֖י אֲשֶׁר־הֵיטִ֥יב לָכֶֽם:

וַיֹּאמֶר הָעָם אֶל־יְהוֹשֻׁעַ לֹא כִּי אֶת־יְהוָה נַעֲבֹד: וַיֹּאמֶר יְהוֹשֻׁעַ כב
אֶל־הָעָם עֵדִים אַתֶּם בָּכֶם כִּי־אַתֶּם בְּחַרְתֶּם לָכֶם אֶת־יְהוָה
לַעֲבֹד אוֹתוֹ וַיֹּאמְרוּ עֵדִים: וְעַתָּה הָסִירוּ אֶת־אֱלֹהֵי הַנֵּכָר אֲשֶׁר כג
בְּקִרְבְּכֶם וְהַטּוּ אֶת־לְבַבְכֶם אֶל־יְהוָה אֱלֹהֵי יִשְׂרָאֵל: וַיֹּאמְרוּ כד
הָעָם אֶל־יְהוֹשֻׁעַ אֶת־יְהוָה אֱלֹהֵינוּ נַעֲבֹד וּבְקוֹלוֹ נִשְׁמָע:

כְּרִיתַת
הַבְּרִית:

וַיִּכְרֹת יְהוֹשֻׁעַ בְּרִית לָעָם בַּיּוֹם הַהוּא וַיָּשֶׂם לוֹ חֹק וּמִשְׁפָּט כה
בִּשְׁכֶם: וַיִּכְתֹּב יְהוֹשֻׁעַ אֶת־הַדְּבָרִים הָאֵלֶּה בְּסֵפֶר תּוֹרַת כו
אֱלֹהִים וַיִּקַּח אֶבֶן גְּדוֹלָה וַיְקִימֶהָ שָּׁם תַּחַת הָאַלָּה אֲשֶׁר בְּמִקְדַּשׁ
יְהוָה:

הַצָּבַת
הָאֶבֶן
לְעֵדָה:

וַיֹּאמֶר יְהוֹשֻׁעַ אֶל־כָּל־הָעָם הִנֵּה הָאֶבֶן הַזֹּאת תִּהְיֶה־בָּנוּ כז
לְעֵדָה כִּי־הִיא שָׁמְעָה אֵת כָּל־אִמְרֵי יְהוָה אֲשֶׁר דִּבֶּר עִמָּנוּ
וְהָיְתָה בָכֶם לְעֵדָה פֶּן־תְּכַחֲשׁוּן בֵּאלֹהֵיכֶם: וַיְשַׁלַּח יְהוֹשֻׁעַ כח
אֶת־הָעָם אִישׁ לְנַחֲלָתוֹ:

מוֹת
יְהוֹשֻׁעַ
וּקְבוּרָתוֹ:
[2516]

וַיְהִי אַחֲרֵי הַדְּבָרִים הָאֵלֶּה וַיָּמָת יְהוֹשֻׁעַ בִּן־נוּן עֶבֶד יְהוָה כט
בֶּן־מֵאָה וָעֶשֶׂר שָׁנִים: וַיִּקְבְּרוּ אֹתוֹ בִּגְבוּל נַחֲלָתוֹ בְּתִמְנַת־סֶרַח ל
אֲשֶׁר בְּהַר־אֶפְרָיִם מִצְּפוֹן לְהַר־גָּעַשׁ: וַיַּעֲבֹד יִשְׂרָאֵל אֶת־יְהוָה לא
כֹּל יְמֵי יְהוֹשֻׁעַ וְכֹל ׀ יְמֵי הַזְּקֵנִים אֲשֶׁר הֶאֱרִיכוּ יָמִים אַחֲרֵי
יְהוֹשֻׁעַ וַאֲשֶׁר יָדְעוּ אֵת כָּל־מַעֲשֵׂה יְהוָה אֲשֶׁר עָשָׂה לְיִשְׂרָאֵל:

קְבוּרַת
עַצְמוֹת
יוֹסֵף
בִּשְׁכֶם:

וְאֶת־עַצְמוֹת יוֹסֵף אֲשֶׁר־הֶעֱלוּ בְנֵי־יִשְׂרָאֵל ׀ מִמִּצְרַיִם קָבְרוּ לב
בִשְׁכֶם בְּחֶלְקַת הַשָּׂדֶה אֲשֶׁר קָנָה יַעֲקֹב מֵאֵת בְּנֵי־חֲמוֹר
אֲבִי־שְׁכֶם בְּמֵאָה קְשִׂיטָה וַיִּהְיוּ לִבְנֵי־יוֹסֵף לְנַחֲלָה: וְאֶלְעָזָר לג
בֶּן־אַהֲרֹן מֵת וַיִּקְבְּרוּ אֹתוֹ בְּגִבְעַת פִּינְחָס בְּנוֹ אֲשֶׁר נִתַּן־לוֹ
בְּהַר אֶפְרָיִם:

שופטים

א וַיְהִ֗י אַחֲרֵי֙ מ֣וֹת יְהוֹשֻׁ֔עַ וַֽיִּשְׁאֲלוּ֙ בְּנֵ֣י יִשְׂרָאֵ֔ל בַּֽיהֹוָ֖ה לֵאמֹ֑ר מִ֣י

ב יַעֲלֶה־לָּ֧נוּ אֶל־הַֽכְּנַעֲנִ֛י בַּתְּחִלָּ֖ה לְהִלָּ֥חֶם בּֽוֹ׃ וַיֹּ֣אמֶר יְהֹוָ֖ה יְהוּדָ֣ה

ג יַעֲלֶ֑ה הִנֵּ֛ה נָתַ֥תִּי אֶת־הָאָ֖רֶץ בְּיָדֽוֹ׃ וַיֹּ֣אמֶר יְהוּדָה֩ לְשִׁמְע֨וֹן אָחִ֜יו
עֲלֵ֧ה אִתִּ֣י בְגֹרָלִ֗י וְנִֽלָּחֲמָה֙ בַּֽכְּנַעֲנִ֔י וְהָלַכְתִּ֧י גַם־אֲנִ֛י אִתְּךָ֖ בְּגוֹרָלֶ֑ךָ

ד וַיֵּ֥לֶךְ אִתּ֖וֹ שִׁמְעֽוֹן׃ וַיַּ֣עַל יְהוּדָ֔ה וַיִּתֵּ֧ן יְהֹוָ֛ה אֶת־הַכְּנַעֲנִ֥י וְהַפְּרִזִּ֖י

ה בְּיָדָ֑ם וַיַּכּ֣וּם בְּבֶ֔זֶק עֲשֶׂ֥רֶת אֲלָפִ֖ים אִֽישׁ׃ וַֽ֠יִּמְצְא֠וּ אֶת־אֲדֹנִ֥י בֶ֨זֶק֙

ו בְּבֶ֔זֶק וַיִּֽלָּחֲמ֖וּ בּ֑וֹ וַיַּכּ֕וּ אֶת־הַֽכְּנַעֲנִ֖י וְאֶת־הַפְּרִזִּֽי׃ וַיָּ֙נָס֙ אֲדֹנִ֣י בֶ֔זֶק
וַֽיִּרְדְּפ֖וּ אַֽחֲרָ֑יו וַיֹּאחֲז֣וּ אֹת֔וֹ וַֽיְקַצְּצ֔וּ אֶת־בְּהֹנ֥וֹת יָדָ֖יו וְרַגְלָֽיו׃

ז וַיֹּ֣אמֶר אֲדֹֽנִי־בֶ֗זֶק שִׁבְעִ֣ים ׀ מְלָכִ֡ים בְּֽהֹנ֣וֹת יְדֵיהֶם֩ וְרַגְלֵיהֶ֨ם
מְקֻצָּצִ֜ים הָי֣וּ מְלַקְּטִים֮ תַּ֣חַת שֻׁלְחָנִי֒ כַּאֲשֶׁ֣ר עָשִׂ֔יתִי כֵּ֥ן שִׁלַּם־לִ֖י
אֱלֹהִ֑ים וַיְבִיאֻ֥הוּ יְרֽוּשָׁלַ֖͏ִם וַיָּ֥מׇת שָֽׁם׃

ח וַיִּלָּחֲמ֤וּ בְנֵֽי־יְהוּדָה֙ בִּיר֣וּשָׁלַ֔͏ִם וַיִּלְכְּד֣וּ אוֹתָ֔הּ וַיַּכּ֖וּהָ לְפִי־חָ֑רֶב

ט וְאֶת־הָעִ֖יר שִׁלְּח֥וּ בָאֵֽשׁ׃ וְאַחַ֗ר יָֽרְדוּ֙ בְּנֵ֣י יְהוּדָ֔ה לְהִלָּחֵ֖ם בַּֽכְּנַעֲנִ֑י

י יוֹשֵׁ֣ב הָהָ֔ר וְהַנֶּ֖גֶב וְהַשְּׁפֵלָֽה׃ וַיֵּ֣לֶךְ יְהוּדָ֗ה אֶל־הַֽכְּנַעֲנִי֙ הַיּוֹשֵׁ֣ב
בְּחֶבְר֔וֹן וְשֵׁם־חֶבְר֥וֹן לְפָנִ֖ים קִרְיַ֣ת אַרְבַּ֑ע וַיַּכּ֛וּ אֶת־שֵׁשַׁ֥י וְאֶת־

יא אֲחִימַ֖ן וְאֶת־תַּלְמָֽי׃ וַיֵּ֣לֶךְ מִשָּׁ֔ם אֶל־יוֹשְׁבֵ֖י דְּבִ֑יר וְשֵׁם־דְּבִ֥יר

יב לְפָנִ֖ים קִרְיַת־סֵֽפֶר׃ וַיֹּ֣אמֶר כָּלֵ֔ב אֲשֶׁר־יַכֶּ֥ה אֶת־קִרְיַת־סֵ֖פֶר

יג וּלְכָדָ֑הּ וְנָתַ֥תִּי ל֛וֹ אֶת־עַכְסָ֥ה בִתִּ֖י לְאִשָּֽׁה׃ וַֽיִּלְכְּדָהּ֙ עׇתְנִיאֵ֣ל
בֶּן־קְנַ֔ז אֲחִ֥י כָלֵ֖ב הַקָּטֹ֣ן מִמֶּ֑נּוּ וַיִּתֶּן־ל֛וֹ אֶת־עַכְסָ֥ה בִתּ֖וֹ לְאִשָּֽׁה׃

יד וַיְהִ֣י בְּבוֹאָ֗הּ וַתְּסִיתֵ֙הוּ֙ לִשְׁא֤וֹל מֵֽאֵת־אָבִ֙יהָ֙ הַשָּׂדֶ֔ה וַתִּצְנַ֖ח מֵעַ֣ל

טו הַחֲמ֑וֹר וַיֹּֽאמֶר־לָ֥הּ כָּלֵ֖ב מַה־לָּֽךְ׃ וַתֹּ֨אמֶר ל֜וֹ הָֽבָה־לִּ֣י בְרָכָ֗ה
כִּ֣י אֶ֤רֶץ הַנֶּ֙גֶב֙ נְתַתָּ֔נִי וְנָתַתָּ֥ה לִ֖י גֻּלֹּ֣ת מָ֑יִם וַיִּתֶּן־לָ֣הּ כָּלֵ֗ב אֵ֚ת
גֻּלֹּ֣ת עִלִּ֔ית וְאֵ֖ת גֻּלֹּ֥ת תַּחְתִּֽית׃

עֶזְרַת יְהוּדָה לְשִׁמְעוֹן בְּכִבּוּשׁ נַחֲלָתָם:

טז וּבְנֵי קֵינִי חֹתֵן מֹשֶׁה עָלוּ מֵעִיר הַתְּמָרִים אֶת־בְּנֵי יְהוּדָה מִדְבַּר
יז יְהוּדָה אֲשֶׁר בְּנֶגֶב עֲרָד וַיֵּלֶךְ וַיֵּשֶׁב אֶת־הָעָם׃ וַיֵּלֶךְ יְהוּדָה
אֶת־שִׁמְעוֹן אָחִיו וַיַּכּוּ אֶת־הַכְּנַעֲנִי יוֹשֵׁב צְפַת וַיַּחֲרִימוּ אוֹתָהּ
יח וַיִּקְרָא אֶת־שֵׁם־הָעִיר חָרְמָה׃ וַיִּלְכֹּד יְהוּדָה אֶת־עַזָּה וְאֶת־
גְּבוּלָהּ וְאֶת־אַשְׁקְלוֹן וְאֶת־גְּבוּלָהּ וְאֶת־עֶקְרוֹן וְאֶת־גְּבוּלָהּ׃
יט וַיְהִי יְהוָה אֶת־יְהוּדָה וַיֹּרֶשׁ אֶת־הָהָר כִּי לֹא לְהוֹרִישׁ אֶת־יֹשְׁבֵי
כ הָעֵמֶק כִּי־רֶכֶב בַּרְזֶל לָהֶם׃ וַיִּתְּנוּ לְכָלֵב אֶת־חֶבְרוֹן כַּאֲשֶׁר דִּבֶּר
כא מֹשֶׁה וַיּוֹרֶשׁ מִשָּׁם אֶת־שְׁלֹשָׁה בְּנֵי הָעֲנָק׃ וְאֶת־הַיְבוּסִי יֹשֵׁב
יְרוּשָׁלִַם לֹא הוֹרִישׁוּ בְּנֵי בִנְיָמִן וַיֵּשֶׁב הַיְבוּסִי אֶת־בְּנֵי בִנְיָמִן
בִּירוּשָׁלִַם עַד הַיּוֹם הַזֶּה׃

כִּבּוּשׁ בֵּית אֵל:

כב כג וַיַּעֲלוּ בֵית־יוֹסֵף גַּם־הֵם בֵּית־אֵל וַיהוָה עִמָּם׃ וַיָּתִירוּ בֵית־יוֹסֵף
כד בְּבֵית־אֵל וְשֵׁם־הָעִיר לְפָנִים לוּז׃ וַיִּרְאוּ הַשֹּׁמְרִים אִישׁ יוֹצֵא
מִן־הָעִיר וַיֹּאמְרוּ לוֹ הַרְאֵנוּ נָא אֶת־מְבוֹא הָעִיר וְעָשִׂינוּ עִמְּךָ
כה חָסֶד׃ וַיַּרְאֵם אֶת־מְבוֹא הָעִיר וַיַּכּוּ אֶת־הָעִיר לְפִי־חָרֶב וְאֶת־
כו הָאִישׁ וְאֶת־כָּל־מִשְׁפַּחְתּוֹ שִׁלֵּחוּ׃ וַיֵּלֶךְ הָאִישׁ אֶרֶץ הַחִתִּים וַיִּבֶן
עִיר וַיִּקְרָא שְׁמָהּ לוּז הוּא שְׁמָהּ עַד הַיּוֹם הַזֶּה׃

מְקוֹמוֹת שֶׁלֹּא הוֹרִישׁוּ הַשְּׁבָטִים:

כז וְלֹא־הוֹרִישׁ מְנַשֶּׁה אֶת־בֵּית־שְׁאָן וְאֶת־בְּנוֹתֶיהָ וְאֶת־תַּעְנַךְ
וְאֶת־בְּנֹתֶיהָ וְאֶת־יֹשְׁבֵי יושב דּוֹר וְאֶת־בְּנוֹתֶיהָ וְאֶת־יוֹשְׁבֵי
יִבְלְעָם וְאֶת־בְּנֹתֶיהָ וְאֶת־יוֹשְׁבֵי מְגִדּוֹ וְאֶת־בְּנוֹתֶיהָ וַיּוֹאֶל
כח הַכְּנַעֲנִי לָשֶׁבֶת בָּאָרֶץ הַזֹּאת׃ וַיְהִי כִּי־חָזַק יִשְׂרָאֵל וַיָּשֶׂם
כט אֶת־הַכְּנַעֲנִי לָמַס וְהוֹרֵישׁ לֹא הוֹרִישׁוֹ׃ וְאֶפְרַיִם
לֹא הוֹרִישׁ אֶת־הַכְּנַעֲנִי הַיּוֹשֵׁב בְּגָזֶר וַיֵּשֶׁב הַכְּנַעֲנִי בְּקִרְבּוֹ
ל בְּגָזֶר׃ זְבוּלֻן לֹא הוֹרִישׁ אֶת־יוֹשְׁבֵי קִטְרוֹן וְאֶת־
לא יוֹשְׁבֵי נַהֲלֹל וַיֵּשֶׁב הַכְּנַעֲנִי בְּקִרְבּוֹ וַיִּהְיוּ לָמַס׃ אָשֵׁר
לֹא הוֹרִישׁ אֶת־יֹשְׁבֵי עַכּוֹ וְאֶת־יוֹשְׁבֵי צִידוֹן וְאֶת־אַחְלָב

לב וְאֶת־אַכְזִיב וְאֶת־חֶלְבָּה וְאֶת־אֲפִיק וְאֶת־רְחֹב׃ וַיֵּשֶׁב הָאָשֵׁרִי
לג בְּקֶרֶב הַכְּנַעֲנִי יֹשְׁבֵי הָאָרֶץ כִּי לֹא הוֹרִישׁוֹ׃ נַפְתָּלִי
לֹא־הוֹרִישׁ אֶת־יֹשְׁבֵי בֵית־שֶׁמֶשׁ וְאֶת־יֹשְׁבֵי בֵית־עֲנָת וַיֵּשֶׁב
בְּקֶרֶב הַכְּנַעֲנִי יֹשְׁבֵי הָאָרֶץ וְיֹשְׁבֵי בֵית־שֶׁמֶשׁ וּבֵית עֲנָת הָיוּ
לד לָהֶם לָמַס׃ וַיִּלְחֲצוּ הָאֱמֹרִי אֶת־בְּנֵי־דָן הָהָרָה כִּי־לֹא נְתָנוֹ לָרֶדֶת
לה לָעֵמֶק׃ וַיּוֹאֶל הָאֱמֹרִי לָשֶׁבֶת בְּהַר־חֶרֶס בְּאַיָּלוֹן וּבְשַׁעַלְבִים
לו וַתִּכְבַּד יַד בֵּית־יוֹסֵף וַיִּהְיוּ לָמַס׃ וּגְבוּל הָאֱמֹרִי מִמַּעֲלֵה
עַקְרַבִּים מֵהַסֶּלַע וָמָעְלָה׃

ב א וַיַּעַל מַלְאַךְ־יְהוָה מִן־הַגִּלְגָּל אֶל־הַבֹּכִים
וַיֹּאמֶר אַעֲלֶה אֶתְכֶם מִמִּצְרַיִם וָאָבִיא אֶתְכֶם אֶל־הָאָרֶץ אֲשֶׁר
נִשְׁבַּעְתִּי לַאֲבֹתֵיכֶם וָאֹמַר לֹא־אָפֵר בְּרִיתִי אִתְּכֶם לְעוֹלָם׃
הַתּוֹכָחָה עַל הַשְׁאָרַת יוֹשְׁבֵי הָאָרֶץ׃
ב וְאַתֶּם לֹא־תִכְרְתוּ בְרִית לְיוֹשְׁבֵי הָאָרֶץ הַזֹּאת מִזְבְּחוֹתֵיהֶם
ג תִּתֹּצוּן וְלֹא־שְׁמַעְתֶּם בְּקֹלִי מַה־זֹּאת עֲשִׂיתֶם׃ וְגַם אָמַרְתִּי
לֹא־אֲגָרֵשׁ אוֹתָם מִפְּנֵיכֶם וְהָיוּ לָכֶם לְצִדִּים וֵאלֹהֵיהֶם יִהְיוּ
ד לָכֶם לְמוֹקֵשׁ׃ וַיְהִי כְּדַבֵּר מַלְאַךְ יְהוָה אֶת־הַדְּבָרִים הָאֵלֶּה
ה אֶל־כָּל־בְּנֵי יִשְׂרָאֵל וַיִּשְׂאוּ הָעָם אֶת־קוֹלָם וַיִּבְכּוּ׃ וַיִּקְרְאוּ
שֵׁם־הַמָּקוֹם הַהוּא בֹּכִים וַיִּזְבְּחוּ־שָׁם לַיהוָה׃

ו וַיְשַׁלַּח יְהוֹשֻׁעַ אֶת־הָעָם וַיֵּלְכוּ בְנֵי־יִשְׂרָאֵל אִישׁ לְנַחֲלָתוֹ לָרֶשֶׁת
סוֹף יְמֵי יְהוֹשֻׁעַ, וְהַדּוֹר שֶׁלְּאַחֲרָיו׃
ז אֶת־הָאָרֶץ׃ וַיַּעַבְדוּ הָעָם אֶת־יְהוָה כֹּל יְמֵי יְהוֹשֻׁעַ וְכֹל ׀ יְמֵי
הַזְּקֵנִים אֲשֶׁר הֶאֱרִיכוּ יָמִים אַחֲרֵי יְהוֹשׁוּעַ אֲשֶׁר רָאוּ אֵת כָּל־
ח מַעֲשֵׂה יְהוָה הַגָּדוֹל אֲשֶׁר עָשָׂה לְיִשְׂרָאֵל׃ וַיָּמָת יְהוֹשֻׁעַ בִּן־נוּן [2516]
ט עֶבֶד יְהוָה בֶּן־מֵאָה וָעֶשֶׂר שָׁנִים׃ וַיִּקְבְּרוּ אוֹתוֹ בִּגְבוּל נַחֲלָתוֹ
י בְּתִמְנַת־חֶרֶס בְּהַר אֶפְרָיִם מִצְּפוֹן לְהַר־גָּעַשׁ׃ וְגַם כָּל־הַדּוֹר הַהוּא
נֶאֶסְפוּ אֶל־אֲבוֹתָיו וַיָּקָם דּוֹר אַחֵר אַחֲרֵיהֶם אֲשֶׁר לֹא־יָדְעוּ
אֶת־יְהוָה וְגַם אֶת־הַמַּעֲשֶׂה אֲשֶׁר עָשָׂה לְיִשְׂרָאֵל׃

יא וַיַּעֲשׂ֧וּ בְנֵֽי־יִשְׂרָאֵ֛ל אֶת־הָרַ֖ע בְּעֵינֵ֣י יְהוָ֑ה וַיַּֽעַבְד֖וּ אֶת־הַבְּעָלִֽים׃
יב וַיַּעַזְב֞וּ אֶת־יְהוָ֣ה ׀ אֱלֹהֵ֣י אֲבוֹתָ֗ם הַמּוֹצִ֣יא אוֹתָם֮ מֵאֶ֣רֶץ מִצְרַיִם֒
וַיֵּלְכ֞וּ אַחֲרֵ֣י ׀ אֱלֹהִ֣ים אֲחֵרִ֗ים מֵאֱלֹהֵ֤י הָֽעַמִּים֙ אֲשֶׁר֙ סְבִיב֣וֹתֵיהֶ֔ם
יג וַיִּֽשְׁתַּחֲו֖וּ לָהֶ֑ם וַיַּכְעִ֖סוּ אֶת־יְהוָֽה׃ וַיַּעַזְב֖וּ אֶת־יְהוָ֑ה וַיַּֽעַבְד֥וּ לַבַּ֖עַל
יד וְלָעַשְׁתָּרֽוֹת׃ וַיִּֽחַר־אַ֤ף יְהוָה֙ בְּיִשְׂרָאֵ֔ל וַֽיִּתְּנֵם֙ בְּיַד־שֹׁסִ֔ים וַיָּשֹׁ֖סּוּ
אוֹתָ֑ם וַֽיִּמְכְּרֵ֞ם בְּיַ֤ד אֽוֹיְבֵיהֶם֙ מִסָּבִ֔יב וְלֹֽא־יָכְל֣וּ ע֔וֹד לַעֲמֹ֖ד
טו לִפְנֵ֥י אוֹיְבֵיהֶֽם׃ בְּכֹ֣ל ׀ אֲשֶׁ֣ר יָצְא֗וּ יַד־יְהוָה֙ הָֽיְתָה־בָּ֣ם לְרָעָ֔ה
כַּאֲשֶׁר֙ דִּבֶּ֣ר יְהוָ֔ה וְכַאֲשֶׁ֛ר נִשְׁבַּ֥ע יְהוָ֖ה לָהֶ֑ם וַיֵּ֥צֶר לָהֶ֖ם מְאֹֽד׃

חֵטְא עֲבוֹדָה זָרָה וְעָנְשׁוֹ:

טז יז וַיָּ֥קֶם יְהוָ֖ה שֹֽׁפְטִ֑ים וַיּ֣וֹשִׁיע֔וּם מִיַּ֖ד שֹׁסֵיהֶֽם׃ וְגַ֨ם אֶל־שֹֽׁפְטֵיהֶ֜ם
לֹ֣א שָׁמֵ֗עוּ כִּ֤י זָנוּ֙ אַחֲרֵי֙ אֱלֹהִ֣ים אֲחֵרִ֔ים וַיִּֽשְׁתַּחֲו֖וּ לָהֶ֑ם סָ֣רוּ מַהֵ֗ר
מִן־הַדֶּ֙רֶךְ֙ אֲשֶׁ֨ר הָלְכ֧וּ אֲבוֹתָ֛ם לִשְׁמֹ֥עַ מִצְוֺת־יְהוָ֖ה לֹא־עָ֥שׂוּ כֵֽן׃
יח וְכִֽי־הֵקִים֩ יְהוָ֨ה ׀ לָהֶ֜ם שֹֽׁפְטִ֗ים וְהָיָ֤ה יְהוָה֙ עִם־הַשֹּׁפֵ֔ט וְהוֹשִׁיעָם֙
מִיַּ֣ד אֹֽיְבֵיהֶ֔ם כֹּ֖ל יְמֵ֣י הַשּׁוֹפֵ֑ט כִּֽי־יִנָּחֵ֤ם יְהוָה֙ מִנַּ֣אֲקָתָ֔ם מִפְּנֵ֥י

הֲקָמַת שׁוֹפְטִים לְיִשְׂרָאֵל:

יט לֹחֲצֵיהֶ֖ם וְדֹחֲקֵיהֶֽם׃ וְהָיָ֣ה ׀ בְּמ֣וֹת הַשּׁוֹפֵ֗ט יָשֻׁ֙בוּ֙ וְהִשְׁחִ֣יתוּ
מֵֽאֲבוֹתָ֔ם לָלֶ֗כֶת אַֽחֲרֵי֙ אֱלֹהִ֣ים אֲחֵרִ֔ים לְעָבְדָ֖ם וּלְהִשְׁתַּחֲוֺ֣ת
כ לָהֶ֑ם לֹ֤א הִפִּ֙ילוּ֙ מִמַּ֣עַלְלֵיהֶ֔ם וּמִדַּרְכָּ֖ם הַקָּשָֽׁה׃ וַיִּֽחַר־אַ֥ף יְהוָ֖ה
בְּיִשְׂרָאֵ֑ל וַיֹּ֗אמֶר יַ֚עַן אֲשֶׁ֨ר עָבְר֜וּ הַגּ֣וֹי הַזֶּ֗ה אֶת־בְּרִיתִי֙ אֲשֶׁ֣ר
כא צִוִּ֣יתִי אֶת־אֲבוֹתָ֔ם וְלֹ֥א שָׁמְע֖וּ לְקוֹלִֽי׃ גַּם־אֲנִי֙ לֹ֣א אוֹסִ֔יף
לְהוֹרִ֥ישׁ אִ֖ישׁ מִפְּנֵיהֶ֑ם מִן־הַגּוֹיִ֛ם אֲשֶׁר־עָזַ֥ב יְהוֹשֻׁ֖עַ וַיָּמֹֽת׃
כב לְמַ֛עַן נַסּ֥וֹת בָּ֖ם אֶת־יִשְׂרָאֵ֑ל הֲשֹׁמְרִ֣ים הֵ֞ם אֶת־דֶּ֣רֶךְ יְהוָ֗ה לָלֶ֤כֶת
כג בָּם֙ כַּאֲשֶׁ֛ר שָׁמְר֥וּ אֲבוֹתָ֖ם אִם־לֹֽא׃ וַיַּנַּ֤ח יְהוָה֙ אֶת־הַגּוֹיִ֣ם הָאֵ֔לֶּה
לְבִלְתִּ֥י הוֹרִישָׁ֖ם מַהֵ֑ר וְלֹ֥א נְתָנָ֖ם בְּיַד־יְהוֹשֻֽׁעַ׃

בְּמוֹת הַשּׁוֹפֵט חוֹזְרִים לְסוּרָם:

ג א וְאֵ֤לֶּה הַגּוֹיִם֙ אֲשֶׁ֣ר הִנִּ֣יחַ יְהוָ֔ה לְנַסּ֥וֹת בָּ֖ם אֶת־יִשְׂרָאֵ֑ל אֵ֚ת
ב כָּל־אֲשֶׁ֣ר לֹֽא־יָדְע֔וּ אֵ֖ת כָּל־מִלְחֲמ֥וֹת כְּנָֽעַן׃ רַ֗ק לְמַ֙עַן֙ דַּ֚עַת
דֹּר֣וֹת בְּנֵֽי־יִשְׂרָאֵ֔ל לְלַמְּדָ֖ם מִלְחָמָ֑ה רַ֥ק אֲשֶׁר־לְפָנִ֖ים לֹ֥א יְדָעֽוּם׃

פֵּרוּט הַגּוֹיִם לְנַסּוֹת אֶת יִשְׂרָאֵל:

ג חֲמֵשֶׁת ׀ סַרְנֵי פְלִשְׁתִּים וְכָל־הַכְּנַעֲנִי וְהַצִּידֹנִי וְהַחִוִּי יֹשֵׁב הַר

ד הַלְּבָנוֹן מֵהַר בַּעַל חֶרְמוֹן עַד לְבוֹא חֲמָת: וַיִּהְיוּ לְנַסּוֹת בָּם

אֶת־יִשְׂרָאֵל לָדַעַת הֲיִשְׁמְעוּ אֶת־מִצְוֺת יְהוָה אֲשֶׁר־צִוָּה אֶת־

ה אֲבוֹתָם בְּיַד־מֹשֶׁה: וּבְנֵי יִשְׂרָאֵל יָשְׁבוּ בְּקֶרֶב הַכְּנַעֲנִי הַחִתִּי

ו וְהָאֱמֹרִי וְהַפְּרִזִּי וְהַחִוִּי וְהַיְבוּסִי: וַיִּקְחוּ אֶת־בְּנוֹתֵיהֶם לָהֶם לְנָשִׁים

וְאֶת־בְּנוֹתֵיהֶם נָתְנוּ לִבְנֵיהֶם וַיַּעַבְדוּ אֶת־אֱלֹהֵיהֶם:

ז וַיַּעֲשׂוּ בְנֵי־יִשְׂרָאֵל אֶת־הָרַע בְּעֵינֵי יְהוָה וַיִּשְׁכְּחוּ אֶת־יְהוָה

רֵאשׁוֹן
הַשֹּׁפְטִים
עָתְנִיאֵל בֶּן
קְנַז:

ח אֱלֹהֵיהֶם וַיַּעַבְדוּ אֶת־הַבְּעָלִים וְאֶת־הָאֲשֵׁרוֹת: וַיִּחַר־אַף יְהוָה

בְּיִשְׂרָאֵל וַיִּמְכְּרֵם בְּיַד כּוּשַׁן רִשְׁעָתַיִם מֶלֶךְ אֲרַם נַהֲרָיִם

ט וַיַּעַבְדוּ בְנֵי־יִשְׂרָאֵל אֶת־כּוּשַׁן רִשְׁעָתַיִם שְׁמֹנֶה שָׁנִים: וַיִּזְעֲקוּ

בְנֵי־יִשְׂרָאֵל אֶל־יְהוָה וַיָּקֶם יְהוָה מוֹשִׁיעַ לִבְנֵי יִשְׂרָאֵל [2524]

י וַיּוֹשִׁיעֵם אֵת עָתְנִיאֵל בֶּן־קְנַז אֲחִי כָלֵב הַקָּטֹן מִמֶּנּוּ: וַתְּהִי עָלָיו

רוּחַ־יְהוָה וַיִּשְׁפֹּט אֶת־יִשְׂרָאֵל וַיֵּצֵא לַמִּלְחָמָה וַיִּתֵּן יְהוָה בְּיָדוֹ

אֶת־כּוּשַׁן רִשְׁעָתַיִם מֶלֶךְ אֲרָם וַתָּעָז יָדוֹ עַל כּוּשַׁן רִשְׁעָתָיִם:

יא וַתִּשְׁקֹט הָאָרֶץ אַרְבָּעִים שָׁנָה וַיָּמָת עָתְנִיאֵל בֶּן־קְנַז:

הַשֹּׁפֵט
הַשֵּׁנִי אֵהוּד
בֶּן גֵּרָא:

יב וַיֹּסִפוּ בְּנֵי יִשְׂרָאֵל לַעֲשׂוֹת הָרַע בְּעֵינֵי יְהוָה וַיְחַזֵּק יְהוָה

אֶת־עֶגְלוֹן מֶלֶךְ־מוֹאָב עַל־יִשְׂרָאֵל עַל כִּי־עָשׂוּ אֶת־הָרַע בְּעֵינֵי

יג יְהוָה: וַיֶּאֱסֹף אֵלָיו אֶת־בְּנֵי עַמּוֹן וַעֲמָלֵק וַיֵּלֶךְ וַיַּךְ אֶת־יִשְׂרָאֵל

יד וַיִּירְשׁוּ אֶת־עִיר הַתְּמָרִים: וַיַּעַבְדוּ בְנֵי־יִשְׂרָאֵל אֶת־עֶגְלוֹן

טו מֶלֶךְ־מוֹאָב שְׁמוֹנֶה עֶשְׂרֵה שָׁנָה: וַיִּזְעֲקוּ בְנֵי־יִשְׂרָאֵל אֶל־יְהוָה

וַיָּקֶם יְהוָה לָהֶם מוֹשִׁיעַ אֶת־אֵהוּד בֶּן־גֵּרָא בֶּן־הַיְמִינִי אִישׁ [2574]

אִטֵּר יַד־יְמִינוֹ וַיִּשְׁלְחוּ בְנֵי־יִשְׂרָאֵל בְּיָדוֹ מִנְחָה לְעֶגְלוֹן מֶלֶךְ

טז מוֹאָב: וַיַּעַשׂ לוֹ אֵהוּד חֶרֶב וְלָהּ שְׁנֵי פֵיוֹת גֹּמֶד אָרְכָּהּ וַיַּחְגֹּר

יז אוֹתָהּ מִתַּחַת לְמַדָּיו עַל יֶרֶךְ יְמִינוֹ: וַיַּקְרֵב אֶת־הַמִּנְחָה

יח לְעֶגְלוֹן מֶלֶךְ מוֹאָב וְעֶגְלוֹן אִישׁ בָּרִיא מְאֹד: וַיְהִי כַּאֲשֶׁר כִּלָּה

יט לְהַקְרִ֖יב אֶת־הַמִּנְחָ֑ה וַיְשַׁלַּח֙ אֶת־הָעָ֔ם נֹשְׂאֵ֖י הַמִּנְחָֽה׃ וְה֣וּא שָׁ֗ב
מִן־הַפְּסִילִים֙ אֲשֶׁ֣ר אֶת־הַגִּלְגָּ֔ל וַיֹּ֕אמֶר דְּבַר־סֵ֥תֶר לִ֛י אֵלֶ֖יךָ
כ הַמֶּ֑לֶךְ וַיֹּ֣אמֶר הָ֔ס וַיֵּֽצְאוּ֙ מֵֽעָלָ֔יו כָּל־הָעֹמְדִ֖ים עָלָֽיו׃ וְאֵה֣וּד ׀ בָּ֣א
אֵלָ֗יו וְהֽוּא־יֹשֵׁ֞ב בַּעֲלִיַּ֧ת הַמְּקֵרָ֛ה אֲשֶׁר־ל֖וֹ לְבַדּ֑וֹ וַיֹּ֣אמֶר אֵה֔וּד
כא דְּבַר־אֱלֹהִ֥ים לִ֖י אֵלֶ֑יךָ וַיָּ֖קָם מֵעַ֥ל הַכִּסֵּֽא׃ וַיִּשְׁלַ֤ח אֵהוּד֙ אֶת־יַ֣ד
כב שְׂמֹאל֔וֹ וַיִּקַּח֙ אֶת־הַחֶ֔רֶב מֵעַ֖ל יֶ֣רֶךְ יְמִינ֑וֹ וַֽיִּתְקָעֶ֖הָ בְּבִטְנֽוֹ׃ וַיָּבֹ֨א
גַֽם־הַנִּצָּ֜ב אַחַ֣ר הַלַּ֗הַב וַיִּסְגֹּ֤ר הַחֵ֙לֶב֙ בְּעַ֣ד הַלַּ֔הַב כִּ֛י לֹ֥א שָׁלַ֥ף
כג הַחֶ֖רֶב מִבִּטְנ֑וֹ וַיֵּ֖צֵא הַֽפַּרְשְׁדֹֽנָה׃ וַיֵּצֵ֥א אֵה֖וּד הַמִּסְדְּר֑וֹנָה וַיִּסְגֹּ֞ר
כד דַּלְת֧וֹת הָעֲלִיָּ֛ה בַּעֲד֖וֹ וְנָעָֽל׃ וְה֣וּא יָצָא֮ וַעֲבָדָ֣יו בָּ֒אוּ֒ וַיִּרְא֕וּ וְהִנֵּ֛ה
דַּלְת֥וֹת הָעֲלִיָּ֖ה נְעֻל֑וֹת וַיֹּ֣אמְר֔וּ אַ֣ךְ מֵסִ֥יךְ ה֛וּא אֶת־רַגְלָ֖יו בַּחֲדַ֥ר
כה הַמְּקֵרָֽה׃ וַיָּחִ֣ילוּ עַד־בּ֔וֹשׁ וְהִנֵּ֛ה אֵינֶ֥נּוּ פֹתֵ֖חַ דַּלְת֣וֹת הָעֲלִיָּ֑ה
וַיִּקְח֤וּ אֶת־הַמַּפְתֵּ֙חַ֙ וַיִּפְתָּ֔חוּ וְהִנֵּה֙ אֲדֹ֣נֵיהֶ֔ם נֹפֵ֥ל אַ֖רְצָה מֵֽת׃
כו וְאֵה֥וּד נִמְלַ֖ט עַ֣ד הִֽתְמַהְמְהָ֑ם וְהוּא֙ עָבַ֣ר אֶת־הַפְּסִילִ֔ים וַיִּמָּלֵ֖ט
כז הַשְּׂעִירָֽתָה׃ וַיְהִ֣י בְּבוֹא֔וֹ וַיִּתְקַ֥ע בַּשּׁוֹפָ֖ר בְּהַ֣ר אֶפְרָ֑יִם וַיֵּרְד֨וּ עִמּ֧וֹ
כח בְנֵֽי־יִשְׂרָאֵ֛ל מִן־הָהָ֖ר וְה֥וּא לִפְנֵיהֶֽם׃ וַיֹּ֤אמֶר אֲלֵהֶם֙ רִדְפ֣וּ אַחֲרַ֔י
כִּֽי־נָתַ֨ן יְהוָ֧ה אֶת־אֹיְבֵיכֶ֛ם אֶת־מוֹאָ֖ב בְּיֶדְכֶ֑ם וַיֵּרְד֣וּ אַחֲרָ֗יו
וַיִּלְכְּד֞וּ אֶת־מַעְבְּר֤וֹת הַיַּרְדֵּן֙ לְמוֹאָ֔ב וְלֹא־נָתְנ֥וּ אִ֖ישׁ לַעֲבֹֽר׃
כט וַיַּכּ֨וּ אֶת־מוֹאָ֜ב בָּעֵ֣ת הַהִ֗יא כַּעֲשֶׂ֤רֶת אֲלָפִים֙ אִ֔ישׁ כָּל־שָׁמֵ֖ן
ל וְכָל־אִ֣ישׁ חָ֑יִל וְלֹ֥א נִמְלַ֖ט אִֽישׁ׃ וַתִּכָּנַ֣ע מוֹאָב֙ בַּיּ֣וֹם הַה֔וּא תַּ֖חַת
יַ֣ד יִשְׂרָאֵ֑ל וַתִּשְׁקֹ֥ט הָאָ֖רֶץ שְׁמוֹנִ֥ים שָׁנָֽה׃

לא וְאַחֲרָיו֙ הָיָה֙ שַׁמְגַּ֣ר בֶּן־עֲנָ֔ת וַיַּ֧ךְ אֶת־פְּלִשְׁתִּ֛ים שֵׁשׁ־מֵא֥וֹת אִ֖ישׁ
בְּמַלְמַ֣ד הַבָּקָ֑ר וַיּ֥וֹשַׁע גַּם־ה֖וּא אֶת־יִשְׂרָאֵֽל׃

הַשּׁוֹפֵט הַשְּׁלִישִׁי שַׁמְגַּר בֶּן עֲנָת: [2636]

ד א וַיֹּ֙סִפוּ֙ בְּנֵ֣י יִשְׂרָאֵ֔ל לַעֲשׂ֥וֹת הָרַ֖ע בְּעֵינֵ֣י יְהוָ֑ה וְאֵה֖וּד מֵֽת׃ ב וַיִּמְכְּרֵ֣ם
יְהוָ֗ה בְּיַד֙ יָבִ֣ין מֶֽלֶךְ־כְּנַ֔עַן אֲשֶׁ֥ר מָלַ֖ךְ בְּחָצ֑וֹר וְשַׂר־צְבָאוֹ֙
ג סִֽיסְרָ֔א וְה֥וּא יוֹשֵׁ֖ב בַּחֲרֹ֥שֶׁת הַגּוֹיִֽם׃ וַיִּצְעֲק֥וּ בְנֵֽי־יִשְׂרָאֵ֖ל אֶל־

יְהֹוָה כִּי תְּשַׁע מֵאוֹת רֶכֶב־בַּרְזֶל לוֹ וְהוּא לָחַץ אֶת־בְּנֵי יִשְׂרָאֵל
בְּחָזְקָה עֶשְׂרִים שָׁנָה:

השׁוֹפֶטֶת הָרְבִיעִית דְּבוֹרָה: [2656]

ד וּדְבוֹרָה אִשָּׁה נְבִיאָה אֵשֶׁת לַפִּידוֹת הִיא שֹׁפְטָה אֶת־יִשְׂרָאֵל
ה בָּעֵת הַהִיא: וְהִיא יוֹשֶׁבֶת תַּחַת־תֹּמֶר דְּבוֹרָה בֵּין הָרָמָה וּבֵין
ו בֵּית־אֵל בְּהַר אֶפְרָיִם וַיַּעֲלוּ אֵלֶיהָ בְּנֵי יִשְׂרָאֵל לַמִּשְׁפָּט: וַתִּשְׁלַח
וַתִּקְרָא לְבָרָק בֶּן־אֲבִינֹעַם מִקֶּדֶשׁ נַפְתָּלִי וַתֹּאמֶר אֵלָיו הֲלֹא
צִוָּה | יְהֹוָה אֱלֹהֵי־יִשְׂרָאֵל לֵךְ וּמָשַׁכְתָּ בְּהַר תָּבוֹר וְלָקַחְתָּ עִמְּךָ
ז עֲשֶׂרֶת אֲלָפִים אִישׁ מִבְּנֵי נַפְתָּלִי וּמִבְּנֵי זְבֻלוּן: וּמָשַׁכְתִּי אֵלֶיךָ
אֶל־נַחַל קִישׁוֹן אֶת־סִיסְרָא שַׂר־צְבָא יָבִין וְאֶת־רִכְבּוֹ וְאֶת־
ח הֲמוֹנוֹ וּנְתַתִּיהוּ בְּיָדֶךָ: וַיֹּאמֶר אֵלֶיהָ בָּרָק אִם־תֵּלְכִי עִמִּי
ט וְהָלָכְתִּי וְאִם־לֹא תֵלְכִי עִמִּי לֹא אֵלֵךְ: וַתֹּאמֶר הָלֹךְ אֵלֵךְ עִמָּךְ
אֶפֶס כִּי לֹא תִהְיֶה תִּפְאַרְתְּךָ עַל־הַדֶּרֶךְ אֲשֶׁר אַתָּה הוֹלֵךְ כִּי
בְיַד־אִשָּׁה יִמְכֹּר יְהֹוָה אֶת־סִיסְרָא וַתָּקָם דְּבוֹרָה וַתֵּלֶךְ עִם־בָּרָק
י קֶדְשָׁה: וַיַּזְעֵק בָּרָק אֶת־זְבוּלֻן וְאֶת־נַפְתָּלִי קֶדְשָׁה וַיַּעַל בְּרַגְלָיו
יא עֲשֶׂרֶת אַלְפֵי אִישׁ וַתַּעַל עִמּוֹ דְּבוֹרָה: וְחֶבֶר הַקֵּינִי נִפְרָד מִקַּיִן
מִבְּנֵי חֹבָב חֹתֵן מֹשֶׁה וַיֵּט אָהֳלוֹ עַד־אֵילוֹן בצענים בְּצַעֲנַנִּים אֲשֶׁר

מִלְחֶמֶת סִיסְרָא וּבָרָק:

יב אֶת־קֶדֶשׁ: וַיַּגִּדוּ לְסִיסְרָא כִּי עָלָה בָּרָק בֶּן־אֲבִינֹעַם הַר־תָּבוֹר:
יג וַיַּזְעֵק סִיסְרָא אֶת־כָּל־רִכְבּוֹ תְּשַׁע מֵאוֹת רֶכֶב בַּרְזֶל וְאֶת־כָּל־
יד הָעָם אֲשֶׁר אִתּוֹ מֵחֲרֹשֶׁת הַגּוֹיִם אֶל־נַחַל קִישׁוֹן: וַתֹּאמֶר דְּבֹרָה
אֶל־בָּרָק קוּם כִּי זֶה הַיּוֹם אֲשֶׁר נָתַן יְהֹוָה אֶת־סִיסְרָא בְּיָדֶךָ
הֲלֹא יְהֹוָה יָצָא לְפָנֶיךָ וַיֵּרֶד בָּרָק מֵהַר תָּבוֹר וַעֲשֶׂרֶת אֲלָפִים
טו אִישׁ אַחֲרָיו: וַיָּהָם יְהֹוָה אֶת־סִיסְרָא וְאֶת־כָּל־הָרֶכֶב וְאֶת־כָּל־
הַמַּחֲנֶה לְפִי־חֶרֶב לִפְנֵי בָרָק וַיֵּרֶד סִיסְרָא מֵעַל הַמֶּרְכָּבָה וַיָּנָס
טז בְּרַגְלָיו: וּבָרָק רָדַף אַחֲרֵי הָרֶכֶב וְאַחֲרֵי הַמַּחֲנֶה עַד חֲרֹשֶׁת
הַגּוֹיִם וַיִּפֹּל כָּל־מַחֲנֵה סִיסְרָא לְפִי־חֶרֶב לֹא נִשְׁאַר עַד־אֶחָד:

יז וְסִיסְרָא נָס בְּרַגְלָיו אֶל־אֹהֶל יָעֵל אֵשֶׁת חֶבֶר הַקֵּינִי כִּי שָׁלוֹם
יח בֵּין יָבִין מֶלֶךְ־חָצוֹר וּבֵין בֵּית חֶבֶר הַקֵּינִי: וַתֵּצֵא יָעֵל לִקְרַאת הֲרִיגַת סִיסְרָא:
סִיסְרָא וַתֹּאמֶר אֵלָיו סוּרָה אֲדֹנִי סוּרָה אֵלַי אַל־תִּירָא וַיָּסַר
יט אֵלֶיהָ הָאֹהֱלָה וַתְּכַסֵּהוּ בַּשְּׂמִיכָה: וַיֹּאמֶר אֵלֶיהָ הַשְׁקִינִי־נָא
מְעַט־מַיִם כִּי צָמֵאתִי וַתִּפְתַּח אֶת־נֹאוד הֶחָלָב וַתַּשְׁקֵהוּ
כ וַתְּכַסֵּהוּ: וַיֹּאמֶר אֵלֶיהָ עֲמֹד פֶּתַח הָאֹהֶל וְהָיָה אִם־אִישׁ יָבֹא
כא וּשְׁאֵלֵךְ וְאָמַר הֲיֵשׁ־פֹּה אִישׁ וְאָמַרְתְּ אָיִן: וַתִּקַּח יָעֵל אֵשֶׁת־חֶבֶר
אֶת־יְתַד הָאֹהֶל וַתָּשֶׂם אֶת־הַמַּקֶּבֶת בְּיָדָהּ וַתָּבוֹא אֵלָיו בַּלָּאט
וַתִּתְקַע אֶת־הַיָּתֵד בְּרַקָּתוֹ וַתִּצְנַח בָּאָרֶץ וְהוּא־נִרְדָּם וַיָּעַף
כב וַיָּמֹת: וְהִנֵּה בָרָק רֹדֵף אֶת־סִיסְרָא וַתֵּצֵא יָעֵל לִקְרָאתוֹ וַתֹּאמֶר
לוֹ לֵךְ וְאַרְאֶךָּ אֶת־הָאִישׁ אֲשֶׁר־אַתָּה מְבַקֵּשׁ וַיָּבֹא אֵלֶיהָ וְהִנֵּה
כג סִיסְרָא נֹפֵל מֵת וְהַיָּתֵד בְּרַקָּתוֹ: וַיַּכְנַע אֱלֹהִים בַּיּוֹם הַהוּא אֵת
כד יָבִין מֶלֶךְ־כְּנָעַן לִפְנֵי בְּנֵי יִשְׂרָאֵל: וַתֵּלֶךְ יַד בְּנֵי־יִשְׂרָאֵל הָלוֹךְ
וְקָשָׁה עַל יָבִין מֶלֶךְ־כְּנָעַן עַד אֲשֶׁר הִכְרִיתוּ אֵת יָבִין מֶלֶךְ־
כְּנָעַן:

ה א וַתָּשַׁר דְּבוֹרָה וּבָרָק בֶּן־אֲבִינֹעַם בַּיּוֹם הַהוּא שִׁירַת דְּבוֹרָה:
ב לֵאמֹר: בִּפְרֹעַ פְּרָעוֹת בְּיִשְׂרָאֵל בְּהִתְנַדֵּב
ג עָם בָּרְכוּ יְהוָה: שִׁמְעוּ מְלָכִים הַאֲזִינוּ
רֹזְנִים אָנֹכִי לַיהוָה אָנֹכִי אָשִׁירָה אֲזַמֵּר
ד לַיהוָה אֱלֹהֵי יִשְׂרָאֵל: יְהוָה בְּצֵאתְךָ תֵּאוּר מַתַּן תּוֹרָה:
מִשֵּׂעִיר בְּצַעְדְּךָ מִשְּׂדֵה אֱדוֹם אֶרֶץ
רָעָשָׁה גַּם־שָׁמַיִם נָטָפוּ גַּם־עָבִים נָטְפוּ
ה מָיִם: הָרִים נָזְלוּ מִפְּנֵי יְהוָה זֶה
ו סִינַי מִפְּנֵי יְהוָה אֱלֹהֵי יִשְׂרָאֵל: בִּימֵי שַׁמְגַּר בֶּן־

עֲנָת בִּימֵי יָעֵל חָדְלוּ אֳרָחוֹת וְהֹלְכֵי
ז נְתִיבוֹת יֵלְכוּ אֳרָחוֹת עֲקַלְקַלּוֹת: חָדְלוּ פְרָזוֹן בְּיִשְׂרָאֵל
ח חָדֵלּוּ עַד שַׁקַּמְתִּי דְּבוֹרָה שַׁקַּמְתִּי אֵם בְּיִשְׂרָאֵל: יִבְחַר
אֱלֹהִים חֲדָשִׁים אָז לָחֶם שְׁעָרִים מָגֵן אִם־יֵרָאֶה
ט וָרֹמַח בְּאַרְבָּעִים אֶלֶף בְּיִשְׂרָאֵל: לִבִּי
לְחוֹקְקֵי יִשְׂרָאֵל הַמִּתְנַדְּבִים בָּעָם בָּרְכוּ
י יְהוָה: רֹכְבֵי אֲתֹנוֹת צְחֹרוֹת יֹשְׁבֵי
יא עַל־מִדִּין וְהֹלְכֵי עַל־דֶּרֶךְ שִׂיחוּ: מִקּוֹל מְחַצְצִים בֵּין
מַשְׁאַבִּים שָׁם יְתַנּוּ צִדְקוֹת יְהוָה צִדְקֹת
פִּרְזוֹנוֹ בְּיִשְׂרָאֵל אָז יָרְדוּ לַשְּׁעָרִים עַם־
יב יְהוָה: עוּרִי עוּרִי דְּבוֹרָה עוּרִי
עוּרִי דַּבְּרִי־שִׁיר קוּם בָּרָק וּשֲׁבֵה שֶׁבְיְךָ בֶּן־
יג אֲבִינֹעַם: אָז יְרַד שָׂרִיד לְאַדִּירִים עָם יְהוָה
יד יְרַד־לִי בַּגִּבּוֹרִים: מִנִּי אֶפְרַיִם שָׁרְשָׁם
בַּעֲמָלֵק אַחֲרֶיךָ בִנְיָמִין בַּעֲמָמֶיךָ מִנִּי
מָכִיר יָרְדוּ מְחֹקְקִים וּמִזְּבוּלֻן מֹשְׁכִים בְּשֵׁבֶט
טו סֹפֵר: וְשָׂרַי בְּיִשָּׂשכָר עִם־דְּבֹרָה וְיִשָּׂשכָר
כֵּן בָּרָק בָּעֵמֶק שֻׁלַּח בְּרַגְלָיו בִּפְלַגּוֹת רְאוּבֵן גְּדֹלִים חִקְקֵי־
טז לֵב: לָמָּה יָשַׁבְתָּ בֵּין הַמִּשְׁפְּתַיִם לִשְׁמֹעַ
שְׁרִקוֹת עֲדָרִים לִפְלַגּוֹת רְאוּבֵן גְּדוֹלִים חִקְרֵי־
יז לֵב: גִּלְעָד בְּעֵבֶר הַיַּרְדֵּן שָׁכֵן וְדָן
לָמָּה יָגוּר אֳנִיּוֹת אָשֵׁר יָשַׁב לְחוֹף
יח יַמִּים וְעַל מִפְרָצָיו יִשְׁכּוֹן: זְבֻלוּן
עַם חֵרֵף נַפְשׁוֹ לָמוּת וְנַפְתָּלִי עַל מְרוֹמֵי
יט שָׂדֶה: בָּאוּ מְלָכִים נִלְחָמוּ אָז

הָעֶזְרָה מִשָּׁמַיִם בְּמִלְחֶמֶת סִיסְרָא׃

נִלְחֲמוּ מַלְכֵי כְנַעַן בְּתַעְנַךְ עַל־מֵי
כ מְגִדּוֹ בֶּצַע כֶּסֶף לֹא לָקָחוּ׃ מִן־
שָׁמַיִם נִלְחָמוּ הַכּוֹכָבִים מִמְּסִלּוֹתָם נִלְחֲמוּ עִם־
כא סִיסְרָא׃ נַחַל קִישׁוֹן גְּרָפָם נַחַל
קְדוּמִים נַחַל קִישׁוֹן תִּדְרְכִי נַפְשִׁי
כב עֹז׃ אָז הָלְמוּ עִקְּבֵי־סוּס מִדַּהֲרוֹת
כג דַּהֲרוֹת אַבִּירָיו׃ אוֹרוּ מֵרוֹז אָמַר מַלְאַךְ יְהוָה אֹרוּ אָרוֹר
יֹשְׁבֶיהָ כִּי לֹא־בָאוּ לְעֶזְרַת יְהוָה לְעֶזְרַת

בְּרָכָה לְיָעֵל וּפֵרוּט מַעֲשֶׂיהָ׃

כד יְהוָה בַּגִּבּוֹרִים׃ תְּבֹרַךְ מִנָּשִׁים יָעֵל אֵשֶׁת חֶבֶר
כה הַקֵּינִי מִנָּשִׁים בָּאֹהֶל תְּבֹרָךְ׃ מַיִם
שָׁאַל חָלָב נָתָנָה בְּסֵפֶל אַדִּירִים הִקְרִיבָה
כו חֶמְאָה׃ יָדָהּ לַיָּתֵד תִּשְׁלַחְנָה וִימִינָהּ
לְהַלְמוּת עֲמֵלִים וְהָלְמָה סִיסְרָא מָחֲקָה
כז רֹאשׁוֹ וּמָחֲצָה וְחָלְפָה רַקָּתוֹ׃ בֵּין
רַגְלֶיהָ כָּרַע נָפַל שָׁכָב בֵּין רַגְלֶיהָ כָּרַע

לַעַג לְאֵם סִיסְרָא׃

כח נָפָל בַּאֲשֶׁר כָּרַע שָׁם נָפַל שָׁדוּד׃ בְּעַד
הַחַלּוֹן נִשְׁקְפָה וַתְּיַבֵּב אֵם סִיסְרָא בְּעַד הָאֶשְׁנָב מַדּוּעַ בֹּשֵׁשׁ רִכְבּוֹ
כט לָבוֹא מַדּוּעַ אֶחֱרוּ פַּעֲמֵי מַרְכְּבוֹתָיו׃ חַכְמוֹת
שָׂרוֹתֶיהָ תַּעֲנֶינָּה אַף־הִיא תָּשִׁיב אֲמָרֶיהָ
ל לָהּ׃ הֲלֹא יִמְצְאוּ יְחַלְּקוּ שָׁלָל רַחַם
רַחֲמָתַיִם לְרֹאשׁ גֶּבֶר שְׁלַל צְבָעִים
לְסִיסְרָא שְׁלַל צְבָעִים רִקְמָה צֶבַע
לא רִקְמָתַיִם לְצַוְּארֵי שָׁלָל׃ כֵּן יֹאבְדוּ כָל־אוֹיְבֶיךָ יְהוָה
וְאֹהֲבָיו כְּצֵאת הַשֶּׁמֶשׁ בִּגְבֻרָתוֹ וַתִּשְׁקֹט הָאָרֶץ אַרְבָּעִים שָׁנָה׃

ו א וַיַּעֲשׂוּ בְנֵי־יִשְׂרָאֵל הָרַע בְּעֵינֵי יְהוָה וַיִּתְּנֵם יְהוָה בְּיַד־מִדְיָן הִשְׁתַּעְבְּדוּת יִשְׂרָאֵל לְמִדְיָן:
ב שֶׁבַע שָׁנִים: וַתָּעָז יַד־מִדְיָן עַל־יִשְׂרָאֵל מִפְּנֵי מִדְיָן עָשׂוּ לָהֶם ׀
בְּנֵי יִשְׂרָאֵל אֶת־הַמִּנְהָרוֹת אֲשֶׁר בֶּהָרִים וְאֶת־הַמְּעָרוֹת וְאֶת־
ג הַמְּצָדוֹת: וְהָיָה אִם־זָרַע יִשְׂרָאֵל וְעָלָה מִדְיָן וַעֲמָלֵק וּבְנֵי־קֶדֶם
ד וְעָלוּ עָלָיו: וַיַּחֲנוּ עֲלֵיהֶם וַיַּשְׁחִיתוּ אֶת־יְבוּל הָאָרֶץ עַד־בּוֹאֲךָ
ה עַזָּה וְלֹא־יַשְׁאִירוּ מִחְיָה בְּיִשְׂרָאֵל וְשֶׂה וָשׁוֹר וַחֲמוֹר: כִּי הֵם
וּמִקְנֵיהֶם יַעֲלוּ וְאָהֳלֵיהֶם יבאו וּבָאוּ כְדֵי־אַרְבֶּה לָרֹב וְלָהֶם
ו וְלִגְמַלֵּיהֶם אֵין מִסְפָּר וַיָּבֹאוּ בָאָרֶץ לְשַׁחֲתָהּ: וַיִּדַּל יִשְׂרָאֵל
מְאֹד מִפְּנֵי מִדְיָן וַיִּזְעֲקוּ בְנֵי־יִשְׂרָאֵל אֶל־יְהוָה:
ז ח וַיְהִי כִּי־זָעֲקוּ בְנֵי־יִשְׂרָאֵל אֶל־יְהוָה עַל אֹדוֹת מִדְיָן: וַיִּשְׁלַח תּוֹכַחַת הַנָּבִיא:
יְהוָה אִישׁ נָבִיא אֶל־בְּנֵי יִשְׂרָאֵל וַיֹּאמֶר לָהֶם כֹּה־אָמַר יְהוָה ׀
אֱלֹהֵי יִשְׂרָאֵל אָנֹכִי הֶעֱלֵיתִי אֶתְכֶם מִמִּצְרַיִם וָאֹצִיא אֶתְכֶם
ט מִבֵּית עֲבָדִים: וָאַצִּל אֶתְכֶם מִיַּד מִצְרַיִם וּמִיַּד כָּל־לֹחֲצֵיכֶם
י וָאֲגָרֵשׁ אוֹתָם מִפְּנֵיכֶם וָאֶתְּנָה לָכֶם אֶת־אַרְצָם: וָאֹמְרָה לָכֶם
אֲנִי יְהוָה אֱלֹהֵיכֶם לֹא תִירְאוּ אֶת־אֱלֹהֵי הָאֱמֹרִי אֲשֶׁר אַתֶּם
יוֹשְׁבִים בְּאַרְצָם וְלֹא שְׁמַעְתֶּם בְּקוֹלִי:
יא וַיָּבֹא מַלְאַךְ יְהוָה וַיֵּשֶׁב תַּחַת הָאֵלָה אֲשֶׁר בְּעָפְרָה אֲשֶׁר לְיוֹאָשׁ הַשּׁוֹפֵט הַחֲמִישִׁי גִּדְעוֹן בֶּן יוֹאָשׁ: [2683]
אֲבִי הָעֶזְרִי וְגִדְעוֹן בְּנוֹ חֹבֵט חִטִּים בַּגַּת לְהָנִיס מִפְּנֵי מִדְיָן:
יב וַיֵּרָא אֵלָיו מַלְאַךְ יְהוָה וַיֹּאמֶר אֵלָיו יְהוָה עִמְּךָ גִּבּוֹר הֶחָיִל:
יג וַיֹּאמֶר אֵלָיו גִּדְעוֹן בִּי אֲדֹנִי וְיֵשׁ יְהוָה עִמָּנוּ וְלָמָּה מְצָאַתְנוּ
כָּל־זֹאת וְאַיֵּה כָל־נִפְלְאֹתָיו אֲשֶׁר סִפְּרוּ־לָנוּ אֲבוֹתֵינוּ לֵאמֹר
הֲלֹא מִמִּצְרַיִם הֶעֱלָנוּ יְהוָה וְעַתָּה נְטָשָׁנוּ יְהוָה וַיִּתְּנֵנוּ בְּכַף־
יד מִדְיָן: וַיִּפֶן אֵלָיו יְהוָה וַיֹּאמֶר לֵךְ בְּכֹחֲךָ זֶה וְהוֹשַׁעְתָּ אֶת־יִשְׂרָאֵל
טו מִכַּף מִדְיָן הֲלֹא שְׁלַחְתִּיךָ: וַיֹּאמֶר אֵלָיו בִּי אֲדֹנָי בַּמָּה אוֹשִׁיעַ
אֶת־יִשְׂרָאֵל הִנֵּה אַלְפִּי הַדַּל בִּמְנַשֶּׁה וְאָנֹכִי הַצָּעִיר בְּבֵית אָבִי:

וַיֹּאמֶר אֵלָיו יְהוָה כִּי אֶהְיֶה עִמָּךְ וְהִכִּיתָ אֶת־מִדְיָן כְּאִישׁ אֶחָד: יז

וַיֹּאמֶר אֵלָיו אִם־נָא מָצָאתִי חֵן בְּעֵינֶיךָ וְעָשִׂיתָ לִּי אוֹת שָׁאַתָּה יח

מְדַבֵּר עִמִּי: אַל־נָא תָמֻשׁ מִזֶּה עַד־בֹּאִי אֵלֶיךָ וְהֹצֵאתִי

אֶת־מִנְחָתִי וְהִנַּחְתִּי לְפָנֶיךָ וַיֹּאמַר אָנֹכִי אֵשֵׁב עַד שׁוּבֶךָ: וְגִדְעוֹן יט

בָּא וַיַּעַשׂ גְּדִי־עִזִּים וְאֵיפַת־קֶמַח מַצּוֹת הַבָּשָׂר שָׂם בַּסַּל

וְהַמָּרָק שָׂם בַּפָּרוּר וַיּוֹצֵא אֵלָיו אֶל־תַּחַת הָאֵלָה וַיַּגַּשׁ:

מִנְחַת גִּדְעוֹן:

וַיֹּאמֶר אֵלָיו מַלְאַךְ הָאֱלֹהִים קַח אֶת־הַבָּשָׂר וְאֶת־הַמַּצּוֹת וְהַנַּח כ

אֶל־הַסֶּלַע הַלָּז וְאֶת־הַמָּרָק שְׁפוֹךְ וַיַּעַשׂ כֵּן: וַיִּשְׁלַח מַלְאַךְ יְהוָה כא

אֶת־קְצֵה הַמִּשְׁעֶנֶת אֲשֶׁר בְּיָדוֹ וַיִּגַּע בַּבָּשָׂר וּבַמַּצּוֹת וַתַּעַל הָאֵשׁ

מִן־הַצּוּר וַתֹּאכַל אֶת־הַבָּשָׂר וְאֶת־הַמַּצּוֹת וּמַלְאַךְ יְהוָה הָלַךְ

מֵעֵינָיו: וַיַּרְא גִּדְעוֹן כִּי־מַלְאַךְ יְהוָה הוּא וַיֹּאמֶר גִּדְעוֹן אֲהָהּ כב

אֲדֹנָי יְהוִה כִּי־עַל־כֵּן רָאִיתִי מַלְאַךְ יְהוָה פָּנִים אֶל־פָּנִים: וַיֹּאמֶר כג

לוֹ יְהוָה שָׁלוֹם לְךָ אַל־תִּירָא לֹא תָּמוּת: וַיִּבֶן שָׁם גִּדְעוֹן מִזְבֵּחַ כד

לַיהוָה וַיִּקְרָא־לוֹ יְהוָה שָׁלוֹם עַד הַיּוֹם הַזֶּה עוֹדֶנּוּ בְּעָפְרָת אֲבִי

נְתִיצַת מִזְבַּח הַבַּעַל:

הָעֶזְרִי:

וַיְהִי בַּלַּיְלָה הַהוּא וַיֹּאמֶר לוֹ יְהוָה קַח אֶת־ כה

פַּר־הַשּׁוֹר אֲשֶׁר לְאָבִיךָ וּפַר הַשֵּׁנִי שֶׁבַע שָׁנִים וְהָרַסְתָּ אֶת־

מִזְבַּח הַבַּעַל אֲשֶׁר לְאָבִיךָ וְאֶת־הָאֲשֵׁרָה אֲשֶׁר־עָלָיו תִּכְרֹת:

וּבָנִיתָ מִזְבֵּחַ לַיהוָה אֱלֹהֶיךָ עַל רֹאשׁ הַמָּעוֹז הַזֶּה בַּמַּעֲרָכָה כו

וְלָקַחְתָּ אֶת־הַפָּר הַשֵּׁנִי וְהַעֲלִיתָ עוֹלָה בַּעֲצֵי הָאֲשֵׁרָה אֲשֶׁר

תִּכְרֹת: וַיִּקַּח גִּדְעוֹן עֲשָׂרָה אֲנָשִׁים מֵעֲבָדָיו וַיַּעַשׂ כַּאֲשֶׁר דִּבֶּר כז

אֵלָיו יְהוָה וַיְהִי כַּאֲשֶׁר יָרֵא אֶת־בֵּית אָבִיו וְאֶת־אַנְשֵׁי הָעִיר

הִנָּצְלוּת גִּדְעוֹן מֵאַנְשֵׁי עִירוֹ:

מֵעֲשׂוֹת יוֹמָם וַיַּעַשׂ לָיְלָה: וַיַּשְׁכִּימוּ אַנְשֵׁי הָעִיר בַּבֹּקֶר וְהִנֵּה כח

נֻתַּץ מִזְבַּח הַבַּעַל וְהָאֲשֵׁרָה אֲשֶׁר־עָלָיו כֹּרָתָה וְאֵת הַפָּר הַשֵּׁנִי

הֹעֲלָה עַל־הַמִּזְבֵּחַ הַבָּנוּי: וַיֹּאמְרוּ אִישׁ אֶל־רֵעֵהוּ מִי עָשָׂה כט

הַדָּבָר הַזֶּה וַיִּדְרְשׁוּ וַיְבַקְשׁוּ וַיֹּאמְרוּ גִּדְעוֹן בֶּן־יוֹאָשׁ עָשָׂה

ל הַדָּבָר הַזֶּה: וַיֹּאמְרוּ אַנְשֵׁי הָעִיר אֶל־יוֹאָשׁ הוֹצֵא אֶת־בִּנְךָ וְיָמֹת
לא כִּי נָתַץ אֶת־מִזְבַּח הַבַּעַל וְכִי כָרַת הָאֲשֵׁרָה אֲשֶׁר־עָלָיו: וַיֹּאמֶר
יוֹאָשׁ לְכֹל אֲשֶׁר־עָמְדוּ עָלָיו הַאַתֶּם | תְּרִיבוּן לַבַּעַל אִם־אַתֶּם
תּוֹשִׁיעוּן אוֹתוֹ אֲשֶׁר יָרִיב לוֹ יוּמַת עַד־הַבֹּקֶר אִם־אֱלֹהִים הוּא
לב יָרֶב לוֹ כִּי נָתַץ אֶת־מִזְבְּחוֹ: וַיִּקְרָא־לוֹ בַיּוֹם־הַהוּא יְרֻבַּעַל לֵאמֹר
לג יָרֶב בּוֹ הַבַּעַל כִּי נָתַץ אֶת־מִזְבְּחוֹ: וְכָל־מִדְיָן וַעֲמָלֵק אותות ה׳ לְנִצָּחוֹן עַל מִדְיָן:
לד וּבְנֵי־קֶדֶם נֶאֶסְפוּ יַחְדָּו וַיַּעַבְרוּ וַיַּחֲנוּ בְּעֵמֶק יִזְרְעֶאל: וְרוּחַ
יְהוָה לָבְשָׁה אֶת־גִּדְעוֹן וַיִּתְקַע בַּשּׁוֹפָר וַיִּזָּעֵק אֲבִיעֶזֶר אַחֲרָיו:
לה וּמַלְאָכִים שָׁלַח בְּכָל־מְנַשֶּׁה וַיִּזָּעֵק גַּם־הוּא אַחֲרָיו וּמַלְאָכִים
לו שָׁלַח בְּאָשֵׁר וּבִזְבֻלוּן וּבְנַפְתָּלִי וַיַּעֲלוּ לִקְרָאתָם: וַיֹּאמֶר גִּדְעוֹן
אֶל־הָאֱלֹהִים אִם־יֶשְׁךָ מוֹשִׁיעַ בְּיָדִי אֶת־יִשְׂרָאֵל כַּאֲשֶׁר דִּבַּרְתָּ:
לז הִנֵּה אָנֹכִי מַצִּיג אֶת־גִּזַּת הַצֶּמֶר בַּגֹּרֶן אִם טַל יִהְיֶה עַל־הַגִּזָּה
לְבַדָּהּ וְעַל־כָּל־הָאָרֶץ חֹרֶב וְיָדַעְתִּי כִּי־תוֹשִׁיעַ בְּיָדִי אֶת־
לח יִשְׂרָאֵל כַּאֲשֶׁר דִּבַּרְתָּ: וַיְהִי־כֵן וַיַּשְׁכֵּם מִמָּחֳרָת וַיָּזַר אֶת־הַגִּזָּה
לט וַיִּמֶץ טַל מִן־הַגִּזָּה מְלוֹא הַסֵּפֶל מָיִם: וַיֹּאמֶר גִּדְעוֹן אֶל־
הָאֱלֹהִים אַל־יִחַר אַפְּךָ בִּי וַאֲדַבְּרָה אַךְ הַפָּעַם אֲנַסֶּה נָּא־רַק־
הַפַּעַם בַּגִּזָּה יְהִי־נָא חֹרֶב אֶל־הַגִּזָּה לְבַדָּהּ וְעַל־כָּל־הָאָרֶץ
מ יִהְיֶה־טָּל: וַיַּעַשׂ אֱלֹהִים כֵּן בַּלַּיְלָה הַהוּא וַיְהִי־חֹרֶב אֶל־הַגִּזָּה
לְבַדָּהּ וְעַל־כָּל־הָאָרֶץ הָיָה טָל:
ז א וַיַּשְׁכֵּם יְרֻבַּעַל הוּא גִדְעוֹן וְכָל־הָעָם אֲשֶׁר אִתּוֹ וַיַּחֲנוּ עַל־ בְּרִירַת לוֹחֲמֵי גִּדְעוֹן:
עֵין חֲרֹד וּמַחֲנֵה מִדְיָן הָיָה־לוֹ מִצָּפוֹן מִגִּבְעַת הַמּוֹרֶה
ב בָּעֵמֶק: וַיֹּאמֶר יְהוָה אֶל־גִּדְעוֹן רַב הָעָם אֲשֶׁר אִתָּךְ
מִתִּתִּי אֶת־מִדְיָן בְּיָדָם פֶּן־יִתְפָּאֵר עָלַי יִשְׂרָאֵל לֵאמֹר יָדִי
ג הוֹשִׁיעָה לִּי: וְעַתָּה קְרָא נָא בְּאָזְנֵי הָעָם לֵאמֹר מִי־יָרֵא וְחָרֵד
יָשֹׁב וְיִצְפֹּר מֵהַר הַגִּלְעָד וַיָּשָׁב מִן־הָעָם עֶשְׂרִים וּשְׁנַיִם אֶלֶף

וַעֲשֶׂרֶת אֲלָפִים נִשְׁאָרוּ: וַיֹּאמֶר יְהֹוָה אֶל־גִּדְעוֹן עוֹד ד

הָעָם רָב הוֹרֵד אוֹתָם אֶל־הַמַּיִם וְאֶצְרְפֶנּוּ לְךָ שָׁם וְהָיָה אֲשֶׁר

אֹמַר אֵלֶיךָ זֶה ׀ יֵלֵךְ אִתָּךְ הוּא יֵלֵךְ אִתָּךְ וְכֹל אֲשֶׁר־אֹמַר אֵלֶיךָ

זֶה לֹא־יֵלֵךְ עִמָּךְ הוּא לֹא יֵלֵךְ: וַיּוֹרֶד אֶת־הָעָם אֶל־הַמָּיִם וַיֹּאמֶר ה

יְהֹוָה אֶל־גִּדְעוֹן כֹּל אֲשֶׁר־יָלֹק בִּלְשׁוֹנוֹ מִן־הַמַּיִם כַּאֲשֶׁר יָלֹק

הַכֶּלֶב תַּצִּיג אוֹתוֹ לְבָד וְכֹל אֲשֶׁר־יִכְרַע עַל־בִּרְכָּיו לִשְׁתּוֹת:

וַיְהִי מִסְפַּר הַמֲלַקְקִים בְּיָדָם אֶל־פִּיהֶם שְׁלֹשׁ מֵאוֹת אִישׁ וְכֹל ו

יֶתֶר הָעָם כָּרְעוּ עַל־בִּרְכֵיהֶם לִשְׁתּוֹת מָיִם: וַיֹּאמֶר ז

יְהֹוָה אֶל־גִּדְעוֹן בִּשְׁלֹשׁ מֵאוֹת הָאִישׁ הַמֲלַקְקִים אוֹשִׁיעַ

אֶתְכֶם וְנָתַתִּי אֶת־מִדְיָן בְּיָדֶךָ וְכָל־הָעָם יֵלְכוּ אִישׁ לִמְקֹמוֹ:

וַיִּקְחוּ אֶת־צֵדָה הָעָם בְּיָדָם וְאֵת שׁוֹפְרֹתֵיהֶם וְאֵת כָּל־אִישׁ ח

יִשְׂרָאֵל שִׁלַּח אִישׁ לְאֹהָלָיו וּבִשְׁלֹשׁ־מֵאוֹת הָאִישׁ הֶחֱזִיק

וּמַחֲנֵה מִדְיָן הָיָה לוֹ מִתַּחַת בָּעֵמֶק:

וַיְהִי בַּלַּיְלָה הַהוּא וַיֹּאמֶר אֵלָיו יְהֹוָה קוּם רֵד בַּמַּחֲנֶה כִּי נְתַתִּיו ט

בְּיָדֶךָ: וְאִם־יָרֵא אַתָּה לָרֶדֶת רֵד אַתָּה וּפֻרָה נַעַרְךָ אֶל־הַמַּחֲנֶה: י

וְשָׁמַעְתָּ מַה־יְדַבֵּרוּ וְאַחַר תֶּחֱזַקְנָה יָדֶיךָ וְיָרַדְתָּ בַּמַּחֲנֶה וַיֵּרֶד יא

הוּא וּפֻרָה נַעֲרוֹ אֶל־קְצֵה הַחֲמֻשִׁים אֲשֶׁר בַּמַּחֲנֶה: וּמִדְיָן וַעֲמָלֵק יב

וְכָל־בְּנֵי־קֶדֶם נֹפְלִים בָּעֵמֶק כָּאַרְבֶּה לָרֹב וְלִגְמַלֵּיהֶם אֵין

מִסְפָּר כַּחוֹל שֶׁעַל־שְׂפַת הַיָּם לָרֹב: וַיָּבֹא גִדְעוֹן וְהִנֵּה־אִישׁ יג

מְסַפֵּר לְרֵעֵהוּ חֲלוֹם וַיֹּאמֶר הִנֵּה חֲלוֹם חָלַמְתִּי וְהִנֵּה צְלִיל לֶחֶם

שְׂעֹרִים מִתְהַפֵּךְ בְּמַחֲנֵה מִדְיָן וַיָּבֹא עַד־הָאֹהֶל וַיַּכֵּהוּ וַיִּפֹּל

וַיַּהַפְכֵהוּ לְמַעְלָה וְנָפַל הָאֹהֶל: וַיַּעַן רֵעֵהוּ וַיֹּאמֶר אֵין זֹאת בִּלְתִּי יד

אִם־חֶרֶב גִּדְעוֹן בֶּן־יוֹאָשׁ אִישׁ יִשְׂרָאֵל נָתַן הָאֱלֹהִים בְּיָדוֹ

אֶת־מִדְיָן וְאֶת־כָּל־הַמַּחֲנֶה:

וַיְהִי כִשְׁמֹעַ גִּדְעוֹן אֶת־מִסְפַּר הַחֲלוֹם וְאֶת־שִׁבְרוֹ וַיִּשְׁתָּחוּ טו

תְּשׁוּעַת ה׳
בַּנּוֹתְרִים:

חֲלוֹם
צְלִיל לֶחֶם
שְׂעֹרִים:

הִתְעוֹדְדוּת גִּדְעוֹן לִשְׁמַע הַחֲלוֹם:

וַיָּשָׁב אֶל־מַחֲנֵה יִשְׂרָאֵל וַיֹּאמֶר קוּמוּ כִּי־נָתַן יְהוָה בְּיֶדְכֶם
טז אֶת־מַחֲנֵה מִדְיָן: וַיַּחַץ אֶת־שְׁלֹשׁ־מֵאוֹת הָאִישׁ שְׁלֹשָׁה רָאשִׁים
וַיִּתֵּן שׁוֹפָרוֹת בְּיַד־כֻּלָּם וְכַדִּים רֵיקִים וְלַפִּדִים בְּתוֹךְ הַכַּדִּים:
יז וַיֹּאמֶר אֲלֵיהֶם מִמֶּנִּי תִרְאוּ וְכֵן תַּעֲשׂוּ וְהִנֵּה אָנֹכִי בָא בִּקְצֵה
יח הַמַּחֲנֶה וְהָיָה כַאֲשֶׁר־אֶעֱשֶׂה כֵּן תַּעֲשׂוּן: וְתָקַעְתִּי בַּשּׁוֹפָר אָנֹכִי
וְכָל־אֲשֶׁר אִתִּי וּתְקַעְתֶּם בַּשּׁוֹפָרוֹת גַּם־אַתֶּם סְבִיבוֹת כָּל־
הַמַּחֲנֶה וַאֲמַרְתֶּם לַיהוָה וּלְגִדְעוֹן:

הֲנָסַת מִדְיָן ע״י נִפּוּץ כַּדִּים וְשׁוֹפָרוֹת:

יט וַיָּבֹא גִדְעוֹן וּמֵאָה־אִישׁ אֲשֶׁר־אִתּוֹ בִּקְצֵה הַמַּחֲנֶה רֹאשׁ
הָאַשְׁמֹרֶת הַתִּיכוֹנָה אַךְ הָקֵם הֵקִימוּ אֶת־הַשֹּׁמְרִים וַיִּתְקְעוּ
כ בַּשּׁוֹפָרוֹת וְנָפוֹץ הַכַּדִּים אֲשֶׁר בְּיָדָם: וַיִּתְקְעוּ שְׁלֹשֶׁת הָרָאשִׁים
בַּשּׁוֹפָרוֹת וַיִּשְׁבְּרוּ הַכַּדִּים וַיַּחֲזִיקוּ בְיַד־שְׂמאוֹלָם בַּלַּפִּדִים
וּבְיַד־יְמִינָם הַשּׁוֹפָרוֹת לִתְקוֹעַ וַיִּקְרְאוּ חֶרֶב לַיהוָה וּלְגִדְעוֹן:
כא וַיַּעַמְדוּ אִישׁ תַּחְתָּיו סָבִיב לַמַּחֲנֶה וַיָּרָץ כָּל־הַמַּחֲנֶה וַיָּרִיעוּ
כב ויניסו וַיָּנוּסוּ: וַיִּתְקְעוּ שְׁלֹשׁ־מֵאוֹת הַשּׁוֹפָרוֹת וַיָּשֶׂם יְהוָה אֵת
חֶרֶב אִישׁ בְּרֵעֵהוּ וּבְכָל־הַמַּחֲנֶה וַיָּנָס הַמַּחֲנֶה עַד־בֵּית הַשִּׁטָּה

הַזְעָקַת עֶזְרָה וּלְכִידַת שָׂרֵי מִדְיָן:

כג צְרֵרָתָה עַד שְׂפַת־אָבֵל מְחוֹלָה עַל־טַבָּת: וַיִּצָּעֵק אִישׁ־יִשְׂרָאֵל
מִנַּפְתָּלִי וּמִן־אָשֵׁר וּמִן־כָּל־מְנַשֶּׁה וַיִּרְדְּפוּ אַחֲרֵי מִדְיָן:
כד וּמַלְאָכִים שָׁלַח גִּדְעוֹן בְּכָל־הַר אֶפְרַיִם לֵאמֹר רְדוּ לִקְרַאת
מִדְיָן וְלִכְדוּ לָהֶם אֶת־הַמַּיִם עַד בֵּית בָּרָה וְאֶת־הַיַּרְדֵּן וַיִּצָּעֵק
כָּל־אִישׁ אֶפְרַיִם וַיִּלְכְּדוּ אֶת־הַמַּיִם עַד בֵּית בָּרָה וְאֶת־הַיַּרְדֵּן:
כה וַיִּלְכְּדוּ שְׁנֵי־שָׂרֵי מִדְיָן אֶת־עֹרֵב וְאֶת־זְאֵב וַיַּהַרְגוּ אֶת־עוֹרֵב
בְּצוּר־עוֹרֵב וְאֶת־זְאֵב הָרְגוּ בְיֶקֶב־זְאֵב וַיִּרְדְּפוּ אֶל־מִדְיָן

מְרִיבַת אַנְשֵׁי אֶפְרַיִם וּפִיּוּסָם:

ח א וְרֹאשׁ־עֹרֵב וּזְאֵב הֵבִיאוּ אֶל־גִּדְעוֹן מֵעֵבֶר לַיַּרְדֵּן: וַיֹּאמְרוּ אֵלָיו
אִישׁ אֶפְרַיִם מָה־הַדָּבָר הַזֶּה עָשִׂיתָ לָּנוּ לְבִלְתִּי קְרֹאות לָנוּ כִּי
ב הָלַכְתָּ לְהִלָּחֵם בְּמִדְיָן וַיְרִיבוּן אִתּוֹ בְּחָזְקָה: וַיֹּאמֶר אֲלֵיהֶם

מַה־עָשִׂיתִי עַתָּה כָּכֶם הֲלֹא טוֹב עֹלְלוֹת אֶפְרַיִם מִבְצִיר

אֲבִיעֶזֶר: בְּיֶדְכֶם נָתַן אֱלֹהִים אֶת־שָׂרֵי מִדְיָן אֶת־עֹרֵב וְאֶת־ ג

זְאֵב וּמַה־יָּכֹלְתִּי עֲשׂוֹת כָּכֶם אָז רָפְתָה רוּחָם מֵעָלָיו בְּדַבְּרוֹ

הַדָּבָר הַזֶּה: וַיָּבֹא גִדְעוֹן הַיַּרְדֵּנָה עֹבֵר הוּא וּשְׁלֹשׁ־מֵאוֹת הָאִישׁ ד

סְרוּב אַנְשֵׁי
סֻכּוֹת
וּפְנוּאֵל
לְסַיֵּעַ:

אֲשֶׁר אִתּוֹ עֲיֵפִים וְרֹדְפִים: וַיֹּאמֶר לְאַנְשֵׁי סֻכּוֹת תְּנוּ־נָא כִּכְּרוֹת ה

לֶחֶם לָעָם אֲשֶׁר בְּרַגְלָי כִּי־עֲיֵפִים הֵם וְאָנֹכִי רֹדֵף אַחֲרֵי זֶבַח

וְצַלְמֻנָּע מַלְכֵי מִדְיָן: וַיֹּאמֶר שָׂרֵי סֻכּוֹת הֲכַף זֶבַח וְצַלְמֻנָּע ו

עַתָּה בְּיָדֶךָ כִּי־נִתֵּן לִצְבָאֲךָ לָחֶם: וַיֹּאמֶר גִּדְעוֹן לָכֵן בְּתֵת יְהֹוָה ז

אֶת־זֶבַח וְאֶת־צַלְמֻנָּע בְּיָדִי וְדַשְׁתִּי אֶת־בְּשַׂרְכֶם אֶת־קוֹצֵי

הַמִּדְבָּר וְאֶת־הַבַּרְקֳנִים: וַיַּעַל מִשָּׁם פְּנוּאֵל וַיְדַבֵּר אֲלֵיהֶם כָּזֹאת ח

וַיַּעֲנוּ אוֹתוֹ אַנְשֵׁי פְנוּאֵל כַּאֲשֶׁר עָנוּ אַנְשֵׁי סֻכּוֹת: וַיֹּאמֶר ט

גַּם־לְאַנְשֵׁי פְנוּאֵל לֵאמֹר בְּשׁוּבִי בְשָׁלוֹם אֶתֹּץ אֶת־הַמִּגְדָּל

הַזֶּה:

הֲרִינַת זֶבַח
וְצַלְמֻנָּע
וּשְׁאֵרִית
מִדְיָן:

וְזֶבַח וְצַלְמֻנָּע בַּקַּרְקֹר וּמַחֲנֵיהֶם עִמָּם כַּחֲמֵשֶׁת עָשָׂר אֶלֶף כֹּל י

הַנּוֹתָרִים מִכֹּל מַחֲנֵה בְנֵי־קֶדֶם וְהַנֹּפְלִים מֵאָה וְעֶשְׂרִים אֶלֶף

אִישׁ שֹׁלֵף חָרֶב: וַיַּעַל גִּדְעוֹן דֶּרֶךְ הַשְּׁכוּנֵי בָאֳהָלִים מִקֶּדֶם יא

לְנֹבַח וְיָגְבְּהָה וַיַּךְ אֶת־הַמַּחֲנֶה וְהַמַּחֲנֶה הָיָה בֶטַח: וַיָּנֻסוּ זֶבַח יב

וְצַלְמֻנָּע וַיִּרְדֹּף אַחֲרֵיהֶם וַיִּלְכֹּד אֶת־שְׁנֵי ׀ מַלְכֵי מִדְיָן אֶת־זֶבַח

וְאֶת־צַלְמֻנָּע וְכָל־הַמַּחֲנֶה הֶחֱרִיד: וַיָּשָׁב גִּדְעוֹן בֶּן־יוֹאָשׁ מִן־ יג

הַמִּלְחָמָה מִלְמַעֲלֵה הֶחָרֶס: וַיִּלְכָּד־נַעַר מֵאַנְשֵׁי סֻכּוֹת וַיִּשְׁאָלֵהוּ יד

הֵעָנְשַׁת
אַנְשֵׁי סֻכּוֹת
וּפְנוּאֵל:

וַיִּכְתֹּב אֵלָיו אֶת־שָׂרֵי סֻכּוֹת וְאֶת־זְקֵנֶיהָ שִׁבְעִים וְשִׁבְעָה אִישׁ:

וַיָּבֹא אֶל־אַנְשֵׁי סֻכּוֹת וַיֹּאמֶר הִנֵּה זֶבַח וְצַלְמֻנָּע אֲשֶׁר חֵרַפְתֶּם טו

אוֹתִי לֵאמֹר הֲכַף זֶבַח וְצַלְמֻנָּע עַתָּה בְּיָדֶךָ כִּי נִתֵּן לַאֲנָשֶׁיךָ

הַיְעֵפִים לָחֶם: וַיִּקַּח אֶת־זִקְנֵי הָעִיר וְאֶת־קוֹצֵי הַמִּדְבָּר וְאֶת־ טז

הַבַּרְקֳנִים וַיֹּדַע בָּהֶם אֵת אַנְשֵׁי סֻכּוֹת: וְאֶת־מִגְדַּל פְּנוּאֵל נָתָץ יז

יח וַיַּהֲרֹג אֶת־אַנְשֵׁי הָעִיר׃ וַיֹּאמֶר אֶל־זֶבַח וְאֶל־צַלְמֻנָּע אֵיפֹה
הָאֲנָשִׁים אֲשֶׁר הֲרַגְתֶּם בְּתָבוֹר וַיֹּאמְרוּ כָּמוֹךָ כְמוֹהֶם אֶחָד
יט כְּתֹאַר בְּנֵי הַמֶּלֶךְ׃ וַיֹּאמַר אַחַי בְּנֵי־אִמִּי הֵם חַי־יְהוָה לוּ הַחֲיִתֶם
כ אוֹתָם לֹא הָרַגְתִּי אֶתְכֶם׃ וַיֹּאמֶר לְיֶתֶר בְּכוֹרוֹ קוּם הֲרֹג אוֹתָם
כא וְלֹא־שָׁלַף הַנַּעַר חַרְבּוֹ כִּי יָרֵא כִּי עוֹדֶנּוּ נָעַר׃ וַיֹּאמֶר זֶבַח
וְצַלְמֻנָּע קוּם אַתָּה וּפְגַע־בָּנוּ כִּי כָאִישׁ גְּבוּרָתוֹ וַיָּקָם גִּדְעוֹן
וַיַּהֲרֹג אֶת־זֶבַח וְאֶת־צַלְמֻנָּע וַיִּקַּח אֶת־הַשַּׂהֲרֹנִים אֲשֶׁר
בְּצַוְּארֵי גְמַלֵּיהֶם׃
כב וַיֹּאמְרוּ אִישׁ־יִשְׂרָאֵל אֶל־גִּדְעוֹן מְשָׁל־בָּנוּ גַּם־אַתָּה גַּם־בִּנְךָ
כג גַּם בֶּן־בְּנֶךָ כִּי הוֹשַׁעְתָּנוּ מִיַּד מִדְיָן׃ וַיֹּאמֶר אֲלֵהֶם גִּדְעוֹן לֹא־
כד אֶמְשֹׁל אֲנִי בָּכֶם וְלֹא־יִמְשֹׁל בְּנִי בָּכֶם יְהוָה יִמְשֹׁל בָּכֶם׃ וַיֹּאמֶר
אֲלֵהֶם גִּדְעוֹן אֶשְׁאֲלָה מִכֶּם שְׁאֵלָה וּתְנוּ־לִי אִישׁ נֶזֶם שְׁלָלוֹ
כה כִּי־נִזְמֵי זָהָב לָהֶם כִּי יִשְׁמְעֵאלִים הֵם׃ וַיֹּאמְרוּ נָתוֹן נִתֵּן וַיִּפְרְשׂוּ
כו אֶת־הַשִּׂמְלָה וַיַּשְׁלִיכוּ שָׁמָּה אִישׁ נֶזֶם שְׁלָלוֹ׃ וַיְהִי מִשְׁקַל נִזְמֵי
הַזָּהָב אֲשֶׁר שָׁאָל אֶלֶף וּשְׁבַע־מֵאוֹת זָהָב לְבַד מִן־הַשַּׂהֲרֹנִים
וְהַנְּטִפוֹת וּבִגְדֵי הָאַרְגָּמָן שֶׁעַל מַלְכֵי מִדְיָן וּלְבַד מִן־הָעֲנָקוֹת
כז אֲשֶׁר בְּצַוְּארֵי גְמַלֵּיהֶם׃ וַיַּעַשׂ אוֹתוֹ גִדְעוֹן לְאֵפוֹד וַיַּצֵּג אוֹתוֹ
בְעִירוֹ בְּעָפְרָה וַיִּזְנוּ כָל־יִשְׂרָאֵל אַחֲרָיו שָׁם וַיְהִי לְגִדְעוֹן וּלְבֵיתוֹ
כח לְמוֹקֵשׁ׃ וַיִּכָּנַע מִדְיָן לִפְנֵי בְּנֵי יִשְׂרָאֵל וְלֹא יָסְפוּ לָשֵׂאת רֹאשָׁם
וַתִּשְׁקֹט הָאָרֶץ אַרְבָּעִים שָׁנָה בִּימֵי גִדְעוֹן׃
כט ל וַיֵּלֶךְ יְרֻבַּעַל בֶּן־יוֹאָשׁ וַיֵּשֶׁב בְּבֵיתוֹ׃ וּלְגִדְעוֹן הָיוּ שִׁבְעִים בָּנִים
לא יֹצְאֵי יְרֵכוֹ כִּי־נָשִׁים רַבּוֹת הָיוּ לוֹ׃ וּפִילַגְשׁוֹ אֲשֶׁר בִּשְׁכֶם
לב יָלְדָה־לּוֹ גַם־הִיא בֵּן וַיָּשֶׂם אֶת־שְׁמוֹ אֲבִימֶלֶךְ׃ וַיָּמָת גִּדְעוֹן
בֶּן־יוֹאָשׁ בְּשֵׂיבָה טוֹבָה וַיִּקָּבֵר בְּקֶבֶר יוֹאָשׁ אָבִיו בְּעָפְרָה אֲבִי
הָעֶזְרִי׃

סֵרוּב גִּדְעוֹן לִמְלֹךְ, וְחֵטְא הָאֵפוֹד׃

מוֹת גִּדְעוֹן׃ [2716]

לג וַיְהִי כַּאֲשֶׁר מֵת גִּדְעוֹן וַיָּשׁוּבוּ בְּנֵי יִשְׂרָאֵל וַיִּזְנוּ אַחֲרֵי הַבְּעָלִים
לד וַיָּשִׂימוּ לָהֶם בַּעַל בְּרִית לֵאלֹהִים: וְלֹא זָכְרוּ בְּנֵי יִשְׂרָאֵל
אֶת־יְהוָה אֱלֹהֵיהֶם הַמַּצִּיל אוֹתָם מִיַּד כָּל־אֹיְבֵיהֶם מִסָּבִיב:
לה וְלֹא־עָשׂוּ חֶסֶד עִם־בֵּית יְרֻבַּעַל גִּדְעוֹן כְּכָל־הַטּוֹבָה אֲשֶׁר עָשָׂה
עִם־יִשְׂרָאֵל:

השׁוֹפֵט הַשִּׁשִּׁי אֲבִימֶלֶךְ בֶּן גִּדְעוֹן: [2716]

ט א וַיֵּלֶךְ אֲבִימֶלֶךְ בֶּן־יְרֻבַּעַל שְׁכֶמָה אֶל־אֲחֵי אִמּוֹ וַיְדַבֵּר אֲלֵיהֶם
ב וְאֶל־כָּל־מִשְׁפַּחַת בֵּית־אֲבִי אִמּוֹ לֵאמֹר: דַּבְּרוּ־נָא בְּאָזְנֵי כָל־
בַּעֲלֵי שְׁכֶם מַה־טּוֹב לָכֶם הַמְשֹׁל בָּכֶם שִׁבְעִים אִישׁ כֹּל בְּנֵי
יְרֻבַּעַל אִם־מְשֹׁל בָּכֶם אִישׁ אֶחָד וּזְכַרְתֶּם כִּי־עַצְמְכֶם וּבְשַׂרְכֶם
ג אָנִי: וַיְדַבְּרוּ אֲחֵי־אִמּוֹ עָלָיו בְּאָזְנֵי כָּל־בַּעֲלֵי שְׁכֶם אֵת כָּל־
הַדְּבָרִים הָאֵלֶּה וַיֵּט לִבָּם אַחֲרֵי אֲבִימֶלֶךְ כִּי אָמְרוּ אָחִינוּ הוּא:
ד וַיִּתְּנוּ־לוֹ שִׁבְעִים כֶּסֶף מִבֵּית בַּעַל בְּרִית וַיִּשְׂכֹּר בָּהֶם אֲבִימֶלֶךְ
ה אֲנָשִׁים רֵיקִים וּפֹחֲזִים וַיֵּלְכוּ אַחֲרָיו: וַיָּבֹא בֵית־אָבִיו עָפְרָתָה
וַיַּהֲרֹג אֶת־אֶחָיו בְּנֵי־יְרֻבַּעַל שִׁבְעִים אִישׁ עַל־אֶבֶן אֶחָת וַיִּוָּתֵר

מְשַׁל יוֹתָם:

ו יוֹתָם בֶּן־יְרֻבַּעַל הַקָּטֹן כִּי נֶחְבָּא: וַיֵּאָסְפוּ כָּל־בַּעֲלֵי
שְׁכֶם וְכָל־בֵּית מִלּוֹא וַיֵּלְכוּ וַיַּמְלִיכוּ אֶת־אֲבִימֶלֶךְ לְמֶלֶךְ
ז עִם־אֵלוֹן מֻצָּב אֲשֶׁר בִּשְׁכֶם: וַיַּגִּדוּ לְיוֹתָם וַיֵּלֶךְ וַיַּעֲמֹד בְּרֹאשׁ
הַר־גְּרִזִּים וַיִּשָּׂא קוֹלוֹ וַיִּקְרָא וַיֹּאמֶר לָהֶם שִׁמְעוּ אֵלַי בַּעֲלֵי
ח שְׁכֶם וְיִשְׁמַע אֲלֵיכֶם אֱלֹהִים: הָלוֹךְ הָלְכוּ הָעֵצִים לִמְשֹׁחַ
ט עֲלֵיהֶם מֶלֶךְ וַיֹּאמְרוּ לַזַּיִת מלוכה מָלְכָה עָלֵינוּ: וַיֹּאמֶר לָהֶם
הַזַּיִת הֶחֳדַלְתִּי אֶת־דִּשְׁנִי אֲשֶׁר־בִּי יְכַבְּדוּ אֱלֹהִים וַאֲנָשִׁים
י וְהָלַכְתִּי לָנוּעַ עַל־הָעֵצִים: וַיֹּאמְרוּ הָעֵצִים לַתְּאֵנָה לְכִי־אַתְּ
יא מָלְכִי עָלֵינוּ: וַתֹּאמֶר לָהֶם הַתְּאֵנָה הֶחֳדַלְתִּי אֶת־מָתְקִי וְאֶת־
יב תְּנוּבָתִי הַטּוֹבָה וְהָלַכְתִּי לָנוּעַ עַל־הָעֵצִים: וַיֹּאמְרוּ הָעֵצִים
יג לַגֶּפֶן לְכִי־אַתְּ מלוכי מָלְכִי עָלֵינוּ: וַתֹּאמֶר לָהֶם הַגֶּפֶן הֶחֳדַלְתִּי

אֶת־תִּירוֹשִׁי הַמְשַׂמֵּחַ אֱלֹהִים וַאֲנָשִׁים וְהָלַכְתִּי לָנוּעַ עַל־
יד הָעֵצִים: וַיֹּאמְרוּ כָל־הָעֵצִים אֶל־הָאָטָד לֵךְ אַתָּה מְלָךְ־עָלֵינוּ:
טו וַיֹּאמֶר הָאָטָד אֶל־הָעֵצִים אִם בֶּאֱמֶת אַתֶּם מֹשְׁחִים אֹתִי לְמֶלֶךְ
עֲלֵיכֶם בֹּאוּ חֲסוּ בְצִלִּי וְאִם־אַיִן תֵּצֵא אֵשׁ מִן־הָאָטָד וְתֹאכַל
טז אֶת־אַרְזֵי הַלְּבָנוֹן: וְעַתָּה אִם־בֶּאֱמֶת וּבְתָמִים עֲשִׂיתֶם וַתַּמְלִיכוּ פִּתְרוֹן הַמָּשָׁל:
אֶת־אֲבִימֶלֶךְ וְאִם־טוֹבָה עֲשִׂיתֶם עִם־יְרֻבַּעַל וְעִם־בֵּיתוֹ וְאִם־
יז כִּגְמוּל יָדָיו עֲשִׂיתֶם לוֹ: אֲשֶׁר־נִלְחַם אָבִי עֲלֵיכֶם וַיַּשְׁלֵךְ
יח אֶת־נַפְשׁוֹ מִנֶּגֶד וַיַּצֵּל אֶתְכֶם מִיַּד מִדְיָן: וְאַתֶּם קַמְתֶּם עַל־בֵּית
אָבִי הַיּוֹם וַתַּהַרְגוּ אֶת־בָּנָיו שִׁבְעִים אִישׁ עַל־אֶבֶן אֶחָת
וַתַּמְלִיכוּ אֶת־אֲבִימֶלֶךְ בֶּן־אֲמָתוֹ עַל־בַּעֲלֵי שְׁכֶם כִּי אֲחִיכֶם
יט הוּא: וְאִם־בֶּאֱמֶת וּבְתָמִים עֲשִׂיתֶם עִם־יְרֻבַּעַל וְעִם־בֵּיתוֹ הַיּוֹם
כ הַזֶּה שִׂמְחוּ בַּאֲבִימֶלֶךְ וְיִשְׂמַח גַּם־הוּא בָּכֶם: וְאִם־אַיִן תֵּצֵא
אֵשׁ מֵאֲבִימֶלֶךְ וְתֹאכַל אֶת־בַּעֲלֵי שְׁכֶם וְאֶת־בֵּית מִלּוֹא וְתֵצֵא
כא אֵשׁ מִבַּעֲלֵי שְׁכֶם וּמִבֵּית מִלּוֹא וְתֹאכַל אֶת־אֲבִימֶלֶךְ: וַיָּנָס
יוֹתָם וַיִּבְרַח וַיֵּלֶךְ בְּאֵרָה וַיֵּשֶׁב שָׁם מִפְּנֵי אֲבִימֶלֶךְ אָחִיו:
כב כג וַיָּשַׂר אֲבִימֶלֶךְ עַל־יִשְׂרָאֵל שָׁלֹשׁ שָׁנִים: וַיִּשְׁלַח אֱלֹהִים רוּחַ מֶרֶד אַנְשֵׁי שְׁכֶם:
רָעָה בֵּין אֲבִימֶלֶךְ וּבֵין בַּעֲלֵי שְׁכֶם וַיִּבְגְּדוּ בַעֲלֵי־שְׁכֶם
כד בַּאֲבִימֶלֶךְ: לָבוֹא חֲמַס שִׁבְעִים בְּנֵי־יְרֻבָּעַל וְדָמָם לָשׂוּם
עַל־אֲבִימֶלֶךְ אֲחִיהֶם אֲשֶׁר הָרַג אוֹתָם וְעַל בַּעֲלֵי שְׁכֶם
כה אֲשֶׁר־חִזְּקוּ אֶת־יָדָיו לַהֲרֹג אֶת־אֶחָיו: וַיָּשִׂימוּ לוֹ בַעֲלֵי שְׁכֶם
מְאָרְבִים עַל רָאשֵׁי הֶהָרִים וַיִּגְזְלוּ אֵת כָּל־אֲשֶׁר־יַעֲבֹר עֲלֵיהֶם
בַּדָּרֶךְ וַיֻּגַּד לַאֲבִימֶלֶךְ:
כו וַיָּבֹא גַּעַל בֶּן־עֶבֶד וְאֶחָיו וַיַּעַבְרוּ בִּשְׁכֶם וַיִּבְטְחוּ־בוֹ בַּעֲלֵי
כז שְׁכֶם: וַיֵּצְאוּ הַשָּׂדֶה וַיִּבְצְרוּ אֶת־כַּרְמֵיהֶם וַיִּדְרְכוּ וַיַּעֲשׂוּ
הִלּוּלִים וַיָּבֹאוּ בֵּית אֱלֹהֵיהֶם וַיֹּאכְלוּ וַיִּשְׁתּוּ וַיְקַלְלוּ אֶת־

כח אֲבִימֶלֶךְ: וַיֹּאמֶר ׀ גַּעַל בֶּן־עֶבֶד מִי־אֲבִימֶלֶךְ וּמִי־שְׁכֶם כִּי
נַעַבְדֶנּוּ הֲלֹא בֶן־יְרֻבַּעַל וּזְבֻל פְּקִידוֹ עִבְדוּ אֶת־אַנְשֵׁי חֲמוֹר
כט אֲבִי שְׁכֶם וּמַדּוּעַ נַעַבְדֶנּוּ אֲנָחְנוּ: וּמִי יִתֵּן אֶת־הָעָם הַזֶּה בְּיָדִי
וְאָסִירָה אֶת־אֲבִימֶלֶךְ וַיֹּאמֶר לַאֲבִימֶלֶךְ רַבֶּה צְבָאֲךָ וָצֵאָה:
ל וַיִּשְׁמַע זְבֻל שַׂר־הָעִיר אֶת־דִּבְרֵי גַּעַל בֶּן־עָבֶד וַיִּחַר אַפּוֹ:
לא וַיִּשְׁלַח מַלְאָכִים אֶל־אֲבִימֶלֶךְ בְּתָרְמָה לֵאמֹר הִנֵּה גַעַל בֶּן־עֶבֶד
לב וְאֶחָיו בָּאִים שְׁכֶמָה וְהִנָּם צָרִים אֶת־הָעִיר עָלֶיךָ: וְעַתָּה קוּם
לג לַיְלָה אַתָּה וְהָעָם אֲשֶׁר־אִתָּךְ וֶאֱרֹב בַּשָּׂדֶה: וְהָיָה בַבֹּקֶר כִּזְרֹחַ
הַשֶּׁמֶשׁ תַּשְׁכִּים וּפָשַׁטְתָּ עַל־הָעִיר וְהִנֵּה־הוּא וְהָעָם אֲשֶׁר־אִתּוֹ
לד יֹצְאִים אֵלֶיךָ וְעָשִׂיתָ לּוֹ כַּאֲשֶׁר תִּמְצָא יָדֶךָ: וַיָּקָם אֲבִימֶלֶךְ
וְכָל־הָעָם אֲשֶׁר־עִמּוֹ לָיְלָה וַיֶּאֶרְבוּ עַל־שְׁכֶם אַרְבָּעָה רָאשִׁים:
לה וַיֵּצֵא גַּעַל בֶּן־עֶבֶד וַיַּעֲמֹד פֶּתַח שַׁעַר הָעִיר וַיָּקָם אֲבִימֶלֶךְ
לו וְהָעָם אֲשֶׁר־אִתּוֹ מִן־הַמַּאְרָב: וַיַּרְא־גַעַל אֶת־הָעָם וַיֹּאמֶר
אֶל־זְבֻל הִנֵּה־עָם יוֹרֵד מֵרָאשֵׁי הֶהָרִים וַיֹּאמֶר אֵלָיו זְבֻל אֵת
לז צֵל הֶהָרִים אַתָּה רֹאֶה כָּאֲנָשִׁים: וַיֹּסֶף עוֹד גַּעַל לְדַבֵּר וַיֹּאמֶר
הִנֵּה־עָם יוֹרְדִים מֵעִם טַבּוּר הָאָרֶץ וְרֹאשׁ־אֶחָד בָּא מִדֶּרֶךְ
לח אֵלוֹן מְעוֹנְנִים: וַיֹּאמֶר אֵלָיו זְבֻל אַיֵּה אֵפוֹא פִיךָ אֲשֶׁר תֹּאמַר
מִי אֲבִימֶלֶךְ כִּי נַעַבְדֶנּוּ הֲלֹא זֶה הָעָם אֲשֶׁר מָאַסְתָּה בּוֹ צֵא־נָא
לט עַתָּה וְהִלָּחֶם בּוֹ: וַיֵּצֵא גַעַל לִפְנֵי בַּעֲלֵי שְׁכֶם וַיִּלָּחֶם בַּאֲבִימֶלֶךְ:
מ וַיִּרְדְּפֵהוּ אֲבִימֶלֶךְ וַיָּנָס מִפָּנָיו וַיִּפְּלוּ חֲלָלִים רַבִּים עַד־פֶּתַח
מא הַשָּׁעַר: וַיֵּשֶׁב אֲבִימֶלֶךְ בָּארוּמָה וַיְגָרֶשׁ זְבֻל אֶת־גַּעַל וְאֶת־אֶחָיו
מב מִשֶּׁבֶת בִּשְׁכֶם: וַיְהִי מִמָּחֳרָת וַיֵּצֵא הָעָם הַשָּׂדֶה וַיַּגִּדוּ
מג לַאֲבִימֶלֶךְ: וַיִּקַּח אֶת־הָעָם וַיֶּחֱצֵם לִשְׁלֹשָׁה רָאשִׁים וַיֶּאֱרֹב
בַּשָּׂדֶה וַיַּרְא וְהִנֵּה הָעָם יֹצֵא מִן־הָעִיר וַיָּקָם עֲלֵיהֶם וַיַּכֵּם:
מד וַאֲבִימֶלֶךְ וְהָרָאשִׁים אֲשֶׁר עִמּוֹ פָּשְׁטוּ וַיַּעַמְדוּ פֶּתַח שַׁעַר הָעִיר

מִלְחֶמֶת אֲבִימֶלֶךְ בְּגַעַל:

הַחְרָבַת שְׁכֶם עַל יְדֵי אֲבִימֶלֶךְ:

מה וּשְׁנֵי הָרָאשִׁים פָּשְׁטוּ עַל־כָּל־אֲשֶׁר בַּשָּׂדֶה וַיַּכּוּם: וַאֲבִימֶלֶךְ
נִלְחָם בָּעִיר כֹּל הַיּוֹם הַהוּא וַיִּלְכֹּד אֶת־הָעִיר וְאֶת־הָעָם
אֲשֶׁר־בָּהּ הָרָג וַיִּתֹּץ אֶת־הָעִיר וַיִּזְרָעֶהָ מֶלַח:

הֶחֱרַבַת מִגְדַּל שְׁכֶם:

מו וַיִּשְׁמְעוּ כָּל־בַּעֲלֵי מִגְדַּל־שְׁכֶם וַיָּבֹאוּ אֶל־צְרִיחַ בֵּית אֵל
בְּרִית:
מז וַיֻּגַּד לַאֲבִימֶלֶךְ כִּי הִתְקַבְּצוּ כָּל־בַּעֲלֵי מִגְדַּל־שְׁכֶם: מח וַיַּעַל
אֲבִימֶלֶךְ הַר־צַלְמוֹן הוּא וְכָל־הָעָם אֲשֶׁר־אִתּוֹ וַיִּקַּח אֲבִימֶלֶךְ
אֶת־הַקַּרְדֻּמּוֹת בְּיָדוֹ וַיִּכְרֹת שׂוֹכַת עֵצִים וַיִּשָּׂאֶהָ וַיָּשֶׂם עַל־
שִׁכְמוֹ וַיֹּאמֶר אֶל־הָעָם אֲשֶׁר־עִמּוֹ מָה רְאִיתֶם עָשִׂיתִי מַהֲרוּ
עֲשׂוּ כָמוֹנִי: מט וַיִּכְרְתוּ גַם־כָּל־הָעָם אִישׁ שׂוֹכֹה וַיֵּלְכוּ אַחֲרֵי
אֲבִימֶלֶךְ וַיָּשִׂימוּ עַל־הַצְּרִיחַ וַיַּצִּיתוּ עֲלֵיהֶם אֶת־הַצְּרִיחַ
בָּאֵשׁ וַיָּמֻתוּ גַּם כָּל־אַנְשֵׁי מִגְדַּל־שְׁכֶם כְּאֶלֶף אִישׁ וְאִשָּׁה:

הֲרִיגַת אֲבִימֶלֶךְ בְּתֵבֵץ:

נ וַיֵּלֶךְ אֲבִימֶלֶךְ אֶל־תֵּבֵץ וַיִּחַן בְּתֵבֵץ וַיִּלְכְּדָהּ: נא וּמִגְדַּל־עֹז הָיָה
בְתוֹךְ־הָעִיר וַיָּנֻסוּ שָׁמָּה כָּל־הָאֲנָשִׁים וְהַנָּשִׁים וְכֹל בַּעֲלֵי הָעִיר
וַיִּסְגְּרוּ בַּעֲדָם וַיַּעֲלוּ עַל־גַּג הַמִּגְדָּל: נב וַיָּבֹא אֲבִימֶלֶךְ עַד־הַמִּגְדָּל
וַיִּלָּחֶם בּוֹ וַיִּגַּשׁ עַד־פֶּתַח הַמִּגְדָּל לְשָׂרְפוֹ בָאֵשׁ: נג וַתַּשְׁלֵךְ אִשָּׁה
אַחַת פֶּלַח רֶכֶב עַל־רֹאשׁ אֲבִימֶלֶךְ וַתָּרִץ אֶת־גֻּלְגָּלְתּוֹ: נד וַיִּקְרָא
מְהֵרָה אֶל־הַנַּעַר ׀ נֹשֵׂא כֵלָיו וַיֹּאמֶר לוֹ שְׁלֹף חַרְבְּךָ וּמוֹתְתֵנִי
פֶּן־יֹאמְרוּ לִי אִשָּׁה הֲרָגָתְהוּ וַיִּדְקְרֵהוּ נַעֲרוֹ וַיָּמֹת: נה וַיִּרְאוּ
אִישׁ־יִשְׂרָאֵל כִּי מֵת אֲבִימֶלֶךְ וַיֵּלְכוּ אִישׁ לִמְקֹמוֹ: נו וַיָּשֶׁב אֱלֹהִים
אֵת רָעַת אֲבִימֶלֶךְ אֲשֶׁר עָשָׂה לְאָבִיו לַהֲרֹג אֶת־שִׁבְעִים אֶחָיו:
נז וְאֵת כָּל־רָעַת אַנְשֵׁי שְׁכֶם הֵשִׁיב אֱלֹהִים בְּרֹאשָׁם וַתָּבֹא אֲלֵיהֶם
קִלֲלַת יוֹתָם בֶּן־יְרֻבָּעַל:

הַשּׁוֹפֵט הַשְּׁבִיעִי תּוֹלָע בֶּן פּוּאָה

י וַיָּקָם אַחֲרֵי אֲבִימֶלֶךְ לְהוֹשִׁיעַ אֶת־יִשְׂרָאֵל תּוֹלָע בֶּן־פּוּאָה
ב בֶּן־דּוֹדוֹ אִישׁ יִשָּׂשכָר וְהוּא־יֹשֵׁב בְּשָׁמִיר בְּהַר אֶפְרָיִם: וַיִּשְׁפֹּט
אֶת־יִשְׂרָאֵל עֶשְׂרִים וְשָׁלֹשׁ שָׁנָה וַיָּמָת וַיִּקָּבֵר בְּשָׁמִיר:

[2719]

הַשּׁוֹפֵט הַשְּׁמִינִי יָאִיר הַגִּלְעָדִי: [2742]

ג וַיָּקָם אַחֲרָיו יָאִיר הַגִּלְעָדִי וַיִּשְׁפֹּט אֶת־יִשְׂרָאֵל עֶשְׂרִים וּשְׁתַּיִם
ד שָׁנָה: וַיְהִי־לוֹ שְׁלֹשִׁים בָּנִים רֹכְבִים עַל־שְׁלֹשִׁים עֲיָרִים
וּשְׁלֹשִׁים עֲיָרִים לָהֶם לָהֶם יִקְרְאוּ | חַוֹּת יָאִיר עַד הַיּוֹם הַזֶּה
ה אֲשֶׁר בְּאֶרֶץ הַגִּלְעָד: וַיָּמָת יָאִיר וַיִּקָּבֵר בְּקָמוֹן:

מְשִׁלַּת פְּלִשְׁתִּים וּבְנֵי עַמּוֹן בְּיִשְׂרָאֵל:

ו וַיֹּסִפוּ | בְּנֵי יִשְׂרָאֵל לַעֲשׂוֹת הָרַע בְּעֵינֵי יְהוָה וַיַּעַבְדוּ אֶת־
הַבְּעָלִים וְאֶת־הָעַשְׁתָּרוֹת וְאֶת־אֱלֹהֵי אֲרָם וְאֶת־אֱלֹהֵי צִידוֹן
וְאֵת | אֱלֹהֵי מוֹאָב וְאֵת אֱלֹהֵי בְנֵי־עַמּוֹן וְאֵת אֱלֹהֵי פְלִשְׁתִּים
ז וַיַּעַזְבוּ אֶת־יְהוָה וְלֹא עֲבָדוּהוּ: וַיִּחַר־אַף יְהוָה בְּיִשְׂרָאֵל וַיִּמְכְּרֵם
ח בְּיַד־פְּלִשְׁתִּים וּבְיַד בְּנֵי עַמּוֹן: וַיִּרְעֲצוּ וַיְרֹצְצוּ אֶת־בְּנֵי יִשְׂרָאֵל
בַּשָּׁנָה הַהִיא שְׁמֹנֶה עֶשְׂרֵה שָׁנָה אֶת־כָּל־בְּנֵי יִשְׂרָאֵל אֲשֶׁר
ט בְּעֵבֶר הַיַּרְדֵּן בְּאֶרֶץ הָאֱמֹרִי אֲשֶׁר בַּגִּלְעָד: וַיַּעַבְרוּ בְנֵי־עַמּוֹן
אֶת־הַיַּרְדֵּן לְהִלָּחֵם גַּם־בִּיהוּדָה וּבְבִנְיָמִין וּבְבֵית אֶפְרָיִם וַתֵּצֶר

זַעֲקַת יִשְׂרָאֵל וְתוֹכַחַת ה':

י לְיִשְׂרָאֵל מְאֹד: וַיִּזְעֲקוּ בְּנֵי יִשְׂרָאֵל אֶל־יְהוָה לֵאמֹר חָטָאנוּ לָךְ
וְכִי עָזַבְנוּ אֶת־אֱלֹהֵינוּ וַנַּעֲבֹד אֶת־הַבְּעָלִים:
יא וַיֹּאמֶר יְהוָה אֶל־בְּנֵי יִשְׂרָאֵל הֲלֹא מִמִּצְרַיִם וּמִן־הָאֱמֹרִי וּמִן־בְּנֵי
יב עַמּוֹן וּמִן־פְּלִשְׁתִּים: וְצִידוֹנִים וַעֲמָלֵק וּמָעוֹן לָחֲצוּ אֶתְכֶם
יג וַתִּצְעֲקוּ אֵלַי וָאוֹשִׁיעָה אֶתְכֶם מִיָּדָם: וְאַתֶּם עֲזַבְתֶּם אוֹתִי
יד וַתַּעַבְדוּ אֱלֹהִים אֲחֵרִים לָכֵן לֹא־אוֹסִיף לְהוֹשִׁיעַ אֶתְכֶם: לְכוּ
וְזַעֲקוּ אֶל־הָאֱלֹהִים אֲשֶׁר בְּחַרְתֶּם בָּם הֵמָּה יוֹשִׁיעוּ לָכֶם בְּעֵת
טו צָרַתְכֶם: וַיֹּאמְרוּ בְנֵי־יִשְׂרָאֵל אֶל־יְהוָה חָטָאנוּ עֲשֵׂה־אַתָּה לָנוּ
טז כְּכָל־הַטּוֹב בְּעֵינֶיךָ אַךְ הַצִּילֵנוּ נָא הַיּוֹם הַזֶּה: וַיָּסִירוּ אֶת־
אֱלֹהֵי הַנֵּכָר מִקִּרְבָּם וַיַּעַבְדוּ אֶת־יְהוָה וַתִּקְצַר נַפְשׁוֹ בַּעֲמַל
יִשְׂרָאֵל:

יז וַיִּצָּעֲקוּ בְּנֵי עַמּוֹן וַיַּחֲנוּ בַּגִּלְעָד וַיֵּאָסְפוּ בְּנֵי יִשְׂרָאֵל וַיַּחֲנוּ
יח בַּמִּצְפָּה: וַיֹּאמְרוּ הָעָם שָׂרֵי גִלְעָד אִישׁ אֶל־רֵעֵהוּ מִי הָאִישׁ

אֲשֶׁר יָחֵל לְהִלָּחֵם בִּבְנֵי עַמּוֹן יִהְיֶה לְרֹאשׁ לְכֹל יֹשְׁבֵי
גִלְעָד׃
יא א וְיִפְתָּח הַגִּלְעָדִי הָיָה גִּבּוֹר חַיִל וְהוּא בֶּן־אִשָּׁה זוֹנָה וַיּוֹלֶד גִּלְעָד
ב אֶת־יִפְתָּח׃ וַתֵּלֶד אֵשֶׁת־גִּלְעָד לוֹ בָּנִים וַיִּגְדְּלוּ בְנֵי־הָאִשָּׁה
וַיְגָרְשׁוּ אֶת־יִפְתָּח וַיֹּאמְרוּ לוֹ לֹא־תִנְחַל בְּבֵית־אָבִינוּ כִּי בֶּן־
ג אִשָּׁה אַחֶרֶת אָתָּה׃ וַיִּבְרַח יִפְתָּח מִפְּנֵי אֶחָיו וַיֵּשֶׁב בְּאֶרֶץ טוֹב
וַיִּתְלַקְּטוּ אֶל־יִפְתָּח אֲנָשִׁים רֵיקִים וַיֵּצְאוּ עִמּוֹ׃

הַשּׁוֹפֵט הַתְּשִׁיעִי יִפְתָּח הַגִּלְעָדִי: [2781]

ד ה וַיְהִי מִיָּמִים וַיִּלָּחֲמוּ בְנֵי־עַמּוֹן עִם־יִשְׂרָאֵל׃ וַיְהִי כַּאֲשֶׁר־נִלְחֲמוּ
בְנֵי־עַמּוֹן עִם־יִשְׂרָאֵל וַיֵּלְכוּ זִקְנֵי גִלְעָד לָקַחַת אֶת־יִפְתָּח
ו מֵאֶרֶץ טוֹב׃ וַיֹּאמְרוּ לְיִפְתָּח לְכָה וְהָיִיתָה לָּנוּ לְקָצִין וְנִלָּחֲמָה
ז בִּבְנֵי עַמּוֹן׃ וַיֹּאמֶר יִפְתָּח לְזִקְנֵי גִלְעָד הֲלֹא אַתֶּם שְׂנֵאתֶם
אוֹתִי וַתְּגָרְשׁוּנִי מִבֵּית אָבִי וּמַדּוּעַ בָּאתֶם אֵלַי עַתָּה כַּאֲשֶׁר
ח צַר לָכֶם׃ וַיֹּאמְרוּ זִקְנֵי גִלְעָד אֶל־יִפְתָּח לָכֵן עַתָּה שַׁבְנוּ אֵלֶיךָ
וְהָלַכְתָּ עִמָּנוּ וְנִלְחַמְתָּ בִּבְנֵי עַמּוֹן וְהָיִיתָ לָּנוּ לְרֹאשׁ לְכֹל יֹשְׁבֵי
ט גִלְעָד׃ וַיֹּאמֶר יִפְתָּח אֶל־זִקְנֵי גִלְעָד אִם־מְשִׁיבִים אַתֶּם אוֹתִי
לְהִלָּחֵם בִּבְנֵי עַמּוֹן וְנָתַן יְהוָה אוֹתָם לְפָנָי אָנֹכִי אֶהְיֶה לָכֶם
י לְרֹאשׁ׃ וַיֹּאמְרוּ זִקְנֵי־גִלְעָד אֶל־יִפְתָּח יְהוָה יִהְיֶה שֹׁמֵעַ
יא בֵּינוֹתֵינוּ אִם־לֹא כִדְבָרְךָ כֵּן נַעֲשֶׂה׃ וַיֵּלֶךְ יִפְתָּח עִם־זִקְנֵי גִלְעָד
וַיָּשִׂימוּ הָעָם אוֹתוֹ עֲלֵיהֶם לְרֹאשׁ וּלְקָצִין וַיְדַבֵּר יִפְתָּח אֶת־
כָּל־דְּבָרָיו לִפְנֵי יְהוָה בַּמִּצְפָּה׃

מִנּוּי יִפְתָּח לְשַׂר:

יב וַיִּשְׁלַח יִפְתָּח מַלְאָכִים אֶל־מֶלֶךְ בְּנֵי־עַמּוֹן לֵאמֹר מַה־לִּי וָלָךְ
יג כִּי־בָאתָ אֵלַי לְהִלָּחֵם בְּאַרְצִי׃ וַיֹּאמֶר מֶלֶךְ בְּנֵי־עַמּוֹן אֶל־
מַלְאֲכֵי יִפְתָּח כִּי־לָקַח יִשְׂרָאֵל אֶת־אַרְצִי בַּעֲלוֹתוֹ מִמִּצְרַיִם
מֵאַרְנוֹן וְעַד־הַיַּבֹּק וְעַד־הַיַּרְדֵּן וְעַתָּה הָשִׁיבָה אֶתְהֶן בְּשָׁלוֹם׃
יד טו וַיּוֹסֶף עוֹד יִפְתָּח וַיִּשְׁלַח מַלְאָכִים אֶל־מֶלֶךְ בְּנֵי עַמּוֹן׃ וַיֹּאמֶר

דִּבְרֵי יִפְתָּח לְמֶלֶךְ בְּנֵי עַמּוֹן:

לוֹ כֹּה אָמַר יִפְתָּח לֹא־לָקַח יִשְׂרָאֵל אֶת־אֶרֶץ מוֹאָב וְאֶת־אֶרֶץ
טז בְּנֵי עַמּוֹן׃ כִּי בַּעֲלוֹתָם מִמִּצְרָיִם וַיֵּלֶךְ יִשְׂרָאֵל בַּמִּדְבָּר עַד־
יז יַם־סוּף וַיָּבֹא קָדֵשָׁה׃ וַיִּשְׁלַח יִשְׂרָאֵל מַלְאָכִים ׀ אֶל־מֶלֶךְ
אֱדוֹם ׀ לֵאמֹר אֶעְבְּרָה־נָּא בְאַרְצֶךָ וְלֹא שָׁמַע מֶלֶךְ אֱדוֹם וְגַם
יח אֶל־מֶלֶךְ מוֹאָב שָׁלַח וְלֹא אָבָה וַיֵּשֶׁב יִשְׂרָאֵל בְּקָדֵשׁ׃ וַיֵּלֶךְ
בַּמִּדְבָּר וַיָּסָב אֶת־אֶרֶץ אֱדוֹם וְאֶת־אֶרֶץ מוֹאָב וַיָּבֹא מִמִּזְרַח־
שֶׁמֶשׁ לְאֶרֶץ מוֹאָב וַיַּחֲנוּן בְּעֵבֶר אַרְנוֹן וְלֹא־בָאוּ בִּגְבוּל מוֹאָב
יט כִּי אַרְנוֹן גְּבוּל מוֹאָב׃ וַיִּשְׁלַח יִשְׂרָאֵל מַלְאָכִים אֶל־סִיחוֹן
מֶלֶךְ־הָאֱמֹרִי מֶלֶךְ חֶשְׁבּוֹן וַיֹּאמֶר לוֹ יִשְׂרָאֵל נַעְבְּרָה־נָּא
כ בְאַרְצְךָ עַד־מְקוֹמִי׃ וְלֹא־הֶאֱמִין סִיחוֹן אֶת־יִשְׂרָאֵל עֲבֹר
בִּגְבֻלוֹ וַיֶּאֱסֹף סִיחוֹן אֶת־כָּל־עַמּוֹ וַיַּחֲנוּ בְּיָהְצָה וַיִּלָּחֶם עִם־
כא יִשְׂרָאֵל׃ וַיִּתֵּן יְהוָה אֱלֹהֵי־יִשְׂרָאֵל אֶת־סִיחוֹן וְאֶת־כָּל־עַמּוֹ בְּיַד
יִשְׂרָאֵל וַיַּכּוּם וַיִּירַשׁ יִשְׂרָאֵל אֵת כָּל־אֶרֶץ הָאֱמֹרִי יוֹשֵׁב הָאָרֶץ
כב הַהִיא׃ וַיִּירְשׁוּ אֵת כָּל־גְּבוּל הָאֱמֹרִי מֵאַרְנוֹן וְעַד־הַיַּבֹּק וּמִן־
כג הַמִּדְבָּר וְעַד־הַיַּרְדֵּן׃ וְעַתָּה יְהוָה ׀ אֱלֹהֵי יִשְׂרָאֵל הוֹרִישׁ אֶת־
כד הָאֱמֹרִי מִפְּנֵי עַמּוֹ יִשְׂרָאֵל וְאַתָּה תִּירָשֶׁנּוּ׃ הֲלֹא אֵת אֲשֶׁר יוֹרִישְׁךָ
כְּמוֹשׁ אֱלֹהֶיךָ אוֹתוֹ תִירָשׁ וְאֵת כָּל־אֲשֶׁר הוֹרִישׁ יְהוָה אֱלֹהֵינוּ
כה מִפָּנֵינוּ אוֹתוֹ נִירָשׁ׃ וְעַתָּה הֲטוֹב טוֹב אַתָּה מִבָּלָק בֶּן־צִפּוֹר
כו מֶלֶךְ מוֹאָב הֲרוֹב רָב עִם־יִשְׂרָאֵל אִם־נִלְחֹם נִלְחַם בָּם׃ בְּשֶׁבֶת
יִשְׂרָאֵל בְּחֶשְׁבּוֹן וּבִבְנוֹתֶיהָ וּבְעַרְעוֹר וּבִבְנוֹתֶיהָ וּבְכָל־הֶעָרִים
אֲשֶׁר עַל־יְדֵי אַרְנוֹן שְׁלֹשׁ מֵאוֹת שָׁנָה וּמַדּוּעַ לֹא־הִצַּלְתֶּם
כז בָּעֵת הַהִיא׃ וְאָנֹכִי לֹא־חָטָאתִי לָךְ וְאַתָּה עֹשֶׂה אִתִּי רָעָה
לְהִלָּחֶם בִּי יִשְׁפֹּט יְהוָה הַשֹּׁפֵט הַיּוֹם בֵּין בְּנֵי יִשְׂרָאֵל וּבֵין בְּנֵי
כח עַמּוֹן׃ וְלֹא שָׁמַע מֶלֶךְ בְּנֵי עַמּוֹן אֶל־דִּבְרֵי יִפְתָּח אֲשֶׁר שָׁלַח
אֵלָיו׃

כט וַתְּהִי עַל־יִפְתָּח רוּחַ יְהֹוָה וַיַּעֲבֹר אֶת־הַגִּלְעָד וְאֶת־מְנַשֶּׁה
ל וַיַּעֲבֹר אֶת־מִצְפֵּה גִלְעָד וּמִמִּצְפֵּה גִלְעָד עָבַר בְּנֵי עַמּוֹן: וַיִּדַּר
יִפְתָּח נֶדֶר לַיהֹוָה וַיֹּאמַר אִם־נָתוֹן תִּתֵּן אֶת־בְּנֵי עַמּוֹן בְּיָדִי:
לא וְהָיָה הַיּוֹצֵא אֲשֶׁר יֵצֵא מִדַּלְתֵי בֵיתִי לִקְרָאתִי בְּשׁוּבִי בְשָׁלוֹם
מִבְּנֵי עַמּוֹן וְהָיָה לַיהֹוָה וְהַעֲלִיתִהוּ עוֹלָה:
לב לג וַיַּעֲבֹר יִפְתָּח אֶל־בְּנֵי עַמּוֹן לְהִלָּחֶם בָּם וַיִּתְּנֵם יְהֹוָה בְּיָדוֹ: וַיַּכֵּם
מֵעֲרוֹעֵר וְעַד־בּוֹאֲךָ מִנִּית עֶשְׂרִים עִיר וְעַד אָבֵל כְּרָמִים מַכָּה
גְּדוֹלָה מְאֹד וַיִּכָּנְעוּ בְּנֵי עַמּוֹן מִפְּנֵי בְּנֵי יִשְׂרָאֵל:
לד וַיָּבֹא יִפְתָּח הַמִּצְפָּה אֶל־בֵּיתוֹ וְהִנֵּה בִתּוֹ יֹצֵאת לִקְרָאתוֹ בְּתֻפִּים
לה וּבִמְחֹלוֹת וְרַק הִיא יְחִידָה אֵין־לוֹ מִמֶּנּוּ בֵּן אוֹ־בַת: וַיְהִי
כִרְאוֹתוֹ אוֹתָהּ וַיִּקְרַע אֶת־בְּגָדָיו וַיֹּאמֶר אֲהָהּ בִּתִּי הַכְרֵעַ
הִכְרַעְתִּנִי וְאַתְּ הָיִית בְּעֹכְרָי וְאָנֹכִי פָּצִיתִי פִי אֶל־יְהֹוָה וְלֹא
לו אוּכַל לָשׁוּב: וַתֹּאמֶר אֵלָיו אָבִי פָּצִיתָה אֶת־פִּיךָ אֶל־יְהֹוָה עֲשֵׂה
לִי כַּאֲשֶׁר יָצָא מִפִּיךָ אַחֲרֵי אֲשֶׁר עָשָׂה לְךָ יְהֹוָה נְקָמוֹת מֵאֹיְבֶיךָ
לז מִבְּנֵי עַמּוֹן: וַתֹּאמֶר אֶל־אָבִיהָ יֵעָשֶׂה לִּי הַדָּבָר הַזֶּה הַרְפֵּה
מִמֶּנִּי שְׁנַיִם חֳדָשִׁים וְאֵלְכָה וְיָרַדְתִּי עַל־הֶהָרִים וְאֶבְכֶּה עַל־
לח בְּתוּלַי אָנֹכִי ורעיתי וְרֵעוֹתָי: וַיֹּאמֶר לֵכִי וַיִּשְׁלַח אוֹתָהּ שְׁנֵי
חֳדָשִׁים וַתֵּלֶךְ הִיא וְרֵעוֹתֶיהָ וַתֵּבְךְּ עַל־בְּתוּלֶיהָ עַל־הֶהָרִים:
לט וַיְהִי מִקֵּץ ׀ שְׁנַיִם חֳדָשִׁים וַתָּשָׁב אֶל־אָבִיהָ וַיַּעַשׂ לָהּ אֶת־נִדְרוֹ
מ אֲשֶׁר נָדָר וְהִיא לֹא־יָדְעָה אִישׁ וַתְּהִי־חֹק בְּיִשְׂרָאֵל: מִיָּמִים ׀
יָמִימָה תֵּלַכְנָה בְּנוֹת יִשְׂרָאֵל לְתַנּוֹת לְבַת־יִפְתָּח הַגִּלְעָדִי
אַרְבַּעַת יָמִים בַּשָּׁנָה:
יב א וַיִּצָּעֵק אִישׁ אֶפְרַיִם וַיַּעֲבֹר צָפוֹנָה וַיֹּאמְרוּ לְיִפְתָּח מַדּוּעַ ׀
עָבַרְתָּ ׀ לְהִלָּחֵם בִּבְנֵי־עַמּוֹן וְלָנוּ לֹא קָרָאתָ לָלֶכֶת עִמָּךְ בֵּיתְךָ
ב נִשְׂרֹף עָלֶיךָ בָּאֵשׁ: וַיֹּאמֶר יִפְתָּח אֲלֵיהֶם אִישׁ רִיב הָיִיתִי אֲנִי

רוּחַ ה׳ עַל יִפְתָּח, וְנִדְרוֹ:

הַנִּצָּחוֹן עַל בְּנֵי עַמּוֹן:

קִיּוּם הַנֶּדֶר:

מִלְחֶמֶת אֶפְרַיִם בְּגִלְעָד:

וְעַמִּי וּבְנֵי־עַמּוֹן מְאֹד וָאֶזְעַק אֶתְכֶם וְלֹא־הוֹשַׁעְתֶּם אוֹתִי
ג מִיָּדָם׃ וָאֶרְאֶה כִּי־אֵינְךָ מוֹשִׁיעַ וָאָשִׂימָה נַפְשִׁי בְכַפִּי וָאֶעְבְּרָה
אֶל־בְּנֵי עַמּוֹן וַיִּתְּנֵם יְהוָה בְּיָדִי וְלָמָה עֲלִיתֶם אֵלַי הַיּוֹם הַזֶּה
ד לְהִלָּחֶם בִּי׃ וַיִּקְבֹּץ יִפְתָּח אֶת־כָּל־אַנְשֵׁי גִלְעָד וַיִּלָּחֶם אֶת־
אֶפְרָיִם וַיַּכּוּ אַנְשֵׁי גִלְעָד אֶת־אֶפְרַיִם כִּי אָמְרוּ פְּלִיטֵי אֶפְרַיִם
ה אַתֶּם גִּלְעָד בְּתוֹךְ אֶפְרַיִם בְּתוֹךְ מְנַשֶּׁה׃ וַיִּלְכֹּד גִּלְעָד אֶת־
מַעְבְּרוֹת הַיַּרְדֵּן לְאֶפְרָיִם וְהָיָה כִּי יֹאמְרוּ פְּלִיטֵי אֶפְרַיִם
אֶעֱבֹרָה וַיֹּאמְרוּ לוֹ אַנְשֵׁי־גִלְעָד הַאֶפְרָתִי אַתָּה וַיֹּאמֶר ׀ לֹא׃
ו וַיֹּאמְרוּ לוֹ אֱמָר־נָא שִׁבֹּלֶת וַיֹּאמֶר סִבֹּלֶת וְלֹא יָכִין לְדַבֵּר כֵּן
וַיֹּאחֲזוּ אוֹתוֹ וַיִּשְׁחָטוּהוּ אֶל־מַעְבְּרוֹת הַיַּרְדֵּן וַיִּפֹּל בָּעֵת הַהִיא
ז מֵאֶפְרַיִם אַרְבָּעִים וּשְׁנַיִם אָלֶף׃ וַיִּשְׁפֹּט יִפְתָּח אֶת־יִשְׂרָאֵל שֵׁשׁ
שָׁנִים וַיָּמָת יִפְתָּח הַגִּלְעָדִי וַיִּקָּבֵר בְּעָרֵי גִלְעָד׃

הַשּׁוֹפֵט הָעֲשִׂירִי אִבְצָן מִבֵּית לָחֶם׃ [2787]

ח ט וַיִּשְׁפֹּט אַחֲרָיו אֶת־יִשְׂרָאֵל אִבְצָן מִבֵּית לָחֶם׃ וַיְהִי־לוֹ שְׁלֹשִׁים
בָּנִים וּשְׁלֹשִׁים בָּנוֹת שִׁלַּח הַחוּצָה וּשְׁלֹשִׁים בָּנוֹת הֵבִיא לְבָנָיו
י מִן־הַחוּץ וַיִּשְׁפֹּט אֶת־יִשְׂרָאֵל שֶׁבַע שָׁנִים׃ וַיָּמָת אִבְצָן וַיִּקָּבֵר
בְּבֵית לָחֶם׃

הַשּׁוֹפֵט הָאַחַד עָשָׂר אֵילוֹן הַזְּבֻלֹנִי׃ [2793]

יא וַיִּשְׁפֹּט אַחֲרָיו אֶת־יִשְׂרָאֵל אֵילוֹן הַזְּבוּלֹנִי וַיִּשְׁפֹּט אֶת־יִשְׂרָאֵל
יב עֶשֶׂר שָׁנִים׃ וַיָּמָת אֵילוֹן הַזְּבוּלֹנִי וַיִּקָּבֵר בְּאַיָּלוֹן בְּאֶרֶץ
זְבוּלֻן׃

הַשּׁוֹפֵט הַשְּׁנֵים עָשָׂר עַבְדּוֹן בֶּן הִלֵּל׃ [2803]

יג יד וַיִּשְׁפֹּט אַחֲרָיו אֶת־יִשְׂרָאֵל עַבְדּוֹן בֶּן־הִלֵּל הַפִּרְעָתוֹנִי׃ וַיְהִי־לוֹ
אַרְבָּעִים בָּנִים וּשְׁלֹשִׁים בְּנֵי בָנִים רֹכְבִים עַל־שִׁבְעִים עֲיָרִם
טו וַיִּשְׁפֹּט אֶת־יִשְׂרָאֵל שְׁמֹנֶה שָׁנִים׃ וַיָּמָת עַבְדּוֹן בֶּן־הִלֵּל
הַפִּרְעָתוֹנִי וַיִּקָּבֵר בְּפִרְעָתוֹן בְּאֶרֶץ אֶפְרַיִם בְּהַר הָעֲמָלֵקִי׃

הַחֵטְא וּמְסִירָתָם בְּיַד פְּלִשְׁתִּים׃

יג א וַיֹּסִפוּ בְּנֵי יִשְׂרָאֵל לַעֲשׂוֹת הָרַע בְּעֵינֵי יְהוָה וַיִּתְּנֵם יְהוָה
בְּיַד־פְּלִשְׁתִּים אַרְבָּעִים שָׁנָה׃

ב וַיְהִי֩ אִ֨ישׁ אֶחָ֤ד מִצׇּרְעָה֙ מִמִּשְׁפַּ֣חַת הַדָּנִ֔י וּשְׁמ֖וֹ מָנ֑וֹחַ וְאִשְׁתּ֛וֹ

בְּשׂוֹרַת
הֻלֶּדֶת
שִׁמְשׁוֹן
הַשּׁוֹפֵט
הַשְּׁלֹשָׁה
עָשָׂר:

ג עֲקָרָ֖ה וְלֹ֥א יָלָֽדָה׃ וַיֵּרָ֧א מַלְאַךְ־יְהֹוָ֛ה אֶל־הָאִשָּׁ֖ה וַיֹּ֣אמֶר אֵלֶ֑יהָ

ד הִנֵּה־נָ֤א אַתְּ־עֲקָרָה֙ וְלֹ֣א יָלַ֔דְתְּ וְהָרִ֖ית וְיָלַ֥דְתְּ בֵּֽן׃ וְעַתָּה֙ הִשָּׁ֣מְרִי

ה נָ֔א וְאַל־תִּשְׁתִּ֖י יַ֣יִן וְשֵׁכָ֑ר וְאַל־תֹּאכְלִ֖י כׇּל־טָמֵֽא׃ כִּי֩ הִנָּ֨ךְ הָרָ֜ה

וְיֹלַ֣דְתְּ בֵּ֗ן וּמוֹרָה֙ לֹא־יַעֲלֶ֣ה עַל־רֹאשׁ֔וֹ כִּֽי־נְזִ֧יר אֱלֹהִ֛ים יִֽהְיֶ֥ה

הַנַּ֖עַר מִן־הַבָּ֑טֶן וְה֗וּא יָחֵ֛ל לְהוֹשִׁ֥יעַ אֶת־יִשְׂרָאֵ֖ל מִיַּ֥ד פְּלִשְׁתִּֽים׃

ו וַתָּבֹ֣א הָאִשָּׁ֗ה וַתֹּ֣אמֶר לְאִישָׁהּ֮ לֵאמֹר֒ אִ֤ישׁ הָאֱלֹהִים֙ בָּ֣א אֵלַ֔י

וּמַרְאֵ֕הוּ כְּמַרְאֵ֛ה מַלְאַ֥ךְ הָאֱלֹהִ֖ים נוֹרָ֣א מְאֹ֑ד וְלֹ֤א שְׁאִלְתִּ֙יהוּ֙

ז אֵֽי־מִזֶּ֣ה ה֔וּא וְאֶת־שְׁמ֖וֹ לֹֽא־הִגִּ֥יד לִֽי׃ וַיֹּ֣אמֶר לִ֔י הִנָּ֥ךְ הָרָ֖ה וְיֹלַ֣דְתְּ

בֵּ֑ן וְעַתָּ֞ה אַל־תִּשְׁתִּ֣י ׀ יַ֣יִן וְשֵׁכָ֗ר וְאַל־תֹּֽאכְלִי֙ כׇּל־טֻמְאָ֔ה כִּֽי־נְזִ֤יר

אֱלֹהִים֙ יִהְיֶ֣ה הַנַּ֔עַר מִן־הַבֶּ֖טֶן עַד־י֥וֹם מוֹתֽוֹ׃

ח וַיֶּעְתַּ֥ר מָנ֛וֹחַ אֶל־יְהֹוָ֖ה וַיֹּאמַ֑ר בִּ֣י אֲדוֹנָ֔י אִ֣ישׁ הָאֱלֹהִ֞ים אֲשֶׁ֣ר

בַּקָּשַׁת
מָנ֣וֹחַ
לְפִגְשׁ
הַמַּלְאָךְ:

שָׁלַ֗חְתָּ יָבוֹא־נָ֥א ע֙וֹד֙ אֵלֵ֔ינוּ וְיוֹרֵ֕נוּ מַֽה־נַּעֲשֶׂ֖ה לַנַּ֥עַר הַיּוּלָּֽד׃

ט וַיִּשְׁמַ֥ע הָאֱלֹהִ֖ים בְּק֣וֹל מָנ֑וֹחַ וַיָּבֹ֣א מַלְאַךְ֩ הָאֱלֹהִ֨ים ע֜וֹד

אֶל־הָ֣אִשָּׁ֗ה וְהִיא֙ יוֹשֶׁ֣בֶת בַּשָּׂדֶ֔ה וּמָנ֥וֹחַ אִישָׁ֖הּ אֵ֥ין עִמָּֽהּ׃

י וַתְּמַהֵר֙ הָֽאִשָּׁ֔ה וַתָּ֖רׇץ וַתַּגֵּ֣ד לְאִישָׁ֑הּ וַתֹּ֣אמֶר אֵלָ֔יו הִנֵּ֨ה נִרְאָ֤ה

יא אֵלַי֙ הָאִ֔ישׁ אֲשֶׁר־בָּ֥א בַיּ֖וֹם אֵלָֽי׃ וַיָּ֛קׇם וַיֵּ֥לֶךְ מָנ֖וֹחַ אַחֲרֵ֣י אִשְׁתּ֑וֹ

וַיָּבֹא֙ אֶל־הָאִ֔ישׁ וַיֹּ֣אמֶר ל֗וֹ הַאַתָּ֥ה הָאִ֛ישׁ אֲשֶׁר־דִּבַּ֥רְתָּ אֶל־

יב הָאִשָּׁ֖ה וַיֹּ֥אמֶר אָֽנִי׃ וַיֹּ֣אמֶר מָנ֔וֹחַ עַתָּ֖ה יָבֹ֣א דְבָרֶ֑יךָ מַה־יִּהְיֶ֥ה

יג מִשְׁפַּט־הַנַּ֖עַר וּמַעֲשֵֽׂהוּ׃ וַיֹּ֛אמֶר מַלְאַ֥ךְ יְהֹוָ֖ה אֶל־מָנ֑וֹחַ מִכֹּ֛ל

יד אֲשֶׁר־אָמַ֥רְתִּי אֶל־הָאִשָּׁ֖ה תִּשָּׁמֵֽר׃ מִכֹּ֣ל אֲשֶׁר־יֵצֵא֩ מִגֶּ֨פֶן הַיַּ֜יִן

לֹ֣א תֹאכַ֗ל וְיַ֤יִן וְשֵׁכָר֙ אַל־תֵּ֔שְׁתְּ וְכׇל־טֻמְאָ֖ה אַל־תֹּאכַ֑ל כֹּ֥ל

בַּקָּשַׁת
מָנ֣וֹחַ
לְהָאֲכִיל
הַמְבַשֵּׂר:

טו אֲשֶׁר־צִוִּיתִ֖יהָ תִּשְׁמֹֽר׃ וַיֹּ֥אמֶר מָנ֖וֹחַ

אֶל־מַלְאַ֣ךְ יְהֹוָ֑ה נַעְצְרָה־נָּ֣א אוֹתָ֔ךְ וְנַעֲשֶׂ֥ה לְפָנֶ֖יךָ גְּדִ֥י עִזִּֽים׃

טז וַיֹּ֩אמֶר֩ מַלְאַ֨ךְ יְהֹוָ֜ה אֶל־מָנ֗וֹחַ אִם־תַּעְצְרֵ֙נִי֙ לֹא־אֹכַ֣ל בְּלַחְמֶ֔ךָ

וְאִם־תַּעֲשֶׂה עֹלָה לַיהוָה תַּעֲלֶנָּה כִּי לֹא־יָדַע מָנוֹחַ כִּי־מַלְאַךְ
יז יְהוָה הוּא: וַיֹּאמֶר מָנוֹחַ אֶל־מַלְאַךְ יְהוָה מִי שְׁמֶךָ כִּי־יָבֹא
יח דבריך דְּבָרְךָ וְכִבַּדְנוּךָ: וַיֹּאמֶר לוֹ מַלְאַךְ יְהוָה לָמָּה זֶּה תִּשְׁאַל
לִשְׁמִי וְהוּא־פֶלִאי:

הַעֲלָאַת הַקָּרְבָּן וַעֲלִיַּת הַמְּבַשֵּׂר:

יט וַיִּקַּח מָנוֹחַ אֶת־גְּדִי הָעִזִּים וְאֶת־הַמִּנְחָה וַיַּעַל עַל־הַצּוּר
כ לַיהוָה וּמַפְלִא לַעֲשׂוֹת וּמָנוֹחַ וְאִשְׁתּוֹ רֹאִים: וַיְהִי בַעֲלוֹת
הַלַּהַב מֵעַל הַמִּזְבֵּחַ הַשָּׁמַיְמָה וַיַּעַל מַלְאַךְ־יְהוָה בְּלַהַב
הַמִּזְבֵּחַ וּמָנוֹחַ וְאִשְׁתּוֹ רֹאִים וַיִּפְּלוּ עַל־פְּנֵיהֶם אָרְצָה:
כא וְלֹא־יָסַף עוֹד מַלְאַךְ יְהוָה לְהֵרָאֹה אֶל־מָנוֹחַ וְאֶל־אִשְׁתּוֹ אָז
כב יָדַע מָנוֹחַ כִּי־מַלְאַךְ יְהוָה הוּא: וַיֹּאמֶר מָנוֹחַ אֶל־אִשְׁתּוֹ
כג מוֹת נָמוּת כִּי אֱלֹהִים רָאִינוּ: וַתֹּאמֶר לוֹ אִשְׁתּוֹ לוּ חָפֵץ יְהוָה
לַהֲמִיתֵנוּ לֹא־לָקַח מִיָּדֵנוּ עֹלָה וּמִנְחָה וְלֹא הֶרְאָנוּ אֶת־כָּל־אֵלֶּה
כד וְכָעֵת לֹא הִשְׁמִיעָנוּ כָּזֹאת: וַתֵּלֶד הָאִשָּׁה בֵּן וַתִּקְרָא אֶת־שְׁמוֹ
כה שִׁמְשׁוֹן וַיִּגְדַּל הַנַּעַר וַיְבָרְכֵהוּ יְהוָה: וַתָּחֶל רוּחַ יְהוָה לְפַעֲמוֹ
בְּמַחֲנֵה־דָן בֵּין צָרְעָה וּבֵין אֶשְׁתָּאֹל:

נִשּׂוּאֵי שִׁמְשׁוֹן עִם בַּת פְּלִשְׁתִּים:

יד א וַיֵּרֶד שִׁמְשׁוֹן תִּמְנָתָה וַיַּרְא אִשָּׁה בְּתִמְנָתָה מִבְּנוֹת פְּלִשְׁתִּים:
ב וַיַּעַל וַיַּגֵּד לְאָבִיו וּלְאִמּוֹ וַיֹּאמֶר אִשָּׁה רָאִיתִי בְתִמְנָתָה מִבְּנוֹת
ג פְּלִשְׁתִּים וְעַתָּה קְחוּ־אוֹתָהּ לִי לְאִשָּׁה: וַיֹּאמֶר לוֹ אָבִיו וְאִמּוֹ
הַאֵין בִּבְנוֹת אַחֶיךָ וּבְכָל־עַמִּי אִשָּׁה כִּי־אַתָּה הוֹלֵךְ לָקַחַת
אִשָּׁה מִפְּלִשְׁתִּים הָעֲרֵלִים וַיֹּאמֶר שִׁמְשׁוֹן אֶל־אָבִיו אוֹתָהּ
ד קַח־לִי כִּי־הִיא יָשְׁרָה בְעֵינָי: וְאָבִיו וְאִמּוֹ לֹא יָדְעוּ כִּי מֵיְהוָה
[2811] הִיא כִּי־תֹאֲנָה הוּא־מְבַקֵּשׁ מִפְּלִשְׁתִּים וּבָעֵת הַהִיא פְּלִשְׁתִּים

שִׁסּוּעַ הָאַרְיֵה:

ה מֹשְׁלִים בְּיִשְׂרָאֵל: וַיֵּרֶד שִׁמְשׁוֹן וְאָבִיו וְאִמּוֹ תִּמְנָתָה וַיָּבֹאוּ
ו עַד־כַּרְמֵי תִמְנָתָה וְהִנֵּה כְּפִיר אֲרָיוֹת שֹׁאֵג לִקְרָאתוֹ: וַתִּצְלַח
עָלָיו רוּחַ יְהוָה וַיְשַׁסְּעֵהוּ כְּשַׁסַּע הַגְּדִי וּמְאוּמָה אֵין בְּיָדוֹ וְלֹא

ז הִגִּיד לְאָבִיו וּלְאִמּוֹ אֵת אֲשֶׁר עָשָׂה: וַיֵּרֶד וַיְדַבֵּר לָאִשָּׁה וַתִּישַׁר

ח בְּעֵינֵי שִׁמְשׁוֹן: וַיָּשָׁב מִיָּמִים לְקַחְתָּהּ וַיָּסַר לִרְאוֹת אֵת מַפֶּלֶת

ט הָאַרְיֵה וְהִנֵּה עֲדַת דְּבוֹרִים בִּגְוִיַּת הָאַרְיֵה וּדְבָשׁ: וַיִּרְדֵּהוּ

אֶל־כַּפָּיו וַיֵּלֶךְ הָלוֹךְ וְאָכֹל וַיֵּלֶךְ אֶל־אָבִיו וְאֶל־אִמּוֹ וַיִּתֵּן לָהֶם

י וַיֹּאכֵלוּ וְלֹא־הִגִּיד לָהֶם כִּי מִגְּוִיַּת הָאַרְיֵה רָדָה הַדְּבָשׁ: וַיֵּרֶד

אָבִיהוּ אֶל־הָאִשָּׁה וַיַּעַשׂ שָׁם שִׁמְשׁוֹן מִשְׁתֶּה כִּי כֵּן יַעֲשׂוּ

חִידַת
שִׁמְשׁוֹן:

יא הַבַּחוּרִים: וַיְהִי כִּרְאוֹתָם אוֹתוֹ וַיִּקְחוּ שְׁלֹשִׁים מֵרֵעִים וַיִּהְיוּ

יב אִתּוֹ: וַיֹּאמֶר לָהֶם שִׁמְשׁוֹן אָחוּדָה־נָּא לָכֶם חִידָה אִם־הַגֵּד

תַּגִּידוּ אוֹתָהּ לִי שִׁבְעַת יְמֵי הַמִּשְׁתֶּה וּמְצָאתֶם וְנָתַתִּי לָכֶם

יג שְׁלֹשִׁים סְדִינִים וּשְׁלֹשִׁים חֲלִפֹת בְּגָדִים: וְאִם־לֹא תּוּכְלוּ לְהַגִּיד

לִי וּנְתַתֶּם אַתֶּם לִי שְׁלֹשִׁים סְדִינִים וּשְׁלֹשִׁים חֲלִיפוֹת בְּגָדִים

יד וַיֹּאמְרוּ לוֹ חוּדָה חִידָתְךָ וְנִשְׁמָעֶנָּה: וַיֹּאמֶר לָהֶם מֵהָאֹכֵל יָצָא

מַאֲכָל וּמֵעַז יָצָא מָתוֹק וְלֹא יָכְלוּ לְהַגִּיד הַחִידָה שְׁלֹשֶׁת יָמִים:

טו וַיְהִי בַּיּוֹם הַשְּׁבִיעִי וַיֹּאמְרוּ לְאֵשֶׁת־שִׁמְשׁוֹן פַּתִּי אֶת־אִישֵׁךְ

וְיַגֶּד־לָנוּ אֶת־הַחִידָה פֶּן־נִשְׂרֹף אוֹתָךְ וְאֶת־בֵּית אָבִיךְ בָּאֵשׁ

טז הַלְיָרְשֵׁנוּ קְרָאתֶם לָנוּ הֲלֹא: וַתֵּבְךְּ אֵשֶׁת שִׁמְשׁוֹן עָלָיו וַתֹּאמֶר

רַק־שְׂנֵאתַנִי וְלֹא אֲהַבְתָּנִי הַחִידָה חַדְתָּ לִבְנֵי עַמִּי וְלִי לֹא

הִגַּדְתָּה וַיֹּאמֶר לָהּ הִנֵּה לְאָבִי וּלְאִמִּי לֹא הִגַּדְתִּי וְלָךְ אַגִּיד:

יז וַתֵּבְךְּ עָלָיו שִׁבְעַת הַיָּמִים אֲשֶׁר־הָיָה לָהֶם הַמִּשְׁתֶּה וַיְהִי ׀ בַּיּוֹם

גִּלּוּי
הַפִּתָּרוֹן:

הַשְּׁבִיעִי וַיַּגֶּד־לָהּ כִּי הֱצִיקַתְהוּ וַתַּגֵּד הַחִידָה לִבְנֵי עַמָּהּ:

יח וַיֹּאמְרוּ לוֹ אַנְשֵׁי הָעִיר בַּיּוֹם הַשְּׁבִיעִי בְּטֶרֶם יָבֹא הַחַרְסָה

מַה־מָּתוֹק מִדְּבַשׁ וּמֶה עַז מֵאֲרִי וַיֹּאמֶר לָהֶם לוּלֵא חֲרַשְׁתֶּם

יט בְּעֶגְלָתִי לֹא מְצָאתֶם חִידָתִי: וַתִּצְלַח עָלָיו רוּחַ יְהֹוָה וַיֵּרֶד

הַכָּאָה
בַּפְּלִשְׁתִּים
לְתַשְׁלוּם
לְפוֹתְרִים:

אַשְׁקְלוֹן וַיַּךְ מֵהֶם ׀ שְׁלֹשִׁים אִישׁ וַיִּקַּח אֶת־חֲלִיצוֹתָם וַיִּתֵּן

כ הַחֲלִיפוֹת לְמַגִּידֵי הַחִידָה וַיִּחַר אַפּוֹ וַיַּעַל בֵּית אָבִיהוּ: וַתְּהִי

אֵשֶׁת שִׁמְשׁוֹן לְמֵרֵעֵהוּ אֲשֶׁר רֵעָה לוֹ:

נִקְמַת שִׁמְשׁוֹן:

טו א וַיְהִי מִיָּמִים בִּימֵי קְצִיר־חִטִּים וַיִּפְקֹד שִׁמְשׁוֹן אֶת־אִשְׁתּוֹ בִּגְדִי
עִזִּים וַיֹּאמֶר אָבֹאָה אֶל־אִשְׁתִּי הֶחָדְרָה וְלֹא־נְתָנוֹ אָבִיהָ לָבוֹא:
ב וַיֹּאמֶר אָבִיהָ אָמֹר אָמַרְתִּי כִּי־שָׂנֹא שְׂנֵאתָהּ וָאֶתְּנֶנָּה לְמֵרֵעֶךָ
ג הֲלֹא אֲחוֹתָהּ הַקְּטַנָּה טוֹבָה מִמֶּנָּה תְּהִי־נָא לְךָ תַּחְתֶּיהָ: וַיֹּאמֶר
לָהֶם שִׁמְשׁוֹן נִקֵּיתִי הַפַּעַם מִפְּלִשְׁתִּים כִּי־עֹשֶׂה אֲנִי עִמָּם רָעָה:
ד וַיֵּלֶךְ שִׁמְשׁוֹן וַיִּלְכֹּד שְׁלֹשׁ־מֵאוֹת שׁוּעָלִים וַיִּקַּח לַפִּדִים וַיֶּפֶן
ה זָנָב אֶל־זָנָב וַיָּשֶׂם לַפִּיד אֶחָד בֵּין־שְׁנֵי הַזְּנָבוֹת בַּתָּוֶךְ: וַיַּבְעֶר־
אֵשׁ בַּלַּפִּידִים וַיְשַׁלַּח בְּקָמוֹת פְּלִשְׁתִּים וַיַּבְעֵר מִגָּדִישׁ וְעַד־

הָעֲנָשַׁת פְּלִשְׁתִּים לְאֵשֶׁת שִׁמְשׁוֹן:

ו קָמָה וְעַד־כֶּרֶם זָיִת: וַיֹּאמְרוּ פְלִשְׁתִּים מִי עָשָׂה זֹאת וַיֹּאמְרוּ
שִׁמְשׁוֹן חֲתַן הַתִּמְנִי כִּי לָקַח אֶת־אִשְׁתּוֹ וַיִּתְּנָהּ לְמֵרֵעֵהוּ וַיַּעֲלוּ
ז פְלִשְׁתִּים וַיִּשְׂרְפוּ אוֹתָהּ וְאֶת־אָבִיהָ בָּאֵשׁ: וַיֹּאמֶר לָהֶם
שִׁמְשׁוֹן אִם־תַּעֲשׂוּן כָּזֹאת כִּי אִם־נִקַּמְתִּי בָכֶם וְאַחַר אֶחְדָּל:
ח וַיַּךְ אוֹתָם שׁוֹק עַל־יָרֵךְ מַכָּה גְדוֹלָה וַיֵּרֶד וַיֵּשֶׁב בִּסְעִיף סֶלַע
עֵיטָם:

נִסָּיוֹן פְּלִשְׁתִּים לֶאֱסֹר אֶת שִׁמְשׁוֹן:

ט וַיַּעֲלוּ פְלִשְׁתִּים וַיַּחֲנוּ בִּיהוּדָה וַיִּנָּטְשׁוּ בַּלֶּחִי: וַיֹּאמְרוּ אִישׁ
יְהוּדָה לָמָה עֲלִיתֶם עָלֵינוּ וַיֹּאמְרוּ לֶאֱסוֹר אֶת־שִׁמְשׁוֹן עָלִינוּ
יא לַעֲשׂוֹת לוֹ כַּאֲשֶׁר עָשָׂה לָנוּ: וַיֵּרְדוּ שְׁלֹשֶׁת אֲלָפִים אִישׁ מִיהוּדָה
אֶל־סְעִיף סֶלַע עֵיטָם וַיֹּאמְרוּ לְשִׁמְשׁוֹן הֲלֹא יָדַעְתָּ כִּי־מֹשְׁלִים
בָּנוּ פְּלִשְׁתִּים וּמַה־זֹּאת עָשִׂיתָ לָּנוּ וַיֹּאמֶר לָהֶם כַּאֲשֶׁר עָשׂוּ
יב לִי כֵּן עָשִׂיתִי לָהֶם: וַיֹּאמְרוּ לוֹ לֶאֱסָרְךָ יָרַדְנוּ לְתִתְּךָ בְּיַד־
פְּלִשְׁתִּים וַיֹּאמֶר לָהֶם שִׁמְשׁוֹן הִשָּׁבְעוּ לִי פֶּן־תִּפְגְּעוּן בִּי אַתֶּם:
יג וַיֹּאמְרוּ לוֹ לֵאמֹר לֹא כִּי־אָסֹר נֶאֱסָרְךָ וּנְתַנּוּךָ בְיָדָם וְהָמֵת לֹא
נְמִיתֶךָ וַיַּאַסְרֻהוּ בִּשְׁנַיִם עֲבֹתִים חֲדָשִׁים וַיַּעֲלוּהוּ מִן־הַסָּלַע:
יד הוּא־בָא עַד־לֶחִי וּפְלִשְׁתִּים הֵרִיעוּ לִקְרָאתוֹ וַתִּצְלַח עָלָיו רוּחַ

יְהוָה וַתִּהְיֶינָה הָעֲבֹתִים אֲשֶׁר עַל־זְרוֹעוֹתָיו כַּפִּשְׁתִּים אֲשֶׁר
טו בָּעֲרוּ בָאֵשׁ וַיִּמַּסּוּ אֱסוּרָיו מֵעַל יָדָיו: וַיִּמְצָא לְחִי־חֲמוֹר טְרִיָּה
טז וַיִּשְׁלַח יָדוֹ וַיִּקָּחֶהָ וַיַּךְ־בָּהּ אֶלֶף אִישׁ: וַיֹּאמֶר שִׁמְשׁוֹן בִּלְחִי
יז הַחֲמוֹר חֲמוֹר חֲמֹרָתָיִם בִּלְחִי הַחֲמוֹר הִכֵּיתִי אֶלֶף אִישׁ: וַיְהִי
כְּכַלֹּתוֹ לְדַבֵּר וַיַּשְׁלֵךְ הַלְּחִי מִיָּדוֹ וַיִּקְרָא לַמָּקוֹם הַהוּא רָמַת
יח לֶחִי: וַיִּצְמָא מְאֹד וַיִּקְרָא אֶל־יְהוָה וַיֹּאמַר אַתָּה נָתַתָּ בְיַד־
עַבְדְּךָ אֶת־הַתְּשׁוּעָה הַגְּדֹלָה הַזֹּאת וְעַתָּה אָמוּת בַּצָּמָא וְנָפַלְתִּי
יט בְּיַד הָעֲרֵלִים: וַיִּבְקַע אֱלֹהִים אֶת־הַמַּכְתֵּשׁ אֲשֶׁר־בַּלֶּחִי וַיֵּצְאוּ
מִמֶּנּוּ מַיִם וַיֵּשְׁתְּ וַתָּשָׁב רוּחוֹ וַיֶּחִי עַל־כֵּן ׀ קָרָא שְׁמָהּ עֵין
כ הַקּוֹרֵא אֲשֶׁר בַּלֶּחִי עַד הַיּוֹם הַזֶּה: וַיִּשְׁפֹּט אֶת־יִשְׂרָאֵל בִּימֵי
פְלִשְׁתִּים עֶשְׂרִים שָׁנָה:

הַהַכָּאָה בַּפְּלִשְׁתִּים בִּלְחִי הַחֲמוֹר:
בְּקִיעַת הַמַּכְתֵּשׁ אֲשֶׁר בַּלֶּחִי:

טז א ב וַיֵּלֶךְ שִׁמְשׁוֹן עַזָּתָה וַיַּרְא־שָׁם אִשָּׁה זוֹנָה וַיָּבֹא אֵלֶיהָ: לַעַזָּתִים ׀
לֵאמֹר בָּא שִׁמְשׁוֹן הֵנָּה וַיָּסֹבּוּ וַיֶּאֶרְבוּ־לוֹ כָל־הַלַּיְלָה בְּשַׁעַר
הָעִיר וַיִּתְחָרְשׁוּ כָל־הַלַּיְלָה לֵאמֹר עַד־אוֹר הַבֹּקֶר וַהֲרַגְנֻהוּ:
ג וַיִּשְׁכַּב שִׁמְשׁוֹן עַד־חֲצִי הַלַּיְלָה וַיָּקָם ׀ בַּחֲצִי הַלַּיְלָה וַיֶּאֱחֹז
בְּדַלְתוֹת שַׁעַר־הָעִיר וּבִשְׁתֵּי הַמְּזֻזוֹת וַיִּסָּעֵם עִם־
הַבְּרִיחַ וַיָּשֶׂם עַל־כְּתֵפָיו וַיַּעֲלֵם אֶל־רֹאשׁ הָהָר אֲשֶׁר עַל־פְּנֵי
חֶבְרוֹן:

עֲקִירַת דַּלְתוֹת עַזָּה:

ד ה וַיְהִי אַחֲרֵי־כֵן וַיֶּאֱהַב אִשָּׁה בְּנַחַל שֹׂרֵק וּשְׁמָהּ דְּלִילָה: וַיַּעֲלוּ
אֵלֶיהָ סַרְנֵי פְלִשְׁתִּים וַיֹּאמְרוּ לָהּ פַּתִּי אוֹתוֹ וּרְאִי בַּמֶּה כֹּחוֹ
גָדוֹל וּבַמֶּה נוּכַל לוֹ וַאֲסַרְנֻהוּ לְעַנֹּתוֹ וַאֲנַחְנוּ נִתַּן־לָךְ אִישׁ
ו אֶלֶף וּמֵאָה כָּסֶף: וַתֹּאמֶר דְּלִילָה אֶל־שִׁמְשׁוֹן הַגִּידָה־נָּא לִי
ז בַּמֶּה כֹּחֲךָ גָדוֹל וּבַמֶּה תֵאָסֵר לְעַנּוֹתֶךָ: וַיֹּאמֶר אֵלֶיהָ שִׁמְשׁוֹן
אִם־יַאַסְרֻנִי בְּשִׁבְעָה יְתָרִים לַחִים אֲשֶׁר לֹא־חֹרָבוּ וְחָלִיתִי
ח וְהָיִיתִי כְּאַחַד הָאָדָם: וַיַּעֲלוּ־לָהּ סַרְנֵי פְלִשְׁתִּים שִׁבְעָה יְתָרִים

לְכִידַת שִׁמְשׁוֹן עַל יְדֵי פְלִשְׁתִּים:

ט לַחִים אֲשֶׁר לֹא־חֹרָבוּ וַתַּאַסְרֵהוּ בָּהֶם׃ וְהָאֹרֵב יֹשֵׁב לָהּ בַּחֶדֶר
וַתֹּאמֶר אֵלָיו פְּלִשְׁתִּים עָלֶיךָ שִׁמְשׁוֹן וַיְנַתֵּק אֶת־הַיְתָרִים כַּאֲשֶׁר
י יִנָּתֵק פְּתִיל־הַנְּעֹרֶת בַּהֲרִיחוֹ אֵשׁ וְלֹא נוֹדַע כֹּחוֹ׃ וַתֹּאמֶר דְּלִילָה
אֶל־שִׁמְשׁוֹן הִנֵּה הֵתַלְתָּ בִּי וַתְּדַבֵּר אֵלַי כְּזָבִים עַתָּה הַגִּידָה־נָּא
יא לִי בַּמֶּה תֵּאָסֵר׃ וַיֹּאמֶר אֵלֶיהָ אִם־אָסוֹר יַאַסְרוּנִי בַּעֲבֹתִים
חֲדָשִׁים אֲשֶׁר לֹא־נַעֲשָׂה בָהֶם מְלָאכָה וְחָלִיתִי וְהָיִיתִי כְּאַחַד
יב הָאָדָם׃ וַתִּקַּח דְּלִילָה עֲבֹתִים חֲדָשִׁים וַתַּאַסְרֵהוּ בָהֶם וַתֹּאמֶר
אֵלָיו פְּלִשְׁתִּים עָלֶיךָ שִׁמְשׁוֹן וְהָאֹרֵב יֹשֵׁב בֶּחָדֶר וַיְנַתְּקֵם מֵעַל
יג זְרֹעֹתָיו כַּחוּט׃ וַתֹּאמֶר דְּלִילָה אֶל־שִׁמְשׁוֹן עַד־הֵנָּה הֵתַלְתָּ בִּי
וַתְּדַבֵּר אֵלַי כְּזָבִים הַגִּידָה לִּי בַּמֶּה תֵּאָסֵר וַיֹּאמֶר אֵלֶיהָ
יד אִם־תַּאַרְגִי אֶת־שֶׁבַע מַחְלְפוֹת רֹאשִׁי עִם־הַמַּסָּכֶת׃ וַתִּתְקַע
בַּיָּתֵד וַתֹּאמֶר אֵלָיו פְּלִשְׁתִּים עָלֶיךָ שִׁמְשׁוֹן וַיִּיקַץ מִשְּׁנָתוֹ וַיִּסַּע
טו אֶת־הַיְתַד הָאֶרֶג וְאֶת־הַמַּסָּכֶת׃ וַתֹּאמֶר אֵלָיו אֵיךְ תֹּאמַר
אֲהַבְתִּיךְ וְלִבְּךָ אֵין אִתִּי זֶה שָׁלֹשׁ פְּעָמִים הֵתַלְתָּ בִּי וְלֹא־הִגַּדְתָּ
טז לִּי בַּמֶּה כֹּחֲךָ גָדוֹל׃ וַיְהִי כִּי־הֵצִיקָה לּוֹ בִדְבָרֶיהָ כָּל־הַיָּמִים
יז וַתְּאַלְצֵהוּ וַתִּקְצַר נַפְשׁוֹ לָמוּת׃ וַיַּגֶּד־לָהּ אֶת־כָּל־לִבּוֹ וַיֹּאמֶר
לָהּ מוֹרָה לֹא־עָלָה עַל־רֹאשִׁי כִּי־נְזִיר אֱלֹהִים אֲנִי מִבֶּטֶן אִמִּי
יח אִם־גֻּלַּחְתִּי וְסָר מִמֶּנִּי כֹחִי וְחָלִיתִי וְהָיִיתִי כְּכָל־הָאָדָם׃ וַתֵּרֶא
דְלִילָה כִּי־הִגִּיד לָהּ אֶת־כָּל־לִבּוֹ וַתִּשְׁלַח וַתִּקְרָא לְסַרְנֵי
פְלִשְׁתִּים לֵאמֹר עֲלוּ הַפַּעַם כִּי־הִגִּיד לה לִי אֶת־כָּל־לִבּוֹ וְעָלוּ
יט אֵלֶיהָ סַרְנֵי פְלִשְׁתִּים וַיַּעֲלוּ הַכֶּסֶף בְּיָדָם׃ וַתְּיַשְּׁנֵהוּ עַל־בִּרְכֶּיהָ
וַתִּקְרָא לָאִישׁ וַתְּגַלַּח אֶת־שֶׁבַע מַחְלְפוֹת רֹאשׁוֹ וַתָּחֶל לְעַנּוֹתוֹ
כ וַיָּסַר כֹּחוֹ מֵעָלָיו׃ וַתֹּאמֶר פְּלִשְׁתִּים עָלֶיךָ שִׁמְשׁוֹן וַיִּקַץ מִשְּׁנָתוֹ
וַיֹּאמֶר אֵצֵא כְּפַעַם בְּפַעַם וְאִנָּעֵר וְהוּא לֹא יָדַע כִּי יְהוָה סָר
כא מֵעָלָיו׃ וַיֹּאחֲזוּהוּ פְלִשְׁתִּים וַיְנַקְּרוּ אֶת־עֵינָיו וַיּוֹרִידוּ אוֹתוֹ

עַזָּתָה וַיַּאַסְרוּהוּ בַּנְחֻשְׁתַּיִם וַיְהִי טוֹחֵן בְּבֵית האסירים הָאֲסוּרִים:
כב וַיָּחֶל שְׂעַר־רֹאשׁוֹ לְצַמֵּחַ כַּאֲשֶׁר גֻּלָּח:
כג וְסַרְנֵי פְלִשְׁתִּים נֶאֶסְפוּ לִזְבֹּחַ זֶבַח־גָּדוֹל לְדָגוֹן אֱלֹהֵיהֶם נִקְמַת
כד וּלְשִׂמְחָה וַיֹּאמְרוּ נָתַן אֱלֹהֵינוּ בְּיָדֵנוּ אֵת שִׁמְשׁוֹן אוֹיְבֵנוּ: וַיִּרְאוּ שִׁמְשׁוֹן הָאַחֲרוֹנָה וּמוֹתוֹ:
אֹתוֹ הָעָם וַיְהַלְלוּ אֶת־אֱלֹהֵיהֶם כִּי אָמְרוּ נָתַן אֱלֹהֵינוּ בְיָדֵנוּ [2831]
כה אֶת־אוֹיְבֵנוּ וְאֵת מַחֲרִיב אַרְצֵנוּ וַאֲשֶׁר הִרְבָּה אֶת־חֲלָלֵינוּ: וַיְהִי
כי טוב כְּטוֹב לִבָּם וַיֹּאמְרוּ קִרְאוּ לְשִׁמְשׁוֹן וִישַׂחֶק־לָנוּ וַיִּקְרְאוּ
לְשִׁמְשׁוֹן מִבֵּית האסירים הָאֲסוּרִים וַיְצַחֵק לִפְנֵיהֶם וַיַּעֲמִידוּ אוֹתוֹ
כו בֵּין הָעַמּוּדִים: וַיֹּאמֶר שִׁמְשׁוֹן אֶל־הַנַּעַר הַמַּחֲזִיק בְּיָדוֹ הַנִּיחָה
אוֹתִי והימשני וַהֲמִשֵׁנִי אֶת־הָעַמֻּדִים אֲשֶׁר הַבַּיִת נָכוֹן עֲלֵיהֶם
כז וְאֶשָּׁעֵן עֲלֵיהֶם: וְהַבַּיִת מָלֵא הָאֲנָשִׁים וְהַנָּשִׁים וְשָׁמָּה כֹּל סַרְנֵי
פְלִשְׁתִּים וְעַל־הַגָּג כִּשְׁלֹשֶׁת אֲלָפִים אִישׁ וְאִשָּׁה הָרֹאִים בִּשְׂחוֹק
כח שִׁמְשׁוֹן: וַיִּקְרָא שִׁמְשׁוֹן אֶל־יְהוָה וַיֹּאמַר אֲדֹנָי יֱהוִה זָכְרֵנִי נָא
וְחַזְּקֵנִי נָא אַךְ הַפַּעַם הַזֶּה הָאֱלֹהִים וְאִנָּקְמָה נְקַם־אַחַת מִשְּׁתֵי
כט עֵינַי מִפְּלִשְׁתִּים: וַיִּלְפֹּת שִׁמְשׁוֹן אֶת־שְׁנֵי | עַמּוּדֵי הַתָּוֶךְ אֲשֶׁר
הַבַּיִת נָכוֹן עֲלֵיהֶם וַיִּסָּמֵךְ עֲלֵיהֶם אֶחָד בִּימִינוֹ וְאֶחָד בִּשְׂמֹאלוֹ:
ל וַיֹּאמֶר שִׁמְשׁוֹן תָּמוֹת נַפְשִׁי עִם־פְּלִשְׁתִּים וַיֵּט בְּכֹחַ וַיִּפֹּל הַבַּיִת
עַל־הַסְּרָנִים וְעַל־כָּל־הָעָם אֲשֶׁר־בּוֹ וַיִּהְיוּ הַמֵּתִים אֲשֶׁר
לא הֵמִית בְּמוֹתוֹ רַבִּים מֵאֲשֶׁר הֵמִית בְּחַיָּיו: וַיֵּרְדוּ אֶחָיו וְכָל־בֵּית
אָבִיהוּ וַיִּשְׂאוּ אֹתוֹ וַיַּעֲלוּ | וַיִּקְבְּרוּ אוֹתוֹ בֵּין צָרְעָה וּבֵין אֶשְׁתָּאֹל
בְּקֶבֶר מָנוֹחַ אָבִיו וְהוּא שָׁפַט אֶת־יִשְׂרָאֵל עֶשְׂרִים שָׁנָה:
יז א ב וַיְהִי־אִישׁ מֵהַר־אֶפְרָיִם וּשְׁמוֹ מִיכָיְהוּ: וַיֹּאמֶר לְאִמּוֹ אֶלֶף וּמֵאָה פֶּסֶל
הַכֶּסֶף אֲשֶׁר לֻקַּח־לָךְ ואתי וְאַתְּ אָלִית וְגַם אָמַרְתְּ בְּאָזְנַי מִיכָה: [2530']
הִנֵּה־הַכֶּסֶף אִתִּי אֲנִי לְקַחְתִּיו וַתֹּאמֶר אִמּוֹ בָּרוּךְ בְּנִי לַיהוָה:
ג וַיָּשֶׁב אֶת־אֶלֶף־וּמֵאָה הַכֶּסֶף לְאִמּוֹ וַתֹּאמֶר אִמּוֹ הַקְדֵּשׁ

הִקְדַּשְׁתִּי אֶת־הַכֶּסֶף לַיהוָה מִיָּדִי לִבְנִי לַעֲשׂוֹת פֶּסֶל וּמַסֵּכָה
ד וְעַתָּה אֲשִׁיבֶנּוּ לָךְ׃ וַיָּשֶׁב אֶת־הַכֶּסֶף לְאִמּוֹ וַתִּקַּח אִמּוֹ מָאתַיִם
כֶּסֶף וַתִּתְּנֵהוּ לַצּוֹרֵף וַיַּעֲשֵׂהוּ פֶּסֶל וּמַסֵּכָה וַיְהִי בְּבֵית מִיכָיְהוּ׃
ה וְהָאִישׁ מִיכָה לוֹ בֵּית אֱלֹהִים וַיַּעַשׂ אֵפוֹד וּתְרָפִים וַיְמַלֵּא אֶת־יַד
ו אַחַד מִבָּנָיו וַיְהִי־לוֹ לְכֹהֵן׃ בַּיָּמִים הָהֵם אֵין מֶלֶךְ בְּיִשְׂרָאֵל אִישׁ
הַיָּשָׁר בְּעֵינָיו יַעֲשֶׂה׃

הַנַּעַר הַלֵּוִי׃

ז וַיְהִי־נַעַר מִבֵּית לֶחֶם יְהוּדָה מִמִּשְׁפַּחַת יְהוּדָה וְהוּא לֵוִי וְהוּא
ח גָר־שָׁם׃ וַיֵּלֶךְ הָאִישׁ מֵהָעִיר מִבֵּית לֶחֶם יְהוּדָה לָגוּר בַּאֲשֶׁר
ט יִמְצָא וַיָּבֹא הַר־אֶפְרַיִם עַד־בֵּית מִיכָה לַעֲשׂוֹת דַּרְכּוֹ׃ וַיֹּאמֶר־לוֹ
מִיכָה מֵאַיִן תָּבוֹא וַיֹּאמֶר אֵלָיו לֵוִי אָנֹכִי מִבֵּית לֶחֶם יְהוּדָה
י וְאָנֹכִי הֹלֵךְ לָגוּר בַּאֲשֶׁר אֶמְצָא׃ וַיֹּאמֶר לוֹ מִיכָה שְׁבָה עִמָּדִי
וֶהְיֵה־לִי לְאָב וּלְכֹהֵן וְאָנֹכִי אֶתֶּן־לְךָ עֲשֶׂרֶת כֶּסֶף לַיָּמִים וְעֵרֶךְ
יא בְּגָדִים וּמִחְיָתֶךָ וַיֵּלֶךְ הַלֵּוִי׃ וַיּוֹאֶל הַלֵּוִי לָשֶׁבֶת אֶת־הָאִישׁ וַיְהִי
יב הַנַּעַר לוֹ כְּאַחַד מִבָּנָיו׃ וַיְמַלֵּא מִיכָה אֶת־יַד הַלֵּוִי וַיְהִי־לוֹ
יג הַנַּעַר לְכֹהֵן וַיְהִי בְּבֵית מִיכָה׃ וַיֹּאמֶר מִיכָה עַתָּה יָדַעְתִּי
כִּי־יֵיטִיב יְהוָה לִי כִּי הָיָה־לִי הַלֵּוִי לְכֹהֵן׃

שְׁלִיחַת מְרַגְּלִים מִדָּן לְבַקֵּשׁ נַחֲלָה׃

יח א בַּיָּמִים הָהֵם אֵין מֶלֶךְ בְּיִשְׂרָאֵל וּבַיָּמִים הָהֵם שֵׁבֶט הַדָּנִי
מְבַקֶּשׁ־לוֹ נַחֲלָה לָשֶׁבֶת כִּי לֹא־נָפְלָה לּוֹ עַד־הַיּוֹם הַהוּא
בְּתוֹךְ־שִׁבְטֵי יִשְׂרָאֵל בְּנַחֲלָה׃

ב וַיִּשְׁלְחוּ בְנֵי־דָן ׀ מִמִּשְׁפַּחְתָּם חֲמִשָּׁה אֲנָשִׁים מִקְצוֹתָם אֲנָשִׁים
בְּנֵי־חַיִל מִצָּרְעָה וּמֵאֶשְׁתָּאֹל לְרַגֵּל אֶת־הָאָרֶץ וּלְחָקְרָהּ
וַיֹּאמְרוּ אֲלֵהֶם לְכוּ חִקְרוּ אֶת־הָאָרֶץ וַיָּבֹאוּ הַר־אֶפְרַיִם עַד־בֵּית
ג מִיכָה וַיָּלִינוּ שָׁם׃ הֵמָּה עִם־בֵּית מִיכָה וְהֵמָּה הִכִּירוּ אֶת־קוֹל
הַנַּעַר הַלֵּוִי וַיָּסוּרוּ שָׁם וַיֹּאמְרוּ לוֹ מִי־הֱבִיאֲךָ הֲלֹם וּמָה־אַתָּה
ד עֹשֶׂה בָּזֶה וּמַה־לְּךָ פֹה׃ וַיֹּאמֶר אֲלֵהֶם כָּזֹה וְכָזֶה עָשָׂה לִי מִיכָה

ה וַיִּשְׂכְּרֵנִי וָאֱהִי־לוֹ לְכֹהֵן: וַיֹּאמְרוּ לוֹ שְׁאַל־נָא בֵאלֹהִים וְנֵדְעָה
ו הֲתַצְלִיחַ דַּרְכֵּנוּ אֲשֶׁר אֲנַחְנוּ הֹלְכִים עָלֶיהָ: וַיֹּאמֶר לָהֶם הַכֹּהֵן
לְכוּ לְשָׁלוֹם נֹכַח יְהוָה דַּרְכְּכֶם אֲשֶׁר תֵּלְכוּ־בָהּ:
ז וַיֵּלְכוּ חֲמֵשֶׁת הָאֲנָשִׁים וַיָּבֹאוּ לָיְשָׁה וַיִּרְאוּ אֶת־הָעָם אֲשֶׁר־
בְּקִרְבָּהּ יוֹשֶׁבֶת־לָבֶטַח כְּמִשְׁפַּט צִדֹנִים שֹׁקֵט | וּבֹטֵחַ וְאֵין־
מַכְלִים דָּבָר בָּאָרֶץ יוֹרֵשׁ עֶצֶר וּרְחֹקִים הֵמָּה מִצִּידֹנִים וְדָבָר
ח אֵין־לָהֶם עִם־אָדָם: וַיָּבֹאוּ אֶל־אֲחֵיהֶם צָרְעָה וְאֶשְׁתָּאֹל וַיֹּאמְרוּ
ט לָהֶם אֲחֵיהֶם מָה אַתֶּם: וַיֹּאמְרוּ קוּמָה וְנַעֲלֶה עֲלֵיהֶם כִּי רָאִינוּ
אֶת־הָאָרֶץ וְהִנֵּה טוֹבָה מְאֹד וְאַתֶּם מַחְשִׁים אַל־תֵּעָצְלוּ לָלֶכֶת
י לָבֹא לָרֶשֶׁת אֶת־הָאָרֶץ: כְּבֹאֲכֶם תָּבֹאוּ | אֶל־עַם בֹּטֵחַ וְהָאָרֶץ
רַחֲבַת יָדַיִם כִּי־נְתָנָהּ אֱלֹהִים בְּיֶדְכֶם מָקוֹם אֲשֶׁר אֵין־שָׁם
יא מַחְסוֹר כָּל־דָּבָר אֲשֶׁר בָּאָרֶץ: וַיִּסְעוּ מִשָּׁם מִמִּשְׁפַּחַת הַדָּנִי
יב מִצָּרְעָה וּמֵאֶשְׁתָּאֹל שֵׁשׁ־מֵאוֹת אִישׁ חָגוּר כְּלֵי מִלְחָמָה: וַיַּעֲלוּ
וַיַּחֲנוּ בְּקִרְיַת יְעָרִים בִּיהוּדָה עַל־כֵּן קָרְאוּ לַמָּקוֹם הַהוּא
יג מַחֲנֵה־דָן עַד הַיּוֹם הַזֶּה הִנֵּה אַחֲרֵי קִרְיַת יְעָרִים: וַיַּעַבְרוּ מִשָּׁם
יד הַר־אֶפְרָיִם וַיָּבֹאוּ עַד־בֵּית מִיכָה: וַיַּעֲנוּ חֲמֵשֶׁת הָאֲנָשִׁים
הַהֹלְכִים לְרַגֵּל אֶת־הָאָרֶץ לַיִשׁ וַיֹּאמְרוּ אֶל־אֲחֵיהֶם הַיְדַעְתֶּם
כִּי יֵשׁ בַּבָּתִּים הָאֵלֶּה אֵפוֹד וּתְרָפִים וּפֶסֶל וּמַסֵּכָה וְעַתָּה דְּעוּ
טו מַה־תַּעֲשׂוּ: וַיָּסוּרוּ שָׁמָּה וַיָּבֹאוּ אֶל־בֵּית־הַנַּעַר הַלֵּוִי בֵּית מִיכָה
טז וַיִּשְׁאֲלוּ־לוֹ לְשָׁלוֹם: וְשֵׁשׁ־מֵאוֹת אִישׁ חֲגוּרִים כְּלֵי מִלְחַמְתָּם
יז נִצָּבִים פֶּתַח הַשָּׁעַר אֲשֶׁר מִבְּנֵי־דָן: וַיַּעֲלוּ חֲמֵשֶׁת הָאֲנָשִׁים
הַהֹלְכִים לְרַגֵּל אֶת־הָאָרֶץ בָּאוּ שָׁמָּה לָקְחוּ אֶת־הַפֶּסֶל וְאֶת־
הָאֵפוֹד וְאֶת־הַתְּרָפִים וְאֶת־הַמַּסֵּכָה וְהַכֹּהֵן נִצָּב פֶּתַח הַשַּׁעַר
יח וְשֵׁשׁ־מֵאוֹת הָאִישׁ הֶחָגוּר כְּלֵי הַמִּלְחָמָה: וְאֵלֶּה בָּאוּ בֵּית מִיכָה
וַיִּקְחוּ אֶת־פֶּסֶל הָאֵפוֹד וְאֶת־הַתְּרָפִים וְאֶת־הַמַּסֵּכָה וַיֹּאמֶר

מְצִיאַת הַמָּקוֹם וְהָעֲלִיָּה לְכִבְשׁוֹ:

לְקִיחַת הַפֶּסֶל לְדָן:

אֲלֵיהֶם הַכֹּהֵן מָה אַתֶּם עֹשִׂים: וַיֹּאמְרוּ לוֹ הַחֲרֵשׁ שִׂים־יָדְךָ יט
עַל־פִּיךָ וְלֵךְ עִמָּנוּ וֶהְיֵה־לָנוּ לְאָב וּלְכֹהֵן הֲטוֹב ׀ הֱיוֹתְךָ כֹהֵן
לְבֵית אִישׁ אֶחָד אוֹ הֱיוֹתְךָ כֹהֵן לְשֵׁבֶט וּלְמִשְׁפָּחָה בְּיִשְׂרָאֵל:
וַיִּיטַב לֵב הַכֹּהֵן וַיִּקַּח אֶת־הָאֵפוֹד וְאֶת־הַתְּרָפִים וְאֶת־הַפָּסֶל כ
וַיָּבֹא בְּקֶרֶב הָעָם: וַיִּפְנוּ וַיֵּלֵכוּ וַיָּשִׂימוּ אֶת־הַטַּף וְאֶת־הַמִּקְנֶה כא
נִסְיוֹן מִיכָה לְהָשִׁיב הַפֶּסֶל: וְאֶת־הַכְּבוּדָּה לִפְנֵיהֶם: הֵמָּה הִרְחִיקוּ מִבֵּית מִיכָה וְהָאֲנָשִׁים כב
אֲשֶׁר בַּבָּתִּים אֲשֶׁר עִם־בֵּית מִיכָה נִזְעֲקוּ וַיַּדְבִּיקוּ אֶת־בְּנֵי־דָן:
וַיִּקְרְאוּ אֶל־בְּנֵי־דָן וַיַּסֵּבּוּ פְּנֵיהֶם וַיֹּאמְרוּ לְמִיכָה מַה־לְּךָ כִּי כג
נִזְעָקְתָּ: וַיֹּאמֶר אֶת־אֱלֹהַי אֲשֶׁר־עָשִׂיתִי לְקַחְתֶּם וְאֶת־הַכֹּהֵן כד
וַתֵּלְכוּ וּמַה־לִּי עוֹד וּמַה־זֶּה תֹּאמְרוּ אֵלַי מַה־לָּךְ: וַיֹּאמְרוּ אֵלָיו כה
בְּנֵי־דָן אַל־תַּשְׁמַע קוֹלְךָ עִמָּנוּ פֶּן־יִפְגְּעוּ בָכֶם אֲנָשִׁים מָרֵי
נֶפֶשׁ וְאָסַפְתָּה נַפְשְׁךָ וְנֶפֶשׁ בֵּיתֶךָ: וַיֵּלְכוּ בְנֵי־דָן לְדַרְכָּם וַיַּרְא כו
כִּבּוּשׁ לַיִשׁ, הַחְרָבָתָהּ וּבְנִיָּתָהּ מֵחָדָשׁ: מִיכָה כִּי־חֲזָקִים הֵמָּה מִמֶּנּוּ וַיִּפֶן וַיָּשָׁב אֶל־בֵּיתוֹ: וְהֵמָּה לָקְחוּ כז
אֵת אֲשֶׁר־עָשָׂה מִיכָה וְאֶת־הַכֹּהֵן אֲשֶׁר הָיָה־לוֹ וַיָּבֹאוּ עַל־לַיִשׁ
עַל־עַם שֹׁקֵט וּבֹטֵחַ וַיַּכּוּ אוֹתָם לְפִי־חָרֶב וְאֶת־הָעִיר שָׂרְפוּ
בָאֵשׁ: וְאֵין מַצִּיל כִּי רְחוֹקָה־הִיא מִצִּידוֹן וְדָבָר אֵין־לָהֶם כח
עִם־אָדָם וְהִיא בָּעֵמֶק אֲשֶׁר לְבֵית־רְחוֹב וַיִּבְנוּ אֶת־הָעִיר וַיֵּשְׁבוּ
בָהּ: וַיִּקְרְאוּ שֵׁם־הָעִיר דָּן בְּשֵׁם דָּן אֲבִיהֶם אֲשֶׁר יוּלַּד כט
לְיִשְׂרָאֵל וְאוּלָם לַיִשׁ שֵׁם־הָעִיר לָרִאשֹׁנָה: וַיָּקִימוּ לָהֶם בְּנֵי־דָן ל
אֶת־הַפָּסֶל וִיהוֹנָתָן בֶּן־גֵּרְשֹׁם בֶּן־מְנַשֶּׁה הוּא וּבָנָיו הָיוּ כֹהֲנִים
לְשֵׁבֶט הַדָּנִי עַד־יוֹם גְּלוֹת הָאָרֶץ: וַיָּשִׂימוּ לָהֶם אֶת־פֶּסֶל מִיכָה לא
אֲשֶׁר עָשָׂה כָּל־יְמֵי הֱיוֹת בֵּית־הָאֱלֹהִים בְּשִׁלֹה:
מַעֲשֵׂה פִּילֶגֶשׁ בַּגִּבְעָה: וַיְהִי בַּיָּמִים הָהֵם וּמֶלֶךְ אֵין בְּיִשְׂרָאֵל וַיְהִי ׀ אִישׁ לֵוִי גָּר בְּיַרְכְּתֵי א יט
[2530'] הַר־אֶפְרַיִם וַיִּקַּח־לוֹ אִשָּׁה פִילֶגֶשׁ מִבֵּית לֶחֶם יְהוּדָה: וַתִּזְנֶה ב
עָלָיו פִּילַגְשׁוֹ וַתֵּלֶךְ מֵאִתּוֹ אֶל־בֵּית אָבִיהָ אֶל־בֵּית לֶחֶם יְהוּדָה

ג וַתְּהִי־שָׁם יָמִים אַרְבָּעָה חֳדָשִׁים: וַיָּקָם אִישָׁהּ וַיֵּלֶךְ אַחֲרֶיהָ
לְדַבֵּר עַל־לִבָּהּ להשיבו לַהֲשִׁיבָהּ וְנַעֲרוֹ עִמּוֹ וְצֶמֶד חֲמֹרִים
וַתְּבִיאֵהוּ בֵּית אָבִיהָ וַיִּרְאֵהוּ אֲבִי הַנַּעֲרָה וַיִּשְׂמַח לִקְרָאתוֹ:
נִסְיוֹן הָאִישׁ לְהָשִׁיב פִּילַגְשׁוֹ:
ד וַיֶּחֱזַק־בּוֹ חֹתְנוֹ אֲבִי הַנַּעֲרָה וַיֵּשֶׁב אִתּוֹ שְׁלֹשֶׁת יָמִים וַיֹּאכְלוּ
ה וַיִּשְׁתּוּ וַיָּלִינוּ שָׁם: וַיְהִי בַּיּוֹם הָרְבִיעִי וַיַּשְׁכִּימוּ בַבֹּקֶר וַיָּקָם
לָלֶכֶת וַיֹּאמֶר אֲבִי הַנַּעֲרָה אֶל־חֲתָנוֹ סְעָד לִבְּךָ פַּת־לֶחֶם וְאַחַר
ו תֵּלֵכוּ: וַיֵּשְׁבוּ וַיֹּאכְלוּ שְׁנֵיהֶם יַחְדָּו וַיִּשְׁתּוּ וַיֹּאמֶר אֲבִי הַנַּעֲרָה
ז אֶל־הָאִישׁ הוֹאֶל־נָא וְלִין וְיִטַב לִבֶּךָ: וַיָּקָם הָאִישׁ לָלֶכֶת
ח וַיִּפְצַר־בּוֹ חֹתְנוֹ וַיָּשָׁב וַיָּלֶן שָׁם: וַיַּשְׁכֵּם בַּבֹּקֶר בַּיּוֹם הַחֲמִישִׁי
לָלֶכֶת וַיֹּאמֶר אֲבִי הַנַּעֲרָה סְעָד־נָא לְבָבְךָ וְהִתְמַהְמְהוּ
ט עַד־נְטוֹת הַיּוֹם וַיֹּאכְלוּ שְׁנֵיהֶם: וַיָּקָם הָאִישׁ לָלֶכֶת הוּא
וּפִילַגְשׁוֹ וְנַעֲרוֹ וַיֹּאמֶר לוֹ חֹתְנוֹ אֲבִי הַנַּעֲרָה הִנֵּה נָא רָפָה הַיּוֹם
לַעֲרֹב לִינוּ־נָא הִנֵּה חֲנוֹת הַיּוֹם לִין פֹּה וְיִיטַב לְבָבֶךָ
י וְהִשְׁכַּמְתֶּם מָחָר לְדַרְכְּכֶם וְהָלַכְתָּ לְאֹהָלֶךָ: וְלֹא־אָבָה הָאִישׁ
לָלוּן וַיָּקָם וַיֵּלֶךְ וַיָּבֹא עַד־נֹכַח יְבוּס הִיא יְרוּשָׁלִָם וְעִמּוֹ צֶמֶד
סֵרוּב הָאִישׁ לְהִתְעַכֵּב:
יא חֲמוֹרִים חֲבוּשִׁים וּפִילַגְשׁוֹ עִמּוֹ: הֵם עִם־יְבוּס וְהַיּוֹם רַד מְאֹד
וַיֹּאמֶר הַנַּעַר אֶל־אֲדֹנָיו לְכָה־נָּא וְנָסוּרָה אֶל־עִיר־הַיְבוּסִי הַזֹּאת
יב וְנָלִין בָּהּ: וַיֹּאמֶר אֵלָיו אֲדֹנָיו לֹא נָסוּר אֶל־עִיר נָכְרִי אֲשֶׁר
יג לֹא־מִבְּנֵי יִשְׂרָאֵל הֵנָּה וְעָבַרְנוּ עַד־גִּבְעָה: וַיֹּאמֶר לְנַעֲרוֹ לְךָ
יד וְנִקְרְבָה בְּאַחַד הַמְּקֹמוֹת וְלַנּוּ בַגִּבְעָה אוֹ בָרָמָה: וַיַּעַבְרוּ וַיֵּלֵכוּ
טו וַתָּבֹא לָהֶם הַשֶּׁמֶשׁ אֵצֶל הַגִּבְעָה אֲשֶׁר לְבִנְיָמִן: וַיָּסֻרוּ שָׁם לָבוֹא
לָלוּן בַּגִּבְעָה וַיָּבֹא וַיֵּשֶׁב בִּרְחוֹב הָעִיר וְאֵין אִישׁ מְאַסֵּף־אוֹתָם
בַּקָּשָׁתָם לָלוּן בַּגִּבְעָה:
טז הַבַּיְתָה לָלוּן: וְהִנֵּה אִישׁ זָקֵן בָּא מִן־מַעֲשֵׂהוּ מִן־הַשָּׂדֶה בָּעֶרֶב
וְהָאִישׁ מֵהַר אֶפְרַיִם וְהוּא־גָר בַּגִּבְעָה וְאַנְשֵׁי הַמָּקוֹם בְּנֵי יְמִינִי:
יז וַיִּשָּׂא עֵינָיו וַיַּרְא אֶת־הָאִישׁ הָאֹרֵחַ בִּרְחֹב הָעִיר וַיֹּאמֶר הָאִישׁ

הַזָּקֵן אָנָה תֵלֵךְ וּמֵאַיִן תָּבוֹא: וַיֹּאמֶר אֵלָיו עֹבְרִים אֲנַחְנוּ

מִבֵּית־לֶחֶם יְהוּדָה עַד־יַרְכְּתֵי הַר־אֶפְרַיִם מִשָּׁם אָנֹכִי וָאֵלֵךְ

עַד־בֵּית לֶחֶם יְהוּדָה וְאֶת־בֵּית יְהֹוָה אֲנִי הֹלֵךְ וְאֵין אִישׁ מְאַסֵּף

אוֹתִי הַבָּיְתָה: וְגַם־תֶּבֶן גַּם־מִסְפּוֹא יֵשׁ לַחֲמוֹרֵינוּ וְגַם לֶחֶם

וָיַיִן יֶשׁ־לִי וְלַאֲמָתֶךָ וְלַנַּעַר עִם־עֲבָדֶיךָ אֵין מַחְסוֹר כָּל־דָּבָר:

וַיֹּאמֶר הָאִישׁ הַזָּקֵן שָׁלוֹם לָךְ רַק כָּל־מַחְסוֹרְךָ עָלָי רַק בָּרְחוֹב

אַל־תָּלַן: וַיְבִיאֵהוּ לְבֵיתוֹ יבול וַיָּבָל לַחֲמוֹרִים וַיִּרְחֲצוּ רַגְלֵיהֶם

וַיֹּאכְלוּ וַיִּשְׁתּוּ: הֵמָּה מֵיטִיבִים אֶת־לִבָּם וְהִנֵּה אַנְשֵׁי הָעִיר אַנְשֵׁי

בְנֵי־בְלִיַּעַל נָסַבּוּ אֶת־הַבַּיִת מִתְדַּפְּקִים עַל־הַדָּלֶת וַיֹּאמְרוּ

אֶל־הָאִישׁ בַּעַל הַבַּיִת הַזָּקֵן לֵאמֹר הוֹצֵא אֶת־הָאִישׁ אֲשֶׁר־בָּא

אֶל־בֵּיתְךָ וְנֵדָעֶנּוּ: וַיֵּצֵא אֲלֵיהֶם הָאִישׁ בַּעַל הַבַּיִת וַיֹּאמֶר אֲלֵהֶם

אַל־אַחַי אַל־תָּרֵעוּ נָא אַחֲרֵי אֲשֶׁר־בָּא הָאִישׁ הַזֶּה אֶל־בֵּיתִי

אַל־תַּעֲשׂוּ אֶת־הַנְּבָלָה הַזֹּאת: הִנֵּה בִתִּי הַבְּתוּלָה וּפִילַגְשֵׁהוּ

אוֹצִיאָה־נָּא אוֹתָם וְעַנּוּ אוֹתָם וַעֲשׂוּ לָהֶם הַטּוֹב בְּעֵינֵיכֶם

וְלָאִישׁ הַזֶּה לֹא תַעֲשׂוּ דְּבַר הַנְּבָלָה הַזֹּאת: וְלֹא־אָבוּ הָאֲנָשִׁים

לִשְׁמֹעַ לוֹ וַיַּחֲזֵק הָאִישׁ בְּפִילַגְשׁוֹ וַיֹּצֵא אֲלֵיהֶם הַחוּץ וַיֵּדְעוּ

אוֹתָהּ וַיִּתְעַלְּלוּ־בָהּ כָּל־הַלַּיְלָה עַד־הַבֹּקֶר וַיְשַׁלְּחוּהָ בעלות

כַּעֲלוֹת הַשָּׁחַר: וַתָּבֹא הָאִשָּׁה לִפְנוֹת הַבֹּקֶר וַתִּפֹּל פֶּתַח בֵּית־

הָאִישׁ אֲשֶׁר־אֲדוֹנֶיהָ שָּׁם עַד־הָאוֹר: וַיָּקָם אֲדֹנֶיהָ בַּבֹּקֶר וַיִּפְתַּח

דַּלְתוֹת הַבַּיִת וַיֵּצֵא לָלֶכֶת לְדַרְכּוֹ וְהִנֵּה הָאִשָּׁה פִילַגְשׁוֹ נֹפֶלֶת

פֶּתַח הַבַּיִת וְיָדֶיהָ עַל־הַסַּף: וַיֹּאמֶר אֵלֶיהָ קוּמִי וְנֵלֵכָה וְאֵין עֹנֶה

וַיִּקָּחֶהָ עַל־הַחֲמוֹר וַיָּקָם הָאִישׁ וַיֵּלֶךְ לִמְקֹמוֹ: וַיָּבֹא אֶל־בֵּיתוֹ

וַיִּקַּח אֶת־הַמַּאֲכֶלֶת וַיַּחֲזֵק בְּפִילַגְשׁוֹ וַיְנַתְּחֶהָ לַעֲצָמֶיהָ לִשְׁנֵים

עָשָׂר נְתָחִים וַיְשַׁלְּחֶהָ בְּכֹל גְּבוּל יִשְׂרָאֵל: וְהָיָה כָל־הָרֹאֶה וְאָמַר

לֹא־נִהְיְתָה וְלֹא־נִרְאֲתָה כָּזֹאת לְמִיּוֹם עֲלוֹת בְּנֵי־יִשְׂרָאֵל

Marginal notes (left):
דְּרִישַׁת
אַנְשֵׁי
הַבְּלִיַּעַל
לְהוֹצִיאוֹ:

הוֹצָאַת
הַפִּילֶגֶשׁ
הַחוּצָה
וַהֲרִינָתָהּ:

שִׁלּוּחַ
אֶבְרֵי
הַפִּילֶגֶשׁ:

מֵאֶרֶץ מִצְרַיִם עַד הַיּוֹם הַזֶּה שִׂימוּ־לָכֶם עָלֶיהָ עֻצוּ
וְדַבֵּרוּ:

כ וַיֵּצְאוּ כָּל־בְּנֵי יִשְׂרָאֵל וַתִּקָּהֵל הָעֵדָה כְּאִישׁ אֶחָד לְמִדָּן וְעַד־

התכנסות העם למלחמה בבנימין:

ב בְּאֵר שֶׁבַע וְאֶרֶץ הַגִּלְעָד אֶל־יְהֹוָה הַמִּצְפָּה: וַיִּתְיַצְּבוּ פִּנּוֹת
כָּל־הָעָם כֹּל שִׁבְטֵי יִשְׂרָאֵל בִּקְהַל עַם הָאֱלֹהִים אַרְבַּע מֵאוֹת
אֶלֶף אִישׁ רַגְלִי שֹׁלֵף חָרֶב:

ספור הנבלה:

ג וַיִּשְׁמְעוּ בְּנֵי בִנְיָמִן כִּי־עָלוּ בְנֵי־יִשְׂרָאֵל הַמִּצְפָּה וַיֹּאמְרוּ בְּנֵי
יִשְׂרָאֵל דַּבְּרוּ אֵיכָה נִהְיְתָה הָרָעָה הַזֹּאת: וַיַּעַן הָאִישׁ הַלֵּוִי

ד אִישׁ הָאִשָּׁה הַנִּרְצָחָה וַיֹּאמַר הַגִּבְעָתָה אֲשֶׁר לְבִנְיָמִן בָּאתִי אֲנִי

ה וּפִילַגְשִׁי לָלוּן: וַיָּקֻמוּ עָלַי בַּעֲלֵי הַגִּבְעָה וַיָּסֹבּוּ עָלַי אֶת־הַבַּיִת

ו לַיְלָה אוֹתִי דִּמּוּ לַהֲרֹג וְאֶת־פִּילַגְשִׁי עִנּוּ וַתָּמֹת: וָאֹחֵז בְּפִילַגְשִׁי
וָאֲנַתְּחֶהָ וָאֲשַׁלְּחֶהָ בְּכָל־שְׂדֵה נַחֲלַת יִשְׂרָאֵל כִּי עָשׂוּ זִמָּה וּנְבָלָה

ז בְּיִשְׂרָאֵל: הִנֵּה כֻלְּכֶם בְּנֵי יִשְׂרָאֵל הָבוּ לָכֶם דָּבָר וְעֵצָה הֲלֹם:

ח וַיָּקָם כָּל־הָעָם כְּאִישׁ אֶחָד לֵאמֹר לֹא נֵלֵךְ אִישׁ לְאָהֳלוֹ וְלֹא

ט נָסוּר אִישׁ לְבֵיתוֹ: וְעַתָּה זֶה הַדָּבָר אֲשֶׁר נַעֲשֶׂה לַגִּבְעָה עָלֶיהָ
בְּגוֹרָל: וְלָקַחְנוּ עֲשָׂרָה אֲנָשִׁים לַמֵּאָה לְכֹל שִׁבְטֵי יִשְׂרָאֵל

י וּמֵאָה לָאֶלֶף וְאֶלֶף לָרְבָבָה לָקַחַת צֵדָה לָעָם לַעֲשׂוֹת לְבוֹאָם
לְגֶבַע בִּנְיָמִן כְּכָל־הַנְּבָלָה אֲשֶׁר עָשָׂה בְּיִשְׂרָאֵל: וַיֵּאָסֵף כָּל־אִישׁ

יא יִשְׂרָאֵל אֶל־הָעִיר כְּאִישׁ אֶחָד חֲבֵרִים:

התכנסות בני בנימין למלחמה:

יב וַיִּשְׁלְחוּ שִׁבְטֵי יִשְׂרָאֵל אֲנָשִׁים בְּכָל־שִׁבְטֵי בִנְיָמִן לֵאמֹר מָה
הָרָעָה הַזֹּאת אֲשֶׁר נִהְיְתָה בָּכֶם: וְעַתָּה תְּנוּ אֶת־הָאֲנָשִׁים

יג בְּנֵי־בְלִיַּעַל אֲשֶׁר בַּגִּבְעָה וּנְמִיתֵם וּנְבַעֲרָה רָעָה מִיִּשְׂרָאֵל וְלֹא

קרי ולא כתיב:

יד אָבוּ בְּנֵי בִנְיָמִן לִשְׁמֹעַ בְּקוֹל אֲחֵיהֶם בְּנֵי־יִשְׂרָאֵל: וַיֵּאָסְפוּ
בְנֵי־בִנְיָמִן מִן־הֶעָרִים הַגִּבְעָתָה לָצֵאת לַמִּלְחָמָה עִם־בְּנֵי

טו יִשְׂרָאֵל: וַיִּתְפָּקְדוּ בְנֵי בִנְיָמִן בַּיּוֹם הַהוּא מֵהֶעָרִים עֶשְׂרִים

וְשֵׁשׁ אֶלֶף אִישׁ שֹׁלֵף חֶרֶב לְבַד מִיֹּשְׁבֵי הַגִּבְעָה הִתְפָּקְדוּ
טז שְׁבַע מֵאוֹת אִישׁ בָּחוּר׃ מִכֹּל ׀ הָעָם הַזֶּה שְׁבַע מֵאוֹת אִישׁ
בָּחוּר אִטֵּר יַד־יְמִינוֹ כָּל־זֶה קֹלֵעַ בָּאֶבֶן אֶל־הַשַּׂעֲרָה וְלֹא
יַחֲטִא׃

מִלְחֶמֶת הַשְּׁבָטִים בְּבִנְיָמִין וּנְפִילָתָם לִפְנֵיהֶם׃

יז וְאִישׁ יִשְׂרָאֵל הִתְפָּקְדוּ לְבַד מִבִּנְיָמִן אַרְבַּע מֵאוֹת אֶלֶף אִישׁ
יח שֹׁלֵף חֶרֶב כָּל־זֶה אִישׁ מִלְחָמָה׃ וַיָּקֻמוּ וַיַּעֲלוּ בֵית־אֵל וַיִּשְׁאֲלוּ
בֵאלֹהִים וַיֹּאמְרוּ בְּנֵי יִשְׂרָאֵל מִי יַעֲלֶה־לָּנוּ בַתְּחִלָּה לַמִּלְחָמָה
יט עִם־בְּנֵי בִנְיָמִן וַיֹּאמֶר יְהוָה יְהוּדָה בַתְּחִלָּה׃ וַיָּקוּמוּ בְנֵי־יִשְׂרָאֵל
כ בַּבֹּקֶר וַיַּחֲנוּ עַל־הַגִּבְעָה׃ וַיֵּצֵא אִישׁ יִשְׂרָאֵל לַמִּלְחָמָה עִם־
כא בִּנְיָמִן וַיַּעַרְכוּ אִתָּם אִישׁ־יִשְׂרָאֵל מִלְחָמָה אֶל־הַגִּבְעָה׃ וַיֵּצְאוּ
בְנֵי־בִנְיָמִן מִן־הַגִּבְעָה וַיַּשְׁחִיתוּ בְיִשְׂרָאֵל בַּיּוֹם הַהוּא שְׁנַיִם
כב וְעֶשְׂרִים אֶלֶף אִישׁ אָרְצָה׃ וַיִּתְחַזֵּק הָעָם אִישׁ יִשְׂרָאֵל וַיֹּסִפוּ
כג לַעֲרֹךְ מִלְחָמָה בַּמָּקוֹם אֲשֶׁר־עָרְכוּ שָׁם בַּיּוֹם הָרִאשׁוֹן׃ וַיַּעֲלוּ
בְנֵי־יִשְׂרָאֵל וַיִּבְכּוּ לִפְנֵי־יְהוָה עַד־הָעֶרֶב וַיִּשְׁאֲלוּ בַיהוָה לֵאמֹר
הַאוֹסִיף לָגֶשֶׁת לַמִּלְחָמָה עִם־בְּנֵי בִּנְיָמִן אָחִי וַיֹּאמֶר יְהוָה עֲלוּ
אֵלָיו׃

הַמַּעֲרָכָה הַשְּׁנִיָּה וּנְפִילַת יִשְׂרָאֵל שֵׁנִית׃

כד כה וַיִּקְרְבוּ בְנֵי־יִשְׂרָאֵל אֶל־בְּנֵי בִנְיָמִן בַּיּוֹם הַשֵּׁנִי׃ וַיֵּצֵא בִנְיָמִן ׀
לִקְרָאתָם ׀ מִן־הַגִּבְעָה בַּיּוֹם הַשֵּׁנִי וַיַּשְׁחִיתוּ בִבְנֵי יִשְׂרָאֵל עוֹד
כו שְׁמֹנַת עָשָׂר אֶלֶף אִישׁ אָרְצָה כָּל־אֵלֶּה שֹׁלְפֵי חָרֶב׃ וַיַּעֲלוּ
כָל־בְּנֵי יִשְׂרָאֵל וְכָל־הָעָם וַיָּבֹאוּ בֵית־אֵל וַיִּבְכּוּ וַיֵּשְׁבוּ שָׁם
לִפְנֵי יְהוָה וַיָּצוּמוּ בַיּוֹם־הַהוּא עַד־הָעָרֶב וַיַּעֲלוּ עֹלוֹת וּשְׁלָמִים
כז לִפְנֵי יְהוָה׃ וַיִּשְׁאֲלוּ בְנֵי־יִשְׂרָאֵל בַּיהוָה וְשָׁם אֲרוֹן בְּרִית
כח הָאֱלֹהִים בַּיָּמִים הָהֵם׃ וּפִינְחָס בֶּן־אֶלְעָזָר בֶּן־אַהֲרֹן עֹמֵד ׀
לְפָנָיו בַּיָּמִים הָהֵם לֵאמֹר הַאוֹסִף עוֹד לָצֵאת לַמִּלְחָמָה עִם־
בְּנֵי־בִנְיָמִן אָחִי אִם־אֶחְדָּל וַיֹּאמֶר יְהוָה עֲלוּ כִּי מָחָר אֶתְּנֶנּוּ

כט בְּיָדֶֽךָ: וַיָּ֤שֶׂם יִשְׂרָאֵל֙ אֹֽרְבִ֔ים אֶל־הַגִּבְעָ֖ה סָבִֽיב:

הַמַּעֲרָכָה
הַשְּׁלִישִׁית
וּסְפַלָּת בְּנֵי
בִּנְיָמִן:

ל וַיַּעֲל֧וּ בְנֵֽי־יִשְׂרָאֵ֛ל אֶל־בְּנֵ֥י בִנְיָמִ֖ן בַּיּ֣וֹם הַשְּׁלִישִׁ֑י וַיַּעַרְכ֥וּ אֶל־

לא הַגִּבְעָ֖ה כְּפַ֥עַם בְּפָֽעַם: וַיֵּצְא֣וּ בְנֵֽי־בִנְיָמִן֮ לִקְרַ֣את הָעָם֒ הׇנְתְּק֖וּ
מִן־הָעִ֑יר וַיָּחֵ֡לּוּ לְהַכּוֹת֩ מֵהָעָ֨ם חֲלָלִ֜ים כְּפַ֣עַם ׀ בְּפַ֗עַם בַּֽמְסִלּוֹת֙
אֲשֶׁ֨ר אַחַ֜ת עֹלָ֣ה בֵֽית־אֵ֗ל וְאַחַת֙ גִּבְעָ֔תָה בַּשָּׂדֶ֖ה כִּשְׁלֹשִׁ֥ים אִ֖ישׁ

לב בְּיִשְׂרָאֵֽל: וַיֹּֽאמְרוּ֙ בְּנֵ֣י בִנְיָמִ֔ן נִגָּפִ֥ים הֵ֖ם לְפָנֵ֣ינוּ כְּבָרִֽאשֹׁנָ֑ה וּבְנֵ֣י

לג יִשְׂרָאֵ֣ל אָמְר֗וּ נָנ֙וּסָה֙ וּֽנְתַקְּנֻ֔הוּ מִן־הָעִ֖יר אֶל־הַֽמְסִלּֽוֹת: וְכֹ֣ל ׀
אִ֣ישׁ יִשְׂרָאֵ֗ל קָ֚מוּ מִמְּקוֹמ֔וֹ וַיַּֽעַרְכ֖וּ בְּבַ֣עַל תָּמָ֑ר וְאֹרֵ֧ב יִשְׂרָאֵ֛ל

לד מֵגִ֖יחַ מִמְּקֹמ֥וֹ מִמַּֽעֲרֵה־גָֽבַע: וַיָּבֹ֩אוּ֩ מִנֶּ֨גֶד לַגִּבְעָ֜ה עֲשֶׂ֤רֶת
אֲלָפִים֙ אִ֣ישׁ בָּח֔וּר מִכׇּל־יִשְׂרָאֵ֔ל וְהַמִּלְחָמָ֖ה כָּבֵ֑דָה וְהֵם֙ לֹ֣א
יָֽדְע֔וּ כִּֽי־נֹגַ֥עַת עֲלֵיהֶ֖ם הָֽרָעָֽה:

תָּאוּר
הַמַּעֲרָכָה
וְהַהַשְׁחָתָה
בְּבִנְיָמִן:

לה וַיִּגֹּ֨ף יְהֹוָ֥ה ׀ אֶֽת־בִּנְיָמִן֮ לִפְנֵ֣י יִשְׂרָאֵל֒ וַיַּשְׁחִ֩יתוּ֩ בְנֵ֨י יִשְׂרָאֵ֤ל
בְּבִנְיָמִן֙ בַּיּ֣וֹם הַה֔וּא עֶשְׂרִ֥ים וַחֲמִשָּׁ֛ה אֶ֖לֶף וּמֵאָ֣ה אִ֑ישׁ כׇּל־אֵ֕לֶּה

לו שֹׁ֥לֵֽף חָֽרֶב: וַיִּרְא֥וּ בְנֵֽי־בִנְיָמִ֖ן כִּ֣י נִגָּ֑פוּ וַיִּתְּנ֨וּ אִֽישׁ־יִשְׂרָאֵ֤ל מָקוֹם֙

לז לְבִנְיָמִ֔ן כִּ֤י בָֽטְחוּ֙ אֶל־הָ֣אֹרֵ֔ב אֲשֶׁ֥ר שָׂ֖מוּ אֶל־הַגִּבְעָֽה: וְהָאֹרֵ֣ב
הֵחִ֔ישׁוּ וַֽיִּפְשְׁט֖וּ אֶל־הַגִּבְעָ֑ה וַיִּמְשֹׁךְ֙ הָאֹרֵ֔ב וַיַּ֥ךְ אֶת־כׇּל־הָעִ֖יר

לח לְפִי־חָֽרֶב: וְהַמּוֹעֵ֗ד הָיָ֛ה לְאִ֥ישׁ יִשְׂרָאֵ֖ל עִם־הָאֹרֵ֑ב הֶ֗רֶב

לט לְהַֽעֲלוֹתָ֛ם מַשְׂאַ֥ת הֶעָשָׁ֖ן מִן־הָעִֽיר: וַיַּֽהֲפׇךְ֙ אִ֣ישׁ־יִשְׂרָאֵ֔ל
בַּמִּלְחָמָ֑ה וּבִנְיָמִ֡ן הֵחֵל֩ לְהַכּ֨וֹת חֲלָלִ֤ים בְּאִֽישׁ־יִשְׂרָאֵל֙ כִּשְׁלֹשִׁ֣ים
אִ֔ישׁ כִּ֣י אָֽמְר֔וּ אַךְ֩ נִגּ֨וֹף נִגָּ֥ף הוּא֙ לְפָנֵ֔ינוּ כַּמִּלְחָמָ֖ה הָרִאשֹׁנָֽה:

מ וְהַמַּשְׂאֵ֗ת הֵחֵ֛לָּה לַעֲל֥וֹת מִן־הָעִ֖יר עַמּ֣וּד עָשָׁ֑ן וַיִּ֤פֶן בִּנְיָמִן֙ אַֽחֲרָ֔יו

מא וְהִנֵּ֥ה עָלָ֛ה כְלִיל־הָעִ֖יר הַשָּׁמָֽיְמָה: וְאִ֤ישׁ יִשְׂרָאֵל֙ הָפַ֔ךְ וַיִּבָּהֵ֖ל

מב אִ֣ישׁ בִּנְיָמִ֑ן כִּ֣י רָאָ֔ה כִּֽי־נָגְעָ֥ה עָלָ֖יו הָרָעָֽה: וַיִּפְנ֞וּ לִפְנֵ֣י אִ֣ישׁ
יִשְׂרָאֵ֗ל אֶל־דֶּ֙רֶךְ֙ הַמִּדְבָּ֔ר וְהַמִּלְחָמָ֖ה הִדְבִּיקָ֑תְהוּ וַאֲשֶׁר֙

מג מֵהֶ֣עָרִ֔ים מַשְׁחִיתִ֥ים אוֹת֖וֹ בְּתוֹכֽוֹ: כִּתְּר֤וּ אֶת־בִּנְיָמִן֙ הִרְדִיפֻ֔הוּ

מד מְנוּחָה הִדְרִיכֻהוּ עַד נֹכַח הַגִּבְעָה מִמִּזְרַח־שָׁמֶשׁ: וַיִּפְּלוּ מִבִּנְיָמִן
מה שְׁמֹנָה־עָשָׂר אֶלֶף אִישׁ אֶת־כָּל־אֵלֶּה אַנְשֵׁי־חָיִל: וַיִּפְנוּ וַיָּנֻסוּ
הַמִּדְבָּרָה אֶל־סֶלַע הָרִמּוֹן וַיְעֹלְלֻהוּ בַּמְסִלּוֹת חֲמֵשֶׁת אֲלָפִים
מו אִישׁ וַיַּדְבִּיקוּ אַחֲרָיו עַד־גִּדְעֹם וַיַּכּוּ מִמֶּנּוּ אַלְפַּיִם אִישׁ: וַיְהִי
כָל־הַנֹּפְלִים מִבִּנְיָמִן עֶשְׂרִים וַחֲמִשָּׁה אֶלֶף אִישׁ שֹׁלֵף חֶרֶב בַּיּוֹם
מז הַהוּא אֶת־כָּל־אֵלֶּה אַנְשֵׁי־חָיִל: וַיִּפְנוּ וַיָּנֻסוּ הַמִּדְבָּרָה אֶל־סֶלַע
הָרִמּוֹן שֵׁשׁ מֵאוֹת אִישׁ וַיֵּשְׁבוּ בְּסֶלַע רִמּוֹן אַרְבָּעָה חֳדָשִׁים:
מח וְאִישׁ יִשְׂרָאֵל שָׁבוּ אֶל־בְּנֵי בִנְיָמִן וַיַּכּוּם לְפִי־חֶרֶב מֵעִיר מְתֹם
עַד־בְּהֵמָה עַד כָּל־הַנִּמְצָא גַּם כָּל־הֶעָרִים הַנִּמְצָאוֹת שִׁלְּחוּ
בָאֵשׁ:

הַשְּׁבוּעָה וְהַחֲרָטָה:

כא א וְאִישׁ יִשְׂרָאֵל נִשְׁבַּע בַּמִּצְפָּה לֵאמֹר אִישׁ מִמֶּנּוּ לֹא־יִתֵּן בִּתּוֹ
ב לְבִנְיָמִן לְאִשָּׁה: וַיָּבֹא הָעָם בֵּית־אֵל וַיֵּשְׁבוּ שָׁם עַד־הָעֶרֶב לִפְנֵי
ג הָאֱלֹהִים וַיִּשְׂאוּ קוֹלָם וַיִּבְכּוּ בְּכִי גָדוֹל: וַיֹּאמְרוּ לָמָה יְהוָה אֱלֹהֵי
יִשְׂרָאֵל הָיְתָה זֹאת בְּיִשְׂרָאֵל לְהִפָּקֵד הַיּוֹם מִיִּשְׂרָאֵל שֵׁבֶט אֶחָד:
ד וַיְהִי מִמָּחֳרָת וַיַּשְׁכִּימוּ הָעָם וַיִּבְנוּ־שָׁם מִזְבֵּחַ וַיַּעֲלוּ עֹלוֹת
וּשְׁלָמִים:

הַכָּאַת יָבֵשׁ גִּלְעָד:

ה וַיֹּאמְרוּ בְּנֵי יִשְׂרָאֵל מִי אֲשֶׁר לֹא־עָלָה בַקָּהָל מִכָּל־שִׁבְטֵי
יִשְׂרָאֵל אֶל־יְהוָה כִּי הַשְּׁבוּעָה הַגְּדוֹלָה הָיְתָה לַאֲשֶׁר לֹא־עָלָה
ו אֶל־יְהוָה הַמִּצְפָּה לֵאמֹר מוֹת יוּמָת: וַיִּנָּחֲמוּ בְּנֵי יִשְׂרָאֵל
אֶל־בִּנְיָמִן אָחִיו וַיֹּאמְרוּ נִגְדַּע הַיּוֹם שֵׁבֶט אֶחָד מִיִּשְׂרָאֵל:
ז מַה־נַּעֲשֶׂה לָהֶם לַנּוֹתָרִים לְנָשִׁים וַאֲנַחְנוּ נִשְׁבַּעְנוּ בַיהוָה
ח לְבִלְתִּי תֵת־לָהֶם מִבְּנוֹתֵינוּ לְנָשִׁים: וַיֹּאמְרוּ מִי אֶחָד מִשִּׁבְטֵי
יִשְׂרָאֵל אֲשֶׁר לֹא־עָלָה אֶל־יְהוָה הַמִּצְפָּה וְהִנֵּה לֹא בָא־אִישׁ
ט אֶל־הַמַּחֲנֶה מִיָּבֵישׁ גִּלְעָד אֶל־הַקָּהָל: וַיִּתְפָּקֵד הָעָם וְהִנֵּה
י אֵין־שָׁם אִישׁ מִיּוֹשְׁבֵי יָבֵשׁ גִּלְעָד: וַיִּשְׁלְחוּ־שָׁם הָעֵדָה שְׁנֵים־

עֲשֶׂ֤רֶת אֲלָפִים֙ אִ֣ישׁ מִבְּנֵ֣י הַחַ֔יִל וַיְצַוּ֤וּ אוֹתָם֙ לֵאמֹ֔ר לְכ֖וּ וְהִכִּיתֶ֛ם

יא אֶת־יוֹשְׁבֵ֥י יָבֵ֖שׁ גִּלְעָ֑ד לְפִי־חֶ֔רֶב וְהַנָּשִׁ֖ים וְהַטָּ֑ף וְזֶ֣ה הַדָּבָ֔ר אֲשֶׁ֣ר תַּעֲשׂ֑וּ כָּל־זָכָ֗ר וְכָל־אִשָּׁ֛ה יֹדַ֥עַת מִשְׁכַּב־זָכָ֖ר תַּחֲרִֽימוּ׃

יב וַיִּמְצְא֞וּ מִיּוֹשְׁבֵ֣י ׀ יָבֵ֣שׁ גִּלְעָ֗ד אַרְבַּ֤ע מֵאוֹת֙ נַעֲרָ֣ה בְתוּלָ֔ה אֲשֶׁ֧ר לֹא־יָדְעָ֛ה אִ֖ישׁ לְמִשְׁכַּ֣ב זָכָ֑ר וַיָּבִ֤יאוּ אוֹתָם֙ אֶל־הַֽמַּחֲנֶ֣ה שִׁלֹ֔ה אֲשֶׁ֖ר בְּאֶ֥רֶץ כְּנָֽעַן׃

הַהִתְפַּיְּסוּת
עִם פְּלֵיטַת
בִּנְיָמִין׃

יג וַֽיִּשְׁלְחוּ֙ כָּל־הָ֣עֵדָ֔ה וַֽיְדַבְּרוּ֙ אֶל־בְּנֵ֣י בִנְיָמִ֔ן אֲשֶׁ֖ר בְּסֶ֣לַע רִמּ֑וֹן

יד וַיִּקְרְא֥וּ לָהֶ֖ם שָׁל֑וֹם וַיָּ֣שָׁב בִּנְיָמִ֗ן בָּעֵת֙ הַהִ֔יא וַיִּתְּנ֤וּ לָהֶם֙ הַנָּשִׁ֔ים

טו אֲשֶׁ֣ר חִיּ֔וּ מִנְּשֵׁ֖י יָבֵ֣שׁ גִּלְעָ֑ד וְלֹא־מָצְא֥וּ לָהֶ֖ם כֵּֽן׃ וְהָעָ֥ם נִחָ֖ם

טז לְבִנְיָמִ֑ן כִּֽי־עָשָׂ֧ה יְהוָ֛ה פֶּ֖רֶץ בְּשִׁבְטֵ֥י יִשְׂרָאֵֽל׃ וַיֹּֽאמְרוּ֙ זִקְנֵ֣י הָעֵדָ֔ה

יז מַה־נַּעֲשֶׂ֥ה לַנּוֹתָרִ֖ים לְנָשִׁ֑ים כִּֽי־נִשְׁמְדָ֥ה מִבִּנְיָמִ֖ן אִשָּֽׁה׃ וַיֹּ֣אמְר֔וּ

יח יְרֻשַּׁ֥ת פְּלֵיטָ֖ה לְבִנְיָמִ֑ן וְלֹא־יִמָּחֶ֥ה שֵׁ֖בֶט מִיִּשְׂרָאֵֽל׃ וַאֲנַ֗חְנוּ לֹ֤א נוּכַל֙ לָתֵת־לָהֶ֣ם נָשִׁ֔ים מִבְּנוֹתֵ֑ינוּ כִּֽי־נִשְׁבְּע֤וּ בְנֵֽי־יִשְׂרָאֵל֙ לֵאמֹ֔ר

חֲטִיפַת
הַמְּחוֹלְלוֹת׃

יט אָר֕וּר נֹתֵ֥ן אִשָּׁ֖ה לְבִנְיָמִֽן׃ וַיֹּאמְר֗וּ
הִנֵּה֩ חַג־יְהוָ֨ה בְּשִׁל֜וֹ מִיָּמִ֣ים ׀ יָמִ֗ימָה אֲשֶׁ֛ר מִצְּפ֥וֹנָה לְבֵֽית־אֵ֖ל מִזְרְחָ֣ה הַשֶּׁ֔מֶשׁ לִֽמְסִלָּ֔ה הָעֹלָ֛ה מִבֵּֽית־אֵ֖ל שְׁכֶ֑מָה וּמִנֶּ֖גֶב לִלְבוֹנָֽה׃

כ וַיְצַ֕ו֙ אֶת־בְּנֵ֥י בִנְיָמִ֖ן לֵאמֹ֑ר לְכ֥וּ וַאֲרַבְתֶּ֖ם בַּכְּרָמִֽים׃ וּרְאִיתֶ֗ם

כא וְ֠הִנֵּה אִם־יֵ֨צְא֤וּ בְנוֹת־שִׁילוֹ֙ לָח֣וּל בַּמְּחֹל֔וֹת וִֽיצָאתֶם֙ מִן־הַכְּרָמִ֔ים וַחֲטַפְתֶּ֤ם לָכֶם֙ אִ֣ישׁ אִשְׁתּ֔וֹ מִבְּנ֣וֹת שִׁיל֑וֹ וַהֲלַכְתֶּ֖ם אֶ֥רֶץ

כב בִּנְיָמִֽן׃ וְהָיָ֡ה כִּֽי־יָבֹ֣אוּ אֲבוֹתָם֩ א֨וֹ אֲחֵיהֶ֜ם לָרִ֣וב ׀ לָרִ֣יב ׀ אֵלֵ֗ינוּ וְאָמַ֤רְנוּ אֲלֵיהֶם֙ חָנּ֣וּנוּ אוֹתָ֔ם כִּ֣י לֹ֥א לָקַ֛חְנוּ אִ֥ישׁ אִשְׁתּ֖וֹ בַּמִּלְחָמָ֑ה

כג כִּ֣י לֹ֥א אַתֶּ֛ם נְתַתֶּ֥ם לָהֶ֖ם כָּעֵ֥ת תֶּאְשָֽׁמוּ׃ וַיַּֽעֲשׂוּ־
כֵ֣ן בְּנֵ֣י בִנְיָמִ֗ן וַיִּשְׂא֤וּ נָשִׁים֙ לְמִסְפָּרָ֔ם מִן־הַמְּחֹֽלְל֖וֹת אֲשֶׁ֣ר גָּזָ֑לוּ וַיֵּלְכ֣וּ וַיָּשׁ֗וּבוּ אֶל־נַחֲלָתָ֔ם וַיִּבְנוּ֙ אֶת־הֶ֣עָרִ֔ים וַיֵּשְׁב֖וּ בָּהֶֽם׃

כד וַיִּתְהַלְּכ֨וּ מִשָּׁ֤ם בְּנֵֽי־יִשְׂרָאֵל֙ בָּעֵ֣ת הַהִ֔יא אִ֥ישׁ לְשִׁבְט֖וֹ

וּלְמִשְׁפַּחְתּ֑וֹ וַיֵּצְא֣וּ מִשָּׁ֔ם אִ֖ישׁ לְנַחֲלָתֽוֹ׃
כה בַּיָּמִ֣ים הָהֵ֔ם אֵ֥ין מֶ֖לֶךְ בְּיִשְׂרָאֵ֑ל אִ֛ישׁ הַיָּשָׁ֥ר בְּעֵינָ֖יו יַעֲשֶֽׂה׃

שמואל

עֲלִיַּת
אֶלְקָנָה
וְנָשָׁיו
לְשִׁילֹה:

א וַיְהִי אִישׁ אֶחָד מִן־הָרָמָתַיִם צוֹפִים מֵהַר אֶפְרָיִם וּשְׁמוֹ אֶלְקָנָה

ב בֶּן־יְרֹחָם בֶּן־אֱלִיהוּא בֶּן־תֹּחוּ בֶן־צוּף אֶפְרָתִי: וְלוֹ שְׁתֵּי נָשִׁים שֵׁם אַחַת חַנָּה וְשֵׁם הַשֵּׁנִית פְּנִנָּה וַיְהִי לִפְנִנָּה יְלָדִים וּלְחַנָּה

ג אֵין יְלָדִים: וְעָלָה הָאִישׁ הַהוּא מֵעִירוֹ מִיָּמִים ׀ יָמִימָה לְהִשְׁתַּחֲוֺת וְלִזְבֹּחַ לַיהוָה צְבָאוֹת בְּשִׁלֹה וְשָׁם שְׁנֵי בְנֵי־עֵלִי

ד חָפְנִי וּפִנְחָס כֹּהֲנִים לַיהוָה: וַיְהִי הַיּוֹם וַיִּזְבַּח אֶלְקָנָה וְנָתַן לִפְנִנָּה   [2831]

ה אִשְׁתּוֹ וּלְכָל־בָּנֶיהָ וּבְנוֹתֶיהָ מָנוֹת: וּלְחַנָּה יִתֵּן מָנָה אַחַת אַפָּיִם

ו כִּי אֶת־חַנָּה אָהֵב וַיהוָה סָגַר רַחְמָהּ: וְכִעֲסַתָּה צָרָתָהּ

ז גַּם־כַּעַס בַּעֲבוּר הַרְּעִמָהּ כִּי־סָגַר יְהוָה בְּעַד רַחְמָהּ: וְכֵן יַעֲשֶׂה שָׁנָה בְשָׁנָה מִדֵּי עֲלֹתָהּ בְּבֵית יְהוָה כֵּן תַּכְעִסֶנָּה וַתִּבְכֶּה

ח וְלֹא תֹאכַל: וַיֹּאמֶר לָהּ אֶלְקָנָה אִישָׁהּ חַנָּה לָמֶה תִבְכִּי וְלָמֶה לֹא תֹאכְלִי וְלָמֶה יֵרַע לְבָבֵךְ הֲלוֹא אָנֹכִי טוֹב לָךְ מֵעֲשָׂרָה

תְּפִלַּת חַנָּה
לָבֵן
וְנִדְרָהּ:

ט בָּנִים: וַתָּקָם חַנָּה אַחֲרֵי אָכְלָה בְשִׁלֹה וְאַחֲרֵי שָׁתֹה וְעֵלִי הַכֹּהֵן יֹשֵׁב עַל־הַכִּסֵּא עַל־מְזוּזַת הֵיכַל יְהוָה: וְהִיא מָרַת נָפֶשׁ וַתִּתְפַּלֵּל

יא עַל־יְהוָה וּבָכֹה תִבְכֶּה: וַתִּדֹּר נֶדֶר וַתֹּאמַר יְהוָה צְבָאוֹת אִם־רָאֹה תִרְאֶה ׀ בָּעֳנִי אֲמָתֶךָ וּזְכַרְתַּנִי וְלֹא־תִשְׁכַּח אֶת־אֲמָתֶךָ וְנָתַתָּה לַאֲמָתְךָ זֶרַע אֲנָשִׁים וּנְתַתִּיו לַיהוָה כָּל־יְמֵי חַיָּיו וּמוֹרָה

יב לֹא־יַעֲלֶה עַל־רֹאשׁוֹ: וְהָיָה כִּי הִרְבְּתָה לְהִתְפַּלֵּל לִפְנֵי יְהוָה

יג וְעֵלִי שֹׁמֵר אֶת־פִּיהָ: וְחַנָּה הִיא מְדַבֶּרֶת עַל־לִבָּהּ רַק שְׂפָתֶיהָ

יד נָּעוֹת וְקוֹלָהּ לֹא יִשָּׁמֵעַ וַיַּחְשְׁבֶהָ עֵלִי לְשִׁכֹּרָה: וַיֹּאמֶר אֵלֶיהָ

נֶחְשְׁבָה עֵלִי
בְּחַנָּה,
וְהִתְנַצְּלוּתָהּ:

טו עֵלִי עַד־מָתַי תִּשְׁתַּכָּרִין הָסִירִי אֶת־יֵינֵךְ מֵעָלָיִךְ: וַתַּעַן חַנָּה וַתֹּאמֶר לֹא אֲדֹנִי אִשָּׁה קְשַׁת־רוּחַ אָנֹכִי וְיַיִן וְשֵׁכָר לֹא שָׁתִיתִי

טז וָאֶשְׁפֹּךְ אֶת־נַפְשִׁי לִפְנֵי יְהוָה: אַל־תִּתֵּן אֶת־אֲמָתְךָ לִפְנֵי

בִּרְכַּת עֵלִי לְחַנָּה:

יז בַּת־בְּלִיָּעַל כִּֽי־מֵרֹב שִׂיחִי וְכַעְסִי דִּבַּרְתִּי עַד־הֵֽנָּה׃ וַיַּעַן עֵלִי
וַיֹּאמֶר לְכִי לְשָׁלוֹם וֵאלֹהֵי יִשְׂרָאֵל יִתֵּן אֶת־שֵׁלָתֵךְ אֲשֶׁר שָׁאַלְתְּ
יח מֵעִמּֽוֹ׃ וַתֹּאמֶר תִּמְצָא שִׁפְחָתְךָ חֵן בְּעֵינֶיךָ וַתֵּלֶךְ הָאִשָּׁה
יט לְדַרְכָּהּ וַתֹּאכַל וּפָנֶיהָ לֹא־הָיוּ־לָהּ עֽוֹד׃ וַיַּשְׁכִּמוּ בַבֹּקֶר
וַיִּֽשְׁתַּחֲווּ לִפְנֵי יְהֹוָה וַיָּשֻׁבוּ וַיָּבֹאוּ אֶל־בֵּיתָם הָֽרָמָתָה וַיֵּדַע

הוֹרָתוֹ וְלֵדָתוֹ שֶׁל שְׁמוּאֵל: [2832]

כ אֶלְקָנָה אֶת־חַנָּה אִשְׁתּוֹ וַיִּֽזְכְּרֶהָ יְהֹוָֽה׃ וַיְהִי לִתְקֻפוֹת הַיָּמִים
וַתַּהַר חַנָּה וַתֵּלֶד בֵּן וַתִּקְרָא אֶת־שְׁמוֹ שְׁמוּאֵל כִּי מֵיְהֹוָה
כא שְׁאִלְתִּֽיו׃ וַיַּעַל הָאִישׁ אֶלְקָנָה וְכָל־בֵּיתוֹ לִזְבֹּחַ לַֽיהֹוָה אֶת־זֶבַח
כב הַיָּמִים וְאֶת־נִדְרֽוֹ׃ וְחַנָּה לֹא עָלָתָה כִּֽי־אָמְרָה לְאִישָׁהּ עַד
יִגָּמֵל הַנַּעַר וַהֲבִאֹתִיו וְנִרְאָה אֶת־פְּנֵי יְהֹוָה וְיָשַׁב שָׁם עַד־עוֹלָֽם׃
כג וַיֹּאמֶר לָהּ אֶלְקָנָה אִישָׁהּ עֲשִׂי הַטּוֹב בְּעֵינַיִךְ שְׁבִי עַד־גָּמְלֵךְ
אֹתוֹ אַךְ יָקֵם יְהֹוָה אֶת־דְּבָרוֹ וַתֵּשֶׁב הָֽאִשָּׁה וַתֵּינֶק אֶת־בְּנָהּ

הַעֲלָאַת שְׁמוּאֵל לְשִׁילֹה: [2834]

כד עַד־גָמְלָהּ אֹתֽוֹ׃ וַתַּעֲלֵהוּ עִמָּהּ כַּאֲשֶׁר גְּמָלַתּוּ בְּפָרִים שְׁלֹשָׁה
וְאֵיפָה אַחַת קֶמַח וְנֵבֶל יַיִן וַתְּבִאֵהוּ בֵית־יְהֹוָה שִׁלוֹ וְהַנַּעַר נָֽעַר׃
כה כו וַיִּשְׁחֲטוּ אֶת־הַפָּר וַיָּבִאוּ אֶת־הַנַּעַר אֶל־עֵלִֽי׃ וַתֹּאמֶר בִּי אֲדֹנִי חֵי
נַפְשְׁךָ אֲדֹנִי אֲנִי הָֽאִשָּׁה הַנִּצֶּבֶת עִמְּכָה בָּזֶה לְהִתְפַּלֵּל אֶל־יְהֹוָֽה׃
כז אֶל־הַנַּעַר הַזֶּה הִתְפַּלָּלְתִּי וַיִּתֵּן יְהֹוָה לִי אֶת־שְׁאֵלָתִי אֲשֶׁר שָׁאַלְתִּי
כח מֵעִמּֽוֹ׃ וְגַם אָנֹכִי הִשְׁאִלְתִּהוּ לַֽיהֹוָה כָּל־הַיָּמִים אֲשֶׁר הָיָה הוּא

תְּפִלַּת חַנָּה:

ב א שָׁאוּל לַֽיהֹוָה וַיִּשְׁתַּחוּ שָׁם לַֽיהֹוָֽה׃ וַתִּתְפַּלֵּל חַנָּה
וַתֹּאמַר עָלַץ לִבִּי בַּֽיהֹוָה רָמָה קַרְנִי בַּֽיהֹוָה רָחַב פִּי עַל־אֽוֹיְבַי
ב כִּי שָׂמַחְתִּי בִּישׁוּעָתֶֽךָ׃ אֵין־קָדוֹשׁ כַּֽיהֹוָה כִּי אֵין בִּלְתֶּךָ וְאֵין
ג צוּר כֵּאלֹהֵֽינוּ׃ אַל־תַּרְבּוּ תְדַבְּרוּ גְּבֹהָה גְבֹהָה יֵצֵא עָתָק מִפִּיכֶם
ד כִּי אֵל דֵּעוֹת יְהֹוָה ולא וְלוֹ נִתְכְּנוּ עֲלִלֽוֹת׃ קֶשֶׁת גִּבֹּרִים חַתִּים
ה וְנִכְשָׁלִים אָזְרוּ חָֽיִל׃ שְׂבֵעִים בַּלֶּחֶם נִשְׂכָּרוּ וּרְעֵבִים חָדֵלּוּ
ו עַד־עֲקָרָה יָלְדָה שִׁבְעָה וְרַבַּת בָּנִים אֻמְלָֽלָה׃ יְהֹוָה מֵמִית

ז וּמְחַיֶּה מוֹרִיד שְׁאוֹל וַיָּעַל׃ יְהוָה מוֹרִישׁ וּמַעֲשִׁיר מַשְׁפִּיל
ח אַף־מְרוֹמֵם׃ מֵקִים מֵעָפָר דָּל מֵאַשְׁפֹּת יָרִים אֶבְיוֹן לְהוֹשִׁיב
עִם־נְדִיבִים וְכִסֵּא כָבוֹד יַנְחִלֵם כִּי לַיהוָה מְצֻקֵי אֶרֶץ וַיָּשֶׁת
ט עֲלֵיהֶם תֵּבֵל׃ רַגְלֵי חֲסִידָו יִשְׁמֹר וּרְשָׁעִים בַּחֹשֶׁךְ יִדָּמּוּ כִּי־לֹא
י בְכֹחַ יִגְבַּר־אִישׁ׃ יְהוָה יֵחַתּוּ מְרִיבָו עָלָו בַּשָּׁמַיִם יַרְעֵם יְהוָה
יָדִין אַפְסֵי־אָרֶץ וְיִתֶּן־עֹז לְמַלְכּוֹ וְיָרֵם קֶרֶן מְשִׁיחוֹ׃
יא וַיֵּלֶךְ אֶלְקָנָה הָרָמָתָה עַל־בֵּיתוֹ וְהַנַּעַר הָיָה מְשָׁרֵת אֶת־יְהוָה חֲטָאֵי בְּנֵי עֵלִי׃
יב אֶת־פְּנֵי עֵלִי הַכֹּהֵן׃ וּבְנֵי עֵלִי בְּנֵי בְלִיָּעַל לֹא יָדְעוּ אֶת־יְהוָה׃
יג וּמִשְׁפַּט הַכֹּהֲנִים אֶת־הָעָם כָּל־אִישׁ זֹבֵחַ זֶבַח וּבָא נַעַר הַכֹּהֵן
יד כְּבַשֵּׁל הַבָּשָׂר וְהַמַּזְלֵג שְׁלֹשׁ הַשִּׁנַּיִם בְּיָדוֹ׃ וְהִכָּה בַכִּיּוֹר אוֹ
בַדּוּד אוֹ בַקַּלַּחַת אוֹ בַפָּרוּר כֹּל אֲשֶׁר יַעֲלֶה הַמַּזְלֵג יִקַּח הַכֹּהֵן
טו בּוֹ כָּכָה יַעֲשׂוּ לְכָל־יִשְׂרָאֵל הַבָּאִים שָׁם בְּשִׁלֹה׃ גַּם בְּטֶרֶם
יַקְטִרוּן אֶת־הַחֵלֶב וּבָא ׀ נַעַר הַכֹּהֵן וְאָמַר לָאִישׁ הַזֹּבֵחַ תְּנָה
בָשָׂר לִצְלוֹת לַכֹּהֵן וְלֹא־יִקַּח מִמְּךָ בָּשָׂר מְבֻשָּׁל כִּי אִם־חָי׃
טז וַיֹּאמֶר אֵלָיו הָאִישׁ קַטֵּר יַקְטִירוּן כַּיּוֹם הַחֵלֶב וְקַח־לְךָ כַּאֲשֶׁר
תְּאַוֶּה נַפְשֶׁךָ וְאָמַר ׀ לו לֹא כִּי עַתָּה תִתֵּן וְאִם־לֹא לָקַחְתִּי בְחָזְקָה׃
יז וַתְּהִי חַטַּאת הַנְּעָרִים גְּדוֹלָה מְאֹד אֶת־פְּנֵי יְהוָה כִּי נִאֲצוּ
יח הָאֲנָשִׁים אֵת מִנְחַת יְהוָה׃ וּשְׁמוּאֵל מְשָׁרֵת אֶת־פְּנֵי יְהוָה נַעַר שְׁמוּאֵל מְשָׁרֵת בְּשִׁילֹה׃
יט חָגוּר אֵפוֹד בָּד׃ וּמְעִיל קָטֹן תַּעֲשֶׂה־לּוֹ אִמּוֹ וְהַעַלְתָה לוֹ
מִיָּמִים ׀ יָמִימָה בַּעֲלוֹתָהּ אֶת־אִישָׁהּ לִזְבֹּחַ אֶת־זֶבַח
כ הַיָּמִים׃ וּבֵרַךְ עֵלִי אֶת־אֶלְקָנָה וְאֶת־אִשְׁתּוֹ וְאָמַר יָשֵׂם יְהוָה
לְךָ זֶרַע מִן־הָאִשָּׁה הַזֹּאת תַּחַת הַשְּׁאֵלָה אֲשֶׁר שָׁאַל לַיהוָה
כא וְהָלְכוּ לִמְקֹמוֹ׃ כִּי־פָקַד יְהוָה אֶת־חַנָּה וַתַּהַר וַתֵּלֶד שְׁלֹשָׁה־
כב בָנִים וּשְׁתֵּי בָנוֹת וַיִּגְדַּל הַנַּעַר שְׁמוּאֵל עִם־יְהוָה׃ וְעֵלִי תּוֹכַחַת עֵלִי לְבָנָיו׃
זָקֵן מְאֹד וְשָׁמַע אֵת כָּל־אֲשֶׁר יַעֲשׂוּן בָּנָיו לְכָל־יִשְׂרָאֵל וְאֵת

כג אֲשֶׁר־יִשְׁכְּבוּן֙ אֶת־הַנָּשִׁ֔ים הַצֹּ֣בְא֔וֹת פֶּ֖תַח אֹ֥הֶל מוֹעֵֽד׃ וַיֹּ֣אמֶר
לָהֶ֔ם לָ֥מָּה תַעֲשׂ֖וּן כַּדְּבָרִ֣ים הָאֵ֑לֶּה אֲשֶׁ֨ר אָנֹכִ֤י שֹׁמֵ֙עַ֙ אֶת־
כד דִּבְרֵיכֶ֣ם רָעִ֔ים מֵאֵ֖ת כָּל־הָעָ֥ם אֵֽלֶּה׃ אַ֖ל בָּנָ֑י כִּ֠י לֽוֹא־טוֹבָ֤ה
כה הַשְּׁמֻעָה֙ אֲשֶׁ֣ר אָנֹכִ֣י שֹׁמֵ֔עַ מַעֲבִרִ֖ים עַם־יְהוָֽה׃ אִם־יֶחֱטָ֨א אִ֤ישׁ
לְאִישׁ֙ וּפִֽלְל֣וֹ אֱלֹהִ֔ים וְאִ֤ם לַֽיהוָה֙ יֶחֱטָא־אִ֔ישׁ מִ֖י יִתְפַּלֶּל־ל֑וֹ וְלֹ֤א
כו יִשְׁמְעוּ֙ לְק֣וֹל אֲבִיהֶ֔ם כִּֽי־חָפֵ֥ץ יְהוָ֖ה לַהֲמִיתָֽם׃ וְהַנַּ֣עַר שְׁמוּאֵ֔ל
הֹלֵ֥ךְ וְגָדֵ֖ל וָט֑וֹב גַּ֚ם עִם־יְהוָ֔ה וְגַ֖ם עִם־אֲנָשִֽׁים׃

תּוֹכַחַת אִישׁ הָאֱלֹקִים לְעֵלִי:

כז וַיָּבֹ֥א אִישׁ־אֱלֹהִ֖ים אֶל־עֵלִ֑י וַיֹּ֣אמֶר אֵלָ֗יו כֹּ֚ה אָמַ֣ר יְהוָ֔ה הֲנִגְלֹ֤ה
כח נִגְלֵ֙יתִי֙ אֶל־בֵּ֣ית אָבִ֔יךָ בִּֽהְיוֹתָ֥ם בְּמִצְרַ֖יִם לְבֵ֥ית פַּרְעֹֽה׃ וּבָחֹ֣ר
אֹ֠תוֹ מִכָּל־שִׁבְטֵ֨י יִשְׂרָאֵ֥ל לִי֙ לְכֹהֵ֔ן לַעֲל֣וֹת עַֽל־מִזְבְּחִ֗י לְהַקְטִ֥יר
קְטֹ֛רֶת לָשֵׂ֥את אֵפ֖וֹד לְפָנָ֑י וָֽאֶתְּנָה֙ לְבֵ֣ית אָבִ֔יךָ אֶת־כָּל־אִשֵּׁ֖י בְּנֵ֥י
כט יִשְׂרָאֵֽל׃ לָ֣מָּה תִבְעֲט֗וּ בְּזִבְחִי֙ וּבְמִנְחָתִ֔י אֲשֶׁ֥ר צִוִּ֖יתִי מָע֑וֹן
וַתְּכַבֵּ֤ד אֶת־בָּנֶ֙יךָ֙ מִמֶּ֔נִּי לְהַבְרִיאֲכֶ֗ם מֵרֵאשִׁ֛ית כָּל־מִנְחַ֥ת
ל יִשְׂרָאֵ֖ל לְעַמִּֽי׃ לָכֵ֗ן נְאֻם־יְהוָה֮ אֱלֹהֵ֣י יִשְׂרָאֵל֒ אָמ֣וֹר אָמַ֔רְתִּי
בֵּֽיתְךָ֙ וּבֵ֣ית אָבִ֔יךָ יִתְהַלְּכ֥וּ לְפָנַ֖י עַד־עוֹלָ֑ם וְעַתָּ֤ה נְאֻם־יְהוָה֙
לא חָלִ֣ילָה לִּ֔י כִּֽי־מְכַבְּדַ֥י אֲכַבֵּ֖ד וּבֹזַ֥י יֵקָֽלּוּ׃ הִנֵּה֙ יָמִ֣ים בָּאִ֔ים וְגָֽדַעְתִּי֙
לב אֶת־זְרֹ֣עֲךָ֔ וְאֶת־זְרֹ֖עַ בֵּ֣ית אָבִ֑יךָ מִהְי֥וֹת זָקֵ֖ן בְּבֵיתֶֽךָ׃ וְהִבַּטְתָּ֙
צַ֣ר מָע֔וֹן בְּכֹ֖ל אֲשֶׁר־יֵיטִ֣יב אֶת־יִשְׂרָאֵ֑ל וְלֹֽא־יִהְיֶ֥ה זָקֵ֛ן בְּבֵיתְךָ֖
לג כָּל־הַיָּמִֽים׃ וְאִ֗ישׁ לֹֽא־אַכְרִ֤ית לְךָ֙ מֵעִ֣ם מִזְבְּחִ֔י לְכַלּ֥וֹת אֶת־
עֵינֶ֖יךָ וְלַאֲדִ֣יב אֶת־נַפְשֶׁ֑ךָ וְכָל־מַרְבִּ֥ית בֵּיתְךָ֖ יָמ֥וּתוּ אֲנָשִֽׁים׃
לד וְזֶה־לְּךָ֣ הָא֗וֹת אֲשֶׁ֤ר יָבֹא֙ אֶל־שְׁנֵ֣י בָנֶ֔יךָ אֶל־חָפְנִ֖י וּפִֽינְחָ֑ס בְּי֥וֹם
לה אֶחָ֖ד יָמ֥וּתוּ שְׁנֵיהֶֽם׃ וַהֲקִימֹתִ֥י לִי֙ כֹּהֵ֣ן נֶאֱמָ֔ן כַּאֲשֶׁ֛ר בִּלְבָבִ֥י
וּבְנַפְשִׁ֖י יַעֲשֶׂ֑ה וּבָנִ֤יתִי לוֹ֙ בַּ֣יִת נֶאֱמָ֔ן וְהִתְהַלֵּ֥ךְ לִפְנֵֽי־מְשִׁיחִ֖י
לו כָּל־הַיָּמִֽים׃ וְהָיָ֗ה כָּל־הַנּוֹתָר֙ בְּבֵ֣יתְךָ֔ יָבוֹא֙ לְהִשְׁתַּחֲוֹ֣ת ל֔וֹ
לַאֲג֥וֹרַת כֶּ֖סֶף וְכִכַּר־לָ֑חֶם וְאָמַ֗ר סְפָחֵ֥נִי נָ֛א אֶל־אַחַ֥ת הַכְּהֻנּ֖וֹת

לֶאֱכֹל פַּת־לָחֶם׃

ג א וְהַנַּעַר שְׁמוּאֵל מְשָׁרֵת אֶת־יְהוָה לִפְנֵי עֵלִי וּדְבַר־יְהוָה הָיָה יָקָר
ב בַּיָּמִים הָהֵם אֵין חָזוֹן נִפְרָץ׃ וַיְהִי בַּיּוֹם ראשית נבואת שמואל:
הַהוּא וְעֵלִי שֹׁכֵב בִּמְקֹמוֹ וְעֵינָו הֵחֵלּוּ כֵהוֹת לֹא יוּכַל לִרְאוֹת׃
ג וְנֵר אֱלֹהִים טֶרֶם יִכְבֶּה וּשְׁמוּאֵל שֹׁכֵב בְּהֵיכַל יְהוָה אֲשֶׁר־שָׁם
אֲרוֹן אֱלֹהִים׃
ד ה וַיִּקְרָא יְהוָה אֶל־שְׁמוּאֵל וַיֹּאמֶר הִנֵּנִי׃ וַיָּרָץ אֶל־עֵלִי וַיֹּאמֶר
הִנְנִי כִּי־קָרָאתָ לִּי וַיֹּאמֶר לֹא־קָרָאתִי שׁוּב שְׁכָב וַיֵּלֶךְ
ו וַיִּשְׁכָּב׃ וַיֹּסֶף יְהוָה קְרֹא עוֹד שְׁמוּאֵל וַיָּקָם שְׁמוּאֵל
וַיֵּלֶךְ אֶל־עֵלִי וַיֹּאמֶר הִנְנִי כִּי קָרָאתָ לִי וַיֹּאמֶר לֹא־קָרָאתִי בְנִי
ז שׁוּב שְׁכָב׃ וּשְׁמוּאֵל טֶרֶם יָדַע אֶת־יְהוָה וְטֶרֶם יִגָּלֶה אֵלָיו
ח דְּבַר־יְהוָה׃ וַיֹּסֶף יְהוָה קְרֹא־שְׁמוּאֵל בַּשְּׁלִשִׁית וַיָּקָם וַיֵּלֶךְ
אֶל־עֵלִי וַיֹּאמֶר הִנְנִי כִּי קָרָאתָ לִי וַיָּבֶן עֵלִי כִּי יְהוָה קֹרֵא לַנָּעַר׃
ט וַיֹּאמֶר עֵלִי לִשְׁמוּאֵל לֵךְ ׀ שְׁכָב וְהָיָה אִם־יִקְרָא אֵלֶיךָ וְאָמַרְתָּ
י דַּבֵּר יְהוָה כִּי שֹׁמֵעַ עַבְדֶּךָ וַיֵּלֶךְ שְׁמוּאֵל וַיִּשְׁכַּב בִּמְקוֹמוֹ׃ וַיָּבֹא
יְהוָה וַיִּתְיַצַּב וַיִּקְרָא כְפַעַם־בְּפַעַם שְׁמוּאֵל ׀ שְׁמוּאֵל וַיֹּאמֶר
שְׁמוּאֵל דַּבֵּר כִּי שֹׁמֵעַ עַבְדֶּךָ׃
יא וַיֹּאמֶר יְהוָה אֶל־שְׁמוּאֵל הִנֵּה אָנֹכִי עֹשֶׂה דָבָר בְּיִשְׂרָאֵל אֲשֶׁר נבואה על בית עלי:
יב כָּל־שֹׁמְעוֹ תְּצִלֶּינָה שְׁתֵּי אָזְנָיו׃ בַּיּוֹם הַהוּא אָקִים אֶל־עֵלִי אֵת
יג כָּל־אֲשֶׁר דִּבַּרְתִּי אֶל־בֵּיתוֹ הָחֵל וְכַלֵּה׃ וְהִגַּדְתִּי לוֹ כִּי־שֹׁפֵט אֲנִי
אֶת־בֵּיתוֹ עַד־עוֹלָם בַּעֲוֺן אֲשֶׁר־יָדַע כִּי־מְקַלְלִים לָהֶם בָּנָיו
יד וְלֹא כִהָה בָּם׃ וְלָכֵן נִשְׁבַּעְתִּי לְבֵית עֵלִי אִם־יִתְכַּפֵּר עֲוֺן
טו בֵּית־עֵלִי בְּזֶבַח וּבְמִנְחָה עַד־עוֹלָם׃ וַיִּשְׁכַּב שְׁמוּאֵל עַד־הַבֹּקֶר
וַיִּפְתַּח אֶת־דַּלְתוֹת בֵּית־יְהוָה וּשְׁמוּאֵל יָרֵא מֵהַגִּיד אֶת־הַמַּרְאָה
טז אֶל־עֵלִי׃ וַיִּקְרָא עֵלִי אֶת־שְׁמוּאֵל וַיֹּאמֶר שְׁמוּאֵל בְּנִי וַיֹּאמֶר

יז הִנֵּנִי׃ וַיֹּאמֶר מָה הַדָּבָר אֲשֶׁר דִּבֶּר אֵלֶיךָ אַל־נָא תְכַחֵד מִמֶּנִּי כֹּה
יַעֲשֶׂה־לְּךָ אֱלֹהִים וְכֹה יוֹסִיף אִם־תְּכַחֵד מִמֶּנִּי דָּבָר מִכָּל־הַדָּבָר
יח אֲשֶׁר־דִּבֶּר אֵלֶיךָ׃ וַיַּגֶּד־לוֹ שְׁמוּאֵל אֶת־כָּל־הַדְּבָרִים וְלֹא כִחֵד
מִמֶּנּוּ וַיֹּאמַר יְהוָה הוּא הַטּוֹב בְּעֵינָו יַעֲשֶׂה׃

פִּרְסוּם שְׁמוּאֵל לְנָבִיא:

יט וַיִּגְדַּל שְׁמוּאֵל וַיהוָה הָיָה עִמּוֹ וְלֹא־הִפִּיל מִכָּל־דְּבָרָיו אָרְצָה׃
כ וַיֵּדַע כָּל־יִשְׂרָאֵל מִדָּן וְעַד־בְּאֵר שָׁבַע כִּי נֶאֱמָן שְׁמוּאֵל לְנָבִיא
כא לַיהוָה׃ וַיֹּסֶף יְהוָה לְהֵרָאֹה בְשִׁלֹה כִּי־נִגְלָה יְהוָה אֶל־
שְׁמוּאֵל בְּשִׁלוֹ בִּדְבַר יְהוָה׃

מִלְחֶמֶת פְּלִשְׁתִּים:

ד א וַיְהִי דְבַר־שְׁמוּאֵל לְכָל־יִשְׂרָאֵל וַיֵּצֵא יִשְׂרָאֵל לִקְרַאת פְּלִשְׁתִּים
ב לַמִּלְחָמָה וַיַּחֲנוּ עַל־הָאֶבֶן הָעֵזֶר וּפְלִשְׁתִּים חָנוּ בַאֲפֵק׃ וַיַּעַרְכוּ
פְלִשְׁתִּים לִקְרַאת יִשְׂרָאֵל וַתִּטֹּשׁ הַמִּלְחָמָה וַיִּנָּגֶף יִשְׂרָאֵל לִפְנֵי
ג פְלִשְׁתִּים וַיַּכּוּ בַמַּעֲרָכָה בַּשָּׂדֶה כְּאַרְבַּעַת אֲלָפִים אִישׁ׃ וַיָּבֹא
הָעָם אֶל־הַמַּחֲנֶה וַיֹּאמְרוּ זִקְנֵי יִשְׂרָאֵל לָמָּה נְגָפָנוּ יְהוָה הַיּוֹם
לִפְנֵי פְלִשְׁתִּים נִקְחָה אֵלֵינוּ מִשִּׁלֹה אֶת־אֲרוֹן בְּרִית יְהוָה וְיָבֹא

הֲבָאַת הָאָרוֹן לְעֶזְרַת יִשְׂרָאֵל:

ד בְקִרְבֵּנוּ וְיֹשִׁעֵנוּ מִכַּף אֹיְבֵינוּ׃ וַיִּשְׁלַח הָעָם שִׁלֹה וַיִּשְׂאוּ מִשָּׁם
אֵת אֲרוֹן בְּרִית־יְהוָה צְבָאוֹת יֹשֵׁב הַכְּרֻבִים וְשָׁם שְׁנֵי בְנֵי־עֵלִי
ה עִם־אֲרוֹן בְּרִית הָאֱלֹהִים חָפְנִי וּפִינְחָס׃ וַיְהִי כְּבוֹא אֲרוֹן
בְּרִית־יְהוָה אֶל־הַמַּחֲנֶה וַיָּרִעוּ כָל־יִשְׂרָאֵל תְּרוּעָה גְדוֹלָה וַתֵּהֹם

פַּחַד פְּלִשְׁתִּים מֵהָאָרוֹן:

ו הָאָרֶץ׃ וַיִּשְׁמְעוּ פְלִשְׁתִּים אֶת־קוֹל הַתְּרוּעָה וַיֹּאמְרוּ מֶה קוֹל
הַתְּרוּעָה הַגְּדוֹלָה הַזֹּאת בְּמַחֲנֵה הָעִבְרִים וַיֵּדְעוּ כִּי אֲרוֹן יְהוָה
ז בָּא אֶל־הַמַּחֲנֶה׃ וַיִּרְאוּ הַפְּלִשְׁתִּים כִּי אָמְרוּ בָּא אֱלֹהִים
אֶל־הַמַּחֲנֶה וַיֹּאמְרוּ אוֹי לָנוּ כִּי לֹא הָיְתָה כָּזֹאת אֶתְמוֹל שִׁלְשֹׁם׃
ח אוֹי לָנוּ מִי יַצִּילֵנוּ מִיַּד הָאֱלֹהִים הָאַדִּירִים הָאֵלֶּה אֵלֶּה הֵם
ט הָאֱלֹהִים הַמַּכִּים אֶת־מִצְרַיִם בְּכָל־מַכָּה בַּמִּדְבָּר׃ הִתְחַזְּקוּ וִהְיוּ
לַאֲנָשִׁים פְּלִשְׁתִּים פֶּן תַּעַבְדוּ לָעִבְרִים כַּאֲשֶׁר עָבְדוּ לָכֶם

י וְהִייִתֶ֧ם לַאֲנָשִׁ֛ים וְנִלְחַמְתֶּ֑ם וַיִּלָּחֲמ֣וּ פְלִשְׁתִּ֗ים וַיִּנָּ֤גֶף יִשְׂרָאֵל֙
וַיָּנֻ֙סוּ֙ אִ֣ישׁ לְאֹהָלָ֔יו וַתְּהִ֥י הַמַּכָּ֖ה גְּדוֹלָ֣ה מְאֹ֑ד וַיִּפֹּל֙ מִיִּשְׂרָאֵ֔ל

שְׁבִּי אֲרוֹן
ה':

יא שְׁלֹשִׁ֥ים אֶ֖לֶף רַגְלִֽי: וַאֲר֤וֹן אֱלֹהִים֙ נִלְקָ֔ח וּשְׁנֵ֣י בְנֵי־עֵלִ֣י מֵ֔תוּ

יב חָפְנִ֖י וּפִֽינְחָֽס: וַיָּ֤רָץ אִישׁ־בִּנְיָמִן֙ מֵהַֽמַּעֲרָכָ֔ה וַיָּבֹ֥א שִׁלֹ֖ה בַּיּ֣וֹם

יג הַה֑וּא וּמַדָּ֥יו קְרֻעִ֖ים וַאֲדָמָ֣ה עַל־רֹאשֽׁוֹ: וַיָּב֗וֹא וְהִנֵּ֣ה עֵלִ֡י יֹשֵׁ֣ב
עַֽל־הַכִּסֵּ֞א יַ֣ד דֶּ֗רֶךְ מְצַפֶּה֙ כִּֽי־הָיָ֤ה לִבּוֹ֙ חָרֵ֔ד עַ֖ל אֲר֣וֹן

יד הָאֱלֹהִ֑ים וְהָאִ֗ישׁ בָּ֚א לְהַגִּ֣יד בָּעִ֔יר וַתִּזְעַ֖ק כָּל־הָעִֽיר: וַיִּשְׁמַ֤ע
עֵלִי֙ אֶת־ק֣וֹל הַצְּעָקָ֔ה וַיֹּ֕אמֶר מֶ֛ה ק֥וֹל הֶהָמ֖וֹן הַזֶּ֑ה וְהָאִ֣ישׁ מִהַ֔ר

טו וַיָּבֹ֖א וַיַּגֵּ֣ד לְעֵלִֽי: וְעֵלִ֕י בֶּן־תִּשְׁעִ֥ים וּשְׁמֹנֶ֖ה שָׁנָ֑ה וְעֵינָ֣יו קָ֔מָה

טז וְלֹ֥א יָכ֖וֹל לִרְאֽוֹת: וַיֹּ֨אמֶר הָאִ֜ישׁ אֶל־עֵלִ֗י אָֽנֹכִי֙ הַבָּ֣א מִן־
הַֽמַּעֲרָכָ֔ה וַאֲנִ֕י מִן־הַֽמַּעֲרָכָ֖ה נַ֣סְתִּי הַיּ֑וֹם וַיֹּ֛אמֶר מֶֽה־הָיָ֥ה הַדָּבָ֖ר

יז בְּנִֽי: וַיַּ֣עַן הַֽמְבַשֵּׂ֣ר וַיֹּ֡אמֶר נָ֣ס יִשְׂרָאֵל֩ לִפְנֵ֨י פְלִשְׁתִּ֜ים וְגַ֧ם מַגֵּפָ֣ה
גְדוֹלָ֣ה הָיְתָ֣ה בָעָ֗ם וְגַם־שְׁנֵ֤י בָנֶ֙יךָ֙ מֵ֔תוּ חָפְנִ֣י וּפִֽינְחָ֔ס וַאֲר֥וֹן
הָאֱלֹהִ֖ים נִלְקָֽחָה:

מוֹת עֵלִ֖י
וְכִלָּתֽוֹ:
[2871]

יח וַיְהִ֞י כְּהַזְכִּיר֣וֹ ׀ אֶת־אֲר֣וֹן הָאֱלֹהִ֗ים וַיִּפֹּ֣ל מֵֽעַל־הַ֠כִּסֵּא אֲחֹ֨רַנִּ֜ית
בְּעַ֣ד ׀ יַ֣ד הַשַּׁ֗עַר וַתִּשָּׁבֵ֤ר מַפְרַקְתּוֹ֙ וַיָּמֹ֔ת כִּֽי־זָקֵ֥ן הָאִ֖ישׁ וְכָבֵ֑ד

יט וְה֛וּא שָׁפַ֥ט אֶת־יִשְׂרָאֵ֖ל אַרְבָּעִ֥ים שָׁנָֽה: וְכַלָּת֣וֹ אֵֽשֶׁת־פִּֽינְחָס֮
הָרָ֣ה לָלַת֒ וַתִּשְׁמַ֣ע אֶת־הַשְּׁמוּעָ֗ה אֶל־הִלָּקַח֙ אֲר֣וֹן הָֽאֱלֹהִ֔ים וּמֵ֥ת

כ חָמִ֖יהָ וְאִישָׁ֑הּ וַתִּכְרַ֣ע וַתֵּ֔לֶד כִּֽי־נֶהֶפְכ֥וּ עָלֶ֖יהָ צִרֶֽיהָ: וּכְעֵ֣ת
מוּתָ֗הּ וַתְּדַבֵּ֙רְנָה֙ הַנִּצָּב֣וֹת עָלֶ֔יהָ אַל־תִּֽירְאִ֖י כִּ֣י בֵ֣ן יָלָ֑דְתְּ וְלֹ֥א

כא עָנְתָ֖ה וְלֹא־שָׁ֥תָה לִבָּֽהּ: וַתִּקְרָ֣א לַנַּ֗עַר אִֽי־כָבוֹד֙ לֵאמֹ֔ר גָּלָ֥ה
כָב֖וֹד מִיִּשְׂרָאֵ֑ל אֶל־הִלָּקַח֙ אֲר֣וֹן הָ֣אֱלֹהִ֔ים וְאֶל־חָמִ֖יהָ וְאִישָֽׁהּ:

כב וַתֹּ֕אמֶר גָּלָ֥ה כָב֖וֹד מִיִּשְׂרָאֵ֑ל כִּ֥י נִלְקַ֖ח אֲר֥וֹן הָאֱלֹהִֽים:

עֹ֣נֶשׁ
הַפְּלִשְׁתִּ֖ים
עַל הָאָרֽוֹן:

ה וּפְלִשְׁתִּים֙ לָֽקְח֔וּ אֵ֖ת אֲר֣וֹן הָאֱלֹהִ֑ים וַיְבִאֻ֛הוּ מֵאֶ֥בֶן הָעֵ֖זֶר

ב אַשְׁדּֽוֹדָה: וַיִּקְח֤וּ פְלִשְׁתִּים֙ אֶת־אֲר֣וֹן הָ֣אֱלֹהִ֔ים וַיָּבִ֥אוּ אֹת֖וֹ בֵּ֥ית

ג דָּגוֹן וַיַּצִּגוּ אֹתוֹ אֵצֶל דָּגוֹן׃ וַיַּשְׁכִּמוּ אַשְׁדּוֹדִים מִמָּחֳרָת וְהִנֵּה
דָגוֹן נֹפֵל לְפָנָיו אַרְצָה לִפְנֵי אֲרוֹן יְהוָה וַיִּקְחוּ אֶת־דָּגוֹן וַיָּשִׁבוּ
ד אֹתוֹ לִמְקוֹמוֹ׃ וַיַּשְׁכִּמוּ בַבֹּקֶר מִמָּחֳרָת וְהִנֵּה דָגוֹן נֹפֵל לְפָנָיו
אַרְצָה לִפְנֵי אֲרוֹן יְהוָה וְרֹאשׁ דָּגוֹן וּשְׁתֵּי ׀ כַּפּוֹת יָדָיו כְּרֻתוֹת
ה אֶל־הַמִּפְתָּן רַק דָּגוֹן נִשְׁאַר עָלָיו׃ עַל־כֵּן לֹא־יִדְרְכוּ כֹהֲנֵי דָגוֹן
וְכָל־הַבָּאִים בֵּית־דָּגוֹן עַל־מִפְתַּן דָּגוֹן בְּאַשְׁדּוֹד עַד הַיּוֹם
הַזֶּה׃
ו וַתִּכְבַּד יַד־יְהוָה אֶל־הָאַשְׁדּוֹדִים וַיְשִׁמֵּם וַיַּךְ אֹתָם בעפלים הַכְּבֵדַת יַד ה'
ז בַּטְּחֹרִים אֶת־אַשְׁדּוֹד וְאֶת־גְּבוּלֶיהָ׃ וַיִּרְאוּ אַנְשֵׁי־אַשְׁדּוֹד כִּי־כֵן בַּפְּלִשְׁתִּים:
וְאָמְרוּ לֹא־יֵשֵׁב אֲרוֹן אֱלֹהֵי יִשְׂרָאֵל עִמָּנוּ כִּי־קָשְׁתָה יָדוֹ עָלֵינוּ
ח וְעַל דָּגוֹן אֱלֹהֵינוּ׃ וַיִּשְׁלְחוּ וַיַּאַסְפוּ אֶת־כָּל־סַרְנֵי פְלִשְׁתִּים אֲלֵיהֶם
וַיֹּאמְרוּ מַה־נַּעֲשֶׂה לַאֲרוֹן אֱלֹהֵי יִשְׂרָאֵל וַיֹּאמְרוּ גַּת יִסֹּב אֲרוֹן
ט אֱלֹהֵי יִשְׂרָאֵל וַיַּסֵּבּוּ אֶת־אֲרוֹן אֱלֹהֵי יִשְׂרָאֵל׃ וַיְהִי
אַחֲרֵי ׀ הֵסַבּוּ אֹתוֹ וַתְּהִי יַד־יְהוָה ׀ בָּעִיר מְהוּמָה גְּדוֹלָה מְאֹד
וַיַּךְ אֶת־אַנְשֵׁי הָעִיר מִקָּטֹן וְעַד־גָּדוֹל וַיִּשָּׂתְרוּ לָהֶם עפלים
י טְחֹרִים׃ וַיְשַׁלְּחוּ אֶת־אֲרוֹן הָאֱלֹהִים עֶקְרוֹן וַיְהִי כְּבוֹא אֲרוֹן
הָאֱלֹהִים עֶקְרוֹן וַיִּזְעֲקוּ הָעֶקְרֹנִים לֵאמֹר הֵסַבּוּ אֵלַי אֶת־אֲרוֹן
יא אֱלֹהֵי יִשְׂרָאֵל לַהֲמִיתֵנִי וְאֶת־עַמִּי׃ וַיִּשְׁלְחוּ וַיַּאַסְפוּ אֶת־כָּל־
סַרְנֵי פְלִשְׁתִּים וַיֹּאמְרוּ שַׁלְּחוּ אֶת־אֲרוֹן אֱלֹהֵי יִשְׂרָאֵל וְיָשֹׁב
לִמְקוֹמוֹ וְלֹא־יָמִית אֹתִי וְאֶת־עַמִּי כִּי־הָיְתָה מְהוּמַת־מָוֶת בְּכָל־
יב הָעִיר כָּבְדָה מְאֹד יַד הָאֱלֹהִים שָׁם׃ וְהָאֲנָשִׁים אֲשֶׁר לֹא־מֵתוּ
ו א הֻכּוּ בעפלים בַּטְּחֹרִים וַתַּעַל שַׁוְעַת הָעִיר הַשָּׁמָיִם׃ וַיְהִי
ב אֲרוֹן־יְהוָה בִּשְׂדֵה פְלִשְׁתִּים שִׁבְעָה חֳדָשִׁים׃ וַיִּקְרְאוּ פְלִשְׁתִּים
לַכֹּהֲנִים וְלַקֹּסְמִים לֵאמֹר מַה־נַּעֲשֶׂה לַאֲרוֹן יְהוָה הוֹדִעֻנוּ בַּמֶּה
ג נְשַׁלְּחֶנּוּ לִמְקוֹמוֹ׃ וַיֹּאמְרוּ אִם־מְשַׁלְּחִים אֶת־אֲרוֹן הֲשָׁבַת הָאָרוֹן:

אֱלֹהֵי יִשְׂרָאֵל אַל־תְּשַׁלְּחוּ אֹתוֹ רֵיקָם כִּי־הָשֵׁב תָּשִׁיבוּ לוֹ אָשָׁם
ד אָז תֵּרָפְאוּ וְנוֹדַע לָכֶם לָמָּה לֹא־תָסוּר יָדוֹ מִכֶּם׃ וַיֹּאמְרוּ מָה
הָאָשָׁם אֲשֶׁר נָשִׁיב לוֹ וַיֹּאמְרוּ מִסְפַּר סַרְנֵי פְלִשְׁתִּים חֲמִשָּׁה
עפלי טְחֹרֵי זָהָב וַחֲמִשָּׁה עַכְבְּרֵי זָהָב כִּי־מַגֵּפָה אַחַת לְכֻלָּם
ה וּלְסַרְנֵיכֶם׃ וַעֲשִׂיתֶם צַלְמֵי עפליכם טְחֹרֵיכֶם וְצַלְמֵי עַכְבְּרֵיכֶם
הַמַּשְׁחִיתִם אֶת־הָאָרֶץ וּנְתַתֶּם לֵאלֹהֵי יִשְׂרָאֵל כָּבוֹד אוּלַי יָקֵל
ו אֶת־יָדוֹ מֵעֲלֵיכֶם וּמֵעַל אֱלֹהֵיכֶם וּמֵעַל אַרְצְכֶם׃ וְלָמָּה תְכַבְּדוּ
אֶת־לְבַבְכֶם כַּאֲשֶׁר כִּבְּדוּ מִצְרַיִם וּפַרְעֹה אֶת־לִבָּם הֲלוֹא כַּאֲשֶׁר
ז הִתְעַלֵּל בָּהֶם וַיְשַׁלְּחוּם וַיֵּלֵכוּ׃ וְעַתָּה קְחוּ וַעֲשׂוּ עֲגָלָה חֲדָשָׁה
מִבְחַן פְּלִשְׁתִּים לְפֵשֶׁר הָעֹנֶשׁ׃
אַחַת וּשְׁתֵּי פָרוֹת עָלוֹת אֲשֶׁר לֹא־עָלָה עֲלֵיהֶם עֹל וַאֲסַרְתֶּם
אֶת־הַפָּרוֹת בָּעֲגָלָה וַהֲשֵׁיבֹתֶם בְּנֵיהֶם מֵאַחֲרֵיהֶם הַבָּיְתָה׃
ח וּלְקַחְתֶּם אֶת־אֲרוֹן יְהוָה וּנְתַתֶּם אֹתוֹ אֶל־הָעֲגָלָה וְאֵת ׀ כְּלֵי
הַזָּהָב אֲשֶׁר הֲשֵׁבֹתֶם לוֹ אָשָׁם תָּשִׂימוּ בָאַרְגַּז מִצִּדּוֹ וְשִׁלַּחְתֶּם
ט אֹתוֹ וְהָלָךְ׃ וּרְאִיתֶם אִם־דֶּרֶךְ גְּבוּלוֹ יַעֲלֶה בֵּית שֶׁמֶשׁ הוּא
עָשָׂה לָנוּ אֶת־הָרָעָה הַגְּדוֹלָה הַזֹּאת וְאִם־לֹא וְיָדַעְנוּ כִּי לֹא
י יָדוֹ נָגְעָה בָּנוּ מִקְרֶה הוּא הָיָה לָנוּ׃ וַיַּעֲשׂוּ הָאֲנָשִׁים כֵּן וַיִּקְחוּ
שְׁתֵּי פָרוֹת עָלוֹת וַיַּאַסְרוּם בָּעֲגָלָה וְאֶת־בְּנֵיהֶם כָּלוּ בַבָּיִת׃
יא וַיָּשִׂמוּ אֶת־אֲרוֹן יְהוָה אֶל־הָעֲגָלָה וְאֵת הָאַרְגַּז וְאֵת עַכְבְּרֵי הַזָּהָב
יב וְאֵת צַלְמֵי טְחֹרֵיהֶם׃ וַיִּשַּׁרְנָה הַפָּרוֹת בַּדֶּרֶךְ עַל־דֶּרֶךְ בֵּית שֶׁמֶשׁ
בִּמְסִלָּה אַחַת הָלְכוּ הָלֹךְ וְגָעוֹ וְלֹא־סָרוּ יָמִין וּשְׂמֹאול וְסַרְנֵי
יג פְלִשְׁתִּים הֹלְכִים אַחֲרֵיהֶם עַד־גְּבוּל בֵּית שָׁמֶשׁ׃ וּבֵית שֶׁמֶשׁ
קֹצְרִים קְצִיר־חִטִּים בָּעֵמֶק וַיִּשְׂאוּ אֶת־עֵינֵיהֶם וַיִּרְאוּ אֶת־הָאָרוֹן
יד וַיִּשְׂמְחוּ לִרְאוֹת׃ וְהָעֲגָלָה בָּאָה אֶל־שְׂדֵה יְהוֹשֻׁעַ בֵּית־הַשִּׁמְשִׁי
וַתַּעֲמֹד שָׁם וְשָׁם אֶבֶן גְּדוֹלָה וַיְבַקְּעוּ אֶת־עֲצֵי הָעֲגָלָה וְאֶת־
טו הַפָּרוֹת הֶעֱלוּ עֹלָה לַיהוָה׃ וְהַלְוִיִּם הוֹרִידוּ ׀ אֶת־אֲרוֹן

יְהוָה וְאֶת־הָאַרְגַּז אֲשֶׁר־אִתּוֹ אֲשֶׁר־בּוֹ כְלֵי־זָהָב וַיָּשִׂמוּ אֶל־
הָאֶבֶן הַגְּדוֹלָה וְאַנְשֵׁי בֵית־שֶׁמֶשׁ הֶעֱלוּ עֹלוֹת וַיִּזְבְּחוּ זְבָחִים
טז בַּיּוֹם הַהוּא לַיהוָה: וַחֲמִשָּׁה סַרְנֵי־פְלִשְׁתִּים רָאוּ וַיָּשֻׁבוּ עֶקְרוֹן
יז בַּיּוֹם הַהוּא: וְאֵלֶּה טְחֹרֵי הַזָּהָב אֲשֶׁר הֵשִׁיבוּ פְלִשְׁתִּים סִכּוּם הַכֹּפֶר שֶׁהוּשַׁב עִם הָאָרוֹן:
אָשָׁם לַיהוָה לְאַשְׁדּוֹד אֶחָד לְעַזָּה
אֶחָד לְאַשְׁקְלוֹן אֶחָד לְגַת
יח אֶחָד לְעֶקְרוֹן אֶחָד: וְעַכְבְּרֵי הַזָּהָב מִסְפַּר
כָּל־עָרֵי פְלִשְׁתִּים לַחֲמֵשֶׁת הַסְּרָנִים מֵעִיר מִבְצָר וְעַד כֹּפֶר
הַפְּרָזִי וְעַד | אָבֵל הַגְּדוֹלָה אֲשֶׁר הִנִּיחוּ עָלֶיהָ אֵת אֲרוֹן יְהוָה
יט עַד הַיּוֹם הַזֶּה בִּשְׂדֵה יְהוֹשֻׁעַ בֵּית הַשִּׁמְשִׁי: וַיַּךְ בְּאַנְשֵׁי עֹנֶשׁ אַנְשֵׁי בֵּית שֶׁמֶשׁ:
בֵית־שֶׁמֶשׁ כִּי רָאוּ בַּאֲרוֹן יְהוָה וַיַּךְ בָּעָם שִׁבְעִים אִישׁ חֲמִשִּׁים
אֶלֶף אִישׁ וַיִּתְאַבְּלוּ הָעָם כִּי־הִכָּה יְהוָה בָּעָם מַכָּה גְדוֹלָה:
כ וַיֹּאמְרוּ אַנְשֵׁי בֵית־שֶׁמֶשׁ מִי יוּכַל לַעֲמֹד לִפְנֵי יְהוָה הָאֱלֹהִים
כא הַקָּדוֹשׁ הַזֶּה וְאֶל־מִי יַעֲלֶה מֵעָלֵינוּ: וַיִּשְׁלְחוּ מַלְאָכִים אֶל־
יוֹשְׁבֵי קִרְיַת־יְעָרִים לֵאמֹר הֵשִׁבוּ פְלִשְׁתִּים אֶת־אֲרוֹן יְהוָה רְדוּ
ז א הַעֲלוּ אֹתוֹ אֲלֵיכֶם: וַיָּבֹאוּ אַנְשֵׁי | קִרְיַת יְעָרִים וַיַּעֲלוּ אֶת־אֲרוֹן הָאָרוֹן בַּגִּבְעָה:
יְהוָה וַיָּבִאוּ אֹתוֹ אֶל־בֵּית אֲבִינָדָב בַּגִּבְעָה וְאֶת־אֶלְעָזָר בְּנוֹ
קִדְּשׁוּ לִשְׁמֹר אֶת־אֲרוֹן יְהוָה:
ב וַיְהִי מִיּוֹם שֶׁבֶת הָאָרוֹן בְּקִרְיַת יְעָרִים וַיִּרְבּוּ הַיָּמִים וַיִּהְיוּ
ג עֶשְׂרִים שָׁנָה וַיִּנָּהוּ כָּל־בֵּית יִשְׂרָאֵל אַחֲרֵי יְהוָה: וַיֹּאמֶר תּוֹכַחַת שְׁמוּאֵל אֶת הָעָם:
שְׁמוּאֵל אֶל־כָּל־בֵּית יִשְׂרָאֵל לֵאמֹר אִם־בְּכָל־לְבַבְכֶם אַתֶּם
שָׁבִים אֶל־יְהוָה הָסִירוּ אֶת־אֱלֹהֵי הַנֵּכָר מִתּוֹכְכֶם וְהָעַשְׁתָּרוֹת
וְהָכִינוּ לְבַבְכֶם אֶל־יְהוָה וְעִבְדֻהוּ לְבַדּוֹ וְיַצֵּל אֶתְכֶם מִיַּד
ד פְלִשְׁתִּים: וַיָּסִירוּ בְּנֵי יִשְׂרָאֵל אֶת־הַבְּעָלִים וְאֶת־הָעַשְׁתָּרֹת
וַיַּעַבְדוּ אֶת־יְהוָה לְבַדּוֹ:

ה וַיֹּאמֶר שְׁמוּאֵל קִבְצוּ אֶת־כָּל־יִשְׂרָאֵל הַמִּצְפָּתָה וְאֶתְפַּלֵּל
ו בַּעַדְכֶם אֶל־יְהוָה׃ וַיִּקָּבְצוּ הַמִּצְפָּתָה וַיִּשְׁאֲבוּ־מַיִם וַיִּשְׁפְּכוּ ׀ הִתְקַבְּצוּת יִשְׂרָאֵל הַמִּצְפָּתָה׃
לִפְנֵי יְהוָה וַיָּצוּמוּ בַּיּוֹם הַהוּא וַיֹּאמְרוּ שָׁם חָטָאנוּ לַיהוָה וַיִּשְׁפֹּט
ז שְׁמוּאֵל אֶת־בְּנֵי יִשְׂרָאֵל בַּמִּצְפָּה׃ וַיִּשְׁמְעוּ פְלִשְׁתִּים כִּי־הִתְקַבְּצוּ עֲלִיַּת סַרְנֵי פְלִשְׁתִּים לַמִּלְחָמָה׃
בְנֵי־יִשְׂרָאֵל הַמִּצְפָּתָה וַיַּעֲלוּ סַרְנֵי־פְלִשְׁתִּים אֶל־יִשְׂרָאֵל
ח וַיִּשְׁמְעוּ בְּנֵי יִשְׂרָאֵל וַיִּרְאוּ מִפְּנֵי פְלִשְׁתִּים׃ וַיֹּאמְרוּ בְנֵי־יִשְׂרָאֵל
אֶל־שְׁמוּאֵל אַל־תַּחֲרֵשׁ מִמֶּנּוּ מִזְּעֹק אֶל־יְהוָה אֱלֹהֵינוּ וְיֹשִׁעֵנוּ
ט מִיַּד פְּלִשְׁתִּים׃ וַיִּקַּח שְׁמוּאֵל טְלֵה חָלָב אֶחָד ויעלה וַיַּעֲלֵהוּ עוֹלָה
כָּלִיל לַיהוָה וַיִּזְעַק שְׁמוּאֵל אֶל־יְהוָה בְּעַד יִשְׂרָאֵל וַיַּעֲנֵהוּ יְהוָה׃
י וַיְהִי שְׁמוּאֵל מַעֲלֶה הָעוֹלָה וּפְלִשְׁתִּים נִגְּשׁוּ לַמִּלְחָמָה בְּיִשְׂרָאֵל תְּשׁוּעַת יִשְׂרָאֵל מִפְּלִשְׁתִּים׃
וַיַּרְעֵם יְהוָה בְּקוֹל־גָּדוֹל בַּיּוֹם הַהוּא עַל־פְּלִשְׁתִּים וַיְהֻמֵּם וַיִּנָּגְפוּ
יא לִפְנֵי יִשְׂרָאֵל׃ וַיֵּצְאוּ אַנְשֵׁי יִשְׂרָאֵל מִן־הַמִּצְפָּה וַיִּרְדְּפוּ אֶת־
יב פְּלִשְׁתִּים וַיַּכּוּם עַד־מִתַּחַת לְבֵית כָּר׃ וַיִּקַּח שְׁמוּאֵל אֶבֶן אַחַת
וַיָּשֶׂם בֵּין־הַמִּצְפָּה וּבֵין הַשֵּׁן וַיִּקְרָא אֶת־שְׁמָהּ אֶבֶן הָעָזֶר
יג וַיֹּאמַר עַד־הֵנָּה עֲזָרָנוּ יְהוָה׃ וַיִּכָּנְעוּ הַפְּלִשְׁתִּים וְלֹא־יָסְפוּ עוֹד
לָבוֹא בִּגְבוּל יִשְׂרָאֵל וַתְּהִי יַד־יְהוָה בַּפְּלִשְׁתִּים כֹּל יְמֵי שְׁמוּאֵל׃
יד וַתָּשֹׁבְנָה הֶעָרִים אֲשֶׁר לָקְחוּ־פְלִשְׁתִּים מֵאֵת יִשְׂרָאֵל ׀ לְיִשְׂרָאֵל
מֵעֶקְרוֹן וְעַד־גַּת וְאֶת־גְּבוּלָן הִצִּיל יִשְׂרָאֵל מִיַּד פְּלִשְׁתִּים וַיְהִי
טו שָׁלוֹם בֵּין יִשְׂרָאֵל וּבֵין הָאֱמֹרִי׃ וַיִּשְׁפֹּט שְׁמוּאֵל אֶת־יִשְׂרָאֵל
טז כֹּל יְמֵי חַיָּיו׃ וְהָלַךְ מִדֵּי שָׁנָה בְּשָׁנָה וְסָבַב בֵּית־אֵל וְהַגִּלְגָּל
יז וְהַמִּצְפָּה וְשָׁפַט אֶת־יִשְׂרָאֵל אֵת כָּל־הַמְּקוֹמוֹת הָאֵלֶּה׃ וּתְשֻׁבָתוֹ
הָרָמָתָה כִּי־שָׁם בֵּיתוֹ וְשָׁם שָׁפָט אֶת־יִשְׂרָאֵל וַיִּבֶן־שָׁם מִזְבֵּחַ
לַיהוָה׃

ח א וַיְהִי כַּאֲשֶׁר זָקֵן שְׁמוּאֵל וַיָּשֶׂם אֶת־בָּנָיו שֹׁפְטִים לְיִשְׂרָאֵל׃ וַיְהִי בְּנֵי שְׁמוּאֵל׃
ב שֶׁם־בְּנוֹ הַבְּכוֹר יוֹאֵל וְשֵׁם מִשְׁנֵהוּ אֲבִיָּה שֹׁפְטִים בִּבְאֵר שָׁבַע׃

ג וְלֹא־הָלְכוּ בָנָיו בִּדְרָכָו וַיִּטּוּ אַחֲרֵי הַבָּצַע וַיִּקְחוּ־שֹׁחַד וַיַּטּוּ
מִשְׁפָּט׃
ד ה וַיִּתְקַבְּצוּ כֹּל זִקְנֵי יִשְׂרָאֵל וַיָּבֹאוּ אֶל־שְׁמוּאֵל הָרָמָתָה׃ וַיֹּאמְרוּ
אֵלָיו הִנֵּה אַתָּה זָקַנְתָּ וּבָנֶיךָ לֹא הָלְכוּ בִּדְרָכֶיךָ עַתָּה שִׂימָה־לָּנוּ
ו מֶלֶךְ לְשָׁפְטֵנוּ כְּכָל־הַגּוֹיִם׃ וַיֵּרַע הַדָּבָר בְּעֵינֵי שְׁמוּאֵל כַּאֲשֶׁר
אָמְרוּ תְּנָה־לָּנוּ מֶלֶךְ לְשָׁפְטֵנוּ וַיִּתְפַּלֵּל שְׁמוּאֵל אֶל־יְהוָה׃

בַּקָּשַׁת יִשְׂרָאֵל לָשִׂים עֲלֵיהֶם הַמֶּלֶךְ׃

ז וַיֹּאמֶר יְהוָה אֶל־שְׁמוּאֵל שְׁמַע בְּקוֹל הָעָם לְכֹל אֲשֶׁר־יֹאמְרוּ
אֵלֶיךָ כִּי לֹא אֹתְךָ מָאָסוּ כִּי־אֹתִי מָאֲסוּ מִמְּלֹךְ עֲלֵיהֶם׃
ח כְּכָל־הַמַּעֲשִׂים אֲשֶׁר־עָשׂוּ מִיּוֹם הַעֲלֹתִי אוֹתָם מִמִּצְרַיִם וְעַד־
הַיּוֹם הַזֶּה וַיַּעַזְבֻנִי וַיַּעַבְדוּ אֱלֹהִים אֲחֵרִים כֵּן הֵמָּה עֹשִׂים
ט גַּם־לָךְ׃ וְעַתָּה שְׁמַע בְּקוֹלָם אַךְ כִּי־הָעֵד תָּעִיד בָּהֶם וְהִגַּדְתָּ
י לָהֶם מִשְׁפַּט הַמֶּלֶךְ אֲשֶׁר יִמְלֹךְ עֲלֵיהֶם׃ וַיֹּאמֶר
שְׁמוּאֵל אֵת כָּל־דִּבְרֵי יְהוָה אֶל־הָעָם הַשֹּׁאֲלִים מֵאִתּוֹ

הַעְתָּרוּת ה'׃

יא מֶלֶךְ׃ וַיֹּאמֶר זֶה יִהְיֶה מִשְׁפַּט
הַמֶּלֶךְ אֲשֶׁר יִמְלֹךְ עֲלֵיכֶם אֶת־בְּנֵיכֶם יִקָּח וְשָׂם לוֹ בְּמֶרְכַּבְתּוֹ
יב וּבְפָרָשָׁיו וְרָצוּ לִפְנֵי מֶרְכַּבְתּוֹ׃ וְלָשׂוּם לוֹ שָׂרֵי אֲלָפִים וְשָׂרֵי
חֲמִשִּׁים וְלַחֲרֹשׁ חֲרִישׁוֹ וְלִקְצֹר קְצִירוֹ וְלַעֲשׂוֹת כְּלֵי־מִלְחַמְתּוֹ
יג וּכְלֵי רִכְבּוֹ׃ וְאֶת־בְּנוֹתֵיכֶם יִקָּח לְרַקָּחוֹת וּלְטַבָּחוֹת וּלְאֹפוֹת׃
יד וְאֶת־שְׂדוֹתֵיכֶם וְאֶת־כַּרְמֵיכֶם וְזֵיתֵיכֶם הַטּוֹבִים יִקָּח וְנָתַן
טו לַעֲבָדָיו׃ וְזַרְעֵיכֶם וְכַרְמֵיכֶם יַעְשֹׂר וְנָתַן לְסָרִיסָיו וְלַעֲבָדָיו׃
טז וְאֶת־עַבְדֵיכֶם וְאֶת־שִׁפְחוֹתֵיכֶם וְאֶת־בַּחוּרֵיכֶם הַטּוֹבִים וְאֶת־
יז חֲמוֹרֵיכֶם יִקָּח וְעָשָׂה לִמְלַאכְתּוֹ׃ צֹאנְכֶם יַעְשֹׂר וְאַתֶּם תִּהְיוּ־לוֹ
יח לַעֲבָדִים׃ וּזְעַקְתֶּם בַּיּוֹם הַהוּא מִלִּפְנֵי מַלְכְּכֶם אֲשֶׁר בְּחַרְתֶּם
יט לָכֶם וְלֹא־יַעֲנֶה יְהוָה אֶתְכֶם בַּיּוֹם הַהוּא׃ וַיְמָאֲנוּ הָעָם לִשְׁמֹעַ
כ בְּקוֹל שְׁמוּאֵל וַיֹּאמְרוּ לֹּא כִּי אִם־מֶלֶךְ יִהְיֶה עָלֵינוּ׃ וְהָיִינוּ

מִשְׁפַּט הַמֶּלֶךְ׃

גַּם־אֲנַחְנוּ כְּכָל־הַגּוֹיִם וּשְׁפָטָנוּ מַלְכֵּנוּ וְיָצָא לְפָנֵינוּ וְנִלְחַם
כא אֶת־מִלְחֲמֹתֵנוּ: וַיִּשְׁמַע שְׁמוּאֵל אֵת כָּל־דִּבְרֵי הָעָם וַיְדַבְּרֵם
בְּאָזְנֵי יְהוָה:
כב וַיֹּאמֶר יְהוָה אֶל־שְׁמוּאֵל שְׁמַע בְּקוֹלָם וְהִמְלַכְתָּ לָהֶם מֶלֶךְ
וַיֹּאמֶר שְׁמוּאֵל אֶל־אַנְשֵׁי יִשְׂרָאֵל לְכוּ אִישׁ לְעִירוֹ:
ט א וַיְהִי־אִישׁ מבן ימין מִבִּנְיָמִין וּשְׁמוֹ קִישׁ בֶּן־אֲבִיאֵל בֶּן־צְרוֹר יִחוּסוֹ שֶׁל שָׁאוּל:
ב בֶּן־בְּכוֹרַת בֶּן־אֲפִיחַ בֶּן־אִישׁ יְמִינִי גִּבּוֹר חָיִל: וְלוֹ־הָיָה בֵן
וּשְׁמוֹ שָׁאוּל בָּחוּר וָטוֹב וְאֵין אִישׁ מִבְּנֵי יִשְׂרָאֵל טוֹב מִמֶּנּוּ
ג מִשִּׁכְמוֹ וָמַעְלָה גָּבֹהַּ מִכָּל־הָעָם: וַתֹּאבַדְנָה הָאֲתֹנוֹת לְקִישׁ בַּקָּשַׁת הָאֲתוֹנוֹת:
אֲבִי שָׁאוּל וַיֹּאמֶר קִישׁ אֶל־שָׁאוּל בְּנוֹ קַח־נָא אִתְּךָ אֶת־אַחַד
ד מֵהַנְּעָרִים וְקוּם לֵךְ בַּקֵּשׁ אֶת־הָאֲתֹנֹת: וַיַּעֲבֹר בְּהַר־אֶפְרַיִם
וַיַּעֲבֹר בְּאֶרֶץ־שָׁלִשָׁה וְלֹא מָצָאוּ וַיַּעַבְרוּ בְאֶרֶץ־שַׁעֲלִים וָאַיִן
ה וַיַּעֲבֹר בְּאֶרֶץ־יְמִינִי וְלֹא מָצָאוּ: הֵמָּה בָּאוּ בְּאֶרֶץ צוּף וְשָׁאוּל
אָמַר לְנַעֲרוֹ אֲשֶׁר־עִמּוֹ לְכָה וְנָשׁוּבָה פֶּן־יֶחְדַּל אָבִי מִן־הָאֲתֹנוֹת
ו וְדָאַג לָנוּ: וַיֹּאמֶר לוֹ הִנֵּה־נָא אִישׁ־אֱלֹהִים בָּעִיר הַזֹּאת וְהָאִישׁ הַפְּנִיָּה לְהִתְיָעֲצוּת עִם הַנָּבִיא:
נִכְבָּד כֹּל אֲשֶׁר־יְדַבֵּר בּוֹא יָבוֹא עַתָּה נֵלְכָה שָּׁם אוּלַי יַגִּיד לָנוּ
ז אֶת־דַּרְכֵּנוּ אֲשֶׁר־הָלַכְנוּ עָלֶיהָ: וַיֹּאמֶר שָׁאוּל לְנַעֲרוֹ וְהִנֵּה נֵלֵךְ
וּמַה־נָּבִיא לָאִישׁ כִּי הַלֶּחֶם אָזַל מִכֵּלֵינוּ וּתְשׁוּרָה אֵין־לְהָבִיא
ח לְאִישׁ הָאֱלֹהִים מָה אִתָּנוּ: וַיֹּסֶף הַנַּעַר לַעֲנוֹת אֶת־שָׁאוּל וַיֹּאמֶר
הִנֵּה נִמְצָא בְיָדִי רֶבַע שֶׁקֶל כָּסֶף וְנָתַתִּי לְאִישׁ הָאֱלֹהִים וְהִגִּיד
ט לָנוּ אֶת־דַּרְכֵּנוּ: לְפָנִים ׀ בְּיִשְׂרָאֵל כֹּה־אָמַר הָאִישׁ בְּלֶכְתּוֹ
לִדְרוֹשׁ אֱלֹהִים לְכוּ וְנֵלְכָה עַד־הָרֹאֶה כִּי לַנָּבִיא הַיּוֹם יִקָּרֵא
י לְפָנִים הָרֹאֶה: וַיֹּאמֶר שָׁאוּל לְנַעֲרוֹ טוֹב דְּבָרְךָ לְכָה ׀ נֵלֵכָה
יא וַיֵּלְכוּ אֶל־הָעִיר אֲשֶׁר־שָׁם אִישׁ הָאֱלֹהִים: הֵמָּה עֹלִים בְּמַעֲלֵה
הָעִיר וְהֵמָּה מָצְאוּ נְעָרוֹת יֹצְאוֹת לִשְׁאֹב מָיִם וַיֹּאמְרוּ לָהֶן הֲיֵשׁ

יב בָּזֶה הָרֹאֶה׃ וַתַּעֲנֶינָה אוֹתָם וַתֹּאמַרְנָה יֵּשׁ הִנֵּה לְפָנֶיךָ מַהֵר ׀
יג עַתָּה כִּי הַיּוֹם בָּא לָעִיר כִּי זֶבַח הַיּוֹם לָעָם בַּבָּמָה׃ כְּבֹאֲכֶם
הָעִיר כֵּן תִּמְצְאוּן אֹתוֹ בְּטֶרֶם יַעֲלֶה הַבָּמָתָה לֶאֱכֹל כִּי
לֹא־יֹאכַל הָעָם עַד־בֹּאוֹ כִּי־הוּא יְבָרֵךְ הַזֶּבַח אַחֲרֵי־כֵן יֹאכְלוּ
יד הַקְּרֻאִים וְעַתָּה עֲלוּ כִּי־אֹתוֹ כְהַיּוֹם תִּמְצְאוּן אֹתוֹ׃ וַיַּעֲלוּ הָעִיר
הֵמָּה בָּאִים בְּתוֹךְ הָעִיר וְהִנֵּה שְׁמוּאֵל יֹצֵא לִקְרָאתָם לַעֲלוֹת
טו הַבָּמָה׃ וַיהוָה גָּלָה
טז אֶת־אֹזֶן שְׁמוּאֵל יוֹם אֶחָד לִפְנֵי בוֹא־שָׁאוּל לֵאמֹר׃ כָּעֵת ׀ מָחָר
אֶשְׁלַח אֵלֶיךָ אִישׁ מֵאֶרֶץ בִּנְיָמִן וּמְשַׁחְתּוֹ לְנָגִיד עַל־עַמִּי
יִשְׂרָאֵל וְהוֹשִׁיעַ אֶת־עַמִּי מִיַּד פְּלִשְׁתִּים כִּי רָאִיתִי אֶת־עַמִּי
יז כִּי בָּאָה צַעֲקָתוֹ אֵלָי׃ וּשְׁמוּאֵל רָאָה אֶת־שָׁאוּל וַיהוָה עָנָהוּ הִנֵּה
יח הָאִישׁ אֲשֶׁר אָמַרְתִּי אֵלֶיךָ זֶה יַעְצֹר בְּעַמִּי׃ וַיִּגַּשׁ שָׁאוּל
אֶת־שְׁמוּאֵל בְּתוֹךְ הַשָּׁעַר וַיֹּאמֶר הַגִּידָה־נָּא לִי אֵי־זֶה בֵּית
יט הָרֹאֶה׃ וַיַּעַן שְׁמוּאֵל אֶת־שָׁאוּל וַיֹּאמֶר אָנֹכִי הָרֹאֶה עֲלֵה לְפָנַי
הַבָּמָה וַאֲכַלְתֶּם עִמִּי הַיּוֹם וְשִׁלַּחְתִּיךָ בַבֹּקֶר וְכֹל אֲשֶׁר בִּלְבָבְךָ
כ אַגִּיד לָךְ׃ וְלָאֲתֹנוֹת הָאֹבְדוֹת לְךָ הַיּוֹם שְׁלֹשֶׁת הַיָּמִים אַל־תָּשֶׂם
אֶת־לִבְּךָ לָהֶם כִּי נִמְצָאוּ וּלְמִי כָּל־חֶמְדַּת יִשְׂרָאֵל הֲלוֹא לְךָ
כא וּלְכֹל בֵּית אָבִיךָ׃ וַיַּעַן שָׁאוּל וַיֹּאמֶר
הֲלוֹא בֶן־יְמִינִי אָנֹכִי מִקַּטַנֵּי שִׁבְטֵי יִשְׂרָאֵל וּמִשְׁפַּחְתִּי הַצְּעִרָה
מִכָּל־מִשְׁפְּחוֹת שִׁבְטֵי בִנְיָמִן וְלָמָּה דִּבַּרְתָּ אֵלַי כַּדָּבָר
כב הַזֶּה׃ וַיִּקַּח שְׁמוּאֵל אֶת־
שָׁאוּל וְאֶת־נַעֲרוֹ וַיְבִיאֵם לִשְׁכָּתָה וַיִּתֵּן לָהֶם מָקוֹם בְּרֹאשׁ
כג הַקְּרוּאִים וְהֵמָּה כִּשְׁלֹשִׁים אִישׁ׃ וַיֹּאמֶר שְׁמוּאֵל לַטַּבָּח תְּנָה
אֶת־הַמָּנָה אֲשֶׁר נָתַתִּי לָךְ אֲשֶׁר אָמַרְתִּי אֵלֶיךָ שִׂים אֹתָהּ
כד עִמָּךְ׃ וַיָּרֶם הַטַּבָּח אֶת־הַשּׁוֹק וְהֶעָלֶיהָ וַיָּשֶׂם ׀ לִפְנֵי שָׁאוּל

הַדְרָכַת בְּנוֹת הָעִיר לְשָׁאוּל:

הַמִּפְגָּשׁ בֵּין שְׁמוּאֵל לְשָׁאוּל:

הוֹשָׁבַת שָׁאוּל בָּרֹאשׁ:

וַיֹּאמֶר הִנֵּה הַנִּשְׁאָר שִׂים־לְפָנֶיךָ אֱכֹל כִּי לַמּוֹעֵד שָׁמוּר־לְךָ
לֵאמֹר הָעָם קָרָאתִי וַיֹּאכַל שָׁאוּל עִם־שְׁמוּאֵל בַּיּוֹם הַהוּא:
כה כו וַיֵּרְדוּ מֵהַבָּמָה הָעִיר וַיְדַבֵּר עִם־שָׁאוּל עַל־הַגָּג: וַיַּשְׁכִּמוּ וַיְהִי
כַּעֲלוֹת הַשַּׁחַר וַיִּקְרָא שְׁמוּאֵל אֶל־שָׁאוּל הגג הַגָּגָה לֵאמֹר קוּמָה
כז וַאֲשַׁלְּחֶךָּ וַיָּקָם שָׁאוּל וַיֵּצְאוּ שְׁנֵיהֶם הוּא וּשְׁמוּאֵל הַחוּצָה: הֵמָּה
יוֹרְדִים בִּקְצֵה הָעִיר וּשְׁמוּאֵל אָמַר אֶל־שָׁאוּל אֱמֹר לַנַּעַר
וְיַעֲבֹר לְפָנֵינוּ וַיַּעֲבֹר וְאַתָּה עֲמֹד כַּיּוֹם וְאַשְׁמִיעֲךָ אֶת־דְּבַר
אֱלֹהִים:
י א וַיִּקַּח שְׁמוּאֵל אֶת־פַּךְ הַשֶּׁמֶן וַיִּצֹק עַל־רֹאשׁוֹ וַיִּשָּׁקֵהוּ וַיֹּאמֶר
ב הֲלוֹא כִּי־מְשָׁחֲךָ יְהוָה עַל־נַחֲלָתוֹ לְנָגִיד: בְּלֶכְתְּךָ הַיּוֹם מֵעִמָּדִי
וּמָצָאתָ שְׁנֵי אֲנָשִׁים עִם־קְבֻרַת רָחֵל בִּגְבוּל בִּנְיָמִן בְּצֶלְצַח
וְאָמְרוּ אֵלֶיךָ נִמְצְאוּ הָאֲתֹנוֹת אֲשֶׁר הָלַכְתָּ לְבַקֵּשׁ וְהִנֵּה נָטַשׁ
אָבִיךָ אֶת־דִּבְרֵי הָאֲתֹנוֹת וְדָאַג לָכֶם לֵאמֹר מָה אֶעֱשֶׂה לִבְנִי:
ג וְחָלַפְתָּ מִשָּׁם וָהָלְאָה וּבָאתָ עַד־אֵלוֹן תָּבוֹר וּמְצָאוּךָ שָּׁם
שְׁלֹשָׁה אֲנָשִׁים עֹלִים אֶל־הָאֱלֹהִים בֵּית־אֵל אֶחָד נֹשֵׂא ׀ שְׁלֹשָׁה
גְדָיִים וְאֶחָד נֹשֵׂא שְׁלֹשֶׁת כִּכְּרוֹת לֶחֶם וְאֶחָד נֹשֵׂא נֵבֶל־יָיִן:
ד ה וְשָׁאֲלוּ לְךָ לְשָׁלוֹם וְנָתְנוּ לְךָ שְׁתֵּי־לֶחֶם וְלָקַחְתָּ מִיָּדָם: אַחַר
כֵּן תָּבוֹא גִּבְעַת הָאֱלֹהִים אֲשֶׁר־שָׁם נְצִבֵי פְלִשְׁתִּים וִיהִי כְבֹאֲךָ
שָׁם הָעִיר וּפָגַעְתָּ חֶבֶל נְבִאִים יֹרְדִים מֵהַבָּמָה וְלִפְנֵיהֶם נֵבֶל
ו וְתֹף וְחָלִיל וְכִנּוֹר וְהֵמָּה מִתְנַבְּאִים: וְצָלְחָה עָלֶיךָ רוּחַ יְהוָה
ז וְהִתְנַבִּיתָ עִמָּם וְנֶהְפַּכְתָּ לְאִישׁ אַחֵר: וְהָיָה כִּי תבאינה תָבֹאנָה
הָאֹתוֹת הָאֵלֶּה לָךְ עֲשֵׂה לְךָ אֲשֶׁר תִּמְצָא יָדֶךָ כִּי הָאֱלֹהִים עִמָּךְ:
ח וְיָרַדְתָּ לְפָנַי הַגִּלְגָּל וְהִנֵּה אָנֹכִי יֹרֵד אֵלֶיךָ לְהַעֲלוֹת עֹלוֹת לִזְבֹּחַ
זִבְחֵי שְׁלָמִים שִׁבְעַת יָמִים תּוֹחֵל עַד־בּוֹאִי אֵלֶיךָ וְהוֹדַעְתִּי לְךָ
ט אֵת אֲשֶׁר תַּעֲשֶׂה: וְהָיָה כְּהַפְנֹתוֹ שִׁכְמוֹ לָלֶכֶת

מְשִׁיחַת שָׁאוּל לְמֶלֶךְ וְהָאוֹתוֹת בַּדֶּרֶךְ: [2881]

מֵעִם שְׁמוּאֵל וַיַּהֲפָךְ־לוֹ אֱלֹהִים לֵב אַחֵר וַיָּבֹאוּ כָּל־הָאֹתוֹת
רוּחַ אֱלֹקִים עַל שָׁאוּל: הָאֵלֶּה בַּיּוֹם הַהוּא: וַיָּבֹאוּ שָׁם הַגִּבְעָתָה וְהִנֵּה חֶבֶל־ י
נְבִאִים לִקְרָאתוֹ וַתִּצְלַח עָלָיו רוּחַ אֱלֹהִים וַיִּתְנַבֵּא בְּתוֹכָם:
וַיְהִי כָּל־יוֹדְעוֹ מֵאִתְּמוֹל שִׁלְשֹׁם וַיִּרְאוּ וְהִנֵּה עִם־נְבִאִים יא
נִבָּא וַיֹּאמֶר הָעָם
אִישׁ אֶל־רֵעֵהוּ מַה־זֶּה הָיָה לְבֶן־קִישׁ הֲגַם שָׁאוּל בַּנְּבִיאִם:
וַיַּעַן אִישׁ מִשָּׁם וַיֹּאמֶר וּמִי אֲבִיהֶם עַל־כֵּן הָיְתָה לְמָשָׁל הֲגַם יב
שָׁאוּל בַּנְּבִאִים: וַיְכַל מֵהִתְנַבּוֹת וַיָּבֹא הַבָּמָה: וַיֹּאמֶר דּוֹד שָׁאוּל יג יד
אֵלָיו וְאֶל־נַעֲרוֹ אָן הֲלַכְתֶּם וַיֹּאמֶר לְבַקֵּשׁ אֶת־הָאֲתֹנוֹת וַנִּרְאֶה
כִּי־אַיִן וַנָּבוֹא אֶל־שְׁמוּאֵל: וַיֹּאמֶר דּוֹד שָׁאוּל הַגִּידָה־נָּא לִי טו
מָה־אָמַר לָכֶם שְׁמוּאֵל: וַיֹּאמֶר שָׁאוּל אֶל־דּוֹדוֹ הַגֵּד הִגִּיד לָנוּ טז
כִּי נִמְצְאוּ הָאֲתֹנוֹת וְאֶת־דְּבַר הַמְּלוּכָה לֹא־הִגִּיד לוֹ אֲשֶׁר אָמַר
שְׁמוּאֵל:
בְּחִירַת שָׁאוּל עַל יְדֵי גוֹרָל: וַיַּצְעֵק שְׁמוּאֵל אֶת־הָעָם אֶל־יְהוָה הַמִּצְפָּה: וַיֹּאמֶר׀ אֶל־בְּנֵי יז יח
יִשְׂרָאֵל
כֹּה־אָמַר יְהוָה אֱלֹהֵי יִשְׂרָאֵל אָנֹכִי הֶעֱלֵיתִי אֶת־יִשְׂרָאֵל
מִמִּצְרָיִם וָאַצִּיל אֶתְכֶם מִיַּד מִצְרַיִם וּמִיַּד כָּל־הַמַּמְלָכוֹת
הַלֹּחֲצִים אֶתְכֶם: וְאַתֶּם הַיּוֹם מְאַסְתֶּם אֶת־אֱלֹהֵיכֶם אֲשֶׁר־הוּא יט
מוֹשִׁיעַ לָכֶם מִכָּל־רָעוֹתֵיכֶם וְצָרֹתֵיכֶם וַתֹּאמְרוּ לוֹ כִּי־מֶלֶךְ
תָּשִׂים עָלֵינוּ וְעַתָּה הִתְיַצְּבוּ לִפְנֵי יְהוָה לְשִׁבְטֵיכֶם וּלְאַלְפֵיכֶם:
וַיַּקְרֵב שְׁמוּאֵל אֵת כָּל־שִׁבְטֵי יִשְׂרָאֵל וַיִּלָּכֵד שֵׁבֶט בִּנְיָמִן: וַיַּקְרֵב כ כא
אֶת־שֵׁבֶט בִּנְיָמִן לְמִשְׁפְּחֹתָו וַתִּלָּכֵד מִשְׁפַּחַת הַמַּטְרִי וַיִּלָּכֵד
שָׁאוּל בֶּן־קִישׁ וַיְבַקְשֻׁהוּ וְלֹא נִמְצָא: וַיִּשְׁאֲלוּ־עוֹד בַּיהוָה הֲבָא כב
עוֹד הֲלֹם אִישׁ וַיֹּאמֶר יְהוָה
הִנֵּה־הוּא נֶחְבָּא אֶל־הַכֵּלִים: וַיָּרֻצוּ וַיִּקָּחֻהוּ מִשָּׁם וַיִּתְיַצֵּב בְּתוֹךְ כג

כד הָעָם וַיִּגְבַּהּ מִכָּל־הָעָם מִשִּׁכְמוֹ וָמָעְלָה: וַיֹּאמֶר שְׁמוּאֵל אֶל־כָּל־הָעָם הַרְּאִיתֶם אֲשֶׁר בָּחַר־בּוֹ יְהוָה כִּי אֵין כָּמֹהוּ בְּכָל־הָעָם וַיָּרִעוּ כָל־הָעָם וַיֹּאמְרוּ יְחִי הַמֶּלֶךְ:

כה וַיְדַבֵּר שְׁמוּאֵל אֶל־הָעָם אֵת מִשְׁפַּט הַמְּלֻכָה וַיִּכְתֹּב בַּסֵּפֶר וַיַּנַּח לִפְנֵי יְהוָה וַיְשַׁלַּח שְׁמוּאֵל אֶת־כָּל־הָעָם אִישׁ לְבֵיתוֹ:

כו וְגַם־שָׁאוּל הָלַךְ לְבֵיתוֹ גִּבְעָתָה וַיֵּלְכוּ עִמּוֹ הַחַיִל אֲשֶׁר־נָגַע אֱלֹהִים בְּלִבָּם:

כז וּבְנֵי בְלִיַּעַל אָמְרוּ מַה־יֹּשִׁעֵנוּ זֶה וַיִּבְזֻהוּ וְלֹא־הֵבִיאוּ לוֹ מִנְחָה וַיְהִי כְּמַחֲרִישׁ:

יא

התגרות נחש מלך בני עמון:

א וַיַּעַל נָחָשׁ הָעַמּוֹנִי וַיִּחַן עַל־יָבֵישׁ גִּלְעָד וַיֹּאמְרוּ כָּל־אַנְשֵׁי

ב יָבֵישׁ אֶל־נָחָשׁ כְּרָת־לָנוּ בְרִית וְנַעַבְדֶךָּ: וַיֹּאמֶר אֲלֵיהֶם נָחָשׁ הָעַמּוֹנִי בְּזֹאת אֶכְרֹת לָכֶם בִּנְקוֹר לָכֶם כָּל־עֵין יָמִין וְשַׂמְתִּיהָ

ג חֶרְפָּה עַל־כָּל־יִשְׂרָאֵל: וַיֹּאמְרוּ אֵלָיו זִקְנֵי יָבֵישׁ הֶרֶף לָנוּ שִׁבְעַת יָמִים וְנִשְׁלְחָה מַלְאָכִים בְּכֹל גְּבוּל יִשְׂרָאֵל וְאִם־אֵין מוֹשִׁיעַ

ד אֹתָנוּ וְיָצָאנוּ אֵלֶיךָ: וַיָּבֹאוּ הַמַּלְאָכִים גִּבְעַת שָׁאוּל וַיְדַבְּרוּ

ה הַדְּבָרִים בְּאָזְנֵי הָעָם וַיִּשְׂאוּ כָל־הָעָם אֶת־קוֹלָם וַיִּבְכּוּ: וְהִנֵּה שָׁאוּל בָּא אַחֲרֵי הַבָּקָר מִן־הַשָּׂדֶה וַיֹּאמֶר שָׁאוּל מַה־לָּעָם כִּי

החלצות שאול וניוס העם:

ו יִבְכּוּ וַיְסַפְּרוּ־לוֹ אֶת־דִּבְרֵי אַנְשֵׁי יָבֵישׁ: וַתִּצְלַח רוּחַ־אֱלֹהִים עַל־שָׁאוּל בשמעו כְּשָׁמְעוֹ אֶת־הַדְּבָרִים הָאֵלֶּה וַיִּחַר אַפּוֹ מְאֹד:

ז וַיִּקַּח צֶמֶד בָּקָר וַיְנַתְּחֵהוּ וַיְשַׁלַּח בְּכָל־גְּבוּל יִשְׂרָאֵל בְּיַד הַמַּלְאָכִים לֵאמֹר אֲשֶׁר אֵינֶנּוּ יֹצֵא אַחֲרֵי שָׁאוּל וְאַחַר שְׁמוּאֵל כֹּה יֵעָשֶׂה לִבְקָרוֹ וַיִּפֹּל פַּחַד־יְהוָה עַל־הָעָם וַיֵּצְאוּ כְּאִישׁ אֶחָד:

ח וַיִּפְקְדֵם בְּבָזֶק וַיִּהְיוּ בְנֵי־יִשְׂרָאֵל שְׁלֹשׁ מֵאוֹת אֶלֶף וְאִישׁ יְהוּדָה

ט שְׁלֹשִׁים אָלֶף: וַיֹּאמְרוּ לַמַּלְאָכִים הַבָּאִים כֹּה תֹאמְרוּן לְאִישׁ יָבֵישׁ גִּלְעָד מָחָר תִּהְיֶה־לָכֶם תְּשׁוּעָה בחם כְּחֹם הַשָּׁמֶשׁ

י וַיָּבֹאוּ הַמַּלְאָכִים וַיַּגִּידוּ לְאַנְשֵׁי יָבֵישׁ וַיִּשְׂמָחוּ: וַיֹּאמְרוּ אַנְשֵׁי

יָבִישׁ מָחָר נֵצֵא אֲלֵיכֶם וַעֲשִׂיתֶם לָנוּ כְּכָל־הַטּוֹב
בְּעֵינֵיכֶם: וַיְהִי מִמָּחֳרָת וַיָּשֶׂם שָׁאוּל אֶת־הָעָם שְׁלֹשָׁה יא

בְּסוּס
מַלְכוּת
שָׁאוּל,

רָאשִׁים וַיָּבֹאוּ בְתוֹךְ־הַמַּחֲנֶה בְּאַשְׁמֹרֶת הַבֹּקֶר וַיַּכּוּ אֶת־עַמּוֹן
עַד־חֹם הַיּוֹם וַיְהִי הַנִּשְׁאָרִים וַיָּפֻצוּ וְלֹא נִשְׁאֲרוּ־בָם שְׁנַיִם יָחַד:
וַיֹּאמֶר הָעָם אֶל־שְׁמוּאֵל מִי הָאֹמֵר שָׁאוּל יִמְלֹךְ עָלֵינוּ תְּנוּ יב
הָאֲנָשִׁים וּנְמִיתֵם: וַיֹּאמֶר שָׁאוּל לֹא־יוּמַת אִישׁ בַּיּוֹם הַזֶּה כִּי יג
הַיּוֹם עָשָׂה־יְהוָה תְּשׁוּעָה בְּיִשְׂרָאֵל: וַיֹּאמֶר שְׁמוּאֵל אֶל־הָעָם יד
לְכוּ וְנֵלְכָה הַגִּלְגָּל וּנְחַדֵּשׁ שָׁם הַמְּלוּכָה: וַיֵּלְכוּ כָל־הָעָם הַגִּלְגָּל טו
וַיַּמְלִכוּ שָׁם אֶת־שָׁאוּל לִפְנֵי יְהוָה בַּגִּלְגָּל וַיִּזְבְּחוּ־שָׁם זְבָחִים
שְׁלָמִים לִפְנֵי יְהוָה וַיִּשְׂמַח שָׁם שָׁאוּל וְכָל־אַנְשֵׁי יִשְׂרָאֵל
עַד־מְאֹד:

מוּסָר
שְׁמוּאֵל,

וַיֹּאמֶר שְׁמוּאֵל אֶל־כָּל־יִשְׂרָאֵל הִנֵּה שָׁמַעְתִּי בְקֹלְכֶם לְכֹל יב א

נִקָּיוֹן כַּפָּיו,

אֲשֶׁר־אֲמַרְתֶּם לִי וָאַמְלִיךְ עֲלֵיכֶם מֶלֶךְ: וְעַתָּה הִנֵּה הַמֶּלֶךְ ׀ ב
מִתְהַלֵּךְ לִפְנֵיכֶם וַאֲנִי זָקַנְתִּי וָשַׂבְתִּי וּבָנַי הִנָּם אִתְּכֶם וַאֲנִי
הִתְהַלַּכְתִּי לִפְנֵיכֶם מִנְּעֻרַי עַד־הַיּוֹם הַזֶּה: הִנְנִי עֲנוּ בִי נֶגֶד ג
יְהוָה וְנֶגֶד מְשִׁיחוֹ אֶת־שׁוֹר ׀ מִי לָקַחְתִּי וַחֲמוֹר מִי לָקַחְתִּי
וְאֶת־מִי עָשַׁקְתִּי אֶת־מִי רַצּוֹתִי וּמִיַּד־מִי לָקַחְתִּי כֹפֶר וְאַעְלִים
עֵינַי בּוֹ וְאָשִׁיב לָכֶם: וַיֹּאמְרוּ לֹא עֲשַׁקְתָּנוּ וְלֹא רַצּוֹתָנוּ ד
וְלֹא־לָקַחְתָּ מִיַּד־אִישׁ מְאוּמָה: וַיֹּאמֶר אֲלֵיהֶם עֵד יְהוָה ה
בָּכֶם וְעֵד מְשִׁיחוֹ הַיּוֹם הַזֶּה כִּי לֹא מְצָאתֶם בְּיָדִי מְאוּמָה
וַיֹּאמֶר עֵד:

הַזְכָּרַת
חַסְדֵּי ה׳:

וַיֹּאמֶר שְׁמוּאֵל אֶל־הָעָם יְהוָה אֲשֶׁר עָשָׂה אֶת־מֹשֶׁה וְאֶת־אַהֲרֹן ו
וַאֲשֶׁר הֶעֱלָה אֶת־אֲבֹתֵיכֶם מֵאֶרֶץ מִצְרָיִם: וְעַתָּה הִתְיַצְּבוּ ז
וְאִשָּׁפְטָה אִתְּכֶם לִפְנֵי יְהוָה אֵת כָּל־צִדְקוֹת יְהוָה אֲשֶׁר־עָשָׂה
אִתְּכֶם וְאֶת־אֲבוֹתֵיכֶם: כַּאֲשֶׁר־בָּא יַעֲקֹב מִצְרָיִם וַיִּזְעֲקוּ ח

אֲבוֹתֵיכֶם אֶל־יְהוָה וַיִּשְׁלַח יְהוָה אֶת־מֹשֶׁה וְאֶת־אַהֲרֹן וַיּוֹצִיאוּ
ט אֶת־אֲבֹתֵיכֶם מִמִּצְרַיִם וַיֹּשִׁבוּם בַּמָּקוֹם הַזֶּה: וַיִּשְׁכְּחוּ אֶת־יְהוָה
אֱלֹהֵיהֶם וַיִּמְכֹּר אֹתָם בְּיַד סִיסְרָא שַׂר־צְבָא חָצוֹר וּבְיַד־
י פְּלִשְׁתִּים וּבְיַד מֶלֶךְ מוֹאָב וַיִּלָּחֲמוּ בָּם: וַיִּזְעֲקוּ אֶל־יְהוָה ויאמר
וַיֹּאמְרוּ חָטָאנוּ כִּי עָזַבְנוּ אֶת־יְהוָה וַנַּעֲבֹד אֶת־הַבְּעָלִים וְאֶת־
יא הָעַשְׁתָּרוֹת וְעַתָּה הַצִּילֵנוּ מִיַּד אֹיְבֵינוּ וְנַעַבְדֶךָּ: וַיִּשְׁלַח יְהוָה
אֶת־יְרֻבַּעַל וְאֶת־בְּדָן וְאֶת־יִפְתָּח וְאֶת־שְׁמוּאֵל וַיַּצֵּל אֶתְכֶם מִיַּד
יב אֹיְבֵיכֶם מִסָּבִיב וַתֵּשְׁבוּ בֶּטַח: וַתִּרְאוּ כִּי־נָחָשׁ מֶלֶךְ בְּנֵי־עַמּוֹן הַתּוֹכָחָה לָעָם:
בָּא עֲלֵיכֶם וַתֹּאמְרוּ לִי לֹא כִּי־מֶלֶךְ יִמְלֹךְ עָלֵינוּ וַיהוָה אֱלֹהֵיכֶם
יג מַלְכְּכֶם: וְעַתָּה הִנֵּה הַמֶּלֶךְ אֲשֶׁר בְּחַרְתֶּם אֲשֶׁר שְׁאֶלְתֶּם וְהִנֵּה
יד נָתַן יְהוָה עֲלֵיכֶם מֶלֶךְ: אִם־תִּירְאוּ אֶת־יְהוָה וַעֲבַדְתֶּם אֹתוֹ
וּשְׁמַעְתֶּם בְּקֹלוֹ וְלֹא תַמְרוּ אֶת־פִּי יְהוָה וִהְיִתֶם גַּם־אַתֶּם
טו וְגַם־הַמֶּלֶךְ אֲשֶׁר מָלַךְ עֲלֵיכֶם אַחַר יְהוָה אֱלֹהֵיכֶם: וְאִם־לֹא
תִשְׁמְעוּ בְּקוֹל יְהוָה וּמְרִיתֶם אֶת־פִּי יְהוָה וְהָיְתָה יַד־יְהוָה בָּכֶם
טז וּבַאֲבֹתֵיכֶם: גַּם־עַתָּה הִתְיַצְּבוּ וּרְאוּ אֶת־הַדָּבָר הַגָּדוֹל הַזֶּה מוֹפֵת הַמָּטָר בְּעֵת קָצִיר:
יז אֲשֶׁר יְהוָה עֹשֶׂה לְעֵינֵיכֶם: הֲלוֹא קְצִיר־חִטִּים הַיּוֹם אֶקְרָא
אֶל־יְהוָה וְיִתֵּן קֹלוֹת וּמָטָר וּדְעוּ וּרְאוּ כִּי־רָעַתְכֶם רַבָּה אֲשֶׁר
יח עֲשִׂיתֶם בְּעֵינֵי יְהוָה לִשְׁאוֹל לָכֶם מֶלֶךְ: וַיִּקְרָא
שְׁמוּאֵל אֶל־יְהוָה וַיִּתֵּן יְהוָה קֹלֹת וּמָטָר בַּיּוֹם הַהוּא וַיִּירָא
יט כָל־הָעָם מְאֹד אֶת־יְהוָה וְאֶת־שְׁמוּאֵל: וַיֹּאמְרוּ כָל־הָעָם אֶל־
שְׁמוּאֵל הִתְפַּלֵּל בְּעַד־עֲבָדֶיךָ אֶל־יְהוָה אֱלֹהֶיךָ וְאַל־נָמוּת כִּי־
כ יָסַפְנוּ עַל־כָּל־חַטֹּאתֵינוּ רָעָה לִשְׁאֹל לָנוּ מֶלֶךְ: וַיֹּאמֶר שְׁמוּאֵל
אֶל־הָעָם אַל־תִּירָאוּ אַתֶּם עֲשִׂיתֶם אֵת כָּל־הָרָעָה הַזֹּאת אַךְ
כא אַל־תָּסוּרוּ מֵאַחֲרֵי יְהוָה וַעֲבַדְתֶּם אֶת־יְהוָה בְּכָל־לְבַבְכֶם: וְלֹא
תָּסוּרוּ כִּי ׀ אַחֲרֵי הַתֹּהוּ אֲשֶׁר לֹא־יוֹעִילוּ וְלֹא יַצִּילוּ כִּי־תֹהוּ

כב הַמָּה: כִּי לֹא־יִטֹּשׁ יְהוָה אֶת־עַמּוֹ בַּעֲבוּר שְׁמוֹ הַגָּדוֹל כִּי הוֹאִיל
כג יְהוָה לַעֲשׂוֹת אֶתְכֶם לוֹ לְעָם: גַּם אָנֹכִי חָלִילָה לִּי מֵחֲטֹא לַיהוָה
מֵחֲדֹל לְהִתְפַּלֵּל בַּעַדְכֶם וְהוֹרֵיתִי אֶתְכֶם בְּדֶרֶךְ הַטּוֹבָה
כד וְהַיְשָׁרָה: אַךְ ׀ יְראוּ אֶת־יְהוָה וַעֲבַדְתֶּם אֹתוֹ בֶּאֱמֶת בְּכָל־
כה לְבַבְכֶם כִּי רְאוּ אֵת אֲשֶׁר־הִגְדִּל עִמָּכֶם: וְאִם־הָרֵעַ תָּרֵעוּ
גַּם־אַתֶּם גַּם־מַלְכְּכֶם תִּסָּפוּ:

צָבָא שָׁאוּל וּמִלְחַמְתּוֹ בַּפְּלִשְׁתִּים:

יג א ב בֶּן־שָׁנָה שָׁאוּל בְּמָלְכוֹ וּשְׁתֵּי שָׁנִים מָלַךְ עַל־יִשְׂרָאֵל: וַיִּבְחַר־לוֹ
שָׁאוּל שְׁלֹשֶׁת אֲלָפִים מִיִּשְׂרָאֵל וַיִּהְיוּ עִם־שָׁאוּל אַלְפַּיִם
בְּמִכְמָשׂ וּבְהַר בֵּית־אֵל וְאֶלֶף הָיוּ עִם־יוֹנָתָן בְּגִבְעַת בִּנְיָמִין
ג וְיֶתֶר הָעָם שִׁלַּח אִישׁ לְאֹהָלָיו: וַיַּךְ יוֹנָתָן אֵת נְצִיב פְּלִשְׁתִּים
אֲשֶׁר בְּגֶבַע וַיִּשְׁמְעוּ פְּלִשְׁתִּים וְשָׁאוּל תָּקַע בַּשּׁוֹפָר בְּכָל־הָאָרֶץ
ד לֵאמֹר יִשְׁמְעוּ הָעִבְרִים: וְכָל־יִשְׂרָאֵל שָׁמְעוּ לֵאמֹר הִכָּה שָׁאוּל
אֶת־נְצִיב פְּלִשְׁתִּים וְגַם־נִבְאַשׁ יִשְׂרָאֵל בַּפְּלִשְׁתִּים וַיִּצָּעֲקוּ הָעָם
ה אַחֲרֵי שָׁאוּל הַגִּלְגָּל: וּפְלִשְׁתִּים נֶאֶסְפוּ ׀ לְהִלָּחֵם עִם־יִשְׂרָאֵל
שְׁלֹשִׁים אֶלֶף רֶכֶב וְשֵׁשֶׁת אֲלָפִים פָּרָשִׁים וְעָם כַּחוֹל אֲשֶׁר
ו עַל־שְׂפַת־הַיָּם לָרֹב וַיַּעֲלוּ וַיַּחֲנוּ בְמִכְמָשׂ קִדְמַת בֵּית אָוֶן: וְאִישׁ
יִשְׂרָאֵל רָאוּ כִּי צַר־לוֹ כִּי נִגַּשׂ הָעָם וַיִּתְחַבְּאוּ הָעָם בַּמְּעָרוֹת
ז וּבַחֲוָחִים וּבַסְּלָעִים וּבַצְּרִחִים וּבַבֹּרוֹת: וְעִבְרִים עָבְרוּ אֶת־
הַיַּרְדֵּן אֶרֶץ גָּד וְגִלְעָד וְשָׁאוּל עוֹדֶנּוּ בַגִּלְגָּל וְכָל־הָעָם חָרְדוּ

חֵטְא שָׁאוּל:

ח אַחֲרָיו: וייחל וַיּוֹחֶל ׀ שִׁבְעַת יָמִים לַמּוֹעֵד אֲשֶׁר שְׁמוּאֵל וְלֹא־בָא
ט שְׁמוּאֵל הַגִּלְגָּל וַיָּפֶץ הָעָם מֵעָלָיו: וַיֹּאמֶר שָׁאוּל הַגִּשׁוּ אֵלַי
י הָעֹלָה וְהַשְּׁלָמִים וַיַּעַל הָעֹלָה: וַיְהִי כְּכַלֹּתוֹ לְהַעֲלוֹת הָעֹלָה
יא וְהִנֵּה שְׁמוּאֵל בָּא וַיֵּצֵא שָׁאוּל לִקְרָאתוֹ לְבָרְכוֹ: וַיֹּאמֶר שְׁמוּאֵל
מֶה עָשִׂיתָ וַיֹּאמֶר שָׁאוּל כִּי־רָאִיתִי כִי־נָפַץ הָעָם מֵעָלַי וְאַתָּה
יב לֹא־בָאתָ לְמוֹעֵד הַיָּמִים וּפְלִשְׁתִּים נֶאֱסָפִים מִכְמָשׂ: וָאֹמַר

עַתָּה יֵרְדוּ פְלִשְׁתִּים אֵלַי הַגִּלְגָּל וּפְנֵי יְהוָה לֹא חִלִּיתִי וָאֶתְאַפַּק
יג וָאַעֲלֶה הָעֹלָה: וַיֹּאמֶר שְׁמוּאֵל
תּוֹצָאַת הַחֵטְא - אִבּוּד הַמְּלוּכָה:
אֶל־שָׁאוּל נִסְכָּלְתָּ לֹא שָׁמַרְתָּ אֶת־מִצְוַת יְהוָה אֱלֹהֶיךָ אֲשֶׁר
צִוָּךְ כִּי עַתָּה הֵכִין יְהוָה אֶת־מַמְלַכְתְּךָ אֶל־יִשְׂרָאֵל עַד־עוֹלָם:
יד וְעַתָּה מַמְלַכְתְּךָ לֹא־תָקוּם בִּקֵּשׁ יְהוָה לוֹ אִישׁ כִּלְבָבוֹ וַיְצַוֵּהוּ
יְהוָה לְנָגִיד עַל־עַמּוֹ כִּי לֹא שָׁמַרְתָּ אֵת אֲשֶׁר־צִוְּךָ
טו יְהוָה: וַיָּקָם שְׁמוּאֵל
הַעֲרָכוֹת לַמִּלְחָמָה:
וַיַּעַל מִן־הַגִּלְגָּל גִּבְעַת בִּנְיָמִן וַיִּפְקֹד שָׁאוּל אֶת־הָעָם הַנִּמְצְאִים
טז עִמּוֹ כְּשֵׁשׁ מֵאוֹת אִישׁ: וְשָׁאוּל וְיוֹנָתָן בְּנוֹ וְהָעָם הַנִּמְצָא עִמָּם
יז יֹשְׁבִים בְּגֶבַע בִּנְיָמִן וּפְלִשְׁתִּים חָנוּ בְמִכְמָשׂ: וַיֵּצֵא הַמַּשְׁחִית
מִמַּחֲנֵה פְלִשְׁתִּים שְׁלֹשָׁה רָאשִׁים הָרֹאשׁ אֶחָד יִפְנֶה אֶל־דֶּרֶךְ
יח עָפְרָה אֶל־אֶרֶץ שׁוּעָל: וְהָרֹאשׁ אֶחָד יִפְנֶה דֶּרֶךְ בֵּית חֹרוֹן
וְהָרֹאשׁ אֶחָד יִפְנֶה דֶּרֶךְ הַגְּבוּל הַנִּשְׁקָף עַל־גֵּי הַצְּבֹעִים
יט הַמִּדְבָּרָה: וְחָרָשׁ לֹא יִמָּצֵא בְּכֹל אֶרֶץ יִשְׂרָאֵל כִּי־
צָבָא לְלֹא נֶשֶׁק:
כ אָמְרוּ אמר פְלִשְׁתִּים פֶּן יַעֲשׂוּ הָעִבְרִים חֶרֶב אוֹ חֲנִית: וַיֵּרְדוּ
כָל־יִשְׂרָאֵל הַפְּלִשְׁתִּים לִלְטוֹשׁ אִישׁ אֶת־מַחֲרַשְׁתּוֹ וְאֶת־אֵתוֹ
כא וְאֶת־קַרְדֻּמּוֹ וְאֵת מַחֲרֵשָׁתוֹ: וְהָיְתָה הַפְּצִירָה פִים לַמַּחֲרֵשֹׁת
כב וְלָאֵתִים וְלִשְׁלֹשׁ קִלְּשׁוֹן וּלְהַקַּרְדֻּמִּים וּלְהַצִּיב הַדָּרְבָן: וְהָיָה
בְּיוֹם מִלְחֶמֶת וְלֹא נִמְצָא חֶרֶב וַחֲנִית בְּיַד כָּל־הָעָם אֲשֶׁר
כג אֶת־שָׁאוּל וְאֶת־יוֹנָתָן וַתִּמָּצֵא לְשָׁאוּל וּלְיוֹנָתָן בְּנוֹ: וַיֵּצֵא מַצַּב
יד א פְלִשְׁתִּים אֶל־מַעֲבַר מִכְמָשׂ: וַיְהִי הַיּוֹם וַיֹּאמֶר יוֹנָתָן
חֲדִירַת יוֹנָתָן אֶל מַצַּב פְּלִשְׁתִּים:
בֶן־שָׁאוּל אֶל־הַנַּעַר נֹשֵׂא כֵלָיו לְכָה וְנַעְבְּרָה אֶל־מַצַּב
ב פְּלִשְׁתִּים אֲשֶׁר מֵעֵבֶר הַלָּז וּלְאָבִיו לֹא הִגִּיד: וְשָׁאוּל יוֹשֵׁב
בִּקְצֵה הַגִּבְעָה תַּחַת הָרִמּוֹן אֲשֶׁר בְּמִגְרוֹן וְהָעָם אֲשֶׁר עִמּוֹ
ג כְּשֵׁשׁ מֵאוֹת אִישׁ: וַאֲחִיָּה בֶן־אֲחִטוּב אֲחִי אִיכָבוֹד ׀ בֶּן־פִּינְחָס

בֶּן־עֵלִי כֹּהֵן ׀ יְהוָה בְּשִׁלוֹ נֹשֵׂא אֵפוֹד וְהָעָם לֹא יָדַע כִּי הָלַךְ
ד יוֹנָתָן׃ וּבֵין הַמַּעְבְּרוֹת אֲשֶׁר בִּקֵּשׁ יוֹנָתָן לַעֲבֹר עַל־מַצַּב פְּלִשְׁתִּים
שֵׁן־הַסֶּלַע מֵהָעֵבֶר מִזֶּה וְשֵׁן־הַסֶּלַע מֵהָעֵבֶר מִזֶּה וְשֵׁם הָאֶחָד
ה בּוֹצֵץ וְשֵׁם הָאֶחָד סֶנֶּה׃ הַשֵּׁן הָאֶחָד מָצוּק מִצָּפוֹן מוּל מִכְמָשׂ
ו וְהָאֶחָד מִנֶּגֶב מוּל גָּבַע׃ וַיֹּאמֶר יְהוֹנָתָן אֶל־הַנַּעַר ׀
נֹשֵׂא כֵלָיו לְכָה וְנַעְבְּרָה אֶל־מַצַּב הָעֲרֵלִים הָאֵלֶּה אוּלַי יַעֲשֶׂה
יְהוָה לָנוּ כִּי אֵין לַיהוָה מַעְצוֹר לְהוֹשִׁיעַ בְּרַב אוֹ בִמְעָט׃
ז וַיֹּאמֶר לוֹ נֹשֵׂא כֵלָיו עֲשֵׂה כָּל־אֲשֶׁר בִּלְבָבֶךָ נְטֵה לָךְ הִנְנִי עִמְּךָ
ח כִּלְבָבֶךָ׃ וַיֹּאמֶר יְהוֹנָתָן

סִימַן יְהוֹנָתָן וְהַצָּלָתוֹ:

ט הִנֵּה אֲנַחְנוּ עֹבְרִים אֶל־הָאֲנָשִׁים וְנִגְלִינוּ אֲלֵיהֶם׃ אִם־כֹּה יֹאמְרוּ
אֵלֵינוּ דֹּמּוּ עַד־הַגִּיעֵנוּ אֲלֵיכֶם וְעָמַדְנוּ תַחְתֵּינוּ וְלֹא נַעֲלֶה
י אֲלֵיהֶם׃ וְאִם־כֹּה יֹאמְרוּ עֲלוּ עָלֵינוּ וְעָלִינוּ כִּי־נְתָנָם יְהוָה בְּיָדֵנוּ
יא וְזֶה־לָּנוּ הָאוֹת׃ וַיִּגָּלוּ שְׁנֵיהֶם אֶל־מַצַּב פְּלִשְׁתִּים וַיֹּאמְרוּ
פְלִשְׁתִּים הִנֵּה עִבְרִים יֹצְאִים מִן־הַחֹרִים אֲשֶׁר הִתְחַבְּאוּ־שָׁם׃
יב וַיַּעֲנוּ אַנְשֵׁי הַמַּצָּבָה אֶת־יוֹנָתָן ׀ וְאֶת־נֹשֵׂא כֵלָיו וַיֹּאמְרוּ עֲלוּ
אֵלֵינוּ וְנוֹדִיעָה אֶתְכֶם דָּבָר
וַיֹּאמֶר יוֹנָתָן אֶל־נֹשֵׂא כֵלָיו עֲלֵה אַחֲרַי כִּי־נְתָנָם יְהוָה בְּיַד
יג יִשְׂרָאֵל׃ וַיַּעַל יוֹנָתָן עַל־יָדָיו וְעַל־רַגְלָיו וְנֹשֵׂא כֵלָיו אַחֲרָיו
יד וַיִּפְּלוּ לִפְנֵי יוֹנָתָן וְנֹשֵׂא כֵלָיו מְמוֹתֵת אַחֲרָיו׃ וַתְּהִי הַמַּכָּה
הָרִאשֹׁנָה אֲשֶׁר הִכָּה יוֹנָתָן וְנֹשֵׂא כֵלָיו כְּעֶשְׂרִים אִישׁ כְּבַחֲצִי
טו מַעֲנָה צֶמֶד שָׂדֶה׃ וַתְּהִי חֲרָדָה בַמַּחֲנֶה בַשָּׂדֶה וּבְכָל־הָעָם
הַמַּצָּב וְהַמַּשְׁחִית חָרְדוּ גַּם־הֵמָּה וַתִּרְגַּז הָאָרֶץ וַתְּהִי לְחֶרְדַּת
טז אֱלֹהִים׃ וַיִּרְאוּ הַצֹּפִים לְשָׁאוּל בְּגִבְעַת בִּנְיָמִן וְהִנֵּה הֶהָמוֹן נָמוֹג
וַיֵּלֶךְ וַהֲלֹם׃

הִצְטָרְפוּת שָׁאוּל לַמִּלְחָמָה:

יז וַיֹּאמֶר שָׁאוּל לָעָם אֲשֶׁר אִתּוֹ פִּקְדוּ־נָא וּרְאוּ מִי הָלַךְ מֵעִמָּנוּ

יח וַיִּפְקְדוּ וְהִנֵּה אֵין יוֹנָתָן וְנֹשֵׂא כֵלָיו: וַיֹּאמֶר שָׁאוּל לַאֲחִיָּה הַגִּישָׁה
אֲרוֹן הָאֱלֹהִים כִּי־הָיָה אֲרוֹן הָאֱלֹהִים בַּיּוֹם הַהוּא וּבְנֵי יִשְׂרָאֵל:
יט וַיְהִי עַד דִּבֶּר שָׁאוּל אֶל־הַכֹּהֵן וְהֶהָמוֹן אֲשֶׁר בְּמַחֲנֵה פְלִשְׁתִּים
וַיֵּלֶךְ הָלוֹךְ וָרָב

כ וַיֹּאמֶר שָׁאוּל אֶל־הַכֹּהֵן אֱסֹף יָדֶךָ: וַיִּזָּעֵק שָׁאוּל וְכָל־הָעָם אֲשֶׁר
אִתּוֹ וַיָּבֹאוּ עַד־הַמִּלְחָמָה וְהִנֵּה הָיְתָה חֶרֶב אִישׁ בְּרֵעֵהוּ מְהוּמָה
כא גְּדוֹלָה מְאֹד: וְהָעִבְרִים הָיוּ לַפְּלִשְׁתִּים כְּאֶתְמוֹל שִׁלְשׁוֹם אֲשֶׁר
עָלוּ עִמָּם בַּמַּחֲנֶה סָבִיב וְגַם־הֵמָּה לִהְיוֹת עִם־יִשְׂרָאֵל אֲשֶׁר
כב עִם־שָׁאוּל וְיוֹנָתָן: וְכֹל אִישׁ יִשְׂרָאֵל הַמִּתְחַבְּאִים בְּהַר־אֶפְרַיִם
שָׁמְעוּ כִּי־נָסוּ פְּלִשְׁתִּים וַיַּדְבְּקוּ גַם־הֵמָּה אַחֲרֵיהֶם בַּמִּלְחָמָה:
כג וַיּוֹשַׁע יְהוָה בַּיּוֹם הַהוּא אֶת־יִשְׂרָאֵל וְהַמִּלְחָמָה עָבְרָה אֶת־בֵּית
כד אָוֶן: וְאִישׁ־יִשְׂרָאֵל נִגַּשׂ בַּיּוֹם הַהוּא וַיֹּאֶל שָׁאוּל אֶת־הָעָם לֵאמֹר
אָרוּר הָאִישׁ אֲשֶׁר־יֹאכַל לֶחֶם עַד־הָעֶרֶב וְנִקַּמְתִּי מֵאֹיְבַי
כה וְלֹא־טָעַם כָּל־הָעָם לָחֶם: וְכָל־הָאָרֶץ בָּאוּ בַיָּעַר וַיְהִי
כו דְבַשׁ עַל־פְּנֵי הַשָּׂדֶה: וַיָּבֹא הָעָם אֶל־הַיַּעַר וְהִנֵּה הֵלֶךְ דְּבָשׁ
כז וְאֵין־מַשִּׂיג יָדוֹ אֶל־פִּיו כִּי־יָרֵא הָעָם אֶת־הַשְּׁבֻעָה: וְיוֹנָתָן
לֹא־שָׁמַע בְּהַשְׁבִּיעַ אָבִיו אֶת־הָעָם וַיִּשְׁלַח אֶת־קְצֵה הַמַּטֶּה
אֲשֶׁר בְּיָדוֹ וַיִּטְבֹּל אוֹתָהּ בְּיַעְרַת הַדְּבָשׁ וַיָּשֶׁב יָדוֹ אֶל־פִּיו
כח ותראנה וַתָּאֹרְנָה עֵינָיו: וַיַּעַן אִישׁ מֵהָעָם וַיֹּאמֶר הַשְׁבֵּעַ הִשְׁבִּיעַ
אָבִיךָ אֶת־הָעָם לֵאמֹר אָרוּר הָאִישׁ אֲשֶׁר־יֹאכַל לֶחֶם הַיּוֹם
כט וַיָּעַף הָעָם: וַיֹּאמֶר יוֹנָתָן עָכַר אָבִי אֶת־הָאָרֶץ רְאוּ־נָא כִּי־אֹרוּ
ל עֵינַי כִּי טָעַמְתִּי מְעַט דְּבַשׁ הַזֶּה: אַף כִּי לוּא אָכֹל אָכַל הַיּוֹם
הָעָם מִשְּׁלַל אֹיְבָיו אֲשֶׁר מָצָא כִּי עַתָּה לֹא־רָבְתָה מַכָּה
לא בַּפְּלִשְׁתִּים: וַיַּכּוּ בַּיּוֹם הַהוּא בַּפְּלִשְׁתִּים מִמִּכְמָשׂ אַיָּלֹנָה וַיָּעַף
לב הָעָם מְאֹד: ויעש וַיַּעַט הָעָם אֶל־הַשָּׁלָל שלל וַיִּקְחוּ צֹאן וּבָקָר

חֶרֶב אִישׁ בְּרֵעֵהוּ בְּמַעַרְכוֹת פְּלִשְׁתִּים:

הַשְׁבָּעַת הָעָם וּטְעִימַת יְהוֹנָתָן:

לג וּבְנֵי בָקָר וַיִּשְׁחֲטוּ־אָרְצָה וַיֹּאכַל הָעָם עַל־הַדָּם: וַיַּגִּידוּ לְשָׁאוּל
לֵאמֹר הִנֵּה הָעָם חֹטְאִים לַיהוָה לֶאֱכֹל עַל־הַדָּם וַיֹּאמֶר בְּגַדְתֶּם
לד גֹּלּוּ־אֵלַי הַיּוֹם אֶבֶן גְּדוֹלָה: וַיֹּאמֶר שָׁאוּל פֻּצוּ בָעָם וַאֲמַרְתֶּם
לָהֶם הַגִּישׁוּ אֵלַי אִישׁ שׁוֹרוֹ וְאִישׁ שֵׂיֵהוּ וּשְׁחַטְתֶּם בָּזֶה וַאֲכַלְתֶּם
וְלֹא־תֶחֶטְאוּ לַיהוָה לֶאֱכֹל אֶל־הַדָּם וַיַּגִּשׁוּ כָל־הָעָם אִישׁ שׁוֹרוֹ
לה בְיָדוֹ הַלַּיְלָה וַיִּשְׁחֲטוּ־שָׁם: וַיִּבֶן שָׁאוּל מִזְבֵּחַ לַיהוָה אֹתוֹ הֵחֵל
לִבְנוֹת מִזְבֵּחַ לַיהוָה:
לו וַיֹּאמֶר שָׁאוּל נֵרְדָה אַחֲרֵי פְלִשְׁתִּים ׀ לַיְלָה וְנָבֹזָּה בָהֶם ׀
עַד־אוֹר הַבֹּקֶר וְלֹא־נַשְׁאֵר בָּהֶם אִישׁ וַיֹּאמְרוּ כָּל־הַטּוֹב בְּעֵינֶיךָ
לז עֲשֵׂה וַיֹּאמֶר הַכֹּהֵן נִקְרְבָה הֲלֹם אֶל־הָאֱלֹהִים: וַיִּשְׁאַל
שָׁאוּל בֵּאלֹהִים הַאֵרֵד אַחֲרֵי פְלִשְׁתִּים הֲתִתְּנֵם בְּיַד יִשְׂרָאֵל
לח וְלֹא עָנָהוּ בַּיּוֹם הַהוּא: וַיֹּאמֶר שָׁאוּל גֹּשׁוּ הֲלֹם כֹּל פִּנּוֹת הָעָם
לט וּדְעוּ וּרְאוּ בַּמָּה הָיְתָה הַחַטָּאת הַזֹּאת הַיּוֹם: כִּי חַי־יְהוָה
הַמּוֹשִׁיעַ אֶת־יִשְׂרָאֵל כִּי אִם־יֶשְׁנוֹ בְּיוֹנָתָן בְּנִי כִּי מוֹת יָמוּת
מ וְאֵין עֹנֵהוּ מִכָּל־הָעָם: וַיֹּאמֶר אֶל־כָּל־יִשְׂרָאֵל אַתֶּם תִּהְיוּ
לְעֵבֶר אֶחָד וַאֲנִי וְיוֹנָתָן בְּנִי נִהְיֶה לְעֵבֶר אֶחָד וַיֹּאמְרוּ הָעָם
מא אֶל־שָׁאוּל הַטּוֹב בְּעֵינֶיךָ עֲשֵׂה: וַיֹּאמֶר שָׁאוּל אֶל־ (לְכִידַת יְהוֹנָתָן וּפְדִיָּתוֹ:)
יְהוָה אֱלֹהֵי יִשְׂרָאֵל הָבָה תָמִים וַיִּלָּכֵד יוֹנָתָן וְשָׁאוּל וְהָעָם יָצָאוּ:
מב מג וַיֹּאמֶר שָׁאוּל הַפִּילוּ בֵּינִי וּבֵין יוֹנָתָן בְּנִי וַיִּלָּכֵד יוֹנָתָן: וַיֹּאמֶר
שָׁאוּל אֶל־יוֹנָתָן הַגִּידָה לִּי מֶה עָשִׂיתָה וַיַּגֶּד־לוֹ יוֹנָתָן וַיֹּאמֶר
טָעֹם טָעַמְתִּי בִּקְצֵה הַמַּטֶּה אֲשֶׁר־בְּיָדִי מְעַט דְּבַשׁ הִנְנִי
מד אָמוּת: וַיֹּאמֶר שָׁאוּל כֹּה־יַעֲשֶׂה אֱלֹהִים וְכֹה יוֹסִף
מה כִּי־מוֹת תָּמוּת יוֹנָתָן: וַיֹּאמֶר הָעָם אֶל־שָׁאוּל הֲיוֹנָתָן ׀ יָמוּת
אֲשֶׁר עָשָׂה הַיְשׁוּעָה הַגְּדוֹלָה הַזֹּאת בְּיִשְׂרָאֵל חָלִילָה חַי־יְהוָה
אִם־יִפֹּל מִשַּׂעֲרַת רֹאשׁוֹ אַרְצָה כִּי־עִם־אֱלֹהִים עָשָׂה הַיּוֹם הַזֶּה

מו וַיִּפְדּוּ הָעָם אֶת־יוֹנָתָן וְלֹא־מֵת: וַיַּעַל שָׁאוּל מֵאַחֲרֵי הִתְחַזְּקוּת שָׁאוּל בְּמַלְכוּתוֹ:
מז פְלִשְׁתִּים וּפְלִשְׁתִּים הָלְכוּ לִמְקוֹמָם: וְשָׁאוּל לָכַד הַמְּלוּכָה
עַל־יִשְׂרָאֵל וַיִּלָּחֶם סָבִיב ׀ בְּכָל־אֹיְבָיו בְּמוֹאָב ׀ וּבִבְנֵי־עַמּוֹן
וּבֶאֱדוֹם וּבְמַלְכֵי צוֹבָה וּבַפְּלִשְׁתִּים וּבְכֹל אֲשֶׁר־יִפְנֶה יַרְשִׁיעַ:
מח וַיַּעַשׂ חַיִל וַיַּךְ אֶת־עֲמָלֵק וַיַּצֵּל אֶת־יִשְׂרָאֵל מִיַּד שֹׁסֵהוּ:
מט וַיִּהְיוּ בְּנֵי שָׁאוּל יוֹנָתָן וְיִשְׁוִי וּמַלְכִּי־שׁוּעַ וְשֵׁם שְׁתֵּי בְנֹתָיו שֵׁם מִשְׁפַּחַת שָׁאוּל וְגִבּוֹרָיו:
נ הַבְּכִירָה מֵרַב וְשֵׁם הַקְּטַנָּה מִיכַל: וְשֵׁם אֵשֶׁת שָׁאוּל אֲחִינֹעַם
נא בַּת־אֲחִימָעַץ וְשֵׁם שַׂר־צְבָאוֹ אֲבִינֵר בֶּן־נֵר דּוֹד שָׁאוּל: וְקִישׁ
נב אֲבִי־שָׁאוּל וְנֵר אֲבִי־אַבְנֵר בֶּן־אֲבִיאֵל: וַתְּהִי הַמִּלְחָמָה
חֲזָקָה עַל־פְּלִשְׁתִּים כֹּל יְמֵי שָׁאוּל וְרָאָה שָׁאוּל כָּל־אִישׁ גִּבּוֹר
וְכָל־בֶּן־חַיִל וַיַּאַסְפֵהוּ אֵלָיו:
טו א וַיֹּאמֶר שְׁמוּאֵל אֶל־שָׁאוּל אֹתִי שָׁלַח יְהוָה לִמְשָׁחֳךָ לְמֶלֶךְ
ב עַל־עַמּוֹ עַל־יִשְׂרָאֵל וְעַתָּה שְׁמַע לְקוֹל דִּבְרֵי יְהוָה: כֹּה צִוּוּי עַל מִלְחֶמֶת עֲמָלֵק:
אָמַר יְהוָה צְבָאוֹת פָּקַדְתִּי אֵת אֲשֶׁר־עָשָׂה עֲמָלֵק לְיִשְׂרָאֵל
ג אֲשֶׁר־שָׂם לוֹ בַּדֶּרֶךְ בַּעֲלֹתוֹ מִמִּצְרָיִם: עַתָּה לֵךְ וְהִכִּיתָה
אֶת־עֲמָלֵק וְהַחֲרַמְתֶּם אֶת־כָּל־אֲשֶׁר־לוֹ וְלֹא תַחְמֹל עָלָיו
וְהֵמַתָּה מֵאִישׁ עַד־אִשָּׁה מֵעֹלֵל וְעַד־יוֹנֵק מִשּׁוֹר וְעַד־שֶׂה מִגָּמָל
ד וְעַד־חֲמוֹר: וַיְשַׁמַּע שָׁאוּל אֶת־הָעָם וַיִּפְקְדֵם מִלְחֶמֶת עֲמָלֵק וְחֵטְא שָׁאוּל:
בַּטְּלָאִים מָאתַיִם אֶלֶף רַגְלִי וַעֲשֶׂרֶת אֲלָפִים אֶת־אִישׁ יְהוּדָה:
ה ו וַיָּבֹא שָׁאוּל עַד־עִיר עֲמָלֵק וַיָּרֶב בַּנָּחַל: וַיֹּאמֶר שָׁאוּל אֶל־הַקֵּינִי
לְכוּ סֻּרוּ רְדוּ מִתּוֹךְ עֲמָלֵקִי פֶּן־אֹסִפְךָ עִמּוֹ וְאַתָּה עָשִׂיתָה חֶסֶד
עִם־כָּל־בְּנֵי יִשְׂרָאֵל בַּעֲלוֹתָם מִמִּצְרָיִם וַיָּסַר קֵינִי מִתּוֹךְ עֲמָלֵק:
ז וַיַּךְ שָׁאוּל אֶת־עֲמָלֵק מֵחֲוִילָה בּוֹאֲךָ שׁוּר אֲשֶׁר עַל־פְּנֵי מִצְרָיִם:
ח וַיִּתְפֹּשׂ אֶת־אֲגַג מֶלֶךְ־עֲמָלֵק חָי וְאֶת־כָּל־הָעָם הֶחֱרִים לְפִי־
ט חָרֶב: וַיַּחְמֹל שָׁאוּל וְהָעָם עַל־אֲגָג וְעַל־מֵיטַב הַצֹּאן וְהַבָּקָר

וְהַמִּשְׁנִ֨ים וְעַל־הַכָּרִים֙ וְעַל־כָּל־הַטּ֔וֹב וְלֹ֥א אָב֖וּ הַחֲרִימָ֑ם וְכָל־
הַמְּלָאכָ֛ה נְמִבְזָ֥ה וְנָמֵ֖ס אֹתָ֥הּ הֶחֱרִֽימוּ׃
יא וַֽיְהִי֙ דְּבַ֣ר יְהוָ֔ה אֶל־שְׁמוּאֵ֖ל לֵאמֹֽר׃ נִחַ֗מְתִּי כִּֽי־הִמְלַ֤כְתִּי אֶת־ חֲרוֹן אַף ה׳ בְּשָׁאוּל:
שָׁאוּל֙ לְמֶ֔לֶךְ כִּי־שָׁב֙ מֵאַחֲרַ֔י וְאֶת־דְּבָרַ֖י לֹ֣א הֵקִ֑ים וַיִּ֙חַר֙
יב לִשְׁמוּאֵ֔ל וַיִּזְעַ֥ק אֶל־יְהוָ֖ה כָּל־הַלָּֽיְלָה׃ וַיַּשְׁכֵּ֧ם שְׁמוּאֵ֛ל לִקְרַ֥את
שָׁא֖וּל בַּבֹּ֑קֶר וַיֻּגַּ֨ד לִשְׁמוּאֵ֜ל לֵאמֹ֗ר בָּֽא־שָׁא֤וּל הַכַּרְמֶ֙לָה֙ וְהִנֵּ֨ה
יג מַצִּ֥יב לוֹ֙ יָ֔ד וַיִּסֹּב֙ וַֽיַּעֲבֹ֔ר וַיֵּ֖רֶד הַגִּלְגָּֽל׃ וַיָּבֹ֥א שְׁמוּאֵ֖ל אֶל־שָׁא֑וּל
וַיֹּ֧אמֶר ל֣וֹ שָׁא֗וּל בָּר֤וּךְ אַתָּה֙ לַֽיהוָ֔ה הֲקִימֹ֖תִי אֶת־דְּבַ֥ר יְהוָֽה׃
יד וַיֹּ֣אמֶר שְׁמוּאֵ֔ל וּמֶ֛ה קוֹל־הַצֹּ֥אן הַזֶּ֖ה בְּאָזְנָ֑י וְק֣וֹל הַבָּקָ֔ר אֲשֶׁ֥ר
טו אָנֹכִ֖י שֹׁמֵֽעַ׃ וַיֹּ֨אמֶר שָׁא֜וּל מֵעֲמָלֵקִ֣י הֱבִיא֗וּם אֲשֶׁ֨ר חָמַ֤ל הָעָם֙
עַל־מֵיטַ֤ב הַצֹּאן֙ וְהַבָּקָ֔ר לְמַ֥עַן זְבֹ֖חַ לַֽיהוָ֣ה אֱלֹהֶ֑יךָ וְאֶת־הַיּוֹתֵ֖ר
הֶחֱרַֽמְנוּ׃
טז וַיֹּ֤אמֶר שְׁמוּאֵל֙ אֶל־שָׁא֔וּל הֶ֚רֶף וְאַגִּ֣ידָה לְּךָ֔ אֵת֩ אֲשֶׁ֨ר דִּבֶּ֧ר יְהוָ֛ה
יז אֵלַ֖י הַלָּ֑יְלָה ויאמרו וַיֹּ֥אמֶר ל֖וֹ דַּבֵּֽר׃ וַיֹּ֣אמֶר שְׁמוּאֵ֔ל תּוֹכַחַת
הֲל֗וֹא אִם־קָטֹ֤ן אַתָּה֙ בְּעֵינֶ֔יךָ רֹ֛אשׁ שִׁבְטֵ֥י יִשְׂרָאֵ֖ל אָ֑תָּה וַיִּמְשָׁחֲךָ֧ שְׁמוּאֵל לְשָׁאוּל:
יח יְהוָ֛ה לְמֶ֖לֶךְ עַל־יִשְׂרָאֵֽל׃ וַיִּשְׁלָחֲךָ֥ יְהוָ֖ה בְּדָ֑רֶךְ וַיֹּ֗אמֶר לֵ֣ךְ
וְהַחֲרַמְתָּ֞ה אֶת־הַחַטָּאִים֙ אֶת־עֲמָלֵ֔ק וְנִלְחַמְתָּ֣ ב֔וֹ עַ֥ד כַּלּוֹתָ֖ם
יט אֹתָֽם׃ וְלָ֥מָּה לֹא־שָׁמַ֖עְתָּ בְּק֣וֹל יְהוָ֑ה וַתַּ֙עַט֙ אֶל־הַשָּׁלָ֔ל וַתַּ֥עַשׂ
כ הָרַ֖ע בְּעֵינֵ֥י יְהוָֽה׃ וַיֹּ֨אמֶר שָׁא֜וּל נִסְיוֹן הִצְטַדְּקוּת
אֶל־שְׁמוּאֵ֗ל אֲשֶׁ֤ר שָׁמַ֙עְתִּי֙ בְּק֣וֹל יְהוָ֔ה וָאֵלֵ֕ךְ בַּדֶּ֖רֶךְ אֲשֶׁר־ שָׁאוּל וּמֵאוּן
שְׁלָחַ֣נִי יְהוָ֑ה וָאָבִ֗יא אֶת־אֲגַג֙ מֶ֣לֶךְ עֲמָלֵ֔ק וְאֶת־עֲמָלֵ֖ק הֶחֱרַֽמְתִּי׃ שְׁמוּאֵל:
כא וַיִּקַּ֨ח הָעָ֧ם מֵהַשָּׁלָ֛ל צֹ֥אן וּבָקָ֖ר רֵאשִׁ֣ית הַחֵ֑רֶם לִזְבֹּ֛חַ לַֽיהוָ֥ה
כב אֱלֹהֶ֖יךָ בַּגִּלְגָּֽל׃ וַיֹּ֣אמֶר שְׁמוּאֵ֗ל הַחֵ֤פֶץ לַֽיהוָה֙ בְּעֹל֣וֹת
וּזְבָחִ֔ים כִּשְׁמֹ֖עַ בְּק֣וֹל יְהוָ֑ה הִנֵּ֤ה שְׁמֹ֙עַ֙ מִזֶּ֣בַח ט֔וֹב לְהַקְשִׁ֖יב
כג מֵחֵ֥לֶב אֵילִֽים׃ כִּ֤י חַטַּאת־קֶ֙סֶם֙ מֶ֔רִי וְאָ֖וֶן וּתְרָפִ֣ים הַפְצַ֑ר יַ֗עַן

כד מָאַסְתָּ אֶת־דְּבַר יְהוָֹה וַיִּמְאָסְךָ מִמֶּלֶךְ׃ וַיֹּאמֶר שָׁאוּל
אֶל־שְׁמוּאֵל חָטָאתִי כִּי־עָבַרְתִּי אֶת־פִּי־יְהוָֹה וְאֶת־דְּבָרֶיךָ כִּי
כה יָרֵאתִי אֶת־הָעָם וָאֶשְׁמַע בְּקוֹלָם׃ וְעַתָּה שָׂא נָא אֶת־חַטָּאתִי
כו וְשׁוּב עִמִּי וְאֶשְׁתַּחֲוֶה לַיהוָֹה׃ וַיֹּאמֶר שְׁמוּאֵל אֶל־שָׁאוּל לֹא
אָשׁוּב עִמָּךְ כִּי מָאַסְתָּה אֶת־דְּבַר יְהוָֹה וַיִּמְאָסְךָ יְהוָֹה מִהְיוֹת
כז מֶלֶךְ עַל־יִשְׂרָאֵל׃ וַיִּסֹּב שְׁמוּאֵל לָלֶכֶת וַיַּחֲזֵק בִּכְנַף־
כח מְעִילוֹ וַיִּקָּרַע׃ וַיֹּאמֶר אֵלָיו שְׁמוּאֵל
קָרַע יְהוָֹה אֶת־מַמְלְכוּת יִשְׂרָאֵל מֵעָלֶיךָ הַיּוֹם וּנְתָנָהּ לְרֵעֲךָ
כט הַטּוֹב מִמֶּךָּ׃ וְגַם נֵצַח יִשְׂרָאֵל
ל לֹא יְשַׁקֵּר וְלֹא יִנָּחֵם כִּי לֹא אָדָם הוּא לְהִנָּחֵם׃ וַיֹּאמֶר חָטָאתִי
עַתָּה כַּבְּדֵנִי נָא נֶגֶד זִקְנֵי־עַמִּי וְנֶגֶד יִשְׂרָאֵל וְשׁוּב עִמִּי
לא וְהִשְׁתַּחֲוֵיתִי לַיהוָֹה אֱלֹהֶיךָ׃ וַיָּשָׁב שְׁמוּאֵל אַחֲרֵי שָׁאוּל וַיִּשְׁתַּחוּ
לב שָׁאוּל לַיהוָֹה׃ וַיֹּאמֶר שְׁמוּאֵל הַגִּישׁוּ אֵלַי אֶת־אֲגַג
מֶלֶךְ עֲמָלֵק וַיֵּלֶךְ אֵלָיו אֲגַג מַעֲדַנֹּת וַיֹּאמֶר אֲגָג אָכֵן סָר
לג מַר־הַמָּוֶת׃ וַיֹּאמֶר שְׁמוּאֵל כַּאֲשֶׁר שִׁכְּלָה נָשִׁים
חַרְבֶּךָ כֵּן־תִּשְׁכַּל מִנָּשִׁים אִמֶּךָ וַיְשַׁסֵּף שְׁמוּאֵל אֶת־אֲגָג לִפְנֵי
לד יְהוָֹה בַּגִּלְגָּל׃ וַיֵּלֶךְ שְׁמוּאֵל הָרָמָתָה וְשָׁאוּל עָלָה
לה אֶל־בֵּיתוֹ גִּבְעַת שָׁאוּל׃ וְלֹא־יָסַף שְׁמוּאֵל לִרְאוֹת אֶת־שָׁאוּל
עַד־יוֹם מוֹתוֹ כִּי־הִתְאַבֵּל שְׁמוּאֵל אֶל־שָׁאוּל וַיהוָֹה נִחָם כִּי־
הִמְלִיךְ אֶת־שָׁאוּל עַל־יִשְׂרָאֵל׃
טז א וַיֹּאמֶר יְהוָֹה אֶל־שְׁמוּאֵל עַד־מָתַי אַתָּה מִתְאַבֵּל אֶל־שָׁאוּל
וַאֲנִי מְאַסְתִּיו מִמְּלֹךְ עַל־יִשְׂרָאֵל מַלֵּא קַרְנְךָ שֶׁמֶן וְלֵךְ אֶשְׁלָחֲךָ
ב אֶל־יִשַׁי בֵּית־הַלַּחְמִי כִּי־רָאִיתִי בְּבָנָיו לִי מֶלֶךְ׃ וַיֹּאמֶר שְׁמוּאֵל
אֵיךְ אֵלֵךְ וְשָׁמַע שָׁאוּל וַהֲרָגָנִי וַיֹּאמֶר יְהוָֹה עֶגְלַת בָּקָר תִּקַּח
ג בְּיָדֶךָ וְאָמַרְתָּ לִזְבֹּחַ לַיהוָֹה בָּאתִי׃ וְקָרָאתָ לְיִשַׁי בַּזָּבַח וְאָנֹכִי

הוֹדָאַת שָׁאוּל בְּחֶטְאוֹ׃

קְרִיעַת הַמְּעִיל - אוֹת לִקְרִיעַת הַמְּלוּכָה׃

שִׁסּוּף אֲגַג מֶלֶךְ עֲמָלֵק׃

שְׁלִיחַת שְׁמוּאֵל לְבֵית יִשַׁי׃

אוֹדִיעֲךָ֔ אֵ֖ת אֲשֶׁ֣ר־תַּעֲשֶׂ֑ה וּמָשַׁחְתָּ֣ לִ֔י אֵ֥ת אֲשֶׁר־אֹמַ֖ר אֵלֶֽיךָ׃

ד וַיַּ֣עַשׂ שְׁמוּאֵ֗ל אֵ֚ת אֲשֶׁ֣ר דִּבֶּ֣ר יְהֹוָ֔ה וַיָּבֹ֖א בֵּ֣ית לָ֑חֶם וַיֶּחֶרְד֞וּ זִקְנֵ֤י
הָעִיר֙ לִקְרָאת֔וֹ וַיֹּ֖אמֶר שָׁלֹ֥ם בּוֹאֶֽךָ׃ ה וַיֹּ֣אמֶר ׀ שָׁל֗וֹם לִזְבֹּ֤חַ
לַֽיהֹוָה֙ בָּ֔אתִי הִֽתְקַדְּשׁ֔וּ וּבָאתֶ֥ם אִתִּ֖י בַּזָּ֑בַח וַיְקַדֵּ֤שׁ אֶת־יִשַׁי֙
וְאֶת־בָּנָ֔יו וַיִּקְרָ֥א לָהֶ֖ם לַזָּֽבַח׃ ו וַיְהִ֣י בְּבוֹאָ֔ם וַיַּ֖רְא אֶת־אֱלִיאָ֑ב

חפוש   ז וַיֹּ֗אמֶר אַ֛ךְ נֶ֥גֶד יְהֹוָ֖ה מְשִׁיחֽוֹ׃   וַיֹּ֨אמֶר יְהֹוָ֜ה אֶל־שְׁמוּאֵ֗ל
אחר
מלך   אַל־תַּבֵּ֧ט אֶל־מַרְאֵ֛הוּ וְאֶל־גְּבֹ֥הַּ קֽוֹמָת֖וֹ כִּ֣י מְאַסְתִּ֑יהוּ כִּ֣י ׀ לֹ֗א
מבני ישי
אֲשֶׁ֤ר יִרְאֶה֙ הָֽאָדָ֔ם כִּ֤י הָֽאָדָם֙ יִרְאֶ֣ה לַֽעֵינַ֔יִם וַֽיהֹוָ֖ה יִרְאֶ֥ה לַלֵּבָֽב׃
ח וַיִּקְרָ֤א יִשַׁי֙ אֶל־אֲבִ֣ינָדָ֔ב וַיַּעֲבִרֵ֖הוּ לִפְנֵ֣י שְׁמוּאֵ֑ל וַיֹּ֕אמֶר גַּם־בָּזֶ֖ה
לֹֽא־בָחַ֥ר יְהֹוָֽה׃ ט וַיַּעֲבֵ֥ר יִשַׁ֖י שַׁמָּ֑ה וַיֹּ֕אמֶר גַּם־בָּזֶ֖ה לֹא־בָחַ֥ר יְהֹוָֽה׃
י וַיַּעֲבֵ֥ר יִשַׁ֛י שִׁבְעַ֥ת בָּנָ֖יו לִפְנֵ֣י שְׁמוּאֵ֑ל וַיֹּ֤אמֶר שְׁמוּאֵל֙ אֶל־יִשַׁ֔י
יא לֹֽא־בָחַ֥ר יְהֹוָ֖ה בָּאֵֽלֶּה׃ וַיֹּ֨אמֶר שְׁמוּאֵ֣ל אֶל־יִשַׁי֮ הֲתַ֣מּוּ הַנְּעָרִים֒
וַיֹּ֗אמֶר ע֚וֹד שָׁאַ֣ר הַקָּטָ֔ן וְהִנֵּ֥ה רֹעֶ֖ה בַּצֹּ֑אן וַיֹּ֨אמֶר שְׁמוּאֵ֤ל אֶל־יִשַׁי֙
שִׁלְחָ֣ה וְקָחֶ֔נּוּ כִּ֥י לֹֽא־נָסֹ֖ב עַד־בֹּא֥וֹ פֹֽה׃ יב וַיִּשְׁלַ֤ח וַיְבִיאֵ֙הוּ֙ וְה֣וּא
אַדְמוֹנִ֔י עִם־יְפֵ֥ה עֵינַ֖יִם וְט֣וֹב רֹ֑אִי

משיחת   וַיֹּ֧אמֶר יְהֹוָ֛ה ק֥וּם מְשָׁחֵ֖הוּ כִּֽי־זֶ֣ה ה֑וּא וַיִּקַּ֨ח שְׁמוּאֵ֜ל אֶת־קֶ֣רֶן יג
דוד
למלך   הַשֶּׁ֗מֶן וַיִּמְשַׁ֣ח אֹתוֹ֮ בְּקֶ֣רֶב אֶחָיו֒ וַתִּצְלַ֤ח רֽוּחַ־יְהֹוָה֙ אֶל־דָּוִ֔ד
[2883]
מֵהַיּ֥וֹם הַה֖וּא וָמָ֑עְלָה וַיָּ֣קׇם שְׁמוּאֵ֔ל וַיֵּ֖לֶךְ הָרָמָֽתָה׃ יד וְר֧וּחַ יְהֹוָ֛ה
רוח רעה   סָ֖רָה מֵעִ֣ם שָׁא֑וּל וּבִֽעֲתַ֥תּוּ רֽוּחַ־רָעָ֖ה מֵאֵ֥ת יְהֹוָֽה׃ טו וַיֹּאמְר֥וּ
לשאול
עַבְדֵֽי־שָׁא֖וּל אֵלָ֑יו הִנֵּה־נָ֧א רֽוּחַ־אֱלֹהִ֛ים רָעָ֖ה מְבַעִתֶּֽךָ׃ טז יֹֽאמַר־
נָ֤א אֲדֹנֵ֙נוּ֙ עֲבָדֶ֣יךָ לְפָנֶ֔יךָ יְבַקְשׁ֕וּ אִ֕ישׁ יֹדֵ֖עַ מְנַגֵּ֣ן בַּכִּנּ֑וֹר וְהָיָ֗ה
בִּֽהְי֨וֹת עָלֶ֜יךָ רֽוּחַ־אֱלֹהִ֤ים רָעָה֙ וְנִגֵּ֣ן בְּיָד֔וֹ וְט֖וֹב לָֽךְ׃

בחירת   וַיֹּ֧אמֶר שָׁא֛וּל אֶל־עֲבָדָ֖יו רְאוּ־נָ֣א לִ֗י אִ֚ישׁ מֵיטִ֣יב לְנַגֵּ֔ן וַהֲבִיאוֹתֶ֖ם יז
דוד למנגן
בבית   אֵלָֽי׃ יח וַיַּ֜עַן אֶחָ֣ד מֵהַנְּעָרִ֗ים וַיֹּ֙אמֶר֙ הִנֵּ֨ה רָאִ֜יתִי בֵּ֣ן לְיִשַׁי֮ בֵּ֣ית
שאול׃
הַלַּחְמִי֒ יֹדֵ֣עַ נַ֠גֵּ֠ן וְגִבּ֨וֹר חַ֜יִל וְאִ֧ישׁ מִלְחָמָ֛ה וּנְב֥וֹן דָּבָ֖ר וְאִ֣ישׁ

יט תֹּאַר וַיהוָה עִמּוֹ׃ וַיִּשְׁלַח שָׁאוּל מַלְאָכִים אֶל־יִשָׁי וַיֹּאמֶר שִׁלְחָה
כ אֵלַי אֶת־דָּוִד בִּנְךָ אֲשֶׁר בַּצֹּאן׃ וַיִּקַּח יִשַׁי חֲמוֹר לֶחֶם וְנֹאד יַיִן
כא וּגְדִי עִזִּים אֶחָד וַיִּשְׁלַח בְּיַד־דָּוִד בְּנוֹ אֶל־שָׁאוּל׃ וַיָּבֹא דָוִד
אֶל־שָׁאוּל וַיַּעֲמֹד לְפָנָיו וַיֶּאֱהָבֵהוּ מְאֹד וַיְהִי־לוֹ נֹשֵׂא כֵלִים׃ דָּוִד נוֹשֵׂא כְּלֵי שָׁאוּל:
כב וַיִּשְׁלַח שָׁאוּל אֶל־יִשַׁי לֵאמֹר יַעֲמָד־נָא דָוִד לְפָנַי כִּי־מָצָא חֵן
כג בְּעֵינָי׃ וְהָיָה בִּהְיוֹת רוּחַ־אֱלֹהִים אֶל־שָׁאוּל וְלָקַח דָּוִד
אֶת־הַכִּנּוֹר וְנִגֵּן בְּיָדוֹ וְרָוַח לְשָׁאוּל וְטוֹב לוֹ וְסָרָה מֵעָלָיו רוּחַ
הָרָעָה׃
יז א וַיַּאַסְפוּ פְלִשְׁתִּים אֶת־מַחֲנֵיהֶם לַמִּלְחָמָה וַיֵּאָסְפוּ שֹׂכֹה אֲשֶׁר חֵרוּף גָּלְיָת:
ב לִיהוּדָה וַיַּחֲנוּ בֵּין־שׂוֹכֹה וּבֵין־עֲזֵקָה בְּאֶפֶס דַּמִּים׃ וְשָׁאוּל
וְאִישׁ־יִשְׂרָאֵל נֶאֶסְפוּ וַיַּחֲנוּ בְּעֵמֶק הָאֵלָה וַיַּעַרְכוּ מִלְחָמָה
ג לִקְרַאת פְּלִשְׁתִּים׃ וּפְלִשְׁתִּים עֹמְדִים אֶל־הָהָר מִזֶּה וְיִשְׂרָאֵל
ד עֹמְדִים אֶל־הָהָר מִזֶּה וְהַגַּיְא בֵּינֵיהֶם׃ וַיֵּצֵא אִישׁ־הַבֵּנַיִם
מִמַּחֲנוֹת פְּלִשְׁתִּים גָּלְיָת שְׁמוֹ מִגַּת גָּבְהוֹ שֵׁשׁ אַמּוֹת וָזָרֶת׃
ה וְכוֹבַע נְחֹשֶׁת עַל־רֹאשׁוֹ וְשִׁרְיוֹן קַשְׂקַשִּׂים הוּא לָבוּשׁ וּמִשְׁקַל
ו הַשִּׁרְיוֹן חֲמֵשֶׁת־אֲלָפִים שְׁקָלִים נְחֹשֶׁת׃ וּמִצְחַת נְחֹשֶׁת עַל־
ז רַגְלָיו וְכִידוֹן נְחֹשֶׁת בֵּין כְּתֵפָיו׃ וחץ וְעֵץ חֲנִיתוֹ כִּמְנוֹר אֹרְגִים
וְלַהֶבֶת חֲנִיתוֹ שֵׁשׁ־מֵאוֹת שְׁקָלִים בַּרְזֶל וְנֹשֵׂא הַצִּנָּה הֹלֵךְ לְפָנָיו׃
ח וַיַּעֲמֹד וַיִּקְרָא אֶל־מַעַרְכֹת יִשְׂרָאֵל וַיֹּאמֶר לָהֶם לָמָּה תֵצְאוּ
לַעֲרֹךְ מִלְחָמָה הֲלוֹא אָנֹכִי הַפְּלִשְׁתִּי וְאַתֶּם עֲבָדִים לְשָׁאוּל
ט בְּרוּ־לָכֶם אִישׁ וְיֵרֵד אֵלָי׃ אִם־יוּכַל לְהִלָּחֵם אִתִּי וְהִכָּנִי וְהָיִינוּ
לָכֶם לַעֲבָדִים וְאִם־אֲנִי אוּכַל־לוֹ וְהִכִּיתִיו וִהְיִיתֶם לָנוּ
י לַעֲבָדִים וַעֲבַדְתֶּם אֹתָנוּ׃ וַיֹּאמֶר הַפְּלִשְׁתִּי אֲנִי חֵרַפְתִּי אֶת־
יא מַעַרְכוֹת יִשְׂרָאֵל הַיּוֹם הַזֶּה תְּנוּ־לִי אִישׁ וְנִלָּחֲמָה יָחַד׃ וַיִּשְׁמַע
שָׁאוּל וְכָל־יִשְׂרָאֵל אֶת־דִּבְרֵי הַפְּלִשְׁתִּי הָאֵלֶּה וַיֵּחַתּוּ וַיִּרְאוּ

מְאֹד׃

בִּיאַת דָּוִד לַמַּעֲרָכָה׃

יב וְדָוִד בֶּן־אִישׁ אֶפְרָתִי הַזֶּה מִבֵּית לֶחֶם יְהוּדָה וּשְׁמוֹ יִשַׁי וְלוֹ
יג שְׁמֹנָה בָנִים וְהָאִישׁ בִּימֵי שָׁאוּל זָקֵן בָּא בַאֲנָשִׁים׃ וַיֵּלְכוּ שְׁלֹשֶׁת
בְּנֵי־יִשַׁי הַגְּדֹלִים הָלְכוּ אַחֲרֵי־שָׁאוּל לַמִּלְחָמָה וְשֵׁם ׀ שְׁלֹשֶׁת
בָּנָיו אֲשֶׁר הָלְכוּ בַּמִּלְחָמָה אֱלִיאָב הַבְּכוֹר וּמִשְׁנֵהוּ אֲבִינָדָב
יד וְהַשְּׁלִשִׁי שַׁמָּה׃ וְדָוִד הוּא הַקָּטָן וּשְׁלֹשָׁה הַגְּדֹלִים הָלְכוּ אַחֲרֵי
טו שָׁאוּל׃ וְדָוִד הֹלֵךְ וָשָׁב מֵעַל שָׁאוּל
טז לִרְעוֹת אֶת־צֹאן אָבִיו בֵּית־לָחֶם׃ וַיִּגַּשׁ הַפְּלִשְׁתִּי הַשְׁכֵּם וְהַעֲרֵב
וַיִּתְיַצֵּב אַרְבָּעִים יוֹם׃
יז וַיֹּאמֶר יִשַׁי לְדָוִד בְּנוֹ קַח־נָא לְאַחֶיךָ אֵיפַת הַקָּלִיא הַזֶּה וַעֲשָׂרָה
יח לֶחֶם הַזֶּה וְהָרֵץ הַמַּחֲנֶה לְאַחֶיךָ׃ וְאֵת עֲשֶׂרֶת חֲרִצֵי הֶחָלָב הָאֵלֶּה
תָּבִיא לְשַׂר־הָאָלֶף וְאֶת־אַחֶיךָ תִּפְקֹד לְשָׁלוֹם וְאֶת־עֲרֻבָּתָם
יט תִּקָּח׃ וְשָׁאוּל וְהֵמָּה וְכָל־אִישׁ יִשְׂרָאֵל בְּעֵמֶק הָאֵלָה נִלְחָמִים
כ עִם־פְּלִשְׁתִּים׃ וַיַּשְׁכֵּם דָּוִד בַּבֹּקֶר
וַיִּטֹּשׁ אֶת־הַצֹּאן עַל־שֹׁמֵר וַיִּשָּׂא וַיֵּלֶךְ כַּאֲשֶׁר צִוָּהוּ יִשָׁי וַיָּבֹא
כא הַמַּעְגָּלָה וְהַחַיִל הַיֹּצֵא אֶל־הַמַּעֲרָכָה וְהֵרֵעוּ בַּמִּלְחָמָה׃ וַתַּעֲרֹךְ
כב יִשְׂרָאֵל וּפְלִשְׁתִּים מַעֲרָכָה לִקְרַאת מַעֲרָכָה׃ וַיִּטֹּשׁ דָּוִד
אֶת־הַכֵּלִים מֵעָלָיו עַל־יַד שׁוֹמֵר הַכֵּלִים וַיָּרָץ הַמַּעֲרָכָה וַיָּבֹא
כג וַיִּשְׁאַל לְאֶחָיו לְשָׁלוֹם׃ וְהוּא ׀ מְדַבֵּר עִמָּם וְהִנֵּה אִישׁ הַבֵּנַיִם
עוֹלֶה גָּלְיָת הַפְּלִשְׁתִּי שְׁמוֹ מִגַּת ממערות מִמַּעַרְכוֹת פְּלִשְׁתִּים
כד וַיְדַבֵּר כַּדְּבָרִים הָאֵלֶּה וַיִּשְׁמַע דָּוִד׃ וְכֹל אִישׁ יִשְׂרָאֵל בִּרְאוֹתָם
כה אֶת־הָאִישׁ וַיָּנֻסוּ מִפָּנָיו וַיִּירְאוּ מְאֹד׃ וַיֹּאמֶר ׀ אִישׁ יִשְׂרָאֵל
הַרְּאִיתֶם הָאִישׁ הָעֹלֶה הַזֶּה כִּי לְחָרֵף אֶת־יִשְׂרָאֵל עֹלֶה וְהָיָה
הָאִישׁ אֲשֶׁר־יַכֶּנּוּ יַעְשְׁרֶנּוּ הַמֶּלֶךְ ׀ עֹשֶׁר גָּדוֹל וְאֶת־בִּתּוֹ יִתֶּן־לוֹ
וְאֵת בֵּית אָבִיו יַעֲשֶׂה חָפְשִׁי בְּיִשְׂרָאֵל׃

כו וַיֹּאמֶר דָּוִד אֶל־הָאֲנָשִׁים הָעֹמְדִים עִמּוֹ לֵאמֹר מַה־יֵּעָשֶׂה לָאִישׁ
אֲשֶׁר יַכֶּה אֶת־הַפְּלִשְׁתִּי הַלָּז וְהֵסִיר חֶרְפָּה מֵעַל יִשְׂרָאֵל כִּי מִי
כז הַפְּלִשְׁתִּי הֶעָרֵל הַזֶּה כִּי חֵרֵף מַעַרְכוֹת אֱלֹהִים חַיִּים׃ וַיֹּאמֶר
כח לוֹ הָעָם כַּדָּבָר הַזֶּה לֵאמֹר כֹּה יֵעָשֶׂה לָאִישׁ אֲשֶׁר יַכֶּנּוּ׃ וַיִּשְׁמַע
אֱלִיאָב אָחִיו הַגָּדוֹל בְּדַבְּרוֹ אֶל־הָאֲנָשִׁים וַיִּחַר־אַף אֱלִיאָב
בְּדָוִד וַיֹּאמֶר ׀ לָמָּה־זֶּה יָרַדְתָּ וְעַל־מִי נָטַשְׁתָּ מְעַט הַצֹּאן הָהֵנָּה
בַּמִּדְבָּר אֲנִי יָדַעְתִּי אֶת־זְדֹנְךָ וְאֵת רֹעַ לְבָבֶךָ כִּי לְמַעַן רְאוֹת
כט הַמִּלְחָמָה יָרָדְתָּ׃ וַיֹּאמֶר דָּוִד מֶה עָשִׂיתִי עָתָּה הֲלוֹא דָּבָר הוּא׃
ל וַיִּסֹּב מֵאֶצְלוֹ אֶל־מוּל אַחֵר וַיֹּאמֶר כַּדָּבָר הַזֶּה וַיְשִׁבֻהוּ הָעָם
לא דָּבָר כַּדָּבָר הָרִאשׁוֹן׃ וַיִּשָּׁמְעוּ הַדְּבָרִים אֲשֶׁר דִּבֶּר דָּוִד וַיַּגִּדוּ
לב לִפְנֵי־שָׁאוּל וַיִּקָּחֵהוּ׃ וַיֹּאמֶר דָּוִד אֶל־שָׁאוּל אַל־יִפֹּל לֵב־אָדָם
לג עָלָיו עַבְדְּךָ יֵלֵךְ וְנִלְחַם עִם־הַפְּלִשְׁתִּי הַזֶּה׃ וַיֹּאמֶר שָׁאוּל
אֶל־דָּוִד לֹא תוּכַל לָלֶכֶת אֶל־הַפְּלִשְׁתִּי הַזֶּה לְהִלָּחֵם עִמּוֹ
לד כִּי־נַעַר אַתָּה וְהוּא אִישׁ מִלְחָמָה מִנְּעֻרָיו׃ וַיֹּאמֶר דָּוִד
אֶל־שָׁאוּל רֹעֶה הָיָה עַבְדְּךָ לְאָבִיו בַּצֹּאן וּבָא הָאֲרִי וְאֶת־הַדּוֹב
לה וְנָשָׂא שֶׂה מֵהָעֵדֶר׃ וְיָצָאתִי אַחֲרָיו וְהִכִּתִיו וְהִצַּלְתִּי מִפִּיו וַיָּקָם
לו עָלַי וְהֶחֱזַקְתִּי בִּזְקָנוֹ וְהִכִּתִיו וַהֲמִיתִּיו׃ גַּם אֶת־הָאֲרִי גַּם־הַדּוֹב
הִכָּה עַבְדֶּךָ וְהָיָה הַפְּלִשְׁתִּי הֶעָרֵל הַזֶּה כְּאַחַד מֵהֶם כִּי חֵרֵף
לז מַעַרְכֹת אֱלֹהִים חַיִּים׃ וַיֹּאמֶר דָּוִד יְהוָה
אֲשֶׁר הִצִּלַנִי מִיַּד הָאֲרִי וּמִיַּד הַדֹּב הוּא יַצִּילֵנִי מִיַּד הַפְּלִשְׁתִּי
הַזֶּה וַיֹּאמֶר שָׁאוּל אֶל־דָּוִד לֵךְ
לח וַיהוָה יִהְיֶה עִמָּךְ׃ וַיַּלְבֵּשׁ שָׁאוּל אֶת־דָּוִד מַדָּיו וְנָתַן קוֹבַע
לט נְחֹשֶׁת עַל־רֹאשׁוֹ וַיַּלְבֵּשׁ אֹתוֹ שִׁרְיוֹן׃ וַיַּחְגֹּר דָּוִד אֶת־חַרְבּוֹ
מֵעַל לְמַדָּיו וַיֹּאֶל לָלֶכֶת כִּי לֹא־נִסָּה וַיֹּאמֶר דָּוִד אֶל־שָׁאוּל לֹא
מ אוּכַל לָלֶכֶת בָּאֵלֶּה כִּי לֹא נִסִּיתִי וַיְסִרֵם דָּוִד מֵעָלָיו׃ וַיִּקַּח מַקְלוֹ

הִצְטַיְּדוּת דָּוִד בְּמַקֵּל וּבְקֶלַע:

בְּיָדוֹ וַיִּבְחַר־לוֹ חֲמִשָּׁה חַלֻּקֵי־אֲבָנִים ׀ מִן־הַנַּחַל וַיָּשֶׂם אֹתָם
בִּכְלִי הָרֹעִים אֲשֶׁר־לוֹ וּבַיַּלְקוּט וְקַלְעוֹ בְיָדוֹ וַיִּגַּשׁ אֶל־הַפְּלִשְׁתִּי׃
מא וַיֵּלֶךְ הַפְּלִשְׁתִּי הֹלֵךְ וְקָרֵב אֶל־דָּוִד וְהָאִישׁ נֹשֵׂא הַצִּנָּה לְפָנָיו׃
מב וַיַּבֵּט הַפְּלִשְׁתִּי וַיִּרְאֶה אֶת־דָּוִד וַיִּבְזֵהוּ כִּי־הָיָה נַעַר וְאַדְמֹנִי
מג עִם־יְפֵה מַרְאֶה׃ וַיֹּאמֶר הַפְּלִשְׁתִּי אֶל־דָּוִד הֲכֶלֶב אָנֹכִי כִּי־אַתָּה
מד בָא־אֵלַי בַּמַּקְלוֹת וַיְקַלֵּל הַפְּלִשְׁתִּי אֶת־דָּוִד בֵּאלֹהָיו׃ וַיֹּאמֶר
הַפְּלִשְׁתִּי אֶל־דָּוִד לְכָה אֵלַי וְאֶתְּנָה אֶת־בְּשָׂרְךָ לְעוֹף הַשָּׁמַיִם
מה וּלְבֶהֱמַת הַשָּׂדֶה׃ וַיֹּאמֶר דָּוִד אֶל־הַפְּלִשְׁתִּי אַתָּה בָּא
אֵלַי בְּחֶרֶב וּבַחֲנִית וּבְכִידוֹן וְאָנֹכִי בָא־אֵלֶיךָ בְּשֵׁם יְהוָה צְבָאוֹת
מו אֱלֹהֵי מַעַרְכוֹת יִשְׂרָאֵל אֲשֶׁר חֵרַפְתָּ׃ הַיּוֹם הַזֶּה יְסַגֶּרְךָ יְהוָה
בְּיָדִי וְהִכִּיתִךָ וַהֲסִרֹתִי אֶת־רֹאשְׁךָ מֵעָלֶיךָ וְנָתַתִּי פֶּגֶר מַחֲנֵה
פְלִשְׁתִּים הַיּוֹם הַזֶּה לְעוֹף הַשָּׁמַיִם וּלְחַיַּת הָאָרֶץ וְיֵדְעוּ
מז כָּל־הָאָרֶץ כִּי יֵשׁ אֱלֹהִים לְיִשְׂרָאֵל׃ וְיֵדְעוּ כָּל־הַקָּהָל הַזֶּה כִּי־לֹא
בְּחֶרֶב וּבַחֲנִית יְהוֹשִׁיעַ יְהוָה כִּי לַיהוָה הַמִּלְחָמָה וְנָתַן אֶתְכֶם
מח בְּיָדֵנוּ׃ וְהָיָה כִּי־קָם הַפְּלִשְׁתִּי וַיֵּלֶךְ וַיִּקְרַב לִקְרַאת
מט דָּוִד וַיְמַהֵר דָּוִד וַיָּרָץ הַמַּעֲרָכָה לִקְרַאת הַפְּלִשְׁתִּי׃ וַיִּשְׁלַח דָּוִד
אֶת־יָדוֹ אֶל־הַכֶּלִי וַיִּקַּח מִשָּׁם אֶבֶן וַיְקַלַּע וַיַּךְ אֶת־הַפְּלִשְׁתִּי
נ אֶל־מִצְחוֹ וַתִּטְבַּע הָאֶבֶן בְּמִצְחוֹ וַיִּפֹּל עַל־פָּנָיו אָרְצָה׃ וַיֶּחֱזַק
דָּוִד מִן־הַפְּלִשְׁתִּי בַּקֶּלַע וּבָאֶבֶן וַיַּךְ אֶת־הַפְּלִשְׁתִּי וַיְמִיתֵהוּ וְחֶרֶב
נא אֵין בְּיַד־דָּוִד׃ וַיָּרָץ דָּוִד וַיַּעֲמֹד אֶל־הַפְּלִשְׁתִּי וַיִּקַּח אֶת־חַרְבּוֹ
וַיִּשְׁלְפָהּ מִתַּעְרָהּ וַיְמֹתְתֵהוּ וַיִּכְרָת־בָּהּ אֶת־רֹאשׁוֹ וַיִּרְאוּ
נב הַפְּלִשְׁתִּים כִּי־מֵת גִּבּוֹרָם וַיָּנֻסוּ׃ וַיָּקֻמוּ אַנְשֵׁי יִשְׂרָאֵל וִיהוּדָה
וַיָּרִעוּ וַיִּרְדְּפוּ אֶת־הַפְּלִשְׁתִּים עַד־בּוֹאֲךָ גַּיא וְעַד שַׁעֲרֵי עֶקְרוֹן
וַיִּפְּלוּ חַלְלֵי פְלִשְׁתִּים בְּדֶרֶךְ שַׁעֲרַיִם וְעַד־גַּת וְעַד־עֶקְרוֹן׃
נג וַיָּשֻׁבוּ בְּנֵי יִשְׂרָאֵל מִדְּלֹק אַחֲרֵי פְלִשְׁתִּים וַיָּשֹׁסּוּ אֶת־מַחֲנֵיהֶם׃

חִלּוּפֵי דְבָרִים בֵּין גָּלְיָת לְדָוִד:

הֲרִיגַת גָּלְיָת וּמְנוּסַת פְּלִשְׁתִּים:

נד וַיִּקַּח דָּוִד אֶת־רֹאשׁ הַפְּלִשְׁתִּי וַיְבִאֵהוּ יְרוּשָׁלָ͏ִם וְאֶת־כֵּלָיו שָׂם
נה בְּאָהֳלוֹ׃ וְכִרְאוֹת שָׁאוּל אֶת־דָּוִד יֹצֵא לִקְרַאת
הַפְּלִשְׁתִּי אָמַר אֶל־אַבְנֵר שַׂר הַצָּבָא בֶּן־מִי־זֶה הַנַּעַר אַבְנֵר
נו וַיֹּאמֶר אַבְנֵר חֵי־נַפְשְׁךָ הַמֶּלֶךְ אִם־יָדָעְתִּי׃ וַיֹּאמֶר הַמֶּלֶךְ שְׁאַל
נז אַתָּה בֶּן־מִי־זֶה הָעָלֶם׃ וּכְשׁוּב דָּוִד מֵהַכּוֹת אֶת־
הַפְּלִשְׁתִּי וַיִּקַּח אֹתוֹ אַבְנֵר וַיְבִאֵהוּ לִפְנֵי שָׁאוּל וְרֹאשׁ הַפְּלִשְׁתִּי
נח בְּיָדוֹ׃ וַיֹּאמֶר אֵלָיו שָׁאוּל בֶּן־מִי אַתָּה הַנָּעַר וַיֹּאמֶר דָּוִד
יח א בֶּן־עַבְדְּךָ יִשַׁי בֵּית הַלַּחְמִי׃ וַיְהִי כְּכַלֹּתוֹ לְדַבֵּר אֶל־שָׁאוּל וְנֶפֶשׁ
ב יְהוֹנָתָן נִקְשְׁרָה בְּנֶפֶשׁ דָּוִד ויאהבו וַיֶּאֱהָבֵהוּ יְהוֹנָתָן כְּנַפְשׁוֹ׃ וַיִּקָּחֵהוּ
ג שָׁאוּל בַּיּוֹם הַהוּא וְלֹא נְתָנוֹ לָשׁוּב בֵּית אָבִיו׃ וַיִּכְרֹת יְהוֹנָתָן
ד וְדָוִד בְּרִית בְּאַהֲבָתוֹ אֹתוֹ כְּנַפְשׁוֹ׃ וַיִּתְפַּשֵּׁט יְהוֹנָתָן אֶת־הַמְּעִיל
אֲשֶׁר עָלָיו וַיִּתְּנֵהוּ לְדָוִד וּמַדָּיו וְעַד־חַרְבּוֹ וְעַד־קַשְׁתּוֹ וְעַד־
ה חֲגֹרוֹ׃ וַיֵּצֵא דָוִד בְּכֹל אֲשֶׁר יִשְׁלָחֶנּוּ שָׁאוּל יַשְׂכִּיל וַיְשִׂמֵהוּ
שָׁאוּל עַל אַנְשֵׁי הַמִּלְחָמָה וַיִּיטַב בְּעֵינֵי כָּל־הָעָם וְגַם בְּעֵינֵי
עַבְדֵי שָׁאוּל׃
ו וַיְהִי בְּבוֹאָם בְּשׁוּב דָּוִד מֵהַכּוֹת אֶת־הַפְּלִשְׁתִּי וַתֵּצֶאנָה הַנָּשִׁים
מִכָּל־עָרֵי יִשְׂרָאֵל לשור לָשִׁיר וְהַמְּחֹלוֹת לִקְרַאת שָׁאוּל הַמֶּלֶךְ
ז בְּתֻפִּים בְּשִׂמְחָה וּבְשָׁלִשִׁים׃ וַתַּעֲנֶינָה הַנָּשִׁים הַמְשַׂחֲקוֹת
ח וַתֹּאמַרְןָ הִכָּה שָׁאוּל בַּאֲלָפָו וְדָוִד בְּרִבְבֹתָיו׃ וַיִּחַר לְשָׁאוּל מְאֹד
וַיֵּרַע בְּעֵינָיו הַדָּבָר הַזֶּה וַיֹּאמֶר נָתְנוּ לְדָוִד רְבָבוֹת וְלִי נָתְנוּ
ט הָאֲלָפִים וְעוֹד לוֹ אַךְ הַמְּלוּכָה׃ וַיְהִי שָׁאוּל עון עוֹיֵן אֶת־דָּוִד
י מֵהַיּוֹם הַהוּא וָהָלְאָה׃ וַיְהִי מִמָּחֳרָת וַתִּצְלַח רוּחַ
אֱלֹהִים ׀ רָעָה ׀ אֶל־שָׁאוּל וַיִּתְנַבֵּא בְתוֹךְ־הַבַּיִת וְדָוִד מְנַגֵּן
יא בְּיָדוֹ כְּיוֹם ׀ בְּיוֹם וְהַחֲנִית בְּיַד־שָׁאוּל׃ וַיָּטֶל שָׁאוּל אֶת־הַחֲנִית
יב וַיֹּאמֶר אַכֶּה בְדָוִד וּבַקִּיר וַיִּסֹּב דָּוִד מִפָּנָיו פַּעֲמָיִם׃ וַיִּרָא שָׁאוּל

הִתְעַנְיְנוּת שָׁאוּל בְּדָוִד׃
אַהֲבַת דָּוִד וִיהוֹנָתָן׃
אַהֲבַת הָעָם לְדָוִד׃
נִסָּיוֹן שָׁאוּל לַהֲרֹג אֶת דָּוִד׃

יג מִלִּפְנֵי דָוִד כִּי־הָיָה יְהוָה עִמּוֹ וּמֵעִם שָׁאוּל סָר: וַיְסִרֵהוּ שָׁאוּל
יד מֵעִמּוֹ וַיְשִׂמֵהוּ לוֹ שַׂר־אָלֶף וַיֵּצֵא וַיָּבֹא לִפְנֵי הָעָם: וַיְהִי
טו דָוִד לְכָל־דְּרָכָו מַשְׂכִּיל וַיהוָה עִמּוֹ: וַיַּרְא שָׁאוּל אֲשֶׁר־הוּא
טז מַשְׂכִּיל מְאֹד וַיָּגָר מִפָּנָיו: וְכָל־יִשְׂרָאֵל וִיהוּדָה אֹהֵב אֶת־דָּוִד
כִּי־הוּא יוֹצֵא וָבָא לִפְנֵיהֶם:

נְשׂוּאֵי דָוִד לְבַת שָׁאוּל:

יז וַיֹּאמֶר שָׁאוּל אֶל־דָּוִד הִנֵּה בִתִּי הַגְּדוֹלָה מֵרַב אֹתָהּ אֶתֶּן־לְךָ
לְאִשָּׁה אַךְ הֱיֵה־לִּי לְבֶן־חַיִל וְהִלָּחֵם מִלְחֲמוֹת יְהוָה וְשָׁאוּל אָמַר
יח אַל־תְּהִי יָדִי בּוֹ וּתְהִי־בוֹ יַד־פְּלִשְׁתִּים: וַיֹּאמֶר דָּוִד
אֶל־שָׁאוּל מִי אָנֹכִי וּמִי חַיַּי מִשְׁפַּחַת אָבִי בְּיִשְׂרָאֵל כִּי־אֶהְיֶה
יט חָתָן לַמֶּלֶךְ: וַיְהִי בְּעֵת תֵּת אֶת־מֵרַב בַּת־שָׁאוּל לְדָוִד וְהִיא
כ נִתְּנָה לְעַדְרִיאֵל הַמְּחֹלָתִי לְאִשָּׁה: וַתֶּאֱהַב מִיכַל בַּת־שָׁאוּל
כא אֶת־דָּוִד וַיַּגִּדוּ לְשָׁאוּל וַיִּשַׁר הַדָּבָר בְּעֵינָיו: וַיֹּאמֶר שָׁאוּל אֶתְּנֶנָּה
לּוֹ וּתְהִי־לוֹ לְמוֹקֵשׁ וּתְהִי־בוֹ יַד־פְּלִשְׁתִּים וַיֹּאמֶר שָׁאוּל
כב אֶל־דָּוִד בִּשְׁתַּיִם תִּתְחַתֵּן בִּי הַיּוֹם: וַיְצַו שָׁאוּל אֶת־עֲבָדָו דַּבְּרוּ
אֶל־דָּוִד בַּלָּט לֵאמֹר הִנֵּה חָפֵץ בְּךָ הַמֶּלֶךְ וְכָל־עֲבָדָיו אֲהֵבוּךָ
כג וְעַתָּה הִתְחַתֵּן בַּמֶּלֶךְ: וַיְדַבְּרוּ עַבְדֵי שָׁאוּל בְּאָזְנֵי דָוִד אֶת־
הַדְּבָרִים הָאֵלֶּה וַיֹּאמֶר דָּוִד הַנְקַלָּה בְעֵינֵיכֶם הִתְחַתֵּן בַּמֶּלֶךְ
כד וְאָנֹכִי אִישׁ־רָשׁ וְנִקְלֶה: וַיַּגִּדוּ עַבְדֵי שָׁאוּל לוֹ לֵאמֹר כַּדְּבָרִים

הַמֹּהַר הַמֻּצָּע וְהַמּוּבָא:

כה הָאֵלֶּה דִּבֶּר דָּוִד: וַיֹּאמֶר שָׁאוּל כֹּה־תֹאמְרוּ לְדָוִד אֵין־חֵפֶץ
לַמֶּלֶךְ בְּמֹהַר כִּי בְּמֵאָה עָרְלוֹת פְּלִשְׁתִּים לְהִנָּקֵם בְּאֹיְבֵי הַמֶּלֶךְ
כו וְשָׁאוּל חָשַׁב לְהַפִּיל אֶת־דָּוִד בְּיַד־פְּלִשְׁתִּים: וַיַּגִּדוּ עֲבָדָיו לְדָוִד
אֶת־הַדְּבָרִים הָאֵלֶּה וַיִּשַׁר הַדָּבָר בְּעֵינֵי דָוִד לְהִתְחַתֵּן
כז בַּמֶּלֶךְ וְלֹא מָלְאוּ הַיָּמִים: וַיָּקָם דָּוִד וַיֵּלֶךְ ׀ הוּא וַאֲנָשָׁיו וַיַּךְ
בַּפְּלִשְׁתִּים מָאתַיִם אִישׁ וַיָּבֵא דָוִד אֶת־עָרְלֹתֵיהֶם וַיְמַלְאוּם
לַמֶּלֶךְ לְהִתְחַתֵּן בַּמֶּלֶךְ וַיִּתֶּן־לוֹ שָׁאוּל אֶת־מִיכַל בִּתּוֹ

כח לְאִשָּׁה׃ וַיַּרְא שָׁאוּל וַיֵּדַע כִּי יְהוָה עִם־דָּוִד וּמִיכַל
כט בַּת־שָׁאוּל אֲהֵבַתְהוּ׃ וַיֹּאסֶף שָׁאוּל לֵרֹא מִפְּנֵי דָוִד עוֹד וַיְהִי
שָׁאוּל אֹיֵב אֶת־דָּוִד כָּל־הַיָּמִים׃
ל וַיֵּצְאוּ שָׂרֵי פְלִשְׁתִּים וַיְהִי ׀ מִדֵּי צֵאתָם שָׂכַל דָּוִד מִכֹּל עַבְדֵי
יט א שָׁאוּל וַיִּיקַר שְׁמוֹ מְאֹד׃ וַיְדַבֵּר שָׁאוּל אֶל־יוֹנָתָן בְּנוֹ

גִּלּוּי יְהוֹנָתָן לְדָוִד עַל מְזִמַּת שָׁאוּל:

וְאֶל־כָּל־עֲבָדָיו לְהָמִית אֶת־דָּוִד וִיהוֹנָתָן בֶּן־שָׁאוּל חָפֵץ בְּדָוִד
ב מְאֹד׃ וַיַּגֵּד יְהוֹנָתָן לְדָוִד לֵאמֹר מְבַקֵּשׁ שָׁאוּל אָבִי לַהֲמִיתֶךָ
ג וְעַתָּה הִשָּׁמֶר־נָא בַבֹּקֶר וְיָשַׁבְתָּ בַסֵּתֶר וְנַחְבֵּאתָ׃ וַאֲנִי אֵצֵא
וְעָמַדְתִּי לְיַד־אָבִי בַּשָּׂדֶה אֲשֶׁר אַתָּה שָׁם וַאֲנִי אֲדַבֵּר בְּךָ
ד אֶל־אָבִי וְרָאִיתִי מָה וְהִגַּדְתִּי לָךְ׃ וַיְדַבֵּר יְהוֹנָתָן בְּדָוִד

הַמְלָצַת יְהוֹנָתָן עַל דָּוִד:

טוֹב אֶל־שָׁאוּל אָבִיו וַיֹּאמֶר אֵלָיו אַל־יֶחֱטָא הַמֶּלֶךְ בְּעַבְדּוֹ
ה בְדָוִד כִּי לוֹא חָטָא לָךְ וְכִי מַעֲשָׂיו טוֹב־לְךָ מְאֹד׃ וַיָּשֶׂם
אֶת־נַפְשׁוֹ בְכַפּוֹ וַיַּךְ אֶת־הַפְּלִשְׁתִּי וַיַּעַשׂ יְהוָה תְּשׁוּעָה גְדוֹלָה
לְכָל־יִשְׂרָאֵל רָאִיתָ וַתִּשְׂמָח וְלָמָּה תֶחֱטָא בְּדָם נָקִי לְהָמִית
ו אֶת־דָּוִד חִנָּם׃ וַיִּשְׁמַע שָׁאוּל בְּקוֹל יְהוֹנָתָן וַיִּשָּׁבַע שָׁאוּל
ז חַי־יְהוָה אִם־יוּמָת׃ וַיִּקְרָא יְהוֹנָתָן לְדָוִד וַיַּגֶּד־לוֹ יְהוֹנָתָן אֵת
כָּל־הַדְּבָרִים הָאֵלֶּה וַיָּבֵא יְהוֹנָתָן אֶת־דָּוִד אֶל־שָׁאוּל וַיְהִי לְפָנָיו
ח כְּאֶתְמוֹל שִׁלְשׁוֹם׃ וַתּוֹסֶף הַמִּלְחָמָה לִהְיוֹת וַיֵּצֵא

בְּרִיחַת דָּוִד מִבֵּיתוֹ אֶל שְׁמוּאֵל:

ט דָוִד וַיִּלָּחֶם בַּפְּלִשְׁתִּים וַיַּךְ בָּהֶם מַכָּה גְדוֹלָה וַיָּנֻסוּ מִפָּנָיו׃ וַתְּהִי
רוּחַ יְהוָה ׀ רָעָה אֶל־שָׁאוּל וְהוּא בְּבֵיתוֹ יֹשֵׁב וַחֲנִיתוֹ בְּיָדוֹ
י וְדָוִד מְנַגֵּן בְּיָד׃ וַיְבַקֵּשׁ שָׁאוּל לְהַכּוֹת בַּחֲנִית בְּדָוִד וּבַקִּיר
וַיִּפְטַר מִפְּנֵי שָׁאוּל וַיַּךְ אֶת־הַחֲנִית בַּקִּיר וְדָוִד נָס וַיִּמָּלֵט בַּלַּיְלָה
הוּא׃
יא וַיִּשְׁלַח שָׁאוּל מַלְאָכִים אֶל־בֵּית דָּוִד לְשָׁמְרוֹ וְלַהֲמִיתוֹ בַּבֹּקֶר
וַתַּגֵּד לְדָוִד מִיכַל אִשְׁתּוֹ לֵאמֹר אִם־אֵינְךָ מְמַלֵּט אֶת־

יב נַפְשְׁךָ הַלַּיְלָה מָחָר אַתָּה מוּמָת: וַתֹּרֶד מִיכַל אֶת־דָּוִד בְּעַד
יג הַחַלּוֹן וַיֵּלֶךְ וַיִּבְרַח וַיִּמָּלֵט: וַתִּקַּח מִיכַל אֶת־הַתְּרָפִים וַתָּשֶׂם
אֶל־הַמִּטָּה וְאֵת כְּבִיר הָעִזִּים שָׂמָה מְרַאֲשֹׁתָיו וַתְּכַס
יד בַּבָּגֶד: וַיִּשְׁלַח שָׁאוּל מַלְאָכִים לָקַחַת אֶת־דָּוִד וַתֹּאמֶר
טו חֹלֶה הוּא: וַיִּשְׁלַח שָׁאוּל אֶת־
הַמַּלְאָכִים לִרְאוֹת אֶת־דָּוִד לֵאמֹר הַעֲלוּ אֹתוֹ בַמִּטָּה אֵלַי
טז לַהֲמִתוֹ: וַיָּבֹאוּ הַמַּלְאָכִים וְהִנֵּה הַתְּרָפִים אֶל־הַמִּטָּה וּכְבִיר
יז הָעִזִּים מְרַאֲשֹׁתָיו: וַיֹּאמֶר שָׁאוּל אֶל־מִיכַל לָמָּה כָּכָה
רִמִּיתִנִי וַתְּשַׁלְּחִי אֶת־אֹיְבִי וַיִּמָּלֵט וַתֹּאמֶר מִיכַל אֶל־שָׁאוּל
יח הוּא־אָמַר אֵלַי שַׁלְּחִנִי לָמָה אֲמִיתֵךְ: וְדָוִד בָּרַח וַיִּמָּלֵט וַיָּבֹא
אֶל־שְׁמוּאֵל הָרָמָתָה וַיַּגֶּד־לוֹ אֵת כָּל־אֲשֶׁר עָשָׂה־לוֹ שָׁאוּל וַיֵּלֶךְ
יט הוּא וּשְׁמוּאֵל וַיֵּשְׁבוּ בנוית בְּנָיוֹת: וַיֻּגַּד לְשָׁאוּל לֵאמֹר הִנֵּה דָוִד

הִתְנַבְּאוּת מַלְאֲכֵי שָׁאוּל וּשְׁמוּאֵל:

כ בנוית בְּנָיוֹת בָּרָמָה: וַיִּשְׁלַח שָׁאוּל מַלְאָכִים לָקַחַת אֶת־דָּוִד וַיַּרְא
אֶת־לַהֲקַת הַנְּבִיאִים נִבְּאִים וּשְׁמוּאֵל עֹמֵד נִצָּב עֲלֵיהֶם וַתְּהִי
כא עַל־מַלְאֲכֵי שָׁאוּל רוּחַ אֱלֹהִים וַיִּתְנַבְּאוּ גַּם־הֵמָּה: וַיַּגִּדוּ
לְשָׁאוּל וַיִּשְׁלַח מַלְאָכִים אֲחֵרִים וַיִּתְנַבְּאוּ גַּם־הֵמָּה

הִתְנַבְּאוּת שָׁאוּל בְּנָיוֹת:

כב וַיֹּסֶף שָׁאוּל וַיִּשְׁלַח מַלְאָכִים שְׁלִשִׁים וַיִּתְנַבְּאוּ גַּם־הֵמָּה: וַיֵּלֶךְ
גַּם־הוּא הָרָמָתָה וַיָּבֹא עַד־בּוֹר הַגָּדוֹל אֲשֶׁר בַּשֶּׂכוּ וַיִּשְׁאַל
כג וַיֹּאמֶר אֵיפֹה שְׁמוּאֵל וְדָוִד וַיֹּאמֶר הִנֵּה בנוית בְּנָיוֹת בָּרָמָה: וַיֵּלֶךְ
שָׁם אֶל־נָיוֹת נוית בָּרָמָה וַתְּהִי עָלָיו גַּם־הוּא רוּחַ אֱלֹהִים וַיֵּלֶךְ
כד הָלוֹךְ וַיִּתְנַבֵּא עַד־בֹּאוֹ בנוית בְּנָיוֹת בָּרָמָה: וַיִּפְשַׁט גַּם־הוּא
בְּגָדָיו וַיִּתְנַבֵּא גַם־הוּא לִפְנֵי שְׁמוּאֵל וַיִּפֹּל עָרֹם כָּל־הַיּוֹם הַהוּא
וְכָל־הַלַּיְלָה עַל־כֵּן יֹאמְרוּ הֲגַם שָׁאוּל בַּנְּבִיאִם:

כ א וַיִּבְרַח דָּוִד מנוות מִנָּיוֹת בָּרָמָה וַיָּבֹא וַיֹּאמֶר ׀ לִפְנֵי יְהוֹנָתָן מֶה
עָשִׂיתִי מֶה־עֲוֹנִי וּמֶה־חַטָּאתִי לִפְנֵי אָבִיךָ כִּי מְבַקֵּשׁ אֶת־נַפְשִׁי:

ב וַיֹּאמֶר לוֹ חָלִילָה לֹא תָמוּת הִנֵּה לו עשה לֹא־יַעֲשֶׂה אָבִי דָּבָר
גָּדוֹל אוֹ דָּבָר קָטֹן וְלֹא יִגְלֶה אֶת־אָזְנִי וּמַדּוּעַ יַסְתִּיר אָבִי מִמֶּנִּי
ג אֶת־הַדָּבָר הַזֶּה אֵין זֹאת: וַיִּשָּׁבַע עוֹד דָּוִד וַיֹּאמֶר יָדֹעַ יָדַע
אָבִיךָ כִּי־מָצָאתִי חֵן בְּעֵינֶיךָ וַיֹּאמֶר אַל־יֵדַע־זֹאת יְהוֹנָתָן
פֶּן־יֵעָצֵב וְאוּלָם חַי־יְהוָה וְחֵי נַפְשֶׁךָ כִּי כְפֶשַׂע בֵּינִי וּבֵין הַמָּוֶת:
ד וַיֹּאמֶר יְהוֹנָתָן אֶל־דָּוִד מַה־תֹּאמַר נַפְשְׁךָ וְאֶעֱשֶׂה־לָּךְ:
ה וַיֹּאמֶר דָּוִד אֶל־יְהוֹנָתָן הִנֵּה־חֹדֶשׁ מָחָר וְאָנֹכִי יָשֹׁב־אֵשֵׁב
עִם־הַמֶּלֶךְ לֶאֱכוֹל וְשִׁלַּחְתַּנִי וְנִסְתַּרְתִּי בַשָּׂדֶה עַד הָעֶרֶב
ו הַשְּׁלִשִׁית: אִם־פָּקֹד יִפְקְדֵנִי אָבִיךָ וְאָמַרְתָּ נִשְׁאֹל נִשְׁאַל מִמֶּנִּי
דָוִד לָרוּץ בֵּית־לֶחֶם עִירוֹ כִּי זֶבַח הַיָּמִים שָׁם לְכָל־הַמִּשְׁפָּחָה:
ז אִם־כֹּה יֹאמַר טוֹב שָׁלוֹם לְעַבְדֶּךָ וְאִם־חָרֹה יֶחֱרֶה לוֹ דַּע
ח כִּי־כָלְתָה הָרָעָה מֵעִמּוֹ: וְעָשִׂיתָ חֶסֶד עַל־עַבְדֶּךָ כִּי בִּבְרִית
יְהוָה הֵבֵאתָ אֶת־עַבְדְּךָ עִמָּךְ וְאִם־יֶשׁ־בִּי עָוֹן הֲמִיתֵנִי אַתָּה
וְעַד־אָבִיךָ לָמָּה־זֶּה תְבִיאֵנִי:
ט וַיֹּאמֶר יְהוֹנָתָן חָלִילָה לָּךְ כִּי | אִם־יָדֹעַ אֵדַע כִּי־כָלְתָה
הָרָעָה מֵעִם אָבִי לָבוֹא עָלֶיךָ וְלֹא אֹתָהּ אַגִּיד
י לָךְ: וַיֹּאמֶר דָּוִד אֶל־יְהוֹנָתָן מִי יַגִּיד לִי אוֹ מַה־יַּעַנְךָ
יא אָבִיךָ קָשָׁה: וַיֹּאמֶר יְהוֹנָתָן אֶל־דָּוִד לְכָה וְנֵצֵא הַשָּׂדֶה
יב וַיֵּצְאוּ שְׁנֵיהֶם הַשָּׂדֶה: וַיֹּאמֶר יְהוֹנָתָן אֶל־דָּוִד יְהוָה
אֱלֹהֵי יִשְׂרָאֵל כִּי־אֶחְקֹר אֶת־אָבִי כָּעֵת | מָחָר הַשְּׁלִשִׁית
וְהִנֵּה־טוֹב אֶל־דָּוִד וְלֹא־אָז אֶשְׁלַח אֵלֶיךָ וְגָלִיתִי אֶת־אָזְנֶךָ:
יג כֹּה־יַעֲשֶׂה יְהוָה לִיהוֹנָתָן וְכֹה יֹסִיף כִּי־יֵיטִב אֶל־אָבִי אֶת־הָרָעָה
עָלֶיךָ וְגָלִיתִי אֶת־אָזְנֶךָ וְשִׁלַּחְתִּיךָ וְהָלַכְתָּ לְשָׁלוֹם וִיהִי יְהוָה
יד עִמָּךְ כַּאֲשֶׁר הָיָה עִם־אָבִי: וְלֹא אִם־עוֹדֶנִּי חָי וְלֹא־תַעֲשֶׂה עִמָּדִי
טו חֶסֶד יְהוָה וְלֹא אָמוּת: וְלֹא־תַכְרִית אֶת־חַסְדְּךָ מֵעִם בֵּיתִי

הַצָּעָה לְמִבְחַן כַּוָּנוֹת שָׁאוּל:

הַבְּרִית בֵּין יְהוֹנָתָן לְדָוִד:

עַד־עוֹלָם וְלֹא בְּהַכְרִת יְהוָה אֶת־אֹיְבֵי דָוִד אִישׁ מֵעַל פְּנֵי
טז הָאֲדָמָה׃ וַיִּכְרֹת יְהוֹנָתָן עִם־בֵּית דָּוִד וּבִקֵּשׁ יְהוָה מִיַּד אֹיְבֵי
יז דָוִד׃ וַיּוֹסֶף יְהוֹנָתָן לְהַשְׁבִּיעַ אֶת־דָּוִד בְּאַהֲבָתוֹ אֹתוֹ כִּי־אַהֲבַת
יח נַפְשׁוֹ אֲהֵבוֹ׃ וַיֹּאמֶר־לוֹ יְהוֹנָתָן מָחָר חֹדֶשׁ וְנִפְקַדְתָּ כִּי
יט יִפָּקֵד מוֹשָׁבֶךָ׃ וְשִׁלַּשְׁתָּ תֵּרֵד מְאֹד וּבָאתָ אֶל־הַמָּקוֹם אֲשֶׁר־
כ נִסְתַּרְתָּ שָּׁם בְּיוֹם הַמַּעֲשֶׂה וְיָשַׁבְתָּ אֵצֶל הָאֶבֶן הָאָזֶל׃ וַאֲנִי
כא שְׁלֹשֶׁת הַחִצִּים צִדָּה אוֹרֶה לְשַׁלַּח־לִי לְמַטָּרָה׃ וְהִנֵּה אֶשְׁלַח
אֶת־הַנַּעַר לֵךְ מְצָא אֶת־הַחִצִּים אִם־אָמֹר אֹמַר לַנַּעַר הִנֵּה
הַחִצִּים ׀ מִמְּךָ וָהֵנָּה קָחֶנּוּ ׀ וָבֹאָה כִּי־שָׁלוֹם לְךָ וְאֵין דָּבָר
כב חַי־יְהוָה׃ וְאִם־כֹּה אֹמַר לָעֶלֶם הִנֵּה הַחִצִּים מִמְּךָ וָהָלְאָה לֵךְ
כג כִּי שִׁלַּחֲךָ יְהוָה׃ וְהַדָּבָר אֲשֶׁר דִּבַּרְנוּ אֲנִי וָאָתָּה הִנֵּה יְהוָה בֵּינִי
כד וּבֵינְךָ עַד־עוֹלָם׃ וַיִּסָּתֵר דָּוִד בַּשָּׂדֶה
כה וַיְהִי הַחֹדֶשׁ וַיֵּשֶׁב הַמֶּלֶךְ על אֶל־הַלֶּחֶם לֶאֱכוֹל׃ וַיֵּשֶׁב הַמֶּלֶךְ
עַל־מוֹשָׁבוֹ כְּפַעַם ׀ בְּפַעַם אֶל־מוֹשַׁב הַקִּיר וַיָּקָם יְהוֹנָתָן וַיֵּשֶׁב
כו אַבְנֵר מִצַּד שָׁאוּל וַיִּפָּקֵד מְקוֹם דָּוִד׃ וְלֹא־דִבֶּר שָׁאוּל מְאוּמָה
בַּיּוֹם הַהוּא כִּי אָמַר מִקְרֶה הוּא בִּלְתִּי טָהוֹר הוּא כִּי־לֹא
כז טָהוֹר׃ וַיְהִי מִמָּחֳרַת הַחֹדֶשׁ הַשֵּׁנִי
וַיִּפָּקֵד מְקוֹם דָּוִד
וַיֹּאמֶר שָׁאוּל אֶל־יְהוֹנָתָן בְּנוֹ מַדּוּעַ לֹא־בָא בֶן־יִשַׁי גַּם־תְּמוֹל
כח גַּם־הַיּוֹם אֶל־הַלָּחֶם׃ וַיַּעַן יְהוֹנָתָן אֶת־שָׁאוּל נִשְׁאֹל נִשְׁאַל דָּוִד
כט מֵעִמָּדִי עַד־בֵּית לָחֶם׃ וַיֹּאמֶר שַׁלְּחֵנִי נָא כִּי זֶבַח מִשְׁפָּחָה
לָנוּ בָּעִיר וְהוּא צִוָּה־לִי אָחִי וְעַתָּה אִם־מָצָאתִי חֵן בְּעֵינֶיךָ
אִמָּלְטָה נָּא וְאֶרְאֶה אֶת־אֶחָי עַל־כֵּן לֹא־בָא אֶל־שֻׁלְחַן
ל הַמֶּלֶךְ׃ וַיִּחַר־אַף שָׁאוּל בִּיהוֹנָתָן וַיֹּאמֶר לוֹ בֶּן־נַעֲוַת
הַמַּרְדּוּת הֲלוֹא יָדַעְתִּי כִּי־בֹחֵר אַתָּה לְבֶן־יִשַׁי לְבָשְׁתְּךָ וּלְבֹשֶׁת

הַסִּימָן בֵּין דָּוִד לִיהוֹנָתָן:

כַּעַס שָׁאוּל עַל יְהוֹנָתָן:

לא עֶרְוַת אִמֶּךָ: כִּי כָל־הַיָּמִים אֲשֶׁר בֶּן־יִשַׁי חַי עַל־הָאֲדָמָה לֹא
תִכּוֹן אַתָּה וּמַלְכוּתֶךָ וְעַתָּה שְׁלַח וְקַח אֹתוֹ אֵלַי כִּי בֶן־מָוֶת
לב הוּא: וַיַּעַן יְהוֹנָתָן אֶת־שָׁאוּל אָבִיו
לג וַיֹּאמֶר אֵלָיו לָמָּה יוּמַת מֶה עָשָׂה: וַיָּטֶל שָׁאוּל אֶת־הַחֲנִית עָלָיו
לְהַכֹּתוֹ וַיֵּדַע יְהוֹנָתָן כִּי־כָלָה הִיא מֵעִם אָבִיו לְהָמִית אֶת־
לד דָּוִד: וַיָּקָם יְהוֹנָתָן מֵעִם הַשֻּׁלְחָן
בָּחֳרִי־אָף וְלֹא־אָכַל בְּיוֹם־הַחֹדֶשׁ הַשֵּׁנִי לֶחֶם כִּי נֶעְצַב אֶל־דָּוִד
לה כִּי הִכְלִמוֹ אָבִיו: וַיְהִי בַבֹּקֶר וַיֵּצֵא יְהוֹנָתָן הַשָּׂדֶה דּוּחַ יְהוֹנָתָן לְדָוִד וּפְרֵדָתָם:
לו לְמוֹעֵד דָּוִד וְנַעַר קָטֹן עִמּוֹ: וַיֹּאמֶר לְנַעֲרוֹ רֻץ מְצָא נָא
אֶת־הַחִצִּים אֲשֶׁר אָנֹכִי מוֹרֶה הַנַּעַר רָץ וְהוּא־יָרָה הַחֵצִי
לז לְהַעֲבִרוֹ: וַיָּבֹא הַנַּעַר עַד־מְקוֹם הַחֵצִי אֲשֶׁר יָרָה יְהוֹנָתָן וַיִּקְרָא
לח יְהוֹנָתָן אַחֲרֵי הַנַּעַר וַיֹּאמֶר הֲלוֹא הַחֵצִי מִמְּךָ וָהָלְאָה: וַיִּקְרָא
יְהוֹנָתָן אַחֲרֵי הַנַּעַר מְהֵרָה חוּשָׁה אַל־תַּעֲמֹד וַיְלַקֵּט נַעַר יְהוֹנָתָן
לט אֶת־הַחִצִּים החצי וַיָּבֹא אֶל־אֲדֹנָיו: וְהַנַּעַר לֹא־יָדַע מְאוּמָה אַךְ
מ יְהוֹנָתָן וְדָוִד יָדְעוּ אֶת־הַדָּבָר: וַיִּתֵּן יְהוֹנָתָן אֶת־כֵּלָיו
מא אֶל־הַנַּעַר אֲשֶׁר־לוֹ וַיֹּאמֶר לוֹ לֵךְ הָבֵיא הָעִיר: הַנַּעַר בָּא וְדָוִד
קָם מֵאֵצֶל הַנֶּגֶב וַיִּפֹּל לְאַפָּיו אַרְצָה וַיִּשְׁתַּחוּ שָׁלֹשׁ פְּעָמִים
וַיִּשְּׁקוּ ׀ אִישׁ אֶת־רֵעֵהוּ וַיִּבְכּוּ אִישׁ אֶת־רֵעֵהוּ עַד־דָּוִד הִגְדִּיל:
מב וַיֹּאמֶר יְהוֹנָתָן לְדָוִד לֵךְ לְשָׁלוֹם אֲשֶׁר נִשְׁבַּעְנוּ שְׁנֵינוּ אֲנַחְנוּ
בְּשֵׁם יְהוָה לֵאמֹר יְהוָה יִהְיֶה ׀ בֵּינִי וּבֵינֶךָ וּבֵין זַרְעִי וּבֵין
זַרְעֲךָ עַד־עוֹלָם:

כא א ב וַיָּקָם וַיֵּלַךְ וִיהוֹנָתָן בָּא הָעִיר: וַיָּבֹא דָוִד נֹבֶה אֶל־אֲחִימֶלֶךְ נְתִינַת הַלֶּחֶם וְהַחֶרֶב לְדָוִד:
הַכֹּהֵן וַיֶּחֱרַד אֲחִימֶלֶךְ לִקְרַאת דָּוִד וַיֹּאמֶר לוֹ מַדּוּעַ אַתָּה
ג לְבַדֶּךָ וְאִישׁ אֵין אִתָּךְ: וַיֹּאמֶר דָּוִד לַאֲחִימֶלֶךְ הַכֹּהֵן הַמֶּלֶךְ צִוַּנִי
דָבָר וַיֹּאמֶר אֵלַי אִישׁ אַל־יֵדַע מְאוּמָה אֶת־הַדָּבָר אֲשֶׁר־אָנֹכִי

שְׁלַחֲךָ וַאֲשֶׁר צִוִּיתִךָ וְאֶת־הַנְּעָרִים יוֹדַעְתִּי אֶל־מְקוֹם פְּלֹנִי
ד אַלְמוֹנִי׃ וְעַתָּה מַה־יֵּשׁ תַּחַת־יָדְךָ חֲמִשָּׁה־לֶחֶם תְּנָה בְיָדִי אוֹ
ה הַנִּמְצָא׃ וַיַּעַן הַכֹּהֵן אֶת־דָּוִד וַיֹּאמֶר אֵין־לֶחֶם חֹל אֶל־תַּחַת יָדִי
כִּי־אִם־לֶחֶם קֹדֶשׁ יֵשׁ אִם־נִשְׁמְרוּ הַנְּעָרִים אַךְ מֵאִשָּׁה׃
ו וַיַּעַן דָּוִד אֶת־הַכֹּהֵן וַיֹּאמֶר לוֹ כִּי אִם־אִשָּׁה עֲצֻרָה־לָנוּ כִּתְמוֹל
שִׁלְשֹׁם בְּצֵאתִי וַיִּהְיוּ כְלֵי־הַנְּעָרִים קֹדֶשׁ וְהוּא דֶּרֶךְ חֹל וְאַף
ז כִּי הַיּוֹם יִקְדַּשׁ בַּכֶּלִי׃ וַיִּתֶּן־לוֹ הַכֹּהֵן קֹדֶשׁ כִּי לֹא־הָיָה שָׁם לֶחֶם
כִּי־אִם־לֶחֶם הַפָּנִים הַמּוּסָרִים מִלִּפְנֵי יְהוָה לָשׂוּם לֶחֶם חֹם
ח בְּיוֹם הִלָּקְחוֹ׃ וְשָׁם אִישׁ מֵעַבְדֵי שָׁאוּל בַּיּוֹם הַהוּא נֶעְצָר לִפְנֵי
ט יְהוָה וּשְׁמוֹ דֹּאֵג הָאֲדֹמִי אַבִּיר הָרֹעִים אֲשֶׁר לְשָׁאוּל׃ וַיֹּאמֶר
דָּוִד לַאֲחִימֶלֶךְ וְאִין יֶשׁ־פֹּה תַחַת־יָדְךָ חֲנִית אוֹ־חָרֶב
כִּי גַם־חַרְבִּי וְגַם־כֵּלַי לֹא־לָקַחְתִּי בְיָדִי כִּי־הָיָה דְבַר־הַמֶּלֶךְ
י נָחוּץ׃ וַיֹּאמֶר הַכֹּהֵן חֶרֶב גָּלְיָת הַפְּלִשְׁתִּי אֲשֶׁר־הִכִּיתָ ׀
בְּעֵמֶק הָאֵלָה הִנֵּה־הִיא לוּטָה בַשִּׂמְלָה אַחֲרֵי הָאֵפוֹד אִם־אֹתָהּ
תִּקַּח־לְךָ קָח כִּי אֵין אַחֶרֶת זוּלָתָהּ בָּזֶה וַיֹּאמֶר דָּוִד
יא אֵין כָּמוֹהָ תְּנֶנָּה לִּי׃ וַיָּקָם דָּוִד וַיִּבְרַח בַּיּוֹם־הַהוּא מִפְּנֵי שָׁאוּל
יב וַיָּבֹא אֶל־אָכִישׁ מֶלֶךְ גַּת׃ וַיֹּאמְרוּ עַבְדֵי אָכִישׁ אֵלָיו הֲלוֹא־זֶה
דָוִד מֶלֶךְ הָאָרֶץ הֲלוֹא לָזֶה יַעֲנוּ בַמְּחֹלוֹת לֵאמֹר הִכָּה שָׁאוּל
יג בַּאֲלָפָו וְדָוִד בְּרִבְבֹתָו׃ וַיָּשֶׂם דָּוִד אֶת־הַדְּבָרִים הָאֵלֶּה בִּלְבָבוֹ
יד וַיִּרָא מְאֹד מִפְּנֵי אָכִישׁ מֶלֶךְ־גַּת׃ וַיְשַׁנּוֹ אֶת־טַעְמוֹ בְּעֵינֵיהֶם
וַיִּתְהֹלֵל בְּיָדָם וַיְתָו עַל־דַּלְתוֹת הַשַּׁעַר וַיּוֹרֶד רִירוֹ אֶל־
טו זְקָנוֹ׃ וַיֹּאמֶר אָכִישׁ אֶל־עֲבָדָיו הִנֵּה תִרְאוּ אִישׁ
טז מִשְׁתַּגֵּעַ לָמָּה תָּבִיאוּ אֹתוֹ אֵלָי׃ חֲסַר מְשֻׁגָּעִים אָנִי כִּי־הֲבֵאתֶם
אֶת־זֶה לְהִשְׁתַּגֵּעַ עָלָי הֲזֶה יָבוֹא אֶל־בֵּיתִי׃
כב א וַיֵּלֶךְ דָּוִד מִשָּׁם וַיִּמָּלֵט אֶל־מְעָרַת עֲדֻלָּם וַיִּשְׁמְעוּ אֶחָיו

דָּוִד בְּבֵית אָכִישׁ מֶלֶךְ גַּת׃

ב וְכָל־בֵּית אָבִיו וַיֵּרְדוּ אֵלָיו שָׁמָּה׃ וַיִּתְקַבְּצוּ אֵלָיו כָּל־אִישׁ מָצוֹק
וְכָל־אִישׁ אֲשֶׁר־לוֹ נֹשֶׁא וְכָל־אִישׁ מַר־נֶפֶשׁ וַיְהִי עֲלֵיהֶם לְשָׂר
ג וַיִּהְיוּ עִמּוֹ כְּאַרְבַּע מֵאוֹת אִישׁ׃ וַיֵּלֶךְ דָּוִד מִשָּׁם מִצְפֵּה מוֹאָב
וַיֹּאמֶר ׀ אֶל־מֶלֶךְ מוֹאָב יֵצֵא־נָא אָבִי וְאִמִּי אִתְּכֶם עַד אֲשֶׁר
ד אֵדַע מַה־יַּעֲשֶׂה־לִּי אֱלֹהִים׃ וַיַּנְחֵם אֶת־פְּנֵי מֶלֶךְ מוֹאָב וַיֵּשְׁבוּ
ה עִמּוֹ כָּל־יְמֵי הֱיוֹת־דָּוִד בַּמְּצוּדָה׃ וַיֹּאמֶר גָּד הַנָּבִיא
אֶל־דָּוִד לֹא תֵשֵׁב בַּמְּצוּדָה לֵךְ וּבָאתָ־לְּךָ אֶרֶץ יְהוּדָה וַיֵּלֶךְ
ו דָּוִד וַיָּבֹא יַעַר חָרֶת׃ וַיִּשְׁמַע שָׁאוּל כִּי נוֹדַע דָּוִד
וַאֲנָשִׁים אֲשֶׁר אִתּוֹ וְשָׁאוּל יוֹשֵׁב בַּגִּבְעָה תַּחַת־הָאֶשֶׁל בָּרָמָה
ז וַחֲנִיתוֹ בְיָדוֹ וְכָל־עֲבָדָיו נִצָּבִים עָלָיו׃ וַיֹּאמֶר שָׁאוּל לַעֲבָדָיו
הַנִּצָּבִים עָלָיו שִׁמְעוּ־נָא בְּנֵי יְמִינִי גַּם־לְכֻלְּכֶם יִתֵּן בֶּן־יִשַׁי
ח שָׂדוֹת וּכְרָמִים לְכֻלְּכֶם יָשִׂים שָׂרֵי אֲלָפִים וְשָׂרֵי מֵאוֹת׃ כִּי
קְשַׁרְתֶּם כֻּלְּכֶם עָלַי וְאֵין־גֹּלֶה אֶת־אָזְנִי בִּכְרָת־בְּנִי עִם־בֶּן־יִשַׁי
וְאֵין־חֹלֶה מִכֶּם עָלַי וְגֹלֶה אֶת־אָזְנִי כִּי הֵקִים בְּנִי אֶת־עַבְדִּי
ט עָלַי לְאֹרֵב כַּיּוֹם הַזֶּה׃ וַיַּעַן דֹּאֵג הָאֲדֹמִי וְהוּא נִצָּב
עַל־עַבְדֵי־שָׁאוּל וַיֹּאמַר רָאִיתִי אֶת־בֶּן־יִשַׁי בָּא נֹבֶה אֶל־
י אֲחִימֶלֶךְ בֶּן־אֲחִטוּב׃ וַיִּשְׁאַל־לוֹ בַּיהוָה וְצֵידָה נָתַן לוֹ וְאֵת חֶרֶב
יא גָּלְיָת הַפְּלִשְׁתִּי נָתַן לוֹ׃ וַיִּשְׁלַח הַמֶּלֶךְ לִקְרֹא אֶת־אֲחִימֶלֶךְ
בֶּן־אֲחִיטוּב הַכֹּהֵן וְאֵת כָּל־בֵּית אָבִיו הַכֹּהֲנִים אֲשֶׁר בְּנֹב וַיָּבֹאוּ
יב כֻּלָּם אֶל־הַמֶּלֶךְ׃ וַיֹּאמֶר שָׁאוּל שְׁמַע־נָא בֶּן־אֲחִיטוּב
יג וַיֹּאמֶר הִנְנִי אֲדֹנִי׃ וַיֹּאמֶר אֵלָו שָׁאוּל לָמָּה קְשַׁרְתֶּם עָלַי אַתָּה
וּבֶן־יִשָׁי בְּתִתְּךָ לוֹ לֶחֶם וְחֶרֶב וְשָׁאוֹל לוֹ בֵּאלֹהִים לָקוּם אֵלַי
יד לְאֹרֵב כַּיּוֹם הַזֶּה׃ וַיַּעַן אֲחִימֶלֶךְ אֶת־הַמֶּלֶךְ וַיֹּאמַר
וּמִי בְכָל־עֲבָדֶיךָ כְּדָוִד נֶאֱמָן וַחֲתַן הַמֶּלֶךְ וְסָר אֶל־מִשְׁמַעְתֶּךָ
טו וְנִכְבָּד בְּבֵיתֶךָ׃ הַיּוֹם הַחִלֹּתִי לשאול לִשְׁאָל־לוֹ בֵאלֹהִים חָלִילָה

בְּרִיחַת דָּוִד לִמְעָרַת עֲדֻלָּם׃

כַּעַס שָׁאוּל עַל עֲבָדָיו׃

דּוֹאֵג מֵבִיא דִבַּת אֲחִימֶלֶךְ׃

לִ֥י אַל־יָשֵׂם֩ הַמֶּ֨לֶךְ בְּעַבְדּ֤וֹ דָבָר֙ בְּכָל־בֵּ֣ית אָבִ֔י כִּ֣י לֹֽא־יָדַ֤ע
טז עַבְדְּךָ֙ בְּכָל־זֹ֔את דָּבָ֥ר קָטֹ֖ן א֥וֹ גָדֽוֹל׃ וַיֹּ֣אמֶר הַמֶּ֔לֶךְ מ֥וֹת תָּמ֖וּת
יז אֲחִימֶ֑לֶךְ אַתָּ֖ה וְכָל־בֵּ֥ית אָבִֽיךָ׃ וַיֹּ֣אמֶר הַמֶּ֡לֶךְ לָֽרָצִים֩ הַנִּצָּבִ֨ים
עָלָ֜יו סֹ֥בּוּ וְהָמִ֣יתוּ ׀ כֹּהֲנֵ֣י יְהוָ֗ה כִּ֤י גַם־יָדָם֙ עִם־דָּוִ֔ד וְכִ֤י יָֽדְעוּ֙
כִּֽי־בֹרֵ֣חַ ה֔וּא וְלֹ֥א גָל֖וּ אֶת־אָזְנִ֑י אזנו וְלֹֽא־אָב֞וּ עַבְדֵ֣י הַמֶּ֗לֶךְ
יח לִשְׁלֹ֨חַ אֶת־יָדָ֔ם לִפְגֹ֖עַ בְּכֹהֲנֵ֥י יְהוָֽה׃ וַיֹּ֨אמֶר הַמֶּ֜לֶךְ
הֲרִיגַת נֹב עִיר הַכֹּהֲנִים:
לדויג לְדוֹאֵ֗ג סֹ֚ב אַתָּ֔ה וּפְגַ֖ע בַּכֹּהֲנִ֑ים וַיִּסֹּ֞ב דויג דּוֹאֵ֣ג הָאֲדֹמִ֗י
[2884] וַיִּפְגַּע־הוּא֙ בַּכֹּ֣הֲנִ֔ים וַיָּ֣מֶת ׀ בַּיּ֣וֹם הַה֗וּא שְׁמֹנִ֤ים וַחֲמִשָּׁה֙ אִ֔ישׁ
יט נֹשֵׂ֖א אֵפ֥וֹד בָּֽד׃ וְאֵ֨ת נֹ֤ב עִיר־הַכֹּהֲנִים֙ הִכָּ֣ה לְפִי־חֶ֔רֶב מֵאִישׁ֙
כ וְעַד־אִשָּׁ֔ה מֵעוֹלֵ֖ל וְעַד־יוֹנֵ֑ק וְשׁ֨וֹר וַחֲמ֥וֹר וָשֶׂ֖ה לְפִי־חָֽרֶב׃ וַיִּמָּלֵ֣ט
בֵּן־אֶחָ֗ד לַאֲחִימֶ֙לֶךְ֙ בֶּן־אֲחִט֔וּב וּשְׁמ֖וֹ אֶבְיָתָ֑ר וַיִּבְרַ֖ח אַחֲרֵ֥י דָוִֽד׃
כא כב וַיַּגֵּ֥ד אֶבְיָתָ֖ר לְדָוִ֑ד כִּ֚י הָרַ֣ג שָׁא֔וּל אֵ֖ת כֹּהֲנֵ֥י יְהוָֽה׃ וַיֹּ֨אמֶר דָּוִ֜ד
לְאֶבְיָתָ֗ר יָדַ֜עְתִּי בַּיּ֤וֹם הַהוּא֙ כִּי־שָׁ֗ם דויג דּוֹאֵ֣ג הָאֲדֹמִ֔י כִּי־הַגֵּ֥ד
כג יַגִּ֖יד לְשָׁא֑וּל אָנֹכִ֣י סַבֹּ֔תִי בְּכָל־נֶ֖פֶשׁ בֵּ֥ית אָבִֽיךָ׃ שְׁבָ֤ה אִתִּי֙
אַל־תִּירָ֔א כִּ֛י אֲשֶׁר־יְבַקֵּ֥שׁ אֶת־נַפְשִׁ֖י יְבַקֵּ֣שׁ אֶת־נַפְשֶׁ֑ךָ כִּֽי־
כג א מִשְׁמֶ֥רֶת אַתָּ֖ה עִמָּדִֽי׃ וַיַּגִּ֥דוּ לְדָוִ֖ד
הוֹשָׁעַת קְעִילָה מִיַּד פְּלִשְׁתִּים:
לֵאמֹ֑ר הִנֵּ֤ה פְלִשְׁתִּים֙ נִלְחָמִ֣ים בִּקְעִילָ֔ה וְהֵ֖מָּה שֹׁסִ֥ים אֶת־
ב הַגֳּרָנֽוֹת׃ וַיִּשְׁאַ֨ל דָּוִ֤ד בַּֽיהוָה֙ לֵאמֹ֔ר הַאֵלֵ֕ךְ וְהִכֵּ֖יתִי בַּפְּלִשְׁתִּ֣ים
הָאֵ֑לֶּה וַיֹּ֨אמֶר יְהוָ֜ה אֶל־דָּוִ֗ד
ג לֵ֚ךְ וְהִכִּ֣יתָ בַפְּלִשְׁתִּ֔ים וְהוֹשַׁעְתָּ֖ אֶת־קְעִילָֽה׃ וַיֹּ֨אמְר֜וּ אַנְשֵׁ֤י דָוִד֙
אֵלָ֔יו הִנֵּ֨ה אֲנַ֥חְנוּ פֹ֛ה בִּיהוּדָ֖ה יְרֵאִ֑ים וְאַף֙ כִּֽי־נֵלֵ֣ךְ קְעִלָ֔ה
ד אֶל־מַעַרְכ֖וֹת פְּלִשְׁתִּֽים׃ וַיּ֨וֹסֶף ע֤וֹד דָּוִד֙ לִשְׁא֣וֹל
בַּיהוָ֔ה וַֽיַּעֲנֵ֣הוּ יְהוָ֗ה וַיֹּ֙אמֶר֙ ק֚וּם רֵ֣ד קְעִילָ֔ה כִּֽי־אֲנִ֥י נֹתֵ֛ן אֶת־
ה פְּלִשְׁתִּ֖ים בְּיָדֶֽךָ׃ וַיֵּ֨לֶךְ דָּוִ֜ד וַאֲנָשָׁ֗יו קְעִילָה֙ וַיִּלָּ֣חֶם בַּפְּלִשְׁתִּ֔ים
וַיִּנְהַג֙ אֶת־מִקְנֵיהֶ֔ם וַיַּ֥ךְ בָּהֶ֖ם מַכָּ֣ה גְדוֹלָ֑ה וַיֹּ֣שַׁע דָּוִ֔ד אֵ֖ת יֹשְׁבֵ֥י

ו קְעִילָה׃ וַיְהִי בִּבְרֹחַ
ז אֶבְיָתָר בֶּן־אֲחִימֶלֶךְ אֶל־דָּוִד קְעִילָה אֵפוֹד יָרַד בְּיָדוֹ׃ וַיֻּגַּד
לְשָׁאוּל כִּי־בָא דָוִד קְעִילָה וַיֹּאמֶר שָׁאוּל נִכַּר אֹתוֹ אֱלֹהִים בְּיָדִי
ח כִּי נִסְגַּר לָבוֹא בְּעִיר דְּלָתַיִם וּבְרִיחַ׃ וַיְשַׁמַּע שָׁאוּל אֶת־כָּל־
ט הָעָם לַמִּלְחָמָה לָרֶדֶת קְעִילָה לָצוּר אֶל־דָּוִד וְאֶל־אֲנָשָׁיו׃ וַיֵּדַע
דָּוִד כִּי עָלָיו שָׁאוּל מַחֲרִישׁ הָרָעָה וַיֹּאמֶר אֶל־אֶבְיָתָר הַכֹּהֵן
י הַגִּישָׁה הָאֵפוֹד׃ וַיֹּאמֶר דָּוִד יְהוָה אֱלֹהֵי יִשְׂרָאֵל שָׁמֹעַ
שָׁמַע עַבְדְּךָ כִּי־מְבַקֵּשׁ שָׁאוּל לָבוֹא אֶל־קְעִילָה לְשַׁחֵת לָעִיר
יא בַּעֲבוּרִי׃ הֲיַסְגִּרֻנִי בַעֲלֵי קְעִילָה בְיָדוֹ הֲיֵרֵד שָׁאוּל כַּאֲשֶׁר שָׁמַע
עַבְדֶּךָ יְהוָה אֱלֹהֵי יִשְׂרָאֵל הַגֶּד־נָא לְעַבְדֶּךָ וַיֹּאמֶר
יב יְהוָה יֵרֵד׃ וַיֹּאמֶר דָּוִד
הֲיַסְגִּרוּ בַּעֲלֵי קְעִילָה אֹתִי וְאֶת־אֲנָשַׁי בְּיַד־שָׁאוּל וַיֹּאמֶר יְהוָה
יג יַסְגִּירוּ׃ וַיָּקָם דָּוִד וַאֲנָשָׁיו כְּשֵׁשׁ־מֵאוֹת אִישׁ וַיֵּצְאוּ
מִקְּעִלָה וַיִּתְהַלְּכוּ בַּאֲשֶׁר יִתְהַלָּכוּ וּלְשָׁאוּל הֻגַּד כִּי־נִמְלַט דָּוִד
הַבְּרִיחָה אֶל מִדְבַּר זִיף:
יד מִקְּעִילָה וַיֶּחְדַּל לָצֵאת׃ וַיֵּשֶׁב דָּוִד בַּמִּדְבָּר בַּמְּצָדוֹת וַיֵּשֶׁב בָּהָר
בְּמִדְבַּר־זִיף וַיְבַקְשֵׁהוּ שָׁאוּל כָּל־הַיָּמִים וְלֹא־נְתָנוֹ אֱלֹהִים
טו בְּיָדוֹ׃ וַיַּרְא דָוִד כִּי־יָצָא שָׁאוּל לְבַקֵּשׁ אֶת־נַפְשׁוֹ וְדָוִד בְּמִדְבַּר־
טז זִיף בַּחֹרְשָׁה׃ וַיָּקָם יְהוֹנָתָן בֶּן־שָׁאוּל
יז וַיֵּלֶךְ אֶל־דָּוִד חֹרְשָׁה וַיְחַזֵּק אֶת־יָדוֹ בֵּאלֹהִים׃ וַיֹּאמֶר אֵלָיו
חִדּוּשׁ הַבְּרִית בֵּין יְהוֹנָתָן לְדָוִד:
אַל־תִּירָא כִּי לֹא תִמְצָאֲךָ יַד שָׁאוּל אָבִי וְאַתָּה תִּמְלֹךְ
עַל־יִשְׂרָאֵל וְאָנֹכִי אֶהְיֶה־לְּךָ לְמִשְׁנֶה וְגַם־שָׁאוּל אָבִי יֹדֵעַ כֵּן׃
יח וַיִּכְרְתוּ שְׁנֵיהֶם בְּרִית לִפְנֵי יְהוָה וַיֵּשֶׁב דָּוִד בַּחֹרְשָׁה וִיהוֹנָתָן
יט הָלַךְ לְבֵיתוֹ׃ וַיַּעֲלוּ זִפִים אֶל־שָׁאוּל הַגִּבְעָתָה לֵאמֹר
לָשׁוֹן הָרָע עַל יְדֵי הַזִּיפִים:
הֲלוֹא דָוִד מִסְתַּתֵּר עִמָּנוּ בַמְּצָדוֹת בַּחֹרְשָׁה בְּגִבְעַת הַחֲכִילָה
כ אֲשֶׁר מִימִין הַיְשִׁימוֹן׃ וְעַתָּה לְכָל־אַוַּת נַפְשְׁךָ הַמֶּלֶךְ לָרֶדֶת רֵד

כא וְלָנוּ הַסְגִּירוֹ בְּיַד הַמֶּלֶךְ: וַיֹּאמֶר שָׁאוּל בְּרוּכִים אַתֶּם לַיהוָה כִּי
כב חֲמַלְתֶּם עָלָי: לְכוּ־נָא הָכִינוּ עוֹד וּדְעוּ וּרְאוּ אֶת־מְקוֹמוֹ אֲשֶׁר
תִּהְיֶה רַגְלוֹ מִי רָאָהוּ שָׁם כִּי אָמַר אֵלַי עָרוֹם יַעְרִם הוּא:
כג וּרְאוּ וּדְעוּ מִכֹּל הַמַּחֲבֹאִים אֲשֶׁר יִתְחַבֵּא שָׁם וְשַׁבְתֶּם אֵלַי
אֶל־נָכוֹן וְהָלַכְתִּי אִתְּכֶם וְהָיָה אִם־יֶשְׁנוֹ בָאָרֶץ וְחִפַּשְׂתִּי אֹתוֹ
כד בְּכֹל אַלְפֵי יְהוּדָה: וַיָּקוּמוּ וַיֵּלְכוּ זִיפָה לִפְנֵי שָׁאוּל וְדָוִד וַאֲנָשָׁיו
כה בְּמִדְבַּר מָעוֹן בָּעֲרָבָה אֶל יְמִין הַיְשִׁימוֹן: וַיֵּלֶךְ שָׁאוּל וַאֲנָשָׁיו מִרְדָּף בְּמִדְבַּר מָעוֹן:
לְבַקֵּשׁ וַיַּגִּדוּ לְדָוִד וַיֵּרֶד הַסֶּלַע וַיֵּשֶׁב בְּמִדְבַּר מָעוֹן וַיִּשְׁמַע
כו שָׁאוּל וַיִּרְדֹּף אַחֲרֵי־דָוִד מִדְבַּר מָעוֹן: וַיֵּלֶךְ שָׁאוּל מִצַּד הָהָר
מִזֶּה וְדָוִד וַאֲנָשָׁיו מִצַּד הָהָר מִזֶּה וַיְהִי דָוִד נֶחְפָּז לָלֶכֶת מִפְּנֵי
שָׁאוּל וְשָׁאוּל וַאֲנָשָׁיו עֹטְרִים אֶל־דָּוִד וְאֶל־אֲנָשָׁיו לְתָפְשָׂם:
כז וּמַלְאָךְ בָּא אֶל־שָׁאוּל לֵאמֹר מַהֲרָה וְלֵכָה כִּי־פָשְׁטוּ פְלִשְׁתִּים
כח עַל־הָאָרֶץ: וַיָּשָׁב שָׁאוּל מִרְדֹף אַחֲרֵי דָוִד וַיֵּלֶךְ לִקְרַאת
כט פְּלִשְׁתִּים עַל־כֵּן קָרְאוּ לַמָּקוֹם הַהוּא סֶלַע הַמַּחְלְקוֹת: וַיַּעַל
כד א דָּוִד מִשָּׁם וַיֵּשֶׁב בִּמְצָדוֹת עֵין־גֶּדִי: וַיְהִי כַּאֲשֶׁר שָׁב מִרְדָּף בְּעֵין גֶּדִי:
שָׁאוּל מֵאַחֲרֵי פְּלִשְׁתִּים וַיַּגִּדוּ לוֹ לֵאמֹר הִנֵּה דָוִד בְּמִדְבַּר עֵין
ב גֶּדִי: וַיִּקַּח שָׁאוּל שְׁלֹשֶׁת אֲלָפִים אִישׁ בָּחוּר מִכָּל־
יִשְׂרָאֵל וַיֵּלֶךְ לְבַקֵּשׁ אֶת־דָּוִד וַאֲנָשָׁיו עַל־פְּנֵי צוּרֵי הַיְּעֵלִים:
ג וַיָּבֹא אֶל־גִּדְרוֹת הַצֹּאן עַל־הַדֶּרֶךְ וְשָׁם מְעָרָה וַיָּבֹא שָׁאוּל
ד לְהָסֵךְ אֶת־רַגְלָיו וְדָוִד וַאֲנָשָׁיו בְּיַרְכְּתֵי הַמְּעָרָה יֹשְׁבִים: וַיֹּאמְרוּ כְּרִיתַת כְּנַף מְעִיל שָׁאוּל:
אַנְשֵׁי דָוִד אֵלָיו הִנֵּה הַיּוֹם אֲשֶׁר־אָמַר יְהוָה אֵלֶיךָ הִנֵּה אָנֹכִי
נֹתֵן אֶת־אֹיִבְךָ איביך בְּיָדֶךָ וְעָשִׂיתָ לּוֹ כַּאֲשֶׁר יִטַב בְּעֵינֶיךָ וַיָּקָם
ה דָּוִד וַיִּכְרֹת אֶת־כְּנַף־הַמְּעִיל אֲשֶׁר־לְשָׁאוּל בַּלָּט: וַיְהִי אַחֲרֵי־כֵן
ו וַיַּךְ לֵב־דָּוִד אֹתוֹ עַל אֲשֶׁר כָּרַת אֶת־כָּנָף אֲשֶׁר לְשָׁאוּל: וַיֹּאמֶר
לַאֲנָשָׁיו חָלִילָה לִּי מֵיְהוָה אִם־אֶעֱשֶׂה אֶת־הַדָּבָר הַזֶּה לַאדֹנִי

ז לִמְשִׁיחַ יְהוָה לִשְׁלֹחַ יָדִי בּוֹ כִּי־מְשִׁיחַ יְהוָה הוּא: וַיְשַׁסַּע
דָּוִד אֶת־אֲנָשָׁיו בַּדְּבָרִים וְלֹא נְתָנָם לָקוּם אֶל־שָׁאוּל וְשָׁאוּל
ח קָם מֵהַמְּעָרָה וַיֵּלֶךְ בַּדָּרֶךְ: וַיָּקָם דָּוִד תּוֹכַחַת דָּוִד לְשָׁאוּל:
אַחֲרֵי־כֵן וַיֵּצֵא מן המערה מֵהַמְּעָרָה וַיִּקְרָא אַחֲרֵי־שָׁאוּל לֵאמֹר
אֲדֹנִי הַמֶּלֶךְ וַיַּבֵּט שָׁאוּל אַחֲרָיו וַיִּקֹּד דָּוִד אַפַּיִם אַרְצָה
ט וַיִּשְׁתָּחוּ: וַיֹּאמֶר דָּוִד לְשָׁאוּל לָמָּה תִשְׁמַע אֶת־דִּבְרֵי
י אָדָם לֵאמֹר הִנֵּה דָוִד מְבַקֵּשׁ רָעָתֶךָ: הִנֵּה הַיּוֹם הַזֶּה רָאוּ עֵינֶיךָ
אֵת אֲשֶׁר־נְתָנְךָ יְהוָה ׀ הַיּוֹם ׀ בְּיָדִי בַּמְּעָרָה וְאָמַר לַהֲרָגְךָ
וַתָּחָס עָלֶיךָ וָאֹמַר לֹא־אֶשְׁלַח יָדִי בַּאדֹנִי כִּי־מְשִׁיחַ יְהוָה
יא הוּא: וְאָבִי רְאֵה גַּם רְאֵה אֶת־כְּנַף מְעִילְךָ בְּיָדִי כִּי בְּכָרְתִי
אֶת־כְּנַף מְעִילְךָ וְלֹא הֲרַגְתִּיךָ דַּע וּרְאֵה כִּי אֵין בְּיָדִי רָעָה
יב וָפֶשַׁע וְלֹא־חָטָאתִי לָךְ וְאַתָּה צֹדֶה אֶת־נַפְשִׁי לְקַחְתָּהּ: יִשְׁפֹּט
יג יְהוָה בֵּינִי וּבֵינֶךָ וּנְקָמַנִי יְהוָה מִמֶּךָּ וְיָדִי לֹא תִהְיֶה־בָּךְ: כַּאֲשֶׁר
יֹאמַר מְשַׁל הַקַּדְמֹנִי מֵרְשָׁעִים יֵצֵא רֶשַׁע וְיָדִי לֹא תִהְיֶה־בָּךְ:
יד אַחֲרֵי מִי יָצָא מֶלֶךְ יִשְׂרָאֵל אַחֲרֵי מִי אַתָּה רֹדֵף אַחֲרֵי כֶּלֶב
טו מֵת אַחֲרֵי פַּרְעֹשׁ אֶחָד: וְהָיָה יְהוָה לְדַיָּן וְשָׁפַט בֵּינִי וּבֵינֶךָ וְיֵרֶא
וְיָרֵב אֶת־רִיבִי וְיִשְׁפְּטֵנִי מִיָּדֶךָ:
טז וַיְהִי ׀ כְּכַלּוֹת דָּוִד לְדַבֵּר אֶת־הַדְּבָרִים הָאֵלֶּה אֶל־שָׁאוּל וַיֹּאמֶר חֲרָטַת שָׁאוּל
יז שָׁאוּל הֲקֹלְךָ זֶה בְּנִי דָוִד וַיִּשָּׂא שָׁאוּל קֹלוֹ וַיֵּבְךְּ: וַיֹּאמֶר אֶל־דָּוִד וּשְׁבוּעַת דָּוִד:
צַדִּיק אַתָּה מִמֶּנִּי כִּי אַתָּה גְּמַלְתַּנִי הַטּוֹבָה וַאֲנִי גְּמַלְתִּיךָ הָרָעָה:
יח וְאַתְּ הִגַּדְתָּ הַיּוֹם אֵת אֲשֶׁר־עָשִׂיתָה אִתִּי טוֹבָה אֵת אֲשֶׁר
יט סִגְּרַנִי יְהוָה בְּיָדְךָ וְלֹא הֲרַגְתָּנִי: וְכִי־יִמְצָא אִישׁ אֶת־אֹיְבוֹ
וְשִׁלְּחוֹ בְּדֶרֶךְ טוֹבָה וַיהוָה יְשַׁלֶּמְךָ טוֹבָה תַּחַת הַיּוֹם הַזֶּה
כ אֲשֶׁר עָשִׂיתָה לִי: וְעַתָּה הִנֵּה יָדַעְתִּי כִּי מָלֹךְ תִּמְלוֹךְ וְקָמָה
כא בְּיָדְךָ מַמְלֶכֶת יִשְׂרָאֵל: וְעַתָּה הִשָּׁבְעָה לִּי בַּיהוָה אִם־תַּכְרִית

כב אֶת־זַרְעִי אַחֲרָי וְאִם־תַּשְׁמִיד אֶת־שְׁמִי מִבֵּית אָבִי: וַיִּשָּׁבַע
דָּוִד לְשָׁאוּל וַיֵּלֶךְ שָׁאוּל אֶל־בֵּיתוֹ וְדָוִד וַאֲנָשָׁיו עָלוּ עַל־
כה א הַמְּצוּדָה: וַיָּמָת שְׁמוּאֵל וַיִּקָּבְצוּ
כָל־יִשְׂרָאֵל וַיִּסְפְּדוּ־לוֹ וַיִּקְבְּרֻהוּ בְּבֵיתוֹ בָּרָמָה וַיָּקָם דָּוִד וַיֵּרֶד
אֶל־מִדְבַּר פָּארָן:

מוֹת שְׁמוּאֵל: [2884]

נָבָל הַכַּרְמְלִי:

ב וְאִישׁ בְּמָעוֹן וּמַעֲשֵׂהוּ בַכַּרְמֶל וְהָאִישׁ גָּדוֹל מְאֹד וְלוֹ צֹאן
ג שְׁלֹשֶׁת־אֲלָפִים וְאֶלֶף עִזִּים וַיְהִי בִּגְזֹז אֶת־צֹאנוֹ בַּכַּרְמֶל: וְשֵׁם
הָאִישׁ נָבָל וְשֵׁם אִשְׁתּוֹ אֲבִגָיִל וְהָאִשָּׁה טוֹבַת־שֶׂכֶל וִיפַת תֹּאַר
ד וְהָאִישׁ קָשֶׁה וְרַע מַעֲלָלִים וְהוּא כלבו כָלִבִּי: וַיִּשְׁמַע דָּוִד בַּמִּדְבָּר

דִּבְרֵי שָׁלוֹם מִדָּוִד לְנָבָל:

ה כִּי־גֹזֵז נָבָל אֶת־צֹאנוֹ: וַיִּשְׁלַח דָּוִד עֲשָׂרָה נְעָרִים וַיֹּאמֶר דָּוִד
לַנְּעָרִים עֲלוּ כַרְמֶלָה וּבָאתֶם אֶל־נָבָל וּשְׁאֶלְתֶּם־לוֹ בִשְׁמִי
ו לְשָׁלוֹם: וַאֲמַרְתֶּם כֹּה לֶחָי וְאַתָּה שָׁלוֹם וּבֵיתְךָ שָׁלוֹם וְכֹל
ז אֲשֶׁר־לְךָ שָׁלוֹם: וְעַתָּה שָׁמַעְתִּי כִּי גֹזְזִים לָךְ עַתָּה הָרֹעִים
אֲשֶׁר־לְךָ הָיוּ עִמָּנוּ לֹא הֶכְלַמְנוּם וְלֹא־נִפְקַד לָהֶם מְאוּמָה
ח כָּל־יְמֵי הֱיוֹתָם בַּכַּרְמֶל: שְׁאַל אֶת־נְעָרֶיךָ וְיַגִּידוּ לָךְ וְיִמְצְאוּ
הַנְּעָרִים חֵן בְּעֵינֶיךָ כִּי־עַל־יוֹם טוֹב בָּנוּ תְּנָה־נָּא אֵת אֲשֶׁר
ט תִּמְצָא יָדְךָ לַעֲבָדֶיךָ וּלְבִנְךָ לְדָוִד: וַיָּבֹאוּ נַעֲרֵי דָוִד וַיְדַבְּרוּ

סֵרוּב נָבָל לַדְּבָרִים:

י אֶל־נָבָל כְּכָל־הַדְּבָרִים הָאֵלֶּה בְּשֵׁם דָּוִד וַיָּנוּחוּ: וַיַּעַן נָבָל
אֶת־עַבְדֵי דָוִד וַיֹּאמֶר מִי דָוִד וּמִי בֶן־יִשָׁי הַיּוֹם רַבּוּ עֲבָדִים
יא הַמִּתְפָּרְצִים אִישׁ מִפְּנֵי אֲדֹנָיו: וְלָקַחְתִּי אֶת־לַחְמִי וְאֶת־מֵימַי
וְאֵת טִבְחָתִי אֲשֶׁר טָבַחְתִּי לְגֹזְזָי וְנָתַתִּי לַאֲנָשִׁים אֲשֶׁר לֹא
יב יָדַעְתִּי אֵי מִזֶּה הֵמָּה: וַיַּהַפְכוּ נַעֲרֵי־דָוִד לְדַרְכָּם וַיָּשֻׁבוּ וַיָּבֹאוּ

עֲלִיַּת דָּוִד עַל נָבָל:

יג וַיַּגִּדוּ לוֹ כְּכֹל הַדְּבָרִים הָאֵלֶּה: וַיֹּאמֶר דָּוִד לַאֲנָשָׁיו חִגְרוּ ׀ אִישׁ
אֶת־חַרְבּוֹ וַיַּחְגְּרוּ אִישׁ אֶת־חַרְבּוֹ וַיַּחְגֹּר גַּם־דָּוִד אֶת־חַרְבּוֹ
וַיַּעֲלוּ ׀ אַחֲרֵי דָוִד כְּאַרְבַּע מֵאוֹת אִישׁ וּמָאתַיִם יָשְׁבוּ עַל־

יד הַכֵּלִים: וְלַאֲבִיגַיִל אֵשֶׁת נָבָל הִגִּיד נַעַר־אֶחָד מֵהַנְּעָרִים לֵאמֹר
הִנֵּה שָׁלַח דָּוִד מַלְאָכִים ׀ מֵהַמִּדְבָּר לְבָרֵךְ אֶת־אֲדֹנֵינוּ וַיָּעַט
טו בָּהֶם: וְהָאֲנָשִׁים טֹבִים לָנוּ מְאֹד וְלֹא הָכְלַמְנוּ וְלֹא־פָקַדְנוּ
טז מְאוּמָה כָּל־יְמֵי הִתְהַלַּכְנוּ אִתָּם בִּהְיוֹתֵנוּ בַּשָּׂדֶה: חוֹמָה הָיוּ
עָלֵינוּ גַּם־לַיְלָה גַּם־יוֹמָם כָּל־יְמֵי הֱיוֹתֵנוּ עִמָּם רֹעִים הַצֹּאן:
יז וְעַתָּה דְּעִי וּרְאִי מַה־תַּעֲשִׂי כִּי־כָלְתָה הָרָעָה אֶל־אֲדֹנֵינוּ וְעַל
יח כָּל־בֵּיתוֹ וְהוּא בֶּן־בְּלִיַּעַל מִדַּבֵּר אֵלָיו: וַתְּמַהֵר אבוגיל אֲבִיגַיִל

פִּיּוּס אֲבִיגַיִל לְדָוִד:

וַתִּקַּח מָאתַיִם לֶחֶם וּשְׁנַיִם נִבְלֵי־יַיִן וְחָמֵשׁ צֹאן עשוות עֲשׂוּיֹת
וְחָמֵשׁ סְאִים קָלִי וּמֵאָה צִמֻּקִים וּמָאתַיִם דְּבֵלִים וַתָּשֶׂם
יט עַל־הַחֲמֹרִים: וַתֹּאמֶר לִנְעָרֶיהָ עִבְרוּ לְפָנַי הִנְנִי אַחֲרֵיכֶם בָּאָה
כ וּלְאִישָׁהּ נָבָל לֹא הִגִּידָה: וְהָיָה הִיא ׀ רֹכֶבֶת עַל־הַחֲמוֹר וְיֹרֶדֶת
בְּסֵתֶר הָהָר וְהִנֵּה דָוִד וַאֲנָשָׁיו יֹרְדִים לִקְרָאתָהּ וַתִּפְגֹּשׁ אֹתָם:
כא וְדָוִד אָמַר אַךְ לַשֶּׁקֶר שָׁמַרְתִּי אֶת־כָּל־אֲשֶׁר לָזֶה בַּמִּדְבָּר
וְלֹא־נִפְקַד מִכָּל־אֲשֶׁר־לוֹ מְאוּמָה וַיָּשֶׁב־לִי רָעָה תַּחַת טוֹבָה:
כב כֹּה־יַעֲשֶׂה אֱלֹהִים לְאֹיְבֵי דָוִד וְכֹה יֹסִיף אִם־אַשְׁאִיר מִכָּל־
כג אֲשֶׁר־לוֹ עַד־הַבֹּקֶר מַשְׁתִּין בְּקִיר: וַתֵּרֶא אֲבִיגַיִל אֶת־דָּוִד
וַתְּמַהֵר וַתֵּרֶד מֵעַל הַחֲמוֹר וַתִּפֹּל לְאַפֵּי דָוִד עַל־פָּנֶיהָ וַתִּשְׁתַּחוּ
כד אָרֶץ: וַתִּפֹּל עַל־רַגְלָיו וַתֹּאמֶר בִּי־אֲנִי אֲדֹנִי הֶעָוֹן וּתְדַבֶּר־נָא
כה אֲמָתְךָ בְּאָזְנֶיךָ וּשְׁמַע אֵת דִּבְרֵי אֲמָתֶךָ: אַל־נָא יָשִׂים אֲדֹנִי ׀
אֶת־לִבּוֹ אֶל־אִישׁ הַבְּלִיַּעַל הַזֶּה עַל־נָבָל כִּי כִשְׁמוֹ כֶּן־הוּא נָבָל
שְׁמוֹ וּנְבָלָה עִמּוֹ וַאֲנִי אֲמָתְךָ לֹא רָאִיתִי אֶת־נַעֲרֵי אֲדֹנִי אֲשֶׁר
כו שָׁלָחְתָּ: וְעַתָּה אֲדֹנִי חַי־יְהוָה וְחֵי־נַפְשְׁךָ אֲשֶׁר מְנָעֲךָ יְהוָה

בִּרְכַּת אֲבִיגַיִל לְדָוִד:

מִבּוֹא בְדָמִים וְהוֹשֵׁעַ יָדְךָ לָךְ וְעַתָּה יִהְיוּ כְנָבָל אֹיְבֶיךָ
כז וְהַמְבַקְשִׁים אֶל־אֲדֹנִי רָעָה: וְעַתָּה הַבְּרָכָה הַזֹּאת אֲשֶׁר־הֵבִיא
כח שִׁפְחָתְךָ לַאדֹנִי וְנִתְּנָה לַנְּעָרִים הַמִּתְהַלְּכִים בְּרַגְלֵי אֲדֹנִי: שָׂא

נָא לְפֶשַׁע אֲמָתֶךָ כִּי עָשֹׂה־יַעֲשֶׂה יְהוָה לַאדֹנִי בַּיִת נֶאֱמָן
כִּי־מִלְחֲמוֹת יְהוָה אֲדֹנִי נִלְחָם וְרָעָה לֹא־תִמָּצֵא בְךָ מִיָּמֶיךָ׃
כט וַיָּקָם אָדָם לִרְדָפְךָ וּלְבַקֵּשׁ אֶת־נַפְשֶׁךָ וְהָיְתָה נֶפֶשׁ אֲדֹנִי
צְרוּרָה ׀ בִּצְרוֹר הַחַיִּים אֵת יְהוָה אֱלֹהֶיךָ וְאֵת נֶפֶשׁ אֹיְבֶיךָ
ל יְקַלְּעֶנָּה בְּתוֹךְ כַּף הַקָּלַע׃ וְהָיָה כִּי־יַעֲשֶׂה יְהוָה לַאדֹנִי כְּכֹל
לא אֲשֶׁר־דִּבֶּר אֶת־הַטּוֹבָה עָלֶיךָ וְצִוְּךָ לְנָגִיד עַל־יִשְׂרָאֵל׃ וְלֹא
תִהְיֶה זֹאת ׀ לְךָ לְפוּקָה וּלְמִכְשׁוֹל לֵב לַאדֹנִי וְלִשְׁפָּךְ־דָּם
חִנָּם וּלְהוֹשִׁיעַ אֲדֹנִי לוֹ וְהֵיטִב יְהוָה לַאדֹנִי וְזָכַרְתָּ אֶת־
לב הִתְרַצּוּת דָּוִד: אֲמָתֶךָ׃ וַיֹּאמֶר דָּוִד לַאֲבִיגַל בָּרוּךְ יְהוָה אֱלֹהֵי יִשְׂרָאֵל
לג אֲשֶׁר שְׁלָחֵךְ הַיּוֹם הַזֶּה לִקְרָאתִי׃ וּבָרוּךְ טַעְמֵךְ וּבְרוּכָה אָתְּ
לד אֲשֶׁר כְּלִתִנִי הַיּוֹם הַזֶּה מִבֹּא בְדָמִים וְהֹשֵׁעַ יָדִי לִי׃ וְאוּלָם
חַי־יְהוָה אֱלֹהֵי יִשְׂרָאֵל אֲשֶׁר מְנָעַנִי מֵהָרַע אֹתָךְ כִּי ׀ לוּלֵי
מִהַרְתְּ ותבאתי וַתָּבֹאת לִקְרָאתִי כִּי אִם־נוֹתַר לְנָבָל עַד־אוֹר
לה הַבֹּקֶר מַשְׁתִּין בְּקִיר׃ וַיִּקַּח דָּוִד מִיָּדָהּ אֵת אֲשֶׁר־הֵבִיאָה לוֹ
וְלָהּ אָמַר עֲלִי לְשָׁלוֹם לְבֵיתֵךְ רְאִי שָׁמַעְתִּי בְקוֹלֵךְ וָאֶשָּׂא
לו מוֹת נָבָל: פָּנָיִךְ׃ וַתָּבֹא אֲבִיגַיִל ׀ אֶל־נָבָל וְהִנֵּה־לוֹ מִשְׁתֶּה בְּבֵיתוֹ כְּמִשְׁתֵּה
הַמֶּלֶךְ וְלֵב נָבָל טוֹב עָלָיו וְהוּא שִׁכֹּר עַד־מְאֹד וְלֹא־הִגִּידָה לּוֹ
לז דָּבָר קָטֹן וְגָדוֹל עַד־אוֹר הַבֹּקֶר׃ וַיְהִי בַבֹּקֶר בְּצֵאת הַיַּיִן מִנָּבָל
וַתַּגֶּד־לוֹ אִשְׁתּוֹ אֶת־הַדְּבָרִים הָאֵלֶּה וַיָּמָת לִבּוֹ בְּקִרְבּוֹ וְהוּא
לח הָיָה לְאָבֶן׃ וַיְהִי כַּעֲשֶׂרֶת הַיָּמִים וַיִּגֹּף יְהוָה אֶת־נָבָל וַיָּמֹת׃
לט נִשּׂוּאֵי אֲבִיגַיִל לְדָוִד: וַיִּשְׁמַע דָּוִד כִּי מֵת נָבָל וַיֹּאמֶר בָּרוּךְ יְהוָה אֲשֶׁר רָב אֶת־רִיב
חֶרְפָּתִי מִיַּד נָבָל וְאֶת־עַבְדּוֹ חָשַׂךְ מֵרָעָה וְאֵת רָעַת נָבָל הֵשִׁיב
יְהוָה בְּרֹאשׁוֹ וַיִּשְׁלַח דָּוִד וַיְדַבֵּר בַּאֲבִיגַיִל לְקַחְתָּהּ לוֹ לְאִשָּׁה׃
מ וַיָּבֹאוּ עַבְדֵי דָוִד אֶל־אֲבִיגַיִל הַכַּרְמֶלָה וַיְדַבְּרוּ אֵלֶיהָ לֵאמֹר
מא דָּוִד שְׁלָחָנוּ אֵלַיִךְ לְקַחְתֵּךְ לוֹ לְאִשָּׁה׃ וַתָּקָם וַתִּשְׁתַּחוּ אַפַּיִם

אַרְצָה וַתֹּאמֶר הִנֵּה אֲמָתְךָ לְשִׁפְחָה לִרְחֹץ רַגְלֵי עַבְדֵי אֲדֹנִי׃
מב וַתְּמַהֵר וַתָּקָם אֲבִיגַיִל וַתִּרְכַּב עַל־הַחֲמוֹר וְחָמֵשׁ נַעֲרֹתֶיהָ
הַהֹלְכוֹת לְרַגְלָהּ וַתֵּלֶךְ אַחֲרֵי מַלְאֲכֵי דָוִד וַתְּהִי־לוֹ לְאִשָּׁה׃
מג וְאֶת־אֲחִינֹעַם לָקַח דָּוִד מִיִּזְרְעֶאל וַתִּהְיֶיןָ גַּם־שְׁתֵּיהֶן לוֹ
מד לְנָשִׁים׃ וְשָׁאוּל נָתַן
כו א אֶת־מִיכַל בִּתּוֹ אֵשֶׁת דָּוִד לְפַלְטִי בֶן־לַיִשׁ אֲשֶׁר מִגַּלִּים׃ וַיָּבֹאוּ
הַזִּפִים אֶל־שָׁאוּל הַגִּבְעָתָה לֵאמֹר הֲלוֹא דָוִד מִסְתַּתֵּר בְּגִבְעַת
ב הַחֲכִילָה עַל פְּנֵי הַיְשִׁימֹן׃ וַיָּקָם שָׁאוּל וַיֵּרֶד אֶל־מִדְבַּר־זִיף
וְאִתּוֹ שְׁלֹשֶׁת־אֲלָפִים אִישׁ בְּחוּרֵי יִשְׂרָאֵל לְבַקֵּשׁ אֶת־דָּוִד
ג בְּמִדְבַּר־זִיף׃ וַיִּחַן שָׁאוּל בְּגִבְעַת הַחֲכִילָה אֲשֶׁר עַל־פְּנֵי הַיְשִׁימֹן
עַל־הַדָּרֶךְ וְדָוִד יֹשֵׁב בַּמִּדְבָּר וַיַּרְא כִּי בָא שָׁאוּל אַחֲרָיו
ד הַמִּדְבָּרָה׃ וַיִּשְׁלַח דָּוִד מְרַגְּלִים וַיֵּדַע כִּי־בָא שָׁאוּל אֶל־נָכוֹן׃
ה וַיָּקָם דָּוִד וַיָּבֹא אֶל־הַמָּקוֹם אֲשֶׁר חָנָה־שָׁם שָׁאוּל וַיַּרְא דָּוִד
אֶת־הַמָּקוֹם אֲשֶׁר שָׁכַב־שָׁם שָׁאוּל וְאַבְנֵר בֶּן־נֵר שַׂר־צְבָאוֹ
ו וְשָׁאוּל שֹׁכֵב בַּמַּעְגָּל וְהָעָם חֹנִים סְבִיבֹתָו׃ וַיַּעַן דָּוִד וַיֹּאמֶר ׀
אֶל־אֲחִימֶלֶךְ הַחִתִּי וְאֶל־אֲבִישַׁי בֶּן־צְרוּיָה אֲחִי יוֹאָב לֵאמֹר
מִי־יֵרֵד אִתִּי אֶל־שָׁאוּל אֶל־הַמַּחֲנֶה וַיֹּאמֶר אֲבִישַׁי אֲנִי אֵרֵד
ז עִמָּךְ׃ וַיָּבֹא דָוִד וַאֲבִישַׁי ׀ אֶל־הָעָם לַיְלָה וְהִנֵּה שָׁאוּל שֹׁכֵב
יָשֵׁן בַּמַּעְגָּל וַחֲנִיתוֹ מְעוּכָה־בָאָרֶץ מְרַאֲשֹׁתָו וְאַבְנֵר וְהָעָם
ח שֹׁכְבִים סְבִיבֹתָו׃ וַיֹּאמֶר אֲבִישַׁי אֶל־דָּוִד סִגַּר אֱלֹהִים
הַיּוֹם אֶת־אוֹיִבְךָ בְּיָדֶךָ וְעַתָּה אַכֶּנּוּ נָא בַּחֲנִית וּבָאָרֶץ פַּעַם
ט אַחַת וְלֹא אֶשְׁנֶה לוֹ׃ וַיֹּאמֶר דָּוִד אֶל־אֲבִישַׁי אַל־תַּשְׁחִיתֵהוּ כִּי
מִי שָׁלַח יָדוֹ בִּמְשִׁיחַ יְהוָה וְנִקָּה׃
י וַיֹּאמֶר דָּוִד חַי־יְהוָה כִּי אִם־יְהוָה יִגָּפֶנּוּ אוֹ־יוֹמוֹ יָבוֹא וָמֵת אוֹ
יא בַּמִּלְחָמָה יֵרֵד וְנִסְפָּה׃ חָלִילָה לִּי מֵיְהוָה מִשְּׁלֹחַ יָדִי בִּמְשִׁיחַ

לְשׁוֹן הָרָע עַל יְדֵי הַזִּיפִים׃

לְקִיחַת הַחֲנִית וְהַצַּפַּחַת׃

יְהוָה וְעַתָּה קַח־נָא אֶת־הַחֲנִית אֲשֶׁר מְרַאֲשֹׁתָו וְאֶת־צַפַּחַת
יב הַמַּיִם וְנֵלְכָה־לָּנוּ: וַיִּקַּח דָּוִד אֶת־הַחֲנִית וְאֶת־צַפַּחַת הַמַּיִם
מֵרַאֲשֹׁתֵי שָׁאוּל וַיֵּלְכוּ לָהֶם וְאֵין רֹאֶה וְאֵין יוֹדֵעַ וְאֵין מֵקִיץ
יג כִּי כֻלָּם יְשֵׁנִים כִּי תַּרְדֵּמַת יְהוָה נָפְלָה עֲלֵיהֶם: וַיַּעֲבֹר דָּוִד
יד הָעֵבֶר וַיַּעֲמֹד עַל־רֹאשׁ־הָהָר מֵרָחֹק רַב הַמָּקוֹם בֵּינֵיהֶם: וַיִּקְרָא
דָוִד אֶל־הָעָם וְאֶל־אַבְנֵר בֶּן־נֵר לֵאמֹר הֲלוֹא תַעֲנֶה אַבְנֵר וַיַּעַן
אַבְנֵר וַיֹּאמֶר מִי אַתָּה קָרָאתָ אֶל־הַמֶּלֶךְ:

תּוֹכַחַת דָּוִד לְאַבְנֵר:

טו וַיֹּאמֶר דָּוִד אֶל־אַבְנֵר הֲלוֹא־אִישׁ אַתָּה וּמִי כָמוֹךָ בְּיִשְׂרָאֵל
וְלָמָּה לֹא שָׁמַרְתָּ אֶל־אֲדֹנֶיךָ הַמֶּלֶךְ כִּי־בָא אַחַד הָעָם לְהַשְׁחִית
טז אֶת־הַמֶּלֶךְ אֲדֹנֶיךָ: לֹא־טוֹב הַדָּבָר הַזֶּה אֲשֶׁר עָשִׂיתָ חַי־יְהוָה
כִּי בְנֵי־מָוֶת אַתֶּם אֲשֶׁר לֹא־שְׁמַרְתֶּם עַל־אֲדֹנֵיכֶם עַל־מְשִׁיחַ
יְהוָה וְעַתָּה ׀ רְאֵה אֵי־חֲנִית הַמֶּלֶךְ וְאֶת־צַפַּחַת הַמַּיִם אֲשֶׁר
יז מְרַאֲשֹׁתָו: וַיַּכֵּר שָׁאוּל אֶת־קוֹל דָּוִד וַיֹּאמֶר הֲקוֹלְךָ זֶה בְּנִי דָוִד

תּוֹכַחַת דָּוִד לְשָׁאוּל:

יח וַיֹּאמֶר דָּוִד קוֹלִי אֲדֹנִי הַמֶּלֶךְ: וַיֹּאמֶר לָמָּה זֶּה אֲדֹנִי רֹדֵף אַחֲרֵי
יט עַבְדּוֹ כִּי מֶה עָשִׂיתִי וּמַה־בְּיָדִי רָעָה: וְעַתָּה יִשְׁמַע־נָא אֲדֹנִי
הַמֶּלֶךְ אֵת דִּבְרֵי עַבְדּוֹ אִם־יְהוָה הֱסִיתְךָ בִי יָרַח מִנְחָה וְאִם ׀
בְּנֵי הָאָדָם אֲרוּרִים הֵם לִפְנֵי יְהוָה כִּי־גֵרְשׁוּנִי הַיּוֹם מֵהִסְתַּפֵּחַ
כ בְּנַחֲלַת יְהוָה לֵאמֹר לֵךְ עֲבֹד אֱלֹהִים אֲחֵרִים: וְעַתָּה אַל־יִפֹּל
דָּמִי אַרְצָה מִנֶּגֶד פְּנֵי יְהוָה כִּי־יָצָא מֶלֶךְ יִשְׂרָאֵל לְבַקֵּשׁ

חֲרָטַת שָׁאוּל:

כא אֶת־פַּרְעֹשׁ אֶחָד כַּאֲשֶׁר יִרְדֹּף הַקֹּרֵא בֶּהָרִים: וַיֹּאמֶר שָׁאוּל
חָטָאתִי שׁוּב בְּנִי־דָוִד כִּי לֹא־אָרַע לְךָ עוֹד תַּחַת אֲשֶׁר יָקְרָה
נַפְשִׁי בְּעֵינֶיךָ הַיּוֹם הַזֶּה הִנֵּה הִסְכַּלְתִּי וָאֶשְׁגֶּה הַרְבֵּה מְאֹד:
כב וַיַּעַן דָּוִד וַיֹּאמֶר הִנֵּה החנית חֲנִית הַמֶּלֶךְ וְיַעֲבֹר אֶחָד מֵהַנְּעָרִים
כג וְיִקָּחֶהָ: וַיהוָה יָשִׁיב לָאִישׁ אֶת־צִדְקָתוֹ וְאֶת־אֱמֻנָתוֹ אֲשֶׁר נְתָנְךָ
כד יְהוָה ׀ הַיּוֹם בְּיָד וְלֹא אָבִיתִי לִשְׁלֹחַ יָדִי בִּמְשִׁיחַ יְהוָה: וְהִנֵּה

כַּאֲשֶׁר גָּדְלָה נַפְשְׁךָ הַיּוֹם הַזֶּה בְּעֵינָי כֵּן תִּגְדַּל נַפְשִׁי בְּעֵינֵי
יְהוָה וְיַצִּלֵנִי מִכָּל־צָרָה:
כה וַיֹּאמֶר שָׁאוּל אֶל־דָּוִד בָּרוּךְ אַתָּה בְּנִי דָוִד גַּם עָשֹׂה תַעֲשֶׂה
וְגַם יָכֹל תּוּכָל וַיֵּלֶךְ דָּוִד לְדַרְכּוֹ וְשָׁאוּל שָׁב לִמְקוֹמוֹ:
כז א וַיֹּאמֶר דָּוִד אֶל־לִבּוֹ עַתָּה אֶסָּפֶה יוֹם־אֶחָד בְּיַד־שָׁאוּל אֵין־לִי בְּרִיחָה
טוֹב כִּי הִמָּלֵט אִמָּלֵט ׀ אֶל־אֶרֶץ פְּלִשְׁתִּים וְנוֹאַשׁ מִמֶּנִּי שָׁאוּל לְגַת
ב לְבַקְשֵׁנִי עוֹד בְּכָל־גְּבוּל יִשְׂרָאֵל וְנִמְלַטְתִּי מִיָּדוֹ: וַיָּקָם דָּוִד וִישִׁיבָה
וַיַּעֲבֹר הוּא וְשֵׁשׁ־מֵאוֹת אִישׁ אֲשֶׁר עִמּוֹ אֶל־אָכִישׁ בֶּן־מָעוֹךְ בְּצִקְלַג:
ג מֶלֶךְ גַּת: וַיֵּשֶׁב דָּוִד עִם־אָכִישׁ בְּגַת הוּא וַאֲנָשָׁיו אִישׁ וּבֵיתוֹ
דָּוִד וּשְׁתֵּי נָשָׁיו אֲחִינֹעַם הַיִּזְרְעֵאלִת וַאֲבִיגַיִל אֵשֶׁת־נָבָל
ד הַכַּרְמְלִית: וַיֻּגַּד לְשָׁאוּל כִּי־בָרַח דָּוִד גַּת וְלֹא־יָסַף יוסף עוֹד
ה לְבַקְשׁוֹ: וַיֹּאמֶר דָּוִד אֶל־אָכִישׁ אִם־נָא מָצָאתִי חֵן
בְּעֵינֶיךָ יִתְּנוּ־לִי מָקוֹם בְּאַחַת עָרֵי הַשָּׂדֶה וְאֵשְׁבָה שָּׁם וְלָמָּה
ו יֵשֵׁב עַבְדְּךָ בְּעִיר הַמַּמְלָכָה עִמָּךְ: וַיִּתֶּן־לוֹ אָכִישׁ בַּיּוֹם הַהוּא
אֶת־צִקְלָג לָכֵן הָיְתָה צִקְלַג לְמַלְכֵי יְהוּדָה עַד הַיּוֹם הַזֶּה:
ז וַיְהִי מִסְפַּר הַיָּמִים אֲשֶׁר־יָשַׁב דָּוִד בִּשְׂדֵה פְלִשְׁתִּים יָמִים
ח וְאַרְבָּעָה חֳדָשִׁים: וַיַּעַל דָּוִד וַאֲנָשָׁיו וַיִּפְשְׁטוּ אֶל־הַגְּשׁוּרִי והגרזי
וְהַגִּזְרִי וְהָעֲמָלֵקִי כִּי הֵנָּה יֹשְׁבוֹת הָאָרֶץ אֲשֶׁר מֵעוֹלָם בּוֹאֲךָ
ט שׁוּרָה וְעַד־אֶרֶץ מִצְרָיִם: וְהִכָּה דָוִד אֶת־הָאָרֶץ וְלֹא יְחַיֶּה אִישׁ
וְאִשָּׁה וְלָקַח צֹאן וּבָקָר וַחֲמֹרִים וּגְמַלִּים וּבְגָדִים וַיָּשָׁב וַיָּבֹא
י אֶל־אָכִישׁ: וַיֹּאמֶר אָכִישׁ אַל־פְּשַׁטְתֶּם הַיּוֹם וַיֹּאמֶר דָּוִד עַל־נֶגֶב
יא יְהוּדָה וְעַל־נֶגֶב הַיַּרְחְמְאֵלִי וְאֶל־נֶגֶב הַקֵּינִי: וְאִישׁ וְאִשָּׁה
לֹא־יְחַיֶּה דָוִד לְהָבִיא גַת לֵאמֹר פֶּן־יַגִּדוּ עָלֵינוּ לֵאמֹר כֹּה־עָשָׂה
יב דָוִד וְכֹה מִשְׁפָּטוֹ כָּל־הַיָּמִים אֲשֶׁר יָשַׁב בִּשְׂדֵה פְלִשְׁתִּים: וַיַּאֲמֵן
אָכִישׁ בְּדָוִד לֵאמֹר הַבְאֵשׁ הִבְאִישׁ בְּעַמּוֹ בְיִשְׂרָאֵל וְהָיָה לִי

לְעֶבֶד עוֹלָם:

כח
א וַיְהִי בַּיָּמִים הָהֵם וַיִּקְבְּצוּ פְלִשְׁתִּים אֶת־מַחֲנֵיהֶם לַצָּבָא לְהִלָּחֵם
בְּיִשְׂרָאֵל וַיֹּאמֶר אָכִישׁ אֶל־דָּוִד יָדֹעַ תֵּדַע כִּי אִתִּי תֵּצֵא
ב בַּמַּחֲנֶה אַתָּה וַאֲנָשֶׁיךָ: וַיֹּאמֶר דָּוִד אֶל־אָכִישׁ לָכֵן אַתָּה תֵדַע
אֵת אֲשֶׁר־יַעֲשֶׂה עַבְדֶּךָ וַיֹּאמֶר אָכִישׁ אֶל־דָּוִד לָכֵן שֹׁמֵר
לְרֹאשִׁי אֲשִׂימְךָ כָּל־הַיָּמִים:

התקבצות פלשתים למלחמה:

ג וּשְׁמוּאֵל מֵת וַיִּסְפְּדוּ־לוֹ כָּל־יִשְׂרָאֵל וַיִּקְבְּרֻהוּ בָרָמָה וּבְעִירוֹ
ד וְשָׁאוּל הֵסִיר הָאֹבוֹת וְאֶת־הַיִּדְּעֹנִים מֵהָאָרֶץ: וַיִּקָּבְצוּ פְלִשְׁתִּים
וַיָּבֹאוּ וַיַּחֲנוּ בְשׁוּנֵם וַיִּקְבֹּץ שָׁאוּל אֶת־כָּל־יִשְׂרָאֵל וַיַּחֲנוּ
ה בַּגִּלְבֹּעַ: וַיַּרְא שָׁאוּל אֶת־מַחֲנֵה פְלִשְׁתִּים וַיִּרָא וַיֶּחֱרַד לִבּוֹ
ו מְאֹד: וַיִּשְׁאַל שָׁאוּל בַּיהוָה וְלֹא עָנָהוּ יְהוָה גַּם בַּחֲלֹמוֹת גַּם
ז בָּאוּרִים גַּם בַּנְּבִיאִם: וַיֹּאמֶר שָׁאוּל לַעֲבָדָיו בַּקְּשׁוּ־לִי אֵשֶׁת
בַּעֲלַת־אוֹב וְאֵלְכָה אֵלֶיהָ וְאֶדְרְשָׁה־בָּהּ וַיֹּאמְרוּ עֲבָדָיו אֵלָיו
ח הִנֵּה אֵשֶׁת בַּעֲלַת־אוֹב בְּעֵין דּוֹר: וַיִּתְחַפֵּשׂ שָׁאוּל וַיִּלְבַּשׁ בְּגָדִים
אֲחֵרִים וַיֵּלֶךְ הוּא וּשְׁנֵי אֲנָשִׁים עִמּוֹ וַיָּבֹאוּ אֶל־הָאִשָּׁה לָיְלָה
וַיֹּאמֶר קסומי קָסֳמִי־נָא לִי בָּאוֹב וְהַעֲלִי לִי אֵת אֲשֶׁר־אֹמַר אֵלָיִךְ:
ט וַתֹּאמֶר הָאִשָּׁה אֵלָיו הִנֵּה אַתָּה יָדַעְתָּ אֵת אֲשֶׁר־עָשָׂה שָׁאוּל
אֲשֶׁר הִכְרִית אֶת־הָאֹבוֹת וְאֶת־הַיִּדְּעֹנִי מִן־הָאָרֶץ וְלָמָה אַתָּה
י מִתְנַקֵּשׁ בְּנַפְשִׁי לַהֲמִיתֵנִי: וַיִּשָּׁבַע לָהּ שָׁאוּל בַּיהוָה לֵאמֹר
יא חַי־יְהוָה אִם־יִקְּרֵךְ עָוֺן בַּדָּבָר הַזֶּה: וַתֹּאמֶר הָאִשָּׁה אֶת־מִי
יב אַעֲלֶה־לָּךְ וַיֹּאמֶר אֶת־שְׁמוּאֵל הַעֲלִי־לִי: וַתֵּרֶא הָאִשָּׁה אֶת־
שְׁמוּאֵל וַתִּזְעַק בְּקוֹל גָּדוֹל וַתֹּאמֶר הָאִשָּׁה אֶל־שָׁאוּל ׀ לֵאמֹר
יג לָמָּה רִמִּיתָנִי וְאַתָּה שָׁאוּל: וַיֹּאמֶר לָהּ הַמֶּלֶךְ אַל־תִּירְאִי כִּי
מָה רָאִית וַתֹּאמֶר הָאִשָּׁה אֶל־שָׁאוּל אֱלֹהִים רָאִיתִי עֹלִים
יד מִן־הָאָרֶץ: וַיֹּאמֶר לָהּ מַה־תָּאֳרוֹ וַתֹּאמֶר אִישׁ זָקֵן עֹלֶה וְהוּא

שאול ובעלת האוב:

עֹטֶה מְעִיל וַיֵּדַע שָׁאוּל כִּי־שְׁמוּאֵל הוּא וַיִּקֹּד אַפַּיִם אַרְצָה
טו וַיִּשְׁתָּחוּ׃ וַיֹּאמֶר שְׁמוּאֵל אֶל־שָׁאוּל לָמָּה הִרְגַּזְתַּנִי
לְהַעֲלוֹת אֹתִי וַיֹּאמֶר שָׁאוּל צַר־לִי מְאֹד וּפְלִשְׁתִּים ׀ נִלְחָמִים
בִּי וֵאלֹהִים סָר מֵעָלַי וְלֹא־עָנָנִי עוֹד גַּם בְּיַד־הַנְּבִאִים גַּם־
טז בַחֲלֹמוֹת וָאֶקְרָאֶה לְךָ לְהוֹדִיעֵנִי מָה אֶעֱשֶׂה׃ וַיֹּאמֶר
יז שְׁמוּאֵל וְלָמָּה תִּשְׁאָלֵנִי וַיהוָה סָר מֵעָלֶיךָ וַיְהִי עָרֶךָ׃ וַיַּעַשׂ יְהוָה
לוֹ כַּאֲשֶׁר דִּבֶּר בְּיָדִי וַיִּקְרַע יְהוָה אֶת־הַמַּמְלָכָה מִיָּדֶךָ וַיִּתְּנָהּ
יח לְרֵעֲךָ לְדָוִד׃ כַּאֲשֶׁר לֹא־שָׁמַעְתָּ בְּקוֹל יְהוָה וְלֹא־עָשִׂיתָ
חֲרוֹן־אַפּוֹ בַּעֲמָלֵק עַל־כֵּן הַדָּבָר הַזֶּה עָשָׂה־לְךָ יְהוָה הַיּוֹם הַזֶּה׃
יט וְיִתֵּן יְהוָה גַּם אֶת־יִשְׂרָאֵל עִמְּךָ בְּיַד־פְּלִשְׁתִּים וּמָחָר אַתָּה
וּבָנֶיךָ עִמִּי גַּם אֶת־מַחֲנֵה יִשְׂרָאֵל יִתֵּן יְהוָה בְּיַד־פְּלִשְׁתִּים׃
כ וַיְמַהֵר שָׁאוּל וַיִּפֹּל מְלֹא־קוֹמָתוֹ אַרְצָה וַיִּרָא מְאֹד מִדִּבְרֵי
שְׁמוּאֵל גַּם־כֹּחַ לֹא־הָיָה בוֹ כִּי לֹא אָכַל לֶחֶם כָּל־הַיּוֹם
כא וְכָל־הַלָּיְלָה׃ וַתָּבוֹא הָאִשָּׁה אֶל־שָׁאוּל וַתֵּרֶא כִּי־נִבְהַל מְאֹד
וַתֹּאמֶר אֵלָיו הִנֵּה שָׁמְעָה שִׁפְחָתְךָ בְּקוֹלֶךָ וָאָשִׂים נַפְשִׁי בְּכַפִּי
כב וָאֶשְׁמַע אֶת־דְּבָרֶיךָ אֲשֶׁר דִּבַּרְתָּ אֵלָי׃ וְעַתָּה שְׁמַע־נָא גַם־אַתָּה
בְּקוֹל שִׁפְחָתֶךָ וְאָשִׂמָה לְפָנֶיךָ פַּת־לֶחֶם וֶאֱכוֹל וִיהִי בְךָ כֹּחַ
כג כִּי תֵלֵךְ בַּדָּרֶךְ׃ וַיְמָאֵן וַיֹּאמֶר לֹא אֹכַל וַיִּפְרְצוּ־בוֹ עֲבָדָיו
וְגַם־הָאִשָּׁה וַיִּשְׁמַע לְקֹלָם וַיָּקָם מֵהָאָרֶץ וַיֵּשֶׁב אֶל־הַמִּטָּה׃
כד וְלָאִשָּׁה עֵגֶל־מַרְבֵּק בַּבַּיִת וַתְּמַהֵר וַתִּזְבָּחֵהוּ וַתִּקַּח־קֶמַח וַתָּלָשׁ
כה וַתֹּפֵהוּ מַצּוֹת׃ וַתַּגֵּשׁ לִפְנֵי־שָׁאוּל וְלִפְנֵי עֲבָדָיו וַיֹּאכֵלוּ וַיָּקֻמוּ
וַיֵּלְכוּ בַּלַּיְלָה הַהוּא׃

שִׂיחַ שְׁמוּאֵל וְתוֹכַחְתּוֹ לְשָׁאוּל׃

כט א וַיִּקְבְּצוּ פְלִשְׁתִּים אֶת־כָּל־מַחֲנֵיהֶם אֲפֵקָה וְיִשְׂרָאֵל חֹנִים בַּעַיִן
ב אֲשֶׁר בְּיִזְרְעֶאל׃ וְסַרְנֵי פְלִשְׁתִּים עֹבְרִים לְמֵאוֹת וְלַאֲלָפִים וְדָוִד
ג וַאֲנָשָׁיו עֹבְרִים בָּאַחֲרֹנָה עִם־אָכִישׁ׃ וַיֹּאמְרוּ שָׂרֵי פְלִשְׁתִּים מָה

שְׁלוּחַ דָּוִד מִמַּחֲנֵה פְלִשְׁתִּים׃

הָעִבְרִים הָאֵלֶּה וַיֹּאמֶר אָכִישׁ אֶל־שָׂרֵי פְלִשְׁתִּים הֲלוֹא־זֶה דָוִד
עֶבֶד ׀ שָׁאוּל מֶלֶךְ־יִשְׂרָאֵל אֲשֶׁר הָיָה אִתִּי זֶה יָמִים אוֹ־זֶה
שָׁנִים וְלֹא־מָצָאתִי בוֹ מְאוּמָה מִיּוֹם נָפְלוֹ עַד־הַיּוֹם הַזֶּה׃
ד וַיִּקְצְפוּ עָלָיו שָׂרֵי פְלִשְׁתִּים וַיֹּאמְרוּ לוֹ שָׂרֵי פְלִשְׁתִּים הָשֵׁב
אֶת־הָאִישׁ וְיָשֹׁב אֶל־מְקוֹמוֹ אֲשֶׁר הִפְקַדְתּוֹ שָׁם וְלֹא־יֵרֵד
עִמָּנוּ בַּמִּלְחָמָה וְלֹא־יִהְיֶה־לָּנוּ לְשָׂטָן בַּמִּלְחָמָה וּבַמֶּה יִתְרַצֶּה
ה זֶה אֶל־אֲדֹנָיו הֲלוֹא בְּרָאשֵׁי הָאֲנָשִׁים הָהֵם׃ הֲלוֹא־זֶה דָוִד
אֲשֶׁר יַעֲנוּ־לוֹ בַּמְּחֹלוֹת לֵאמֹר הִכָּה שָׁאוּל בַּאֲלָפָיו וְדָוִד
ו בְּרִבְבֹתָו׃ וַיִּקְרָא אָכִישׁ אֶל־דָּוִד וַיֹּאמֶר אֵלָיו חַי־יְהוָה
כִּי־יָשָׁר אַתָּה וְטוֹב בְּעֵינַי צֵאתְךָ וּבֹאֲךָ אִתִּי בַּמַּחֲנֶה כִּי
לֹא־מָצָאתִי בְךָ רָעָה מִיּוֹם בֹּאֲךָ אֵלַי עַד־הַיּוֹם הַזֶּה וּבְעֵינֵי
ז הַסְּרָנִים לֹא־טוֹב אָתָּה׃ וְעַתָּה שׁוּב וְלֵךְ בְּשָׁלוֹם וְלֹא־תַעֲשֶׂה
ח רָע בְּעֵינֵי סַרְנֵי פְלִשְׁתִּים׃ וַיֹּאמֶר
דָּוִד אֶל־אָכִישׁ כִּי מֶה עָשִׂיתִי וּמַה־מָּצָאתָ בְעַבְדְּךָ מִיּוֹם אֲשֶׁר
הָיִיתִי לְפָנֶיךָ עַד הַיּוֹם הַזֶּה כִּי לֹא אָבוֹא וְנִלְחַמְתִּי בְּאֹיְבֵי
ט אֲדֹנִי הַמֶּלֶךְ׃ וַיַּעַן אָכִישׁ וַיֹּאמֶר אֶל־דָּוִד יָדַעְתִּי כִּי טוֹב אַתָּה
בְּעֵינַי כְּמַלְאַךְ אֱלֹהִים אַךְ שָׂרֵי פְלִשְׁתִּים אָמְרוּ לֹא־יַעֲלֶה עִמָּנוּ
י בַּמִּלְחָמָה׃ וְעַתָּה הַשְׁכֵּם בַּבֹּקֶר וְעַבְדֵי אֲדֹנֶיךָ אֲשֶׁר־בָּאוּ אִתָּךְ
יא וְהִשְׁכַּמְתֶּם בַּבֹּקֶר וְאוֹר לָכֶם וָלֵכוּ׃ וַיַּשְׁכֵּם דָּוִד הוּא וַאֲנָשָׁיו
לָלֶכֶת בַּבֹּקֶר לָשׁוּב אֶל־אֶרֶץ פְּלִשְׁתִּים וּפְלִשְׁתִּים עָלוּ
ל א יִזְרְעֶאל׃ וַיְהִי בְּבֹא דָוִד וַאֲנָשָׁיו צִקְלַג בַּיּוֹם הַשְּׁלִישִׁי
וַעֲמָלֵקִי פָשְׁטוּ אֶל־נֶגֶב וְאֶל־צִקְלַג וַיַּכּוּ אֶת־צִקְלַג וַיִּשְׂרְפוּ
ב אֹתָהּ בָּאֵשׁ׃ וַיִּשְׁבּוּ אֶת־הַנָּשִׁים אֲשֶׁר־בָּהּ מִקָּטֹן וְעַד־גָּדוֹל
ג לֹא הֵמִיתוּ אִישׁ וַיִּנְהֲגוּ וַיֵּלְכוּ לְדַרְכָּם׃ וַיָּבֹא דָוִד וַאֲנָשָׁיו
אֶל־הָעִיר וְהִנֵּה שְׂרוּפָה בָּאֵשׁ וּנְשֵׁיהֶם וּבְנֵיהֶם וּבְנֹתֵיהֶם נִשְׁבּוּ׃

פְּשִׁיטַת עֲמָלֵק עַל צִקְלָג:

ד וַיִּשָּׂא דָוִד וְהָעָם אֲשֶׁר־אִתּוֹ אֶת־קוֹלָם וַיִּבְכּוּ עַד אֲשֶׁר אֵין־בָּהֶם
ה כֹּחַ לִבְכּוֹת: וּשְׁתֵּי נְשֵׁי־דָוִד נִשְׁבּוּ אֲחִינֹעַם הַיִּזְרְעֵלִית
ו וַאֲבִיגַיִל אֵשֶׁת נָבָל הַכַּרְמְלִי: וַתֵּצֶר לְדָוִד מְאֹד כִּי־אָמְרוּ הָעָם
לְסָקְלוֹ כִּי־מָרָה נֶפֶשׁ כָּל־הָעָם אִישׁ עַל־בָּנָו וְעַל־בְּנֹתָיו וַיִּתְחַזֵּק
ז דָּוִד בַּיהוָה אֱלֹהָיו: וַיֹּאמֶר דָּוִד אֶל־אֶבְיָתָר הַכֹּהֵן
בֶּן־אֲחִימֶלֶךְ הַגִּישָׁה־נָּא לִי הָאֵפוֹד וַיַּגֵּשׁ אֶבְיָתָר אֶת־הָאֵפוֹד
ח אֶל־דָּוִד: וַיִּשְׁאַל דָּוִד בַּיהוָה לֵאמֹר אֶרְדֹּף אַחֲרֵי הַגְּדוּד־הַזֶּה
ט הַאַשִּׂגֶנּוּ וַיֹּאמֶר לוֹ רְדֹף כִּי־הַשֵּׂג תַּשִּׂיג וְהַצֵּל תַּצִּיל: וַיֵּלֶךְ דָּוִד
הוּא וְשֵׁשׁ־מֵאוֹת אִישׁ אֲשֶׁר אִתּוֹ וַיָּבֹאוּ עַד־נַחַל הַבְּשׂוֹר
י וְהַנּוֹתָרִים עָמָדוּ: וַיִּרְדֹּף דָּוִד הוּא וְאַרְבַּע־מֵאוֹת אִישׁ וַיַּעַמְדוּ
יא מָאתַיִם אִישׁ אֲשֶׁר פִּגְּרוּ מֵעֲבֹר אֶת־נַחַל הַבְּשׂוֹר: וַיִּמְצְאוּ
אִישׁ־מִצְרִי בַּשָּׂדֶה וַיִּקְחוּ אֹתוֹ אֶל־דָּוִד וַיִּתְּנוּ־לוֹ לֶחֶם וַיֹּאכַל
יב וַיַּשְׁקֻהוּ מָיִם: וַיִּתְּנוּ־לוֹ פֶלַח דְּבֵלָה וּשְׁנֵי צִמֻּקִים וַיֹּאכַל וַתָּשָׁב
רוּחוֹ אֵלָיו כִּי לֹא־אָכַל לֶחֶם וְלֹא־שָׁתָה מַיִם שְׁלֹשָׁה יָמִים
יג וּשְׁלֹשָׁה לֵילוֹת: וַיֹּאמֶר לוֹ דָוִד
לְמִי־אַתָּה וְאֵי מִזֶּה אָתָּה וַיֹּאמֶר נַעַר מִצְרִי אָנֹכִי עֶבֶד לְאִישׁ
יד עֲמָלֵקִי וַיַּעַזְבֵנִי אֲדֹנִי כִּי חָלִיתִי הַיּוֹם שְׁלֹשָׁה: אֲנַחְנוּ פָּשַׁטְנוּ
נֶגֶב הַכְּרֵתִי וְעַל־אֲשֶׁר לִיהוּדָה וְעַל־נֶגֶב כָּלֵב וְאֶת־צִקְלַג שָׂרַפְנוּ
טו בָאֵשׁ: וַיֹּאמֶר אֵלָיו דָּוִד הֲתוֹרִדֵנִי אֶל־הַגְּדוּד הַזֶּה וַיֹּאמֶר
הִשָּׁבְעָה לִּי בֵאלֹהִים אִם־תְּמִיתֵנִי וְאִם־תַּסְגִּרֵנִי בְּיַד־אֲדֹנִי
טז וְאוֹרִדְךָ אֶל־הַגְּדוּד הַזֶּה: וַיֹּרִדֵהוּ וְהִנֵּה נְטֻשִׁים עַל־פְּנֵי כָל־
הָאָרֶץ אֹכְלִים וְשֹׁתִים וְחֹגְגִים בְּכֹל הַשָּׁלָל הַגָּדוֹל אֲשֶׁר לָקְחוּ
יז מֵאֶרֶץ פְּלִשְׁתִּים וּמֵאֶרֶץ יְהוּדָה: וַיַּכֵּם דָּוִד מֵהַנֶּשֶׁף וְעַד־הָעֶרֶב
לְמָחֳרָתָם וְלֹא־נִמְלַט מֵהֶם אִישׁ כִּי אִם־אַרְבַּע מֵאוֹת אִישׁ־נַעַר
יח אֲשֶׁר־רָכְבוּ עַל־הַגְּמַלִּים וַיָּנֻסוּ: וַיַּצֵּל דָּוִד אֵת כָּל־אֲשֶׁר לָקְחוּ

רְדִיפַת דָּוִד אַחַר עֲמָלֵק:

עֶזְרַת הַנַּעַר הַמִּצְרִי לְדָוִד:

הַכָּאַת הַגְּדוּד וְהַצָּלַת הַשְּׁבִיָּה:

יט עֲמָלֵק וְאֶת־שְׁתֵּי נָשָׁיו הִצִּיל דָּוִד׃ וְלֹא נֶעְדַּר־לָהֶם מִן־הַקָּטֹן
וְעַד־הַגָּדוֹל וְעַד־בָּנִים וּבָנוֹת וּמִשָּׁלָל וְעַד כָּל־אֲשֶׁר לָקְחוּ לָהֶם
כ הַכֹּל הֵשִׁיב דָּוִד׃ וַיִּקַּח דָּוִד אֶת־כָּל־הַצֹּאן וְהַבָּקָר נָהֲגוּ לִפְנֵי
כא הַמִּקְנֶה הַהוּא וַיֹּאמְרוּ זֶה שְׁלַל דָּוִד׃ וַיָּבֹא דָוִד אֶל־מָאתַיִם
הָאֲנָשִׁים אֲשֶׁר־פִּגְּרוּ ׀ מִלֶּכֶת ׀ אַחֲרֵי דָוִד וַיֹּשִׁיבֻם בְּנַחַל
הַבְּשׂוֹר וַיֵּצְאוּ לִקְרַאת דָּוִד וְלִקְרַאת הָעָם אֲשֶׁר אִתּוֹ וַיִּגַּשׁ דָּוִד
כב אֶת־הָעָם וַיִּשְׁאַל לָהֶם לְשָׁלוֹם׃ וַיַּעַן כָּל־אִישׁ־רָע
חֲלֻקַּת הַשָּׁלָל בְּשָׁוֶה:
וּבְלִיַּעַל מֵהָאֲנָשִׁים אֲשֶׁר הָלְכוּ עִם־דָּוִד וַיֹּאמְרוּ יַעַן אֲשֶׁר
לֹא־הָלְכוּ עִמִּי לֹא־נִתֵּן לָהֶם מֵהַשָּׁלָל אֲשֶׁר הִצַּלְנוּ כִּי־אִם־אִישׁ
כג אֶת־אִשְׁתּוֹ וְאֶת־בָּנָיו וְיִנְהֲגוּ וְיֵלֵכוּ׃ וַיֹּאמֶר
דָּוִד לֹא־תַעֲשׂוּ כֵן אֶחָי אֵת אֲשֶׁר־נָתַן יְהוָה לָנוּ וַיִּשְׁמֹר אֹתָנוּ
כד וַיִּתֵּן אֶת־הַגְּדוּד הַבָּא עָלֵינוּ בְּיָדֵנוּ׃ וּמִי יִשְׁמַע לָכֶם לַדָּבָר הַזֶּה
כִּי כְּחֵלֶק ׀ הַיֹּרֵד בַּמִּלְחָמָה וּכְחֵלֶק הַיֹּשֵׁב עַל־הַכֵּלִים יַחְדָּו
כה יַחֲלֹקוּ׃ וַיְהִי מֵהַיּוֹם הַהוּא וָמָעְלָה וַיְשִׂמֶהָ לְחֹק
וּלְמִשְׁפָּט לְיִשְׂרָאֵל עַד הַיּוֹם הַזֶּה׃

כו וַיָּבֹא דָוִד אֶל־צִקְלַג וַיְשַׁלַּח מֵהַשָּׁלָל לְזִקְנֵי יְהוּדָה לְרֵעֵהוּ לֵאמֹר
חֵלֶק הַשָּׁלָל לְזִקְנֵי יְהוּדָה:
כז הִנֵּה לָכֶם בְּרָכָה מִשְּׁלַל אֹיְבֵי יְהוָה׃ לַאֲשֶׁר
בְּבֵית־אֵל וְלַאֲשֶׁר בְּרָמוֹת־נֶגֶב וְלַאֲשֶׁר
כח בְּיַתִּר׃ וְלַאֲשֶׁר בַּעֲרֹעֵר וְלַאֲשֶׁר
כט בְּשִׂפְמוֹת וְלַאֲשֶׁר בְּאֶשְׁתְּמֹעַ׃ וְלַאֲשֶׁר
בְּרָכָל וְלַאֲשֶׁר בְּעָרֵי הַיְּרַחְמְאֵלִי וְלַאֲשֶׁר
ל בְּעָרֵי הַקֵּינִי׃ וְלַאֲשֶׁר בְּחָרְמָה וְלַאֲשֶׁר
לא בְּבוֹר־עָשָׁן וְלַאֲשֶׁר בַּעֲתָךְ׃ וְלַאֲשֶׁר
בְּחֶבְרוֹן וּלְכָל־הַמְּקֹמוֹת אֲשֶׁר־הִתְהַלֶּךְ־שָׁם דָּוִד הוּא
וַאֲנָשָׁיו׃

לא א וּפְלִשְׁתִּים נִלְחָמִים בְּיִשְׂרָאֵל וַיָּנֻסוּ אַנְשֵׁי יִשְׂרָאֵל מִפְּנֵי
ב פְּלִשְׁתִּים וַיִּפְּלוּ חֲלָלִים בְּהַר הַגִּלְבֹּעַ: וַיַּדְבְּקוּ פְלִשְׁתִּים אֶת־
שָׁאוּל וְאֶת־בָּנָיו וַיַּכּוּ פְלִשְׁתִּים אֶת־יְהוֹנָתָן וְאֶת־אֲבִינָדָב וְאֶת־
ג מַלְכִּישׁוּעַ בְּנֵי שָׁאוּל: וַתִּכְבַּד הַמִּלְחָמָה אֶל־שָׁאוּל וַיִּמְצָאֻהוּ
ד הַמּוֹרִים אֲנָשִׁים בַּקָּשֶׁת וַיָּחֶל מְאֹד מֵהַמּוֹרִים: וַיֹּאמֶר שָׁאוּל
לְנֹשֵׂא כֵלָיו שְׁלֹף חַרְבְּךָ | וְדָקְרֵנִי בָהּ פֶּן־יָבוֹאוּ הָעֲרֵלִים הָאֵלֶּה
וּדְקָרֻנִי וְהִתְעַלְּלוּ־בִי וְלֹא אָבָה נֹשֵׂא כֵלָיו כִּי יָרֵא מְאֹד וַיִּקַּח
ה שָׁאוּל אֶת־הַחֶרֶב וַיִּפֹּל עָלֶיהָ: וַיַּרְא נֹשֵׂא־כֵלָיו כִּי מֵת שָׁאוּל
ו וַיִּפֹּל גַּם־הוּא עַל־חַרְבּוֹ וַיָּמָת עִמּוֹ: וַיָּמָת שָׁאוּל וּשְׁלֹשֶׁת בָּנָיו
ז וְנֹשֵׂא כֵלָיו גַּם כָּל־אֲנָשָׁיו בַּיּוֹם הַהוּא יַחְדָּו: וַיִּרְאוּ אַנְשֵׁי־יִשְׂרָאֵל
אֲשֶׁר־בְּעֵבֶר הָעֵמֶק וַאֲשֶׁר | בְּעֵבֶר הַיַּרְדֵּן כִּי־נָסוּ אַנְשֵׁי יִשְׂרָאֵל
וְכִי־מֵתוּ שָׁאוּל וּבָנָיו וַיַּעַזְבוּ אֶת־הֶעָרִים וַיָּנֻסוּ וַיָּבֹאוּ פְלִשְׁתִּים
וַיֵּשְׁבוּ בָּהֶן:
ח וַיְהִי מִמָּחֳרָת וַיָּבֹאוּ פְלִשְׁתִּים לְפַשֵּׁט אֶת־הַחֲלָלִים וַיִּמְצְאוּ
ט אֶת־שָׁאוּל וְאֶת־שְׁלֹשֶׁת בָּנָיו נֹפְלִים בְּהַר הַגִּלְבֹּעַ: וַיִּכְרְתוּ
אֶת־רֹאשׁוֹ וַיַּפְשִׁטוּ אֶת־כֵּלָיו וַיְשַׁלְּחוּ בְאֶרֶץ־פְּלִשְׁתִּים סָבִיב
י לְבַשֵּׂר בֵּית עֲצַבֵּיהֶם וְאֶת־הָעָם: וַיָּשִׂמוּ אֶת־כֵּלָיו בֵּית
יא עַשְׁתָּרוֹת וְאֶת־גְּוִיָּתוֹ תָּקְעוּ בְּחוֹמַת בֵּית שָׁן: וַיִּשְׁמְעוּ אֵלָיו
יב יֹשְׁבֵי יָבֵישׁ גִּלְעָד אֵת אֲשֶׁר־עָשׂוּ פְלִשְׁתִּים לְשָׁאוּל: וַיָּקוּמוּ
כָּל־אִישׁ חַיִל וַיֵּלְכוּ כָל־הַלַּיְלָה וַיִּקְחוּ אֶת־גְּוִיַּת שָׁאוּל וְאֵת גְּוִיֹּת
יג בָּנָיו מֵחוֹמַת בֵּית שָׁן וַיָּבֹאוּ יָבֵשָׁה וַיִּשְׂרְפוּ אֹתָם שָׁם: וַיִּקְחוּ
אֶת־עַצְמֹתֵיהֶם וַיִּקְבְּרוּ תַחַת־הָאֶשֶׁל בְּיָבֵשָׁה וַיָּצֻמוּ שִׁבְעַת
יָמִים:

נְפִילַת שָׁאוּל וּבָנָיו בַּגִּלְבֹּעַ: [2884]

קְבוּרַת שָׁאוּל וּבָנָיו:

שמואל ב

הַשְּׁמוּעָה עַל מוֹת שָׁאוּל:

א א וַיְהִי אַחֲרֵי מוֹת שָׁאוּל וְדָוִד שָׁב מֵהַכּוֹת אֶת־הָעֲמָלֵק וַיֵּשֶׁב
ב דָּוִד בְּצִקְלָג יָמִים שְׁנָיִם: וַיְהִי | בַּיּוֹם הַשְּׁלִישִׁי וְהִנֵּה אִישׁ בָּא

מִן־הַמַּחֲנֶה מֵעִם שָׁאוּל וּבְגָדָיו קְרֻעִים וַאֲדָמָה עַל־רֹאשׁוֹ וַיְהִי
ג בְּבֹאוֹ אֶל־דָּוִד וַיִּפֹּל אַרְצָה וַיִּשְׁתָּחוּ׃ וַיֹּאמֶר לוֹ דָּוִד אֵי מִזֶּה
ד תָּבוֹא וַיֹּאמֶר אֵלָיו מִמַּחֲנֵה יִשְׂרָאֵל נִמְלָטְתִּי׃ וַיֹּאמֶר אֵלָיו דָּוִד
מֶה־הָיָה הַדָּבָר הַגֶּד־נָא לִי וַיֹּאמֶר אֲשֶׁר־נָס הָעָם מִן־הַמִּלְחָמָה
וְגַם־הַרְבֵּה נָפַל מִן־הָעָם וַיָּמֻתוּ וְגַם שָׁאוּל וִיהוֹנָתָן בְּנוֹ מֵתוּ׃
ה וַיֹּאמֶר דָּוִד אֶל־הַנַּעַר הַמַּגִּיד לוֹ אֵיךְ יָדַעְתָּ כִּי־מֵת שָׁאוּל
ו וִיהוֹנָתָן בְּנוֹ׃ וַיֹּאמֶר הַנַּעַר ׀ הַמַּגִּיד לוֹ נִקְרֹא נִקְרֵיתִי בְּהַר
הַגִּלְבֹּעַ וְהִנֵּה שָׁאוּל נִשְׁעָן עַל־חֲנִיתוֹ וְהִנֵּה הָרֶכֶב וּבַעֲלֵי
ז הַפָּרָשִׁים הִדְבִּקֻהוּ׃ וַיִּפֶן אַחֲרָיו וַיִּרְאֵנִי וַיִּקְרָא אֵלָי וָאֹמַר הִנֵּנִי׃
ח ט וַיֹּאמֶר לִי מִי־אָתָּה ויאמר וָאֹמַר אֵלָיו עֲמָלֵקִי אָנֹכִי׃ וַיֹּאמֶר אֵלַי
עֲמָד־נָא עָלַי וּמֹתְתֵנִי כִּי אֲחָזַנִי הַשָּׁבָץ כִּי־כָל־עוֹד נַפְשִׁי בִּי׃
י וָאֶעֱמֹד עָלָיו וַאֲמֹתְתֵהוּ כִּי יָדַעְתִּי כִּי לֹא יִחְיֶה אַחֲרֵי נִפְלוֹ וָאֶקַּח
הַנֵּזֶר ׀ אֲשֶׁר עַל־רֹאשׁוֹ וְאֶצְעָדָה אֲשֶׁר עַל־זְרֹעוֹ וָאֲבִיאֵם אֶל־
יא אֲדֹנִי הֵנָּה׃ וַיַּחֲזֵק דָּוִד בִּבְגָדָו וַיִּקְרָעֵם וְגַם כָּל־הָאֲנָשִׁים אֲשֶׁר
יב אִתּוֹ׃ וַיִּסְפְּדוּ וַיִּבְכּוּ וַיָּצֻמוּ עַד־הָעָרֶב עַל־שָׁאוּל וְעַל־יְהוֹנָתָן בְּנוֹ
וְעַל־עַם יְהוָה וְעַל־בֵּית יִשְׂרָאֵל כִּי נָפְלוּ בֶּחָרֶב׃

הֲרִיגַת הַנַּעַר הַמְבַשֵּׂר:

יג וַיֹּאמֶר דָּוִד אֶל־הַנַּעַר הַמַּגִּיד לוֹ אֵי מִזֶּה אָתָּה וַיֹּאמֶר בֶּן־אִישׁ
יד גֵּר עֲמָלֵקִי אָנֹכִי׃ וַיֹּאמֶר אֵלָיו דָּוִד אֵיךְ לֹא יָרֵאתָ לִשְׁלֹחַ יָדְךָ
טו לְשַׁחֵת אֶת־מְשִׁיחַ יְהוָה׃ וַיִּקְרָא דָוִד לְאַחַד מֵהַנְּעָרִים וַיֹּאמֶר
טז גַּשׁ פְּגַע־בּוֹ וַיַּכֵּהוּ וַיָּמֹת׃ וַיֹּאמֶר אֵלָיו דָּוִד דמיך דָּמְךָ עַל־רֹאשֶׁךָ
כִּי פִיךָ עָנָה בְךָ לֵאמֹר אָנֹכִי מֹתַתִּי אֶת־מְשִׁיחַ יְהוָה׃

קִינַת דָּוִד עַל שָׁאוּל וִיהוֹנָתָן:

יז יח וַיְקֹנֵן דָּוִד אֶת־הַקִּינָה הַזֹּאת עַל־שָׁאוּל וְעַל־יְהוֹנָתָן בְּנוֹ׃ וַיֹּאמֶר
יט לְלַמֵּד בְּנֵי־יְהוּדָה קָשֶׁת הִנֵּה כְתוּבָה עַל־סֵפֶר הַיָּשָׁר׃ הַצְּבִי
כ יִשְׂרָאֵל עַל־בָּמוֹתֶיךָ חָלָל אֵיךְ נָפְלוּ גִבּוֹרִים׃ אַל־תַּגִּידוּ בְגַת
אַל־תְּבַשְּׂרוּ בְּחוּצֹת אַשְׁקְלוֹן פֶּן־תִּשְׂמַחְנָה בְּנוֹת פְּלִשְׁתִּים

כא פֶּן־תַּעֲלֹזְנָה בְּנוֹת הָעֲרֵלִים: הָרֵי בַגִּלְבֹּעַ אַל־טַל וְאַל־מָטָר
עֲלֵיכֶם וּשְׂדֵי תְרוּמֹת כִּי שָׁם נִגְעַל מָגֵן גִּבּוֹרִים מָגֵן שָׁאוּל בְּלִי
כב מָשִׁיחַ בַּשָּׁמֶן: מִדַּם חֲלָלִים מֵחֵלֶב גִּבּוֹרִים קֶשֶׁת יְהוֹנָתָן לֹא
כג נָשׂוֹג אָחוֹר וְחֶרֶב שָׁאוּל לֹא תָשׁוּב רֵיקָם: שָׁאוּל וִיהוֹנָתָן
הַנֶּאֱהָבִים וְהַנְּעִימִם בְּחַיֵּיהֶם וּבְמוֹתָם לֹא נִפְרָדוּ מִנְּשָׁרִים קַלּוּ
כד מֵאֲרָיוֹת גָּבֵרוּ: בְּנוֹת יִשְׂרָאֵל אֶל־שָׁאוּל בְּכֶינָה הַמַּלְבִּשְׁכֶם שָׁנִי
כה עִם־עֲדָנִים הַמַּעֲלֶה עֲדִי זָהָב עַל לְבוּשְׁכֶן: אֵיךְ נָפְלוּ גִבֹּרִים
כו בְּתוֹךְ הַמִּלְחָמָה יְהוֹנָתָן עַל־בָּמוֹתֶיךָ חָלָל: צַר־לִי עָלֶיךָ אָחִי
יְהוֹנָתָן נָעַמְתָּ לִּי מְאֹד נִפְלְאַתָה אַהֲבָתְךָ לִי מֵאַהֲבַת נָשִׁים:
כז אֵיךְ נָפְלוּ גִבּוֹרִים וַיֹּאבְדוּ כְּלֵי מִלְחָמָה:

ב א וַיְהִי אַחֲרֵי־כֵן וַיִּשְׁאַל דָּוִד בַּיהוָה | לֵאמֹר הַאֶעֱלֶה בְּאַחַת עָרֵי
מְשִׁיחַת דָּוִד לְמֶלֶךְ:
יְהוּדָה וַיֹּאמֶר יְהוָה אֵלָיו עֲלֵה וַיֹּאמֶר דָּוִד אָנָה אֶעֱלֶה וַיֹּאמֶר
ב חֶבְרֹנָה: וַיַּעַל שָׁם דָּוִד וְגַם שְׁתֵּי נָשָׁיו אֲחִינֹעַם הַיִּזְרְעֵלִית
ג וַאֲבִיגַיִל אֵשֶׁת נָבָל הַכַּרְמְלִי: וַאֲנָשָׁיו אֲשֶׁר־עִמּוֹ הֶעֱלָה דָוִד
ד אִישׁ וּבֵיתוֹ וַיֵּשְׁבוּ בְּעָרֵי חֶבְרוֹן: וַיָּבֹאוּ אַנְשֵׁי יְהוּדָה וַיִּמְשְׁחוּ־
שָׁם אֶת־דָּוִד לְמֶלֶךְ עַל־בֵּית יְהוּדָה וַיַּגִּדוּ לְדָוִד לֵאמֹר אַנְשֵׁי
ה יָבֵישׁ גִּלְעָד אֲשֶׁר קָבְרוּ אֶת־שָׁאוּל: וַיִּשְׁלַח דָּוִד
בְּרָכָה לְאַנְשֵׁי יָבֵשׁ גִּלְעָד:
מַלְאָכִים אֶל־אַנְשֵׁי יָבֵישׁ גִּלְעָד וַיֹּאמֶר אֲלֵיהֶם בְּרֻכִים אַתֶּם
לַיהוָה אֲשֶׁר עֲשִׂיתֶם הַחֶסֶד הַזֶּה עִם־אֲדֹנֵיכֶם עִם־שָׁאוּל
ו וַתִּקְבְּרוּ אֹתוֹ: וְעַתָּה יַעַשׂ־יְהוָה עִמָּכֶם חֶסֶד וֶאֱמֶת וְגַם אָנֹכִי
ז אֶעֱשֶׂה אִתְּכֶם הַטּוֹבָה הַזֹּאת אֲשֶׁר עֲשִׂיתֶם הַדָּבָר הַזֶּה: וְעַתָּה |
תֶּחֱזַקְנָה יְדֵיכֶם וִהְיוּ לִבְנֵי־חַיִל כִּי־מֵת אֲדֹנֵיכֶם שָׁאוּל וְגַם־
אֹתִי מָשְׁחוּ בֵית־יְהוּדָה לְמֶלֶךְ עֲלֵיהֶם:

ח וְאַבְנֵר בֶּן־נֵר שַׂר־צָבָא אֲשֶׁר לְשָׁאוּל לָקַח אֶת־אִישׁ בֹּשֶׁת
הַמְלָכַת אִישׁ בֹּשֶׁת:
ט בֶּן־שָׁאוּל וַיַּעֲבִרֵהוּ מַחֲנָיִם: וַיַּמְלִכֵהוּ אֶל־הַגִּלְעָד וְאֶל־הָאֲשׁוּרִי

וְאֶל־יִזְרְעֶאל וְעַל־אֶפְרַיִם וְעַל־בִּנְיָמִן וְעַל־יִשְׂרָאֵל כֻּלֹּה׃
בֶּן־אַרְבָּעִים שָׁנָה אִישׁ־בֹּשֶׁת בֶּן־שָׁאוּל בְּמָלְכוֹ עַל־יִשְׂרָאֵל י
וּשְׁתַּיִם שָׁנִים מָלָךְ אַךְ בֵּית יְהוּדָה הָיוּ אַחֲרֵי דָוִד׃ וַיְהִי מִסְפַּר יא
הַיָּמִים אֲשֶׁר הָיָה דָוִד מֶלֶךְ בְּחֶבְרוֹן עַל־בֵּית יְהוּדָה שֶׁבַע שָׁנִים
וְשִׁשָּׁה חֳדָשִׁים׃ וַיֵּצֵא אַבְנֵר בֶּן־נֵר וְעַבְדֵי אִישׁ־בֹּשֶׁת יב
בֶּן־שָׁאוּל מִמַּחֲנַיִם גִּבְעוֹנָה׃ וְיוֹאָב בֶּן־צְרוּיָה וְעַבְדֵי דָוִד יָצְאוּ יג
וַיִּפְגְּשׁוּם עַל־בְּרֵכַת גִּבְעוֹן יַחְדָּו וַיֵּשְׁבוּ אֵלֶּה עַל־הַבְּרֵכָה מִזֶּה
וְאֵלֶּה עַל־הַבְּרֵכָה מִזֶּה׃ וַיֹּאמֶר אַבְנֵר אֶל־יוֹאָב יָקוּמוּ נָא יד
הַנְּעָרִים וִישַׂחֲקוּ לְפָנֵינוּ וַיֹּאמֶר יוֹאָב יָקֻמוּ׃ וַיָּקֻמוּ וַיַּעַבְרוּ טו
בְמִסְפָּר שְׁנֵים עָשָׂר לְבִנְיָמִן וּלְאִישׁ בֹּשֶׁת בֶּן־שָׁאוּל וּשְׁנֵים
עָשָׂר מֵעַבְדֵי דָוִד׃ וַיַּחֲזִקוּ אִישׁ ׀ בְּרֹאשׁ רֵעֵהוּ וְחַרְבּוֹ בְּצַד טז
רֵעֵהוּ וַיִּפְּלוּ יַחְדָּו וַיִּקְרָא לַמָּקוֹם הַהוּא חֶלְקַת הַצֻּרִים אֲשֶׁר
בְּגִבְעוֹן׃ וַתְּהִי הַמִּלְחָמָה קָשָׁה עַד־מְאֹד בַּיּוֹם הַהוּא וַיִּנָּגֶף אַבְנֵר יז
וְאַנְשֵׁי יִשְׂרָאֵל לִפְנֵי עַבְדֵי דָוִד׃ וַיִּהְיוּ־שָׁם שְׁלֹשָׁה בְּנֵי צְרוּיָה יח
יוֹאָב וַאֲבִישַׁי וַעֲשָׂהאֵל וַעֲשָׂהאֵל קַל בְּרַגְלָיו כְּאַחַד הַצְּבָיִם
אֲשֶׁר בַּשָּׂדֶה׃ וַיִּרְדֹּף עֲשָׂהאֵל אַחֲרֵי אַבְנֵר וְלֹא־נָטָה לָלֶכֶת יט
עַל־הַיָּמִין וְעַל־הַשְּׂמֹאול מֵאַחֲרֵי אַבְנֵר׃ וַיִּפֶן אַבְנֵר אַחֲרָיו כ
וַיֹּאמֶר הַאַתָּה זֶה עֲשָׂהאֵל וַיֹּאמֶר אָנֹכִי׃ וַיֹּאמֶר לוֹ אַבְנֵר נְטֵה כא
לְךָ עַל־יְמִינְךָ אוֹ עַל־שְׂמֹאלֶךָ וֶאֱחֹז לְךָ אֶחָד מֵהַנְּעָרִים
וְקַח־לְךָ אֶת־חֲלִצָתוֹ וְלֹא־אָבָה עֲשָׂהאֵל לָסוּר מֵאַחֲרָיו׃ וַיֹּסֶף כב
עוֹד אַבְנֵר לֵאמֹר אֶל־עֲשָׂהאֵל סוּר לְךָ מֵאַחֲרָי לָמָּה אַכֶּכָּה
אַרְצָה וְאֵיךְ אֶשָּׂא פָנַי אֶל־יוֹאָב אָחִיךָ׃ וַיְמָאֵן לָסוּר וַיַּכֵּהוּ אַבְנֵר כג
בְּאַחֲרֵי הַחֲנִית אֶל־הַחֹמֶשׁ וַתֵּצֵא הַחֲנִית מֵאַחֲרָיו וַיִּפָּל־שָׁם
וַיָּמָת תַּחְתָּו וַיְהִי כָּל־הַבָּא אֶל־הַמָּקוֹם אֲשֶׁר־נָפַל שָׁם עֲשָׂהאֵל
וַיָּמֹת וַיַּעֲמֹדוּ׃ וַיִּרְדְּפוּ יוֹאָב וַאֲבִישַׁי אַחֲרֵי אַבְנֵר וְהַשֶּׁמֶשׁ בָּאָה כד

מִלְחֶמֶת עַבְדֵי דָוִד וְאַנְשֵׁי אַבְנֵר:

וְהֵמָּה בָּאוּ עַד־גִּבְעַת אַמָּה אֲשֶׁר עַל־פְּנֵי־גִיחַ דֶּרֶךְ מִדְבַּר
כה גִּבְעוֹן׃ וַיִּתְקַבְּצוּ בְנֵי־בִנְיָמִן אַחֲרֵי אַבְנֵר וַיִּהְיוּ לַאֲגֻדָּה אֶחָת
קְרִיאַת אַבְנֵר וַאֲנָשָׁיו לְשָׁלוֹם:
כו וַיַּעַמְדוּ עַל רֹאשׁ־גִּבְעָה אֶחָת׃ וַיִּקְרָא אַבְנֵר אֶל־יוֹאָב וַיֹּאמֶר
הֲלָנֶצַח תֹּאכַל חֶרֶב הֲלוֹא יָדַעְתָּה כִּי־מָרָה תִהְיֶה בָּאַחֲרוֹנָה
כז וְעַד־מָתַי לֹא־תֹאמַר לָעָם לָשׁוּב מֵאַחֲרֵי אֲחֵיהֶם׃ וַיֹּאמֶר יוֹאָב
חַי הָאֱלֹהִים כִּי לוּלֵא דִּבַּרְתָּ כִּי אָז מֵהַבֹּקֶר נַעֲלָה הָעָם אִישׁ
הַפְסָקַת הַמִּלְחָמָה:
כח מֵאַחֲרֵי אָחִיו׃ וַיִּתְקַע יוֹאָב בַּשּׁוֹפָר וַיַּעַמְדוּ כָּל־הָעָם וְלֹא־
כט יִרְדְּפוּ עוֹד אַחֲרֵי יִשְׂרָאֵל וְלֹא־יָסְפוּ עוֹד לְהִלָּחֵם׃ וְאַבְנֵר וַאֲנָשָׁיו
הָלְכוּ בָּעֲרָבָה כֹּל הַלַּיְלָה הַהוּא וַיַּעַבְרוּ אֶת־הַיַּרְדֵּן וַיֵּלְכוּ
ל כָּל־הַבִּתְרוֹן וַיָּבֹאוּ מַחֲנָיִם׃ וְיוֹאָב שָׁב מֵאַחֲרֵי אַבְנֵר וַיִּקְבֹּץ
אֶת־כָּל־הָעָם וַיִּפָּקְדוּ מֵעַבְדֵי דָוִד תִּשְׁעָה־עָשָׂר אִישׁ וַעֲשָׂהאֵל׃
לא וְעַבְדֵי דָוִד הִכּוּ מִבִּנְיָמִן וּבְאַנְשֵׁי אַבְנֵר שְׁלֹשׁ־מֵאוֹת וְשִׁשִּׁים
לב אִישׁ מֵתוּ׃ וַיִּשְׂאוּ אֶת־עֲשָׂהאֵל וַיִּקְבְּרֻהוּ בְּקֶבֶר אָבִיו אֲשֶׁר בֵּית
ג א לָחֶם וַיֵּלְכוּ כָל־הַלַּיְלָה יוֹאָב וַאֲנָשָׁיו וַיֵּאֹר לָהֶם בְּחֶבְרוֹן׃ וַתְּהִי
הַמִּלְחָמָה אֲרֻכָּה בֵּין בֵּית שָׁאוּל וּבֵין בֵּית דָּוִד וְדָוִד הֹלֵךְ וְחָזֵק
הַנּוֹלָדִים לְדָוִד בְּחֶבְרוֹן:
ב וּבֵית שָׁאוּל הֹלְכִים וְדַלִּים׃ וילדו וַיִּוָּלְדוּ לְדָוִד בָּנִים
ג בְּחֶבְרוֹן וַיְהִי בְכוֹרוֹ אַמְנוֹן לַאֲחִינֹעַם הַיִּזְרְעֵאלִת׃ וּמִשְׁנֵהוּ
כִלְאָב לאביגל לַאֲבִיגַיִל אֵשֶׁת נָבָל הַכַּרְמְלִי וְהַשְּׁלִשִׁי אַבְשָׁלוֹם
ד בֶּן־מַעֲכָה בַּת־תַּלְמַי מֶלֶךְ גְּשׁוּר׃ וְהָרְבִיעִי אֲדֹנִיָּה בֶן־חַגִּית
ה וְהַחֲמִישִׁי שְׁפַטְיָה בֶן־אֲבִיטָל׃ וְהַשִּׁשִּׁי יִתְרְעָם לְעֶגְלָה אֵשֶׁת
דָּוִד אֵלֶּה יֻלְּדוּ לְדָוִד בְּחֶבְרוֹן׃
מְרִיבָה בֵּין אִישׁ בֹּשֶׁת לְאַבְנֵר:
ו וַיְהִי בִּהְיוֹת הַמִּלְחָמָה בֵּין בֵּית שָׁאוּל וּבֵין בֵּית דָּוִד וְאַבְנֵר
ז הָיָה מִתְחַזֵּק בְּבֵית שָׁאוּל׃ וּלְשָׁאוּל פִּלֶגֶשׁ וּשְׁמָהּ רִצְפָּה
ח בַת־אַיָּה וַיֹּאמֶר אֶל־אַבְנֵר מַדּוּעַ בָּאתָה אֶל־פִּילֶגֶשׁ אָבִי׃ וַיִּחַר
לְאַבְנֵר מְאֹד עַל־דִּבְרֵי אִישׁ־בֹּשֶׁת וַיֹּאמֶר הֲרֹאשׁ כֶּלֶב אָנֹכִי

אֲשֶׁר לִיהוּדָה הַיּוֹם אֶעֱשֶׂה־חֶסֶד עִם־בֵּית ׀ שָׁאוּל אָבִיךָ
אֶל־אֶחָיו וְאֶל־מֵרֵעֵהוּ וְלֹא הִמְצִיתִךָ בְּיַד־דָּוִד וַתִּפְקֹד עָלַי עֲוֺן
ט הָאִשָּׁה הַיּוֹם׃ כֹּה־יַעֲשֶׂה אֱלֹהִים לְאַבְנֵר וְכֹה יֹסִיף לוֹ
י כִּי כַּאֲשֶׁר נִשְׁבַּע יְהוָה לְדָוִד כִּי־כֵן אֶעֱשֶׂה־לּוֹ׃ לְהַעֲבִיר
הַמַּמְלָכָה מִבֵּית שָׁאוּל וּלְהָקִים אֶת־כִּסֵּא דָוִד עַל־יִשְׂרָאֵל
יא וְעַל־יְהוּדָה מִדָּן וְעַד־בְּאֵר שָׁבַע׃ וְלֹא־יָכֹל עוֹד לְהָשִׁיב אֶת־
יב אַבְנֵר דָּבָר מִיִּרְאָתוֹ אֹתוֹ׃ וַיִּשְׁלַח אַבְנֵר מַלְאָכִים ׀
הַבְּרִית בֵּין אַבְנֵר לְדָוִד:
אֶל־דָּוִד תַּחְתָּו לֵאמֹר לְמִי־אָרֶץ לֵאמֹר כָּרְתָה בְרִיתְךָ אִתִּי
יג וְהִנֵּה יָדִי עִמָּךְ לְהָסֵב אֵלֶיךָ אֶת־כָּל־יִשְׂרָאֵל׃ וַיֹּאמֶר טוֹב אֲנִי
אֶכְרֹת אִתְּךָ בְּרִית אַךְ דָּבָר אֶחָד אָנֹכִי שֹׁאֵל מֵאִתְּךָ לֵאמֹר
לֹא־תִרְאֶה אֶת־פָּנַי כִּי ׀ אִם־לִפְנֵי הֱבִיאֲךָ אֵת מִיכַל בַּת־שָׁאוּל
יד בְּבֹאֲךָ לִרְאוֹת אֶת־פָּנָי׃ וַיִּשְׁלַח דָּוִד מַלְאָכִים אֶל־
הֲשָׁבַת מִיכַל לְדָוִד:
אִישׁ־בֹּשֶׁת בֶּן־שָׁאוּל לֵאמֹר תְּנָה אֶת־אִשְׁתִּי אֶת־מִיכַל אֲשֶׁר
טו אֵרַשְׂתִּי לִי בְּמֵאָה עָרְלוֹת פְּלִשְׁתִּים׃ וַיִּשְׁלַח אִישׁ בֹּשֶׁת וַיִּקָּחֶהָ
טז מֵעִם אִישׁ מֵעִם פַּלְטִיאֵל בֶּן־לָיִשׁ לוּשׁ׃ וַיֵּלֶךְ אִתָּהּ אִישָׁהּ
הָלוֹךְ וּבָכֹה אַחֲרֶיהָ עַד־בַּחֻרִים וַיֹּאמֶר אֵלָיו אַבְנֵר לֵךְ שׁוּב
יז וַיָּשֹׁב׃ וּדְבַר־אַבְנֵר הָיָה עִם־זִקְנֵי יִשְׂרָאֵל לֵאמֹר גַּם־תְּמוֹל
דִּבְרֵי אַבְנֵר בְּעַד דָּוִד:
יח גַּם־שִׁלְשֹׁם הֱיִיתֶם מְבַקְשִׁים אֶת־דָּוִד לְמֶלֶךְ עֲלֵיכֶם׃ וְעַתָּה
עֲשׂוּ כִּי יְהוָה אָמַר אֶל־דָּוִד לֵאמֹר בְּיַד ׀ דָּוִד עַבְדִּי הוֹשִׁיעַ
יט אֶת־עַמִּי יִשְׂרָאֵל מִיַּד פְּלִשְׁתִּים וּמִיַּד כָּל־אֹיְבֵיהֶם׃ וַיְדַבֵּר
גַּם־אַבְנֵר בְּאָזְנֵי בִנְיָמִין וַיֵּלֶךְ גַּם־אַבְנֵר לְדַבֵּר בְּאָזְנֵי דָוִד
בְּחֶבְרוֹן אֵת כָּל־אֲשֶׁר־טוֹב בְּעֵינֵי יִשְׂרָאֵל וּבְעֵינֵי כָּל־בֵּית
כ בִּנְיָמִן׃ וַיָּבֹא אַבְנֵר אֶל־דָּוִד חֶבְרוֹן וְאִתּוֹ עֶשְׂרִים אֲנָשִׁים וַיַּעַשׂ
כא דָּוִד לְאַבְנֵר וְלַאֲנָשִׁים אֲשֶׁר־אִתּוֹ מִשְׁתֶּה׃ וַיֹּאמֶר אַבְנֵר אֶל־דָּוִד
אָקוּמָה ׀ וְאֵלֵכָה וְאֶקְבְּצָה אֶל־אֲדֹנִי הַמֶּלֶךְ אֶת־כָּל־יִשְׂרָאֵל

וַיִּכְרְתוּ אִתְּךָ בְרִית וּמְלַכְתָּ בְּכֹל אֲשֶׁר־תְּאַוֶּה נַפְשֶׁךָ וַיְּשַׁלַּח דָּוִד

כב אֶת־אַבְנֵר וַיֵּלֶךְ בְּשָׁלוֹם: וְהִנֵּה עַבְדֵי דָוִד וְיוֹאָב בָּא מֵהַגְּדוּד
וְשָׁלָל רָב עִמָּם הֵבִיאוּ וְאַבְנֵר אֵינֶנּוּ עִם־דָּוִד בְּחֶבְרוֹן כִּי שִׁלְּחוֹ

כג וַיֵּלֶךְ בְּשָׁלוֹם: וְיוֹאָב וְכָל־הַצָּבָא אֲשֶׁר־אִתּוֹ בָּאוּ וַיַּגִּדוּ לְיוֹאָב
לֵאמֹר בָּא־אַבְנֵר בֶּן־נֵר אֶל־הַמֶּלֶךְ וַיְשַׁלְּחֵהוּ וַיֵּלֶךְ בְּשָׁלוֹם:

כד וַיָּבֹא יוֹאָב אֶל־הַמֶּלֶךְ וַיֹּאמֶר מֶה עָשִׂיתָה הִנֵּה־בָא אַבְנֵר אֵלֶיךָ
לָמָּה־זֶּה שִׁלַּחְתּוֹ וַיֵּלֶךְ הָלוֹךְ: יָדַעְתָּ אֶת־אַבְנֵר בֶּן־נֵר כִּי

כה לְפַתֹּתְךָ בָּא וְלָדַעַת אֶת־מוֹצָאֲךָ וְאֶת־מוֹבָאֶךָ מבואך וְלָדַעַת אֵת

הֲרִיגַת
אַבְנֵר:　כו כָּל־אֲשֶׁר אַתָּה עֹשֶׂה: וַיֵּצֵא יוֹאָב מֵעִם דָּוִד וַיִּשְׁלַח מַלְאָכִים

כז אַחֲרֵי אַבְנֵר וַיָּשִׁבוּ אֹתוֹ מִבּוֹר הַסִּרָה וְדָוִד לֹא יָדָע: וַיָּשָׁב אַבְנֵר
חֶבְרוֹן וַיַּטֵּהוּ יוֹאָב אֶל־תּוֹךְ הַשַּׁעַר לְדַבֵּר אִתּוֹ בַּשֶּׁלִי וַיַּכֵּהוּ

כח שָׁם הַחֹמֶשׁ וַיָּמָת בְּדַם עֲשָׂהאֵל אָחִיו: וַיִּשְׁמַע דָּוִד מֵאַחֲרֵי כֵן
וַיֹּאמֶר נָקִי אָנֹכִי וּמַמְלַכְתִּי מֵעִם יְהֹוָה עַד־עוֹלָם מִדְּמֵי אַבְנֵר

כט בֶּן־נֵר: יָחֻלוּ עַל־רֹאשׁ יוֹאָב וְאֶל כָּל־בֵּית אָבִיו וְאַל־יִכָּרֵת מִבֵּית
יוֹאָב זָב וּמְצֹרָע וּמַחֲזִיק בַּפֶּלֶךְ וְנֹפֵל בַּחֶרֶב וַחֲסַר־לָחֶם: וְיוֹאָב

ל וַאֲבִישַׁי אָחִיו הָרְגוּ לְאַבְנֵר עַל אֲשֶׁר הֵמִית אֶת־עֲשָׂהאֵל אֲחִיהֶם

צַו הַמֶּלֶךְ
לְהִתְאַבֵּל:　לא בְּגִבְעוֹן בַּמִּלְחָמָה: וַיֹּאמֶר דָּוִד
אֶל־יוֹאָב וְאֶל־כָּל־הָעָם אֲשֶׁר־אִתּוֹ קִרְעוּ בִגְדֵיכֶם וְחִגְרוּ שַׂקִּים

לב וְסִפְדוּ לִפְנֵי אַבְנֵר וְהַמֶּלֶךְ דָּוִד הֹלֵךְ אַחֲרֵי הַמִּטָּה: וַיִּקְבְּרוּ
אֶת־אַבְנֵר בְּחֶבְרֹן וַיִּשָּׂא הַמֶּלֶךְ אֶת־קוֹלוֹ וַיֵּבְךְּ אֶל־קֶבֶר אַבְנֵר

קִינַת דָּוִד
עַל אַבְנֵר:　לג וַיִּבְכּוּ כָּל־הָעָם: וַיְקֹנֵן הַמֶּלֶךְ אֶל־אַבְנֵר וַיֹּאמַר הַכְּמוֹת

לד נָבָל יָמוּת אַבְנֵר: יָדֶךָ לֹא־אֲסֻרוֹת וְרַגְלֶיךָ לֹא־לִנְחֻשְׁתַּיִם הֻגָּשׁוּ

לה כִּנְפוֹל לִפְנֵי בְנֵי־עַוְלָה נָפָלְתָּ וַיֹּסִפוּ כָל־הָעָם לִבְכּוֹת עָלָיו: וַיָּבֹא
כָל־הָעָם לְהַבְרוֹת אֶת־דָּוִד לֶחֶם בְּעוֹד הַיּוֹם וַיִּשָּׁבַע דָּוִד לֵאמֹר
כֹּה יַעֲשֶׂה־לִּי אֱלֹהִים וְכֹה יֹסִיף כִּי אִם־לִפְנֵי בוֹא־הַשֶּׁמֶשׁ

לו אֶטְעַם־לֶחֶם אוֹ כָל־מְאוּמָה: וְכָל־הָעָם הִכִּירוּ וַיִּיטַב בְּעֵינֵיהֶם
לז כְּכֹל אֲשֶׁר עָשָׂה הַמֶּלֶךְ בְּעֵינֵי כָל־הָעָם טוֹב: וַיֵּדְעוּ כָל־הָעָם
וְכָל־יִשְׂרָאֵל בַּיּוֹם הַהוּא כִּי לֹא הָיְתָה מֵהַמֶּלֶךְ לְהָמִית אֶת־
לח אַבְנֵר בֶּן־נֵר: וַיֹּאמֶר הַמֶּלֶךְ אֶל־עֲבָדָיו הֲלוֹא תֵדְעוּ
לט כִּי־שַׂר וְגָדוֹל נָפַל הַיּוֹם הַזֶּה בְּיִשְׂרָאֵל: וְאָנֹכִי הַיּוֹם רַךְ וּמָשׁוּחַ
מֶלֶךְ וְהָאֲנָשִׁים הָאֵלֶּה בְּנֵי צְרוּיָה קָשִׁים מִמֶּנִּי יְשַׁלֵּם יְהוָה לְעֹשֵׂה
הָרָעָה כְּרָעָתוֹ:

ד א וַיִּשְׁמַע בֶּן־שָׁאוּל כִּי מֵת אַבְנֵר בְּחֶבְרוֹן וַיִּרְפּוּ יָדָיו וְכָל־יִשְׂרָאֵל
ב נִבְהָלוּ: וּשְׁנֵי אֲנָשִׁים שָׂרֵי־גְדוּדִים הָיוּ בֶן־שָׁאוּל שֵׁם הָאֶחָד
בַּעֲנָה וְשֵׁם הַשֵּׁנִי רֵכָב בְּנֵי רִמּוֹן הַבְּאֵרֹתִי מִבְּנֵי בִנְיָמִן
ג כִּי גַּם־בְּאֵרוֹת תֵּחָשֵׁב עַל־בִּנְיָמִן: וַיִּבְרְחוּ הַבְּאֵרֹתִים גִּתָּיְמָה
הֲרִיגַת אִישׁ בֹּשֶׁת:
ד וַיִּהְיוּ־שָׁם גָּרִים עַד הַיּוֹם הַזֶּה: וְלִיהוֹנָתָן בֶּן־שָׁאוּל
בֵּן נְכֵה רַגְלָיִם בֶּן־חָמֵשׁ שָׁנִים הָיָה בְּבֹא שְׁמֻעַת שָׁאוּל וִיהוֹנָתָן
מִיִּזְרְעֶאל וַתִּשָּׂאֵהוּ אֹמַנְתּוֹ וַתָּנֹס וַיְהִי בְּחָפְזָהּ לָנוּס וַיִּפֹּל
ה וַיִּפָּסֵחַ וּשְׁמוֹ מְפִיבֹשֶׁת: וַיֵּלְכוּ בְּנֵי־רִמּוֹן הַבְּאֵרֹתִי רֵכָב וּבַעֲנָה
וַיָּבֹאוּ כְּחֹם הַיּוֹם אֶל־בֵּית אִישׁ בֹּשֶׁת וְהוּא שֹׁכֵב אֵת מִשְׁכַּב
ו הַצָּהֳרָיִם: וְהֵנָּה בָּאוּ עַד־תּוֹךְ הַבַּיִת לֹקְחֵי חִטִּים וַיַּכֻּהוּ אֶל־
ז הַחֹמֶשׁ וְרֵכָב וּבַעֲנָה אָחִיו נִמְלָטוּ: וַיָּבֹאוּ הַבַּיִת וְהוּא־שֹׁכֵב
עַל־מִטָּתוֹ בַּחֲדַר מִשְׁכָּבוֹ וַיַּכֻּהוּ וַיְמִתֻהוּ וַיָּסִירוּ אֶת־רֹאשׁוֹ
ח וַיִּקְחוּ אֶת־רֹאשׁוֹ וַיֵּלְכוּ דֶּרֶךְ הָעֲרָבָה כָּל־הַלָּיְלָה: וַיָּבִאוּ אֶת־
רֹאשׁ אִישׁ־בֹּשֶׁת אֶל־דָּוִד חֶבְרוֹן וַיֹּאמְרוּ אֶל־הַמֶּלֶךְ הִנֵּה־רֹאשׁ
אִישׁ־בֹּשֶׁת בֶּן־שָׁאוּל אֹיִבְךָ אֲשֶׁר בִּקֵּשׁ אֶת־נַפְשֶׁךָ וַיִּתֵּן יְהוָה
הָעֳנָשַׁת הָרוֹצְחִים:
ט לַאדֹנִי הַמֶּלֶךְ נְקָמוֹת הַיּוֹם הַזֶּה מִשָּׁאוּל וּמִזַּרְעוֹ: וַיַּעַן דָּוִד
אֶת־רֵכָב ׀ וְאֶת־בַּעֲנָה אָחִיו בְּנֵי רִמּוֹן הַבְּאֵרֹתִי וַיֹּאמֶר לָהֶם
י חַי־יְהוָה אֲשֶׁר־פָּדָה אֶת־נַפְשִׁי מִכָּל־צָרָה: כִּי הַמַּגִּיד לִי לֵאמֹר

הִנֵּה־מֵת שָׁאוּל וְהוּא־הָיָה כִמְבַשֵּׂר בְּעֵינָיו וָאֹחֲזָה בוֹ וָאֶהְרְגֵהוּ
יא בְּצִקְלָג אֲשֶׁר לְתִתִּי־לוֹ בְּשֹׂרָה: אַף כִּי־אֲנָשִׁים רְשָׁעִים הָרְגוּ
אֶת־אִישׁ־צַדִּיק בְּבֵיתוֹ עַל־מִשְׁכָּבוֹ וְעַתָּה הֲלוֹא אֲבַקֵּשׁ אֶת־דָּמוֹ
יב מִיֶּדְכֶם וּבִעַרְתִּי אֶתְכֶם מִן־הָאָרֶץ: וַיְצַו דָּוִד אֶת־הַנְּעָרִים
וַיַּהַרְגוּם וַיְקַצְּצוּ אֶת־יְדֵיהֶם וְאֶת־רַגְלֵיהֶם וַיִּתְלוּ עַל־הַבְּרֵכָה
בְּחֶבְרוֹן וְאֵת רֹאשׁ אִישׁ־בֹּשֶׁת לָקָחוּ וַיִּקְבְּרוּ בְקֶבֶר־אַבְנֵר
בְּחֶבְרוֹן:

ה א וַיָּבֹאוּ כָּל־שִׁבְטֵי יִשְׂרָאֵל אֶל־דָּוִד חֶבְרוֹנָה וַיֹּאמְרוּ לֵאמֹר הִנְנוּ בְּסוּס מַלְכוּת דָּוִד:
ב עַצְמְךָ וּבְשָׂרְךָ אֲנָחְנוּ: גַּם־אֶתְמוֹל גַּם־שִׁלְשׁוֹם בִּהְיוֹת שָׁאוּל
מֶלֶךְ עָלֵינוּ אַתָּה הָיִיתָה מוציא הַמּוֹצִיא וְהַמֵּבִי אֶת־יִשְׂרָאֵל
וַיֹּאמֶר יְהוָה לְךָ אַתָּה תִרְעֶה אֶת־עַמִּי אֶת־יִשְׂרָאֵל וְאַתָּה תִּהְיֶה
ג לְנָגִיד עַל־יִשְׂרָאֵל: וַיָּבֹאוּ כָּל־זִקְנֵי יִשְׂרָאֵל אֶל־הַמֶּלֶךְ חֶבְרוֹנָה
וַיִּכְרֹת לָהֶם הַמֶּלֶךְ דָּוִד בְּרִית בְּחֶבְרוֹן לִפְנֵי יְהוָה וַיִּמְשְׁחוּ
ד אֶת־דָּוִד לְמֶלֶךְ עַל־יִשְׂרָאֵל: בֶּן־שְׁלֹשִׁים שָׁנָה דָּוִד כִּבּוּשׁ מְצוּדַת צִיּוֹן:
ה בְּמָלְכוֹ אַרְבָּעִים שָׁנָה מָלָךְ: בְּחֶבְרוֹן מָלַךְ עַל־יְהוּדָה שֶׁבַע
שָׁנִים וְשִׁשָּׁה חֳדָשִׁים וּבִירוּשָׁלַ͏ִם מָלַךְ שְׁלֹשִׁים וְשָׁלֹשׁ שָׁנָה עַל
ו כָּל־יִשְׂרָאֵל וִיהוּדָה: וַיֵּלֶךְ הַמֶּלֶךְ וַאֲנָשָׁיו יְרוּשָׁלַ͏ִם אֶל־הַיְבֻסִי [2891]
יוֹשֵׁב הָאָרֶץ וַיֹּאמֶר לְדָוִד לֵאמֹר לֹא־תָבוֹא הֵנָּה כִּי אִם־הֱסִירְךָ
ז הַעִוְרִים וְהַפִּסְחִים לֵאמֹר לֹא־יָבוֹא דָוִד הֵנָּה: וַיִּלְכֹּד דָּוִד אֵת
ח מְצֻדַת צִיּוֹן הִיא עִיר דָּוִד: וַיֹּאמֶר דָּוִד בַּיּוֹם הַהוּא כָּל־מַכֵּה
יְבֻסִי וְיִגַּע בַּצִּנּוֹר וְאֶת־הַפִּסְחִים וְאֶת־הַעִוְרִים שנאו שְׂנֻאֵי נֶפֶשׁ
ט דָּוִד עַל־כֵּן יֹאמְרוּ עִוֵּר וּפִסֵּחַ לֹא יָבוֹא אֶל־הַבָּיִת: וַיֵּשֶׁב דָּוִד
בַּמְּצֻדָה וַיִּקְרָא־לָהּ עִיר דָּוִד וַיִּבֶן דָּוִד סָבִיב מִן־הַמִּלּוֹא
י וָבָיְתָה: וַיֵּלֶךְ דָּוִד הָלוֹךְ וְגָדוֹל וַיהוָה אֱלֹהֵי צְבָאוֹת עִמּוֹ:
יא וַיִּשְׁלַח חִירָם מֶלֶךְ־צֹר מַלְאָכִים אֶל־דָּוִד וַעֲצֵי אֲרָזִים וְחָרָשֵׁי בִּנְיַן בֵּית דָּוִד:

יב עֵץ וְחָרָשֵׁי אֶבֶן קִיר וַיִּבְנוּ־בַיִת לְדָוִד׃ וַיֵּדַע דָּוִד כִּי־הֱכִינוֹ
יְהוָה לְמֶלֶךְ עַל־יִשְׂרָאֵל וְכִי נִשֵּׂא מַמְלַכְתּוֹ בַּעֲבוּר עַמּוֹ

הַנּוֹלָדִים לְדָוִד בִּירוּשָׁלָ͏ִם׃

יג יִשְׂרָאֵל׃ וַיִּקַּח דָּוִד עוֹד פִּלַגְשִׁים וְנָשִׁים מִירוּשָׁלַ͏ִם
יד אַחֲרֵי בֹּאוֹ מֵחֶבְרוֹן וַיִּוָּלְדוּ עוֹד לְדָוִד בָּנִים וּבָנוֹת׃ וְאֵלֶּה שְׁמוֹת
טו הַיִּלֹּדִים לוֹ בִּירוּשָׁלָ͏ִם שַׁמּוּעַ וְשׁוֹבָב וְנָתָן וּשְׁלֹמֹה׃ וְיִבְחָר
טז וֶאֱלִישׁוּעַ וְנֶפֶג וְיָפִיעַ׃ וֶאֱלִישָׁמָע וְאֶלְיָדָע וֶאֱלִיפָלֶט׃

הַכָּאַת פְּלִשְׁתִּים בִּדְבַר ה׳׃

יז וַיִּשְׁמְעוּ פְלִשְׁתִּים כִּי־מָשְׁחוּ אֶת־דָּוִד לְמֶלֶךְ עַל־יִשְׂרָאֵל וַיַּעֲלוּ
כָל־פְּלִשְׁתִּים לְבַקֵּשׁ אֶת־דָּוִד וַיִּשְׁמַע דָּוִד וַיֵּרֶד אֶל־הַמְּצוּדָה׃
יח יט וּפְלִשְׁתִּים בָּאוּ וַיִּנָּטְשׁוּ בְּעֵמֶק רְפָאִים׃ וַיִּשְׁאַל דָּוִד בַּיהוָה
לֵאמֹר הַאֶעֱלֶה אֶל־פְּלִשְׁתִּים הֲתִתְּנֵם בְּיָדִי
וַיֹּאמֶר יְהוָה אֶל־דָּוִד עֲלֵה כִּי־נָתֹן אֶתֵּן אֶת־הַפְּלִשְׁתִּים בְּיָדֶךָ׃
כ וַיָּבֹא דָוִד בְּבַעַל־פְּרָצִים וַיַּכֵּם שָׁם דָּוִד וַיֹּאמֶר פָּרַץ יְהוָה
אֶת־אֹיְבַי לְפָנַי כְּפֶרֶץ מָיִם עַל־כֵּן קָרָא שֵׁם־הַמָּקוֹם הַהוּא בַּעַל
כא פְּרָצִים׃ וַיַּעַזְבוּ־שָׁם אֶת־עֲצַבֵּיהֶם וַיִּשָּׂאֵם דָּוִד וַאֲנָשָׁיו׃
כב כג וַיֹּסִפוּ עוֹד פְּלִשְׁתִּים לַעֲלוֹת וַיִּנָּטְשׁוּ בְּעֵמֶק רְפָאִים׃ וַיִּשְׁאַל
דָּוִד בַּיהוָה וַיֹּאמֶר לֹא תַעֲלֶה הָסֵב אֶל־אַחֲרֵיהֶם וּבָאתָ לָהֶם
כד מִמּוּל בְּכָאִים׃ וִיהִי בשמעך כְּשָׁמְעֲךָ אֶת־קוֹל צְעָדָה בְּרָאשֵׁי
הַבְּכָאִים אָז תֶּחֱרָץ כִּי אָז יָצָא יְהוָה לְפָנֶיךָ לְהַכּוֹת בְּמַחֲנֵה
כה פְלִשְׁתִּים׃ וַיַּעַשׂ דָּוִד כֵּן כַּאֲשֶׁר צִוָּהוּ יְהוָה וַיַּךְ אֶת־פְּלִשְׁתִּים
מִגֶּבַע עַד־בֹּאֲךָ גָזֶר׃

הַעֲלָאַת הָאָרוֹן מִבֵּית אֲבִינָדָב׃

ו א ב וַיֹּסֶף עוֹד דָּוִד אֶת־כָּל־בָּחוּר בְּיִשְׂרָאֵל שְׁלֹשִׁים אָלֶף׃ וַיָּקָם ׀
וַיֵּלֶךְ דָּוִד וְכָל־הָעָם אֲשֶׁר אִתּוֹ מִבַּעֲלֵי יְהוּדָה לְהַעֲלוֹת מִשָּׁם
אֵת אֲרוֹן הָאֱלֹהִים אֲשֶׁר־נִקְרָא שֵׁם שֵׁם יְהוָה צְבָאוֹת יֹשֵׁב
ג הַכְּרֻבִים עָלָיו׃ וַיַּרְכִּבוּ אֶת־אֲרוֹן הָאֱלֹהִים אֶל־עֲגָלָה חֲדָשָׁה
וַיִּשָּׂאֻהוּ מִבֵּית אֲבִינָדָב אֲשֶׁר בַּגִּבְעָה וְעֻזָּא וְאַחְיוֹ בְּנֵי אֲבִינָדָב

ד נֹהֲגִים אֶת־הָעֲגָלָה חֲדָשָׁה: וַיִּשָּׂאֻהוּ מִבֵּית אֲבִינָדָב אֲשֶׁר
ה בַּגִּבְעָה עִם אֲרוֹן הָאֱלֹהִים וְאַחְיוֹ הֹלֵךְ לִפְנֵי הָאָרוֹן: וְדָוִד ׀
וְכָל־בֵּית יִשְׂרָאֵל מְשַׂחֲקִים לִפְנֵי יְהוָה בְּכֹל עֲצֵי בְרוֹשִׁים
ו וּבְכִנֹּרוֹת וּבִנְבָלִים וּבְתֻפִּים וּבִמְנַעַנְעִים וּבְצֶלְצֶלִים: וַיָּבֹאוּ
עַד־גֹּרֶן נָכוֹן וַיִּשְׁלַח עֻזָּה אֶל־אֲרוֹן הָאֱלֹהִים וַיֹּאחֶז בּוֹ כִּי שָׁמְטוּ
ז הַבָּקָר: וַיִּחַר־אַף יְהוָה בְּעֻזָּה וַיַּכֵּהוּ שָׁם הָאֱלֹהִים עַל־הַשַּׁל וַיָּמָת
ח שָׁם עִם אֲרוֹן הָאֱלֹהִים: וַיִּחַר לְדָוִד עַל אֲשֶׁר פָּרַץ יְהוָה פֶּרֶץ
ט בְּעֻזָּה וַיִּקְרָא לַמָּקוֹם הַהוּא פֶּרֶץ עֻזָּה עַד הַיּוֹם הַזֶּה: וַיִּרָא דָוִד
י אֶת־יְהוָה בַּיּוֹם הַהוּא וַיֹּאמֶר אֵיךְ יָבוֹא אֵלַי אֲרוֹן יְהוָה: וְלֹא־אָבָה
דָוִד לְהָסִיר אֵלָיו אֶת־אֲרוֹן יְהוָה עַל־עִיר דָּוִד וַיַּטֵּהוּ דָוִד בֵּית
יא עֹבֵד־אֱדֹם הַגִּתִּי: וַיֵּשֶׁב אֲרוֹן יְהוָה בֵּית עֹבֵד אֱדֹם הַגִּתִּי שְׁלֹשָׁה
יב חֳדָשִׁים וַיְבָרֶךְ יְהוָה אֶת־עֹבֵד אֱדֹם וְאֶת־כָּל־בֵּיתוֹ: וַיֻּגַּד לַמֶּלֶךְ
דָּוִד לֵאמֹר בֵּרַךְ יְהוָה אֶת־בֵּית עֹבֵד אֱדֹם וְאֶת־כָּל־אֲשֶׁר־לוֹ
בַּעֲבוּר אֲרוֹן הָאֱלֹהִים וַיֵּלֶךְ דָּוִד וַיַּעַל אֶת־אֲרוֹן הָאֱלֹהִים מִבֵּית
יג עֹבֵד אֱדֹם עִיר דָּוִד בְּשִׂמְחָה: וַיְהִי כִּי צָעֲדוּ נֹשְׂאֵי אֲרוֹן־יְהוָה
יד שִׁשָּׁה צְעָדִים וַיִּזְבַּח שׁוֹר וּמְרִיא: וְדָוִד מְכַרְכֵּר בְּכָל־עֹז לִפְנֵי
טו יְהוָה וְדָוִד חָגוּר אֵפוֹד בָּד: וְדָוִד וְכָל־בֵּית יִשְׂרָאֵל מַעֲלִים
טז אֶת־אֲרוֹן יְהוָה בִּתְרוּעָה וּבְקוֹל שׁוֹפָר: וְהָיָה אֲרוֹן יְהוָה בָּא עִיר
דָּוִד וּמִיכַל בַּת־שָׁאוּל נִשְׁקְפָה ׀ בְּעַד הַחַלּוֹן וַתֵּרֶא אֶת־הַמֶּלֶךְ
יז דָּוִד מְפַזֵּז וּמְכַרְכֵּר לִפְנֵי יְהוָה וַתִּבֶז לוֹ בְּלִבָּהּ: וַיָּבִאוּ אֶת־אֲרוֹן
יְהוָה וַיַּצִּגוּ אֹתוֹ בִּמְקוֹמוֹ בְּתוֹךְ הָאֹהֶל אֲשֶׁר נָטָה־לוֹ דָּוִד וַיַּעַל
יח דָּוִד עֹלוֹת לִפְנֵי יְהוָה וּשְׁלָמִים: וַיְכַל דָּוִד מֵהַעֲלוֹת הָעוֹלָה
יט וְהַשְּׁלָמִים וַיְבָרֶךְ אֶת־הָעָם בְּשֵׁם יְהוָה צְבָאוֹת: וַיְחַלֵּק לְכָל־הָעָם
לְכָל־הֲמוֹן יִשְׂרָאֵל לְמֵאִישׁ וְעַד־אִשָּׁה לְאִישׁ חַלַּת לֶחֶם אַחַת
כ וְאֶשְׁפָּר אֶחָד וַאֲשִׁישָׁה אֶחָת וַיֵּלֶךְ כָּל־הָעָם אִישׁ לְבֵיתוֹ: וַיָּשָׁב

עֹנֶשׁ עֻזָּה בְּאָחֲזוֹ בָּאָרוֹן:

הַשִּׂמְחָה בְּהַעֲלָאַת הָאָרוֹן לִירוּשָׁלַיִם:

תוכחת
מיכל
לדוד.
ותשובתו.

דָּוִד לְבָרֵךְ אֶת־בֵּיתוֹ וַתֵּצֵא מִיכַל בַּת־שָׁאוּל לִקְרַאת
דָּוִד וַתֹּאמֶר מַה־נִּכְבַּד הַיּוֹם מֶלֶךְ יִשְׂרָאֵל אֲשֶׁר נִגְלָה הַיּוֹם
כא לְעֵינֵי אַמְהוֹת עֲבָדָיו כְּהִגָּלוֹת נִגְלוֹת אַחַד הָרֵקִים: וַיֹּאמֶר דָּוִד
אֶל־מִיכַל לִפְנֵי יְהוָה אֲשֶׁר בָּחַר־בִּי מֵאָבִיךְ וּמִכָּל־בֵּיתוֹ
לְצַוֹּת אֹתִי נָגִיד עַל־עַם יְהוָה עַל־יִשְׂרָאֵל וְשִׂחַקְתִּי לִפְנֵי יְהוָה:
כב וּנְקַלֹּתִי עוֹד מִזֹּאת וְהָיִיתִי שָׁפָל בְּעֵינָי וְעִם־הָאֲמָהוֹת אֲשֶׁר
כג אָמַרְתְּ עִמָּם אִכָּבֵדָה: וּלְמִיכַל בַּת־שָׁאוּל לֹא־הָיָה לָהּ יָלֶד
עַד יוֹם מוֹתָהּ:

רצון דָּוִד
לבנות בַּית
לה'.

א ז וַיְהִי כִּי־יָשַׁב הַמֶּלֶךְ בְּבֵיתוֹ וַיהוָה הֵנִיחַ־לוֹ מִסָּבִיב מִכָּל־אֹיְבָיו:
ב וַיֹּאמֶר הַמֶּלֶךְ אֶל־נָתָן הַנָּבִיא רְאֵה נָא אָנֹכִי יוֹשֵׁב בְּבֵית אֲרָזִים
ג וַאֲרוֹן הָאֱלֹהִים יֹשֵׁב בְּתוֹךְ הַיְרִיעָה: וַיֹּאמֶר נָתָן אֶל־הַמֶּלֶךְ
ד כֹּל אֲשֶׁר בִּלְבָבְךָ לֵךְ עֲשֵׂה כִּי יְהוָה עִמָּךְ: וַיְהִי בַּלַּיְלָה

תשובת ה'
בְּיַד נָתָן
הַנָּבִיא.

ה הַהוּא וַיְהִי דְּבַר־יְהוָה אֶל־נָתָן לֵאמֹר: לֵךְ וְאָמַרְתָּ
אֶל־עַבְדִּי אֶל־דָּוִד כֹּה אָמַר יְהוָה הַאַתָּה תִּבְנֶה־לִּי
ו בַיִת לְשִׁבְתִּי: כִּי לֹא יָשַׁבְתִּי בְּבַיִת לְמִיּוֹם הַעֲלֹתִי אֶת־בְּנֵי
יִשְׂרָאֵל מִמִּצְרַיִם וְעַד הַיּוֹם הַזֶּה וָאֶהְיֶה מִתְהַלֵּךְ בְּאֹהֶל
ז וּבְמִשְׁכָּן: בְּכֹל אֲשֶׁר־הִתְהַלַּכְתִּי בְּכָל־בְּנֵי יִשְׂרָאֵל הֲדָבָר דִּבַּרְתִּי
אֶת־אַחַד שִׁבְטֵי יִשְׂרָאֵל אֲשֶׁר צִוִּיתִי לִרְעוֹת אֶת־עַמִּי אֶת־
ח יִשְׂרָאֵל לֵאמֹר לָמָּה לֹא־בְנִיתֶם לִי בֵּית אֲרָזִים: וְעַתָּה כֹּה־תֹאמַר
לְעַבְדִּי לְדָוִד כֹּה אָמַר יְהוָה צְבָאוֹת אֲנִי לְקַחְתִּיךָ מִן־הַנָּוֶה
ט מֵאַחַר הַצֹּאן לִהְיוֹת נָגִיד עַל־עַמִּי עַל־יִשְׂרָאֵל: וָאֶהְיֶה עִמְּךָ
בְּכֹל אֲשֶׁר הָלַכְתָּ וָאַכְרִתָה אֶת־כָּל־אֹיְבֶיךָ מִפָּנֶיךָ וְעָשִׂתִי לְךָ
י שֵׁם גָּדוֹל כְּשֵׁם הַגְּדֹלִים אֲשֶׁר בָּאָרֶץ: וְשַׂמְתִּי מָקוֹם לְעַמִּי
לְיִשְׂרָאֵל וּנְטַעְתִּיו וְשָׁכַן תַּחְתָּיו וְלֹא יִרְגַּז עוֹד וְלֹא־יֹסִיפוּ
יא בְנֵי־עַוְלָה לְעַנּוֹתוֹ כַּאֲשֶׁר בָּרִאשׁוֹנָה: וּלְמִן־הַיּוֹם אֲשֶׁר צִוִּיתִי

שֹׁפְטִים עַל־עַמִּי יִשְׂרָאֵל וַהֲנִיחֹתִי לְךָ מִכָּל־אֹיְבֶיךָ וְהִגִּיד לְךָ
יב יְהוָה כִּי־בַיִת יַעֲשֶׂה־לְּךָ יְהוָה׃ כִּי ׀ יִמְלְאוּ יָמֶיךָ וְשָׁכַבְתָּ
אֶת־אֲבֹתֶיךָ וַהֲקִימֹתִי אֶת־זַרְעֲךָ אַחֲרֶיךָ אֲשֶׁר יֵצֵא מִמֵּעֶיךָ
יג וַהֲכִינֹתִי אֶת־מַמְלַכְתּוֹ׃ הוּא יִבְנֶה־בַּיִת לִשְׁמִי וְכֹנַנְתִּי אֶת־כִּסֵּא
יד מַמְלַכְתּוֹ עַד־עוֹלָם׃ אֲנִי אֶהְיֶה־לּוֹ לְאָב וְהוּא יִהְיֶה־לִּי לְבֵן
אֲשֶׁר בְּהַעֲוֺתוֹ וְהֹכַחְתִּיו בְּשֵׁבֶט אֲנָשִׁים וּבְנִגְעֵי בְּנֵי אָדָם׃
טו וְחַסְדִּי לֹא־יָסוּר מִמֶּנּוּ כַּאֲשֶׁר הֲסִרֹתִי מֵעִם שָׁאוּל אֲשֶׁר הֲסִרֹתִי
טז מִלְּפָנֶיךָ׃ וְנֶאְמַן בֵּיתְךָ וּמַמְלַכְתְּךָ עַד־עוֹלָם לְפָנֶיךָ כִּסְאֲךָ
יז יִהְיֶה נָכוֹן עַד־עוֹלָם׃ כְּכֹל הַדְּבָרִים הָאֵלֶּה וּכְכֹל הַחִזָּיוֹן הַזֶּה
כֵּן דִּבֶּר נָתָן אֶל־דָּוִד׃
יח וַיָּבֹא הַמֶּלֶךְ דָּוִד וַיֵּשֶׁב לִפְנֵי יְהוָה וַיֹּאמֶר מִי אָנֹכִי אֲדֹנָי יְהוִה הוֹדָאַת דָּוִד
יט וּמִי בֵיתִי כִּי הֲבִיאֹתַנִי עַד־הֲלֹם׃ וַתִּקְטַן עוֹד זֹאת בְּעֵינֶיךָ אֲדֹנָי וּתְפִלָּתוֹ:
יְהוִה וַתְּדַבֵּר גַּם אֶל־בֵּית־עַבְדְּךָ לְמֵרָחוֹק וְזֹאת תּוֹרַת הָאָדָם
כ אֲדֹנָי יְהוִה׃ וּמַה־יּוֹסִיף דָּוִד עוֹד לְדַבֵּר אֵלֶיךָ וְאַתָּה יָדַעְתָּ
כא אֶת־עַבְדְּךָ אֲדֹנָי יְהוִה׃ בַּעֲבוּר דְּבָרְךָ וּכְלִבְּךָ עָשִׂיתָ אֵת
כב כָּל־הַגְּדוּלָּה הַזֹּאת לְהוֹדִיעַ אֶת־עַבְדֶּךָ׃ עַל־כֵּן גָּדַלְתָּ יְהוָה
אֱלֹהִים כִּי־אֵין כָּמוֹךָ וְאֵין אֱלֹהִים זוּלָתֶךָ בְּכֹל אֲשֶׁר־שָׁמַעְנוּ
כג בְּאָזְנֵינוּ׃ וּמִי כְעַמְּךָ כְּיִשְׂרָאֵל גּוֹי אֶחָד בָּאָרֶץ אֲשֶׁר הָלְכוּ־
אֱלֹהִים לִפְדּוֹת־לוֹ לְעָם וְלָשׂוּם לוֹ שֵׁם וְלַעֲשׂוֹת לָכֶם הַגְּדוּלָּה
וְנֹרָאוֹת לְאַרְצֶךָ מִפְּנֵי עַמְּךָ אֲשֶׁר פָּדִיתָ לְּךָ מִמִּצְרַיִם גּוֹיִם
כד וֵאלֹהָיו׃ וַתְּכוֹנֵן לְךָ אֶת־עַמְּךָ יִשְׂרָאֵל ׀ לְךָ לְעָם עַד־עוֹלָם
כה וְאַתָּה יְהוָה הָיִיתָ לָהֶם לֵאלֹהִים׃ וְעַתָּה
יְהוָה אֱלֹהִים הַדָּבָר אֲשֶׁר דִּבַּרְתָּ עַל־עַבְדְּךָ וְעַל־בֵּיתוֹ הָקֵם
כו עַד־עוֹלָם וַעֲשֵׂה כַּאֲשֶׁר דִּבַּרְתָּ׃ וְיִגְדַּל שִׁמְךָ עַד־עוֹלָם לֵאמֹר
יְהוָה צְבָאוֹת אֱלֹהִים עַל־יִשְׂרָאֵל וּבֵית עַבְדְּךָ דָוִד יִהְיֶה נָכוֹן

כז לְפָנֶיךָ: כִּי־אַתָּה יְהוָה צְבָאוֹת אֱלֹהֵי יִשְׂרָאֵל גָּלִיתָה אֶת־אֹזֶן
עַבְדְּךָ לֵאמֹר בַּיִת אֶבְנֶה־לָּךְ עַל־כֵּן מָצָא עַבְדְּךָ אֶת־לִבּוֹ
כח לְהִתְפַּלֵּל אֵלֶיךָ אֶת־הַתְּפִלָּה הַזֹּאת: וְעַתָּה | אֲדֹנָי יְהוִה אַתָּה־
הוּא הָאֱלֹהִים וּדְבָרֶיךָ יִהְיוּ אֱמֶת וַתְּדַבֵּר אֶל־עַבְדְּךָ אֶת־
כט הַטּוֹבָה הַזֹּאת: וְעַתָּה הוֹאֵל וּבָרֵךְ אֶת־בֵּית עַבְדְּךָ לִהְיוֹת
לְעוֹלָם לְפָנֶיךָ כִּי־אַתָּה אֲדֹנָי יְהוִה דִּבַּרְתָּ וּמִבִּרְכָתְךָ יְבֹרַךְ
בֵּית־עַבְדְּךָ לְעוֹלָם:

מִלְחָמָה בִּפְלִשְׁתִּים בְּמוֹאָב, בְּצוֹבָה וּבַאֲרָם:

ח א וַיְהִי אַחֲרֵי־כֵן וַיַּךְ דָּוִד אֶת־פְּלִשְׁתִּים וַיַּכְנִיעֵם וַיִּקַּח דָּוִד
ב אֶת־מֶתֶג הָאַמָּה מִיַּד פְּלִשְׁתִּים: וַיַּךְ אֶת־מוֹאָב וַיְמַדְּדֵם בַּחֶבֶל
הַשְׁכֵּב אוֹתָם אַרְצָה וַיְמַדֵּד שְׁנֵי־חֲבָלִים לְהָמִית וּמְלֹא הַחֶבֶל
ג לְהַחֲיוֹת וַתְּהִי מוֹאָב לְדָוִד לַעֲבָדִים נֹשְׂאֵי מִנְחָה: וַיַּךְ דָּוִד
אֶת־הֲדַדְעֶזֶר בֶּן־רְחֹב מֶלֶךְ צוֹבָה בְּלֶכְתּוֹ לְהָשִׁיב יָדוֹ בִּנְהַר־
ד °פְּרָת: וַיִּלְכֹּד דָּוִד מִמֶּנּוּ אֶלֶף וּשְׁבַע־מֵאוֹת פָּרָשִׁים וְעֶשְׂרִים
°קרי ולא כתיב:
אֶלֶף אִישׁ רַגְלִי וַיְעַקֵּר דָּוִד אֶת־כָּל־הָרֶכֶב וַיּוֹתֵר מִמֶּנּוּ מֵאָה
ה רָכֶב: וַתָּבֹא אֲרַם דַּמֶּשֶׂק לַעְזֹר לַהֲדַדְעֶזֶר מֶלֶךְ צוֹבָה וַיַּךְ דָּוִד
ו בַּאֲרָם עֶשְׂרִים־וּשְׁנַיִם אֶלֶף אִישׁ: וַיָּשֶׂם דָּוִד נְצִבִים בַּאֲרַם
דַּמֶּשֶׂק וַתְּהִי אֲרָם לְדָוִד לַעֲבָדִים נוֹשְׂאֵי מִנְחָה וַיֹּשַׁע יְהוָה
ז אֶת־דָּוִד בְּכֹל אֲשֶׁר הָלָךְ: וַיִּקַּח דָּוִד אֵת שִׁלְטֵי הַזָּהָב אֲשֶׁר הָיוּ
ח אֶל עַבְדֵי הֲדַדְעָזֶר וַיְבִיאֵם יְרוּשָׁלָםִ: וּמִבֶּטַח וּמִבֵּרֹתַי עָרֵי
ט הֲדַדְעָזֶר לָקַח הַמֶּלֶךְ דָּוִד נְחֹשֶׁת הַרְבֵּה מְאֹד: וַיִּשְׁמַע
מַתְּנוֹת תֹּעִי מֶלֶךְ חֲמָת:
י תֹּעִי מֶלֶךְ חֲמָת כִּי הִכָּה דָוִד אֵת כָּל־חֵיל הֲדַדְעָזֶר: וַיִּשְׁלַח תֹּעִי
אֶת־יוֹרָם־בְּנוֹ אֶל־הַמֶּלֶךְ־דָּוִד לִשְׁאָל־לוֹ לְשָׁלוֹם וּלְבָרְכוֹ עַל°
אֲשֶׁר נִלְחַם בַּהֲדַדְעֶזֶר וַיַּכֵּהוּ כִּי־אִישׁ מִלְחֲמוֹת תֹּעִי הָיָה
יא הֲדַדְעָזֶר וּבְיָדוֹ הָיוּ כְּלֵי־כֶסֶף וּכְלֵי־זָהָב וּכְלֵי נְחֹשֶׁת: גַּם־אֹתָם
הִקְדִּישׁ הַמֶּלֶךְ דָּוִד לַיהוָה עִם־הַכֶּסֶף וְהַזָּהָב אֲשֶׁר הִקְדִּישׁ

מִכָּל־הַגּוֹיִם אֲשֶׁר כִּבֵּשׁ: מֵאֲרָם וּמִמּוֹאָב וּמִבְּנֵי עַמּוֹן
וּמִפְּלִשְׁתִּים וּמֵעֲמָלֵק וּמִשְּׁלַל הֲדַדְעֶזֶר בֶּן־רְחֹב מֶלֶךְ צוֹבָה:

יג וַיַּעַשׂ דָּוִד שֵׁם בְּשֻׁבוֹ מֵהַכּוֹתוֹ אֶת־אֲרָם בְּגֵיא־מֶלַח שְׁמוֹנָה
יד עָשָׂר אָלֶף: וַיָּשֶׂם בֶּאֱדוֹם נְצִבִים בְּכָל־אֱדוֹם שָׂם נְצִבִים וַיְהִי
כָל־אֱדוֹם עֲבָדִים לְדָוִד וַיּוֹשַׁע יְהֹוָה אֶת־דָּוִד בְּכֹל אֲשֶׁר הָלָךְ:

טו וַיִּמְלֹךְ דָּוִד עַל־כָּל־יִשְׂרָאֵל וַיְהִי דָוִד עֹשֶׂה מִשְׁפָּט וּצְדָקָה
שָׂרֵי דָּוִד
טז לְכָל־עַמּוֹ: וְיוֹאָב בֶּן־צְרוּיָה עַל־הַצָּבָא וִיהוֹשָׁפָט בֶּן־אֲחִילוּד
יז מַזְכִּיר: וְצָדוֹק בֶּן־אֲחִיטוּב וַאֲחִימֶלֶךְ בֶּן־אֶבְיָתָר כֹּהֲנִים וּשְׂרָיָה
יח סוֹפֵר: וּבְנָיָהוּ בֶּן־יְהוֹיָדָע וְהַכְּרֵתִי וְהַפְּלֵתִי וּבְנֵי דָוִד כֹּהֲנִים
הָיוּ:

חֶסֶד דָּוִד עִם מְפִיבֹשֶׁת:
ט א וַיֹּאמֶר דָּוִד הֲכִי יֶשׁ־עוֹד אֲשֶׁר נוֹתַר לְבֵית שָׁאוּל
ב וְאֶעֱשֶׂה עִמּוֹ חֶסֶד בַּעֲבוּר יְהוֹנָתָן: וּלְבֵית שָׁאוּל עֶבֶד וּשְׁמוֹ
צִיבָא וַיִּקְרְאוּ־לוֹ אֶל־דָּוִד וַיֹּאמֶר הַמֶּלֶךְ אֵלָיו הַאַתָּה צִיבָא
ג וַיֹּאמֶר עַבְדֶּךָ: וַיֹּאמֶר הַמֶּלֶךְ הַאֶפֶס עוֹד אִישׁ לְבֵית שָׁאוּל
וְאֶעֱשֶׂה עִמּוֹ חֶסֶד אֱלֹהִים וַיֹּאמֶר צִיבָא אֶל־הַמֶּלֶךְ עוֹד בֵּן
ד לִיהוֹנָתָן נְכֵה רַגְלָיִם: וַיֹּאמֶר־לוֹ הַמֶּלֶךְ אֵיפֹה הוּא וַיֹּאמֶר צִיבָא
ה אֶל־הַמֶּלֶךְ הִנֵּה־הוּא בֵּית מָכִיר בֶּן־עַמִּיאֵל בְּלוֹ דְבָר: וַיִּשְׁלַח
ו הַמֶּלֶךְ דָּוִד וַיִּקָּחֵהוּ מִבֵּית מָכִיר בֶּן־עַמִּיאֵל מִלּוֹ דְבָר: וַיָּבֹא
מְפִיבֹשֶׁת בֶּן־יְהוֹנָתָן בֶּן־שָׁאוּל אֶל־דָּוִד וַיִּפֹּל עַל־פָּנָיו וַיִּשְׁתָּחוּ
ז וַיֹּאמֶר דָּוִד מְפִיבֹשֶׁת וַיֹּאמֶר הִנֵּה עַבְדֶּךָ: וַיֹּאמֶר לוֹ דָוִד
אַל־תִּירָא כִּי עָשֹׂה אֶעֱשֶׂה עִמְּךָ חֶסֶד בַּעֲבוּר יְהוֹנָתָן אָבִיךָ
וַהֲשִׁבֹתִי לְךָ אֶת־כָּל־שְׂדֵה שָׁאוּל אָבִיךָ וְאַתָּה תֹּאכַל לֶחֶם
ח עַל־שֻׁלְחָנִי תָּמִיד: וַיִּשְׁתַּחוּ וַיֹּאמֶר מֶה עַבְדֶּךָ כִּי פָנִיתָ אֶל־הַכֶּלֶב
ט הַמֵּת אֲשֶׁר כָּמוֹנִי: וַיִּקְרָא הַמֶּלֶךְ אֶל־צִיבָא נַעַר שָׁאוּל וַיֹּאמֶר
אֵלָיו כֹּל אֲשֶׁר הָיָה לְשָׁאוּל וּלְכָל־בֵּיתוֹ נָתַתִּי לְבֶן־אֲדֹנֶיךָ:
י וְעָבַדְתָּ לּוֹ אֶת־הָאֲדָמָה אַתָּה וּבָנֶיךָ וַעֲבָדֶיךָ וְהֵבֵאתָ וְהָיָה

לְבֶן־אֲדֹנֶיךָ לֶּחֶם וַאֲכָלוֹ וּמְפִיבֹשֶׁת בֶּן־אֲדֹנֶיךָ יֹאכַל תָּמִיד לֶחֶם
יא עַל־שֻׁלְחָנִי וּלְצִיבָא חֲמִשָּׁה עָשָׂר בָּנִים וְעֶשְׂרִים עֲבָדִים: וַיֹּאמֶר
צִיבָא אֶל־הַמֶּלֶךְ כְּכֹל אֲשֶׁר יְצַוֶּה אֲדֹנִי הַמֶּלֶךְ אֶת־עַבְדּוֹ כֵּן
יַעֲשֶׂה עַבְדֶּךָ וּמְפִיבֹשֶׁת אֹכֵל עַל־שֻׁלְחָנִי כְּאַחַד מִבְּנֵי הַמֶּלֶךְ:
יב וְלִמְפִיבֹשֶׁת בֵּן־קָטָן וּשְׁמוֹ מִיכָא וְכֹל מוֹשַׁב בֵּית־צִיבָא עֲבָדִים
יג לִמְפִיבֹשֶׁת: וּמְפִיבֹשֶׁת יֹשֵׁב בִּירוּשָׁלִַם כִּי עַל־שֻׁלְחַן הַמֶּלֶךְ
תָּמִיד הוּא אֹכֵל וְהוּא פִּסֵּחַ שְׁתֵּי רַגְלָיו:

הִתְגָּרוּת חָנוּן:

י א וַיְהִי אַחֲרֵי־כֵן וַיָּמָת מֶלֶךְ בְּנֵי עַמּוֹן וַיִּמְלֹךְ חָנוּן בְּנוֹ תַּחְתָּיו:
[2910]
ב וַיֹּאמֶר דָּוִד אֶעֱשֶׂה־חֶסֶד ׀ עִם־חָנוּן בֶּן־נָחָשׁ כַּאֲשֶׁר עָשָׂה אָבִיו
עִמָּדִי חֶסֶד וַיִּשְׁלַח דָּוִד לְנַחֲמוֹ בְּיַד־עֲבָדָיו אֶל־אָבִיו וַיָּבֹאוּ
ג עַבְדֵי דָוִד אֶרֶץ בְּנֵי עַמּוֹן: וַיֹּאמְרוּ שָׂרֵי בְנֵי־עַמּוֹן אֶל־חָנוּן
אֲדֹנֵיהֶם הַמְכַבֵּד דָּוִד אֶת־אָבִיךָ בְּעֵינֶיךָ כִּי־שָׁלַח לְךָ מְנַחֲמִים
הֲלוֹא בַּעֲבוּר חֲקוֹר אֶת־הָעִיר וּלְרַגְּלָהּ וּלְהָפְכָהּ שָׁלַח דָּוִד
ד אֶת־עֲבָדָיו אֵלֶיךָ: וַיִּקַּח חָנוּן אֶת־עַבְדֵי דָוִד וַיְגַלַּח אֶת־חֲצִי
ה זְקָנָם וַיִּכְרֹת אֶת־מַדְוֵיהֶם בַּחֵצִי עַד־שְׁתוֹתֵיהֶם וַיְשַׁלְּחֵם: וַיַּגִּדוּ
לְדָוִד וַיִּשְׁלַח לִקְרָאתָם כִּי־הָיוּ הָאֲנָשִׁים נִכְלָמִים מְאֹד וַיֹּאמֶר

הַמִּלְחָמָה בְּעַמּוֹן:

ו הַמֶּלֶךְ שְׁבוּ בִירֵחוֹ עַד־יְצַמַּח זְקַנְכֶם וְשַׁבְתֶּם: וַיִּרְאוּ בְּנֵי עַמּוֹן
כִּי נִבְאֲשׁוּ בְּדָוִד וַיִּשְׁלְחוּ בְנֵי־עַמּוֹן וַיִּשְׂכְּרוּ אֶת־אֲרַם בֵּית־
רְחוֹב וְאֶת־אֲרַם צוֹבָא עֶשְׂרִים אֶלֶף רַגְלִי וְאֶת־מֶלֶךְ מַעֲכָה
ז אֶלֶף אִישׁ וְאִישׁ טוֹב שְׁנֵים־עָשָׂר אֶלֶף אִישׁ: וַיִּשְׁמַע דָּוִד וַיִּשְׁלַח
ח אֶת־יוֹאָב וְאֵת כָּל־הַצָּבָא הַגִּבֹּרִים: וַיֵּצְאוּ בְּנֵי עַמּוֹן וַיַּעַרְכוּ
מִלְחָמָה פֶּתַח הַשָּׁעַר וַאֲרַם צוֹבָא וּרְחוֹב וְאִישׁ־טוֹב וּמַעֲכָה
ט לְבַדָּם בַּשָּׂדֶה: וַיַּרְא יוֹאָב כִּי־הָיְתָה אֵלָיו פְּנֵי הַמִּלְחָמָה מִפָּנִים
וּמֵאָחוֹר וַיִּבְחַר מִכֹּל בְּחוּרֵי בישראל יִשְׂרָאֵל וַיַּעֲרֹךְ לִקְרַאת
י אֲרָם: וְאֵת יֶתֶר הָעָם נָתַן בְּיַד אַבְשַׁי אָחִיו וַיַּעֲרֹךְ לִקְרַאת בְּנֵי

יא עַמּוֹן: וַיֹּאמֶר אִם־תֶּחֱזַק אֲרָם מִמֶּנִּי וְהָיְתָה לִּי לִישׁוּעָה וְאִם־בְּנֵי
יב עַמּוֹן יֶחֶזְקוּ מִמְּךָ וְהָלַכְתִּי לְהוֹשִׁיעַ לָךְ: חֲזַק וְנִתְחַזַּק בְּעַד־
יג עַמֵּנוּ וּבְעַד עָרֵי אֱלֹהֵינוּ וַיהוָה יַעֲשֶׂה הַטּוֹב בְּעֵינָיו: וַיִּגַּשׁ יוֹאָב
יד וְהָעָם אֲשֶׁר עִמּוֹ לַמִּלְחָמָה בַּאֲרָם וַיָּנֻסוּ מִפָּנָיו: וּבְנֵי עַמּוֹן רָאוּ
כִּי־נָס אֲרָם וַיָּנֻסוּ מִפְּנֵי אֲבִישַׁי וַיָּבֹאוּ הָעִיר וַיָּשָׁב יוֹאָב מֵעַל
טו בְּנֵי עַמּוֹן וַיָּבֹא יְרוּשָׁלִָם: וַיַּרְא אֲרָם כִּי נִגַּף לִפְנֵי יִשְׂרָאֵל וַיֵּאָסְפוּ
טז יָחַד: וַיִּשְׁלַח הֲדַדְעֶזֶר וַיֹּצֵא אֶת־אֲרָם אֲשֶׁר מֵעֵבֶר הַנָּהָר וַיָּבֹאוּ
יז חֵילָם וְשׁוֹבַךְ שַׂר־צְבָא הֲדַדְעֶזֶר לִפְנֵיהֶם: וַיֻּגַּד לְדָוִד הַמִּלְחָמָה בַּאֲרָם:
וַיֶּאֱסֹף אֶת־כָּל־יִשְׂרָאֵל וַיַּעֲבֹר אֶת־הַיַּרְדֵּן וַיָּבֹא חֵלָאמָה
יח וַיַּעַרְכוּ אֲרָם לִקְרַאת דָּוִד וַיִּלָּחֲמוּ עִמּוֹ: וַיָּנָס אֲרָם מִפְּנֵי יִשְׂרָאֵל
וַיַּהֲרֹג דָּוִד מֵאֲרָם שְׁבַע מֵאוֹת רֶכֶב וְאַרְבָּעִים אֶלֶף פָּרָשִׁים
יט וְאֵת שׁוֹבַךְ שַׂר־צְבָאוֹ הִכָּה וַיָּמָת שָׁם: וַיִּרְאוּ כָל־הַמְּלָכִים עַבְדֵי
הֲדַדְעֶזֶר כִּי נִגְּפוּ לִפְנֵי יִשְׂרָאֵל וַיַּשְׁלִמוּ אֶת־יִשְׂרָאֵל וַיַּעַבְדוּם
וַיִּרְאוּ אֲרָם לְהוֹשִׁיעַ עוֹד אֶת־בְּנֵי עַמּוֹן:

יא א וַיְהִי לִתְשׁוּבַת הַשָּׁנָה לְעֵת | צֵאת הַמְּלָאכִים וַיִּשְׁלַח דָּוִד
אֶת־יוֹאָב וְאֶת־עֲבָדָיו עִמּוֹ וְאֶת־כָּל־יִשְׂרָאֵל וַיַּשְׁחִתוּ אֶת־בְּנֵי
ב עַמּוֹן וַיָּצֻרוּ עַל־רַבָּה וְדָוִד יוֹשֵׁב בִּירוּשָׁלִָם: וַיְהִי | דָּוִד וּבַת שָׁבַע: [2911]
לְעֵת הָעֶרֶב וַיָּקָם דָּוִד מֵעַל מִשְׁכָּבוֹ וַיִּתְהַלֵּךְ עַל־גַּג בֵּית־הַמֶּלֶךְ
ג וַיַּרְא אִשָּׁה רֹחֶצֶת מֵעַל הַגָּג וְהָאִשָּׁה טוֹבַת מַרְאֶה מְאֹד: וַיִּשְׁלַח
דָּוִד וַיִּדְרֹשׁ לָאִשָּׁה וַיֹּאמֶר הֲלוֹא־זֹאת בַּת־שֶׁבַע בַּת־אֱלִיעָם
ד אֵשֶׁת אוּרִיָּה הַחִתִּי: וַיִּשְׁלַח דָּוִד מַלְאָכִים וַיִּקָּחֶהָ וַתָּבוֹא אֵלָיו
וַיִּשְׁכַּב עִמָּהּ וְהִיא מִתְקַדֶּשֶׁת מִטֻּמְאָתָהּ וַתָּשָׁב אֶל־בֵּיתָהּ:
ה ו וַתַּהַר הָאִשָּׁה וַתִּשְׁלַח וַתַּגֵּד לְדָוִד וַתֹּאמֶר הָרָה אָנֹכִי: וַיִּשְׁלַח
דָּוִד אֶל־יוֹאָב שְׁלַח אֵלַי אֶת־אוּרִיָּה הַחִתִּי וַיִּשְׁלַח יוֹאָב
ז אֶת־אוּרִיָּה אֶל־דָּוִד: וַיָּבֹא אוּרִיָּה אֵלָיו וַיִּשְׁאַל דָּוִד לִשְׁלוֹם יוֹאָב

ח וְלִשְׁלוֹם הָעָם וְלִשְׁלוֹם הַמִּלְחָמָה: וַיֹּאמֶר דָּוִד לְאוּרִיָּה רֵד
לְבֵיתְךָ וּרְחַץ רַגְלֶיךָ וַיֵּצֵא אוּרִיָּה מִבֵּית הַמֶּלֶךְ וַתֵּצֵא אַחֲרָיו
ט מַשְׂאַת הַמֶּלֶךְ: וַיִּשְׁכַּב אוּרִיָּה פֶּתַח בֵּית הַמֶּלֶךְ אֵת כָּל־עַבְדֵי
י אֲדֹנָיו וְלֹא יָרַד אֶל־בֵּיתוֹ: וַיַּגִּדוּ לְדָוִד לֵאמֹר לֹא־יָרַד אוּרִיָּה
אֶל־בֵּיתוֹ וַיֹּאמֶר דָּוִד אֶל־אוּרִיָּה הֲלוֹא מִדֶּרֶךְ אַתָּה בָא מַדּוּעַ
יא לֹא־יָרַדְתָּ אֶל־בֵּיתֶךָ: וַיֹּאמֶר אוּרִיָּה אֶל־דָּוִד הָאָרוֹן וְיִשְׂרָאֵל
וִיהוּדָה יֹשְׁבִים בַּסֻּכּוֹת וַאדֹנִי יוֹאָב וְעַבְדֵי אֲדֹנִי עַל־פְּנֵי הַשָּׂדֶה
חֹנִים וַאֲנִי אָבוֹא אֶל־בֵּיתִי לֶאֱכֹל וְלִשְׁתּוֹת וְלִשְׁכַּב עִם־אִשְׁתִּי
יב חַיֶּךָ וְחֵי נַפְשֶׁךָ אִם־אֶעֱשֶׂה אֶת־הַדָּבָר הַזֶּה: וַיֹּאמֶר דָּוִד
אֶל־אוּרִיָּה שֵׁב בָּזֶה גַּם־הַיּוֹם וּמָחָר אֲשַׁלְּחֶךָּ וַיֵּשֶׁב אוּרִיָּה
יג בִּירוּשָׁלַםִ בַּיּוֹם הַהוּא וּמִמָּחֳרָת: וַיִּקְרָא־לוֹ דָוִד וַיֹּאכַל לְפָנָיו
וַיֵּשְׁתְּ וַיְשַׁכְּרֵהוּ וַיֵּצֵא בָעֶרֶב לִשְׁכַּב בְּמִשְׁכָּבוֹ עִם־עַבְדֵי אֲדֹנָיו
יד וְאֶל־בֵּיתוֹ לֹא יָרָד: וַיְהִי בַבֹּקֶר וַיִּכְתֹּב דָּוִד סֵפֶר אֶל־יוֹאָב וַיִּשְׁלַח
טו בְּיַד אוּרִיָּה: וַיִּכְתֹּב בַּסֵּפֶר לֵאמֹר הָבוּ אֶת־אוּרִיָּה אֶל־מוּל פְּנֵי
טז הַמִּלְחָמָה הַחֲזָקָה וְשַׁבְתֶּם מֵאַחֲרָיו וְנִכָּה וָמֵת: וַיְהִי
מות אוּרִיָּה הַחִתִּי:
בִּשְׁמוֹר יוֹאָב אֶל־הָעִיר וַיִּתֵּן אֶת־אוּרִיָּה אֶל־הַמָּקוֹם אֲשֶׁר יָדַע
יז כִּי אַנְשֵׁי־חַיִל שָׁם: וַיֵּצְאוּ אַנְשֵׁי הָעִיר וַיִּלָּחֲמוּ אֶת־יוֹאָב וַיִּפֹּל
יח מִן־הָעָם מֵעַבְדֵי דָוִד וַיָּמָת גַּם אוּרִיָּה הַחִתִּי: וַיִּשְׁלַח יוֹאָב וַיַּגֵּד
יט לְדָוִד אֶת־כָּל־דִּבְרֵי הַמִּלְחָמָה: וַיְצַו אֶת־הַמַּלְאָךְ לֵאמֹר כְּכַלּוֹתְךָ
כ אֵת כָּל־דִּבְרֵי הַמִּלְחָמָה לְדַבֵּר אֶל־הַמֶּלֶךְ: וְהָיָה אִם־תַּעֲלֶה
חֲמַת הַמֶּלֶךְ וְאָמַר לְךָ מַדּוּעַ נִגַּשְׁתֶּם אֶל־הָעִיר לְהִלָּחֵם הֲלוֹא
כא יְדַעְתֶּם אֵת אֲשֶׁר־יֹרוּ מֵעַל הַחוֹמָה: מִי־הִכָּה אֶת־אֲבִימֶלֶךְ
בֶּן־יְרֻבֶּשֶׁת הֲלוֹא־אִשָּׁה הִשְׁלִיכָה עָלָיו פֶּלַח רֶכֶב מֵעַל הַחוֹמָה
וַיָּמָת בְּתֵבֵץ לָמָּה נִגַּשְׁתֶּם אֶל־הַחוֹמָה וְאָמַרְתָּ גַּם עַבְדְּךָ אוּרִיָּה
כב הַחִתִּי מֵת: וַיֵּלֶךְ הַמַּלְאָךְ וַיָּבֹא וַיַּגֵּד לְדָוִד אֵת כָּל־אֲשֶׁר שְׁלָחוֹ

כג יוֹאָֽב׃ וַיֹּ֨אמֶר הַמַּלְאָ֜ךְ אֶל־דָּוִ֗ד כִּֽי־גָבְר֤וּ עָלֵ֙ינוּ֙ הָֽאֲנָשִׁ֔ים וַיֵּצְא֥וּ
כד אֵלֵ֖ינוּ הַשָּׂדֶ֑ה וַנִּהְיֶ֣ה עֲלֵיהֶ֔ם עַד־פֶּ֖תַח הַשָּֽׁעַר׃ וַיֹּר֨אוּ
הַמּוֹרְאִ֤ים אֶל־עֲבָדֶ֙יךָ֙ מֵעַ֣ל הַֽחוֹמָ֔ה וַיָּמ֖וּתוּ מֵעַבְדֵ֣י הַמֶּ֑לֶךְ וְגַ֗ם
כה עַבְדְּךָ֛ אוּרִיָּ֥ה הַחִתִּ֖י מֵֽת׃ וַיֹּ֨אמֶר דָּוִ֜ד
אֵבֶל בַּת שֶׁבַע וְהֻלֶּדֶת הַבֵּן:
אֶל־הַמַּלְאָ֗ךְ כֹּֽה־תֹאמַ֤ר אֶל־יוֹאָב֙ אַל־יֵרַ֤ע בְּעֵינֶ֙יךָ֙ אֶת־הַדָּבָ֣ר
הַזֶּ֔ה כִּֽי־כָזֹ֥ה וְכָזֶ֖ה תֹּאכַ֣ל הֶחָ֑רֶב הַחֲזֵ֨ק מִלְחַמְתְּךָ֧ אֶל־הָעִ֛יר
כו וְהָרְסָ֖הּ וְחַזְּקֵֽהוּ׃ וַתִּשְׁמַע֙ אֵ֣שֶׁת אֽוּרִיָּ֔ה כִּי־מֵ֖ת אוּרִיָּ֣ה אִישָׁ֑הּ
כז וַתִּסְפֹּ֖ד עַל־בַּעְלָֽהּ׃ וַיַּעֲבֹ֣ר הָאֵ֗בֶל וַיִּשְׁלַ֨ח דָּוִ֜ד וַיַּאַסְפָ֤הּ
אֶל־בֵּיתוֹ֙ וַתְּהִי־ל֣וֹ לְאִשָּׁ֔ה וַתֵּ֥לֶד ל֖וֹ בֵּ֑ן וַיֵּ֧רַע הַדָּבָ֛ר אֲשֶׁר־עָשָׂ֥ה
דָוִ֖ד בְּעֵינֵ֥י יְהוָֽה׃

יב א וַיִּשְׁלַ֧ח יְהוָ֛ה אֶת־נָתָ֖ן אֶל־דָּוִ֑ד וַיָּבֹ֣א אֵלָ֗יו וַיֹּ֤אמֶר לוֹ֙ שְׁנֵ֣י אֲנָשִׁ֔ים
מְשַׁל כִּבְשַׂת הָרָשׁ:
ב הָיוּ֙ בְּעִ֣יר אֶחָ֔ת אֶחָ֥ד עָשִׁ֖יר וְאֶחָ֥ד רָֽאשׁ׃ לְעָשִׁ֣יר הָיָ֔ה צֹ֥אן וּבָקָ֖ר
ג הַרְבֵּ֥ה מְאֹֽד׃ וְלָרָ֣שׁ אֵֽין־כֹּ֗ל כִּ֣י אִם־כִּבְשָׂ֨ה אַחַ֤ת קְטַנָּה֙ אֲשֶׁ֣ר
קָנָ֔ה וַיְחַיֶּ֕הָ וַתִּגְדַּ֥ל עִמּ֛וֹ וְעִם־בָּנָ֖יו יַחְדָּ֑ו מִפִּתּ֨וֹ תֹאכַ֜ל וּמִכֹּס֤וֹ
ד תִשְׁתֶּה֙ וּבְחֵיק֣וֹ תִשְׁכָּ֔ב וַתְּהִי־ל֖וֹ כְּבַֽת׃ וַיָּ֣בֹא הֵלֶךְ֮ לְאִ֣ישׁ הֶֽעָשִׁיר֒
וַיַּחְמֹ֗ל לָקַ֤חַת מִצֹּאנוֹ֙ וּמִבְּקָר֔וֹ לַעֲשׂ֕וֹת לָאֹרֵ֖חַ הַבָּא־ל֑וֹ וַיִּקַּ֗ח
ה אֶת־כִּבְשַׂת֙ הָאִ֣ישׁ הָרָ֔אשׁ וַֽיַּעֲשֶׂ֔הָ לָאִ֖ישׁ הַבָּ֥א אֵלָֽיו׃ וַיִּֽחַר־אַ֥ף
דָּוִ֛ד בָּאִ֖ישׁ מְאֹ֑ד וַיֹּ֙אמֶר֙ אֶל־נָתָ֔ן חַי־יְהוָ֕ה כִּ֥י בֶן־מָ֖וֶת הָאִ֥ישׁ
ו הָעֹשֶׂ֥ה זֹֽאת׃ וְאֶת־הַכִּבְשָׂ֖ה יְשַׁלֵּ֣ם אַרְבַּעְתָּ֑יִם עֵ֗קֶב אֲשֶׁ֤ר עָשָׂה֙
ז אֶת־הַדָּבָ֣ר הַזֶּ֔ה וְעַ֖ל אֲשֶׁ֥ר לֹֽא־חָמָֽל׃ וַיֹּ֧אמֶר נָתָ֛ן
הַנִּמְשָׁל, וְתוֹכַחַת נָתָן:
אֶל־דָּוִ֖ד אַתָּ֣ה הָאִ֑ישׁ כֹּֽה־אָמַ֞ר יְהוָ֣ה אֱלֹהֵ֣י
יִשְׂרָאֵ֗ל אָנֹכִ֞י מְשַׁחְתִּ֤יךָ לְמֶ֙לֶךְ֙ עַל־יִשְׂרָאֵ֔ל וְאָנֹכִ֥י הִצַּלְתִּ֖יךָ מִיַּ֥ד
ח שָׁאֽוּל׃ וָאֶתְּנָ֨ה לְךָ֜ אֶת־בֵּ֣ית אֲדֹנֶ֗יךָ וְאֶת־נְשֵׁ֤י אֲדֹנֶ֙יךָ֙ בְּחֵיקֶ֔ךָ
וָאֶתְּנָ֣ה לְךָ֔ אֶת־בֵּ֥ית יִשְׂרָאֵ֖ל וִֽיהוּדָ֑ה וְאִם־מְעָ֕ט וְאֹסִ֥פָה לְּךָ֖ כָּהֵ֥נָּה
ט וְכָהֵֽנָּה׃ מַדּ֜וּעַ בָּזִ֣יתָ ׀ אֶת־דְּבַ֣ר יְהוָ֗ה לַעֲשׂ֤וֹת הָרַע֙ בעינו בְּעֵינַ֔י

אֵת אוּרִיָּה הַחִתִּי הִכִּיתָ בַחֶרֶב וְאֶת־אִשְׁתּוֹ לָקַחְתָּ לְּךָ לְאִשָּׁה
י וְאֹתוֹ הָרַגְתָּ בְּחֶרֶב בְּנֵי עַמּוֹן: וְעַתָּה לֹא־תָסוּר חֶרֶב מִבֵּיתְךָ
עַד־עוֹלָם עֵקֶב כִּי בְזִתָנִי וַתִּקַּח אֶת־אֵשֶׁת אוּרִיָּה הַחִתִּי לִהְיוֹת
יא לְךָ לְאִשָּׁה: כֹּה ׀ אָמַר יְהוָה הִנְנִי מֵקִים עָלֶיךָ רָעָה
נְבוּאַת הָעֹנֶשׁ עַל חֵטְא בַּת שָׁבַע:
מִבֵּיתֶךָ וְלָקַחְתִּי אֶת־נָשֶׁיךָ לְעֵינֶיךָ וְנָתַתִּי לְרֵעֶיךָ וְשָׁכַב עִם־
יב נָשֶׁיךָ לְעֵינֵי הַשֶּׁמֶשׁ הַזֹּאת: כִּי אַתָּה עָשִׂיתָ בַסָּתֶר וַאֲנִי אֶעֱשֶׂה
יג אֶת־הַדָּבָר הַזֶּה נֶגֶד כָּל־יִשְׂרָאֵל וְנֶגֶד הַשָּׁמֶשׁ: וַיֹּאמֶר
דָּוִד אֶל־נָתָן חָטָאתִי לַיהוָה וַיֹּאמֶר נָתָן אֶל־דָּוִד
יד גַּם־יְהוָה הֶעֱבִיר חַטָּאתְךָ לֹא תָמוּת: אֶפֶס כִּי־נִאֵץ נִאַצְתָּ
טו אֶת־אֹיְבֵי יְהוָה בַּדָּבָר הַזֶּה גַּם הַבֵּן הַיִּלּוֹד לְךָ מוֹת יָמוּת: וַיֵּלֶךְ
תְּפִלַּת דָּוִד לִרְפוּאַת הַיֶּלֶד:
נָתָן אֶל־בֵּיתוֹ וַיִּגֹּף יְהוָה אֶת־הַיֶּלֶד אֲשֶׁר יָלְדָה אֵשֶׁת־אוּרִיָּה
טז לְדָוִד וַיֵּאָנַשׁ: וַיְבַקֵּשׁ דָּוִד אֶת־הָאֱלֹהִים בְּעַד הַנָּעַר וַיָּצָם דָּוִד
יז צוֹם וּבָא וְלָן וְשָׁכַב אָרְצָה: וַיָּקֻמוּ זִקְנֵי בֵיתוֹ עָלָיו לַהֲקִימוֹ
בְּשׂוֹרַת מוֹת הַיֶּלֶד:
יח מִן־הָאָרֶץ וְלֹא אָבָה וְלֹא־בָרָא אִתָּם לָחֶם: וַיְהִי בַּיּוֹם הַשְּׁבִיעִי
וַיָּמָת הַיָּלֶד וַיִּרְאוּ עַבְדֵי דָוִד לְהַגִּיד לוֹ ׀ כִּי־מֵת הַיֶּלֶד כִּי אָמְרוּ
הִנֵּה בִהְיוֹת הַיֶּלֶד חַי דִּבַּרְנוּ אֵלָיו וְלֹא־שָׁמַע בְּקוֹלֵנוּ וְאֵיךְ
יט נֹאמַר אֵלָיו מֵת הַיֶּלֶד וְעָשָׂה רָעָה: וַיַּרְא דָּוִד כִּי עֲבָדָיו
מִתְלַחֲשִׁים וַיָּבֶן דָּוִד כִּי מֵת הַיָּלֶד וַיֹּאמֶר דָּוִד אֶל־עֲבָדָיו הֲמֵת
כ הַיֶּלֶד וַיֹּאמְרוּ מֵת: וַיָּקָם דָּוִד מֵהָאָרֶץ וַיִּרְחַץ וַיָּסֶךְ וַיְחַלֵּף
שִׂמְלֹתָו וַיָּבֹא בֵית־יְהוָה וַיִּשְׁתָּחוּ וַיָּבֹא אֶל־בֵּיתוֹ וַיִּשְׁאַל וַיָּשִׂימוּ
כא לוֹ לֶחֶם וַיֹּאכַל: וַיֹּאמְרוּ עֲבָדָיו אֵלָיו מָה־הַדָּבָר הַזֶּה אֲשֶׁר
עָשִׂיתָה בַּעֲבוּר הַיֶּלֶד חַי צַמְתָּ וַתֵּבְךְּ וְכַאֲשֶׁר מֵת הַיֶּלֶד קַמְתָּ
כב וַתֹּאכַל לָחֶם: וַיֹּאמֶר בְּעוֹד הַיֶּלֶד חַי צַמְתִּי וָאֶבְכֶּה כִּי אָמַרְתִּי
כג מִי יוֹדֵעַ יחנני וְחַנַּנִי יְהוָה וְחַי הַיָּלֶד: וְעַתָּה ׀ מֵת לָמָּה זֶּה אֲנִי
צָם הַאוּכַל לַהֲשִׁיבוֹ עוֹד אֲנִי הֹלֵךְ אֵלָיו וְהוּא לֹא־יָשׁוּב אֵלָי:

כד וַיְנַחֵם דָּוִד אֵת בַּת־שֶׁבַע אִשְׁתּוֹ וַיָּבֹא אֵלֶיהָ וַיִּשְׁכַּב עִמָּהּ וַתֵּלֶד הֻלֶּדֶת שְׁלֹמֹה:
כה בֵּן ויקרא וַתִּקְרָא אֶת־שְׁמוֹ שְׁלֹמֹה וַיהוָה אֲהֵבוֹ: וַיִּשְׁלַח בְּיַד נָתָן [2912]
הַנָּבִיא וַיִּקְרָא אֶת־שְׁמוֹ יְדִידְיָהּ בַּעֲבוּר יְהוָה:
כו כז וַיִּלָּחֶם יוֹאָב בְּרַבַּת בְּנֵי עַמּוֹן וַיִּלְכֹּד אֶת־עִיר הַמְּלוּכָה: וַיִּשְׁלַח כִּבּוּשׁ רַבַּת בְּנֵי עַמּוֹן:
יוֹאָב מַלְאָכִים אֶל־דָּוִד וַיֹּאמֶר נִלְחַמְתִּי בְרַבָּה גַּם־לָכַדְתִּי
כח אֶת־עִיר הַמָּיִם: וְעַתָּה אֱסֹף אֶת־יֶתֶר הָעָם וַחֲנֵה עַל־הָעִיר
כט וְלָכְדָהּ פֶּן־אֶלְכֹּד אֲנִי אֶת־הָעִיר וְנִקְרָא שְׁמִי עָלֶיהָ: וַיֶּאֱסֹף
ל דָּוִד אֶת־כָּל־הָעָם וַיֵּלֶךְ רַבָּתָה וַיִּלָּחֶם בָּהּ וַיִּלְכְּדָהּ: וַיִּקַּח
אֶת־עֲטֶרֶת־מַלְכָּם מֵעַל רֹאשׁוֹ וּמִשְׁקָלָהּ כִּכַּר זָהָב וְאֶבֶן יְקָרָה
לא וַתְּהִי עַל־רֹאשׁ דָּוִד וּשְׁלַל הָעִיר הוֹצִיא הַרְבֵּה מְאֹד: וְאֶת־הָעָם
אֲשֶׁר־בָּהּ הוֹצִיא וַיָּשֶׂם בַּמְּגֵרָה וּבַחֲרִצֵי הַבַּרְזֶל וּבְמַגְזְרֹת
הַבַּרְזֶל וְהֶעֱבִיר אוֹתָם במלכן בַּמַּלְבֵּן וְכֵן יַעֲשֶׂה לְכֹל עָרֵי
בְנֵי־עַמּוֹן וַיָּשָׁב דָּוִד וְכָל־הָעָם יְרוּשָׁלָ͏ִם:

יג א וַיְהִי אַחֲרֵי־כֵן וּלְאַבְשָׁלוֹם בֶּן־דָּוִד אָחוֹת יָפָה וּשְׁמָהּ תָּמָר אַמְנוֹן וְתָמָר:
ב וַיֶּאֱהָבֶהָ אַמְנוֹן בֶּן־דָּוִד: וַיֵּצֶר לְאַמְנוֹן לְהִתְחַלּוֹת בַּעֲבוּר תָּמָר [2913]
אֲחֹתוֹ כִּי בְתוּלָה הִיא וַיִּפָּלֵא בְּעֵינֵי אַמְנוֹן לַעֲשׂוֹת לָהּ מְאוּמָה:
ג וּלְאַמְנוֹן רֵעַ וּשְׁמוֹ יוֹנָדָב בֶּן־שִׁמְעָה אֲחִי דָוִד וְיוֹנָדָב אִישׁ
ד חָכָם מְאֹד: וַיֹּאמֶר לוֹ מַדּוּעַ אַתָּה כָּכָה דַּל בֶּן־הַמֶּלֶךְ בַּבֹּקֶר
בַּבֹּקֶר הֲלוֹא תַּגִּיד לִי וַיֹּאמֶר לוֹ אַמְנוֹן אֶת־תָּמָר אֲחוֹת אַבְשָׁלֹם
ה אָחִי אֲנִי אֹהֵב: וַיֹּאמֶר לוֹ יְהוֹנָדָב שְׁכַב עַל־מִשְׁכָּבְךָ וְהִתְחָל
וּבָא אָבִיךָ לִרְאוֹתֶךָ וְאָמַרְתָּ אֵלָיו תָּבֹא נָא תָמָר אֲחוֹתִי וְתַבְרֵנִי
לֶחֶם וְעָשְׂתָה לְעֵינַי אֶת־הַבִּרְיָה לְמַעַן אֲשֶׁר אֶרְאֶה וְאָכַלְתִּי
ו מִיָּדָהּ: וַיִּשְׁכַּב אַמְנוֹן וַיִּתְחָל וַיָּבֹא הַמֶּלֶךְ לִרְאוֹתוֹ וַיֹּאמֶר אַמְנוֹן
אֶל־הַמֶּלֶךְ תָּבוֹא־נָא תָּמָר אֲחֹתִי וּתְלַבֵּב לְעֵינַי שְׁתֵּי לְבִבוֹת
ז וְאֶבְרֶה מִיָּדָהּ: וַיִּשְׁלַח דָּוִד אֶל־תָּמָר הַבַּיְתָה לֵאמֹר לְכִי נָא

ח בֵּית אַמְנוֹן אָחִיךְ וַעֲשִׂי־לוֹ הַבִּרְיָה׃ וַתֵּלֶךְ תָּמָר בֵּית אַמְנוֹן
אָחִיהָ וְהוּא שֹׁכֵב וַתִּקַּח אֶת־הַבָּצֵק ותלוש וַתָּלָשׁ וַתְּלַבֵּב לְעֵינָיו
ט וַתְּבַשֵּׁל אֶת־הַלְּבִבוֹת׃ וַתִּקַּח אֶת־הַמַּשְׂרֵת וַתִּצֹק לְפָנָיו וַיְמָאֵן
לֶאֱכוֹל וַיֹּאמֶר אַמְנוֹן הוֹצִיאוּ כָל־אִישׁ מֵעָלַי וַיֵּצְאוּ כָל־אִישׁ
י מֵעָלָיו׃ וַיֹּאמֶר אַמְנוֹן אֶל־תָּמָר הָבִיאִי הַבִּרְיָה הַחֶדֶר וְאֶבְרֶה
מִיָּדֵךְ וַתִּקַּח תָּמָר אֶת־הַלְּבִבוֹת אֲשֶׁר עָשָׂתָה וַתָּבֵא לְאַמְנוֹן
יא אָחִיהָ הֶחָדְרָה׃ וַתַּגֵּשׁ אֵלָיו לֶאֱכֹל וַיַּחֲזֶק־בָּהּ וַיֹּאמֶר לָהּ בּוֹאִי
יב שִׁכְבִי עִמִּי אֲחוֹתִי׃ וַתֹּאמֶר לוֹ אַל־אָחִי אַל־תְּעַנֵּנִי כִּי לֹא־יֵעָשֶׂה
יג כֵן בְּיִשְׂרָאֵל אַל־תַּעֲשֵׂה אֶת־הַנְּבָלָה הַזֹּאת׃ וַאֲנִי אָנָה אוֹלִיךְ
אֶת־חֶרְפָּתִי וְאַתָּה תִּהְיֶה כְּאַחַד הַנְּבָלִים בְּיִשְׂרָאֵל וְעַתָּה
יד דַּבֶּר־נָא אֶל־הַמֶּלֶךְ כִּי לֹא יִמְנָעֵנִי מִמֶּךָּ׃ וְלֹא אָבָה לִשְׁמֹעַ
טו בְּקוֹלָהּ וַיֶּחֱזַק מִמֶּנָּה וַיְעַנֶּהָ וַיִּשְׁכַּב אֹתָהּ׃ וַיִּשְׂנָאֶהָ אַמְנוֹן
שִׂנְאָה גְּדוֹלָה מְאֹד כִּי גְדוֹלָה הַשִּׂנְאָה אֲשֶׁר שְׂנֵאָהּ מֵאַהֲבָה
טז אֲשֶׁר אֲהֵבָהּ וַיֹּאמֶר־לָהּ אַמְנוֹן קוּמִי לֵכִי׃ וַתֹּאמֶר לוֹ אַל־
אוֹדֹת הָרָעָה הַגְּדוֹלָה הַזֹּאת מֵאַחֶרֶת אֲשֶׁר־עָשִׂיתָ עִמִּי לְשַׁלְּחֵנִי
יז וְלֹא אָבָה לִשְׁמֹעַ לָהּ׃ וַיִּקְרָא אֶת־נַעֲרוֹ מְשָׁרְתוֹ וַיֹּאמֶר
יח שִׁלְחוּ־נָא אֶת־זֹאת מֵעָלַי הַחוּצָה וּנְעֹל הַדֶּלֶת אַחֲרֶיהָ׃ וְעָלֶיהָ
כְּתֹנֶת פַּסִּים כִּי כֵן תִּלְבַּשְׁןָ בְנוֹת־הַמֶּלֶךְ הַבְּתוּלֹת מְעִילִים וַיֹּצֵא
יט אוֹתָהּ מְשָׁרְתוֹ הַחוּץ וְנָעַל הַדֶּלֶת אַחֲרֶיהָ׃ וַתִּקַּח תָּמָר אֵפֶר
עַל־רֹאשָׁהּ וּכְתֹנֶת הַפַּסִּים אֲשֶׁר עָלֶיהָ קָרָעָה וַתָּשֶׂם יָדָהּ
כ עַל־רֹאשָׁהּ וַתֵּלֶךְ הָלוֹךְ וְזָעָקָה׃ וַיֹּאמֶר אֵלֶיהָ אַבְשָׁלוֹם אָחִיהָ
הַאֲמִינוֹן אָחִיךְ הָיָה עִמָּךְ וְעַתָּה אֲחוֹתִי הַחֲרִישִׁי אָחִיךְ הוּא
אַל־תָּשִׁיתִי אֶת־לִבֵּךְ לַדָּבָר הַזֶּה וַתֵּשֶׁב תָּמָר וְשֹׁמֵמָה בֵּית
כא אַבְשָׁלוֹם אָחִיהָ׃ וְהַמֶּלֶךְ דָּוִד שָׁמַע אֵת כָּל־הַדְּבָרִים הָאֵלֶּה
כב וַיִּחַר לוֹ מְאֹד׃ וְלֹא־דִבֶּר אַבְשָׁלוֹם עִם־אַמְנוֹן לְמֵרָע וְעַד־טוֹב

כִּי־שָׂנֵ֤א אַבְשָׁלוֹם֙ אֶת־אַמְנ֔וֹן עַל־דְּבַר֙ אֲשֶׁ֣ר עִנָּ֔ה אֵ֖ת תָּמָ֥ר אֲחֹתֽוֹ׃

כג וַֽיְהִי֙ לִשְׁנָתַ֣יִם יָמִ֔ים וַיִּֽהְי֤וּ גֹֽזְזִים֙ לְאַבְשָׁל֔וֹם בְּבַ֥עַל חָצ֖וֹר אֲשֶׁ֣ר

הֲרִיגַת
אַמְנֽוֹן׃
[2915]

עִם־אֶפְרָ֑יִם וַיִּקְרָ֥א אַבְשָׁל֖וֹם לְכָל־בְּנֵ֥י הַמֶּֽלֶךְ׃ כד וַיָּבֹ֤א אַבְשָׁלוֹם֙

אֶל־הַמֶּ֔לֶךְ וַיֹּ֕אמֶר הִנֵּה־נָ֥א גֹֽזְזִ֖ים לְעַבְדֶּ֑ךָ יֵֽלֶךְ־נָ֥א הַמֶּ֛לֶךְ וַֽעֲבָדָ֖יו

עִם־עַבְדֶּֽךָ׃ כה וַיֹּ֨אמֶר הַמֶּ֜לֶךְ אֶל־אַבְשָׁל֗וֹם אַל־בְּנִי֙ אַל־נָ֤א נֵלֵךְ֙

כֻּלָּ֔נוּ וְלֹ֥א נִכְבַּ֖ד עָלֶ֑יךָ וַיִּפְרָץ־בּ֛וֹ וְלֹֽא־אָבָ֥ה לָלֶ֖כֶת וַֽיְבָֽרֲכֵֽהוּ׃

כו וַיֹּ֙אמֶר֙ אַבְשָׁל֔וֹם וָלֹ֕א יֵֽלֶךְ־נָ֥א אִתָּ֖נוּ אַמְנ֣וֹן אָחִ֑י וַיֹּ֤אמֶר לוֹ֙ הַמֶּ֔לֶךְ

לָ֥מָּה יֵלֵ֖ךְ עִמָּֽךְ׃ כז וַיִּפְרָץ־בּ֖וֹ אַבְשָׁל֑וֹם וַיִּשְׁלַ֤ח אִתּוֹ֙ אֶת־אַמְנ֔וֹן

וְאֵ֖ת כָּל־בְּנֵ֥י הַמֶּֽלֶךְ׃ כח וַיְצַו֩ אַבְשָׁל֨וֹם אֶת־נְעָרָ֜יו לֵאמֹ֗ר

רְא֣וּ נָ֠א כְּט֨וֹב לֵב־אַמְנ֤וֹן בַּיַּ֙יִן֙ וְאָמַרְתִּ֣י אֲלֵיכֶ֔ם הַכּ֤וּ אֶת־אַמְנוֹן֙

וַֽהֲמִתֶּ֣ם אֹת֔וֹ אַל־תִּירָ֑אוּ הֲל֗וֹא כִּ֤י אָֽנֹכִי֙ צִוִּ֣יתִי אֶתְכֶ֔ם חִזְק֖וּ וִֽהְי֥וּ

לִבְנֵי־חָֽיִל׃ כט וַֽיַּעֲשׂ֞וּ נַעֲרֵ֤י אַבְשָׁלוֹם֙ לְאַמְנ֔וֹן כַּֽאֲשֶׁ֥ר צִוָּ֖ה אַבְשָׁל֑וֹם

ל וַיָּקֻ֣מוּ ׀ כָּל־בְּנֵ֣י הַמֶּ֗לֶךְ וַֽיִּרְכְּב֛וּ אִ֥ישׁ עַל־פִּרְדּ֖וֹ וַיָּנֻֽסוּ׃ וַֽיְהִ֣י הֵ֪מָּה

בַדֶּ֗רֶךְ וְהַשְּׁמֻעָ֤ה בָ֙אָה֙ אֶל־דָּוִ֣ד לֵאמֹ֔ר הִכָּ֤ה אַבְשָׁלוֹם֙ אֶת־כָּל־

בְּנֵ֣י הַמֶּ֔לֶךְ וְלֹֽא־נוֹתַ֥ר מֵהֶ֖ם אֶחָֽד׃

לא וַיָּ֧קָם הַמֶּ֛לֶךְ וַיִּקְרַ֥ע אֶת־בְּגָדָ֖יו וַיִּשְׁכַּ֣ב אָ֑רְצָה וְכָל־עֲבָדָ֥יו נִצָּבִ֖ים

אֵ֣בֶל דָּוִ֔ד
וְתַנְחוּמֵ֖י
יֽוֹנָדָֽב׃

קְרֻעֵ֥י בְגָדִֽים׃ לב וַיַּ֡עַן יֽוֹנָדָ֣ב ׀ בֶּן־שִׁמְעָ֣ה אֲחִֽי־דָוִד֮

וַיֹּ֒אמֶר֒ אַל־יֹאמַ֣ר אֲדֹנִ֗י אֵ֣ת כָּל־הַנְּעָרִ֞ים בְּנֵ֤י הַמֶּ֙לֶךְ֙ הֵמִ֔יתוּ

כִּֽי־אַמְנ֥וֹן לְבַדּ֖וֹ מֵ֑ת כִּֽי־עַל־פִּ֤י אַבְשָׁלוֹם֙ הָֽיְתָ֣ה שׂוּמָ֔ה מִיּוֹם֙

כְּתִ֥יב וְלֹ֖א
קְרֵֽי׃

עַנֹּת֔וֹ אֵ֖ת תָּמָ֥ר אֲחֹתֽוֹ׃ לג וְעַתָּ֡ה אַל־יָשֵׂם֩ אֲדֹנִ֨י הַמֶּ֤לֶךְ אֶל־לִבּוֹ֙

דָּבָ֣ר לֵאמֹ֔ר כָּל־בְּנֵ֥י הַמֶּ֖לֶךְ מֵ֑תוּ כִּֽי־אִם אַמְנ֥וֹן לְבַדּ֖וֹ מֵֽת׃

לד וַיִּבְרַ֖ח אַבְשָׁל֑וֹם וַיִּשָּׂ֞א הַנַּ֤עַר הַצֹּפֶה֙ אֶת־עֵינָ֔יו וַיַּ֗רְא וְהִנֵּ֤ה עַם־רַ֣ב

בְּרִיחַ֖ת
אַבְשָׁלֽוֹם׃

הֹֽלְכִים֙ מִדֶּ֣רֶךְ אַֽחֲרָ֔יו מִצַּ֖ד הָהָ֑ר׃ לה וַיֹּ֤אמֶר יֽוֹנָדָב֙ אֶל־הַמֶּ֔לֶךְ הִנֵּ֥ה

בְנֵֽי־הַמֶּ֖לֶךְ בָּ֑אוּ כִּדְבַ֥ר עַבְדְּךָ֖ כֵּ֥ן הָיָֽה׃ לו וַיְהִ֣י ׀ כְּכַלֹּת֣וֹ לְדַבֵּ֗ר וְהִנֵּ֤ה

בְנֵי־הַמֶּלֶךְ בָּאוּ וַיִּשְׂאוּ קוֹלָם וַיִּבְכּוּ וְגַם־הַמֶּלֶךְ וְכָל־עֲבָדָיו בָּכוּ
בְּכִי גָּדוֹל מְאֹד: וְאַבְשָׁלוֹם בָּרַח וַיֵּלֶךְ אֶל־תַּלְמַי בֶּן־עַמִּיהוּד לז
עמיחור מֶלֶךְ גְּשׁוּר וַיִּתְאַבֵּל עַל־בְּנוֹ כָּל־הַיָּמִים: וְאַבְשָׁלוֹם בָּרַח לח
וַיֵּלֶךְ גְּשׁוּר וַיְהִי־שָׁם שָׁלֹשׁ שָׁנִים: וַתְּכַל דָּוִד הַמֶּלֶךְ לָצֵאת לט
אֶל־אַבְשָׁלוֹם כִּי־נִחַם עַל־אַמְנוֹן כִּי־מֵת: וַיֵּדַע א **יד**
מָשָׁל הָאִשָּׁה הַתְּקוֹעִית: [2918]
יוֹאָב בֶּן־צְרֻיָה כִּי־לֵב הַמֶּלֶךְ עַל־אַבְשָׁלוֹם: וַיִּשְׁלַח יוֹאָב ב
תְּקוֹעָה וַיִּקַּח מִשָּׁם אִשָּׁה חֲכָמָה וַיֹּאמֶר אֵלֶיהָ הִתְאַבְּלִי־נָא
וְלִבְשִׁי־נָא בִגְדֵי־אֵבֶל וְאַל־תָּסוּכִי שֶׁמֶן וְהָיִית כְּאִשָּׁה זֶה יָמִים
רַבִּים מִתְאַבֶּלֶת עַל־מֵת: וּבָאת אֶל־הַמֶּלֶךְ וְדִבַּרְתְּ אֵלָיו כַּדָּבָר ג
הַזֶּה וַיָּשֶׂם יוֹאָב אֶת־הַדְּבָרִים בְּפִיהָ: וַתֹּאמֶר הָאִשָּׁה הַתְּקֹעִית ד
אֶל־הַמֶּלֶךְ וַתִּפֹּל עַל־אַפֶּיהָ אַרְצָה וַתִּשְׁתָּחוּ וַתֹּאמֶר הוֹשִׁעָה
הַמֶּלֶךְ: וַיֹּאמֶר־לָהּ הַמֶּלֶךְ מַה־לָּךְ וַתֹּאמֶר אֲבָל ה
אִשָּׁה־אַלְמָנָה אָנִי וַיָּמָת אִישִׁי: וּלְשִׁפְחָתְךָ שְׁנֵי בָנִים וַיִּנָּצוּ ו
שְׁנֵיהֶם בַּשָּׂדֶה וְאֵין מַצִּיל בֵּינֵיהֶם וַיַּכּוּ הָאֶחָד אֶת־הָאֶחָד וַיָּמֶת
אֹתוֹ: וְהִנֵּה קָמָה כָל־הַמִּשְׁפָּחָה עַל־שִׁפְחָתֶךָ וַיֹּאמְרוּ תְּנִי ז
אֶת־מַכֵּה אָחִיו וּנְמִתֵהוּ בְּנֶפֶשׁ אָחִיו אֲשֶׁר הָרָג וְנַשְׁמִידָה גַּם
אֶת־הַיּוֹרֵשׁ וְכִבּוּ אֶת־גַּחַלְתִּי אֲשֶׁר נִשְׁאָרָה לְבִלְתִּי שום שִׂים־
לְאִישִׁי שֵׁם וּשְׁאֵרִית עַל־פְּנֵי הָאֲדָמָה:
וַיֹּאמֶר הַמֶּלֶךְ אֶל־הָאִשָּׁה לְכִי לְבֵיתֵךְ וַאֲנִי אֲצַוֶּה עָלָיִךְ: וַתֹּאמֶר ח ט
הָאִשָּׁה הַתְּקוֹעִית אֶל־הַמֶּלֶךְ עָלַי אֲדֹנִי הַמֶּלֶךְ הֶעָוֹן וְעַל־בֵּית
אָבִי וְהַמֶּלֶךְ וְכִסְאוֹ נָקִי: וַיֹּאמֶר הַמֶּלֶךְ הַמְדַבֵּר אֵלַיִךְ י
וַהֲבֵאתוֹ אֵלַי וְלֹא־יֹסִיף עוֹד לָגַעַת בָּךְ: וַתֹּאמֶר יִזְכָּר־נָא הַמֶּלֶךְ יא
אֶת־יְהוָה אֱלֹהֶיךָ מהרבית מֵהַרְבַּת גֹּאֵל הַדָּם לְשַׁחֵת וְלֹא יַשְׁמִידוּ
אֶת־בְּנִי וַיֹּאמֶר חַי־יְהוָה אִם־יִפֹּל מִשַּׂעֲרַת בִּנֵךְ אָרְצָה: וַתֹּאמֶר יב
הָאִשָּׁה תְּדַבֶּר־נָא שִׁפְחָתְךָ אֶל־אֲדֹנִי הַמֶּלֶךְ דָּבָר וַיֹּאמֶר

יג דִּבְרִי׃ וַתֹּאמֶר הָאִשָּׁה וְלָמָּה חָשַׁבְתָּה כָּזֹאת עַל־עַם
אֱלֹהִים וּמִדַּבֵּר הַמֶּלֶךְ הַדָּבָר הַזֶּה כְּאָשֵׁם לְבִלְתִּי הָשִׁיב הַמֶּלֶךְ
יד אֶת־נִדְּחוֹ׃ כִּי־מוֹת נָמוּת וְכַמַּיִם הַנִּגָּרִים אַרְצָה אֲשֶׁר לֹא יֵאָסֵפוּ
וְלֹא־יִשָּׂא אֱלֹהִים נֶפֶשׁ וְחָשַׁב מַחֲשָׁבוֹת לְבִלְתִּי יִדַּח מִמֶּנּוּ נִדָּח׃
טו וְעַתָּה אֲשֶׁר־בָּאתִי לְדַבֵּר אֶל־הַמֶּלֶךְ אֲדֹנִי אֶת־הַדָּבָר הַזֶּה כִּי
יֵרְאֻנִי הָעָם וַתֹּאמֶר שִׁפְחָתְךָ אֲדַבְּרָה־נָּא אֶל־הַמֶּלֶךְ אוּלַי יַעֲשֶׂה
טז הַמֶּלֶךְ אֶת־דְּבַר אֲמָתוֹ׃ כִּי יִשְׁמַע הַמֶּלֶךְ לְהַצִּיל אֶת־אֲמָתוֹ מִכַּף
יז הָאִישׁ לְהַשְׁמִיד אֹתִי וְאֶת־בְּנִי יַחַד מִנַּחֲלַת אֱלֹהִים׃ וַתֹּאמֶר
שִׁפְחָתְךָ יִהְיֶה־נָּא דְּבַר־אֲדֹנִי הַמֶּלֶךְ לִמְנוּחָה כִּי ׀ כְּמַלְאַךְ
הָאֱלֹהִים כֵּן אֲדֹנִי הַמֶּלֶךְ לִשְׁמֹעַ הַטּוֹב וְהָרָע וַיהוָה אֱלֹהֶיךָ
יְהִי עִמָּךְ׃
יח וַיַּעַן הַמֶּלֶךְ וַיֹּאמֶר אֶל־הָאִשָּׁה אַל־נָא תְכַחֲדִי מִמֶּנִּי דָּבָר אֲשֶׁר
יט אָנֹכִי שֹׁאֵל אֹתָךְ וַתֹּאמֶר הָאִשָּׁה יְדַבֶּר־נָא אֲדֹנִי הַמֶּלֶךְ׃ וַיֹּאמֶר
הַמֶּלֶךְ הֲיַד יוֹאָב אִתָּךְ בְּכָל־זֹאת וַתַּעַן הָאִשָּׁה וַתֹּאמֶר חֵי־נַפְשְׁךָ
אֲדֹנִי הַמֶּלֶךְ אִם־אִשׁ ׀ לְהֵמִין וּלְהַשְׂמִיל מִכֹּל אֲשֶׁר־דִּבֶּר אֲדֹנִי
הַמֶּלֶךְ כִּי־עַבְדְּךָ יוֹאָב הוּא צִוָּנִי וְהוּא שָׂם בְּפִי שִׁפְחָתְךָ אֵת
כ כָּל־הַדְּבָרִים הָאֵלֶּה׃ לְבַעֲבוּר סַבֵּב אֶת־פְּנֵי הַדָּבָר עָשָׂה עַבְדְּךָ
יוֹאָב אֶת־הַדָּבָר הַזֶּה וַאדֹנִי חָכָם כְּחָכְמַת מַלְאַךְ הָאֱלֹהִים
כא לָדַעַת אֶת־כָּל־אֲשֶׁר בָּאָרֶץ׃ וַיֹּאמֶר הַמֶּלֶךְ אֶל־יוֹאָב
הִנֵּה־נָא עָשִׂיתִי אֶת־הַדָּבָר הַזֶּה וְלֵךְ הָשֵׁב אֶת־הַנַּעַר אֶת־
כב אַבְשָׁלוֹם׃ וַיִּפֹּל יוֹאָב אֶל־פָּנָיו אַרְצָה וַיִּשְׁתַּחוּ וַיְבָרֶךְ אֶת־הַמֶּלֶךְ
וַיֹּאמֶר יוֹאָב הַיּוֹם יָדַע עַבְדְּךָ כִּי־מָצָאתִי חֵן בְּעֵינֶיךָ אֲדֹנִי
כג הַמֶּלֶךְ אֲשֶׁר־עָשָׂה הַמֶּלֶךְ אֶת־דְּבַר עבדו עַבְדֶּךָ׃ וַיָּקָם יוֹאָב וַיֵּלֶךְ
כד גְּשׁוּרָה וַיָּבֵא אֶת־אַבְשָׁלוֹם יְרוּשָׁלָם׃ וַיֹּאמֶר הַמֶּלֶךְ
יִסֹּב אֶל־בֵּיתוֹ וּפָנַי לֹא יִרְאֶה וַיִּסֹּב אַבְשָׁלוֹם אֶל־בֵּיתוֹ וּפְנֵי

הַנִּמְשָׁל וּפִיּוּס דָּוִד׃

הוֹרָאָה לְהָשִׁיב אֶת אַבְשָׁלוֹם׃

יָפְיוֹ שֶׁל אַבְשָׁלוֹם:

כה הַמֶּלֶךְ לֹא רָאָה׃ וּכְאַבְשָׁלוֹם לֹא־הָיָה אִישׁ־יָפֶה בְּכָל־
יִשְׂרָאֵל לְהַלֵּל מְאֹד מִכַּף רַגְלוֹ וְעַד קָדְקֳדוֹ לֹא־הָיָה בוֹ מוּם׃
כו וּבְגַלְּחוֹ אֶת־רֹאשׁוֹ וְהָיָה מִקֵּץ יָמִים ׀ לַיָּמִים אֲשֶׁר יְגַלֵּחַ
כִּי־כָבֵד עָלָיו וְגִלְּחוֹ וְשָׁקַל אֶת־שְׂעַר רֹאשׁוֹ מָאתַיִם שְׁקָלִים
כז בְּאֶבֶן הַמֶּלֶךְ׃ וַיִּוָּלְדוּ לְאַבְשָׁלוֹם שְׁלוֹשָׁה בָנִים וּבַת אַחַת
וּשְׁמָהּ תָּמָר הִיא הָיְתָה אִשָּׁה יְפַת מַרְאֶה׃
כח וַיֵּשֶׁב אַבְשָׁלוֹם בִּירוּשָׁלִַם שְׁנָתַיִם יָמִים וּפְנֵי הַמֶּלֶךְ לֹא רָאָה׃
כט וַיִּשְׁלַח אַבְשָׁלוֹם אֶל־יוֹאָב לִשְׁלֹחַ אֹתוֹ אֶל־הַמֶּלֶךְ וְלֹא אָבָה
ל לָבוֹא אֵלָיו וַיִּשְׁלַח עוֹד שֵׁנִית וְלֹא אָבָה לָבוֹא׃ וַיֹּאמֶר
אֶל־עֲבָדָיו רְאוּ חֶלְקַת יוֹאָב אֶל־יָדִי וְלוֹ־שָׁם שְׂעֹרִים לְכוּ
וְהַצִּיתוּהָ בָאֵשׁ וַיַּצִּתוּ עַבְדֵי אַבְשָׁלוֹם אֶת־הַחֶלְקָה
והוצתיה
בָּאֵשׁ׃

הִתְפַּיְּסוּת דָּוִד וְאַבְשָׁלוֹם:

לא וַיָּקָם יוֹאָב וַיָּבֹא אֶל־אַבְשָׁלוֹם הַבָּיְתָה וַיֹּאמֶר אֵלָיו לָמָּה הִצִּיתוּ
לב עֲבָדֶיךָ אֶת־הַחֶלְקָה אֲשֶׁר־לִי בָּאֵשׁ׃ וַיֹּאמֶר אַבְשָׁלוֹם אֶל־יוֹאָב
הִנֵּה שָׁלַחְתִּי אֵלֶיךָ ׀ לֵאמֹר בֹּא הֵנָּה וְאֶשְׁלְחָה אֹתְךָ אֶל־הַמֶּלֶךְ
לֵאמֹר לָמָּה בָּאתִי מִגְּשׁוּר טוֹב לִי עֹד אֲנִי־שָׁם וְעַתָּה אֶרְאֶה פְּנֵי
לג הַמֶּלֶךְ וְאִם־יֶשׁ־בִּי עָוֹן וֶהֱמִתָנִי׃ וַיָּבֹא יוֹאָב אֶל־הַמֶּלֶךְ וַיַּגֶּד־לוֹ
וַיִּקְרָא אֶל־אַבְשָׁלוֹם וַיָּבֹא אֶל־הַמֶּלֶךְ וַיִּשְׁתַּחוּ לוֹ עַל־אַפָּיו אַרְצָה
טו א לִפְנֵי הַמֶּלֶךְ וַיִּשַּׁק הַמֶּלֶךְ לְאַבְשָׁלוֹם׃ וַיְהִי

גְּנֵבַת אַבְשָׁלוֹם אֶת לֵב בְּנֵי הָעָם:

מֵאַחֲרֵי כֵּן וַיַּעַשׂ לוֹ אַבְשָׁלוֹם מֶרְכָּבָה וְסֻסִים וַחֲמִשִּׁים אִישׁ
ב רָצִים לְפָנָיו׃ וְהִשְׁכִּים אַבְשָׁלוֹם וְעָמַד עַל־יַד דֶּרֶךְ הַשָּׁעַר
וַיְהִי כָּל־הָאִישׁ אֲשֶׁר־יִהְיֶה־לּוֹ־רִיב לָבוֹא אֶל־הַמֶּלֶךְ לַמִּשְׁפָּט
וַיִּקְרָא אַבְשָׁלוֹם אֵלָיו וַיֹּאמֶר אֵי־מִזֶּה עִיר אַתָּה וַיֹּאמֶר מֵאַחַד
ג שִׁבְטֵי־יִשְׂרָאֵל עַבְדֶּךָ׃ וַיֹּאמֶר אֵלָיו אַבְשָׁלוֹם רְאֵה דְבָרֶךָ
ד טוֹבִים וּנְכֹחִים וְשֹׁמֵעַ אֵין־לְךָ מֵאֵת הַמֶּלֶךְ׃ וַיֹּאמֶר אַבְשָׁלוֹם

מִי־יְשִׂמֵנִי שֹׁפֵט בָּאָרֶץ וְעָלַי יָבוֹא כָּל־אִישׁ אֲשֶׁר־יִהְיֶה־לּוֹ־רִיב
ה וּמִשְׁפָּט וְהִצְדַּקְתִּיו: וְהָיָה בִּקְרָב־אִישׁ לְהִשְׁתַּחֲוֺת לוֹ וְשָׁלַח
ו אֶת־יָדוֹ וְהֶחֱזִיק לוֹ וְנָשַׁק לוֹ: וַיַּעַשׂ אַבְשָׁלוֹם כַּדָּבָר הַזֶּה
לְכָל־יִשְׂרָאֵל אֲשֶׁר־יָבֹאוּ לַמִּשְׁפָּט אֶל־הַמֶּלֶךְ וַיְגַנֵּב אַבְשָׁלוֹם
אֶת־לֵב אַנְשֵׁי יִשְׂרָאֵל:

הֲכָנוֹת אַבְשָׁלוֹם לַמֶּרֶד:

ז וַיְהִי מִקֵּץ אַרְבָּעִים שָׁנָה וַיֹּאמֶר אַבְשָׁלוֹם אֶל־הַמֶּלֶךְ אֵלְכָה נָּא
ח וַאֲשַׁלֵּם אֶת־נִדְרִי אֲשֶׁר־נָדַרְתִּי לַיהוָה בְּחֶבְרוֹן: כִּי־נֵדֶר נָדַר
עַבְדְּךָ בְּשִׁבְתִּי בִגְשׁוּר בַּאֲרָם לֵאמֹר אִם־יָשׁוֹב ישיב יְשִׁיבֵנִי יְהוָה
ט יְרוּשָׁלַ‍ִם וְעָבַדְתִּי אֶת־יְהוָה: וַיֹּאמֶר־לוֹ הַמֶּלֶךְ לֵךְ בְּשָׁלוֹם וַיָּקָם
וַיֵּלֶךְ חֶבְרוֹנָה:

מֶרֶד אַבְשָׁלוֹם וּבְרִיחַת דָּוִד:
[2920]

י וַיִּשְׁלַח אַבְשָׁלוֹם מְרַגְּלִים בְּכָל־שִׁבְטֵי יִשְׂרָאֵל לֵאמֹר כְּשָׁמְעֲכֶם
יא אֶת־קוֹל הַשֹּׁפָר וַאֲמַרְתֶּם מָלַךְ אַבְשָׁלוֹם בְּחֶבְרוֹן: וְאֶת־
אַבְשָׁלוֹם הָלְכוּ מָאתַיִם אִישׁ מִירוּשָׁלַ‍ִם קְרֻאִים וְהֹלְכִים לְתֻמָּם
יב וְלֹא יָדְעוּ כָּל־דָּבָר: וַיִּשְׁלַח אַבְשָׁלוֹם אֶת־אֲחִיתֹפֶל הַגִּילֹנִי
יוֹעֵץ דָּוִד מֵעִירוֹ מִגִּלֹה בְּזָבְחוֹ אֶת־הַזְּבָחִים וַיְהִי הַקֶּשֶׁר אַמִּץ
יג וְהָעָם הוֹלֵךְ וָרָב אֶת־אַבְשָׁלוֹם: וַיָּבֹא הַמַּגִּיד אֶל־דָּוִד לֵאמֹר
יד הָיָה לֶב־אִישׁ יִשְׂרָאֵל אַחֲרֵי אַבְשָׁלוֹם: וַיֹּאמֶר דָּוִד לְכָל־עֲבָדָיו
אֲשֶׁר־אִתּוֹ בִירוּשָׁלַ‍ִם קוּמוּ וְנִבְרָחָה כִּי לֹא־תִהְיֶה־לָּנוּ פְלֵיטָה
מִפְּנֵי אַבְשָׁלֹם מַהֲרוּ לָלֶכֶת פֶּן־יְמַהֵר וְהִשִּׂגָנוּ וְהִדִּיחַ עָלֵינוּ
טו אֶת־הָרָעָה וְהִכָּה הָעִיר לְפִי־חָרֶב: וַיֹּאמְרוּ עַבְדֵי־הַמֶּלֶךְ אֶל־
טז הַמֶּלֶךְ כְּכֹל אֲשֶׁר־יִבְחַר אֲדֹנִי הַמֶּלֶךְ הִנֵּה עֲבָדֶיךָ: וַיֵּצֵא הַמֶּלֶךְ
וְכָל־בֵּיתוֹ בְּרַגְלָיו וַיַּעֲזֹב הַמֶּלֶךְ אֵת עֶשֶׂר נָשִׁים פִּלַגְשִׁים לִשְׁמֹר
יז הַבָּיִת: וַיֵּצֵא הַמֶּלֶךְ וְכָל־הָעָם בְּרַגְלָיו וַיַּעַמְדוּ בֵּית הַמֶּרְחָק:
יח וְכָל־עֲבָדָיו עֹבְרִים עַל־יָדוֹ וְכָל־הַכְּרֵתִי וְכָל־הַפְּלֵתִי וְכָל־
הַגִּתִּים שֵׁשׁ־מֵאוֹת אִישׁ אֲשֶׁר־בָּאוּ בְרַגְלוֹ מִגַּת עֹבְרִים עַל־פְּנֵי

יט הַמֶּלֶךְ׃ וַיֹּאמֶר הַמֶּלֶךְ אֶל־אִתַּי הַגִּתִּי לָמָּה תֵלֵךְ הִצְטָרְפוּת אִתַּי הַגִּתִּי לְדָוִד׃
גַם־אַתָּה אִתָּנוּ שׁוּב וְשֵׁב עִם־הַמֶּלֶךְ כִּי־נָכְרִי אַתָּה וְגַם־גֹּלֶה
כ אַתָּה לִמְקוֹמֶךָ׃ תְּמוֹל ׀ בּוֹאֶךָ וְהַיּוֹם אנועך אֲנִיעֲךָ עִמָּנוּ לָלֶכֶת
וַאֲנִי הוֹלֵךְ עַל אֲשֶׁר־אֲנִי הוֹלֵךְ שׁוּב וְהָשֵׁב אֶת־אַחֶיךָ עִמָּךְ
כא חֶסֶד וֶאֱמֶת׃ וַיַּעַן אִתַּי אֶת־הַמֶּלֶךְ וַיֹּאמַר חַי־יְהוָה וְחֵי אֲדֹנִי
הַמֶּלֶךְ כִּי אם בִּמְקוֹם אֲשֶׁר יִהְיֶה־שָּׁם ׀ אֲדֹנִי הַמֶּלֶךְ אִם־לְמָוֶת כתיב ולא קרי׃
כב אִם־לְחַיִּים כִּי־שָׁם יִהְיֶה עַבְדֶּךָ׃ וַיֹּאמֶר דָּוִד אֶל־אִתַּי לֵךְ וַעֲבֹר
כג וַיַּעֲבֹר אִתַּי הַגִּתִּי וְכָל־אֲנָשָׁיו וְכָל־הַטַּף אֲשֶׁר אִתּוֹ׃ וְכָל־הָאָרֶץ
בּוֹכִים קוֹל גָּדוֹל וְכָל־הָעָם עֹבְרִים וְהַמֶּלֶךְ עֹבֵר בְּנַחַל קִדְרוֹן
כד וְכָל־הָעָם עֹבְרִים עַל־פְּנֵי־דֶרֶךְ אֶת־הַמִּדְבָּר׃ וְהִנֵּה גַם־צָדוֹק
וְכָל־הַלְוִיִּם אִתּוֹ נֹשְׂאִים אֶת־אֲרוֹן בְּרִית הָאֱלֹהִים וַיַּצִּקוּ
אֶת־אֲרוֹן הָאֱלֹהִים וַיַּעַל אֶבְיָתָר עַד־תֹּם כָּל־הָעָם לַעֲבוֹר
כה מִן־הָעִיר׃ וַיֹּאמֶר הַמֶּלֶךְ לְצָדוֹק הָשֵׁב אֶת־אֲרוֹן הֲשָׁבַת הָאָרוֹן לִירוּשָׁלִָם׃
הָאֱלֹהִים הָעִיר אִם־אֶמְצָא חֵן בְּעֵינֵי יְהוָה וֶהֱשִׁבַנִי וְהִרְאַנִי אֹתוֹ
כו וְאֶת־נָוֵהוּ׃ וְאִם כֹּה יֹאמַר לֹא חָפַצְתִּי בָּךְ הִנְנִי יַעֲשֶׂה־לִּי כַּאֲשֶׁר
כז טוֹב בְּעֵינָיו׃ וַיֹּאמֶר הַמֶּלֶךְ אֶל־צָדוֹק הַכֹּהֵן הֲרוֹאֶה
אַתָּה שֻׁבָה הָעִיר בְּשָׁלוֹם וַאֲחִימַעַץ בִּנְךָ וִיהוֹנָתָן בֶּן־אֶבְיָתָר
כח שְׁנֵי בְנֵיכֶם אִתְּכֶם׃ רְאוּ אָנֹכִי מִתְמַהְמֵהַּ בעברות בְּעַרְבוֹת
כט הַמִּדְבָּר עַד בּוֹא דָבָר מֵעִמָּכֶם לְהַגִּיד לִי׃ וַיָּשֶׁב צָדוֹק וְאֶבְיָתָר
ל אֶת־אֲרוֹן הָאֱלֹהִים יְרוּשָׁלִָם וַיֵּשְׁבוּ שָׁם׃ וְדָוִד עֹלֶה בְמַעֲלֵה
הַזֵּיתִים עֹלֶה ׀ וּבוֹכֶה וְרֹאשׁ לוֹ חָפוּי וְהוּא הֹלֵךְ יָחֵף וְכָל־הָעָם
לא אֲשֶׁר־אִתּוֹ חָפוּ אִישׁ רֹאשׁוֹ וְעָלוּ עָלֹה וּבָכֹה׃ וְדָוִד הִגִּיד לֵאמֹר
אֲחִיתֹפֶל בַּקֹּשְׁרִים עִם־אַבְשָׁלוֹם וַיֹּאמֶר דָּוִד סַכֶּל־נָא אֶת־עֲצַת
לב אֲחִיתֹפֶל יְהוָה׃ וַיְהִי דָוִד בָּא עַד־הָרֹאשׁ אֲשֶׁר־יִשְׁתַּחֲוֶה שָׁם שְׁלוּחַ חוּשַׁי הָאַרְכִּי לִירוּשָׁלִָם׃
לֵאלֹהִים וְהִנֵּה לִקְרָאתוֹ חוּשַׁי הָאַרְכִּי קָרוּעַ כֻּתָּנְתּוֹ וַאֲדָמָה

לג עַל־רֹאשׁוֹ: וַיֹּאמֶר לוֹ דָּוִד אִם עָבַרְתָּ אִתִּי וְהָיִתָ עָלַי לְמַשָּׂא:
לד וְאִם־הָעִיר תָּשׁוּב וְאָמַרְתָּ לְאַבְשָׁלוֹם עַבְדְּךָ אֲנִי הַמֶּלֶךְ אֶהְיֶה
עֶבֶד אָבִיךָ וַאֲנִי מֵאָז וְעַתָּה וַאֲנִי עַבְדֶּךָ וְהֵפַרְתָּה לִי אֵת עֲצַת
לה אֲחִיתֹפֶל: וַהֲלוֹא עִמְּךָ שָׁם צָדוֹק וְאֶבְיָתָר הַכֹּהֲנִים וְהָיָה
כָּל־הַדָּבָר אֲשֶׁר תִּשְׁמַע מִבֵּית הַמֶּלֶךְ תַּגִּיד לְצָדוֹק וּלְאֶבְיָתָר
לו הַכֹּהֲנִים: הִנֵּה־שָׁם עִמָּם שְׁנֵי בְנֵיהֶם אֲחִימַעַץ לְצָדוֹק וִיהוֹנָתָן
לז לְאֶבְיָתָר וּשְׁלַחְתֶּם בְּיָדָם אֵלַי כָּל־דָּבָר אֲשֶׁר תִּשְׁמָעוּ: וַיָּבֹא
טז א חוּשַׁי רֵעֶה דָוִד הָעִיר וְאַבְשָׁלוֹם יָבוֹא יְרוּשָׁלִָם: וְדָוִד
עָבַר מְעַט מֵהָרֹאשׁ וְהִנֵּה צִיבָא נַעַר מְפִיבֹשֶׁת לִקְרָאתוֹ וְצֶמֶד
חֲמֹרִים חֲבֻשִׁים וַעֲלֵיהֶם מָאתַיִם לֶחֶם וּמֵאָה צִמּוּקִים וּמֵאָה
ב קַיִץ וְנֵבֶל יָיִן: וַיֹּאמֶר הַמֶּלֶךְ אֶל־צִיבָא מָה־אֵלֶּה לָּךְ וַיֹּאמֶר
צִיבָא הַחֲמוֹרִים לְבֵית־הַמֶּלֶךְ לִרְכֹּב ולהלחם וְהַלֶּחֶם וְהַקַּיִץ
ג לֶאֱכוֹל הַנְּעָרִים וְהַיַּיִן לִשְׁתּוֹת הַיָּעֵף בַּמִּדְבָּר: וַיֹּאמֶר הַמֶּלֶךְ
וְאַיֵּה בֶּן־אֲדֹנֶיךָ וַיֹּאמֶר צִיבָא אֶל־הַמֶּלֶךְ הִנֵּה יוֹשֵׁב בִּירוּשָׁלִַם
ד כִּי אָמַר הַיּוֹם יָשִׁיבוּ לִי בֵּית יִשְׂרָאֵל אֵת מַמְלְכוּת אָבִי: וַיֹּאמֶר
הַמֶּלֶךְ לְצִבָא הִנֵּה לְךָ כֹּל אֲשֶׁר לִמְפִיבֹשֶׁת וַיֹּאמֶר צִיבָא
ה הִשְׁתַּחֲוֵיתִי אֶמְצָא־חֵן בְּעֵינֶיךָ אֲדֹנִי הַמֶּלֶךְ: וּבָא הַמֶּלֶךְ דָּוִד
עַד־בַּחוּרִים וְהִנֵּה מִשָּׁם אִישׁ יוֹצֵא מִמִּשְׁפַּחַת בֵּית־שָׁאוּל וּשְׁמוֹ
ו שִׁמְעִי בֶן־גֵּרָא יֹצֵא יָצוֹא וּמְקַלֵּל: וַיְסַקֵּל בָּאֲבָנִים אֶת־דָּוִד
וְאֶת־כָּל־עַבְדֵי הַמֶּלֶךְ דָּוִד וְכָל־הָעָם וְכָל־הַגִּבֹּרִים מִימִינוֹ
ז וּמִשְּׂמֹאלוֹ: וְכֹה־אָמַר שִׁמְעִי בְּקַלְלוֹ צֵא צֵא אִישׁ הַדָּמִים וְאִישׁ
ח הַבְּלִיָּעַל: הֵשִׁיב עָלֶיךָ יְהוָה כֹּל ׀ דְּמֵי בֵית־שָׁאוּל אֲשֶׁר מָלַכְתָּ
תַּחְתָּו וַיִּתֵּן יְהוָה אֶת־הַמְּלוּכָה בְּיַד אַבְשָׁלוֹם בְּנֶךָ וְהִנְּךָ בְּרָעָתֶךָ
ט כִּי אִישׁ דָּמִים אָתָּה: וַיֹּאמֶר אֲבִישַׁי בֶן־צְרוּיָה אֶל־הַמֶּלֶךְ לָמָּה
יְקַלֵּל הַכֶּלֶב הַמֵּת הַזֶּה אֶת־אֲדֹנִי הַמֶּלֶךְ אֶעְבְּרָה־נָּא וְאָסִירָה

לָשׁוֹן הָרָע שֶׁל צִיבָא עַל מְפִיבֹשֶׁת:

קִלְלַת שִׁמְעִי בֶּן גֵּרָא:

י אֶת־רֹאשׁוֹ׃ וַיֹּאמֶר הַמֶּלֶךְ מַה־לִּי וְלָכֶם בְּנֵי צְרֻיָה כי
כֹּה יְקַלֵּל וכי כִּי יְהוָה אָמַר לוֹ קַלֵּל אֶת־דָּוִד וּמִי יֹאמַר מַדּוּעַ
יא עָשִׂיתָה כֵּן׃ וַיֹּאמֶר דָּוִד אֶל־אֲבִישַׁי וְאֶל־כָּל־עֲבָדָיו
הִנֵּה בְנִי אֲשֶׁר־יָצָא מִמֵּעַי מְבַקֵּשׁ אֶת־נַפְשִׁי וְאַף כִּי־עַתָּה
יב בֶּן־הַיְמִינִי הַנִּחוּ לוֹ וִיקַלֵּל כִּי אָמַר־לוֹ יְהוָה׃ אוּלַי יִרְאֶה יְהוָה
יג בעוני בְּעֵינִי וְהֵשִׁיב יְהוָה לִי טוֹבָה תַּחַת קִלְלָתוֹ הַיּוֹם הַזֶּה׃ וַיֵּלֶךְ
דָּוִד וַאֲנָשָׁיו בַּדָּרֶךְ וְשִׁמְעִי הֹלֵךְ בְּצֵלַע הָהָר לְעֻמָּתוֹ
הָלוֹךְ וַיְקַלֵּל וַיְסַקֵּל בָּאֲבָנִים לְעֻמָּתוֹ וְעִפַּר בֶּעָפָר׃

בִּיאַת חוּשַׁי הָאַרְכִּי אֶל אַבְשָׁלוֹם׃

יד טו וַיָּבֹא הַמֶּלֶךְ וְכָל־הָעָם אֲשֶׁר־אִתּוֹ עֲיֵפִים וַיִּנָּפֵשׁ שָׁם׃ וְאַבְשָׁלוֹם
טז וְכָל־הָעָם אִישׁ יִשְׂרָאֵל בָּאוּ יְרוּשָׁלָםִ וַאֲחִיתֹפֶל אִתּוֹ׃ וַיְהִי
כַּאֲשֶׁר־בָּא חוּשַׁי הָאַרְכִּי רֵעֶה דָוִד אֶל־אַבְשָׁלוֹם וַיֹּאמֶר חוּשַׁי
יז אֶל־אַבְשָׁלוֹם יְחִי הַמֶּלֶךְ יְחִי הַמֶּלֶךְ׃ וַיֹּאמֶר אַבְשָׁלוֹם אֶל־חוּשַׁי
יח זֶה חַסְדְּךָ אֶת־רֵעֶךָ לָמָּה לֹא־הָלַכְתָּ אֶת־רֵעֶךָ׃ וַיֹּאמֶר חוּשַׁי
אֶל־אַבְשָׁלֹם לֹא כִּי אֲשֶׁר בָּחַר יְהוָה וְהָעָם הַזֶּה וְכָל־אִישׁ
יט יִשְׂרָאֵל לא לוֹ אֶהְיֶה וְאִתּוֹ אֵשֵׁב׃ וְהַשֵּׁנִית לְמִי אֲנִי אֶעֱבֹד
הֲלוֹא לִפְנֵי בְנוֹ כַּאֲשֶׁר עָבַדְתִּי לִפְנֵי אָבִיךָ כֵּן אֶהְיֶה
לְפָנֶיךָ׃

עֲצַת אֲחִיתֹפֶל׃

כ כא וַיֹּאמֶר אַבְשָׁלוֹם אֶל־אֲחִיתֹפֶל הָבוּ לָכֶם עֵצָה מַה־נַּעֲשֶׂה׃ וַיֹּאמֶר
אֲחִיתֹפֶל אֶל־אַבְשָׁלֹם בּוֹא אֶל־פִּלַגְשֵׁי אָבִיךָ אֲשֶׁר הִנִּיחַ
לִשְׁמוֹר הַבָּיִת וְשָׁמַע כָּל־יִשְׂרָאֵל כִּי־נִבְאַשְׁתָּ אֶת־אָבִיךָ וְחָזְקוּ
כב יְדֵי כָּל־אֲשֶׁר אִתָּךְ׃ וַיַּטּוּ לְאַבְשָׁלוֹם הָאֹהֶל עַל־הַגָּג וַיָּבֹא
כג אַבְשָׁלוֹם אֶל־פִּלַגְשֵׁי אָבִיו לְעֵינֵי כָּל־יִשְׂרָאֵל׃ וַעֲצַת אֲחִיתֹפֶל
אֲשֶׁר יָעַץ בַּיָּמִים הָהֵם כַּאֲשֶׁר יִשְׁאַל־ אִישׁ בִּדְבַר הָאֱלֹהִים כֵּן

קרי ולא כתיב׃

יז א כָּל־עֲצַת אֲחִיתֹפֶל גַּם־לְדָוִד גַּם־לְאַבְשָׁלֹם׃ וַיֹּאמֶר
אֲחִיתֹפֶל אֶל־אַבְשָׁלוֹם אֶבְחֲרָה נָּא שְׁנֵים־עָשָׂר אֶלֶף אִישׁ

ב וְאָק֥וּמָה וְאֶרְדְּפָ֛ה אַחֲרֵֽי־דָוִ֖ד הַלָּֽיְלָה׃ וְאָב֣וֹא עָלָ֗יו וְה֤וּא יָגֵ֙עַ֙
וּרְפֵ֣ה יָדַ֔יִם וְהַחֲרַדְתִּ֣י אֹת֔וֹ וְנָ֖ס כָּל־הָעָ֣ם אֲשֶׁר־אִתּ֑וֹ וְהִכֵּיתִ֥י
ג אֶת־הַמֶּ֖לֶךְ לְבַדּֽוֹ׃ וְאָשִׁ֥יבָה כָל־הָעָ֖ם אֵלֶ֑יךָ כְּשׁ֣וּב הַכֹּ֗ל הָאִישׁ֙
ד אֲשֶׁ֣ר אַתָּ֣ה מְבַקֵּ֔שׁ כָּל־הָעָ֖ם יִהְיֶ֥ה שָׁלֽוֹם׃ וַיִּישַׁ֥ר הַדָּבָ֖ר בְּעֵינֵ֣י
ה אַבְשָׁלֹ֑ם וּבְעֵינֵ֖י כָּל־זִקְנֵ֥י יִשְׂרָאֵֽל׃ וַיֹּ֙אמֶר֙
אַבְשָׁל֔וֹם קְרָ֣א נָ֔א גַּ֖ם לְחוּשַׁ֣י הָאַרְכִּ֑י וְנִשְׁמְעָ֥ה מַה־בְּפִ֖יו גַּם־
ו הֽוּא׃ וַיָּבֹ֣א חוּשַׁי֮ אֶל־אַבְשָׁלוֹם֒ וַיֹּ֨אמֶר אַבְשָׁל֤וֹם אֵלָיו֙ לֵאמֹ֔ר
כַּדָּבָ֣ר הַזֶּ֔ה דִּבֶּ֖ר אֲחִיתֹ֑פֶל הֲנַעֲשֶׂ֣ה אֶת־דְּבָר֑וֹ אִם־אַ֖יִן אַתָּ֥ה
ז דַבֵּֽר׃ וַיֹּ֥אמֶר חוּשַׁ֖י אֶל אַבְשָׁלֹ֑ם לֹֽא־טוֹבָ֤ה הָֽעֵצָה֙ הֲפָרַת הָעֵצָה עַל יְדֵי חוּשַׁי:
ח אֲשֶׁר־יָעַ֥ץ אֲחִיתֹ֖פֶל בַּפַּ֥עַם הַזֹּֽאת׃ וַיֹּ֣אמֶר חוּשַׁ֗י אַתָּ֣ה יָ֠דַעְתָּ
אֶת־אָבִ֨יךָ וְאֶת־אֲנָשָׁ֜יו כִּ֧י גִבֹּרִ֣ים הֵ֗מָּה וּמָרֵ֥י נֶ֙פֶשׁ֙ הֵ֔מָּה כְּדֹ֥ב
ט שַׁכּ֖וּל בַּשָּׂדֶ֑ה וְאָבִ֙יךָ֙ אִ֣ישׁ מִלְחָמָ֔ה וְלֹ֥א יָלִ֖ין אֶת־הָעָֽם׃ הִנֵּ֨ה
עַתָּ֜ה הֽוּא־נֶחְבָּ֤א בְּאַחַת֙ הַפְּחָתִ֔ים א֖וֹ בְּאַחַ֣ד הַמְּקוֹמֹ֑ת וְהָיָ֗ה
כִּנְפֹ֤ל בָּהֶם֙ בַּתְּחִלָּ֔ה וְשָׁמַ֣ע הַשֹּׁמֵ֗עַ וְאָמַ֗ר הָֽיְתָה֙ מַגֵּפָ֔ה בָּעָ֕ם
י אֲשֶׁ֖ר אַחֲרֵ֥י אַבְשָׁלֹֽם׃ וְה֣וּא גַם־בֶּן־חַ֗יִל אֲשֶׁ֥ר לִבּ֛וֹ כְּלֵ֥ב הָאַרְיֵ֖ה
הִמֵּ֣ס יִמָּ֑ס כִּֽי־יֹדֵ֤עַ כָּל־יִשְׂרָאֵל֙ כִּֽי־גִבּ֣וֹר אָבִ֔יךָ וּבְנֵי־חַ֖יִל אֲשֶׁ֥ר
יא אִתּֽוֹ׃ כִּ֣י יָעַ֗צְתִּי הֵֽאָסֹ֨ף יֵאָסֵ֤ף עָלֶ֙יךָ֙ כָל־יִשְׂרָאֵל֙ מִדָּן֙ וְעַד־בְּאֵ֣ר
יב שֶׁ֔בַע כַּח֥וֹל אֲשֶׁר־עַל־הַיָּ֖ם לָרֹ֑ב וּפָנֶ֖יךָ הֹלְכִ֥ים בַּקְרָֽב׃ וּבָ֣אנוּ
אֵלָ֗יו באחת בְּאַחַ֤ד הַמְּקוֹמֹת֙ אֲשֶׁ֣ר נִמְצָ֣א שָׁ֔ם וְנַ֣חְנוּ עָלָ֔יו כַּאֲשֶׁ֛ר
יִפֹּ֥ל הַטַּ֖ל עַל־הָאֲדָמָ֑ה וְלֹא־נ֥וֹתַר בּ֛וֹ וּבְכָל־הָאֲנָשִׁ֥ים אֲשֶׁר־אִתּ֖וֹ
יג גַּם־אֶחָֽד׃ וְאִם־אֶל־עִיר֙ יֵֽאָסֵ֔ף וְהִשִּׂ֧יאוּ כָֽל־יִשְׂרָאֵ֛ל אֶל־הָעִ֥יר
הַהִ֖יא חֲבָלִ֑ים וְסָחַ֤בְנוּ אֹתוֹ֙ עַד־הַנַּ֔חַל עַ֛ד אֲשֶׁר־לֹא־נִמְצָ֥א שָׁ֖ם
גַּם־צְרֽוֹר׃
יד וַיֹּ֤אמֶר אַבְשָׁלוֹם֙ וְכָל־אִ֣ישׁ יִשְׂרָאֵ֔ל טוֹבָ֗ה עֲצַת֙ חוּשַׁ֣י הָאַרְכִּ֔י קַבָּלַת עֲצַת חוּשַׁי:
מֵעֲצַ֖ת אֲחִיתֹ֑פֶל וַֽיהוָ֣ה צִוָּ֗ה לְהָפֵ֞ר

אֶת־עֲצַת אֲחִיתֹפֶל הַטּוֹבָה לְבַעֲבוּר הָבִיא יְהוָה אֶל־אַבְשָׁלוֹם
טו אֶת־הָרָעָה: וַיֹּאמֶר חוּשַׁי אֶל־צָדוֹק וְאֶל־אֶבְיָתָר
הַכֹּהֲנִים כָּזֹאת וְכָזֹאת יָעַץ אֲחִיתֹפֶל אֶת־אַבְשָׁלֹם וְאֵת זִקְנֵי
טז יִשְׂרָאֵל וְכָזֹאת וְכָזֹאת יָעַצְתִּי אָנִי: וְעַתָּה שִׁלְחוּ מְהֵרָה וְהַגִּידוּ
לְדָוִד לֵאמֹר אַל־תָּלֶן הַלַּיְלָה בְּעַרְבוֹת הַמִּדְבָּר וְגַם עָבוֹר
יז תַּעֲבוֹר פֶּן יְבֻלַּע לַמֶּלֶךְ וּלְכָל־הָעָם אֲשֶׁר אִתּוֹ: וִיהוֹנָתָן
וַאֲחִימַעַץ עֹמְדִים בְּעֵין־רֹגֵל וְהָלְכָה הַשִּׁפְחָה וְהִגִּידָה לָהֶם וְהֵם
יֵלְכוּ וְהִגִּידוּ לַמֶּלֶךְ דָּוִד כִּי לֹא יוּכְלוּ לְהֵרָאוֹת לָבוֹא הָעִירָה:
יח וַיַּרְא אֹתָם נַעַר וַיַּגֵּד לְאַבְשָׁלֹם וַיֵּלְכוּ שְׁנֵיהֶם מְהֵרָה וַיָּבֹאוּ ׀
יט אֶל־בֵּית־אִישׁ בְּבַחוּרִים וְלוֹ בְאֵר בַּחֲצֵרוֹ וַיֵּרְדוּ שָׁם: וַתִּקַּח
הָאִשָּׁה וַתִּפְרֹשׂ אֶת־הַמָּסָךְ עַל־פְּנֵי הַבְּאֵר וַתִּשְׁטַח עָלָיו הָרִפוֹת
כ וְלֹא נוֹדַע דָּבָר: וַיָּבֹאוּ עַבְדֵי אַבְשָׁלוֹם אֶל־הָאִשָּׁה הַבַּיְתָה
וַיֹּאמְרוּ אַיֵּה אֲחִימַעַץ וִיהוֹנָתָן וַתֹּאמֶר לָהֶם הָאִשָּׁה עָבְרוּ
כא מִיכַל הַמָּיִם וַיְבַקְשׁוּ וְלֹא מָצָאוּ וַיָּשֻׁבוּ יְרוּשָׁלִָם: וַיְהִי ׀
אַחֲרֵי לֶכְתָּם וַיַּעֲלוּ מֵהַבְּאֵר וַיֵּלְכוּ וַיַּגִּדוּ לַמֶּלֶךְ דָּוִד וַיֹּאמְרוּ
אֶל־דָּוִד קוּמוּ וְעִבְרוּ מְהֵרָה אֶת־הַמַּיִם כִּי־כָכָה יָעַץ עֲלֵיכֶם
כב אֲחִיתֹפֶל: וַיָּקָם דָּוִד וְכָל־הָעָם אֲשֶׁר אִתּוֹ וַיַּעַבְרוּ אֶת־הַיַּרְדֵּן
עַד־אוֹר הַבֹּקֶר עַד־אַחַד לֹא נֶעְדָּר אֲשֶׁר לֹא־עָבַר אֶת־הַיַּרְדֵּן:
כג וַאֲחִיתֹפֶל רָאָה כִּי לֹא נֶעֶשְׂתָה עֲצָתוֹ וַיַּחֲבֹשׁ אֶת־הַחֲמוֹר וַיָּקָם
וַיֵּלֶךְ אֶל־בֵּיתוֹ אֶל־עִירוֹ וַיְצַו אֶל־בֵּיתוֹ וַיֵּחָנַק וַיָּמָת וַיִּקָּבֵר
כד בְּקֶבֶר אָבִיו: וְדָוִד בָּא מַחֲנָיְמָה וְאַבְשָׁלֹם עָבַר אֶת־
כה הַיַּרְדֵּן הוּא וְכָל־אִישׁ יִשְׂרָאֵל עִמּוֹ: וְאֶת־עֲמָשָׂא שָׂם אַבְשָׁלֹם
תַּחַת יוֹאָב עַל־הַצָּבָא וַעֲמָשָׂא בֶן־אִישׁ וּשְׁמוֹ יִתְרָא הַיִּשְׂרְאֵלִי
כו אֲשֶׁר־בָּא אֶל־אֲבִיגַל בַּת־נָחָשׁ אֲחוֹת צְרוּיָה אֵם יוֹאָב: וַיִּחַן
כז יִשְׂרָאֵל וְאַבְשָׁלֹם אֶרֶץ הַגִּלְעָד: וַיְהִי כְּבוֹא

הַעֲבָרַת הַמֵּידָע לְדָוִד:
מוֹת אֲחִיתֹפֶל:
הַעֲרָכוֹת אַבְשָׁלוֹם לַמִּלְחָמָה:
תְּמִיכָה בְּדָוִד:

דָּוִד מַחֲנָיְמָה וְשֹׁבִי בֶן־נָחָשׁ מֵרַבַּת בְּנֵי־עַמּוֹן וּמָכִיר בֶּן־עַמִּיאֵל
כח מִלֹּא דְבָר וּבַרְזִלַּי הַגִּלְעָדִי מֵרֹגְלִים׃ מִשְׁכָּב וְסַפּוֹת וּכְלִי יוֹצֵר
כט וְחִטִּים וּשְׂעֹרִים וְקֶמַח וְקָלִי וּפוֹל וַעֲדָשִׁים וְקָלִי׃ וּדְבַשׁ וְחֶמְאָה
וְצֹאן וּשְׁפוֹת בָּקָר הִגִּישׁוּ לְדָוִד וְלָעָם אֲשֶׁר־אִתּוֹ לֶאֱכוֹל כִּי
יח א אָמְרוּ הָעָם רָעֵב וְעָיֵף וְצָמֵא בַּמִּדְבָּר׃ וַיִּפְקֹד
הָעֶרְכוֹת מַחֲנֵה דָוִד:
דָּוִד אֶת־הָעָם אֲשֶׁר אִתּוֹ וַיָּשֶׂם עֲלֵיהֶם שָׂרֵי אֲלָפִים וְשָׂרֵי
ב מֵאוֹת׃ וַיְשַׁלַּח דָּוִד אֶת־הָעָם הַשְּׁלִשִׁית בְּיַד־יוֹאָב וְהַשְּׁלִשִׁית
בְּיַד אֲבִישַׁי בֶּן־צְרוּיָה אֲחִי יוֹאָב וְהַשְּׁלִשִׁת בְּיַד אִתַּי
הַגִּתִּי וַיֹּאמֶר הַמֶּלֶךְ אֶל־הָעָם
ג יָצֹא אֵצֵא גַּם־אֲנִי עִמָּכֶם׃ וַיֹּאמֶר הָעָם לֹא תֵצֵא כִּי אִם־נֹס
נָנוּס לֹא־יָשִׂימוּ אֵלֵינוּ לֵב וְאִם־יָמֻתוּ חֶצְיֵנוּ לֹא־יָשִׂימוּ אֵלֵינוּ
לֵב כִּי־עַתָּה כָמֹנוּ עֲשָׂרָה אֲלָפִים וְעַתָּה טוֹב כִּי־תִהְיֶה־לָּנוּ
ד מֵעִיר לעזיר לַעְזוֹר׃ וַיֹּאמֶר אֲלֵיהֶם הַמֶּלֶךְ אֲשֶׁר־יִיטַב
בַּקָּשַׁת דָּוִד לָחוּס עַל אַבְשָׁלוֹם:
בְּעֵינֵיכֶם אֶעֱשֶׂה וַיַּעֲמֹד הַמֶּלֶךְ אֶל־יַד הַשַּׁעַר וְכָל־הָעָם יָצְאוּ
ה לְמֵאוֹת וְלַאֲלָפִים׃ וַיְצַו הַמֶּלֶךְ אֶת־יוֹאָב וְאֶת־אֲבִישַׁי וְאֶת־אִתַּי
לֵאמֹר לְאַט־לִי לַנַּעַר לְאַבְשָׁלוֹם וְכָל־הָעָם שָׁמְעוּ בְּצַוֹּת הַמֶּלֶךְ
ו אֶת־כָּל־הַשָּׂרִים עַל־דְּבַר אַבְשָׁלוֹם׃ וַיֵּצֵא הָעָם הַשָּׂדֶה לִקְרַאת
ז יִשְׂרָאֵל וַתְּהִי הַמִּלְחָמָה בְּיַעַר אֶפְרָיִם׃ וַיִּנָּגְפוּ שָׁם עַם יִשְׂרָאֵל
לִפְנֵי עַבְדֵי דָוִד וַתְּהִי־שָׁם הַמַּגֵּפָה גְדוֹלָה בַּיּוֹם הַהוּא עֶשְׂרִים
ח אָלֶף׃ וַתְּהִי־שָׁם הַמִּלְחָמָה נפצות נְפוֹצֶת עַל־פְּנֵי כָל־הָאָרֶץ וַיֶּרֶב
ט הַיַּעַר לֶאֱכֹל בָּעָם מֵאֲשֶׁר אָכְלָה הַחֶרֶב בַּיּוֹם הַהוּא׃ וַיִּקָּרֵא
לְכִידַת אַבְשָׁלוֹם:
אַבְשָׁלוֹם לִפְנֵי עַבְדֵי דָוִד וְאַבְשָׁלוֹם רֹכֵב עַל־הַפֶּרֶד וַיָּבֹא הַפֶּרֶד
תַּחַת שׂוֹבֶךְ הָאֵלָה הַגְּדוֹלָה וַיֶּחֱזַק רֹאשׁוֹ בָאֵלָה וַיֻּתַּן בֵּין
י הַשָּׁמַיִם וּבֵין הָאָרֶץ וְהַפֶּרֶד אֲשֶׁר־תַּחְתָּיו עָבָר׃ וַיַּרְא אִישׁ אֶחָד
יא וַיַּגֵּד לְיוֹאָב וַיֹּאמֶר הִנֵּה רָאִיתִי אֶת־אַבְשָׁלֹם תָּלוּי בָּאֵלָה׃ וַיֹּאמֶר

יוֹאָב לָאִישׁ הַמַּגִּיד לוֹ וְהִנֵּה רָאִיתָ וּמַדּוּעַ לֹא־הִכִּיתוֹ שָׁם
יב אַרְצָה וְעָלַי לָתֶת לְךָ עֲשָׂרָה כֶסֶף וַחֲגֹרָה אֶחָת: וַיֹּאמֶר הָאִישׁ
אֶל־יוֹאָב ולא וְלוּ אָנֹכִי שֹׁקֵל עַל־כַּפַּי אֶלֶף כֶּסֶף לֹא־אֶשְׁלַח יָדִי
אֶל־בֶּן־הַמֶּלֶךְ כִּי בְאָזְנֵינוּ צִוָּה הַמֶּלֶךְ אֹתְךָ וְאֶת־אֲבִישַׁי
יג וְאֶת־אִתַּי לֵאמֹר שִׁמְרוּ־מִי בַּנַּעַר בְּאַבְשָׁלוֹם: אוֹ־עָשִׂיתִי בנפשו
בְנַפְשִׁי שֶׁקֶר וְכָל־דָּבָר לֹא־יִכָּחֵד מִן־הַמֶּלֶךְ וְאַתָּה תִּתְיַצֵּב מִנֶּגֶד:
יד וַיֹּאמֶר יוֹאָב לֹא־כֵן אֹחִילָה לְפָנֶיךָ וַיִּקַּח שְׁלֹשָׁה שְׁבָטִים בְּכַפּוֹ
טו וַיִּתְקָעֵם בְּלֵב אַבְשָׁלוֹם עוֹדֶנּוּ חַי בְּלֵב הָאֵלָה: וַיָּסֹבּוּ עֲשָׂרָה
טז נְעָרִים נֹשְׂאֵי כְּלֵי יוֹאָב וַיַּכּוּ אֶת־אַבְשָׁלוֹם וַיְמִתֻהוּ: וַיִּתְקַע יוֹאָב
בַּשֹּׁפָר וַיָּשָׁב הָעָם מִרְדֹף אַחֲרֵי יִשְׂרָאֵל כִּי־חָשַׂךְ יוֹאָב אֶת־הָעָם:
יז וַיִּקְחוּ אֶת־אַבְשָׁלוֹם וַיַּשְׁלִכוּ אֹתוֹ בַיַּעַר אֶל־הַפַּחַת הַגָּדוֹל וַיַּצִּבוּ
עָלָיו גַּל־אֲבָנִים גָּדוֹל מְאֹד וְכָל־יִשְׂרָאֵל נָסוּ אִישׁ לְאֹהָלָו:
יח וְאַבְשָׁלֹם לָקַח וַיַּצֶּב־לוֹ בְחַיָּו אֶת־מַצֶּבֶת אֲשֶׁר בְּעֵמֶק־הַמֶּלֶךְ
כִּי אָמַר אֵין־לִי בֵן בַּעֲבוּר הַזְכִּיר שְׁמִי וַיִּקְרָא לַמַּצֶּבֶת עַל־שְׁמוֹ
יט וַיִּקָּרֵא לָהּ יַד אַבְשָׁלוֹם עַד הַיּוֹם הַזֶּה: וַאֲחִימַעַץ
בֶּן־צָדוֹק אָמַר אָרוּצָה נָּא וַאֲבַשְּׂרָה אֶת־הַמֶּלֶךְ כִּי־שְׁפָטוֹ יְהוָה
כ מִיַּד אֹיְבָיו: וַיֹּאמֶר לוֹ יוֹאָב לֹא אִישׁ בְּשֹׂרָה אַתָּה הַיּוֹם הַזֶּה
וּבִשַּׂרְתָּ בְּיוֹם אַחֵר וְהַיּוֹם הַזֶּה לֹא תְבַשֵּׂר כִּי־עַל־כֵּן בֶּן־הַמֶּלֶךְ
כא מֵת: וַיֹּאמֶר יוֹאָב לַכּוּשִׁי לֵךְ הַגֵּד לַמֶּלֶךְ אֲשֶׁר רָאִיתָה וַיִּשְׁתַּחוּ
כב כוּשִׁי לְיוֹאָב וַיָּרֹץ: וַיֹּסֶף עוֹד אֲחִימַעַץ בֶּן־צָדוֹק וַיֹּאמֶר
אֶל־יוֹאָב וִיהִי מָה אָרֻצָה־נָּא גַם־אָנִי אַחֲרֵי הַכּוּשִׁי וַיֹּאמֶר יוֹאָב
כג לָמָּה־זֶּה אַתָּה רָץ בְּנִי וּלְכָה אֵין־בְּשׂוֹרָה מֹצֵאת: וִיהִי־מָה אָרוּץ
וַיֹּאמֶר לוֹ רוּץ וַיָּרָץ אֲחִימַעַץ דֶּרֶךְ הַכִּכָּר וַיַּעֲבֹר אֶת־הַכּוּשִׁי:
כד וְדָוִד יוֹשֵׁב בֵּין־שְׁנֵי הַשְּׁעָרִים וַיֵּלֶךְ הַצֹּפֶה אֶל־גַּג הַשַּׁעַר
כה אֶל־הַחוֹמָה וַיִּשָּׂא אֶת־עֵינָיו וַיַּרְא וְהִנֵּה־אִישׁ רָץ לְבַדּוֹ: וַיִּקְרָא

מוֹת אַבְשָׁלוֹם וְסִיּוּם הַמִּלְחָמָה:

הַבְּשׂוֹרָה לְדָוִד עַל מוֹת אַבְשָׁלוֹם:

קרי ולא כתיב:

הַצֹּפֶה וַיַּגֵּד לַמֶּלֶךְ וַיֹּאמֶר הַמֶּלֶךְ אִם־לְבַדּוֹ בְּשׂוֹרָה בְּפִיו וַיֵּלֶךְ
כו הָלוֹךְ וְקָרֵב׃ וַיַּרְא הַצֹּפֶה אִישׁ־אַחֵר רָץ וַיִּקְרָא הַצֹּפֶה אֶל־הַשֹּׁעֵר
כז וַיֹּאמֶר הִנֵּה־אִישׁ רָץ לְבַדּוֹ וַיֹּאמֶר הַמֶּלֶךְ גַּם־זֶה מְבַשֵּׂר׃ וַיֹּאמֶר
הַצֹּפֶה אֲנִי רֹאֶה אֶת־מְרוּצַת הָרִאשׁוֹן כִּמְרֻצַת אֲחִימַעַץ בֶּן־
צָדוֹק וַיֹּאמֶר הַמֶּלֶךְ אִישׁ־טוֹב זֶה וְאֶל־בְּשׂוֹרָה טוֹבָה יָבוֹא׃
כח וַיִּקְרָא אֲחִימַעַץ וַיֹּאמֶר אֶל־הַמֶּלֶךְ שָׁלוֹם וַיִּשְׁתַּחוּ לַמֶּלֶךְ לְאַפָּיו
אָרְצָה וַיֹּאמֶר בָּרוּךְ יְהוָה אֱלֹהֶיךָ אֲשֶׁר סִגַּר אֶת־
כט הָאֲנָשִׁים אֲשֶׁר־נָשְׂאוּ אֶת־יָדָם בַּאדֹנִי הַמֶּלֶךְ׃ וַיֹּאמֶר
הַמֶּלֶךְ שָׁלוֹם לַנַּעַר לְאַבְשָׁלוֹם וַיֹּאמֶר אֲחִימַעַץ רָאִיתִי הֶהָמוֹן
הַגָּדוֹל לִשְׁלֹחַ אֶת־עֶבֶד הַמֶּלֶךְ יוֹאָב וְאֶת־עַבְדֶּךָ וְלֹא יָדַעְתִּי
ל לא מָה׃ וַיֹּאמֶר הַמֶּלֶךְ סֹב הִתְיַצֵּב כֹּה וַיִּסֹּב וַיַּעֲמֹד׃ וְהִנֵּה הַכּוּשִׁי
בָּא וַיֹּאמֶר הַכּוּשִׁי יִתְבַּשֵּׂר אֲדֹנִי הַמֶּלֶךְ כִּי־שְׁפָטְךָ יְהוָה הַיּוֹם
לב מִיַּד כָּל־הַקָּמִים עָלֶיךָ׃ וַיֹּאמֶר הַמֶּלֶךְ אֶל־הַכּוּשִׁי
הֲשָׁלוֹם לַנַּעַר לְאַבְשָׁלוֹם וַיֹּאמֶר הַכּוּשִׁי יִהְיוּ כַנַּעַר אֹיְבֵי אֲדֹנִי
יט א הַמֶּלֶךְ וְכֹל אֲשֶׁר־קָמוּ עָלֶיךָ לְרָעָה׃ וַיִּרְגַּז הַמֶּלֶךְ וַיַּעַל אֵבֶל דָּוִד׃
עַל־עֲלִיַּת הַשַּׁעַר וַיֵּבְךְּ וְכֹה ׀ אָמַר בְּלֶכְתּוֹ בְּנִי אַבְשָׁלוֹם בְּנִי
ב בְנִי אַבְשָׁלוֹם מִי־יִתֵּן מוּתִי אֲנִי תַחְתֶּיךָ אַבְשָׁלוֹם בְּנִי בְנִי׃ וַיֻּגַּד
ג לְיוֹאָב הִנֵּה הַמֶּלֶךְ בֹּכֶה וַיִּתְאַבֵּל עַל־אַבְשָׁלֹם׃ וַתְּהִי הַתְּשֻׁעָה
בַּיּוֹם הַהוּא לְאֵבֶל לְכָל־הָעָם כִּי־שָׁמַע הָעָם בַּיּוֹם הַהוּא לֵאמֹר
ד נֶעֱצַב הַמֶּלֶךְ עַל־בְּנוֹ׃ וַיִּתְגַּנֵּב הָעָם בַּיּוֹם הַהוּא לָבוֹא הָעִיר
ה כַּאֲשֶׁר יִתְגַּנֵּב הָעָם הַנִּכְלָמִים בְּנוּסָם בַּמִּלְחָמָה׃ וְהַמֶּלֶךְ לָאַט
אֶת־פָּנָיו וַיִּזְעַק הַמֶּלֶךְ קוֹל גָּדוֹל בְּנִי אַבְשָׁלוֹם אַבְשָׁלוֹם בְּנִי
ו בְנִי׃ וַיָּבֹא יוֹאָב אֶל־הַמֶּלֶךְ הַבָּיִת וַיֹּאמֶר הֹבַשְׁתָּ הַיּוֹם תּוֹכַחַת יוֹאָב
אֶת־פְּנֵי כָל־עֲבָדֶיךָ הַמְמַלְּטִים אֶת־נַפְשְׁךָ הַיּוֹם וְאֵת נֶפֶשׁ בָּנֶיךָ לְדָוִד׃
ז וּבְנֹתֶיךָ וְנֶפֶשׁ נָשֶׁיךָ וְנֶפֶשׁ פִּלַגְשֶׁיךָ׃ לְאַהֲבָה אֶת־שֹׂנְאֶיךָ וְלִשְׂנֹא

אֶת־אֹהֲבֶיךָ כִּי ׀ הִגַּדְתָּ הַיּוֹם כִּי אֵין לְךָ שָׂרִים וַעֲבָדִים כִּי ׀
יָדַעְתִּי הַיּוֹם כִּי לֹא לוּ אַבְשָׁלוֹם חַי וְכֻלָּנוּ הַיּוֹם מֵתִים כִּי־אָז
ח יָשָׁר בְּעֵינֶיךָ׃ וְעַתָּה קוּם צֵא וְדַבֵּר עַל־לֵב עֲבָדֶיךָ כִּי
בַיהוָה נִשְׁבַּעְתִּי כִּי־אֵינְךָ יוֹצֵא אִם־יָלִין אִישׁ אִתְּךָ הַלַּיְלָה וְרָעָה
לְךָ זֹאת מִכָּל־הָרָעָה אֲשֶׁר־בָּאָה עָלֶיךָ מִנְּעֻרֶיךָ עַד־
ט עָתָּה׃ וַיָּקָם הַמֶּלֶךְ וַיֵּשֶׁב בַּשָּׁעַר וּלְכָל־הָעָם הִגִּידוּ
לֵאמֹר הִנֵּה הַמֶּלֶךְ יוֹשֵׁב בַּשַּׁעַר וַיָּבֹא כָל־הָעָם לִפְנֵי הַמֶּלֶךְ
י וְיִשְׂרָאֵל נָס אִישׁ לְאֹהָלָיו׃ וַיְהִי כָּל־הָעָם נָדוֹן בְּכָל־
שִׁבְטֵי יִשְׂרָאֵל לֵאמֹר הַמֶּלֶךְ הִצִּילָנוּ ׀ מִכַּף אֹיְבֵינוּ וְהוּא מִלְּטָנוּ

הֲשָׁבַת הַמַּלְכוּת לְדָוִד:

יא מִכַּף פְּלִשְׁתִּים וְעַתָּה בָּרַח מִן־הָאָרֶץ מֵעַל אַבְשָׁלוֹם׃ וְאַבְשָׁלוֹם
אֲשֶׁר מָשַׁחְנוּ עָלֵינוּ מֵת בַּמִּלְחָמָה וְעַתָּה לָמָה אַתֶּם מַחֲרִשִׁים
יב לְהָשִׁיב אֶת־הַמֶּלֶךְ׃ וְהַמֶּלֶךְ דָּוִד שָׁלַח אֶל־צָדוֹק
וְאֶל־אֶבְיָתָר הַכֹּהֲנִים לֵאמֹר דַּבְּרוּ אֶל־זִקְנֵי יְהוּדָה לֵאמֹר לָמָּה
תִהְיוּ אַחֲרֹנִים לְהָשִׁיב אֶת־הַמֶּלֶךְ אֶל־בֵּיתוֹ וּדְבַר כָּל־יִשְׂרָאֵל
יג בָּא אֶל־הַמֶּלֶךְ אֶל־בֵּיתוֹ׃ אַחַי אַתֶּם עַצְמִי וּבְשָׂרִי אַתֶּם וְלָמָּה
יד תִהְיוּ אַחֲרֹנִים לְהָשִׁיב אֶת־הַמֶּלֶךְ׃ וְלַעֲמָשָׂא תֹּמְרוּ הֲלוֹא
עַצְמִי וּבְשָׂרִי אָתָּה כֹּה יַעֲשֶׂה־לִּי אֱלֹהִים וְכֹה יוֹסִיף אִם־לֹא
טו שַׂר־צָבָא תִּהְיֶה לְפָנַי כָּל־הַיָּמִים תַּחַת יוֹאָב׃ וַיַּט אֶת־לְבַב
כָּל־אִישׁ־יְהוּדָה כְּאִישׁ אֶחָד וַיִּשְׁלְחוּ אֶל־הַמֶּלֶךְ שׁוּב אַתָּה
טז וְכָל־עֲבָדֶיךָ׃ וַיָּשָׁב הַמֶּלֶךְ וַיָּבֹא עַד־הַיַּרְדֵּן וִיהוּדָה בָּא הַגִּלְגָּלָה
יז לָלֶכֶת לִקְרַאת הַמֶּלֶךְ לְהַעֲבִיר אֶת־הַמֶּלֶךְ אֶת־הַיַּרְדֵּן׃ וַיְמַהֵר
שִׁמְעִי בֶן־גֵּרָא בֶּן־הַיְמִינִי אֲשֶׁר מִבַּחוּרִים וַיֵּרֶד עִם־אִישׁ

שְׁבוּעַת דָּוִד לְשִׁמְעִי:

יח יְהוּדָה לִקְרַאת הַמֶּלֶךְ דָּוִד׃ וְאֶלֶף אִישׁ עִמּוֹ מִבִּנְיָמִן וְצִיבָא
נַעַר בֵּית שָׁאוּל וַחֲמֵשֶׁת עָשָׂר בָּנָיו וְעֶשְׂרִים עֲבָדָיו אִתּוֹ וְצָלְחוּ
יט הַיַּרְדֵּן לִפְנֵי הַמֶּלֶךְ׃ וְעָבְרָה הָעֲבָרָה לַעֲבִיר אֶת־בֵּית הַמֶּלֶךְ

וְלַעֲשׂוֹת הַטּוֹב בְּעֵינֶיךָ וְשִׁמְעִי בֶן־גֵּרָא נָפַל לִפְנֵי הַמֶּלֶךְ בְּעׇבְרוֹ

כ בַּיַּרְדֵּן: וַיֹּאמֶר אֶל־הַמֶּלֶךְ אַל־יַחֲשׇׁב־לִי אֲדֹנִי עָוֺן וְאַל־תִּזְכֹּר

אֵת אֲשֶׁר הֶעֱוָה עַבְדְּךָ בַּיּוֹם אֲשֶׁר־יָצָא אֲדֹנִי־הַמֶּלֶךְ מִירוּשָׁלָ͏ִם **יצא נקוד:**

כא לָשׂוּם הַמֶּלֶךְ אֶל־לִבּוֹ: כִּי יָדַע עַבְדְּךָ כִּי אֲנִי חָטָאתִי וְהִנֵּה־

בָאתִי הַיּוֹם רִאשׁוֹן לְכׇל־בֵּית יוֹסֵף לָרֶדֶת לִקְרַאת אֲדֹנִי

כב הַמֶּלֶךְ: וַיַּעַן אֲבִישַׁי

בֶּן־צְרוּיָה וַיֹּאמֶר הֲתַחַת זֹאת לֹא יוּמַת שִׁמְעִי כִּי קִלֵּל

כג אֶת־מְשִׁיחַ יְהֹוָה: וַיֹּאמֶר דָּוִד מַה־לִּי וְלָכֶם בְּנֵי

צְרוּיָה כִּי־תִֽהְיוּ־לִי הַיּוֹם לְשָׂטָן הַיּוֹם יוּמַת אִישׁ בְּיִשְׂרָאֵל כִּי

כד הֲלוֹא יָדַעְתִּי כִּי הַיּוֹם אֲנִי־מֶלֶךְ עַל־יִשְׂרָאֵל: וַיֹּאמֶר הַמֶּלֶךְ

אֶל־שִׁמְעִי לֹא תָמוּת וַיִּשָּׁבַֽע לוֹ הַמֶּלֶךְ: **משפט דוד על שדה מפיבשת:** כה וּמְפִבֹשֶׁת

בֶּן־שָׁאוּל יָרַד לִקְרַאת הַמֶּלֶךְ וְלֹא־עָשָׂה רַגְלָיו וְלֹא־עָשָׂה שְׂפָמוֹ

וְאֶת־בְּגָדָיו לֹא כִבֵּס לְמִן־הַיּוֹם לֶכֶת הַמֶּלֶךְ עַד־הַיּוֹם אֲשֶׁר־בָּא

כו בְּשָׁלוֹם: וַיְהִי כִּי־בָא יְרוּשָׁלַ͏ִם לִקְרַאת הַמֶּלֶךְ וַיֹּאמֶר לוֹ הַמֶּלֶךְ

כז לָמָּה לֹא־הָלַכְתָּ עִמִּי מְפִיבֹשֶׁת: וַיֹּאמַר אֲדֹנִי הַמֶּלֶךְ עַבְדִּי רִמָּנִי

כִּי־אָמַר עַבְדְּךָ אֶחְבְּשָׁה־לִּי הַחֲמוֹר וְאֶרְכַּב עָלֶיהָ וְאֵלֵךְ

כח אֶת־הַמֶּלֶךְ כִּי פִסֵּחַ עַבְדֶּךָ: וַיְרַגֵּל בְּעַבְדְּךָ אֶל־אֲדֹנִי הַמֶּלֶךְ

כט וַאדֹנִי הַמֶּלֶךְ כְּמַלְאַךְ הָאֱלֹהִים וַעֲשֵׂה הַטּוֹב בְּעֵינֶֽיךָ: כִּי לֹא

הָיָה כׇּל־בֵּית אָבִי כִּי אִם־אַנְשֵׁי־מָוֶת לַאדֹנִי הַמֶּלֶךְ וַתָּשֶׁת

אֶת־עַבְדְּךָ בְּאֹכְלֵי שֻׁלְחָנֶךָ וּמַה־יֶּשׁ־לִי עוֹד צְדָקָה וְלִזְעֹק עוֹד

אֶל־הַמֶּלֶךְ:

ל וַיֹּאמֶר לוֹ הַמֶּלֶךְ לָמָּה תְּדַבֵּר עוֹד דְּבָרֶיךָ אָמַרְתִּי אַתָּה וְצִיבָא

לא תַּחְלְקוּ אֶת־הַשָּׂדֶה: וַיֹּאמֶר מְפִיבֹשֶׁת אֶל־הַמֶּלֶךְ גַּם אֶת־

הַכֹּל יִקָּח אַחֲרֵי אֲשֶׁר־בָּא אֲדֹנִי הַמֶּלֶךְ בְּשָׁלוֹם אֶל־

לב בֵּיתוֹ: וּבַרְזִלַּי הַגִּלְעָדִי יָרַד מֵרֹגְלִים וַיַּעֲבֹר אֶת־

הַמֶּ֫לֶךְ הַיַּרְדֵּ֔ן לְשַׁלְּח֖וֹ אֶת־הַיַּרְדֵּֽן׃ וּבַרְזִלַּי֙ זָקֵ֣ן מְאֹ֔ד לג

בֶּן־שְׁמֹנִ֣ים שָׁנָ֑ה וְהֽוּא־כִלְכַּ֤ל אֶת־הַמֶּ֙לֶךְ֙ בְּשִׁיבָת֣וֹ בְמַחֲנַ֔יִם

כִּֽי־אִ֛ישׁ גָּד֥וֹל ה֖וּא מְאֹֽד׃ וַיֹּ֥אמֶר הַמֶּ֖לֶךְ אֶל־בַּרְזִלָּ֑י אַתָּה֙ עֲבֹ֣ר לד

אִתִּ֔י וְכִלְכַּלְתִּ֥י אֹתְךָ֛ עִמָּדִ֖י בִּירוּשָׁלָֽ͏ִם׃ וַיֹּ֥אמֶר בַּרְזִלַּ֖י אֶל־הַמֶּ֑לֶךְ לה

כַּמָּ֗ה יְמֵי֙ שְׁנֵ֣י חַיַּ֔י כִּֽי־אֶעֱלֶ֥ה אֶת־הַמֶּ֖לֶךְ יְרוּשָׁלָֽ͏ִם׃ בֶּן־שְׁמֹנִ֣ים לו

שָׁנָ֣ה אָנֹכִי֩ הַיּ֨וֹם הַאֵדַ֜ע ׀ בֵּין־ט֣וֹב לְרָ֗ע אִם־יִטְעַ֤ם עַבְדְּךָ֙

אֶת־אֲשֶׁ֤ר אֹכַל֙ וְאֶת־אֲשֶׁ֣ר אֶשְׁתֶּ֔ה אִם־אֶשְׁמַ֣ע ע֔וֹד בְּק֖וֹל שָׁרִ֣ים

וְשָׁר֑וֹת וְלָ֩מָּה֩ יִֽהְיֶ֨ה עַבְדְּךָ֥ ע֛וֹד לְמַשָּׂ֖א אֶל־אֲדֹנִ֥י הַמֶּֽלֶךְ׃

כִּמְעַ֞ט יַעֲבֹ֤ר עַבְדְּךָ֙ אֶת־הַיַּרְדֵּ֣ן אֶת־הַמֶּ֔לֶךְ וְלָ֙מָּה֙ יִגְמְלֵ֣נִי הַמֶּ֔לֶךְ לז

הַגְּמוּלָ֖ה הַזֹּֽאת׃ יָֽשָׁב־נָ֤א עַבְדְּךָ֙ וְאָמֻ֣ת בְּעִירִ֔י עִ֖ם קֶ֣בֶר אָבִ֣י לח

וְאִמִּ֑י וְהִנֵּ֣ה ׀ עַבְדְּךָ֣ כִמְהָ֗ם יַֽעֲבֹר֙ עִם־אֲדֹנִ֣י הַמֶּ֔לֶךְ וַעֲשֵׂה־ל֕וֹ

אֵ֥ת אֲשֶׁר־ט֖וֹב בְּעֵינֶֽיךָ׃ וַיֹּ֣אמֶר הַמֶּ֗לֶךְ אִתִּי֙ יַעֲבֹ֣ר לט

כִּמְהָ֔ם וַאֲנִי֙ אֶעֱשֶׂה־לּ֔וֹ אֶת־הַטּ֖וֹב בְּעֵינֶ֑יךָ וְכֹ֛ל אֲשֶׁר־תִּבְחַ֥ר עָלַ֖י

אֶֽעֱשֶׂה־לָּֽךְ׃ וַיַּעֲבֹ֧ר כָּל־הָעָ֛ם אֶת־הַיַּרְדֵּ֖ן וְהַמֶּ֣לֶךְ עָבָ֑ר וַיִּשַּׁ֨ק מ

הַמֶּ֤לֶךְ לְבַרְזִלַּי֙ וַיְבָ֣רֲכֵ֔הוּ וַיָּ֖שָׁב לִמְקֹמֽוֹ׃ וַיַּעֲבֹ֤ר מא

הַמֶּ֙לֶךְ֙ הַגִּלְגָּ֔לָה וְכִמְהָ֖ן עָבַ֣ר עִמּ֑וֹ וְכָל־עַ֤ם יְהוּדָה֙ וַיְעֱבִרוּ

הֶעֱבִ֣ירוּ אֶת־הַמֶּ֔לֶךְ וְגַ֕ם חֲצִ֖י עַ֥ם יִשְׂרָאֵֽל׃ וְהִנֵּ֛ה כָּל־אִ֥ישׁ יִשְׂרָאֵ֖ל מב

בָּאִ֣ים אֶל־הַמֶּ֑לֶךְ וַיֹּאמְר֣וּ אֶל־הַמֶּ֡לֶךְ מַדּוּעַ֩ גְּנָב֨וּךָ אַחֵ֜ינוּ אִ֣ישׁ

יְהוּדָ֗ה וַ֠יַּעֲבִ֠רוּ אֶת־הַמֶּ֤לֶךְ וְאֶת־בֵּיתוֹ֙ אֶת־הַיַּרְדֵּ֔ן וְכָל־אַנְשֵׁ֥י דָוִ֖ד

עִמּֽוֹ׃ וַיַּ֣עַן כָּל־אִ֣ישׁ יְהוּדָה֮ עַל־אִ֣ישׁ יִשְׂרָאֵל֒ כִּֽי־קָר֨וֹב מג

הַמֶּ֜לֶךְ אֵלַ֗י וְלָ֤מָּה זֶּה֙ חָ֣רָה לְךָ֔ עַל־הַדָּבָ֖ר הַזֶּ֑ה הֶאָכ֤וֹל אָכַ֙לְנוּ֙

מִן־הַמֶּ֔לֶךְ אִם־נִשֵּׂ֥את נִשָּׂ֖א לָֽנוּ׃ וַיַּ֣עַן מד

אִֽישׁ־יִשְׂרָאֵ֣ל אֶת־אִישׁ־יְהוּדָ֗ה וַיֹּ֙אמֶר֙ עֶֽשֶׂר־יָד֥וֹת לִ֣י בַמֶּ֗לֶךְ

וְגַם־בְּדָוִד֙ אֲנִ֣י מִמְּךָ֔ וּמַדּ֙וּעַ֙ הֱקִלֹּתַ֔נִי וְלֹא־הָיָ֨ה דְבָרִ֥י רִאשׁ֛וֹן

לִ֖י לְהָשִׁ֣יב אֶת־מַלְכִּ֑י וַיִּ֙קֶשׁ֙ דְּבַר־אִ֣ישׁ יְהוּדָ֔ה מִדְּבַ֖ר אִ֥ישׁ

כ א יִשְׂרָאֵל׃ וְשָׁם נִקְרָא אִישׁ בְּלִיַּעַל וּשְׁמוֹ שֶׁבַע בֶּן־בִּכְרִי
אִישׁ יְמִינִי וַיִּתְקַע בַּשֹּׁפָר וַיֹּאמֶר אֵין־לָנוּ חֵלֶק בְּדָוִד וְלֹא
ב נַחֲלָה־לָנוּ בְּבֶן־יִשַׁי אִישׁ לְאֹהָלָיו יִשְׂרָאֵל׃ וַיַּעַל כָּל־אִישׁ
יִשְׂרָאֵל מֵאַחֲרֵי דָוִד אַחֲרֵי שֶׁבַע בֶּן־בִּכְרִי וְאִישׁ יְהוּדָה דָּבְקוּ
ג בְמַלְכָּם מִן־הַיַּרְדֵּן וְעַד־יְרוּשָׁלִָם׃ וַיָּבֹא דָוִד אֶל־בֵּיתוֹ יְרוּשָׁלִַם
וַיִּקַּח הַמֶּלֶךְ אֵת עֶשֶׂר־נָשִׁים ׀ פִּלַגְשִׁים אֲשֶׁר הִנִּיחַ לִשְׁמֹר
הַבַּיִת וַיִּתְּנֵם בֵּית־מִשְׁמֶרֶת וַיְכַלְכְּלֵם וַאֲלֵיהֶם לֹא־בָא וַתִּהְיֶינָה
ד צְרֻרוֹת עַד־יוֹם מֻתָן אַלְמְנוּת חַיּוּת׃ וַיֹּאמֶר הַמֶּלֶךְ
אֶל־עֲמָשָׂא הַזְעֶק־לִי אֶת־אִישׁ־יְהוּדָה שְׁלֹשֶׁת יָמִים וְאַתָּה פֹּה
ה עֲמֹד׃ וַיֵּלֶךְ עֲמָשָׂא לְהַזְעִיק אֶת־יְהוּדָה וייחר וַיּוֹחֶר מִן־הַמּוֹעֵד
ו אֲשֶׁר יְעָדוֹ׃ וַיֹּאמֶר דָּוִד אֶל־אֲבִישַׁי
עַתָּה יֵרַע לָנוּ שֶׁבַע בֶּן־בִּכְרִי מִן־אַבְשָׁלוֹם אַתָּה קַח אֶת־עַבְדֵי
אֲדֹנֶיךָ וּרְדֹף אַחֲרָיו פֶּן־מָצָא לוֹ עָרִים בְּצֻרוֹת וְהִצִּיל עֵינֵנוּ׃
ז וַיֵּצְאוּ אַחֲרָיו אַנְשֵׁי יוֹאָב וְהַכְּרֵתִי וְהַפְּלֵתִי וְכָל־הַגִּבֹּרִים וַיֵּצְאוּ
ח מִירוּשָׁלִַם לִרְדֹּף אַחֲרֵי שֶׁבַע בֶּן־בִּכְרִי׃ הֵם עִם־הָאֶבֶן הַגְּדוֹלָה
אֲשֶׁר בְּגִבְעוֹן וַעֲמָשָׂא בָּא לִפְנֵיהֶם וְיוֹאָב חָגוּר ׀ מִדּוֹ לְבֻשׁוֹ
וְעָלָו חֲגוֹר חֶרֶב מְצֻמֶּדֶת עַל־מָתְנָיו בְּתַעְרָהּ וְהוּא יָצָא
ט וַתִּפֹּל׃ וַיֹּאמֶר יוֹאָב לַעֲמָשָׂא הֲשָׁלוֹם אַתָּה אָחִי וַתֹּחֶז הֲרִיגַת עֲמָשָׂא׃
י יַד־יְמִין יוֹאָב בִּזְקַן עֲמָשָׂא לִנְשָׁק־לוֹ׃ וַעֲמָשָׂא לֹא־נִשְׁמַר
בַּחֶרֶב ׀ אֲשֶׁר בְּיַד־יוֹאָב וַיַּכֵּהוּ בָהּ אֶל־הַחֹמֶשׁ וַיִּשְׁפֹּךְ מֵעָיו
אַרְצָה וְלֹא־שָׁנָה לוֹ וַיָּמֹת וְיוֹאָב וַאֲבִישַׁי אָחִיו רָדַף אַחֲרֵי שֶׁבַע
יא בֶּן־בִּכְרִי׃ וְאִישׁ עָמַד עָלָיו מִנַּעֲרֵי יוֹאָב וַיֹּאמֶר מִי אֲשֶׁר חָפֵץ
יב בְּיוֹאָב וּמִי אֲשֶׁר־לְדָוִד אַחֲרֵי יוֹאָב׃ וַעֲמָשָׂא מִתְגֹּלֵל בַּדָּם בְּתוֹךְ
הַמְסִלָּה וַיַּרְא הָאִישׁ כִּי־עָמַד כָּל־הָעָם וַיַּסֵּב אֶת־עֲמָשָׂא
מִן־הַמְסִלָּה הַשָּׂדֶה וַיַּשְׁלֵךְ עָלָיו בֶּגֶד כַּאֲשֶׁר רָאָה כָּל־הַבָּא

יג עָלָיו וְעָמָד: כַּאֲשֶׁר הֹגָה מִן־הַמְסִלָּה עָבַר כָּל־אִישׁ אַחֲרֵי יוֹאָב
יד לִרְדֹּף אַחֲרֵי שֶׁבַע בֶּן־בִּכְרִי: וַיַּעֲבֹר בְּכָל־שִׁבְטֵי יִשְׂרָאֵל אָבֵלָה
וּבֵית מַעֲכָה וְכָל־הַבֵּרִים ויקלהו וַיִּקָּהֲלוּ וַיָּבֹאוּ אַף־
טו אַחֲרָיו: וַיָּבֹאוּ וַיָּצֻרוּ עָלָיו בְּאָבֵלָה בֵּית הַמַּעֲכָה וַיִּשְׁפְּכוּ סֹלְלָה
אֶל־הָעִיר וַתַּעֲמֹד בַּחֵל וְכָל־הָעָם אֲשֶׁר אֶת־יוֹאָב מַשְׁחִיתִם
טז לְהַפִּיל הַחוֹמָה: וַתִּקְרָא אִשָּׁה חֲכָמָה מִן־הָעִיר שִׁמְעוּ שִׁמְעוּ דִּבְרֵי הָאִשָּׁה הַחֲכָמָה:
יז אִמְרוּ־נָא אֶל־יוֹאָב קְרַב עַד־הֵנָּה וַאֲדַבְּרָה אֵלֶיךָ: וַיִּקְרַב אֵלֶיהָ
וַתֹּאמֶר הָאִשָּׁה הַאַתָּה יוֹאָב וַיֹּאמֶר אָנִי וַתֹּאמֶר לוֹ שְׁמַע דִּבְרֵי
יח אֲמָתֶךָ וַיֹּאמֶר שֹׁמֵעַ אָנֹכִי: וַתֹּאמֶר לֵאמֹר דַּבֵּר יְדַבְּרוּ בָרִאשֹׁנָה
יט לֵאמֹר שָׁאוֹל יְשָׁאֲלוּ בְּאָבֵל וְכֵן הֵתַמּוּ: אָנֹכִי שְׁלֻמֵי אֱמוּנֵי
יִשְׂרָאֵל אַתָּה מְבַקֵּשׁ לְהָמִית עִיר וְאֵם בְּיִשְׂרָאֵל לָמָּה תְבַלַּע
נַחֲלַת יְהוָה:
כ וַיַּעַן יוֹאָב וַיֹּאמַר חָלִילָה חָלִילָה לִי אִם־אֲבַלַּע וְאִם־אַשְׁחִית: הֲרִיגַת שֶׁבַע בֶּן־
כא לֹא־כֵן הַדָּבָר כִּי אִישׁ מֵהַר אֶפְרַיִם שֶׁבַע בֶּן־בִּכְרִי שְׁמוֹ נָשָׂא בִּכְרִי:
יָדוֹ בַּמֶּלֶךְ בְּדָוִד תְּנוּ־אֹתוֹ לְבַדּוֹ וְאֵלְכָה מֵעַל הָעִיר וַתֹּאמֶר
כב הָאִשָּׁה אֶל־יוֹאָב הִנֵּה רֹאשׁוֹ מֻשְׁלָךְ אֵלֶיךָ בְּעַד הַחוֹמָה: וַתָּבוֹא
הָאִשָּׁה אֶל־כָּל־הָעָם בְּחָכְמָתָהּ וַיִּכְרְתוּ אֶת־רֹאשׁ שֶׁבַע בֶּן־
בִּכְרִי וַיַּשְׁלִכוּ אֶל־יוֹאָב וַיִּתְקַע בַּשֹּׁפָר וַיָּפֻצוּ מֵעַל־הָעִיר אִישׁ
כג לְאֹהָלָיו וְיוֹאָב שָׁב יְרוּשָׁלִַם אֶל־הַמֶּלֶךְ: וְיוֹאָב אֶל שָׂרֵי דָוִד:
כָּל־הַצָּבָא יִשְׂרָאֵל וּבְנָיָה בֶּן־יְהוֹיָדָע עַל־הַכְּרֵתִי הכרי וְעַל־
כד כה הַפְּלֵתִי: וַאֲדֹרָם עַל־הַמַּס וִיהוֹשָׁפָט בֶּן־אֲחִילוּד הַמַּזְכִּיר: ושיא
כו וּשְׁוָא סֹפֵר וְצָדוֹק וְאֶבְיָתָר כֹּהֲנִים: וְגַם עִירָא הַיָּאִרִי הָיָה כֹהֵן
כא א לְדָוִד: וַיְהִי רָעָב בִּימֵי דָוִד שָׁלֹשׁ שָׁנִים שָׁנָה אַחֲרֵי הָרָעָב בִּסְבַּת
שָׁנָה וַיְבַקֵּשׁ דָּוִד אֶת־פְּנֵי יְהוָה וַיֹּאמֶר יְהוָה אֶל־שָׁאוּל הַגִּבְעוֹנִים:
ב וְאֶל־בֵּית הַדָּמִים עַל אֲשֶׁר־הֵמִית אֶת־הַגִּבְעֹנִים: וַיִּקְרָא הַמֶּלֶךְ [2920-23]

לַגִּבְעֹנִים וַיֹּאמֶר אֲלֵיהֶם וְהַגִּבְעֹנִים לֹא מִבְּנֵי יִשְׂרָאֵל הֵמָּה כִּי
אִם־מִיֶּתֶר הָאֱמֹרִי וּבְנֵי יִשְׂרָאֵל נִשְׁבְּעוּ לָהֶם וַיְבַקֵּשׁ שָׁאוּל
ג לְהַכֹּתָם בְּקַנְּאֹתוֹ לִבְנֵי־יִשְׂרָאֵל וִיהוּדָה׃ וַיֹּאמֶר דָּוִד אֶל־
הַגִּבְעֹנִים מָה אֶעֱשֶׂה לָכֶם וּבַמָּה אֲכַפֵּר וּבָרְכוּ אֶת־נַחֲלַת יְהוָה׃
ד וַיֹּאמְרוּ לוֹ הַגִּבְעֹנִים אֵין־לָנוּ לי כֶּסֶף וְזָהָב עִם־שָׁאוּל וְעִם־בֵּיתוֹ
וְאֵין־לָנוּ אִישׁ לְהָמִית בְּיִשְׂרָאֵל וַיֹּאמֶר מָה־אַתֶּם אֹמְרִים אֶעֱשֶׂה
ה לָכֶם׃ וַיֹּאמְרוּ אֶל־הַמֶּלֶךְ הָאִישׁ אֲשֶׁר כִּלָּנוּ וַאֲשֶׁר דִּמָּה־לָנוּ
ו נִשְׁמַדְנוּ מֵהִתְיַצֵּב בְּכָל־גְּבֻל יִשְׂרָאֵל׃ ינתן יֻתַּן־לָנוּ שִׁבְעָה אֲנָשִׁים
מִבָּנָיו וְהוֹקַעֲנוּם לַיהוָה בְּגִבְעַת שָׁאוּל בְּחִיר יְהוָה
ז וַיֹּאמֶר הַמֶּלֶךְ אֲנִי אֶתֵּן׃ וַיַּחְמֹל הַמֶּלֶךְ עַל־מְפִיבֹשֶׁת בֶּן־יְהוֹנָתָן
בֶּן־שָׁאוּל עַל־שְׁבֻעַת יְהוָה אֲשֶׁר בֵּינֹתָם בֵּין דָּוִד וּבֵין יְהוֹנָתָן
ח בֶּן־שָׁאוּל׃ וַיִּקַּח הַמֶּלֶךְ אֶת־שְׁנֵי בְּנֵי רִצְפָּה בַת־אַיָּה אֲשֶׁר יָלְדָה
לְשָׁאוּל אֶת־אַרְמֹנִי וְאֶת־מְפִבֹשֶׁת וְאֶת־חֲמֵשֶׁת בְּנֵי מִיכַל
ט בַּת־שָׁאוּל אֲשֶׁר יָלְדָה לְעַדְרִיאֵל בֶּן־בַּרְזִלַּי הַמְּחֹלָתִי׃ וַיִּתְּנֵם
בְּיַד הַגִּבְעֹנִים וַיֹּקִיעֻם בָּהָר לִפְנֵי יְהוָה וַיִּפְּלוּ שבעתים שְׁבַעְתָּם
יָחַד והם וְהֵמָּה הֻמְתוּ בִּימֵי קָצִיר בָּרִאשֹׁנִים תחלת בִּתְחִלַּת קְצִיר
י שְׂעֹרִים׃ וַתִּקַּח רִצְפָּה בַת־אַיָּה אֶת־הַשַּׂק וַתַּטֵּהוּ לָהּ אֶל־הַצּוּר
מִתְּחִלַּת קָצִיר עַד נִתַּךְ־מַיִם עֲלֵיהֶם מִן־הַשָּׁמָיִם וְלֹא־נָתְנָה עוֹף
יא הַשָּׁמַיִם לָנוּחַ עֲלֵיהֶם יוֹמָם וְאֶת־חַיַּת הַשָּׂדֶה לָיְלָה׃ וַיֻּגַּד
יב לְדָוִד אֵת אֲשֶׁר־עָשְׂתָה רִצְפָּה בַת־אַיָּה פִּלֶגֶשׁ שָׁאוּל׃ וַיֵּלֶךְ דָּוִד
וַיִּקַּח אֶת־עַצְמוֹת שָׁאוּל וְאֶת־עַצְמוֹת יְהוֹנָתָן בְּנוֹ מֵאֵת בַּעֲלֵי
יָבֵישׁ גִּלְעָד אֲשֶׁר גָּנְבוּ אֹתָם מֵרְחֹב בֵּית־שַׁן אֲשֶׁר תלום שם
הפלשתים תְּלָאוּם שָׁמָּה פְּלִשְׁתִּים בְּיוֹם הַכּוֹת פְּלִשְׁתִּים אֶת־שָׁאוּל
יג בַּגִּלְבֹּעַ׃ וַיַּעַל מִשָּׁם אֶת־עַצְמוֹת שָׁאוּל וְאֶת־עַצְמוֹת יְהוֹנָתָן
יד בְּנוֹ וַיַּאַסְפוּ אֶת־עַצְמוֹת הַמּוּקָעִים׃ וַיִּקְבְּרוּ אֶת־עַצְמוֹת־שָׁאוּל

הֲרִיגַת שִׁבְעַת בְּנֵי שָׁאוּל כִּדְרִישַׁת הַגִּבְעוֹנִים׃

קְבוּרַת שָׁאוּל וּבָנָיו׃

וִיהוֹנָתָן־בְּנוֹ בְּאֶרֶץ בִּנְיָמִן בְּצֵלָע בְּקֶבֶר קִישׁ אָבִיו וַיַּעֲשׂוּ כֹּל
אֲשֶׁר־צִוָּה הַמֶּלֶךְ וַיֵּעָתֵר אֱלֹהִים לָאָרֶץ אַחֲרֵי־כֵן׃

הַנִּצָּחוֹן עַל יְלִידֵי הָרָפָה׃

טו וַתְּהִי־עוֹד מִלְחָמָה לַפְּלִשְׁתִּים אֶת־יִשְׂרָאֵל וַיֵּרֶד דָּוִד וַעֲבָדָיו
טז עִמּוֹ וַיִּלָּחֲמוּ אֶת־פְּלִשְׁתִּים וַיָּעַף דָּוִד׃ וישבו וְיִשְׁבִּי בְּנֹב
אֲשֶׁר ׀ בִּילִידֵי הָרָפָה וּמִשְׁקַל קֵינוֹ שְׁלֹשׁ מֵאוֹת מִשְׁקַל
יז נְחֹשֶׁת וְהוּא חָגוּר חֲדָשָׁה וַיֹּאמֶר לְהַכּוֹת אֶת־דָּוִד׃ וַיַּעֲזָר־לוֹ
אֲבִישַׁי בֶּן־צְרוּיָה וַיַּךְ אֶת־הַפְּלִשְׁתִּי וַיְמִתֵהוּ אָז נִשְׁבְּעוּ
אַנְשֵׁי־דָוִד לוֹ לֵאמֹר לֹא־תֵצֵא עוֹד אִתָּנוּ לַמִּלְחָמָה וְלֹא
תְכַבֶּה אֶת־נֵר יִשְׂרָאֵל׃
יח וַיְהִי אַחֲרֵי־כֵן וַתְּהִי־עוֹד הַמִּלְחָמָה בְּגוֹב עִם־פְּלִשְׁתִּים אָז הִכָּה
יט סִבְּכַי הַחֻשָׁתִי אֶת־סַף אֲשֶׁר בִּילִדֵי הָרָפָה׃ וַתְּהִי־עוֹד
הַמִּלְחָמָה בְּגוֹב עִם־פְּלִשְׁתִּים וַיַּךְ אֶלְחָנָן בֶּן־יַעְרֵי אֹרְגִים בֵּית
כ הַלַּחְמִי אֵת גָּלְיָת הַגִּתִּי וְעֵץ חֲנִיתוֹ כִּמְנוֹר אֹרְגִים׃ וַתְּהִי־
עוֹד מִלְחָמָה בְּגַת וַיְהִי ׀ אִישׁ מדין מָדוֹן וְאֶצְבְּעֹת יָדָיו וְאֶצְבְּעֹת
רַגְלָיו שֵׁשׁ וָשֵׁשׁ עֶשְׂרִים וְאַרְבַּע מִסְפָּר וְגַם־הוּא יֻלַּד לְהָרָפָה׃
כא וַיְחָרֵף אֶת־יִשְׂרָאֵל וַיַּכֵּהוּ יְהוֹנָתָן בֶּן־שִׁמְעָה שמעי אֲחִי דָוִד׃
כב אֶת־אַרְבַּעַת אֵלֶּה יֻלְּדוּ לְהָרָפָה בְּגַת וַיִּפְּלוּ בְיַד־דָּוִד וּבְיַד
עֲבָדָיו׃

שִׁירַת דָּוִד׃

כב א וַיְדַבֵּר דָּוִד לַיהוָה אֶת־דִּבְרֵי הַשִּׁירָה הַזֹּאת
בְּיוֹם הִצִּיל יְהוָה אֹתוֹ מִכַּף כָּל־אֹיְבָיו וּמִכַּף שָׁאוּל׃
ב וַיֹּאמַר יְהוָה סַלְעִי וּמְצֻדָתִי וּמְפַלְטִי־לִי׃
ג אֱלֹהֵי צוּרִי אֶחֱסֶה־בּוֹ מָגִנִּי וְקֶרֶן יִשְׁעִי מִשְׂגַּבִּי וּמְנוּסִי
ד מֹשִׁעִי מֵחָמָס תֹּשִׁעֵנִי׃ מְהֻלָּל אֶקְרָא יְהוָה וּמֵאֹיְבַי אִוָּשֵׁעַ׃
ה כִּי אֲפָפֻנִי מִשְׁבְּרֵי־מָוֶת נַחֲלֵי בְלִיַּעַל יְבַעֲתֻנִי׃

ו חֶבְלֵי שְׁאוֹל סַבֻּנִי קִדְּמֻנִי מֹקְשֵׁי מָוֶת:
ז בַּצַּר־לִי אֶקְרָא יְהוָה וְאֶל־אֱלֹהַי אֶקְרָא
וַיִּשְׁמַע מֵהֵיכָלוֹ קוֹלִי וְשַׁוְעָתִי בְּאָזְנָיו:
ח ותגעש וַיִּתְגָּעַשׁ וַתִּרְעַשׁ הָאָרֶץ מוֹסְדוֹת הַשָּׁמַיִם יִרְגָּזוּ גְּבוּרוֹת ה׳:
ט וַיִּתְגָּעֲשׁוּ כִּי־חָרָה לוֹ: עָלָה עָשָׁן בְּאַפּוֹ
וְאֵשׁ מִפִּיו תֹּאכֵל גֶּחָלִים בָּעֲרוּ מִמֶּנּוּ:
י וַיֵּט שָׁמַיִם וַיֵּרַד וַעֲרָפֶל תַּחַת רַגְלָיו:
יא וַיִּרְכַּב עַל־כְּרוּב וַיָּעֹף וַיֵּרָא עַל־כַּנְפֵי־רוּחַ:
יב וַיָּשֶׁת חֹשֶׁךְ סְבִיבֹתָיו סֻכּוֹת חַשְׁרַת־מַיִם עָבֵי שְׁחָקִים:
יג מִנֹּגַהּ נֶגְדּוֹ בָּעֲרוּ גַּחֲלֵי־אֵשׁ:
יד יַרְעֵם מִן־שָׁמַיִם יְהוָה
טו וְעֶלְיוֹן יִתֵּן קוֹלוֹ: וַיִּשְׁלַח חִצִּים וַיְפִיצֵם
טז בָּרָק ויהמם וַיָּהֹם: וַיֵּרָאוּ אֲפִקֵי יָם יִגָּלוּ מֹסְדוֹת תֵּבֵל
יז בְּגַעֲרַת יְהוָה מִנִּשְׁמַת רוּחַ אַפּוֹ: יִשְׁלַח מִמָּרוֹם יִקָּחֵנִי עֶזְרַת ה׳ לְדָוִד:
יח יַמְשֵׁנִי מִמַּיִם רַבִּים: יַצִּילֵנִי מֵאֹיְבִי עָז
יט מִשֹּׂנְאַי כִּי אָמְצוּ מִמֶּנִּי: יְקַדְּמֻנִי בְּיוֹם אֵידִי
כ וַיְהִי יְהוָה מִשְׁעָן לִי: וַיֹּצֵא לַמֶּרְחָב אֹתִי
כא יְחַלְּצֵנִי כִּי־חָפֵץ בִּי: יִגְמְלֵנִי יְהוָה כְּצִדְקָתִי
כב כְּבֹר יָדַי יָשִׁיב לִי: כִּי שָׁמַרְתִּי דַּרְכֵי יְהוָה
כג וְלֹא רָשַׁעְתִּי מֵאֱלֹהָי: כִּי כָל־מִשְׁפָּטָו לְנֶגְדִּי
כד וְחֻקֹּתָיו לֹא־אָסוּר מִמֶּנָּה: וָאֶהְיֶה תָמִים לוֹ וָאֶשְׁתַּמְּרָה מֵעֲוֺנִי:
כה וַיָּשֶׁב יְהוָה לִי כְּצִדְקָתִי כְּבֹרִי לְנֶגֶד עֵינָיו:
כו עִם־חָסִיד תִּתְחַסָּד עִם־גְּבּוֹר תָּמִים תִּתַּמָּם:
כז עִם־נָבָר תִּתָּבָר וְעִם־עִקֵּשׁ תִּתַּפָּל:
כח וְאֶת־עַם עָנִי תּוֹשִׁיעַ וְעֵינֶיךָ עַל־רָמִים תַּשְׁפִּיל:
כט כִּי־אַתָּה נֵירִי יְהוָה וַיהוָה יַגִּיהַּ חָשְׁכִּי:

כִּ֥י בְכָ֖ה אָר֣וּץ גְּד֑וּד בֵּאלֹהַ֖י אֲדַלֶּג־שֽׁוּר׃ ל
הָאֵ֖ל תָּמִ֣ים דַּרְכּ֑וֹ אִמְרַ֤ת יְהוָה֙ צְרוּפָ֔ה לא
מָגֵ֣ן ה֔וּא לְכֹ֖ל הַחֹסִ֥ים בּֽוֹ׃ כִּ֥י מִי־אֵ֖ל מִבַּלְעֲדֵ֣י יְהוָ֑ה לב
נִצְּחוֹן דָּוִד בְּעֶזְרַת ה׳:
וּמִ֥י צ֖וּר מִבַּלְעֲדֵ֥י אֱלֹהֵֽינוּ׃ הָאֵ֖ל מָעוּזִּ֣י חָ֑יִל לג
וַיַּתֵּ֥ר תָּמִ֖ים דרכו דַּרְכִּֽי׃ מְשַׁוֶּ֥ה רגליו רַגְלַ֖י כָּאַיָּל֑וֹת לד
וְעַ֥ל בָּֽמוֹתַ֖י יַעֲמִדֵֽנִי׃ מְלַמֵּ֥ד יָדַ֖י לַמִּלְחָמָ֑ה לה
וְנִחַ֥ת קֶֽשֶׁת־נְחוּשָׁ֖ה זְרֹעֹתָֽי׃ וַתִּתֶּן־לִ֖י מָגֵ֣ן יִשְׁעֶ֑ךָ לו
וַעֲנֹתְךָ֖ תַּרְבֵּֽנִי׃ תַּרְחִ֥יב צַעֲדִ֖י תַּחְתֵּ֑נִי וְלֹ֥א מָעֲד֖וּ קַרְסֻלָֽי׃ לז
אֶרְדְּפָ֥ה אֹיְבַ֖י וָאַשְׁמִידֵ֑ם וְלֹ֥א אָשׁ֖וּב עַד־כַּלּוֹתָֽם׃ לח
וָאֲכַלֵּ֥ם וָאֶמְחָצֵ֖ם וְלֹ֣א יְקוּמ֑וּן וַֽיִּפְּל֖וּ תַּ֥חַת רַגְלָֽי׃ לט
וַתַּזְרֵ֥נִי חַ֖יִל לַמִּלְחָמָ֑ה תַּכְרִ֥יעַ קָמַ֖י תַּחְתֵּֽנִי׃ מ
וְאֹ֣יְבַ֔י תַּתָּ֥ה לִּ֖י עֹ֑רֶף מְשַׂנְאַ֖י וָאַצְמִיתֵֽם׃ מא
יִשְׁע֖וּ וְאֵ֣ין מֹשִׁ֑יעַ אֶל־יְהוָ֖ה וְלֹ֥א עָנָֽם׃ מב
וְאֶשְׁחָקֵ֖ם כַּעֲפַר־אָ֑רֶץ כְּטִיט־חוּצ֥וֹת אֲדִקֵּ֖ם אֶרְקָעֵֽם׃ מג
וַתְּפַלְּטֵ֕נִי מֵרִיבֵ֖י עַמִּ֑י תִּשְׁמְרֵ֙נִי֙ לְרֹ֣אשׁ גּוֹיִ֔ם מד
עַ֥ם לֹא־יָדַ֖עְתִּי יַעַבְדֻֽנִי׃ בְּנֵ֥י נֵכָ֖ר יִתְכַּחֲשׁוּ־לִ֑י מה
לִשְׁמ֥וֹעַ אֹ֖זֶן יִשָּׁ֥מְעוּ לִֽי׃ בְּנֵ֥י נֵכָ֖ר יִבֹּ֑לוּ וְיַחְגְּר֖וּ מִמִּסְגְּרוֹתָֽם׃ מו
חַי־יְהוָ֖ה וּבָר֣וּךְ צוּרִ֑י וְיָרֻ֕ם אֱלֹהֵ֖י צ֥וּר יִשְׁעִֽי׃ מז
הָאֵ֕ל הַנֹּתֵ֥ן נְקָמֹ֖ת לִ֑י וּמֹרִ֥יד עַמִּ֖ים תַּחְתֵּֽנִי׃ מח
וּמוֹצִיאִ֖י מֵאֹיְבָ֑י וּמִקָּמַי֙ תְּר֣וֹמְמֵ֔נִי מֵאִ֥ישׁ חֲמָסִ֖ים תַּצִּילֵֽנִי׃ מט
סִכּוּם וְהוֹדָאָה:
עַל־כֵּ֛ן אוֹדְךָ֥ יְהוָ֖ה בַּגּוֹיִ֑ם וּלְשִׁמְךָ֖ אֲזַמֵּֽר׃ נ
מגדיל מִגְדּ֖וֹל יְשׁוּע֣וֹת מַלְכּ֑וֹ וְעֹֽשֶׂה־חֶ֧סֶד לִמְשִׁיח֛וֹ נא
לְדָוִ֥ד וּלְזַרְע֖וֹ עַד־עוֹלָֽם׃

כג א וְאֵ֛לֶּה דִּבְרֵ֥י דָוִ֖ד הָאַחֲרֹנִ֑ים נְאֻ֤ם דָּוִד֙ בֶּן־יִשַׁ֔י וּנְאֻ֤ם הַגֶּ֙בֶר֙ הֻ֣קַם

ב עַל מְשִׁיחַ֙ אֱלֹהֵ֣י יַעֲקֹ֔ב וּנְעִ֖ים זְמִר֥וֹת יִשְׂרָאֵֽל: ר֤וּחַ יְהוָה֙

ג דִּבֶּר־בִּ֔י וּמִלָּת֖וֹ עַל־לְשׁוֹנִֽי: אָמַר֙ אֱלֹהֵ֣י יִשְׂרָאֵ֔ל לִ֥י דִבֶּ֖ר צ֣וּר

ד יִשְׂרָאֵ֑ל מוֹשֵׁל֙ בָּאָדָ֔ם צַדִּ֔יק מוֹשֵׁ֖ל יִרְאַ֥ת אֱלֹהִֽים: וּכְא֣וֹר בֹּ֔קֶר

יִזְרַח־שָׁ֑מֶשׁ בֹּ֚קֶר לֹ֣א עָב֔וֹת מִנֹּ֥גַהּ מִמָּטָ֖ר דֶּ֥שֶׁא מֵאָֽרֶץ:

ה כִּֽי־לֹא־כֵ֥ן בֵּיתִ֖י עִם־אֵ֑ל כִּי֩ בְרִ֨ית עוֹלָ֜ם שָׂ֣ם לִ֗י עֲרוּכָ֤ה בַכֹּל֙

ו וּשְׁמֻרָ֔ה כִּֽי־כָל־יִשְׁעִ֥י וְכָל־חֵ֖פֶץ כִּֽי־לֹ֥א יַצְמִֽיחַ: וּבְלִיַּ֕עַל כְּק֥וֹץ

ז מֻנָ֖ד כֻּלָּ֑הַם כִּֽי־לֹ֥א בְיָ֖ד יִקָּֽחוּ: וְאִישׁ֙ יִגַּ֣ע בָּהֶ֔ם יִמָּלֵ֥א בַרְזֶ֖ל וְעֵ֣ץ
חֲנִ֑ית וּבָאֵ֕שׁ שָׂר֥וֹף יִשָּׂרְפ֖וּ בַּשָּֽׁבֶת:

הוֹדַ֥עַת דָּוִ֖ד לָהּ׃ עַל־בְּרִית֖וֹ עִמּֽוֹ׃

ח אֵ֖לֶּה שְׁמ֣וֹת הַגִּבֹּרִ֮ים אֲשֶׁ֣ר לְדָוִד֒ יֹשֵׁ֨ב בַּשֶּׁ֜בֶת תַּחְכְּמֹנִ֣י ׀ רֹ֣אשׁ
הַשָּׁלִשִׁ֗י ה֚וּא עֲדִינ֣וֹ הָעֶצְנ֔וֹ עַל־שְׁמֹנֶ֥ה מֵא֖וֹת חָלָ֥ל בְּפַ֥עַם

שְׁלֹ֖שֶׁת רָאשֵׁ֥י הַגִּבּוֹרִֽים׃

ט אֶחָֽד: וְאַחֲרָ֛ו אֶלְעָזָ֥ר

אֶחָֽד׃

בֶּן־דֹּדִ֤י דֹדוֹ בֶּן־אֲחֹחִ֖י בִּשְׁלֹשָׁ֣ה גברים הַגִּבֹּרִ֑ים עִם־דָּוִ֗ד בְּחָֽרְפָ֤ם

י בַּפְּלִשְׁתִּים֙ נֶאֶסְפוּ־שָׁ֣ם לַמִּלְחָמָ֔ה וַֽיַּעֲל֖וּ אִ֣ישׁ יִשְׂרָאֵֽל: ה֣וּא קָ֞ם
וַיַּ֤ךְ בַּפְּלִשְׁתִּים֙ עַ֣ד ׀ כִּֽי־יָגְעָ֣ה יָד֗וֹ וַתִּדְבַּ֤ק יָדוֹ֙ אֶל־הַחֶ֔רֶב וַיַּ֨עַשׂ
יְהוָ֛ה תְּשׁוּעָ֥ה גְדוֹלָ֖ה בַּיּ֣וֹם הַה֑וּא וְהָעָ֛ם יָשֻׁ֥בוּ אַחֲרָ֖יו אַךְ־

יא לְפַשֵּֽׁט: וְאַחֲרָ֥יו שַׁמָּ֖ה

בֶּן־אָגֵ֣א הָרָרִ֑י וַיֵּאָסְפ֨וּ פְלִשְׁתִּ֜ים לַחַיָּ֗ה וַתְּהִי־שָׁ֞ם חֶלְקַ֤ת הַשָּׂדֶה֙

יב מְלֵאָ֣ה עֲדָשִׁ֔ים וְהָעָ֥ם נָ֖ס מִפְּנֵ֣י פְלִשְׁתִּֽים: וַיִּתְיַצֵּ֣ב בְּתוֹךְ־
הַחֶלְקָ֗ה וַיַּצִּילֶ֙הָ֙ וַיַּ֣ךְ אֶת־פְּלִשְׁתִּ֔ים וַיַּ֥עַשׂ יְהוָ֖ה תְּשׁוּעָ֥ה

יג גְדוֹלָֽה: וַיֵּרְד֨וּ שלשים שְׁלֹשָׁ֜ה
מֵהַשְּׁלֹשִׁ֣ים רֹ֗אשׁ וַיָּבֹ֤אוּ אֶל־קָצִיר֙ אֶל־דָּוִ֔ד אֶל־מְעָרַ֖ת עֲדֻלָּ֑ם וְחַיַּ֣ת

הֲבֵאת֩ מַ֨יִם לְדָוִ֜ד וְהִצַּלְתָּ֥ם לֵהּ׃

יד פְּלִשְׁתִּ֔ים חֹנָ֖ה בְּעֵ֥מֶק רְפָאִֽים: וְדָוִ֖ד אָ֣ז בַּמְּצוּדָ֑ה וּמַצַּ֥ב

טו פְּלִשְׁתִּ֖ים אָ֥ז בֵּ֥ית לָֽחֶם: וַיִּתְאַוֶּ֥ה דָוִ֖ד וַיֹּאמַ֑ר מִ֚י יַשְׁקֵ֣נִי מַ֔יִם

טז מִבֹּ֥אר בֵּית־לֶ֖חֶם אֲשֶׁ֥ר בַּשָּֽׁעַר: וַיִּבְקְע֞וּ שְׁלֹ֣שֶׁת
הַגִּבֹּרִ֗ים בְּמַחֲנֵ֣ה פְלִשְׁתִּים֒ וַיִּֽשְׁאֲבוּ־מַ֙יִם֙ מִבֹּ֤אר בֵּֽית־לֶ֙חֶם֙

אֲשֶׁר בַּשַּׁעַר וַיִּשְׂאוּ וַיָּבִאוּ אֶל־דָּוִד וְלֹא אָבָה לִשְׁתּוֹתָם וַיַּסֵּךְ
יז אֹתָם לַיהוָה׃ וַיֹּאמֶר חָלִילָה לִּי יְהוָה מֵעֲשֹׂתִי זֹאת הֲדַם הָאֲנָשִׁים
הַהֹלְכִים בְּנַפְשׁוֹתָם וְלֹא אָבָה לִשְׁתּוֹתָם אֵלֶּה עָשׂוּ שְׁלֹשֶׁת
יח הַגִּבֹּרִים׃ וַאֲבִישַׁי אֲחִי ׀ יוֹאָב בֶּן־צְרוּיָה הוּא רֹאשׁ
השלשי הַשְּׁלֹשָׁה וְהוּא עוֹרֵר אֶת־חֲנִיתוֹ עַל־שְׁלֹשׁ מֵאוֹת חָלָל
יט וְלוֹ־שֵׁם בַּשְּׁלֹשָׁה׃ מִן־הַשְּׁלֹשָׁה הֲכִי נִכְבָּד וַיְהִי לָהֶם לְשָׂר
כ וְעַד־הַשְּׁלֹשָׁה לֹא־בָא׃ וּבְנָיָהוּ בֶן־יְהוֹיָדָע בֶּן־אִישׁ־
חַיִל חי רַב־פְּעָלִים מִקַּבְצְאֵל הוּא הִכָּה אֵת שְׁנֵי אֲרִאֵל מוֹאָב
וְהוּא יָרַד וְהִכָּה אֶת־הָאֲרִי האריה בְּתוֹךְ הַבֹּאר בְּיוֹם הַשָּׁלֶג׃
כא וְהוּא־הִכָּה אֶת־אִישׁ מִצְרִי אשר אִישׁ מַרְאֶה וּבְיַד הַמִּצְרִי חֲנִית
וַיֵּרֶד אֵלָיו בַּשָּׁבֶט וַיִּגְזֹל אֶת־הַחֲנִית מִיַּד הַמִּצְרִי וַיַּהַרְגֵהוּ
כב בַּחֲנִיתוֹ׃ אֵלֶּה עָשָׂה בְּנָיָהוּ בֶּן־יְהוֹיָדָע וְלוֹ־שֵׁם בִּשְׁלֹשָׁה
כג הַגִּבֹּרִים׃ מִן־הַשְּׁלֹשִׁים נִכְבָּד וְאֶל־הַשְּׁלֹשָׁה לֹא־בָא וַיְשִׂמֵהוּ דָוִד
כד אֶל־מִשְׁמַעְתּוֹ׃ עֲשָׂהאֵל אֲחִי־יוֹאָב בַּשְּׁלֹשִׁים אֶלְחָנָן
כה בֶּן־דֹּדוֹ בֵּית לָחֶם׃ שַׁמָּה הַחֲרֹדִי אֱלִיקָא
כו הַחֲרֹדִי׃ חֶלֶץ הַפַּלְטִי עִירָא
כז בֶן־עִקֵּשׁ הַתְּקוֹעִי׃ אֲבִיעֶזֶר
כח הָעַנְּתֹתִי מְבֻנַּי הַחֻשָׁתִי׃ צַלְמוֹן
כט הָאֲחֹחִי מַהְרַי הַנְּטֹפָתִי׃ חֵלֶב בֶּן־בַּעֲנָה
הַנְּטֹפָתִי אִתַּי בֶּן־רִיבַי מִגִּבְעַת בְּנֵי
ל בִנְיָמִן׃ בְּנָיָהוּ פִּרְעָתֹנִי הִדַּי מִנַּחֲלֵי
לא גָעַשׁ׃ אֲבִי־עַלְבוֹן הָעַרְבָתִי עַזְמָוֶת
לב הַבַּרְחֻמִי׃ אֶלְיַחְבָּא הַשַּׁעַלְבֹנִי בְּנֵי יָשֵׁן
לג יְהוֹנָתָן׃ שַׁמָּה הַהֲרָרִי אֲחִיאָם בֶּן־שָׁרָר
לד הָאֲרָרִי׃ אֱלִיפֶלֶט בֶּן־אֲחַסְבַּי בֶּן־

גְּבוּרַת אֲבִישַׁי וּבְנָיָהוּ׃

יֶתֶר הַגִּבּוֹרִים׃

לה הַמַּעֲכָתִי אֱלִיעָם בֶּן־אֲחִיתֹפֶל הַגִּלֹנִי׃ חצרו
לו חֶצְרַי הַכַּרְמְלִי פַּעֲרַי הָאַרְבִּי׃ יִגְאָל בֶּן־נָתָן
לז מִצֹּבָה בָּנִי הַגָּדִי׃ צֶלֶק
הָעַמֹּנִי נַחְרַי הַבְּאֵרֹתִי נשאי נֹשֵׂא כְּלֵי יוֹאָב בֶּן־
לח צְרֻיָה׃ עִירָא הַיִּתְרִי גָּרֵב
לט הַיִּתְרִי׃ אוּרִיָּה הַחִתִּי כֹּל שְׁלֹשִׁים וְשִׁבְעָה׃

מִנְיַן יִשְׂרָאֵל וִיהוּדָה׃ [2923]

כד א וַיֹּסֶף אַף־יְהוָה לַחֲרוֹת בְּיִשְׂרָאֵל וַיָּסֶת אֶת־דָּוִד בָּהֶם לֵאמֹר לֵךְ
ב מְנֵה אֶת־יִשְׂרָאֵל וְאֶת־יְהוּדָה׃ וַיֹּאמֶר הַמֶּלֶךְ אֶל־יוֹאָב שַׂר־הַחַיִל
אֲשֶׁר־אִתּוֹ שׁוּט־נָא בְּכָל־שִׁבְטֵי יִשְׂרָאֵל מִדָּן וְעַד־בְּאֵר שֶׁבַע
ג וּפִקְדוּ אֶת־הָעָם וְיָדַעְתִּי אֵת מִסְפַּר הָעָם׃ וַיֹּאמֶר יוֹאָב
אֶל־הַמֶּלֶךְ וְיוֹסֵף יְהוָה אֱלֹהֶיךָ אֶל־הָעָם כָּהֵם ׀ וְכָהֵם מֵאָה
פְעָמִים וְעֵינֵי אֲדֹנִי־הַמֶּלֶךְ רֹאוֹת וַאדֹנִי הַמֶּלֶךְ לָמָּה חָפֵץ בַּדָּבָר
ד הַזֶּה׃ וַיֶּחֱזַק דְּבַר־הַמֶּלֶךְ אֶל־יוֹאָב וְעַל שָׂרֵי הֶחָיִל וַיֵּצֵא יוֹאָב
ה וְשָׂרֵי הַחַיִל לִפְנֵי הַמֶּלֶךְ לִפְקֹד אֶת־הָעָם אֶת־יִשְׂרָאֵל׃ וַיַּעַבְרוּ
אֶת־הַיַּרְדֵּן וַיַּחֲנוּ בַעֲרוֹעֵר יְמִין הָעִיר אֲשֶׁר בְּתוֹךְ־הַנַּחַל הַגָּד
ו וְאֶל־יַעְזֵר׃ וַיָּבֹאוּ הַגִּלְעָדָה וְאֶל־אֶרֶץ תַּחְתִּים חָדְשִׁי וַיָּבֹאוּ דָּנָה
ז יַעַן וְסָבִיב אֶל־צִידוֹן׃ וַיָּבֹאוּ מִבְצַר־צֹר וְכָל־עָרֵי הַחִוִּי וְהַכְּנַעֲנִי
ח וַיֵּצְאוּ אֶל־נֶגֶב יְהוּדָה בְּאֵר שָׁבַע׃ וַיָּשֻׁטוּ בְּכָל־הָאָרֶץ וַיָּבֹאוּ
ט מִקְצֵה תִשְׁעָה חֳדָשִׁים וְעֶשְׂרִים יוֹם יְרוּשָׁלִָם׃ וַיִּתֵּן יוֹאָב
אֶת־מִסְפַּר מִפְקַד־הָעָם אֶל־הַמֶּלֶךְ וַתְּהִי יִשְׂרָאֵל שְׁמֹנֶה מֵאוֹת
אֶלֶף אִישׁ־חַיִל שֹׁלֵף חֶרֶב וְאִישׁ יְהוּדָה חֲמֵשׁ־מֵאוֹת אֶלֶף אִישׁ׃

חֲרָטַת דָּוִד וּבְחִירַת הָעֹנֶשׁ׃

י וַיַּךְ לֵב־דָּוִד אֹתוֹ אַחֲרֵי־כֵן סָפַר אֶת־הָעָם
וַיֹּאמֶר דָּוִד אֶל־יְהוָה חָטָאתִי מְאֹד אֲשֶׁר עָשִׂיתִי וְעַתָּה יְהוָה
יא הַעֲבֶר־נָא אֶת־עֲוֺן עַבְדְּךָ כִּי נִסְכַּלְתִּי מְאֹד׃ וַיָּקָם דָּוִד
בַּבֹּקֶר

יב וּדְבַר־יְהוָה הָיָה אֶל־גָּד הַנָּבִיא חֹזֵה דָוִד לֵאמֹר׃ הָלוֹךְ וְדִבַּרְתָּ
אֶל־דָּוִד כֹּה אָמַר יְהוָה שָׁלֹשׁ אָנֹכִי נוֹטֵל עָלֶיךָ בְּחַר־לְךָ אַחַת־
יג מֵהֶם וְאֶעֱשֶׂה־לָּךְ׃ וַיָּבֹא־גָד אֶל־דָּוִד וַיַּגֶּד־לוֹ וַיֹּאמֶר לוֹ הֲתָבוֹא
לְךָ שֶׁבַע־שָׁנִים ׀ רָעָב ׀ בְּאַרְצֶךָ אִם־שְׁלֹשָׁה חֳדָשִׁים נֻסְךָ לִפְנֵי־
צָרֶיךָ וְהוּא רֹדְפֶךָ וְאִם־הֱיוֹת שְׁלֹשֶׁת יָמִים דֶּבֶר בְּאַרְצֶךָ עַתָּה
יד דַּע וּרְאֵה מָה־אָשִׁיב שֹׁלְחִי דָּבָר׃ וַיֹּאמֶר דָּוִד אֶל־גָּד
צַר־לִי מְאֹד נִפְּלָה־נָּא בְיַד־יְהוָה כִּי־רַבִּים רַחֲמָו וּבְיַד־אָדָם
טו אַל־אֶפֹּלָה׃ וַיִּתֵּן יְהוָה דֶּבֶר בְּיִשְׂרָאֵל מֵהַבֹּקֶר וְעַד־עֵת מוֹעֵד
טז וַיָּמָת מִן־הָעָם מִדָּן וְעַד־בְּאֵר שֶׁבַע שִׁבְעִים אֶלֶף אִישׁ׃ וַיִּשְׁלַח
יָדוֹ הַמַּלְאָךְ ׀ יְרוּשָׁלִַם לְשַׁחֲתָהּ וַיִּנָּחֶם יְהוָה אֶל־הָרָעָה
וַיֹּאמֶר לַמַּלְאָךְ הַמַּשְׁחִית בָּעָם רַב עַתָּה הֶרֶף יָדֶךָ וּמַלְאַךְ יְהוָה
יז הָיָה עִם־גֹּרֶן האורנה הָאֲרַוְנָה הַיְבֻסִי׃ וַיֹּאמֶר דָּוִד
אֶל־יְהוָה בִּרְאֹתוֹ ׀ אֶת־הַמַּלְאָךְ ׀ הַמַּכֶּה בָעָם וַיֹּאמֶר הִנֵּה אָנֹכִי
חָטָאתִי וְאָנֹכִי הֶעֱוֵיתִי וְאֵלֶּה הַצֹּאן מֶה עָשׂוּ תְּהִי נָא יָדְךָ בִּי
וּבְבֵית אָבִי׃

הַדֶּבֶר בָּעָם׃

יח וַיָּבֹא־גָד אֶל־דָּוִד בַּיּוֹם הַהוּא וַיֹּאמֶר לוֹ עֲלֵה הָקֵם לַיהוָה
יט מִזְבֵּחַ בְּגֹרֶן ארניה אֲרַוְנָה הַיְבֻסִי׃ וַיַּעַל דָּוִד כִּדְבַר־גָּד כַּאֲשֶׁר
כ צִוָּה יְהוָה׃ וַיַּשְׁקֵף אֲרַוְנָה וַיַּרְא אֶת־הַמֶּלֶךְ וְאֶת־עֲבָדָיו עֹבְרִים
כא עָלָיו וַיֵּצֵא אֲרַוְנָה וַיִּשְׁתַּחוּ לַמֶּלֶךְ אַפָּיו אָרְצָה׃ וַיֹּאמֶר אֲרַוְנָה
מַדּוּעַ בָּא אֲדֹנִי־הַמֶּלֶךְ אֶל־עַבְדּוֹ וַיֹּאמֶר דָּוִד לִקְנוֹת מֵעִמְּךָ
אֶת־הַגֹּרֶן לִבְנוֹת מִזְבֵּחַ לַיהוָה וְתֵעָצַר הַמַּגֵּפָה מֵעַל הָעָם׃
כב וַיֹּאמֶר אֲרַוְנָה אֶל־דָּוִד יִקַּח וְיַעַל אֲדֹנִי הַמֶּלֶךְ הַטּוֹב בְּעֵינָו רְאֵה
כג הַבָּקָר לָעֹלָה וְהַמֹּרִגִּים וּכְלֵי הַבָּקָר לָעֵצִים׃ הַכֹּל נָתַן אֲרַוְנָה
הַמֶּלֶךְ לַמֶּלֶךְ וַיֹּאמֶר אֲרַוְנָה אֶל־הַמֶּלֶךְ יְהוָה אֱלֹהֶיךָ
כד יִרְצֶךָ׃ וַיֹּאמֶר הַמֶּלֶךְ אֶל־אֲרַוְנָה לֹא כִּי־קָנוֹ אֶקְנֶה מֵאוֹתְךָ

בְּנִיַּת הַמִּזְבֵּחַ בְּגֹרֶן אֲרַוְנָה הַיְבֻסִי׃

בִּמְחִיר וְלֹא אַעֲלֶה לַיהוָה אֱלֹהַי עֹלוֹת חִנָּם וַיִּקֶן דָּוִד אֶת־הַגֹּרֶן
וְאֶת־הַבָּקָר בְּכֶסֶף שְׁקָלִים חֲמִשִּׁים׃ כה וַיִּבֶן שָׁם דָּוִד מִזְבֵּחַ
לַיהוָה וַיַּעַל עֹלוֹת וּשְׁלָמִים וַיֵּעָתֵר יְהוָה לָאָרֶץ וַתֵּעָצַר הַמַּגֵּפָה
מֵעַל יִשְׂרָאֵל׃

בין השנים
2924-3364

מלכים

א א וְהַמֶּלֶךְ דָּוִד זָקֵן בָּא בַּיָּמִים וַיְכַסֻּהוּ בַּבְּגָדִים וְלֹא יִחַם לוֹ: זִקְנַת דָּוִד:
ב וַיֹּאמְרוּ לוֹ עֲבָדָיו יְבַקְשׁוּ לַאדֹנִי הַמֶּלֶךְ נַעֲרָה בְתוּלָה וְעָמְדָה
לִפְנֵי הַמֶּלֶךְ וּתְהִי־לוֹ סֹכֶנֶת וְשָׁכְבָה בְחֵיקֶךָ וְחַם לַאדֹנִי הַמֶּלֶךְ:
ג וַיְבַקְשׁוּ נַעֲרָה יָפָה בְּכֹל גְּבוּל יִשְׂרָאֵל וַיִּמְצְאוּ אֶת־אֲבִישַׁג
ד הַשּׁוּנַמִּית וַיָּבִאוּ אֹתָהּ לַמֶּלֶךְ: וְהַנַּעֲרָה יָפָה עַד־מְאֹד וַתְּהִי
ה לַמֶּלֶךְ סֹכֶנֶת וַתְּשָׁרְתֵהוּ וְהַמֶּלֶךְ לֹא יְדָעָהּ: וַאֲדֹנִיָּה בֶן־חַגִּית מֶרֶד אֲדֹנִיָּהוּ:
מִתְנַשֵּׂא לֵאמֹר אֲנִי אֶמְלֹךְ וַיַּעַשׂ לוֹ רֶכֶב וּפָרָשִׁים וַחֲמִשִּׁים אִישׁ [2924]
ו רָצִים לְפָנָיו: וְלֹא־עֲצָבוֹ אָבִיו מִיָּמָיו לֵאמֹר מַדּוּעַ כָּכָה עָשִׂיתָ
ז וְגַם־הוּא טוֹב־תֹּאַר מְאֹד וְאֹתוֹ יָלְדָה אַחֲרֵי אַבְשָׁלוֹם: וַיִּהְיוּ
דְבָרָיו עִם יוֹאָב בֶּן־צְרוּיָה וְעִם אֶבְיָתָר הַכֹּהֵן וַיַּעְזְרוּ אַחֲרֵי
ח אֲדֹנִיָּה: וְצָדוֹק הַכֹּהֵן וּבְנָיָהוּ בֶן־יְהוֹיָדָע וְנָתָן הַנָּבִיא וְשִׁמְעִי
ט וְרֵעִי וְהַגִּבּוֹרִים אֲשֶׁר לְדָוִד לֹא הָיוּ עִם־אֲדֹנִיָּהוּ: וַיִּזְבַּח אֲדֹנִיָּהוּ
צֹאן וּבָקָר וּמְרִיא עִם אֶבֶן הַזֹּחֶלֶת אֲשֶׁר־אֵצֶל עֵין רֹגֵל וַיִּקְרָא
אֶת־כָּל־אֶחָיו בְּנֵי הַמֶּלֶךְ וּלְכָל־אַנְשֵׁי יְהוּדָה עַבְדֵי הַמֶּלֶךְ:
י וְאֶת־נָתָן הַנָּבִיא וּבְנָיָהוּ וְאֶת־הַגִּבּוֹרִים וְאֶת־שְׁלֹמֹה אָחִיו לֹא
יא קָרָא: וַיֹּאמֶר נָתָן אֶל־בַּת־שֶׁבַע אֵם־שְׁלֹמֹה לֵאמֹר הֲלוֹא שָׁמַעַתְּ תָּכְנִית נָתָן לְהַשָּׁבַת הַמְּלוּכָה לִשְׁלֹמֹה:
יב כִּי מָלַךְ אֲדֹנִיָּהוּ בֶן־חַגִּית וַאדֹנֵינוּ דָוִד לֹא יָדָע: וְעַתָּה לְכִי
יג אִיעָצֵךְ נָא עֵצָה וּמַלְּטִי אֶת־נַפְשֵׁךְ וְאֶת־נֶפֶשׁ בְּנֵךְ שְׁלֹמֹה: לְכִי
וּבֹאִי | אֶל־הַמֶּלֶךְ דָּוִד וְאָמַרְתְּ אֵלָיו הֲלֹא־אַתָּה אֲדֹנִי הַמֶּלֶךְ
נִשְׁבַּעְתָּ לַאֲמָתְךָ לֵאמֹר כִּי־שְׁלֹמֹה בְנֵךְ יִמְלֹךְ אַחֲרַי וְהוּא
יד יֵשֵׁב עַל־כִּסְאִי וּמַדּוּעַ מָלַךְ אֲדֹנִיָּהוּ: הִנֵּה עוֹדָךְ מְדַבֶּרֶת
שָׁם עִם־הַמֶּלֶךְ וַאֲנִי אָבוֹא אַחֲרַיִךְ וּמִלֵּאתִי אֶת־דְּבָרָיִךְ:
טו וַתָּבֹא בַת־שֶׁבַע אֶל־הַמֶּלֶךְ הַחַדְרָה וְהַמֶּלֶךְ זָקֵן מְאֹד

וַאֲבִישַׁג הַשּׁוּנַמִּית מְשָׁרַת אֶת־הַמֶּלֶךְ׃ וַתִּקֹּד בַּת־שֶׁבַע טז

דִּבְרֵי בַּת שֶׁבַע לְדָוִד:

וַתִּשְׁתַּחוּ לַמֶּלֶךְ וַיֹּאמֶר הַמֶּלֶךְ מַה־לָּךְ׃ וַתֹּאמֶר לוֹ אֲדֹנִי אַתָּה יז
נִשְׁבַּעְתָּ בַּיהוָה אֱלֹהֶיךָ לַאֲמָתֶךָ כִּי־שְׁלֹמֹה בְנֵךְ יִמְלֹךְ אַחֲרָי
וְהוּא יֵשֵׁב עַל־כִּסְאִי׃ וְעַתָּה הִנֵּה אֲדֹנִיָּה מָלָךְ וְעַתָּה אֲדֹנִי הַמֶּלֶךְ יח
לֹא יָדָעְתָּ׃ וַיִּזְבַּח שׁוֹר וּמְרִיא־וְצֹאן לָרֹב יט
וַיִּקְרָא לְכָל־בְּנֵי הַמֶּלֶךְ וּלְאֶבְיָתָר הַכֹּהֵן וּלְיֹאָב שַׂר הַצָּבָא
וְלִשְׁלֹמֹה עַבְדְּךָ לֹא קָרָא׃ וְאַתָּה אֲדֹנִי הַמֶּלֶךְ עֵינֵי כָל־יִשְׂרָאֵל כ
עָלֶיךָ לְהַגִּיד לָהֶם מִי יֵשֵׁב עַל־כִּסֵּא אֲדֹנִי־הַמֶּלֶךְ אַחֲרָיו׃ וְהָיָה כא
כִּשְׁכַב אֲדֹנִי־הַמֶּלֶךְ עִם־אֲבֹתָיו וְהָיִיתִי אֲנִי וּבְנִי שְׁלֹמֹה חַטָּאִים׃

חִזּוּק דְּבָרֶיהָ ע״י נָתָן הַנָּבִיא:

וְהִנֵּה עוֹדֶנָּה מְדַבֶּרֶת עִם־הַמֶּלֶךְ וְנָתָן הַנָּבִיא בָּא׃ וַיַּגִּידוּ לַמֶּלֶךְ כב כג
לֵאמֹר הִנֵּה נָתָן הַנָּבִיא וַיָּבֹא לִפְנֵי הַמֶּלֶךְ וַיִּשְׁתַּחוּ לַמֶּלֶךְ
עַל־אַפָּיו אָרְצָה׃ וַיֹּאמֶר נָתָן אֲדֹנִי הַמֶּלֶךְ אַתָּה אָמַרְתָּ אֲדֹנִיָּהוּ כד
יִמְלֹךְ אַחֲרָי וְהוּא יֵשֵׁב עַל־כִּסְאִי׃ כִּי ׀ יָרַד הַיּוֹם וַיִּזְבַּח שׁוֹר כה
וּמְרִיא־וְצֹאן לָרֹב וַיִּקְרָא לְכָל־בְּנֵי הַמֶּלֶךְ וּלְשָׂרֵי הַצָּבָא
וּלְאֶבְיָתָר הַכֹּהֵן וְהִנָּם אֹכְלִים וְשֹׁתִים לְפָנָיו וַיֹּאמְרוּ יְחִי הַמֶּלֶךְ
אֲדֹנִיָּהוּ׃ וְלִי אֲנִי־עַבְדֶּךָ וּלְצָדֹק הַכֹּהֵן וְלִבְנָיָהוּ בֶן־יְהוֹיָדָע כו
וְלִשְׁלֹמֹה עַבְדְּךָ לֹא קָרָא׃ אִם מֵאֵת אֲדֹנִי הַמֶּלֶךְ נִהְיָה הַדָּבָר כז
הַזֶּה וְלֹא הוֹדַעְתָּ אֶת־עַבְדְּךָ עבדיך מִי יֵשֵׁב עַל־כִּסֵּא אֲדֹנִי־

שְׁבוּעַת הַמֶּלֶךְ לְהַמְלָכַת שְׁלֹמֹה:

הַמֶּלֶךְ אַחֲרָיו׃ וַיַּעַן הַמֶּלֶךְ דָּוִד וַיֹּאמֶר קִרְאוּ־לִי כח
לְבַת־שָׁבַע וַתָּבֹא לִפְנֵי הַמֶּלֶךְ וַתַּעֲמֹד לִפְנֵי הַמֶּלֶךְ׃ וַיִּשָּׁבַע כט
הַמֶּלֶךְ וַיֹּאמַר חַי־יְהוָה אֲשֶׁר־פָּדָה אֶת־נַפְשִׁי מִכָּל־צָרָה׃ כִּי ל
כַּאֲשֶׁר נִשְׁבַּעְתִּי לָךְ בַּיהוָה אֱלֹהֵי יִשְׂרָאֵל לֵאמֹר כִּי־שְׁלֹמֹה
בְנֵךְ יִמְלֹךְ אַחֲרַי וְהוּא יֵשֵׁב עַל־כִּסְאִי תַּחְתָּי כִּי כֵּן אֶעֱשֶׂה הַיּוֹם
הַזֶּה׃ וַתִּקֹּד בַּת־שֶׁבַע אַפַּיִם אֶרֶץ וַתִּשְׁתַּחוּ לַמֶּלֶךְ וַתֹּאמֶר יְחִי לא
אֲדֹנִי הַמֶּלֶךְ דָּוִד לְעֹלָם׃

לב וַיֹּ֣אמֶר ׀ הַמֶּ֣לֶךְ דָּוִ֗ד קִרְאוּ־לִי֙ לְצָד֣וֹק הַכֹּהֵ֔ן וּלְנָתָ֣ן הַנָּבִ֔יא הוֹרָאוֹת הַמֶּלֶךְ לְסֵדֶר הַהַמְלָכָה:
לג וְלִבְנָיָ֖הוּ בֶּן־יְהוֹיָדָ֑ע וַיָּבֹ֖אוּ לִפְנֵ֥י הַמֶּֽלֶךְ׃ וַיֹּ֨אמֶר הַמֶּ֜לֶךְ לָהֶ֗ם קְח֤וּ
עִמָּכֶם֙ אֶת־עַבְדֵ֣י אֲדֹנֵיכֶ֔ם וְהִרְכַּבְתֶּם֙ אֶת־שְׁלֹמֹ֥ה בְנִ֖י עַל־
לד הַפִּרְדָּ֖ה אֲשֶׁר־לִ֑י וְהוֹרַדְתֶּ֥ם אֹת֖וֹ אֶל־גִּחֽוֹן׃ וּמָשַׁ֣ח אֹתוֹ֩ שָׁ֨ם
צָד֧וֹק הַכֹּהֵ֛ן וְנָתָ֥ן הַנָּבִ֖יא לְמֶ֣לֶךְ עַל־יִשְׂרָאֵ֑ל וּתְקַעְתֶּם֙ בַּשּׁוֹפָ֔ר
לה וַאֲמַרְתֶּ֕ם יְחִ֖י הַמֶּ֥לֶךְ שְׁלֹמֹֽה׃ וַעֲלִיתֶ֣ם אַחֲרָ֗יו וּבָא֙ וְיָשַׁ֣ב
עַל־כִּסְאִ֔י וְה֥וּא יִמְלֹ֖ךְ תַּחְתָּ֑י וְאֹת֤וֹ צִוִּ֙יתִי֙ לִהְי֣וֹת נָגִ֔יד עַל־
לו יִשְׂרָאֵ֖ל וְעַל־יְהוּדָֽה׃ וַיַּ֨עַן בְּנָיָ֧הוּ בֶן־יְהוֹיָדָ֛ע אֶת־הַמֶּ֖לֶךְ וַיֹּ֣אמֶר ׀
לז אָמֵ֑ן כֵּ֚ן יֹאמַ֣ר יְהוָ֔ה אֱלֹהֵ֖י אֲדֹנִ֥י הַמֶּֽלֶךְ׃ כַּאֲשֶׁ֨ר הָיָ֤ה יְהוָה֙
עִם־אֲדֹנִ֣י הַמֶּ֔לֶךְ כֵּ֖ן יהי יִֽהְיֶ֣ה עִם־שְׁלֹמֹ֑ה וִֽיגַדֵּל֙ אֶת־כִּסְא֔וֹ
לח מִ֨כִּסֵּ֔א אֲדֹנִ֖י הַמֶּ֥לֶךְ דָּוִֽד׃ וַיֵּ֣רֶד צָד֣וֹק הַ֠כֹּהֵן וְנָתָ֨ן הַנָּבִ֜יא וּבְנָיָ֣הוּ הַמְלָכַת שְׁלֹמֹה:
בֶּן־יְהוֹיָדָ֗ע וְהַכְּרֵתִי֙ וְהַפְּלֵתִ֔י וַיַּרְכִּ֙בוּ֙ אֶת־שְׁלֹמֹ֔ה עַל־פִּרְדַּ֖ת [2924]
לט הַמֶּ֣לֶךְ דָּוִ֑ד וַיֹּלִ֥כוּ אֹת֖וֹ עַל־גִּחֽוֹן׃ וַיִּקַּח֩ צָד֨וֹק הַכֹּהֵ֜ן אֶת־קֶ֤רֶן
הַשֶּׁ֙מֶן֙ מִן־הָאֹ֔הֶל וַיִּמְשַׁ֖ח אֶת־שְׁלֹמֹ֑ה וַֽיִּתְקְעוּ֙ בַּשּׁוֹפָ֔ר וַיֹּאמְרוּ֙
מ כָּל־הָעָ֔ם יְחִ֖י הַמֶּ֥לֶךְ שְׁלֹמֹֽה׃ וַיַּעֲל֤וּ כָל־הָעָם֙ אַחֲרָ֔יו וְהָעָם֙
מְחַלְּלִ֣ים בַּחֲלִלִ֔ים וּשְׂמֵחִ֖ים שִׂמְחָ֣ה גְדוֹלָ֑ה וַתִּבָּקַ֥ע הָאָ֖רֶץ
מא בְּקוֹלָֽם׃ וַיִּשְׁמַ֣ע אֲדֹנִיָּ֗הוּ וְכָל־הַקְּרֻאִים֙ אֲשֶׁ֣ר אִתּ֔וֹ וְהֵ֖ם כִּלּ֣וּ הַבְּשׂוֹרָה לַאֲדֹנִיָּהוּ:
לֶאֱכֹ֑ל וַיִּשְׁמַ֤ע יוֹאָב֙ אֶת־ק֣וֹל הַשּׁוֹפָ֔ר וַיֹּ֕אמֶר מַדּ֥וּעַ קוֹל־הַקִּרְיָ֖ה
מב הוֹמָֽה׃ עוֹדֶ֣נּוּ מְדַבֵּ֔ר וְהִנֵּ֛ה יוֹנָתָ֥ן בֶּן־אֶבְיָתָ֖ר הַכֹּהֵ֣ן בָּ֑א וַיֹּ֤אמֶר
מג אֲדֹנִיָּ֙הוּ֙ בֹּ֔א כִּ֣י אִ֥ישׁ חַ֛יִל אַ֖תָּה וְט֥וֹב תְּבַשֵּֽׂר׃ וַיַּ֙עַן֙ יוֹנָתָ֔ן וַיֹּ֖אמֶר
מד לַאֲדֹנִיָּ֑הוּ אֲבָ֕ל אֲדֹנֵ֥ינוּ הַמֶּֽלֶךְ־דָּוִ֖ד הִמְלִ֥יךְ אֶת־שְׁלֹמֹֽה׃ וַיִּשְׁלַ֣ח
אִתּֽוֹ־הַ֠מֶּלֶךְ אֶת־צָד֨וֹק הַכֹּהֵ֜ן וְאֶת־נָתָ֣ן הַנָּבִ֗יא וּבְנָיָ֙הוּ֙ בֶּן־יְהוֹיָדָ֔ע
מה וְהַכְּרֵתִ֖י וְהַפְּלֵתִ֑י וַיַּרְכִּ֣בוּ אֹת֔וֹ עַ֖ל פִּרְדַּ֥ת הַמֶּֽלֶךְ׃ וַיִּמְשְׁח֣וּ אֹת֡וֹ
צָד֣וֹק הַכֹּהֵן֩ וְנָתָ֨ן הַנָּבִ֤יא ׀ לְמֶ֙לֶךְ֙ בְּגִח֔וֹן וַיַּעֲל֣וּ מִשָּׁם֙ שְׂמֵחִ֔ים
מו וַתֵּהֹ֖ם הַקִּרְיָ֑ה ה֥וּא הַקּ֖וֹל אֲשֶׁ֥ר שְׁמַעְתֶּֽם׃ וְגַ֗ם יָשַׁ֛ב שְׁלֹמֹ֖ה עַ֥ל

מז כִּסֵּא הַמְּלוּכָה: וְגַם־בָּאוּ עַבְדֵי הַמֶּלֶךְ לְבָרֵךְ אֶת־אֲדֹנֵינוּ הַמֶּלֶךְ
דָּוִד לֵאמֹר יֵיטֵב אלהיך אֱלֹהִים אֶת־שֵׁם שְׁלֹמֹה מִשְּׁמֶךָ וִיגַדֵּל
מח אֶת־כִּסְאוֹ מִכִּסְאֶךָ וַיִּשְׁתַּחוּ הַמֶּלֶךְ עַל־הַמִּשְׁכָּב: וְגַם־כָּכָה אָמַר
הַמֶּלֶךְ בָּרוּךְ יְהוָה אֱלֹהֵי יִשְׂרָאֵל אֲשֶׁר נָתַן הַיּוֹם יֹשֵׁב עַל־כִּסְאִי
מט וְעֵינַי רֹאוֹת: וַיֶּחֶרְדוּ וַיָּקֻמוּ כָּל־הַקְּרֻאִים אֲשֶׁר לַאֲדֹנִיָּהוּ וַיֵּלְכוּ
נ אִישׁ לְדַרְכּוֹ: וַאֲדֹנִיָּהוּ יָרֵא מִפְּנֵי שְׁלֹמֹה וַיָּקָם וַיֵּלֶךְ וַיַּחֲזֵק
נא בְּקַרְנוֹת הַמִּזְבֵּחַ: וַיֻּגַּד לִשְׁלֹמֹה לֵאמֹר הִנֵּה אֲדֹנִיָּהוּ יָרֵא
אֶת־הַמֶּלֶךְ שְׁלֹמֹה וְהִנֵּה אָחַז בְּקַרְנוֹת הַמִּזְבֵּחַ לֵאמֹר יִשָּׁבַע־
נב לִי כַיּוֹם הַמֶּלֶךְ שְׁלֹמֹה אִם־יָמִית אֶת־עַבְדּוֹ בֶּחָרֶב: וַיֹּאמֶר
שְׁלֹמֹה אִם יִהְיֶה לְבֶן־חַיִל לֹא־יִפֹּל מִשַּׂעֲרָתוֹ אָרְצָה וְאִם־רָעָה
נג תִמָּצֵא־בוֹ וָמֵת: וַיִּשְׁלַח הַמֶּלֶךְ שְׁלֹמֹה וַיֹּרִדֻהוּ מֵעַל הַמִּזְבֵּחַ
וַיָּבֹא וַיִּשְׁתַּחוּ לַמֶּלֶךְ שְׁלֹמֹה וַיֹּאמֶר־לוֹ שְׁלֹמֹה לֵךְ לְבֵיתֶךָ:

חֶרְדַּת הַקְּרוּאִים וְהִתְפַּזְּרוּתָם:

ב א ב וַיִּקְרְבוּ יְמֵי־דָוִד לָמוּת וַיְצַו אֶת־שְׁלֹמֹה בְנוֹ לֵאמֹר: אָנֹכִי הֹלֵךְ
ג בְּדֶרֶךְ כָּל־הָאָרֶץ וְחָזַקְתָּ וְהָיִיתָ לְאִישׁ: וְשָׁמַרְתָּ אֶת־מִשְׁמֶרֶת
יְהוָה אֱלֹהֶיךָ לָלֶכֶת בִּדְרָכָיו לִשְׁמֹר חֻקֹּתָיו מִצְוֹתָיו וּמִשְׁפָּטָיו
וְעֵדְוֹתָיו כַּכָּתוּב בְּתוֹרַת מֹשֶׁה לְמַעַן תַּשְׂכִּיל אֵת כָּל־אֲשֶׁר
ד תַּעֲשֶׂה וְאֵת כָּל־אֲשֶׁר תִּפְנֶה שָׁם: לְמַעַן יָקִים יְהוָה אֶת־דְּבָרוֹ
אֲשֶׁר דִּבֶּר עָלַי לֵאמֹר אִם־יִשְׁמְרוּ בָנֶיךָ אֶת־דַּרְכָּם לָלֶכֶת לְפָנַי
בֶּאֱמֶת בְּכָל־לְבָבָם וּבְכָל־נַפְשָׁם לֵאמֹר לֹא־יִכָּרֵת לְךָ אִישׁ מֵעַל
ה כִּסֵּא יִשְׂרָאֵל: וְגַם אַתָּה יָדַעְתָּ אֵת אֲשֶׁר־עָשָׂה לִי יוֹאָב
בֶּן־צְרוּיָה אֲשֶׁר עָשָׂה לִשְׁנֵי־שָׂרֵי צִבְאוֹת יִשְׂרָאֵל לְאַבְנֵר בֶּן־נֵר
וְלַעֲמָשָׂא בֶן־יֶתֶר וַיַּהַרְגֵם וַיָּשֶׂם דְּמֵי־מִלְחָמָה בְּשָׁלֹם וַיִּתֵּן דְּמֵי
ו מִלְחָמָה בַּחֲגֹרָתוֹ אֲשֶׁר בְּמָתְנָיו וּבְנַעֲלוֹ אֲשֶׁר בְּרַגְלָיו: וְעָשִׂיתָ
ז כְּחָכְמָתֶךָ וְלֹא־תוֹרֵד שֵׂיבָתוֹ בְּשָׁלֹם שְׁאֹל: וְלִבְנֵי בַרְזִלַּי הַגִּלְעָדִי
תַּעֲשֶׂה־חֶסֶד וְהָיוּ בְּאֹכְלֵי שֻׁלְחָנֶךָ כִּי־כֵן קָרְבוּ אֵלַי בְּבָרְחִי

צַוָּאַת דָּוִד לִשְׁלֹמֹה:

-לְהַעֲנִישׁ אֶת יוֹאָב:

-הַחֶסֶד לִבְנֵי בַרְזִלַּי:

ח מִפְּנֵי אַבְשָׁלוֹם אָחִיךָ: וְהִנֵּה עִמְּךָ שִׁמְעִי בֶן־גֵּרָא בֶן־הַיְמִינִי נְקָמָה מִשִּׁמְעִי:
מִבַּחֻרִים וְהוּא קִלְלַנִי קְלָלָה נִמְרֶצֶת בְּיוֹם לֶכְתִּי מַחֲנָיִם
וְהוּא־יָרַד לִקְרָאתִי הַיַּרְדֵּן וָאֶשָּׁבַע לוֹ בַיהוָה לֵאמֹר אִם־
ט אֲמִיתְךָ בֶּחָרֶב: וְעַתָּה אַל־תְּנַקֵּהוּ כִּי אִישׁ חָכָם אָתָּה וְיָדַעְתָּ
י אֵת אֲשֶׁר תַּעֲשֶׂה־לּוֹ וְהוֹרַדְתָּ אֶת־שֵׂיבָתוֹ בְּדָם שְׁאוֹל: וַיִּשְׁכַּב [2924]
דָּוִד עִם־אֲבֹתָיו וַיִּקָּבֵר בְּעִיר דָּוִד:
יא וְהַיָּמִים אֲשֶׁר מָלַךְ דָּוִד עַל־יִשְׂרָאֵל אַרְבָּעִים שָׁנָה בְּחֶבְרוֹן מָלַךְ
יב שֶׁבַע שָׁנִים וּבִירוּשָׁלַםִ מָלַךְ שְׁלֹשִׁים וְשָׁלֹשׁ שָׁנִים: וּשְׁלֹמֹה יָשַׁב
יג עַל־כִּסֵּא דָּוִד אָבִיו וַתִּכֹּן מַלְכֻתוֹ מְאֹד: וַיָּבֹא אֲדֹנִיָּהוּ הֲרִיגַת אֲדֹנִיָּהוּ:
בֶן־חַגִּית אֶל־בַּת־שֶׁבַע אֵם־שְׁלֹמֹה וַתֹּאמֶר הֲשָׁלוֹם בֹּאֶךָ וַיֹּאמֶר
יד טו שָׁלוֹם: וַיֹּאמַר דָּבָר לִי אֵלָיִךְ וַתֹּאמֶר דַּבֵּר: וַיֹּאמֶר אַתְּ יָדַעַתְּ
כִּי־לִי הָיְתָה הַמְּלוּכָה וְעָלַי שָׂמוּ כָל־יִשְׂרָאֵל פְּנֵיהֶם לִמְלֹךְ וַתִּסֹּב
טז הַמְּלוּכָה וַתְּהִי לְאָחִי כִּי מֵיְהוָה הָיְתָה לּוֹ: וְעַתָּה שְׁאֵלָה אַחַת
יז אָנֹכִי שֹׁאֵל מֵאִתָּךְ אַל־תָּשִׁבִי אֶת־פָּנָי וַתֹּאמֶר אֵלָיו דַּבֵּר: וַיֹּאמֶר
אִמְרִי־נָא לִשְׁלֹמֹה הַמֶּלֶךְ כִּי לֹא־יָשִׁיב אֶת־פָּנָיִךְ וְיִתֶּן־לִי
יח אֶת־אֲבִישַׁג הַשּׁוּנַמִּית לְאִשָּׁה: וַתֹּאמֶר בַּת־שֶׁבַע טוֹב אָנֹכִי
יט אֲדַבֵּר עָלֶיךָ אֶל־הַמֶּלֶךְ: וַתָּבֹא בַת־שֶׁבַע אֶל־הַמֶּלֶךְ שְׁלֹמֹה
לְדַבֶּר־לוֹ עַל־אֲדֹנִיָּהוּ וַיָּקָם הַמֶּלֶךְ לִקְרָאתָהּ וַיִּשְׁתַּחוּ לָהּ
כ וַיֵּשֶׁב עַל־כִּסְאוֹ וַיָּשֶׂם כִּסֵּא לְאֵם הַמֶּלֶךְ וַתֵּשֶׁב לִימִינוֹ: וַתֹּאמֶר
שְׁאֵלָה אַחַת קְטַנָּה אָנֹכִי שֹׁאֶלֶת מֵאִתָּךְ אַל־תָּשֶׁב אֶת־פָּנָי
כא וַיֹּאמֶר־לָהּ הַמֶּלֶךְ שַׁאֲלִי אִמִּי כִּי לֹא־אָשִׁיב אֶת־פָּנָיִךְ: וַתֹּאמֶר
כב יֻתַּן אֶת־אֲבִישַׁג הַשֻּׁנַמִּית לַאֲדֹנִיָּהוּ אָחִיךָ לְאִשָּׁה: וַיַּעַן הַמֶּלֶךְ
שְׁלֹמֹה וַיֹּאמֶר לְאִמּוֹ וְלָמָה אַתְּ שֹׁאֶלֶת אֶת־אֲבִישַׁג הַשֻּׁנַמִּית
לַאֲדֹנִיָּהוּ וְשַׁאֲלִי־לוֹ אֶת־הַמְּלוּכָה כִּי הוּא אָחִי הַגָּדוֹל מִמֶּנִּי וְלוֹ
וּלְאֶבְיָתָר הַכֹּהֵן וּלְיוֹאָב בֶּן־צְרוּיָה:

כג וַיִּשָּׁבַע הַמֶּלֶךְ שְׁלֹמֹה בַּיהוָה לֵאמֹר כֹּה יַעֲשֶׂה־לִּי אֱלֹהִים וְכֹה
כד יוֹסִיף כִּי בְנַפְשׁוֹ דִּבֶּר אֲדֹנִיָּהוּ אֶת־הַדָּבָר הַזֶּה: וְעַתָּה חַי־יְהוָה
אֲשֶׁר הֱכִינַנִי וויושיביני וַיּוֹשִׁיבַנִי עַל־כִּסֵּא דָּוִד אָבִי וַאֲשֶׁר עָשָׂה־לִי
כה בַּיִת כַּאֲשֶׁר דִּבֵּר כִּי הַיּוֹם יוּמַת אֲדֹנִיָּהוּ: וַיִּשְׁלַח הַמֶּלֶךְ שְׁלֹמֹה
כו בְּיַד בְּנָיָהוּ בֶן־יְהוֹיָדָע וַיִּפְגַּע־בּוֹ וַיָּמֹת:

גֵּרוּשׁ אֶבְיָתָר:

וּלְאֶבְיָתָר הַכֹּהֵן
אָמַר הַמֶּלֶךְ עֲנָתֹת לֵךְ עַל־שָׂדֶיךָ כִּי אִישׁ מָוֶת אָתָּה וּבַיּוֹם
הַזֶּה לֹא אֲמִיתֶךָ כִּי־נָשָׂאתָ אֶת־אֲרוֹן אֲדֹנָי יֱהוִה לִפְנֵי דָּוִד אָבִי
כז וְכִי הִתְעַנִּיתָ בְּכֹל אֲשֶׁר־הִתְעַנָּה אָבִי: וַיְגָרֶשׁ שְׁלֹמֹה אֶת־אֶבְיָתָר
מִהְיוֹת כֹּהֵן לַיהוָה לְמַלֵּא אֶת־דְּבַר יְהוָה אֲשֶׁר דִּבֶּר עַל־בֵּית
עֵלִי בְּשִׁלֹה:

הִמָּלְטוּת יוֹאָב לְאֹהֶל ה׳ וַהֲמָתָתוֹ:

כח וְהַשְּׁמֻעָה בָּאָה עַד־יוֹאָב כִּי יוֹאָב נָטָה אַחֲרֵי אֲדֹנִיָּה וְאַחֲרֵי
אַבְשָׁלוֹם לֹא נָטָה וַיָּנָס יוֹאָב אֶל־אֹהֶל יְהוָה וַיַּחֲזֵק בְּקַרְנוֹת
כט הַמִּזְבֵּחַ: וַיֻּגַּד לַמֶּלֶךְ שְׁלֹמֹה כִּי נָס יוֹאָב אֶל־אֹהֶל יְהוָה וְהִנֵּה
אֵצֶל הַמִּזְבֵּחַ וַיִּשְׁלַח שְׁלֹמֹה אֶת־בְּנָיָהוּ בֶן־יְהוֹיָדָע לֵאמֹר לֵךְ
ל פְּגַע־בּוֹ: וַיָּבֹא בְנָיָהוּ אֶל־אֹהֶל יְהוָה וַיֹּאמֶר אֵלָיו כֹּה־אָמַר הַמֶּלֶךְ
צֵא וַיֹּאמֶר ׀ לֹא כִּי פֹה אָמוּת וַיָּשֶׁב בְּנָיָהוּ אֶת־הַמֶּלֶךְ דָּבָר
לא לֵאמֹר כֹּה־דִבֶּר יוֹאָב וְכֹה עָנָנִי: וַיֹּאמֶר לוֹ הַמֶּלֶךְ עֲשֵׂה כַּאֲשֶׁר
דִּבֶּר וּפְגַע־בּוֹ וּקְבַרְתּוֹ וַהֲסִירֹתָ ׀ דְּמֵי חִנָּם אֲשֶׁר שָׁפַךְ יוֹאָב
לב מֵעָלַי וּמֵעַל בֵּית אָבִי: וְהֵשִׁיב יְהוָה אֶת־דָּמוֹ עַל־רֹאשׁוֹ אֲשֶׁר
פָּגַע בִּשְׁנֵי־אֲנָשִׁים צַדִּקִים וְטֹבִים מִמֶּנּוּ וַיַּהַרְגֵם בַּחֶרֶב וְאָבִי
דָוִד לֹא יָדָע אֶת־אַבְנֵר בֶּן־נֵר שַׂר־צְבָא יִשְׂרָאֵל וְאֶת־עֲמָשָׂא
לג בֶן־יֶתֶר שַׂר־צְבָא יְהוּדָה: וְשָׁבוּ דְמֵיהֶם בְּרֹאשׁ יוֹאָב וּבְרֹאשׁ
זַרְעוֹ לְעֹלָם וּלְדָוִד וּלְזַרְעוֹ וּלְבֵיתוֹ וּלְכִסְאוֹ יִהְיֶה שָׁלוֹם
לד עַד־עוֹלָם מֵעִם יְהוָה: וַיַּעַל בְּנָיָהוּ בֶּן־יְהוֹיָדָע וַיִּפְגַּע־בּוֹ וַיְמִתֵהוּ
לה וַיִּקָּבֵר בְּבֵיתוֹ בַּמִּדְבָּר: וַיִּתֵּן הַמֶּלֶךְ אֶת־בְּנָיָהוּ בֶן־יְהוֹיָדָע תַּחְתָּיו

לו עַל־הַצָּבָא וְאֶת־צָדוֹק הַכֹּהֵן נָתַן הַמֶּלֶךְ תַּחַת אֶבְיָתָר: וַיִּשְׁלַח
הַמֶּלֶךְ וַיִּקְרָא לְשִׁמְעִי וַיֹּאמֶר לוֹ בְּנֵה־לְךָ בַיִת בִּירוּשָׁלִַם וְיָשַׁבְתָּ
לז שָׁם וְלֹא־תֵצֵא מִשָּׁם אָנֶה וָאָנָה: וְהָיָה ׀ בְּיוֹם צֵאתְךָ וְעָבַרְתָּ
אֶת־נַחַל קִדְרוֹן יָדֹעַ תֵּדַע כִּי מוֹת תָּמוּת דָּמְךָ יִהְיֶה בְרֹאשֶׁךָ:
לח וַיֹּאמֶר שִׁמְעִי לַמֶּלֶךְ טוֹב הַדָּבָר כַּאֲשֶׁר דִּבֶּר אֲדֹנִי הַמֶּלֶךְ כֵּן
לט יַעֲשֶׂה עַבְדֶּךָ וַיֵּשֶׁב שִׁמְעִי בִּירוּשָׁלִַם יָמִים רַבִּים: וַיְהִי
מִקֵּץ שָׁלֹשׁ שָׁנִים וַיִּבְרְחוּ שְׁנֵי־עֲבָדִים לְשִׁמְעִי אֶל־אָכִישׁ
בֶּן־מַעֲכָה מֶלֶךְ גַּת וַיַּגִּידוּ לְשִׁמְעִי לֵאמֹר הִנֵּה עֲבָדֶיךָ בְּגַת:
מ וַיָּקָם שִׁמְעִי וַיַּחֲבֹשׁ אֶת־חֲמֹרוֹ וַיֵּלֶךְ גַּתָה אֶל־אָכִישׁ לְבַקֵּשׁ
מא אֶת־עֲבָדָיו וַיֵּלֶךְ שִׁמְעִי וַיָּבֵא אֶת־עֲבָדָיו מִגַּת: וַיֻּגַּד
מב לִשְׁלֹמֹה כִּי־הָלַךְ שִׁמְעִי מִירוּשָׁלִַם גַּת וַיָּשֹׁב: וַיִּשְׁלַח הַמֶּלֶךְ
וַיִּקְרָא לְשִׁמְעִי וַיֹּאמֶר אֵלָיו הֲלוֹא הִשְׁבַּעְתִּיךָ בַיהוָה וָאָעִד בְּךָ
לֵאמֹר בְּיוֹם צֵאתְךָ וְהָלַכְתָּ אָנֶה וָאָנָה יָדֹעַ תֵּדַע כִּי מוֹת תָּמוּת
מג וַתֹּאמֶר אֵלַי טוֹב הַדָּבָר שָׁמָעְתִּי: וּמַדּוּעַ לֹא שָׁמַרְתָּ אֵת שְׁבֻעַת
מד יְהוָה וְאֶת־הַמִּצְוָה אֲשֶׁר־צִוִּיתִי עָלֶיךָ: וַיֹּאמֶר הַמֶּלֶךְ אֶל־שִׁמְעִי
אַתָּה יָדַעְתָּ אֵת כָּל־הָרָעָה אֲשֶׁר יָדַע לְבָבְךָ אֲשֶׁר עָשִׂיתָ לְדָוִד
מה אָבִי וְהֵשִׁיב יְהוָה אֶת־רָעָתְךָ בְּרֹאשֶׁךָ: וְהַמֶּלֶךְ שְׁלֹמֹה בָּרוּךְ
מו וְכִסֵּא דָוִד יִהְיֶה נָכוֹן לִפְנֵי יְהוָה עַד־עוֹלָם: וַיְצַו הַמֶּלֶךְ
אֶת־בְּנָיָהוּ בֶּן־יְהוֹיָדָע וַיֵּצֵא וַיִּפְגַּע־בּוֹ וַיָּמֹת וְהַמַּמְלָכָה נָכוֹנָה
ג א בְּיַד־שְׁלֹמֹה: וַיִּתְחַתֵּן שְׁלֹמֹה אֶת־פַּרְעֹה מֶלֶךְ מִצְרָיִם וַיִּקַּח
אֶת־בַּת־פַּרְעֹה וַיְבִיאֶהָ אֶל־עִיר דָּוִד עַד כַּלֹּתוֹ לִבְנוֹת אֶת־בֵּיתוֹ
ב וְאֶת־בֵּית יְהוָה וְאֶת־חוֹמַת יְרוּשָׁלִַם סָבִיב: רַק הָעָם מְזַבְּחִים
בַּבָּמוֹת כִּי לֹא־נִבְנָה בַיִת לְשֵׁם יְהוָה עַד הַיָּמִים הָהֵם:
ג וַיֶּאֱהַב שְׁלֹמֹה אֶת־יְהוָה לָלֶכֶת בְּחֻקּוֹת דָּוִד אָבִיו רַק בַּבָּמוֹת
ד הוּא מְזַבֵּחַ וּמַקְטִיר: וַיֵּלֶךְ הַמֶּלֶךְ גִּבְעֹנָה לִזְבֹּחַ שָׁם כִּי־הִיא

הֲרִיגַת שִׁמְעִי:

נִשּׂוּאֵי שְׁלֹמֹה עִם בַּת פַּרְעֹה:

קָרְבְּנוֹת שְׁלֹמֹה:

הַבָּמָה הַגְּדוֹלָה אֶלֶף עֹלוֹת יַעֲלֶה שְׁלֹמֹה עַל הַמִּזְבֵּחַ הַהוּא:

חֲלוֹם
שְׁלֹמֹה
ה בְּגִבְעוֹן נִרְאָה יְהוָֹה אֶל־שְׁלֹמֹה בַּחֲלוֹם הַלָּיְלָה וַיֹּאמֶר אֱלֹהִים
שְׁאַל מָה אֶתֶּן־לָךְ: ו וַיֹּאמֶר שְׁלֹמֹה אַתָּה עָשִׂיתָ עִם־עַבְדְּךָ דָוִד
אָבִי חֶסֶד גָּדוֹל כַּאֲשֶׁר הָלַךְ לְפָנֶיךָ בֶּאֱמֶת וּבִצְדָקָה וּבְיִשְׁרַת
לֵבָב עִמָּךְ וַתִּשְׁמָר־לוֹ אֶת־הַחֶסֶד הַגָּדוֹל הַזֶּה וַתִּתֶּן־לוֹ בֵן יֹשֵׁב
עַל־כִּסְאוֹ כַּיּוֹם הַזֶּה: ז וְעַתָּה יְהוָֹה אֱלֹהָי אַתָּה הִמְלַכְתָּ אֶת־
עַבְדְּךָ תַּחַת דָּוִד אָבִי וְאָנֹכִי נַעַר קָטֹן לֹא אֵדַע צֵאת וָבֹא:
ח וְעַבְדְּךָ בְּתוֹךְ עַמְּךָ אֲשֶׁר בָּחָרְתָּ עַם־רָב אֲשֶׁר לֹא־יִמָּנֶה וְלֹא
ט יִסָּפֵר מֵרֹב: וְנָתַתָּ לְעַבְדְּךָ לֵב שֹׁמֵעַ לִשְׁפֹּט אֶת־עַמְּךָ לְהָבִין
י בֵּין־טוֹב לְרָע כִּי מִי יוּכַל לִשְׁפֹּט אֶת־עַמְּךָ הַכָּבֵד הַזֶּה: וַיִּיטַב
הַדָּבָר בְּעֵינֵי אֲדֹנָי כִּי שָׁאַל שְׁלֹמֹה אֶת־הַדָּבָר הַזֶּה: יא וַיֹּאמֶר
אֱלֹהִים אֵלָיו יַעַן אֲשֶׁר שָׁאַלְתָּ אֶת־הַדָּבָר הַזֶּה וְלֹא־שָׁאַלְתָּ לְּךָ
יָמִים רַבִּים וְלֹא־שָׁאַלְתָּ לְּךָ עֹשֶׁר וְלֹא שָׁאַלְתָּ נֶפֶשׁ אֹיְבֶיךָ
וְשָׁאַלְתָּ לְּךָ הָבִין לִשְׁמֹעַ מִשְׁפָּט: יב הִנֵּה עָשִׂיתִי כִּדְבָרֶיךָ הִנֵּה ׀
נָתַתִּי לְךָ לֵב חָכָם וְנָבוֹן אֲשֶׁר כָּמוֹךָ לֹא־הָיָה לְפָנֶיךָ וְאַחֲרֶיךָ
לֹא־יָקוּם כָּמוֹךָ: יג וְגַם אֲשֶׁר לֹא־שָׁאַלְתָּ נָתַתִּי לָךְ גַּם־עֹשֶׁר
גַּם־כָּבוֹד אֲשֶׁר לֹא־הָיָה כָמוֹךָ אִישׁ בַּמְּלָכִים כָּל־יָמֶיךָ: יד וְאִם ׀
תֵּלֵךְ בִּדְרָכַי לִשְׁמֹר חֻקַּי וּמִצְוֹתַי כַּאֲשֶׁר הָלַךְ דָּוִיד אָבִיךָ
וְהַאֲרַכְתִּי אֶת־יָמֶיךָ: טו וַיִּקַץ שְׁלֹמֹה וְהִנֵּה חֲלוֹם וַיָּבוֹא
יְרוּשָׁלִַם וַיַּעֲמֹד ׀ לִפְנֵי ׀ אֲרוֹן בְּרִית־אֲדֹנָי וַיַּעַל עֹלוֹת וַיַּעַשׂ
שְׁלָמִים וַיַּעַשׂ מִשְׁתֶּה לְכָל־עֲבָדָיו:

מִשְׁפַּט
הַנָּשִׁים:
טז אָז תָּבֹאנָה שְׁתַּיִם נָשִׁים זֹנוֹת אֶל־הַמֶּלֶךְ וַתַּעֲמֹדְנָה לְפָנָיו:
יז וַתֹּאמֶר הָאִשָּׁה הָאַחַת בִּי אֲדֹנִי אֲנִי וְהָאִשָּׁה הַזֹּאת יֹשְׁבֹת בְּבַיִת
אֶחָד וָאֵלֵד עִמָּהּ בַּבָּיִת: יח וַיְהִי בַּיּוֹם הַשְּׁלִישִׁי לְלִדְתִּי וַתֵּלֶד
גַּם־הָאִשָּׁה הַזֹּאת וַאֲנַחְנוּ יַחְדָּו אֵין־זָר אִתָּנוּ בַּבַּיִת זוּלָתִי

יט שְׁתַּיִם־אֲנַחְנוּ בַּבָּיִת: וַיָּמָת בֶּן־הָאִשָּׁה הַזֹּאת לָיְלָה אֲשֶׁר שָׁכְבָה
כ עָלָיו: וַתָּקָם בְּתוֹךְ הַלַּיְלָה וַתִּקַּח אֶת־בְּנִי מֵאֶצְלִי וַאֲמָתְךָ יְשֵׁנָה
כא וַתַּשְׁכִּיבֵהוּ בְּחֵיקָהּ וְאֶת־בְּנָהּ הַמֵּת הִשְׁכִּיבָה בְחֵיקִי: וָאָקֻם
בַּבֹּקֶר לְהֵינִיק אֶת־בְּנִי וְהִנֵּה־מֵת וָאֶתְבּוֹנֵן אֵלָיו בַּבֹּקֶר וְהִנֵּה
כב לֹא־הָיָה בְנִי אֲשֶׁר יָלָדְתִּי: וַתֹּאמֶר הָאִשָּׁה הָאַחֶרֶת לֹא כִי בְּנִי
הַחַי וּבְנֵךְ הַמֵּת וְזֹאת אֹמֶרֶת לֹא כִי בְּנֵךְ הַמֵּת וּבְנִי הֶחָי
כג וַתְּדַבֵּרְנָה לִפְנֵי הַמֶּלֶךְ: וַיֹּאמֶר הַמֶּלֶךְ זֹאת אֹמֶרֶת זֶה־בְּנִי הַחַי
וּבְנֵךְ הַמֵּת וְזֹאת אֹמֶרֶת לֹא כִי בְּנֵךְ הַמֵּת וּבְנִי הֶחָי:
כד כה וַיֹּאמֶר הַמֶּלֶךְ קְחוּ לִי־חָרֶב וַיָּבִאוּ הַחֶרֶב לִפְנֵי הַמֶּלֶךְ: וַיֹּאמֶר
הַמֶּלֶךְ גִּזְרוּ אֶת־הַיֶּלֶד הַחַי לִשְׁנָיִם וּתְנוּ אֶת־הַחֲצִי לְאַחַת
כו וְאֶת־הַחֲצִי לְאֶחָת: וַתֹּאמֶר הָאִשָּׁה אֲשֶׁר־בְּנָהּ הַחַי אֶל־הַמֶּלֶךְ
כִּי־נִכְמְרוּ רַחֲמֶיהָ עַל־בְּנָהּ וַתֹּאמֶר׀ בִּי אֲדֹנִי תְּנוּ־לָהּ
אֶת־הַיָּלוּד הַחַי וְהָמֵת אַל־תְּמִיתֻהוּ וְזֹאת אֹמֶרֶת גַּם־לִי גַם־לָךְ
כז לֹא יִהְיֶה גְּזֹרוּ: וַיַּעַן הַמֶּלֶךְ וַיֹּאמֶר תְּנוּ־לָהּ אֶת־הַיָּלוּד הַחַי
כח וְהָמֵת לֹא תְמִיתֻהוּ הִיא אִמּוֹ: וַיִּשְׁמְעוּ כָל־יִשְׂרָאֵל
אֶת־הַמִּשְׁפָּט אֲשֶׁר שָׁפַט הַמֶּלֶךְ וַיִּרְאוּ מִפְּנֵי הַמֶּלֶךְ כִּי רָאוּ
ד א כִּי־חָכְמַת אֱלֹהִים בְּקִרְבּוֹ לַעֲשׂוֹת מִשְׁפָּט: וַיְהִי הַמֶּלֶךְ
ב שְׁלֹמֹה מֶלֶךְ עַל־כָּל־יִשְׂרָאֵל: וְאֵלֶּה הַשָּׂרִים אֲשֶׁר־לוֹ
ג עֲזַרְיָהוּ בֶן־צָדוֹק הַכֹּהֵן: אֱלִיחֹרֶף וַאֲחִיָּה בְּנֵי שִׁישָׁא
סֹפְרִים יְהוֹשָׁפָט בֶּן־אֲחִילוּד
ד הַמַּזְכִּיר: וּבְנָיָהוּ בֶּן־יְהוֹיָדָע עַל־
ה הַצָּבָא וְצָדוֹק וְאֶבְיָתָר כֹּהֲנִים: וַעֲזַרְיָהוּ בֶן־
נָתָן עַל־הַנִּצָּבִים וְזָבוּד בֶּן־נָתָן כֹּהֵן רֵעֶה
ו הַמֶּלֶךְ: וַאֲחִישָׁר עַל־הַבָּיִת וַאֲדֹנִירָם בֶּן־
ז עַבְדָּא עַל־הַמַּס: וְלִשְׁלֹמֹה שְׁנֵים־עָשָׂר נִצָּבִים עַל־

שְׁמוֹת הַשָּׂרִים וְהַנִּצָּבִים:

כָּל־יִשְׂרָאֵל וְכִלְכְּלוּ אֶת־הַמֶּלֶךְ וְאֶת־בֵּיתוֹ חֹדֶשׁ בַּשָּׁנָה יִהְיֶה

עַל־הָאֶחָד אחד לְכַלְכֵּל: וְאֵלֶּה שְׁמוֹתָם בֶּן־חוּר בְּהַר ח

אֶפְרָיִם: בֶּן־דֶּקֶר בְּמָקַץ וּבְשַׁעַלְבִים וּבֵית שָׁמֶשׁ ט

וְאֵילוֹן בֵּית חָנָן: בֶּן־חֶסֶד בָּאֲרֻבּוֹת לוֹ שֹׂכֹה וְכָל־אֶרֶץ י

חֵפֶר: בֶּן־אֲבִינָדָב כָּל־נָפַת דֹּאר טָפַת בַּת־שְׁלֹמֹה יא

הָיְתָה לּוֹ לְאִשָּׁה: בֶּן־אֲחִילוּד תַּעְנַךְ וּמְגִדּוֹ וְכָל־בֵּית שְׁאָן אֲשֶׁר אֵצֶל צָרְתַנָה יב

מִתַּחַת לְיִזְרְעֶאל מִבֵּית שְׁאָן עַד אָבֵל מְחוֹלָה עַד מֵעֵבֶר

לְיָקְמְעָם: בֶּן־גֶּבֶר בְּרָמֹת גִּלְעָד לוֹ חַוֹּת יָאִיר בֶּן־ יג

מְנַשֶּׁה אֲשֶׁר בַּגִּלְעָד לוֹ חֶבֶל אַרְגֹּב אֲשֶׁר בַּבָּשָׁן שִׁשִּׁים עָרִים

גְּדֹלוֹת חוֹמָה וּבְרִיחַ נְחֹשֶׁת: אֲחִינָדָב בֶּן־עִדֹּא יד

מַחֲנָיְמָה: אֲחִימַעַץ בְּנַפְתָּלִי גַּם־הוּא לָקַח אֶת־בָּשְׂמַת טו

בַּת־שְׁלֹמֹה לְאִשָּׁה: בַּעֲנָא בֶּן־חוּשַׁי בְּאָשֵׁר טז

וּבְעָלוֹת: יְהוֹשָׁפָט בֶּן־פָּרוּחַ יז

בְּיִשָּׂשכָר: שִׁמְעִי בֶן־אֵלָא בְּבִנְיָמִן: גֶּבֶר בֶּן־ יח יט

אֻרִי בְּאֶרֶץ גִּלְעָד אֶרֶץ סִיחוֹן מֶלֶךְ הָאֱמֹרִי וְעֹג מֶלֶךְ הַבָּשָׁן

וּנְצִיב אֶחָד אֲשֶׁר בָּאָרֶץ: יְהוּדָה וְיִשְׂרָאֵל רַבִּים כַּחוֹל אֲשֶׁר־ כ

עַל־הַיָּם לָרֹב אֹכְלִים וְשֹׁתִים וּשְׂמֵחִים: וּשְׁלֹמֹה הָיָה מוֹשֵׁל ה א

בְּכָל־הַמַּמְלָכוֹת מִן־הַנָּהָר אֶרֶץ פְּלִשְׁתִּים וְעַד גְּבוּל מִצְרָיִם

מַגִּשִׁים מִנְחָה וְעֹבְדִים אֶת־שְׁלֹמֹה כָּל־יְמֵי חַיָּיו:

וַיְהִי לֶחֶם־שְׁלֹמֹה לְיוֹם אֶחָד שְׁלֹשִׁים כֹּר סֹלֶת וְשִׁשִּׁים כֹּר קָמַח: ב

עֲשָׂרָה בָקָר בְּרִאִים וְעֶשְׂרִים בָּקָר רְעִי וּמֵאָה צֹאן לְבַד מֵאַיָּל ג

וּצְבִי וְיַחְמוּר וּבַרְבֻּרִים אֲבוּסִים: כִּי־הוּא רֹדֶה בְּכָל־עֵבֶר הַנָּהָר ד

מִתִּפְסַח וְעַד־עַזָּה בְּכָל־מַלְכֵי עֵבֶר הַנָּהָר וְשָׁלוֹם הָיָה לוֹ מִכָּל־

עֲבָרָיו מִסָּבִיב: וַיֵּשֶׁב יְהוּדָה וְיִשְׂרָאֵל לָבֶטַח אִישׁ תַּחַת גַּפְנוֹ ה

ו וְתַחַת תְּאֵנָתוֹ מִדָּן וְעַד־בְּאֵר שָׁבַע כֹּל יְמֵי שְׁלֹמֹה׃ וַיְהִי
לִשְׁלֹמֹה אַרְבָּעִים אֶלֶף אֻרְוֺת סוּסִים לְמֶרְכָּבוֹ וּשְׁנֵים־עָשָׂר אֶלֶף
ז פָּרָשִׁים׃ וְכִלְכְּלוּ הַנִּצָּבִים הָאֵלֶּה אֶת־הַמֶּלֶךְ שְׁלֹמֹה וְאֵת
כָּל־הַקָּרֵב אֶל־שֻׁלְחַן הַמֶּלֶךְ־שְׁלֹמֹה אִישׁ חָדְשׁוֹ לֹא יְעַדְּרוּ דָּבָר׃
ח וְהַשְּׂעֹרִים וְהַתֶּבֶן לַסּוּסִים וְלָרָכֶשׁ יָבִאוּ אֶל־הַמָּקוֹם אֲשֶׁר
ט יִהְיֶה־שָּׁם אִישׁ כְּמִשְׁפָּטוֹ׃ וַיִּתֵּן אֱלֹהִים חָכְמָה חָכְמַת שְׁלֹמֹה׃
לִשְׁלֹמֹה וּתְבוּנָה הַרְבֵּה מְאֹד וְרֹחַב לֵב כַּחוֹל אֲשֶׁר עַל־שְׂפַת
י הַיָּם׃ וַתֵּרֶב חָכְמַת שְׁלֹמֹה מֵחָכְמַת כָּל־בְּנֵי־קֶדֶם וּמִכֹּל חָכְמַת
יא מִצְרָיִם׃ וַיֶּחְכַּם מִכָּל־הָאָדָם מֵאֵיתָן הָאֶזְרָחִי וְהֵימָן וְכַלְכֹּל
יב וְדַרְדַּע בְּנֵי מָחוֹל וַיְהִי־שְׁמוֹ בְכָל־הַגּוֹיִם סָבִיב׃ וַיְדַבֵּר שְׁלֹשֶׁת
יג אֲלָפִים מָשָׁל וַיְהִי שִׁירוֹ חֲמִשָּׁה וָאָלֶף׃ וַיְדַבֵּר עַל־הָעֵצִים
מִן־הָאֶרֶז אֲשֶׁר בַּלְּבָנוֹן וְעַד הָאֵזוֹב אֲשֶׁר יֹצֵא בַּקִּיר וַיְדַבֵּר
יד עַל־הַבְּהֵמָה וְעַל־הָעוֹף וְעַל־הָרֶמֶשׂ וְעַל־הַדָּגִים׃ וַיָּבֹאוּ מִכָּל־
הָעַמִּים לִשְׁמֹעַ אֵת חָכְמַת שְׁלֹמֹה מֵאֵת כָּל־מַלְכֵי הָאָרֶץ אֲשֶׁר
טו שָׁמְעוּ אֶת־חָכְמָתוֹ׃ וַיִּשְׁלַח חִירָם מֶלֶךְ־צוֹר אֶת־
עֲבָדָיו אֶל־שְׁלֹמֹה כִּי שָׁמַע כִּי אֹתוֹ מָשְׁחוּ לְמֶלֶךְ תַּחַת אָבִיהוּ
טז כִּי אֹהֵב הָיָה חִירָם לְדָוִד כָּל־הַיָּמִים׃ וַיִּשְׁלַח שְׁלֹמֹה הֲבָאַת
יז אֶל־חִירָם לֵאמֹר׃ אַתָּה יָדַעְתָּ אֶת־דָּוִד אָבִי כִּי לֹא יָכֹל לִבְנוֹת הָעֵצִים לַמִּקְדָּשׁ׃
בַּיִת לְשֵׁם יְהוָה אֱלֹהָיו מִפְּנֵי הַמִּלְחָמָה אֲשֶׁר סְבָבֻהוּ עַד
יח תֵּת־יְהוָה אֹתָם תַּחַת כַּפּוֹת רגלו רַגְלָי׃ וְעַתָּה הֵנִיחַ יְהוָה אֱלֹהַי
יט לִי מִסָּבִיב אֵין שָׂטָן וְאֵין פֶּגַע רָע׃ וְהִנְנִי אֹמֵר לִבְנוֹת בַּיִת לְשֵׁם
יְהוָה אֱלֹהָי כַּאֲשֶׁר ׀ דִּבֶּר יְהוָה אֶל־דָּוִד אָבִי לֵאמֹר בִּנְךָ אֲשֶׁר
כ אֶתֵּן תַּחְתֶּיךָ עַל־כִּסְאֶךָ הוּא־יִבְנֶה הַבַּיִת לִשְׁמִי׃ וְעַתָּה צַוֵּה
וְיִכְרְתוּ־לִי אֲרָזִים מִן־הַלְּבָנוֹן וַעֲבָדַי יִהְיוּ עִם־עֲבָדֶיךָ וּשְׂכַר
עֲבָדֶיךָ אֶתֵּן לְךָ כְּכֹל אֲשֶׁר תֹּאמֵר כִּי ׀ אַתָּה יָדַעְתָּ כִּי אֵין בָּנוּ

כא אִ֣ישׁ יֹדֵ֥עַ לִכְרָת־עֵצִ֖ים כַּצִּדֹנִֽים׃ וַיְהִ֞י כִּשְׁמֹ֧עַ חִירָ֛ם אֶת־דִּבְרֵ֥י
שְׁלֹמֹ֖ה וַיִּשְׂמַ֣ח מְאֹ֑ד וַיֹּ֗אמֶר בָּר֤וּךְ יְהוָה֙ הַיּ֔וֹם אֲשֶׁ֨ר נָתַ֤ן לְדָוִד֙
כב בֵּ֣ן חָכָ֔ם עַל־הָעָ֥ם הָרָ֖ב הַזֶּֽה׃ וַיִּשְׁלַ֤ח חִירָם֙ אֶל־שְׁלֹמֹ֣ה לֵאמֹ֔ר
שָׁמַ֕עְתִּי אֵ֥ת אֲשֶׁר־שָׁלַ֖חְתָּ אֵלָ֑י אֲנִ֤י אֶעֱשֶׂה֙ אֶת־כָּל־חֶפְצְךָ֔ בַּעֲצֵ֥י
כג אֲרָזִ֖ים וּבַעֲצֵ֥י בְרוֹשִֽׁים׃ עֲבָדַ֞י יֹרִ֧דוּ מִן־הַלְּבָנ֣וֹן יָ֗מָּה וַאֲנִ֡י אֲשִׂימֵ֞ם
דֹּֽבְר֨וֹת בַּיָּ֜ם עַד־הַמָּק֧וֹם אֲשֶׁר־תִּשְׁלַ֛ח אֵלַ֖י וְנִפַּצְתִּ֣ים שָׁ֑ם וְאַתָּ֣ה
כד תִשָּׂ֔א וְאַתָּה֙ תַּעֲשֶׂ֣ה אֶת־חֶפְצִ֔י לָתֵ֖ת לֶ֥חֶם בֵּיתִֽי׃ וַיְהִ֣י חִיר֗וֹם נֹתֵ֤ן
כה לִשְׁלֹמֹה֙ עֲצֵ֣י אֲרָזִ֔ים וַעֲצֵ֥י בְרוֹשִׁ֖ים כָּל־חֶפְצֽוֹ׃ וּשְׁלֹמֹ֡ה נָתַ֣ן לְחִירָם֩
עֶשְׂרִ֨ים אֶ֥לֶף כֹּר֙ חִטִּים֙ מַכֹּ֣לֶת לְבֵית֔וֹ וְעֶשְׂרִ֥ים כֹּ֖ר שֶׁ֣מֶן כָּתִ֑ית
כֹּֽה־יִתֵּ֧ן שְׁלֹמֹ֛ה לְחִירָ֖ם שָׁנָ֥ה בְשָׁנָֽה׃

הֲכָנַת הָאֲבָנִים לַמִּקְדָּשׁ:

כו וַיהוָ֗ה נָתַ֤ן חָכְמָה֙ לִשְׁלֹמֹ֔ה כַּאֲשֶׁ֖ר דִּבֶּר־ל֑וֹ וַיְהִ֣י שָׁלֹ֗ם בֵּ֤ין חִירָם֙
כז וּבֵ֣ין שְׁלֹמֹ֔ה וַיִּכְרְת֥וּ בְרִ֖ית שְׁנֵיהֶֽם׃ וַיַּ֨עַל הַמֶּ֧לֶךְ שְׁלֹמֹ֛ה מַ֖ס
כח מִכָּל־יִשְׂרָאֵ֑ל וַיְהִ֣י הַמַּ֔ס שְׁלֹשִׁ֥ים אֶ֖לֶף אִֽישׁ׃ וַיִּשְׁלָחֵ֣ם לְבָנ֗וֹנָה
עֲשֶׂ֨רֶת אֲלָפִ֤ים בַּחֹ֙דֶשׁ֙ חֲלִיפ֔וֹת חֹ֚דֶשׁ יִהְי֣וּ בַלְּבָנ֔וֹן שְׁנַ֥יִם
כט חֳדָשִׁ֖ים בְּבֵית֑וֹ וַאֲדֹנִירָ֖ם עַל־הַמַּֽס׃ וַיְהִ֧י לִשְׁלֹמֹ֛ה
ל שִׁבְעִ֥ים אֶ֖לֶף נֹשֵׂ֣א סַבָּ֑ל וּשְׁמֹנִ֥ים אֶ֛לֶף חֹצֵ֖ב בָּהָֽר׃ לְבַ֡ד מִשָּׂרֵ֣י
הַנִּצָּבִ֪ים לִשְׁלֹמֹה֙ אֲשֶׁ֣ר עַל־הַמְּלָאכָ֔ה שְׁלֹ֥שֶׁת אֲלָפִ֖ים וּשְׁלֹ֣שׁ
לא מֵא֑וֹת הָרֹדִ֣ים בָּעָ֔ם הָעֹשִׂ֖ים בַּמְּלָאכָֽה׃ וַיְצַ֣ו הַמֶּ֗לֶךְ
וַיַּסִּ֜עוּ אֲבָנִ֨ים גְּדֹל֜וֹת אֲבָנִ֧ים יְקָר֛וֹת לְיַסֵּ֥ד הַבָּ֖יִת אַבְנֵ֥י גָזִֽית׃
לב וַֽיִּפְסְל֞וּ בֹּנֵ֧י שְׁלֹמֹ֛ה וּבֹנֵ֥י חִיר֖וֹם וְהַגִּבְלִ֑ים וַיָּכִ֛ינוּ הָעֵצִ֥ים וְהָאֲבָנִ֖ים
לִבְנ֥וֹת הַבָּֽיִת׃

בִּנְיַן בֵּית הַמִּקְדָּשׁ וּמִדּוֹתָיו: [2928]

ו א וַיְהִ֣י בִשְׁמוֹנִ֣ים שָׁנָ֣ה וְאַרְבַּ֣ע מֵא֣וֹת שָׁנָ֡ה לְצֵ֣את בְּנֵֽי־יִשְׂרָאֵ֣ל
מֵאֶֽרֶץ־מִצְרַיִם֩ בַּשָּׁנָ֨ה הָרְבִיעִ֜ית בְּחֹ֣דֶשׁ זִ֗ו ה֚וּא הַחֹ֣דֶשׁ הַשֵּׁנִ֔י
ב לִמְלֹ֥ךְ שְׁלֹמֹ֖ה עַל־יִשְׂרָאֵ֑ל וַיִּ֥בֶן הַבַּ֖יִת לַֽיהוָֽה׃ וְהַבַּ֗יִת אֲשֶׁ֨ר בָּנָ֜ה
הַמֶּ֤לֶךְ שְׁלֹמֹה֙ לַֽיהוָ֔ה שִׁשִּׁים־אַמָּ֥ה אָרְכּ֖וֹ וְעֶשְׂרִ֥ים רָחְבּ֑וֹ

ג וּשְׁלֹשִׁים אַמָּה קוֹמָתוֹ׃ וְהָאוּלָם עַל־פְּנֵי הֵיכַל הַבַּיִת עֶשְׂרִים
אַמָּה אָרְכּוֹ עַל־פְּנֵי רֹחַב הַבָּיִת עֶשֶׂר בָּאַמָּה רָחְבּוֹ עַל־פְּנֵי
ד ה הַבָּיִת׃ וַיַּעַשׂ לַבָּיִת חַלּוֹנֵי שְׁקֻפִים אֲטֻמִים׃ וַיִּבֶן עַל־קִיר הַבַּיִת
יצוע יָצִיעַ סָבִיב אֶת־קִירוֹת הַבַּיִת סָבִיב לַהֵיכָל וְלַדְּבִיר וַיַּעַשׂ
ו צְלָעוֹת סָבִיב׃ היצוע הַיָּצִיעַ הַתַּחְתֹּנָה חָמֵשׁ בָּאַמָּה רָחְבָּהּ
וְהַתִּיכֹנָה שֵׁשׁ בָּאַמָּה רָחְבָּהּ וְהַשְּׁלִישִׁית שֶׁבַע בָּאַמָּה רָחְבָּהּ
כִּי מִגְרָעוֹת נָתַן לַבַּיִת סָבִיב חוּצָה לְבִלְתִּי אֲחֹז בְּקִירוֹת־הַבָּיִת׃
ז וְהַבַּיִת בְּהִבָּנֹתוֹ אֶבֶן־שְׁלֵמָה מַסָּע נִבְנָה וּמַקָּבוֹת וְהַגַּרְזֶן כָּל־
ח כְּלִי בַרְזֶל לֹא־נִשְׁמַע בַּבַּיִת בְּהִבָּנֹתוֹ׃ פֶּתַח הַצֵּלָע הַתִּיכֹנָה
אֶל־כֶּתֶף הַבַּיִת הַיְמָנִית וּבְלוּלִּים יַעֲלוּ עַל־הַתִּיכֹנָה וּמִן־
ט הַתִּיכֹנָה אֶל־הַשְּׁלִשִׁים׃ וַיִּבֶן אֶת־הַבַּיִת וַיְכַלֵּהוּ וַיִּסְפֹּן אֶת־הַבַּיִת
י גֵּבִים וּשְׂדֵרֹת בָּאֲרָזִים׃ וַיִּבֶן אֶת־הַיָּצִיעַ היצוע עַל־כָּל־הַבַּיִת
חָמֵשׁ אַמּוֹת קוֹמָתוֹ וַיֶּאֱחֹז אֶת־הַבַּיִת בַּעֲצֵי אֲרָזִים׃
יא יב וַיְהִי דְּבַר־יְהוָה אֶל־שְׁלֹמֹה לֵאמֹר׃ הַבַּיִת הַזֶּה אֲשֶׁר־אַתָּה בֹנֶה נְבוּאָה לִשְׁלֹמֹה׃
אִם־תֵּלֵךְ בְּחֻקֹּתַי וְאֶת־מִשְׁפָּטַי תַּעֲשֶׂה וְשָׁמַרְתָּ אֶת־כָּל־מִצְוֹתַי
לָלֶכֶת בָּהֶם וַהֲקִמֹתִי אֶת־דְּבָרִי אִתָּךְ אֲשֶׁר דִּבַּרְתִּי אֶל־דָּוִד
יג אָבִיךָ׃ וְשָׁכַנְתִּי בְּתוֹךְ בְּנֵי יִשְׂרָאֵל וְלֹא אֶעֱזֹב אֶת־עַמִּי
יִשְׂרָאֵל׃
יד טו וַיִּבֶן שְׁלֹמֹה אֶת־הַבַּיִת וַיְכַלֵּהוּ׃ וַיִּבֶן אֶת־קִירוֹת הַבַּיִת מִבַּיְתָה תֵּאוּר הַבְּנִיָּה׃
בְּצַלְעוֹת אֲרָזִים מִקַּרְקַע הַבַּיִת עַד־קִירוֹת הַסִּפֻּן צִפָּה עֵץ מִבָּיִת
טז וַיְצַף אֶת־קַרְקַע הַבַּיִת בְּצַלְעוֹת בְּרוֹשִׁים׃ וַיִּבֶן אֶת־עֶשְׂרִים
אַמָּה מירכותי מִיַּרְכְּתֵי הַבַּיִת בְּצַלְעוֹת אֲרָזִים מִן־הַקַּרְקַע
יז עַד־הַקִּירוֹת וַיִּבֶן לוֹ מִבַּיִת לִדְבִיר לְקֹדֶשׁ הַקֳּדָשִׁים׃ וְאַרְבָּעִים
יח בָּאַמָּה הָיָה הַבָּיִת הוּא הַהֵיכָל לִפְנָי׃ וְאֶרֶז אֶל־הַבַּיִת פְּנִימָה
יט מִקְלַעַת פְּקָעִים וּפְטוּרֵי צִצִּים הַכֹּל אֶרֶז אֵין אֶבֶן נִרְאָה׃ וּדְבִיר

בְּתוֹךְ־הַבַּיִת מִפְּנִימָה הֵכִין לְתִתֵּן שָׁם אֶת־אֲרוֹן בְּרִית יְהוָה׃
וְלִפְנֵי הַדְּבִיר עֶשְׂרִים אַמָּה אֹרֶךְ וְעֶשְׂרִים אַמָּה רֹחַב וְעֶשְׂרִים כ
אַמָּה קוֹמָתוֹ וַיְצַפֵּהוּ זָהָב סָגוּר וַיְצַף מִזְבֵּחַ אָרֶז׃ וַיְצַף שְׁלֹמֹה כא
אֶת־הַבַּיִת מִפְּנִימָה זָהָב סָגוּר וַיְעַבֵּר ברתיקות בְּרַתּוּקוֹת זָהָב
לִפְנֵי הַדְּבִיר וַיְצַפֵּהוּ זָהָב׃ וְאֶת־כָּל־הַבַּיִת צִפָּה זָהָב עַד־תֹּם כב
מַעֲשֵׂה הַכְּרוּבִים:
כָּל־הַבָּיִת וְכָל־הַמִּזְבֵּחַ אֲשֶׁר־לַדְּבִיר צִפָּה זָהָב׃ וַיַּעַשׂ בַּדְּבִיר כג
שְׁנֵי כְרוּבִים עֲצֵי־שָׁמֶן עֶשֶׂר אַמּוֹת קוֹמָתוֹ׃ וְחָמֵשׁ אַמּוֹת כְּנַף כד
הַכְּרוּב הָאֶחָת וְחָמֵשׁ אַמּוֹת כְּנַף הַכְּרוּב הַשֵּׁנִית עֶשֶׂר אַמּוֹת
מִקְצוֹת כְּנָפָיו וְעַד־קְצוֹת כְּנָפָיו׃ וְעֶשֶׂר בָּאַמָּה הַכְּרוּב הַשֵּׁנִי כה
מִדָּה אַחַת וְקֶצֶב אֶחָד לִשְׁנֵי הַכְּרֻבִים׃ קוֹמַת הַכְּרוּב הָאֶחָד כו
עֶשֶׂר בָּאַמָּה וְכֵן הַכְּרוּב הַשֵּׁנִי׃ וַיִּתֵּן אֶת־הַכְּרוּבִים בְּתוֹךְ ׀ הַבַּיִת כז
הַפְּנִימִי וַיִּפְרְשׂוּ אֶת־כַּנְפֵי הַכְּרֻבִים וַתִּגַּע כְּנַף־הָאֶחָד בַּקִּיר וּכְנַף
הַכְּרוּב הַשֵּׁנִי נֹגַעַת בַּקִּיר הַשֵּׁנִי וְכַנְפֵיהֶם אֶל־תּוֹךְ הַבַּיִת נֹגְעֹת
קִירוֹת הַהֵיכָל וְדַלְתוֹתָיו:
כָּנָף אֶל־כָּנָף׃ וַיְצַף אֶת־הַכְּרוּבִים זָהָב׃ וְאֵת כָּל־קִירוֹת הַבַּיִת כח כט
מֵסַב ׀ קָלַע פִּתּוּחֵי מִקְלְעוֹת כְּרוּבִים וְתִמֹרֹת וּפְטוּרֵי צִצִּים
מִלִּפְנִים וְלַחִיצוֹן׃ וְאֶת־קַרְקַע הַבַּיִת צִפָּה זָהָב לִפְנִימָה וְלַחִיצוֹן׃ ל
וְאֵת פֶּתַח הַדְּבִיר עָשָׂה דַּלְתוֹת עֲצֵי־שָׁמֶן הָאַיִל מְזוּזוֹת לא
חֲמִשִׁית׃ וּשְׁתֵּי דַּלְתוֹת עֲצֵי־שֶׁמֶן וְקָלַע עֲלֵיהֶם מִקְלְעוֹת לב
כְּרוּבִים וְתִמֹרוֹת וּפְטוּרֵי צִצִּים וְצִפָּה זָהָב וַיָּרֶד עַל־הַכְּרוּבִים
וְעַל־הַתִּמֹרוֹת אֶת־הַזָּהָב׃ וְכֵן עָשָׂה לְפֶתַח הַהֵיכָל מְזוּזוֹת לג
עֲצֵי־שָׁמֶן מֵאֵת רְבִעִית׃ וּשְׁתֵּי דַלְתוֹת עֲצֵי בְרוֹשִׁים שְׁנֵי צְלָעִים לד
הַדֶּלֶת הָאַחַת גְּלִילִים וּשְׁנֵי קְלָעִים הַדֶּלֶת הַשֵּׁנִית גְּלִילִים׃
וְקָלַע כְּרוּבִים וְתִמֹרוֹת וּפְטֻרֵי צִצִּים וְצִפָּה זָהָב מְיֻשָּׁר עַל־ לה
הַמְּחֻקֶּה׃ וַיִּבֶן אֶת־הֶחָצֵר הַפְּנִימִית שְׁלֹשָׁה טוּרֵי גָזִית וְטוּר לו
כְּרֻתֹת אֲרָזִים׃ בַּשָּׁנָה הָרְבִיעִית יֻסַּד בֵּית יְהוָה בְּיֶרַח זִו׃ וּבַשָּׁנָה לז לח

הָֽאַחַת עֶשְׂרֵה בְּיֶרַח בּוּל הוּא הַחֹדֶשׁ הַשְּׁמִינִי כָּלָה הַבַּיִת [2935]
לְכָל־דְּבָרָיו וּלְכָל־מִשְׁפָּטָו וַיִּבְנֵהוּ שֶׁבַע שָׁנִים: וְאֶת־בֵּיתוֹ בָּנָה ז א
שְׁלֹמֹה שְׁלֹשׁ עֶשְׂרֵה שָׁנָה וַיְכַל אֶת־כָּל־בֵּיתוֹ: וַיִּבֶן אֶת־בֵּית ב
יַעַר הַלְּבָנוֹן מֵאָה אַמָּה אָרְכּוֹ וַחֲמִשִּׁים אַמָּה רָחְבּוֹ וּשְׁלֹשִׁים
אַמָּה קוֹמָתוֹ עַל אַרְבָּעָה טוּרֵי עַמּוּדֵי אֲרָזִים וּכְרֻתוֹת אֲרָזִים
עַל־הָעַמּוּדִים: וְסָפֻן בָּאֶרֶז מִמַּעַל עַל־הַצְּלָעֹת אֲשֶׁר עַל־ ג
הָעַמּוּדִים אַרְבָּעִים וַחֲמִשָּׁה חֲמִשָּׁה עָשָׂר הַטּוּר: וּשְׁקֻפִים ד
שְׁלֹשָׁה טוּרִים וּמֶחֱזָה אֶל־מֶחֱזָה שָׁלֹשׁ פְּעָמִים: וְכָל־הַפְּתָחִים ה
וְהַמְּזוּזוֹת רְבֻעִים שָׁקֶף וּמוּל מֶחֱזָה אֶל־מֶחֱזָה שָׁלֹשׁ פְּעָמִים:
וְאֵת אוּלָם הָעַמּוּדִים עָשָׂה חֲמִשִּׁים אַמָּה אָרְכּוֹ וּשְׁלֹשִׁים אַמָּה ו
רָחְבּוֹ וְאוּלָם עַל־פְּנֵיהֶם וְעַמֻּדִים וְעָב עַל־פְּנֵיהֶם: וְאוּלָם הַכִּסֵּא ז
אֲשֶׁר יִשְׁפָּט־שָׁם אֻלָם הַמִּשְׁפָּט עָשָׂה וְסָפוּן בָּאֶרֶז מֵהַקַּרְקַע
עַד־הַקַּרְקָע: וּבֵיתוֹ אֲשֶׁר־יֵשֶׁב שָׁם חָצֵר הָאַחֶרֶת מִבֵּית לָאוּלָם ח
כַּמַּעֲשֶׂה הַזֶּה הָיָה וּבַיִת יַעֲשֶׂה לְבַת־פַּרְעֹה אֲשֶׁר לָקַח שְׁלֹמֹה
כָּאוּלָם הַזֶּה: כָּל־אֵלֶּה אֲבָנִים יְקָרֹת כְּמִדֹּת גָּזִית מְגֹרָרוֹת ט
בַּמְּגֵרָה מִבַּיִת וּמִחוּץ וּמִמַּסָּד עַד־הַטְּפָחוֹת וּמִחוּץ עַד־הֶחָצֵר
הַגְּדוֹלָה: וּמְיֻסָּד אֲבָנִים יְקָרוֹת אֲבָנִים גְּדֹלוֹת אַבְנֵי עֶשֶׂר אַמּוֹת י
וְאַבְנֵי שְׁמֹנֶה אַמּוֹת: וּמִלְמַעְלָה אֲבָנִים יְקָרוֹת כְּמִדּוֹת גָּזִית יא
וָאָרֶז: וְחָצֵר הַגְּדוֹלָה סָבִיב שְׁלֹשָׁה טוּרִים גָּזִית וְטוּר כְּרֻתֹת יב
אֲרָזִים וְלַחֲצַר בֵּית־יְהוָה הַפְּנִימִית וּלְאֻלָם הַבָּיִת:
וַיִּשְׁלַח הַמֶּלֶךְ שְׁלֹמֹה וַיִּקַּח אֶת־חִירָם מִצֹּר: בֶּן־אִשָּׁה אַלְמָנָה יג יד
הוּא מִמַּטֵּה נַפְתָּלִי וְאָבִיו אִישׁ־צֹרִי חֹרֵשׁ נְחֹשֶׁת וַיִּמָּלֵא
אֶת־הַחָכְמָה וְאֶת־הַתְּבוּנָה וְאֶת־הַדַּעַת לַעֲשׂוֹת כָּל־מְלָאכָה
בַּנְּחֹשֶׁת וַיָּבוֹא אֶל־הַמֶּלֶךְ שְׁלֹמֹה וַיַּעַשׂ אֶת־כָּל־מְלַאכְתּוֹ: וַיָּצַר טו
אֶת־שְׁנֵי הָעַמּוּדִים נְחֹשֶׁת שְׁמֹנֶה עֶשְׂרֵה אַמָּה קוֹמַת הָעַמּוּד

בְּנִיַּת בֵּית שְׁלֹמֹה:

בִּנְיַן הָעַמּוּדִים יָכִין וּבֹעַז:

טז הָאֶחָד וְחוּט שְׁתֵּים־עֶשְׂרֵה אַמָּה יָסֹב אֶת־הָעַמּוּד הַשֵּׁנִי׃ וּשְׁתֵּי
כֹתָרֹת עָשָׂה לָתֵת עַל־רָאשֵׁי הָעַמּוּדִים מֻצַק נְחֹשֶׁת חָמֵשׁ אַמּוֹת
קוֹמַת הַכֹּתֶרֶת הָאֶחָת וְחָמֵשׁ אַמּוֹת קוֹמַת הַכֹּתֶרֶת הַשֵּׁנִית׃
יז שְׂבָכִים מַעֲשֵׂה שְׂבָכָה גְּדִלִים מַעֲשֵׂה שַׁרְשְׁרוֹת לַכֹּתָרֹת אֲשֶׁר
עַל־רֹאשׁ הָעַמּוּדִים שִׁבְעָה לַכֹּתֶרֶת הָאֶחָת וְשִׁבְעָה לַכֹּתֶרֶת
יח הַשֵּׁנִית׃ וַיַּעַשׂ אֶת־הָעַמּוּדִים וּשְׁנֵי טוּרִים סָבִיב עַל־הַשְּׂבָכָה
הָאֶחָת לְכַסּוֹת אֶת־הַכֹּתָרֹת אֲשֶׁר עַל־רֹאשׁ הָרִמֹּנִים וְכֵן עָשָׂה
יט לַכֹּתֶרֶת הַשֵּׁנִית׃ וְכֹתָרֹת אֲשֶׁר עַל־רֹאשׁ הָעַמּוּדִים מַעֲשֵׂה
כ שׁוּשַׁן בָּאוּלָם אַרְבַּע אַמּוֹת׃ וְכֹתָרֹת עַל־שְׁנֵי הָעַמּוּדִים גַּם־
מִמַּעַל מִלְּעֻמַּת הַבֶּטֶן אֲשֶׁר לְעֵבֶר שבכה הַשְּׂבָכָה וְהָרִמּוֹנִים
כא מָאתַיִם טֻרִים סָבִיב עַל הַכֹּתֶרֶת הַשֵּׁנִית׃ וַיָּקֶם אֶת־הָעַמֻּדִים
לְאֻלָם הַהֵיכָל וַיָּקֶם אֶת־הָעַמּוּד הַיְמָנִי וַיִּקְרָא אֶת־שְׁמוֹ יָכִין
כב וַיָּקֶם אֶת־הָעַמּוּד הַשְּׂמָאלִי וַיִּקְרָא אֶת־שְׁמוֹ בֹּעַז׃ וְעַל רֹאשׁ
כג הָעַמּוּדִים מַעֲשֵׂה שׁוֹשָׁן וַתִּתֹּם מְלֶאכֶת הָעַמּוּדִים׃ וַיַּעַשׂ מַעֲשֵׂה הַיָּם:
אֶת־הַיָּם מוּצָק עֶשֶׂר בָּאַמָּה מִשְּׂפָתוֹ עַד־שְׂפָתוֹ עָגֹל ׀ סָבִיב
וְחָמֵשׁ בָּאַמָּה קוֹמָתוֹ וקוה וְקָו שְׁלֹשִׁים בָּאַמָּה יָסֹב אֹתוֹ סָבִיב׃
כד וּפְקָעִים מִתַּחַת לִשְׂפָתוֹ ׀ סָבִיב סֹבְבִים אֹתוֹ עֶשֶׂר בָּאַמָּה
מַקִּפִים אֶת־הַיָּם סָבִיב שְׁנֵי טוּרִים הַפְּקָעִים יְצֻקִים בִּיצֻקָתוֹ׃
כה עֹמֵד עַל־שְׁנֵי עָשָׂר בָּקָר שְׁלֹשָׁה פֹנִים ׀ צָפוֹנָה וּשְׁלֹשָׁה פֹנִים ׀
יָמָּה וּשְׁלֹשָׁה ׀ פֹּנִים נֶגְבָּה וּשְׁלֹשָׁה פֹּנִים מִזְרָחָה וְהַיָּם עֲלֵיהֶם
כו מִלְמָעְלָה וְכָל־אֲחֹרֵיהֶם בָּיְתָה׃ וְעָבְיוֹ טֶפַח וּשְׂפָתוֹ כְּמַעֲשֵׂה
שְׂפַת־כּוֹס פֶּרַח שׁוֹשָׁן אַלְפַּיִם בַּת יָכִיל׃

כז וַיַּעַשׂ אֶת־הַמְּכֹנוֹת עֶשֶׂר נְחֹשֶׁת אַרְבַּע בָּאַמָּה אֹרֶךְ הַמְּכוֹנָה מַעֲשֵׂה הַמְּכוֹנוֹת:
כח הָאֶחָת וְאַרְבַּע בָּאַמָּה רָחְבָּהּ וְשָׁלֹשׁ בָּאַמָּה קוֹמָתָהּ׃ וְזֶה
כט מַעֲשֵׂה הַמְּכוֹנָה מִסְגְּרֹת לָהֶם וּמִסְגְּרֹת בֵּין הַשְׁלַבִּים׃ וְעַל־

הַמִּסְגְּרוֹת אֲשֶׁר ׀ בֵּין הַשְׁלַבִּים אֲרָיוֹת ׀ בָּקָר וּכְרוּבִים וְעַל־
הַשְׁלַבִּים כֵּן מִמָּעַל וּמִתַּחַת לַאֲרָיוֹת וְלַבָּקָר לֹיוֹת מַעֲשֵׂה מוֹרָד׃
ל וְאַרְבָּעָה אוֹפַנֵּי נְחֹשֶׁת לַמְּכוֹנָה הָאַחַת וְסַרְנֵי נְחֹשֶׁת וְאַרְבָּעָה
פַעֲמֹתָיו כְּתֵפֹת לָהֶם מִתַּחַת לַכִּיֹּר הַכְּתֵפֹת יְצֻקוֹת מֵעֵבֶר אִישׁ
לא לֹיוֹת׃ וּפִיהוּ מִבֵּית לַכֹּתֶרֶת וָמַעְלָה בָּאַמָּה וּפִיהָ עָגֹל מַעֲשֵׂה־כֵן
אַמָּה וַחֲצִי הָאַמָּה וְגַם־עַל־פִּיהָ מִקְלָעוֹת וּמִסְגְּרֹתֵיהֶם מְרֻבָּעוֹת
לב לֹא עֲגֻלּוֹת׃ וְאַרְבַּעַת הָאוֹפַנִּים לְמִתַּחַת לַמִּסְגְּרוֹת וִידוֹת
הָאוֹפַנִּים בַּמְּכוֹנָה וְקוֹמַת הָאוֹפַן הָאֶחָד אַמָּה וַחֲצִי הָאַמָּה׃
לג וּמַעֲשֵׂה הָאוֹפַנִּים כְּמַעֲשֵׂה אוֹפַן הַמֶּרְכָּבָה יְדוֹתָם וְגַבֵּיהֶם
לד וְחִשֻּׁקֵיהֶם וְחִשֻּׁרֵיהֶם הַכֹּל מוּצָק׃ וְאַרְבַּע כְּתֵפוֹת אֶל אַרְבַּע
לה פִּנּוֹת הַמְּכֹנָה הָאֶחָת מִן־הַמְּכֹנָה כְּתֵפֶיהָ׃ וּבְרֹאשׁ הַמְּכוֹנָה חֲצִי
הָאַמָּה קוֹמָה עָגֹל ׀ סָבִיב וְעַל רֹאשׁ הַמְּכֹנָה יְדֹתֶיהָ וּמִסְגְּרֹתֶיהָ
לו מִמֶּנָּה׃ וַיְפַתַּח עַל־הַלֻּחֹת יְדֹתֶיהָ וְעַל ומסגרתיה מִסְגְּרֹתֶיהָ
לז כְּרוּבִים אֲרָיוֹת וְתִמֹרֹת כְּמַעַר־אִישׁ וְלֹיוֹת סָבִיב׃ כָּזֹאת עָשָׂה
אֵת עֶשֶׂר הַמְּכֹנוֹת מוּצָק אֶחָד מִדָּה אַחַת קֶצֶב אֶחָד
לח לְכֻלָּהְנָה׃ וַיַּעַשׂ עֲשָׂרָה כִיֹּרוֹת נְחֹשֶׁת אַרְבָּעִים בַּת
מַעֲשֵׂה הַכִּיּוֹרוֹת:
יָכִיל ׀ הַכִּיּוֹר הָאֶחָד אַרְבַּע בָּאַמָּה הַכִּיּוֹר הָאֶחָד כִּיּוֹר אֶחָד
לט עַל־הַמְּכוֹנָה הָאַחַת לְעֶשֶׂר הַמְּכֹנוֹת׃ וַיִּתֵּן אֶת־הַמְּכֹנוֹת חָמֵשׁ
עַל־כֶּתֶף הַבַּיִת מִיָּמִין וְחָמֵשׁ עַל־כֶּתֶף הַבַּיִת מִשְּׂמֹאלוֹ וְאֶת־
מ הַיָּם נָתַן מִכֶּתֶף הַבַּיִת הַיְמָנִית קֵדְמָה מִמּוּל נֶגֶב׃ וַיַּעַשׂ
חִירוֹם אֶת־הַכִּיֹּרוֹת וְאֶת־הַיָּעִים וְאֶת־הַמִּזְרָקוֹת וַיְכַל חִירָם
לַעֲשׂוֹת אֶת־כָּל־הַמְּלָאכָה אֲשֶׁר עָשָׂה לַמֶּלֶךְ שְׁלֹמֹה בֵּית יְהוָה׃
מא עַמֻּדִים שְׁנַיִם וְגֻלֹּת הַכֹּתָרֹת אֲשֶׁר־עַל־רֹאשׁ הָעַמֻּדִים שְׁתָּיִם
וְהַשְּׂבָכוֹת שְׁתַּיִם לְכַסּוֹת אֶת־שְׁתֵּי גֻּלֹּת הַכֹּתָרֹת אֲשֶׁר עַל־
מב רֹאשׁ הָעַמּוּדִים׃ וְאֶת־הָרִמֹּנִים אַרְבַּע מֵאוֹת לִשְׁתֵּי הַשְּׂבָכוֹת

שְׁנֵי־טוּרִ֣ים רִמֹּנִים֮ לַשְּׂבָכָ֣ה הָאֶחָת֒ לְכַסּ֗וֹת אֶת־שְׁתֵּי֙ גֻּלֹּ֣ת

מג   הַכֹּֽתָרֹ֔ת אֲשֶׁ֖ר עַל־פְּנֵ֣י הָעַמּוּדִֽים: וְאֶת־הַמְּכֹנ֖וֹת עָ֑שֶׂר וְאֶת־

מד   הַכִּיֹּרֹ֥ת עֲשָׂרָ֖ה עַל־הַמְּכֹנֽוֹת: וְאֶת־הַיָּ֖ם הָאֶחָ֑ד וְאֶת־הַבָּקָ֥ר

מה   שְׁנֵים־עָשָׂ֖ר תַּ֥חַת הַיָּֽם: וְאֶת־הַסִּיר֨וֹת֙ וְאֶת־הַיָּעִ֔ים וְאֶת־

הַמִּזְרָק֑וֹת וְאֵת֙ כׇּל־הַכֵּלִ֣ים הָאֵ֗לֶּ אֲשֶׁ֨ר עָשָׂ֜ה חִירָ֤ם לַמֶּ֙לֶךְ֙   הָאהֵל

שְׁלֹמֹ֔ה בֵּ֖ית יְהֹוָ֑ה נְחֹ֖שֶׁת מְמֹרָֽט: בְּכִכַּ֣ר הַיַּרְדֵּ֗ן יְצָקָ֤ם הַמֶּ֙לֶךְ֙

מו

במ   בְּמַעֲבֵ֖ה הָאֲדָמָ֑ה בֵּ֥ין סֻכּ֖וֹת וּבֵ֥ין צָֽרְתָֽן: וַיַּנַּ֤ח שְׁלֹמֹה֙ אֶת־כׇּל־

מז   הַכֵּלִ֔ים מֵרֹ֖ב מְאֹ֣ד מְאֹ֑ד לֹ֥א נֶחְקַ֖ר מִשְׁקַ֥ל הַנְּחֹֽשֶׁת: וַיַּ֣עַשׂ שְׁלֹמֹ֗ה   מַעֲשֵׂ֤ה כְּלֵ֣י הַזָּהָֽב:

אֵ֚ת כׇּל־הַכֵּלִ֔ים אֲשֶׁ֖ר בֵּ֣ית יְהֹוָ֑ה אֵ֚ת מִזְבַּ֣ח הַזָּהָ֔ב וְאֶת־הַשֻּׁלְחָ֗ן

מט   אֲשֶׁ֥ר עָלָ֛יו לֶ֥חֶם הַפָּנִ֖ים זָהָֽב: וְאֶת־הַ֠מְּנֹר֠וֹת חָמֵ֨שׁ מִיָּמִ֜ין וְחָמֵ֣שׁ

מִשְּׂמֹ֗אול לִפְנֵ֤י הַדְּבִיר֙ זָהָ֣ב סָג֔וּר וְהַפֶּ֥רַח וְהַנֵּרֹ֖ת וְהַמֶּלְקַחַ֥יִם

נ   זָהָֽב: וְ֠הַסִּפּ֠וֹת וְהַֽמְזַמְּר֧וֹת וְהַמִּזְרָק֛וֹת וְהַכַּפּ֥וֹת וְהַמַּחְתּ֖וֹת זָהָ֣ב

סָג֑וּר וְהַפֹּת֡וֹת לַדְּלָתוֹת֩ הַבַּ֨יִת הַפְּנִימִ֜י לְקֹ֣דֶשׁ הַקֳּדָשִׁ֗ים לְדַלְתֵ֥י

הַבַּ֛יִת לַהֵיכָ֖ל זָהָֽב:

נא   [2935]   וַתִּשְׁלַם֙ כׇּל־הַמְּלָאכָ֔ה אֲשֶׁ֥ר עָשָׂ֛ה הַמֶּ֥לֶךְ שְׁלֹמֹ֖ה בֵּ֣ית יְהֹוָ֑ה וַיָּבֵ֨א

שְׁלֹמֹ֜ה אֶת־קׇדְשֵׁ֣י ׀ דָּוִ֣ד אָבִ֗יו אֶת־הַכֶּ֤סֶף וְאֶת־הַזָּהָב֙ וְאֶת־

הַכֵּלִ֔ים נָתַ֕ן בְּאֹצְר֖וֹת בֵּ֥ית יְהֹוָֽה:

ח א   אָ֣ז יַקְהֵ֣ל שְׁלֹמֹ֣ה אֶת־זִקְנֵ֣י יִשְׂרָאֵ֡ל אֶת־כׇּל־רָאשֵׁ֣י הַמַּטּוֹת֩   הַכְנָסַת אֲרוֹן

נְשִׂיאֵ֨י הָאָב֜וֹת לִבְנֵ֤י יִשְׂרָאֵל֙ אֶל־הַמֶּ֣לֶךְ שְׁלֹמֹ֔ה יְרוּשָׁלָ֑͏ִם לְֽהַעֲל֞וֹת   הַבְּרִית:

ב   אֶת־אֲר֧וֹן בְּרִית־יְהֹוָ֛ה מֵעִ֥יר דָּוִ֖ד הִ֥יא צִיּֽוֹן: וַיִּקָּ֨הֲל֜וּ אֶל־הַמֶּ֣לֶךְ

שְׁלֹמֹ֗ה כׇּל־אִ֤ישׁ יִשְׂרָאֵל֙ בְּיֶ֣רַח הָאֵֽתָנִ֔ים בֶּחָ֖ג ה֥וּא הַחֹ֥דֶשׁ

ג   הַשְּׁבִיעִֽי: וַיָּבֹ֕אוּ כֹּ֖ל זִקְנֵ֣י יִשְׂרָאֵ֑ל וַיִּשְׂא֥וּ הַכֹּהֲנִ֖ים אֶת־הָאָרֽוֹן:

ד   וַֽיַּעֲל֞וּ אֶת־אֲר֤וֹן יְהֹוָה֙ וְאֶת־אֹ֣הֶל מוֹעֵ֔ד וְאֶֽת־כׇּל־כְּלֵ֥י הַקֹּ֖דֶשׁ

ה   אֲשֶׁ֣ר בָּאֹ֑הֶל וַיַּעֲל֣וּ אֹתָ֔ם הַכֹּהֲנִ֖ים וְהַלְוִיִּֽם: וְהַמֶּ֣לֶךְ שְׁלֹמֹ֗ה

וְכׇל־עֲדַ֤ת יִשְׂרָאֵל֙ הַנּוֹעָדִ֣ים עָלָ֔יו אִתּ֖וֹ לִפְנֵ֣י הָאָר֑וֹן מְזַבְּחִים֙

ו צֹאן וּבָקָר אֲשֶׁר לֹא־יִסָּפְרוּ וְלֹא יִמָּנוּ מֵרֹב׃ וַיָּבִאוּ הַכֹּהֲנִים
אֶת־אֲרוֹן בְּרִית־יְהוָה אֶל־מְקוֹמוֹ אֶל־דְּבִיר הַבַּיִת אֶל־קֹדֶשׁ
ז הַקֳּדָשִׁים אֶל־תַּחַת כַּנְפֵי הַכְּרוּבִים׃ כִּי הַכְּרוּבִים פֹּרְשִׂים כְּנָפַיִם
אֶל־מְקוֹם הָאָרוֹן וַיָּסֹכּוּ הַכְּרֻבִים עַל־הָאָרוֹן וְעַל־בַּדָּיו
ח מִלְמָעְלָה׃ וַיַּאֲרִכוּ הַבַּדִּים וַיֵּרָאוּ רָאשֵׁי הַבַּדִּים מִן־הַקֹּדֶשׁ
עַל־פְּנֵי הַדְּבִיר וְלֹא יֵרָאוּ הַחוּצָה וַיִּהְיוּ שָׁם עַד הַיּוֹם הַזֶּה׃
ט אֵין בָּאָרוֹן רַק שְׁנֵי לֻחוֹת הָאֲבָנִים אֲשֶׁר הִנִּחַ שָׁם מֹשֶׁה בְּחֹרֵב
י אֲשֶׁר כָּרַת יְהוָה עִם־בְּנֵי יִשְׂרָאֵל בְּצֵאתָם מֵאֶרֶץ מִצְרָיִם׃ וַיְהִי
יא בְּצֵאת הַכֹּהֲנִים מִן־הַקֹּדֶשׁ וְהֶעָנָן מָלֵא אֶת־בֵּית יְהוָה׃ וְלֹא־יָכְלוּ
הַכֹּהֲנִים לַעֲמֹד לְשָׁרֵת מִפְּנֵי הֶעָנָן כִּי־מָלֵא כְבוֹד־יְהוָה אֶת־בֵּית
יְהוָה׃
יב יג אָז אָמַר שְׁלֹמֹה יְהוָה אָמַר לִשְׁכֹּן בָּעֲרָפֶל׃ בָּנֹה בָנִיתִי בֵּית זְבֻל — תְּפִלַּת
יד לָךְ מָכוֹן לְשִׁבְתְּךָ עוֹלָמִים׃ וַיַּסֵּב הַמֶּלֶךְ אֶת־פָּנָיו וַיְבָרֶךְ אֵת — שְׁלֹמֹה, שֶׁבַח:
טו כָּל־קְהַל יִשְׂרָאֵל וְכָל־קְהַל יִשְׂרָאֵל עֹמֵד׃ וַיֹּאמֶר בָּרוּךְ יְהוָה
אֱלֹהֵי יִשְׂרָאֵל אֲשֶׁר דִּבֶּר בְּפִיו אֵת דָּוִד אָבִי וּבְיָדוֹ מִלֵּא לֵאמֹר׃
טז מִן־הַיּוֹם אֲשֶׁר הוֹצֵאתִי אֶת־עַמִּי אֶת־יִשְׂרָאֵל מִמִּצְרַיִם לֹא־
בָחַרְתִּי בְעִיר מִכֹּל שִׁבְטֵי יִשְׂרָאֵל לִבְנוֹת בַּיִת לִהְיוֹת שְׁמִי
יז שָׁם וָאֶבְחַר בְּדָוִד לִהְיוֹת עַל־עַמִּי יִשְׂרָאֵל׃ וַיְהִי עִם־לְבַב דָּוִד
יח אָבִי לִבְנוֹת בַּיִת לְשֵׁם יְהוָה אֱלֹהֵי יִשְׂרָאֵל׃ וַיֹּאמֶר יְהוָה אֶל־דָּוִד
אָבִי יַעַן אֲשֶׁר הָיָה עִם־לְבָבְךָ לִבְנוֹת בַּיִת לִשְׁמִי הֱטִיבֹתָ כִּי
יט הָיָה עִם־לְבָבֶךָ׃ רַק אַתָּה לֹא תִבְנֶה הַבָּיִת כִּי אִם־בִּנְךָ הַיֹּצֵא
כ מֵחֲלָצֶיךָ הוּא־יִבְנֶה הַבַּיִת לִשְׁמִי׃ וַיָּקֶם יְהוָה אֶת־דְּבָרוֹ אֲשֶׁר
דִּבֵּר וָאָקֻם תַּחַת דָּוִד אָבִי וָאֵשֵׁב ׀ עַל־כִּסֵּא יִשְׂרָאֵל כַּאֲשֶׁר
כא דִּבֶּר יְהוָה וָאֶבְנֶה הַבַּיִת לְשֵׁם יְהוָה אֱלֹהֵי יִשְׂרָאֵל׃ וָאָשִׂם שָׁם
מָקוֹם לָאָרוֹן אֲשֶׁר־שָׁם בְּרִית יְהוָה אֲשֶׁר כָּרַת עִם־אֲבֹתֵינוּ

תְּפִלַּת שְׁלֹמֹה, בַּקָּשָׁה:

כב בְּהוֹצִיאוֹ אֹתָם מֵאֶרֶץ מִצְרָיִם׃ וַיַּעֲמֹד שְׁלֹמֹה לִפְנֵי
כג מִזְבַּח יְהוָה נֶגֶד כָּל־קְהַל יִשְׂרָאֵל וַיִּפְרֹשׂ כַּפָּיו הַשָּׁמָיִם׃ וַיֹּאמַר
יְהוָה אֱלֹהֵי יִשְׂרָאֵל אֵין־כָּמוֹךָ אֱלֹהִים בַּשָּׁמַיִם מִמַּעַל וְעַל־
הָאָרֶץ מִתָּחַת שֹׁמֵר הַבְּרִית וְהַחֶסֶד לַעֲבָדֶיךָ הַהֹלְכִים לְפָנֶיךָ
כד בְּכָל־לִבָּם׃ אֲשֶׁר שָׁמַרְתָּ לְעַבְדְּךָ דָּוִד אָבִי אֵת אֲשֶׁר־דִּבַּרְתָּ לוֹ
כה וַתְּדַבֵּר בְּפִיךָ וּבְיָדְךָ מִלֵּאתָ כַּיּוֹם הַזֶּה׃ וְעַתָּה יְהוָה ׀ אֱלֹהֵי
יִשְׂרָאֵל שְׁמֹר לְעַבְדְּךָ דָוִד אָבִי אֵת אֲשֶׁר דִּבַּרְתָּ לּוֹ לֵאמֹר
לֹא־יִכָּרֵת לְךָ אִישׁ מִלְּפָנַי יֹשֵׁב עַל־כִּסֵּא יִשְׂרָאֵל רַק אִם־
כו יִשְׁמְרוּ בָנֶיךָ אֶת־דַּרְכָּם לָלֶכֶת לְפָנַי כַּאֲשֶׁר הָלַכְתָּ לְפָנָי׃ וְעַתָּה
אֱלֹהֵי יִשְׂרָאֵל יֵאָמֶן נָא דבריך דְּבָרְךָ אֲשֶׁר דִּבַּרְתָּ לְעַבְדְּךָ דָּוִד
כז אָבִי׃ כִּי הַאֻמְנָם יֵשֵׁב אֱלֹהִים עַל־הָאָרֶץ הִנֵּה הַשָּׁמַיִם וּשְׁמֵי
כח הַשָּׁמַיִם לֹא יְכַלְכְּלוּךָ אַף כִּי־הַבַּיִת הַזֶּה אֲשֶׁר בָּנִיתִי׃ וּפָנִיתָ
אֶל־תְּפִלַּת עַבְדְּךָ וְאֶל־תְּחִנָּתוֹ יְהוָה אֱלֹהָי לִשְׁמֹעַ אֶל־הָרִנָּה
כט וְאֶל־הַתְּפִלָּה אֲשֶׁר עַבְדְּךָ מִתְפַּלֵּל לְפָנֶיךָ הַיּוֹם׃ לִהְיוֹת עֵינֶךָ
פְתֻחֹת אֶל־הַבַּיִת הַזֶּה לַיְלָה וָיוֹם אֶל־הַמָּקוֹם אֲשֶׁר אָמַרְתָּ
יִהְיֶה שְׁמִי שָׁם לִשְׁמֹעַ אֶל־הַתְּפִלָּה אֲשֶׁר יִתְפַּלֵּל עַבְדְּךָ

הַמִּקְדָּשׁ - מְקוֹם תְּפִלָּה לַכֹּל:

ל אֶל־הַמָּקוֹם הַזֶּה׃ וְשָׁמַעְתָּ אֶל־תְּחִנַּת עַבְדְּךָ וְעַמְּךָ יִשְׂרָאֵל
אֲשֶׁר יִתְפַּלְלוּ אֶל־הַמָּקוֹם הַזֶּה וְאַתָּה תִּשְׁמַע אֶל־מְקוֹם שִׁבְתְּךָ
לא אֶל־הַשָּׁמַיִם וְשָׁמַעְתָּ וְסָלָחְתָּ׃ אֵת אֲשֶׁר יֶחֱטָא אִישׁ לְרֵעֵהוּ
וְנָשָׁא־בוֹ אָלָה לְהַאֲלֹתוֹ וּבָא אָלָה לִפְנֵי מִזְבַּחֲךָ בַּבַּיִת הַזֶּה׃
לב וְאַתָּה ׀ תִּשְׁמַע הַשָּׁמַיִם וְעָשִׂיתָ וְשָׁפַטְתָּ אֶת־עֲבָדֶיךָ לְהַרְשִׁיעַ
רָשָׁע לָתֵת דַּרְכּוֹ בְּרֹאשׁוֹ וּלְהַצְדִּיק צַדִּיק לָתֶת לוֹ כְּצִדְקָתוֹ׃

-מְקוֹם סְלִיחָה:

לג בְּהִנָּגֵף עַמְּךָ יִשְׂרָאֵל לִפְנֵי אוֹיֵב אֲשֶׁר יֶחֶטְאוּ־לָךְ וְשָׁבוּ אֵלֶיךָ
לד וְהוֹדוּ אֶת־שְׁמֶךָ וְהִתְפַּלְלוּ וְהִתְחַנְּנוּ אֵלֶיךָ בַּבַּיִת הַזֶּה׃ וְאַתָּה
תִּשְׁמַע הַשָּׁמַיִם וְסָלַחְתָּ לְחַטַּאת עַמְּךָ יִשְׂרָאֵל וַהֲשֵׁבֹתָם אֶל־

לה הָֽאֲדָמָ֔ה אֲשֶׁ֥ר נָתַ֖תָּ לַֽאֲבוֹתָֽם׃ בְּהֵעָצֵ֥ר שָׁמַ֛יִם וְלֹא־
יִֽ־הְיֶ֖ה מָטָ֑ר כִּ֣י יֶחֶטְאוּ־לָ֔ךְ וְהִֽתְפַּֽלְל֞וּ אֶל־הַמָּק֤וֹם הַזֶּה֙ וְהוֹד֣וּ
לו אֶת־שְׁמֶ֔ךָ וּֽמֵחַטָּאתָ֣ם יְשׁוּב֔וּן כִּ֥י תַעֲנֵֽם׃ וְאַתָּ֣ה ׀ תִּשְׁמַ֣ע הַשָּׁמַ֗יִם
וְֽסָלַחְתָּ֞ לְחַטַּ֤את עֲבָדֶ֙יךָ֙ וְעַמְּךָ֣ יִשְׂרָאֵ֔ל כִּ֥י תוֹרֵ֛ם אֶת־הַדֶּ֥רֶךְ
הַטּוֹבָ֖ה אֲשֶׁ֣ר יֵֽלְכוּ־בָ֑־ה וְנָתַתָּ֤ה מָטָר֙ עַל־אַרְצְךָ֔ אֲשֶׁר־נָתַ֥תָּה
לז לְעַמְּךָ֖ לְנַחֲלָֽה׃ רָעָ֞ב כִּֽי־יִֽ־הְיֶ֣ה
בָאָ֗רֶץ דֶּ֣בֶר כִּֽי־יִֽ־הְיֶ֡ה שִׁדָּפוֹן֩ יֵרָק֨וֹן אַרְבֶּ֤ה חָסִיל֙ כִּ֣י יִ־הְיֶ֔ה כִּ֧י
לח יָֽצַר־ל֛וֹ אֹיְב֖וֹ בְּאֶ֣רֶץ שְׁעָרָ֑יו כָּל־נֶ֖גַע כָּל־מַחֲלָֽה׃ כָּל־תְּפִלָּ֣ה
כָל־תְּחִנָּ֗ה אֲשֶׁ֤ר תִֽ־הְיֶה֙ לְכָל־הָ֣אָדָ֔ם לְכֹ֖ל עַמְּךָ֣ יִשְׂרָאֵ֑ל אֲשֶׁ֣ר
לט יֵֽדְע֗וּן אִ֚ישׁ נֶ֣גַע לְבָב֔וֹ וּפָרַ֥שׂ כַּפָּ֖יו אֶל־הַבַּ֥יִת הַזֶּֽה׃ וְאַתָּ֞ה תִּשְׁמַ֤ע
הַשָּׁמַ֙יִם֙ מְכ֣וֹן שִׁבְתֶּ֔ךָ וְסָלַחְתָּ֖ וְעָשִׂ֑יתָ וְנָתַתָּ֤ לָאִישׁ֙ כְּכָל־דְּרָכָ֔יו
אֲשֶׁ֥ר תֵּדַ֖ע אֶת־לְבָב֑וֹ כִּֽי־אַתָּ֤ה יָדַ֙עְתָּ֙ לְבַדְּךָ֔ אֶת־לְבַ֖ב כָּל־בְּנֵ֥י
מ הָאָדָֽם׃ לְמַ֙עַן֙ יִֽרָא֔וּךָ כָּל־הַ֨יָּמִ֔ים אֲשֶׁר־הֵ֥ם חַיִּ֖ים עַל־פְּנֵ֣י
מא הָאֲדָמָ֑ה אֲשֶׁ֥ר נָתַ֖תָּה לַאֲבֹתֵֽינוּ׃ וְגַם֙ אֶל־הַנָּכְרִ֔י אֲשֶׁ֛ר לֹא־מֵעַמְּךָ֥ -מְקוֹם תְּפִלָּה גַּם לְנָכְרִי:
מב יִשְׂרָאֵ֖ל ה֑וּא וּבָ֛א מֵאֶ֥רֶץ רְחוֹקָ֖ה לְמַ֥עַן שְׁמֶֽךָ׃ כִּ֤י יִשְׁמְעוּן֙
אֶת־שִׁמְךָ֣ הַגָּד֔וֹל וְאֶת־יָֽדְךָ֙ הַחֲזָקָ֔ה וּֽזְרֹעֲךָ֖ הַנְּטוּיָ֑ה וּבָ֥א וְהִתְפַּלֵּ֖ל
מג אֶל־הַבַּ֥יִת הַזֶּֽה׃ אַתָּ֞ה תִּשְׁמַ֤ע הַשָּׁמַ֙יִם֙ מְכ֣וֹן שִׁבְתֶּ֔ךָ וְעָשִׂ֕יתָ כְּכֹ֛ל
אֲשֶׁר־יִקְרָ֥א אֵלֶ֖יךָ הַנָּכְרִ֑י לְמַ֣עַן יֵדְע֣וּן כָּל־עַמֵּ֪י הָאָ֟רֶץ אֶת־שְׁמֶ֗ךָ
לְיִרְאָ֤ה אֹֽתְךָ֙ כְּעַמְּךָ֣ יִשְׂרָאֵ֔ל וְלָדַ֕עַת כִּֽי־שִׁמְךָ֥ נִקְרָ֛א עַל־הַבַּ֥יִת
מד הַזֶּ֖ה אֲשֶׁ֥ר בָּנִֽיתִי׃ כִּי־יֵצֵ֨א עַמְּךָ֤ לַמִּלְחָמָה֙ עַל־אֹ֣יְב֔וֹ בַּדֶּ֖רֶךְ אֲשֶׁ֣ר
תִּשְׁלָחֵ֑ם וְהִתְפַּֽלְל֣וּ אֶל־יְהֹוָ֗ה דֶּ֤רֶךְ הָעִיר֙ אֲשֶׁ֣ר בָּחַ֣רְתָּ בָּ֔־ה
מה וְהַבַּ֖יִת אֲשֶׁר־בָּנִ֥תִי לִשְׁמֶֽךָ׃ וְשָׁמַעְתָּ֙ הַשָּׁמַ֔יִם אֶת־תְּפִלָּתָ֖ם
מו וְאֶת־תְּחִנָּתָ֑ם וְעָשִׂ֖יתָ מִשְׁפָּטָֽם׃ כִּ֣י יֶֽחֶטְאוּ־לָ֗ךְ כִּ֣י אֵ֤ין אָדָם֙ אֲשֶׁ֣ר
לֹא־יֶחֱטָ֔א וְאָנַפְתָּ֣ בָ֔ם וּנְתַתָּ֖ם לִפְנֵ֣י אוֹיֵ֑ב וְשָׁב֤וּם שֹֽׁבֵיהֶם֙ אֶל־
מז אֶ֣רֶץ הָאוֹיֵ֔ב רְחוֹקָ֖ה א֥וֹ קְרוֹבָֽה׃ וְהֵשִׁ֙יבוּ֙ אֶל־לִבָּ֔ם בָּאָ֕רֶץ אֲשֶׁ֥ר

נִשְׁבּוּ־שָׁם וְשָׁבוּ וְהִֽתְחַנְּנוּ אֵלֶיךָ בְּאֶרֶץ שֹׁבֵיהֶם לֵאמֹר חָטָאנוּ

וְהֶעֱוִינוּ רָשָׁעְנוּ: וְשָׁבוּ אֵלֶיךָ בְּכָל־לְבָבָם וּבְכָל־נַפְשָׁם בְּאֶרֶץ מח

אֹֽיְבֵיהֶם אֲשֶׁר־שָׁבוּ אֹתָם וְהִֽתְפַּֽלְלוּ אֵלֶיךָ דֶּרֶךְ אַרְצָם אֲשֶׁר

נָתַתָּה לַֽאֲבוֹתָם הָעִיר אֲשֶׁר בָּחַרְתָּ וְהַבַּיִת אֲשֶׁר־בָּנִיתִ בנית

לִשְׁמֶךָ: וְשָֽׁמַעְתָּ הַשָּׁמַיִם מְכוֹן שִׁבְתְּךָ אֶת־תְּפִלָּתָם וְאֶת־ מט

תְּחִנָּתָם וְעָשִׂיתָ מִשְׁפָּטָם: וְסָלַחְתָּ לְעַמְּךָ אֲשֶׁר חָֽטְאוּ־לָךְ נ

וּלְכָל־פִּשְׁעֵיהֶם אֲשֶׁר פָּֽשְׁעוּ־בָךְ וּנְתַתָּם לְרַֽחֲמִים לִפְנֵי שֹׁבֵיהֶם

וְרִֽחֲמוּם: כִּֽי־עַמְּךָ וְנַֽחֲלָֽתְךָ הֵם אֲשֶׁר הוֹצֵאתָ מִמִּצְרַיִם מִתּוֹךְ נא

כּוּר הַבַּרְזֶל: לִֽהְיוֹת עֵינֶיךָ פְּתֻחֹת אֶל־תְּחִנַּת עַבְדְּךָ וְאֶל־ נב

תְּחִנַּת עַמְּךָ יִשְׂרָאֵל לִשְׁמֹעַ אֲלֵיהֶם בְּכֹל קָֽרְאָם אֵלֶיךָ: כִּֽי־אַתָּה נג

הִבְדַּלְתָּם לְךָ לְנַֽחֲלָה מִכֹּל עַמֵּי הָאָרֶץ כַּֽאֲשֶׁר דִּבַּרְתָּ בְּיַד ׀

מֹשֶׁה עַבְדֶּךָ בְּהוֹצִֽיאֲךָ אֶת־אֲבֹתֵינוּ מִמִּצְרַיִם אֲדֹנָי יֱהֹוִה:

וַיְהִי ׀ כְּכַלּוֹת שְׁלֹמֹה לְהִתְפַּלֵּל אֶל־יְהֹוָה אֵת כָּל־הַתְּפִלָּה נד

וְהַתְּחִנָּה הַזֹּאת קָם מִלִּפְנֵי מִזְבַּח יְהֹוָה מִכְּרֹעַ עַל־בִּרְכָּיו וְכַפָּיו

פְּרֻשׂוֹת הַשָּׁמָיִם: וַיַּֽעֲמֹד וַיְבָרֶךְ אֵת כָּל־קְהַל יִשְׂרָאֵל קוֹל גָּדוֹל נה

לֵאמֹר: בָּרוּךְ יְהֹוָה אֲשֶׁר נָתַן מְנוּחָה לְעַמּוֹ יִשְׂרָאֵל כְּכֹל אֲשֶׁר נו

דִּבֵּר לֹֽא־נָפַל דָּבָר אֶחָד מִכֹּל דְּבָרוֹ הַטּוֹב אֲשֶׁר דִּבֶּר בְּיַד מֹשֶׁה

עַבְדּוֹ: יְהִי יְהֹוָה אֱלֹהֵינוּ עִמָּנוּ כַּֽאֲשֶׁר הָיָה עִם־אֲבֹתֵינוּ אַל־ נז

יַֽעַזְבֵנוּ וְאַל־יִטְּשֵׁנוּ: לְהַטּוֹת לְבָבֵנוּ אֵלָיו לָלֶכֶת בְּכָל־דְּרָכָיו נח

וְלִשְׁמֹר מִצְוֹתָיו וְחֻקָּיו וּמִשְׁפָּטָיו אֲשֶׁר צִוָּה אֶת־אֲבֹתֵינוּ: וְיִֽהְיוּ נט

דְבָרַי אֵלֶּה אֲשֶׁר הִתְחַנַּנְתִּי לִפְנֵי יְהֹוָה קְרֹבִים אֶל־יְהֹוָה אֱלֹהֵינוּ

יוֹמָם וָלַיְלָה לַֽעֲשׂוֹת ׀ מִשְׁפַּט עַבְדּוֹ וּמִשְׁפַּט עַמּוֹ יִשְׂרָאֵל

דְּבַר־יוֹם בְּיוֹמוֹ: לְמַעַן דַּעַת כָּל־עַמֵּי הָאָרֶץ כִּי יְהֹוָה הוּא ס

הָֽאֱלֹהִים אֵין עוֹד: וְהָיָה לְבַבְכֶם שָׁלֵם עִם יְהֹוָה אֱלֹהֵינוּ לָלֶכֶת סא

בְּחֻקָּיו וְלִשְׁמֹר מִצְוֹתָיו כַּיּוֹם הַזֶּה: וְהַמֶּלֶךְ וְכָל־יִשְׂרָאֵל עִמּוֹ סב

תְּפִלַּת
שְׁלֹמֹה,
הוֹדָאָה:
חֲנֻכַּת
הַמִּקְדָּשׁ:

סג זְבָחִים זֶבַח לִפְנֵי יְהוָה: וַיִּזְבַּח שְׁלֹמֹה אֵת זֶבַח הַשְּׁלָמִים אֲשֶׁר
זָבַח לַיהוָה בָּקָר עֶשְׂרִים וּשְׁנַיִם אֶלֶף וְצֹאן מֵאָה וְעֶשְׂרִים אָלֶף
סד וַיַּחְנְכוּ אֶת־בֵּית יְהוָה הַמֶּלֶךְ וְכָל־בְּנֵי יִשְׂרָאֵל: בַּיּוֹם הַהוּא קִדַּשׁ
הַמֶּלֶךְ אֶת־תּוֹךְ הֶחָצֵר אֲשֶׁר לִפְנֵי בֵית־יְהוָה כִּי־עָשָׂה שָׁם
אֶת־הָעֹלָה וְאֶת־הַמִּנְחָה וְאֵת חֶלְבֵי הַשְּׁלָמִים כִּי־מִזְבַּח הַנְּחֹשֶׁת
אֲשֶׁר לִפְנֵי יְהוָה קָטֹן מֵהָכִיל אֶת־הָעֹלָה וְאֶת־הַמִּנְחָה וְאֵת חֶלְבֵי
סה הַשְּׁלָמִים: וַיַּעַשׂ שְׁלֹמֹה בָעֵת־הַהִיא | אֶת־הֶחָג וְכָל־יִשְׂרָאֵל עִמּוֹ
קָהָל גָּדוֹל מִלְּבוֹא חֲמָת | עַד־נַחַל מִצְרַיִם לִפְנֵי יְהוָה אֱלֹהֵינוּ
סו שִׁבְעַת יָמִים וְשִׁבְעַת יָמִים אַרְבָּעָה עָשָׂר יוֹם: בַּיּוֹם הַשְּׁמִינִי
שִׁלַּח אֶת־הָעָם וַיְבָרְכוּ אֶת־הַמֶּלֶךְ וַיֵּלְכוּ לְאָהֳלֵיהֶם שְׂמֵחִים וְטוֹבֵי
לֵב עַל כָּל־הַטּוֹבָה אֲשֶׁר עָשָׂה יְהוָה לְדָוִד עַבְדּוֹ וּלְיִשְׂרָאֵל עַמּוֹ:
ט א וַיְהִי כְּכַלּוֹת שְׁלֹמֹה לִבְנוֹת אֶת־בֵּית־יְהוָה וְאֶת־בֵּית הַמֶּלֶךְ וְאֵת
כָּל־חֵשֶׁק שְׁלֹמֹה אֲשֶׁר חָפֵץ לַעֲשׂוֹת:
ב ג וַיֵּרָא יְהוָה אֶל־שְׁלֹמֹה שֵׁנִית כַּאֲשֶׁר נִרְאָה אֵלָיו בְּגִבְעוֹן: וַיֹּאמֶר קַבָּלַת הַתְּפִלָּה:
יְהוָה אֵלָיו שָׁמַעְתִּי אֶת־תְּפִלָּתְךָ וְאֶת־תְּחִנָּתְךָ אֲשֶׁר הִתְחַנַּנְתָּה
לְפָנַי הִקְדַּשְׁתִּי אֶת־הַבַּיִת הַזֶּה אֲשֶׁר בָּנִתָה לָשׂוּם־שְׁמִי שָׁם
ד עַד־עוֹלָם וְהָיוּ עֵינַי וְלִבִּי שָׁם כָּל־הַיָּמִים: וְאַתָּה אִם־תֵּלֵךְ לְפָנַי
כַּאֲשֶׁר הָלַךְ דָּוִד אָבִיךָ בְּתָם־לֵבָב וּבְיֹשֶׁר לַעֲשׂוֹת כְּכֹל אֲשֶׁר
ה צִוִּיתִיךָ חֻקַּי וּמִשְׁפָּטַי תִּשְׁמֹר: וַהֲקִמֹתִי אֶת־כִּסֵּא מַמְלַכְתְּךָ
עַל־יִשְׂרָאֵל לְעֹלָם כַּאֲשֶׁר דִּבַּרְתִּי עַל־דָּוִד אָבִיךָ לֵאמֹר
ו לֹא־יִכָּרֵת לְךָ אִישׁ מֵעַל כִּסֵּא יִשְׂרָאֵל: אִם־שׁוֹב תְּשֻׁבוּן אַתֶּם
וּבְנֵיכֶם מֵאַחֲרַי וְלֹא תִשְׁמְרוּ מִצְוֹתַי חֻקֹּתַי אֲשֶׁר נָתַתִּי לִפְנֵיכֶם
ז וַהֲלַכְתֶּם וַעֲבַדְתֶּם אֱלֹהִים אֲחֵרִים וְהִשְׁתַּחֲוִיתֶם לָהֶם: וְהִכְרַתִּי
אֶת־יִשְׂרָאֵל מֵעַל פְּנֵי הָאֲדָמָה אֲשֶׁר נָתַתִּי לָהֶם וְאֶת־הַבַּיִת
אֲשֶׁר הִקְדַּשְׁתִּי לִשְׁמִי אֲשַׁלַּח מֵעַל פָּנָי וְהָיָה יִשְׂרָאֵל לְמָשָׁל

ח וְלִשְׁנִינָה בְּכָל־הָעַמִּים: וְהַבַּיִת הַזֶּה יִהְיֶה עֶלְיוֹן כָּל־עֹבֵר עָלָיו
יִשֹּׁם וְשָׁרָק וְאָמְרוּ עַל־מֶה עָשָׂה יְהוָה כָּכָה לָאָרֶץ הַזֹּאת וְלַבַּיִת
ט הַזֶּה: וְאָמְרוּ עַל אֲשֶׁר עָזְבוּ אֶת־יְהוָה אֱלֹהֵיהֶם אֲשֶׁר הוֹצִיא
אֶת־אֲבֹתָם מֵאֶרֶץ מִצְרַיִם וַיַּחֲזִקוּ בֵּאלֹהִים אֲחֵרִים וישתחו
וַיִּשְׁתַּחֲוּוּ לָהֶם וַיַּעַבְדֻם עַל־כֵּן הֵבִיא יְהוָה עֲלֵיהֶם אֵת כָּל־הָרָעָה
הַזֹּאת:

הַעֲנָקַת מַתָּנוֹת לְחִירָם:

י וַיְהִי מִקְצֵה עֶשְׂרִים שָׁנָה אֲשֶׁר־בָּנָה שְׁלֹמֹה אֶת־שְׁנֵי הַבָּתִּים
יא אֶת־בֵּית יְהוָה וְאֶת־בֵּית הַמֶּלֶךְ: חִירָם מֶלֶךְ־צֹר נִשָּׂא אֶת־שְׁלֹמֹה
בַּעֲצֵי אֲרָזִים וּבַעֲצֵי בְרוֹשִׁים וּבַזָּהָב לְכָל־חֶפְצוֹ אָז יִתֵּן הַמֶּלֶךְ
יב שְׁלֹמֹה לְחִירָם עֶשְׂרִים עִיר בְּאֶרֶץ הַגָּלִיל: וַיֵּצֵא חִירָם מִצֹּר
לִרְאוֹת אֶת־הֶעָרִים אֲשֶׁר נָתַן־לוֹ שְׁלֹמֹה וְלֹא יָשְׁרוּ בְּעֵינָיו:
יג וַיֹּאמֶר מָה הֶעָרִים הָאֵלֶּה אֲשֶׁר־נָתַתָּה לִּי אָחִי וַיִּקְרָא לָהֶם אֶרֶץ
כָּבוּל עַד הַיּוֹם הַזֶּה:

בִּצּוּר עָרֵי הַמְּלוּכָה:

יד טו וַיִּשְׁלַח חִירָם לַמֶּלֶךְ מֵאָה וְעֶשְׂרִים כִּכַּר זָהָב: וְזֶה דְבַר־הַמַּס
אֲשֶׁר־הֶעֱלָה ׀ הַמֶּלֶךְ שְׁלֹמֹה לִבְנוֹת אֶת־בֵּית יְהוָה וְאֶת־בֵּיתוֹ
וְאֶת־הַמִּלּוֹא וְאֵת חוֹמַת יְרוּשָׁלָםִ וְאֶת־חָצֹר וְאֶת־מְגִדּוֹ וְאֶת־
טז גָּזֶר: פַּרְעֹה מֶלֶךְ־מִצְרַיִם עָלָה וַיִּלְכֹּד אֶת־גֶּזֶר וַיִּשְׂרְפָהּ בָּאֵשׁ
וְאֶת־הַכְּנַעֲנִי הַיֹּשֵׁב בָּעִיר הָרָג וַיִּתְּנָהּ שִׁלֻּחִים לְבִתּוֹ אֵשֶׁת
יז יח שְׁלֹמֹה: וַיִּבֶן שְׁלֹמֹה אֶת־גֶּזֶר וְאֶת־בֵּית חֹרֹן תַּחְתּוֹן: וְאֶת־בַּעֲלָת
יט וְאֶת־תַּדְמֹר תמר בַּמִּדְבָּר בָּאָרֶץ: וְאֵת כָּל־עָרֵי הַמִּסְכְּנוֹת אֲשֶׁר
הָיוּ לִשְׁלֹמֹה וְאֵת עָרֵי הָרֶכֶב וְאֵת עָרֵי הַפָּרָשִׁים וְאֵת ׀ חֵשֶׁק
שְׁלֹמֹה אֲשֶׁר חָשַׁק לִבְנוֹת בִּירוּשָׁלַםִ וּבַלְּבָנוֹן וּבְכֹל אֶרֶץ
כ מֶמְשַׁלְתּוֹ: כָּל־הָעָם הַנּוֹתָר מִן־הָאֱמֹרִי הַחִתִּי הַפְּרִזִּי הַחִוִּי
כא וְהַיְבוּסִי אֲשֶׁר לֹא־מִבְּנֵי יִשְׂרָאֵל הֵמָּה: בְּנֵיהֶם אֲשֶׁר נֹתְרוּ
אַחֲרֵיהֶם בָּאָרֶץ אֲשֶׁר לֹא־יָכְלוּ בְּנֵי יִשְׂרָאֵל לְהַחֲרִימָם וַיַּעֲלֵם

כב שְׁלֹמֹה לְמַס־עֹבֵד עַד הַיּוֹם הַזֶּה׃ וּמִבְּנֵי יִשְׂרָאֵל לֹא־נָתַן
שְׁלֹמֹה עָבֶד כִּי־הֵם אַנְשֵׁי הַמִּלְחָמָה וַעֲבָדָיו וְשָׂרָיו וְשָׁלִשָׁיו
כג וְשָׂרֵי רִכְבּוֹ וּפָרָשָׁיו׃ אֵלֶּה ׀ שָׂרֵי הַנִּצָּבִים אֲשֶׁר עַל־
הַמְּלָאכָה לִשְׁלֹמֹה חֲמִשִּׁים וַחֲמֵשׁ מֵאוֹת הָרֹדִים בָּעָם הָעֹשִׂים
כד בַּמְּלָאכָה׃ אַךְ בַּת־פַּרְעֹה עָלְתָה מֵעִיר דָּוִד אֶל־בֵּיתָהּ אֲשֶׁר
כה בָּנָה־לָהּ אָז בָּנָה אֶת־הַמִּלּוֹא׃ וְהֶעֱלָה שְׁלֹמֹה שָׁלֹשׁ פְּעָמִים
בַּשָּׁנָה עֹלוֹת וּשְׁלָמִים עַל־הַמִּזְבֵּחַ אֲשֶׁר בָּנָה לַיהוָה וְהַקְטֵיר
כו אִתּוֹ אֲשֶׁר לִפְנֵי יְהוָה וְשִׁלַּם אֶת־הַבָּיִת׃ וָאֳנִי עָשָׂה הַמֶּלֶךְ שְׁלֹמֹה
בְּעֶצְיוֹן־גֶּבֶר אֲשֶׁר אֶת־אֵלוֹת עַל־שְׂפַת יַם־סוּף בְּאֶרֶץ אֱדוֹם׃
כז וַיִּשְׁלַח חִירָם בָּאֳנִי אֶת־עֲבָדָיו אַנְשֵׁי אֳנִיּוֹת יֹדְעֵי הַיָּם עִם
כח עַבְדֵי שְׁלֹמֹה׃ וַיָּבֹאוּ אוֹפִירָה וַיִּקְחוּ מִשָּׁם זָהָב אַרְבַּע־מֵאוֹת
וְעֶשְׂרִים כִּכָּר וַיָּבִאוּ אֶל־הַמֶּלֶךְ שְׁלֹמֹה׃
י א וּמַלְכַּת־שְׁבָא שֹׁמַעַת אֶת־שֵׁמַע שְׁלֹמֹה לְשֵׁם יְהוָה וַתָּבֹא לְנַסֹּתוֹ מַלְכַּת שְׁבָא׃
ב בְּחִידוֹת׃ וַתָּבֹא יְרוּשָׁלַמָה בְּחַיִל כָּבֵד מְאֹד גְּמַלִּים נֹשְׂאִים
בְּשָׂמִים וְזָהָב רַב־מְאֹד וְאֶבֶן יְקָרָה וַתָּבֹא אֶל־שְׁלֹמֹה וַתְּדַבֵּר
ג אֵלָיו אֵת כָּל־אֲשֶׁר הָיָה עִם־לְבָבָהּ׃ וַיַּגֶּד־לָהּ שְׁלֹמֹה אֶת־
כָּל־דְּבָרֶיהָ לֹא־הָיָה דָּבָר נֶעְלָם מִן־הַמֶּלֶךְ אֲשֶׁר לֹא הִגִּיד לָהּ׃
ד וַתֵּרֶא מַלְכַּת־שְׁבָא אֵת כָּל־חָכְמַת שְׁלֹמֹה וְהַבַּיִת אֲשֶׁר בָּנָה׃
ה וּמַאֲכַל שֻׁלְחָנוֹ וּמוֹשַׁב עֲבָדָיו וּמַעֲמַד מְשָׁרְתָו וּמַלְבֻּשֵׁיהֶם
וּמַשְׁקָיו וְעֹלָתוֹ אֲשֶׁר יַעֲלֶה בֵּית יְהוָה וְלֹא־הָיָה בָהּ עוֹד רוּחַ׃
ו וַתֹּאמֶר אֶל־הַמֶּלֶךְ אֱמֶת הָיָה הַדָּבָר אֲשֶׁר שָׁמַעְתִּי בְּאַרְצִי
ז עַל־דְּבָרֶיךָ וְעַל־חָכְמָתֶךָ׃ וְלֹא־הֶאֱמַנְתִּי לַדְּבָרִים עַד אֲשֶׁר־
בָּאתִי וַתִּרְאֶינָה עֵינַי וְהִנֵּה לֹא־הֻגַּד־לִי הַחֵצִי הוֹסַפְתָּ חָכְמָה
ח וָטוֹב אֶל־הַשְּׁמוּעָה אֲשֶׁר שָׁמָעְתִּי׃ אַשְׁרֵי אֲנָשֶׁיךָ אַשְׁרֵי עֲבָדֶיךָ
ט אֵלֶּה הָעֹמְדִים לְפָנֶיךָ תָּמִיד הַשֹּׁמְעִים אֶת־חָכְמָתֶךָ׃ יְהִי יְהוָה

אֱלֹהֶ֔יךָ בָּר֗וּךְ אֲשֶׁ֤ר חָפֵץ֙ בְּךָ֔ לְתִתְּךָ֤ עַל־כִּסֵּ֣א יִשְׂרָאֵ֔ל בְּאַהֲבַ֨ת
יְהֹוָ֤ה אֶת־יִשְׂרָאֵל֙ לְעֹלָ֔ם וַיְשִֽׂימְךָ֣ לְמֶ֔לֶךְ לַעֲשׂ֥וֹת מִשְׁפָּ֖ט וּצְדָקָֽה:

י וַתִּתֵּ֨ן לַמֶּ֜לֶךְ מֵאָ֣ה וְעֶשְׂרִ֣ים ׀ כִּכַּ֣ר זָהָ֗ב וּבְשָׂמִ֛ים הַרְבֵּ֥ה מְאֹ֖ד
וְאֶ֣בֶן יְקָרָ֑ה לֹא־בָ֩א כַבֹּ֨שֶׂם הַה֥וּא עוֹד֙ לָרֹ֔ב אֲשֶׁר־נָתְנָ֥ה
יא מַֽלְכַּת־שְׁבָ֖א לַמֶּ֥לֶךְ שְׁלֹמֹֽה: וְגַ֨ם אֳנִ֤י חִירָם֙ אֲשֶׁר־נָשָׂ֣א זָהָ֔ב
מֵאוֹפִ֑יר הֵבִ֨יא מֵאֹפִ֜יר עֲצֵ֧י אַלְמֻגִּ֛ים הַרְבֵּ֥ה מְאֹ֖ד וְאֶ֥בֶן יְקָרָֽה:

יב וַיַּ֣עַשׂ הַ֠מֶּ֠לֶךְ אֶת־עֲצֵ֨י הָאַלְמֻגִּ֜ים מִסְעָ֤ד לְבֵית־יְהֹוָה֙ וּלְבֵ֣ית
הַמֶּ֔לֶךְ וְכִנֹּר֥וֹת וּנְבָלִ֖ים לַשָּׁרִ֑ים לֹֽא־בָא־כֵ֞ן עֲצֵ֤י אַלְמֻגִּים֙ וְלֹ֣א
יג נִרְאָ֔ה עַ֖ד הַיּ֥וֹם הַזֶּֽה: וְהַמֶּ֨לֶךְ שְׁלֹמֹ֜ה נָתַ֣ן לְמַֽלְכַּת־שְׁבָ֗א אֶת־
כָּל־חֶפְצָהּ֙ אֲשֶׁ֣ר שָׁאָ֔לָה מִלְּבַד֙ אֲשֶׁ֣ר נָֽתַן־לָ֔הּ כְּיַ֖ד הַמֶּ֣לֶךְ
שְׁלֹמֹ֑ה וַתֵּ֛פֶן וַתֵּ֥לֶךְ לְאַרְצָ֖הּ הִ֥יא וַעֲבָדֶֽיהָ:

יד וַֽיְהִי֙ מִשְׁקַ֣ל הַזָּהָ֔ב אֲשֶׁר־בָּ֥א לִשְׁלֹמֹ֖ה בְּשָׁנָ֣ה אֶחָ֑ת שֵׁ֥שׁ מֵא֛וֹת
טו שִׁשִּׁ֥ים וָשֵׁ֖שׁ כִּכַּ֥ר זָהָֽב: לְבַ֞ד מֵאַנְשֵׁ֤י הַתָּרִים֙ וּמִסְחַ֣ר הָרֹֽכְלִ֔ים
טז וְכָל־מַלְכֵ֥י הָעֶ֖רֶב וּפַח֥וֹת הָאָֽרֶץ: וַיַּ֨עַשׂ הַמֶּ֤לֶךְ שְׁלֹמֹה֙ מָאתַ֣יִם
צִנָּ֔ה זָהָ֖ב שָׁח֑וּט שֵׁשׁ־מֵא֣וֹת זָהָ֔ב יַעֲלֶ֖ה עַל־הַצִּנָּ֥ה הָאֶחָֽת:
יז וּשְׁלֹשׁ־מֵא֤וֹת מָֽגִנִּים֙ זָהָ֣ב שָׁח֔וּט שְׁלֹ֤שֶׁת מָנִים֙ זָהָ֔ב יַעֲלֶ֖ה
עַל־הַמָּגֵ֣ן הָאֶחָ֑ת וַיִּתְּנֵ֣ם הַמֶּ֔לֶךְ בֵּ֖ית יַ֥עַר הַלְּבָנֽוֹן:

יח וַיַּ֧עַשׂ הַמֶּ֛לֶךְ כִּסֵּא־שֵׁ֖ן גָּד֑וֹל וַיְצַפֵּ֖הוּ זָהָ֥ב מוּפָֽז: שֵׁ֧שׁ מַעֲל֣וֹת
יט לַכִּסֵּ֗ה וְרֹאשׁ־עָגֹ֤ל לַכִּסֵּה֙ מֵאַֽחֲרָ֔יו וְיָדֹ֥ת מִזֶּ֛ה וּמִזֶּ֖ה אֶל־מְק֣וֹם
כ הַשָּׁ֑בֶת וּשְׁנַ֣יִם אֲרָי֔וֹת עֹמְדִ֖ים אֵ֥צֶל הַיָּדֽוֹת: וּשְׁנֵ֧ים עָשָׂ֣ר אֲרָיִ֗ים
עֹמְדִ֥ים שָׁ֛ם עַל־שֵׁ֥שׁ הַֽמַּעֲל֖וֹת מִזֶּ֣ה וּמִזֶּ֑ה לֹֽא־נַעֲשָׂ֥ה כֵ֖ן
כא לְכָל־מַמְלָכֽוֹת: וְ֠כֹ֠ל כְּלֵ֞י מַשְׁקֵ֨ה הַמֶּ֤לֶךְ שְׁלֹמֹה֙ זָהָ֔ב וְכֹ֗ל כְּלֵ֞י
בֵּֽית־יַ֤עַר הַלְּבָנוֹן֙ זָהָ֣ב סָג֔וּר אֵ֣ין כֶּ֔סֶף לֹ֥א נֶחְשָׁ֛ב בִּימֵ֥י שְׁלֹמֹ֖ה
כב לִמְאֽוּמָה: כִּי֩ אֳנִ֨י תַרְשִׁ֤ישׁ לַמֶּ֙לֶךְ֙ בַּיָּ֔ם עִ֖ם אֳנִ֣י חִירָ֑ם אַחַ֞ת
לְשָׁלֹ֣שׁ שָׁנִ֗ים תָּב֣וֹא ׀ אֳנִ֣י תַרְשִׁ֔ישׁ נֹֽשְׂאֵת֙ זָהָ֣ב וָכֶ֔סֶף שֶׁנְהַבִּ֖ים

עָשְׁר֖וֹ שֶׁ֥ל
שְׁלֹמֹֽה:

כִּסֵּ֖א
שְׁלֹמֹֽה:

וְקֹפִ֖ים וְתֻכִּיִּֽים: וַיִּגְדַּל֙ הַמֶּ֣לֶךְ שְׁלֹמֹ֔ה מִכֹּ֖ל מַלְכֵ֣י הָאָ֑רֶץ לְעֹ֖שֶׁר

כד וּלְחָכְמָֽה: וְכָ֨ל־הָאָ֔רֶץ מְבַקְשִׁ֖ים אֶת־פְּנֵ֣י שְׁלֹמֹ֑ה לִשְׁמֹ֙עַ֙ אֶת־

כה חָכְמָת֔וֹ אֲשֶׁר־נָתַ֥ן אֱלֹהִ֖ים בְּלִבּֽוֹ: וְהֵ֣מָּה מְבִאִ֡ים אִ֣ישׁ מִנְחָת֡וֹ
כְּלֵ֣י כֶסֶף֩ וּכְלֵ֨י זָהָ֜ב וּשְׂלָמ֤וֹת וְנֵ֙שֶׁק֙ וּבְשָׂמִ֔ים סוּסִ֖ים וּפְרָדִ֑ים
רְבֻּ֣י
הַסּוּסִ֖ים
וְהָרֶ֖כֶב:
כו דְּבַר־שָׁנָ֥ה בְּשָׁנָֽה: וַיֶּאֱסֹ֣ף שְׁלֹמֹה֮ רֶ֣כֶב וּפָרָשִׁים֒ וַיְהִי־
ל֗וֹ אֶ֤לֶף וְאַרְבַּע־מֵאוֹת֙ רֶ֔כֶב וּשְׁנֵים־עָשָׂ֥ר אֶ֖לֶף פָּרָשִׁ֑ים וַיַּנְחֵ֣ם

כז בְּעָרֵ֣י הָרֶ֔כֶב וְעִם־הַמֶּ֖לֶךְ בִּירוּשָׁלָֽ͏ִם: וַיִּתֵּ֨ן הַמֶּ֧לֶךְ אֶת־הַכֶּ֛סֶף
בִּירוּשָׁלַ֖͏ִם כָּאֲבָנִ֑ים וְאֵ֣ת הָאֲרָזִ֗ים נָתַ֛ן כַּשִּׁקְמִ֥ים אֲשֶׁר־בַּשְּׁפֵלָ֖ה

כח לָרֹֽב: וּמוֹצָ֧א הַסּוּסִ֛ים אֲשֶׁ֥ר לִשְׁלֹמֹ֖ה מִמִּצְרָ֑יִם וּמִקְוֵ֕ה סֹחֲרֵ֣י

כט הַמֶּ֔לֶךְ יִקְח֥וּ מִקְוֵ֖ה בִּמְחִֽיר: וַ֠תַּעֲלֶ֠ה וַתֵּצֵ֨א מֶרְכָּבָ֤ה מִמִּצְרַ֙יִם֙
בְּשֵׁ֣שׁ מֵא֣וֹת כֶּ֔סֶף וְס֖וּס בַּחֲמִשִּׁ֣ים וּמֵאָ֑ה וְ֠כֵ֠ן לְכָל־מַלְכֵ֧י הַחִתִּ֛ים
וּלְמַלְכֵ֥י אֲרָ֖ם בְּיָדָ֥ם יֹצִֽאוּ:

נְשֵׁ֤י שְׁלֹמֹה֙
וְחֶטְאֽוֹ:
יא א וְהַמֶּ֣לֶךְ שְׁלֹמֹ֗ה אָהַ֞ב נָשִׁ֧ים נָכְרִיּ֛וֹת רַבּ֖וֹת וְאֶת־בַּת־פַּרְעֹ֑ה

ב מֽוֹאֲבִיּ֤וֹת עַמֳּנִיּוֹת֙ אֲדֹֽמִיֹּ֣ת צֵדְנִיֹּ֔ת חִתִּיֹּֽת: מִן־הַגּוֹיִ֗ם אֲשֶׁ֣ר
אָֽמַר־יְהוָה֩ אֶל־בְּנֵ֨י יִשְׂרָאֵ֜ל לֹֽא־תָבֹ֣אוּ בָהֶ֗ם וְהֵם֙ לֹא־יָבֹ֣אוּ בָכֶ֔ם
אָכֵן֙ יַטּ֣וּ אֶת־לְבַבְכֶ֔ם אַחֲרֵ֖י אֱלֹהֵיהֶ֑ם בָּהֶ֛ם דָּבַ֥ק שְׁלֹמֹ֖ה לְאַהֲבָֽה:

ג וַיְהִי־ל֣וֹ נָשִׁ֗ים שָׂרוֹת֙ שְׁבַ֣ע מֵא֔וֹת וּפִֽלַגְשִׁ֖ים שְׁלֹ֣שׁ מֵא֑וֹת וַיַּטּ֥וּ

ד נָשָׁ֖יו אֶת־לִבּֽוֹ: וַיְהִ֗י לְעֵת֙ זִקְנַ֣ת שְׁלֹמֹ֔ה נָשָׁיו֙ הִטּ֣וּ אֶת־לְבָב֔וֹ
אַחֲרֵ֖י אֱלֹהִ֣ים אֲחֵרִ֑ים וְלֹא־הָיָ֨ה לְבָב֤וֹ שָׁלֵם֙ עִם־יְהוָ֣ה אֱלֹהָ֔יו

ה כִּלְבַ֖ב דָּוִ֥יד אָבִֽיו: וַיֵּ֣לֶךְ שְׁלֹמֹ֔ה אַחֲרֵ֣י עַשְׁתֹּ֔רֶת אֱלֹהֵ֖י צִֽדֹנִ֑ים

ו וְאַחֲרֵ֣י מִלְכֹּ֔ם שִׁקֻּ֖ץ עַמֹּנִֽים: וַיַּ֧עַשׂ שְׁלֹמֹ֛ה הָרַ֖ע בְּעֵינֵ֣י יְהוָ֑ה וְלֹ֥א
מִלֵּ֖א אַחֲרֵ֥י יְהוָ֖ה כְּדָוִ֥ד אָבִֽיו: אָ֣ז יִבְנֶ֨ה שְׁלֹמֹ֜ה בָּמָ֗ה

ז לִכְמוֹשׁ֙ שִׁקֻּ֣ץ מוֹאָ֔ב בָּהָ֕ר אֲשֶׁ֖ר עַל־פְּנֵ֣י יְרוּשָׁלָ֑͏ִם וּלְמֹ֕לֶךְ שִׁקֻּ֖ץ

ח בְּנֵ֥י עַמּֽוֹן: וְכֵ֣ן עָשָׂ֔ה לְכָל־נָשָׁ֖יו הַנָּכְרִיּ֑וֹת מַקְטִיר֥וֹת וּֽמְזַבְּח֖וֹת

ט לֵאלֹהֵיהֶֽן: וַיִּתְאַנַּ֥ף יְהוָ֖ה בִּשְׁלֹמֹ֑ה כִּֽי־נָטָ֤ה לְבָבוֹ֙ מֵעִ֣ם יְהוָ֔ה אֱלֹהֵ֣י

י יִשְׂרָאֵל הַנִּרְאָה אֵלָיו פַּעֲמָיִם: וְצִוָּה אֵלָיו עַל־הַדָּבָר הַזֶּה
לְבִלְתִּי־לֶכֶת אַחֲרֵי אֱלֹהִים אֲחֵרִים וְלֹא שָׁמַר אֵת אֲשֶׁר־צִוָּה
יְהוָה:

נְבוּאַת קְרִיעַת הַמַּמְלָכָה:

יא וַיֹּאמֶר יְהוָה לִשְׁלֹמֹה יַעַן אֲשֶׁר הָיְתָה־זֹּאת עִמָּךְ וְלֹא שָׁמַרְתָּ
בְּרִיתִי וְחֻקֹּתַי אֲשֶׁר צִוִּיתִי עָלֶיךָ קָרֹעַ אֶקְרַע אֶת־הַמַּמְלָכָה
יב מֵעָלֶיךָ וּנְתַתִּיהָ לְעַבְדֶּךָ: אַךְ־בְּיָמֶיךָ לֹא אֶעֱשֶׂנָּה לְמַעַן דָּוִד
יג אָבִיךָ מִיַּד בִּנְךָ אֶקְרָעֶנָּה: רַק אֶת־כָּל־הַמַּמְלָכָה לֹא אֶקְרָע
שֵׁבֶט אֶחָד אֶתֵּן לִבְנֶךָ לְמַעַן דָּוִד עַבְדִּי וּלְמַעַן יְרוּשָׁלִַם אֲשֶׁר
בָּחָרְתִּי:

הֲדַד, שָׂטָן לִשְׁלֹמֹה:

יד וַיָּקֶם יְהוָה שָׂטָן לִשְׁלֹמֹה אֵת הֲדַד הָאֲדֹמִי
טו מִזֶּרַע הַמֶּלֶךְ הוּא בֶּאֱדוֹם: וַיְהִי בִּהְיוֹת דָּוִד אֶת־אֱדוֹם בַּעֲלוֹת
טז יוֹאָב שַׂר הַצָּבָא לְקַבֵּר אֶת־הַחֲלָלִים וַיַּךְ כָּל־זָכָר בֶּאֱדוֹם: כִּי
שֵׁשֶׁת חֳדָשִׁים יָשַׁב־שָׁם יוֹאָב וְכָל־יִשְׂרָאֵל עַד־הִכְרִית כָּל־זָכָר
יז בֶּאֱדוֹם: וַיִּבְרַח אֲדַד הוּא וַאֲנָשִׁים אֲדֹמִיִּים מֵעַבְדֵי אָבִיו אִתּוֹ
יח לָבוֹא מִצְרָיִם וַהֲדַד נַעַר קָטָן: וַיָּקֻמוּ מִמִּדְיָן וַיָּבֹאוּ פָּארָן וַיִּקְחוּ
אֲנָשִׁים עִמָּם מִפָּארָן וַיָּבֹאוּ מִצְרַיִם אֶל־פַּרְעֹה מֶלֶךְ־מִצְרַיִם
יט וַיִּתֶּן־לוֹ בַיִת וְלֶחֶם אָמַר לוֹ וְאֶרֶץ נָתַן לוֹ: וַיִּמְצָא הֲדַד חֵן
בְּעֵינֵי פַרְעֹה מְאֹד וַיִּתֶּן־לוֹ אִשָּׁה אֶת־אֲחוֹת אִשְׁתּוֹ אֲחוֹת
כ תַּחְפְּנֵיס הַגְּבִירָה: וַתֵּלֶד לוֹ אֲחוֹת תַּחְפְּנֵיס אֵת גְּנֻבַת בְּנוֹ
וַתִּגְמְלֵהוּ תַחְפְּנֵס בְּתוֹךְ בֵּית פַּרְעֹה וַיְהִי גְנֻבַת בֵּית פַּרְעֹה בְּתוֹךְ
כא בְּנֵי פַרְעֹה: וַהֲדַד שָׁמַע בְּמִצְרַיִם כִּי־שָׁכַב דָּוִד עִם־אֲבֹתָיו
וְכִי־מֵת יוֹאָב שַׂר־הַצָּבָא וַיֹּאמֶר הֲדַד אֶל־פַּרְעֹה שַׁלְּחֵנִי וְאֵלֵךְ
כב אֶל־אַרְצִי: וַיֹּאמֶר לוֹ פַרְעֹה כִּי מָה־אַתָּה חָסֵר עִמִּי וְהִנְּךָ מְבַקֵּשׁ
לָלֶכֶת אֶל־אַרְצֶךָ וַיֹּאמֶר ׀ לֹא כִּי שַׁלֵּחַ תְּשַׁלְּחֵנִי:

רְזוֹן, שָׂטָן לִשְׁלֹמֹה:

כג וַיָּקֶם אֱלֹהִים
לוֹ שָׂטָן אֶת־רְזוֹן בֶּן־אֶלְיָדָע אֲשֶׁר בָּרַח מֵאֵת הֲדַדְעֶזֶר
כד מֶלֶךְ־צוֹבָה אֲדֹנָיו: וַיִּקְבֹּץ עָלָיו אֲנָשִׁים וַיְהִי שַׂר־גְּדוּד בַּהֲרֹג

כה דָּוִד אֹתָם וַיֵּלְכוּ דַמֶּשֶׂק וַיֵּשְׁבוּ בָהּ וַיִּמְלְכוּ בְּדַמָּשֶׂק׃ וַיְהִי שָׂטָן
לְיִשְׂרָאֵל כָּל־יְמֵי שְׁלֹמֹה וְאֶת־הָרָעָה אֲשֶׁר הֲדָד וַיָּקָץ בְּיִשְׂרָאֵל
וַיִּמְלֹךְ עַל־אֲרָם׃

בְּשׂוֹרַת אֲחִיָּה הַשִּׁילֹנִי לְיָרָבְעָם:

כו וְיָרָבְעָם בֶּן־נְבָט אֶפְרָתִי מִן־הַצְּרֵדָה וְשֵׁם אִמּוֹ צְרוּעָה אִשָּׁה
כז אַלְמָנָה עֶבֶד לִשְׁלֹמֹה וַיָּרֶם יָד בַּמֶּלֶךְ׃ וְזֶה הַדָּבָר אֲשֶׁר־הֵרִים
יָד בַּמֶּלֶךְ שְׁלֹמֹה בָּנָה אֶת־הַמִּלּוֹא סָגַר אֶת־פֶּרֶץ עִיר דָּוִד אָבִיו׃
כח וְהָאִישׁ יָרָבְעָם גִּבּוֹר חָיִל וַיַּרְא שְׁלֹמֹה אֶת־הַנַּעַר כִּי־עֹשֵׂה
כט מְלָאכָה הוּא וַיַּפְקֵד אֹתוֹ לְכָל־סֵבֶל בֵּית יוֹסֵף׃ וַיְהִי
בָּעֵת הַהִיא וְיָרָבְעָם יָצָא מִירוּשָׁלָםִ וַיִּמְצָא אֹתוֹ אֲחִיָּה הַשִּׁילֹנִי
הַנָּבִיא בַּדֶּרֶךְ וְהוּא מִתְכַּסֶּה בְּשַׂלְמָה חֲדָשָׁה וּשְׁנֵיהֶם לְבַדָּם
ל בַּשָּׂדֶה׃ וַיִּתְפֹּשׂ אֲחִיָּה בַּשַּׂלְמָה הַחֲדָשָׁה אֲשֶׁר עָלָיו וַיִּקְרָעֶהָ
לא שְׁנֵים עָשָׂר קְרָעִים׃ וַיֹּאמֶר לְיָרָבְעָם קַח־לְךָ עֲשָׂרָה קְרָעִים
כִּי כֹה אָמַר יְהוָה אֱלֹהֵי יִשְׂרָאֵל הִנְנִי קֹרֵעַ אֶת־הַמַּמְלָכָה מִיַּד
לב שְׁלֹמֹה וְנָתַתִּי לְךָ אֵת עֲשָׂרָה הַשְּׁבָטִים׃ וְהַשֵּׁבֶט הָאֶחָד יִהְיֶה־לּוֹ
לְמַעַן ׀ עַבְדִּי דָוִד וּלְמַעַן יְרוּשָׁלַםִ הָעִיר אֲשֶׁר בָּחַרְתִּי בָהּ
לג מִכֹּל שִׁבְטֵי יִשְׂרָאֵל׃ יַעַן ׀ אֲשֶׁר עֲזָבוּנִי וַיִּשְׁתַּחֲווּ לְעַשְׁתֹּרֶת
אֱלֹהֵי צִדֹנִין לִכְמוֹשׁ אֱלֹהֵי מוֹאָב וּלְמִלְכֹּם אֱלֹהֵי בְנֵי־עַמּוֹן
וְלֹא־הָלְכוּ בִדְרָכַי לַעֲשׂוֹת הַיָּשָׁר בְּעֵינַי וְחֻקֹּתַי וּמִשְׁפָּטַי כְּדָוִד
לד אָבִיו׃ וְלֹא־אֶקַּח אֶת־כָּל־הַמַּמְלָכָה מִיָּדוֹ כִּי ׀ נָשִׂיא אֲשִׁתֶנּוּ כֹּל
יְמֵי חַיָּיו לְמַעַן דָּוִד עַבְדִּי אֲשֶׁר בָּחַרְתִּי אֹתוֹ אֲשֶׁר שָׁמַר מִצְוֺתַי
לה וְחֻקֹּתָי׃ וְלָקַחְתִּי הַמְּלוּכָה מִיַּד בְּנוֹ וּנְתַתִּיהָ לְּךָ אֵת עֲשֶׂרֶת
לו הַשְּׁבָטִים׃ וְלִבְנוֹ אֶתֵּן שֵׁבֶט־אֶחָד לְמַעַן הֱיוֹת־נִיר לְדָוִיד־עַבְדִּי
כָּל־הַיָּמִים ׀ לְפָנַי בִּירוּשָׁלַםִ הָעִיר אֲשֶׁר בָּחַרְתִּי לִי לָשׂוּם שְׁמִי
לז שָׁם׃ וְאֹתְךָ אֶקַּח וּמָלַכְתָּ בְּכֹל אֲשֶׁר־תְּאַוֶּה נַפְשֶׁךָ וְהָיִיתָ מֶּלֶךְ
לח עַל־יִשְׂרָאֵל׃ וְהָיָה אִם־תִּשְׁמַע אֶת־כָּל־אֲשֶׁר אֲצַוֶּךָ וְהָלַכְתָּ

בִּדְרָכַי וְעָשִׂיתָ הַיָּשָׁר בְּעֵינַי לִשְׁמוֹר חֻקּוֹתַי וּמִצְוֹתַי כַּאֲשֶׁר
עָשָׂה דָּוִד עַבְדִּי וְהָיִיתִי עִמָּךְ וּבָנִיתִי לְךָ בַיִת־נֶאֱמָן כַּאֲשֶׁר
בָּנִיתִי לְדָוִד וְנָתַתִּי לְךָ אֶת־יִשְׂרָאֵל׃ וַאעַנֶּה אֶת־זֶרַע דָּוִד לְמַעַן לט
זֹאת אַךְ לֹא כָל־הַיָּמִים׃ וַיְבַקֵּשׁ שְׁלֹמֹה לְהָמִית אֶת־ מ
יָרָבְעָם וַיָּקָם יָרָבְעָם וַיִּבְרַח מִצְרַיִם אֶל־שִׁישַׁק מֶלֶךְ־מִצְרַיִם
מוֹת שְׁלֹמֹה: וַיְהִי בְמִצְרַיִם עַד־מוֹת שְׁלֹמֹה׃ וְיֶתֶר דִּבְרֵי שְׁלֹמֹה מא
וְכָל־אֲשֶׁר עָשָׂה וְחָכְמָתוֹ הֲלוֹא־הֵם כְּתֻבִים עַל־סֵפֶר דִּבְרֵי
שְׁלֹמֹה׃ וְהַיָּמִים אֲשֶׁר מָלַךְ שְׁלֹמֹה בִירוּשָׁלִַם עַל־כָּל־יִשְׂרָאֵל מב
[2964] אַרְבָּעִים שָׁנָה׃ וַיִּשְׁכַּב שְׁלֹמֹה עִם־אֲבֹתָיו וַיִּקָּבֵר בְּעִיר דָּוִד מג
רְחַבְעָם וַעֲצַת הַזְּקֵנִים וְהַיְלָדִים: אָבִיו וַיִּמְלֹךְ רְחַבְעָם בְּנוֹ תַּחְתָּיו׃ וַיֵּלֶךְ רְחַבְעָם שְׁכֶם א יב
כִּי שְׁכֶם בָּא כָל־יִשְׂרָאֵל לְהַמְלִיךְ אֹתוֹ׃ וַיְהִי כִּשְׁמֹעַ ׀ יָרָבְעָם ב
בֶּן־נְבָט וְהוּא עוֹדֶנּוּ בְמִצְרַיִם אֲשֶׁר בָּרַח מִפְּנֵי הַמֶּלֶךְ שְׁלֹמֹה
וַיֵּשֶׁב יָרָבְעָם בְּמִצְרָיִם׃ וַיִּשְׁלְחוּ וַיִּקְרְאוּ־לוֹ ויבאו וַיָּבֹא יָרָבְעָם ג
וְכָל־קְהַל יִשְׂרָאֵל וַיְדַבְּרוּ אֶל־רְחַבְעָם לֵאמֹר׃ אָבִיךָ הִקְשָׁה ד
אֶת־עֻלֵּנוּ וְאַתָּה עַתָּה הָקֵל מֵעֲבֹדַת אָבִיךָ הַקָּשָׁה וּמֵעֻלּוֹ הַכָּבֵד
אֲשֶׁר־נָתַן עָלֵינוּ וְנַעַבְדֶךָּ׃ וַיֹּאמֶר אֲלֵיהֶם לְכוּ־עֹד שְׁלֹשָׁה יָמִים ה
וְשׁוּבוּ אֵלָי וַיֵּלְכוּ הָעָם׃ וַיִּוָּעַץ הַמֶּלֶךְ רְחַבְעָם אֶת־הַזְּקֵנִים ו
אֲשֶׁר־הָיוּ עֹמְדִים אֶת־פְּנֵי שְׁלֹמֹה אָבִיו בִּהְיֹתוֹ חַי לֵאמֹר אֵיךְ
אַתֶּם נוֹעָצִים לְהָשִׁיב אֶת־הָעָם־הַזֶּה דָּבָר׃ וידבר וַיְדַבְּרוּ אֵלָיו ז
לֵאמֹר אִם־הַיּוֹם תִּהְיֶה־עֶבֶד לָעָם הַזֶּה וַעֲבַדְתָּם וַעֲנִיתָם
וְדִבַּרְתָּ אֲלֵיהֶם דְּבָרִים טוֹבִים וְהָיוּ לְךָ עֲבָדִים כָּל־הַיָּמִים׃
וַיַּעֲזֹב אֶת־עֲצַת הַזְּקֵנִים אֲשֶׁר יְעָצֻהוּ וַיִּוָּעַץ אֶת־הַיְלָדִים אֲשֶׁר ח
גָּדְלוּ אִתּוֹ אֲשֶׁר הָעֹמְדִים לְפָנָיו׃ וַיֹּאמֶר אֲלֵיהֶם מָה אַתֶּם נוֹעָצִים ט
וְנָשִׁיב דָּבָר אֶת־הָעָם הַזֶּה אֲשֶׁר דִּבְּרוּ אֵלַי לֵאמֹר הָקֵל
מִן־הָעֹל אֲשֶׁר־נָתַן אָבִיךָ עָלֵינוּ׃ וַיְדַבְּרוּ אֵלָיו הַיְלָדִים אֲשֶׁר י

גָּדְלוּ אִתּוֹ לֵאמֹר כֹּה־תֹאמַר לָעָם הַזֶּה אֲשֶׁר דִּבְּרוּ אֵלֶיךָ לֵאמֹר
אָבִיךָ הִכְבִּיד אֶת־עֻלֵּנוּ וְאַתָּה הָקֵל מֵעָלֵינוּ כֹּה תְּדַבֵּר אֲלֵיהֶם
יא קָטָנִּי עָבָה מִמָּתְנֵי אָבִי׃ וְעַתָּה אָבִי הֶעְמִיס עֲלֵיכֶם עֹל כָּבֵד
וַאֲנִי אוֹסִיף עַל־עֻלְּכֶם אָבִי יִסַּר אֶתְכֶם בַּשּׁוֹטִים וַאֲנִי אֲיַסֵּר
יב אֶתְכֶם בָּעַקְרַבִּים׃ וַיָּבוֹ יָרָבְעָם וְכָל־הָעָם אֶל־רְחַבְעָם בַּיּוֹם
הַשְּׁלִישִׁי כַּאֲשֶׁר דִּבֶּר הַמֶּלֶךְ לֵאמֹר שׁוּבוּ אֵלַי בַּיּוֹם הַשְּׁלִישִׁי׃
יג וַיַּעַן הַמֶּלֶךְ אֶת־הָעָם קָשָׁה וַיַּעֲזֹב אֶת־עֲצַת הַזְּקֵנִים אֲשֶׁר
יד יְעָצֻהוּ׃ וַיְדַבֵּר אֲלֵיהֶם כַּעֲצַת הַיְלָדִים לֵאמֹר אָבִי הִכְבִּיד
אֶת־עֻלְּכֶם וַאֲנִי אֹסִיף עַל־עֻלְּכֶם אָבִי יִסַּר אֶתְכֶם בַּשּׁוֹטִים
טו וַאֲנִי אֲיַסֵּר אֶתְכֶם בָּעַקְרַבִּים׃ וְלֹא־שָׁמַע הַמֶּלֶךְ אֶל־הָעָם
כִּי־הָיְתָה סִבָּה מֵעִם יְהוָה לְמַעַן הָקִים אֶת־דְּבָרוֹ אֲשֶׁר דִּבֶּר
טז יְהוָה בְּיַד אֲחִיָּה הַשִּׁילֹנִי אֶל־יָרָבְעָם בֶּן־נְבָט׃ וַיַּרְא כָּל־יִשְׂרָאֵל
כִּי לֹא־שָׁמַע הַמֶּלֶךְ אֲלֵהֶם וַיָּשִׁבוּ הָעָם אֶת־הַמֶּלֶךְ ׀ דָּבָר ׀
לֵאמֹר מַה־לָּנוּ חֵלֶק בְּדָוִד וְלֹא־נַחֲלָה בְּבֶן־יִשַׁי לְאֹהָלֶיךָ
יז יִשְׂרָאֵל עַתָּה רְאֵה בֵיתְךָ דָּוִד וַיֵּלֶךְ יִשְׂרָאֵל לְאֹהָלָיו׃ וּבְנֵי יִשְׂרָאֵל
הַיֹּשְׁבִים בְּעָרֵי יְהוּדָה וַיִּמְלֹךְ עֲלֵיהֶם רְחַבְעָם׃
יח וַיִּשְׁלַח הַמֶּלֶךְ רְחַבְעָם אֶת־אֲדֹרָם אֲשֶׁר עַל־הַמַּס וַיִּרְגְּמוּ
כָל־יִשְׂרָאֵל בּוֹ אֶבֶן וַיָּמֹת וְהַמֶּלֶךְ רְחַבְעָם הִתְאַמֵּץ לַעֲלוֹת
יט בַּמֶּרְכָּבָה לָנוּס יְרוּשָׁלָם׃ וַיִּפְשְׁעוּ יִשְׂרָאֵל בְּבֵית דָּוִד עַד הַיּוֹם
כ הַזֶּה׃ וַיְהִי כִּשְׁמֹעַ כָּל־יִשְׂרָאֵל כִּי־שָׁב יָרָבְעָם חֲלֻקַּת הַמְּלוּכָה׃
וַיִּשְׁלְחוּ וַיִּקְרְאוּ אֹתוֹ אֶל־הָעֵדָה וַיַּמְלִיכוּ אֹתוֹ עַל־כָּל־יִשְׂרָאֵל [2964]
כא לֹא הָיָה אַחֲרֵי בֵית־דָּוִד זוּלָתִי שֵׁבֶט־יְהוּדָה לְבַדּוֹ׃ ויבאו וַיָּבֹא
רְחַבְעָם יְרוּשָׁלַםִ וַיַּקְהֵל אֶת־כָּל־בֵּית יְהוּדָה וְאֶת־שֵׁבֶט בִּנְיָמִן
מֵאָה וּשְׁמֹנִים אֶלֶף בָּחוּר עֹשֵׂה מִלְחָמָה לְהִלָּחֵם עִם־בֵּית
יִשְׂרָאֵל לְהָשִׁיב אֶת־הַמְּלוּכָה לִרְחַבְעָם בֶּן־שְׁלֹמֹה׃

כב כג וַיְהִי֙ דְּבַ֣ר הָאֱלֹהִ֔ים אֶל־שְׁמַֽעְיָ֥ה אִישׁ־הָאֱלֹהִ֖ים לֵאמֹֽר׃ אֱמֹ֗ר
אֶל־רְחַבְעָ֤ם בֶּן־שְׁלֹמֹה֙ מֶ֣לֶךְ יְהוּדָ֔ה וְאֶל־כָּל־בֵּ֥ית יְהוּדָ֖ה
כד וּבִנְיָמִ֑ין וְיֶ֥תֶר הָעָ֖ם לֵאמֹֽר׃ כֹּ֣ה אָמַ֣ר יְהוָ֗ה לֹֽא־תַעֲלוּ֩ וְלֹֽא־
תִלָּחֲמ֨וּן עִם־אֲחֵיכֶ֤ם בְּנֵֽי־יִשְׂרָאֵל֙ שׁ֚וּבוּ אִ֣ישׁ לְבֵית֔וֹ כִּ֧י מֵאִתִּ֛י
נִהְיָ֖ה הַדָּבָ֣ר הַזֶּ֑ה וַֽיִּשְׁמְעוּ֙ אֶת־דְּבַ֣ר יְהוָ֔ה וַיָּ֥שֻׁבוּ לָלֶ֖כֶת כִּדְבַ֥ר
הֲקָמַת עֶגְלֵי הַזָּהָב:
כה יְהוָֽה׃ וַיִּ֨בֶן יָרָבְעָ֧ם אֶת־שְׁכֶ֛ם בְּהַ֥ר אֶפְרַ֖יִם וַיֵּ֣שֶׁב בָּ֑הּ
כו וַיֵּצֵ֣א מִשָּׁ֔ם וַיִּ֖בֶן אֶת־פְּנוּאֵֽל׃ וַיֹּ֥אמֶר יָרָבְעָ֖ם בְּלִבּ֑וֹ עַתָּ֛ה תָּשׁ֥וּב
כז הַמַּמְלָכָ֖ה לְבֵ֥ית דָּוִֽד׃ אִם־יַעֲלֶ֣ה ׀ הָעָ֣ם הַזֶּ֗ה לַעֲשׂ֨וֹת זְבָחִ֤ים
בְּבֵית־יְהוָה֙ בִּיר֣וּשָׁלַ֔͏ִם וְשָׁ֨ב לֵ֜ב הָעָ֤ם הַזֶּה֙ אֶל־אֲדֹנֵיהֶ֔ם
אֶל־רְחַבְעָ֖ם מֶ֣לֶךְ יְהוּדָ֑ה וַהֲרָגֻ֕נִי וְשָׁ֖בוּ אֶל־רְחַבְעָ֥ם מֶֽלֶךְ־יְהוּדָֽה׃
כח וַיִּוָּעַ֣ץ הַמֶּ֔לֶךְ וַיַּ֕עַשׂ שְׁנֵ֖י עֶגְלֵ֣י זָהָ֑ב וַיֹּ֣אמֶר אֲלֵהֶ֗ם רַב־לָכֶם֙
מֵעֲל֣וֹת יְרוּשָׁלַ֔͏ִם הִנֵּ֤ה אֱלֹהֶ֙יךָ֙ יִשְׂרָאֵ֔ל אֲשֶׁ֥ר הֶעֱל֖וּךָ מֵאֶ֥רֶץ
כט ל מִצְרָֽיִם׃ וַיָּ֥שֶׂם אֶת־הָאֶחָ֖ד בְּבֵֽית־אֵ֑ל וְאֶת־הָאֶחָ֖ד נָתַ֥ן בְּדָֽן׃ וַיְהִ֛י
לא הַדָּבָ֥ר הַזֶּ֖ה לְחַטָּ֑את וַיֵּלְכ֥וּ הָעָ֛ם לִפְנֵ֥י הָאֶחָ֖ד עַד־דָּֽן׃ וַיַּ֖עַשׂ
אֶת־בֵּ֣ית בָּמ֑וֹת וַיַּ֤עַשׂ כֹּהֲנִים֙ מִקְצ֣וֹת הָעָ֔ם אֲשֶׁ֥ר לֹֽא־הָי֖וּ מִבְּנֵ֥י
לב לֵוִֽי׃ וַיַּ֣עַשׂ יָרָבְעָ֣ם ׀ חָ֡ג בַּחֹדֶשׁ֩ הַשְּׁמִינִ֨י בַּחֲמִשָּׁה־עָשָׂ֜ר י֣וֹם ׀
לַחֹ֗דֶשׁ כֶּחָ֣ג ׀ אֲשֶׁ֣ר בִּֽיהוּדָ֗ה וַיַּ֙עַל֙ עַל־הַמִּזְבֵּ֔חַ כֵּ֤ן עָשָׂה֙
בְּבֵֽית־אֵ֔ל לְזַבֵּ֖חַ לָעֲגָלִ֣ים אֲשֶׁר־עָשָׂ֑ה וְהֶֽעֱמִיד֙ בְּבֵ֣ית אֵ֔ל
לג אֶת־כֹּהֲנֵ֥י הַבָּמ֖וֹת אֲשֶׁ֥ר עָשָֽׂה׃ וַיַּ֣עַל עַל־הַמִּזְבֵּ֣חַ ׀ אֲשֶׁר־עָשָׂ֣ה
בְּבֵֽית־אֵ֗ל בַּחֲמִשָּׁ֨ה עָשָׂ֥ר יוֹם֙ בַּחֹ֣דֶשׁ הַשְּׁמִינִ֔י בַּחֹ֖דֶשׁ אֲשֶׁר־
בָּדָ֣א מלבד מִלִּבּ֑וֹ וַיַּ֤עַשׂ חָג֙ לִבְנֵ֣י יִשְׂרָאֵ֔ל וַיַּ֥עַל עַל־הַמִּזְבֵּ֖חַ
לְהַקְטִֽיר׃

נְבוּאַת אִישׁ הָאֱלֹקִים וְהַמּוֹפֵת:
יג א וְהִנֵּ֣ה ׀ אִ֣ישׁ אֱלֹהִ֗ים בָּ֚א מִֽיהוּדָ֔ה בִּדְבַ֥ר יְהוָ֖ה אֶל־בֵּֽית־אֵ֑ל
ב וְיָרָבְעָ֛ם עֹמֵ֥ד עַל־הַמִּזְבֵּ֖חַ לְהַקְטִֽיר׃ וַיִּקְרָ֨א עַל־הַמִּזְבֵּ֜חַ
בִּדְבַ֣ר יְהוָ֗ה וַיֹּ֙אמֶר֙ מִזְבֵּ֣חַ מִזְבֵּ֔חַ כֹּ֖ה אָמַ֣ר יְהוָ֑ה הִנֵּה־בֵ֞ן

נוֹלָד לְבֵית־דָּוִד יֹאשִׁיָּהוּ שְׁמוֹ וְזָבַח עָלֶיךָ אֶת־כֹּהֲנֵי הַבָּמוֹת
ג הַמַּקְטִרִים עָלֶיךָ וְעַצְמוֹת אָדָם יִשְׂרְפוּ עָלֶיךָ: וְנָתַן בַּיּוֹם הַהוּא
מוֹפֵת לֵאמֹר זֶה הַמּוֹפֵת אֲשֶׁר דִּבֶּר יְהוָה הִנֵּה הַמִּזְבֵּחַ נִקְרָע
ד וְנִשְׁפַּךְ הַדֶּשֶׁן אֲשֶׁר־עָלָיו: וַיְהִי כִשְׁמֹעַ הַמֶּלֶךְ אֶת־דְּבַר
אִישׁ־הָאֱלֹהִים אֲשֶׁר קָרָא עַל־הַמִּזְבֵּחַ בְּבֵית־אֵל וַיִּשְׁלַח
יָרָבְעָם אֶת־יָדוֹ מֵעַל הַמִּזְבֵּחַ לֵאמֹר ׀ תִּפְשֻׂהוּ וַתִּיבַשׁ יָדוֹ
ה אֲשֶׁר שָׁלַח עָלָיו וְלֹא יָכֹל לַהֲשִׁיבָהּ אֵלָיו: וְהַמִּזְבֵּחַ נִקְרָע
וַיִּשָּׁפֵךְ הַדֶּשֶׁן מִן־הַמִּזְבֵּחַ כַּמּוֹפֵת אֲשֶׁר נָתַן אִישׁ הָאֱלֹהִים
ו בִּדְבַר יְהוָה: וַיַּעַן הַמֶּלֶךְ וַיֹּאמֶר ׀ אֶל־אִישׁ הָאֱלֹהִים חַל־נָא
אֶת־פְּנֵי יְהוָה אֱלֹהֶיךָ וְהִתְפַּלֵּל בַּעֲדִי וְתָשֹׁב יָדִי אֵלָי וַיְחַל
אִישׁ־הָאֱלֹהִים אֶת־פְּנֵי יְהוָה וַתָּשָׁב יַד־הַמֶּלֶךְ אֵלָיו וַתְּהִי
ז כְּבָרִאשֹׁנָה: וַיְדַבֵּר הַמֶּלֶךְ אֶל־אִישׁ הָאֱלֹהִים בֹּאָה־אִתִּי הַבַּיְתָה
ח וּסְעָדָה וְאֶתְּנָה לְךָ מַתָּת: וַיֹּאמֶר אִישׁ־הָאֱלֹהִים אֶל־הַמֶּלֶךְ
אִם־תִּתֶּן־לִי אֶת־חֲצִי בֵיתֶךָ לֹא אָבֹא עִמָּךְ וְלֹא־אֹכַל לֶחֶם וְלֹא
ט אֶשְׁתֶּה־מַּיִם בַּמָּקוֹם הַזֶּה: כִּי־כֵן ׀ צִוָּה אֹתִי בִּדְבַר יְהוָה לֵאמֹר
לֹא־תֹאכַל לֶחֶם וְלֹא תִשְׁתֶּה־מָּיִם וְלֹא תָשׁוּב בַּדֶּרֶךְ אֲשֶׁר הָלָכְתָּ:
י וַיֵּלֶךְ בְּדֶרֶךְ אַחֵר וְלֹא־שָׁב בַּדֶּרֶךְ אֲשֶׁר בָּא בָהּ אֶל־בֵּית־
אֵל:
יא וְנָבִיא אֶחָד זָקֵן יֹשֵׁב בְּבֵית־אֵל וַיָּבוֹא בְנוֹ וַיְסַפֶּר־לוֹ אֶת־כָּל־ הַנָּבִיא הַזָּקֵן:
הַמַּעֲשֶׂה אֲשֶׁר־עָשָׂה אִישׁ־הָאֱלֹהִים ׀ הַיּוֹם בְּבֵית־אֵל אֶת־
יב הַדְּבָרִים אֲשֶׁר דִּבֶּר אֶל־הַמֶּלֶךְ וַיְסַפְּרוּם לַאֲבִיהֶם: וַיְדַבֵּר
אֲלֵהֶם אֲבִיהֶם אֵי־זֶה הַדֶּרֶךְ הָלָךְ וַיִּרְאוּ בָנָיו אֶת־הַדֶּרֶךְ אֲשֶׁר
יג הָלַךְ אִישׁ הָאֱלֹהִים אֲשֶׁר־בָּא מִיהוּדָה: וַיֹּאמֶר אֶל־בָּנָיו
יד חִבְשׁוּ־לִי הַחֲמוֹר וַיַּחְבְּשׁוּ־לוֹ הַחֲמוֹר וַיִּרְכַּב עָלָיו: וַיֵּלֶךְ אַחֲרֵי
אִישׁ הָאֱלֹהִים וַיִּמְצָאֵהוּ יֹשֵׁב תַּחַת הָאֵלָה וַיֹּאמֶר אֵלָיו הַאַתָּה

טו אִישׁ־הָאֱלֹהִים אֲשֶׁר־בָּאתָ מִיהוּדָה וַיֹּאמֶר אָנִי׃ וַיֹּאמֶר אֵלָיו לֵךְ
טז אִתִּי הַבָּיְתָה וֶאֱכֹל לָחֶם׃ וַיֹּאמֶר לֹא אוּכַל לָשׁוּב אִתָּךְ וְלָבוֹא
אִתָּךְ וְלֹא־אֹכַל לֶחֶם וְלֹא־אֶשְׁתֶּה אִתְּךָ מַיִם בַּמָּקוֹם הַזֶּה׃
יז כִּי־דָבָר אֵלַי בִּדְבַר יְהוָה לֹא־תֹאכַל לֶחֶם וְלֹא־תִשְׁתֶּה שָׁם מָיִם
יח לֹא־תָשׁוּב לָלֶכֶת בַּדֶּרֶךְ אֲשֶׁר־הָלַכְתָּ בָּהּ׃ וַיֹּאמֶר לוֹ גַּם־אֲנִי
נָבִיא כָּמוֹךָ וּמַלְאָךְ דִּבֶּר אֵלַי בִּדְבַר יְהוָה לֵאמֹר הֲשִׁבֵהוּ אִתְּךָ
יט אֶל־בֵּיתֶךָ וְיֹאכַל לֶחֶם וְיֵשְׁתְּ מָיִם כִּחֵשׁ לוֹ׃ וַיָּשָׁב אִתּוֹ וַיֹּאכַל
כ לֶחֶם בְּבֵיתוֹ וַיֵּשְׁתְּ מָיִם׃ וַיְהִי הֵם יֹשְׁבִים אֶל־הַשֻּׁלְחָן
כא וַיְהִי דְּבַר־יְהוָה אֶל־הַנָּבִיא אֲשֶׁר הֱשִׁיבוֹ׃ וַיִּקְרָא אֶל־אִישׁ עֹנֶשׁ אִישׁ
הָאֱלֹהִים אֲשֶׁר־בָּא מִיהוּדָה לֵאמֹר כֹּה אָמַר יְהוָה יַעַן כִּי מָרִיתָ הָאֱלֹקִים:
כב פִּי יְהוָה וְלֹא שָׁמַרְתָּ אֶת־הַמִּצְוָה אֲשֶׁר צִוְּךָ יְהוָה אֱלֹהֶיךָ׃ וַתָּשָׁב
וַתֹּאכַל לֶחֶם וַתֵּשְׁתְּ מַיִם בַּמָּקוֹם אֲשֶׁר דִּבֶּר אֵלֶיךָ אַל־תֹּאכַל
כג לֶחֶם וְאַל־תֵּשְׁתְּ מָיִם לֹא־תָבוֹא נִבְלָתְךָ אֶל־קֶבֶר אֲבֹתֶיךָ׃ וַיְהִי
אַחֲרֵי אָכְלוֹ לֶחֶם וְאַחֲרֵי שְׁתוֹתוֹ וַיַּחֲבָשׁ־לוֹ הַחֲמוֹר לַנָּבִיא אֲשֶׁר
כד הֱשִׁיבוֹ׃ וַיֵּלֶךְ וַיִּמְצָאֵהוּ אַרְיֵה בַּדֶּרֶךְ וַיְמִיתֵהוּ וַתְּהִי נִבְלָתוֹ
מֻשְׁלֶכֶת בַּדֶּרֶךְ וְהַחֲמוֹר עֹמֵד אֶצְלָהּ וְהָאַרְיֵה עֹמֵד אֵצֶל
כה הַנְּבֵלָה׃ וְהִנֵּה אֲנָשִׁים עֹבְרִים וַיִּרְאוּ אֶת־הַנְּבֵלָה מֻשְׁלֶכֶת בַּדֶּרֶךְ
וְאֶת־הָאַרְיֵה עֹמֵד אֵצֶל הַנְּבֵלָה וַיָּבֹאוּ וַיְדַבְּרוּ בָעִיר אֲשֶׁר הַנָּבִיא
כו הַזָּקֵן יֹשֵׁב בָּהּ׃ וַיִּשְׁמַע הַנָּבִיא אֲשֶׁר הֱשִׁיבוֹ מִן־הַדֶּרֶךְ וַיֹּאמֶר
אִישׁ הָאֱלֹהִים הוּא אֲשֶׁר מָרָה אֶת־פִּי יְהוָה וַיִּתְּנֵהוּ יְהוָה לָאַרְיֵה
כז וַיִּשְׁבְּרֵהוּ וַיְמִתֵהוּ כִּדְבַר יְהוָה אֲשֶׁר דִּבֶּר־לוֹ׃ וַיְדַבֵּר אֶל־בָּנָיו
כח לֵאמֹר חִבְשׁוּ־לִי אֶת־הַחֲמוֹר וַיַּחֲבֹשׁוּ׃ וַיֵּלֶךְ וַיִּמְצָא אֶת־נִבְלָתוֹ
מֻשְׁלֶכֶת בַּדֶּרֶךְ וַחֲמוֹר וְהָאַרְיֵה עֹמְדִים אֵצֶל הַנְּבֵלָה לֹא־אָכַל
כט הָאַרְיֵה אֶת־הַנְּבֵלָה וְלֹא שָׁבַר אֶת־הַחֲמוֹר׃ וַיִּשָּׂא הַנָּבִיא קְבוּרַת אִישׁ
אֶת־נִבְלַת אִישׁ־הָאֱלֹהִים וַיַּנִּחֵהוּ אֶל־הַחֲמוֹר וַיְשִׁיבֵהוּ וַיָּבֹא הָאֱלֹקִים:

ל אֶל־עִיר הַנָּבִיא הַזָּקֵן לִסְפֹּד וּלְקׇבְרוֹ: וַיַּנַּח אֶת־נִבְלָתוֹ בְּקִבְרוֹ
לא וַיִּסְפְּדוּ עָלָיו הוֹי אָחִי: וַיְהִי אַחֲרֵי קׇבְרוֹ אֹתוֹ וַיֹּאמֶר אֶל־בָּנָיו
לֵאמֹר בְּמוֹתִי וּקְבַרְתֶּם אֹתִי בַּקֶּבֶר אֲשֶׁר אִישׁ הָאֱלֹהִים קָבוּר
לב בּוֹ אֵצֶל עַצְמֹתָיו הַנִּיחוּ אֶת־עַצְמֹתָי: כִּי הָיֹה יִהְיֶה הַדָּבָר אֲשֶׁר
קָרָא בִּדְבַר יְהֹוָה עַל־הַמִּזְבֵּחַ אֲשֶׁר בְּבֵית־אֵל וְעַל כׇּל־בָּתֵּי
הַבָּמוֹת אֲשֶׁר בְּעָרֵי שֹׁמְרוֹן:
לג אַחַר הַדָּבָר הַזֶּה לֹא־שָׁב יָרׇבְעָם מִדַּרְכּוֹ הָרָעָה וַיָּשׇׁב וַיַּעַשׂ
מִקְצוֹת הָעָם כֹּהֲנֵי בָמוֹת הֶחָפֵץ יְמַלֵּא אֶת־יָדוֹ וִיהִי כֹּהֲנֵי בָמוֹת:
לד וַיְהִי בַּדָּבָר הַזֶּה לְחַטַּאת בֵּית יָרׇבְעָם וּלְהַכְחִיד וּלְהַשְׁמִיד מֵעַל
פְּנֵי הָאֲדָמָה:

מַחֲלַת אֲבִיָּה בֶן יָרׇבְעָם:

יד א ב בָּעֵת הַהִיא חָלָה אֲבִיָּה בֶן־יָרׇבְעָם: וַיֹּאמֶר יָרׇבְעָם לְאִשְׁתּוֹ קוּמִי
נָא וְהִשְׁתַּנִּית וְלֹא יֵדְעוּ כִּי־אַתְּ אתי אֵשֶׁת יָרׇבְעָם וְהָלַכְתְּ שִׁלֹה
הִנֵּה־שָׁם אֲחִיָּה הַנָּבִיא הוּא־דִבֶּר עָלַי לְמֶלֶךְ עַל־הָעָם הַזֶּה:
ג וְלָקַחַתְּ בְּיָדֵךְ עֲשָׂרָה לֶחֶם וְנִקֻּדִים וּבַקְבֻּק דְּבַשׁ וּבָאת אֵלָיו
ד הוּא יַגִּיד לָךְ מַה־יִּהְיֶה לַנָּעַר: וַתַּעַשׂ כֵּן אֵשֶׁת יָרׇבְעָם וַתָּקׇם
וַתֵּלֶךְ שִׁלֹה וַתָּבֹא בֵּית אֲחִיָּה וַאֲחִיָּהוּ לֹא־יָכֹל לִרְאוֹת כִּי קָמוּ
עֵינָיו מִשֵּׂיבוֹ:

נְבוּאַת פֻּרְעָנוּת עַל בֵּית יָרׇבְעָם:

ה וַיהֹוָה אָמַר אֶל־אֲחִיָּהוּ הִנֵּה אֵשֶׁת יָרׇבְעָם בָּאָה לִדְרֹשׁ דָּבָר
מֵעִמְּךָ אֶל־בְּנָהּ כִּי־חֹלֶה הוּא כָּזֹה וְכָזֶה תְּדַבֵּר אֵלֶיהָ וִיהִי
ו כְבֹאָהּ וְהִיא מִתְנַכֵּרָה: וַיְהִי כִשְׁמֹעַ אֲחִיָּהוּ אֶת־קוֹל רַגְלֶיהָ
בָּאָה בַפֶּתַח וַיֹּאמֶר בֹּאִי אֵשֶׁת יָרׇבְעָם לָמָּה זֶּה אַתְּ מִתְנַכֵּרָה
ז וְאָנֹכִי שָׁלוּחַ אֵלַיִךְ קָשָׁה: לְכִי אִמְרִי לְיָרׇבְעָם כֹּה־אָמַר יְהֹוָה
אֱלֹהֵי יִשְׂרָאֵל יַעַן אֲשֶׁר הֲרִימֹתִיךָ מִתּוֹךְ הָעָם וָאֶתֶּנְךָ נָגִיד עַל
ח עַמִּי יִשְׂרָאֵל: וָאֶקְרַע אֶת־הַמַּמְלָכָה מִבֵּית דָּוִד וָאֶתְּנֶהָ לָךְ
וְלֹא־הָיִיתָ כְּעַבְדִּי דָוִד אֲשֶׁר שָׁמַר מִצְוֺתַי וַאֲשֶׁר־הָלַךְ אַחֲרַי

ט בְּכָל־לְבָבוֹ לַעֲשׂוֹת רַק הַיָּשָׁר בְּעֵינָי׃ וַתָּרַע לַעֲשׂוֹת מִכֹּל
אֲשֶׁר־הָיוּ לְפָנֶיךָ וַתֵּלֶךְ וַתַּעֲשֶׂה־לְּךָ אֱלֹהִים אֲחֵרִים וּמַסֵּכוֹת
י לְהַכְעִיסֵנִי וְאֹתִי הִשְׁלַכְתָּ אַחֲרֵי גַוֶּךָ׃ לָכֵן הִנְנִי מֵבִיא רָעָה
אֶל־בֵּית יָרָבְעָם וְהִכְרַתִּי לְיָרָבְעָם מַשְׁתִּין בְּקִיר עָצוּר וְעָזוּב
בְּיִשְׂרָאֵל וּבִעַרְתִּי אַחֲרֵי בֵית־יָרָבְעָם כַּאֲשֶׁר יְבַעֵר הַגָּלָל
יא עַד־תֻּמּוֹ׃ הַמֵּת לְיָרָבְעָם בָּעִיר יֹאכְלוּ הַכְּלָבִים וְהַמֵּת בַּשָּׂדֶה
יב יֹאכְלוּ עוֹף הַשָּׁמָיִם כִּי יְהוָה דִּבֵּר׃ וְאַתְּ קוּמִי לְכִי לְבֵיתֵךְ בְּבֹאָה
יג רַגְלַיִךְ הָעִירָה וּמֵת הַיָּלֶד׃ וְסָפְדוּ־לוֹ כָל־יִשְׂרָאֵל וְקָבְרוּ אֹתוֹ
כִּי־זֶה לְבַדּוֹ יָבֹא לְיָרָבְעָם אֶל־קָבֶר יַעַן נִמְצָא־בוֹ דָּבָר טוֹב
יד אֶל־יְהוָה אֱלֹהֵי יִשְׂרָאֵל בְּבֵית יָרָבְעָם׃ וְהֵקִים יְהוָה לוֹ מֶלֶךְ
עַל־יִשְׂרָאֵל אֲשֶׁר יַכְרִית אֶת־בֵּית יָרָבְעָם זֶה הַיּוֹם וּמֶה גַּם־
טו עָתָּה׃ וְהִכָּה יְהוָה אֶת־יִשְׂרָאֵל כַּאֲשֶׁר יָנוּד הַקָּנֶה בַּמַּיִם וְנָתַשׁ
אֶת־יִשְׂרָאֵל מֵעַל הָאֲדָמָה הַטּוֹבָה הַזֹּאת אֲשֶׁר נָתַן לַאֲבוֹתֵיהֶם
וְזֵרָם מֵעֵבֶר לַנָּהָר יַעַן אֲשֶׁר עָשׂוּ אֶת־אֲשֵׁרֵיהֶם מַכְעִיסִים
טז אֶת־יְהוָה׃ וְיִתֵּן אֶת־יִשְׂרָאֵל בִּגְלַל חַטֹּאות יָרָבְעָם אֲשֶׁר חָטָא
יז וַאֲשֶׁר הֶחֱטִיא אֶת־יִשְׂרָאֵל׃ וַתָּקָם אֵשֶׁת יָרָבְעָם וַתֵּלֶךְ וַתָּבֹא
יח תִּרְצָתָה הִיא בָּאָה בְסַף־הַבַּיִת וְהַנַּעַר מֵת׃ וַיִּקְבְּרוּ אֹתוֹ וַיִּסְפְּדוּ־
לוֹ כָּל־יִשְׂרָאֵל כִּדְבַר יְהוָה אֲשֶׁר דִּבֶּר בְּיַד־עַבְדּוֹ אֲחִיָּהוּ הַנָּבִיא׃
יט וְיֶתֶר דִּבְרֵי יָרָבְעָם אֲשֶׁר נִלְחַם וַאֲשֶׁר מָלָךְ הִנָּם כְּתוּבִים
כ עַל־סֵפֶר דִּבְרֵי הַיָּמִים לְמַלְכֵי יִשְׂרָאֵל׃ וְהַיָּמִים אֲשֶׁר מָלַךְ
יָרָבְעָם עֶשְׂרִים וּשְׁתַּיִם שָׁנָה וַיִּשְׁכַּב עִם־אֲבֹתָיו וַיִּמְלֹךְ נָדָב
בְּנוֹ תַּחְתָּיו׃

חַטֹּאת יְהוּדָה בִּימֵי רְחַבְעָם׃

כא וּרְחַבְעָם בֶּן־שְׁלֹמֹה מָלַךְ בִּיהוּדָה בֶּן־אַרְבָּעִים וְאַחַת שָׁנָה
רְחַבְעָם בְּמָלְכוֹ וּשְׁבַע עֶשְׂרֵה שָׁנָה ׀ מָלַךְ בִּירוּשָׁלִַם הָעִיר
אֲשֶׁר־בָּחַר יְהוָה לָשׂוּם אֶת־שְׁמוֹ שָׁם מִכֹּל שִׁבְטֵי יִשְׂרָאֵל וְשֵׁם

כב אִמּוֹ נַעֲמָה הָעַמֹּנִית: וַיַּעַשׂ יְהוּדָה הָרַע בְּעֵינֵי יְהוָה וַיְקַנְאוּ אֹתוֹ
כג מִכֹּל אֲשֶׁר עָשׂוּ אֲבֹתָם בְּחַטֹּאתָם אֲשֶׁר חָטָאוּ: וַיִּבְנוּ גַם־הֵמָּה
לָהֶם בָּמוֹת וּמַצֵּבוֹת וַאֲשֵׁרִים עַל כָּל־גִּבְעָה גְבֹהָה וְתַחַת כָּל־עֵץ
כד רַעֲנָן: וְגַם־קָדֵשׁ הָיָה בָאָרֶץ עָשׂוּ כְּכֹל הַתּוֹעֲבֹת הַגּוֹיִם אֲשֶׁר
הוֹרִישׁ יְהוָה מִפְּנֵי בְּנֵי יִשְׂרָאֵל:
כה וַיְהִי בַּשָּׁנָה הַחֲמִישִׁית לַמֶּלֶךְ רְחַבְעָם עָלָה שושק שִׁישַׁק מֶלֶךְ־ עֲלִיַּת שִׁישַׁק עַל יְרוּשָׁלָיִם:
כו מִצְרָיִם עַל־יְרוּשָׁלָם: וַיִּקַּח אֶת־אֹצְרוֹת בֵּית־יְהוָה וְאֶת־אוֹצְרוֹת
בֵּית הַמֶּלֶךְ וְאֶת־הַכֹּל לָקָח וַיִּקַּח אֶת־כָּל־מָגִנֵּי הַזָּהָב אֲשֶׁר
כז עָשָׂה שְׁלֹמֹה: וַיַּעַשׂ הַמֶּלֶךְ רְחַבְעָם תַּחְתָּם מָגִנֵּי נְחֹשֶׁת וְהִפְקִיד
כח עַל־יַד שָׂרֵי הָרָצִים הַשֹּׁמְרִים פֶּתַח בֵּית הַמֶּלֶךְ: וַיְהִי מִדֵּי־בֹא
הַמֶּלֶךְ בֵּית יְהוָה יִשָּׂאוּם הָרָצִים וֶהֱשִׁיבוּם אֶל־תָּא הָרָצִים:
כט וְיֶתֶר דִּבְרֵי רְחַבְעָם וְכָל־אֲשֶׁר עָשָׂה הֲלֹא־הֵמָּה כְתוּבִים עַל־
ל סֵפֶר דִּבְרֵי הַיָּמִים לְמַלְכֵי יְהוּדָה: וּמִלְחָמָה הָיְתָה בֵין־רְחַבְעָם
לא וּבֵין יָרָבְעָם כָּל־הַיָּמִים: וַיִּשְׁכַּב רְחַבְעָם עִם־אֲבֹתָיו וַיִּקָּבֵר
עִם־אֲבֹתָיו בְּעִיר דָּוִד וְשֵׁם אִמּוֹ נַעֲמָה הָעַמֹּנִית וַיִּמְלֹךְ אֲבִיָּם
בְּנוֹ תַּחְתָּיו:

טו א וּבִשְׁנַת שְׁמֹנֶה עֶשְׂרֵה לַמֶּלֶךְ יָרָבְעָם בֶּן־נְבָט מָלַךְ אֲבִיָּם מַלְכוּת אֲבִיָּם בֶּן רְחַבְעָם: [2981]
ב עַל־יְהוּדָה: שָׁלֹשׁ שָׁנִים מָלַךְ בִּירוּשָׁלָם וְשֵׁם אִמּוֹ מַעֲכָה
ג בַּת־אֲבִישָׁלוֹם: וַיֵּלֶךְ בְּכָל־חַטֹּאות אָבִיו אֲשֶׁר־עָשָׂה לְפָנָיו
ד וְלֹא־הָיָה לְבָבוֹ שָׁלֵם עִם־יְהוָה אֱלֹהָיו כִּלְבַב דָּוִד אָבִיו: כִּי
לְמַעַן דָּוִד נָתַן יְהוָה אֱלֹהָיו לוֹ נִיר בִּירוּשָׁלָם לְהָקִים אֶת־בְּנוֹ
ה אַחֲרָיו וּלְהַעֲמִיד אֶת־יְרוּשָׁלָם: אֲשֶׁר עָשָׂה דָוִד אֶת־הַיָּשָׁר
בְּעֵינֵי יְהוָה וְלֹא־סָר מִכֹּל אֲשֶׁר צִוָּהוּ כֹּל יְמֵי חַיָּיו רַק בִּדְבַר
ו אוּרִיָּה הַחִתִּי: וּמִלְחָמָה הָיְתָה בֵין־רְחַבְעָם וּבֵין יָרָבְעָם כָּל־יְמֵי
ז חַיָּיו: וְיֶתֶר דִּבְרֵי אֲבִיָּם וְכָל־אֲשֶׁר עָשָׂה הֲלוֹא־הֵם כְּתוּבִים

עַל־סֵפֶר דִּבְרֵי הַיָּמִים לְמַלְכֵי יְהוּדָה וּמִלְחָמָה הָיְתָה בֵין־אֲבִיָּם

ח וּבֵין יָרָבְעָם: וַיִּשְׁכַּב אֲבִיָּם עִם־אֲבֹתָיו וַיִּקְבְּרוּ אֹתוֹ בְּעִיר דָּוִד
וַיִּמְלֹךְ אָסָא בְנוֹ תַּחְתָּיו:

ט וּבִשְׁנַת עֶשְׂרִים לְיָרָבְעָם מֶלֶךְ יִשְׂרָאֵל מָלַךְ אָסָא מֶלֶךְ יְהוּדָה:

מַלְכוּת אָסָא בֶן אֲבִיָּם: [2983]

י וְאַרְבָּעִים וְאַחַת שָׁנָה מָלַךְ בִּירוּשָׁלָ͏ִם וְשֵׁם אִמּוֹ מַעֲכָה בַּת־

יא אֲבִישָׁלוֹם: וַיַּעַשׂ אָסָא הַיָּשָׁר בְּעֵינֵי יְהֹוָה כְּדָוִד אָבִיו: וַיַּעֲבֵר
הַקְּדֵשִׁים מִן־הָאָרֶץ וַיָּסַר אֶת־כָּל־הַגִּלֻּלִים אֲשֶׁר עָשׂוּ אֲבֹתָיו:

יג וְגַם ׀ אֶת־מַעֲכָה אִמּוֹ וַיְסִרֶהָ מִגְּבִירָה אֲשֶׁר־עָשְׂתָה מִפְלֶצֶת
לָאֲשֵׁרָה וַיִּכְרֹת אָסָא אֶת־מִפְלַצְתָּהּ וַיִּשְׂרֹף בְּנַחַל קִדְרוֹן:

יד וְהַבָּמוֹת לֹא־סָרוּ רַק לְבַב־אָסָא הָיָה שָׁלֵם עִם־יְהֹוָה כָּל־

טו יָמָיו: וַיָּבֵא אֶת־קָדְשֵׁי אָבִיו וקדשו וְקָדְשֵׁי בֵּית יְהֹוָה

מִלְחֶמֶת אָסָא וּבַעְשָׁא:

טז כֶּסֶף וְזָהָב וְכֵלִים: וּמִלְחָמָה הָיְתָה בֵּין אָסָא וּבֵין בַּעְשָׁא
מֶלֶךְ־יִשְׂרָאֵל כָּל־יְמֵיהֶם: וַיַּעַל בַּעְשָׁא מֶלֶךְ־יִשְׂרָאֵל עַל־

יז יְהוּדָה וַיִּבֶן אֶת־הָרָמָה לְבִלְתִּי תֵּת יֹצֵא וָבָא לְאָסָא מֶלֶךְ יְהוּדָה:

יח וַיִּקַּח אָסָא אֶת־כָּל־הַכֶּסֶף וְהַזָּהָב הַנּוֹתָרִים ׀ בְּאוֹצְרוֹת בֵּית־
יְהֹוָה וְאֶת־אוֹצְרוֹת בֵּית מלך הַמֶּלֶךְ וַיִּתְּנֵם בְּיַד־עֲבָדָיו וַיִּשְׁלָחֵם
הַמֶּלֶךְ אָסָא אֶל־בֶּן־הֲדַד בֶּן־טַבְרִמֹּן בֶּן־חֶזְיוֹן מֶלֶךְ אֲרָם הַיֹּשֵׁב

יט בְּדַמֶּשֶׂק לֵאמֹר: בְּרִית בֵּינִי וּבֵינֶךָ בֵּין אָבִי וּבֵין אָבִיךָ הִנֵּה
שָׁלַחְתִּי לְךָ שֹׁחַד כֶּסֶף וְזָהָב לֵךְ הָפֵרָה אֶת־בְּרִיתְךָ אֶת־בַּעְשָׁא

כ מֶלֶךְ־יִשְׂרָאֵל וְיַעֲלֶה מֵעָלָי: וַיִּשְׁמַע בֶּן־הֲדַד אֶל־הַמֶּלֶךְ אָסָא
וַיִּשְׁלַח אֶת־שָׂרֵי הַחֲיָלִים אֲשֶׁר־לוֹ עַל־עָרֵי יִשְׂרָאֵל וַיַּךְ אֶת־
עִיּוֹן וְאֶת־דָּן וְאֵת אָבֵל בֵּית־מַעֲכָה וְאֵת כָּל־כִּנְרוֹת עַל כָּל־אֶרֶץ

כא נַפְתָּלִי: וַיְהִי כִּשְׁמֹעַ בַּעְשָׁא וַיֶּחְדַּל מִבְּנוֹת אֶת־הָרָמָה וַיֵּשֶׁב

כב בְּתִרְצָה: וְהַמֶּלֶךְ אָסָא הִשְׁמִיעַ אֶת־כָּל־יְהוּדָה אֵין נָקִי וַיִּשְׂאוּ
אֶת־אַבְנֵי הָרָמָה וְאֶת־עֵצֶיהָ אֲשֶׁר בָּנָה בַּעְשָׁא וַיִּבֶן בָּם הַמֶּלֶךְ

כג אָסָא אֶת־גֶּבַע בִּנְיָמִן וְאֶת־הַמִּצְפָּה׃ וְיֶתֶר כָּל־דִּבְרֵי־אָסָא וְכָל־
גְּבוּרָתוֹ וְכָל־אֲשֶׁר עָשָׂה וְהֶעָרִים אֲשֶׁר בָּנָה הֲלֹא־הֵמָּה כְתוּבִים
עַל־סֵפֶר דִּבְרֵי הַיָּמִים לְמַלְכֵי יְהוּדָה רַק לְעֵת זִקְנָתוֹ חָלָה
כד אֶת־רַגְלָיו׃ וַיִּשְׁכַּב אָסָא עִם־אֲבֹתָיו וַיִּקָּבֵר עִם־אֲבֹתָיו בְּעִיר
דָּוִד אָבִיו וַיִּמְלֹךְ יְהוֹשָׁפָט בְּנוֹ תַּחְתָּיו׃

מַלְכוּת נָדָב בֶּן יָרָבְעָם: [2985]

כה וְנָדָב בֶּן־יָרָבְעָם מָלַךְ עַל־יִשְׂרָאֵל בִּשְׁנַת שְׁתַּיִם לְאָסָא מֶלֶךְ
כו יְהוּדָה וַיִּמְלֹךְ עַל־יִשְׂרָאֵל שְׁנָתָיִם׃ וַיַּעַשׂ הָרַע בְּעֵינֵי יְהוָה וַיֵּלֶךְ
כז בְּדֶרֶךְ אָבִיו וּבְחַטָּאתוֹ אֲשֶׁר הֶחֱטִיא אֶת־יִשְׂרָאֵל׃ וַיִּקְשֹׁר עָלָיו
בַּעְשָׁא בֶן־אֲחִיָּה לְבֵית יִשָּׂשכָר וַיַּכֵּהוּ בַעְשָׁא בְּגִבְּתוֹן אֲשֶׁר
כח לַפְּלִשְׁתִּים וְנָדָב וְכָל־יִשְׂרָאֵל צָרִים עַל־גִּבְּתוֹן׃ וַיְמִתֵהוּ בַעְשָׁא
כט בִּשְׁנַת שָׁלֹשׁ לְאָסָא מֶלֶךְ יְהוּדָה וַיִּמְלֹךְ תַּחְתָּיו׃ וַיְהִי כְמָלְכוֹ
הִכָּה אֶת־כָּל־בֵּית יָרָבְעָם לֹא־הִשְׁאִיר כָּל־נְשָׁמָה לְיָרָבְעָם
עַד־הִשְׁמִדוֹ כִּדְבַר יְהוָה אֲשֶׁר דִּבֶּר בְּיַד־עַבְדּוֹ אֲחִיָּה הַשִּׁילֹנִי׃
ל עַל־חַטֹּאות יָרָבְעָם אֲשֶׁר חָטָא וַאֲשֶׁר הֶחֱטִיא אֶת־יִשְׂרָאֵל
לא בְּכַעְסוֹ אֲשֶׁר הִכְעִיס אֶת־יְהוָה אֱלֹהֵי יִשְׂרָאֵל׃ וְיֶתֶר דִּבְרֵי נָדָב
וְכָל־אֲשֶׁר עָשָׂה הֲלֹא־הֵם כְּתוּבִים עַל־סֵפֶר דִּבְרֵי הַיָּמִים לְמַלְכֵי
לב יִשְׂרָאֵל׃ וּמִלְחָמָה הָיְתָה בֵּין אָסָא וּבֵין בַּעְשָׁא מֶלֶךְ־יִשְׂרָאֵל
כָּל־יְמֵיהֶם׃

מַלְכוּת בַּעְשָׁא בֶן אֲחִיָּה: [2986]

לג בִּשְׁנַת שָׁלֹשׁ לְאָסָא מֶלֶךְ יְהוּדָה מָלַךְ בַּעְשָׁא בֶן־אֲחִיָּה
לד עַל־כָּל־יִשְׂרָאֵל בְּתִרְצָה עֶשְׂרִים וְאַרְבַּע שָׁנָה׃ וַיַּעַשׂ הָרַע
בְּעֵינֵי יְהוָה וַיֵּלֶךְ בְּדֶרֶךְ יָרָבְעָם וּבְחַטָּאתוֹ אֲשֶׁר הֶחֱטִיא
טז א אֶת־יִשְׂרָאֵל׃ וַיְהִי דְבַר־יְהוָה אֶל־יֵהוּא בֶן־חֲנָנִי עַל־
ב בַּעְשָׁא לֵאמֹר׃ יַעַן אֲשֶׁר הֲרִימֹתִיךָ מִן־הֶעָפָר וָאֶתֶּנְךָ נָגִיד עַל
עַמִּי יִשְׂרָאֵל וַתֵּלֶךְ ׀ בְּדֶרֶךְ יָרָבְעָם וַתַּחֲטִא אֶת־עַמִּי יִשְׂרָאֵל
ג לְהַכְעִיסֵנִי בְּחַטֹּאתָם׃ הִנְנִי מַבְעִיר אַחֲרֵי בַעְשָׁא וְאַחֲרֵי בֵיתוֹ

ד וְנָתַתִּ֞י אֶת־בֵּיתְךָ֗ כְּבֵ֛ית יָרׇבְעָ֥ם בֶּן־נְבָ֑ט הַמֵּ֧ת לְבַעְשָׁא֛ בָּעִ֖יר

ה יֹאכְל֣וּ הַכְּלָבִ֔ים וְהַמֵּת֙ ל֣וֹ בַּשָּׂדֶ֔ה יֹאכְל֖וּ ע֣וֹף הַשָּׁמָ֑יִם: וְיֶ֨תֶר
דִּבְרֵ֤י בַעְשָׁא֙ וַאֲשֶׁ֣ר עָשָׂ֔ה וּגְבֽוּרָת֑וֹ הֲלֹא־הֵ֣ם כְּתוּבִ֗ים עַל־סֵ֛פֶר

ו דִּבְרֵ֥י הַיָּמִ֖ים לְמַלְכֵ֣י יִשְׂרָאֵ֑ל: וַיִּשְׁכַּ֤ב בַּעְשָׁא֙ עִם־אֲבֹתָ֔יו וַיִּקָּבֵ֖ר

ז בְּתִרְצָ֑ה וַיִּמְלֹ֛ךְ אֵלָ֥ה בְנ֖וֹ תַּחְתָּֽיו: וְגַ֡ם בְּיַד־יֵה֣וּא בֶן־חֲנָ֣נִי הַנָּבִ֡יא
דְּבַר־יְהֹוָ֣ה הָיָ֣ה אֶל־בַּעְשָׁא֩ וְאֶל־בֵּית֨וֹ וְעַ֜ל כׇּל־הָרָעָ֣ה ׀ אֲשֶׁר־
עָשָׂ֣ה ׀ בְּעֵינֵ֣י יְהֹוָ֗ה לְהַכְעִיס֙וֹ בְּמַעֲשֵׂ֣ה יָדָ֔יו לִֽהְי֖וֹת כְּבֵ֣ית
יָרׇבְעָ֑ם וְעַ֥ל אֲשֶׁר־הִכָּ֖ה אֹתֽוֹ:

מַלְכוּת
אֵלָה בֶּן
בַּעְשָׁא:
[3009]

ח בִּשְׁנַ֨ת עֶשְׂרִ֤ים וָשֵׁשׁ֙ שָׁנָ֔ה לְאָסָ֖א מֶ֣לֶךְ יְהוּדָ֑ה מָלַ֠ךְ אֵלָ֨ה

ט בֶן־בַּעְשָׁ֧א עַל־יִשְׂרָאֵ֛ל בְּתִרְצָ֖ה שְׁנָתָֽיִם: וַיִּקְשֹׁ֤ר עָלָיו֙ עַבְדּ֣וֹ
זִמְרִ֔י שַׂ֖ר מַחֲצִ֣ית הָרָ֑כֶב וְה֤וּא בְתִרְצָה֙ שֹׁתֶ֣ה שִׁכּ֔וֹר בֵּ֣ית אַרְצָ֔א

י אֲשֶׁ֥ר עַל־הַבַּ֖יִת בְּתִרְצָֽה: וַיָּבֹ֤א זִמְרִי֙ וַיַּכֵּ֣הוּ וַיְמִיתֵ֔הוּ בִּשְׁנַת֙

יא עֶשְׂרִ֣ים וָשֶׁ֔בַע לְאָסָ֖א מֶ֣לֶךְ יְהוּדָ֑ה וַיִּמְלֹ֖ךְ תַּחְתָּֽיו: וַיְהִ֨י בְמׇלְכ֜וֹ
כְּשִׁבְתּ֣וֹ עַל־כִּסְא֗וֹ הִכָּה֙ אֶת־כׇּל־בֵּ֣ית בַּעְשָׁ֔א לֹֽא־הִשְׁאִ֥יר ל֖וֹ

יב מַשְׁתִּ֣ין בְּקִ֑יר וְגֹאֲלָ֖יו וְרֵעֵֽהוּ: וַיַּשְׁמֵ֣ד זִמְרִ֔י אֵ֖ת כׇּל־בֵּ֣ית בַּעְשָׁ֑א

יג כִּדְבַ֤ר יְהֹוָה֙ אֲשֶׁ֣ר דִּבֶּ֣ר אֶל־בַּעְשָׁ֔א בְּיַ֖ד יֵה֣וּא הַנָּבִֽיא: אֶ֤ל
כׇּל־חַטֹּאות֙ בַּעְשָׁ֔א וְחַטֹּ֖אות אֵלָ֣ה בְנ֑וֹ אֲשֶׁ֣ר חָטְא֗וּ וַֽאֲשֶׁ֤ר
הֶחֱטִ֙יאוּ֙ אֶת־יִשְׂרָאֵ֔ל לְהַכְעִ֗יס אֶת־יְהֹוָ֛ה אֱלֹהֵ֥י יִשְׂרָאֵ֖ל

יד בְּהַבְלֵיהֶֽם: וְיֶ֨תֶר דִּבְרֵ֥י אֵלָ֛ה וְכׇל־אֲשֶׁ֥ר עָשָׂ֖ה הֲלוֹא־הֵ֣ם כְּתוּבִ֗ים
עַל־סֵ֛פֶר דִּבְרֵ֥י הַיָּמִ֖ים לְמַלְכֵ֥י יִשְׂרָאֵֽל:

מַלְכוּת
זִמְרִי:
[3010]

טו בִּשְׁנַת֩ עֶשְׂרִ֨ים וָשֶׁ֜בַע שָׁנָ֗ה לְאָסָא֙ מֶ֣לֶךְ יְהוּדָ֔ה מָלַ֥ךְ זִמְרִ֛י
שִׁבְעַ֥ת יָמִ֖ים בְּתִרְצָ֑ה וְהָעָ֣ם חֹנִ֔ים עַל־גִּבְּת֖וֹן אֲשֶׁ֥ר לַפְּלִשְׁתִּֽים:

טז וַיִּשְׁמַ֣ע הָעָ֣ם הַחֹנִים֮ לֵאמֹר֒ קָשַׁ֣ר זִמְרִ֔י וְגַ֖ם הִכָּ֣ה אֶת־הַמֶּ֑לֶךְ
וַיַּמְלִ֣כוּ כׇֽל־יִ֠שְׂרָאֵ֠ל אֶת־עׇמְרִ֨י שַׂר־צָבָ֧א עַל־יִשְׂרָאֵ֛ל בַּיּ֥וֹם הַה֖וּא

יז בַּֽמַּחֲנֶֽה: וַיַּעֲלֶ֨ה עׇמְרִ֜י וְכׇל־יִשְׂרָאֵ֤ל עִמּוֹ֙ מִגִּבְּת֔וֹן וַיָּצֻ֖רוּ עַל־

יח תִּרְצָֽה: וַיְהִ֞י כִּרְא֤וֹת זִמְרִי֙ כִּֽי־נִלְכְּדָ֣ה הָעִ֔יר וַיָּבֹ֖א אֶל־אַרְמ֥וֹן

יט בֵּית־הַמֶּ֑לֶךְ וַיִּשְׂרֹ֨ף עָלָ֧יו אֶת־בֵּֽית־מֶ֛לֶךְ בָּאֵ֖שׁ וַיָּמֹֽת: עַל־

חַטֹּאתָיו֙ אֲשֶׁ֣ר חָטָ֔א לַעֲשׂ֥וֹת הָרַ֖ע בְּעֵינֵ֣י יְהֹוָ֑ה לָלֶ֙כֶת֙ בְּדֶ֣רֶךְ

כ יָֽרָבְעָ֔ם וּבְחַטָּאתוֹ֙ אֲשֶׁ֣ר עָשָׂ֔ה לְהַחֲטִ֖יא אֶת־יִשְׂרָאֵֽל: וְיֶ֙תֶר֙

דִּבְרֵ֣י זִמְרִ֔י וְקִשְׁר֖וֹ אֲשֶׁ֣ר קָשָׁ֑ר הֲלֹֽא־הֵ֣ם כְּתוּבִ֗ים עַל־סֵ֛פֶר דִּבְרֵ֥י

הַיָּמִ֖ים לְמַלְכֵ֥י יִשְׂרָאֵֽל:

כא אָ֧ז יֵחָלֵ֛ק הָעָ֥ם יִשְׂרָאֵ֖ל לַחֵ֑צִי חֲצִ֣י הָ֠עָ֠ם הָ֠יָ֠ה אַחֲרֵ֨י תִבְנִ֤י בֶן־גִּינַת֙

כב לְהַמְלִיכ֔וֹ וְהַחֲצִ֖י אַחֲרֵ֣י עָמְרִֽי: וַיֶּחֱזַ֤ק הָעָם֙ אֲשֶׁ֣ר אַחֲרֵ֣י עָמְרִ֔י

אֶת־הָעָ֕ם אֲשֶׁ֥ר אַחֲרֵ֖י תִּבְנִ֣י בֶן־גִּינַ֑ת וַיָּ֣מָת תִּבְנִ֔י וַיִּמְלֹ֖ךְ

עָמְרִֽי:

מַלְכוּת עָמְרִי: [3010]

כג בִּשְׁנַ֤ת שְׁלֹשִׁים֙ וְאַחַ֣ת שָׁנָ֔ה לְאָסָ֖א מֶ֣לֶךְ יְהוּדָ֑ה מָלַ֨ךְ עָמְרִ֜י

כד עַל־יִשְׂרָאֵ֗ל שְׁתֵּ֤ים עֶשְׂרֵה֙ שָׁנָ֔ה בְּתִרְצָ֖ה מָלַ֥ךְ שֵׁשׁ־שָׁנִֽים: וַיִּ֜קֶן

אֶת־הָהָ֥ר שֹׁמְר֛וֹן מֵ֥אֶת שֶׁ֖מֶר בְּכִכְּרַ֣יִם כָּ֑סֶף וַיִּ֙בֶן֙ אֶת־הָהָ֔ר וַיִּקְרָ֗א

אֶת־שֵׁ֤ם הָעִיר֙ אֲשֶׁ֣ר בָּנָ֔ה עַ֣ל שֶׁם־שֶׁ֔מֶר אֲדֹנֵ֥י הָהָ֖ר שֹׁמְרֽוֹן:

כה וַיַּעֲשֶׂ֥ה עָמְרִ֛י הָרַ֖ע בְּעֵינֵ֣י יְהֹוָ֑ה וַיָּ֕רַע מִכֹּ֖ל אֲשֶׁ֥ר לְפָנָֽיו: וַיֵּ֗לֶךְ

כו בְּכָל־דֶּ֙רֶךְ֙ יָרָבְעָ֣ם בֶּן־נְבָ֔ט וּבְחַטָּאתוֹ ובחטאתיו אֲשֶׁ֣ר הֶחֱטִ֣יא

אֶת־יִשְׂרָאֵ֔ל לְהַכְעִ֗יס אֶת־יְהֹוָ֛ה אֱלֹהֵ֥י יִשְׂרָאֵ֖ל בְּהַבְלֵיהֶֽם: וְיֶ֙תֶר֙

כז דִּבְרֵ֤י עָמְרִי֙ אֲשֶׁ֣ר עָשָׂ֔ה וּגְבוּרָת֖וֹ אֲשֶׁ֣ר עָשָׂ֑ה הֲלֹֽא־הֵ֣ם כְּתוּבִ֗ים

כח עַל־סֵ֛פֶר דִּבְרֵ֥י הַיָּמִ֖ים לְמַלְכֵ֣י יִשְׂרָאֵֽל: וַיִּשְׁכַּ֤ב עָמְרִי֙ עִם־

אֲבֹתָ֔יו וַיִּקָּבֵ֖ר בְּשֹׁמְר֑וֹן וַיִּמְלֹ֛ךְ אַחְאָ֥ב בְּנ֖וֹ תַּחְתָּֽיו:

מַלְכוּת אַחְאָב בֶּן עָמְרִי: [3021]

כט וְאַחְאָ֣ב בֶּן־עָמְרִ֗י מָלַךְ֙ עַל־יִשְׂרָאֵ֔ל בִּשְׁנַ֨ת שְׁלֹשִׁ֤ים וּשְׁמֹנֶה֙

שָׁנָ֔ה לְאָסָ֖א מֶ֣לֶךְ יְהוּדָ֑ה וַ֠יִּמְלֹ֠ךְ אַחְאָ֨ב בֶּן־עָמְרִ֤י עַל־יִשְׂרָאֵל֙

ל בְּשֹׁמְר֔וֹן עֶשְׂרִ֥ים וּשְׁתַּ֖יִם שָׁנָֽה: וַיַּ֧עַשׂ אַחְאָ֛ב בֶּן־עָמְרִ֖י הָרַ֑ע

לא בְּעֵינֵ֥י יְהֹוָ֖ה מִכֹּ֥ל אֲשֶׁ֣ר לְפָנָֽיו: וַיְהִי֙ הֲנָקֵ֣ל לֶכְתּ֔וֹ בְּחַטֹּא֖ות יָרָבְעָ֣ם

בֶּן־נְבָ֑ט וַיִּקַּ֨ח אִשָּׁ֜ה אֶת־אִיזֶ֗בֶל בַּת־אֶתְבַּ֙עַל֙ מֶ֣לֶךְ צִֽידֹנִ֔ים וַיֵּ֙לֶךְ֙

לב וַיַּעֲבֹד אֶת־הַבַּעַל וַיִּשְׁתַּחוּ לוֹ: וַיָּקֶם מִזְבֵּחַ לַבַּעַל בֵּית הַבַּעַל
לג אֲשֶׁר בָּנָה בְּשֹׁמְרוֹן: וַיַּעַשׂ אַחְאָב אֶת־הָאֲשֵׁרָה וַיּוֹסֶף אַחְאָב
לַעֲשׂוֹת לְהַכְעִיס אֶת־יְהוָה אֱלֹהֵי יִשְׂרָאֵל מִכֹּל מַלְכֵי יִשְׂרָאֵל
לד אֲשֶׁר הָיוּ לְפָנָיו: בְּיָמָיו בָּנָה חִיאֵל בֵּית הָאֱלִי אֶת־יְרִיחֹה בַּאֲבִירָם
בְּכֹרוֹ יִסְּדָהּ ובשגיב וּבִשְׂגוּב צְעִירוֹ הִצִּיב דְּלָתֶיהָ כִּדְבַר יְהוָה
יז א אֲשֶׁר דִּבֶּר בְּיַד יְהוֹשֻׁעַ בִּן־נוּן: וַיֹּאמֶר אֵלִיָּהוּ

עֲצִירַת הַמָּטָר עַל יְדֵי אֵלִיָּהוּ:

הַתִּשְׁבִּי מִתֹּשָׁבֵי גִלְעָד אֶל־אַחְאָב חַי־יְהוָה אֱלֹהֵי יִשְׂרָאֵל אֲשֶׁר
עָמַדְתִּי לְפָנָיו אִם־יִהְיֶה הַשָּׁנִים הָאֵלֶּה טַל וּמָטָר כִּי אִם־לְפִי
ב ג דְבָרִי: וַיְהִי דְבַר־יְהוָה אֵלָיו לֵאמֹר: לֵךְ מִזֶּה וּפָנִיתָ
ד לְּךָ קֵדְמָה וְנִסְתַּרְתָּ בְּנַחַל כְּרִית אֲשֶׁר עַל־פְּנֵי הַיַּרְדֵּן: וְהָיָה
ה מֵהַנַּחַל תִּשְׁתֶּה וְאֶת־הָעֹרְבִים צִוִּיתִי לְכַלְכֶּלְךָ שָׁם: וַיֵּלֶךְ וַיַּעַשׂ
כִּדְבַר יְהוָה וַיֵּלֶךְ וַיֵּשֶׁב בְּנַחַל כְּרִית אֲשֶׁר עַל־פְּנֵי הַיַּרְדֵּן:
ו וְהָעֹרְבִים מְבִיאִים לוֹ לֶחֶם וּבָשָׂר בַּבֹּקֶר וְלֶחֶם וּבָשָׂר בָּעָרֶב
ז וּמִן־הַנַּחַל יִשְׁתֶּה: וַיְהִי מִקֵּץ יָמִים וַיִּיבַשׁ הַנָּחַל כִּי לֹא־הָיָה גֶשֶׁם
ח ט בָּאָרֶץ: וַיְהִי דְבַר־יְהוָה אֵלָיו לֵאמֹר: קוּם לֵךְ צָרְפַתָה

נֵס הַכַּד וְהַצַּפַּחַת:

אֲשֶׁר לְצִידוֹן וְיָשַׁבְתָּ שָׁם הִנֵּה צִוִּיתִי שָׁם אִשָּׁה אַלְמָנָה לְכַלְכְּלֶךָ:
י וַיָּקָם ׀ וַיֵּלֶךְ צָרְפַתָה וַיָּבֹא אֶל־פֶּתַח הָעִיר וְהִנֵּה־שָׁם אִשָּׁה
אַלְמָנָה מְקֹשֶׁשֶׁת עֵצִים וַיִּקְרָא אֵלֶיהָ וַיֹּאמַר קְחִי־נָא לִי
יא מְעַט־מַיִם בַּכְּלִי וְאֶשְׁתֶּה: וַתֵּלֶךְ לָקַחַת וַיִּקְרָא אֵלֶיהָ וַיֹּאמַר
יב לִקְחִי־נָא לִי פַּת־לֶחֶם בְּיָדֵךְ: וַתֹּאמֶר חַי־יְהוָה אֱלֹהֶיךָ אִם־יֶשׁ־
לִי מָעוֹג כִּי אִם־מְלֹא כַף־קֶמַח בַּכַּד וּמְעַט־שֶׁמֶן בַּצַּפָּחַת וְהִנְנִי
מְקֹשֶׁשֶׁת שְׁנַיִם עֵצִים וּבָאתִי וַעֲשִׂיתִיהוּ לִי וְלִבְנִי וַאֲכַלְנֻהוּ
יג וָמָתְנוּ: וַיֹּאמֶר אֵלֶיהָ אֵלִיָּהוּ אַל־תִּירְאִי בֹּאִי עֲשִׂי כִדְבָרֵךְ אַךְ
עֲשִׂי־לִי־מִשָּׁם עֻגָה קְטַנָּה בָרִאשֹׁנָה וְהוֹצֵאת לִי וְלָךְ וְלִבְנֵךְ
יד תַּעֲשִׂי בָּאַחֲרֹנָה: כִּי כֹה אָמַר יְהוָה אֱלֹהֵי יִשְׂרָאֵל כַּד הַקֶּמַח

לֹא תִכְלָה וְצַפַּחַת הַשֶּׁמֶן לֹא תֶחְסָר עַד יוֹם תתן תֵּת־יְהוָה גֶּשֶׁם
טו עַל־פְּנֵי הָאֲדָמָה: וַתֵּלֶךְ וַתַּעֲשֶׂה כִּדְבַר אֵלִיָּהוּ וַתֹּאכַל הוא והיא
טז הִיא־וָהוּא וּבֵיתָהּ יָמִים: כַּד הַקֶּמַח לֹא כָלָתָה וְצַפַּחַת הַשֶּׁמֶן
לֹא חָסֵר כִּדְבַר יְהוָה אֲשֶׁר דִּבֶּר בְּיַד אֵלִיָּהוּ:
יז וַיְהִי אַחַר הַדְּבָרִים הָאֵלֶּה חָלָה בֶּן־הָאִשָּׁה בַּעֲלַת הַבָּיִת וַיְהִי
הַחְיָאַת בֶּן הָאַלְמָנָה:
יח חָלְיוֹ חָזָק מְאֹד עַד אֲשֶׁר לֹא־נוֹתְרָה־בּוֹ נְשָׁמָה: וַתֹּאמֶר
אֶל־אֵלִיָּהוּ מַה־לִּי וָלָךְ אִישׁ הָאֱלֹהִים בָּאתָ אֵלַי לְהַזְכִּיר אֶת־עֲוֺנִי
יט וּלְהָמִית אֶת־בְּנִי: וַיֹּאמֶר אֵלֶיהָ תְּנִי־לִי אֶת־בְּנֵךְ וַיִּקָּחֵהוּ
מֵחֵיקָהּ וַיַּעֲלֵהוּ אֶל־הָעֲלִיָּה אֲשֶׁר־הוּא יֹשֵׁב שָׁם וַיַּשְׁכִּבֵהוּ
כ עַל־מִטָּתוֹ: וַיִּקְרָא אֶל־יְהוָה וַיֹּאמַר יְהוָה אֱלֹהָי הֲגַם עַל־
הָאַלְמָנָה אֲשֶׁר־אֲנִי מִתְגּוֹרֵר עִמָּהּ הֲרֵעוֹתָ לְהָמִית אֶת־בְּנָהּ:
כא וַיִּתְמֹדֵד עַל־הַיֶּלֶד שָׁלֹשׁ פְּעָמִים וַיִּקְרָא אֶל־יְהוָה וַיֹּאמַר יְהוָה
כב אֱלֹהָי תָּשָׁב נָא נֶפֶשׁ־הַיֶּלֶד הַזֶּה עַל־קִרְבּוֹ: וַיִּשְׁמַע יְהוָה בְּקוֹל
כג אֵלִיָּהוּ וַתָּשָׁב נֶפֶשׁ־הַיֶּלֶד עַל־קִרְבּוֹ וַיֶּחִי: וַיִּקַּח אֵלִיָּהוּ אֶת־הַיֶּלֶד
וַיֹּרִדֵהוּ מִן־הָעֲלִיָּה הַבַּיְתָה וַיִּתְּנֵהוּ לְאִמּוֹ וַיֹּאמֶר אֵלִיָּהוּ רְאִי חַי
כד בְּנֵךְ: וַתֹּאמֶר הָאִשָּׁה אֶל־אֵלִיָּהוּ עַתָּה זֶה יָדַעְתִּי כִּי אִישׁ
אֱלֹהִים אָתָּה וּדְבַר־יְהוָה בְּפִיךָ אֱמֶת:
יח א וַיְהִי יָמִים רַבִּים וּדְבַר־יְהוָה הָיָה אֶל־אֵלִיָּהוּ בַּשָּׁנָה הַשְּׁלִישִׁית
אֵלִיָּהוּ בְּהַר הַכַּרְמֶל:
ב לֵאמֹר לֵךְ הֵרָאֵה אֶל־אַחְאָב וְאֶתְּנָה מָטָר עַל־פְּנֵי הָאֲדָמָה: וַיֵּלֶךְ
ג אֵלִיָּהוּ לְהֵרָאוֹת אֶל־אַחְאָב וְהָרָעָב חָזָק בְּשֹׁמְרוֹן: וַיִּקְרָא אַחְאָב
אֶל־עֹבַדְיָהוּ אֲשֶׁר עַל־הַבָּיִת וְעֹבַדְיָהוּ הָיָה יָרֵא אֶת־יְהוָה מְאֹד:
ד וַיְהִי בְּהַכְרִית אִיזֶבֶל אֵת נְבִיאֵי יְהוָה וַיִּקַּח עֹבַדְיָהוּ מֵאָה נְבִאִים
ה וַיַּחְבִּיאֵם חֲמִשִּׁים אִישׁ בַּמְּעָרָה וְכִלְכְּלָם לֶחֶם וָמָיִם: וַיֹּאמֶר
אַחְאָב אֶל־עֹבַדְיָהוּ לֵךְ בָּאָרֶץ אֶל־כָּל־מַעְיְנֵי הַמַּיִם וְאֶל
כָּל־הַנְּחָלִים אוּלַי ׀ נִמְצָא חָצִיר וּנְחַיֶּה סוּס וָפֶרֶד וְלוֹא נַכְרִית

ו מֵהַבְּהֵמָה: וַיְחַלְּקוּ לָהֶם אֶת־הָאָרֶץ לַעֲבָר־בָּהּ אַחְאָב הָלַךְ
פְּגִישַׁת אֵלִיָּהוּ עִם עֹבַדְיָהוּ:
ז בְּדֶרֶךְ אֶחָד לְבַדּוֹ וְעֹבַדְיָהוּ הָלַךְ בְּדֶרֶךְ־אֶחָד לְבַדּוֹ: וַיְהִי
עֹבַדְיָהוּ בַּדֶּרֶךְ וְהִנֵּה אֵלִיָּהוּ לִקְרָאתוֹ וַיַּכִּרֵהוּ וַיִּפֹּל עַל־פָּנָיו
ח וַיֹּאמֶר הַאַתָּה זֶה אֲדֹנִי אֵלִיָּהוּ: וַיֹּאמֶר לוֹ אָנִי לֵךְ אֱמֹר לַאדֹנֶיךָ
ט הִנֵּה אֵלִיָּהוּ: וַיֹּאמֶר מֶה חָטָאתִי כִּי־אַתָּה נֹתֵן אֶת־עַבְדְּךָ
י בְּיַד־אַחְאָב לַהֲמִיתֵנִי: חַי ׀ יְהוָה אֱלֹהֶיךָ אִם־יֶשׁ־גּוֹי וּמַמְלָכָה
אֲשֶׁר לֹא־שָׁלַח אֲדֹנִי שָׁם לְבַקֶּשְׁךָ וְאָמְרוּ אָיִן וְהִשְׁבִּיעַ
יא אֶת־הַמַּמְלָכָה וְאֶת־הַגּוֹי כִּי לֹא יִמְצָאֶכָּה: וְעַתָּה אַתָּה אֹמֵר לֵךְ
יב אֱמֹר לַאדֹנֶיךָ הִנֵּה אֵלִיָּהוּ: וְהָיָה אֲנִי ׀ אֵלֵךְ מֵאִתָּךְ וְרוּחַ יְהוָה ׀
יִשָּׂאֲךָ עַל אֲשֶׁר לֹא־אֵדָע וּבָאתִי לְהַגִּיד לְאַחְאָב וְלֹא יִמְצָאֲךָ
יג וַהֲרָגָנִי וְעַבְדְּךָ יָרֵא אֶת־יְהוָה מִנְּעֻרָי: הֲלֹא־הֻגַּד לַאדֹנִי אֵת
אֲשֶׁר־עָשִׂיתִי בַּהֲרֹג אִיזֶבֶל אֵת נְבִיאֵי יְהוָה וָאַחְבִּא מִנְּבִיאֵי
יְהוָה מֵאָה אִישׁ חֲמִשִּׁים חֲמִשִּׁים אִישׁ בַּמְּעָרָה וָאֲכַלְכְּלֵם לֶחֶם
יד וָמָיִם: וְעַתָּה אַתָּה אֹמֵר לֵךְ אֱמֹר לַאדֹנֶיךָ הִנֵּה אֵלִיָּהוּ
טו וַהֲרָגָנִי: וַיֹּאמֶר אֵלִיָּהוּ חַי יְהוָה צְבָאוֹת אֲשֶׁר עָמַדְתִּי
טז לְפָנָיו כִּי הַיּוֹם אֵרָאֶה אֵלָיו: וַיֵּלֶךְ עֹבַדְיָהוּ לִקְרַאת אַחְאָב
פְּגִישַׁת אֵלִיָּהוּ עִם אַחְאָב:
יז וַיַּגֶּד־לוֹ וַיֵּלֶךְ אַחְאָב לִקְרַאת אֵלִיָּהוּ: וַיְהִי כִּרְאוֹת אַחְאָב
יח אֶת־אֵלִיָּהוּ וַיֹּאמֶר אַחְאָב אֵלָיו הַאַתָּה זֶה עֹכֵר יִשְׂרָאֵל: וַיֹּאמֶר
לֹא עָכַרְתִּי אֶת־יִשְׂרָאֵל כִּי אִם־אַתָּה וּבֵית אָבִיךָ בַּעֲזָבְכֶם
קִבּוּץ הָעָם אֶל הַר הַכַּרְמֶל:
יט אֶת־מִצְוֺת יְהוָה וַתֵּלֶךְ אַחֲרֵי הַבְּעָלִים: וְעַתָּה שְׁלַח קְבֹץ אֵלַי
אֶת־כָּל־יִשְׂרָאֵל אֶל־הַר הַכַּרְמֶל וְאֶת־נְבִיאֵי הַבַּעַל אַרְבַּע מֵאוֹת
וַחֲמִשִּׁים וּנְבִיאֵי הָאֲשֵׁרָה אַרְבַּע מֵאוֹת אֹכְלֵי שֻׁלְחַן אִיזָבֶל:
כ וַיִּשְׁלַח אַחְאָב בְּכָל־בְּנֵי יִשְׂרָאֵל וַיִּקְבֹּץ אֶת־הַנְּבִיאִים אֶל־הַר
כא הַכַּרְמֶל: וַיִּגַּשׁ אֵלִיָּהוּ אֶל־כָּל־הָעָם וַיֹּאמֶר עַד־מָתַי אַתֶּם
פֹּסְחִים עַל־שְׁתֵּי הַסְּעִפִּים אִם־יְהוָה הָאֱלֹהִים לְכוּ אַחֲרָיו

כב וְאִם־הַבַּעַל לְכוּ אַחֲרָיו וְלֹא־עָנוּ הָעָם אֹתוֹ דָּבָר: וַיֹּאמֶר אֵלִיָּהוּ
אֶל־הָעָם אֲנִי נוֹתַרְתִּי נָבִיא לַיהוָה לְבַדִּי וּנְבִיאֵי הַבַּעַל אַרְבַּע־
כג מֵאוֹת וַחֲמִשִּׁים אִישׁ: וְיִתְּנוּ־לָנוּ שְׁנַיִם פָּרִים וְיִבְחֲרוּ לָהֶם הַפָּר
מִבְחַן הַפָּרִים:
הָאֶחָד וִינַתְּחֻהוּ וְיָשִׂימוּ עַל־הָעֵצִים וְאֵשׁ לֹא יָשִׂימוּ וַאֲנִי
אֶעֱשֶׂה | אֶת־הַפָּר הָאֶחָד וְנָתַתִּי עַל־הָעֵצִים וְאֵשׁ לֹא אָשִׂים:
כד וּקְרָאתֶם בְּשֵׁם אֱלֹהֵיכֶם וַאֲנִי אֶקְרָא בְשֵׁם־יְהוָה וְהָיָה הָאֱלֹהִים
אֲשֶׁר־יַעֲנֶה בָאֵשׁ הוּא הָאֱלֹהִים וַיַּעַן כָּל־הָעָם וַיֹּאמְרוּ טוֹב
כה הַדָּבָר: וַיֹּאמֶר אֵלִיָּהוּ לִנְבִיאֵי הַבַּעַל בַּחֲרוּ לָכֶם הַפָּר הָאֶחָד
וַעֲשׂוּ רִאשֹׁנָה כִּי אַתֶּם הָרַבִּים וְקִרְאוּ בְּשֵׁם אֱלֹהֵיכֶם וְאֵשׁ לֹא
כו תָשִׂימוּ: וַיִּקְחוּ אֶת־הַפָּר אֲשֶׁר־נָתַן לָהֶם וַיַּעֲשׂוּ וַיִּקְרְאוּ בְשֵׁם־
הַבַּעַל מֵהַבֹּקֶר וְעַד־הַצָּהֳרַיִם לֵאמֹר הַבַּעַל עֲנֵנוּ וְאֵין קוֹל וְאֵין
כז עֹנֶה וַיְפַסְּחוּ עַל־הַמִּזְבֵּחַ אֲשֶׁר עָשָׂה: וַיְהִי בַצָּהֳרַיִם וַיְהַתֵּל
בָּהֶם אֵלִיָּהוּ וַיֹּאמֶר קִרְאוּ בְקוֹל־גָּדוֹל כִּי־אֱלֹהִים הוּא כִּי־שִׂיחַ
כח וְכִי־שִׂיג לוֹ וְכִי־דֶרֶךְ לוֹ אוּלַי יָשֵׁן הוּא וְיִקָץ: וַיִּקְרְאוּ בְּקוֹל
גָּדוֹל וַיִּתְגֹּדְדוּ כְּמִשְׁפָּטָם בַּחֲרָבוֹת וּבָרְמָחִים עַד־שְׁפָךְ־דָּם
כט עֲלֵיהֶם: וַיְהִי כַּעֲבֹר הַצָּהֳרַיִם וַיִּתְנַבְּאוּ עַד לַעֲלוֹת הַמִּנְחָה
ל וְאֵין־קוֹל וְאֵין־עֹנֶה וְאֵין קָשֶׁב: וַיֹּאמֶר אֵלִיָּהוּ לְכָל־הָעָם גְּשׁוּ
לא אֵלַי וַיִּגְּשׁוּ כָל־הָעָם אֵלָיו וַיְרַפֵּא אֶת־מִזְבַּח יְהוָה הֶהָרוּס: וַיִּקַּח
אֵלִיָּהוּ שְׁתֵּים עֶשְׂרֵה אֲבָנִים כְּמִסְפַּר שִׁבְטֵי בְנֵי־יַעֲקֹב אֲשֶׁר
לב הָיָה דְבַר־יְהוָה אֵלָיו לֵאמֹר יִשְׂרָאֵל יִהְיֶה שְׁמֶךָ: וַיִּבְנֶה
אֶת־הָאֲבָנִים מִזְבֵּחַ בְּשֵׁם יְהוָה וַיַּעַשׂ תְּעָלָה כְּבֵית סָאתַיִם
לג זֶרַע סָבִיב לַמִּזְבֵּחַ: וַיַּעֲרֹךְ אֶת־הָעֵצִים וַיְנַתַּח אֶת־הַפָּר וַיָּשֶׂם
לד עַל־הָעֵצִים: וַיֹּאמֶר מִלְאוּ אַרְבָּעָה כַדִּים מַיִם וְיִצְקוּ עַל־הָעֹלָה
לה וְעַל־הָעֵצִים וַיֹּאמֶר שְׁנוּ וַיִּשְׁנוּ וַיֹּאמֶר שַׁלֵּשׁוּ וַיְשַׁלֵּשׁוּ: וַיֵּלְכוּ
לו הַמַּיִם סָבִיב לַמִּזְבֵּחַ וְגַם אֶת־הַתְּעָלָה מִלֵּא־מָיִם: וַיְהִי |

בַּעֲלוֹת הַמִּנְחָה וַיִּגַּשׁ אֵלִיָּהוּ הַנָּבִיא וַיֹּאמַר יְהוָה אֱלֹהֵי אַבְרָהָם
יִצְחָק וְיִשְׂרָאֵל הַיּוֹם יִוָּדַע כִּי־אַתָּה אֱלֹהִים בְּיִשְׂרָאֵל וַאֲנִי עַבְדֶּךָ
לז ובדבריך וּבִדְבָרְךָ עָשִׂיתִי אֵת כָּל־הַדְּבָרִים הָאֵלֶּה׃ עֲנֵנִי יְהוָה
עֲנֵנִי וְיֵדְעוּ הָעָם הַזֶּה כִּי־אַתָּה יְהוָה הָאֱלֹהִים וְאַתָּה הֲסִבֹּתָ
לח אֶת־לִבָּם אֲחֹרַנִּית׃ וַתִּפֹּל אֵשׁ־יְהוָה וַתֹּאכַל אֶת־הָעֹלָה וְאֶת־
הָעֵצִים וְאֶת־הָאֲבָנִים וְאֶת־הֶעָפָר וְאֶת־הַמַּיִם אֲשֶׁר־בַּתְּעָלָה
לט לִחֵכָה׃ וַיַּרְא כָּל־הָעָם וַיִּפְּלוּ עַל־פְּנֵיהֶם וַיֹּאמְרוּ יְהוָה הוּא
מ הָאֱלֹהִים יְהוָה הוּא הָאֱלֹהִים׃ וַיֹּאמֶר אֵלִיָּהוּ לָהֶם תִּפְשׂוּ ׀
אֶת־נְבִיאֵי הַבַּעַל אִישׁ אַל־יִמָּלֵט מֵהֶם וַיִּתְפְּשׂוּם וַיּוֹרִדֵם אֵלִיָּהוּ
מא אֶל־נַחַל קִישׁוֹן וַיִּשְׁחָטֵם שָׁם׃ וַיֹּאמֶר אֵלִיָּהוּ לְאַחְאָב עֲלֵה אֱכֹל
מב וּשְׁתֵה כִּי־קוֹל הֲמוֹן הַגָּשֶׁם׃ וַיַּעֲלֶה אַחְאָב לֶאֱכֹל וְלִשְׁתּוֹת
וְאֵלִיָּהוּ עָלָה אֶל־רֹאשׁ הַכַּרְמֶל וַיִּגְהַר אַרְצָה וַיָּשֶׂם פָּנָיו בֵּין
מג בִּרְכָּו׃ וַיֹּאמֶר אֶל־נַעֲרוֹ עֲלֵה־נָא הַבֵּט דֶּרֶךְ־יָם וַיַּעַל וַיַּבֵּט
מד וַיֹּאמֶר אֵין מְאוּמָה וַיֹּאמֶר שֻׁב שֶׁבַע פְּעָמִים׃ וַיְהִי בַּשְּׁבִעִית
וַיֹּאמֶר הִנֵּה־עָב קְטַנָּה כְּכַף־אִישׁ עֹלָה מִיָּם וַיֹּאמֶר עֲלֵה אֱמֹר
מה אֶל־אַחְאָב אֱסֹר וָרֵד וְלֹא יַעַצָרְכָה הַגָּשֶׁם׃ וַיְהִי ׀ עַד־כֹּה
וְעַד־כֹּה וְהַשָּׁמַיִם הִתְקַדְּרוּ עָבִים וְרוּחַ וַיְהִי גֶּשֶׁם גָּדוֹל וַיִּרְכַּב
מו אַחְאָב וַיֵּלֶךְ יִזְרְעֶאלָה׃ וְיַד־יְהוָה הָיְתָה אֶל־אֵלִיָּהוּ וַיְשַׁנֵּס מָתְנָיו
יט א וַיָּרָץ לִפְנֵי אַחְאָב עַד־בֹּאֲכָה יִזְרְעֶאלָה׃ וַיַּגֵּד אַחְאָב לְאִיזֶבֶל
אֵת כָּל־אֲשֶׁר עָשָׂה אֵלִיָּהוּ וְאֵת כָּל־אֲשֶׁר הָרַג אֶת־כָּל־הַנְּבִיאִים
ב בֶּחָרֶב׃ וַתִּשְׁלַח אִיזֶבֶל מַלְאָךְ אֶל־אֵלִיָּהוּ לֵאמֹר כֹּה־יַעֲשׂוּן
אֱלֹהִים וְכֹה יוֹסִפוּן כִּי־כָעֵת מָחָר אָשִׂים אֶת־נַפְשְׁךָ כְּנֶפֶשׁ אַחַד
בְּרִיחַת אֵלִיָּהוּ מֵאִיזֶבֶל׃
ג מֵהֶם׃ וַיַּרְא וַיָּקָם וַיֵּלֶךְ אֶל־נַפְשׁוֹ וַיָּבֹא בְּאֵר שֶׁבַע אֲשֶׁר לִיהוּדָה
ד וַיַּנַּח אֶת־נַעֲרוֹ שָׁם׃ וְהוּא־הָלַךְ בַּמִּדְבָּר דֶּרֶךְ יוֹם וַיָּבֹא וַיֵּשֶׁב
תַּחַת רֹתֶם אחת אֶחָד וַיִּשְׁאַל אֶת־נַפְשׁוֹ לָמוּת וַיֹּאמֶר ׀ רַב

ה עַתָּה יְהוָה קַח נַפְשִׁי כִּי־לֹא־טוֹב אָנֹכִי מֵאֲבֹתָי: וַיִּשְׁכַּב וַיִּישַׁן
תַּחַת רֹתֶם אֶחָד וְהִנֵּה־זֶה מַלְאָךְ נֹגֵעַ בּוֹ וַיֹּאמֶר לוֹ קוּם אֱכוֹל:
ו וַיַּבֵּט וְהִנֵּה מְרַאֲשֹׁתָיו עֻגַת רְצָפִים וְצַפַּחַת מָיִם וַיֹּאכַל וַיֵּשְׁתְּ
ז וַיָּשָׁב וַיִּשְׁכָּב: וַיָּשָׁב מַלְאַךְ יְהוָה׀ שֵׁנִית וַיִּגַּע־בּוֹ וַיֹּאמֶר קוּם
ח אֱכֹל כִּי רַב מִמְּךָ הַדָּרֶךְ: וַיָּקָם וַיֹּאכַל וַיִּשְׁתֶּה וַיֵּלֶךְ בְּכֹחַ׀
הָאֲכִילָה הַהִיא אַרְבָּעִים יוֹם וְאַרְבָּעִים לַיְלָה עַד הַר הָאֱלֹהִים
ט חֹרֵב: וַיָּבֹא־שָׁם אֶל־הַמְּעָרָה וַיָּלֶן שָׁם וְהִנֵּה דְבַר־יְהוָה אֵלָיו

הִתְגַּלּוּת ה' לְאֵלִיָּהוּ בַּמְּעָרָה:

י וַיֹּאמֶר לוֹ מַה־לְּךָ פֹה אֵלִיָּהוּ: וַיֹּאמֶר קַנֹּא קִנֵּאתִי לַיהוָה׀ אֱלֹהֵי
צְבָאוֹת כִּי־עָזְבוּ בְרִיתְךָ בְּנֵי יִשְׂרָאֵל אֶת־מִזְבְּחֹתֶיךָ הָרָסוּ
וְאֶת־נְבִיאֶיךָ הָרְגוּ בֶחָרֶב וָאִוָּתֵר אֲנִי לְבַדִּי וַיְבַקְשׁוּ אֶת־נַפְשִׁי
יא לְקַחְתָּהּ: וַיֹּאמֶר צֵא וְעָמַדְתָּ בָהָר לִפְנֵי יְהוָה וְהִנֵּה יְהוָה עֹבֵר
וְרוּחַ גְּדוֹלָה וְחָזָק מְפָרֵק הָרִים וּמְשַׁבֵּר סְלָעִים לִפְנֵי יְהוָה
יב לֹא בָרוּחַ יְהוָה וְאַחַר הָרוּחַ רַעַשׁ לֹא בָרַעַשׁ יְהוָה: וְאַחַר
יג הָרַעַשׁ אֵשׁ לֹא בָאֵשׁ יְהוָה וְאַחַר הָאֵשׁ קוֹל דְּמָמָה דַקָּה: וַיְהִי׀
כִּשְׁמֹעַ אֵלִיָּהוּ וַיָּלֶט פָּנָיו בְּאַדַּרְתּוֹ וַיֵּצֵא וַיַּעֲמֹד פֶּתַח הַמְּעָרָה
יד וְהִנֵּה אֵלָיו קוֹל וַיֹּאמֶר מַה־לְּךָ פֹה אֵלִיָּהוּ: וַיֹּאמֶר קַנֹּא קִנֵּאתִי
לַיהוָה׀ אֱלֹהֵי צְבָאוֹת כִּי־עָזְבוּ בְרִיתְךָ בְּנֵי יִשְׂרָאֵל אֶת־
מִזְבְּחֹתֶיךָ הָרָסוּ וְאֶת־נְבִיאֶיךָ הָרְגוּ בֶחָרֶב וָאִוָּתֵר אֲנִי לְבַדִּי
טו וַיְבַקְשׁוּ אֶת־נַפְשִׁי לְקַחְתָּהּ: וַיֹּאמֶר יְהוָה אֵלָיו לֵךְ

נְבוּאָה עַל מְשִׁיחַת חֲזָאֵל, יֵהוּא וֶאֱלִישָׁע:

שׁוּב לְדַרְכְּךָ מִדְבַּרָה דַמָּשֶׂק וּבָאתָ וּמָשַׁחְתָּ אֶת־חֲזָאֵל לְמֶלֶךְ
טז עַל־אֲרָם: וְאֵת יֵהוּא בֶן־נִמְשִׁי תִּמְשַׁח לְמֶלֶךְ עַל־יִשְׂרָאֵל
וְאֶת־אֱלִישָׁע בֶּן־שָׁפָט מֵאָבֵל מְחוֹלָה תִּמְשַׁח לְנָבִיא תַּחְתֶּיךָ:
יז וְהָיָה הַנִּמְלָט מֵחֶרֶב חֲזָאֵל יָמִית יֵהוּא וְהַנִּמְלָט מֵחֶרֶב יֵהוּא
יח יָמִית אֱלִישָׁע: וְהִשְׁאַרְתִּי בְיִשְׂרָאֵל שִׁבְעַת אֲלָפִים כָּל־הַבִּרְכַּיִם
יט אֲשֶׁר לֹא־כָרְעוּ לַבַּעַל וְכָל־הַפֶּה אֲשֶׁר לֹא־נָשַׁק לוֹ: וַיֵּלֶךְ מִשָּׁם

וַיִּמְצָא אֶת־אֱלִישָׁע בֶּן־שָׁפָט וְהוּא חֹרֵשׁ שְׁנֵים־עָשָׂר צְמָדִים
לְפָנָיו וְהוּא בִּשְׁנֵים הֶעָשָׂר וַיַּעֲבֹר אֵלִיָּהוּ אֵלָיו וַיַּשְׁלֵךְ אַדַּרְתּוֹ
כ אֵלָיו׃ וַיַּעֲזֹב אֶת־הַבָּקָר וַיָּרָץ אַחֲרֵי אֵלִיָּהוּ וַיֹּאמֶר אֶשְּׁקָה־נָּא
לְאָבִי וּלְאִמִּי וְאֵלְכָה אַחֲרֶיךָ וַיֹּאמֶר לוֹ לֵךְ שׁוּב כִּי מֶה־עָשִׂיתִי
כא לָךְ׃ וַיָּשָׁב מֵאַחֲרָיו וַיִּקַּח אֶת־צֶמֶד הַבָּקָר וַיִּזְבָּחֵהוּ וּבִכְלִי הַבָּקָר
בִּשְּׁלָם הַבָּשָׂר וַיִּתֵּן לָעָם וַיֹּאכֵלוּ וַיָּקָם וַיֵּלֶךְ אַחֲרֵי אֵלִיָּהוּ
וַיְשָׁרְתֵהוּ׃

מִלְחֶמֶת אַחְאָב בַּאֲרָם׃

כ א וּבֶן־הֲדַד מֶלֶךְ־אֲרָם קָבַץ אֶת־כָּל־חֵילוֹ וּשְׁלֹשִׁים וּשְׁנַיִם מֶלֶךְ
ב אִתּוֹ וְסוּס וָרָכֶב וַיַּעַל וַיָּצַר עַל־שֹׁמְרוֹן וַיִּלָּחֶם בָּהּ׃ וַיִּשְׁלַח
ג מַלְאָכִים אֶל־אַחְאָב מֶלֶךְ־יִשְׂרָאֵל הָעִירָה׃ וַיֹּאמֶר לוֹ כֹּה אָמַר
בֶּן־הֲדַד כַּסְפְּךָ וּזְהָבְךָ לִי־הוּא וְנָשֶׁיךָ וּבָנֶיךָ הַטּוֹבִים לִי־הֵם׃
ד וַיַּעַן מֶלֶךְ־יִשְׂרָאֵל וַיֹּאמֶר כִּדְבָרְךָ אֲדֹנִי הַמֶּלֶךְ לְךָ אֲנִי וְכָל־
ה אֲשֶׁר־לִי׃ וַיָּשֻׁבוּ הַמַּלְאָכִים וַיֹּאמְרוּ כֹּה־אָמַר בֶּן־הֲדַד לֵאמֹר
כִּי־שָׁלַחְתִּי אֵלֶיךָ לֵאמֹר כַּסְפְּךָ וּזְהָבְךָ וְנָשֶׁיךָ וּבָנֶיךָ לִי תִתֵּן׃
ו כִּי ׀ אִם־כָּעֵת מָחָר אֶשְׁלַח אֶת־עֲבָדַי אֵלֶיךָ וְחִפְּשׂוּ אֶת־בֵּיתְךָ
וְאֵת בָּתֵּי עֲבָדֶיךָ וְהָיָה כָּל־מַחְמַד עֵינֶיךָ יָשִׂימוּ בְיָדָם וְלָקָחוּ׃
ז וַיִּקְרָא מֶלֶךְ־יִשְׂרָאֵל לְכָל־זִקְנֵי הָאָרֶץ וַיֹּאמֶר דְּעוּ־נָא וּרְאוּ כִּי
רָעָה זֶה מְבַקֵּשׁ כִּי־שָׁלַח אֵלַי לְנָשַׁי וּלְבָנַי וּלְכַסְפִּי וְלִזְהָבִי וְלֹא
ח מָנַעְתִּי מִמֶּנּוּ׃ וַיֹּאמְרוּ אֵלָיו כָּל־הַזְּקֵנִים וְכָל־הָעָם אַל־תִּשְׁמַע
ט וְלוֹא תֹאבֶה׃ וַיֹּאמֶר לְמַלְאֲכֵי בֶן־הֲדַד אִמְרוּ לַאדֹנִי הַמֶּלֶךְ כֹּל
אֲשֶׁר־שָׁלַחְתָּ אֶל־עַבְדְּךָ בָרִאשֹׁנָה אֶעֱשֶׂה וְהַדָּבָר הַזֶּה לֹא אוּכַל
י לַעֲשׂוֹת וַיֵּלְכוּ הַמַּלְאָכִים וַיְשִׁבֻהוּ דָּבָר׃ וַיִּשְׁלַח אֵלָיו בֶּן־הֲדַד
וַיֹּאמֶר כֹּה־יַעֲשׂוּן לִי אֱלֹהִים וְכֹה יוֹסִפוּ אִם־יִשְׂפֹּק עֲפַר שֹׁמְרוֹן
יא לִשְׁעָלִים לְכָל־הָעָם אֲשֶׁר בְּרַגְלָי׃ וַיַּעַן מֶלֶךְ־יִשְׂרָאֵל וַיֹּאמֶר
יב דַּבְּרוּ אַל־יִתְהַלֵּל חֹגֵר כִּמְפַתֵּחַ׃ וַיְהִי כִּשְׁמֹעַ אֶת־הַדָּבָר הַזֶּה

וְהוּא שֹׁתֶה הוּא וְהַמְּלָכִים בַּסֻּכּוֹת וַיֹּאמֶר אֶל־עֲבָדָיו שִׂימוּ
יג וַיָּשִׂימוּ עַל־הָעִיר׃ וְהִנֵּה ׀ נָבִיא אֶחָד נִגַּשׁ אֶל־אַחְאָב מֶלֶךְ־
יִשְׂרָאֵל וַיֹּאמֶר כֹּה אָמַר יְהוָה הֲרָאִיתָ אֵת כָּל־הֶהָמוֹן הַגָּדוֹל
יד הַזֶּה הִנְנִי נֹתְנוֹ בְיָדְךָ הַיּוֹם וְיָדַעְתָּ כִּי־אֲנִי יְהוָה׃ וַיֹּאמֶר אַחְאָב
בְּמִי וַיֹּאמֶר כֹּה־אָמַר יְהוָה בְּנַעֲרֵי שָׂרֵי הַמְּדִינוֹת וַיֹּאמֶר
טו מִי־יֶאְסֹר הַמִּלְחָמָה וַיֹּאמֶר אָתָּה׃ וַיִּפְקֹד אֶת־נַעֲרֵי שָׂרֵי
הַמְּדִינוֹת וַיִּהְיוּ מָאתַיִם שְׁנַיִם וּשְׁלֹשִׁים וְאַחֲרֵיהֶם פָּקַד אֶת־
טז כָּל־הָעָם כָּל־בְּנֵי יִשְׂרָאֵל שִׁבְעַת אֲלָפִים׃ וַיֵּצְאוּ בַּצָּהֳרָיִם
וּבֶן־הֲדַד שֹׁתֶה שִׁכּוֹר בַּסֻּכּוֹת הוּא וְהַמְּלָכִים שְׁלֹשִׁים־וּשְׁנַיִם
יז מֶלֶךְ עֹזֵר אֹתוֹ׃ וַיֵּצְאוּ נַעֲרֵי שָׂרֵי הַמְּדִינוֹת בָּרִאשֹׁנָה וַיִּשְׁלַח
יח בֶּן־הֲדַד וַיַּגִּידוּ לוֹ לֵאמֹר אֲנָשִׁים יָצְאוּ מִשֹּׁמְרוֹן׃ וַיֹּאמֶר
אִם־לְשָׁלוֹם יָצָאוּ תִּפְשׂוּם חַיִּים וְאִם לְמִלְחָמָה יָצְאוּ חַיִּים
יט תִּפְשׂוּם׃ וְאֵלֶּה יָצְאוּ מִן־הָעִיר נַעֲרֵי שָׂרֵי הַמְּדִינוֹת וְהַחַיִל אֲשֶׁר
כ אַחֲרֵיהֶם׃ וַיַּכּוּ אִישׁ אִישׁוֹ וַיָּנֻסוּ אֲרָם וַיִּרְדְּפֵם יִשְׂרָאֵל וַיִּמָּלֵט
כא בֶּן־הֲדַד מֶלֶךְ אֲרָם עַל־סוּס וּפָרָשִׁים׃ וַיֵּצֵא מֶלֶךְ יִשְׂרָאֵל וַיַּךְ
כב אֶת־הַסּוּס וְאֶת־הָרֶכֶב וְהִכָּה בַאֲרָם מַכָּה גְדוֹלָה׃ וַיִּגַּשׁ הַנָּבִיא
אֶל־מֶלֶךְ יִשְׂרָאֵל וַיֹּאמֶר לוֹ לֵךְ הִתְחַזַּק וְדַע וּרְאֵה אֵת
אֲשֶׁר־תַּעֲשֶׂה כִּי לִתְשׁוּבַת הַשָּׁנָה מֶלֶךְ אֲרָם עֹלֶה עָלֶיךָ׃
כג וְעַבְדֵי מֶלֶךְ־אֲרָם אָמְרוּ אֵלָיו אֱלֹהֵי הָרִים אֱלֹהֵיהֶם עַל־כֵּן
חָזְקוּ מִמֶּנּוּ וְאוּלָם נִלָּחֵם אִתָּם בַּמִּישׁוֹר אִם־לֹא נֶחֱזַק מֵהֶם׃
כד וְאֶת־הַדָּבָר הַזֶּה עֲשֵׂה הָסֵר הַמְּלָכִים אִישׁ מִמְּקֹמוֹ וְשִׂים פַּחוֹת
כה תַּחְתֵּיהֶם׃ וְאַתָּה תִמְנֶה־לְךָ ׀ חַיִל כַּחַיִל הַנֹּפֵל מֵאוֹתָךְ וְסוּס
כַּסּוּס ׀ וְרֶכֶב כָּרֶכֶב וְנִלָּחֲמָה אוֹתָם בַּמִּישׁוֹר אִם־לֹא נֶחֱזַק מֵהֶם
וַיִּשְׁמַע לְקֹלָם וַיַּעַשׂ כֵּן׃
כו וַיְהִי לִתְשׁוּבַת הַשָּׁנָה וַיִּפְקֹד בֶּן־הֲדַד אֶת־אֲרָם וַיַּעַל אֲפֵקָה

נְבוּאָה לְנִצָּחוֹן אַחְאָב׃

אַזְהָרַת הַנָּבִיא מֵהַמִּלְחָמָה הַבָּאָה׃

נִצָּחוֹן אַחְאָב וְשִׁלּוּחַ מֶלֶךְ אֲרָם:

כז לַמִּלְחָמָה עִם־יִשְׂרָאֵל: וּבְנֵי יִשְׂרָאֵל הָתְפָּקְדוּ וְכָלְכְּלוּ וַיֵּלְכוּ
לִקְרָאתָם וַיַּחֲנוּ בְנֵי־יִשְׂרָאֵל נֶגְדָּם כִּשְׁנֵי חֲשִׂפֵי עִזִּים וַאֲרָם
כח מִלְאוּ אֶת־הָאָרֶץ: וַיִּגַּשׁ אִישׁ הָאֱלֹהִים וַיֹּאמֶר אֶל־מֶלֶךְ יִשְׂרָאֵל
וַיֹּאמֶר כֹּה־אָמַר יְהוָה יַעַן אֲשֶׁר אָמְרוּ אֲרָם אֱלֹהֵי הָרִים יְהוָה
וְלֹא־אֱלֹהֵי עֲמָקִים הוּא וְנָתַתִּי אֶת־כָּל־הֶהָמוֹן הַגָּדוֹל הַזֶּה
כט בְּיָדֶךָ וִידַעְתֶּם כִּי־אֲנִי יְהוָה: וַיַּחֲנוּ אֵלֶּה נֹכַח־אֵלֶּה שִׁבְעַת יָמִים
וַיְהִי ׀ בַּיּוֹם הַשְּׁבִיעִי וַתִּקְרַב הַמִּלְחָמָה וַיַּכּוּ בְנֵי־יִשְׂרָאֵל
ל אֶת־אֲרָם מֵאָה־אֶלֶף רַגְלִי בְּיוֹם אֶחָד: וַיָּנֻסוּ הַנּוֹתָרִים ׀ אֲפֵקָה
אֶל־הָעִיר וַתִּפֹּל הַחוֹמָה עַל־עֶשְׂרִים וְשִׁבְעָה אֶלֶף אִישׁ
לא הַנּוֹתָרִים וּבֶן־הֲדַד נָס וַיָּבֹא אֶל־הָעִיר חֶדֶר בְּחָדֶר: וַיֹּאמְרוּ
אֵלָיו עֲבָדָיו הִנֵּה־נָא שָׁמַעְנוּ כִּי מַלְכֵי בֵּית יִשְׂרָאֵל כִּי־מַלְכֵי
חֶסֶד הֵם נָשִׂימָה נָּא שַׂקִּים בְּמָתְנֵינוּ וַחֲבָלִים בְּרֹאשֵׁנוּ וְנֵצֵא
לב אֶל־מֶלֶךְ יִשְׂרָאֵל אוּלַי יְחַיֶּה אֶת־נַפְשֶׁךָ: וַיַּחְגְּרוּ שַׂקִּים
בְּמָתְנֵיהֶם וַחֲבָלִים בְּרָאשֵׁיהֶם וַיָּבֹאוּ אֶל־מֶלֶךְ יִשְׂרָאֵל וַיֹּאמְרוּ
עַבְדְּךָ בֶן־הֲדַד אָמַר תְּחִי־נָא נַפְשִׁי וַיֹּאמֶר הַעוֹדֶנּוּ חַי אָחִי הוּא:
לג וְהָאֲנָשִׁים יְנַחֲשׁוּ וַיְמַהֲרוּ וַיַּחְלְטוּ הֲמִמֶּנּוּ וַיֹּאמְרוּ אָחִיךָ בֶן־הֲדַד
וַיֹּאמֶר בֹּאוּ קָחֻהוּ וַיֵּצֵא אֵלָיו בֶּן־הֲדַד וַיַּעֲלֵהוּ עַל־הַמֶּרְכָּבָה:
לד וַיֹּאמֶר אֵלָיו הֶעָרִים אֲשֶׁר־לָקַח־אָבִי מֵאֵת אָבִיךָ אָשִׁיב וְחוּצוֹת
תָּשִׂים לְךָ בְדַמֶּשֶׂק כַּאֲשֶׁר־שָׂם אָבִי בְּשֹׁמְרוֹן וַאֲנִי בַּבְּרִית
לה אֲשַׁלְּחֶךָּ וַיִּכְרָת־לוֹ בְרִית וַיְשַׁלְּחֵהוּ: וְאִישׁ אֶחָד מִבְּנֵי
הַנְּבִיאִים אָמַר אֶל־רֵעֵהוּ בִּדְבַר יְהוָה הַכֵּינִי נָא וַיְמָאֵן הָאִישׁ
לו לְהַכֹּתוֹ: וַיֹּאמֶר לוֹ יַעַן אֲשֶׁר לֹא־שָׁמַעְתָּ בְּקוֹל יְהוָה הִנְּךָ הוֹלֵךְ
לז מֵאִתִּי וְהִכְּךָ הָאַרְיֵה וַיֵּלֶךְ מֵאֶצְלוֹ וַיִּמְצָאֵהוּ הָאַרְיֵה וַיַּכֵּהוּ: וַיִּמְצָא
לח אִישׁ אַחֵר וַיֹּאמֶר הַכֵּינִי נָא וַיַּכֵּהוּ הָאִישׁ הַכֵּה וּפָצֹעַ: וַיֵּלֶךְ
לט הַנָּבִיא וַיַּעֲמֹד לַמֶּלֶךְ עַל־הַדָּרֶךְ וַיִּתְחַפֵּשׂ בָּאֲפֵר עַל־עֵינָיו: וַיְהִי

נְבוּאַת עֹנֶשׁ לְאַחְאָב:

הַמֶּלֶךְ עֹבֵר וְהוּא צָעַק אֶל־הַמֶּלֶךְ וַיֹּאמֶר עַבְדְּךָ ׀ יָצָא בְקֶרֶב־
הַמִּלְחָמָה וְהִנֵּה־אִישׁ סָר וַיָּבֵא אֵלַי אִישׁ וַיֹּאמֶר שְׁמֹר אֶת־
הָאִישׁ הַזֶּה אִם־הִפָּקֵד יִפָּקֵד וְהָיְתָה נַפְשְׁךָ תַּחַת נַפְשׁוֹ אוֹ
מ כִכַּר־כֶּסֶף תִּשְׁקוֹל׃ וַיְהִי עַבְדְּךָ עֹשֶׂה הֵנָּה וָהֵנָּה וְהוּא אֵינֶנּוּ וַיֹּאמֶר
מא אֵלָיו מֶלֶךְ־יִשְׂרָאֵל כֵּן מִשְׁפָּטֶךָ אַתָּה חָרָצְתָּ׃ וַיְמַהֵר וַיָּסַר אֶת־
הָאֲפֵר מעל מֵעֲלֵי עֵינָיו וַיַּכֵּר אֹתוֹ מֶלֶךְ יִשְׂרָאֵל כִּי מֵהַנְּבִאִים
מב הוּא׃ וַיֹּאמֶר אֵלָיו כֹּה אָמַר יְהוָה יַעַן שִׁלַּחְתָּ אֶת־אִישׁ־חֶרְמִי מִיָּד
מג וְהָיְתָה נַפְשְׁךָ תַּחַת נַפְשׁוֹ וְעַמְּךָ תַּחַת עַמּוֹ׃ וַיֵּלֶךְ מֶלֶךְ־יִשְׂרָאֵל
עַל־בֵּיתוֹ סַר וְזָעֵף וַיָּבֹא שֹׁמְרוֹנָה׃

כא א וַיְהִי אַחַר הַדְּבָרִים הָאֵלֶּה כֶּרֶם הָיָה לְנָבוֹת הַיִּזְרְעֵאלִי אֲשֶׁר כֶּרֶם נָבוֹת׃
ב בְּיִזְרְעֶאל אֵצֶל הֵיכַל אַחְאָב מֶלֶךְ שֹׁמְרוֹן׃ וַיְדַבֵּר אַחְאָב
אֶל־נָבוֹת ׀ לֵאמֹר ׀ תְּנָה־לִּי אֶת־כַּרְמְךָ וִיהִי־לִי לְגַן־יָרָק כִּי הוּא
קָרוֹב אֵצֶל בֵּיתִי וְאֶתְּנָה לְךָ תַּחְתָּיו כֶּרֶם טוֹב מִמֶּנּוּ אִם טוֹב
ג בְּעֵינֶיךָ אֶתְּנָה־לְךָ כֶסֶף מְחִיר זֶה׃ וַיֹּאמֶר נָבוֹת אֶל־אַחְאָב
ד חָלִילָה לִּי מֵיְהוָה מִתִּתִּי אֶת־נַחֲלַת אֲבֹתַי לָךְ׃ וַיָּבֹא אַחְאָב
אֶל־בֵּיתוֹ סַר וְזָעֵף עַל־הַדָּבָר אֲשֶׁר־דִּבֶּר אֵלָיו נָבוֹת הַיִּזְרְעֵאלִי
וַיֹּאמֶר לֹא־אֶתֵּן לְךָ אֶת־נַחֲלַת אֲבוֹתָי וַיִּשְׁכַּב עַל־מִטָּתוֹ וַיַּסֵּב
ה אֶת־פָּנָיו וְלֹא־אָכַל לָחֶם׃ וַתָּבֹא אֵלָיו אִיזֶבֶל אִשְׁתּוֹ וַתְּדַבֵּר אֵלָיו
ו מַה־זֶּה רוּחֲךָ סָרָה וְאֵינְךָ אֹכֵל לָחֶם׃ וַיְדַבֵּר אֵלֶיהָ כִּי־אֲדַבֵּר
אֶל־נָבוֹת הַיִּזְרְעֵאלִי וָאֹמַר לוֹ תְּנָה־לִּי אֶת־כַּרְמְךָ בְּכֶסֶף אוֹ
אִם־חָפֵץ אַתָּה אֶתְּנָה־לְךָ כֶרֶם תַּחְתָּיו וַיֹּאמֶר לֹא־אֶתֵּן לְךָ
ז אֶת־כַּרְמִי׃ וַתֹּאמֶר אֵלָיו אִיזֶבֶל אִשְׁתּוֹ אַתָּה עַתָּה תַּעֲשֶׂה עֲצַת
מְלוּכָה עַל־יִשְׂרָאֵל קוּם אֱכָל־לֶחֶם וְיִטַב לִבֶּךָ אֲנִי אֶתֵּן לְךָ אִיזֶבֶל וַהֲרִיגַת
ח אֶת־כֶּרֶם נָבוֹת הַיִּזְרְעֵאלִי׃ וַתִּכְתֹּב סְפָרִים בְּשֵׁם אַחְאָב וַתַּחְתֹּם נָבוֹת׃
בְּחֹתָמוֹ וַתִּשְׁלַח הספרים סְפָרִים אֶל־הַזְּקֵנִים וְאֶל־הַחֹרִים אֲשֶׁר

ט בְּעִירוֹ הַיֹּשְׁבִים אֶת־נָבוֹת׃ וַתִּכְתֹּב בַּסְּפָרִים לֵאמֹר קִרְאוּ־צוֹם
י וְהֹשִׁיבוּ אֶת־נָבוֹת בְּרֹאשׁ הָעָם׃ וְהוֹשִׁיבוּ שְׁנַיִם אֲנָשִׁים בְּנֵי־
בְלִיַּעַל נֶגְדּוֹ וִיעִדֻהוּ לֵאמֹר בֵּרַכְתָּ אֱלֹהִים וָמֶלֶךְ וְהוֹצִיאֻהוּ
יא וְסִקְלֻהוּ וְיָמֹת׃ וַיַּעֲשׂוּ אַנְשֵׁי עִירוֹ הַזְּקֵנִים וְהַחֹרִים אֲשֶׁר
הַיֹּשְׁבִים בְּעִירוֹ כַּאֲשֶׁר שָׁלְחָה אֲלֵיהֶם אִיזָבֶל כַּאֲשֶׁר כָּתוּב
יב בַּסְּפָרִים אֲשֶׁר שָׁלְחָה אֲלֵיהֶם׃ קָרְאוּ צוֹם וְהֹשִׁיבוּ אֶת־נָבוֹת
יג בְּרֹאשׁ הָעָם׃ וַיָּבֹאוּ שְׁנֵי הָאֲנָשִׁים בְּנֵי־בְלִיַּעַל וַיֵּשְׁבוּ נֶגְדּוֹ
וַיְעִדֻהוּ אַנְשֵׁי הַבְּלִיַּעַל אֶת־נָבוֹת נֶגֶד הָעָם לֵאמֹר בֵּרַךְ נָבוֹת
אֱלֹהִים וָמֶלֶךְ וַיֹּצִאֻהוּ מִחוּץ לָעִיר וַיִּסְקְלֻהוּ בָאֲבָנִים וַיָּמֹת׃
יד טו וַיִּשְׁלְחוּ אֶל־אִיזֶבֶל לֵאמֹר סֻקַּל נָבוֹת וַיָּמֹת׃ וַיְהִי כִּשְׁמֹעַ אִיזֶבֶל
כִּי־סֻקַּל נָבוֹת וַיָּמֹת וַתֹּאמֶר אִיזֶבֶל אֶל־אַחְאָב קוּם רֵשׁ אֶת־
כֶּרֶם ׀ נָבוֹת הַיִּזְרְעֵאלִי אֲשֶׁר מֵאֵן לָתֶת־לְךָ בְכֶסֶף כִּי אֵין נָבוֹת
טז חַי כִּי־מֵת׃ וַיְהִי כִּשְׁמֹעַ אַחְאָב כִּי מֵת נָבוֹת וַיָּקָם אַחְאָב לָרֶדֶת
אֶל־כֶּרֶם נָבוֹת הַיִּזְרְעֵאלִי לְרִשְׁתּוֹ׃

נְבוּאַת אֵלִיָּהוּ עַל הַשְׁמָדַת בֵּית אַחְאָב:

יז יח וַיְהִי דְּבַר־יְהוָה אֶל־אֵלִיָּהוּ הַתִּשְׁבִּי לֵאמֹר׃ קוּם רֵד לִקְרַאת
אַחְאָב מֶלֶךְ־יִשְׂרָאֵל אֲשֶׁר בְּשֹׁמְרוֹן הִנֵּה בְּכֶרֶם נָבוֹת אֲשֶׁר־יָרַד
יט שָׁם לְרִשְׁתּוֹ׃ וְדִבַּרְתָּ אֵלָיו לֵאמֹר כֹּה אָמַר יְהוָה הֲרָצַחְתָּ
וְגַם־יָרָשְׁתָּ וְדִבַּרְתָּ אֵלָיו לֵאמֹר כֹּה אָמַר יְהוָה בִּמְקוֹם אֲשֶׁר
לָקְקוּ הַכְּלָבִים אֶת־דַּם נָבוֹת יָלֹקּוּ הַכְּלָבִים אֶת־דָּמְךָ גַּם־אָתָּה׃
כ וַיֹּאמֶר אַחְאָב אֶל־אֵלִיָּהוּ הַמְצָאתַנִי אֹיְבִי וַיֹּאמֶר מָצָאתִי יַעַן
כא הִתְמַכֶּרְךָ לַעֲשׂוֹת הָרַע בְּעֵינֵי יְהוָה׃ הִנְנִי מֵבִי אֵלֶיךָ רָעָה
וּבִעַרְתִּי אַחֲרֶיךָ וְהִכְרַתִּי לְאַחְאָב מַשְׁתִּין בְּקִיר וְעָצוּר וְעָזוּב
כב בְּיִשְׂרָאֵל׃ וְנָתַתִּי אֶת־בֵּיתְךָ כְּבֵית יָרָבְעָם בֶּן־נְבָט וּכְבֵית
בַּעְשָׁא בֶן־אֲחִיָּה אֶל־הַכַּעַס אֲשֶׁר הִכְעַסְתָּ וַתַּחֲטִא אֶת־
כג יִשְׂרָאֵל׃ וְגַם־לְאִיזֶבֶל דִּבֶּר יְהוָה לֵאמֹר הַכְּלָבִים יֹאכְלוּ אֶת־

כד אִיזֶבֶל בְּחֵל יִזְרְעֶאל: הַמֵּת לְאַחְאָב בָּעִיר יֹאכְלוּ הַכְּלָבִים וְהַמֵּת

כה בַּשָּׂדֶה יֹאכְלוּ עוֹף הַשָּׁמָיִם: רַק לֹא־הָיָה כְאַחְאָב אֲשֶׁר הִתְמַכֵּר
לַעֲשׂוֹת הָרַע בְּעֵינֵי יְהֹוָה אֲשֶׁר־הֵסַתָּה אֹתוֹ אִיזֶבֶל אִשְׁתּוֹ:

כו וַיַּתְעֵב מְאֹד לָלֶכֶת אַחֲרֵי הַגִּלֻּלִים כְּכֹל אֲשֶׁר עָשׂוּ הָאֱמֹרִי אֲשֶׁר
הוֹרִישׁ יְהֹוָה מִפְּנֵי בְּנֵי יִשְׂרָאֵל:

כְּנִיעַת
אַחְאָב
מִפְּנֵי ה':

כז וַיְהִי כִשְׁמֹעַ אַחְאָב אֶת־הַדְּבָרִים הָאֵלֶּה וַיִּקְרַע בְּגָדָיו וַיָּשֶׂם־
שַׂק עַל־בְּשָׂרוֹ וַיָּצוֹם וַיִּשְׁכַּב בַּשָּׂק וַיְהַלֵּךְ אַט:

כח וַיְהִי דְּבַר־יְהֹוָה אֶל־אֵלִיָּהוּ הַתִּשְׁבִּי לֵאמֹר: הֲרָאִיתָ כִּי־נִכְנַע
אַחְאָב מִלְּפָנָי יַעַן כִּי־נִכְנַע מִפָּנַי לֹא־אָבִיא הָרָעָה בְּיָמָיו בִּימֵי

כב בְּנוֹ אָבִיא הָרָעָה עַל־בֵּיתוֹ: וַיֵּשְׁבוּ שָׁלֹשׁ שָׁנִים אֵין מִלְחָמָה
בֵּין אֲרָם וּבֵין יִשְׂרָאֵל:

מִלְחֶמֶת
רָמֹת
גִּלְעָד:

ב וַיְהִי בַּשָּׁנָה הַשְּׁלִישִׁית וַיֵּרֶד יְהוֹשָׁפָט מֶלֶךְ־יְהוּדָה אֶל־מֶלֶךְ
ישראל: וַיֹּאמֶר מֶלֶךְ־יִשְׂרָאֵל אֶל־עֲבָדָיו הַיְדַעְתֶּם כִּי־לָנוּ רָמֹת

ג גִלְעָד וַאֲנַחְנוּ מַחְשִׁים מִקַּחַת אֹתָהּ מִיַּד מֶלֶךְ אֲרָם: וַיֹּאמֶר

ד אֶל־יְהוֹשָׁפָט הֲתֵלֵךְ אִתִּי לַמִּלְחָמָה רָמֹת גִּלְעָד וַיֹּאמֶר יְהוֹשָׁפָט
אֶל־מֶלֶךְ יִשְׂרָאֵל כָּמוֹנִי כָמוֹךָ כְּעַמִּי כְעַמֶּךָ כְּסוּסַי כְּסוּסֶיךָ:

ה וַיֹּאמֶר יְהוֹשָׁפָט אֶל־מֶלֶךְ יִשְׂרָאֵל דְּרָשׁ־נָא כַיּוֹם אֶת־דְּבַר יְהֹוָה:

ו וַיִּקְבֹּץ מֶלֶךְ־יִשְׂרָאֵל אֶת־הַנְּבִיאִים כְּאַרְבַּע מֵאוֹת אִישׁ וַיֹּאמֶר
אֲלֵהֶם הַאֵלֵךְ עַל־רָמֹת גִּלְעָד לַמִּלְחָמָה אִם־אֶחְדָּל וַיֹּאמְרוּ עֲלֵה

ז וְיִתֵּן אֲדֹנָי בְּיַד הַמֶּלֶךְ: וַיֹּאמֶר יְהוֹשָׁפָט הַאֵין פֹּה נָבִיא לַיהֹוָה

ח עוֹד וְנִדְרְשָׁה מֵאֹתוֹ: וַיֹּאמֶר מֶלֶךְ־יִשְׂרָאֵל אֶל־יְהוֹשָׁפָט עוֹד
אִישׁ־אֶחָד לִדְרֹשׁ אֶת־יְהֹוָה מֵאֹתוֹ וַאֲנִי שְׂנֵאתִיו כִּי לֹא־יִתְנַבֵּא
עָלַי טוֹב כִּי אִם־רָע מִיכָיְהוּ בֶּן־יִמְלָה וַיֹּאמֶר יְהוֹשָׁפָט

ט אַל־יֹאמַר הַמֶּלֶךְ כֵּן: וַיִּקְרָא מֶלֶךְ יִשְׂרָאֵל אֶל־סָרִיס אֶחָד

י וַיֹּאמֶר מַהֲרָה מִיכָיְהוּ בֶן־יִמְלָה: וּמֶלֶךְ יִשְׂרָאֵל וִיהוֹשָׁפָט מֶלֶךְ־

יְהוּדָה יֹשְׁבִים אִישׁ עַל־כִּסְאוֹ מְלֻבָּשִׁים בְּגָדִים בְּגֹרֶן פֶּתַח
יא שַׁעַר שֹׁמְרוֹן וְכָל־הַנְּבִיאִים מִתְנַבְּאִים לִפְנֵיהֶם׃ וַיַּעַשׂ לוֹ צִדְקִיָּה
בֶן־כְּנַעֲנָה קַרְנֵי בַרְזֶל וַיֹּאמֶר כֹּה־אָמַר יְהוָה בְּאֵלֶּה תְּנַגַּח
יב אֶת־אֲרָם עַד־כַּלֹּתָם׃ וְכָל־הַנְּבִאִים נִבְּאִים כֵּן לֵאמֹר עֲלֵה רָמֹת
יג גִּלְעָד וְהַצְלַח וְנָתַן יְהוָה בְּיַד הַמֶּלֶךְ׃ וְהַמַּלְאָךְ אֲשֶׁר־הָלַךְ ׀
לִקְרֹא מִיכָיְהוּ דִּבֶּר אֵלָיו לֵאמֹר הִנֵּה־נָא דִּבְרֵי הַנְּבִיאִים
פֶּה־אֶחָד טוֹב אֶל־הַמֶּלֶךְ יְהִי־נָא דבריך דְּבָרְךָ כִּדְבַר אַחַד מֵהֶם
יד וְדִבַּרְתָּ טּוֹב׃ וַיֹּאמֶר מִיכָיְהוּ חַי־יְהוָה כִּי אֶת־אֲשֶׁר יֹאמַר יְהוָה
טו אֵלַי אֹתוֹ אֲדַבֵּר׃ וַיָּבוֹא אֶל־הַמֶּלֶךְ וַיֹּאמֶר הַמֶּלֶךְ אֵלָיו מִיכָיְהוּ
הֲנֵלֵךְ אֶל־רָמֹת גִּלְעָד לַמִּלְחָמָה אִם־נֶחְדָּל וַיֹּאמֶר אֵלָיו עֲלֵה
טז וְהַצְלַח וְנָתַן יְהוָה בְּיַד הַמֶּלֶךְ׃ וַיֹּאמֶר אֵלָיו הַמֶּלֶךְ עַד־כַּמֶּה
פְעָמִים אֲנִי מַשְׁבִּעֶךָ אֲשֶׁר לֹא־תְדַבֵּר אֵלַי רַק־אֱמֶת בְּשֵׁם יְהוָה׃
יז וַיֹּאמֶר רָאִיתִי אֶת־כָּל־יִשְׂרָאֵל נְפֹצִים אֶל־הֶהָרִים כַּצֹּאן אֲשֶׁר
אֵין־לָהֶם רֹעֶה וַיֹּאמֶר יְהוָה לֹא־אֲדֹנִים לָאֵלֶּה יָשׁוּבוּ אִישׁ־לְבֵיתוֹ
יח בְּשָׁלוֹם׃ וַיֹּאמֶר מֶלֶךְ־יִשְׂרָאֵל אֶל־יְהוֹשָׁפָט הֲלוֹא אָמַרְתִּי אֵלֶיךָ
יט לוֹא־יִתְנַבֵּא עָלַי טוֹב כִּי אִם־רָע׃ וַיֹּאמֶר לָכֵן שְׁמַע
נְבוּאַת מִיכָיְהוּ בֶן יִמְלָה׃
דְּבַר־יְהוָה רָאִיתִי אֶת־יְהוָה יֹשֵׁב עַל־כִּסְאוֹ וְכָל־צְבָא הַשָּׁמַיִם
כ עֹמֵד עָלָיו מִימִינוֹ וּמִשְּׂמֹאלוֹ׃ וַיֹּאמֶר יְהוָה מִי יְפַתֶּה אֶת־אַחְאָב
כא וְיַעַל וְיִפֹּל בְּרָמֹת גִּלְעָד וַיֹּאמֶר זֶה בְּכֹה וְזֶה אֹמֵר בְּכֹה׃ וַיֵּצֵא
הָרוּחַ וַיַּעֲמֹד לִפְנֵי יְהוָה וַיֹּאמֶר אֲנִי אֲפַתֶּנּוּ וַיֹּאמֶר יְהוָה אֵלָיו
כב בַּמָּה׃ וַיֹּאמֶר אֵצֵא וְהָיִיתִי רוּחַ שֶׁקֶר בְּפִי כָּל־נְבִיאָיו וַיֹּאמֶר
כג תְּפַתֶּה וְגַם־תּוּכָל צֵא וַעֲשֵׂה־כֵן׃ וְעַתָּה הִנֵּה נָתַן יְהוָה רוּחַ
כד שֶׁקֶר בְּפִי כָּל־נְבִיאֶיךָ אֵלֶּה וַיהוָה דִּבֶּר עָלֶיךָ רָעָה׃ וַיִּגַּשׁ
צִדְקִיָּהוּ בֶן־כְּנַעֲנָה וַיַּכֶּה אֶת־מִיכָיְהוּ עַל־הַלֶּחִי וַיֹּאמֶר אֵי־זֶה
כה עָבַר רוּחַ־יְהוָה מֵאִתִּי לְדַבֵּר אוֹתָךְ׃ וַיֹּאמֶר מִיכָיְהוּ הִנְּךָ רֹאֶה

כו בַּיּוֹם הַהוּא אֲשֶׁר תָּבֹא חֶדֶר בְּחֶדֶר לְהֵחָבֵה׃ וַיֹּאמֶר מֶלֶךְ יִשְׂרָאֵל
קַח אֶת־מִיכָיְהוּ וַהֲשִׁיבֵהוּ אֶל־אָמֹן שַׂר־הָעִיר וְאֶל־יוֹאָשׁ בֶּן־
כז הַמֶּלֶךְ׃ וְאָמַרְתָּ כֹּה אָמַר הַמֶּלֶךְ שִׂימוּ אֶת־זֶה בֵּית הַכֶּלֶא
כח וְהַאֲכִלֻהוּ לֶחֶם לַחַץ וּמַיִם לַחַץ עַד בֹּאִי בְשָׁלוֹם׃ וַיֹּאמֶר מִיכָיְהוּ
אִם־שׁוֹב תָּשׁוּב בְּשָׁלוֹם לֹא־דִבֶּר יְהוָה בִּי וַיֹּאמֶר שִׁמְעוּ עַמִּים
כט כֻּלָּם׃ וַיַּעַל מֶלֶךְ־יִשְׂרָאֵל וִיהוֹשָׁפָט מֶלֶךְ־יְהוּדָה רָמֹת גִּלְעָד׃
ל וַיֹּאמֶר מֶלֶךְ יִשְׂרָאֵל אֶל־יְהוֹשָׁפָט הִתְחַפֵּשׂ וָבֹא בַמִּלְחָמָה וְאַתָּה
לא לְבַשׁ בְּגָדֶיךָ וַיִּתְחַפֵּשׂ מֶלֶךְ יִשְׂרָאֵל וַיָּבוֹא בַּמִּלְחָמָה׃ וּמֶלֶךְ
אֲרָם צִוָּה אֶת־שָׂרֵי הָרֶכֶב אֲשֶׁר־לוֹ שְׁלֹשִׁים וּשְׁנַיִם לֵאמֹר לֹא
תִּלָּחֲמוּ אֶת־קָטֹן וְאֶת־גָּדוֹל כִּי אִם־אֶת־מֶלֶךְ יִשְׂרָאֵל לְבַדּוֹ׃
לב וַיְהִי כִּרְאוֹת שָׂרֵי הָרֶכֶב אֶת־יְהוֹשָׁפָט וְהֵמָּה אָמְרוּ אַךְ
לג מֶלֶךְ־יִשְׂרָאֵל הוּא וַיָּסֻרוּ עָלָיו לְהִלָּחֵם וַיִּזְעַק יְהוֹשָׁפָט׃ וַיְהִי
כִּרְאוֹת שָׂרֵי הָרֶכֶב כִּי־לֹא־מֶלֶךְ יִשְׂרָאֵל הוּא וַיָּשׁוּבוּ מֵאַחֲרָיו׃
לד וְאִישׁ מָשַׁךְ בַּקֶּשֶׁת לְתֻמּוֹ וַיַּכֶּה אֶת־מֶלֶךְ יִשְׂרָאֵל בֵּין הַדְּבָקִים
וּבֵין הַשִּׁרְיָן וַיֹּאמֶר לְרַכָּבוֹ הֲפֹךְ יָדְךָ וְהוֹצִיאֵנִי מִן־הַמַּחֲנֶה כִּי
לה הָחֳלֵיתִי׃ וַתַּעֲלֶה הַמִּלְחָמָה בַּיּוֹם הַהוּא וְהַמֶּלֶךְ הָיָה מָעֳמָד
בַּמֶּרְכָּבָה נֹכַח אֲרָם וַיָּמָת בָּעֶרֶב וַיִּצֶק דַּם־הַמַּכָּה אֶל־חֵיק
לו הָרָכֶב׃ וַיַּעֲבֹר הָרִנָּה בַּמַּחֲנֶה כְּבֹא הַשֶּׁמֶשׁ לֵאמֹר אִישׁ אֶל־עִירוֹ
לז וְאִישׁ אֶל־אַרְצוֹ׃ וַיָּמָת הַמֶּלֶךְ וַיָּבוֹא שֹׁמְרוֹן וַיִּקְבְּרוּ אֶת־הַמֶּלֶךְ
לח בְּשֹׁמְרוֹן׃ וַיִּשְׁטֹף אֶת־הָרֶכֶב עַל ׀ בְּרֵכַת שֹׁמְרוֹן וַיָּלֹקּוּ הַכְּלָבִים
לט אֶת־דָּמוֹ וְהַזֹּנוֹת רָחָצוּ כִּדְבַר יְהוָה אֲשֶׁר דִּבֵּר׃ וְיֶתֶר דִּבְרֵי
אַחְאָב וְכָל־אֲשֶׁר עָשָׂה וּבֵית הַשֵּׁן אֲשֶׁר בָּנָה וְכָל־הֶעָרִים אֲשֶׁר
בָּנָה הֲלוֹא־הֵם כְּתוּבִים עַל־סֵפֶר דִּבְרֵי הַיָּמִים לְמַלְכֵי יִשְׂרָאֵל׃
מ וַיִּשְׁכַּב אַחְאָב עִם־אֲבֹתָיו וַיִּמְלֹךְ אֲחַזְיָהוּ בְנוֹ תַּחְתָּיו׃
מא וִיהוֹשָׁפָט בֶּן־אָסָא מָלַךְ עַל־יְהוּדָה בִּשְׁנַת אַרְבַּע לְאַחְאָב מֶלֶךְ

כְּלִיאַת מִיכָיְהוּ עַד בֹּא נְבוּאָתוֹ:

מַלְכוּת יְהוֹשָׁפָט בֶּן אָסָא: [3024]

מב יִשְׂרָאֵל: יְהוֹשָׁפָט בֶּן־שְׁלֹשִׁים וְחָמֵשׁ שָׁנָה בְּמָלְכוֹ וְעֶשְׂרִים
מג וְחָמֵשׁ שָׁנָה מָלַךְ בִּירוּשָׁלָםִ וְשֵׁם אִמּוֹ עֲזוּבָה בַּת־שִׁלְחִי: וַיֵּלֶךְ
בְּכָל־דֶּרֶךְ אָסָא אָבִיו לֹא־סָר מִמֶּנּוּ לַעֲשׂוֹת הַיָּשָׁר בְּעֵינֵי יְהוָה:
מד אַךְ הַבָּמוֹת לֹא־סָרוּ עוֹד הָעָם מְזַבְּחִים וּמְקַטְּרִים בַּבָּמוֹת:
מה מו וַיַּשְׁלֵם יְהוֹשָׁפָט עִם־מֶלֶךְ יִשְׂרָאֵל: וְיֶתֶר דִּבְרֵי יְהוֹשָׁפָט וּגְבוּרָתוֹ
אֲשֶׁר־עָשָׂה וַאֲשֶׁר נִלְחָם הֲלֹא־הֵם כְּתוּבִים עַל־סֵפֶר דִּבְרֵי
מז הַיָּמִים לְמַלְכֵי יְהוּדָה: וְיֶתֶר הַקָּדֵשׁ אֲשֶׁר נִשְׁאַר בִּימֵי אָסָא
מח מט אָבִיו בִּעֵר מִן־הָאָרֶץ: וּמֶלֶךְ אֵין בֶּאֱדוֹם נִצָּב מֶלֶךְ: יְהוֹשָׁפָט
עשר עָשָׂה אֳנִיּוֹת תַּרְשִׁישׁ לָלֶכֶת אוֹפִירָה לַזָּהָב וְלֹא הָלָךְ
נ כִּי־נִשְׁבְּרוּ נשברה אֳנִיּוֹת בְּעֶצְיוֹן גָּבֶר: אָז אָמַר אֲחַזְיָהוּ בֶן־אַחְאָב
אֶל־יְהוֹשָׁפָט יֵלְכוּ עֲבָדַי עִם־עֲבָדֶיךָ בָּאֳנִיּוֹת וְלֹא אָבָה יְהוֹשָׁפָט:
נא וַיִּשְׁכַּב יְהוֹשָׁפָט עִם־אֲבֹתָיו וַיִּקָּבֵר עִם־אֲבֹתָיו בְּעִיר דָּוִד אָבִיו
נב וַיִּמְלֹךְ יְהוֹרָם בְּנוֹ תַּחְתָּיו: אֲחַזְיָהוּ בֶן־אַחְאָב מָלַךְ
עַל־יִשְׂרָאֵל בְּשֹׁמְרוֹן בִּשְׁנַת שְׁבַע עֶשְׂרֵה לִיהוֹשָׁפָט מֶלֶךְ
נג יְהוּדָה וַיִּמְלֹךְ עַל־יִשְׂרָאֵל שְׁנָתָיִם: וַיַּעַשׂ הָרַע בְּעֵינֵי יְהוָה וַיֵּלֶךְ
בְּדֶרֶךְ אָבִיו וּבְדֶרֶךְ אִמּוֹ וּבְדֶרֶךְ יָרָבְעָם בֶּן־נְבָט אֲשֶׁר הֶחֱטִיא
נד אֶת־יִשְׂרָאֵל: וַיַּעֲבֹד אֶת־הַבַּעַל וַיִּשְׁתַּחֲוֶה לוֹ וַיַּכְעֵס אֶת־יְהוָה
א א אֱלֹהֵי יִשְׂרָאֵל כְּכֹל אֲשֶׁר־עָשָׂה אָבִיו: וַיִּפְשַׁע מוֹאָב בְּיִשְׂרָאֵל
ב אַחֲרֵי מוֹת אַחְאָב: וַיִּפֹּל אֲחַזְיָה בְּעַד הַשְּׂבָכָה בַּעֲלִיָּתוֹ אֲשֶׁר
בְּשֹׁמְרוֹן וַיָּחַל וַיִּשְׁלַח מַלְאָכִים וַיֹּאמֶר אֲלֵהֶם לְכוּ דִרְשׁוּ בְּבַעַל
ג זְבוּב אֱלֹהֵי עֶקְרוֹן אִם־אֶחְיֶה מֵחֳלִי זֶה: וּמַלְאַךְ יְהוָה
דִּבֶּר אֶל־אֵלִיָּה הַתִּשְׁבִּי קוּם עֲלֵה לִקְרַאת מַלְאֲכֵי מֶלֶךְ־שֹׁמְרוֹן
וְדַבֵּר אֲלֵהֶם הֲמִבְּלִי אֵין־אֱלֹהִים בְּיִשְׂרָאֵל אַתֶּם הֹלְכִים לִדְרֹשׁ
ד בְּבַעַל זְבוּב אֱלֹהֵי עֶקְרוֹן: וְלָכֵן כֹּה־אָמַר יְהוָה הַמִּטָּה אֲשֶׁר־
ה עָלִיתָ שָּׁם לֹא־תֵרֵד מִמֶּנָּה כִּי מוֹת תָּמוּת וַיֵּלֶךְ אֵלִיָּה: וַיָּשׁוּבוּ

מַלְכוּת אֲחַזְיָה בֶּן אַחְאָב: [3041]

מלכי' ב מַחֲלַת אֲחַזְיָה, חֲטָאוֹ וְעָנְשׁוֹ:

ו הַמַּלְאָכִים אֵלָיו וַיֹּאמֶר אֲלֵיהֶם מַה־זֶּה שַׁבְתֶּם׃ וַיֹּאמְרוּ אֵלָיו
אִישׁ׀ עָלָה לִקְרָאתֵנוּ וַיֹּאמֶר אֵלֵינוּ לְכוּ שׁוּבוּ אֶל־הַמֶּלֶךְ
אֲשֶׁר־שָׁלַח אֶתְכֶם וְדִבַּרְתֶּם אֵלָיו כֹּה אָמַר יְהוָה הֲמִבְּלִי
אֵין־אֱלֹהִים בְּיִשְׂרָאֵל אַתָּה שֹׁלֵחַ לִדְרֹשׁ בְּבַעַל זְבוּב אֱלֹהֵי
עֶקְרוֹן לָכֵן הַמִּטָּה אֲשֶׁר־עָלִיתָ שָּׁם לֹא־תֵרֵד מִמֶּנָּה כִּי־מוֹת
ז תָּמוּת׃ וַיְדַבֵּר אֲלֵהֶם מֶה מִשְׁפַּט הָאִישׁ אֲשֶׁר עָלָה לִקְרַאתְכֶם
ח וַיְדַבֵּר אֲלֵיכֶם אֶת־הַדְּבָרִים הָאֵלֶּה׃ וַיֹּאמְרוּ אֵלָיו אִישׁ בַּעַל
ט שֵׂעָר וְאֵזוֹר עוֹר אָזוּר בְּמָתְנָיו וַיֹּאמַר אֵלִיָּה הַתִּשְׁבִּי הוּא׃ וַיִּשְׁלַח
אֵלָיו שַׂר־חֲמִשִּׁים וַחֲמִשָּׁיו וַיַּעַל אֵלָיו וְהִנֵּה יֹשֵׁב עַל־רֹאשׁ הָהָר
י וַיְדַבֵּר אֵלָיו אִישׁ הָאֱלֹהִים הַמֶּלֶךְ דִּבֶּר רֵדָה׃ וַיַּעֲנֶה אֵלִיָּהוּ
וַיְדַבֵּר אֶל־שַׂר הַחֲמִשִּׁים וְאִם־אִישׁ אֱלֹהִים אָנִי תֵּרֶד אֵשׁ
מִן־הַשָּׁמַיִם וְתֹאכַל אֹתְךָ וְאֶת־חֲמִשֶּׁיךָ וַתֵּרֶד אֵשׁ מִן־הַשָּׁמַיִם
יא וַתֹּאכַל אֹתוֹ וְאֶת־חֲמִשָּׁיו׃ וַיָּשָׁב וַיִּשְׁלַח אֵלָיו שַׂר־חֲמִשִּׁים אַחֵר
וַחֲמִשָּׁיו וַיַּעַן וַיְדַבֵּר אֵלָיו אִישׁ הָאֱלֹהִים כֹּה־אָמַר הַמֶּלֶךְ מְהֵרָה
יב רֵדָה׃ וַיַּעַן אֵלִיָּה וַיְדַבֵּר אֲלֵיהֶם אִם־אִישׁ הָאֱלֹהִים אָנִי תֵּרֶד
אֵשׁ מִן־הַשָּׁמַיִם וְתֹאכַל אֹתְךָ וְאֶת־חֲמִשֶּׁיךָ וַתֵּרֶד אֵשׁ־אֱלֹהִים
יג מִן־הַשָּׁמַיִם וַתֹּאכַל אֹתוֹ וְאֶת־חֲמִשָּׁיו׃ וַיָּשָׁב וַיִּשְׁלַח שַׂר־חֲמִשִּׁים
שְׁלִשִׁים וַחֲמִשָּׁיו וַיַּעַל וַיָּבֹא שַׂר־הַחֲמִשִּׁים הַשְּׁלִישִׁי וַיִּכְרַע עַל־
בִּרְכָּיו׀ לְנֶגֶד אֵלִיָּהוּ וַיִּתְחַנֵּן אֵלָיו וַיְדַבֵּר אֵלָיו אִישׁ הָאֱלֹהִים
יד תִּיקַר־נָא נַפְשִׁי וְנֶפֶשׁ עֲבָדֶיךָ אֵלֶּה חֲמִשִּׁים בְּעֵינֶיךָ׃ הִנֵּה יָרְדָה
אֵשׁ מִן־הַשָּׁמַיִם וַתֹּאכַל אֶת־שְׁנֵי שָׂרֵי הַחֲמִשִּׁים הָרִאשֹׁנִים
טו וְאֶת־חֲמִשֵּׁיהֶם וְעַתָּה תִּיקַר נַפְשִׁי בְּעֵינֶיךָ׃ וַיְדַבֵּר
מַלְאַךְ יְהוָה אֶל־אֵלִיָּהוּ רֵד אוֹתוֹ אַל־תִּירָא מִפָּנָיו וַיָּקָם וַיֵּרֶד
טז אוֹתוֹ אֶל־הַמֶּלֶךְ׃ וַיְדַבֵּר אֵלָיו כֹּה־אָמַר יְהוָה יַעַן אֲשֶׁר־שָׁלַחְתָּ
מַלְאָכִים לִדְרֹשׁ בְּבַעַל זְבוּב אֱלֹהֵי עֶקְרוֹן הֲמִבְּלִי אֵין־אֱלֹהִים

בְּיִשְׂרָאֵל לִדְרֹשׁ בִּדְבָרֽוֹ לָכֵן הַמִּטָּה אֲשֶׁר־עָלִיתָ שָּׁם לֹא־תֵרֵד

מִמֶּנָּה כִּי־מוֹת תָּמֽוּת: וַיָּמָת כִּדְבַר יְהֹוָה ׀ אֲשֶׁר־דִּבֶּר אֵלִיָּהוּ   יז

וַיִּמְלֹךְ יְהוֹרָם תַּחְתָּיו

בִּשְׁנַת שְׁתַּיִם לִיהוֹרָם בֶּן־יְהוֹשָׁפָט מֶלֶךְ יְהוּדָה כִּי לֹא־הָיָה לוֹ

בֵּֽן: וְיֶתֶר דִּבְרֵי אֲחַזְיָהוּ אֲשֶׁר עָשָׂה הֲלוֹא־הֵמָּה   יח

כְּתוּבִים עַל־סֵפֶר דִּבְרֵי הַיָּמִים לְמַלְכֵי יִשְׂרָאֵל:

א ב וַיְהִי בְּהַעֲלוֹת יְהֹוָה אֶת־אֵלִיָּהוּ בַּסְעָרָה הַשָּׁמָיִם וַיֵּלֶךְ אֵלִיָּהוּ

עָלִית
אֵלִיָּהוּ
הַשָּׁמְיְמָה

וֶאֱלִישָׁע מִן־הַגִּלְגָּֽל: וַיֹּאמֶר אֵלִיָּהוּ אֶל־אֱלִישָׁע שֵׁב־נָא פֹה כִּי   ב

יְהֹוָה שְׁלָחַנִי עַד־בֵּֽית־אֵל וַיֹּאמֶר אֱלִישָׁע חַי־יְהֹוָה וְחֵי־נַפְשְׁךָ

אִם־אֶעֶזְבֶךָּ וַיֵּרְדוּ בֵּֽית־אֵֽל: וַיֵּצְאוּ בְנֵי־הַנְּבִיאִים אֲשֶׁר־בֵּֽית־אֵל   ג

אֶל־אֱלִישָׁע וַיֹּאמְרוּ אֵלָיו הֲיָדַעְתָּ כִּי הַיּוֹם יְהֹוָה לֹקֵחַ אֶת־

אֲדֹנֶיךָ מֵעַל רֹאשֶׁךָ וַיֹּאמֶר גַּם־אֲנִי יָדַעְתִּי הֶחֱשֽׁוּ: וַיֹּאמֶר לוֹ   ד

אֵלִיָּהוּ אֱלִישָׁע ׀ שֵׁב־נָא פֹה כִּי יְהֹוָה שְׁלָחַנִי יְרִיחוֹ וַיֹּאמֶר

חַי־יְהֹוָה וְחֵי־נַפְשְׁךָ אִם־אֶעֶזְבֶךָּ וַיָּבֹאוּ יְרִיחֽוֹ: וַיִּגְּשׁוּ בְנֵי־   ה

הַנְּבִיאִים ׀ אֲשֶׁר־בִּירִיחוֹ אֶל־אֱלִישָׁע וַיֹּאמְרוּ אֵלָיו הֲיָדַעְתָּ כִּי

הַיּוֹם יְהֹוָה לֹקֵחַ אֶת־אֲדֹנֶיךָ מֵעַל רֹאשֶׁךָ וַיֹּאמֶר גַּם־אֲנִי

יָדַעְתִּי הֶחֱשֽׁוּ: וַיֹּאמֶר לוֹ אֵלִיָּהוּ שֵׁב־נָא פֹה כִּי יְהֹוָה שְׁלָחַנִי   ו

הַיַּרְדֵּנָה וַיֹּאמֶר חַי־יְהֹוָה וְחֵי־נַפְשְׁךָ אִם־אֶעֶזְבֶךָּ וַיֵּלְכוּ שְׁנֵיהֶֽם:

וַחֲמִשִּׁים אִישׁ מִבְּנֵי הַנְּבִיאִים הָלְכוּ וַיַּעַמְדוּ מִנֶּגֶד מֵרָחוֹק   ז

וּשְׁנֵיהֶם עָמְדוּ עַל־הַיַּרְדֵּֽן: וַיִּקַּח אֵלִיָּהוּ אֶת־אַדַּרְתּוֹ וַיִּגְלֹם וַיַּכֶּה   ח

נָס חֲצִית
הַיַּרְדֵּן
לְאֵלִיָּהוּ:

אֶת־הַמַּיִם וַיֵּחָצוּ הֵנָּה וָהֵנָּה וַיַּעַבְרוּ שְׁנֵיהֶם בֶּחָרָבָֽה: וַיְהִי כְעָבְרָם   ט

וְאֵלִיָּהוּ אָמַר אֶל־אֱלִישָׁע שְׁאַל מָה אֶעֱשֶׂה־לָּךְ בְּטֶרֶם אֶלָּקַח

מֵעִמָּךְ וַיֹּאמֶר אֱלִישָׁע וִיהִי נָא פִּי־שְׁנַיִם בְּרוּחֲךָ אֵלָֽי: וַיֹּאמֶר   י

הִקְשִׁיתָ לִשְׁאוֹל אִם־תִּרְאֶה אֹתִי לֻקָּח מֵֽאִתָּךְ יְהִי־לְךָ כֵן

וְאִם־אַיִן לֹא יִֽהְיֶֽה: וַיְהִי הֵמָּה הֹלְכִים הָלוֹךְ וְדַבֵּר וְהִנֵּה   יא

רֶכֶב־אֵשׁ וְסוּסֵי אֵשׁ וַיַּפְרִדוּ בֵּין שְׁנֵיהֶם וַיַּעַל אֵלִיָּהוּ בַּסְּעָרָה
יב הַשָּׁמָיִם׃ וֶאֱלִישָׁע רֹאֶה וְהוּא מְצַעֵק אָבִי ׀ אָבִי רֶכֶב יִשְׂרָאֵל
וּפָרָשָׁיו וְלֹא רָאָהוּ עוֹד וַיַּחֲזֵק בִּבְגָדָיו וַיִּקְרָעֵם לִשְׁנַיִם קְרָעִים׃
יג וַיָּרֶם אֶת־אַדֶּרֶת אֵלִיָּהוּ אֲשֶׁר נָפְלָה מֵעָלָיו וַיָּשָׁב וַיַּעֲמֹד
נֵס חֲצִיַּת הַיַּרְדֵּן לֶאֱלִישָׁע:
יד עַל־שְׂפַת הַיַּרְדֵּן׃ וַיִּקַּח אֶת־אַדֶּרֶת אֵלִיָּהוּ אֲשֶׁר־נָפְלָה מֵעָלָיו
וַיַּכֶּה אֶת־הַמַּיִם וַיֹּאמַר אַיֵּה יְהוָה אֱלֹהֵי אֵלִיָּהוּ אַף־הוּא ׀ וַיַּכֶּה
טו אֶת־הַמַּיִם וַיֵּחָצוּ הֵנָּה וָהֵנָּה וַיַּעֲבֹר אֱלִישָׁע׃ וַיִּרְאֻהוּ בְנֵי־
הַנְּבִיאִים אֲשֶׁר־בִּירִיחוֹ מִנֶּגֶד וַיֹּאמְרוּ נָחָה רוּחַ אֵלִיָּהוּ
טז עַל־אֱלִישָׁע וַיָּבֹאוּ לִקְרָאתוֹ וַיִּשְׁתַּחֲווּ־לוֹ אָרְצָה׃ וַיֹּאמְרוּ אֵלָיו
הִנֵּה־נָא יֵשׁ־אֶת־עֲבָדֶיךָ חֲמִשִּׁים אֲנָשִׁים בְּנֵי־חַיִל יֵלְכוּ־נָא
וִיבַקְשׁוּ אֶת־אֲדֹנֶיךָ פֶּן־נְשָׂאוֹ רוּחַ יְהוָה וַיַּשְׁלִכֵהוּ בְּאַחַד
יז הֶהָרִים אוֹ בְּאַחַת הגיאות הַגֵּאָיוֹת וַיֹּאמֶר לֹא תִשְׁלָחוּ׃ וַיִּפְצְרוּ־בוֹ
עַד־בֹּשׁ וַיֹּאמֶר שְׁלָחוּ וַיִּשְׁלְחוּ חֲמִשִּׁים אִישׁ וַיְבַקְשׁוּ שְׁלֹשָׁה־
יח יָמִים וְלֹא מְצָאֻהוּ׃ וַיָּשֻׁבוּ אֵלָיו וְהוּא יֹשֵׁב בִּירִיחוֹ וַיֹּאמֶר אֲלֵהֶם
יט הֲלוֹא־אָמַרְתִּי אֲלֵיכֶם אַל־תֵּלֵכוּ׃ וַיֹּאמְרוּ אַנְשֵׁי הָעִיר
מַעֲשֵׂי אֱלִישָׁע בִּירִיחוֹ וּבְבֵית אֵל:
אֶל־אֱלִישָׁע הִנֵּה־נָא מוֹשַׁב הָעִיר טוֹב כַּאֲשֶׁר אֲדֹנִי רֹאֶה וְהַמַּיִם
כ רָעִים וְהָאָרֶץ מְשַׁכָּלֶת׃ וַיֹּאמֶר קְחוּ־לִי צְלֹחִית חֲדָשָׁה וְשִׂימוּ
כא שָׁם מֶלַח וַיִּקְחוּ אֵלָיו׃ וַיֵּצֵא אֶל־מוֹצָא הַמַּיִם וַיַּשְׁלֶךְ־שָׁם מֶלַח
וַיֹּאמֶר כֹּה־אָמַר יְהוָה רִפִּאתִי לַמַּיִם הָאֵלֶּה לֹא־יִהְיֶה מִשָּׁם
כב עוֹד מָוֶת וּמְשַׁכָּלֶת׃ וַיֵּרָפוּ הַמַּיִם עַד הַיּוֹם הַזֶּה כִּדְבַר אֱלִישָׁע
אֲשֶׁר דִּבֵּר׃

כג וַיַּעַל מִשָּׁם בֵּית־אֵל וְהוּא ׀ עֹלֶה בַדֶּרֶךְ וּנְעָרִים קְטַנִּים יָצְאוּ
כד מִן־הָעִיר וַיִּתְקַלְּסוּ־בוֹ וַיֹּאמְרוּ לוֹ עֲלֵה קֵרֵחַ עֲלֵה קֵרֵחַ׃ וַיִּפֶן
אַחֲרָיו וַיִּרְאֵם וַיְקַלְלֵם בְּשֵׁם יְהוָה וַתֵּצֶאנָה שְׁתַּיִם דֻּבִּים
כה מִן־הַיַּעַר וַתְּבַקַּעְנָה מֵהֶם אַרְבָּעִים וּשְׁנֵי יְלָדִים׃ וַיֵּלֶךְ מִשָּׁם

אֶל־הַר הַכַּרְמֶל וּמִשָּׁם שָׁב שֹׁמְרוֹן׃

מַלְכוּת יְהוֹרָם וּמִלְחַמְתּוֹ בְּמוֹאָב: [3043]

ג א וִיהוֹרָם בֶּן־אַחְאָב מָלַךְ עַל־יִשְׂרָאֵל בְּשֹׁמְרוֹן בִּשְׁנַת שְׁמֹנֶה
עֶשְׂרֵה לִיהוֹשָׁפָט מֶלֶךְ יְהוּדָה וַיִּמְלֹךְ שְׁתֵּים־עֶשְׂרֵה שָׁנָה׃
ב וַיַּעֲשֶׂה הָרַע בְּעֵינֵי יְהוָה רַק לֹא כְאָבִיו וּכְאִמּוֹ וַיָּסַר אֶת־מַצְּבַת
ג הַבַּעַל אֲשֶׁר עָשָׂה אָבִיו׃ רַק בְּחַטֹּאות יָרָבְעָם בֶּן־נְבָט אֲשֶׁר־
הֶחֱטִיא אֶת־יִשְׂרָאֵל דָּבֵק לֹא־סָר מִמֶּנָּה׃
ד וּמֵישַׁע מֶלֶךְ־מוֹאָב הָיָה נֹקֵד וְהֵשִׁיב לְמֶלֶךְ־יִשְׂרָאֵל מֵאָה־אֶלֶף
ה כָּרִים וּמֵאָה אֶלֶף אֵילִים צָמֶר׃ וַיְהִי כְּמוֹת אַחְאָב וַיִּפְשַׁע
ו מֶלֶךְ־מוֹאָב בְּמֶלֶךְ יִשְׂרָאֵל׃ וַיֵּצֵא הַמֶּלֶךְ יְהוֹרָם בַּיּוֹם הַהוּא
ז מִשֹּׁמְרוֹן וַיִּפְקֹד אֶת־כָּל־יִשְׂרָאֵל׃ וַיֵּלֶךְ וַיִּשְׁלַח אֶל־יְהוֹשָׁפָט
מֶלֶךְ יְהוּדָה לֵאמֹר מֶלֶךְ מוֹאָב פָּשַׁע בִּי הֲתֵלֵךְ אִתִּי אֶל־מוֹאָב
לַמִּלְחָמָה וַיֹּאמֶר אֶעֱלֶה כָּמוֹנִי כָמוֹךָ כְּעַמִּי כְעַמֶּךָ כְּסוּסַי
ח כְּסוּסֶיךָ׃ וַיֹּאמֶר אֵי־זֶה הַדֶּרֶךְ נַעֲלֶה וַיֹּאמֶר דֶּרֶךְ מִדְבַּר אֱדוֹם׃
ט וַיֵּלֶךְ מֶלֶךְ יִשְׂרָאֵל וּמֶלֶךְ־יְהוּדָה וּמֶלֶךְ אֱדוֹם וַיָּסֹבּוּ דֶּרֶךְ
שִׁבְעַת יָמִים וְלֹא־הָיָה מַיִם לַמַּחֲנֶה וְלַבְּהֵמָה אֲשֶׁר בְּרַגְלֵיהֶם׃
י וַיֹּאמֶר מֶלֶךְ יִשְׂרָאֵל אֲהָהּ כִּי־קָרָא יְהוָה לִשְׁלֹשֶׁת הַמְּלָכִים
יא הָאֵלֶּה לָתֵת אוֹתָם בְּיַד־מוֹאָב׃ וַיֹּאמֶר יְהוֹשָׁפָט הַאֵין

נְבוּאַת אֱלִישָׁע לִשְׁלֹשֶׁת הַמְּלָכִים:

פֹּה נָבִיא לַיהוָה וְנִדְרְשָׁה אֶת־יְהוָה מֵאוֹתוֹ וַיַּעַן אֶחָד מֵעַבְדֵי
מֶלֶךְ־יִשְׂרָאֵל וַיֹּאמֶר פֹּה אֱלִישָׁע בֶּן־שָׁפָט אֲשֶׁר־יָצַק מַיִם
יב עַל־יְדֵי אֵלִיָּהוּ׃ וַיֹּאמֶר יְהוֹשָׁפָט יֵשׁ אוֹתוֹ דְּבַר־יְהוָה וַיֵּרְדוּ אֵלָיו
יג מֶלֶךְ יִשְׂרָאֵל וִיהוֹשָׁפָט וּמֶלֶךְ אֱדוֹם׃ וַיֹּאמֶר אֱלִישָׁע אֶל־מֶלֶךְ
יִשְׂרָאֵל מַה־לִּי וָלָךְ לֵךְ אֶל־נְבִיאֵי אָבִיךָ וְאֶל־נְבִיאֵי אִמֶּךָ וַיֹּאמֶר
לוֹ מֶלֶךְ יִשְׂרָאֵל אַל כִּי־קָרָא יְהוָה לִשְׁלֹשֶׁת הַמְּלָכִים הָאֵלֶּה
יד לָתֵת אוֹתָם בְּיַד־מוֹאָב׃ וַיֹּאמֶר אֱלִישָׁע חַי־יְהוָה צְבָאוֹת אֲשֶׁר
עָמַדְתִּי לְפָנָיו כִּי לוּלֵי פְּנֵי־יְהוֹשָׁפָט מֶלֶךְ־יְהוּדָה אֲנִי נֹשֵׂא

טו אִם־אַבִּיט אֵלֶיךָ וְאִם־אֶרְאֶךָּ: וְעַתָּה קְחוּ־לִי מְנַגֵּן וְהָיָה כְּנַגֵּן
טז הַמְנַגֵּן וַתְּהִי עָלָיו יַד יְהוָה: וַיֹּאמֶר כֹּה אָמַר יְהוָה עָשֹׂה הַנַּחַל
יז הַזֶּה גֵּבִים ׀ גֵּבִים: כִּי־כֹה ׀ אָמַר יְהוָה לֹא־תִרְאוּ רוּחַ וְלֹא־
תִרְאוּ גֶשֶׁם וְהַנַּחַל הַהוּא יִמָּלֵא מָיִם וּשְׁתִיתֶם אַתֶּם וּמִקְנֵיכֶם
יח וּבְהֶמְתְּכֶם: וְנָקַל זֹאת בְּעֵינֵי יְהוָה וְנָתַן אֶת־מוֹאָב בְּיֶדְכֶם:
יט וְהִכִּיתֶם כָּל־עִיר מִבְצָר וְכָל־עִיר מִבְחוֹר וְכָל־עֵץ טוֹב תַּפִּילוּ
וְכָל־מַעְיְנֵי־מַיִם תִּסְתֹּמוּ וְכֹל הַחֶלְקָה הַטּוֹבָה תַּכְאִבוּ בָּאֲבָנִים:
כ וַיְהִי בַבֹּקֶר כַּעֲלוֹת הַמִּנְחָה וְהִנֵּה־מַיִם בָּאִים מִדֶּרֶךְ אֱדוֹם
כא וַתִּמָּלֵא הָאָרֶץ אֶת־הַמָּיִם: וְכָל־מוֹאָב שָׁמְעוּ כִּי־עָלוּ הַמְּלָכִים
לְהִלָּחֶם בָּם וַיִּצָּעֲקוּ מִכֹּל חֹגֵר חֲגֹרָה וָמָעְלָה וַיַּעַמְדוּ עַל־
כב הַגְּבוּל: וַיַּשְׁכִּימוּ בַבֹּקֶר וְהַשֶּׁמֶשׁ זָרְחָה עַל־הַמָּיִם וַיִּרְאוּ מוֹאָב
כג מִנֶּגֶד אֶת־הַמַּיִם אֲדֻמִּים כַּדָּם: וַיֹּאמְרוּ דָּם זֶה הָחֳרֵב נֶחֶרְבוּ
כד הַמְּלָכִים וַיַּכּוּ אִישׁ אֶת־רֵעֵהוּ וְעַתָּה לַשָּׁלָל מוֹאָב: וַיָּבֹאוּ
אֶל־מַחֲנֵה יִשְׂרָאֵל וַיָּקֻמוּ יִשְׂרָאֵל וַיַּכּוּ אֶת־מוֹאָב וַיָּנֻסוּ מִפְּנֵיהֶם
כה ויבו וַיַּכּוּ־בָהּ וְהַכּוֹת אֶת־מוֹאָב: וְהֶעָרִים יַהֲרֹסוּ וְכָל־חֶלְקָה
טוֹבָה יַשְׁלִיכוּ אִישׁ־אַבְנוֹ וּמִלְאוּהָ וְכָל־מַעְיַן־מַיִם יִסְתְּמוּ וְכָל־
עֵץ־טוֹב יַפִּילוּ עַד־הִשְׁאִיר אֲבָנֶיהָ בַּקִּיר חֲרָשֶׂת וַיָּסֹבּוּ הַקַּלָּעִים
כו וַיַּכּוּהָ: וַיַּרְא מֶלֶךְ מוֹאָב כִּי־חָזַק מִמֶּנּוּ הַמִּלְחָמָה וַיִּקַּח אוֹתוֹ
שְׁבַע־מֵאוֹת אִישׁ שֹׁלֵף חֶרֶב לְהַבְקִיעַ אֶל־מֶלֶךְ אֱדוֹם וְלֹא
כז יָכֹלוּ: וַיִּקַּח אֶת־בְּנוֹ הַבְּכוֹר אֲשֶׁר־יִמְלֹךְ תַּחְתָּיו וַיַּעֲלֵהוּ עֹלָה
עַל־הַחֹמָה וַיְהִי קֶצֶף־גָּדוֹל עַל־יִשְׂרָאֵל וַיִּסְעוּ מֵעָלָיו וַיָּשֻׁבוּ
לָאָרֶץ:
ד א וְאִשָּׁה אַחַת מִנְּשֵׁי בְנֵי־הַנְּבִיאִים צָעֲקָה אֶל־אֱלִישָׁע לֵאמֹר נֵס הַשֶּׁמֶן:
עַבְדְּךָ אִישִׁי מֵת וְאַתָּה יָדַעְתָּ כִּי עַבְדְּךָ הָיָה יָרֵא אֶת־יְהוָה
ב וְהַנֹּשֶׁה בָּא לָקַחַת אֶת־שְׁנֵי יְלָדַי לוֹ לַעֲבָדִים: וַיֹּאמֶר אֵלֶיהָ

אֱלִישָׁע מָה אֶעֱשֶׂה־לָּךְ הַגִּידִי לִי מַה־יֶּשׁ־לָךְ לכי בַּבָּיִת וַתֹּאמֶר
ג אֵין לְשִׁפְחָתְךָ כֹל בַּבַּיִת כִּי אִם־אָסוּךְ שָׁמֶן: וַיֹּאמֶר לְכִי
שַׁאֲלִי־לָךְ כֵּלִים מִן־הַחוּץ מֵאֵת כָּל־שְׁכֵנָיִךְ שכנכי כֵּלִים רֵקִים
ד אַל־תַּמְעִיטִי: וּבָאת וְסָגַרְתְּ הַדֶּלֶת בַּעֲדֵךְ וּבְעַד־בָּנַיִךְ וְיָצַקְתְּ
ה עַל כָּל־הַכֵּלִים הָאֵלֶּה וְהַמָּלֵא תַּסִּיעִי: וַתֵּלֶךְ מֵאִתּוֹ וַתִּסְגֹּר
הַדֶּלֶת בַּעֲדָהּ וּבְעַד בָּנֶיהָ הֵם מַגִּשִׁים אֵלֶיהָ וְהִיא מיצקת
ו מוֹצָקֶת: וַיְהִי | כִּמְלֹאת הַכֵּלִים וַתֹּאמֶר אֶל־בְּנָהּ הַגִּישָׁה אֵלַי
ז עוֹד כֶּלִי וַיֹּאמֶר אֵלֶיהָ אֵין עוֹד כֶּלִי וַיַּעֲמֹד הַשָּׁמֶן: וַתָּבֹא וַתַּגֵּד
לְאִישׁ הָאֱלֹהִים וַיֹּאמֶר לְכִי מִכְרִי אֶת־הַשֶּׁמֶן וְשַׁלְּמִי אֶת־נִשְׁיֵךְ
נשיכי וְאַתְּ בניכי וּבָנַיִךְ תִּחְיִי בַּנּוֹתָר:

אֱלִישָׁע וְהַשּׁוּנַמִּית:

ח וַיְהִי הַיּוֹם וַיַּעֲבֹר אֱלִישָׁע אֶל־שׁוּנֵם וְשָׁם אִשָּׁה גְדוֹלָה וַתַּחֲזֶק־
ט בּוֹ לֶאֱכָל־לָחֶם וַיְהִי מִדֵּי עָבְרוֹ יָסֻר שָׁמָּה לֶאֱכָל־לָחֶם: וַתֹּאמֶר
אֶל־אִישָׁהּ הִנֵּה־נָא יָדַעְתִּי כִּי אִישׁ אֱלֹהִים קָדוֹשׁ הוּא עֹבֵר
י עָלֵינוּ תָּמִיד: נַעֲשֶׂה־נָּא עֲלִיַּת־קִיר קְטַנָּה וְנָשִׂים לוֹ שָׁם מִטָּה
יא וְשֻׁלְחָן וְכִסֵּא וּמְנוֹרָה וְהָיָה בְּבֹאוֹ אֵלֵינוּ יָסוּר שָׁמָּה: וַיְהִי הַיּוֹם
יב וַיָּבֹא שָׁמָּה וַיָּסַר אֶל־הָעֲלִיָּה וַיִּשְׁכַּב־שָׁמָּה: וַיֹּאמֶר אֶל־גֵּיחֲזִי
יג נַעֲרוֹ קְרָא לַשּׁוּנַמִּית הַזֹּאת וַיִּקְרָא־לָהּ וַתַּעֲמֹד לְפָנָיו: וַיֹּאמֶר
לוֹ אֱמָר־נָא אֵלֶיהָ הִנֵּה חָרַדְתְּ | אֵלֵינוּ אֶת־כָּל־הַחֲרָדָה הַזֹּאת
מֶה לַעֲשׂוֹת לָךְ הֲיֵשׁ לְדַבֶּר־לָךְ אֶל־הַמֶּלֶךְ אוֹ אֶל־שַׂר הַצָּבָא
יד וַתֹּאמֶר בְּתוֹךְ עַמִּי אָנֹכִי יֹשָׁבֶת: וַיֹּאמֶר וּמֶה לַעֲשׂוֹת לָהּ וַיֹּאמֶר

הַבְטָחַת הַבֵּן לַשּׁוּנַמִּית:

טו גֵּיחֲזִי אֲבָל בֵּן אֵין־לָהּ וְאִישָׁהּ זָקֵן: וַיֹּאמֶר קְרָא־לָהּ
טז וַיִּקְרָא־לָהּ וַתַּעֲמֹד בַּפָּתַח: וַיֹּאמֶר לַמּוֹעֵד הַזֶּה כָּעֵת חַיָּה אתי
אַתְּ חֹבֶקֶת בֵּן וַתֹּאמֶר אַל־אֲדֹנִי אִישׁ הָאֱלֹהִים אַל־תְּכַזֵּב
יז בְּשִׁפְחָתֶךָ: וַתַּהַר הָאִשָּׁה וַתֵּלֶד בֵּן לַמּוֹעֵד הַזֶּה כָּעֵת חַיָּה
יח אֲשֶׁר־דִּבֶּר אֵלֶיהָ אֱלִישָׁע: וַיִּגְדַּל הַיָּלֶד וַיְהִי הַיּוֹם וַיֵּצֵא אֶל־אָבִיו

יט אֶל־הַקֹּצְרִים׃ וַיֹּאמֶר אֶל־אָבִיו רֹאשִׁי ׀ רֹאשִׁי וַיֹּאמֶר אֶל־הַנַּעַר חֳלִי הַיֶּלֶד וּמוֹתוֹ:
כ שָׂאֵהוּ אֶל־אִמּוֹ׃ וַיִּשָּׂאֵהוּ וַיְבִיאֵהוּ אֶל־אִמּוֹ וַיֵּשֶׁב עַל־בִּרְכֶּיהָ
כא עַד־הַצָּהֳרַיִם וַיָּמֹת׃ וַתַּעַל וַתַּשְׁכִּבֵהוּ עַל־מִטַּת אִישׁ הָאֱלֹהִים
כב וַתִּסְגֹּר בַּעֲדוֹ וַתֵּצֵא׃ וַתִּקְרָא אֶל־אִישָׁהּ וַתֹּאמֶר שִׁלְחָה נָא לִי
אֶחָד מִן־הַנְּעָרִים וְאַחַת הָאֲתֹנוֹת וְאָרוּצָה עַד־אִישׁ הָאֱלֹהִים
כג וְאָשׁוּבָה׃ וַיֹּאמֶר מַדּוּעַ אתי הלכתי אַתְּ הֹלֶכֶת אֵלָיו הַיּוֹם
כד לֹא־חֹדֶשׁ וְלֹא שַׁבָּת וַתֹּאמֶר שָׁלוֹם׃ וַתַּחֲבֹשׁ הָאָתוֹן וַתֹּאמֶר
אֶל־נַעֲרָהּ נְהַג וָלֵךְ אַל־תַּעֲצָר־לִי לִרְכֹּב כִּי אִם־אָמַרְתִּי לָךְ׃
כה וַתֵּלֶךְ וַתָּבוֹא אֶל־אִישׁ הָאֱלֹהִים אֶל־הַר הַכַּרְמֶל וַיְהִי כִּרְאוֹת
אִישׁ־הָאֱלֹהִים אֹתָהּ מִנֶּגֶד וַיֹּאמֶר אֶל־גֵּיחֲזִי נַעֲרוֹ הִנֵּה
כו הַשּׁוּנַמִּית הַלָּז׃ עַתָּה רוּץ־נָא לִקְרָאתָהּ וֶאֱמָר־לָהּ הֲשָׁלוֹם
כז לָךְ הֲשָׁלוֹם לְאִישֵׁךְ הֲשָׁלוֹם לַיָּלֶד וַתֹּאמֶר שָׁלוֹם׃ וַתָּבֹא אֶל־אִישׁ
הָאֱלֹהִים אֶל־הָהָר וַתַּחֲזֵק בְּרַגְלָיו וַיִּגַּשׁ גֵּיחֲזִי לְהָדְפָהּ וַיֹּאמֶר
אִישׁ הָאֱלֹהִים הַרְפֵּה־לָהּ כִּי־נַפְשָׁהּ מָרָה־לָהּ וַיהוָה הֶעְלִים
כח מִמֶּנִּי וְלֹא הִגִּיד לִי׃ וַתֹּאמֶר הֲשָׁאַלְתִּי בֵן מֵאֵת אֲדֹנִי הֲלֹא אָמַרְתִּי
כט לֹא תַשְׁלֶה אֹתִי׃ וַיֹּאמֶר לְגֵיחֲזִי חֲגֹר מָתְנֶיךָ וְקַח מִשְׁעַנְתִּי בְיָדְךָ
וָלֵךְ כִּי־תִמְצָא אִישׁ לֹא תְבָרְכֶנּוּ וְכִי־יְבָרֶכְךָ אִישׁ לֹא תַעֲנֶנּוּ
ל וְשַׂמְתָּ מִשְׁעַנְתִּי עַל־פְּנֵי הַנָּעַר׃ וַתֹּאמֶר אֵם הַנַּעַר חַי־יְהוָה
לא וְחֵי־נַפְשְׁךָ אִם־אֶעֶזְבֶךָּ וַיָּקָם וַיֵּלֶךְ אַחֲרֶיהָ׃ וְגֵחֲזִי עָבַר לִפְנֵיהֶם
וַיָּשֶׂם אֶת־הַמִּשְׁעֶנֶת עַל־פְּנֵי הַנַּעַר וְאֵין קוֹל וְאֵין קָשֶׁב וַיָּשָׁב
לב לִקְרָאתוֹ וַיַּגֶּד־לוֹ לֵאמֹר לֹא הֵקִיץ הַנָּעַר׃ וַיָּבֹא אֱלִישָׁע הַבָּיְתָה הַחְיָאַת הַיֶּלֶד הַמֵּת:
לג וְהִנֵּה הַנַּעַר מֵת מֻשְׁכָּב עַל־מִטָּתוֹ׃ וַיָּבֹא וַיִּסְגֹּר הַדֶּלֶת בְּעַד
לד שְׁנֵיהֶם וַיִּתְפַּלֵּל אֶל־יְהוָה׃ וַיַּעַל וַיִּשְׁכַּב עַל־הַיֶּלֶד וַיָּשֶׂם פִּיו
עַל־פִּיו וְעֵינָיו עַל־עֵינָיו וְכַפָּיו עַל־כַּפָּו וַיִּגְהַר עָלָיו וַיָּחָם בְּשַׂר
לה הַיָּלֶד׃ וַיָּשָׁב וַיֵּלֶךְ בַּבַּיִת אַחַת הֵנָּה וְאַחַת הֵנָּה וַיַּעַל וַיִּגְהַר עָלָיו

וַיְזוֹרֵר הַנַּעַר עַד־שֶׁבַע פְּעָמִים וַיִּפְקַח הַנַּעַר אֶת־עֵינָיו: וַיִּקְרָא לֹב
אֶל־גֵּיחֲזִי וַיֹּאמֶר קְרָא אֶל־הַשֻּׁנַמִּית הַזֹּאת וַיִּקְרָאֶהָ וַתָּבֹא אֵלָיו
וַיֹּאמֶר שְׂאִי בְנֵךְ: וַתָּבֹא וַתִּפֹּל עַל־רַגְלָיו וַתִּשְׁתַּחוּ אָרְצָה וַתִּשָּׂא לּה
אֶת־בְּנָהּ וַתֵּצֵא:

נס תבשיל וֶאֱלִישָׁע שָׁב הַגִּלְגָּלָה וְהָרָעָב בָּאָרֶץ וּבְנֵי הַנְּבִיאִים יֹשְׁבִים לֹח
המוּת
לְפָנָיו וַיֹּאמֶר לְנַעֲרוֹ שְׁפֹת הַסִּיר הַגְּדוֹלָה וּבַשֵּׁל נָזִיד לִבְנֵי
הַנְּבִיאִים: וַיֵּצֵא אֶחָד אֶל־הַשָּׂדֶה לְלַקֵּט אֹרֹת וַיִּמְצָא גֶּפֶן שָׂדֶה לֹט
וַיְלַקֵּט מִמֶּנּוּ פַּקֻּעֹת שָׂדֶה מְלֹא בִגְדוֹ וַיָּבֹא וַיְפַלַּח אֶל־סִיר הַנָּזִיד
כִּי־לֹא יָדָעוּ: וַיִּצְקוּ לַאֲנָשִׁים לֶאֱכוֹל וַיְהִי כְּאָכְלָם מֵהַנָּזִיד וְהֵמָּה מ
צָעָקוּ וַיֹּאמְרוּ מָוֶת בַּסִּיר אִישׁ הָאֱלֹהִים וְלֹא יָכְלוּ לֶאֱכֹל: וַיֹּאמֶר מא
וּקְחוּ־קֶמַח וַיַּשְׁלֵךְ אֶל־הַסִּיר וַיֹּאמֶר צַק לָעָם וְיֹאכֵלוּ וְלֹא הָיָה

נס כפרות דָּבָר רָע בַּסִּיר: וְאִישׁ בָּא מִבַּעַל שָׁלִשָׁה וַיָּבֵא לְאִישׁ מב
הלחם.
הָאֱלֹהִים לֶחֶם בִּכּוּרִים עֶשְׂרִים לֶחֶם־שְׂעֹרִים וְכַרְמֶל בְּצִקְלֹנוֹ
וַיֹּאמֶר תֵּן לָעָם וְיֹאכֵלוּ: וַיֹּאמֶר מְשָׁרְתוֹ מָה אֶתֵּן זֶה לִפְנֵי מֵאָה מג
אִישׁ וַיֹּאמֶר תֵּן לָעָם וְיֹאכֵלוּ כִּי כֹה אָמַר יְהוָה אָכֹל וְהוֹתֵר:
וַיִּתֵּן לִפְנֵיהֶם וַיֹּאכְלוּ וַיּוֹתִרוּ כִּדְבַר יְהוָה: מד

רפוי וְנַעֲמָן שַׂר־צְבָא מֶלֶךְ־אֲרָם הָיָה אִישׁ גָּדוֹל לִפְנֵי אֲדֹנָיו וּנְשֻׂא א ה
צרעת
נעמן. פָנִים כִּי־בוֹ נָתַן־יְהוָה תְּשׁוּעָה לַאֲרָם וְהָאִישׁ הָיָה גִּבּוֹר חַיִל
מְצֹרָע: וַאֲרָם יָצְאוּ גְדוּדִים וַיִּשְׁבּוּ מֵאֶרֶץ יִשְׂרָאֵל נַעֲרָה קְטַנָּה ב
וַתְּהִי לִפְנֵי אֵשֶׁת נַעֲמָן: וַתֹּאמֶר אֶל־גְּבִרְתָּהּ אַחֲלֵי אֲדֹנִי לִפְנֵי ג
הַנָּבִיא אֲשֶׁר בְּשֹׁמְרוֹן אָז יֶאֱסֹף אֹתוֹ מִצָּרַעְתּוֹ: וַיָּבֹא וַיַּגֵּד ד
לַאדֹנָיו לֵאמֹר כָּזֹאת וְכָזֹאת דִּבְּרָה הַנַּעֲרָה אֲשֶׁר מֵאֶרֶץ
יִשְׂרָאֵל: וַיֹּאמֶר מֶלֶךְ־אֲרָם לֶךְ־בֹּא וְאֶשְׁלְחָה סֵפֶר אֶל־מֶלֶךְ ה
יִשְׂרָאֵל וַיֵּלֶךְ וַיִּקַּח בְּיָדוֹ עֶשֶׂר כִּכְּרֵי־כֶסֶף וְשֵׁשֶׁת אֲלָפִים זָהָב
וְעֶשֶׂר חֲלִיפוֹת בְּגָדִים: וַיָּבֵא הַסֵּפֶר אֶל־מֶלֶךְ יִשְׂרָאֵל לֵאמֹר ו

וְעַתָּה כְּבוֹא הַסֵּפֶר הַזֶּה אֵלֶיךָ הִנֵּה שָׁלַחְתִּי אֵלֶיךָ אֶת־נַעֲמָן
ז עַבְדִּי וַאֲסַפְתּוֹ מִצָּרַעְתּוֹ: וַיְהִי כִּקְרֹא מֶלֶךְ־יִשְׂרָאֵל אֶת־הַסֵּפֶר
וַיִּקְרַע בְּגָדָיו וַיֹּאמֶר הַאֱלֹהִים אָנִי לְהָמִית וּלְהַחֲיוֹת כִּי־זֶה
שֹׁלֵחַ אֵלַי לֶאֱסֹף אִישׁ מִצָּרַעְתּוֹ כִּי אַךְ־דְּעוּ־נָא וּרְאוּ
ח כִּי־מִתְאַנֶּה הוּא לִי: וַיְהִי כִּשְׁמֹעַ ׀ אֱלִישָׁע אִישׁ־הָאֱלֹהִים
כִּי־קָרַע מֶלֶךְ־יִשְׂרָאֵל אֶת־בְּגָדָיו וַיִּשְׁלַח אֶל־הַמֶּלֶךְ לֵאמֹר
לָמָּה קָרַעְתָּ בְּגָדֶיךָ יָבֹא־נָא אֵלַי וְיֵדַע כִּי יֵשׁ נָבִיא בְּיִשְׂרָאֵל:
ט י וַיָּבֹא נַעֲמָן בְּסוּסָו וּבְרִכְבּוֹ וַיַּעֲמֹד פֶּתַח־הַבַּיִת לֶאֱלִישָׁע: וַיִּשְׁלַח
אֵלָיו אֱלִישָׁע מַלְאָךְ לֵאמֹר הָלוֹךְ וְרָחַצְתָּ שֶׁבַע־פְּעָמִים בַּיַּרְדֵּן
יא וְיָשֹׁב בְּשָׂרְךָ לְךָ וּטְהָר: וַיִּקְצֹף נַעֲמָן וַיֵּלַךְ וַיֹּאמֶר הִנֵּה אָמַרְתִּי
אֵלַי ׀ יֵצֵא יָצוֹא וְעָמַד וְקָרָא בְּשֵׁם־יְהוָה אֱלֹהָיו וְהֵנִיף יָדוֹ
יב אֶל־הַמָּקוֹם וְאָסַף הַמְּצֹרָע: הֲלֹא טוֹב אבנה אֲמָנָה וּפַרְפַּר נַהֲרוֹת
דַּמֶּשֶׂק מִכֹּל מֵימֵי יִשְׂרָאֵל הֲלֹא־אֶרְחַץ בָּהֶם וְטָהָרְתִּי וַיִּפֶן וַיֵּלֶךְ
יג בְּחֵמָה: וַיִּגְּשׁוּ עֲבָדָיו וַיְדַבְּרוּ אֵלָיו וַיֹּאמְרוּ אָבִי דָּבָר גָּדוֹל
הַנָּבִיא דִּבֶּר אֵלֶיךָ הֲלוֹא תַעֲשֶׂה וְאַף כִּי־אָמַר אֵלֶיךָ רְחַץ וּטְהָר:
יד וַיֵּרֶד וַיִּטְבֹּל בַּיַּרְדֵּן שֶׁבַע פְּעָמִים כִּדְבַר אִישׁ הָאֱלֹהִים וַיָּשָׁב
טו בְּשָׂרוֹ כִּבְשַׂר נַעַר קָטֹן וַיִּטְהָר: וַיָּשָׁב אֶל־אִישׁ הָאֱלֹהִים הוּא
וְכָל־מַחֲנֵהוּ וַיָּבֹא וַיַּעֲמֹד לְפָנָיו וַיֹּאמֶר הִנֵּה־נָא יָדַעְתִּי כִּי אֵין
אֱלֹהִים בְּכָל־הָאָרֶץ כִּי אִם־בְּיִשְׂרָאֵל וְעַתָּה קַח־נָא בְרָכָה מֵאֵת
טז עַבְדֶּךָ: וַיֹּאמֶר חַי־יְהוָה אֲשֶׁר־עָמַדְתִּי לְפָנָיו אִם־אֶקָּח וַיִּפְצַר־בּוֹ
יז לָקַחַת וַיְמָאֵן: וַיֹּאמֶר נַעֲמָן וָלֹא יֻתַּן־נָא לְעַבְדְּךָ מַשָּׂא צֶמֶד־
פְּרָדִים אֲדָמָה כִּי לוֹא־יַעֲשֶׂה עוֹד עַבְדְּךָ עֹלָה וָזֶבַח לֵאלֹהִים
יח אֲחֵרִים כִּי אִם־לַיהוָה: לַדָּבָר הַזֶּה יִסְלַח יְהוָה לְעַבְדֶּךָ בְּבוֹא
אֲדֹנִי בֵית־רִמּוֹן לְהִשְׁתַּחֲוֺת שָׁמָּה וְהוּא ׀ נִשְׁעָן עַל־יָדִי
וְהִשְׁתַּחֲוֵיתִי בֵּית רִמֹּן בְּהִשְׁתַּחֲוָיָתִי בֵּית רִמֹּן יִסְלַח־נא יְהוָה כתיב ולא קרי:

לְעַבְדֶּךָ בַּדָּבָר הַזֶּה: וַיֹּאמֶר לוֹ לֵךְ לְשָׁלוֹם וַיֵּלֶךְ מֵאִתּוֹ כִּבְרַת־ ‏יט

אָרֶץ: וַיֹּאמֶר גֵּיחֲזִי נַעַר אֱלִישָׁע אִישׁ־הָאֱלֹהִים הִנֵּה ׀ ‏כ

חָשַׂךְ אֲדֹנִי אֶת־נַעֲמָן הָאֲרַמִּי הַזֶּה מִקַּחַת מִיָּדוֹ אֵת אֲשֶׁר־הֵבִיא

חַי־יְהֹוָה כִּי־אִם־רַצְתִּי אַחֲרָיו וְלָקַחְתִּי מֵאִתּוֹ מְאוּמָה: וַיִּרְדֹּף ‏כא

גֵּיחֲזִי אַחֲרֵי נַעֲמָן וַיִּרְאֶה נַעֲמָן רָץ אַחֲרָיו וַיִּפֹּל מֵעַל הַמֶּרְכָּבָה

לִקְרָאתוֹ וַיֹּאמֶר הֲשָׁלוֹם: וַיֹּאמֶר ׀ שָׁלוֹם אֲדֹנִי שְׁלָחַנִי לֵאמֹר ‏כב

הִנֵּה עַתָּה זֶה בָּאוּ אֵלַי שְׁנֵי־נְעָרִים מֵהַר אֶפְרַיִם מִבְּנֵי הַנְּבִיאִים

תְּנָה־נָּא לָהֶם כִּכַּר־כֶּסֶף וּשְׁתֵּי חֲלִפוֹת בְּגָדִים: וַיֹּאמֶר נַעֲמָן ‏כג

הוֹאֵל קַח כִּכָּרָיִם וַיִּפְרָץ־בּוֹ וַיָּצַר כִּכְּרַיִם כֶּסֶף בִּשְׁנֵי חֲרִטִים

וּשְׁתֵּי חֲלִפוֹת בְּגָדִים וַיִּתֵּן אֶל־שְׁנֵי נְעָרָיו וַיִּשְׂאוּ לְפָנָיו: וַיָּבֹא ‏כד

אֶל־הָעֹפֶל וַיִּקַּח מִיָּדָם וַיִּפְקֹד בַּבָּיִת וַיְשַׁלַּח אֶת־הָאֲנָשִׁים וַיֵּלֵכוּ:

וְהוּא־בָא וַיַּעֲמֹד אֶל־אֲדֹנָיו וַיֹּאמֶר אֵלָיו אֱלִישָׁע מֵאַן מֵאַיִן גֵּחֲזִי ‏כה

וַיֹּאמֶר לֹא־הָלַךְ עַבְדְּךָ אָנֶה וָאָנָה: וַיֹּאמֶר אֵלָיו לֹא־לִבִּי הָלַךְ ‏כו

כַּאֲשֶׁר הָפַךְ־אִישׁ מֵעַל מֶרְכַּבְתּוֹ לִקְרָאתֶךָ הַעֵת לָקַחַת אֶת־

הַכֶּסֶף וְלָקַחַת בְּגָדִים וְזֵיתִים וּכְרָמִים וְצֹאן וּבָקָר וַעֲבָדִים

וּשְׁפָחוֹת: וְצָרַעַת נַעֲמָן תִּדְבַּק־בְּךָ וּבְזַרְעֲךָ לְעוֹלָם וַיֵּצֵא מִלְּפָנָיו ‏כז

מְצֹרָע כַּשָּׁלֶג: וַיֹּאמְרוּ בְנֵי־הַנְּבִיאִים אֶל־אֱלִישָׁע הִנֵּה־נָא הַמָּקוֹם ‏ו א

אֲשֶׁר אֲנַחְנוּ יֹשְׁבִים שָׁם לְפָנֶיךָ צַר מִמֶּנּוּ: נֵלְכָה־נָּא עַד־הַיַּרְדֵּן ‏ב

וְנִקְחָה מִשָּׁם אִישׁ קוֹרָה אֶחָת וְנַעֲשֶׂה־לָּנוּ שָׁם מָקוֹם לָשֶׁבֶת שָׁם

וַיֹּאמֶר לֵכוּ: וַיֹּאמֶר הָאֶחָד הוֹאֶל נָא וְלֵךְ אֶת־עֲבָדֶיךָ וַיֹּאמֶר אָנִי ‏ג

אֵלֵךְ: וַיֵּלֶךְ אִתָּם וַיָּבֹאוּ הַיַּרְדֵּנָה וַיִּגְזְרוּ הָעֵצִים: וַיְהִי הָאֶחָד מַפִּיל ‏ד ה

הַקּוֹרָה וְאֶת־הַבַּרְזֶל נָפַל אֶל־הַמָּיִם וַיִּצְעַק וַיֹּאמֶר אֲהָהּ אֲדֹנִי

וְהוּא שָׁאוּל: וַיֹּאמֶר אִישׁ־הָאֱלֹהִים אָנָה נָפָל וַיַּרְאֵהוּ אֶת־הַמָּקוֹם ‏ו

וַיִּקְצָב־עֵץ וַיַּשְׁלֶךְ־שָׁמָּה וַיָּצֶף הַבַּרְזֶל: וַיֹּאמֶר הָרֶם לָךְ וַיִּשְׁלַח ‏ז

יָדוֹ וַיִּקָּחֵהוּ:

חֲטָא גֵיחֲזִי
וְעָנְשׁוֹ:

נֵס הַגַּרְזֶן:

הַהַצָּלָה מִמֶּלֶךְ אֲרָם:

ח וּמֶלֶךְ אֲרָם הָיָה נִלְחָם בְּיִשְׂרָאֵל וַיִּוָּעַץ אֶל־עֲבָדָיו לֵאמֹר
ט אֶל־מְקוֹם פְּלֹנִי אַלְמֹנִי תַּחֲנֹתִי׃ וַיִּשְׁלַח אִישׁ הָאֱלֹהִים אֶל־מֶלֶךְ
יִשְׂרָאֵל לֵאמֹר הִשָּׁמֶר מֵעֲבֹר הַמָּקוֹם הַזֶּה כִּי־שָׁם אֲרָם נְחִתִּים׃
י וַיִּשְׁלַח מֶלֶךְ יִשְׂרָאֵל אֶל־הַמָּקוֹם אֲשֶׁר אָמַר־לוֹ אִישׁ־הָאֱלֹהִים
יא וְהִזְהִירֹה וְנִשְׁמַר שָׁם לֹא אַחַת וְלֹא שְׁתָּיִם׃ וַיִּסָּעֵר לֵב
מֶלֶךְ־אֲרָם עַל־הַדָּבָר הַזֶּה וַיִּקְרָא אֶל־עֲבָדָיו וַיֹּאמֶר אֲלֵיהֶם
יב הֲלוֹא תַּגִּידוּ לִי מִי מִשֶּׁלָּנוּ אֶל־מֶלֶךְ יִשְׂרָאֵל׃ וַיֹּאמֶר אַחַד
מֵעֲבָדָיו לוֹא אֲדֹנִי הַמֶּלֶךְ כִּי־אֱלִישָׁע הַנָּבִיא אֲשֶׁר בְּיִשְׂרָאֵל
יַגִּיד לְמֶלֶךְ יִשְׂרָאֵל אֶת־הַדְּבָרִים אֲשֶׁר תְּדַבֵּר בַּחֲדַר מִשְׁכָּבֶךָ׃
יג וַיֹּאמֶר לְכוּ וּרְאוּ אֵיכֹה הוּא וְאֶשְׁלַח וְאֶקָּחֵהוּ וַיֻּגַּד־לוֹ לֵאמֹר
יד הִנֵּה בְדֹתָן׃ וַיִּשְׁלַח־שָׁמָּה סוּסִים וְרֶכֶב וְחַיִל כָּבֵד וַיָּבֹאוּ לַיְלָה
טו וַיַּקִּפוּ עַל־הָעִיר׃ וַיַּשְׁכֵּם מְשָׁרֵת אִישׁ הָאֱלֹהִים לָקוּם וַיֵּצֵא
וְהִנֵּה־חַיִל סוֹבֵב אֶת־הָעִיר וְסוּס וָרָכֶב וַיֹּאמֶר נַעֲרוֹ אֵלָיו אֲהָהּ
טז אֲדֹנִי אֵיכָה נַעֲשֶׂה׃ וַיֹּאמֶר אַל־תִּירָא כִּי רַבִּים אֲשֶׁר אִתָּנוּ
יז מֵאֲשֶׁר אוֹתָם׃ וַיִּתְפַּלֵּל אֱלִישָׁע וַיֹּאמַר יְהוָה פְּקַח־נָא אֶת־עֵינָיו
וְיִרְאֶה וַיִּפְקַח יְהוָה אֶת־עֵינֵי הַנַּעַר וַיַּרְא וְהִנֵּה הָהָר מָלֵא סוּסִים
יח וְרֶכֶב אֵשׁ סְבִיבֹת אֱלִישָׁע׃ וַיֵּרְדוּ אֵלָיו וַיִּתְפַּלֵּל אֱלִישָׁע אֶל־יְהוָה
וַיֹּאמַר הַךְ־נָא אֶת־הַגּוֹי־הַזֶּה בַּסַּנְוֵרִים וַיַּכֵּם בַּסַּנְוֵרִים כִּדְבַר
יט אֱלִישָׁע׃ וַיֹּאמֶר אֲלֵהֶם אֱלִישָׁע לֹא זֶה הַדֶּרֶךְ וְלֹא זֹה הָעִיר לְכוּ
אַחֲרַי וְאוֹלִיכָה אֶתְכֶם אֶל־הָאִישׁ אֲשֶׁר תְּבַקֵּשׁוּן וַיֹּלֶךְ אוֹתָם
כ שֹׁמְרוֹנָה׃ וַיְהִי כְּבֹאָם שֹׁמְרוֹן וַיֹּאמֶר אֱלִישָׁע יְהוָה פְּקַח אֶת־
עֵינֵי־אֵלֶּה וְיִרְאוּ וַיִּפְקַח יְהוָה אֶת־עֵינֵיהֶם וַיִּרְאוּ וְהִנֵּה בְּתוֹךְ
כא שֹׁמְרוֹן׃ וַיֹּאמֶר מֶלֶךְ־יִשְׂרָאֵל אֶל־אֱלִישָׁע כִּרְאֹתוֹ אוֹתָם הַאַכֶּה
כב אַכֶּה אָבִי׃ וַיֹּאמֶר לֹא תַכֶּה הַאֲשֶׁר שָׁבִיתָ בְּחַרְבְּךָ וּבְקַשְׁתְּךָ
אַתָּה מַכֶּה שִׂים לֶחֶם וָמַיִם לִפְנֵיהֶם וְיֹאכְלוּ וְיִשְׁתּוּ וְיֵלְכוּ

כג אֶל־אֲדֹנֵיהֶם: וַיִּכְרֶה לָהֶם כֵּרָה גְדוֹלָה וַיֹּאכְלוּ וַיִּשְׁתּוּ וַיְשַׁלְּחֵם
וַיֵּלְכוּ אֶל־אֲדֹנֵיהֶם וְלֹא־יָסְפוּ עוֹד גְּדוּדֵי אֲרָם לָבוֹא בְּאֶרֶץ
יִשְׂרָאֵל:

הַמָּצוֹר עַל שׁוֹמְרוֹן וְהָרָעָב:

כד וַיְהִי אַחֲרֵי־כֵן וַיִּקְבֹּץ בֶּן־הֲדַד מֶלֶךְ־אֲרָם אֶת־כָּל־מַחֲנֵהוּ וַיַּעַל
כה וַיָּצַר עַל־שֹׁמְרוֹן: וַיְהִי רָעָב גָּדוֹל בְּשֹׁמְרוֹן וְהִנֵּה צָרִים עָלֶיהָ
עַד הֱיוֹת רֹאשׁ־חֲמוֹר בִּשְׁמֹנִים כֶּסֶף וְרֹבַע הַקַּב חרי דִּב־יוֹנִים
כו בַּחֲמִשָּׁה כָסֶף: וַיְהִי מֶלֶךְ יִשְׂרָאֵל עֹבֵר עַל־הַחֹמָה וְאִשָּׁה צָעֲקָה
כז אֵלָיו לֵאמֹר הוֹשִׁיעָה אֲדֹנִי הַמֶּלֶךְ: וַיֹּאמֶר אַל־יוֹשִׁעֵךְ יְהוָה
כח מֵאַיִן אוֹשִׁיעֵךְ הֲמִן־הַגֹּרֶן אוֹ מִן־הַיָּקֶב: וַיֹּאמֶר־לָהּ הַמֶּלֶךְ
מַה־לָּךְ וַתֹּאמֶר הָאִשָּׁה הַזֹּאת אָמְרָה אֵלַי תְּנִי אֶת־בְּנֵךְ וְנֹאכְלֶנּוּ
כט הַיּוֹם וְאֶת־בְּנִי נֹאכַל מָחָר: וַנְּבַשֵּׁל אֶת־בְּנִי וַנֹּאכְלֵהוּ וָאֹמַר אֵלֶיהָ
ל בַּיּוֹם הָאַחֵר תְּנִי אֶת־בְּנֵךְ וְנֹאכְלֶנּוּ וַתַּחְבִּא אֶת־בְּנָהּ: וַיְהִי
כִשְׁמֹעַ הַמֶּלֶךְ אֶת־דִּבְרֵי הָאִשָּׁה וַיִּקְרַע אֶת־בְּגָדָיו וְהוּא עֹבֵר
לא עַל־הַחֹמָה וַיַּרְא הָעָם וְהִנֵּה הַשַּׂק עַל־בְּשָׂרוֹ מִבָּיִת: וַיֹּאמֶר
כֹּה־יַעֲשֶׂה־לִּי אֱלֹהִים וְכֹה יוֹסִף אִם־יַעֲמֹד רֹאשׁ אֱלִישָׁע בֶּן־
לב שָׁפָט עָלָיו הַיּוֹם: וֶאֱלִישָׁע יֹשֵׁב בְּבֵיתוֹ וְהַזְּקֵנִים יֹשְׁבִים אִתּוֹ
וַיִּשְׁלַח אִישׁ מִלְּפָנָיו בְּטֶרֶם יָבֹא הַמַּלְאָךְ אֵלָיו וְהוּא | אָמַר
אֶל־הַזְּקֵנִים הַרְּאִיתֶם כִּי־שָׁלַח בֶּן־הַמְרַצֵּחַ הַזֶּה לְהָסִיר
אֶת־רֹאשִׁי רְאוּ | כְּבֹא הַמַּלְאָךְ סִגְרוּ הַדֶּלֶת וּלְחַצְתֶּם אֹתוֹ
לג בַּדֶּלֶת הֲלוֹא קוֹל רַגְלֵי אֲדֹנָיו אַחֲרָיו: עוֹדֶנּוּ מְדַבֵּר עִמָּם וְהִנֵּה
הַמַּלְאָךְ יֹרֵד אֵלָיו וַיֹּאמֶר הִנֵּה־זֹאת הָרָעָה מֵאֵת יְהוָה מָה־
אוֹחִיל לַיהוָה עוֹד:

נְבוּאַת הַשֶּׁפַע:

ז א וַיֹּאמֶר אֱלִישָׁע שִׁמְעוּ דְּבַר־יְהוָה כֹּה | אָמַר יְהוָה כָּעֵת | מָחָר
ב סְאָה־סֹלֶת בְּשֶׁקֶל וְסָאתַיִם שְׂעֹרִים בְּשֶׁקֶל בְּשַׁעַר שֹׁמְרוֹן: וַיַּעַן
הַשָּׁלִישׁ אֲשֶׁר־לַמֶּלֶךְ נִשְׁעָן עַל־יָדוֹ אֶת־אִישׁ הָאֱלֹהִים וַיֹּאמַר

הִנֵּה יְהוָה עֹשֶׂה אֲרֻבּוֹת בַּשָּׁמַיִם הֲיִהְיֶה הַדָּבָר הַזֶּה וַיֹּאמֶר
הִנְּכָה רֹאֶה בְּעֵינֶיךָ וּמִשָּׁם לֹא תֹאכֵל׃
ג וְאַרְבָּעָה אֲנָשִׁים הָיוּ מְצֹרָעִים פֶּתַח הַשָּׁעַר וַיֹּאמְרוּ אִישׁ מְנוּסַת
ד אֶל־רֵעֵהוּ מָה אֲנַחְנוּ יֹשְׁבִים פֹּה עַד־מָתְנוּ׃ אִם־אָמַרְנוּ נָבוֹא מַחֲנֵה אֲרָם׃
הָעִיר וְהָרָעָב בָּעִיר וָמַתְנוּ שָׁם וְאִם־יָשַׁבְנוּ פֹה וָמָתְנוּ וְעַתָּה
לְכוּ וְנִפְּלָה אֶל־מַחֲנֵה אֲרָם אִם־יְחַיֻּנוּ נִחְיֶה וְאִם־יְמִיתֻנוּ וָמָתְנוּ׃
ה וַיָּקֻמוּ בַנֶּשֶׁף לָבוֹא אֶל־מַחֲנֵה אֲרָם וַיָּבֹאוּ עַד־קְצֵה מַחֲנֵה אֲרָם
ו וְהִנֵּה אֵין־שָׁם אִישׁ׃ וַאדֹנָי הִשְׁמִיעַ ׀ אֶת־מַחֲנֵה אֲרָם קוֹל רֶכֶב
קוֹל סוּס קוֹל חַיִל גָּדוֹל וַיֹּאמְרוּ אִישׁ אֶל־אָחִיו הִנֵּה שָׂכַר־עָלֵינוּ
מֶלֶךְ יִשְׂרָאֵל אֶת־מַלְכֵי הַחִתִּים וְאֶת־מַלְכֵי מִצְרַיִם לָבוֹא עָלֵינוּ׃
ז וַיָּקוּמוּ וַיָּנוּסוּ בַנֶּשֶׁף וַיַּעַזְבוּ אֶת־אָהֳלֵיהֶם וְאֶת־סוּסֵיהֶם וְאֶת־
ח חֲמֹרֵיהֶם הַמַּחֲנֶה כַּאֲשֶׁר הִיא וַיָּנֻסוּ אֶל־נַפְשָׁם׃ וַיָּבֹאוּ הַמְצֹרָעִים
הָאֵלֶּה עַד־קְצֵה הַמַּחֲנֶה וַיָּבֹאוּ אֶל־אֹהֶל אֶחָד וַיֹּאכְלוּ וַיִּשְׁתּוּ
וַיִּשְׂאוּ מִשָּׁם כֶּסֶף וְזָהָב וּבְגָדִים וַיֵּלְכוּ וַיַּטְמִנוּ וַיָּשֻׁבוּ וַיָּבֹאוּ
ט אֶל־אֹהֶל אַחֵר וַיִּשְׂאוּ מִשָּׁם וַיֵּלְכוּ וַיַּטְמִנוּ׃ וַיֹּאמְרוּ אִישׁ
אֶל־רֵעֵהוּ לֹא־כֵן ׀ אֲנַחְנוּ עֹשִׂים הַיּוֹם הַזֶּה יוֹם־בְּשֹׂרָה הוּא
וַאֲנַחְנוּ מַחְשִׁים וְחִכִּינוּ עַד־אוֹר הַבֹּקֶר וּמְצָאָנוּ עָווֹן וְעַתָּה לְכוּ
י וְנָבֹאָה וְנַגִּידָה בֵּית הַמֶּלֶךְ׃ וַיָּבֹאוּ וַיִּקְרְאוּ אֶל־שֹׁעֵר הָעִיר וַיַּגִּידוּ
לָהֶם לֵאמֹר בָּאנוּ אֶל־מַחֲנֵה אֲרָם וְהִנֵּה אֵין־שָׁם אִישׁ וְקוֹל
אָדָם כִּי אִם־הַסּוּס אָסוּר וְהַחֲמוֹר אָסוּר וְאֹהָלִים כַּאֲשֶׁר־הֵמָּה׃
יא יב וַיִּקְרָא הַשֹּׁעֲרִים וַיַּגִּידוּ בֵּית הַמֶּלֶךְ פְּנִימָה׃ וַיָּקָם הַמֶּלֶךְ לַיְלָה
וַיֹּאמֶר אֶל־עֲבָדָיו אַגִּידָה־נָּא לָכֶם אֵת אֲשֶׁר־עָשׂוּ לָנוּ אֲרָם
יָדְעוּ כִּי־רְעֵבִים אֲנַחְנוּ וַיֵּצְאוּ מִן־הַמַּחֲנֶה לְהֵחָבֵה בהשדה בַשָּׂדֶה
יג לֵאמֹר כִּי־יֵצְאוּ מִן־הָעִיר וְנִתְפְּשֵׂם חַיִּים וְאֶל־הָעִיר נָבֹא׃ וַיַּעַן
אֶחָד מֵעֲבָדָיו וַיֹּאמֶר וְיִקְחוּ־נָא חֲמִשָּׁה מִן־הַסּוּסִים הַנִּשְׁאָרִים

אֲשֶׁר נִשְׁאֲרוּ־בָ֑הּ הִנָּם כְּכָל־הֲמ֤וֹן ההמון יִשְׂרָאֵל֙ אֲשֶׁ֣ר נִשְׁאֲרוּ־
יד בָ֔הּ הִנָּ֕ם כְּכָל־הֲמ֥וֹן יִשְׂרָאֵ֛ל אֲשֶׁר־תָּ֖מּוּ וְנִשְׁלְחָ֥ה וְנִרְאֶֽה׃ וַיִּקְח֕וּ
שְׁנֵ֖י רֶ֣כֶב סוּסִ֑ים וַיִּשְׁלַ֨ח הַמֶּ֜לֶךְ אַחֲרֵ֧י מַחֲנֵה־אֲרָ֛ם לֵאמֹ֖ר לְכ֥וּ
טו וּרְאֽוּ׃ וַיֵּלְכ֣וּ אַחֲרֵיהֶם֮ עַד־הַיַּרְדֵּן֒ וְהִנֵּ֨ה כָל־הַדֶּ֜רֶךְ מְלֵאָ֤ה בְגָדִים֙
וְכֵלִ֔ים אֲשֶׁר־הִשְׁלִ֥יכוּ אֲרָ֖ם בהחפזם בְּחָפְזָ֑ם וַיָּשֻׁ֙בוּ֙ הַמַּלְאָכִ֔ים
טז וַיַּגִּ֖דוּ לַמֶּֽלֶךְ׃ וַיֵּצֵ֣א הָעָ֔ם וַיָּבֹ֕זּוּ אֵ֖ת מַחֲנֵ֣ה אֲרָ֑ם וַיְהִ֨י סְאָה־סֹ֜לֶת
יז בְּשֶׁ֗קֶל וְסָאתַ֤יִם שְׂעֹרִים֙ בְּשֶׁ֔קֶל כִּדְבַ֖ר יְהוָֽה׃ וְהַמֶּ֨לֶךְ הִפְקִ֜יד
אֶת־הַשָּׁלִ֗ישׁ אֲשֶׁר־נִשְׁעָ֤ן עַל־יָדוֹ֙ עַל־הַשַּׁ֔עַר וַיִּרְמְסֻ֥הוּ הָעָ֖ם
בַּשַּׁ֑עַר וַיָּ֗מָת כַּאֲשֶׁ֤ר דִּבֶּר֙ אִ֣ישׁ הָאֱלֹהִ֔ים אֲשֶׁ֣ר דִּבֶּ֔ר בְּרֶ֥דֶת
יח הַמֶּ֖לֶךְ אֵלָֽיו׃ וַיְהִ֗י כְּדַבֵּר֙ אִ֣ישׁ הָאֱלֹהִ֔ים אֶל־הַמֶּ֖לֶךְ לֵאמֹ֑ר
סָאתַ֨יִם שְׂעֹרִ֜ים בְּשֶׁ֗קֶל וּֽסְאָה־סֹ֙לֶת֙ בְּשֶׁ֔קֶל יִֽהְיֶה֙ כָּעֵ֣ת מָחָ֔ר
יט בְּשַׁ֖עַר שֹׁמְרֽוֹן׃ וַיַּ֨עַן הַשָּׁלִ֜ישׁ אֶת־אִ֣ישׁ הָאֱלֹהִים֮ וַיֹּאמַר֒ וְהִנֵּ֣ה
יְהוָ֗ה עֹשֶׂ֤ה אֲרֻבּוֹת֙ בַּשָּׁמַ֔יִם הֲיִֽהְיֶ֖ה כַּדָּבָ֣ר הַזֶּ֑ה וַיֹּ֗אמֶר הִנְּךָ֙
כ רֹאֶה֙ בְּעֵינֶ֔יךָ וּמִשָּׁ֖ם לֹ֥א תֹאכֵֽל׃ וַֽיְהִי־ל֖וֹ כֵּ֑ן וַיִּרְמְס֨וּ אֹת֥וֹ הָעָ֛ם
בַּשַּׁ֖עַר וַיָּמֹֽת׃

ח א וֶֽאֱלִישָׁ֡ע
דִּבֶּ֣ר אֶל־הָאִשָּׁה֩ אֲשֶׁר־הֶחֱיָ֨ה אֶת־בְּנָ֜הּ לֵאמֹ֗ר ק֤וּמִי וּֽלְכִי֙ אתי
אַ֣תְּ וּבֵיתֵ֔ךְ וְג֖וּרִי בַּאֲשֶׁ֣ר תָּג֑וּרִי כִּֽי־קָרָ֤א יְהוָה֙ לָֽרָעָ֔ב וְגַם־בָּ֥א
ב אֶל־הָאָ֖רֶץ שֶׁ֥בַע שָׁנִֽים׃ וַתָּ֣קָם הָֽאִשָּׁ֔ה וַתַּ֕עַשׂ כִּדְבַ֖ר אִ֣ישׁ
הָאֱלֹהִ֑ים וַתֵּ֤לֶךְ הִיא֙ וּבֵיתָ֔הּ וַתָּ֥גָר בְּאֶֽרֶץ־פְּלִשְׁתִּ֖ים שֶׁ֥בַע שָׁנִֽים׃
ג וַיְהִ֗י מִקְצֵה֙ שֶׁ֣בַע שָׁנִ֔ים וַתָּ֣שָׁב הָֽאִשָּׁ֔ה מֵאֶ֖רֶץ פְּלִשְׁתִּ֑ים וַתֵּצֵא֙
ד לִצְעֹ֣ק אֶל־הַמֶּ֔לֶךְ אֶל־בֵּיתָ֖הּ וְאֶל־שָׂדָֽהּ׃ וְהַמֶּ֗לֶךְ מְדַבֵּר֙ אֶל־
גֵּֽחֲזִ֔י נַ֥עַר אִישׁ־הָאֱלֹהִ֖ים לֵאמֹ֑ר סַפְּרָה־נָּ֣א לִ֔י אֵ֥ת כָּל־הַגְּדֹל֖וֹת
ה אֲשֶׁר־עָשָׂ֥ה אֱלִישָֽׁע׃ וַֽיְהִי֩ ה֨וּא מְסַפֵּ֜ר לַמֶּ֗לֶךְ אֵ֣ת
אֲשֶׁר־הֶחֱיָ֣ה אֶת־הַמֵּת֒ וְהִנֵּ֣ה הָאִשָּׁ֗ה אֲשֶׁר־הֶחֱיָ֤ה אֶת־בְּנָהּ֙
צֹעֶ֣קֶת אֶל־הַמֶּ֔לֶךְ עַל־בֵּיתָ֖הּ וְעַל־שָׂדָ֑הּ וַיֹּ֣אמֶר גֵּיחֲזִי֙ אֲדֹנִ֣י

עֹנֶשׁ הַשָּׁלִישׁ הַמְזַלְזֵל בִּנְבוּאָה:

הֲלִיכַת הַשּׁוּנַמִּית לִפְלִשְׁתִּים:

הֲשָׁבַת הַנַּחֲלָה:

ו הַמֶּלֶךְ זֹאת הָאִשָּׁה וְזֶה־בְּנָהּ אֲשֶׁר־הֶחֱיָה אֱלִישָׁע׃ וַיִּשְׁאַל
הַמֶּלֶךְ לָאִשָּׁה וַתְּסַפֶּר־לוֹ וַיִּתֶּן־לָהּ הַמֶּלֶךְ סָרִיס אֶחָד לֵאמֹר
הָשֵׁיב אֶת־כָּל־אֲשֶׁר־לָהּ וְאֵת כָּל־תְּבוּאֹת הַשָּׂדֶה מִיּוֹם עָזְבָה
אֶת־הָאָרֶץ וְעַד־עָתָּה׃

ז וַיָּבֹא אֱלִישָׁע דַּמֶּשֶׂק וּבֶן־הֲדַד מֶלֶךְ־אֲרָם חֹלֶה וַיֻּגַּד־לוֹ לֵאמֹר
ח בָּא אִישׁ הָאֱלֹהִים עַד־הֵנָּה׃ וַיֹּאמֶר הַמֶּלֶךְ אֶל־חֲזָהאֵל קַח בְּיָדְךָ
מִנְחָה וְלֵךְ לִקְרַאת אִישׁ הָאֱלֹהִים וְדָרַשְׁתָּ אֶת־יְהוָה מֵאוֹתוֹ
ט לֵאמֹר הַאֶחְיֶה מֵחֳלִי זֶה׃ וַיֵּלֶךְ חֲזָאֵל לִקְרָאתוֹ וַיִּקַּח מִנְחָה בְיָדוֹ
וְכָל־טוּב דַּמֶּשֶׂק מַשָּׂא אַרְבָּעִים גָּמָל וַיָּבֹא וַיַּעֲמֹד לְפָנָיו וַיֹּאמֶר
בִּנְךָ בֶן־הֲדַד מֶלֶךְ־אֲרָם שְׁלָחַנִי אֵלֶיךָ לֵאמֹר הַאֶחְיֶה מֵחֳלִי
י זֶה׃ וַיֹּאמֶר אֵלָיו אֱלִישָׁע לֵךְ אֱמָר־לוֹ לֹא חָיֹה תִחְיֶה וְהִרְאַנִי
יא יְהוָה כִּי־מוֹת יָמוּת׃ וַיַּעֲמֵד אֶת־פָּנָיו וַיָּשֶׂם עַד־בֹּשׁ וַיֵּבְךְּ אִישׁ
יב הָאֱלֹהִים׃ וַיֹּאמֶר חֲזָאֵל מַדּוּעַ אֲדֹנִי בֹכֶה וַיֹּאמֶר כִּי־יָדַעְתִּי
אֵת אֲשֶׁר־תַּעֲשֶׂה לִבְנֵי יִשְׂרָאֵל רָעָה מִבְצְרֵיהֶם תְּשַׁלַּח בָּאֵשׁ
וּבַחֻרֵיהֶם בַּחֶרֶב תַּהֲרֹג וְעֹלְלֵיהֶם תְּרַטֵּשׁ וְהָרֹתֵיהֶם תְּבַקֵּעַ׃
יג וַיֹּאמֶר חֲזָהאֵל כִּי מָה עַבְדְּךָ הַכֶּלֶב כִּי יַעֲשֶׂה הַדָּבָר הַגָּדוֹל
יד הַזֶּה וַיֹּאמֶר אֱלִישָׁע הִרְאַנִי יְהוָה אֹתְךָ מֶלֶךְ עַל־אֲרָם׃ וַיֵּלֶךְ ׀
מֵאֵת אֱלִישָׁע וַיָּבֹא אֶל־אֲדֹנָיו וַיֹּאמֶר לוֹ מָה־אָמַר לְךָ אֱלִישָׁע
טו וַיֹּאמֶר אָמַר לִי חָיֹה תִחְיֶה׃ וַיְהִי מִמָּחֳרָת וַיִּקַּח הַמַּכְבֵּר וַיִּטְבֹּל
בַּמַּיִם וַיִּפְרֹשׂ עַל־פָּנָיו וַיָּמֹת וַיִּמְלֹךְ חֲזָהאֵל תַּחְתָּיו׃

נְבוּאַת אֱלִישָׁע עַל מַלְכוּת חֲזָהאֵל׃

טז וּבִשְׁנַת חָמֵשׁ לְיוֹרָם בֶּן־אַחְאָב מֶלֶךְ יִשְׂרָאֵל וִיהוֹשָׁפָט מֶלֶךְ
יז יְהוּדָה מָלַךְ יְהוֹרָם בֶּן־יְהוֹשָׁפָט מֶלֶךְ יְהוּדָה׃ בֶּן־שְׁלֹשִׁים וּשְׁתַּיִם
יח שָׁנָה הָיָה בְמָלְכוֹ וּשְׁמֹנֶה שנה שָׁנִים מָלַךְ בִּירוּשָׁלִָם׃ וַיֵּלֶךְ בְּדֶרֶךְ ׀
מַלְכֵי יִשְׂרָאֵל כַּאֲשֶׁר עָשׂוּ בֵּית אַחְאָב כִּי בַּת־אַחְאָב הָיְתָה לּוֹ
יט לְאִשָּׁה וַיַּעַשׂ הָרַע בְּעֵינֵי יְהוָה׃ וְלֹא־אָבָה יְהוָה לְהַשְׁחִית

מַלְכוּת יְהוֹרָם בֶּן יְהוֹשָׁפָט׃
[3046]

אֶת־יְהוּדָה לְמַעַן דָּוִד עַבְדּוֹ כַּאֲשֶׁר אָמַר־לוֹ לָתֵת לוֹ נִיר לְבָנָיו
כ כָּל־הַיָּמִים׃ בְּיָמָיו פָּשַׁע אֱדוֹם מִתַּחַת יַד־יְהוּדָה וַיַּמְלִכוּ עֲלֵיהֶם
כא מֶלֶךְ׃ וַיַּעֲבֹר יוֹרָם צָעִירָה וְכָל־הָרֶכֶב עִמּוֹ וַיְהִי־הוּא קָם לַיְלָה
וַיַּכֶּה אֶת־אֱדוֹם הַסֹּבֵיב אֵלָיו וְאֵת שָׂרֵי הָרֶכֶב וַיָּנָס הָעָם
כב לְאֹהָלָיו׃ וַיִּפְשַׁע אֱדוֹם מִתַּחַת יַד־יְהוּדָה עַד הַיּוֹם הַזֶּה אָז
כג תִּפְשַׁע לִבְנָה בָּעֵת הַהִיא׃ וְיֶתֶר דִּבְרֵי יוֹרָם וְכָל־אֲשֶׁר עָשָׂה
כד הֲלֹא־הֵם כְּתוּבִים עַל־סֵפֶר דִּבְרֵי הַיָּמִים לְמַלְכֵי יְהוּדָה׃ וַיִּשְׁכַּב
יוֹרָם עִם־אֲבֹתָיו וַיִּקָּבֵר עִם־אֲבֹתָיו בְּעִיר דָּוִד וַיִּמְלֹךְ אֲחַזְיָהוּ
בְנוֹ תַּחְתָּיו׃

מַלְכוּת אֲחַזְיָה בֶן יְהוֹרָם׃ [3055]

כה בִּשְׁנַת שְׁתֵּים־עֶשְׂרֵה שָׁנָה לְיוֹרָם בֶּן־אַחְאָב מֶלֶךְ יִשְׂרָאֵל מָלַךְ
כו אֲחַזְיָהוּ בֶן־יְהוֹרָם מֶלֶךְ יְהוּדָה׃ בֶּן־עֶשְׂרִים וּשְׁתַּיִם שָׁנָה
אֲחַזְיָהוּ בְמָלְכוֹ וְשָׁנָה אַחַת מָלַךְ בִּירוּשָׁלִָם וְשֵׁם אִמּוֹ עֲתַלְיָהוּ
כז בַּת־עָמְרִי מֶלֶךְ יִשְׂרָאֵל׃ וַיֵּלֶךְ בְּדֶרֶךְ בֵּית אַחְאָב וַיַּעַשׂ הָרַע
כח בְּעֵינֵי יְהוָה כְּבֵית אַחְאָב כִּי חֲתַן בֵּית־אַחְאָב הוּא׃ וַיֵּלֶךְ
אֶת־יוֹרָם בֶּן־אַחְאָב לַמִּלְחָמָה עִם־חֲזָאֵל מֶלֶךְ־אֲרָם בְּרָמֹת
כט גִּלְעָד וַיַּכּוּ אֲרַמִּים אֶת־יוֹרָם׃ וַיָּשָׁב יוֹרָם הַמֶּלֶךְ לְהִתְרַפֵּא
בְיִזְרְעֶאל מִן־הַמַּכִּים אֲשֶׁר יַכֻּהוּ אֲרַמִּים בָּרָמָה בְּהִלָּחֲמוֹ
אֶת־חֲזָהאֵל מֶלֶךְ אֲרָם וַאֲחַזְיָהוּ בֶן־יְהוֹרָם מֶלֶךְ יְהוּדָה יָרַד
לִרְאוֹת אֶת־יוֹרָם בֶּן־אַחְאָב בְּיִזְרְעֶאל כִּי־חֹלֶה הוּא׃

מְשִׁיחַת יֵהוּא׃ [3055]

ט א וֶאֱלִישָׁע הַנָּבִיא קָרָא לְאַחַד מִבְּנֵי הַנְּבִיאִים וַיֹּאמֶר לוֹ חֲגֹר
ב מָתְנֶיךָ וְקַח פַּךְ הַשֶּׁמֶן הַזֶּה בְּיָדֶךָ וְלֵךְ רָמֹת גִּלְעָד׃ וּבָאתָ שָׁמָּה
וּרְאֵה־שָׁם יֵהוּא בֶן־יְהוֹשָׁפָט בֶּן־נִמְשִׁי וּבָאתָ וַהֲקֵמֹתוֹ מִתּוֹךְ
ג אֶחָיו וְהֵבֵיאתָ אֹתוֹ חֶדֶר בְּחָדֶר׃ וְלָקַחְתָּ פַךְ־הַשֶּׁמֶן וְיָצַקְתָּ
עַל־רֹאשׁוֹ וְאָמַרְתָּ כֹּה־אָמַר יְהוָה מְשַׁחְתִּיךָ לְמֶלֶךְ אֶל־יִשְׂרָאֵל
ד וּפָתַחְתָּ הַדֶּלֶת וְנַסְתָּה וְלֹא תְחַכֶּה׃ וַיֵּלֶךְ הַנַּעַר הַנַּעַר הַנָּבִיא

ה רָמֹת גִּלְעָד: וַיָּבֹא וְהִנֵּה שָׂרֵי הַחַיִל יֹשְׁבִים וַיֹּאמֶר דָּבָר לִי אֵלֶיךָ
ו הַשָּׂר וַיֹּאמֶר יֵהוּא אֶל־מִי מִכֻּלָּנוּ וַיֹּאמֶר אֵלֶיךָ הַשָּׂר: וַיָּקָם וַיָּבֹא
הַבַּיְתָה וַיִּצֹק הַשֶּׁמֶן אֶל־רֹאשׁוֹ וַיֹּאמֶר לוֹ כֹּה־אָמַר יְהוָה אֱלֹהֵי
ז יִשְׂרָאֵל מְשַׁחְתִּיךָ לְמֶלֶךְ אֶל־עַם יְהוָה אֶל־יִשְׂרָאֵל: וְהִכִּיתָה
אֶת־בֵּית אַחְאָב אֲדֹנֶיךָ וְנִקַּמְתִּי דְּמֵי ׀ עֲבָדַי הַנְּבִיאִים וּדְמֵי
ח כָּל־עַבְדֵי יְהוָה מִיַּד אִיזָבֶל: וְאָבַד כָּל־בֵּית אַחְאָב וְהִכְרַתִּי
ט לְאַחְאָב מַשְׁתִּין בְּקִיר וְעָצוּר וְעָזוּב בְּיִשְׂרָאֵל: וְנָתַתִּי אֶת־בֵּית
י אַחְאָב כְּבֵית יָרָבְעָם בֶּן־נְבָט וּכְבֵית בַּעְשָׁא בֶן־אֲחִיָּה: וְאֶת־
אִיזֶבֶל יֹאכְלוּ הַכְּלָבִים בְּחֵלֶק יִזְרְעֶאל וְאֵין קֹבֵר וַיִּפְתַּח הַדֶּלֶת
יא וַיָּנֹס: וְיֵהוּא יָצָא אֶל־עַבְדֵי אֲדֹנָיו וַיֹּאמֶר לוֹ הֲשָׁלוֹם מַדּוּעַ
בָּא־הַמְשֻׁגָּע הַזֶּה אֵלֶיךָ וַיֹּאמֶר אֲלֵיהֶם אַתֶּם יְדַעְתֶּם אֶת־הָאִישׁ
יב וְאֶת־שִׂיחוֹ: וַיֹּאמְרוּ שֶׁקֶר הַגֶּד־נָא לָנוּ וַיֹּאמֶר כָּזֹאת וְכָזֹאת
אָמַר אֵלַי לֵאמֹר כֹּה אָמַר יְהוָה מְשַׁחְתִּיךָ לְמֶלֶךְ אֶל־יִשְׂרָאֵל:
יג וַיְמַהֲרוּ וַיִּקְחוּ אִישׁ בִּגְדוֹ וַיָּשִׂימוּ תַחְתָּיו אֶל־גֶּרֶם הַמַּעֲלוֹת
יד וַיִּתְקְעוּ בַּשּׁוֹפָר וַיֹּאמְרוּ מָלַךְ יֵהוּא: וַיִּתְקַשֵּׁר יֵהוּא בֶּן־יְהוֹשָׁפָט
בֶּן־נִמְשִׁי אֶל־יוֹרָם וְיוֹרָם הָיָה שֹׁמֵר בְּרָמֹת גִּלְעָד הוּא וְכָל־
טו יִשְׂרָאֵל מִפְּנֵי חֲזָאֵל מֶלֶךְ אֲרָם: וַיָּשָׁב יְהוֹרָם הַמֶּלֶךְ לְהִתְרַפֵּא
בְיִזְרְעֶאל מִן־הַמַּכִּים אֲשֶׁר יַכֻּהוּ אֲרַמִּים בְּהִלָּחֲמוֹ אֶת־חֲזָאֵל
מֶלֶךְ אֲרָם וַיֹּאמֶר יֵהוּא אִם־יֵשׁ נַפְשְׁכֶם אַל־יֵצֵא פָלִיט מִן־
טז הָעִיר לָלֶכֶת לגיד לְהַגִּיד בְּיִזְרְעֶאל: וַיִּרְכַּב יֵהוּא וַיֵּלֶךְ יִזְרְעֶאלָה
כִּי יוֹרָם שֹׁכֵב שָׁמָּה וַאֲחַזְיָה מֶלֶךְ יְהוּדָה יָרַד לִרְאוֹת אֶת־יוֹרָם:
יז וְהַצֹּפֶה עֹמֵד עַל־הַמִּגְדָּל בְּיִזְרְעֶאל וַיַּרְא אֶת־שִׁפְעַת יֵהוּא
בְּבֹאוֹ וַיֹּאמֶר שִׁפְעַת אֲנִי רֹאֶה וַיֹּאמֶר יְהוֹרָם קַח רַכָּב וּשְׁלַח
יח לִקְרָאתָם וְיֹאמַר הֲשָׁלוֹם: וַיֵּלֶךְ רֹכֵב הַסּוּס לִקְרָאתוֹ וַיֹּאמֶר
כֹּה־אָמַר הַמֶּלֶךְ הֲשָׁלוֹם וַיֹּאמֶר יֵהוּא מַה־לְּךָ וּלְשָׁלוֹם סֹב

הַשְּׁלִיחוּת בְּשֵׁם ה':

אֶל־אַחֲרָי וַיַּגֵּד הַצֹּפֶה לֵאמֹר בָּא־הַמַּלְאָךְ עַד־הֵם וְלֹא־שָׁב׃
יט וַיִּשְׁלַח רֹכֵב סוּס שֵׁנִי וַיָּבֹא אֲלֵהֶם וַיֹּאמֶר כֹּה־אָמַר הַמֶּלֶךְ שָׁלוֹם
כ וַיֹּאמֶר יֵהוּא מַה־לְּךָ וּלְשָׁלוֹם סֹב אֶל־אַחֲרָי׃ וַיַּגֵּד הַצֹּפֶה לֵאמֹר
בָּא עַד־אֲלֵיהֶם וְלֹא־שָׁב וְהַמִּנְהָג כְּמִנְהַג יֵהוּא בֶן־נִמְשִׁי כִּי
כא בְשִׁגָּעוֹן יִנְהָג׃ וַיֹּאמֶר יְהוֹרָם אֱסֹר וַיֶּאְסֹר רִכְבּוֹ וַיֵּצֵא יְהוֹרָם
מֶלֶךְ־יִשְׂרָאֵל וַאֲחַזְיָהוּ מֶלֶךְ־יְהוּדָה אִישׁ בְּרִכְבּוֹ וַיֵּצְאוּ לִקְרַאת
כב יֵהוּא וַיִּמְצָאֻהוּ בְּחֶלְקַת נָבוֹת הַיִּזְרְעֵאלִי׃ וַיְהִי כִּרְאוֹת יְהוֹרָם
אֶת־יֵהוּא וַיֹּאמֶר הֲשָׁלוֹם יֵהוּא וַיֹּאמֶר מָה הַשָּׁלוֹם עַד־זְנוּנֵי
כג אִיזֶבֶל אִמְּךָ וּכְשָׁפֶיהָ הָרַבִּים׃ וַיַּהֲפֹךְ יְהוֹרָם יָדָיו וַיָּנֹס וַיֹּאמֶר
כד אֶל־אֲחַזְיָהוּ מִרְמָה אֲחַזְיָה׃ וְיֵהוּא מִלֵּא יָדוֹ בַקֶּשֶׁת וַיַּךְ אֶת־ הֲרִיגַת יְהוֹרָם וַאֲחַזְיָהוּ׃
כה יְהוֹרָם בֵּין זְרֹעָיו וַיֵּצֵא הַחֵצִי מִלִּבּוֹ וַיִּכְרַע בְּרִכְבּוֹ׃ וַיֹּאמֶר
אֶל־בִּדְקַר שָׁלִשֹׁה שָׂא הַשְׁלִכֵהוּ בְּחֶלְקַת שְׂדֵה נָבוֹת הַיִּזְרְעֵאלִי
כִּי־זְכֹר אֲנִי וָאַתָּה אֵת רֹכְבִים צְמָדִים אַחֲרֵי אַחְאָב אָבִיו וַיהוָה
כו נָשָׂא עָלָיו אֶת־הַמַּשָּׂא הַזֶּה׃ אִם־לֹא אֶת־דְּמֵי נָבוֹת וְאֶת־דְּמֵי
בָנָיו רָאִיתִי אֶמֶשׁ נְאֻם־יְהוָה וְשִׁלַּמְתִּי לְךָ בַּחֶלְקָה הַזֹּאת
כז נְאֻם־יְהוָה וְעַתָּה שָׂא הַשְׁלִכֵהוּ בַּחֶלְקָה כִּדְבַר יְהוָה׃ וַאֲחַזְיָה
מֶלֶךְ־יְהוּדָה רָאָה וַיָּנָס דֶּרֶךְ בֵּית הַגָּן וַיִּרְדֹּף אַחֲרָיו יֵהוּא וַיֹּאמֶר
גַּם־אֹתוֹ הַכֻּהוּ אֶל־הַמֶּרְכָּבָה בְּמַעֲלֵה־גוּר אֲשֶׁר אֶת־יִבְלְעָם
כח וַיָּנָס מְגִדּוֹ וַיָּמָת שָׁם׃ וַיַּרְכִּבוּ אֹתוֹ עֲבָדָיו יְרוּשָׁלָמָה וַיִּקְבְּרוּ
אֹתוֹ בִקְבֻרָתוֹ עִם־אֲבֹתָיו בְּעִיר דָּוִד׃

כט וּבִשְׁנַת אַחַת עֶשְׂרֵה שָׁנָה לְיוֹרָם בֶּן־אַחְאָב מָלַךְ אֲחַזְיָה מוֹת אִיזֶבֶל כִּנְבוּאַת אֵלִיָּהוּ׃
ל עַל־יְהוּדָה׃ וַיָּבוֹא יֵהוּא יִזְרְעֶאלָה וְאִיזֶבֶל שָׁמְעָה וַתָּשֶׂם בַּפּוּךְ
לא עֵינֶיהָ וַתֵּיטֶב אֶת־רֹאשָׁהּ וַתַּשְׁקֵף בְּעַד הַחַלּוֹן׃ וְיֵהוּא בָּא
לב בַשַּׁעַר וַתֹּאמֶר הֲשָׁלוֹם זִמְרִי הֹרֵג אֲדֹנָיו׃ וַיִּשָּׂא פָנָיו אֶל־הַחַלּוֹן
לג וַיֹּאמֶר מִי אִתִּי מִי וַיַּשְׁקִיפוּ אֵלָיו שְׁנַיִם שְׁלֹשָׁה סָרִיסִים׃ וַיֹּאמֶר

שְׁמָטֻהוּ וַיִּשְׁמְטֻהוּ וַיִּ֤ז מִדָּמָהּ֙ אֶל־הַקִּ֣יר וְאֶל־הַסּוּסִ֔ים

וַֽיִּרְמְסֶ֑נָּה: וַיָּבֹ֖א וַיֹּ֣אכַל וַיֵּ֑שְׁתְּ וַיֹּ֗אמֶר פִּקְדוּ־נָ֞א אֶת־הָֽאֲרוּרָ֤ה
לו

הַזֹּאת֙ וְקִבְר֔וּהָ כִּ֥י בַת־מֶ֖לֶךְ הִֽיא: וַיֵּלְכ֖וּ לְקָבְרָ֑הּ וְלֹא־מָ֣צְאוּ
לז

בָ֗הּ כִּ֧י אִם־הַגֻּלְגֹּ֛לֶת וְהָרַגְלַ֖יִם וְכַפּ֥וֹת הַיָּדָֽיִם: וַיָּשֻׁ֙בוּ֙ וַיַּגִּ֣ידוּ ל֔וֹ
לח

וַיֹּ֙אמֶר֙ דְּבַר־יְהוָ֣ה ה֔וּא אֲשֶׁ֣ר דִּבֶּ֗ר בְּיַד־עַבְדּ֛וֹ אֵלִיָּ֥הוּ הַתִּשְׁבִּ֖י

לֵאמֹ֑ר בְּחֵ֣לֶק יִזְרְעֶ֔אל יֹאכְל֥וּ הַכְּלָבִ֖ים אֶת־בְּשַׂ֥ר אִיזָֽבֶל: **והית**
לט

וְֽהָיְתָ֞ה נִבְלַ֣ת אִיזֶ֗בֶל כְּדֹ֛מֶן עַל־פְּנֵ֥י הַשָּׂדֶ֖ה בְּחֵ֣לֶק יִזְרְעֶ֑אל אֲשֶׁ֥ר

לֹֽא־יֹאמְר֖וּ זֹ֥את אִיזָֽבֶל: **הריגת בית**
אחאב
ואחזיה:

וּלְאַחְאָ֛ב שִׁבְעִ֥ים בָּנִ֖ים י א

בְּשֹׁמְר֑וֹן וַיִּכְתֹּב֩ יֵה֨וּא סְפָרִ֜ים וַיִּשְׁלַ֣ח שֹׁמְר֗וֹן אֶל־שָׂרֵ֤י יִזְרְעֶאל֙

הַזְּקֵנִ֔ים וְאֶל־הָאֹמְנִ֖ים אַחְאָ֑ב לֵאמֹֽר: וְעַתָּ֗ה כְּבֹ֨א הַסֵּ֤פֶר הַזֶּה֙
ב

אֲלֵיכֶ֔ם וְאִתְּכֶ֖ם בְּנֵ֣י אֲדֹנֵיכֶ֑ם וְאִתְּכֶ֛ם הָרֶ֥כֶב וְהַסּוּסִ֖ים וְעִ֥יר

מִבְצָ֖ר וְהַנָּֽשֶׁק: וּרְאִיתֶ֞ם הַטּ֤וֹב וְהַיָּשָׁר֙ מִבְּנֵ֣י אֲדֹנֵיכֶ֔ם וְשַׂמְתֶּ֖ם
ג

עַל־כִּסֵּ֣א אָבִ֑יו וְהִֽלָּחֲמ֖וּ עַל־בֵּ֥ית אֲדֹנֵיכֶֽם: וַיִּֽרְאוּ֙ מְאֹ֣ד מְאֹ֔ד
ד

וַיֹּ֣אמְר֔וּ הִנֵּה֙ שְׁנֵ֣י הַמְּלָכִ֔ים לֹ֥א עָמְד֖וּ לְפָנָ֑יו וְאֵ֖יךְ נַעֲמֹ֥ד אֲנָֽחְנוּ:

וַיִּשְׁלַ֣ח אֲשֶׁר־עַל־הַבַּ֣יִת וַאֲשֶׁ֪ר עַל־הָעִ֟יר וְהַזְּקֵנִים֩ וְהָאֹמְנִ֨ים
ה

אֶל־יֵה֤וּא ׀ לֵאמֹר֙ עֲבָדֶ֣יךָ אֲנַ֔חְנוּ וְכֹ֛ל אֲשֶׁר־תֹּאמַ֥ר אֵלֵ֖ינוּ נַעֲשֶׂ֑ה

לֹֽא־נַמְלִ֣יךְ אִ֔ישׁ הַטּ֥וֹב בְּעֵינֶ֖יךָ עֲשֵֽׂה: וַיִּכְתֹּ֣ב אֲלֵיהֶ֣ם סֵ֠פֶר ׀
ו

שֵׁנִ֞ית לֵאמֹ֗ר אִם־לִ֨י אַתֶּ֜ם וּלְקֹלִ֣י ׀ אַתֶּ֣ם שֹׁמְעִ֗ים קְחוּ֙ אֶת־רָאשֵׁי֙

אַנְשֵׁ֣י בְנֵֽי־אֲדֹנֵיכֶ֔ם וּבֹ֧אוּ אֵלַ֛י כָּעֵ֥ת מָחָ֖ר יִזְרְעֶ֑אלָה וּבְנֵ֤י הַמֶּ֙לֶךְ֙

שִׁבְעִ֣ים אִ֔ישׁ אֶת־גְּדֹלֵ֥י הָעִ֖יר מְגַדְּלִ֥ים אוֹתָֽם: וַיְהִ֡י כְּבֹ֣א הַסֵּפֶר֩
ז

אֲלֵיהֶ֨ם וַיִּקְח֜וּ אֶת־בְּנֵ֤י הַמֶּ֙לֶךְ֙ וַֽיִּשְׁחֲט֔וּ שִׁבְעִ֖ים אִ֑ישׁ וַיָּשִׂ֤ימוּ

אֶת־רָֽאשֵׁיהֶם֙ בַּדּוּדִ֔ים וַיִּשְׁלְח֥וּ אֵלָ֖יו יִזְרְעֶֽאלָה: וַיָּבֹ֤א הַמַּלְאָךְ֙
ח

וַיַּגֶּד־ל֣וֹ לֵאמֹ֔ר הֵבִ֖יאוּ רָאשֵׁ֣י בְנֵֽי־הַמֶּ֑לֶךְ וַיֹּ֕אמֶר שִׂ֥ימוּ אֹתָ֛ם שְׁנֵ֥י

צִבֻּרִ֛ים פֶּ֥תַח הַשַּׁ֖עַר עַד־הַבֹּֽקֶר: וַיְהִ֤י בַבֹּ֙קֶר֙ וַיֵּצֵ֣א וַֽיַּעֲמֹ֔ד וַיֹּ֙אמֶר֙
ט

אֶל־כָּל־הָעָ֖ם צַדִּקִ֣ים אַתֶּ֑ם הִנֵּ֨ה אֲנִ֜י קָשַׁ֤רְתִּי עַל־אֲדֹנִי֙

י וָאֶהֶרְגֵהוּ וּמִי הִכָּה אֶת־כָּל־אֵלֶּה: דְּעוּ אֵפוֹא כִּי לֹא יִפֹּל מִדְּבַר
יְהוָה אַרְצָה אֲשֶׁר־דִּבֶּר יְהוָה עַל־בֵּית אַחְאָב וַיהוָה עָשָׂה אֵת
יא אֲשֶׁר דִּבֶּר בְּיַד עַבְדּוֹ אֵלִיָּהוּ: וַיַּךְ יֵהוּא אֵת כָּל־הַנִּשְׁאָרִים
לְבֵית־אַחְאָב בְּיִזְרְעֶאל וְכָל־גְּדֹלָיו וּמְיֻדָּעָיו וְכֹהֲנָיו עַד־בִּלְתִּי
יב הִשְׁאִיר־לוֹ שָׂרִיד: וַיָּקָם וַיָּבֹא וַיֵּלֶךְ שֹׁמְרוֹן הוּא בֵּית־עֵקֶד
יג הָרֹעִים בַּדָּרֶךְ: וְיֵהוּא מָצָא אֶת־אֲחֵי אֲחַזְיָהוּ מֶלֶךְ־יְהוּדָה
וַיֹּאמֶר מִי אַתֶּם וַיֹּאמְרוּ אֲחֵי אֲחַזְיָהוּ אֲנַחְנוּ וַנֵּרֶד לִשְׁלוֹם
יד בְּנֵי־הַמֶּלֶךְ וּבְנֵי הַגְּבִירָה: וַיֹּאמֶר תִּפְשׂוּם חַיִּים וַיִּתְפְּשׂוּם חַיִּים
וַיִּשְׁחָטוּם אֶל־בּוֹר בֵּית־עֵקֶד אַרְבָּעִים וּשְׁנַיִם אִישׁ וְלֹא־
טו הִשְׁאִיר אִישׁ מֵהֶם: וַיֵּלֶךְ מִשָּׁם וַיִּמְצָא אֶת־יְהוֹנָדָב
בֶּן־רֵכָב לִקְרָאתוֹ וַיְבָרְכֵהוּ וַיֹּאמֶר אֵלָיו הֲיֵשׁ אֶת־לְבָבְךָ יָשָׁר
כַּאֲשֶׁר לְבָבִי עִם־לְבָבֶךָ וַיֹּאמֶר יְהוֹנָדָב יֵשׁ וָיֵשׁ תְּנָה אֶת־יָדֶךָ
טז וַיִּתֵּן יָדוֹ וַיַּעֲלֵהוּ אֵלָיו אֶל־הַמֶּרְכָּבָה: וַיֹּאמֶר לְכָה אִתִּי וּרְאֵה
יז בְּקִנְאָתִי לַיהוָה וַיַּרְכִּבוּ אֹתוֹ בְּרִכְבּוֹ: וַיָּבֹא שֹׁמְרוֹן וַיַּךְ אֶת־כָּל־
הַנִּשְׁאָרִים לְאַחְאָב בְּשֹׁמְרוֹן עַד־הִשְׁמִדוֹ כִּדְבַר יְהוָה אֲשֶׁר דִּבֶּר
אֶל־אֵלִיָּהוּ:

הַשְׁמָדַת הַבַּעַל וְכֹהֲנָיו:

יח וַיִּקְבֹּץ יֵהוּא אֶת־כָּל־הָעָם וַיֹּאמֶר אֲלֵהֶם אַחְאָב עָבַד אֶת־הַבַּעַל
יט מְעָט יֵהוּא יַעַבְדֶנּוּ הַרְבֵּה: וְעַתָּה כָל־נְבִיאֵי הַבַּעַל כָּל־עֹבְדָיו
וְכָל־כֹּהֲנָיו קִרְאוּ אֵלַי אִישׁ אַל־יִפָּקֵד כִּי זֶבַח גָּדוֹל לִי לַבַּעַל
כֹּל אֲשֶׁר־יִפָּקֵד לֹא יִחְיֶה וְיֵהוּא עָשָׂה בְעָקְבָּה לְמַעַן הַאֲבִיד
כ אֶת־עֹבְדֵי הַבָּעַל: וַיֹּאמֶר יֵהוּא קַדְּשׁוּ עֲצָרָה לַבַּעַל וַיִּקְרָאוּ:
כא וַיִּשְׁלַח יֵהוּא בְּכָל־יִשְׂרָאֵל וַיָּבֹאוּ כָּל־עֹבְדֵי הַבַּעַל וְלֹא־נִשְׁאַר
אִישׁ אֲשֶׁר לֹא־בָא וַיָּבֹאוּ בֵּית הַבַּעַל וַיִּמָּלֵא בֵית־הַבַּעַל פֶּה
כב לָפֶה: וַיֹּאמֶר לַאֲשֶׁר עַל־הַמֶּלְתָּחָה הוֹצֵא לְבוּשׁ לְכֹל עֹבְדֵי
כג הַבַּעַל וַיֹּצֵא לָהֶם הַמַּלְבּוּשׁ: וַיָּבֹא יֵהוּא וִיהוֹנָדָב בֶּן־רֵכָב בֵּית

הַבַּעַל וַיֹּאמֶר לְעֹבְדֵי הַבַּעַל חַפְּשׂוּ וּרְאוּ פֶּן־יֶשׁ־פֹּה עִמָּכֶם
כד מֵעַבְדֵי יְהוָה כִּי אִם־עֹבְדֵי הַבַּעַל לְבַדָּם: וַיָּבֹאוּ לַעֲשׂוֹת זְבָחִים
וְעֹלוֹת וְיֵהוּא שָׂם־לוֹ בַחוּץ שְׁמֹנִים אִישׁ וַיֹּאמֶר הָאִישׁ אֲשֶׁר־
יִמָּלֵט מִן־הָאֲנָשִׁים אֲשֶׁר אֲנִי מֵבִיא עַל־יְדֵיכֶם נַפְשׁוֹ תַּחַת
כה נַפְשׁוֹ: וַיְהִי כְּכַלֹּתוֹ ׀ לַעֲשׂוֹת הָעֹלָה וַיֹּאמֶר יֵהוּא לָרָצִים
וְלַשָּׁלִשִׁים בֹּאוּ הַכּוּם אִישׁ אַל־יֵצֵא וַיַּכּוּם לְפִי־חָרֶב וַיַּשְׁלִכוּ
כו הָרָצִים וְהַשָּׁלִשִׁים וַיֵּלְכוּ עַד־עִיר בֵּית־הַבָּעַל: וַיֹּצִאוּ אֶת־
כז מַצְּבוֹת בֵּית־הַבַּעַל וַיִּשְׂרְפוּהָ: וַיִּתְּצוּ אֵת מַצְּבַת הַבָּעַל וַיִּתְּצוּ
כח אֶת־בֵּית הַבַּעַל וַיְשִׂמֻהוּ למחראות לְמוֹצָאוֹת עַד־הַיּוֹם: וַיַּשְׁמֵד
כט יֵהוּא אֶת־הַבַּעַל מִיִּשְׂרָאֵל: רַק חֲטָאֵי יָרָבְעָם בֶּן־נְבָט אֲשֶׁר
הֶחֱטִיא אֶת־יִשְׂרָאֵל לֹא־סָר יֵהוּא מֵאַחֲרֵיהֶם עֶגְלֵי הַזָּהָב אֲשֶׁר
בֵּית־אֵל וַאֲשֶׁר בְּדָן:
ל וַיֹּאמֶר יְהוָה אֶל־יֵהוּא יַעַן אֲשֶׁר־הֱטִיבֹתָ לַעֲשׂוֹת הַיָּשָׁר בְּעֵינַי
כְּכֹל אֲשֶׁר בִּלְבָבִי עָשִׂיתָ לְבֵית אַחְאָב בְּנֵי רְבִעִים יֵשְׁבוּ לְךָ
לא עַל־כִּסֵּא יִשְׂרָאֵל: וְיֵהוּא לֹא שָׁמַר לָלֶכֶת בְּתוֹרַת־יְהוָה אֱלֹהֵי־ חֵטְא
יִשְׂרָאֵל בְּכָל־לְבָבוֹ לֹא סָר מֵעַל חַטֹּאות יָרָבְעָם אֲשֶׁר הֶחֱטִיא יֵהוּא:
לב אֶת־יִשְׂרָאֵל: בַּיָּמִים הָהֵם הֵחֵל יְהוָה לְקַצּוֹת בְּיִשְׂרָאֵל וַיַּכֵּם
לג חֲזָאֵל בְּכָל־גְּבוּל יִשְׂרָאֵל: מִן־הַיַּרְדֵּן מִזְרַח הַשֶּׁמֶשׁ אֵת כָּל־
אֶרֶץ הַגִּלְעָד הַגָּדִי וְהָראוּבֵנִי וְהַמְנַשִּׁי מֵעֲרֹעֵר אֲשֶׁר עַל־נַחַל
לד אַרְנֹן וְהַגִּלְעָד וְהַבָּשָׁן: וְיֶתֶר דִּבְרֵי יֵהוּא וְכָל־אֲשֶׁר עָשָׂה
וְכָל־גְּבוּרָתוֹ הֲלוֹא־הֵם כְּתוּבִים עַל־סֵפֶר דִּבְרֵי הַיָּמִים לְמַלְכֵי
לה יִשְׂרָאֵל: וַיִּשְׁכַּב יֵהוּא עִם־אֲבֹתָיו וַיִּקְבְּרוּ אֹתוֹ בְּשֹׁמְרוֹן וַיִּמְלֹךְ
לו יְהוֹאָחָז בְּנוֹ תַּחְתָּיו: וְהַיָּמִים אֲשֶׁר מָלַךְ יֵהוּא עַל־יִשְׂרָאֵל
עֶשְׂרִים־וּשְׁמֹנֶה שָׁנָה בְּשֹׁמְרוֹן:

מְלוּכַת עֲתַלְיָה:
יא א וַעֲתַלְיָה אֵם אֲחַזְיָהוּ וראתה רָאֲתָה כִּי מֵת בְּנָהּ וַתָּקָם וַתְּאַבֵּד

[3056]

ב אֶת כָּל־זֶרַע הַמַּמְלָכָה: וַתִּקַּח יְהוֹשֶׁבַע בַּת־הַמֶּלֶךְ־יוֹרָם אֲחוֹת
אֲחַזְיָהוּ אֶת־יוֹאָשׁ בֶּן־אֲחַזְיָה וַתִּגְנֹב אֹתוֹ מִתּוֹךְ בְּנֵי־הַמֶּלֶךְ
הממותתים הַמּוּמָתִים אֹתוֹ וְאֶת־מֵינִקְתּוֹ בַּחֲדַר הַמִּטּוֹת וַיַּסְתִּרוּ
ג אֹתוֹ מִפְּנֵי עֲתַלְיָהוּ וְלֹא הוּמָת: וַיְהִי אִתָּהּ בֵּית יְהוָה מִתְחַבֵּא
שֵׁשׁ שָׁנִים וַעֲתַלְיָה מֹלֶכֶת עַל־הָאָרֶץ:

הַמְלָכַת יוֹאָשׁ בֶּן אֲחַזְיָה: [3061]

ד וּבַשָּׁנָה הַשְּׁבִיעִית שָׁלַח יְהוֹיָדָע וַיִּקַּח | אֶת־שָׂרֵי המאיות הַמֵּאוֹת
לַכָּרִי וְלָרָצִים וַיָּבֵא אֹתָם אֵלָיו בֵּית יְהוָה וַיִּכְרֹת לָהֶם בְּרִית
ה וַיַּשְׁבַּע אֹתָם בְּבֵית יְהוָה וַיַּרְא אֹתָם אֶת־בֶּן־הַמֶּלֶךְ: וַיְצַוֵּם
לֵאמֹר זֶה הַדָּבָר אֲשֶׁר תַּעֲשׂוּן הַשְּׁלִשִׁית מִכֶּם בָּאֵי הַשַּׁבָּת
ו וְשֹׁמְרֵי מִשְׁמֶרֶת בֵּית הַמֶּלֶךְ: וְהַשְּׁלִשִׁית בְּשַׁעַר סוּר וְהַשְּׁלִשִׁית
ז בַּשַּׁעַר אַחַר הָרָצִים וּשְׁמַרְתֶּם אֶת־מִשְׁמֶרֶת הַבַּיִת מַסָּח: וּשְׁתֵּי
הַיָּדוֹת בָּכֶם כֹּל יֹצְאֵי הַשַּׁבָּת וְשָׁמְרוּ אֶת־מִשְׁמֶרֶת בֵּית־יְהוָה
ח אֶל־הַמֶּלֶךְ: וְהִקַּפְתֶּם עַל־הַמֶּלֶךְ סָבִיב אִישׁ וְכֵלָיו בְּיָדוֹ וְהַבָּא
ט אֶל־הַשְּׂדֵרוֹת יוּמָת וִהְיוּ אֶת־הַמֶּלֶךְ בְּצֵאתוֹ וּבְבֹאוֹ: וַיַּעֲשׂוּ
שָׂרֵי המאיות הַמֵּאוֹת כְּכֹל אֲשֶׁר־צִוָּה יְהוֹיָדָע הַכֹּהֵן וַיִּקְחוּ אִישׁ
אֶת־אֲנָשָׁיו בָּאֵי הַשַּׁבָּת עִם יֹצְאֵי הַשַּׁבָּת וַיָּבֹאוּ אֶל־יְהוֹיָדָע
י הַכֹּהֵן: וַיִּתֵּן הַכֹּהֵן לְשָׂרֵי המאיות הַמֵּאוֹת אֶת־הַחֲנִית וְאֶת־
יא הַשְּׁלָטִים אֲשֶׁר לַמֶּלֶךְ דָּוִד אֲשֶׁר בְּבֵית יְהוָה: וַיַּעַמְדוּ הָרָצִים
אִישׁ | וְכֵלָיו בְּיָדוֹ מִכֶּתֶף הַבַּיִת הַיְמָנִית עַד־כֶּתֶף הַבַּיִת
יב הַשְּׂמָאלִית לַמִּזְבֵּחַ וְלַבָּיִת עַל־הַמֶּלֶךְ סָבִיב: וַיּוֹצִא אֶת־בֶּן־
הַמֶּלֶךְ וַיִּתֵּן עָלָיו אֶת־הַנֵּזֶר וְאֶת־הָעֵדוּת וַיַּמְלִכוּ אֹתוֹ וַיִּמְשָׁחֻהוּ
וַיַּכּוּ־כָף וַיֹּאמְרוּ יְחִי הַמֶּלֶךְ:

הֲרִיגַת עֲתַלְיָה:

יג וַתִּשְׁמַע עֲתַלְיָה אֶת־קוֹל
יד הָרָצִין הָעָם וַתָּבֹא אֶל־הָעָם בֵּית יְהוָה: וַתֵּרֶא וְהִנֵּה הַמֶּלֶךְ עֹמֵד
עַל־הָעַמּוּד כַּמִּשְׁפָּט וְהַשָּׂרִים וְהַחֲצֹצְרוֹת אֶל־הַמֶּלֶךְ וְכָל־עַם
הָאָרֶץ שָׂמֵחַ וְתֹקֵעַ בַּחֲצֹצְרוֹת וַתִּקְרַע עֲתַלְיָה אֶת־בְּגָדֶיהָ

טו וַתִּקְרָא קֶשֶׁר קָשֶׁר: וַיְצַו יְהוֹיָדָע הַכֹּהֵן אֶת־שָׂרֵי המאיות הַמֵּאוֹת ׀
פְּקֻדֵי הַחַיִל וַיֹּאמֶר אֲלֵיהֶם הוֹצִיאוּ אֹתָהּ אֶל־מִבֵּית לַשְּׂדֵרֹת
וְהַבָּא אַחֲרֶיהָ הָמֵת בֶּחָרֶב כִּי אָמַר הַכֹּהֵן אַל־תּוּמַת בֵּית יְהוָה:

טז וַיָּשִׂמוּ לָהּ יָדַיִם וַתָּבוֹא דֶּרֶךְ־מְבוֹא הַסּוּסִים בֵּית הַמֶּלֶךְ

כנון
מלכות
יואש:

יז וַתּוּמַת שָׁם: וַיִּכְרֹת יְהוֹיָדָע אֶת־הַבְּרִית בֵּין יְהוָה וּבֵין
הַמֶּלֶךְ וּבֵין הָעָם לִהְיוֹת לְעָם לַיהוָה וּבֵין הַמֶּלֶךְ וּבֵין הָעָם:

יח וַיָּבֹאוּ כָל־עַם הָאָרֶץ בֵּית־הַבַּעַל וַיִּתְּצֻהוּ אֶת־מִזְבְּחֹתָו וְאֶת־
צְלָמָיו שִׁבְּרוּ הֵיטֵב וְאֵת מַתָּן כֹּהֵן הַבַּעַל הָרְגוּ לִפְנֵי הַמִּזְבְּחוֹת
וַיָּשֶׂם הַכֹּהֵן פְּקֻדֹּת עַל־בֵּית יְהוָה:

יט וַיִּקַּח אֶת־שָׂרֵי הַמֵּאוֹת
וְאֶת־הַכָּרִי וְאֶת־הָרָצִים וְאֵת ׀ כָּל־עַם הָאָרֶץ וַיֹּרִידוּ אֶת־הַמֶּלֶךְ
מִבֵּית יְהוָה וַיָּבוֹאוּ דֶּרֶךְ־שַׁעַר הָרָצִים בֵּית הַמֶּלֶךְ וַיֵּשֶׁב עַל־

כ כִּסֵּא הַמְּלָכִים: וַיִּשְׂמַח כָּל־עַם־הָאָרֶץ וְהָעִיר שָׁקָטָה וְאֶת־

יב א עֲתַלְיָהוּ הֵמִיתוּ בַחֶרֶב בֵּית מלך הַמֶּלֶךְ:   בֶּן־שֶׁבַע שָׁנִים
יְהוֹאָשׁ בְּמָלְכוֹ:

ב בִּשְׁנַת־שֶׁבַע לְיֵהוּא מָלַךְ יְהוֹאָשׁ וְאַרְבָּעִים שָׁנָה מָלַךְ בִּירוּשָׁלָ͏ִם

ג וְשֵׁם אִמּוֹ צִבְיָה מִבְּאֵר שָׁבַע: וַיַּעַשׂ יְהוֹאָשׁ הַיָּשָׁר בְּעֵינֵי יְהוָה

ד כָּל־יָמָיו אֲשֶׁר הוֹרָהוּ יְהוֹיָדָע הַכֹּהֵן: רַק הַבָּמוֹת לֹא־סָרוּ עוֹד

ה הָעָם מְזַבְּחִים וּמְקַטְּרִים בַּבָּמוֹת: וַיֹּאמֶר יְהוֹאָשׁ אֶל־הַכֹּהֲנִים

חִזַּק בֶּדֶק
הַבַּיִת:

כֹּל כֶּסֶף הַקֳּדָשִׁים אֲשֶׁר יוּבָא בֵית־יְהוָה כֶּסֶף עוֹבֵר אִישׁ כֶּסֶף
נַפְשׁוֹת עֶרְכּוֹ כָּל־כֶּסֶף אֲשֶׁר יַעֲלֶה עַל לֶב־אִישׁ לְהָבִיא בֵּית

ו יְהוָה: יִקְחוּ לָהֶם הַכֹּהֲנִים אִישׁ מֵאֵת מַכָּרוֹ וְהֵם יְחַזְּקוּ אֶת־בֶּדֶק
הַבַּיִת לְכֹל אֲשֶׁר־יִמָּצֵא שָׁם בָּדֶק:

ז [3084] וַיְהִי בִּשְׁנַת עֶשְׂרִים וְשָׁלֹשׁ שָׁנָה לַמֶּלֶךְ יְהוֹאָשׁ לֹא־חִזְּקוּ הַכֹּהֲנִים

ח אֶת־בֶּדֶק הַבָּיִת: וַיִּקְרָא הַמֶּלֶךְ יְהוֹאָשׁ לִיהוֹיָדָע הַכֹּהֵן וְלַכֹּהֲנִים
וַיֹּאמֶר אֲלֵהֶם מַדּוּעַ אֵינְכֶם מְחַזְּקִים אֶת־בֶּדֶק הַבָּיִת וְעַתָּה

אַל־תִּקְחוּ־כֶּ֫סֶף מֵאֵ֣ת מַכָּֽרֵיכֶם כִּי־לְבֶ֥דֶק הַבַּ֖יִת תִּתְּנֻֽהוּ: וַיֵּאֹ֣תוּ ט

הַכֹּהֲנִ֑ים לְבִלְתִּ֤י קְחַת־כֶּ֙סֶף֙ מֵאֵ֣ת הָעָ֔ם וּלְבִלְתִּ֥י חַזֵּ֖ק אֶת־בֶּ֥דֶק

הַבָּֽיִת: וַיִּקַּ֞ח יְהוֹיָדָ֤ע הַכֹּהֵן֙ אֲר֣וֹן אֶחָ֔ד וַיִּקֹּ֥ב חֹ֖ר בְּדַלְתּ֑וֹ וַיִּתֵּ֣ן י

אֹת֡וֹ אֵ֩צֶל֩ הַמִּזְבֵּ֨חַ בימין מִיָּמִ֜ין בְּבֽוֹא־אִ֣ישׁ בֵּ֣ית יְהֹוָ֗ה וְנָתְנוּ־

שָׁ֤מָּה הַכֹּֽהֲנִים֙ שֹׁמְרֵ֣י הַסַּ֔ף אֶת־כָּל־הַכֶּ֖סֶף הַמּוּבָ֥א בֵית־יְהֹוָֽה:

וַֽיְהִי֙ כִּרְאוֹתָ֔ם כִּי־רַ֥ב הַכֶּ֖סֶף בָּֽאָר֑וֹן וַיַּ֨עַל סֹפֵ֤ר הַמֶּ֙לֶךְ֙ וְהַכֹּהֵ֣ן יא

הַגָּד֔וֹל וַיָּצֻ֙רוּ֙ וַיִּמְנ֔וּ אֶת־הַכֶּ֖סֶף הַנִּמְצָ֥א בֵית־יְהֹוָֽה: וְנָֽתְנוּ֙ אֶת־ יב

הַכֶּ֙סֶף֙ הַֽמְתֻכָּ֔ן עַל־יד ידי עֹשֵׂ֣י הַמְּלָאכָ֔ה הפקדים הַמֻּפְקָדִ֖ים בֵּ֣ית

יְהֹוָ֑ה וַיּוֹצִיאֻ֜הוּ לְחָרָשֵׁ֤י הָעֵץ֙ וְלַבֹּנִ֔ים הָעֹשִׂ֖ים בֵּ֥ית יְהֹוָֽה:

וְלַגֹּֽדְרִ֗ים וּלְחֹצְבֵ֣י הָאֶ֔בֶן וְלִקְנ֤וֹת עֵצִים֙ וְאַבְנֵ֣י מַחְצֵ֔ב לְחַזֵּ֖ק יג

אֶת־בֶּ֣דֶק בֵּית־יְהֹוָ֑ה וּֽלְכֹ֛ל אֲשֶׁר־יֵצֵ֥א עַל־הַבַּ֖יִת לְחָזְקָֽה: אַ֣ךְ לֹ֧א יד

יֵעָשֶׂ֣ה בֵּ֣ית יְהֹוָ֗ה סִפּ֤וֹת כֶּ֙סֶף֙ מְזַמְּר֤וֹת מִזְרָקוֹת֙ חֲצֹ֣צְר֔וֹת

כָּל־כְּלִ֥י זָהָ֖ב וּכְלִי־כָ֑סֶף מִן־הַכֶּ֖סֶף הַמּוּבָ֥א בֵית־יְהֹוָֽה: כִּֽי־לְעֹשֵׂ֥י טו

הַמְּלָאכָ֖ה יִתְּנֻ֑הוּ וְחִזְּקוּ־ב֖וֹ אֶת־בֵּ֥ית יְהֹוָֽה: וְלֹ֧א יְחַשְּׁב֣וּ אֶת־ טז

הָֽאֲנָשִׁ֗ים אֲשֶׁ֨ר יִתְּנ֤וּ אֶת־הַכֶּ֙סֶף֙ עַל־יָדָ֔ם לָתֵ֖ת לְעֹשֵׂ֣י הַמְּלָאכָ֑ה

כִּ֖י בֶאֱמֻנָ֥ה הֵ֖ם עֹשִֽׂים: כֶּ֤סֶף אָשָׁם֙ וְכֶ֣סֶף חַטָּא֔וֹת לֹ֥א יוּבָ֖א בֵּ֣ית יז

יְהֹוָ֑ה לַכֹּהֲנִ֖ים יִהְיֽוּ:

אָ֣ז יַעֲלֶ֗ה חֲזָאֵל֙ מֶ֣לֶךְ אֲרָ֔ם וַיִּלָּ֥חֶם עַל־גַּ֖ת וַֽיִּלְכְּדָ֑הּ וַיָּ֤שֶׂם חֲזָאֵל֙ יח

פָּנָ֔יו לַעֲל֖וֹת עַל־יְרוּשָׁלָֽ͏ִם: וַיִּקַּ֞ח יְהוֹאָ֣שׁ מֶֽלֶךְ־יְהוּדָ֗ה אֵ֣ת כָּל־ יט

הַקֳּדָשִׁ֡ים אֲשֶׁר־הִקְדִּ֣ישׁוּ יְהוֹשָׁפָ֣ט וִיהוֹרָ֣ם וַאֲחַזְיָ֩הוּ֩ אֲבֹתָ֨יו מַלְכֵ֤י

יְהוּדָה֙ וְאֶת־קֳדָשָׁ֔יו וְאֵ֣ת כָּל־הַזָּהָ֗ב הַנִּמְצָ֛א בְּאֹצְר֥וֹת בֵּית־יְהֹוָ֖ה

וּבֵ֣ית הַמֶּ֑לֶךְ וַיִּשְׁלַ֗ח לַֽחֲזָאֵל֙ מֶ֣לֶךְ אֲרָ֔ם וַיַּ֖עַל מֵעַ֥ל יְרוּשָׁלָֽ͏ִם:

וְיֶ֛תֶר דִּבְרֵ֥י יוֹאָ֖שׁ וְכָל־אֲשֶׁ֣ר עָשָׂ֑ה הֲלוֹא־הֵ֣ם כְּתוּבִ֗ים עַל־סֵ֛פֶר כ

דִּבְרֵ֥י הַיָּמִ֖ים לְמַלְכֵ֥י יְהוּדָֽה: וַיָּקֻ֥מוּ עֲבָדָ֖יו וַיִּקְשְׁרוּ־קָ֑שֶׁר וַיַּכּוּ֙ כא

אֶת־יוֹאָ֔שׁ בֵּ֥ית מִלֹּ֖א הַיּוֹרֵ֥ד סִלָּֽא: וְיוֹזָבָ֣ד בֶּן־שִׁמְעָ֡ת וִיהוֹזָבָ֣ד כב

בֶּן־שֹׁמֵר ׀ עֲבָדָיו הִכֻּהוּ וַיָּמֹת וַיִּקְבְּרוּ אֹתוֹ עִם־אֲבֹתָיו בְּעִיר
דָּוִד וַיִּמְלֹךְ אֲמַצְיָה בְנוֹ תַּחְתָּיו׃

מַלְכוּת יְהוֹאָחָז בֶּן יֵהוּא: [3083]

יג א בִּשְׁנַת עֶשְׂרִים וְשָׁלֹשׁ שָׁנָה לְיוֹאָשׁ בֶּן־אֲחַזְיָהוּ מֶלֶךְ יְהוּדָה
מָלַךְ יְהוֹאָחָז בֶּן־יֵהוּא עַל־יִשְׂרָאֵל בְּשֹׁמְרוֹן שְׁבַע עֶשְׂרֵה שָׁנָה׃
ב וַיַּעַשׂ הָרַע בְּעֵינֵי יְהוָה וַיֵּלֶךְ אַחַר חַטֹּאת יָרָבְעָם בֶּן־נְבָט
ג אֲשֶׁר־הֶחֱטִיא אֶת־יִשְׂרָאֵל לֹא־סָר מִמֶּנָּה׃ וַיִּחַר־אַף יְהוָה
בְּיִשְׂרָאֵל וַיִּתְּנֵם בְּיַד ׀ חֲזָאֵל מֶלֶךְ־אֲרָם וּבְיַד בֶּן־הֲדַד בֶּן־חֲזָאֵל
ד כָּל־הַיָּמִים׃ וַיְחַל יְהוֹאָחָז אֶת־פְּנֵי יְהוָה וַיִּשְׁמַע אֵלָיו יְהוָה כִּי
ה רָאָה אֶת־לַחַץ יִשְׂרָאֵל כִּי־לָחַץ אֹתָם מֶלֶךְ אֲרָם׃ וַיִּתֵּן יְהוָה
לְיִשְׂרָאֵל מוֹשִׁיעַ וַיֵּצְאוּ מִתַּחַת יַד־אֲרָם וַיֵּשְׁבוּ בְנֵי־יִשְׂרָאֵל
ו בְּאָהֳלֵיהֶם כִּתְמוֹל שִׁלְשׁוֹם׃ אַךְ לֹא־סָרוּ מֵחַטֹּאת בֵּית־יָרָבְעָם
אֲשֶׁר־הֶחֱטִי אֶת־יִשְׂרָאֵל בָּהּ הָלָךְ וְגַם הָאֲשֵׁרָה עָמְדָה בְּשֹׁמְרוֹן׃
ז כִּי לֹא הִשְׁאִיר לִיהוֹאָחָז עָם כִּי אִם־חֲמִשִּׁים פָּרָשִׁים וַעֲשָׂרָה רֶכֶב
וַעֲשֶׂרֶת אֲלָפִים רַגְלִי כִּי אִבְּדָם מֶלֶךְ אֲרָם וַיְשִׂמֵם כֶּעָפָר לָדֻשׁ׃
ח וְיֶתֶר דִּבְרֵי יְהוֹאָחָז וְכָל־אֲשֶׁר עָשָׂה וּגְבוּרָתוֹ הֲלוֹא־הֵם כְּתוּבִים
ט עַל־סֵפֶר דִּבְרֵי הַיָּמִים לְמַלְכֵי יִשְׂרָאֵל׃ וַיִּשְׁכַּב יְהוֹאָחָז עִם־
אֲבֹתָיו וַיִּקְבְּרֻהוּ בְּשֹׁמְרוֹן וַיִּמְלֹךְ יוֹאָשׁ בְּנוֹ תַּחְתָּיו׃

מַלְכוּת יְהוֹאָשׁ בֶּן יְהוֹאָחָז: [3098]

י בִּשְׁנַת שְׁלֹשִׁים וָשֶׁבַע שָׁנָה לְיוֹאָשׁ מֶלֶךְ יְהוּדָה מָלַךְ יְהוֹאָשׁ
יא בֶּן־יְהוֹאָחָז עַל־יִשְׂרָאֵל בְּשֹׁמְרוֹן שֵׁשׁ עֶשְׂרֵה שָׁנָה׃ וַיַּעֲשֶׂה הָרַע
בְּעֵינֵי יְהוָה לֹא סָר מִכָּל־חַטֹּאות יָרָבְעָם בֶּן־נְבָט אֲשֶׁר־הֶחֱטִיא
יב אֶת־יִשְׂרָאֵל בָּהּ הָלָךְ׃ וְיֶתֶר דִּבְרֵי יוֹאָשׁ וְכָל־אֲשֶׁר עָשָׂה
וּגְבוּרָתוֹ אֲשֶׁר נִלְחַם עִם אֲמַצְיָה מֶלֶךְ־יְהוּדָה הֲלוֹא־הֵם כְּתוּבִים
יג עַל־סֵפֶר דִּבְרֵי הַיָּמִים לְמַלְכֵי יִשְׂרָאֵל׃ וַיִּשְׁכַּב יוֹאָשׁ עִם־אֲבֹתָיו
וְיָרָבְעָם יָשַׁב עַל־כִּסְאוֹ וַיִּקָּבֵר יוֹאָשׁ בְּשֹׁמְרוֹן עִם מַלְכֵי
יִשְׂרָאֵל׃

נְבוּאָה לְיוֹאָשׁ עַל נִצָּחוֹן עַל אֲרָם:

יד וֶאֱלִישָׁע חָלָה אֶת־חָלְיוֹ אֲשֶׁר יָמוּת בּוֹ וַיֵּרֶד אֵלָיו יוֹאָשׁ
מֶלֶךְ־יִשְׂרָאֵל וַיֵּבְךְּ עַל־פָּנָיו וַיֹּאמַר אָבִי ׀ אָבִי רֶכֶב יִשְׂרָאֵל
טו וּפָרָשָׁיו: וַיֹּאמֶר לוֹ אֱלִישָׁע קַח קֶשֶׁת וְחִצִּים וַיִּקַּח אֵלָיו קֶשֶׁת
טז וְחִצִּים: וַיֹּאמֶר ׀ לְמֶלֶךְ יִשְׂרָאֵל הַרְכֵּב יָדְךָ עַל־הַקֶּשֶׁת וַיַּרְכֵּב
יז יָדוֹ וַיָּשֶׂם אֱלִישָׁע יָדָיו עַל־יְדֵי הַמֶּלֶךְ: וַיֹּאמֶר פְּתַח הַחַלּוֹן
קֵדְמָה וַיִּפְתָּח וַיֹּאמֶר אֱלִישָׁע יְרֵה וַיּוֹר וַיֹּאמֶר חֵץ־תְּשׁוּעָה
לַיהוָה וְחֵץ תְּשׁוּעָה בַאֲרָם וְהִכִּיתָ אֶת־אֲרָם בַּאֲפֵק עַד־כַּלֵּה:
יח וַיֹּאמֶר קַח הַחִצִּים וַיִּקָּח וַיֹּאמֶר לְמֶלֶךְ־יִשְׂרָאֵל הַךְ אַרְצָה וַיַּךְ
יט שָׁלֹשׁ־פְּעָמִים וַיַּעֲמֹד: וַיִּקְצֹף עָלָיו אִישׁ הָאֱלֹהִים וַיֹּאמֶר לְהַכּוֹת
חָמֵשׁ אוֹ־שֵׁשׁ פְּעָמִים אָז הִכִּיתָ אֶת־אֲרָם עַד־כַּלֵּה וְעַתָּה שָׁלֹשׁ
פְּעָמִים תַּכֶּה אֶת־אֲרָם:

מוֹת אֱלִישָׁע:

כ וַיָּמָת אֱלִישָׁע וַיִּקְבְּרֻהוּ וּגְדוּדֵי מוֹאָב יָבֹאוּ בָאָרֶץ בָּא שָׁנָה: וַיְהִי
כא הֵם ׀ קֹבְרִים אִישׁ וְהִנֵּה רָאוּ אֶת־הַגְּדוּד וַיַּשְׁלִיכוּ אֶת־הָאִישׁ
בְּקֶבֶר אֱלִישָׁע וַיֵּלֶךְ וַיִּגַּע הָאִישׁ בְּעַצְמוֹת אֱלִישָׁע וַיְחִי וַיָּקָם
עַל־רַגְלָיו:

הַנִּצָּחוֹן עַל אֲרָם:

כב וַחֲזָאֵל מֶלֶךְ אֲרָם לָחַץ אֶת־יִשְׂרָאֵל כֹּל יְמֵי יְהוֹאָחָז: וַיָּחָן יְהוָה
כג אֹתָם וַיְרַחֲמֵם וַיִּפֶן אֲלֵיהֶם לְמַעַן בְּרִיתוֹ אֶת־אַבְרָהָם יִצְחָק
וְיַעֲקֹב וְלֹא אָבָה הַשְׁחִיתָם וְלֹא־הִשְׁלִיכָם מֵעַל־פָּנָיו עַד־עָתָּה:
כד וַיָּמָת חֲזָאֵל מֶלֶךְ־אֲרָם וַיִּמְלֹךְ בֶּן־הֲדַד בְּנוֹ תַּחְתָּיו: וַיָּשָׁב יְהוֹאָשׁ
כה בֶּן־יְהוֹאָחָז וַיִּקַּח אֶת־הֶעָרִים מִיַּד בֶּן־הֲדַד בֶּן־חֲזָאֵל אֲשֶׁר
לָקַח מִיַּד יְהוֹאָחָז אָבִיו בַּמִּלְחָמָה שָׁלֹשׁ פְּעָמִים הִכָּהוּ יוֹאָשׁ
וַיָּשֶׁב אֶת־עָרֵי יִשְׂרָאֵל:

מַלְכוּת אֲמַצְיָה בֶן יוֹאָשׁ עַל יְהוּדָה: [3101]

יד א בִּשְׁנַת שְׁתַּיִם לְיוֹאָשׁ בֶּן־יוֹאָחָז מֶלֶךְ יִשְׂרָאֵל מָלַךְ אֲמַצְיָהוּ
ב בֶן־יוֹאָשׁ מֶלֶךְ יְהוּדָה: בֶּן־עֶשְׂרִים וְחָמֵשׁ שָׁנָה הָיָה בְמָלְכוֹ
וְעֶשְׂרִים וָתֵשַׁע שָׁנָה מָלַךְ בִּירוּשָׁלָ͏ִם וְשֵׁם אִמּוֹ יהועדין יְהוֹעַדָּן

ג מִן־יְרוּשָׁלָֽם׃ וַיַּ֤עַשׂ הַיָּשָׁר֙ בְּעֵינֵ֣י יְהוָ֔ה רַ֕ק לֹ֖א כְּדָוִ֣ד אָבִ֑יו כְּכֹ֛ל
ד אֲשֶׁר־עָשָׂ֛ה יוֹאָ֥שׁ אָבִ֖יו עָשָֽׂה׃ רַ֥ק הַבָּמ֖וֹת לֹא־סָ֑רוּ ע֥וֹד הָעָ֛ם
ה מְזַבְּחִ֥ים וּֽמְקַטְּרִ֖ים בַּבָּמֽוֹת׃ וַיְהִ֕י כַּאֲשֶׁ֛ר חָזְקָ֥ה הַמַּמְלָכָ֖ה בְּיָד֑וֹ
ו וַיַּךְ֙ אֶת־עֲבָדָ֔יו הַמַּכִּ֖ים אֶת־הַמֶּ֥לֶךְ אָבִֽיו׃ וְאֶת־בְּנֵ֥י הַמַּכִּ֖ים לֹ֣א
הֵמִ֑ית כַּכָּת֣וּב בְּסֵֽפֶר־תּֽוֹרַת־מֹשֶׁה֩ אֲשֶׁר־צִוָּ֨ה יְהוָ֜ה לֵאמֹ֗ר לֹֽא־
יוּמְת֨וּ אָב֤וֹת עַל־בָּנִים֙ וּבָנִים֙ לֹא־יוּמְת֣וּ עַל־אָב֔וֹת כִּ֥י אִם־אִ֥ישׁ
ז בְּחֶטְא֖וֹ ימות יוּמָֽת׃ הֽוּא־הִכָּ֨ה אֶת־אֱד֤וֹם בְּגֵיא־מֶ֙לַח֙ המלח עֲשֶׂ֣רֶת
אֲלָפִ֔ים וְתָפַ֥שׂ אֶת־הַסֶּ֖לַע בַּמִּלְחָמָ֑ה וַיִּקְרָ֤א אֶת־שְׁמָהּ֙ יָקְתְאֵ֔ל
עַ֖ד הַיּ֥וֹם הַזֶּֽה׃

ח אָ֣ז שָׁלַ֤ח אֲמַצְיָה֙ מַלְאָכִ֔ים אֶל־יְהוֹאָ֛שׁ בֶּן־יְהוֹאָחָ֥ז בֶּן־יֵה֖וּא מֶ֣לֶךְ מִלְחֶמֶת אֲמַצְיָה וִיהוֹאָשׁ׃
ט יִשְׂרָאֵ֑ל לֵאמֹ֖ר לְכָ֖ה נִתְרָאֶ֥ה פָנִֽים׃ וַיִּשְׁלַ֞ח יְהוֹאָ֣שׁ מֶֽלֶךְ־יִשְׂרָאֵ֗ל
אֶל־אֲמַצְיָ֣הוּ מֶֽלֶךְ־יְהוּדָה֮ לֵאמֹר֒ הַחוֹחַ֩ אֲשֶׁ֨ר בַּלְּבָנ֜וֹן שָׁלַ֗ח
אֶל־הָאֶ֙רֶז֙ אֲשֶׁ֤ר בַּלְּבָנוֹן֙ לֵאמֹ֔ר תְּנָֽה־אֶת־בִּתְּךָ֥ לִבְנִ֖י לְאִשָּׁ֑ה
י וַֽתַּעֲבֹ֞ר חַיַּ֤ת הַשָּׂדֶה֙ אֲשֶׁ֣ר בַּלְּבָנ֔וֹן וַֽתִּרְמֹ֖ס אֶת־הַחֽוֹחַ׃ הַכֵּ֤ה
הִכִּ֙יתָ֙ אֶת־אֱד֔וֹם וּנְשָׂאֲךָ֖ לִבֶּ֑ךָ הִכָּבֵד֙ וְשֵׁ֣ב בְּבֵיתֶ֔ךָ וְלָ֤מָּה תִתְגָּרֶה֙
יא בְּֽרָעָ֔ה וְנָ֣פַלְתָּ֔ה אַתָּ֖ה וִיהוּדָ֥ה עִמָּֽךְ׃ וְלֹֽא־שָׁמַ֣ע אֲמַצְיָ֑הוּ וַיַּ֣עַל
יְהוֹאָ֣שׁ מֶֽלֶךְ־יִ֠שְׂרָאֵל וַיִּתְרָא֨וּ פָנִ֜ים ה֗וּא וַאֲמַצְיָ֙הוּ֙ מֶֽלֶךְ־יְהוּדָ֔ה
יב בְּבֵ֥ית שֶׁ֖מֶשׁ אֲשֶׁ֥ר לִיהוּדָֽה׃ וַיִּנָּ֥גֶף יְהוּדָ֖ה לִפְנֵ֣י יִשְׂרָאֵ֑ל וַיָּנֻ֖סוּ
יג אִ֥ישׁ לְאֹהָלָֽו׃ וְאֵת֩ אֲמַצְיָ֨הוּ מֶֽלֶךְ־יְהוּדָ֜ה בֶּן־יְהוֹאָ֣שׁ בֶּן־אֲחַזְיָ֗הוּ
תָּפַ֛שׂ יְהוֹאָ֥שׁ מֶֽלֶךְ־יִשְׂרָאֵ֖ל בְּבֵ֣ית שָׁ֑מֶשׁ ויבאו וַיָּבֹא֙ יְר֣וּשָׁלַ֔͏ִם
וַיִּפְרֹץ֩ בְּחוֹמַ֨ת יְרוּשָׁלַ֜͏ִם בְּשַׁ֤עַר אֶפְרַ֙יִם֙ עַד־שַׁ֣עַר הַפִּנָּ֔ה אַרְבַּ֥ע
יד מֵא֖וֹת אַמָּֽה׃ וְלָקַ֣ח אֶת־כָּל־הַזָּהָב־וְ֠הַכֶּסֶף וְאֵ֨ת כָּל־הַכֵּלִ֜ים
הַנִּמְצְאִ֣ים בֵּית־יְהוָ֗ה וּבְאֹֽצְרוֹת֙ בֵּ֣ית הַמֶּ֔לֶךְ וְאֵ֖ת בְּנֵ֣י הַתַּעֲרֻב֑וֹת
טו וַיָּ֖שָׁב שֹׁמְרֽוֹנָה׃ וְיֶ֨תֶר דִּבְרֵ֤י יְהוֹאָשׁ֙ אֲשֶׁ֣ר עָשָׂ֔ה וּגְבוּרָת֕וֹ וַאֲשֶׁ֣ר
נִלְחַ֔ם עִ֖ם אֲמַצְיָ֣הוּ מֶֽלֶךְ־יְהוּדָ֑ה הֲלֹא־הֵ֣ם כְּתוּבִ֗ים עַל־סֵ֛פֶר

טז דִּבְרֵי הַיָּמִים לְמַלְכֵי יִשְׂרָאֵל: וַיִּשְׁכַּב יְהוֹאָשׁ עִם־אֲבֹתָיו וַיִּקָּבֵר
בְּשֹׁמְרוֹן עִם מַלְכֵי יִשְׂרָאֵל וַיִּמְלֹךְ יָרָבְעָם בְּנוֹ תַּחְתָּיו:
יז וַיְחִי אֲמַצְיָהוּ בֶן־יוֹאָשׁ מֶלֶךְ יְהוּדָה אַחֲרֵי מוֹת יְהוֹאָשׁ בֶּן מות אֲמַצְיָה:
יח יְהוֹאָחָז מֶלֶךְ יִשְׂרָאֵל חֲמֵשׁ עֶשְׂרֵה שָׁנָה: וְיֶתֶר דִּבְרֵי אֲמַצְיָהוּ
יט הֲלֹא־הֵם כְּתֻבִים עַל־סֵפֶר דִּבְרֵי הַיָּמִים לְמַלְכֵי יְהוּדָה: וַיִּקְשְׁרוּ
עָלָיו קֶשֶׁר בִּירוּשָׁלַם וַיָּנָס לָכִישָׁה וַיִּשְׁלְחוּ אַחֲרָיו לָכִישָׁה
כ וַיְמִתֻהוּ שָׁם: וַיִּשְׂאוּ אֹתוֹ עַל־הַסּוּסִים וַיִּקָּבֵר בִּירוּשָׁלַם עִם־ [3115]
כא אֲבֹתָיו בְּעִיר דָּוִד: וַיִּקְחוּ כָּל־עַם יְהוּדָה אֶת־עֲזַרְיָה וְהוּא
כב בֶּן־שֵׁשׁ עֶשְׂרֵה שָׁנָה וַיַּמְלִכוּ אֹתוֹ תַּחַת אָבִיו אֲמַצְיָהוּ: הוּא בָּנָה
אֶת־אֵילַת וַיְשִׁבֶהָ לִיהוּדָה אַחֲרֵי שְׁכַב־הַמֶּלֶךְ עִם־אֲבֹתָיו:
כג בִּשְׁנַת חֲמֵשׁ־עֶשְׂרֵה שָׁנָה לַאֲמַצְיָהוּ בֶן־יוֹאָשׁ מֶלֶךְ יְהוּדָה מָלַךְ מַלְכוּת יָרָבְעָם בֶּן
יָרָבְעָם בֶּן־יוֹאָשׁ מֶלֶךְ־יִשְׂרָאֵל בְּשֹׁמְרוֹן אַרְבָּעִים וְאַחַת שָׁנָה: יוֹאָשׁ: [3114]
כד וַיַּעַשׂ הָרַע בְּעֵינֵי יְהוָה לֹא סָר מִכָּל־חַטֹּאות יָרָבְעָם בֶּן־נְבָט
כה אֲשֶׁר הֶחֱטִיא אֶת־יִשְׂרָאֵל: הוּא הֵשִׁיב אֶת־גְּבוּל יִשְׂרָאֵל מִלְּבוֹא
חֲמָת עַד־יָם הָעֲרָבָה כִּדְבַר יְהוָה אֱלֹהֵי יִשְׂרָאֵל אֲשֶׁר דִּבֶּר
כו בְּיַד־עַבְדּוֹ יוֹנָה בֶן־אֲמִתַּי הַנָּבִיא אֲשֶׁר מִגַּת הַחֵפֶר: כִּי־רָאָה
יְהוָה אֶת־עֳנִי יִשְׂרָאֵל מֹרֶה מְאֹד וְאֶפֶס עָצוּר וְאֶפֶס עָזוּב וְאֵין
כז עֹזֵר לְיִשְׂרָאֵל: וְלֹא־דִבֶּר יְהוָה לִמְחוֹת אֶת־שֵׁם יִשְׂרָאֵל מִתַּחַת
כח הַשָּׁמָיִם וַיּוֹשִׁיעֵם בְּיַד יָרָבְעָם בֶּן־יוֹאָשׁ: וְיֶתֶר דִּבְרֵי יָרָבְעָם
וְכָל־אֲשֶׁר עָשָׂה וּגְבוּרָתוֹ אֲשֶׁר־נִלְחָם וַאֲשֶׁר הֵשִׁיב אֶת־דַּמֶּשֶׂק
וְאֶת־חֲמָת לִיהוּדָה בְּיִשְׂרָאֵל הֲלֹא־הֵם כְּתוּבִים עַל־סֵפֶר דִּבְרֵי
כט הַיָּמִים לְמַלְכֵי יִשְׂרָאֵל: וַיִּשְׁכַּב יָרָבְעָם עִם־אֲבֹתָיו עִם מַלְכֵי
יִשְׂרָאֵל וַיִּמְלֹךְ זְכַרְיָה בְנוֹ תַּחְתָּיו:
טו א בִּשְׁנַת עֶשְׂרִים וָשֶׁבַע שָׁנָה לְיָרָבְעָם מֶלֶךְ יִשְׂרָאֵל מָלַךְ עֲזַרְיָה מַלְכוּת עֲזַרְיָה בֶן
ב בֶּן־אֲמַצְיָה מֶלֶךְ יְהוּדָה: בֶּן־שֵׁשׁ עֶשְׂרֵה שָׁנָה הָיָה בְמָלְכוֹ אֲמַצְיָה: [3115]

וַחֲמִשִּׁים וּשְׁתַּיִם שָׁנָה מָלַךְ בִּירוּשָׁלָ͏ִם וְשֵׁם אִמּוֹ יְכָלְיָהוּ

ג מִירוּשָׁלָ͏ִם: וַיַּעַשׂ הַיָּשָׁר בְּעֵינֵי יְהוָה כְּכֹל אֲשֶׁר־עָשָׂה אֲמַצְיָהוּ

ד אָבִיו: רַק הַבָּמוֹת לֹא־סָרוּ עוֹד הָעָם מְזַבְּחִים וּמְקַטְּרִים בַּבָּמוֹת:

ה וַיְנַגַּע יְהוָה אֶת־הַמֶּלֶךְ וַיְהִי מְצֹרָע עַד־יוֹם מֹתוֹ וַיֵּשֶׁב בְּבֵית

הַחָפְשִׁית וְיוֹתָם בֶּן־הַמֶּלֶךְ עַל־הַבַּיִת שֹׁפֵט אֶת־עַם הָאָרֶץ:

ו וְיֶתֶר דִּבְרֵי עֲזַרְיָהוּ וְכָל־אֲשֶׁר עָשָׂה הֲלֹא־הֵם כְּתוּבִים עַל־סֵפֶר

ז דִּבְרֵי הַיָּמִים לְמַלְכֵי יְהוּדָה: וַיִּשְׁכַּב עֲזַרְיָה עִם־אֲבֹתָיו וַיִּקְבְּרוּ

אֹתוֹ עִם־אֲבֹתָיו בְּעִיר דָּוִד וַיִּמְלֹךְ יוֹתָם בְּנוֹ תַּחְתָּיו:

מלכות זכריה בן ירבעם: [3153]

ח בִּשְׁנַת שְׁלֹשִׁים וּשְׁמֹנֶה שָׁנָה לַעֲזַרְיָהוּ מֶלֶךְ יְהוּדָה מָלַךְ זְכַרְיָהוּ

ט בֶן־יָרָבְעָם עַל־יִשְׂרָאֵל בְּשֹׁמְרוֹן שִׁשָּׁה חֳדָשִׁים: וַיַּעַשׂ הָרַע

בְּעֵינֵי יְהוָה כַּאֲשֶׁר עָשׂוּ אֲבֹתָיו לֹא סָר מֵחַטֹּאות יָרָבְעָם

י בֶן־נְבָט אֲשֶׁר הֶחֱטִיא אֶת־יִשְׂרָאֵל: וַיִּקְשֹׁר עָלָיו שַׁלֻּם בֶּן־יָבֵשׁ

יא וַיַּכֵּהוּ קָבָלְ־עָם וַיְמִיתֵהוּ וַיִּמְלֹךְ תַּחְתָּיו: וְיֶתֶר דִּבְרֵי זְכַרְיָה הִנָּם

יב כְּתוּבִים עַל־סֵפֶר דִּבְרֵי הַיָּמִים לְמַלְכֵי יִשְׂרָאֵל: הוּא דְבַר־יְהוָה

אֲשֶׁר דִּבֶּר אֶל־יֵהוּא לֵאמֹר בְּנֵי רְבִיעִים יֵשְׁבוּ לְךָ עַל־כִּסֵּא

יִשְׂרָאֵל וַיְהִי־כֵן:

מלכות שלום בן יבש: [3153]

יג שַׁלּוּם בֶּן־יָבֵישׁ מָלַךְ בִּשְׁנַת שְׁלֹשִׁים וָתֵשַׁע שָׁנָה לְעֻזִיָּה מֶלֶךְ

יד יְהוּדָה וַיִּמְלֹךְ יֶרַח־יָמִים בְּשֹׁמְרוֹן: וַיַּעַל מְנַחֵם בֶּן־גָּדִי מִתִּרְצָה

וַיָּבֹא שֹׁמְרוֹן וַיַּךְ אֶת־שַׁלּוּם בֶּן־יָבֵישׁ בְּשֹׁמְרוֹן וַיְמִיתֵהוּ וַיִּמְלֹךְ

טו תַּחְתָּיו: וְיֶתֶר דִּבְרֵי שַׁלּוּם וְקִשְׁרוֹ אֲשֶׁר קָשָׁר הִנָּם כְּתוּבִים

טז עַל־סֵפֶר דִּבְרֵי הַיָּמִים לְמַלְכֵי יִשְׂרָאֵל: אָז יַכֶּה־מְנַחֵם אֶת־

תִּפְסַח וְאֶת־כָּל־אֲשֶׁר־בָּהּ וְאֶת־גְּבוּלֶיהָ מִתִּרְצָה כִּי לֹא פָתַח

וַיַּךְ אֵת כָּל־הֶהָרוֹתֶיהָ בִּקֵּעַ:

מלכות מנחם בן גדי: [3154]

יז בִּשְׁנַת שְׁלֹשִׁים וָתֵשַׁע שָׁנָה לַעֲזַרְיָה מֶלֶךְ יְהוּדָה מָלַךְ מְנַחֵם

יח בֶן־גָּדִי עַל־יִשְׂרָאֵל עֶשֶׂר שָׁנִים בְּשֹׁמְרוֹן: וַיַּעַשׂ הָרַע בְּעֵינֵי

יְהוָה לֹא סָר מֵעַל חַטֹּאות יָרָבְעָם בֶּן־נְבָט אֲשֶׁר־הֶחֱטִיא
יט אֶת־יִשְׂרָאֵל כָּל־יָמָיו׃ בָּא פוּל מֶלֶךְ־אַשּׁוּר עַל־הָאָרֶץ וַיִּתֵּן
מְנַחֵם לְפוּל אֶלֶף כִּכַּר־כָּסֶף לִהְיוֹת יָדָיו אִתּוֹ לְהַחֲזִיק
כ הַמַּמְלָכָה בְּיָדוֹ׃ וַיֹּצֵא מְנַחֵם אֶת־הַכֶּסֶף עַל־יִשְׂרָאֵל עַל כָּל־
גִּבּוֹרֵי הַחַיִל לָתֵת לְמֶלֶךְ אַשּׁוּר חֲמִשִּׁים שְׁקָלִים כֶּסֶף לְאִישׁ
כא אֶחָד וַיָּשָׁב מֶלֶךְ אַשּׁוּר וְלֹא־עָמַד שָׁם בָּאָרֶץ׃ וְיֶתֶר דִּבְרֵי מְנַחֵם
וְכָל־אֲשֶׁר עָשָׂה הֲלוֹא־הֵם כְּתוּבִים עַל־סֵפֶר דִּבְרֵי הַיָּמִים
כב לְמַלְכֵי יִשְׂרָאֵל׃ וַיִּשְׁכַּב מְנַחֵם עִם־אֲבֹתָיו וַיִּמְלֹךְ פְּקַחְיָה בְנוֹ
תַּחְתָּיו׃

מַלְכוּת פְּקַחְיָה בֶּן מְנַחֵם: [3165]

כג בִּשְׁנַת חֲמִשִּׁים שָׁנָה לַעֲזַרְיָה מֶלֶךְ יְהוּדָה מָלַךְ פְּקַחְיָה
כד בֶן־מְנַחֵם עַל־יִשְׂרָאֵל בְּשֹׁמְרוֹן שְׁנָתָיִם׃ וַיַּעַשׂ הָרַע בְּעֵינֵי יְהוָה
לֹא סָר מֵחַטֹּאות יָרָבְעָם בֶּן־נְבָט אֲשֶׁר הֶחֱטִיא אֶת־יִשְׂרָאֵל׃
כה וַיִּקְשֹׁר עָלָיו פֶּקַח בֶּן־רְמַלְיָהוּ שָׁלִישׁוֹ וַיַּכֵּהוּ בְשֹׁמְרוֹן בְּאַרְמוֹן
בֵּית־הַמֶּלֶךְ מלך אֶת־אַרְגֹּב וְאֶת־הָאַרְיֵה וְעִמּוֹ חֲמִשִּׁים אִישׁ מִבְּנֵי
כו גִלְעָדִים וַיְמִתֵהוּ וַיִּמְלֹךְ תַּחְתָּיו׃ וְיֶתֶר דִּבְרֵי פְקַחְיָה וְכָל־אֲשֶׁר
עָשָׂה הִנָּם כְּתוּבִים עַל־סֵפֶר דִּבְרֵי הַיָּמִים לְמַלְכֵי יִשְׂרָאֵל׃

מַלְכוּת פֶּקַח בֶּן רְמַלְיָהוּ: [3167]

כז בִּשְׁנַת חֲמִשִּׁים וּשְׁתַּיִם שָׁנָה לַעֲזַרְיָה מֶלֶךְ יְהוּדָה מָלַךְ פֶּקַח
כח בֶּן־רְמַלְיָהוּ עַל־יִשְׂרָאֵל בְּשֹׁמְרוֹן עֶשְׂרִים שָׁנָה׃ וַיַּעַשׂ הָרַע
בְּעֵינֵי יְהוָה לֹא סָר מִן־חַטֹּאות יָרָבְעָם בֶּן־נְבָט אֲשֶׁר הֶחֱטִיא

הַגָּלוּת יוֹשְׁבֵי הַגָּלִיל וְהַגִּלְעָד אַשּׁוּרָה: [3187]

כט אֶת־יִשְׂרָאֵל׃ בִּימֵי פֶּקַח מֶלֶךְ־יִשְׂרָאֵל בָּא תִּגְלַת פִּלְאֶסֶר מֶלֶךְ
אַשּׁוּר וַיִּקַּח אֶת־עִיּוֹן וְאֶת־אָבֵל בֵּית־מַעֲכָה וְאֶת־יָנוֹחַ וְאֶת־
קֶדֶשׁ וְאֶת־חָצוֹר וְאֶת־הַגִּלְעָד וְאֶת־הַגָּלִילָה כֹּל אֶרֶץ נַפְתָּלִי
ל וַיַּגְלֵם אַשּׁוּרָה׃ וַיִּקְשָׁר־קֶשֶׁר הוֹשֵׁעַ בֶּן־אֵלָה עַל־פֶּקַח בֶּן־
רְמַלְיָהוּ וַיַּכֵּהוּ וַיְמִיתֵהוּ וַיִּמְלֹךְ תַּחְתָּיו בִּשְׁנַת עֶשְׂרִים לְיוֹתָם
לא בֶּן־עֻזִּיָּה׃ וְיֶתֶר דִּבְרֵי־פֶקַח וְכָל־אֲשֶׁר עָשָׂה הִנָּם כְּתוּבִים

עַל־סֵפֶר דִּבְרֵי הַיָּמִים לְמַלְכֵי יִשְׂרָאֵל:

לב בִּשְׁנַת שְׁתַּיִם לְפֶקַח בֶּן־רְמַלְיָהוּ מֶלֶךְ יִשְׂרָאֵל מָלַךְ יוֹתָם

מלכות
יותם בֶּן־
עֻזִּיָּהוּ
[3167]

לג בֶּן־עֻזִּיָּהוּ מֶלֶךְ יְהוּדָה: בֶּן־עֶשְׂרִים וְחָמֵשׁ שָׁנָה הָיָה בְמָלְכוֹ

וְשֵׁשׁ־עֶשְׂרֵה שָׁנָה מָלַךְ בִּירוּשָׁלָ͏ִם וְשֵׁם אִמּוֹ יְרוּשָׁא בַּת־צָדוֹק:

לד וַיַּעַשׂ הַיָּשָׁר בְּעֵינֵי יְהוָה כְּכֹל אֲשֶׁר־עָשָׂה עֻזִּיָּהוּ אָבִיו עָשָׂה:

לה רַק הַבָּמוֹת לֹא־סָרוּ עוֹד הָעָם מְזַבְּחִים וּמְקַטְּרִים בַּבָּמוֹת הוּא

בָּנָה אֶת־שַׁעַר בֵּית־יְהוָה הָעֶלְיוֹן: וְיֶתֶר דִּבְרֵי יוֹתָם וְכָל־אֲשֶׁר
לו

עָשָׂה הֲלֹא־הֵם כְּתוּבִים עַל־סֵפֶר דִּבְרֵי הַיָּמִים לְמַלְכֵי יְהוּדָה:

לז בַּיָּמִים הָהֵם הֵחֵל יְהוָה לְהַשְׁלִיחַ בִּיהוּדָה רְצִין מֶלֶךְ אֲרָם וְאֵת

פֶּקַח בֶּן־רְמַלְיָהוּ: וַיִּשְׁכַּב יוֹתָם עִם־אֲבֹתָיו וַיִּקָּבֵר עִם־אֲבֹתָיו
לח

בְּעִיר דָּוִד אָבִיו וַיִּמְלֹךְ אָחָז בְּנוֹ תַּחְתָּיו:

טז א בִּשְׁנַת שְׁבַע־עֶשְׂרֵה שָׁנָה לְפֶקַח בֶּן־רְמַלְיָהוּ מָלַךְ אָחָז בֶּן־יוֹתָם

מלכות
אחז בֶּן־
יותם
[3183]

ב מֶלֶךְ יְהוּדָה: בֶּן־עֶשְׂרִים שָׁנָה אָחָז בְּמָלְכוֹ וְשֵׁשׁ־עֶשְׂרֵה שָׁנָה

מָלַךְ בִּירוּשָׁלָ͏ִם וְלֹא־עָשָׂה הַיָּשָׁר בְּעֵינֵי יְהוָה אֱלֹהָיו כְּדָוִד אָבִיו:

ג וַיֵּלֶךְ בְּדֶרֶךְ מַלְכֵי יִשְׂרָאֵל וְגַם אֶת־בְּנוֹ הֶעֱבִיר בָּאֵשׁ כְּתֹעֲבוֹת

ד הַגּוֹיִם אֲשֶׁר הוֹרִישׁ יְהוָה אֹתָם מִפְּנֵי בְּנֵי יִשְׂרָאֵל: וַיְזַבֵּחַ

ה וַיְקַטֵּר בַּבָּמוֹת וְעַל־הַגְּבָעוֹת וְתַחַת כָּל־עֵץ רַעֲנָן: אָז יַעֲלֶה רְצִין

מֶלֶךְ־אֲרָם וּפֶקַח בֶּן־רְמַלְיָהוּ מֶלֶךְ־יִשְׂרָאֵל יְרוּשָׁלַ͏ִם לַמִּלְחָמָה

ו וַיָּצֻרוּ עַל־אָחָז וְלֹא יָכְלוּ לְהִלָּחֵם: בָּעֵת הַהִיא הֵשִׁיב רְצִין

מֶלֶךְ־אֲרָם אֶת־אֵילַת לַאֲרָם וַיְנַשֵּׁל אֶת־הַיְהוּדִים מֵאֵילוֹת

ז וארמים וַאֲדֹמִים בָּאוּ אֵילַת וַיֵּשְׁבוּ שָׁם עַד הַיּוֹם הַזֶּה: וַיִּשְׁלַח

אָחָז מַלְאָכִים אֶל־תִּגְלַת פְּלֶסֶר מֶלֶךְ־אַשּׁוּר לֵאמֹר עַבְדְּךָ וּבִנְךָ

אָנִי עֲלֵה וְהוֹשִׁעֵנִי מִכַּף מֶלֶךְ־אֲרָם וּמִכַּף מֶלֶךְ יִשְׂרָאֵל הַקּוֹמִים

ח עָלָי: וַיִּקַּח אָחָז אֶת־הַכֶּסֶף וְאֶת־הַזָּהָב הַנִּמְצָא בֵּית יְהוָה

ט וּבְאֹצְרוֹת בֵּית הַמֶּלֶךְ וַיִּשְׁלַח לְמֶלֶךְ־אַשּׁוּר שֹׁחַד: וַיִּשְׁמַע אֵלָיו

מֶ֣לֶךְ אַשּׁ֗וּר וַיַּ֨עַל מֶ֤לֶךְ אַשּׁוּר֙ אֶל־דַּמֶּ֙שֶׂק֙ וַֽיִּתְפְּשֶׂ֔הָ וַיַּגְלֶ֖הָ קִ֑ירָה
י וְאֶת־רְצִ֖ין הֵמִֽית׃ וַיֵּ֣לֶךְ הַמֶּ֣לֶךְ אָחָ֡ז לִ֠קְרַאת תִּגְלַ֨ת פִּלְאֶ֤סֶר
מֶֽלֶךְ־אַשּׁוּר֙ דּוּמֶּ֔שֶׂק וַיַּ֥רְא אֶת־הַמִּזְבֵּ֖חַ אֲשֶׁ֣ר בְּדַמָּ֑שֶׂק וַיִּשְׁלַח֩
הַמֶּ֨לֶךְ אָחָ֜ז אֶל־אוּרִיָּ֣ה הַכֹּהֵ֗ן אֶת־דְּמ֧וּת הַמִּזְבֵּ֛חַ וְאֶת־תַּבְנִית֖וֹ
יא לְכָֽל־מַעֲשֵֽׂהוּ׃ וַיִּ֛בֶן אֽוּרִיָּ֥ה הַכֹּהֵ֖ן אֶת־הַמִּזְבֵּ֑חַ כְּכֹ֨ל אֲשֶׁר־שָׁלַ֜ח
הַמֶּ֤לֶךְ אָחָז֙ מִדַּמֶּ֔שֶׂק כֵּ֤ן עָשָׂה֙ אוּרִיָּ֣ה הַכֹּהֵ֔ן עַד־בּ֥וֹא הַמֶּֽלֶךְ־אָחָ֖ז
יב מִדַּמָּֽשֶׂק׃ וַיָּבֹ֤א הַמֶּ֙לֶךְ֙ מִדַּמֶּ֔שֶׂק וַיַּ֥רְא הַמֶּ֖לֶךְ אֶת־הַמִּזְבֵּ֑חַ
יג וַיִּקְרַ֥ב הַמֶּ֛לֶךְ עַל־הַמִּזְבֵּ֖חַ וַיַּ֥עַל עָלָֽיו׃ וַיַּקְטֵ֤ר אֶת־עֹֽלָתוֹ֙
וְאֶת־מִנְחָת֔וֹ וַיַּסֵּ֖ךְ אֶת־נִסְכּ֑וֹ וַיִּזְרֹ֛ק אֶת־דַּֽם־הַשְּׁלָמִ֥ים אֲשֶׁר־ל֖וֹ
יד עַל־הַמִּזְבֵּֽחַ׃ וְאֵ֨ת הַמִּזְבַּ֣ח הַנְּח֘שֶׁת֘ אֲשֶׁ֣ר לִפְנֵ֣י יְהוָה֒ וַיַּקְרֵ֗ב
מֵאֵת֙ פְּנֵ֣י הַבַּ֔יִת מִבֵּין֙ הַמִּזְבֵּ֔חַ וּמִבֵּ֖ין בֵּ֣ית יְהוָ֑ה וַיִּתֵּ֥ן אֹת֛וֹ
טו עַל־יֶ֥רֶךְ הַמִּזְבֵּ֖חַ צָפֽוֹנָה׃ ויצוהו וַיְצַוֶּ֣ה הַמֶּֽלֶךְ־אָחָ֡ז אֶת־אוּרִיָּ֣ה
הַכֹּהֵן֩ לֵאמֹ֨ר עַ֣ל הַמִּזְבֵּ֣חַ הַגָּד֡וֹל הַקְטֵ֣ר אֶת־עֹֽלַת־הַבֹּ֠קֶר
וְֽאֶת־מִנְחַ֨ת הָעֶ֜רֶב וְֽאֶת־עֹלַ֧ת הַמֶּ֣לֶךְ וְאֶת־מִנְחָת֗וֹ וְ֠אֵת עֹלַ֨ת
כָּל־עַ֤ם הָאָ֙רֶץ֙ וּמִנְחָתָ֣ם וְנִסְכֵּיהֶ֔ם וְכָל־דַּ֥ם עֹלָ֛ה וְכָל־דַּם־זֶ֖בַח
טז עָלָ֣יו תִּזְרֹ֑ק וּמִזְבַּ֧ח הַנְּחֹ֛שֶׁת יִֽהְיֶה־לִּ֖י לְבַקֵּֽר׃ וַיַּ֕עַשׂ אוּרִיָּ֖ה הַכֹּהֵ֑ן
יז כְּכֹ֥ל אֲשֶׁר־צִוָּ֖ה הַמֶּ֥לֶךְ אָחָֽז׃ וַיְקַצֵּ֞ץ הַמֶּ֣לֶךְ אָחָ֗ז אֶת־הַֽמִּסְגְּר֣וֹת
הַמְּכֹנ֔וֹת וַיָּ֤סַר מֵֽעֲלֵיהֶם֙ ואת אֶת־הַכִּיֹּ֔ר וְאֶת־הַיָּ֣ם הוֹרִ֔ד מֵעַ֛ל
הַבָּקָ֥ר הַנְּחֹ֖שֶׁת אֲשֶׁ֣ר תַּחְתֶּ֑יהָ וַיִּתֵּ֣ן אֹת֔וֹ עַ֖ל מַרְצֶ֥פֶת אֲבָנִֽים׃
יח וְאֶת־מוּסַ֨ךְ מיסך הַשַּׁבָּ֜ת אֲשֶׁר־בָּנ֣וּ בַבַּ֗יִת וְאֶת־מְב֤וֹא הַמֶּ֙לֶךְ֙
יט הַ֣חִיצ֔וֹנָה הֵסֵ֖ב בֵּ֣ית יְהוָ֑ה מִפְּנֵ֖י מֶ֥לֶךְ אַשּֽׁוּר׃ וְיֶ֛תֶר דִּבְרֵ֥י אָחָ֖ז
אֲשֶׁ֣ר עָשָׂ֑ה הֲלֹא־הֵ֣ם כְּתוּבִ֗ים עַל־סֵ֛פֶר דִּבְרֵ֥י הַיָּמִ֖ים לְמַלְכֵ֥י
כ יְהוּדָֽה׃ וַיִּשְׁכַּ֤ב אָחָז֙ עִם־אֲבֹתָ֔יו וַיִּקָּבֵ֥ר עִם־אֲבֹתָ֖יו בְּעִ֣יר דָּוִ֑ד
וַיִּמְלֹ֛ךְ חִזְקִיָּ֥הוּ בְנ֖וֹ תַּחְתָּֽיו׃
יז א בִּשְׁנַ֨ת שְׁתֵּ֣ים עֶשְׂרֵ֔ה לְאָחָ֖ז מֶ֣לֶךְ יְהוּדָ֑ה מָ֠לַךְ הוֹשֵׁ֨עַ בֶּן־אֵלָ֧ה [3187]

הַעְתָּקַת תַּבְנִית מִזְבַּח דַּמֶּשֶׂק:

שִׁנּוּי כְּלֵי הָעֲזָרָה:

ב בְּשֹׁמְר֛וֹן עַל־יִשְׂרָאֵ֖ל תֵּ֥שַׁע שָׁנִֽים׃ וַיַּ֥עַשׂ הָרַ֖ע בְּעֵינֵ֣י יְהוָ֑ה רַ֗ק מַלְכוּת הוֹשֵׁעַ בֶּן
ג לֹ֚א כְּמַלְכֵ֣י יִשְׂרָאֵ֔ל אֲשֶׁ֥ר הָי֖וּ לְפָנָֽיו׃ עָלָ֣יו עָלָ֔ה שַֽׁלְמַנְאֶ֖סֶר מֶ֣לֶךְ אֵלָה:
ד אַשּׁ֑וּר וַיְהִי־ל֤וֹ הוֹשֵׁ֙עַ֙ עֶ֔בֶד וַיָּ֥שֶׁב ל֖וֹ מִנְחָֽה׃ וַיִּמְצָא֩ מֶלֶךְ־אַשּׁ֨וּר [3195]
בְּהוֹשֵׁ֜עַ קֶ֗שֶׁר אֲשֶׁ֨ר שָׁלַ֤ח מַלְאָכִים֙ אֶל־ס֣וֹא מֶֽלֶךְ־מִצְרַ֔יִם
וְלֹא־הֶעֱלָ֥ה מִנְחָ֛ה לְמֶ֥לֶךְ אַשּׁ֖וּר כְּשָׁנָ֣ה בְשָׁנָ֑ה וַיַּֽעַצְרֵ֙הוּ֙ מֶ֣לֶךְ
ה אַשּׁ֔וּר וַיַּאַסְרֵ֖הוּ בֵּ֥ית כֶּֽלֶא׃ וַיַּ֥עַל מֶֽלֶךְ־אַשּׁ֖וּר בְּכָל־הָאָ֑רֶץ וַיַּ֙עַל֙ גָּלוּת
ו שֹׁמְר֔וֹן וַיָּ֥צַר עָלֶ֖יהָ שָׁלֹ֥שׁ שָׁנִֽים׃ בִּשְׁנַ֨ת הַתְּשִׁיעִ֜ית לְהוֹשֵׁ֗עַ לָכַ֤ד עֲשֶׂרֶת הַשְּׁבָטִים:
מֶֽלֶךְ־אַשּׁוּר֙ אֶת־שֹׁ֣מְר֔וֹן וַיֶּ֥גֶל אֶת־יִשְׂרָאֵ֖ל אַשּׁ֑וּרָה וַיֹּ֨שֶׁב אֹתָ֜ם [3205]
בַּחְלַ֧ח וּבְחָב֛וֹר נְהַ֥ר גּוֹזָ֖ן וְעָרֵ֥י מָדָֽי׃
ז וַיְהִ֗י כִּֽי־חָטְא֤וּ בְנֵֽי־יִשְׂרָאֵל֙ לַיהוָ֣ה אֱלֹהֵיהֶ֔ם הַמַּעֲלֶ֤ה אֹתָם֙ חֲטָאֵי הָעָם הַסִּבָּה
מֵאֶ֣רֶץ מִצְרַ֔יִם מִתַּ֕חַת יַ֖ד פַּרְעֹ֣ה מֶֽלֶךְ־מִצְרָ֑יִם וַיִּֽירְא֖וּ אֱלֹהִ֥ים לַגָּלוּת:
ח אֲחֵרִֽים׃ וַיֵּֽלְכוּ֙ בְּחֻקּ֣וֹת הַגּוֹיִ֔ם אֲשֶׁר֙ הוֹרִ֣ישׁ יְהוָ֔ה מִפְּנֵ֖י בְּנֵ֣י
ט יִשְׂרָאֵ֑ל וּמַלְכֵ֥י יִשְׂרָאֵ֖ל אֲשֶׁ֥ר עָשֽׂוּ׃ וַיְחַפְּא֣וּ בְנֵֽי־יִשְׂרָאֵ֗ל דְּבָרִים֙
אֲשֶׁ֣ר לֹא־כֵ֔ן עַל־יְהוָ֖ה אֱלֹהֵיהֶ֑ם וַיִּבְנ֨וּ לָהֶ֤ם בָּמוֹת֙ בְּכָל־עָ֣רֵיהֶ֔ם
י מִמִּגְדַּ֥ל נוֹצְרִ֖ים עַד־עִ֥יר מִבְצָֽר׃ וַיַּצִּ֣בוּ לָהֶ֔ם מַצֵּב֖וֹת וַאֲשֵׁרִ֑ים
יא עַ֚ל כָּל־גִּבְעָ֣ה גְבֹהָ֔ה וְתַ֖חַת כָּל־עֵ֥ץ רַעֲנָֽן׃ וַיְקַטְּרוּ־שָׁם֙ בְּכָל־
בָּמ֔וֹת כַּגּוֹיִ֕ם אֲשֶׁר־הֶגְלָ֥ה יְהוָ֖ה מִפְּנֵיהֶ֑ם וַֽיַּעֲשׂוּ֙ דְּבָרִ֣ים רָעִ֔ים
יב לְהַכְעִ֖יס אֶת־יְהוָֽה׃ וַיַּעַבְד֖וּ הַגִּלֻּלִ֑ים אֲשֶׁר֩ אָמַ֨ר יְהוָ֜ה לָהֶ֗ם לֹ֥א
יג תַעֲשׂ֖וּ אֶת־הַדָּבָ֥ר הַזֶּֽה׃ וַיָּ֣עַד יְהוָ֡ה בְּיִשְׂרָאֵ֣ל וּבִֽיהוּדָ֡ה בְּיַד֩
כָּל־נְבִיאֵ֨י נביאו כָל־חֹזֶ֜ה לֵאמֹ֗ר שֻׁ֜בוּ מִדַּרְכֵיכֶ֤ם הָֽרָעִים֙ וְשִׁמְרוּ֙
מִצְוֺתַ֣י חֻקּוֹתַ֔י כְּכָל־הַתּוֹרָ֔ה אֲשֶׁ֥ר צִוִּ֖יתִי אֶת־אֲבֹתֵיכֶ֑ם וַֽאֲשֶׁר֙
יד שָׁלַ֣חְתִּי אֲלֵיכֶ֔ם בְּיַ֖ד עֲבָדַ֥י הַנְּבִיאִֽים׃ וְלֹ֖א שָׁמֵ֑עוּ וַיַּקְשׁ֤וּ אֶת־
עָרְפָּם֙ כְּעֹ֣רֶף אֲבוֹתָ֔ם אֲשֶׁר֙ לֹ֣א הֶאֱמִ֔ינוּ בַּיהוָ֖ה אֱלֹהֵיהֶֽם׃
טו וַיִּמְאֲס֣וּ אֶת־חֻקָּ֗יו וְאֶת־בְּרִיתוֹ֙ אֲשֶׁ֣ר כָּרַ֣ת אֶת־אֲבוֹתָ֔ם וְאֵת֙
עֵֽדְוֺתָ֔יו אֲשֶׁ֥ר הֵעִ֖יד בָּ֑ם וַיֵּלְכוּ֙ אַחֲרֵ֣י הַהֶ֔בֶל וַיֶּהְבָּ֔לוּ וְאַחֲרֵ֤י

הַגּוֹיִם֙ אֲשֶׁ֣ר סְבִיבֹתָ֔ם אֲשֶׁ֨ר צִוָּ֤ה יְהוָה֙ אֹתָ֔ם לְבִלְתִּ֖י עֲשׂ֥וֹת
טז כָּהֶֽם׃ וַיַּֽעַזְב֗וּ אֶת־כָּל־מִצְוֺת֙ יְהוָ֣ה אֱלֹהֵיהֶ֔ם וַיַּעֲשׂ֥וּ לָהֶ֛ם מַסֵּכָ֖ה
שנים שְׁנֵ֣י עֲגָלִ֑ים וַיַּעֲשׂ֣וּ אֲשֵׁירָ֗ה וַיִּֽשְׁתַּחֲווּ֙ לְכָל־צְבָ֣א הַשָּׁמַ֔יִם
יז וַיַּעַבְד֖וּ אֶת־הַבָּֽעַל׃ וַ֠יַּעֲבִירוּ אֶת־בְּנֵיהֶ֤ם וְאֶת־בְּנֽוֹתֵיהֶם֙ בָּאֵ֔שׁ
וַיִּקְסְמ֥וּ קְסָמִ֖ים וַיְנַחֵ֑שׁוּ וַיִּֽתְמַכְּר֗וּ לַעֲשׂ֥וֹת הָרַ֛ע בְּעֵינֵ֥י יְהוָ֖ה
יח לְהַכְעִיסֽוֹ׃ וַיִּתְאַנַּ֨ף יְהוָ֤ה מְאֹד֙ בְּיִשְׂרָאֵ֔ל וַיְסִרֵ֖ם מֵעַ֣ל פָּנָ֑יו לֹ֥א
יט נִשְׁאַ֛ר רַ֛ק שֵׁ֥בֶט יְהוּדָ֖ה לְבַדּֽוֹ׃ גַּם־יְהוּדָ֔ה לֹ֣א שָׁמַ֔ר אֶת־מִצְוֺ֖ת
כ יְהוָ֣ה אֱלֹהֵיהֶ֑ם וַיֵּ֣לְכ֔וּ בְּחֻקּ֥וֹת יִשְׂרָאֵ֖ל אֲשֶׁ֥ר עָשֽׂוּ׃ וַיִּמְאַ֨ס יְהוָ֜ה
בְּכָל־זֶ֤רַע יִשְׂרָאֵל֙ וַיְעַנֵּ֔ם וַֽיִּתְּנֵ֖ם בְּיַד־שֹׁסִ֑ים עַ֛ד אֲשֶׁ֥ר הִשְׁלִיכָ֖ם
כא מִפָּנָֽיו׃ כִּֽי־קָרַ֣ע יִשְׂרָאֵ֗ל מֵעַל֙ בֵּ֣ית דָּוִ֔ד וַיַּמְלִ֖יכוּ אֶת־יָרָבְעָ֣ם
בֶּן־נְבָ֑ט וידא וַיַּדַּח֩ יָרָבְעָ֨ם אֶת־יִשְׂרָאֵל֙ מֵאַחֲרֵ֣י יְהוָ֔ה וְהֶחֱטִיאָ֖ם
כב חֲטָאָ֥ה גְדוֹלָֽה׃ וַיֵּֽלְכוּ֙ בְּנֵ֣י יִשְׂרָאֵ֔ל בְּכָל־חַטֹּ֥אות יָרָבְעָ֖ם אֲשֶׁ֣ר
כג עָשָׂ֑ה לֹא־סָ֖רוּ מִמֶּֽנָּה׃ עַ֠ד אֲשֶׁר־הֵסִ֨יר יְהוָ֤ה אֶת־יִשְׂרָאֵל֙ מֵעַ֣ל
פָּנָ֔יו כַּאֲשֶׁ֣ר דִּבֶּ֔ר בְּיַ֖ד כָּל־עֲבָדָ֣יו הַנְּבִיאִ֑ים וַיִּ֨גֶל יִשְׂרָאֵ֜ל מֵעַ֤ל
אַדְמָתוֹ֙ אַשּׁ֔וּרָה עַ֖ד הַיּ֥וֹם הַזֶּֽה׃

הִתְיַשְּׁבוּת הַכּוּתִים בְּשׁוֹמְרוֹן:

כד וַיָּבֵ֣א מֶלֶךְ־אַ֠שּׁוּר מִבָּבֶ֨ל וּמִכּ֜וּתָה וּמֵעַוָּ֤א וּמֵֽחֲמָת֙ וּסְפַרְוַ֔יִם
וַיֹּ֙שֶׁב֙ בְּעָרֵ֣י שֹׁמְר֔וֹן תַּ֖חַת בְּנֵ֣י יִשְׂרָאֵ֑ל וַיִּֽרְשׁוּ֙ אֶת־שֹׁ֣מְר֔וֹן וַיֵּשְׁב֖וּ
כה בְּעָרֶֽיהָ׃ וַיְהִ֗י בִּתְחִלַּת֙ שִׁבְתָּ֣ם שָׁ֔ם לֹ֥א יָרְא֖וּ אֶת־יְהוָ֑ה וַיְשַׁלַּ֨ח
כו יְהוָ֤ה בָּהֶם֙ אֶת־הָ֣אֲרָי֔וֹת וַיִּהְי֥וּ הֹרְגִ֖ים בָּהֶֽם׃ וַיֹּאמְר֗וּ לְמֶ֣לֶךְ
אַשּׁוּר֮ לֵאמֹר֒ הַגּוֹיִם֙ אֲשֶׁ֣ר הִגְלִ֔יתָ וַתּ֙וֹשֶׁב֙ בְּעָרֵ֣י שֹׁמְר֔וֹן לֹ֣א
יָֽדְע֔וּ אֶת־מִשְׁפַּ֖ט אֱלֹהֵ֣י הָאָ֑רֶץ וַיְשַׁלַּח־בָּ֣ם אֶת־הָאֲרָי֗וֹת וְהִנָּם֙
מְמִיתִ֣ים אוֹתָ֔ם כַּאֲשֶׁר֙ אֵינָ֣ם יֹדְעִ֔ים אֶת־מִשְׁפַּ֖ט אֱלֹהֵ֥י הָאָֽרֶץ׃
כז וַיְצַ֨ו מֶֽלֶךְ־אַשּׁ֜וּר לֵאמֹ֗ר הֹלִ֤יכוּ שָׁ֙מָּה֙ אֶחָ֣ד מֵהַכֹּהֲנִ֔ים אֲשֶׁ֣ר
הִגְלִיתֶ֣ם מִשָּׁ֔ם וְיֵלְכ֖וּ וְיֵ֣שְׁבוּ שָׁ֑ם וְיֹרֵ֕ם אֶת־מִשְׁפַּ֖ט אֱלֹהֵ֥י הָאָֽרֶץ׃
כח וַיָּבֹ֗א אֶחָד֙ מֵהַכֹּ֣הֲנִ֔ים אֲשֶׁ֣ר הִגְל֣וּ מִשֹּׁמְר֔וֹן וַיֵּ֖שֶׁב בְּבֵֽית־אֵ֑ל וַיְהִי֙

כט מוֹרֶה אֹתָם אֵיךְ יִירְאוּ אֶת־יְהוָה׃ וַיִּהְיוּ עֹשִׂים גּוֹי גּוֹי אֱלֹהָיו
וַיַּנִּיחוּ ׀ בְּבֵית הַבָּמוֹת אֲשֶׁר עָשׂוּ הַשֹּׁמְרֹנִים גּוֹי גּוֹי בְּעָרֵיהֶם
ל אֲשֶׁר הֵם יֹשְׁבִים שָׁם׃ וְאַנְשֵׁי בָבֶל עָשׂוּ אֶת־סֻכּוֹת בְּנוֹת
וְאַנְשֵׁי־כוּת עָשׂוּ אֶת־נֵרְגַל וְאַנְשֵׁי חֲמָת עָשׂוּ אֶת־אֲשִׁימָא׃
לא וְהָעַוִּים עָשׂוּ נִבְחַז וְאֶת־תַּרְתָּק וְהַסְפַרְוִים שֹׂרְפִים אֶת־בְּנֵיהֶם
לב בָּאֵשׁ לְאַדְרַמֶּלֶךְ וַעֲנַמֶּלֶךְ אלה ספרים אֱלֹהֵי סְפַרְוָיִם׃ וַיִּהְיוּ יְרֵאִים
אֶת־יְהוָה וַיַּעֲשׂוּ לָהֶם מִקְצוֹתָם כֹּהֲנֵי בָמוֹת וַיִּהְיוּ עֹשִׂים לָהֶם
לג בְּבֵית הַבָּמוֹת׃ אֶת־יְהוָה הָיוּ יְרֵאִים וְאֶת־אֱלֹהֵיהֶם הָיוּ עֹבְדִים
לד כְּמִשְׁפַּט הַגּוֹיִם אֲשֶׁר־הִגְלוּ אֹתָם מִשָּׁם׃ עַד הַיּוֹם הַזֶּה הֵם
עֹשִׂים כַּמִּשְׁפָּטִים הָרִאשֹׁנִים אֵינָם יְרֵאִים אֶת־יְהוָה וְאֵינָם
עֹשִׂים כְּחֻקֹּתָם וּכְמִשְׁפָּטָם וְכַתּוֹרָה וְכַמִּצְוָה אֲשֶׁר צִוָּה יְהוָה
לה אֶת־בְּנֵי יַעֲקֹב אֲשֶׁר־שָׂם שְׁמוֹ יִשְׂרָאֵל׃ וַיִּכְרֹת יְהוָה אִתָּם בְּרִית
וַיְצַוֵּם לֵאמֹר לֹא תִירְאוּ אֱלֹהִים אֲחֵרִים וְלֹא־תִשְׁתַּחֲווּ לָהֶם וְלֹא
לו תַעַבְדוּם וְלֹא תִזְבְּחוּ לָהֶם׃ כִּי אִם־אֶת־יְהוָה אֲשֶׁר הֶעֱלָה אֶתְכֶם
מֵאֶרֶץ מִצְרַיִם בְּכֹחַ גָּדוֹל וּבִזְרוֹעַ נְטוּיָה אֹתוֹ תִירָאוּ וְלוֹ
לז תִשְׁתַּחֲווּ וְלוֹ תִזְבָּחוּ׃ וְאֶת־הַחֻקִּים וְאֶת־הַמִּשְׁפָּטִים וְהַתּוֹרָה
וְהַמִּצְוָה אֲשֶׁר כָּתַב לָכֶם תִּשְׁמְרוּן לַעֲשׂוֹת כָּל־הַיָּמִים וְלֹא
לח תִירְאוּ אֱלֹהִים אֲחֵרִים׃ וְהַבְּרִית אֲשֶׁר־כָּרַתִּי אִתְּכֶם לֹא תִשְׁכָּחוּ
לט וְלֹא תִירְאוּ אֱלֹהִים אֲחֵרִים׃ כִּי אִם־אֶת־יְהוָה אֱלֹהֵיכֶם תִּירָאוּ
מ וְהוּא יַצִּיל אֶתְכֶם מִיַּד כָּל־אֹיְבֵיכֶם׃ וְלֹא שָׁמֵעוּ כִּי אִם־
מא כְּמִשְׁפָּטָם הָרִאשׁוֹן הֵם עֹשִׂים׃ וַיִּהְיוּ ׀ הַגּוֹיִם הָאֵלֶּה יְרֵאִים
אֶת־יְהוָה וְאֶת־פְּסִילֵיהֶם הָיוּ עֹבְדִים גַּם־בְּנֵיהֶם ׀ וּבְנֵי בְנֵיהֶם
כַּאֲשֶׁר עָשׂוּ אֲבֹתָם הֵם עֹשִׂים עַד הַיּוֹם הַזֶּה׃

מַלְכוּת חִזְקִיָּה בֶן אָחָז׃ [3199]

יח א וַיְהִי בִּשְׁנַת שָׁלֹשׁ לְהוֹשֵׁעַ בֶּן־אֵלָה מֶלֶךְ יִשְׂרָאֵל מָלַךְ חִזְקִיָּה
ב בֶן־אָחָז מֶלֶךְ יְהוּדָה׃ בֶּן־עֶשְׂרִים וְחָמֵשׁ שָׁנָה הָיָה בְמָלְכוֹ

וְעֶשְׂרִ֣ים וָתֵ֗שַׁע֙ שָׁנָה֙ מָלַ֣ךְ בִּירוּשָׁלִָ֔ם וְשֵׁ֣ם אִמּ֔וֹ אֲבִ֖י בַּת־זְכַרְיָֽה׃

וַיַּ֥עַשׂ הַיָּשָׁ֖ר בְּעֵינֵ֣י יְהוָ֑ה כְּכֹ֥ל אֲשֶׁר־עָשָׂ֖ה דָּוִ֥ד אָבִֽיו׃   ג

ה֣וּא ׀ הֵסִ֣יר אֶת־הַבָּמ֗וֹת וְשִׁבַּר֙ אֶת־הַמַּצֵּבֹ֔ת וְכָרַ֖ת אֶת־הָאֲשֵׁרָ֑ה וְכִתַּת֩ נְחַ֨שׁ הַנְּחֹ֜שֶׁת אֲשֶׁר־עָשָׂ֣ה מֹשֶׁ֗ה כִּ֣י עַד־הַיָּמִ֤ים הָהֵ֨מָּה֙ הָי֤וּ בְנֵֽי־יִשְׂרָאֵל֙ מְקַטְּרִ֣ים ל֔וֹ וַיִּקְרָא־ל֖וֹ נְחֻשְׁתָּֽן׃

בַּֽיהוָ֥ה אֱלֹהֵֽי־יִשְׂרָאֵ֖ל בָּטָ֑ח וְאַחֲרָ֞יו לֹא־הָיָ֣ה כָמֹ֗הוּ בְּכֹל֙ מַלְכֵ֣י יְהוּדָ֔ה וַאֲשֶׁ֥ר הָי֖וּ לְפָנָֽיו׃   ה

וַיִּדְבַּק֙ בַּֽיהוָ֔ה לֹא־סָ֖ר מֵאַֽחֲרָ֑יו וַיִּשְׁמֹר֙ מִצְוֺתָ֔יו אֲשֶׁר־צִוָּ֥ה יְהוָ֖ה אֶת־מֹשֶֽׁה׃   ו

וְהָיָ֤ה יְהוָה֙ עִמּ֔וֹ בְּכֹ֥ל אֲשֶׁר־יֵצֵ֖א יַשְׂכִּ֑יל וַיִּמְרֹ֥ד בְּמֶֽלֶךְ־אַשּׁ֖וּר וְלֹ֥א עֲבָדֽוֹ׃   ז

הֽוּא־הִכָּ֧ה אֶת־פְּלִשְׁתִּ֛ים עַד־עַזָּ֖ה וְאֶת־גְּבוּלֶ֑יהָ מִמִּגְדַּ֥ל נוֹצְרִ֖ים עַד־עִ֥יר מִבְצָֽר׃   ח

וַֽיְהִ֞י בַּשָּׁנָ֤ה הָֽרְבִיעִית֙ לַמֶּ֣לֶךְ חִזְקִיָּ֔הוּ הִ֚יא הַשָּׁנָ֣ה הַשְּׁבִיעִ֔ית   ט

הַשְׁלָמַת הַגָּלְיַת יִשְׂרָאֵל אָשּׁוּרָה׃

לְהוֹשֵׁ֥עַ בֶּן־אֵלָ֖ה מֶ֣לֶךְ יִשְׂרָאֵ֑ל עָלָ֞ה שַׁלְמַנְאֶ֧סֶר מֶֽלֶךְ־אַשּׁ֛וּר עַל־שֹׁמְר֖וֹן וַיָּ֥צַר עָלֶֽיהָ׃   י

וַֽיִּלְכְּדֻ֗הָ מִקְצֵה֙ שָׁלֹ֣שׁ שָׁנִ֔ים בִּשְׁנַת־שֵׁ֧שׁ לְחִזְקִיָּ֛ה הִ֥יא שְׁנַת־תֵּ֖שַׁע לְהוֹשֵׁ֣עַ מֶ֣לֶךְ יִשְׂרָאֵ֑ל נִלְכְּדָ֖ה שֹׁמְרֽוֹן׃

וַיֹּ֣גֶל מֶֽלֶךְ־אַשּׁ֣וּר אֶת־יִשְׂרָאֵ֖ל אַשּׁ֑וּרָה וַיַּנְחֵ֞ם בַּחְלַ֧ח וּבְחָב֛וֹר נְהַ֥ר   [3205]

גּוֹזָ֖ן וְעָרֵ֥י מָדָֽי׃ עַ֣ל ׀ אֲשֶׁ֣ר לֹֽא־שָׁמְע֗וּ בְּקוֹל֙ יְהוָ֣ה אֱלֹהֵיהֶ֔ם   יב

וַיַּעַבְרוּ֙ אֶת־בְּרִית֔וֹ אֵ֚ת כָּל־אֲשֶׁ֣ר צִוָּ֔ה מֹשֶׁ֖ה עֶ֣בֶד יְהוָ֑ה וְלֹ֥א שָׁמְע֖וּ וְלֹ֥א עָשֽׂוּ׃

וּבְאַרְבַּע֩ עֶשְׂרֵ֨ה שָׁנָ֜ה לַמֶּ֣לֶךְ חִזְקִיָּ֗ה עָלָ֞ה סַנְחֵרִ֤יב מֶֽלֶךְ־אַשּׁוּר֙   יג

עֲלִיַּת סַנְחֵרִיב עַל יְהוּדָה׃

עַ֣ל כָּל־עָרֵ֧י יְהוּדָ֛ה הַבְּצֻר֖וֹת וַֽיִּתְפְּשֵֽׂם׃ וַיִּשְׁלַ֣ח חִזְקִיָּ֣ה מֶֽלֶךְ־   יד

יְהוּדָ֣ה אֶל־מֶֽלֶךְ־אַשּׁ֣וּר ׀ לָכִישָׁה֮ ׀ לֵאמֹר֒ ׀ חָטָ֙אתִי֙ שׁ֣וּב מֵֽעָלַ֔י   [3213]

אֵ֛ת אֲשֶׁר־תִּתֵּ֥ן עָלַ֖י אֶשָּׂ֑א וַיָּ֨שֶׂם מֶֽלֶךְ־אַשּׁ֜וּר עַל־חִזְקִיָּ֣ה מֶֽלֶךְ־

יְהוּדָ֗ה שְׁלֹ֤שׁ מֵאוֹת֙ כִּכַּר־כֶּ֔סֶף וּשְׁלֹשִׁ֖ים כִּכַּ֥ר זָהָֽב׃ וַיִּתֵּן֙ חִזְקִיָּ֔ה   טו

קִצּוּץ דַּלְתוֹת הַהֵיכָל׃

אֶת־כָּל־הַכֶּ֖סֶף הַנִּמְצָ֣א בֵית־יְהוָ֑ה וּבְאֹצְר֖וֹת בֵּ֥ית הַמֶּֽלֶךְ׃ בָּעֵ֣ת   טז

הַהִ֗יא קִצַּ֨ץ חִזְקִיָּ֜ה אֶת־דַּלְת֨וֹת הֵיכַ֤ל יְהוָה֙ וְאֶת־הָאֹ֣מְנ֔וֹת אֲשֶׁ֣ר

צִפָּה חִזְקִיָּה מֶלֶךְ יְהוּדָה וַיִּתְּנֵם לְמֶלֶךְ אַשּׁוּר:
יז וַיִּשְׁלַח מֶלֶךְ־אַשּׁוּר אֶת־תַּרְתָּן וְאֶת־רַב־סָרִיס ׀ וְאֶת־רַבְשָׁקֵה חריף רַבְשָׁקֵה: [3213]
מִן־לָכִישׁ אֶל־הַמֶּלֶךְ חִזְקִיָּהוּ בְּחֵיל כָּבֵד יְרוּשָׁלָם וַיַּעֲלוּ וַיָּבֹאוּ
יְרוּשָׁלַם וַיַּעֲלוּ וַיָּבֹאוּ וַיַּעַמְדוּ בִּתְעָלַת הַבְּרֵכָה הָעֶלְיוֹנָה אֲשֶׁר
יח בִּמְסִלַּת שְׂדֵה כוֹבֵס: וַיִּקְרְאוּ אֶל־הַמֶּלֶךְ וַיֵּצֵא אֲלֵהֶם אֶלְיָקִים
בֶּן־חִלְקִיָּהוּ אֲשֶׁר עַל־הַבָּיִת וְשֶׁבְנָה הַסֹּפֵר וְיוֹאָח בֶּן־אָסָף
יט הַמַּזְכִּיר: וַיֹּאמֶר אֲלֵיהֶם רַבְשָׁקֵה אִמְרוּ־נָא אֶל־חִזְקִיָּהוּ כֹּה־
אָמַר הַמֶּלֶךְ הַגָּדוֹל מֶלֶךְ אַשּׁוּר מָה הַבִּטָּחוֹן הַזֶּה אֲשֶׁר בָּטָחְתָּ:
כ אָמַרְתָּ אַךְ־דְּבַר־שְׂפָתַיִם עֵצָה וּגְבוּרָה לַמִּלְחָמָה עַתָּה עַל־מִי
כא בָטַחְתָּ כִּי מָרַדְתָּ בִּי: עַתָּה הִנֵּה בָטַחְתָּ לְּךָ עַל־מִשְׁעֶנֶת הַקָּנֶה
הָרָצוּץ הַזֶּה עַל־מִצְרַיִם אֲשֶׁר יִסָּמֵךְ אִישׁ עָלָיו וּבָא בְכַפּוֹ
כב וּנְקָבָהּ כֵּן פַּרְעֹה מֶלֶךְ־מִצְרַיִם לְכָל־הַבֹּטְחִים עָלָיו: וְכִי־
תֹאמְרוּן אֵלַי אֶל־יְהוָה אֱלֹהֵינוּ בָּטָחְנוּ הֲלוֹא־הוּא אֲשֶׁר הֵסִיר
חִזְקִיָּהוּ אֶת־בָּמֹתָיו וְאֶת־מִזְבְּחֹתָיו וַיֹּאמֶר לִיהוּדָה וְלִירוּשָׁלַם
כג לִפְנֵי הַמִּזְבֵּחַ הַזֶּה תִּשְׁתַּחֲווּ בִּירוּשָׁלָם: וְעַתָּה הִתְעָרֶב נָא
אֶת־אֲדֹנִי אֶת־מֶלֶךְ אַשּׁוּר וְאֶתְּנָה לְךָ אַלְפַּיִם סוּסִים אִם־תּוּכַל
כד לָתֶת לְךָ רֹכְבִים עֲלֵיהֶם: וְאֵיךְ תָּשִׁיב אֵת פְּנֵי פַחַת אַחַד עַבְדֵי
כה אֲדֹנִי הַקְּטַנִּים וַתִּבְטַח לְךָ עַל־מִצְרַיִם לְרֶכֶב וּלְפָרָשִׁים: עַתָּה
הֲמִבַּלְעֲדֵי יְהוָה עָלִיתִי עַל־הַמָּקוֹם הַזֶּה לְהַשְׁחִתוֹ יְהוָה אָמַר
כו אֵלַי עֲלֵה עַל־הָאָרֶץ הַזֹּאת וְהַשְׁחִיתָהּ: וַיֹּאמֶר אֶלְיָקִים בֶּן־
חִלְקִיָּהוּ וְשֶׁבְנָה וְיוֹאָח אֶל־רַבְשָׁקֵה דַּבֶּר־נָא אֶל־עֲבָדֶיךָ אֲרָמִית
כִּי שֹׁמְעִים אֲנָחְנוּ וְאַל־תְּדַבֵּר עִמָּנוּ יְהוּדִית בְּאָזְנֵי הָעָם אֲשֶׁר
כז עַל־הַחֹמָה: וַיֹּאמֶר אֲלֵיהֶם רַבְשָׁקֵה הַעַל אֲדֹנֶיךָ וְאֵלֶיךָ שְׁלָחַנִי
אֲדֹנִי לְדַבֵּר אֶת־הַדְּבָרִים הָאֵלֶּה הֲלֹא עַל־הָאֲנָשִׁים הַיֹּשְׁבִים
עַל־הַחֹמָה לֶאֱכֹל אֶת־צוֹאָתָם חריהם וְלִשְׁתּוֹת אֶת־מֵימֵי־רַגְלֵיהֶם

כח עִמָּכֶם: וַיַּעֲמֹד רַבְשָׁקֵה וַיִּקְרָא בְקוֹל־גָּדוֹל יְהוּדִית שיניהם
כט וַיְדַבֵּר וַיֹּאמֶר שִׁמְעוּ דְּבַר־הַמֶּלֶךְ הַגָּדוֹל מֶלֶךְ אַשּׁוּר: כֹּה אָמַר
הַמֶּלֶךְ אַל־יַשִּׁא לָכֶם חִזְקִיָּהוּ כִּי־לֹא יוּכַל לְהַצִּיל אֶתְכֶם מִיָּדוֹ:
ל וְאַל־יַבְטַח אֶתְכֶם חִזְקִיָּהוּ אֶל־יְהוָה לֵאמֹר הַצֵּל יַצִּילֵנוּ יְהוָה
לא וְלֹא תִנָּתֵן אֶת־הָעִיר הַזֹּאת בְּיַד מֶלֶךְ אַשּׁוּר: אַל־תִּשְׁמְעוּ
אֶל־חִזְקִיָּהוּ כִּי כֹה אָמַר מֶלֶךְ אַשּׁוּר עֲשׂוּ־אִתִּי בְרָכָה וּצְאוּ
אֵלַי וְאִכְלוּ אִישׁ־גַּפְנוֹ וְאִישׁ תְּאֵנָתוֹ וּשְׁתוּ אִישׁ מֵי־בֹרוֹ:
לב עַד־בֹּאִי וְלָקַחְתִּי אֶתְכֶם אֶל־אֶרֶץ כְּאַרְצְכֶם אֶרֶץ דָּגָן וְתִירוֹשׁ
אֶרֶץ לֶחֶם וּכְרָמִים אֶרֶץ זֵית יִצְהָר וּדְבַשׁ וִחְיוּ וְלֹא תָמֻתוּ
וְאַל־תִּשְׁמְעוּ אֶל־חִזְקִיָּהוּ כִּי־יַסִּית אֶתְכֶם לֵאמֹר יְהוָה יַצִּילֵנוּ:
לג הַהַצֵּל הִצִּילוּ אֱלֹהֵי הַגּוֹיִם אִישׁ אֶת־אַרְצוֹ מִיַּד מֶלֶךְ אַשּׁוּר:
לד אַיֵּה אֱלֹהֵי חֲמָת וְאַרְפָּד אַיֵּה אֱלֹהֵי סְפַרְוַיִם הֵנַע וְעִוָּה כִּי־הִצִּילוּ
לה אֶת־שֹׁמְרוֹן מִיָּדִי: מִי בְּכָל־אֱלֹהֵי הָאֲרָצוֹת אֲשֶׁר־הִצִּילוּ אֶת־
לו אַרְצָם מִיָּדִי כִּי־יַצִּיל יְהוָה אֶת־יְרוּשָׁלִַם מִיָּדִי: וְהֶחֱרִישׁוּ הָעָם
וְלֹא־עָנוּ אֹתוֹ דָּבָר כִּי־מִצְוַת הַמֶּלֶךְ הִיא לֵאמֹר לֹא תַעֲנֻהוּ:
לז וַיָּבֹא אֶלְיָקִים בֶּן־חִלְקִיָּה אֲשֶׁר־עַל־הַבַּיִת וְשֶׁבְנָא הַסֹּפֵר וְיוֹאָח
בֶּן־אָסָף הַמַּזְכִּיר אֶל־חִזְקִיָּהוּ קְרוּעֵי בְגָדִים וַיַּגִּדוּ לוֹ דִּבְרֵי
יט א רַבְשָׁקֵה: וַיְהִי כִּשְׁמֹעַ הַמֶּלֶךְ חִזְקִיָּהוּ וַיִּקְרַע אֶת־בְּגָדָיו וַיִּתְכַּס
ב בַּשָּׂק וַיָּבֹא בֵּית יְהוָה: וַיִּשְׁלַח אֶת־אֶלְיָקִים אֲשֶׁר־עַל־הַבַּיִת
וְשֶׁבְנָא הַסֹּפֵר וְאֵת זִקְנֵי הַכֹּהֲנִים מִתְכַּסִּים בַּשַּׂקִּים אֶל־יְשַׁעְיָהוּ
ג הַנָּבִיא בֶּן־אָמוֹץ: וַיֹּאמְרוּ אֵלָיו כֹּה אָמַר חִזְקִיָּהוּ יוֹם־צָרָה
וְתוֹכֵחָה וּנְאָצָה הַיּוֹם הַזֶּה כִּי בָאוּ בָנִים עַד־מַשְׁבֵּר וְכֹחַ אַיִן
ד לְלֵדָה: אוּלַי יִשְׁמַע יְהוָה אֱלֹהֶיךָ אֵת ׀ כָּל־דִּבְרֵי רַבְשָׁקֵה אֲשֶׁר
שְׁלָחוֹ מֶלֶךְ־אַשּׁוּר ׀ אֲדֹנָיו לְחָרֵף אֱלֹהִים חַי וְהוֹכִיחַ
בַּדְּבָרִים אֲשֶׁר שָׁמַע יְהוָה אֱלֹהֶיךָ וְנָשָׂאתָ תְפִלָּה בְּעַד הַשְּׁאֵרִית

פְּנִיַּת חִזְקִיָּהוּ לִישַׁעְיָהוּ לִתְפִלָּה:

ה ו הַנִּמְצָאָה: וַיָּבֹאוּ עַבְדֵי הַמֶּלֶךְ חִזְקִיָּהוּ אֶל־יְשַׁעְיָהוּ: וַיֹּאמֶר לָהֶם תְּשׁוּבַת ה' מִפִּי
יְשַׁעְיָהוּ כֹּה תֹאמְרוּן אֶל־אֲדֹנֵיכֶם כֹּה | אָמַר יְהוָה אַל־תִּירָא יְשַׁעְיָהוּ:
מִפְּנֵי הַדְּבָרִים אֲשֶׁר שָׁמַעְתָּ אֲשֶׁר גִּדְּפוּ נַעֲרֵי מֶלֶךְ־אַשּׁוּר אֹתִי:
ז הִנְנִי נֹתֵן בּוֹ רוּחַ וְשָׁמַע שְׁמוּעָה וְשָׁב לְאַרְצוֹ וְהִפַּלְתִּיו בַּחֶרֶב
ח בְּאַרְצוֹ: וַיָּשָׁב רַבְשָׁקֵה וַיִּמְצָא אֶת־מֶלֶךְ אַשּׁוּר נִלְחָם עַל־לִבְנָה
ט כִּי שָׁמַע כִּי נָסַע מִלָּכִישׁ: וַיִּשְׁמַע אֶל־תִּרְהָקָה מֶלֶךְ־כּוּשׁ לֵאמֹר
הִנֵּה יָצָא לְהִלָּחֵם אִתָּךְ וַיָּשָׁב וַיִּשְׁלַח מַלְאָכִים אֶל־חִזְקִיָּהוּ
י לֵאמֹר: כֹּה תֹאמְרוּן אֶל־חִזְקִיָּהוּ מֶלֶךְ־יְהוּדָה לֵאמֹר אַל־יַשִּׁאֲךָ
אֱלֹהֶיךָ אֲשֶׁר אַתָּה בֹּטֵחַ בּוֹ לֵאמֹר לֹא תִנָּתֵן יְרוּשָׁלַםִ בְּיַד
יא מֶלֶךְ אַשּׁוּר: הִנֵּה | אַתָּה שָׁמַעְתָּ אֵת אֲשֶׁר עָשׂוּ מַלְכֵי אַשּׁוּר
יב לְכָל־הָאֲרָצוֹת לְהַחֲרִימָם וְאַתָּה תִּנָּצֵל: הַהִצִּילוּ אֹתָם אֱלֹהֵי
הַגּוֹיִם אֲשֶׁר שִׁחֲתוּ אֲבוֹתַי אֶת־גּוֹזָן וְאֶת־חָרָן וְרֶצֶף וּבְנֵי־עֶדֶן
יג אֲשֶׁר בִּתְלַאשָּׂר: אַיּוֹ מֶלֶךְ־חֲמָת וּמֶלֶךְ אַרְפָּד וּמֶלֶךְ לָעִיר
יד סְפַרְוָיִם הֵנַע וְעִוָּה: וַיִּקַּח חִזְקִיָּהוּ אֶת־הַסְּפָרִים מִיַּד הַמַּלְאָכִים
וַיִּקְרָאֵם וַיַּעַל בֵּית יְהוָה וַיִּפְרְשֵׂהוּ חִזְקִיָּהוּ לִפְנֵי יְהוָה:
טו וַיִּתְפַּלֵּל חִזְקִיָּהוּ לִפְנֵי יְהוָה וַיֹּאמַר יְהוָה אֱלֹהֵי יִשְׂרָאֵל יֹשֵׁב תְּפִלַּת
הַכְּרֻבִים אַתָּה־הוּא הָאֱלֹהִים לְבַדְּךָ לְכֹל מַמְלְכוֹת הָאָרֶץ אַתָּה חִזְקִיָּהוּ:
טז עָשִׂיתָ אֶת־הַשָּׁמַיִם וְאֶת־הָאָרֶץ: הַטֵּה יְהוָה | אָזְנְךָ וּשְׁמָע פְּקַח
יְהוָה עֵינֶיךָ וּרְאֵה וּשְׁמַע אֵת דִּבְרֵי סַנְחֵרִיב אֲשֶׁר שְׁלָחוֹ לְחָרֵף
יז אֱלֹהִים חָי: אָמְנָם יְהוָה הֶחֱרִיבוּ מַלְכֵי אַשּׁוּר אֶת־הַגּוֹיִם
יח וְאֶת־אַרְצָם: וְנָתְנוּ אֶת־אֱלֹהֵיהֶם בָּאֵשׁ כִּי לֹא אֱלֹהִים הֵמָּה כִּי
יט אִם־מַעֲשֵׂה יְדֵי־אָדָם עֵץ וָאֶבֶן וַיְאַבְּדוּם: וְעַתָּה יְהוָה אֱלֹהֵינוּ
הוֹשִׁיעֵנוּ נָא מִיָּדוֹ וְיֵדְעוּ כָּל־מַמְלְכוֹת הָאָרֶץ כִּי אַתָּה יְהוָה
כ אֱלֹהִים לְבַדֶּךָ: וַיִּשְׁלַח יְשַׁעְיָהוּ בֶן־אָמוֹץ אֶל־חִזְקִיָּהוּ נְבוּאַת יְשַׁעְיָהוּ עַל
לֵאמֹר כֹּה־אָמַר יְהוָה אֱלֹהֵי יִשְׂרָאֵל אֲשֶׁר הִתְפַּלַּלְתָּ אֵלַי מַפֶּלֶת אַשּׁוּר:

כא אֶל־סַנְחֵרִ֥ב מֶֽלֶךְ־אַשּׁ֖וּר שָׁמָֽעְתִּי׃ זֶ֣ה הַדָּבָ֔ר אֲשֶׁר־דִּבֶּ֥ר יְהוָ֖ה
עָלָ֑יו בָּזָ֨ה לְךָ֜ לָעֲגָ֣ה לְךָ֗ בְּתוּלַת֙ בַּת־צִיּ֔וֹן אַחֲרֶ֙יךָ֙ רֹ֣אשׁ הֵנִ֔יעָה
כב בַּ֖ת יְרוּשָׁלִָֽם׃ אֶת־מִ֤י חֵרַ֙פְתָּ֙ וְגִדַּ֔פְתָּ וְעַל־מִ֖י הֲרִימ֣וֹתָ קּ֑וֹל וַתִּשָּׂ֥א
כג מָר֛וֹם עֵינֶ֖יךָ עַל־קְד֥וֹשׁ יִשְׂרָאֵֽל׃ בְּיַ֣ד מַלְאָכֶ֘יךָ֮ חֵרַ֣פְתָּ ׀ אֲדֹנָ֒י
וַתֹּ֗אמֶר ברכב בְּרֹ֥ב רִכְבִּ֛י אֲנִ֥י עָלִ֛יתִי מְר֥וֹם הָרִ֖ים יַרְכְּתֵ֣י לְבָנ֑וֹן
וְאֶכְרֹ֞ת קוֹמַ֤ת אֲרָזָיו֙ מִבְח֣וֹר בְּרֹשָׁ֔יו וְאָב֙וֹאָה֙ מְל֣וֹן קִצֹּ֔ה יַ֖עַר
כד כַּרְמִלּֽוֹ׃ אֲנִ֣י קַ֔רְתִּי וְשָׁתִ֖יתִי מַ֣יִם זָרִ֑ים וְאַחְרִב֙ בְּכַף־פְּעָמַ֔י כֹּ֖ל
כה יְאֹרֵ֥י מָצֽוֹר׃ הֲלֹא־שָׁמַ֤עְתָּ לְמֵֽרָחוֹק֙ אֹתָ֣הּ עָשִׂ֔יתִי לְמִ֥ימֵי קֶ֖דֶם
וִיצַרְתִּ֑יהָ עַתָּ֣ה הֲבֵאתִ֔יהָ וּתְהִ֗י לַהְשׁ֛וֹת גַּלִּ֥ים נִצִּ֖ים עָרִ֥ים
כו בְּצֻרֽוֹת׃ וְיֹשְׁבֵיהֶן֙ קִצְרֵי־יָ֔ד חַ֖תּוּ וַיֵּבֹ֑שׁוּ הָי֞וּ עֵ֣שֶׂב שָׂדֶ֗ה וִ֚ירַק
כז דֶּ֔שֶׁא חֲצִ֣יר גַּגּ֔וֹת וּשְׁדֵפָ֖ה לִפְנֵ֥י קָמָֽה׃ וְשִׁבְתְּךָ֛ וְצֵאתְךָ֥ וּבֹאֲךָ֖
כח יָדָ֑עְתִּי וְאֵ֖ת הִֽתְרַגֶּזְךָ֥ אֵלָֽי׃ יַ֚עַן הִֽתְרַגֶּזְךָ֣ אֵלַ֔י וְשַׁאֲנַנְךָ֖ עָלָ֣ה
בְאָזְנָ֑י וְשַׂמְתִּ֨י חַחִ֜י בְּאַפֶּ֗ךָ וּמִתְגִּי֙ בִּשְׂפָתֶ֔יךָ וַהֲשִׁ֣בֹתִ֔יךָ בַּדֶּ֖רֶךְ
כט אֲשֶׁר־בָּ֥אתָ בָּֽהּ׃ וְזֶה־לְּךָ֣ הָא֗וֹת אָכ֤וֹל הַשָּׁנָה֙ סָפִ֔יחַ וּבַשָּׁנָ֥ה
הַשֵּׁנִ֖ית סָחִ֑ישׁ וּבַשָּׁנָ֣ה הַשְּׁלִישִׁ֗ית זִרְע֛וּ וְקִצְר֛וּ וְנִטְע֥וּ כְרָמִ֖ים
ל וְאִכְל֥וּ פִרְיָֽם׃ וְיָ֨סְפָ֜ה פְּלֵיטַ֧ת בֵּית־יְהוּדָ֛ה הַנִּשְׁאָרָ֖ה שֹׁ֣רֶשׁ לְמָ֑טָּה
לא וְעָשָׂ֥ה פְרִ֖י לְמָֽעְלָה׃ כִּ֤י מִירֽוּשָׁלִַ֙ם֙ תֵּצֵ֣א שְׁאֵרִ֔ית וּפְלֵיטָ֖ה מֵהַ֣ר
לב צִיּ֑וֹן קִנְאַ֛ת יְהוָ֖ה צְבָא֑וֹת תַּעֲשֶׂה־זֹּֽאת׃ לָכֵ֗ן קרי ולא כתיב:
כֹּֽה־אָמַ֤ר יְהוָה֙ אֶל־מֶ֣לֶךְ אַשּׁ֔וּר לֹ֤א יָבֹא֙ אֶל־הָעִ֣יר הַזֹּ֔את
וְלֹא־יוֹרֶ֥ה שָׁ֖ם חֵ֑ץ וְלֹֽא־יְקַדְּמֶ֣נָּה מָגֵ֔ן וְלֹֽא־יִשְׁפֹּ֥ךְ עָלֶ֖יהָ סֹלְלָֽה׃
לג בַּדֶּ֥רֶךְ אֲשֶׁר־יָבֹ֖א בָּ֣הּ יָשׁ֑וּב וְאֶל־הָעִ֧יר הַזֹּ֛את לֹ֥א יָבֹ֖א נְאֻם־
לד יְהוָֽה׃ וְגַנּוֹתִ֛י אֶל־הָעִ֥יר הַזֹּ֖את לְהֽוֹשִׁיעָ֑הּ לְמַֽעֲנִ֔י וּלְמַ֖עַן דָּוִ֥ד
לה עַבְדִּֽי׃ וַיְהִי֙ בַּלַּ֣יְלָה הַה֔וּא וַיֵּצֵ֣א ׀ מַלְאַ֣ךְ יְהוָ֗ה וַיַּךְ֙ בְּמַחֲנֵ֣ה אַשּׁ֔וּר מַפֶּלֶת אַשּׁוּר
מֵאָ֛ה שְׁמוֹנִ֥ים וַחֲמִשָּׁ֖ה אָ֑לֶף וַיַּשְׁכִּ֣ימוּ בַבֹּ֔קֶר וְהִנֵּ֥ה כֻלָּ֖ם פְּגָרִ֥ים וְסַנְחֵרִיב:
לו מֵתִֽים׃ וַיִּסַּע֙ וַיֵּ֔לֶךְ וַיָּ֖שָׁב סַנְחֵרִ֣יב מֶֽלֶךְ־אַשּׁ֑וּר וַיֵּ֖שֶׁב בְּנִֽינְוֵֽה׃

קרי ולא כתיב:

לז וַיְהִי הוּא מִשְׁתַּחֲוֶה בֵּית ׀ נִסְרֹךְ אֱלֹהָיו וְאַדְרַמֶּלֶךְ וְשַׂרְאֶצֶר בָּנָיו הִכֻּהוּ בַחֶרֶב וְהֵמָּה נִמְלְטוּ אֶרֶץ אֲרָרָט וַיִּמְלֹךְ אֵסַר־חַדֹּן בְּנוֹ תַּחְתָּיו:

מַחֲלַת חִזְקִיָּהוּ וּתְפִלָּתוֹ

כ בַּיָּמִים הָהֵם חָלָה חִזְקִיָּהוּ לָמוּת וַיָּבֹא אֵלָיו יְשַׁעְיָהוּ בֶן־אָמוֹץ הַנָּבִיא וַיֹּאמֶר אֵלָיו כֹּה־אָמַר יְהֹוָה צַו לְבֵיתֶךָ כִּי מֵת אַתָּה וְלֹא תִחְיֶה:

ג וַיַּסֵּב אֶת־פָּנָיו אֶל־הַקִּיר וַיִּתְפַּלֵּל אֶל־יְהֹוָה לֵאמֹר: אָנָּה יְהֹוָה זְכָר־נָא אֵת אֲשֶׁר הִתְהַלַּכְתִּי לְפָנֶיךָ בֶּאֱמֶת וּבְלֵבָב שָׁלֵם

תְּשׁוּבַת ה' לִתְפִלָּתוֹ:

וְהַטּוֹב בְּעֵינֶיךָ עָשִׂיתִי וַיֵּבְךְּ חִזְקִיָּהוּ בְּכִי גָדוֹל:

וַיְהִי

ד יְשַׁעְיָהוּ לֹא יָצָא הֶעִיר חָצֵר הַתִּיכֹנָה וּדְבַר־יְהֹוָה הָיָה אֵלָיו לֵאמֹר:

ה שׁוּב וְאָמַרְתָּ אֶל־חִזְקִיָּהוּ נְגִיד־עַמִּי כֹּה־אָמַר יְהֹוָה אֱלֹהֵי דָּוִד אָבִיךָ שָׁמַעְתִּי אֶת־תְּפִלָּתֶךָ רָאִיתִי אֶת־דִּמְעָתֶךָ הִנְנִי רֹפֶא לָךְ

ו בַּיּוֹם הַשְּׁלִישִׁי תַּעֲלֶה בֵּית יְהֹוָה: וְהֹסַפְתִּי עַל־יָמֶיךָ חֲמֵשׁ עֶשְׂרֵה שָׁנָה וּמִכַּף מֶלֶךְ־אַשּׁוּר אַצִּילְךָ וְאֵת הָעִיר הַזֹּאת וְגַנּוֹתִי

ז עַל־הָעִיר הַזֹּאת לְמַעֲנִי וּלְמַעַן דָּוִד עַבְדִּי: וַיֹּאמֶר יְשַׁעְיָהוּ קְחוּ דְּבֶלֶת תְּאֵנִים וַיִּקְחוּ וַיָּשִׂימוּ עַל־הַשְּׁחִין וַיֶּחִי: וַיֹּאמֶר חִזְקִיָּהוּ

ח אֶל־יְשַׁעְיָהוּ מָה אוֹת כִּי־יִרְפָּא יְהֹוָה לִי וְעָלִיתִי בַּיּוֹם הַשְּׁלִישִׁי

ט בֵּית יְהֹוָה: וַיֹּאמֶר יְשַׁעְיָהוּ זֶה־לְּךָ הָאוֹת מֵאֵת יְהֹוָה כִּי יַעֲשֶׂה יְהֹוָה אֶת־הַדָּבָר אֲשֶׁר דִּבֵּר הָלַךְ הַצֵּל עֶשֶׂר מַעֲלוֹת אִם־יָשׁוּב

י עֶשֶׂר מַעֲלוֹת: וַיֹּאמֶר יְחִזְקִיָּהוּ נָקֵל לַצֵּל לִנְטוֹת עֶשֶׂר מַעֲלוֹת

יא לֹא כִי יָשׁוּב הַצֵּל אֲחֹרַנִּית עֶשֶׂר מַעֲלוֹת: וַיִּקְרָא יְשַׁעְיָהוּ הַנָּבִיא אֶל־יְהֹוָה וַיָּשֶׁב אֶת־הַצֵּל בַּמַּעֲלוֹת אֲשֶׁר יָרְדָה בְּמַעֲלוֹת אָחָז אֲחֹרַנִּית עֶשֶׂר מַעֲלוֹת:

חִזְקִיָּהוּ וּשְׁלוּחֵי בְּרֹאדָךְ בַּלְאֲדָן:

יב בָּעֵת הַהִיא שָׁלַח בְּרֹאדַךְ בַּלְאֲדָן בֶּן־בַּלְאֲדָן מֶלֶךְ־בָּבֶל סְפָרִים וּמִנְחָה אֶל־חִזְקִיָּהוּ כִּי שָׁמַע כִּי חָלָה חִזְקִיָּהוּ: וַיִּשְׁמַע עֲלֵיהֶם

יג חִזְקִיָּהוּ וַיַּרְאֵם אֶת־כָּל־בֵּית נְכֹתֹה אֶת־הַכֶּסֶף וְאֶת־הַזָּהָב

וְאֶת־הַבְּשָׂמִים וְאֵת ׀ שֶׁמֶן הַטּוֹב וְאֵת בֵּית כֵּלָיו וְאֵת כָּל־אֲשֶׁר
נִמְצָא בְּאוֹצְרֹתָיו לֹא־הָיָה דָבָר אֲשֶׁר לֹא־הֶרְאָם חִזְקִיָּהוּ בְּבֵיתוֹ
יד וּבְכָל־מֶמְשַׁלְתּוֹ: וַיָּבֹא יְשַׁעְיָהוּ הַנָּבִיא אֶל־הַמֶּלֶךְ חִזְקִיָּהוּ
וַיֹּאמֶר אֵלָיו מָה אָמְרוּ ׀ הָאֲנָשִׁים הָאֵלֶּה וּמֵאַיִן יָבֹאוּ אֵלֶיךָ
טו וַיֹּאמֶר חִזְקִיָּהוּ מֵאֶרֶץ רְחוֹקָה בָּאוּ מִבָּבֶל: וַיֹּאמֶר מָה רָאוּ
בְּבֵיתֶךָ וַיֹּאמֶר חִזְקִיָּהוּ אֵת כָּל־אֲשֶׁר בְּבֵיתִי רָאוּ לֹא־הָיָה דָבָר
טז אֲשֶׁר לֹא־הִרְאִיתִם בְּאֹצְרֹתָי: וַיֹּאמֶר יְשַׁעְיָהוּ אֶל־חִזְקִיָּהוּ שְׁמַע
יז דְּבַר־יְהֹוָה: הִנֵּה יָמִים בָּאִים וְנִשָּׂא ׀ כָּל־אֲשֶׁר בְּבֵיתֶךָ וַאֲשֶׁר
אָצְרוּ אֲבֹתֶיךָ עַד־הַיּוֹם הַזֶּה בָּבֶלָה לֹא־יִוָּתֵר דָּבָר אָמַר יְהֹוָה:
יח וּמִבָּנֶיךָ אֲשֶׁר יֵצְאוּ מִמְּךָ אֲשֶׁר תּוֹלִיד יקח יִקָּחוּ וְהָיוּ סָרִיסִים
יט בְּהֵיכַל מֶלֶךְ בָּבֶל: וַיֹּאמֶר חִזְקִיָּהוּ אֶל־יְשַׁעְיָהוּ טוֹב דְּבַר־יְהֹוָה
כ אֲשֶׁר דִּבַּרְתָּ וַיֹּאמֶר הֲלוֹא אִם־שָׁלוֹם וֶאֱמֶת יִהְיֶה בְיָמָי: וְיֶתֶר
דִּבְרֵי חִזְקִיָּהוּ וְכָל־גְּבוּרָתוֹ וַאֲשֶׁר עָשָׂה אֶת־הַבְּרֵכָה וְאֶת־
הַתְּעָלָה וַיָּבֵא אֶת־הַמַּיִם הָעִירָה הֲלֹא־הֵם כְּתוּבִים עַל־סֵפֶר
כא דִּבְרֵי הַיָּמִים לְמַלְכֵי יְהוּדָה: וַיִּשְׁכַּב חִזְקִיָּהוּ עִם־אֲבֹתָיו וַיִּמְלֹךְ
מְנַשֶּׁה בְנוֹ תַּחְתָּיו:

כא א בֶּן־שְׁתֵּים עֶשְׂרֵה שָׁנָה מְנַשֶּׁה בְמָלְכוֹ וַחֲמִשִּׁים וְחָמֵשׁ שָׁנָה
ב מָלַךְ בִּירוּשָׁלָם וְשֵׁם אִמּוֹ חֶפְצִי־בָהּ: וַיַּעַשׂ הָרַע בְּעֵינֵי יְהֹוָה
ג כְּתוֹעֲבֹת הַגּוֹיִם אֲשֶׁר הוֹרִישׁ יְהֹוָה מִפְּנֵי בְּנֵי יִשְׂרָאֵל: וַיָּשָׁב
וַיִּבֶן אֶת־הַבָּמוֹת אֲשֶׁר אִבַּד חִזְקִיָּהוּ אָבִיו וַיָּקֶם מִזְבְּחֹת לַבַּעַל
וַיַּעַשׂ אֲשֵׁרָה כַּאֲשֶׁר עָשָׂה אַחְאָב מֶלֶךְ יִשְׂרָאֵל וַיִּשְׁתַּחוּ
ד לְכָל־צְבָא הַשָּׁמַיִם וַיַּעֲבֹד אֹתָם: וּבָנָה מִזְבְּחֹת בְּבֵית יְהֹוָה אֲשֶׁר
ה אָמַר יְהֹוָה בִּירוּשָׁלַם אָשִׂים אֶת־שְׁמִי: וַיִּבֶן מִזְבְּחוֹת לְכָל־צְבָא
ו הַשָּׁמָיִם בִּשְׁתֵּי חַצְרוֹת בֵּית־יְהֹוָה: וְהֶעֱבִיר אֶת־בְּנוֹ בָּאֵשׁ וְעוֹנֵן
וְנִחֵשׁ וְעָשָׂה אוֹב וְיִדְּעֹנִים הִרְבָּה לַעֲשׂוֹת הָרַע בְּעֵינֵי יְהֹוָה

מַלְכוּת מְנַשֶּׁה בֶן חִזְקִיָּהוּ וַחֲטָאָיו: [3228]

ז לְהַכְעִיס: וַיָּשֶׂם אֶת־פֶּסֶל הָאֲשֵׁרָה אֲשֶׁר עָשָׂה בַּבַּיִת אֲשֶׁר אָמַר
יְהוָה אֶל־דָּוִד וְאֶל־שְׁלֹמֹה בְנוֹ בַּבַּיִת הַזֶּה וּבִירוּשָׁלִַם אֲשֶׁר
ח בָּחַרְתִּי מִכֹּל שִׁבְטֵי יִשְׂרָאֵל אָשִׂים אֶת־שְׁמִי לְעוֹלָם: וְלֹא אֹסִיף
לְהָנִיד רֶגֶל יִשְׂרָאֵל מִן־הָאֲדָמָה אֲשֶׁר נָתַתִּי לַאֲבוֹתָם רַק ׀
אִם־יִשְׁמְרוּ לַעֲשׂוֹת כְּכֹל אֲשֶׁר צִוִּיתִים וּלְכָל־הַתּוֹרָה אֲשֶׁר־צִוָּה
ט אֹתָם עַבְדִּי מֹשֶׁה: וְלֹא שָׁמֵעוּ וַיַּתְעֵם מְנַשֶּׁה לַעֲשׂוֹת אֶת־הָרָע
י מִן־הַגּוֹיִם אֲשֶׁר הִשְׁמִיד יְהוָה מִפְּנֵי בְּנֵי יִשְׂרָאֵל: וַיְדַבֵּר יְהוָה
יא בְּיַד־עֲבָדָיו הַנְּבִיאִים לֵאמֹר: יַעַן אֲשֶׁר עָשָׂה מְנַשֶּׁה מֶלֶךְ־
יְהוּדָה הַתֹּעֵבוֹת הָאֵלֶּה הֵרַע מִכֹּל אֲשֶׁר־עָשׂוּ הָאֱמֹרִי אֲשֶׁר
יב לְפָנָיו וַיַּחֲטִא גַם־אֶת־יְהוּדָה בְּגִלּוּלָיו: לָכֵן כֹּה־אָמַר

יְהוָה אֱלֹהֵי יִשְׂרָאֵל הִנְנִי מֵבִיא רָעָה עַל־יְרוּשָׁלִַם וִיהוּדָה אֲשֶׁר
יג כָּל־שֹׁמְעָה שמעיו תִּצַּלְנָה שְׁתֵּי אָזְנָיו: וְנָטִיתִי עַל־יְרוּשָׁלִַם אֵת
קָו שֹׁמְרוֹן וְאֶת־מִשְׁקֹלֶת בֵּית אַחְאָב וּמָחִיתִי אֶת־יְרוּשָׁלִַם
יד כַּאֲשֶׁר־יִמְחֶה אֶת־הַצַּלַּחַת מָחָה וְהָפַךְ עַל־פָּנֶיהָ: וְנָטַשְׁתִּי אֵת
שְׁאֵרִית נַחֲלָתִי וּנְתַתִּים בְּיַד אֹיְבֵיהֶם וְהָיוּ לְבַז וְלִמְשִׁסָּה
טו לְכָל־אֹיְבֵיהֶם: יַעַן אֲשֶׁר עָשׂוּ אֶת־הָרַע בְּעֵינַי וַיִּהְיוּ מַכְעִסִים
טז אֹתִי מִן־הַיּוֹם אֲשֶׁר יָצְאוּ אֲבוֹתָם מִמִּצְרַיִם וְעַד הַיּוֹם הַזֶּה: וְגַם
דָּם נָקִי שָׁפַךְ מְנַשֶּׁה הַרְבֵּה מְאֹד עַד אֲשֶׁר־מִלֵּא אֶת־יְרוּשָׁלִַם
פֶּה לָפֶה לְבַד מֵחַטָּאתוֹ אֲשֶׁר הֶחֱטִיא אֶת־יְהוּדָה לַעֲשׂוֹת הָרַע
יז בְּעֵינֵי יְהוָה: וְיֶתֶר דִּבְרֵי מְנַשֶּׁה וְכָל־אֲשֶׁר עָשָׂה וְחַטָּאתוֹ אֲשֶׁר
חָטָא הֲלֹא־הֵם כְּתוּבִים עַל־סֵפֶר דִּבְרֵי הַיָּמִים לְמַלְכֵי יְהוּדָה:
יח וַיִּשְׁכַּב מְנַשֶּׁה עִם־אֲבֹתָיו וַיִּקָּבֵר בְּגַן־בֵּיתוֹ בְּגַן־עֻזָּא וַיִּמְלֹךְ
אָמוֹן בְּנוֹ תַּחְתָּיו:

מַלְכוּת אָמוֹן בֶּן מְנַשֶּׁה:

יט בֶּן־עֶשְׂרִים וּשְׁתַּיִם שָׁנָה אָמוֹן בְּמָלְכוֹ וּשְׁתַּיִם שָׁנִים מָלַךְ
כ בִּירוּשָׁלִָם וְשֵׁם אִמּוֹ מְשֻׁלֶּמֶת בַּת־חָרוּץ מִן־יָטְבָה: וַיַּעַשׂ הָרַע

כא בְּעֵינֵי יְהוָה כַּאֲשֶׁר עָשָׂה מְנַשֶּׁה אָבִיו: וַיֵּלֶךְ בְּכָל־הַדֶּרֶךְ אֲשֶׁר
הָלַךְ אָבִיו וַיַּעֲבֹד אֶת־הַגִּלֻּלִים אֲשֶׁר עָבַד אָבִיו וַיִּשְׁתַּחוּ לָהֶם:
כב כג וַיַּעֲזֹב אֶת־יְהוָה אֱלֹהֵי אֲבֹתָיו וְלֹא הָלַךְ בְּדֶרֶךְ יְהוָה: וַיִּקְשְׁרוּ
כד עַבְדֵי־אָמוֹן עָלָיו וַיָּמִיתוּ אֶת־הַמֶּלֶךְ בְּבֵיתוֹ: וַיַּךְ עַם־הָאָרֶץ
אֵת כָּל־הַקֹּשְׁרִים עַל־הַמֶּלֶךְ אָמוֹן וַיַּמְלִיכוּ עַם־הָאָרֶץ אֶת־
כה יֹאשִׁיָּהוּ בְנוֹ תַּחְתָּיו: וְיֶתֶר דִּבְרֵי אָמוֹן אֲשֶׁר עָשָׂה הֲלֹא־הֵם
כו כְּתוּבִים עַל־סֵפֶר דִּבְרֵי הַיָּמִים לְמַלְכֵי יְהוּדָה: וַיִּקְבֹּר אֹתוֹ
בִּקְבֻרָתוֹ בְּגַן־עֻזָּא וַיִּמְלֹךְ יֹאשִׁיָּהוּ בְנוֹ תַּחְתָּיו:

מַלְכוּת יֹאשִׁיָּהוּ בֶּן אָמוֹן: [3285]

כב א בֶּן־שְׁמֹנֶה שָׁנָה יֹאשִׁיָּהוּ בְמָלְכוֹ וּשְׁלֹשִׁים וְאַחַת שָׁנָה מָלַךְ
ב בִּירוּשָׁלִָם וְשֵׁם אִמּוֹ יְדִידָה בַת־עֲדָיָה מִבָּצְקַת: וַיַּעַשׂ הַיָּשָׁר בְּעֵינֵי
יְהוָה וַיֵּלֶךְ בְּכָל־דֶּרֶךְ דָּוִד אָבִיו וְלֹא־סָר יָמִין וּשְׂמֹאול:
ג וַיְהִי בִּשְׁמֹנֶה עֶשְׂרֵה שָׁנָה לַמֶּלֶךְ יֹאשִׁיָּהוּ שָׁלַח הַמֶּלֶךְ אֶת־שָׁפָן
ד בֶּן־אֲצַלְיָהוּ בֶן־מְשֻׁלָּם הַסֹּפֵר בֵּית יְהוָה לֵאמֹר: עֲלֵה אֶל־
חִלְקִיָּהוּ הַכֹּהֵן הַגָּדוֹל וְיַתֵּם אֶת־הַכֶּסֶף הַמּוּבָא בֵּית יְהוָה אֲשֶׁר
ה אָסְפוּ שֹׁמְרֵי הַסַּף מֵאֵת הָעָם: ויתנה וְיִתְּנֻהוּ עַל־יַד עֹשֵׂי הַמְּלָאכָה
הַמֻּפְקָדִים בבית בֵּית יְהוָה וְיִתְּנוּ אֹתוֹ לְעֹשֵׂי הַמְּלָאכָה אֲשֶׁר
ו בְּבֵית יְהוָה לְחַזֵּק בֶּדֶק הַבָּיִת: לֶחָרָשִׁים וְלַבֹּנִים וְלַגֹּדְרִים
ז וְלִקְנוֹת עֵצִים וְאַבְנֵי מַחְצֵב לְחַזֵּק אֶת־הַבָּיִת: אַךְ לֹא־יֵחָשֵׁב

מְצִיאַת סֵפֶר הַתּוֹרָה:

ח אִתָּם הַכֶּסֶף הַנִּתָּן עַל־יָדָם כִּי בֶאֱמוּנָה הֵם עֹשִׂים: וַיֹּאמֶר
חִלְקִיָּהוּ הַכֹּהֵן הַגָּדוֹל עַל־שָׁפָן הַסֹּפֵר סֵפֶר הַתּוֹרָה מָצָאתִי
ט בְּבֵית יְהוָה וַיִּתֵּן חִלְקִיָּה אֶת־הַסֵּפֶר אֶל־שָׁפָן וַיִּקְרָאֵהוּ: וַיָּבֹא
שָׁפָן הַסֹּפֵר אֶל־הַמֶּלֶךְ וַיָּשֶׁב אֶת־הַמֶּלֶךְ דָּבָר וַיֹּאמֶר הִתִּיכוּ
עֲבָדֶיךָ אֶת־הַכֶּסֶף הַנִּמְצָא בַבַּיִת וַיִּתְּנֻהוּ עַל־יַד עֹשֵׂי הַמְּלָאכָה
י הַמֻּפְקָדִים בֵּית יְהוָה: וַיַּגֵּד שָׁפָן הַסֹּפֵר לַמֶּלֶךְ לֵאמֹר סֵפֶר נָתַן
יא לִי חִלְקִיָּה הַכֹּהֵן וַיִּקְרָאֵהוּ שָׁפָן לִפְנֵי הַמֶּלֶךְ: וַיְהִי כִּשְׁמֹעַ הַמֶּלֶךְ

יב אֶת־דִּבְרֵי סֵפֶר הַתּוֹרָה וַיִּקְרַע אֶת־בְּגָדָיו: וַיְצַו הַמֶּלֶךְ אֶת־
חִלְקִיָּה הַכֹּהֵן וְאֶת־אֲחִיקָם בֶּן־שָׁפָן וְאֶת־עַכְבּוֹר בֶּן־מִיכָיָה וְאֵת ׀
יג שָׁפָן הַסֹּפֵר וְאֵת עֲשָׂיָה עֶבֶד־הַמֶּלֶךְ לֵאמֹר: לְכוּ דִרְשׁוּ אֶת־יְהוָה
בַּעֲדִי וּבְעַד־הָעָם וּבְעַד כָּל־יְהוּדָה עַל־דִּבְרֵי הַסֵּפֶר הַנִּמְצָא
הַזֶּה כִּי־גְדוֹלָה חֲמַת יְהוָה אֲשֶׁר־הִיא נִצְּתָה בָנוּ עַל אֲשֶׁר
לֹא־שָׁמְעוּ אֲבֹתֵינוּ עַל־דִּבְרֵי הַסֵּפֶר הַזֶּה לַעֲשׂוֹת כְּכָל־הַכָּתוּב
יד עָלֵינוּ: וַיֵּלֶךְ חִלְקִיָּהוּ הַכֹּהֵן וַאֲחִיקָם וְעַכְבּוֹר וְשָׁפָן וַעֲשָׂיָה נְבוּאַת חֻלְדָּה עַל הַחֻרְבָּן:
אֶל־חֻלְדָּה הַנְּבִיאָה אֵשֶׁת ׀ שַׁלֻּם בֶּן־תִּקְוָה בֶּן־חַרְחַס שֹׁמֵר
טו הַבְּגָדִים וְהִיא יֹשֶׁבֶת בִּירוּשָׁלִַם בַּמִּשְׁנֶה וַיְדַבְּרוּ אֵלֶיהָ: וַתֹּאמֶר
אֲלֵיהֶם כֹּה־אָמַר יְהוָה אֱלֹהֵי יִשְׂרָאֵל אִמְרוּ לָאִישׁ אֲשֶׁר־שָׁלַח
טז אֶתְכֶם אֵלָי: כֹּה אָמַר יְהוָה הִנְנִי מֵבִיא רָעָה אֶל־הַמָּקוֹם הַזֶּה
יז וְעַל־יֹשְׁבָיו אֵת כָּל־דִּבְרֵי הַסֵּפֶר אֲשֶׁר קָרָא מֶלֶךְ יְהוּדָה: תַּחַת ׀
אֲשֶׁר עֲזָבוּנִי וַיְקַטְּרוּ לֵאלֹהִים אֲחֵרִים לְמַעַן הַכְעִיסֵנִי בְּכֹל
יח מַעֲשֵׂה יְדֵיהֶם וְנִצְּתָה חֲמָתִי בַּמָּקוֹם הַזֶּה וְלֹא תִכְבֶּה: וְאֶל־מֶלֶךְ
יְהוּדָה הַשֹּׁלֵחַ אֶתְכֶם לִדְרֹשׁ אֶת־יְהוָה כֹּה תֹאמְרוּ אֵלָיו
יט כֹּה־אָמַר יְהוָה אֱלֹהֵי יִשְׂרָאֵל הַדְּבָרִים אֲשֶׁר שָׁמָעְתָּ: יַעַן
רַךְ־לְבָבְךָ וַתִּכָּנַע ׀ מִפְּנֵי יְהוָה בְּשָׁמְעֲךָ אֲשֶׁר דִּבַּרְתִּי עַל־
הַמָּקוֹם הַזֶּה וְעַל־יֹשְׁבָיו לִהְיוֹת לְשַׁמָּה וְלִקְלָלָה וַתִּקְרַע
כ אֶת־בְּגָדֶיךָ וַתִּבְכֶּה לְפָנָי וְגַם אָנֹכִי שָׁמַעְתִּי נְאֻם־יְהוָה: לָכֵן
הִנְנִי אֹסִפְךָ עַל־אֲבֹתֶיךָ וְנֶאֱסַפְתָּ אֶל־קִבְרֹתֶיךָ בְּשָׁלוֹם וְלֹא־
תִרְאֶינָה עֵינֶיךָ בְּכֹל הָרָעָה אֲשֶׁר־אֲנִי מֵבִיא עַל־הַמָּקוֹם הַזֶּה
כג א וַיָּשִׁבוּ אֶת־הַמֶּלֶךְ דָּבָר: וַיִּשְׁלַח הַמֶּלֶךְ וַיַּאַסְפוּ אֵלָיו כָּל־זִקְנֵי חִדּוּשׁ הַבְּרִית עַל יְדֵי יֹאשִׁיָּהוּ:
ב יְהוּדָה וִירוּשָׁלִָם: וַיַּעַל הַמֶּלֶךְ בֵּית־יְהוָה וְכָל־אִישׁ יְהוּדָה
וְכָל־יֹשְׁבֵי יְרוּשָׁלִַם אִתּוֹ וְהַכֹּהֲנִים וְהַנְּבִיאִים וְכָל־הָעָם לְמִקָּטֹן
וְעַד־גָּדוֹל וַיִּקְרָא בְאָזְנֵיהֶם אֶת־כָּל־דִּבְרֵי סֵפֶר הַבְּרִית הַנִּמְצָא

בְּבֵית יְהוָה׃ וַיַּעֲמֹד הַמֶּלֶךְ עַל־הָעַמּוּד וַיִּכְרֹת אֶת־הַבְּרִית ׀ ג
לִפְנֵי יְהוָה לָלֶכֶת אַחַר יְהוָה וְלִשְׁמֹר מִצְוֹתָיו וְאֶת־עֵדְוֹתָיו
וְאֶת־חֻקֹּתָיו בְּכָל־לֵב וּבְכָל־נֶפֶשׁ לְהָקִים אֶת־דִּבְרֵי הַבְּרִית
הַזֹּאת הַכְּתֻבִים עַל־הַסֵּפֶר הַזֶּה וַיַּעֲמֹד כָּל־הָעָם בַּבְּרִית׃ וַיְצַו ד
(טִהוּר הַמִּקְדָּשׁ מֵהָאֱלִילִים:)
הַמֶּלֶךְ אֶת־חִלְקִיָּהוּ הַכֹּהֵן הַגָּדוֹל וְאֶת־כֹּהֲנֵי הַמִּשְׁנֶה וְאֶת־שֹׁמְרֵי
הַסַּף לְהוֹצִיא מֵהֵיכַל יְהוָה אֵת כָּל־הַכֵּלִים הָעֲשׂוּיִם לַבַּעַל
וְלָאֲשֵׁרָה וּלְכֹל צְבָא הַשָּׁמָיִם וַיִּשְׂרְפֵם מִחוּץ לִירוּשָׁלַםִ
בְּשַׁדְמוֹת קִדְרוֹן וְנָשָׂא אֶת־עֲפָרָם בֵּית־אֵל׃ וְהִשְׁבִּית אֶת־ ה
הַכְּמָרִים אֲשֶׁר נָתְנוּ מַלְכֵי יְהוּדָה וַיְקַטֵּר בַּבָּמוֹת בְּעָרֵי יְהוּדָה
וּמְסִבֵּי יְרוּשָׁלָםִ וְאֶת־הַמְקַטְּרִים לַבַּעַל לַשֶּׁמֶשׁ וְלַיָּרֵחַ
וְלַמַּזָּלוֹת וּלְכֹל צְבָא הַשָּׁמָיִם׃ וַיֹּצֵא אֶת־הָאֲשֵׁרָה מִבֵּית יְהוָה ו
מִחוּץ לִירוּשָׁלַםִ אֶל־נַחַל קִדְרוֹן וַיִּשְׂרֹף אֹתָהּ בְּנַחַל קִדְרוֹן
וַיָּדֶק לְעָפָר וַיַּשְׁלֵךְ אֶת־עֲפָרָהּ עַל־קֶבֶר בְּנֵי הָעָם׃ וַיִּתֹּץ ז
אֶת־בָּתֵּי הַקְּדֵשִׁים אֲשֶׁר בְּבֵית יְהוָה אֲשֶׁר הַנָּשִׁים אֹרְגוֹת שָׁם
בָּתִּים לָאֲשֵׁרָה׃ וַיָּבֵא אֶת־כָּל־הַכֹּהֲנִים מֵעָרֵי יְהוּדָה וַיְטַמֵּא ח
(בִּעוּר הַבָּמוֹת:)
אֶת־הַבָּמוֹת אֲשֶׁר קִטְּרוּ־שָׁמָּה הַכֹּהֲנִים מִגֶּבַע עַד־בְּאֵר שָׁבַע
וְנָתַץ אֶת־בָּמוֹת הַשְּׁעָרִים אֲשֶׁר־פֶּתַח שַׁעַר יְהוֹשֻׁעַ שַׂר־הָעִיר
אֲשֶׁר־עַל־שְׂמֹאול אִישׁ בְּשַׁעַר הָעִיר׃ אַךְ לֹא יַעֲלוּ כֹּהֲנֵי הַבָּמוֹת ט
אֶל־מִזְבַּח יְהוָה בִּירוּשָׁלָםִ כִּי אִם־אָכְלוּ מַצּוֹת בְּתוֹךְ אֲחֵיהֶם׃
וְטִמֵּא אֶת־הַתֹּפֶת אֲשֶׁר בְּגֵי בני בֶן־הִנֹּם לְבִלְתִּי לְהַעֲבִיר אִישׁ י
אֶת־בְּנוֹ וְאֶת־בִּתּוֹ בָּאֵשׁ לַמֹּלֶךְ׃ וַיַּשְׁבֵּת אֶת־הַסּוּסִים אֲשֶׁר נָתְנוּ יא
מַלְכֵי יְהוּדָה לַשֶּׁמֶשׁ מִבֹּא בֵית־יְהוָה אֶל־לִשְׁכַּת נְתַן־מֶלֶךְ
הַסָּרִיס אֲשֶׁר בַּפַּרְוָרִים וְאֶת־מַרְכְּבוֹת הַשֶּׁמֶשׁ שָׂרַף בָּאֵשׁ׃
וְאֶת־הַמִּזְבְּחוֹת אֲשֶׁר עַל־הַגָּג עֲלִיַּת אָחָז אֲשֶׁר־עָשׂוּ ׀ מַלְכֵי יב
יְהוּדָה וְאֶת־הַמִּזְבְּחוֹת אֲשֶׁר־עָשָׂה מְנַשֶּׁה בִּשְׁתֵּי חַצְרוֹת בֵּית־

יְהֹוָה נָתַץ הַמֶּלֶךְ וַיָּרָץ מִשָּׁם וְהִשְׁלִיךְ אֶת־עֲפָרָם אֶל־נַחַל קִדְרוֹן׃
יג וְאֶת־הַבָּמוֹת אֲשֶׁר ׀ עַל־פְּנֵי יְרוּשָׁלִַם אֲשֶׁר מִימִין לְהַר־
הַמַּשְׁחִית אֲשֶׁר בָּנָה שְׁלֹמֹה מֶלֶךְ־יִשְׂרָאֵל לְעַשְׁתֹּרֶת ׀ שִׁקֻּץ
צִידֹנִים וְלִכְמוֹשׁ שִׁקֻּץ מוֹאָב וּלְמִלְכֹּם תּוֹעֲבַת בְּנֵי־עַמּוֹן טִמֵּא
יד הַמֶּלֶךְ׃ וְשִׁבַּר אֶת־הַמַּצֵּבוֹת וַיִּכְרֹת אֶת־הָאֲשֵׁרִים וַיְמַלֵּא אֶת־
טו מְקוֹמָם עַצְמוֹת אָדָם׃ וְגַם אֶת־הַמִּזְבֵּחַ אֲשֶׁר בְּבֵית־אֵל הַבָּמָה
אֲשֶׁר עָשָׂה יָרָבְעָם בֶּן־נְבָט אֲשֶׁר הֶחֱטִיא אֶת־יִשְׂרָאֵל גַּם
אֶת־הַמִּזְבֵּחַ הַהוּא וְאֶת־הַבָּמָה נָתָץ וַיִּשְׂרֹף אֶת־הַבָּמָה הֵדַק
טז לְעָפָר וְשָׂרַף אֲשֵׁרָה׃ וַיִּפֶן יֹאשִׁיָּהוּ וַיַּרְא אֶת־הַקְּבָרִים אֲשֶׁר־שָׁם
בָּהָר וַיִּשְׁלַח וַיִּקַּח אֶת־הָעֲצָמוֹת מִן־הַקְּבָרִים וַיִּשְׂרֹף עַל־
הַמִּזְבֵּחַ וַיְטַמְּאֵהוּ כִּדְבַר יְהֹוָה אֲשֶׁר קָרָא אִישׁ הָאֱלֹהִים אֲשֶׁר
יז קָרָא אֶת־הַדְּבָרִים הָאֵלֶּה׃ וַיֹּאמֶר מָה הַצִּיּוּן הַלָּז אֲשֶׁר אֲנִי רֹאֶה
וַיֹּאמְרוּ אֵלָיו אַנְשֵׁי הָעִיר הַקֶּבֶר אִישׁ־הָאֱלֹהִים אֲשֶׁר־בָּא
מִיהוּדָה וַיִּקְרָא אֶת־הַדְּבָרִים הָאֵלֶּה אֲשֶׁר עָשִׂיתָ עַל הַמִּזְבַּח
יח בֵּית־אֵל׃ וַיֹּאמֶר הַנִּיחוּ לוֹ אִישׁ אַל־יָנַע עַצְמֹתָיו וַיְמַלְּטוּ
יט עַצְמֹתָיו אֵת עַצְמוֹת הַנָּבִיא אֲשֶׁר־בָּא מִשֹּׁמְרוֹן׃ וְגַם אֶת־כָּל־
בָּתֵּי הַבָּמוֹת אֲשֶׁר ׀ בְּעָרֵי שֹׁמְרוֹן אֲשֶׁר עָשׂוּ מַלְכֵי יִשְׂרָאֵל
לְהַכְעִיס הֵסִיר יֹאשִׁיָּהוּ וַיַּעַשׂ לָהֶם כְּכָל־הַמַּעֲשִׂים אֲשֶׁר עָשָׂה
כ בְּבֵית־אֵל׃ וַיִּזְבַּח אֶת־כָּל־כֹּהֲנֵי הַבָּמוֹת אֲשֶׁר־שָׁם עַל־
כא הַמִּזְבְּחוֹת וַיִּשְׂרֹף אֶת־עַצְמוֹת אָדָם עֲלֵיהֶם וַיָּשָׁב יְרוּשָׁלִָם׃ וַיְצַו עֲשִׂיַּת הַפֶּסַח׃
הַמֶּלֶךְ אֶת־כָּל־הָעָם לֵאמֹר עֲשׂוּ פֶסַח לַיהֹוָה אֱלֹהֵיכֶם כַּכָּתוּב
כב עַל סֵפֶר הַבְּרִית הַזֶּה׃ כִּי לֹא נַעֲשָׂה כַּפֶּסַח הַזֶּה מִימֵי הַשֹּׁפְטִים
אֲשֶׁר שָׁפְטוּ אֶת־יִשְׂרָאֵל וְכֹל יְמֵי מַלְכֵי יִשְׂרָאֵל וּמַלְכֵי יְהוּדָה׃
כג כִּי אִם־בִּשְׁמֹנֶה עֶשְׂרֵה שָׁנָה לַמֶּלֶךְ יֹאשִׁיָּהוּ נַעֲשָׂה הַפֶּסַח הַזֶּה
כד לַיהֹוָה בִּירוּשָׁלִָם׃ וְגַם אֶת־הָאֹבוֹת וְאֶת־הַיִּדְּעֹנִים וְאֶת־הַתְּרָפִים

וְאֶת־הַגִּלֻּלִים וְאֵת כָּל־הַשִּׁקֻּצִים אֲשֶׁר נִרְאוּ בְּאֶרֶץ יְהוּדָה
וּבִירוּשָׁלִַם בִּעֵר יֹאשִׁיָּהוּ לְמַעַן הָקִים אֶת־דִּבְרֵי הַתּוֹרָה
כה הַכְּתֻבִים עַל־הַסֵּפֶר אֲשֶׁר מָצָא חִלְקִיָּהוּ הַכֹּהֵן בֵּית יְהוָה׃ וְכָמֹהוּ
לֹא־הָיָה לְפָנָיו מֶלֶךְ אֲשֶׁר־שָׁב אֶל־יְהוָה בְּכָל־לְבָבוֹ וּבְכָל־נַפְשׁוֹ
כו וּבְכָל־מְאֹדוֹ כְּכֹל תּוֹרַת מֹשֶׁה וְאַחֲרָיו לֹא־קָם כָּמֹהוּ׃ אַךְ ׀
לֹא־שָׁב יְהוָה מֵחֲרוֹן אַפּוֹ הַגָּדוֹל אֲשֶׁר־חָרָה אַפּוֹ בִּיהוּדָה עַל
כז כָּל־הַכְּעָסִים אֲשֶׁר הִכְעִיסוֹ מְנַשֶּׁה׃ וַיֹּאמֶר יְהוָה גַּם אֶת־יְהוּדָה
אָסִיר מֵעַל פָּנַי כַּאֲשֶׁר הֲסִרֹתִי אֶת־יִשְׂרָאֵל וּמָאַסְתִּי אֶת־הָעִיר
הַזֹּאת אֲשֶׁר־בָּחַרְתִּי אֶת־יְרוּשָׁלִַם וְאֶת־הַבַּיִת אֲשֶׁר אָמַרְתִּי
הֲרִיגַת יֹאשִׁיָּהוּ׃
כח יִהְיֶה שְׁמִי שָׁם׃ וְיֶתֶר דִּבְרֵי יֹאשִׁיָּהוּ וְכָל־אֲשֶׁר עָשָׂה הֲלֹא־הֵם
כט כְּתוּבִים עַל־סֵפֶר דִּבְרֵי הַיָּמִים לְמַלְכֵי יְהוּדָה׃ בְּיָמָיו עָלָה
פַרְעֹה נְכֹה מֶלֶךְ־מִצְרַיִם עַל־מֶלֶךְ אַשּׁוּר עַל־נְהַר פְּרָת וַיֵּלֶךְ
ל הַמֶּלֶךְ יֹאשִׁיָּהוּ לִקְרָאתוֹ וַיְמִיתֵהוּ בִּמְגִדּוֹ כִּרְאֹתוֹ אֹתוֹ׃ וַיַּרְכִּבֻהוּ
עֲבָדָיו מֵת מִמְּגִדּוֹ וַיְבִאֻהוּ יְרוּשָׁלִַם וַיִּקְבְּרֻהוּ בִּקְבֻרָתוֹ וַיִּקַּח
עַם־הָאָרֶץ אֶת־יְהוֹאָחָז בֶּן־יֹאשִׁיָּהוּ וַיִּמְשְׁחוּ אֹתוֹ וַיַּמְלִיכוּ אֹתוֹ
תַּחַת אָבִיו׃

מַלְכוּת יְהוֹאָחָז בֶּן יֹאשִׁיָּהוּ׃ [3316]
לא בֶּן־עֶשְׂרִים וְשָׁלֹשׁ שָׁנָה יְהוֹאָחָז בְּמָלְכוֹ וּשְׁלֹשָׁה חֳדָשִׁים מָלַךְ
לב בִּירוּשָׁלִָם וְשֵׁם אִמּוֹ חֲמוּטַל בַּת־יִרְמְיָהוּ מִלִּבְנָה׃ וַיַּעַשׂ הָרַע
לג בְּעֵינֵי יְהוָה כְּכֹל אֲשֶׁר־עָשׂוּ אֲבֹתָיו׃ וַיַּאַסְרֵהוּ פַרְעֹה נְכֹה
בְרִבְלָה בְּאֶרֶץ חֲמָת במלך מִמְּלֹךְ בִּירוּשָׁלִָם וַיִּתֶּן־עֹנֶשׁ עַל־
לד הָאָרֶץ מֵאָה כִכַּר־כֶּסֶף וְכִכַּר זָהָב׃ וַיַּמְלֵךְ פַּרְעֹה נְכֹה אֶת־
אֶלְיָקִים בֶּן־יֹאשִׁיָּהוּ תַּחַת יֹאשִׁיָּהוּ אָבִיו וַיַּסֵּב אֶת־שְׁמוֹ יְהוֹיָקִים
לה וְאֶת־יְהוֹאָחָז לָקַח וַיָּבֹא מִצְרַיִם וַיָּמָת שָׁם׃ וְהַכֶּסֶף וְהַזָּהָב נָתַן
יְהוֹיָקִים לְפַרְעֹה אַךְ הֶעֱרִיךְ אֶת־הָאָרֶץ לָתֵת אֶת־הַכֶּסֶף עַל־פִּי
פַרְעֹה אִישׁ כְּעֶרְכּוֹ נָגַשׂ אֶת־הַכֶּסֶף וְאֶת־הַזָּהָב אֶת־עַם הָאָרֶץ

מַלְכוּת יְהוֹיָקִים בֶּן יֹאשִׁיָּהוּ: [3316]

לו לָתֵת לְפַרְעֹה נְכֹה׃ בֶּן־עֶשְׂרִים וְחָמֵשׁ שָׁנָה יְהוֹיָקִים
בְמָלְכוֹ וְאַחַת עֶשְׂרֵה שָׁנָה מָלַךְ בִּירוּשָׁלִָם וְשֵׁם אִמּוֹ זבידה
לז זְבוּדָּה בַת־פְּדָיָה מִן־רוּמָה׃ וַיַּעַשׂ הָרַע בְּעֵינֵי יְהוָה כְּכֹל אֲשֶׁר־
כד א עָשׂוּ אֲבֹתָיו׃ בְּיָמָיו עָלָה נְבֻכַדְנֶאצַּר מֶלֶךְ בָּבֶל וַיְהִי־לוֹ יְהוֹיָקִים
ב עֶבֶד שָׁלֹשׁ שָׁנִים וַיָּשָׁב וַיִּמְרָד־בּוֹ׃ וַיְשַׁלַּח יְהוָה ׀ בּוֹ אֶת־גְּדוּדֵי [3324]
כַשְׂדִּים וְאֶת־גְּדוּדֵי אֲרָם וְאֵת ׀ גְּדוּדֵי מוֹאָב וְאֵת גְּדוּדֵי
בְנֵי־עַמּוֹן וַיְשַׁלְּחֵם בִּיהוּדָה לְהַאֲבִידוֹ כִּדְבַר יְהוָה אֲשֶׁר דִּבֶּר
ג בְּיַד עֲבָדָיו הַנְּבִיאִים׃ אַךְ ׀ עַל־פִּי יְהוָה הָיְתָה בִּיהוּדָה לְהָסִיר
ד מֵעַל פָּנָיו בְּחַטֹּאת מְנַשֶּׁה כְּכֹל אֲשֶׁר עָשָׂה׃ וְגַם דַּם־הַנָּקִי אֲשֶׁר
ה שָׁפָךְ וַיְמַלֵּא אֶת־יְרוּשָׁלִַם דָּם נָקִי וְלֹא־אָבָה יְהוָה לִסְלֹחַ׃ וְיֶתֶר
דִּבְרֵי יְהוֹיָקִים וְכָל־אֲשֶׁר עָשָׂה הֲלֹא־הֵם כְּתוּבִים עַל־סֵפֶר דִּבְרֵי
ו הַיָּמִים לְמַלְכֵי יְהוּדָה׃ וַיִּשְׁכַּב יְהוֹיָקִים עִם־אֲבֹתָיו וַיִּמְלֹךְ
ז יְהוֹיָכִין בְּנוֹ תַּחְתָּיו׃ וְלֹא־הֹסִיף עוֹד מֶלֶךְ מִצְרַיִם לָצֵאת מֵאַרְצוֹ
כִּי־לָקַח מֶלֶךְ בָּבֶל מִנַּחַל מִצְרַיִם עַד־נְהַר פְּרָת כֹּל אֲשֶׁר הָיְתָה
לְמֶלֶךְ מִצְרָיִם׃

מַלְכוּת יְהוֹיָכִין בֶּן יְהוֹיָקִים: [3327]

ח בֶּן־שְׁמֹנֶה עֶשְׂרֵה שָׁנָה יְהוֹיָכִין בְּמָלְכוֹ וּשְׁלֹשָׁה חֳדָשִׁים מָלַךְ
ט בִּירוּשָׁלִָם וְשֵׁם אִמּוֹ נְחֻשְׁתָּא בַת־אֶלְנָתָן מִירוּשָׁלִָם׃ וַיַּעַשׂ הָרַע
י בְּעֵינֵי יְהוָה כְּכֹל אֲשֶׁר־עָשָׂה אָבִיו׃ בָּעֵת הַהִיא עלה עָלוּ עַבְדֵי
יא נְבֻכַדְנֶאצַּר מֶלֶךְ־בָּבֶל יְרוּשָׁלִָם וַתָּבֹא הָעִיר בַּמָּצוֹר׃ וַיָּבֹא
יב נְבוּכַדְנֶאצַּר מֶלֶךְ־בָּבֶל עַל־הָעִיר וַעֲבָדָיו צָרִים עָלֶיהָ׃ וַיֵּצֵא
יְהוֹיָכִין מֶלֶךְ־יְהוּדָה עַל־מֶלֶךְ בָּבֶל הוּא וְאִמּוֹ וַעֲבָדָיו וְשָׂרָיו
יג וְסָרִיסָיו וַיִּקַּח אֹתוֹ מֶלֶךְ בָּבֶל בִּשְׁנַת שְׁמֹנֶה לְמָלְכוֹ׃ וַיּוֹצֵא מִשָּׁם
אֶת־כָּל־אוֹצְרוֹת בֵּית יְהוָה וְאוֹצְרוֹת בֵּית הַמֶּלֶךְ וַיְקַצֵּץ אֶת־
כָּל־כְּלֵי הַזָּהָב אֲשֶׁר עָשָׂה שְׁלֹמֹה מֶלֶךְ־יִשְׂרָאֵל בְּהֵיכַל
יד יְהוָה כַּאֲשֶׁר דִּבֶּר יְהוָה׃ וְהִגְלָה אֶת־כָּל־יְרוּשָׁלִַם וְאֶת־כָּל־

גָּלוּת הֶחָרָשׁ וְהַמַּסְגֵּר:

הַשָּׂרִים וְאֵת ׀ כׇּל־גִּבּוֹרֵי הַחַיִל עשרה עֲשֶׂרֶת אֲלָפִים גּוֹלֶה
וְכׇל־הֶחָרָשׁ וְהַמַּסְגֵּר לֹא נִשְׁאַר זוּלַת דַּלַּת עַם־הָאָרֶץ: וַיֶּגֶל
טו אֶת־יְהוֹיָכִין בָּבֶלָה וְאֶת־אֵם הַמֶּלֶךְ וְאֶת־נְשֵׁי הַמֶּלֶךְ וְאֶת־סָרִיסָיו
וְאֵת אולי אֵילֵי הָאָרֶץ הוֹלִיךְ גּוֹלָה מִירוּשָׁלַ͏ִם בָּבֶלָה: וְאֵת כׇּל־אַנְשֵׁי
טז הַחַיִל שִׁבְעַת אֲלָפִים וְהֶחָרָשׁ וְהַמַּסְגֵּר אֶלֶף הַכֹּל גִּבּוֹרִים עֹשֵׂי
מִלְחָמָה וַיְבִיאֵם מֶלֶךְ־בָּבֶל גּוֹלָה בָּבֶלָה: וַיַּמְלֵךְ מֶלֶךְ־בָּבֶל אֶת־
יז מַתַּנְיָה דֹדוֹ תַּחְתָּיו וַיַּסֵּב אֶת־שְׁמוֹ צִדְקִיָּהוּ:

מַלְכוּת צִדְקִיָּהוּ בֶן יֹאשִׁיָּהוּ:

יח בֶּן־עֶשְׂרִים וְאַחַת שָׁנָה צִדְקִיָּהוּ בְמׇלְכוֹ וְאַחַת עֶשְׂרֵה שָׁנָה
מָלַךְ בִּירוּשָׁלָ͏ִם וְשֵׁם אִמּוֹ חמיטל חֲמוּטַל בַּת־יִרְמְיָהוּ מִלִּבְנָה:

[3327]

יט וַיַּעַשׂ הָרַע בְּעֵינֵי יְהֹוָה כְּכֹל אֲשֶׁר־עָשָׂה יְהוֹיָקִים: כִּי ׀ עַל־אַף
כ יְהֹוָה הָיְתָה בִירוּשָׁלַ͏ִם וּבִיהוּדָה עַד־הִשְׁלִכוֹ אֹתָם מֵעַל פָּנָיו

מְצוֹר מֶלֶךְ בָּבֶל וּבְקִיעַת הָעִיר:

כה א וַיִּמְרֹד צִדְקִיָּהוּ בְּמֶלֶךְ בָּבֶל: וַיְהִי בִשְׁנַת הַתְּשִׁיעִית
לְמׇלְכוֹ בַּחֹדֶשׁ הָעֲשִׂירִי בֶּעָשׂוֹר לַחֹדֶשׁ בָּא נְבֻכַדְנֶאצַּר מֶלֶךְ־
בָּבֶל הוּא וְכׇל־חֵילוֹ עַל־יְרוּשָׁלַ͏ִם וַיִּחַן עָלֶיהָ וַיִּבְנוּ עָלֶיהָ דָּיֵק

[3336]

ב סָבִיב: וַתָּבֹא הָעִיר בַּמָּצוֹר עַד עַשְׁתֵּי עֶשְׂרֵה שָׁנָה לַמֶּלֶךְ
ג צִדְקִיָּהוּ: בְּתִשְׁעָה לַחֹדֶשׁ וַיֶּחֱזַק הָרָעָב בָּעִיר וְלֹא־הָיָה לֶחֶם

[3338]

ד לְעַם הָאָרֶץ: וַתִּבָּקַע הָעִיר וְכׇל־אַנְשֵׁי הַמִּלְחָמָה ׀ הַלַּיְלָה דֶּרֶךְ
שַׁעַר ׀ בֵּין הַחֹמֹתַיִם אֲשֶׁר עַל־גַּן הַמֶּלֶךְ וְכַשְׂדִּים עַל־הָעִיר
ה סָבִיב וַיֵּלֶךְ דֶּרֶךְ הָעֲרָבָה: וַיִּרְדְּפוּ חֵיל־כַּשְׂדִּים אַחַר הַמֶּלֶךְ
ו וַיַּשִּׂגוּ אֹתוֹ בְּעַרְבוֹת יְרֵחוֹ וְכׇל־חֵילוֹ נָפֹצוּ מֵעָלָיו: וַיִּתְפְּשׂוּ
אֶת־הַמֶּלֶךְ וַיַּעֲלוּ אֹתוֹ אֶל־מֶלֶךְ בָּבֶל רִבְלָתָה וַיְדַבְּרוּ אִתּוֹ
ז מִשְׁפָּט: וְאֶת־בְּנֵי צִדְקִיָּהוּ שָׁחֲטוּ לְעֵינָיו וְאֶת־עֵינֵי צִדְקִיָּהוּ עִוֵּר

הַחֻרְבָּן וְהַגָּלוּת:

ח וַיַּאַסְרֵהוּ בַנְחֻשְׁתַּיִם וַיְבִאֵהוּ בָּבֶל: וּבַחֹדֶשׁ הַחֲמִישִׁי
בְּשִׁבְעָה לַחֹדֶשׁ הִיא שְׁנַת תְּשַׁע־עֶשְׂרֵה שָׁנָה לַמֶּלֶךְ נְבֻכַדְנֶאצַּר
מֶלֶךְ־בָּבֶל בָּא נְבוּזַרְאֲדָן רַב־טַבָּחִים עֶבֶד מֶלֶךְ־בָּבֶל יְרוּשָׁלָ͏ִם:

ט וַיִּשְׂרֹף אֶת־בֵּית־יְהוָה וְאֶת־בֵּית הַמֶּלֶךְ וְאֵת כָּל־בָּתֵּי יְרוּשָׁלִַם
י וְאֶת־כָּל־בֵּית גָּדוֹל שָׂרַף בָּאֵשׁ: וְאֶת־חוֹמֹת יְרוּשָׁלִַם סָבִיב נָתְצוּ
יא כָּל־חֵיל כַּשְׂדִּים אֲשֶׁר רַב־טַבָּחִים: וְאֵת יֶתֶר הָעָם הַנִּשְׁאָרִים
בָּעִיר וְאֶת־הַנֹּפְלִים אֲשֶׁר נָפְלוּ עַל־הַמֶּלֶךְ בָּבֶל וְאֵת יֶתֶר הֶהָמוֹן
יב הֶגְלָה נְבוּזַרְאֲדָן רַב־טַבָּחִים: וּמִדַּלַּת הָאָרֶץ הִשְׁאִיר רַב־טַבָּחִים
יג לְכֹרְמִים וּלְיֹגְבִים: וְאֶת־עַמּוּדֵי הַנְּחֹשֶׁת אֲשֶׁר בֵּית־יְהוָה וְאֶת־ הַגְלָיַת כְּלֵי הַמִּקְדָּשׁ:
הַמְּכֹנוֹת וְאֶת־יָם הַנְּחֹשֶׁת אֲשֶׁר בְּבֵית־יְהוָה שִׁבְּרוּ כַשְׂדִּים
יד וַיִּשְׂאוּ אֶת־נְחֻשְׁתָּם בָּבֶלָה: וְאֶת־הַסִּירֹת וְאֶת־הַיָּעִים וְאֶת־
הַמְזַמְּרוֹת וְאֶת־הַכַּפּוֹת וְאֵת כָּל־כְּלֵי הַנְּחֹשֶׁת אֲשֶׁר יְשָׁרְתוּ־בָם
טו לָקָחוּ: וְאֶת־הַמַּחְתּוֹת וְאֶת־הַמִּזְרָקוֹת אֲשֶׁר זָהָב זָהָב וַאֲשֶׁר־
טז כֶּסֶף כָּסֶף לָקַח רַב־טַבָּחִים: הָעַמּוּדִים ׀ שְׁנַיִם הַיָּם הָאֶחָד
וְהַמְּכֹנוֹת אֲשֶׁר־עָשָׂה שְׁלֹמֹה לְבֵית יְהוָה לֹא־הָיָה מִשְׁקָל לִנְחֹשֶׁת
יז כָּל־הַכֵּלִים הָאֵלֶּה: שְׁמֹנֶה עֶשְׂרֵה אַמָּה קוֹמַת ׀ הָעַמּוּד הָאֶחָד
וְכֹתֶרֶת עָלָיו ׀ נְחֹשֶׁת וְקוֹמַת הַכֹּתֶרֶת שָׁלֹשׁ אמה אַמּוֹת וּשְׂבָכָה
וְרִמֹּנִים עַל־הַכֹּתֶרֶת סָבִיב הַכֹּל נְחֹשֶׁת וְכָאֵלֶּה לַעַמּוּד הַשֵּׁנִי
יח עַל־הַשְּׂבָכָה: וַיִּקַּח רַב־טַבָּחִים אֶת־שְׂרָיָה כֹּהֵן הָרֹאשׁ וְאֶת־ שְׁבִי הַמַּנְהִיגִים וַהֲמָתָתָם:
יט צְפַנְיָהוּ כֹּהֵן מִשְׁנֶה וְאֶת־שְׁלֹשֶׁת שֹׁמְרֵי הַסַּף: וּמִן־הָעִיר לָקַח
סָרִיס אֶחָד אֲשֶׁר־הוּא פָקִיד ׀ עַל־אַנְשֵׁי הַמִּלְחָמָה וַחֲמִשָּׁה
אֲנָשִׁים מֵרֹאֵי פְנֵי־הַמֶּלֶךְ אֲשֶׁר נִמְצְאוּ בָעִיר וְאֵת הַסֹּפֵר שַׂר
הַצָּבָא הַמַּצְבִּא אֶת־עַם הָאָרֶץ וְשִׁשִּׁים אִישׁ מֵעַם הָאָרֶץ
כ הַנִּמְצְאִים בָּעִיר: וַיִּקַּח אֹתָם נְבוּזַרְאֲדָן רַב־טַבָּחִים וַיֹּלֶךְ אֹתָם
כא עַל־מֶלֶךְ בָּבֶל רִבְלָתָה: וַיַּךְ אֹתָם מֶלֶךְ בָּבֶל וַיְמִיתֵם בְּרִבְלָה
כב בְּאֶרֶץ חֲמָת וַיִּגֶל יְהוּדָה מֵעַל אַדְמָתוֹ: וְהָעָם הַנִּשְׁאָר בְּאֶרֶץ הַנְהָגַת גְּדַלְיָה:
יְהוּדָה אֲשֶׁר הִשְׁאִיר נְבוּכַדְנֶאצַּר מֶלֶךְ בָּבֶל וַיַּפְקֵד עֲלֵיהֶם
כג אֶת־גְּדַלְיָהוּ בֶּן־אֲחִיקָם בֶּן־שָׁפָן: וַיִּשְׁמְעוּ כָל־שָׂרֵי הַחֲיָלִים

הֵמָּה וְהָאֲנָשִׁים כִּי־הִפְקִיד מֶלֶךְ־בָּבֶל אֶת־גְּדַלְיָהוּ וַיָּבֹאוּ אֶל־
גְּדַלְיָהוּ הַמִּצְפָּה וְיִשְׁמָעֵאל בֶּן־נְתַנְיָה וְיוֹחָנָן בֶּן־קָרֵחַ וּשְׂרָיָה
בֶן־תַּנְחֻמֶת הַנְּטֹפָתִי וְיַאֲזַנְיָהוּ בֶּן־הַמַּעֲכָתִי הֵמָּה וְאַנְשֵׁיהֶם:
כד וַיִּשָּׁבַע לָהֶם גְּדַלְיָהוּ וּלְאַנְשֵׁיהֶם וַיֹּאמֶר לָהֶם אַל־תִּירְאוּ מֵעַבְדֵי
הַכַּשְׂדִּים שְׁבוּ בָאָרֶץ וְעִבְדוּ אֶת־מֶלֶךְ בָּבֶל וְיִטַב לָכֶם:
כה הֲרִיגַת גְּדַלְיָה: [3339] וַיְהִי ׀ בַּחֹדֶשׁ הַשְּׁבִיעִי בָּא יִשְׁמָעֵאל בֶּן־נְתַנְיָה בֶּן־אֱלִישָׁמָע
מִזֶּרַע הַמְּלוּכָה וַעֲשָׂרָה אֲנָשִׁים אִתּוֹ וַיַּכּוּ אֶת־גְּדַלְיָהוּ וַיָּמֹת
כו וְאֶת־הַיְּהוּדִים וְאֶת־הַכַּשְׂדִּים אֲשֶׁר־הָיוּ אִתּוֹ בַּמִּצְפָּה: וַיָּקֻמוּ
כָל־הָעָם מִקָּטֹן וְעַד־גָּדוֹל וְשָׂרֵי הַחֲיָלִים וַיָּבֹאוּ מִצְרָיִם כִּי יָרְאוּ
כז שִׁחְרוּר יְהוֹיָכִין מִכִּלְאוֹ: [3364] מִפְּנֵי כַשְׂדִּים: וַיְהִי בִשְׁלֹשִׁים וָשֶׁבַע שָׁנָה לְגָלוּת
יְהוֹיָכִין מֶלֶךְ־יְהוּדָה בִּשְׁנֵים עָשָׂר חֹדֶשׁ בְּעֶשְׂרִים וְשִׁבְעָה
לַחֹדֶשׁ נָשָׂא אֱוִיל מְרֹדַךְ מֶלֶךְ בָּבֶל בִּשְׁנַת מָלְכוֹ אֶת־רֹאשׁ
כח יְהוֹיָכִין מֶלֶךְ־יְהוּדָה מִבֵּית כֶּלֶא: וַיְדַבֵּר אִתּוֹ טֹבוֹת וַיִּתֵּן
כט אֶת־כִּסְאוֹ מֵעַל כִּסֵּא הַמְּלָכִים אֲשֶׁר אִתּוֹ בְּבָבֶל: וְשִׁנָּא אֵת
ל בִּגְדֵי כִלְאוֹ וְאָכַל לֶחֶם תָּמִיד לְפָנָיו כָּל־יְמֵי חַיָּיו: וַאֲרֻחָתוֹ אֲרֻחַת
תָּמִיד נִתְּנָה־לּוֹ מֵאֵת הַמֶּלֶךְ דְּבַר־יוֹם בְּיוֹמוֹ כֹּל יְמֵי חַיָּו:

בין השנים
3140-3228

ישעיה

א א חֲזוֹן יְשַׁעְיָהוּ בֶן־אָמוֹץ אֲשֶׁר חָזָה עַל־יְהוּדָה וִירוּשָׁלָ͏ִם בִּימֵי נְבוּאַת פֻּרְעָנוּת:
ב עֻזִּיָּהוּ יוֹתָם אָחָז יְחִזְקִיָּהוּ מַלְכֵי יְהוּדָה: שִׁמְעוּ שָׁמַיִם וְהַאֲזִינִי
ג אֶרֶץ כִּי יְהוָה דִּבֵּר בָּנִים גִּדַּלְתִּי וְרוֹמַמְתִּי וְהֵם פָּשְׁעוּ בִי: יָדַע
שׁוֹר קֹנֵהוּ וַחֲמוֹר אֵבוּס בְּעָלָיו יִשְׂרָאֵל לֹא יָדַע עַמִּי לֹא
ד הִתְבּוֹנָן: הוֹי ׀ גּוֹי חֹטֵא עַם כֶּבֶד עָוֺן זֶרַע מְרֵעִים בָּנִים
מַשְׁחִיתִים עָזְבוּ אֶת־יְהוָה נִאֲצוּ אֶת־קְדוֹשׁ יִשְׂרָאֵל נָזֹרוּ אָחוֹר:
ה עַל מֶה תֻכּוּ עוֹד תּוֹסִיפוּ סָרָה כָּל־רֹאשׁ לָחֳלִי וְכָל־לֵבָב דַּוָּי:
ו מִכַּף־רֶגֶל וְעַד־רֹאשׁ אֵין־בּוֹ מְתֹם פֶּצַע וְחַבּוּרָה וּמַכָּה טְרִיָּה
ז לֹא־זֹרוּ וְלֹא חֻבָּשׁוּ וְלֹא רֻכְּכָה בַּשָּׁמֶן: אַרְצְכֶם שְׁמָמָה עָרֵיכֶם
שְׂרֻפוֹת אֵשׁ אַדְמַתְכֶם לְנֶגְדְּכֶם זָרִים אֹכְלִים אֹתָהּ וּשְׁמָמָה
ח כְּמַהְפֵּכַת זָרִים: וְנוֹתְרָה בַת־צִיּוֹן כְּסֻכָּה בְכָרֶם כִּמְלוּנָה
ט בְּמִקְשָׁה כְּעִיר נְצוּרָה: לוּלֵי יְהוָה צְבָאוֹת הוֹתִיר לָנוּ שָׂרִיד
כִּמְעָט כִּסְדֹם הָיִינוּ לַעֲמֹרָה דָּמִינוּ:
י שִׁמְעוּ דְבַר־יְהוָה קְצִינֵי סְדֹם הַאֲזִינוּ תּוֹרַת אֱלֹהֵינוּ עַם עֲמֹרָה: מְאִיסַת הַקָּרְבָּנוֹת:
יא לָמָּה־לִּי רֹב־זִבְחֵיכֶם יֹאמַר יְהוָה שָׂבַעְתִּי עֹלוֹת אֵילִים וְחֵלֶב
יב מְרִיאִים וְדַם פָּרִים וּכְבָשִׂים וְעַתּוּדִים לֹא חָפָצְתִּי: כִּי תָבֹאוּ
יג לֵרָאוֹת פָּנָי מִי־בִקֵּשׁ זֹאת מִיֶּדְכֶם רְמֹס חֲצֵרָי: לֹא תוֹסִיפוּ הָבִיא
מִנְחַת־שָׁוְא קְטֹרֶת תּוֹעֵבָה הִיא לִי חֹדֶשׁ וְשַׁבָּת קְרֹא מִקְרָא
יד לֹא־אוּכַל אָוֶן וַעֲצָרָה: חָדְשֵׁיכֶם וּמוֹעֲדֵיכֶם שָׂנְאָה נַפְשִׁי הָיוּ עָלַי
טו לָטֹרַח נִלְאֵיתִי נְשֹׂא: וּבְפָרִשְׂכֶם כַּפֵּיכֶם אַעְלִים עֵינַי מִכֶּם גַּם
טז כִּי־תַרְבּוּ תְפִלָּה אֵינֶנִּי שֹׁמֵעַ יְדֵיכֶם דָּמִים מָלֵאוּ: רַחֲצוּ הִזַּכּוּ
יז הָסִירוּ רֹעַ מַעַלְלֵיכֶם מִנֶּגֶד עֵינָי חִדְלוּ הָרֵעַ: לִמְדוּ הֵיטֵב דִּרְשׁוּ
יח מִשְׁפָּט אַשְּׁרוּ חָמוֹץ שִׁפְטוּ יָתוֹם רִיבוּ אַלְמָנָה: לְכוּ־נָא

וְנִוָּכְחָה יֹאמַר יְהֹוָה אִם־יִהְ־יוּ חֲטָאֵיכֶם כַּשָּׁנִים כַּשֶּׁלֶג יַלְבִּינוּ
יט אִם־יַאְדִּימוּ כַתּוֹלָע כַּצֶּמֶר יִהְ־יוּ: אִם־תֹּאבוּ וּשְׁמַעְתֶּם טוּב
כ הָאָרֶץ תֹּאכֵלוּ: וְאִם־תְּמָאֲנוּ וּמְרִיתֶם חֶרֶב תְּאֻכְּלוּ כִּי פִּי יְהֹוָה
דִּבֵּר:

חָמָס יְרוּשָׁלִָם:

כא אֵיכָה הָיְתָה לְזוֹנָה קִרְיָה נֶאֱמָנָה מְלֵאֲתִי מִשְׁפָּט צֶדֶק יָלִין בָּהּ
כב כג וְעַתָּה מְרַצְּחִים: כַּסְפֵּךְ הָיָה לְסִיגִים סָבְאֵךְ מָהוּל בַּמָּיִם: שָׂרַיִךְ
סוֹרְרִים וְחַבְרֵי גַּנָּבִים כֻּלּוֹ אֹהֵב שֹׁחַד וְרֹדֵף שַׁלְמֹנִים יָתוֹם

בִּעוּר הָרִשְׁעָה וַהֲשָׁבַת הַצֶּדֶק:

כד לֹא יִשְׁפֹּטוּ וְרִיב אַלְמָנָה לֹא־יָבוֹא אֲלֵיהֶם: לָכֵן נְאֻם
הָאָדוֹן יְהֹוָה צְבָאוֹת אֲבִיר יִשְׂרָאֵל הוֹי אֶנָּחֵם מִצָּרַי וְאִנָּקְמָה
כה מֵאוֹיְבָי: וְאָשִׁיבָה יָדִי עָלַיִךְ וְאֶצְרֹף כַּבֹּר סִיגָיִךְ וְאָסִירָה
כו כָּל־בְּדִילָיִךְ: וְאָשִׁיבָה שֹׁפְטַיִךְ כְּבָרִאשֹׁנָה וְיֹעֲצַיִךְ כְּבַתְּחִלָּה
כז אַחֲרֵי־כֵן יִקָּרֵא לָךְ עִיר הַצֶּדֶק קִרְיָה נֶאֱמָנָה: צִיּוֹן בְּמִשְׁפָּט
כח תִּפָּדֶה וְשָׁבֶיהָ בִּצְדָקָה: וְשֶׁבֶר פֹּשְׁעִים וְחַטָּאִים יַחְדָּו וְעֹזְבֵי יְהֹוָה
כט יִכְלוּ: כִּי יֵבֹשׁוּ מֵאֵילִים אֲשֶׁר חֲמַדְתֶּם וְתַחְפְּרוּ מֵהַגַּנּוֹת אֲשֶׁר
ל בְּחַרְתֶּם: כִּי תִהְ־יוּ כְּאֵלָה נֹבֶלֶת עָלֶהָ וּכְגַנָּה אֲשֶׁר־מַיִם אֵין
לא לָהּ: וְהָיָה הֶחָסֹן לִנְעֹרֶת וּפֹעֲלוֹ לְנִיצוֹץ וּבָעֲרוּ שְׁנֵיהֶם יַחְדָּו
וְאֵין מְכַבֶּה:

חֲזוֹן הַגְּדֻלָּה בְּאַחֲרִית הַיָּמִים:

ב א ב הַדָּבָר אֲשֶׁר חָזָה יְשַׁעְיָהוּ בֶּן־אָמוֹץ עַל־יְהוּדָה וִירוּשָׁלָםִ: וְהָיָה ׀
בְּאַחֲרִית הַיָּמִים נָכוֹן יִהְ־יֶה הַר בֵּית־יְהֹוָה בְּרֹאשׁ הֶהָרִים וְנִשָּׂא
ג מִגְּבָעוֹת וְנָהֲרוּ אֵלָיו כָּל־הַגּוֹיִם: וְהָלְכוּ עַמִּים רַבִּים וְאָמְרוּ לְכוּ ׀
וְנַעֲלֶה אֶל־הַר־יְהֹוָה אֶל־בֵּית אֱלֹהֵי יַעֲקֹב וְיֹרֵנוּ מִדְּרָכָיו וְנֵלְכָה
ד בְּאֹרְחֹתָיו כִּי מִצִּיּוֹן תֵּצֵא תוֹרָה וּדְבַר־יְהֹוָה מִירוּשָׁלָםִ: וְשָׁפַט
בֵּין הַגּוֹיִם וְהוֹכִיחַ לְעַמִּים רַבִּים וְכִתְּתוּ חַרְבוֹתָם לְאִתִּים
וַחֲנִיתוֹתֵיהֶם לְמַזְמֵרוֹת לֹא־יִשָּׂא גוֹי אֶל־גּוֹי חֶרֶב וְלֹא־יִלְמְדוּ
עוֹד מִלְחָמָה:

קְרִיאָה
לְבֵית יַעֲקֹב
לַחֲזֹר
בִּתְשׁוּבָה:

ה בֵּית יַעֲקֹב לְכוּ וְנֵלְכָה בְּאוֹר יְהֹוָה: כִּי נָטַשְׁתָּה עַמְּךָ בֵּית יַעֲקֹב
כִּי מָלְאוּ מִקֶּדֶם וְעֹנְנִים כַּפְּלִשְׁתִּים וּבְיַלְדֵי נָכְרִים יַשְׂפִּיקוּ:

ו וַתִּמָּלֵא אַרְצוֹ כֶּסֶף וְזָהָב וְאֵין קֵצֶה לְאֹצְרֹתָיו וַתִּמָּלֵא אַרְצוֹ

ז סוּסִים וְאֵין קֵצֶה לְמַרְכְּבֹתָיו: וַתִּמָּלֵא אַרְצוֹ אֱלִילִים לְמַעֲשֵׂה

ח יָדָיו יִשְׁתַּחֲווּ לַאֲשֶׁר עָשׂוּ אֶצְבְּעֹתָיו: וַיִּשַּׁח אָדָם וַיִּשְׁפַּל־אִישׁ

ט וְאַל־תִּשָּׂא לָהֶם: בּוֹא בַצּוּר וְהִטָּמֵן בֶּעָפָר מִפְּנֵי פַּחַד יְהֹוָה

י וּמֵהֲדַר גְּאֹנוֹ: עֵינֵי גַּבְהוּת אָדָם שָׁפֵל וְשַׁח רוּם אֲנָשִׁים וְנִשְׂגַּב
יְהֹוָה לְבַדּוֹ בַּיּוֹם הַהוּא:

הַשְׁפָּלַת
גַּבְהוּת
הָאָדָם
וְהַכְרָתַת
הָאֱלִילִים:

יא כִּי יוֹם לַיהֹוָה צְבָאוֹת עַל כָּל־גֵּאֶה וָרָם וְעַל כָּל־נִשָּׂא וְשָׁפֵל:

יב וְעַל כָּל־אַרְזֵי הַלְּבָנוֹן הָרָמִים וְהַנִּשָּׂאִים וְעַל כָּל־אַלּוֹנֵי הַבָּשָׁן:

יג וְעַל כָּל־הֶהָרִים הָרָמִים וְעַל כָּל־הַגְּבָעוֹת הַנִּשָּׂאוֹת: וְעַל כָּל־

יד מִגְדָּל גָּבֹהַּ וְעַל כָּל־חוֹמָה בְצוּרָה: וְעַל כָּל־אֳנִיּוֹת תַּרְשִׁישׁ

טו וְעַל כָּל־שְׂכִיּוֹת הַחֶמְדָּה: וְשַׁח גַּבְהוּת הָאָדָם וְשָׁפֵל רוּם אֲנָשִׁים

טז וְנִשְׂגַּב יְהֹוָה לְבַדּוֹ בַּיּוֹם הַהוּא: וְהָאֱלִילִים כָּלִיל יַחֲלֹף: וּבָאוּ
בִּמְעָרוֹת צֻרִים וּבִמְחִלּוֹת עָפָר מִפְּנֵי פַּחַד יְהֹוָה וּמֵהֲדַר גְּאוֹנוֹ

יז בְּקוּמוֹ לַעֲרֹץ הָאָרֶץ: בַּיּוֹם הַהוּא יַשְׁלִיךְ הָאָדָם אֵת אֱלִילֵי
כַסְפּוֹ וְאֵת אֱלִילֵי זְהָבוֹ אֲשֶׁר עָשׂוּ־לוֹ לְהִשְׁתַּחֲוֹת לַחְפֹּר פֵּרוֹת

יח וְלָעֲטַלֵּפִים: לָבוֹא בְּנִקְרוֹת הַצֻּרִים וּבִסְעִפֵי הַסְּלָעִים מִפְּנֵי פַּחַד

יט יְהֹוָה וּמֵהֲדַר גְּאוֹנוֹ בְּקוּמוֹ לַעֲרֹץ הָאָרֶץ: חִדְלוּ לָכֶם מִן־הָאָדָם
אֲשֶׁר נְשָׁמָה בְּאַפּוֹ כִּי־בַמֶּה נֶחְשָׁב הוּא:

מַנְהִיגִים
שֶׁאֵינָם
רְאוּיִים:

ג א כִּי הִנֵּה הָאָדוֹן יְהֹוָה צְבָאוֹת מֵסִיר מִירוּשָׁלַ͏ִם וּמִיהוּדָה מַשְׁעֵן
וּמַשְׁעֵנָה כֹּל מִשְׁעַן־לֶחֶם וְכֹל מִשְׁעַן־מָיִם: גִּבּוֹר וְאִישׁ מִלְחָמָה

ב שׁוֹפֵט וְנָבִיא וְקֹסֵם וְזָקֵן: שַׂר־חֲמִשִּׁים וּנְשׂוּא פָנִים וְיוֹעֵץ וַחֲכַם

ג חֲרָשִׁים וּנְבוֹן לָחַשׁ: וְנָתַתִּי נְעָרִים שָׂרֵיהֶם וְתַעֲלוּלִים יִמְשְׁלוּ־

ד בָם: וְנִגַּשׂ הָעָם אִישׁ בְּאִישׁ וְאִישׁ בְּרֵעֵהוּ יִרְהֲבוּ הַנַּעַר בַּזָּקֵן

ו וְהַנִּקְלֶה בַּנִּכְבָּד: כִּֽי־יִתְפֹּשׂ אִישׁ בְּאָחִיו בֵּית אָבִיו שִׂמְלָה לְכָה
ז קָצִין תִּֽהְיֶה־לָּנוּ וְהַמַּכְשֵׁלָה הַזֹּאת תַּחַת יָדֶֽךָ: יִשָּׂא בַיּוֹם הַהוּא ׀
לֵאמֹר לֹֽא־אֶהְיֶה חֹבֵשׁ וּבְבֵיתִי אֵין לֶחֶם וְאֵין שִׂמְלָה לֹא
ח תְשִׂימֻנִי קְצִין עָֽם: כִּי כָשְׁלָה יְרוּשָׁלִַם וִיהוּדָה נָפָל כִּֽי־לְשׁוֹנָם
ט וּמַעַלְלֵיהֶם אֶל־יְהוָֹה לַמְרוֹת עֵנֵי כְבוֹדֽוֹ: הַכָּרַת פְּנֵיהֶם עָנְתָה
בָּם וְחַטָּאתָם כִּסְדֹם הִגִּידוּ לֹא כִחֵדוּ אוֹי לְנַפְשָׁם כִּֽי־גָמְלוּ לָהֶם
י יא רָעָֽה: אִמְרוּ צַדִּיק כִּי־טוֹב כִּֽי־פְרִי מַעַלְלֵיהֶם יֹאכֵֽלוּ: אוֹי לְרָשָׁע
יב רָע כִּֽי־גְמוּל יָדָיו יֵעָשֶׂה לּֽוֹ: עַמִּי נֹגְשָׂיו מְעוֹלֵל וְנָשִׁים מָשְׁלוּ
בוֹ עַמִּי מְאַשְּׁרֶיךָ מַתְעִים וְדֶרֶךְ אֹרְחֹתֶיךָ בִּלֵּֽעוּ:

תּוֹכָחָה לַמְּנַהִיגִים וְלִבְנוֹת צִיּוֹן:

יג יד נִצָּב לָרִיב יְהוָֹה וְעֹמֵד לָדִין עַמִּֽים: יְהוָֹה בְּמִשְׁפָּט יָבוֹא עִם־זִקְנֵי
טו עַמּוֹ וְשָׂרָיו וְאַתֶּם בִּעַרְתֶּם הַכֶּרֶם גְּזֵלַת הֶעָנִי בְּבָתֵּיכֶֽם: מלכם
מַה־לָּכֶם תְּדַכְּאוּ עַמִּי וּפְנֵי עֲנִיִּים תִּטְחָנוּ נְאֻם־אֲדֹנָי יֱהֹוִה
טז צְבָאֽוֹת: וַיֹּאמֶר יְהוָֹה יַעַן כִּי גָֽבְהוּ בְּנוֹת
צִיּוֹן וַתֵּלַכְנָה נטוות נְטוּיוֹת גָּרוֹן וּֽמְשַׂקְּרוֹת עֵינָיִם הָלוֹךְ וְטָפֹף
יז תֵּלַכְנָה וּבְרַגְלֵיהֶם תְּעַכַּסְנָה: וְשִׂפַּח אֲדֹנָי קָדְקֹד בְּנוֹת צִיּוֹן וַֽיהוָֹה
יח פָּתְהֵן יְעָרֶֽה: בַּיּוֹם הַהוּא יָסִיר אֲדֹנָי אֵת תִּפְאֶרֶת
יט הָֽעֲכָסִים וְהַשְּׁבִיסִים וְהַשַּׂהֲרֹנִֽים: הַנְּטִפוֹת וְהַשֵּׁירוֹת וְהָֽרְעָלֽוֹת:
כ כא הַפְּאֵרִים וְהַצְּעָדוֹת וְהַקִּשֻּׁרִים וּבָתֵּי הַנֶּפֶשׁ וְהַלְּחָשִֽׁים: הַטַּבָּעוֹת
כב וְנִזְמֵי הָאָֽף: הַמַּֽחֲלָצוֹת וְהַמַּֽעֲטָפוֹת וְהַמִּטְפָּחוֹת וְהָחֲרִיטִֽים:
כג כד וְהַגִּלְיֹנִים וְהַסְּדִינִים וְהַצְּנִיפוֹת וְהָֽרְדִידִֽים: וְהָיָה תַחַת בֹּשֶׂם מַק
יִֽהְיֶה וְתַחַת חֲגוֹרָה נִקְפָּה וְתַחַת מַעֲשֶׂה מִקְשֶׁה קָרְחָה וְתַחַת
כה פְּתִיגִיל מַחֲגֹרֶת שָׂק כִּי־תַחַת יֹֽפִי: מְתַיִךְ בַּחֶרֶב יִפֹּלוּ וּגְבוּרָתֵךְ
כו ד א בַּמִּלְחָמָֽה: וְאָנוּ וְאָבְלוּ פְּתָחֶיהָ וְנִקָּתָה לָאָרֶץ תֵּשֵֽׁב: וְהֶחֱזִיקוּ שֶׁבַע
נָשִׁים בְּאִישׁ אֶחָד בַּיּוֹם הַהוּא לֵאמֹר לַחְמֵנוּ נֹאכֵל וְשִׂמְלָתֵנוּ
ב נִלְבָּשׁ רַק יִקָּרֵא שִׁמְךָ עָלֵינוּ אֱסֹף חֶרְפָּתֵֽנוּ: בַּיּוֹם הַהוּא

שְׁאֵרִית הַפְּלֵיטָה:

יִֽהְיֶה֙ צֶ֣מַח יְהוָ֔ה לִצְבִ֖י וּלְכָב֑וֹד וּפְרִ֤י הָאָ֙רֶץ֙ לְגָא֣וֹן וּלְתִפְאֶ֔רֶת
ג לִפְלֵיטַ֖ת יִשְׂרָאֵֽל׃ וְהָיָ֣ה׀ הַנִּשְׁאָ֣ר בְּצִיּ֗וֹן וְהַנּוֹתָר֙ בִּיר֣וּשָׁלִַ֔ם
ד קָד֖וֹשׁ יֵאָ֣מֶר ל֑וֹ כָּל־הַכָּת֥וּב לַחַיִּ֖ים בִּירוּשָׁלִָֽם׃ אִ֣ם׀ רָחַ֣ץ אֲדֹנָ֗י
אֵ֚ת צֹאַ֣ת בְּנוֹת־צִיּ֔וֹן וְאֶת־דְּמֵ֥י יְרוּשָׁלִַ֖ם יָדִ֣יחַ מִקִּרְבָּ֑הּ בְּר֥וּחַ
ה מִשְׁפָּ֖ט וּבְר֥וּחַ בָּעֵֽר׃ וּבָרָ֣א יְהוָ֡ה עַל֩ כָּל־מְכ֨וֹן הַר־צִיּ֜וֹן
וְעַל־מִקְרָאֶ֗הָ עָנָ֤ן׀ יוֹמָם֙ וְעָשָׁ֔ן וְנֹ֛גַהּ אֵ֥שׁ לֶהָבָ֖ה לָ֑יְלָה כִּ֥י
ו עַל־כָּל־כָּב֖וֹד חֻפָּֽה׃ וְסֻכָּ֛ה תִּהְיֶ֥ה לְצֵל־יוֹמָ֖ם מֵחֹ֑רֶב וּלְמַחְסֶה֙
וּלְמִסְתּ֔וֹר מִזֶּ֖רֶם וּמִמָּטָֽר׃

ה א אָשִׁ֤ירָה נָּא֙ לִֽידִידִ֔י שִׁירַ֥ת דּוֹדִ֖י לְכַרְמ֑וֹ כֶּ֛רֶם הָיָ֥ה לִֽידִידִ֖י בְּקֶ֥רֶן מָשָׁל הַכֶּרֶם:
ב בֶּן־שָֽׁמֶן׃ וַיְעַזְּקֵ֣הוּ וַֽיְסַקְּלֵ֗הוּ וַיִּטָּעֵ֙הוּ֙ שֹׂרֵ֔ק וַיִּ֤בֶן מִגְדָּל֙ בְּתוֹכ֔וֹ
ג וְגַם־יֶ֖קֶב חָצֵ֣ב בּ֑וֹ וַיְקַ֛ו לַעֲשׂ֥וֹת עֲנָבִ֖ים וַיַּ֥עַשׂ בְּאֻשִֽׁים׃ וְעַתָּ֛ה
ד יוֹשֵׁ֥ב יְרוּשָׁלִַ֖ם וְאִ֣ישׁ יְהוּדָ֑ה שִׁפְטוּ־נָ֕א בֵּינִ֖י וּבֵ֥ין כַּרְמִֽי׃ מַה־
לַּעֲשׂ֥וֹת עוֹד֙ לְכַרְמִ֔י וְלֹ֥א עָשִׂ֖יתִי בּ֑וֹ מַדּ֧וּעַ קִוֵּ֛יתִי לַעֲשׂ֥וֹת
ה עֲנָבִ֖ים וַיַּ֥עַשׂ בְּאֻשִֽׁים׃ וְעַתָּה֙ אוֹדִֽיעָה־נָּ֣א אֶתְכֶ֔ם אֵ֛ת אֲשֶׁר־אֲנִ֥י
עֹשֶׂ֖ה לְכַרְמִ֑י הָסֵ֤ר מְשׂוּכָּתוֹ֙ וְהָיָ֣ה לְבָעֵ֔ר פָּרֹ֥ץ גְּדֵר֖וֹ וְהָיָ֥ה
ו לְמִרְמָֽס׃ וַאֲשִׁיתֵ֣הוּ בָתָ֗ה לֹ֤א יִזָּמֵר֙ וְלֹ֣א יֵעָדֵ֔ר וְעָלָ֥ה שָׁמִ֖יר וָשָׁ֑יִת
ז וְעַ֤ל הֶֽעָבִים֙ אֲצַוֶּ֔ה מֵהַמְטִ֥יר עָלָ֖יו מָטָֽר׃ כִּ֣י כֶ֜רֶם יְהוָ֤ה צְבָאוֹת֙
בֵּ֣ית יִשְׂרָאֵ֔ל וְאִ֣ישׁ יְהוּדָ֔ה נְטַ֖ע שַׁעֲשׁוּעָ֑יו וַיְקַ֤ו לְמִשְׁפָּט֙ וְהִנֵּ֣ה
מִשְׂפָּ֔ח לִצְדָקָ֖ה וְהִנֵּ֥ה צְעָקָֽה׃

ח ה֗וֹי מַגִּיעֵ֤י בַ֙יִת֙ בְּבַ֔יִת שָׂדֶ֥ה בְשָׂדֶ֖ה יַקְרִ֑יבוּ עַ֚ד אֶ֣פֶס מָק֔וֹם תּוֹכָחָה לְמַשִּׂיגֵי גְּבוּל:
ט וְהֽוּשַׁבְתֶּ֥ם לְבַדְּכֶ֖ם בְּקֶ֥רֶב הָאָֽרֶץ׃ בְּאָזְנָ֖י יְהוָ֣ה צְבָא֑וֹת אִם־לֹ֞א
י בָּתִּ֤ים רַבִּים֙ לְשַׁמָּ֣ה יִהְי֔וּ גְּדֹלִ֥ים וְטוֹבִ֖ים מֵאֵ֥ין יוֹשֵֽׁב׃ כִּ֗י עֲשֶׂ֙רֶת֙
יא צִמְדֵּי־כֶ֔רֶם יַעֲשׂ֖וּ בַּ֣ת אֶחָ֑ת וְזֶ֥רַע חֹ֖מֶר יַעֲשֶׂ֥ה אֵיפָֽה׃ ה֗וֹי תּוֹכָחָה לִמְבַלִּים יְמֵיהֶם בְּמִשְׁתָּאוֹת:
יב מַשְׁכִּימֵ֥י בַבֹּ֖קֶר שֵׁכָ֣ר יִרְדֹּ֑פוּ מְאַחֲרֵ֣י בַנֶּ֔שֶׁף יַ֖יִן יַדְלִיקֵֽם׃ וְהָיָה֩
כִנּ֨וֹר וָנֶ֜בֶל תֹּ֧ף וְחָלִ֛יל וָיַ֖יִן מִשְׁתֵּיהֶ֑ם וְאֵ֨ת פֹּ֤עַל יְהוָה֙ לֹ֣א יַבִּ֔יטוּ

יג וּמַעֲשֵׂה יָדָיו לֹא רָאוּ׃ לָכֵן גָּלָה עַמִּי מִבְּלִי־דָעַת וּכְבוֹדוֹ מְתֵי
יד רָעָב וַהֲמוֹנוֹ צִחֵה צָמָא׃ לָכֵן הִרְחִיבָה שְּׁאוֹל נַפְשָׁהּ וּפָעֲרָה
פִיהָ לִבְלִי־חֹק וְיָרַד הֲדָרָהּ וַהֲמוֹנָהּ וּשְׁאוֹנָהּ וְעָלֵז בָּהּ׃
טו טז וַיִּשַּׁח אָדָם וַיִּשְׁפַּל־אִישׁ וְעֵינֵי גְבֹהִים תִּשְׁפַּלְנָה׃ וַיִּגְבַּהּ יְהוָה
יז צְבָאוֹת בַּמִּשְׁפָּט וְהָאֵל הַקָּדוֹשׁ נִקְדָּשׁ בִּצְדָקָה׃ וְרָעוּ כְבָשִׂים
יח כְּדָבְרָם וְחָרְבוֹת מֵחִים גָּרִים יֹאכֵלוּ׃ הוֹי מֹשְׁכֵי הֶעָוֺן
יט בְּחַבְלֵי הַשָּׁוְא וְכַעֲבוֹת הָעֲגָלָה חַטָּאָה׃ הָאֹמְרִים יְמַהֵר ׀ יָחִישָׁה
מַעֲשֵׂהוּ לְמַעַן נִרְאֶה וְתִקְרַב וְתָבוֹאָה עֲצַת קְדוֹשׁ יִשְׂרָאֵל
וְנֵדָעָה׃
כ הוֹי הָאֹמְרִים לָרַע טוֹב וְלַטּוֹב רָע שָׂמִים חֹשֶׁךְ לְאוֹר וְאוֹר
כא לְחֹשֶׁךְ שָׂמִים מַר לְמָתוֹק וּמָתוֹק לְמָר׃ הוֹי חֲכָמִים
כב בְּעֵינֵיהֶם וְנֶגֶד פְּנֵיהֶם נְבֹנִים׃ הוֹי גִּבּוֹרִים לִשְׁתּוֹת יָיִן
כג וְאַנְשֵׁי־חַיִל לִמְסֹךְ שֵׁכָר׃ מַצְדִּיקֵי רָשָׁע עֵקֶב שֹׁחַד וְצִדְקַת
צַדִּיקִים יָסִירוּ מִמֶּנּוּ׃

בַּחֲטָאֵיהֶם לֹא יַבְחִינוּ בֵּין טוֹב לְרָע:

כד לָכֵן כֶּאֱכֹל קַשׁ לְשׁוֹן אֵשׁ וַחֲשַׁשׁ לֶהָבָה יִרְפֶּה שָׁרְשָׁם כַּמָּק
יִהְיֶה וּפִרְחָם כָּאָבָק יַעֲלֶה כִּי מָאֲסוּ אֵת תּוֹרַת יְהוָה צְבָאוֹת
כה וְאֵת אִמְרַת קְדוֹשׁ־יִשְׂרָאֵל נִאֵצוּ׃ עַל־כֵּן חָרָה אַף־יְהוָה בְּעַמּוֹ
וַיֵּט יָדוֹ עָלָיו וַיַּכֵּהוּ וַיִּרְגְּזוּ הֶהָרִים וַתְּהִי נִבְלָתָם כַּסּוּחָה בְּקֶרֶב
כו חוּצוֹת בְּכָל־זֹאת לֹא־שָׁב אַפּוֹ וְעוֹד יָדוֹ נְטוּיָה׃ וְנָשָׂא־נֵס לַגּוֹיִם
כז מֵרָחוֹק וְשָׁרַק לוֹ מִקְצֵה הָאָרֶץ וְהִנֵּה מְהֵרָה קַל יָבוֹא׃ אֵין־עָיֵף
וְאֵין־כּוֹשֵׁל בּוֹ לֹא יָנוּם וְלֹא יִישָׁן וְלֹא נִפְתַּח אֵזוֹר חֲלָצָיו וְלֹא
כח נִתַּק שְׂרוֹךְ נְעָלָיו׃ אֲשֶׁר חִצָּיו שְׁנוּנִים וְכָל־קַשְּׁתֹתָיו דְּרֻכוֹת
כט פַּרְסוֹת סוּסָיו כַּצַּר נֶחְשָׁבוּ וְגַלְגִּלָּיו כַּסּוּפָה׃ שְׁאָגָה לוֹ כַּלָּבִיא
ושאג יִשְׁאַג כַּכְּפִירִים וְיִנְהֹם וְיֹאחֵז טֶרֶף וְיַפְלִיט וְאֵין מַצִּיל׃
ל וְיִנְהֹם עָלָיו בַּיּוֹם הַהוּא כְּנַהֲמַת־יָם וְנִבַּט לָאָרֶץ וְהִנֵּה־חֹשֶׁךְ צַר

מְהִירוּת הַפֻּרְעָנוּת:

וְאוֹר חָשַׁךְ בַּעֲרִיפֶיהָ׃

ו א בִּשְׁנַת־מוֹת הַמֶּלֶךְ עֻזִּיָּהוּ וָאֶרְאֶה אֶת־אֲדֹנָי יֹשֵׁב עַל־כִּסֵּא רָם
ב וְנִשָּׂא וְשׁוּלָיו מְלֵאִים אֶת־הַהֵיכָל׃ שְׂרָפִים עֹמְדִים ׀ מִמַּעַל לוֹ
שֵׁשׁ כְּנָפַיִם שֵׁשׁ כְּנָפַיִם לְאֶחָד בִּשְׁתַּיִם ׀ יְכַסֶּה פָנָיו וּבִשְׁתַּיִם
ג יְכַסֶּה רַגְלָיו וּבִשְׁתַּיִם יְעוֹפֵף׃ וְקָרָא זֶה אֶל־זֶה וְאָמַר קָדוֹשׁ ׀
ד קָדוֹשׁ קָדוֹשׁ יְהוָה צְבָאוֹת מְלֹא כָל־הָאָרֶץ כְּבוֹדוֹ׃ וַיָּנֻעוּ אַמּוֹת
ה הַסִּפִּים מִקּוֹל הַקּוֹרֵא וְהַבַּיִת יִמָּלֵא עָשָׁן׃ וָאֹמַר אוֹי־לִי כִי־
נִדְמֵיתִי כִּי אִישׁ טְמֵא־שְׂפָתַיִם אָנֹכִי וּבְתוֹךְ עַם־טְמֵא שְׂפָתַיִם
ו אָנֹכִי יֹשֵׁב כִּי אֶת־הַמֶּלֶךְ יְהוָה צְבָאוֹת רָאוּ עֵינָי׃ וַיָּעָף אֵלַי אֶחָד
ז מִן־הַשְּׂרָפִים וּבְיָדוֹ רִצְפָּה בְּמֶלְקַחַיִם לָקַח מֵעַל הַמִּזְבֵּחַ׃ וַיַּגַּע
עַל־פִּי וַיֹּאמֶר הִנֵּה נָגַע זֶה עַל־שְׂפָתֶיךָ וְסָר עֲוֺנֶךָ וְחַטָּאתְךָ
ח תְּכֻפָּר׃ וָאֶשְׁמַע אֶת־קוֹל אֲדֹנָי אֹמֵר אֶת־מִי אֶשְׁלַח וּמִי יֵלֶךְ־לָנוּ
ט וָאֹמַר הִנְנִי שְׁלָחֵנִי׃ וַיֹּאמֶר לֵךְ וְאָמַרְתָּ לָעָם הַזֶּה שִׁמְעוּ שָׁמוֹעַ
י וְאַל־תָּבִינוּ וּרְאוּ רָאוֹ וְאַל־תֵּדָעוּ׃ הַשְׁמֵן לֵב־הָעָם הַזֶּה וְאָזְנָיו
הַכְבֵּד וְעֵינָיו הָשַׁע פֶּן־יִרְאֶה בְעֵינָיו וּבְאָזְנָיו יִשְׁמָע וּלְבָבוֹ יָבִין
יא וָשָׁב וְרָפָא לוֹ׃ וָאֹמַר עַד־מָתַי אֲדֹנָי וַיֹּאמֶר עַד אֲשֶׁר אִם־שָׁאוּ
עָרִים מֵאֵין יוֹשֵׁב וּבָתִּים מֵאֵין אָדָם וְהָאֲדָמָה תִּשָּׁאֶה שְׁמָמָה׃
יב יג וְרִחַק יְהוָה אֶת־הָאָדָם וְרַבָּה הָעֲזוּבָה בְּקֶרֶב הָאָרֶץ׃ וְעוֹד בָּהּ
עֲשִׂרִיָּה וְשָׁבָה וְהָיְתָה לְבָעֵר כָּאֵלָה וְכָאַלּוֹן אֲשֶׁר בְּשַׁלֶּכֶת מַצֶּבֶת
בָּם זֶרַע קֹדֶשׁ מַצַּבְתָּהּ׃

ז א וַיְהִי בִּימֵי אָחָז בֶּן־יוֹתָם בֶּן־עֻזִּיָּהוּ מֶלֶךְ יְהוּדָה עָלָה רְצִין
מֶלֶךְ־אֲרָם וּפֶקַח בֶּן־רְמַלְיָהוּ מֶלֶךְ־יִשְׂרָאֵל יְרוּשָׁלַםִ לַמִּלְחָמָה
ב עָלֶיהָ וְלֹא יָכֹל לְהִלָּחֵם עָלֶיהָ׃ וַיֻּגַּד לְבֵית דָּוִד לֵאמֹר נָחָה אֲרָם
עַל־אֶפְרָיִם וַיָּנַע לְבָבוֹ וּלְבַב עַמּוֹ כְּנוֹעַ עֲצֵי־יַעַר מִפְּנֵי־
ג רוּחַ׃ וַיֹּאמֶר יְהוָה אֶל־יְשַׁעְיָהוּ צֵא־נָא לִקְרַאת אָחָז

הִתְגַּלּוּת כְּבוֹד הַשְּׁכִינָה לִישַׁעְיָהוּ: [3167]

פַּחַד אָחָז מֵרְצִין וּמִפֶּקַח:

נְבוּאָה לְאָחָז לְבַל יִירָא:

אַתָּה וּשְׁאָר יָשׁוּב בְּנֶךָ אֶל־קְצֵה תְּעָלַת הַבְּרֵכָה הָעֶלְיוֹנָה
ד אֶל־מְסִלַּת שְׂדֵה כוֹבֵס׃ וְאָמַרְתָּ אֵלָיו הִשָּׁמֵר וְהַשְׁקֵט אַל־תִּירָא
וּלְבָבְךָ אַל־יֵרַךְ מִשְּׁנֵי זַנְבוֹת הָאוּדִים הָעֲשֵׁנִים הָאֵלֶּה בָּחֳרִי־אַף
ה רְצִין וַאֲרָם וּבֶן־רְמַלְיָהוּ׃ יַעַן כִּי־יָעַץ עָלֶיךָ אֲרָם רָעָה אֶפְרַיִם
ו וּבֶן־רְמַלְיָהוּ לֵאמֹר׃ נַעֲלֶה בִיהוּדָה וּנְקִיצֶנָּה וְנַבְקִעֶנָּה אֵלֵינוּ
וְנַמְלִיךְ מֶלֶךְ בְּתוֹכָהּ אֵת בֶּן־טָבְאַל׃

ז ח כֹּה אָמַר אֲדֹנָי יֱהֹוִה לֹא תָקוּם וְלֹא תִהְיֶה׃ כִּי רֹאשׁ אֲרָם
דַּמֶּשֶׂק וְרֹאשׁ דַּמֶּשֶׂק רְצִין וּבְעוֹד שִׁשִּׁים וְחָמֵשׁ שָׁנָה יֵחַת
ט אֶפְרַיִם מֵעָם׃ וְרֹאשׁ אֶפְרַיִם שֹׁמְרוֹן וְרֹאשׁ שֹׁמְרוֹן בֶּן־רְמַלְיָהוּ
אִם לֹא תַאֲמִינוּ כִּי לֹא תֵאָמֵנוּ׃

הַבֵּן עִמָּנוּאֵל, אוֹת לְקִיּוּם דְּבַר ה׳:

י יא וַיּוֹסֶף יְהוָה דַּבֵּר אֶל־אָחָז לֵאמֹר׃ שְׁאַל־לְךָ אוֹת מֵעִם יְהוָה
יב אֱלֹהֶיךָ הַעְמֵק שְׁאָלָה אוֹ הַגְבֵּהַּ לְמָעְלָה׃ וַיֹּאמֶר אָחָז
יג לֹא־אֶשְׁאַל וְלֹא־אֲנַסֶּה אֶת־יְהוָה׃ וַיֹּאמֶר שִׁמְעוּ־נָא בֵּית דָּוִד
יד הַמְעַט מִכֶּם הַלְאוֹת אֲנָשִׁים כִּי תַלְאוּ גַּם אֶת־אֱלֹהָי׃ לָכֵן יִתֵּן
אֲדֹנָי הוּא לָכֶם אוֹת הִנֵּה הָעַלְמָה הָרָה וְיֹלֶדֶת בֵּן וְקָרָאת שְׁמוֹ
טו עִמָּנוּ אֵל׃ חֶמְאָה וּדְבַשׁ יֹאכֵל לְדַעְתּוֹ מָאוֹס בָּרָע וּבָחוֹר בַּטּוֹב׃
טז כִּי בְּטֶרֶם יֵדַע הַנַּעַר מָאֹס בָּרָע וּבָחֹר בַּטּוֹב תֵּעָזֵב הָאֲדָמָה
יז אֲשֶׁר אַתָּה קָץ מִפְּנֵי שְׁנֵי מְלָכֶיהָ׃ יָבִיא יְהוָה עָלֶיךָ וְעַל־עַמְּךָ
וְעַל־בֵּית אָבִיךָ יָמִים אֲשֶׁר לֹא־בָאוּ לְמִיּוֹם סוּר־אֶפְרַיִם מֵעַל
יְהוּדָה אֵת מֶלֶךְ אַשּׁוּר׃

נְבוּאָה עַל פְּלִישַׁת מֶלֶךְ אַשּׁוּר:

יח וְהָיָה ׀ בַּיּוֹם הַהוּא יִשְׁרֹק יְהוָה לַזְּבוּב אֲשֶׁר בִּקְצֵה יְאֹרֵי מִצְרָיִם
יט וְלַדְּבוֹרָה אֲשֶׁר בְּאֶרֶץ אַשּׁוּר׃ וּבָאוּ וְנָחוּ כֻלָּם בְּנַחֲלֵי הַבַּתּוֹת
כ וּבִנְקִיקֵי הַסְּלָעִים וּבְכֹל הַנַּעֲצוּצִים וּבְכֹל הַנַּהֲלֹלִים׃ בַּיּוֹם הַהוּא
יְגַלַּח אֲדֹנָי בְּתַעַר הַשְּׂכִירָה בְּעֶבְרֵי נָהָר בְּמֶלֶךְ אַשּׁוּר אֶת־
הָרֹאשׁ וְשַׂעַר הָרַגְלָיִם וְגַם אֶת־הַזָּקָן תִּסְפֶּה׃

כא כב וְהָיָה בַּיּוֹם הַהוּא יְחַיֶּה־אִישׁ עֶגְלַת בָּקָר וּשְׁתֵּי־צֹאן: וְהָיָה מֵרֹב
עֲשׂוֹת חָלָב יֹאכַל חֶמְאָה כִּי־חֶמְאָה וּדְבַשׁ יֹאכַל כָּל־הַנּוֹתָר
כג בְּקֶרֶב הָאָרֶץ: וְהָיָה בַּיּוֹם הַהוּא יִהְיֶה כָל־מָקוֹם
אֲשֶׁר יִהְיֶה־שָּׁם אֶלֶף גֶּפֶן בְּאֶלֶף כָּסֶף לַשָּׁמִיר וְלַשַּׁיִת יִהְיֶה:
כד בַּחִצִּים וּבַקֶּשֶׁת יָבוֹא שָׁמָּה כִּי־שָׁמִיר וָשַׁיִת תִּהְיֶה כָל־הָאָרֶץ:
כה וְכֹל הֶהָרִים אֲשֶׁר בַּמַּעְדֵּר יֵעָדֵרוּן לֹא־תָבוֹא שָׁמָּה יִרְאַת שָׁמִיר
וָשָׁיִת וְהָיָה לְמִשְׁלַח שׁוֹר וּלְמִרְמַס שֶׂה:

ח א וַיֹּאמֶר יְהוָה אֵלַי קַח־לְךָ גִּלָּיוֹן גָּדוֹל וּכְתֹב עָלָיו בְּחֶרֶט אֱנוֹשׁ
ב לְמַהֵר שָׁלָל חָשׁ בַּז: וְאָעִידָה לִּי עֵדִים נֶאֱמָנִים אֵת אוּרִיָּה הַכֹּהֵן
ג וְאֶת־זְכַרְיָהוּ בֶּן יְבֶרֶכְיָהוּ: וָאֶקְרַב אֶל־הַנְּבִיאָה וַתַּהַר וַתֵּלֶד
בֵּן וַיֹּאמֶר יְהוָה אֵלַי קְרָא שְׁמוֹ מַהֵר שָׁלָל חָשׁ בַּז:
ד כִּי בְּטֶרֶם יֵדַע הַנַּעַר קְרֹא אָבִי וְאִמִּי יִשָּׂא | אֶת־חֵיל דַּמֶּשֶׂק
ה וְאֵת שְׁלַל שֹׁמְרוֹן לִפְנֵי מֶלֶךְ אַשּׁוּר: וַיֹּסֶף יְהוָה דַּבֵּר
ו אֵלַי עוֹד לֵאמֹר: יַעַן כִּי מָאַס הָעָם הַזֶּה אֵת מֵי הַשִּׁלֹחַ
ז הַהֹלְכִים לְאַט וּמְשׂוֹשׂ אֶת־רְצִין וּבֶן־רְמַלְיָהוּ: וְלָכֵן הִנֵּה אֲדֹנָי
מַעֲלֶה עֲלֵיהֶם אֶת־מֵי הַנָּהָר הָעֲצוּמִים וְהָרַבִּים אֶת־מֶלֶךְ אַשּׁוּר
וְאֶת־כָּל־כְּבוֹדוֹ וְעָלָה עַל־כָּל־אֲפִיקָיו וְהָלַךְ עַל־כָּל־גְּדוֹתָיו:
ח וְחָלַף בִּיהוּדָה שָׁטַף וְעָבַר עַד־צַוָּאר יַגִּיעַ וְהָיָה מֻטּוֹת כְּנָפָיו
ט מְלֹא רֹחַב־אַרְצְךָ עִמָּנוּ אֵל: רֹעוּ עַמִּים וָחֹתּוּ וְהַאֲזִינוּ
י כֹּל מֶרְחַקֵּי־אָרֶץ הִתְאַזְּרוּ וָחֹתּוּ הִתְאַזְּרוּ וָחֹתּוּ: עֻצוּ עֵצָה וְתֻפָר
יא דַּבְּרוּ דָבָר וְלֹא יָקוּם כִּי עִמָּנוּ אֵל: כִּי כֹה אָמַר יְהוָה
אֵלַי כְּחֶזְקַת הַיָּד וְיִסְּרֵנִי מִלֶּכֶת בְּדֶרֶךְ הָעָם־הַזֶּה לֵאמֹר:
יב לֹא־תֹאמְרוּן קֶשֶׁר לְכֹל אֲשֶׁר־יֹאמַר הָעָם הַזֶּה קָשֶׁר וְאֶת־מוֹרָאוֹ
יג לֹא־תִירְאוּ וְלֹא תַעֲרִיצוּ: אֶת־יְהוָה צְבָאוֹת אֹתוֹ תַקְדִּישׁוּ וְהוּא
יד מוֹרַאֲכֶם וְהוּא מַעֲרִצְכֶם: וְהָיָה לְמִקְדָּשׁ וּלְאֶבֶן נֶגֶף וּלְצוּר

הָאוֹת לְחֻרְבַּן דַּמֶּשֶׂק וְשֹׁמְרוֹן:

נְבוּאָה לַמֹּאֲסִים בְּמַלְכוּת בֵּית דָּוִד:

עֹנֶשׁ הַקּוֹשְׁרִים:

מִכְשׁוֹל לִשְׁנֵי בָתֵּי יִשְׂרָאֵל לְפַח וּלְמוֹקֵשׁ לְיוֹשֵׁב יְרוּשָׁלִָם:
וְכָשְׁלוּ בָם רַבִּים וְנָפְלוּ וְנִשְׁבָּרוּ וְנוֹקְשׁוּ וְנִלְכָּדוּ: טו

צְפִיָּה לְהִתְגַּשְּׁמוּת רְצוֹן ה׳:

צוֹר תְּעוּדָה חֲתוֹם תּוֹרָה בְּלִמֻּדָי: וְחִכִּיתִי לַיהוָה הַמַּסְתִּיר פָּנָיו טז יז
מִבֵּית יַעֲקֹב וְקִוֵּיתִי־לוֹ: הִנֵּה אָנֹכִי וְהַיְלָדִים אֲשֶׁר נָתַן־לִי יְהוָה יח
לְאֹתוֹת וּלְמוֹפְתִים בְּיִשְׂרָאֵל מֵעִם יְהוָה צְבָאוֹת הַשֹּׁכֵן בְּהַר

הַתְּשׁוּבָה לְדוֹרְשֵׁי עֲבוֹדָה זָרָה:

צִיּוֹן: וְכִי־יֹאמְרוּ אֲלֵיכֶם דִּרְשׁוּ אֶל־הָאֹבוֹת וְאֶל־ יט
הַיִּדְּעֹנִים הַמְצַפְצְפִים וְהַמַּהְגִּים הֲלוֹא־עַם אֶל־אֱלֹהָיו יִדְרֹשׁ
בְּעַד הַחַיִּים אֶל־הַמֵּתִים: לְתוֹרָה וְלִתְעוּדָה אִם־לֹא יֹאמְרוּ כ
כַּדָּבָר הַזֶּה אֲשֶׁר אֵין־לוֹ שָׁחַר: וְעָבַר בָּהּ נִקְשֶׁה וְרָעֵב וְהָיָה כא
כִי־יִרְעַב וְהִתְקַצַּף וְקִלֵּל בְּמַלְכּוֹ וּבֵאלֹהָיו וּפָנָה לְמָעְלָה: וְאֶל־ כב
אֶרֶץ יַבִּיט וְהִנֵּה צָרָה וַחֲשֵׁכָה מְעוּף צוּקָה וַאֲפֵלָה מְנֻדָּח: כִּי כג
לֹא מוּעָף לַאֲשֶׁר מוּצָק לָהּ כָּעֵת הָרִאשׁוֹן הֵקַל אַרְצָה זְבֻלוּן
וְאַרְצָה נַפְתָּלִי וְהָאַחֲרוֹן הִכְבִּיד דֶּרֶךְ הַיָּם עֵבֶר הַיַּרְדֵּן גְּלִיל

הַשִּׂמְחָה בְּמַפֶּלֶת סַנְחֵרִיב וּבְכִנּוּן בֵּית דָּוִד:

הַגּוֹיִם: הָעָם הַהֹלְכִים בַּחֹשֶׁךְ רָאוּ אוֹר גָּדוֹל יֹשְׁבֵי בְּאֶרֶץ ט א
צַלְמָוֶת אוֹר נָגַהּ עֲלֵיהֶם: הִרְבִּיתָ הַגּוֹי לא לוֹ הִגְדַּלְתָּ הַשִּׂמְחָה ב
שָׂמְחוּ לְפָנֶיךָ כְּשִׂמְחַת בַּקָּצִיר כַּאֲשֶׁר יָגִילוּ בְּחַלְּקָם שָׁלָל: כִּי ג
אֶת־עֹל סֻבֳּלוֹ וְאֵת מַטֵּה שִׁכְמוֹ שֵׁבֶט הַנֹּגֵשׂ בּוֹ הַחִתֹּתָ כְּיוֹם
מִדְיָן: כִּי כָל־סְאוֹן סֹאֵן בְּרַעַשׁ וְשִׂמְלָה מְגוֹלָלָה בְדָמִים וְהָיְתָה ד
לִשְׂרֵפָה מַאֲכֹלֶת אֵשׁ: כִּי־יֶלֶד יֻלַּד־לָנוּ בֵּן נִתַּן־לָנוּ וַתְּהִי הַמִּשְׂרָה ה
עַל־שִׁכְמוֹ וַיִּקְרָא שְׁמוֹ פֶּלֶא יוֹעֵץ אֵל גִּבּוֹר אֲבִי־עַד שַׂר־
שָׁלוֹם: לם רבה לְמַרְבֵּה הַמִּשְׂרָה וּלְשָׁלוֹם אֵין־קֵץ עַל־כִּסֵּא דָוִד ו
וְעַל־מַמְלַכְתּוֹ לְהָכִין אֹתָהּ וּלְסַעֲדָהּ בְּמִשְׁפָּט וּבִצְדָקָה
מֵעַתָּה וְעַד־עוֹלָם קִנְאַת יְהוָה צְבָאוֹת תַּעֲשֶׂה־זֹּאת:

עֹנֶשׁ יִשְׂרָאֵל עַל בִּטְחוֹנָם בְּאָרָם:

דָּבָר שָׁלַח אֲדֹנָי בְּיַעֲקֹב וְנָפַל בְּיִשְׂרָאֵל: וְיָדְעוּ הָעָם כֻּלּוֹ ז ח
אֶפְרַיִם וְיוֹשֵׁב שֹׁמְרוֹן בְּגַאֲוָה וּבְגֹדֶל לֵבָב לֵאמֹר: לְבֵנִים נָפָלוּ ט

י וְגָזִית נִבְנֶה שִׁקְמִים גֻּדָּעוּ וַאֲרָזִים נַחֲלִיף: וַיְשַׂגֵּב יְהוָה אֶת־צָרֵי
יא רְצִין עָלָיו וְאֶת־אֹיְבָיו יְסַכְסֵךְ: אֲרָם מִקֶּדֶם וּפְלִשְׁתִּים מֵאָחוֹר
וַיֹּאכְלוּ אֶת־יִשְׂרָאֵל בְּכָל־פֶּה בְּכָל־זֹאת לֹא־שָׁב אַפּוֹ וְעוֹד יָדוֹ
יב נְטוּיָה: וְהָעָם לֹא־שָׁב עַד־הַמַּכֵּהוּ וְאֶת־יְהוָה צְבָאוֹת לֹא
יג דָרָשׁוּ: וַיַּכְרֵת יְהוָה מִיִּשְׂרָאֵל רֹאשׁ
עֹנֶשׁ מַנְהִיגֵי מַמְלֶכֶת יִשְׂרָאֵל:
יד וְזָנָב כִּפָּה וְאַגְמוֹן יוֹם אֶחָד: זָקֵן וּנְשׂוּא־פָנִים הוּא הָרֹאשׁ וְנָבִיא
טו מוֹרֶה־שֶּׁקֶר הוּא הַזָּנָב: וַיִּהְיוּ מְאַשְּׁרֵי הָעָם־הַזֶּה מַתְעִים
טז וּמְאֻשָּׁרָיו מְבֻלָּעִים: עַל־כֵּן עַל־בַּחוּרָיו לֹא־יִשְׂמַח ׀ אֲדֹנָי
וְאֶת־יְתֹמָיו וְאֶת־אַלְמְנֹתָיו לֹא יְרַחֵם כִּי כֻלּוֹ חָנֵף וּמֵרַע
וְכָל־פֶּה דֹּבֵר נְבָלָה בְּכָל־זֹאת לֹא־שָׁב אַפּוֹ וְעוֹד יָדוֹ נְטוּיָה:
יז כִּי־בָעֲרָה כָאֵשׁ רִשְׁעָה שָׁמִיר וָשַׁיִת תֹּאכֵל וַתִּצַּת בְּסִבְכֵי הַיַּעַר
יח וַיִּתְאַבְּכוּ גֵּאוּת עָשָׁן: בְּעֶבְרַת יְהוָה צְבָאוֹת נֶעְתַּם אָרֶץ וַיְהִי
יט הָעָם כְּמַאֲכֹלֶת אֵשׁ אִישׁ אֶל־אָחִיו לֹא יַחְמֹלוּ: וַיִּגְזֹר עַל־יָמִין
וְרָעֵב וַיֹּאכַל עַל־שְׂמֹאול וְלֹא שָׂבֵעוּ אִישׁ בְּשַׂר־זְרֹעוֹ יֹאכֵלוּ:
כ מְנַשֶּׁה אֶת־אֶפְרַיִם וְאֶפְרַיִם אֶת־מְנַשֶּׁה יַחְדָּו הֵמָּה עַל־יְהוּדָה
י א בְּכָל־זֹאת לֹא־שָׁב אַפּוֹ וְעוֹד יָדוֹ נְטוּיָה: הוֹי הַחֹקְקִים
עֹנֶשׁ עִוּוּת הַדִּין:
ב חִקְקֵי־אָוֶן וּמְכַתְּבִים עָמָל כִּתֵּבוּ: לְהַטּוֹת מִדִּין דַּלִּים וְלִגְזֹל
מִשְׁפַּט עֲנִיֵּי עַמִּי לִהְיוֹת אַלְמָנוֹת שְׁלָלָם וְאֶת־יְתוֹמִים יָבֹזּוּ:
ג וּמַה־תַּעֲשׂוּ לְיוֹם פְּקֻדָּה וּלְשׁוֹאָה מִמֶּרְחָק תָּבוֹא עַל־מִי תָּנוּסוּ
ד לְעֶזְרָה וְאָנָה תַעַזְבוּ כְּבוֹדְכֶם: בִּלְתִּי כָרַע תַּחַת אַסִּיר וְתַחַת
הֲרוּגִים יִפֹּלוּ בְּכָל־זֹאת לֹא־שָׁב אַפּוֹ וְעוֹד יָדוֹ נְטוּיָה:
נְבוּאָה עַל אַשּׁוּר:
ה ו הוֹי אַשּׁוּר שֵׁבֶט אַפִּי וּמַטֶּה־הוּא בְיָדָם זַעְמִי: בְּגוֹי חָנֵף אֲשַׁלְּחֶנּוּ
וְעַל־עַם עֶבְרָתִי אֲצַוֶּנּוּ לִשְׁלֹל שָׁלָל וְלָבֹז בַּז ולשימו וּלְשׂוּמוֹ
ז מִרְמָס כְּחֹמֶר חוּצוֹת: וְהוּא לֹא־כֵן יְדַמֶּה וּלְבָבוֹ לֹא־כֵן יַחְשֹׁב
ח כִּי לְהַשְׁמִיד בִּלְבָבוֹ וּלְהַכְרִית גּוֹיִם לֹא מְעָט: כִּי יֹאמַר הֲלֹא

ט שָׂרַי יַחְדָּו מְלָכִים׃ הֲלֹא כְּכַרְכְּמִישׁ כַּלְנוֹ אִם־לֹא כְאַרְפַּד חֲמָת
י אִם־לֹא כְדַמֶּשֶׂק שֹׁמְרוֹן׃ כַּאֲשֶׁר מָצְאָה יָדִי לְמַמְלְכֹת הָאֱלִיל
יא וּפְסִילֵיהֶם מִירוּשָׁלִַם וּמִשֹּׁמְרוֹן׃ הֲלֹא כַּאֲשֶׁר עָשִׂיתִי לְשֹׁמְרוֹן
וְלֶאֱלִילֶיהָ כֵּן אֶעֱשֶׂה לִירוּשָׁלִַם וְלַעֲצַבֶּיהָ׃
יב וְהָיָה כִּי־יְבַצַּע אֲדֹנָי אֶת־כָּל־מַעֲשֵׂהוּ בְּהַר צִיּוֹן וּבִירוּשָׁלִָם
אֶפְקֹד עַל־פְּרִי־גֹדֶל לְבַב מֶלֶךְ־אַשּׁוּר וְעַל־תִּפְאֶרֶת רוּם עֵינָיו׃
עֹנֶשׁ אַשּׁוּר עַל גַּאֲוָתוֹ:
יג כִּי אָמַר בְּכֹחַ יָדִי עָשִׂיתִי וּבְחָכְמָתִי כִּי נְבֻנוֹתִי וְאָסִיר ׀ גְּבוּלֹת
עַמִּים ועתידתיהם וַעֲתוּדֹתֵיהֶם שׁוֹשֵׂתִי וְאוֹרִיד כַּאבִּיר יוֹשְׁבִים׃
יד וַתִּמְצָא כַקֵּן ׀ יָדִי לְחֵיל הָעַמִּים וְכֶאֱסֹף בֵּיצִים עֲזֻבוֹת
כָּל־הָאָרֶץ אֲנִי אָסָפְתִּי וְלֹא הָיָה נֹדֵד כָּנָף וּפֹצֶה פֶה וּמְצַפְצֵף׃
טו הֲיִתְפָּאֵר הַגַּרְזֶן עַל הַחֹצֵב בּוֹ אִם־יִתְגַּדֵּל הַמַּשּׂוֹר עַל־מְנִיפוֹ
כְּהָנִיף שֵׁבֶט וְאֶת־מְרִימָיו כְּהָרִים מַטֶּה לֹא־עֵץ׃
טז לָכֵן יְשַׁלַּח הָאָדוֹן יְהוָה צְבָאוֹת בְּמִשְׁמַנָּיו רָזוֹן וְתַחַת כְּבֹדוֹ יֵקַד
יז יְקֹד כִּיקוֹד אֵשׁ׃ וְהָיָה אוֹר־יִשְׂרָאֵל לְאֵשׁ וּקְדוֹשׁוֹ לְלֶהָבָה
יח וּבָעֲרָה וְאָכְלָה שִׁיתוֹ וּשְׁמִירוֹ בְּיוֹם אֶחָד׃ וּכְבוֹד יַעְרוֹ וְכַרְמִלּוֹ
יט מִנֶּפֶשׁ וְעַד־בָּשָׂר יְכַלֶּה וְהָיָה כִּמְסֹס נֹסֵס׃ וּשְׁאָר עֵץ יַעְרוֹ
כ מִסְפָּר יִהְיוּ וְנַעַר יִכְתְּבֵם׃ וְהָיָה ׀ בַּיּוֹם הַהוּא לֹא־
יוֹסִיף עוֹד שְׁאָר יִשְׂרָאֵל וּפְלֵיטַת בֵּית־יַעֲקֹב לְהִשָּׁעֵן עַל־מַכֵּהוּ
יָשׁוּבוּ אֶל ה׳ וִירַחֲמוּ:
כא וְנִשְׁעַן עַל־יְהוָה קְדוֹשׁ יִשְׂרָאֵל בֶּאֱמֶת׃ שְׁאָר יָשׁוּב שְׁאָר יַעֲקֹב
כב אֶל־אֵל גִּבּוֹר׃ כִּי אִם־יִהְיֶה עַמְּךָ יִשְׂרָאֵל כְּחוֹל הַיָּם שְׁאָר
כג יָשׁוּב בּוֹ כִּלָּיוֹן חָרוּץ שׁוֹטֵף צְדָקָה׃ כִּי כָלָה וְנֶחֱרָצָה אֲדֹנָי יֱהֹוִה
צְבָאוֹת עֹשֶׂה בְּקֶרֶב כָּל־הָאָרֶץ׃
הַרְגָּעָה לְצִיּוֹן מִשֵּׁבֶט אַשּׁוּר:
כד לָכֵן כֹּה־אָמַר אֲדֹנָי יֱהֹוִה צְבָאוֹת אַל־תִּירָא עַמִּי יֹשֵׁב צִיּוֹן
כה מֵאַשּׁוּר בַּשֵּׁבֶט יַכֶּכָּה וּמַטֵּהוּ יִשָּׂא־עָלֶיךָ בְּדֶרֶךְ מִצְרָיִם׃ כִּי־עוֹד
כו מְעַט מִזְעָר וְכָלָה זַעַם וְאַפִּי עַל־תַּבְלִיתָם׃ וְעוֹרֵר עָלָיו יְהוָה

צְבָאוֹת שׁוֹט כְּמַכַּת מִדְיָן בְּצוּר עוֹרֵב וּמַטֵּהוּ עַל־הַיָּם וּנְשָׂאוֹ
כז בְּדֶרֶךְ מִצְרָיִם: וְהָיָה | בַּיּוֹם הַהוּא יָסוּר סֻבֳּלוֹ מֵעַל שִׁכְמֶךָ
כח וְעֻלּוֹ מֵעַל צַוָּארֶךָ וְחֻבַּל עֹל מִפְּנֵי־שָׁמֶן: בָּא עַל־עַיַּת עָבַר
כט בְּמִגְרוֹן לְמִכְמָשׂ יַפְקִיד כֵּלָיו: עָבְרוּ מַעְבָּרָה גֶּבַע מָלוֹן
ל לָנוּ חָרְדָה הָרָמָה גִּבְעַת שָׁאוּל נָסָה: צַהֲלִי קוֹלֵךְ בַּת־גַּלִּים
לא הַקְשִׁיבִי לַיְשָׁה עֲנִיָּה עֲנָתוֹת: נָדְדָה מַדְמֵנָה יֹשְׁבֵי הַגֵּבִים הֵעִיזוּ:
לב עוֹד הַיּוֹם בְּנֹב לַעֲמֹד יְנֹפֵף יָדוֹ הַר בית בַּת־צִיּוֹן גִּבְעַת
יְרוּשָׁלָם:
לג הִנֵּה הָאָדוֹן יְהוָה צְבָאוֹת מְסָעֵף פֻּארָה בְּמַעֲרָצָה וְרָמֵי הַקּוֹמָה כִּלְיוֹן צְבָא אַשּׁוּר:
לד גְּדוּעִים וְהַגְּבֹהִים יִשְׁפָּלוּ: וְנִקַּף סִבְכֵי הַיַּעַר בַּבַּרְזֶל וְהַלְּבָנוֹן
יא א בְּאַדִּיר יִפּוֹל: וְיָצָא חֹטֶר מִגֵּזַע יִשָׁי וְנֵצֶר מִשָּׁרָשָׁיו נְבוּאָה לִימוֹת הַמָּשִׁיחַ:
ב יִפְרֶה: וְנָחָה עָלָיו רוּחַ יְהוָה רוּחַ חָכְמָה וּבִינָה רוּחַ עֵצָה
ג וּגְבוּרָה רוּחַ דַּעַת וְיִרְאַת יְהוָה: וַהֲרִיחוֹ בְּיִרְאַת יְהוָה וְלֹא־
ד לְמַרְאֵה עֵינָיו יִשְׁפּוֹט וְלֹא־לְמִשְׁמַע אָזְנָיו יוֹכִיחַ: וְשָׁפַט בְּצֶדֶק
דַּלִּים וְהוֹכִיחַ בְּמִישׁוֹר לְעַנְוֵי־אָרֶץ וְהִכָּה־אֶרֶץ בְּשֵׁבֶט פִּיו
ה וּבְרוּחַ שְׂפָתָיו יָמִית רָשָׁע: וְהָיָה צֶדֶק אֵזוֹר מָתְנָיו וְהָאֱמוּנָה
ו אֵזוֹר חֲלָצָיו: וְגָר זְאֵב עִם־כֶּבֶשׂ וְנָמֵר עִם־גְּדִי יִרְבָּץ וְעֵגֶל
ז וּכְפִיר וּמְרִיא יַחְדָּו וְנַעַר קָטֹן נֹהֵג בָּם: וּפָרָה וָדֹב תִּרְעֶינָה
ח יַחְדָּו יִרְבְּצוּ יַלְדֵיהֶן וְאַרְיֵה כַּבָּקָר יֹאכַל־תֶּבֶן: וְשִׁעֲשַׁע יוֹנֵק
ט עַל־חֻר פָּתֶן וְעַל מְאוּרַת צִפְעוֹנִי גָּמוּל יָדוֹ הָדָה: לֹא־יָרֵעוּ
וְלֹא־יַשְׁחִיתוּ בְּכָל־הַר קָדְשִׁי כִּי־מָלְאָה הָאָרֶץ דֵּעָה אֶת־יְהוָה
י כַּמַּיִם לַיָּם מְכַסִּים: וְהָיָה בַּיּוֹם הַהוּא שֹׁרֶשׁ יִשַׁי אֲשֶׁר
עֹמֵד לְנֵס עַמִּים אֵלָיו גּוֹיִם יִדְרֹשׁוּ וְהָיְתָה מְנֻחָתוֹ כָּבוֹד:
יא וְהָיָה | בַּיּוֹם הַהוּא יוֹסִיף אֲדֹנָי | שֵׁנִית יָדוֹ לִקְנוֹת אֶת־שְׁאָר נִסֵּי קִבּוּץ גָּלֻיּוֹת:
עַמּוֹ אֲשֶׁר יִשָּׁאֵר מֵאַשּׁוּר וּמִמִּצְרַיִם וּמִפַּתְרוֹס וּמִכּוּשׁ וּמֵעֵילָם

יב וּמִשִּׁנְעָר וּמֵחֲמָת וּמֵאִיֵּי הַיָּם: וְנָשָׂא נֵס לַגּוֹיִם וְאָסַף נִדְחֵי
יג יִשְׂרָאֵל וּנְפֻצוֹת יְהוּדָה יְקַבֵּץ מֵאַרְבַּע כַּנְפוֹת הָאָרֶץ: וְסָרָה
קִנְאַת אֶפְרַיִם וְצֹרְרֵי יְהוּדָה יִכָּרֵתוּ אֶפְרַיִם לֹא־יְקַנֵּא אֶת־יְהוּדָה
יד וִיהוּדָה לֹא־יָצֹר אֶת־אֶפְרָיִם: וְעָפוּ בְכָתֵף פְּלִשְׁתִּים יָמָּה יַחְדָּו
יָבֹזּוּ אֶת־בְּנֵי־קֶדֶם אֱדוֹם וּמוֹאָב מִשְׁלוֹח יָדָם וּבְנֵי עַמּוֹן
טו מִשְׁמַעְתָּם: וְהֶחֱרִים יְהוָה אֵת לְשׁוֹן יָם־מִצְרַיִם וְהֵנִיף יָדוֹ
עַל־הַנָּהָר בַּעְיָם רוּחוֹ וְהִכָּהוּ לְשִׁבְעָה נְחָלִים וְהִדְרִיךְ בַּנְּעָלִים:
טז וְהָיְתָה מְסִלָּה לִשְׁאָר עַמּוֹ אֲשֶׁר יִשָּׁאֵר מֵאַשּׁוּר כַּאֲשֶׁר הָיְתָה
שִׁיר גְּאֻלָּה:
יב א לְיִשְׂרָאֵל בְּיוֹם עֲלֹתוֹ מֵאֶרֶץ מִצְרָיִם: וְאָמַרְתָּ בַּיּוֹם הַהוּא אוֹדְךָ
ב יְהוָה כִּי אָנַפְתָּ בִּי יָשֹׁב אַפְּךָ וּתְנַחֲמֵנִי: הִנֵּה אֵל יְשׁוּעָתִי אֶבְטַח
וְלֹא אֶפְחָד כִּי־עָזִּי וְזִמְרָת יָהּ יְהוָה וַיְהִי־לִי לִישׁוּעָה:
ג ד וּשְׁאַבְתֶּם־מַיִם בְּשָׂשׂוֹן מִמַּעַיְנֵי הַיְשׁוּעָה: וַאֲמַרְתֶּם בַּיּוֹם הַהוּא
הוֹדוּ לַיהוָה קִרְאוּ בִשְׁמוֹ הוֹדִיעוּ בָעַמִּים עֲלִילֹתָיו הַזְכִּירוּ כִּי
ה נִשְׂגָּב שְׁמוֹ: זַמְּרוּ יְהוָה כִּי גֵאוּת עָשָׂה מידעת מוּדַעַת זֹאת
ו בְּכָל־הָאָרֶץ: צַהֲלִי וָרֹנִּי יוֹשֶׁבֶת צִיּוֹן כִּי־גָדוֹל בְּקִרְבֵּךְ קְדוֹשׁ
נְבוּאָה עַל בָּבֶל:
יג א יִשְׂרָאֵל: מַשָּׂא בָּבֶל אֲשֶׁר חָזָה
ב יְשַׁעְיָהוּ בֶּן־אָמוֹץ: עַל הַר־נִשְׁפֶּה שְׂאוּ־נֵס הָרִימוּ קוֹל לָהֶם
ג הָנִיפוּ יָד וְיָבֹאוּ פִּתְחֵי נְדִיבִים: אֲנִי צִוֵּיתִי לִמְקֻדָּשָׁי גַּם קָרָאתִי
ד גִבּוֹרַי לְאַפִּי עַלִּיזֵי גַּאֲוָתִי: קוֹל הָמוֹן בֶּהָרִים דְּמוּת עַם־רָב
קוֹל שְׁאוֹן מַמְלְכוֹת גּוֹיִם נֶאֱסָפִים יְהוָה צְבָאוֹת מְפַקֵּד צְבָא
ה מִלְחָמָה: בָּאִים מֵאֶרֶץ מֶרְחָק מִקְצֵה הַשָּׁמָיִם יְהוָה וּכְלֵי זַעְמוֹ
ו לְחַבֵּל כָּל־הָאָרֶץ: הֵילִילוּ כִּי קָרוֹב יוֹם יְהוָה כְּשֹׁד
ז מִשַּׁדַּי יָבוֹא: עַל־כֵּן כָּל־יָדַיִם תִּרְפֶּינָה וְכָל־לְבַב אֱנוֹשׁ יִמָּס:
ח וְנִבְהָלוּ | צִירִים וַחֲבָלִים יֹאחֵזוּן כַּיּוֹלֵדָה יְחִילוּן אִישׁ אֶל־רֵעֵהוּ
ט יִתְמָהוּ פְּנֵי לְהָבִים פְּנֵיהֶם: הִנֵּה יוֹם־יְהוָה בָּא אַכְזָרִי וְעֶבְרָה

וַחֲרוֹן אַף לָשׂוּם הָאָ֫רֶץ לְשַׁמָּ֔ה וְחַטָּאֶ֖יהָ יַשְׁמִ֣יד מִמֶּ֑נָּה כִּי־ י
כוֹכְבֵ֣י הַשָּׁמַ֗יִם וּכְסִ֣ילֵיהֶם֙ לֹ֤א יָהֵ֙לּוּ֙ אוֹרָ֔ם חָשַׁ֤ךְ הַשֶּׁ֙מֶשׁ֙ בְּצֵאת֔וֹ

וְיָרֵ֖חַ לֹא־יַגִּ֥יהַ אוֹרֽוֹ׃ וּפָקַדְתִּ֤י עַל־תֵּבֵל֙ רָעָ֔ה וְעַל־רְשָׁעִ֖ים יא
עֲוֺנָ֑ם וְהִשְׁבַּתִּי֙ גְּא֣וֹן זֵדִ֔ים וְגַאֲוַ֥ת עָרִיצִ֖ים אַשְׁפִּֽיל׃ אוֹקִ֥יר אֱנ֖וֹשׁ

מִפָּ֑ז וְאָדָ֖ם מִכֶּ֥תֶם אוֹפִֽיר׃ עַל־כֵּן֙ שָׁמַ֣יִם אַרְגִּ֔יז וְתִרְעַ֥שׁ הָאָ֖רֶץ יג

מִמְּקוֹמָ֑הּ בְּעֶבְרַת֙ יְהֹוָ֣ה צְבָא֔וֹת וּבְי֖וֹם חֲר֣וֹן אַפּֽוֹ׃ וְהָיָה֙ כִּצְבִ֣י יד
מֻדָּ֔ח וּכְצֹ֖אן וְאֵ֣ין מְקַבֵּ֑ץ אִ֤ישׁ אֶל־עַמּוֹ֙ יִפְנ֔וּ וְאִ֥ישׁ אֶל־אַרְצ֖וֹ

יָנֽוּסוּ׃ כָּל־הַנִּמְצָ֖א יִדָּקֵ֑ר וְכָל־הַנִּסְפֶּ֖ה יִפּ֥וֹל בֶּחָֽרֶב׃ וְעֹלְלֵיהֶ֤ם טו
יְרֻטְּשׁוּ֙ לְעֵ֣ינֵיהֶ֔ם יִשַּׁ֙סּוּ֙ בָּ֣תֵּיהֶ֔ם וּנְשֵׁיהֶ֖ם תשגלנה תִּשָּׁכַֽבְנָה׃ הִנְנִ֤י טז
מֵעִ֤יר עֲלֵיהֶם֙ אֶת־מָדַ֔י אֲשֶׁר־כֶּ֖סֶף לֹ֣א יַחְשֹׁ֑בוּ וְזָהָ֖ב לֹ֥א יַחְפְּצוּ־בֽוֹ׃

וּקְשָׁת֖וֹת נְעָרִ֣ים תְּרַטַּ֑שְׁנָה וּפְרִי־בֶ֙טֶן֙ לֹ֣א יְרַחֵ֔מוּ עַל־בָּנִ֖ים לֹא־ יז
תָח֥וּס עֵינָֽם׃ וְהָיְתָ֤ה בָבֶל֙ צְבִ֣י מַמְלָכ֔וֹת תִּפְאֶ֖רֶת גְּא֣וֹן כַּשְׂדִּ֑ים יט

כְּמַהְפֵּכַ֣ת אֱלֹהִ֔ים אֶת־סְדֹ֖ם וְאֶת־עֲמֹרָֽה׃ לֹא־תֵשֵׁ֣ב לָנֶ֔צַח וְלֹ֥א כ
תִשְׁכֹּ֖ן עַד־דּ֣וֹר וָד֑וֹר וְלֹֽא־יַהֵ֥ל שָׁם֙ עֲרָבִ֔י וְרֹעִ֖ים לֹא־יַרְבִּ֥צוּ שָֽׁם׃

וְרָבְצוּ־שָׁ֣ם צִיִּ֔ים וּמָלְא֥וּ בָתֵּיהֶ֖ם אֹחִ֑ים וְשָׁ֤כְנוּ שָׁם֙ בְּנ֣וֹת יַֽעֲנָ֔ה כא
וּשְׂעִירִ֖ים יְרַקְּדוּ־שָֽׁם׃ וְעָנָ֤ה אִיִּים֙ בְּאַלְמְנוֹתָ֔יו וְתַנִּ֖ים בְּהֵ֣יכְלֵי עֹ֑נֶג כב

וְקָר֤וֹב לָבוֹא֙ עִתָּ֔הּ וְיָמֶ֖יהָ לֹ֣א יִמָּשֵׁ֑כוּ כִּֽי־יְרַחֵ֤ם יְהֹוָה֙ אֶֽת־יַעֲקֹ֔ב יד א
וּבָחַ֥ר עוֹד֙ בְּיִשְׂרָאֵ֔ל וְהִנִּיחָ֖ם עַל־אַדְמָתָ֑ם וְנִלְוָ֤ה הַגֵּר֙ עֲלֵיהֶ֔ם

וְנִסְפְּח֖וּ עַל־בֵּ֣ית יַעֲקֹֽב׃ וּלְקָח֣וּם עַמִּים֮ וֶהֱבִיא֒וּם֒ אֶל־מְקוֹמָ֒ם ב
וְהִֽתְנַחֲל֣וּם בֵּֽית־יִשְׂרָאֵ֗ל עַ֚ל אַדְמַ֣ת יְהֹוָ֔ה לַעֲבָדִ֖ים וְלִשְׁפָח֑וֹת וְהָי֙וּ

נְבוּאָה עַל מֹות נְבוּכַדְנֶצַּר

שֹׁבִים֙ לְשֹׁ֣בֵיהֶ֔ם וְרָד֖וּ בְּנֹגְשֵׂיהֶֽם׃ וְהָיָ֗ה בְּי֨וֹם הָנִ֤יחַ ג
יְהֹוָה֙ לְךָ֣ מֵעָצְבְּךָ֔ וּמֵרׇגְזֶ֑ךָ וּמִן־הָעֲבֹדָ֥ה הַקָּשָׁ֖ה אֲשֶׁ֥ר עֻבַּד־בָּֽךְ׃

וְנָשָׂ֜אתָ הַמָּשָׁ֥ל הַזֶּ֛ה עַל־מֶ֥לֶךְ בָּבֶ֖ל וְאָמָ֑רְתָּ אֵ֚יךְ שָׁבַ֣ת נֹגֵ֔שׂ שָׁבְתָ֖ה ד
מַדְהֵבָֽה׃ שָׁבַ֤ר יְהֹוָה֙ מַטֵּ֣ה רְשָׁעִ֔ים שֵׁ֖בֶט מֹשְׁלִֽים׃ מַכֶּ֤ה עַמִּים֙ ה
בְּעֶבְרָ֔ה מַכַּ֖ת בִּלְתִּ֣י סָרָ֑ה רֹדֶ֤ה בָאַף֙ גּוֹיִ֔ם מֻרְדָּ֖ף בְּלִ֥י חָשָֽׂךְ׃

ז ח נָ֥חָה שָׁקְטָ֖ה כָּל־הָאָ֑רֶץ פָּצְח֖וּ רִנָּֽה׃ גַּם־בְּרוֹשִׁ֛ים שָׂמְח֥וּ לְךָ֖ אַרְזֵ֣י
ט לְבָנ֑וֹן מֵאָ֣ז שָׁכַ֔בְתָּ לֹֽא־יַעֲלֶ֥ה הַכֹּרֵ֖ת עָלֵֽינוּ׃ שְׁא֗וֹל מִתַּ֛חַת רָ֥גְזָה
לְךָ֖ לִקְרַ֣את בּוֹאֶ֑ךָ עוֹרֵ֨ר לְךָ֤ רְפָאִים֙ כָּל־עַתּ֣וּדֵי אֶ֔רֶץ הֵקִים֙
י מִכִּסְאוֹתָ֔ם כֹּ֖ל מַלְכֵ֥י גוֹיִֽם׃ כֻּלָּ֣ם יַעֲנ֔וּ וְיֹאמְר֖וּ אֵלֶ֑יךָ גַּם־אַתָּ֧ה
יא חֻלֵּ֛יתָ כָמ֖וֹנוּ אֵלֵ֥ינוּ נִמְשָֽׁלְתָּ׃ הוּרַ֥ד שְׁא֛וֹל גְּאוֹנֶ֖ךָ הֶמְיַ֣ת נְבָלֶ֑יךָ
יב תַּחְתֶּ֙יךָ֙ יֻצַּ֣ע רִמָּ֔ה וּמְכַסֶּ֖יךָ תּוֹלֵעָֽה׃ אֵ֛יךְ נָפַ֥לְתָּ מִשָּׁמַ֖יִם הֵילֵ֣ל
יג בֶּן־שָׁ֑חַר נִגְדַּ֣עְתָּ לָאָ֔רֶץ חוֹלֵ֖שׁ עַל־גּוֹיִֽם׃ וְאַתָּ֞ה אָמַ֣רְתָּ בִֽלְבָבְךָ֗
הַשָּׁמַ֣יִם אֶֽעֱלֶ֔ה מִמַּ֥עַל לְכֽוֹכְבֵי־אֵ֖ל אָרִ֣ים כִּסְאִ֑י וְאֵשֵׁ֥ב בְּהַר־
יד טו מוֹעֵ֖ד בְּיַרְכְּתֵ֥י צָפֽוֹן׃ אֶֽעֱלֶ֖ה עַל־בָּ֣מֳתֵי עָ֑ב אֶדַּמֶּ֖ה לְעֶלְיֽוֹן׃ אַ֧ךְ
טז אֶל־שְׁא֛וֹל תּוּרָ֖ד אֶל־יַרְכְּתֵי־בֽוֹר׃ רֹאֶ֙יךָ֙ אֵלֶ֣יךָ יַשְׁגִּ֔יחוּ אֵלֶ֖יךָ
יז יִתְבּוֹנָ֑נוּ הֲזֶ֤ה הָאִישׁ֙ מַרְגִּ֣יז הָאָ֔רֶץ מַרְעִ֖ישׁ מַמְלָכֽוֹת׃ שָׂ֥ם תֵּבֵ֛ל
יח כַּמִּדְבָּ֖ר וְעָרָ֣יו הָרָ֑ס אֲסִירָ֖יו לֹא־פָ֥תַח בָּֽיְתָה׃ כָּל־מַלְכֵ֥י גוֹיִ֖ם
יט כֻּלָּ֑ם שָׁכְב֥וּ בְכָב֖וֹד אִ֥ישׁ בְּבֵיתֽוֹ׃ וְאַתָּ֞ה הָשְׁלַ֤כְתָּ מִֽקִּבְרְךָ֙ כְּנֵ֣צֶר
נִתְעָ֔ב לְב֥וּשׁ הֲרֻגִ֖ים מְטֹ֣עֲנֵי חָ֑רֶב יוֹרְדֵ֥י אֶל־אַבְנֵי־ב֖וֹר כְּפֶ֥גֶר
כ מוּבָֽס׃ לֹא־תֵחַ֤ד אִתָּם֙ בִּקְבוּרָ֔ה כִּֽי־אַרְצְךָ֥ שִׁחַ֖תָּ עַמְּךָ֣ הָרָ֑גְתָּ
כא לֹֽא־יִקָּרֵ֥א לְעוֹלָ֖ם זֶ֥רַע מְרֵעִֽים׃ הָכִ֧ינוּ לְבָנָ֛יו מַטְבֵּ֖חַ בַּעֲוֺ֣ן
כב אֲבוֹתָ֑ם בַּל־יָקֻ֙מוּ֙ וְיָ֣רְשׁוּ אָ֔רֶץ וּמָלְא֥וּ פְנֵי־תֵבֵ֖ל עָרִֽים׃ וְקַמְתִּ֣י
עֲלֵיהֶ֔ם נְאֻ֖ם יְהוָ֣ה צְבָא֑וֹת וְהִכְרַתִּ֨י לְבָבֶ֜ל שֵׁ֧ם וּשְׁאָ֛ר וְנִ֥ין וָנֶ֖כֶד
כג נְאֻם־יְהוָֽה׃ וְשַׂמְתִּ֛יהָ לְמוֹרַ֥שׁ קִפֹּ֖ד וְאַגְמֵי־מָ֑יִם וְטֵֽאטֵאתִ֙יהָ֙
כד בְּמַטְאֲטֵ֣א הַשְׁמֵ֔ד נְאֻ֖ם יְהוָ֥ה צְבָאֽוֹת׃ נִשְׁבַּ֛ע יְהוָ֥ה

נְבוּאָה עַל תְּבוּסַת אַשּׁוּר׃

צְבָא֖וֹת לֵאמֹ֑ר אִם־לֹ֞א כַּאֲשֶׁ֤ר דִּמִּ֙יתִי֙ כֵּ֣ן הָיָ֔תָה וְכַאֲשֶׁ֥ר יָעַ֖צְתִּי
כה הִ֥יא תָקֽוּם׃ לִשְׁבֹּ֤ר אַשּׁוּר֙ בְּאַרְצִ֔י וְעַל־הָרַ֖י אֲבוּסֶ֑נּוּ וְסָ֤ר
כו מֵֽעֲלֵיהֶם֙ עֻלּ֔וֹ וְסֻבֳּל֕וֹ מֵעַ֥ל שִׁכְמ֖וֹ יָסֽוּר׃ זֹ֛את הָעֵצָ֥ה הַיְּעוּצָ֖ה
כז עַל־כָּל־הָאָ֑רֶץ וְזֹ֛את הַיָּ֥ד הַנְּטוּיָ֖ה עַל־כָּל־הַגּוֹיִֽם׃ כִּֽי־יְהוָ֧ה
צְבָא֛וֹת יָעָ֖ץ וּמִ֣י יָפֵ֑ר וְיָד֥וֹ הַנְּטוּיָ֖ה וּמִ֥י יְשִׁיבֶֽנָּה׃

נְבוּאָה עַל
פְּלֶשֶׁת:

[3199]

כט בִּשְׁנַת־מוֹת הַמֶּלֶךְ אָחָז הָיָה הַמַּשָּׂא הַזֶּה: אַל־תִּשְׂמְחִי פְלֶשֶׁת

כֻּלֵּךְ כִּי נִשְׁבַּר שֵׁבֶט מַכֵּךְ כִּי־מִשֹּׁרֶשׁ נָחָשׁ יֵצֵא צֶפַע וּפִרְיוֹ

ל שָׂרָף מְעוֹפֵף: וְרָעוּ בְּכוֹרֵי דַלִּים וְאֶבְיוֹנִים לָבֶטַח יִרְבָּצוּ וְהֵמַתִּי

לא בָרָעָב שָׁרְשֵׁךְ וּשְׁאֵרִיתֵךְ יַהֲרֹג: הֵילִילִי שַׁעַר זַעֲקִי־עִיר נָמוֹג

לב פְּלֶשֶׁת כֻּלֵּךְ כִּי מִצָּפוֹן עָשָׁן בָּא וְאֵין בּוֹדֵד בְּמוֹעָדָיו: וּמַה־יַּעֲנֶה

מַלְאֲכֵי־גוֹי כִּי יְהוָה יִסַּד צִיּוֹן וּבָהּ יֶחֱסוּ עֲנִיֵּי עַמּוֹ:

נְבוּאָה עַל
מוֹאָב:

טו א מַשָּׂא מוֹאָב כִּי בְּלֵיל שֻׁדַּד עָר מוֹאָב נִדְמָה כִּי בְּלֵיל שֻׁדַּד

ב קִיר־מוֹאָב נִדְמָה: עָלָה הַבַּיִת וְדִיבֹן הַבָּמוֹת לְבֶכִי עַל־נְבוֹ וְעַל

מֵידְבָא מוֹאָב יְיֵלִיל בְּכָל־רֹאשָׁיו קָרְחָה כָּל־זָקָן גְּרוּעָה:

ג בְּחוּצֹתָיו חָגְרוּ שָׂק עַל גַּגּוֹתֶיהָ וּבִרְחֹבֹתֶיהָ כֻּלֹּה יְיֵלִיל יֹרֵד בַּבֶּכִי:

ד וַתִּזְעַק חֶשְׁבּוֹן וְאֶלְעָלֵה עַד־יַהַץ נִשְׁמַע קוֹלָם עַל־כֵּן חֲלֻצֵי

ה מוֹאָב יָרִיעוּ נַפְשׁוֹ יָרְעָה לּוֹ: לִבִּי לְמוֹאָב יִזְעָק בְּרִיחֶהָ עַד־צֹעַר

עֶגְלַת שְׁלִשִׁיָּה כִּי ׀ מַעֲלֵה הַלּוּחִית בִּבְכִי יַעֲלֶה־בּוֹ כִּי דֶּרֶךְ

ו חֹרֹנַיִם זַעֲקַת־שֶׁבֶר יְעֹעֵרוּ: כִּי־מֵי נִמְרִים מְשַׁמּוֹת יִהְיוּ

ז כִּי־יָבֵשׁ חָצִיר כָּלָה דֶשֶׁא יֶרֶק לֹא הָיָה: עַל־כֵּן יִתְרָה עָשָׂה

ח וּפְקֻדָּתָם עַל נַחַל הָעֲרָבִים יִשָּׂאוּם: כִּי־הִקִּיפָה הַזְּעָקָה אֶת־גְּבוּל

ט מוֹאָב עַד־אֶגְלַיִם יִלְלָתָהּ וּבְאֵר אֵילִים יִלְלָתָהּ: כִּי מֵי דִימוֹן

מָלְאוּ דָם כִּי־אָשִׁית עַל־דִּימוֹן נוֹסָפוֹת לִפְלֵיטַת מוֹאָב אַרְיֵה

טז א וְלִשְׁאֵרִית אֲדָמָה: שִׁלְחוּ־כַר מֹשֵׁל־אֶרֶץ מִסֶּלַע מִדְבָּרָה אֶל־הַר

ב בַּת־צִיּוֹן: וְהָיָה כְעוֹף־נוֹדֵד קֵן מְשֻׁלָּח תִּהְיֶינָה בְּנוֹת מוֹאָב

ג מַעְבָּרֹת לְאַרְנוֹן: הביאו הָבִיאִי עֵצָה עֲשׂוּ פְלִילָה שִׁיתִי כַלַּיִל

ד צִלֵּךְ בְּתוֹךְ צָהֳרַיִם סַתְּרִי נִדָּחִים נֹדֵד אַל־תְּגַלִּי: יָגוּרוּ בָךְ נִדָּחַי

מוֹאָב הֱוִי־סֵתֶר לָמוֹ מִפְּנֵי שׁוֹדֵד כִּי־אָפֵס הַמֵּץ כָּלָה שֹׁד תַּמּוּ

ה רֹמֵס מִן־הָאָרֶץ: וְהוּכַן בַּחֶסֶד כִּסֵּא וְיָשַׁב עָלָיו בֶּאֱמֶת

ו בְּאֹהֶל דָּוִד שֹׁפֵט וְדֹרֵשׁ מִשְׁפָּט וּמְהִר צֶדֶק: שָׁמַעְנוּ גְאוֹן־מוֹאָב

ז גֵּא מְאֹד גַּאֲוָתוֹ וּגְאוֹנוֹ וְעֶבְרָתוֹ לֹא־כֵן בַּדָּיו׃ לָכֵן יְיֵלִיל מוֹאָב
ח לְמוֹאָב כֻּלֹּה יְיֵלִיל לַאֲשִׁישֵׁי קִיר־חֲרֶשֶׂת תֶּהְגּוּ אַךְ־נְכָאִים׃ כִּי
שַׁדְמוֹת חֶשְׁבּוֹן אֻמְלָל גֶּפֶן שִׂבְמָה בַּעֲלֵי גוֹיִם הָלְמוּ שְׂרוּקֶּיהָ
ט עַד־יַעְזֵר נָגָעוּ תָּעוּ מִדְבָּר שְׁלֻחוֹתֶיהָ נִטְּשׁוּ עָבְרוּ יָם׃ עַל־כֵּן
אֶבְכֶּה בִּבְכִי יַעְזֵר גֶּפֶן שִׂבְמָה אֲרַיָּוֶךְ דִּמְעָתִי חֶשְׁבּוֹן וְאֶלְעָלֵה
י כִּי עַל־קֵיצֵךְ וְעַל־קְצִירֵךְ הֵידָד נָפָל׃ וְנֶאֱסַף שִׂמְחָה וָגִיל
מִן־הַכַּרְמֶל וּבַכְּרָמִים לֹא־יְרֻנָּן לֹא יְרֹעָע יַיִן בַּיְקָבִים לֹא־יִדְרֹךְ
יא הַדֹּרֵךְ הֵידָד הִשְׁבַּתִּי׃ עַל־כֵּן מֵעַי לְמוֹאָב כַּכִּנּוֹר יֶהֱמוּ וְקִרְבִּי
יב לְקִיר חָרֶשׂ׃ וְהָיָה כִי־נִרְאָה כִּי־נִלְאָה מוֹאָב עַל־הַבָּמָה וּבָא
יג אֶל־מִקְדָּשׁוֹ לְהִתְפַּלֵּל וְלֹא יוּכָל׃ זֶה הַדָּבָר אֲשֶׁר דִּבֶּר
יד יְהוָה אֶל־מוֹאָב מֵאָז׃ וְעַתָּה דִּבֶּר יְהוָה לֵאמֹר בְּשָׁלֹשׁ שָׁנִים
כִּשְׁנֵי שָׂכִיר וְנִקְלָה כְּבוֹד מוֹאָב בְּכֹל הֶהָמוֹן הָרָב וּשְׁאָר מְעַט
מִזְעָר לוֹא כַבִּיר׃

נְבוּאָה עַל דַּמָּשֶׂק:

יז א מַשָּׂא דַּמָּשֶׂק הִנֵּה דַמֶּשֶׂק מוּסָר מֵעִיר וְהָיְתָה מְעִי מַפָּלָה׃
ב עֲזֻבוֹת עָרֵי עֲרֹעֵר לַעֲדָרִים תִּהְיֶינָה וְרָבְצוּ וְאֵין מַחֲרִיד׃
ג וְנִשְׁבַּת מִבְצָר מֵאֶפְרַיִם וּמַמְלָכָה מִדַּמֶּשֶׂק וּשְׁאָר אֲרָם כִּכְבוֹד
בְּנֵי־יִשְׂרָאֵל יִהְיוּ נְאֻם יְהוָה צְבָאוֹת׃

שְׁאֵרִית הַפְּלֵיטָה:

ד ה וְהָיָה בַּיּוֹם הַהוּא יִדַּל כְּבוֹד יַעֲקֹב וּמִשְׁמַן בְּשָׂרוֹ יֵרָזֶה׃ וְהָיָה כֶּאֱסֹף
קָצִיר קָמָה וּזְרֹעוֹ שִׁבֳּלִים יִקְצוֹר וְהָיָה כִּמְלַקֵּט שִׁבֳּלִים בְּעֵמֶק
ו רְפָאִים׃ וְנִשְׁאַר־בּוֹ עוֹלֵלֹת כְּנֹקֶף זַיִת שְׁנַיִם שְׁלֹשָׁה גַרְגְּרִים
בְּרֹאשׁ אָמִיר אַרְבָּעָה חֲמִשָּׁה בִּסְעִפֶיהָ פֹּרִיָּה נְאֻם־יְהוָה אֱלֹהֵי
ז יִשְׂרָאֵל׃ בַּיּוֹם הַהוּא יִשְׁעֶה הָאָדָם עַל־עֹשֵׂהוּ וְעֵינָיו אֶל־קְדוֹשׁ
ח יִשְׂרָאֵל תִּרְאֶינָה׃ וְלֹא יִשְׁעֶה אֶל־הַמִּזְבְּחוֹת מַעֲשֵׂה יָדָיו וַאֲשֶׁר
ט עָשׂוּ אֶצְבְּעֹתָיו לֹא יִרְאֶה וְהָאֲשֵׁרִים וְהַחַמָּנִים׃ בַּיּוֹם

הָעֲזוּבָה בָּאָרֶץ:

הַהוּא יִהְיוּ ׀ עָרֵי מָעֻזּוֹ כַּעֲזוּבַת הַחֹרֶשׁ וְהָאָמִיר אֲשֶׁר עָזְבוּ

י מִפְּנֵי בְנֵי יִשְׂרָאֵל וְהָיְתָה שְׁמָמָה: כִּי שָׁכַחַתְּ אֱלֹהֵי יִשְׁעֵךְ וְצוּר
מָעֻזֵּךְ לֹא זָכָרְתְּ עַל־כֵּן תִּטְּעִי נִטְעֵי נַעֲמָנִים וּזְמֹרַת זָר תִּזְרָעֶנּוּ:

יא בְּיוֹם נִטְעֵךְ תְּשַׂגְשֵׂגִי וּבַבֹּקֶר זַרְעֵךְ תַּפְרִיחִי נֵד קָצִיר בְּיוֹם

פֻּרְעָנוּת
עַל
הָאוֹיְבִים:

יב נַחֲלָה וּכְאֵב אָנוּשׁ:   הוֹי הֲמוֹן עַמִּים רַבִּים כַּהֲמוֹת

יג יַמִּים יֶהֱמָיוּן וּשְׁאוֹן לְאֻמִּים כִּשְׁאוֹן מַיִם כַּבִּירִים יִשָּׁאוּן: לְאֻמִּים
כִּשְׁאוֹן מַיִם רַבִּים יִשָּׁאוּן וְגָעַר בּוֹ וְנָס מִמֶּרְחָק וְרֻדַּף כְּמֹץ

יד הָרִים לִפְנֵי־רוּחַ וּכְגַלְגַּל לִפְנֵי סוּפָה: לְעֵת עֶרֶב וְהִנֵּה בַלָּהָה
בְּטֶרֶם בֹּקֶר אֵינֶנּוּ זֶה חֵלֶק שׁוֹסֵינוּ וְגוֹרָל לְבֹזְזֵינוּ:

עֵת
הַגְּאֻלָּה:

יח א הוֹי אֶרֶץ צִלְצַל כְּנָפָיִם אֲשֶׁר מֵעֵבֶר לְנַהֲרֵי־כוּשׁ: הַשֹּׁלֵחַ בַּיָּם
צִירִים וּבִכְלֵי־גֹמֶא עַל־פְּנֵי־מַיִם לְכוּ ׀ מַלְאָכִים קַלִּים אֶל־גּוֹי
מְמֻשָּׁךְ וּמוֹרָט אֶל־עַם נוֹרָא מִן־הוּא וָהָלְאָה גּוֹי קַו־קָו וּמְבוּסָה

ב אֲשֶׁר־בָּזְאוּ נְהָרִים אַרְצוֹ: כָּל־יֹשְׁבֵי תֵבֵל וְשֹׁכְנֵי אָרֶץ כִּנְשֹׂא־נֵס

ג הָרִים תִּרְאוּ וְכִתְקֹעַ שׁוֹפָר תִּשְׁמָעוּ: כִּי כֹה אָמַר

ד יְהוָה אֵלַי אֶשְׁקוֹטָה אֶשְׁקוֹטָה וְאַבִּיטָה בִמְכוֹנִי כְּחֹם צַח עֲלֵי־אוֹר

ה כְּעָב טַל בְּחֹם קָצִיר: כִּי־לִפְנֵי קָצִיר כְּתָם־פֶּרַח וּבֹסֶר גֹּמֵל
יִהְיֶה נִצָּה וְכָרַת הַזַּלְזַלִּים בַּמַּזְמֵרוֹת וְאֶת־הַנְּטִישׁוֹת הֵסִיר

ו הֵתַז: יֵעָזְבוּ יַחְדָּו לְעֵיט הָרִים וּלְבֶהֱמַת הָאָרֶץ וְקָץ עָלָיו הָעַיִט

ז וְכָל־בֶּהֱמַת הָאָרֶץ עָלָיו תֶּחֱרָף: בָּעֵת הַהִיא יוּבַל־שַׁי
לַיהוָה צְבָאוֹת עַם מְמֻשָּׁךְ וּמוֹרָט וּמֵעַם נוֹרָא מִן־הוּא וָהָלְאָה
גּוֹי ׀ קַו־קָו וּמְבוּסָה אֲשֶׁר בָּזְאוּ נְהָרִים אַרְצוֹ אֶל־מְקוֹם
שֵׁם־יְהוָה צְבָאוֹת הַר־צִיּוֹן:

נְבוּאָה עַל
מִצְרַיִם:

יט א מַשָּׂא מִצְרָיִם הִנֵּה יְהוָה רֹכֵב עַל־עָב קַל וּבָא מִצְרַיִם וְנָעוּ
ב אֱלִילֵי מִצְרַיִם מִפָּנָיו וּלְבַב מִצְרַיִם יִמַּס בְּקִרְבּוֹ: וְסִכְסַכְתִּי
מִצְרַיִם בְּמִצְרַיִם וְנִלְחֲמוּ אִישׁ־בְּאָחִיו וְאִישׁ בְּרֵעֵהוּ עִיר בְּעִיר

ג מַמְלָכָה בְּמַמְלָכָה: וְנָבְקָה רוּחַ־מִצְרַיִם בְּקִרְבּוֹ וַעֲצָתוֹ אֲבַלֵּעַ

וְדָרְשׁוּ אֶל־הָאֱלִילִים וְאֶל־הָאִטִּים וְאֶל־הָאֹבוֹת וְאֶל־הַיִּדְּעֹנִים׃
ד וְסִכַּרְתִּי אֶת־מִצְרַיִם בְּיַד אֲדֹנִים קָשֶׁה וּמֶלֶךְ עַז יִמְשָׁל־בָּם
ה נְאֻם הָאָדוֹן יְהוָה צְבָאוֹת׃ וְנִשְּׁתוּ־מַיִם מֵהַיָּם וְנָהָר יֶחֱרַב וְיָבֵשׁ׃
ו וְהֶאֶזְנִיחוּ נְהָרוֹת דָּלֲלוּ וְחָרְבוּ יְאֹרֵי מָצוֹר קָנֶה וָסוּף קָמֵלוּ׃
ז עָרוֹת עַל־יְאוֹר עַל־פִּי יְאוֹר וְכֹל מִזְרַע יְאוֹר יִיבַשׁ נִדַּף וְאֵינֶנּוּ׃
ח וְאָנוּ הַדַּיָּגִים וְאָבְלוּ כָּל־מַשְׁלִיכֵי בַיְאוֹר חַכָּה וּפֹרְשֵׂי מִכְמֹרֶת
ט עַל־פְּנֵי־מַיִם אֻמְלָלוּ׃ וּבֹשׁוּ עֹבְדֵי פִשְׁתִּים שְׂרִיקוֹת וְאֹרְגִים
י יא חוֹרָי׃ וְהָיוּ שָׁתֹתֶיהָ מְדֻכָּאִים כָּל־עֹשֵׂי שֶׂכֶר אַגְמֵי־נָפֶשׁ׃ אַךְ־
אֱוִלִים שָׂרֵי צֹעַן חַכְמֵי יֹעֲצֵי פַרְעֹה עֵצָה נִבְעָרָה אֵיךְ תֹּאמְרוּ
יב אֶל־פַּרְעֹה בֶּן־חֲכָמִים אֲנִי בֶּן־מַלְכֵי־קֶדֶם׃ אַיָּם אֵפוֹא חֲכָמֶיךָ
יג וְיַגִּידוּ נָא לָךְ וְיֵדְעוּ מַה־יָּעַץ יְהוָה צְבָאוֹת עַל־מִצְרָיִם׃ נוֹאֲלוּ
יד שָׂרֵי צֹעַן נִשְּׁאוּ שָׂרֵי נֹף הִתְעוּ אֶת־מִצְרַיִם פִּנַּת שְׁבָטֶיהָ׃ יְהוָה
מָסַךְ בְּקִרְבָּהּ רוּחַ עִוְעִים וְהִתְעוּ אֶת־מִצְרַיִם בְּכָל־מַעֲשֵׂהוּ
טו כְּהִתָּעוֹת שִׁכּוֹר בְּקִיאוֹ׃ וְלֹא־יִהְיֶה לְמִצְרַיִם מַעֲשֶׂה אֲשֶׁר
טז יַעֲשֶׂה רֹאשׁ וְזָנָב כִּפָּה וְאַגְמוֹן׃ בַּיּוֹם הַהוּא יִהְיֶה מִצְרַיִם כַּנָּשִׁים
וְחָרַד ׀ וּפָחַד מִפְּנֵי תְּנוּפַת יַד־יְהוָה צְבָאוֹת אֲשֶׁר־הוּא מֵנִיף
יז עָלָיו׃ וְהָיְתָה אַדְמַת יְהוּדָה לְמִצְרַיִם לְחָגָּא כֹּל אֲשֶׁר יַזְכִּיר
אֹתָהּ אֵלָיו יִפְחָד מִפְּנֵי עֲצַת יְהוָה צְבָאוֹת אֲשֶׁר־הוּא יוֹעֵץ
יח עָלָיו׃ בַּיּוֹם הַהוּא יִהְיוּ חָמֵשׁ עָרִים בְּאֶרֶץ מִצְרַיִם
מְדַבְּרוֹת שְׂפַת כְּנַעַן וְנִשְׁבָּעוֹת לַיהוָה צְבָאוֹת עִיר הַהֶרֶס יֵאָמֵר
יט לְאֶחָת׃ בַּיּוֹם הַהוּא יִהְיֶה מִזְבֵּחַ לַיהוָה בְּתוֹךְ אֶרֶץ
כ מִצְרָיִם וּמַצֵּבָה אֵצֶל־גְּבוּלָהּ לַיהוָה׃ וְהָיָה לְאוֹת וּלְעֵד לַיהוָה
צְבָאוֹת בְּאֶרֶץ מִצְרָיִם כִּי־יִצְעֲקוּ אֶל־יְהוָה מִפְּנֵי לֹחֲצִים וְיִשְׁלַח
כא לָהֶם מוֹשִׁיעַ וָרָב וְהִצִּילָם׃ וְנוֹדַע יְהוָה לְמִצְרַיִם וְיָדְעוּ מִצְרַיִם
אֶת־יְהוָה בַּיּוֹם הַהוּא וְעָבְדוּ זֶבַח וּמִנְחָה וְנָדְרוּ־נֵדֶר לַיהוָה

יְקַבְּלוּ עֲלֵיהֶם עֲבוֹדַת הָאֱלֹקִים׃

כב וְשִׁלֵּמוּ׃ וְנָגַף יְהוָה אֶת־מִצְרַיִם נָגֹף וְרָפוֹא וְשָׁבוּ עַד־יְהוָה
כג וְנֶעְתַּר לָהֶם וּרְפָאָם׃ בַּיּוֹם הַהוּא תִּהְיֶה מְסִלָּה בְּשׂוֹרַת הַשָּׁלוֹם:
מִמִּצְרַיִם אַשּׁוּרָה וּבָא־אַשּׁוּר בְּמִצְרַיִם וּמִצְרַיִם בְּאַשּׁוּר וְעָבְדוּ
כד מִצְרַיִם אֶת־אַשּׁוּר׃ בַּיּוֹם הַהוּא יִהְיֶה יִשְׂרָאֵל
כה שְׁלִישִׁיָּה לְמִצְרַיִם וּלְאַשּׁוּר בְּרָכָה בְּקֶרֶב הָאָרֶץ׃ אֲשֶׁר בֵּרְכוֹ
יְהוָה צְבָאוֹת לֵאמֹר בָּרוּךְ עַמִּי מִצְרַיִם וּמַעֲשֵׂה יָדַי אַשּׁוּר
כ א וְנַחֲלָתִי יִשְׂרָאֵל׃ בִּשְׁנַת בֹּא תַרְתָּן נְבוּאָה עַל גָּלוּת מִצְרַיִם וְכוּשׁ:
אַשְׁדּוֹדָה בִּשְׁלֹחַ אֹתוֹ סַרְגוֹן מֶלֶךְ אַשּׁוּר וַיִּלָּחֶם בְּאַשְׁדּוֹד
ב וַיִּלְכְּדָהּ׃ בָּעֵת הַהִיא דִּבֶּר יְהוָה בְּיַד יְשַׁעְיָהוּ בֶן־אָמוֹץ לֵאמֹר [3213]
לֵךְ וּפִתַּחְתָּ הַשַּׂק מֵעַל מָתְנֶיךָ וְנַעַלְךָ תַחֲלֹץ מֵעַל רַגְלֶךָ וַיַּעַשׂ
ג כֵּן הָלֹךְ עָרוֹם וְיָחֵף׃ וַיֹּאמֶר יְהוָה כַּאֲשֶׁר הָלַךְ עַבְדִּי
יְשַׁעְיָהוּ עָרוֹם וְיָחֵף שָׁלֹשׁ שָׁנִים אוֹת וּמוֹפֵת עַל־מִצְרַיִם
ד וְעַל־כּוּשׁ׃ כֵּן יִנְהַג מֶלֶךְ־אַשּׁוּר אֶת־שְׁבִי מִצְרַיִם וְאֶת־גָּלוּת כּוּשׁ
ה נְעָרִים וּזְקֵנִים עָרוֹם וְיָחֵף וַחֲשׂוּפַי שֵׁת עֶרְוַת מִצְרָיִם׃ וְחַתּוּ
ו וָבֹשׁוּ מִכּוּשׁ מַבָּטָם וּמִן־מִצְרַיִם תִּפְאַרְתָּם׃ וְאָמַר יֹשֵׁב הָאִי
הַזֶּה בַּיּוֹם הַהוּא הִנֵּה־כֹה מַבָּטֵנוּ אֲשֶׁר־נַסְנוּ שָׁם לְעֶזְרָה לְהִנָּצֵל
מִפְּנֵי מֶלֶךְ אַשּׁוּר וְאֵיךְ נִמָּלֵט אֲנָחְנוּ׃
כא א מַשָּׂא מִדְבַּר־יָם כְּסוּפוֹת בַּנֶּגֶב לַחֲלֹף מִמִּדְבָּר בָּא מֵאֶרֶץ נְבוּאָה עַל עַם הַיּוֹשֵׁב בְּמִדְבַּר־יָם:
ב נוֹרָאָה׃ חָזוּת קָשָׁה הֻגַּד־לִי הַבּוֹגֵד ׀ בּוֹגֵד וְהַשּׁוֹדֵד ׀ שׁוֹדֵד
ג עֲלִי עֵילָם צוּרִי מָדַי כָּל־אַנְחָתָה הִשְׁבַּתִּי׃ עַל־כֵּן מָלְאוּ מָתְנַי
חַלְחָלָה צִירִים אֲחָזוּנִי כְּצִירֵי יוֹלֵדָה נַעֲוֵיתִי מִשְּׁמֹעַ נִבְהַלְתִּי
ד מֵרְאוֹת׃ תָּעָה לְבָבִי פַּלָּצוּת בִּעֲתָתְנִי אֵת נֶשֶׁף חִשְׁקִי שָׂם לִי
ה לַחֲרָדָה׃ עָרֹךְ הַשֻּׁלְחָן צָפֹה הַצָּפִית אָכוֹל שָׁתֹה קוּמוּ הַשָּׂרִים
ו מִשְׁחוּ מָגֵן׃ כִּי כֹה אָמַר אֵלַי אֲדֹנָי לֵךְ הַעֲמֵד הַמְצַפֶּה הַעֲמָדַת הַמְצַפֶּה:
ז אֲשֶׁר יִרְאֶה יַגִּיד׃ וְרָאָה רֶכֶב צֶמֶד פָּרָשִׁים רֶכֶב חֲמוֹר רֶכֶב

ח גָּמָל וְהִקְשִׁיב קֶשֶׁב רַב־קָשֶׁב: וַיִּקְרָא אַרְיֵה עַל־מִצְפֶּה | אֲדֹנָי
אָנֹכִי עֹמֵד תָּמִיד יוֹמָם וְעַל־מִשְׁמַרְתִּי אָנֹכִי נִצָּב כָּל־הַלֵּילוֹת:
ט וְהִנֵּה־זֶה בָא רֶכֶב אִישׁ צֶמֶד פָּרָשִׁים וַיַּעַן וַיֹּאמֶר נָפְלָה נָפְלָה
י בָּבֶל וְכָל־פְּסִילֵי אֱלֹהֶיהָ שִׁבַּר לָאָרֶץ: מְדֻשָׁתִי וּבֶן־גָּרְנִי אֲשֶׁר
שָׁמַעְתִּי מֵאֵת יְהוָה צְבָאוֹת אֱלֹהֵי יִשְׂרָאֵל הִגַּדְתִּי לָכֶם:

נְבוּאָה עַל אֱדוֹם:

יא מַשָּׂא דּוּמָה אֵלַי קֹרֵא מִשֵּׂעִיר שֹׁמֵר מַה־מִּלַּיְלָה שֹׁמֵר
יב מַה־מִּלֵּיל: אָמַר שֹׁמֵר אָתָא בֹקֶר וְגַם־לָיְלָה אִם־תִּבְעָיוּן בְּעָיוּ
שֻׁבוּ אֵתָיוּ:

נְבוּאָה עַל עֲרָב:

יג יד מַשָּׂא בַּעְרָב בַּיַּעַר בַּעְרַב תָּלִינוּ אֹרְחוֹת דְּדָנִים: לִקְרַאת צָמֵא
טו הֵתָיוּ מָיִם יֹשְׁבֵי אֶרֶץ תֵּימָא בְּלַחְמוֹ קִדְּמוּ נֹדֵד: כִּי־מִפְּנֵי חֲרָבוֹת
נָדָדוּ מִפְּנֵי | חֶרֶב נְטוּשָׁה וּמִפְּנֵי קֶשֶׁת דְּרוּכָה וּמִפְּנֵי כֹּבֶד
טז מִלְחָמָה: כִּי־כֹה אָמַר אֲדֹנָי אֵלַי בְּעוֹד שָׁנָה כִּשְׁנֵי
יז שָׂכִיר וְכָלָה כָּל־כְּבוֹד קֵדָר: וּשְׁאָר מִסְפַּר־קֶשֶׁת גִּבּוֹרֵי בְנֵי־קֵדָר

קִינָה עַל יְרוּשָׁלִָם:

כב א יִמְעָטוּ כִּי יְהוָה אֱלֹהֵי־יִשְׂרָאֵל דִּבֵּר: מַשָּׂא גֵּיא חִזָּיוֹן
ב מַה־לָּךְ אֵפוֹא כִּי־עָלִית כֻּלָּךְ לַגַּגּוֹת: תְּשֻׁאוֹת | מְלֵאָה עִיר
הוֹמִיָּה קִרְיָה עַלִּיזָה חֲלָלַיִךְ לֹא חַלְלֵי־חֶרֶב וְלֹא מֵתֵי מִלְחָמָה:
ג כָּל־קְצִינַיִךְ נָדְדוּ־יַחַד מִקֶּשֶׁת אֻסָּרוּ כָּל־נִמְצָאַיִךְ אֻסְּרוּ יַחְדָּו
ד מֵרָחוֹק בָּרָחוּ: עַל־כֵּן אָמַרְתִּי שְׁעוּ מִנִּי אֲמָרֵר בַּבֶּכִי אַל־תָּאִיצוּ
ה לְנַחֲמֵנִי עַל־שֹׁד בַּת־עַמִּי: כִּי יוֹם מְהוּמָה וּמְבוּסָה וּמְבוּכָה
לַאדֹנָי יֱהוִה צְבָאוֹת בְּגֵיא חִזָּיוֹן מְקַרְקַר קִר וְשׁוֹעַ אֶל־הָהָר:
ו ז וְעֵילָם נָשָׂא אַשְׁפָּה בְּרֶכֶב אָדָם פָּרָשִׁים וְקִיר עֵרָה מָגֵן: וַיְהִי
ח מִבְחַר־עֲמָקַיִךְ מָלְאוּ רָכֶב וְהַפָּרָשִׁים שֹׁת שָׁתוּ הַשָּׁעְרָה: וַיְגַל
ט אֵת מָסַךְ יְהוּדָה וַתַּבֵּט בַּיּוֹם הַהוּא אֶל־נֶשֶׁק בֵּית הַיָּעַר: וְאֵת
בְּקִיעֵי עִיר־דָּוִד רְאִיתֶם כִּי־רָבּוּ וַתְּקַבְּצוּ אֶת־מֵי הַבְּרֵכָה
י הַתַּחְתּוֹנָה: וְאֶת־בָּתֵּי יְרוּשָׁלִַם סְפַרְתֶּם וַתִּתְצוּ הַבָּתִּים לְבַצֵּר

יא הַחוֹמָה: וּמִקְוָה | עֲשִׂיתֶם בֵּין הַחֹמֹתַיִם לְמֵי הַבְּרֵכָה הַיְשָׁנָה
יב וְלֹא הִבַּטְתֶּם אֶל־עֹשֶׂיהָ וְיֹצְרָהּ מֵרָחוֹק לֹא רְאִיתֶם: וַיִּקְרָא
אֲדֹנָי יֱהֹוִה צְבָאוֹת בַּיּוֹם הַהוּא לִבְכִי וּלְמִסְפֵּד וּלְקָרְחָה וְלַחֲגֹר
יג שָׂק: וְהִנֵּה | שָׂשׂוֹן וְשִׂמְחָה הָרֹג | בָּקָר וְשָׁחֹט צֹאן אָכֹל בָּשָׂר
יד וְשָׁתוֹת יָיִן אָכוֹל וְשָׁתוֹ כִּי מָחָר נָמוּת: וְנִגְלָה בְאָזְנָי יְהֹוָה צְבָאוֹת
אִם־יְכֻפַּר הֶעָוֹן הַזֶּה לָכֶם עַד־תְּמֻתוּן אָמַר אֲדֹנָי יֱהֹוִה
צְבָאוֹת:
טו כֹּה אָמַר אֲדֹנָי יֱהֹוִה צְבָאוֹת לֶךְ־בֹּא אֶל־הַסֹּכֵן הַזֶּה עַל־שֶׁבְנָא — נְבוּאָה עַל שֶׁבְנָא הַסּוֹפֵר:
טז אֲשֶׁר עַל־הַבָּיִת: מַה־לְּךָ פֹה וּמִי לְךָ פֹה כִּי־חָצַבְתָּ לְּךָ פֹּה קָבֶר
יז חֹצְבִי מָרוֹם קִבְרוֹ חֹקְקִי בַסֶּלַע מִשְׁכָּן לוֹ: הִנֵּה יְהֹוָה מְטַלְטֶלְךָ
יח טַלְטֵלָה גָּבֶר וְעֹטְךָ עָטֹה: צָנוֹף יִצְנָפְךָ צְנֵפָה כַּדּוּר אֶל־אֶרֶץ
רַחֲבַת יָדָיִם שָׁמָּה תָמוּת וְשָׁמָּה מַרְכְּבוֹת כְּבוֹדֶךָ קְלוֹן בֵּית
יט אֲדֹנֶיךָ: וַהֲדַפְתִּיךָ מִמַּצָּבֶךָ וּמִמַּעֲמָדְךָ יֶהֶרְסֶךָ: וְהָיָה בַּיּוֹם הַהוּא — אֶלְיָקִים מַחֲלִיפוֹ שֶׁל שֶׁבְנָא:
כ
כא וְקָרָאתִי לְעַבְדִּי לְאֶלְיָקִים בֶּן־חִלְקִיָּהוּ: וְהִלְבַּשְׁתִּיו כֻּתָּנְתֶּךָ
וְאַבְנֵטְךָ אֲחַזְּקֶנּוּ וּמֶמְשַׁלְתְּךָ אֶתֵּן בְּיָדוֹ וְהָיָה לְאָב לְיוֹשֵׁב
כב יְרוּשָׁלַ‍ִם וּלְבֵית יְהוּדָה: וְנָתַתִּי מַפְתֵּחַ בֵּית־דָּוִד עַל־שִׁכְמוֹ
כג וּפָתַח וְאֵין סֹגֵר וְסָגַר וְאֵין פֹּתֵחַ: וּתְקַעְתִּיו יָתֵד בְּמָקוֹם נֶאֱמָן
כד וְהָיָה לְכִסֵּא כָבוֹד לְבֵית אָבִיו: וְתָלוּ עָלָיו כֹּל | כְּבוֹד בֵּית־אָבִיו
הַצֶּאֱצָאִים וְהַצְּפִעוֹת כֹּל כְּלֵי הַקָּטָן מִכְּלֵי הָאַגָּנוֹת וְעַד כָּל־כְּלֵי
כה הַנְּבָלִים: בַּיּוֹם הַהוּא נְאֻם יְהֹוָה צְבָאוֹת תָּמוּשׁ הַיָּתֵד הַתְּקוּעָה
בְּמָקוֹם נֶאֱמָן וְנִגְדְּעָה וְנָפְלָה וְנִכְרַת הַמַּשָּׂא אֲשֶׁר־עָלֶיהָ כִּי
יְהֹוָה דִּבֵּר:
כג א מַשָּׂא צֹר הֵילִילוּ | אֳנִיּוֹת תַּרְשִׁישׁ כִּי־שֻׁדַּד מִבַּיִת מִבּוֹא מֵאֶרֶץ — נְבוּאָה עַל צוֹר
ב כִּתִּים נִגְלָה־לָמוֹ: דֹּמּוּ יֹשְׁבֵי אִי סֹחֵר צִידוֹן עֹבֵר יָם מִלְאוּךְ: — וְצִידוֹן:
ג וּבְמַיִם רַבִּים זֶרַע שִׁחֹר קְצִיר יְאוֹר תְּבוּאָתָהּ וַתְּהִי סְחַר גּוֹיִם:

ד בּ֣וֹשִׁי צִיד֔וֹן כִּֽי־אָמַ֣ר יָ֔ם מָע֥וֹז הַיָּ֖ם לֵאמֹ֑ר לֹֽא־חַ֣לְתִּי וְלֹֽא־יָלַ֔דְתִּי
ה וְלֹ֥א גִדַּ֛לְתִּי בַּחוּרִ֖ים רוֹמַ֥מְתִּי בְתוּלֽוֹת׃ כַּאֲשֶׁ֥ר שֵׁ֖מַע לְמִצְרָ֑יִם
ו ז יָחִ֖ילוּ כְּשֵׁ֥מַע צֹֽר׃ עִבְר֖וּ תַּרְשִׁ֑ישָׁה הֵילִ֖ילוּ יֹ֥שְׁבֵי אִֽי׃ הֲזֹ֥את לָכֶ֖ם
ח עַלִּיזָ֑ה מִֽימֵי־קֶ֖דֶם קַדְמָתָ֑הּ יֹבִל֣וּהָ רַגְלֶ֔יהָ מֵרָח֖וֹק לָגֽוּר׃ מִ֚י
יָעַ֣ץ זֹ֔את עַל־צֹ֖ר הַמַּעֲטִירָ֑ה אֲשֶׁ֤ר סֹחֲרֶ֙יהָ֙ שָׂרִ֔ים כִּנְעָנֶ֖יהָ
ט נִכְבַּדֵּי־אָֽרֶץ׃ יְהוָ֥ה צְבָא֖וֹת יְעָצָ֑הּ לְחַלֵּל֙ גְּא֣וֹן כָּל־צְבִ֔י לְהָקֵ֖ל
י כָּל־נִכְבַּדֵּי־אָֽרֶץ׃ עִבְרִ֥י אַרְצֵ֖ךְ כַּיְאֹ֑ר בַּת־תַּרְשִׁ֕ישׁ אֵ֥ין מֵ֖זַח עֽוֹד׃
יא יָדוֹ֙ נָטָ֣ה עַל־הַיָּ֔ם הִרְגִּ֖יז מַמְלָכ֑וֹת יְהוָה֙ צִוָּ֣ה אֶל־כְּנַ֔עַן לַשְׁמִ֖ד
יב מָעֻזְנֶֽיהָ׃ וַיֹּ֕אמֶר לֹֽא־תוֹסִ֥יפִי ע֖וֹד לַעְל֑וֹז הַֽמְעֻשָּׁקָ֞ה בְּתוּלַ֣ת
יג בַּת־צִיד֗וֹן כתיים כִּתִּים֙ ק֣וּמִי עֲבֹ֔רִי גַּם־שָׁ֖ם לֹא־יָנ֥וּחַ לָֽךְ׃ הֵ֣ן ׀
אֶ֣רֶץ כַּשְׂדִּ֗ים זֶ֤ה הָעָם֙ לֹ֣א הָיָ֔ה אַשּׁ֖וּר יְסָדָ֣הּ לְצִיִּ֑ים הֵקִ֨ימוּ
יד בחיניו בַחוּנָ֜יו עֹרְרוּ֙ אַרְמְנוֹתֶ֔יהָ שָׂמָ֖הּ לְמַפֵּלָֽה׃ הֵילִ֖ילוּ אֳנִיּ֣וֹת
טו תַּרְשִׁ֑ישׁ כִּ֥י שֻׁדַּ֖ד מָעֻזְּכֶֽן׃ וְהָיָה֙ בַּיּ֣וֹם הַה֔וּא וְנִשְׁכַּ֤חַת הַבְטָחָה לְשִׁיבַת צוֹר:
צֹר֙ שִׁבְעִ֣ים שָׁנָ֔ה כִּימֵ֖י מֶ֣לֶךְ אֶחָ֑ד מִקֵּ֞ץ שִׁבְעִ֣ים שָׁנָ֗ה יִהְיֶ֣ה
טז לְצֹ֔ר כְּשִׁירַ֖ת הַזּוֹנָֽה׃ קְחִ֥י כִנּ֛וֹר סֹ֥בִּי עִ֖יר זוֹנָ֣ה נִשְׁכָּחָ֑ה הֵיטִ֤יבִי
יז נַגֵּן֙ הַרְבִּי־שִׁ֔יר לְמַ֖עַן תִּזָּכֵֽרִי׃ וְהָיָ֞ה מִקֵּ֣ץ ׀ שִׁבְעִ֣ים שָׁנָ֗ה יִפְקֹ֤ד
יְהוָה֙ אֶת־צֹ֔ר וְשָׁבָ֖ה לְאֶתְנַנָּ֑ה וְזָנְתָ֛ה אֶת־כָּל־מַמְלְכ֥וֹת הָאָ֖רֶץ
יח עַל־פְּנֵ֥י הָאֲדָמָֽה׃ וְהָיָ֨ה סַחְרָ֜הּ וְאֶתְנַנָּ֗הּ קֹ֚דֶשׁ לַיהוָ֔ה לֹ֥א יֵאָצֵ֖ר
וְלֹ֣א יֵחָסֵ֑ן כִּ֣י לַיֹּשְׁבִ֞ים לִפְנֵ֣י יְהוָ֗ה יִהְיֶ֤ה סַחְרָהּ֙ לֶאֱכֹ֣ל לְשָׂבְעָ֔ה
וְלִמְכַסֶּ֖ה עָתִֽיק׃

כד א הִנֵּ֧ה יְהוָ֛ה בּוֹקֵ֥ק הָאָ֖רֶץ וּבוֹלְקָ֑הּ וְעִוָּ֣ה פָנֶ֔יהָ וְהֵפִ֖יץ יֹשְׁבֶֽיהָ׃ הַגָּלוּת בַּעֲוֹן הֲפָרַת בְּרִית:
ב וְהָיָ֨ה כָעָ֜ם כַּכֹּהֵ֗ן כַּעֶ֙בֶד֙ כַּֽאדֹנָ֔יו כַּשִּׁפְחָ֖ה כַּגְּבִרְתָּ֑הּ כַּקּוֹנֶה֙
ג כַּמּוֹכֵ֔ר כַּמַּלְוֶה֙ כַּלֹּוֶ֔ה כַּנֹּשֶׁ֕ה כַּאֲשֶׁ֖ר נֹשֶׁ֥א בֽוֹ׃ הִבּ֧וֹק ׀ תִּבּ֛וֹק
ד הָאָ֖רֶץ וְהִבּ֣וֹז ׀ תִּבּ֑וֹז כִּ֣י יְהוָ֔ה דִּבֶּ֖ר אֶת־הַדָּבָ֥ר הַזֶּֽה׃ אָבְלָ֤ה נָֽבְלָה֙
ה הָאָ֔רֶץ אֻמְלְלָ֥ה נָֽבְלָ֖ה תֵּבֵ֑ל אֻמְלָ֖לוּ מְר֥וֹם עַם־הָאָֽרֶץ׃ וְהָאָ֖רֶץ

חֲנֻפָ֖ה תַּ֣חַת יֹשְׁבֶ֑יהָ כִּֽי־עָבְר֤וּ תוֹרֹת֙ חָ֣לְפוּ חֹ֔ק הֵפֵ֖רוּ בְּרִ֥ית עוֹלָֽם׃
ו עַל־כֵּ֗ן אָלָה֙ אָ֣כְלָה אֶ֔רֶץ וַיֶּאְשְׁמ֖וּ יֹ֣שְׁבֵי בָ֑הּ עַל־כֵּ֗ן חָ֙רוּ֙ יֹ֣שְׁבֵי
ז אֶ֔רֶץ וְנִשְׁאַ֥ר אֱנ֖וֹשׁ מִזְעָֽר׃ אָבַ֥ל תִּיר֖וֹשׁ אֻמְלְלָה־גָ֑פֶן נֶאֶנְח֖וּ
ח כָּל־שִׂמְחֵי־לֵֽב׃ שָׁבַת֙ מְשׂ֣וֹשׂ תֻּפִּ֔ים חָדַ֖ל שְׁא֣וֹן עַלִּיזִ֑ים שָׁבַ֖ת
ט י מְשׂ֥וֹשׂ כִּנּֽוֹר׃ בַּשִּׁ֖יר לֹ֣א יִשְׁתּוּ־יָ֑יִן יֵמַ֥ר שֵׁכָ֖ר לְשֹׁתָֽיו׃ נִשְׁבְּרָ֖ה
יא קִרְיַת־תֹּ֑הוּ סֻגַּ֥ר כָּל־בַּ֖יִת מִבּֽוֹא׃ צְוָחָ֥ה עַל־הַיַּ֖יִן בַּחוּצ֑וֹת עָֽרְבָה֙
יב כָּל־שִׂמְחָ֔ה גָּלָ֖ה מְשׂ֥וֹשׂ הָאָֽרֶץ׃ נִשְׁאַ֥ר בָּעִ֖יר שַׁמָּ֑ה וּשְׁאִיָּ֖ה
יג יֻכַּת־שָֽׁעַר׃ כִּ֣י כֹ֤ה יִֽהְיֶה֙ בְּקֶ֣רֶב הָאָ֔רֶץ בְּת֖וֹךְ הָעַמִּ֑ים כְּנֹ֣קֶף זַ֔יִת
יד כְּעוֹלֵלֹ֖ת אִם־כָּלָ֥ה בָצִֽיר׃ הֵ֛מָּה יִשְׂא֥וּ קוֹלָ֖ם יָרֹ֑נּוּ בִּגְא֣וֹן יְהוָ֔ה
טו צָהֲל֖וּ מִיָּֽם׃ עַל־כֵּ֥ן בָּאֻרִ֖ים כַּבְּד֣וּ יְהוָ֑ה בְּאִיֵּ֣י הַיָּ֔ם שֵׁ֖ם יְהוָ֥ה אֱלֹהֵ֖י
טז יִשְׂרָאֵֽל׃ מִכְּנַ֨ף הָאָ֜רֶץ זְמִרֹ֣ת שָׁמַ֗עְנוּ צְבִ֚י לַצַּדִּ֔יק

פִּרְעָנוּת לִמְשַׁעְבְּדִים אֶת יִשְׂרָאֵל:

וָאֹמַ֞ר רָזִי־לִ֤י רָזִי־לִי֙ א֣וֹי לִ֔י בֹּגְדִ֣ים בָּגָ֔דוּ וּבֶ֥גֶד בּוֹגְדִ֖ים בָּגָֽדוּ׃
יז יח פַּ֥חַד וָפַ֖חַת וָפָ֑ח עָלֶ֖יךָ יוֹשֵׁ֥ב הָאָֽרֶץ׃ וְהָיָ֞ה הַנָּ֩ס מִקּ֨וֹל הַפַּ֜חַד יִפֹּ֣ל
אֶל־הַפַּ֗חַת וְהָֽעוֹלֶה֙ מִתּ֣וֹךְ הַפַּ֔חַת יִלָּכֵ֖ד בַּפָּ֑ח כִּֽי־אֲרֻבּ֤וֹת מִמָּרוֹם֙
יט נִפְתָּ֔חוּ וַֽיִּרְעֲשׁ֖וּ מ֥וֹסְדֵי אָֽרֶץ׃ רֹ֥עָה הִֽתְרֹעֲעָ֖ה הָאָ֑רֶץ פּ֤וֹר
כ הִֽתְפּוֹרְרָה֙ אֶ֔רֶץ מ֖וֹט הִֽתְמוֹטְטָ֥ה אָֽרֶץ׃ נ֣וֹעַ תָּנ֤וּעַ אֶ֙רֶץ֙ כַּשִּׁכּ֔וֹר
וְהִֽתְנוֹדְדָ֖ה כַּמְּלוּנָ֑ה וְכָבַ֤ד עָלֶ֙יהָ֙ פִּשְׁעָ֔הּ וְנָפְלָ֖ה וְלֹֽא־תֹסִ֥יף
כא קֽוּם׃ וְהָיָה֙ בַּיּ֣וֹם הַה֔וּא יִפְקֹ֧ד יְהוָ֛ה עַל־צְבָ֥א הַמָּר֖וֹם

דִּין בְּשָׂרֵי מַעְלָה וּבְמַלְכִיּוֹת:

כב בַּמָּר֑וֹם וְעַל־מַלְכֵ֥י הָאֲדָמָ֖ה עַל־הָאֲדָמָֽה׃ וְאֻסְּפ֨וּ אֲסֵפָ֤ה אַסִּיר֙
כג עַל־בּ֔וֹר וְסֻגְּר֖וּ עַל־מַסְגֵּ֑ר וּמֵרֹ֥ב יָמִ֖ים יִפָּקֵֽדוּ׃ וְחָֽפְרָה֙ הַלְּבָנָ֔ה
וּב֖וֹשָׁה הַֽחַמָּ֑ה כִּֽי־מָלַ֞ךְ יְהוָ֣ה צְבָא֗וֹת בְּהַ֤ר צִיּוֹן֙ וּבִיר֣וּשָׁלִַ֔ם וְנֶ֥גֶד
זְקֵנָ֖יו כָּבֽוֹד׃

כה א יְהוָ֤ה אֱלֹהַי֙ אַתָּ֔ה אֲרוֹמִמְךָ֙ אוֹדֶ֣ה שִׁמְךָ֔ כִּ֥י עָשִׂ֖יתָ פֶּ֑לֶא עֵצ֥וֹת

שִׁיר גְּאֻלָּה:

ב מֵרָח֖וֹק אֱמ֥וּנָה אֹֽמֶן׃ כִּ֣י שַׂ֤מְתָּ מֵעִיר֙ לַגָּ֔ל קִרְיָ֥ה בְצוּרָ֖ה לְמַפֵּלָ֑ה
ג אַרְמ֤וֹן זָרִים֙ מֵעִ֔יר לְעוֹלָ֖ם לֹ֣א יִבָּנֶֽה׃ עַל־כֵּ֛ן יְכַבְּד֖וּךָ עַם־עָ֑ז

ד קִרְיַת גּוֹיִם עָרִיצִים יִירָאוּךָ: כִּי־הָיִיתָ מָעוֹז לַדָּל מָעוֹז לָאֶבְיוֹן
בַּצַּר־לוֹ מַחְסֶה מִזֶּרֶם צֵל מֵחֹרֶב כִּי רוּחַ עָרִיצִים כְּזֶרֶם קִיר:
ה כְּחֹרֶב בְּצָיוֹן שְׁאוֹן זָרִים תַּכְנִיעַ חֹרֶב בְּצֵל עָב זְמִיר עָרִיצִים
יַעֲנֶה:
ו וְעָשָׂה יְהוָה צְבָאוֹת לְכָל־הָעַמִּים בָּהָר הַזֶּה מִשְׁתֵּה שְׁמָנִים
ז מִשְׁתֵּה שְׁמָרִים שְׁמָנִים מְמֻחָיִם שְׁמָרִים מְזֻקָּקִים: וּבִלַּע בָּהָר
הַזֶּה פְּנֵי־הַלּוֹט ׀ הַלּוֹט עַל־כָּל־הָעַמִּים וְהַמַּסֵּכָה הַנְּסוּכָה עַל־
ח כָּל־הַגּוֹיִם: בִּלַּע הַמָּוֶת לָנֶצַח וּמָחָה אֲדֹנָי יֱהוִה דִּמְעָה מֵעַל
כָּל־פָּנִים וְחֶרְפַּת עַמּוֹ יָסִיר מֵעַל כָּל־הָאָרֶץ כִּי יְהוָה דִּבֵּר:
הַנְּקָמָה בְּמוֹאָב לֶעָתִיד:
ט וְאָמַר בַּיּוֹם הַהוּא הִנֵּה אֱלֹהֵינוּ זֶה קִוִּינוּ לוֹ וְיוֹשִׁיעֵנוּ זֶה יְהוָה
י קִוִּינוּ לוֹ נָגִילָה וְנִשְׂמְחָה בִּישׁוּעָתוֹ: כִּי־תָנוּחַ יַד־יְהוָה בָּהָר
יא הַזֶּה וְנָדוֹשׁ מוֹאָב תַּחְתָּיו כְּהִדּוֹשׁ מַתְבֵּן במי בְּמוֹ מַדְמֵנָה: וּפֵרַשׂ
יָדָיו בְּקִרְבּוֹ כַּאֲשֶׁר יְפָרֵשׂ הַשֹּׂחֶה לִשְׂחוֹת וְהִשְׁפִּיל גַּאֲוָתוֹ עִם
יב אָרְבּוֹת יָדָיו: וּמִבְצַר מִשְׂגַּב חוֹמֹתֶיךָ הֵשַׁח הִשְׁפִּיל הִגִּיעַ לָאָרֶץ
שִׁיר גְּאֻלָּה:
כו א עַד־עָפָר: בַּיּוֹם הַהוּא יוּשַׁר הַשִּׁיר־הַזֶּה בְּאֶרֶץ יְהוּדָה
ב עִיר עָז־לָנוּ יְשׁוּעָה יָשִׁית חוֹמוֹת וָחֵל: פִּתְחוּ שְׁעָרִים וְיָבֹא
ג גוֹי־צַדִּיק שֹׁמֵר אֱמֻנִים: יֵצֶר סָמוּךְ תִּצֹּר שָׁלוֹם ׀ שָׁלוֹם כִּי בְךָ
ד ה בָּטוּחַ: בִּטְחוּ בַיהוָה עֲדֵי־עַד כִּי בְּיָהּ יְהוָה צוּר עוֹלָמִים: כִּי
הֵשַׁח יֹשְׁבֵי מָרוֹם קִרְיָה נִשְׂגָּבָה יַשְׁפִּילֶנָּה יַשְׁפִּילָהּ עַד־אֶרֶץ
ו ז יַגִּיעֶנָּה עַד־עָפָר: תִּרְמְסֶנָּה רָגֶל רַגְלֵי עָנִי פַּעֲמֵי דַלִּים: אֹרַח
ח לַצַּדִּיק מֵישָׁרִים יָשָׁר מַעְגַּל צַדִּיק תְּפַלֵּס: אַף אֹרַח מִשְׁפָּטֶיךָ
ט יְהוָה קִוִּינוּךָ לְשִׁמְךָ וּלְזִכְרְךָ תַּאֲוַת־נָפֶשׁ: נַפְשִׁי אִוִּיתִךָ בַּלַּיְלָה
אַף־רוּחִי בְקִרְבִּי אֲשַׁחֲרֶךָּ כִּי כַּאֲשֶׁר מִשְׁפָּטֶיךָ לָאָרֶץ צֶדֶק לָמְדוּ
י יֹשְׁבֵי תֵבֵל: יֻחַן רָשָׁע בַּל־לָמַד צֶדֶק בְּאֶרֶץ נְכֹחוֹת יְעַוֵּל
וּבַל־יִרְאֶה גֵּאוּת יְהוָה:

יא יְהֹוָ֛ה רָ֥מָה יָדְךָ֖ בַּל־יֶחֱזָי֑וּן יֶחֱז֤וּ וְיֵבֹ֙שׁוּ֙ קִנְאַת־עָ֔ם אַף־אֵ֖שׁ צָרֶ֥יךָ
יב תֹאכְלֵֽם׃ יְהֹוָ֕ה תִּשְׁפֹּ֥ת שָׁל֖וֹם לָ֑נוּ כִּ֛י גַּ֥ם כׇּל־מַעֲשֵׂ֖ינוּ
יג פָּעַ֥לְתָּ לָּֽנוּ׃ יְהֹוָ֣ה אֱלֹהֵ֔ינוּ בְּעָל֥וּנוּ אֲדֹנִ֖ים זֽוּלָתֶ֑ךָ לְבַד־
יד בְּךָ֖ נַזְכִּ֥יר שְׁמֶֽךָ׃ מֵתִ֣ים בַּל־יִחְי֔וּ רְפָאִ֖ים בַּל־יָקֻ֑מוּ לָכֵ֤ן פָּקַ֙דְתָּ֙
טו וַתַּשְׁמִידֵ֔ם וַתְּאַבֵּ֥ד כׇּל־זֵ֖כֶר לָֽמוֹ׃ יָסַ֤פְתָּ לַגּוֹי֙ יְהֹוָ֔ה יָסַ֥פְתָּ לַגּ֖וֹי
נִכְבָּ֑דְתָּ רִחַ֖קְתָּ כׇּל־קַצְוֵי־אָֽרֶץ׃

תְּפִלָּה לְשָׁלוֹם יִשְׂרָאֵל וְלִתְחִיַּת הַמֵּתִים׃

טז יז יְהֹוָ֖ה בַּצַּ֣ר פְּקָד֑וּךָ צָק֣וּן לַ֔חַשׁ מוּסָרְךָ֖ לָֽמוֹ׃ כְּמ֤וֹ הָרָה֙ תַּקְרִ֣יב
יח לָלֶ֔דֶת תָּחִ֖יל תִּזְעַ֣ק בַּחֲבָלֶ֑יהָ כֵּ֥ן הָיִ֛ינוּ מִפָּנֶ֖יךָ יְהֹוָֽה׃ הָרִ֥ינוּ חַ֛לְנוּ
כְּמ֖וֹ יָלַ֣דְנוּ ר֑וּחַ יְשׁוּעֹת֙ בַּל־נַעֲשֶׂ֣ה אֶ֔רֶץ וּבַל־יִפְּל֖וּ יֹשְׁבֵ֥י תֵבֵֽל׃
יט יִחְי֣וּ מֵתֶ֔יךָ נְבֵלָתִ֖י יְקוּמ֑וּן הָקִ֨יצוּ וְרַנְּנ֜וּ שֹׁכְנֵ֣י עָפָ֗ר כִּ֣י טַ֤ל אוֹרֹת֙
טַלֶּ֔ךָ וָאָ֖רֶץ רְפָאִ֥ים תַּפִּֽיל׃
כ לֵ֤ךְ עַמִּי֙ בֹּ֣א בַחֲדָרֶ֔יךָ וּסְגֹ֥ר דלתיך דְּלָתְךָ֖ בַּעֲדֶ֑ךָ חֲבִ֥י כִמְעַט־רֶ֖גַע
כא עַד־יעבור יַעֲבׇר־זָֽעַם׃ כִּֽי־הִנֵּ֤ה יְהֹוָה֙ יֹצֵ֣א מִמְּקוֹמ֔וֹ לִפְקֹ֛ד עֲוֺ֥ן
יֹשֵֽׁב־הָאָ֖רֶץ עָלָ֑יו וְגִלְּתָ֤ה הָאָ֙רֶץ֙ אֶת־דָּמֶ֔יהָ וְלֹא־תְכַסֶּ֥ה ע֖וֹד
עַל־הֲרוּגֶֽיהָ׃

קְרִיאָה לְהֵחָבֵא בְּבֹא הַפֻּרְעָנוּת׃

כז א בַּיּ֣וֹם הַה֡וּא יִפְקֹ֣ד יְהֹוָ֡ה בְּחַרְבּוֹ֩ הַקָּשָׁ֨ה וְהַגְּדוֹלָ֜ה וְהַחֲזָקָ֗ה עַ֤ל
לִוְיָתָן֙ נָחָ֣שׁ בָּרִ֔חַ וְעַל֙ לִוְיָתָ֔ן נָחָ֖שׁ עֲקַלָּת֑וֹן וְהָרַ֥ג אֶת־הַתַּנִּ֖ין
ב ג אֲשֶׁ֥ר בַּיָּֽם׃ בַּיּ֖וֹם הַה֑וּא כֶּ֥רֶם חֶ֖מֶר עַנּוּ־לָֽהּ׃ אֲנִ֤י יְהֹוָה֙
נֹצְרָ֔הּ לִרְגָעִ֖ים אַשְׁקֶ֑נָּה פֶּ֚ן יִפְקֹ֣ד עָלֶ֔יהָ לַ֥יְלָה וָי֖וֹם אֶצֳּרֶֽנָּה׃
ד חֵמָ֖ה אֵ֣ין לִ֑י מִֽי־יִתְּנֵ֜נִי שָׁמִ֥יר שַׁ֙יִת֙ בַּמִּלְחָמָ֔ה אֶפְשְׂעָ֥ה בָ֖הּ
ה אֲצִיתֶ֥נָּה יָּֽחַד׃ א֚וֹ יַחֲזֵ֣ק בְּמָֽעֻזִּ֔י יַעֲשֶׂ֥ה שָׁל֖וֹם לִ֑י שָׁל֖וֹם יַעֲשֶׂה־לִּֽי׃
ו הַבָּאִים֙ יַשְׁרֵ֣שׁ יַעֲקֹ֔ב יָצִ֥יץ וּפָרַ֖ח יִשְׂרָאֵ֑ל וּמָלְא֥וּ פְנֵי־תֵבֵ֖ל
תְּנוּבָֽה׃

שִׁירָה לה׳׃

ז ח הַכְּמַכַּ֥ת מַכֵּ֖הוּ הִכָּ֑הוּ אִם־כְּהֶ֥רֶג הֲרֻגָ֖יו הֹרָֽג׃ בְּסַאסְּאָ֖ה בְּשַׁלְחָ֣הּ
ט תְּרִיבֶ֑נָּה הָגָ֛ה בְּרוּח֥וֹ הַקָּשָׁ֖ה בְּי֥וֹם קָדִֽים׃ לָכֵ֗ן בְּזֹאת֙ יְכֻפַּ֣ר

תְּשׁוּבָה עַל עֲבוֹדָה זָרָה, סִבַּת הַגְּאֻלָּה׃

עֲוֹן־יַעֲקֹב וְזֶה כָּל־פְּרִי הָסִר חַטָּאתוֹ בְּשׂוּמוֹ ׀ כָּל־אַבְנֵי מִזְבֵּחַ
כְּאַבְנֵי־גִר מְנֻפָּצוֹת לֹא־יָקֻמוּ אֲשֵׁרִים וְחַמָּנִים: כִּי עִיר בְּצוּרָה י
בָּדָד נָוֶה מְשֻׁלָּח וְנֶעֱזָב כַּמִּדְבָּר שָׁם יִרְעֶה עֵגֶל וְשָׁם יִרְבָּץ וְכִלָּה
סְעִפֶיהָ: בִּיבֹשׁ קְצִירָהּ תִּשָּׁבַרְנָה נָשִׁים בָּאוֹת מְאִירוֹת אוֹתָהּ יא
כִּי לֹא עַם־בִּינוֹת הוּא עַל־כֵּן לֹא־יְרַחֲמֶנּוּ עֹשֵׂהוּ וְיֹצְרוֹ לֹא
יְחֻנֶּנּוּ:

יב וְהָיָה בַּיּוֹם הַהוּא יַחְבֹּט יְהוָה מִשִּׁבֹּלֶת הַנָּהָר עַד־נַחַל מִצְרָיִם
וְאַתֶּם תְּלֻקְּטוּ לְאַחַד אֶחָד בְּנֵי יִשְׂרָאֵל:
יג וְהָיָה ׀ בַּיּוֹם הַהוּא יִתָּקַע בְּשׁוֹפָר גָּדוֹל וּבָאוּ הָאֹבְדִים בְּאֶרֶץ
אַשּׁוּר וְהַנִּדָּחִים בְּאֶרֶץ מִצְרָיִם וְהִשְׁתַּחֲווּ לַיהוָה בְּהַר הַקֹּדֶשׁ
בִּירוּשָׁלִָם:

פֻּרְעָנוּת לְשִׁכּוֹרֵי אֶפְרָיִם:

כח א הוֹי עֲטֶרֶת גֵּאוּת שִׁכֹּרֵי אֶפְרַיִם וְצִיץ נֹבֵל צְבִי תִפְאַרְתּוֹ
ב אֲשֶׁר עַל־רֹאשׁ גֵּיא־שְׁמָנִים הֲלוּמֵי יָיִן: הִנֵּה חָזָק וְאַמִּץ לַאדֹנָי
כְּזֶרֶם בָּרָד שַׂעַר קָטֶב כְּזֶרֶם מַיִם כַּבִּירִים שֹׁטְפִים הִנִּיחַ
ג לָאָרֶץ בְּיָד: בְּרַגְלַיִם תֵּרָמַסְנָה עֲטֶרֶת גֵּאוּת שִׁכּוֹרֵי אֶפְרָיִם:
ד וְהָיְתָה צִיצַת נֹבֵל צְבִי תִפְאַרְתּוֹ אֲשֶׁר עַל־רֹאשׁ גֵּיא שְׁמָנִים
כְּבִכּוּרָהּ בְּטֶרֶם קַיִץ אֲשֶׁר יִרְאֶה הָרֹאֶה אוֹתָהּ בְּעוֹדָהּ
ה בְּכַפּוֹ יִבְלָעֶנָּה: בַּיּוֹם הַהוּא
יִהְיֶה יְהוָה צְבָאוֹת לַעֲטֶרֶת צְבִי וְלִצְפִירַת תִּפְאָרָה לִשְׁאָר
ו עַמּוֹ: וּלְרוּחַ מִשְׁפָּט לַיּוֹשֵׁב עַל־הַמִּשְׁפָּט וְלִגְבוּרָה מְשִׁיבֵי

ז מִלְחָמָה שָׁעְרָה: וְגַם־אֵלֶּה בַּיַּיִן שָׁגוּ וּבַשֵּׁכָר תָּעוּ כֹּהֵן
וְנָבִיא שָׁגוּ בַשֵּׁכָר נִבְלְעוּ מִן־הַיַּיִן תָּעוּ מִן־הַשֵּׁכָר שָׁגוּ בָּרֹאֶה
ח פָּקוּ פְּלִילִיָּה: כִּי כָּל־שֻׁלְחָנוֹת מָלְאוּ קִיא צֹאָה בְּלִי מָקוֹם:

ט אֶת־מִי יוֹרֶה דֵעָה וְאֶת־מִי יָבִין שְׁמוּעָה גְּמוּלֵי מֵחָלָב עַתִּיקֵי
י מִשָּׁדָיִם: כִּי צַו לָצָו צַו לָצָו קַו לָקָו קַו לָקָו זְעֵיר שָׁם זְעֵיר שָׁם:

יא יב כִּי בְּלַעֲגֵי שָׂפָה וּבְלָשׁוֹן אַחֶרֶת יְדַבֵּר אֶל־הָעָם הַזֶּה: אֲשֶׁר ׀
אָמַר אֲלֵיהֶם זֹאת הַמְּנוּחָה הָנִיחוּ לֶעָיֵף וְזֹאת הַמַּרְגֵּעָה וְלֹא
יג אָבוּא שְׁמוֹעַ: וְהָיָה לָהֶם דְּבַר־יְהוָה צַו לָצָו צַו לָצָו קַו לָקָו קַו
לָקָו זְעֵיר שָׁם זְעֵיר שָׁם לְמַעַן יֵלְכוּ וְכָשְׁלוּ אָחוֹר וְנִשְׁבָּרוּ
וְנוֹקְשׁוּ וְנִלְכָּדוּ:
יד לָכֵן שִׁמְעוּ דְבַר־יְהוָה אַנְשֵׁי לָצוֹן מֹשְׁלֵי הָעָם הַזֶּה אֲשֶׁר
טו בִּירוּשָׁלִָם: כִּי אֲמַרְתֶּם כָּרַתְנוּ בְרִית אֶת־מָוֶת וְעִם־שְׁאוֹל
עָשִׂינוּ חֹזֶה שיט שׁוֹט שׁוֹטֵף כִּי־יַעֲבֹר עבר לֹא יְבוֹאֵנוּ כִּי שַׂמְנוּ
כָזָב מַחְסֵנוּ וּבַשֶּׁקֶר נִסְתָּרְנוּ:

טז לָכֵן כֹּה אָמַר אֲדֹנָי יֱהוִה הִנְנִי יִסַּד בְּצִיּוֹן אָבֶן אֶבֶן בֹּחַן פִּנַּת
יז יִקְרַת מוּסָד מוּסָּד הַמַּאֲמִין לֹא יָחִישׁ: וְשַׂמְתִּי מִשְׁפָּט לְקָו
וּצְדָקָה לְמִשְׁקָלֶת וְיָעָה בָרָד מַחְסֵה כָזָב וְסֵתֶר מַיִם
יח יִשְׁטֹפוּ: וְכֻפַּר בְּרִיתְכֶם אֶת־מָוֶת וְחָזוּתְכֶם אֶת־שְׁאוֹל
יט לֹא תָקוּם שׁוֹט שׁוֹטֵף כִּי יַעֲבֹר וִהְיִיתֶם לוֹ לְמִרְמָס: מִדֵּי
עָבְרוֹ יִקַּח אֶתְכֶם כִּי־בַבֹּקֶר בַּבֹּקֶר יַעֲבֹר בַּיּוֹם וּבַלָּיְלָה וְהָיָה
כ רַק־זְוָעָה הָבִין שְׁמוּעָה: כִּי־קָצַר הַמַּצָּע מֵהִשְׂתָּרֵעַ וְהַמַּסֵּכָה
כא צָרָה כְּהִתְכַּנֵּס: כִּי כְהַר־פְּרָצִים יָקוּם יְהוָה כְּעֵמֶק בְּגִבְעוֹן יִרְגָּז
לַעֲשׂוֹת מַעֲשֵׂהוּ זָר מַעֲשֵׂהוּ וְלַעֲבֹד עֲבֹדָתוֹ נָכְרִיָּה עֲבֹדָתוֹ:
כב וְעַתָּה אַל־תִּתְלוֹצָצוּ פֶּן־יֶחְזְקוּ מוֹסְרֵיכֶם כִּי־כָלָה וְנֶחֱרָצָה
שָׁמַעְתִּי מֵאֵת אֲדֹנָי יֱהוִה צְבָאוֹת עַל־כָּל־הָאָרֶץ:
כג כד הַאֲזִינוּ וְשִׁמְעוּ קוֹלִי הַקְשִׁיבוּ וְשִׁמְעוּ אִמְרָתִי: הֲכֹל הַיּוֹם יַחֲרֹשׁ
כה הַחֹרֵשׁ לִזְרֹעַ יְפַתַּח וִישַׂדֵּד אַדְמָתוֹ: הֲלוֹא אִם־שִׁוָּה פָנֶיהָ
וְהֵפִיץ קֶצַח וְכַמֹּן יִזְרֹק וְשָׂם חִטָּה שׂוֹרָה וּשְׂעֹרָה נִסְמָן וְכֻסֶּמֶת
כו כז גְּבֻלָתוֹ: וְיִסְּרוֹ לַמִּשְׁפָּט אֱלֹהָיו יוֹרֶנּוּ: כִּי לֹא בֶחָרוּץ יוּדַשׁ קֶצַח
וְאוֹפַן עֲגָלָה עַל־כַּמֹּן יוּסָּב כִּי בַמַּטֶּה יֵחָבֶט קֶצַח וְכַמֹּן בַּשָּׁבֶט:

כח לֶ֣חֶם יוּדָ֔ק כִּ֛י לֹ֥א לָנֶ֖צַח אָד֣וֹשׁ יְדוּשֶׁ֑נּוּ וְהָמַ֞ם גִּלְגַּ֤ל עֶגְלָתוֹ֙
כט וּפָרָשָׁ֔יו לֹ֖א יְדֻקֶּֽנּוּ׃ גַּם־זֹ֕את מֵעִ֛ם יְהֹוָ֥ה צְבָא֖וֹת יָצָ֑אָה הִפְלִ֣יא
עֵצָ֔ה הִגְדִּ֖יל תּֽוּשִׁיָּֽה׃

כט א הֹ֚וֹי אֲרִיאֵ֣ל אֲרִיאֵ֔ל קִרְיַ֖ת חָנָ֣ה דָוִ֑ד סְפ֥וּ שָׁנָ֛ה עַל־שָׁנָ֖ה חַגִּ֥ים
ב יִנְקֹֽפוּ׃ וַהֲצִיק֖וֹתִי לַאֲרִיאֵ֑ל וְהָֽיְתָ֤ה תַאֲנִיָּה֙ וַאֲנִיָּ֔ה וְהָ֥יְתָה לִּ֖י
ג כַּאֲרִיאֵֽל׃ וְחָנִ֥יתִי כַדּ֖וּר עָלָ֑יִךְ וְצַרְתִּ֤י עָלַ֙יִךְ֙ מֻצָּ֔ב וַהֲקֵמֹתִ֥י עָלַ֖יִךְ
ד מְצֻרֹֽת׃ וְשָׁפַ֙לְתְּ֙ מֵאֶ֣רֶץ תְּדַבֵּ֔רִי וּמֵעָפָ֖ר תִּשַּׁ֣ח אִמְרָתֵ֑ךְ וְהָיָ֨ה
ה כְּא֤וֹב מֵאֶ֙רֶץ֙ קוֹלֵ֔ךְ וּמֵעָפָ֖ר אִמְרָתֵ֥ךְ תְּצַפְצֵֽף׃ וְהָיָ֛ה כְּאָבָ֥ק דַּ֖ק
ו הֲמ֣וֹן זָרָ֑יִךְ וּכְמֹ֤ץ עֹבֵר֙ הֲמ֣וֹן עָרִיצִ֔ים וְהָיָ֖ה לְפֶ֥תַע פִּתְאֹֽם׃ מֵעִ֨ם
יְהֹוָ֤ה צְבָאוֹת֙ תִּפָּקֵ֔ד בְּרַ֥עַם וּבְרַ֖עַשׁ וְק֣וֹל גָּד֑וֹל סוּפָה֙ וּסְעָרָ֔ה
ז וְלַ֖הַב אֵ֥שׁ אוֹכֵלָֽה׃ וְהָיָ֗ה כַּחֲלוֹם֙ חֲז֣וֹן לַ֔יְלָה הֲמוֹן֙ כָּל־הַגּוֹיִ֔ם
הַצֹּבְאִ֖ים עַל־אֲרִיאֵ֑ל וְכָל־צֹבֶ֙יהָ֙ וּמְצֹ֣דָתָ֔הּ וְהַמְּצִיקִ֖ים לָֽהּ׃
ח וְהָיָ֡ה כַּאֲשֶׁר֩ יַחֲלֹ֨ם הָרָעֵ֜ב וְהִנֵּ֣ה אוֹכֵ֗ל וְהֵקִיץ֮ וְרֵיקָ֣ה נַפְשׁוֹ֒ וְכַאֲשֶׁ֨ר
יַחֲלֹ֜ם הַצָּמֵ֗א וְהִנֵּ֤ה שֹׁתֶה֙ וְהֵקִ֔יץ וְהִנֵּ֣ה עָיֵ֔ף וְנַפְשׁ֖וֹ שׁוֹקֵקָ֑ה כֵּ֣ן
יִֽהְיֶ֗ה הֲמוֹן֙ כָּל־הַגּוֹיִ֔ם הַצֹּבְאִ֖ים עַל־הַ֥ר צִיּֽוֹן׃
ט הִתְמַהְמְה֣וּ וּתְמָ֔הוּ הִשְׁתַּעַשְׁע֖וּ וָשֹׁ֑עוּ שָֽׁכְרוּ֙ וְלֹא־יַ֔יִן נָ֖עוּ וְלֹ֥א
י שֵׁכָֽר׃ כִּֽי־נָסַ֨ךְ עֲלֵיכֶ֤ם יְהֹוָה֙ ר֣וּחַ תַּרְדֵּמָ֔ה וַיְעַצֵּ֖ם אֶת־עֵינֵיכֶ֑ם
יא אֶת־הַנְּבִיאִ֛ים וְאֶת־רָאשֵׁיכֶ֥ם הַחֹזִ֖ים כִּסָּֽה׃ וַתְּהִ֨י לָכֶ֜ם חָז֣וּת הַכֹּ֗ל
כְּדִבְרֵי֮ הַסֵּ֣פֶר הֶחָתוּם֒ אֲשֶֽׁר־יִתְּנ֣וּ אֹת֗וֹ אֶל־יוֹדֵ֛עַ הספר סֵ֖פֶר
יב לֵאמֹ֑ר קְרָ֣א נָא־זֶ֔ה וְאָמַר֙ לֹ֣א אוּכַ֔ל כִּ֥י חָת֖וּם הֽוּא׃ וְנִתַּן֙ הַסֵּ֔פֶר
עַ֨ל אֲשֶׁ֧ר לֹֽא־יָדַ֛ע סֵ֖פֶר לֵאמֹ֣ר קְרָא נָא־זֶ֑ה וְאָמַ֕ר לֹ֥א יָדַ֖עְתִּי
יג סֵֽפֶר׃ וַיֹּ֣אמֶר אֲדֹנָ֗י יַ֚עַן כִּ֤י נִגַּשׁ֙ הָעָ֣ם הַזֶּ֔ה בְּפִ֤יו
וּבִשְׂפָתָיו֙ כִּבְּד֔וּנִי וְלִבּ֖וֹ רִחַ֣ק מִמֶּ֑נִּי וַתְּהִ֤י יִרְאָתָם֙ אֹתִ֔י מִצְוַ֥ת
יד אֲנָשִׁ֖ים מְלֻמָּדָֽה׃ לָכֵ֗ן הִנְנִ֥י יוֹסִ֛ף לְהַפְלִ֥יא אֶת־הָעָם־הַזֶּ֖ה הַפְלֵ֣א
טו וָפֶ֑לֶא וְאָֽבְדָה֙ חָכְמַ֣ת חֲכָמָ֔יו וּבִינַ֥ת נְבֹנָ֖יו תִּסְתַּתָּֽר׃ ה֚וֹי

נְבוּאָה עַל מְצוֹר אַשּׁוּר וְהַצָּלַת יְרוּשָׁלִָם:

תּוֹכָחָה עַל חֹסֶר הַתְּבוּנוֹת:

גְּנֵבַת דַּעַת עֶלְיוֹן:

הַמַּעֲמִיקִים מֵיהוָה לַסְתִּר עֵצָה וְהָיָה בְמַחְשָׁךְ מַעֲשֵׂיהֶם וַיֹּאמְרוּ

<small>הָעֹנֶשׁ לַחוֹטְאִים בַּסֵּתֶר:</small>

מִי רֹאֵנוּ וּמִי יֹדְעֵנוּ: הַפְכְּכֶם אִם־כְּחֹמֶר הַיֹּצֵר יֵחָשֵׁב כִּי־יֹאמַר

יז מַעֲשֶׂה לְעֹשֵׂהוּ לֹא עָשָׂנִי וְיֵצֶר אָמַר לְיֹצְרוֹ לֹא הֵבִין: הֲלוֹא־עוֹד

יח מְעַט מִזְעָר וְשָׁב לְבָנוֹן לַכַּרְמֶל וְהַכַּרְמֶל לַיַּעַר יֵחָשֵׁב: וְשָׁמְעוּ

בַיּוֹם־הַהוּא הַחֵרְשִׁים דִּבְרֵי־סֵפֶר וּמֵאֹפֶל וּמֵחֹשֶׁךְ עֵינֵי עִוְרִים

יט תִּרְאֶינָה: וְיָסְפוּ עֲנָוִים בַּיהוָה שִׂמְחָה וְאֶבְיוֹנֵי אָדָם בִּקְדוֹשׁ

כ יִשְׂרָאֵל יָגִילוּ: כִּי־אָפֵס עָרִיץ וְכָלָה לֵץ וְנִכְרְתוּ כָּל־שֹׁקְדֵי אָוֶן:

כא מַחֲטִיאֵי אָדָם בְּדָבָר וְלַמּוֹכִיחַ בַּשַּׁעַר יְקֹשׁוּן וַיַּטּוּ בַתֹּהוּ

צַדִּיק:

<small>בְּזְכוּת הַצַּדִּיקִים יָשׁוּבוּ הַתּוֹעִים:</small>

כב לָכֵן כֹּה־אָמַר יְהוָה אֶל־בֵּית יַעֲקֹב אֲשֶׁר פָּדָה אֶת־אַבְרָהָם

כג לֹא־עַתָּה יֵבוֹשׁ יַעֲקֹב וְלֹא עַתָּה פָּנָיו יֶחֱוָרוּ: כִּי בִרְאֹתוֹ יְלָדָיו

מַעֲשֵׂה יָדַי בְּקִרְבּוֹ יַקְדִּישׁוּ שְׁמִי וְהִקְדִּישׁוּ אֶת־קְדוֹשׁ יַעֲקֹב

כד וְאֶת־אֱלֹהֵי יִשְׂרָאֵל יַעֲרִיצוּ: וְיָדְעוּ תֹעֵי־רוּחַ בִּינָה וְרוֹגְנִים

יִלְמְדוּ־לֶקַח:

<small>תּוֹכֵחָה לַנִּשְׁעָנִים עַל מִצְרַיִם:</small>

ל א הוֹי בָּנִים סוֹרְרִים נְאֻם־יְהוָה לַעֲשׂוֹת

עֵצָה וְלֹא מִנִּי וְלִנְסֹךְ מַסֵּכָה וְלֹא רוּחִי לְמַעַן סְפוֹת חַטָּאת

ב עַל־חַטָּאת: הַהֹלְכִים לָרֶדֶת מִצְרַיִם וּפִי לֹא שָׁאָלוּ לָעוֹז בְּמָעוֹז

ג פַּרְעֹה וְלַחְסוֹת בְּצֵל מִצְרָיִם: וְהָיָה לָכֶם מָעוֹז פַּרְעֹה לְבֹשֶׁת

ד וְהֶחָסוּת בְּצֵל־מִצְרַיִם לִכְלִמָּה: כִּי־הָיוּ בְצֹעַן שָׂרָיו וּמַלְאָכָיו

ה חָנֵס יַגִּיעוּ: כֹּל הֹבִאישׁ עַל־עַם לֹא־יוֹעִילוּ לָמוֹ לֹא לְעֵזֶר וְלֹא

<small>אַפְסוּת עֶזְרַת מִצְרַיִם:</small>

ו לְהוֹעִיל כִּי לְבֹשֶׁת וְגַם־לְחֶרְפָּה: מַשָּׂא בַּהֲמוֹת נֶגֶב

בְּאֶרֶץ צָרָה וְצוּקָה לָבִיא וָלַיִשׁ מֵהֶם אֶפְעֶה וְשָׂרָף מְעוֹפֵף יִשְׂאוּ

עַל־כֶּתֶף עֲיָרִים חֵילֵהֶם וְעַל־דַּבֶּשֶׁת גְּמַלִּים אוֹצְרֹתָם עַל־עַם

ז לֹא יוֹעִילוּ: וּמִצְרַיִם הֶבֶל וָרִיק יַעְזֹרוּ לָכֵן קָרָאתִי לָזֹאת רַהַב

ח הֵם שָׁבֶת: עַתָּה בּוֹא כָתְבָהּ עַל־לוּחַ אִתָּם וְעַל־סֵפֶר חֻקָּהּ

ט וּתְהִי לְיוֹם אַחֲרוֹן לָעַד עַד־עוֹלָם: כִּי עַם מְרִי הוּא בָּנִים

י כֶּחָשִׁים בָּנִים לֹא־אָבוּ שְׁמוֹעַ תּוֹרַת יְהוָה׃ אֲשֶׁר אָמְרוּ לָרֹאִים
לֹא תִרְאוּ וְלַחֹזִים לֹא תֶחֱזוּ־לָנוּ נְכֹחוֹת דַּבְּרוּ־לָנוּ חֲלָקוֹת חֲזוּ
יא מַהֲתַלּוֹת׃ סוּרוּ מִנֵּי־דֶרֶךְ הַטּוּ מִנֵּי־אֹרַח הַשְׁבִּיתוּ מִפָּנֵינוּ
יב אֶת־קְדוֹשׁ יִשְׂרָאֵל׃ לָכֵן כֹּה אָמַר קְדוֹשׁ יִשְׂרָאֵל יַעַן
יג מָאָסְכֶם בַּדָּבָר הַזֶּה וַתִּבְטְחוּ בְּעֹשֶׁק וְנָלוֹז וַתִּשָּׁעֲנוּ עָלָיו׃ לָכֵן
יִהְ־יֶה לָכֶם הֶעָוֺן הַזֶּה כְּפֶרֶץ נֹפֵל נִבְעֶה בְּחוֹמָה נִשְׂגָּבָה
יד אֲשֶׁר־פִּתְאֹם לְפֶתַע יָבוֹא שִׁבְרָ־הּ׃ וּשְׁבָרָ־הּ כְּשֵׁבֶר נֵבֶל יוֹצְרִים
כָּתוּת לֹא יַחְמֹל וְלֹא־יִמָּצֵא בִמְכִתָּתוֹ חֶרֶשׂ לַחְתּוֹת אֵשׁ מִיָּקוּד
טו וְלַחְשֹׂף מַיִם מִגֶּבֶא׃ כִּי כֹה־אָמַר
אֲדֹנָי יֱהוִה קְדוֹשׁ יִשְׂרָאֵל בְּשׁוּבָה וָנַחַת תִּוָּשֵׁעוּן בְּהַשְׁקֵט
טז וּבְבִטְחָה תִּהְ־יֶה גְּבוּרַתְכֶם וְלֹא אֲבִיתֶם׃ וַתֹּאמְרוּ לֹא־כִי עַל־
סוּס נָנוּס עַל־כֵּן תְּנוּסוּן וְעַל־קַל נִרְכָּב עַל־כֵּן יִקַּלּוּ רֹדְפֵיכֶם׃
יז אֶלֶף אֶחָד מִפְּנֵי גַּעֲרַת אֶחָד מִפְּנֵי גַּעֲרַת חֲמִשָּׁה תָּנֻסוּ עַד
יח אִם־נוֹתַרְתֶּם כַּתֹּרֶן עַל־רֹאשׁ הָהָר וְכַנֵּס עַל־הַגִּבְעָה׃ וְלָכֵן
יְחַכֶּה יְהוָה לַחֲנַנְכֶם וְלָכֵן יָרוּם לְרַחֶמְכֶם כִּי־אֱלֹהֵי מִשְׁפָּט יְהוָה
אַשְׁרֵי כָּל־חוֹכֵי לוֹ׃

פִּרְעָנוּת לַבּוֹטְחִים בָּאָדָם וְלֹא בַּה׳:

יט כִּי־עַם בְּצִיּוֹן יֵשֵׁב בִּירוּשָׁלִָם בָּכוֹ לֹא־תִבְכֶּה חָנוֹן יָחְנְךָ לְקוֹל
כ זַעֲקֶךָ כְּשָׁמְעָתוֹ עָנָךְ׃ וְנָתַן לָכֶם אֲדֹנָי לֶחֶם צָר וּמַיִם לָחַץ
כא וְלֹא־יִכָּנֵף עוֹד מוֹרֶיךָ וְהָיוּ עֵינֶיךָ רֹאוֹת אֶת־מוֹרֶיךָ׃ וְאָזְנֶיךָ
תִּשְׁמַעְנָה דָבָר מֵאַחֲרֶיךָ לֵאמֹר זֶה הַדֶּרֶךְ לְכוּ בוֹ כִּי תַאֲמִינוּ
כב וְכִי תַשְׂמְאִילוּ׃ וְטִמֵּאתֶם אֶת־צִפּוּי פְּסִילֵי כַסְפֶּךָ וְאֶת־אֲפֻדַּת
כג מַסֵּכַת זְהָבֶךָ תִּזְרֵם כְּמוֹ דָוָה צֵא תֹּאמַר לוֹ׃ וְנָתַן מְטַר זַרְעֲךָ
אֲשֶׁר־תִּזְרַע אֶת־הָאֲדָמָה וְלֶחֶם תְּבוּאַת הָאֲדָמָה וְהָיָה דָשֵׁן
כד וְשָׁמֵן יִרְעֶה מִקְנֶיךָ בַּיּוֹם הַהוּא כַּר נִרְחָב׃ וְהָאֲלָפִים וְהָעֲיָרִים
עֹבְדֵי הָאֲדָמָה בְּלִיל חָמִיץ יֹאכֵלוּ אֲשֶׁר־זֹרֶה בָרַחַת וּבַמִּזְרֶה׃

כה וְהָיָה ׀ עַל־כׇּל־הַר גָּבֹהַ וְעַל כׇּל־גִּבְעָה נִשָּׂאָה פְּלָגִים יִבְלֵי־
כו מָיִם בְּיוֹם הֶרֶג רָב בִּנְפֹל מִגְדָּלִים: וְהָיָה אוֹר־הַלְּבָנָה כְּאוֹר
הַחַמָּה וְאוֹר הַחַמָּה יִהְיֶה שִׁבְעָתַיִם כְּאוֹר שִׁבְעַת הַיָּמִים בְּיוֹם
חֲבֹשׁ יְהֹוָה אֶת־שֶׁבֶר עַמּוֹ וּמַחַץ מַכָּתוֹ יִרְפָּא:
כז הִנֵּה שֵׁם־יְהֹוָה בָּא מִמֶּרְחָק בֹּעֵר אַפּוֹ וְכֹבֶד מַשָּׂאָה שְׂפָתָיו נְבוּאָה עַל מַפֶּלֶת סַנְחֵרִיב וְאַשּׁוּר:
כח מָלְאוּ זַעַם וּלְשׁוֹנוֹ כְּאֵשׁ אֹכָלֶת: וְרוּחוֹ כְּנַחַל שׁוֹטֵף עַד־צַוָּאר
יֶחֱצֶה לַהֲנָפָה גוֹיִם בְּנָפַת שָׁוְא וְרֶסֶן מַתְעֶה עַל לְחָיֵי עַמִּים:
כט הַשִּׁיר יִהְיֶה לָכֶם כְּלֵיל הִתְקַדֶּשׁ־חָג וְשִׂמְחַת לֵבָב כַּהוֹלֵךְ
ל בֶּחָלִיל לָבוֹא בְהַר־יְהֹוָה אֶל־צוּר יִשְׂרָאֵל: וְהִשְׁמִיעַ יְהֹוָה
אֶת־הוֹד קוֹלוֹ וְנַחַת זְרוֹעוֹ יַרְאֶה בְּזַעַף אַף וְלַהַב אֵשׁ אוֹכֵלָה
לא נֶפֶץ וָזֶרֶם וְאֶבֶן בָּרָד: כִּי־מִקּוֹל יְהֹוָה יֵחַת אַשּׁוּר בַּשֵּׁבֶט יַכֶּה:
לב וְהָיָה כֹּל מַעֲבַר מַטֵּה מוּסָדָה אֲשֶׁר יָנִיחַ יְהֹוָה עָלָיו בְּתֻפִּים
לג וּבְכִנֹּרוֹת וּבְמִלְחֲמוֹת תְּנוּפָה נִלְחַם־בָּם בה: כִּי־עָרוּךְ מֵאֶתְמוּל
תׇּפְתֶּה גַּם־הִיא הוא לַמֶּלֶךְ הוּכָן הֶעְמִיק הִרְחִב מְדֻרָתָהּ אֵשׁ
וְעֵצִים הַרְבֵּה נִשְׁמַת יְהֹוָה כְּנַחַל גׇּפְרִית בֹּעֲרָה בָּהּ:
לא א הוֹי הַיֹּרְדִים מִצְרַיִם לְעֶזְרָה עַל־סוּסִים יִשָּׁעֵנוּ וַיִּבְטְחוּ עַל־רֶכֶב עַל מַפֶּלֶת מִצְרַיִם וְהַבּוֹטְחִים בָּם:
כִּי רָב וְעַל פָּרָשִׁים כִּי־עָצְמוּ מְאֹד וְלֹא שָׁעוּ עַל־קְדוֹשׁ יִשְׂרָאֵל
ב וְאֶת־יְהֹוָה לֹא דָרָשׁוּ: וְגַם־הוּא חָכָם וַיָּבֵא רָע וְאֶת־דְּבָרָיו לֹא
ג הֵסִיר וְקָם עַל־בֵּית מְרֵעִים וְעַל־עֶזְרַת פֹּעֲלֵי אָוֶן: וּמִצְרַיִם
אָדָם וְלֹא־אֵל וְסוּסֵיהֶם בָּשָׂר וְלֹא־רוּחַ וַיהֹוָה יַטֶּה יָדוֹ וְכָשַׁל
ד עוֹזֵר וְנָפַל עָזֻר וְיַחְדָּו כֻּלָּם יִכְלָיוּן: כִּי כֹה אָמַר־יְהֹוָה ׀ הַצָּלַת יְרוּשָׁלַיִם וּמַפֶּלֶת אַשּׁוּר בַּעֲזִיבַת הַחֵטְא:
אֵלַי כַּאֲשֶׁר יֶהְגֶּה הָאַרְיֵה וְהַכְּפִיר עַל־טַרְפּוֹ אֲשֶׁר יִקָּרֵא עָלָיו
מְלֹא רֹעִים מִקּוֹלָם לֹא יֵחָת וּמֵהֲמוֹנָם לֹא יַעֲנֶה כֵּן יֵרֵד יְהֹוָה
ה צְבָאוֹת לִצְבֹּא עַל־הַר־צִיּוֹן וְעַל־גִּבְעָתָהּ: כְּצִפֳּרִים עָפוֹת כֵּן
ו יָגֵן יְהֹוָה צְבָאוֹת עַל־יְרוּשָׁלָםִ גָּנוֹן וְהִצִּיל פָּסֹחַ וְהִמְלִיט: שׁוּבוּ

ז לַאֲשֶׁר הֶעְמִיקוּ סָרָה בְּנֵי יִשְׂרָאֵל: כִּי בַּיּוֹם הַהוּא יִמְאָסוּן אִישׁ
ח אֱלִילֵי כַסְפּוֹ וֶאֱלִילֵי זְהָבוֹ אֲשֶׁר עָשׂוּ לָכֶם יְדֵיכֶם חֵטְא: וְנָפַל
אַשּׁוּר בְּחֶרֶב לֹא־אִישׁ וְחֶרֶב לֹא־אָדָם תֹּאכְלֶנּוּ וְנָס לוֹ מִפְּנֵי־
ט חֶרֶב וּבַחוּרָיו לָמַס יִהְיוּ: וְסַלְעוֹ מִמָּגוֹר יַעֲבוֹר וְחַתּוּ מִנֵּס
שָׂרָיו נְאֻם־יְהוָה אֲשֶׁר־אוּר לוֹ בְּצִיּוֹן וְתַנּוּר לוֹ בִּירוּשָׁלִָם:

שִׁלְטוֹן הַצֶּדֶק:

לב א ב הֵן לְצֶדֶק יִמְלָךְ־מֶלֶךְ וּלְשָׂרִים לְמִשְׁפָּט יָשֹׂרוּ: וְהָיָה־אִישׁ
כְּמַחֲבֵא־רוּחַ וְסֵתֶר זָרֶם כְּפַלְגֵי־מַיִם בְּצָיוֹן כְּצֵל סֶלַע־כָּבֵד
ג בְּאֶרֶץ עֲיֵפָה: וְלֹא תִשְׁעֶינָה עֵינֵי רֹאִים וְאָזְנֵי שֹׁמְעִים תִּקְשַׁבְנָה:
ד וּלְבַב נִמְהָרִים יָבִין לָדָעַת וּלְשׁוֹן עִלְּגִים תְּמַהֵר לְדַבֵּר צָחוֹת:
ה ו לֹא־יִקָּרֵא עוֹד לְנָבָל נָדִיב וּלְכִילַי לֹא יֵאָמֵר שׁוֹעַ: כִּי נָבָל נְבָלָה
יְדַבֵּר וְלִבּוֹ יַעֲשֶׂה־אָוֶן לַעֲשׂוֹת חֹנֶף וּלְדַבֵּר אֶל־יְהוָה תּוֹעָה
ז לְהָרִיק נֶפֶשׁ רָעֵב וּמַשְׁקֶה צָמֵא יַחְסִיר: וְכֵלַי כֵּלָיו רָעִים הוּא
זִמּוֹת יָעָץ לְחַבֵּל ענוים עֲנִיִּים בְּאִמְרֵי־שֶׁקֶר וּבְדַבֵּר אֶבְיוֹן מִשְׁפָּט:

קִינַת הַנָּשִׁים עַל יְרוּשָׁלַיִם וַחֲכָמֶיהָ:

ח ט וְנָדִיב נְדִיבוֹת יָעָץ וְהוּא עַל־נְדִיבוֹת יָקוּם: נָשִׁים
שַׁאֲנַנּוֹת קֹמְנָה שְׁמַעְנָה קוֹלִי בָּנוֹת בֹּטְחוֹת הַאְזֵנָּה אִמְרָתִי:
י יָמִים עַל־שָׁנָה תִּרְגַּזְנָה בֹּטְחוֹת כִּי כָּלָה בָצִיר אֹסֶף בְּלִי יָבוֹא:
יא חִרְדוּ שַׁאֲנַנּוֹת רְגָזָה בֹּטְחוֹת פְּשֹׁטָה וְעֹרָה וַחֲגוֹרָה עַל־חֲלָצָיִם:
יב יג עַל־שָׁדַיִם סֹפְדִים עַל־שְׂדֵי־חֶמֶד עַל־גֶּפֶן פֹּרִיָּה: עַל אַדְמַת
עַמִּי קוֹץ שָׁמִיר תַּעֲלֶה כִּי עַל־כָּל־בָּתֵּי מָשׂוֹשׂ קִרְיָה עַלִּיזָה:
יד כִּי־אַרְמוֹן נֻטָּשׁ הֲמוֹן עִיר עֻזָּב עֹפֶל וָבַחַן הָיָה בְעַד מְעָרוֹת
טו עַד־עוֹלָם מְשׂוֹשׂ פְּרָאִים מִרְעֵה עֲדָרִים: עַד־יֵעָרֶה עָלֵינוּ רוּחַ
טז מִמָּרוֹם וְהָיָה מִדְבָּר לַכַּרְמֶל וכרמל וְהַכַּרְמֶל לַיַּעַר יֵחָשֵׁב: וְשָׁכַן
יז בַּמִּדְבָּר מִשְׁפָּט וּצְדָקָה בַּכַּרְמֶל תֵּשֵׁב: וְהָיָה מַעֲשֵׂה הַצְּדָקָה
יח שָׁלוֹם וַעֲבֹדַת הַצְּדָקָה הַשְׁקֵט וָבֶטַח עַד־עוֹלָם: וְיָשַׁב עַמִּי
יט בִּנְוֵה שָׁלוֹם וּבְמִשְׁכְּנוֹת מִבְטַחִים וּבִמְנוּחֹת שַׁאֲנַנּוֹת: וּבָרַד

כ בְּרֶ֣דֶת הַיָּ֑עַר וּבַשִּׁפְלָ֖ה תִּשְׁפַּ֥ל הָעִֽיר: אַשְׁרֵיכֶ֖ם זֹרְעֵ֣י עַל־כָּל־

לג א מָ֑יִם מְשַׁלְּחֵ֥י רֶֽגֶל־הַשּׁ֖וֹר וְהַחֲמֹֽר: ה֣וֹי שׁוֹדֵ֗ד וְאַתָּה֙

לֹ֣א שָׁד֔וּד וּבוֹגֵ֖ד וְלֹא־בָ֣גְדוּ ב֑וֹ כַּהֲתִֽמְךָ֤ שׁוֹדֵד֙ תּוּשַּׁ֔ד כַּנְּלֹתְךָ֥

תְּפִלַּת הָעָם

ב לִבְגֹּ֖ד יִבְגְּדוּ־בָֽךְ:   יְהֹוָה֙ חָנֵּ֔נוּ לְךָ֖ קִוִּ֑ינוּ הֱיֵ֤ה זְרֹעָם֙

לִישׁוּעָה

ג לַבְּקָרִ֔ים אַף־יְשׁוּעָתֵ֖נוּ בְּעֵ֥ת צָרָֽה: מִקּ֣וֹל הָמ֔וֹן נָדְד֖וּ עַמִּ֑ים

ד מֵר֣וֹמְמֻתֶ֔ךָ נָפְצ֖וּ גּוֹיִֽם: וְאֻסַּ֣ף שְׁלַלְכֶ֔ם אֹ֖סֶף הֶֽחָסִ֑יל כְּמַשַּׁ֥ק גֵּבִ֖ים

ה שֹׁקֵ֥ק בּֽוֹ: נִשְׂגָּ֣ב יְהֹוָ֔ה כִּ֥י שֹׁכֵ֖ן מָר֑וֹם מִלֵּ֣א צִיּ֔וֹן מִשְׁפָּ֖ט וּצְדָקָֽה:

ו וְהָיָה֙ אֱמוּנַ֣ת עִתֶּ֔יךָ חֹ֥סֶן יְשׁוּעֹ֖ת חׇכְמַ֣ת וָדָ֑עַת יִרְאַ֥ת יְהֹוָ֖ה הִ֥יא

אוֹצָרֽוֹ:

קִינָה בִּימֵי מָצוֹר

ז הֵ֚ן אֶרְאֶלָּ֔ם צָעֲק֖וּ חֻ֑צָה מַלְאֲכֵ֣י שָׁל֔וֹם מַ֖ר יִבְכָּיֽוּן: נָשַׁ֣מּוּ מְסִלּ֗וֹת

ח שָׁבַת֙ עֹבֵ֣ר אֹ֔רַח הֵפֵ֥ר בְּרִ֖ית מָאַ֣ס עָרִ֑ים לֹ֥א חָשַׁ֖ב אֱנֽוֹשׁ: אָבַ֤ל

סַנְחֵרִיב

ט אֻמְלְלָ֣ה אָ֔רֶץ הֶחְפִּ֥יר לְבָנ֖וֹן קָמַ֑ל הָיָ֤ה הַשָּׁרוֹן֙ כָּֽעֲרָבָ֔ה וְנֹעֵ֥ר

י בָּשָׁ֖ן וְכַרְמֶֽל: עַתָּ֣ה אָק֔וּם יֹאמַ֖ר יְהֹוָ֑ה עַתָּ֥ה אֵֽרוֹמָ֖ם

יא עַתָּ֖ה אֶנָּשֵֽׂא: תַּהֲר֥וּ חֲשַׁ֖שׁ תֵּ֣לְד֣וּ קַ֑שׁ רוּחֲכֶ֕ם אֵ֖שׁ תֹּאכַלְכֶֽם: וְהָי֤וּ

עַמִּים֙ מִשְׂרְפ֣וֹת שִׂ֔יד קוֹצִ֥ים כְּסוּחִ֖ים בָּאֵ֥שׁ יִצַּֽתּוּ:

הַתְּשׁוּעָה בְּזְכוּת חִזְקִיָּהוּ

יג שִׁמְע֥וּ רְחוֹקִ֖ים אֲשֶׁ֣ר עָשִׂ֑יתִי וּדְע֥וּ קְרוֹבִ֖ים גְּבֻֽרָתִֽי: פָּחֲד֤וּ בְצִיּוֹן֙

חַטָּאִ֔ים אָחֲזָ֥ה רְעָדָ֖ה חֲנֵפִ֑ים מִ֣י ׀ יָג֤וּר לָ֙נוּ֙ אֵ֣שׁ אוֹכֵלָ֔ה מִֽי־יָג֥וּר

לָ֖נוּ מֽוֹקְדֵ֥י עוֹלָֽם: הֹלֵ֣ךְ צְדָק֔וֹת וְדֹבֵ֖ר מֵֽישָׁרִ֑ים מֹאֵ֣ס בְּבֶ֣צַע

מַעֲשַׁקּ֗וֹת נֹעֵ֤ר כַּפָּיו֙ מִתְּמֹ֣ךְ בַּשֹּׁ֔חַד אֹטֵ֤ם אׇזְנוֹ֙ מִשְּׁמֹ֣עַ דָּמִ֔ים

טז וְעֹצֵ֥ם עֵינָ֖יו מֵרְא֣וֹת בְּרָ֑ע: ה֚וּא מְרוֹמִ֣ים יִשְׁכֹּ֔ן מְצָד֥וֹת סְלָעִ֖ים

יז מִשְׂגַּבּ֑וֹ לַחְמ֣וֹ נִתָּ֔ן מֵימָ֖יו נֶאֱמָנִֽים: מֶ֥לֶךְ בְּיׇפְי֖וֹ תֶּחֱזֶ֣ינָה עֵינֶ֑יךָ

יח תִּרְאֶ֖ינָה אֶ֥רֶץ מַרְחַקִּֽים: לִבְּךָ֖ יֶהְגֶּ֣ה אֵימָ֑ה אַיֵּ֤ה סֹפֵר֙ אַיֵּ֣ה שֹׁקֵ֔ל

יט אַיֵּ֖ה סֹפֵ֥ר אֶת־הַמִּגְדָּלִֽים: אֶת־עַ֤ם נוֹעָז֙ לֹ֣א תִרְאֶ֔ה עַ֚ם עִמְקֵ֣י

גְּדֻלַּת יְרוּשָׁלַיִם בִּזְמַן הַגְּאֻלָּה

כ שָׂפָ֖ה מִשְּׁמ֑וֹעַ נִלְעַ֣ג לָשׁ֔וֹן אֵ֖ין בִּינָֽה: חֲזֵ֣ה צִיּ֔וֹן קִרְיַ֖ת מֽוֹעֲדֵ֑נוּ

עֵינֶ֜יךָ תִרְאֶ֣ינָה יְרוּשָׁלַ֗͏ִם נָוֶ֤ה שַׁאֲנָן֙ אֹ֣הֶל בַּל־יִצְעָ֔ן בַּל־יִסַּ֤ע

כא יְתֵדֹתָיו לָנֶצַח וְכָל־חֲבָלָיו בַּל־יִנָּתֵקוּ: כִּי אִם־שָׁם אַדִּיר יְהוָה
לָנוּ מְקוֹם־נְהָרִים יְאֹרִים רַחֲבֵי יָדָיִם בַּל־תֵּלֶךְ בּוֹ אֳנִי־שַׁיִט וְצִי
כב אַדִּיר לֹא יַעַבְרֶנּוּ: כִּי יְהוָה שֹׁפְטֵנוּ יְהוָה מְחֹקְקֵנוּ יְהוָה מַלְכֵּנוּ
כג הוּא יוֹשִׁיעֵנוּ: נִטְּשׁוּ חֲבָלָיִךְ בַּל־יְחַזְּקוּ כֵן־תָּרְנָם בַּל־פָּרְשׂוּ נֵס
כד אָז חֻלַּק עַד־שָׁלָל מַרְבֶּה פִּסְחִים בָּזְזוּ בַז: וּבַל־יֹאמַר שָׁכֵן
נְבוּאַת זַעַם עַל אֱדוֹם:
לד א חָלִיתִי הָעָם הַיֹּשֵׁב בָּהּ נְשֻׂא עָוֺן: קִרְבוּ גוֹיִם לִשְׁמֹעַ
וּלְאֻמִּים הַקְשִׁיבוּ תִּשְׁמַע הָאָרֶץ וּמְלֹאָהּ תֵּבֵל וְכָל־צֶאֱצָאֶיהָ:
ב כִּי קֶצֶף לַיהוָה עַל־כָּל־הַגּוֹיִם וְחֵמָה עַל־כָּל־צְבָאָם הֶחֱרִימָם
ג נְתָנָם לַטָּבַח: וְחַלְלֵיהֶם יֻשְׁלָכוּ וּפִגְרֵיהֶם יַעֲלֶה בָאְשָׁם וְנָמַסּוּ
ד הָרִים מִדָּמָם: וְנָמַקּוּ כָּל־צְבָא הַשָּׁמַיִם וְנָגֹלּוּ כַסֵּפֶר הַשָּׁמָיִם
ה וְכָל־צְבָאָם יִבּוֹל כִּנְבֹל עָלֶה מִגֶּפֶן וּכְנֹבֶלֶת מִתְּאֵנָה: כִּי־רִוְּתָה
בַשָּׁמַיִם חַרְבִּי הִנֵּה עַל־אֱדוֹם תֵּרֵד וְעַל־עַם חֶרְמִי לְמִשְׁפָּט:
ו חֶרֶב לַיהוָה מָלְאָה דָם הֻדַּשְׁנָה מֵחֵלֶב מִדַּם כָּרִים וְעַתּוּדִים
מֵחֵלֶב כִּלְיוֹת אֵילִים כִּי זֶבַח לַיהוָה בְּבָצְרָה וְטֶבַח גָּדוֹל בְּאֶרֶץ
חַרְבּוֹ אֱדוֹם:
ז אֱדוֹם: וְיָרְדוּ רְאֵמִים עִמָּם וּפָרִים עִם־אַבִּירִים וְרִוְּתָה אַרְצָם
ח מִדָּם וַעֲפָרָם מֵחֵלֶב יְדֻשָּׁן: כִּי יוֹם נָקָם לַיהוָה שְׁנַת שִׁלּוּמִים
ט לְרִיב צִיּוֹן: וְנֶהֶפְכוּ נְחָלֶיהָ לְזֶפֶת וַעֲפָרָהּ לְגָפְרִית וְהָיְתָה
י אַרְצָהּ לְזֶפֶת בֹּעֵרָה: לַיְלָה וְיוֹמָם לֹא תִכְבֶּה לְעוֹלָם יַעֲלֶה
יא עֲשָׁנָהּ מִדּוֹר לָדוֹר תֶּחֱרָב לְנֵצַח נְצָחִים אֵין עֹבֵר בָּהּ: וִירֵשׁוּהָ
קָאַת וְקִפּוֹד וְיַנְשׁוֹף וְעֹרֵב יִשְׁכְּנוּ־בָהּ וְנָטָה עָלֶיהָ קַו־תֹהוּ
יב וְאַבְנֵי־בֹהוּ: חֹרֶיהָ וְאֵין־שָׁם מְלוּכָה יִקְרָאוּ וְכָל־שָׂרֶיהָ יִהְיוּ
הַשְּׁמָמָה בֶּאֱדוֹם:
יג אָפֶס: וְעָלְתָה אַרְמְנֹתֶיהָ סִירִים קִמּוֹשׂ וָחוֹחַ בְּמִבְצָרֶיהָ וְהָיְתָה
יד נְוֵה תַנִּים חָצִיר לִבְנוֹת יַעֲנָה: וּפָגְשׁוּ צִיִּים אֶת־אִיִּים וְשָׂעִיר
עַל־רֵעֵהוּ יִקְרָא אַךְ־שָׁם הִרְגִּיעָה לִּילִית וּמָצְאָה לָהּ מָנוֹחַ:
טו שָׁמָּה קִנְּנָה קִפּוֹז וַתְּמַלֵּט וּבָקְעָה וְדָגְרָה בְצִלָּהּ אַךְ־שָׁם נִקְבְּצוּ

טז דַּיּוֹת אִשָּׁה רְעוּתָהּ׃ דִּרְשׁוּ מֵעַל־סֵפֶר יְהוָה וּקְרָאוּ אַחַת מֵהֵנָּה
לֹא נֶעְדָּרָה אִשָּׁה רְעוּתָהּ לֹא פָקָדוּ כִּי־פִי הוּא צִוָּה וְרוּחוֹ הוּא
יז קִבְּצָן׃ וְהוּא־הִפִּיל לָהֶן גּוֹרָל וְיָדוֹ חִלְּקַתָּה לָהֶם בַּקָּו עַד־עוֹלָם
לה א יִירָשׁוּהָ לְדוֹר וָדוֹר יִשְׁכְּנוּ־בָהּ׃ יְשֻׂשׂוּם מִדְבָּר וְצִיָּה

פְּרִיחַת הַמִּדְבָּר בִּזְמַן הַגְּאֻלָּה׃

ב וְתָגֵל עֲרָבָה וְתִפְרַח כַּחֲבַצָּלֶת׃ פָּרֹחַ תִּפְרַח וְתָגֵל אַף גִּילַת
וְרַנֵּן כְּבוֹד הַלְּבָנוֹן נִתַּן־לָהּ הֲדַר הַכַּרְמֶל וְהַשָּׁרוֹן הֵמָּה יִרְאוּ
כְבוֹד־יְהוָה הֲדַר אֱלֹהֵינוּ׃

טוֹבַת יִשְׂרָאֵל בִּזְמַן הַגְּאֻלָּה׃

ג ד חַזְּקוּ יָדַיִם רָפוֹת וּבִרְכַּיִם כֹּשְׁלוֹת אַמֵּצוּ׃ אִמְרוּ לְנִמְהֲרֵי־לֵב
חִזְקוּ אַל־תִּירָאוּ הִנֵּה אֱלֹהֵיכֶם נָקָם יָבוֹא גְּמוּל אֱלֹהִים הוּא
ה יָבוֹא וְיֹשַׁעֲכֶם׃ אָז תִּפָּקַחְנָה עֵינֵי עִוְרִים וְאָזְנֵי חֵרְשִׁים תִּפָּתַחְנָה׃
ו אָז יְדַלֵּג כָּאַיָּל פִּסֵּחַ וְתָרֹן לְשׁוֹן אִלֵּם כִּי־נִבְקְעוּ בַמִּדְבָּר מַיִם
ז וּנְחָלִים בָּעֲרָבָה׃ וְהָיָה הַשָּׁרָב לַאֲגַם וְצִמָּאוֹן לְמַבּוּעֵי מָיִם בִּנְוֵה
ח תַנִּים רִבְצָהּ חָצִיר לְקָנֶה וָגֹמֶא׃ וְהָיָה־שָׁם מַסְלוּל וָדֶרֶךְ וְדֶרֶךְ
הַקֹּדֶשׁ יִקָּרֵא לָהּ לֹא־יַעַבְרֶנּוּ טָמֵא וְהוּא־לָמוֹ הֹלֵךְ דֶּרֶךְ
ט וֶאֱוִילִים לֹא יִתְעוּ׃ לֹא־יִהְיֶה שָׁם אַרְיֵה וּפְרִיץ חַיּוֹת בַּל־יַעֲלֶנָּה
י לֹא תִמָּצֵא שָׁם וְהָלְכוּ גְּאוּלִים׃ וּפְדוּיֵי יְהוָה יְשֻׁבוּן וּבָאוּ צִיּוֹן
בְּרִנָּה וְשִׂמְחַת עוֹלָם עַל־רֹאשָׁם שָׂשׂוֹן וְשִׂמְחָה יַשִּׂיגוּ וְנָסוּ יָגוֹן
לו א וַאֲנָחָה׃ וַיְהִי בְּאַרְבַּע עֶשְׂרֵה

עֲלִיַּת סַנְחֵרִיב עַל יְהוּדָה׃ [3213]

שָׁנָה לַמֶּלֶךְ חִזְקִיָּהוּ עָלָה סַנְחֵרִיב מֶלֶךְ־אַשּׁוּר עַל כָּל־עָרֵי
ב יְהוּדָה הַבְּצֻרוֹת וַיִּתְפְּשֵׂם׃ וַיִּשְׁלַח מֶלֶךְ־אַשּׁוּר ׀ אֶת־רַבְשָׁקֵה
מִלָּכִישׁ יְרוּשָׁלַיְמָה אֶל־הַמֶּלֶךְ חִזְקִיָּהוּ בְּחֵיל כָּבֵד וַיַּעֲמֹד בִּתְעָלַת
ג הַבְּרֵכָה הָעֶלְיוֹנָה בִּמְסִלַּת שְׂדֵה כוֹבֵס׃ וַיֵּצֵא אֵלָיו אֶלְיָקִים
בֶּן־חִלְקִיָּהוּ אֲשֶׁר עַל־הַבָּיִת וְשֶׁבְנָא הַסֹּפֵר וְיוֹאָח בֶּן־אָסָף
ד הַמַּזְכִּיר׃ וַיֹּאמֶר אֲלֵיהֶם רַבְשָׁקֵה אִמְרוּ־נָא אֶל־חִזְקִיָּהוּ כֹּה־

חֵרוּף רַבְשָׁקֵה׃

אָמַר הַמֶּלֶךְ הַגָּדוֹל מֶלֶךְ אַשּׁוּר מָה הַבִּטָּחוֹן הַזֶּה אֲשֶׁר בָּטָחְתָּ׃

ה אָמַרְתִּי אַךְ־דְּבַר־שְׂפָתַיִם עֵצָה וּגְבוּרָה לַמִּלְחָמָה עַתָּה עַל־מִי
ו בָטַחְתָּ כִּי מָרַדְתָּ בִּי׃ הִנֵּה בָטַחְתָּ עַל־מִשְׁעֶנֶת הַקָּנֶה הָרָצוּץ
הַזֶּה עַל־מִצְרַיִם אֲשֶׁר יִסָּמֵךְ אִישׁ עָלָיו וּבָא בְכַפּוֹ וּנְקָבָהּ כֵּן
ז פַּרְעֹה מֶלֶךְ־מִצְרַיִם לְכָל־הַבֹּטְחִים עָלָיו׃ וְכִי־תֹאמַר אֵלַי
אֶל־יְהוָה אֱלֹהֵינוּ בָּטָחְנוּ הֲלוֹא־הוּא אֲשֶׁר הֵסִיר חִזְקִיָּהוּ אֶת־
בָּמֹתָיו וְאֶת־מִזְבְּחֹתָיו וַיֹּאמֶר לִיהוּדָה וְלִירוּשָׁלִַם לִפְנֵי הַמִּזְבֵּחַ
ח הַזֶּה תִּשְׁתַּחֲווּ׃ וְעַתָּה הִתְעָרֶב נָא אֶת־אֲדֹנִי הַמֶּלֶךְ אַשּׁוּר וְאֶתְּנָה
ט לְךָ אַלְפַּיִם סוּסִים אִם־תּוּכַל לָתֶת לְךָ רֹכְבִים עֲלֵיהֶם׃ וְאֵיךְ
תָּשִׁיב אֵת פְּנֵי פַחַת אַחַד עַבְדֵי אֲדֹנִי הַקְּטַנִּים וַתִּבְטַח לְךָ
י עַל־מִצְרַיִם לְרֶכֶב וּלְפָרָשִׁים׃ וְעַתָּה הֲמִבַּלְעֲדֵי יְהוָה עָלִיתִי
עַל־הָאָרֶץ הַזֹּאת לְהַשְׁחִיתָהּ יְהוָה אָמַר אֵלַי עֲלֵה אֶל־הָאָרֶץ
יא הַזֹּאת וְהַשְׁחִיתָהּ׃ וַיֹּאמֶר אֶלְיָקִים וְשֶׁבְנָא וְיוֹאָח
אֶל־רַבְשָׁקֵה דַּבֶּר־נָא אֶל־עֲבָדֶיךָ אֲרָמִית כִּי שֹׁמְעִים אֲנָחְנוּ
יב וְאַל־תְּדַבֵּר אֵלֵינוּ יְהוּדִית בְּאָזְנֵי הָעָם אֲשֶׁר עַל־הַחוֹמָה׃ וַיֹּאמֶר
רַבְשָׁקֵה הַאֶל אֲדֹנֶיךָ וְאֵלֶיךָ שְׁלָחַנִי אֲדֹנִי לְדַבֵּר אֶת־הַדְּבָרִים
הָאֵלֶּה הֲלֹא עַל־הָאֲנָשִׁים הַיֹּשְׁבִים עַל־הַחוֹמָה לֶאֱכֹל אֶת־
יג צוֹאָתָם חראיהם וְלִשְׁתּוֹת אֶת־מֵימֵי רַגְלֵיהֶם שיניהם עִמָּכֶם׃ וַיַּעֲמֹד
רַבְשָׁקֵה וַיִּקְרָא בְקוֹל־גָּדוֹל יְהוּדִית וַיֹּאמֶר שִׁמְעוּ אֶת־דִּבְרֵי
יד הַמֶּלֶךְ הַגָּדוֹל מֶלֶךְ אַשּׁוּר׃ כֹּה אָמַר הַמֶּלֶךְ אַל־יַשִּׁא לָכֶם חִזְקִיָּהוּ
טו כִּי לֹא־יוּכַל לְהַצִּיל אֶתְכֶם׃ וְאַל־יַבְטַח אֶתְכֶם חִזְקִיָּהוּ אֶל־יְהוָה
לֵאמֹר הַצֵּל יַצִּילֵנוּ יְהוָה לֹא תִנָּתֵן הָעִיר הַזֹּאת בְּיַד מֶלֶךְ אַשּׁוּר׃
טז אַל־תִּשְׁמְעוּ אֶל־חִזְקִיָּהוּ
כִּי כֹה אָמַר הַמֶּלֶךְ אַשּׁוּר עֲשׂוּ־אִתִּי בְרָכָה וּצְאוּ אֵלַי וְאִכְלוּ
יז אִישׁ־גַּפְנוֹ וְאִישׁ תְּאֵנָתוֹ וּשְׁתוּ אִישׁ מֵי־בוֹרוֹ׃ עַד־בֹּאִי וְלָקַחְתִּי
אֶתְכֶם אֶל־אֶרֶץ כְּאַרְצְכֶם אֶרֶץ דָּגָן וְתִירוֹשׁ אֶרֶץ לֶחֶם וּכְרָמִים׃

יח פֶּן־יַסִּית אֶתְכֶם חִזְקִיָּהוּ לֵאמֹר יְהוָה יַצִּילֵנוּ הַהִצִּילוּ אֱלֹהֵי הַגּוֹיִם
יט אִישׁ אֶת־אַרְצוֹ מִיַּד מֶלֶךְ אַשּׁוּר: אַיֵּה אֱלֹהֵי חֲמָת וְאַרְפָּד אַיֵּה
כ אֱלֹהֵי סְפַרְוָיִם וְכִי־הִצִּילוּ אֶת־שֹׁמְרוֹן מִיָּדִי: מִי בְּכָל־אֱלֹהֵי
הָאֲרָצוֹת הָאֵלֶּה אֲשֶׁר־הִצִּילוּ אֶת־אַרְצָם מִיָּדִי כִּי־יַצִּיל יְהוָה
כא אֶת־יְרוּשָׁלִַם מִיָּדִי: וַיַּחֲרִישׁוּ וְלֹא־עָנוּ אֹתוֹ דָּבָר כִּי־מִצְוַת הַמֶּלֶךְ
כב הִיא לֵאמֹר לֹא תַעֲנֻהוּ: וַיָּבֹא אֶלְיָקִים בֶּן־חִלְקִיָּהוּ אֲשֶׁר־עַל־הַבַּיִת
וְשֶׁבְנָא הַסֹּפֵר וְיוֹאָח בֶּן־אָסָף הַמַּזְכִּיר אֶל־חִזְקִיָּהוּ קְרוּעֵי בְגָדִים
לז א וַיַּגִּידוּ לוֹ אֵת דִּבְרֵי רַבְשָׁקֵה: וַיְהִי כִּשְׁמֹעַ הַמֶּלֶךְ

פְּנִיַּת חִזְקִיָּהוּ לִישַׁעְיָהוּ לִתְפִלָּה וּתְשׁוּבָתוֹ:

ב חִזְקִיָּהוּ וַיִּקְרַע אֶת־בְּגָדָיו וַיִּתְכַּס בַּשָּׂק וַיָּבֹא בֵּית יְהוָה: וַיִּשְׁלַח
אֶת־אֶלְיָקִים אֲשֶׁר־עַל־הַבַּיִת וְאֵת ׀ שֶׁבְנָא הַסּוֹפֵר וְאֵת זִקְנֵי
הַכֹּהֲנִים מִתְכַּסִּים בַּשַּׂקִּים אֶל־יְשַׁעְיָהוּ בֶן־אָמוֹץ הַנָּבִיא:
ג וַיֹּאמְרוּ אֵלָיו כֹּה אָמַר חִזְקִיָּהוּ יוֹם־צָרָה וְתוֹכֵחָה וּנְאָצָה הַיּוֹם
ד הַזֶּה כִּי בָאוּ בָנִים עַד־מַשְׁבֵּר וְכֹחַ אַיִן לְלֵדָה: אוּלַי יִשְׁמַע
יְהוָה אֱלֹהֶיךָ אֵת ׀ דִּבְרֵי רַבְשָׁקֵה אֲשֶׁר שְׁלָחוֹ מֶלֶךְ־אַשּׁוּר ׀
אֲדֹנָיו לְחָרֵף אֱלֹהִים חַי וְהוֹכִיחַ בַּדְּבָרִים אֲשֶׁר שָׁמַע יְהוָה
ה אֱלֹהֶיךָ וְנָשָׂאתָ תְפִלָּה בְּעַד הַשְּׁאֵרִית הַנִּמְצָאָה: וַיָּבֹאוּ עַבְדֵי
ו הַמֶּלֶךְ חִזְקִיָּהוּ אֶל־יְשַׁעְיָהוּ: וַיֹּאמֶר אֲלֵיהֶם יְשַׁעְיָהוּ כֹּה
תֹאמְרוּן אֶל־אֲדֹנֵיכֶם כֹּה ׀ אָמַר יְהוָה אַל־תִּירָא מִפְּנֵי הַדְּבָרִים
ז אֲשֶׁר שָׁמַעְתָּ אֲשֶׁר גִּדְּפוּ נַעֲרֵי מֶלֶךְ־אַשּׁוּר אוֹתִי: הִנְנִי נוֹתֵן בּוֹ
רוּחַ וְשָׁמַע שְׁמוּעָה וְשָׁב אֶל־אַרְצוֹ וְהִפַּלְתִּיו בַּחֶרֶב בְּאַרְצוֹ:
ח וַיָּשָׁב רַבְשָׁקֵה וַיִּמְצָא אֶת־מֶלֶךְ אַשּׁוּר נִלְחָם עַל־לִבְנָה כִּי שָׁמַע
ט כִּי נָסַע מִלָּכִישׁ: וַיִּשְׁמַע עַל־תִּרְהָקָה מֶלֶךְ־כּוּשׁ לֵאמֹר יָצָא
י לְהִלָּחֵם אִתָּךְ וַיִּשְׁמַע וַיִּשְׁלַח מַלְאָכִים אֶל־חִזְקִיָּהוּ לֵאמֹר: כֹּה
תֹאמְרוּן אֶל־חִזְקִיָּהוּ מֶלֶךְ־יְהוּדָה לֵאמֹר אַל־יַשִּׁאֲךָ אֱלֹהֶיךָ
אֲשֶׁר אַתָּה בּוֹטֵחַ בּוֹ לֵאמֹר לֹא תִנָּתֵן יְרוּשָׁלִַם בְּיַד מֶלֶךְ

יא אַשּׁוּר: הִנֵּה | אַתָּה שָׁמַעְתָּ אֲשֶׁר עָשׂוּ מַלְכֵי אַשּׁוּר לְכָל־
יב הָאֲרָצוֹת לְהַחֲרִימָם וְאַתָּה תִּנָּצֵל: הַהִצִּילוּ אוֹתָם אֱלֹהֵי הַגּוֹיִם
אֲשֶׁר הִשְׁחִיתוּ אֲבוֹתַי אֶת־גּוֹזָן וְאֶת־חָרָן וְרֶצֶף וּבְנֵי־עֶדֶן אֲשֶׁר
יג בִּתְלַשָּׂר: אַיֵּה מֶלֶךְ־חֲמָת וּמֶלֶךְ אַרְפָּד וּמֶלֶךְ לָעִיר סְפַרְוָיִם
יד הֵנַע וְעִוָּה: וַיִּקַּח חִזְקִיָּהוּ אֶת־הַסְּפָרִים מִיַּד הַמַּלְאָכִים וַיִּקְרָאֵהוּ
טו וַיַּעַל בֵּית יְהוָה וַיִּפְרְשֵׂהוּ חִזְקִיָּהוּ לִפְנֵי יְהוָה: וַיִּתְפַּלֵּל
תְּפִלַּת חִזְקִיָּהוּ:
טז חִזְקִיָּהוּ אֶל־יְהוָה לֵאמֹר: יְהוָה צְבָאוֹת אֱלֹהֵי יִשְׂרָאֵל יֹשֵׁב
הַכְּרֻבִים אַתָּה־הוּא הָאֱלֹהִים לְבַדְּךָ לְכֹל מַמְלְכוֹת הָאָרֶץ אַתָּה
יז עָשִׂיתָ אֶת־הַשָּׁמַיִם וְאֶת־הָאָרֶץ: הַטֵּה יְהוָה | אָזְנְךָ וּשְׁמָע פְּקַח
יְהוָה עֵינְךָ וּרְאֵה וּשְׁמַע אֵת כָּל־דִּבְרֵי סַנְחֵרִיב אֲשֶׁר שָׁלַח
יח לְחָרֵף אֱלֹהִים חָי: אָמְנָם יְהוָה הֶחֱרִיבוּ מַלְכֵי אַשּׁוּר אֶת־כָּל־
יט הָאֲרָצוֹת וְאֶת־אַרְצָם: וְנָתֹן אֶת־אֱלֹהֵיהֶם בָּאֵשׁ כִּי לֹא אֱלֹהִים
כ הֵמָּה כִּי אִם־מַעֲשֵׂה יְדֵי־אָדָם עֵץ וָאֶבֶן וַיְאַבְּדוּם: וְעַתָּה יְהוָה
אֱלֹהֵינוּ הוֹשִׁיעֵנוּ מִיָּדוֹ וְיֵדְעוּ כָּל־מַמְלְכוֹת הָאָרֶץ כִּי־אַתָּה יְהוָה
כא לְבַדֶּךָ: וַיִּשְׁלַח יְשַׁעְיָהוּ בֶן־אָמוֹץ אֶל־חִזְקִיָּהוּ לֵאמֹר כֹּה־אָמַר
נְבוּאָה עַל מַפֶּלֶת אַשּׁוּר:
יְהוָה אֱלֹהֵי יִשְׂרָאֵל אֲשֶׁר הִתְפַּלַּלְתָּ אֵלַי אֶל־סַנְחֵרִיב מֶלֶךְ
כב אַשּׁוּר: זֶה הַדָּבָר אֲשֶׁר־דִּבֶּר יְהוָה עָלָיו בָּזָה לְךָ לָעֲגָה לְךָ
כג בְּתוּלַת בַּת־צִיּוֹן אַחֲרֶיךָ רֹאשׁ הֵנִיעָה בַּת יְרוּשָׁלִָם: אֶת־מִי
חֵרַפְתָּ וְגִדַּפְתָּ וְעַל־מִי הֲרִימוֹתָה קּוֹל וַתִּשָּׂא מָרוֹם עֵינֶיךָ
כד אֶל־קְדוֹשׁ יִשְׂרָאֵל: בְּיַד עֲבָדֶיךָ חֵרַפְתָּ | אֲדֹנָי וַתֹּאמֶר בְּרֹב
רִכְבִּי אֲנִי עָלִיתִי מְרוֹם הָרִים יַרְכְּתֵי לְבָנוֹן וְאֶכְרֹת קוֹמַת אֲרָזָיו
כה מִבְחַר בְּרֹשָׁיו וְאָבוֹא מְרוֹם קִצּוֹ יַעַר כַּרְמִלּוֹ: אֲנִי קַרְתִּי וְשָׁתִיתִי
כו מָיִם וְאַחְרִב בְּכַף־פְּעָמַי כֹּל יְאֹרֵי מָצוֹר: הֲלוֹא־שָׁמַעְתָּ לְמֵרָחוֹק
אוֹתָהּ עָשִׂיתִי מִימֵי קֶדֶם וִיצַרְתִּיהָ עַתָּה הֲבֵאתִיהָ וּתְהִי
כז לְהַשְׁאוֹת גַּלִּים נִצִּים עָרִים בְּצֻרוֹת: וְיֹשְׁבֵיהֶן קִצְרֵי־יָד חַתּוּ

וָבֹשׁוּ הָיוּ עֵשֶׂב שָׂדֶה וִירַק דֶּשֶׁא חֲצִיר גַּגּוֹת וּשְׁדֵמָה לִפְנֵי קָמָה׃
כח כט וְשִׁבְתְּךָ וְצֵאתְךָ וּבוֹאֲךָ יָדָעְתִּי וְאֵת הִתְרַגֶּזְךָ אֵלָי׃ יַעַן הִתְרַגֶּזְךָ
אֵלַי וְשַׁאֲנַנְךָ עָלָה בְאָזְנָי וְשַׂמְתִּי חַחִי בְּאַפֶּךָ וּמִתְגִּי בִּשְׂפָתֶיךָ
ל וַהֲשִׁיבֹתִיךָ בַּדֶּרֶךְ אֲשֶׁר־בָּאתָ בָּהּ׃ וְזֶה־לְּךָ הָאוֹת אָכוֹל הַשָּׁנָה
סָפִיחַ וּבַשָּׁנָה הַשֵּׁנִית שָׁחִיס וּבַשָּׁנָה הַשְּׁלִישִׁית זִרְעוּ וְקִצְרוּ
לא וְנִטְעוּ כְרָמִים ואכול וְאִכְלוּ פִרְיָם׃ וְיָסְפָה פְּלֵיטַת בֵּית־יְהוּדָה
לב הַנִּשְׁאָרָה שֹׁרֶשׁ לְמָטָּה וְעָשָׂה פְרִי לְמָעְלָה׃ כִּי מִירוּשָׁלִַם תֵּצֵא
שְׁאֵרִית וּפְלֵיטָה מֵהַר צִיּוֹן קִנְאַת יְהוָה צְבָאוֹת תַּעֲשֶׂה־
לג זֹּאת׃ לָכֵן כֹּה־אָמַר יְהוָה אֶל־מֶלֶךְ אַשּׁוּר לֹא יָבוֹא
אֶל־הָעִיר הַזֹּאת וְלֹא־יוֹרֶה שָׁם חֵץ וְלֹא־יְקַדְּמֶנָּה מָגֵן וְלֹא־יִשְׁפֹּךְ
לד עָלֶיהָ סֹלְלָה׃ בַּדֶּרֶךְ אֲשֶׁר־בָּא בָּהּ יָשׁוּב וְאֶל־הָעִיר הַזֹּאת לֹא
לה יָבוֹא נְאֻם־יְהוָה׃ וְגַנּוֹתִי עַל־הָעִיר הַזֹּאת לְהוֹשִׁיעָהּ לְמַעֲנִי
לו וּלְמַעַן דָּוִד עַבְדִּי׃ וַיֵּצֵא׀ מַלְאַךְ יְהוָה וַיַּכֶּה בְּמַחֲנֵה מַפֶּלֶת אַשּׁוּר
אַשּׁוּר מֵאָה וּשְׁמֹנִים וַחֲמִשָּׁה אָלֶף וַיַּשְׁכִּימוּ בַבֹּקֶר וְהִנֵּה כֻלָּם וְסַנְחֵרִיב:
לז פְּגָרִים מֵתִים׃ וַיִּסַּע וַיֵּלֶךְ וַיָּשָׁב סַנְחֵרִיב מֶלֶךְ־אַשּׁוּר וַיֵּשֶׁב
לח בְּנִינְוֵה׃ וַיְהִי הוּא מִשְׁתַּחֲוֶה בֵּית׀ נִסְרֹךְ אֱלֹהָיו וְאַדְרַמֶּלֶךְ
וְשַׂרְאֶצֶר בָּנָיו הִכֻּהוּ בַחֶרֶב וְהֵמָּה נִמְלְטוּ אֶרֶץ אֲרָרָט וַיִּמְלֹךְ
לח א אֵסַר־חַדֹּן בְּנוֹ תַּחְתָּיו׃ בַּיָּמִים הָהֵם חָלָה חִזְקִיָּהוּ מַחֲלַת חִזְקִיָּהוּ
לָמוּת וַיָּבוֹא אֵלָיו יְשַׁעְיָהוּ בֶן־אָמוֹץ הַנָּבִיא וַיֹּאמֶר אֵלָיו וּתְפִלָּתוֹ:
ב כֹּה־אָמַר יְהוָה צַו לְבֵיתֶךָ כִּי מֵת אַתָּה וְלֹא תִחְיֶה׃ וַיַּסֵּב חִזְקִיָּהוּ
ג פָּנָיו אֶל־הַקִּיר וַיִּתְפַּלֵּל אֶל־יְהוָה׃ וַיֹּאמַר אָנָּה יְהוָה זְכָר־נָא אֵת
אֲשֶׁר הִתְהַלַּכְתִּי לְפָנֶיךָ בֶּאֱמֶת וּבְלֵב שָׁלֵם וְהַטּוֹב בְּעֵינֶיךָ
ד עָשִׂיתִי וַיֵּבְךְּ חִזְקִיָּהוּ בְּכִי גָדוֹל׃ וַיְהִי דְּבַר־יְהוָה קַבָּלַת
ה אֶל־יְשַׁעְיָהוּ לֵאמֹר׃ הָלוֹךְ וְאָמַרְתָּ אֶל־חִזְקִיָּהוּ כֹּה־אָמַר יְהוָה הַתְּפִלָּה:
אֱלֹהֵי דָּוִד אָבִיךָ שָׁמַעְתִּי אֶת־תְּפִלָּתֶךָ רָאִיתִי אֶת־דִּמְעָתֶךָ

ו הִנְנִי יוֹסִף עַל־יָמֶיךָ חֲמֵשׁ עֶשְׂרֵה שָׁנָה: וּמִכַּף מֶלֶךְ־אַשּׁוּר
ז אַצִּילְךָ וְאֵת הָעִיר הַזֹּאת וְגַנּוֹתִי עַל־הָעִיר הַזֹּאת: וְזֶה־לְּךָ הָאוֹת
ח מֵאֵת יְהוָה אֲשֶׁר יַעֲשֶׂה יְהוָה אֶת־הַדָּבָר הַזֶּה אֲשֶׁר דִּבֵּר: הִנְנִי
מֵשִׁיב אֶת־צֵל הַמַּעֲלוֹת אֲשֶׁר יָרְדָה בְמַעֲלוֹת אָחָז בַּשֶּׁמֶשׁ
אֲחֹרַנִּית עֶשֶׂר מַעֲלוֹת וַתָּשָׁב הַשֶּׁמֶשׁ עֶשֶׂר מַעֲלוֹת בַּמַּעֲלוֹת
ט אֲשֶׁר יָרָדָה: מִכְתָּב לְחִזְקִיָּהוּ מֶלֶךְ־יְהוּדָה (הוֹדָאַת חִזְקִיָּהוּ:)
י בַּחֲלֹתוֹ וַיְחִי מֵחָלְיוֹ: אֲנִי אָמַרְתִּי בִּדְמִי יָמַי אֵלֵכָה בְּשַׁעֲרֵי שְׁאוֹל
יא פֻּקַּדְתִּי יֶתֶר שְׁנוֹתָי: אָמַרְתִּי לֹא־אֶרְאֶה יָהּ יָהּ בְּאֶרֶץ הַחַיִּים
יב לֹא־אַבִּיט אָדָם עוֹד עִם־יוֹשְׁבֵי חָדֶל: דּוֹרִי נִסַּע וְנִגְלָה מִנִּי
כְּאֹהֶל רֹעִי קִפַּדְתִּי כָאֹרֵג חַיַּי מִדַּלָּה יְבַצְּעֵנִי מִיּוֹם עַד־לַיְלָה
יג תַּשְׁלִימֵנִי: שִׁוִּיתִי עַד־בֹּקֶר כָּאֲרִי כֵּן יְשַׁבֵּר כָּל־עַצְמוֹתָי מִיּוֹם
יד עַד־לַיְלָה תַּשְׁלִימֵנִי: כְּסוּס עָגוּר כֵּן אֲצַפְצֵף אֶהְגֶּה כַּיּוֹנָה דַּלּוּ
טו עֵינַי לַמָּרוֹם אֲדֹנָי עָשְׁקָה־לִּי עָרְבֵנִי: מָה־אֲדַבֵּר וְאָמַר־לִי וְהוּא
טז עָשָׂה אֶדַּדֶּה כָל־שְׁנוֹתַי עַל־מַר נַפְשִׁי: אֲדֹנָי עֲלֵיהֶם יִחְיוּ
יז וּלְכָל־בָּהֶן חַיֵּי רוּחִי וְתַחֲלִימֵנִי וְהַחֲיֵנִי: הִנֵּה לְשָׁלוֹם מַר־לִי מָר
וְאַתָּה חָשַׁקְתָּ נַפְשִׁי מִשַּׁחַת בְּלִי כִּי הִשְׁלַכְתָּ אַחֲרֵי גֵוְךָ
יח כָּל־חֲטָאָי: כִּי לֹא שְׁאוֹל תּוֹדֶךָּ מָוֶת יְהַלְלֶךָּ לֹא־יְשַׂבְּרוּ יוֹרְדֵי־בוֹר
יט אֶל־אֲמִתֶּךָ: חַי חַי הוּא יוֹדֶךָ כָּמוֹנִי הַיּוֹם אָב לְבָנִים יוֹדִיעַ
כ אֶל־אֲמִתֶּךָ: יְהוָה לְהוֹשִׁיעֵנִי וּנְגִנוֹתַי נְנַגֵּן כָּל־יְמֵי חַיֵּינוּ עַל־בֵּית
כא יְהוָה: וַיֹּאמֶר יְשַׁעְיָהוּ יִשְׂאוּ דְּבֶלֶת תְּאֵנִים וְיִמְרְחוּ עַל־הַשְּׁחִין
כב לט א וְיֶחִי: וַיֹּאמֶר חִזְקִיָּהוּ מָה אוֹת כִּי אֶעֱלֶה בֵּית יְהוָה: בָּעֵת (חִזְקִיָּהוּ וּשְׁלוּחֵי מְרֹדַךְ בַּלְאֲדָן:)
הַהִיא שָׁלַח מְרֹדַךְ בַּלְאֲדָן בֶּן־בַּלְאֲדָן מֶלֶךְ־בָּבֶל סְפָרִים וּמִנְחָה
ב אֶל־חִזְקִיָּהוּ וַיִּשְׁמַע כִּי חָלָה וַיֶּחֱזָק: וַיִּשְׂמַח עֲלֵיהֶם חִזְקִיָּהוּ
וַיַּרְאֵם אֶת־בֵּית נְכֹתֹה אֶת־הַכֶּסֶף וְאֶת־הַזָּהָב וְאֶת־הַבְּשָׂמִים
וְאֵת ׀ הַשֶּׁמֶן הַטּוֹב וְאֵת כָּל־בֵּית כֵּלָיו וְאֵת כָּל־אֲשֶׁר נִמְצָא

בְּאוֹצְרֹתָיו לֹא־הָיָה דָבָר אֲשֶׁר לֹא־הֶרְאָם חִזְקִיָּהוּ בְּבֵיתוֹ
ג וּבְכָל־מֶמְשַׁלְתּוֹ׃ וַיָּבֹא יְשַׁעְיָהוּ הַנָּבִיא
אֶל־הַמֶּלֶךְ חִזְקִיָּהוּ וַיֹּאמֶר אֵלָיו מָה אָמְרוּ ׀ הָאֲנָשִׁים הָאֵלֶּה
וּמֵאַיִן יָבֹאוּ אֵלֶיךָ וַיֹּאמֶר חִזְקִיָּהוּ מֵאֶרֶץ רְחוֹקָה בָּאוּ אֵלַי
ד מִבָּבֶל׃ וַיֹּאמֶר מָה רָאוּ בְּבֵיתֶךָ וַיֹּאמֶר חִזְקִיָּהוּ אֵת כָּל־אֲשֶׁר
ה בְּבֵיתִי רָאוּ לֹא־הָיָה דָבָר אֲשֶׁר לֹא־הִרְאִיתִים בְּאוֹצְרֹתָי׃ וַיֹּאמֶר
ו יְשַׁעְיָהוּ אֶל־חִזְקִיָּהוּ שְׁמַע דְּבַר־יְהוָה צְבָאוֹת׃ הִנֵּה יָמִים בָּאִים
וְנִשָּׂא ׀ כָּל־אֲשֶׁר בְּבֵיתֶךָ וַאֲשֶׁר אָצְרוּ אֲבֹתֶיךָ עַד־הַיּוֹם הַזֶּה
ז בָּבֶל לֹא־יִוָּתֵר דָּבָר אָמַר יְהוָה׃ וּמִבָּנֶיךָ אֲשֶׁר יֵצְאוּ מִמְּךָ אֲשֶׁר
ח תּוֹלִיד יִקָּחוּ וְהָיוּ סָרִיסִים בְּהֵיכַל מֶלֶךְ בָּבֶל׃ וַיֹּאמֶר חִזְקִיָּהוּ
אֶל־יְשַׁעְיָהוּ טוֹב דְּבַר־יְהוָה אֲשֶׁר דִּבַּרְתָּ וַיֹּאמֶר כִּי יִהְיֶה שָׁלוֹם
וֶאֱמֶת בְּיָמָי׃

מ א נַחֲמוּ נַחֲמוּ עַמִּי יֹאמַר אֱלֹהֵיכֶם׃ ב דַּבְּרוּ עַל־לֵב יְרוּשָׁלַ‍ִם וְקִרְאוּ נֶחָמַת הָעָם וִירוּשָׁלָיִם:
אֵלֶיהָ כִּי מָלְאָה צְבָאָהּ כִּי נִרְצָה עֲוֺנָהּ כִּי לָקְחָה מִיַּד יְהוָה
ג כִּפְלַיִם בְּכָל־חַטֹּאתֶיהָ׃ קוֹל קוֹרֵא בַּמִּדְבָּר פַּנּוּ דֶּרֶךְ
ד יְהוָה יַשְּׁרוּ בָּעֲרָבָה מְסִלָּה לֵאלֹהֵינוּ׃ כָּל־גֶּיא יִנָּשֵׂא וְכָל־הַר
ה וְגִבְעָה יִשְׁפָּלוּ וְהָיָה הֶעָקֹב לְמִישׁוֹר וְהָרְכָסִים לְבִקְעָה׃ וְנִגְלָה
כְּבוֹד יְהוָה וְרָאוּ כָל־בָּשָׂר יַחְדָּו כִּי פִּי יְהוָה דִּבֵּר׃

ו קוֹל אֹמֵר קְרָא וְאָמַר מָה אֶקְרָא כָּל־הַבָּשָׂר חָצִיר וְכָל־חַסְדּוֹ נִצְחִיּוּת דְּבַר ה׳:
ז כְּצִיץ הַשָּׂדֶה׃ יָבֵשׁ חָצִיר נָבֵל צִיץ כִּי רוּחַ יְהוָה נָשְׁבָה בּוֹ
ח אָכֵן חָצִיר הָעָם׃ יָבֵשׁ חָצִיר נָבֵל צִיץ וּדְבַר אֱלֹהֵינוּ יָקוּם
ט לְעוֹלָם׃ עַל הַר־גָּבֹהַ עֲלִי־לָךְ מְבַשֶּׂרֶת צִיּוֹן הָרִימִי חִזּוּק לִמְבַשֶּׂרֶת הַגְּאֻלָּה:
בַכֹּחַ קוֹלֵךְ מְבַשֶּׂרֶת יְרוּשָׁלָ‍ִם הָרִימִי אַל־תִּירָאִי אִמְרִי לְעָרֵי
י יְהוּדָה הִנֵּה אֱלֹהֵיכֶם׃ הִנֵּה אֲדֹנָי יְהוִה בְּחָזָק יָבוֹא וּזְרֹעוֹ מֹשְׁלָה
יא לוֹ הִנֵּה שְׂכָרוֹ אִתּוֹ וּפְעֻלָּתוֹ לְפָנָיו׃ כְּרֹעֶה עֶדְרוֹ יִרְעֶה בִּזְרֹעוֹ

יב יְקַבֵּץ טְלָאִים וּבְחֵיקוֹ יִשָּׂא עָלוֹת יְנַהֵל׃ מִי־מָדַד (גְּדֻלַּת ה' לְלֹא שִׁעוּר׃)
בְשָׁעֳלוֹ מַיִם וְשָׁמַיִם בַּזֶּרֶת תִּכֵּן וְכָל בַּשָּׁלִשׁ עֲפַר הָאָרֶץ וְשָׁקַל
יג בַּפֶּלֶס הָרִים וּגְבָעוֹת בְּמֹאזְנָיִם׃ מִי־תִכֵּן אֶת־רוּחַ יְהוָה וְאִישׁ
יד עֲצָתוֹ יוֹדִיעֶנּוּ׃ אֶת־מִי נוֹעָץ וַיְבִינֵהוּ וַיְלַמְּדֵהוּ בְּאֹרַח מִשְׁפָּט
טו וַיְלַמְּדֵהוּ דַעַת וְדֶרֶךְ תְּבוּנוֹת יוֹדִיעֶנּוּ׃ הֵן גּוֹיִם כְּמַר מִדְּלִי
טז וּכְשַׁחַק מֹאזְנַיִם נֶחְשָׁבוּ הֵן אִיִּים כַּדַּק יִטּוֹל׃ וּלְבָנוֹן אֵין דֵּי
בָּעֵר וְחַיָּתוֹ אֵין דֵּי עוֹלָה׃
יז יח כָּל־הַגּוֹיִם כְּאַיִן נֶגְדּוֹ מֵאֶפֶס וָתֹהוּ נֶחְשְׁבוּ־לוֹ׃ וְאֶל־מִי תְּדַמְּיוּן (מִי כַּה' אֱלֹקֵינוּ׃)
יט אֵל וּמַה־דְּמוּת תַּעַרְכוּ לוֹ׃ הַפֶּסֶל נָסַךְ חָרָשׁ וְצֹרֵף בַּזָּהָב יְרַקְּעֶנּוּ
כ וּרְתֻקוֹת כֶּסֶף צוֹרֵף׃ הַמְסֻכָּן תְּרוּמָה עֵץ לֹא־יִרְקַב יִבְחָר חָרָשׁ
כא חָכָם יְבַקֶּשׁ־לוֹ לְהָכִין פֶּסֶל לֹא יִמּוֹט׃ הֲלוֹא תֵדְעוּ
הֲלוֹא תִשְׁמָעוּ הֲלוֹא הֻגַּד מֵרֹאשׁ לָכֶם הֲלוֹא הֲבִינֹתֶם מוֹסְדוֹת
כב הָאָרֶץ׃ הַיֹּשֵׁב עַל־חוּג הָאָרֶץ וְיֹשְׁבֶיהָ כַּחֲגָבִים הַנּוֹטֶה כַדֹּק
כג שָׁמַיִם וַיִּמְתָּחֵם כָּאֹהֶל לָשָׁבֶת׃ הַנּוֹתֵן רוֹזְנִים לְאָיִן שֹׁפְטֵי אֶרֶץ
כד כַּתֹּהוּ עָשָׂה׃ אַף בַּל־נִטָּעוּ אַף בַּל־זֹרָעוּ אַף בַּל־שֹׁרֵשׁ בָּאָרֶץ
כה גִּזְעָם וְגַם־נָשַׁף בָּהֶם וַיִּבָשׁוּ וּסְעָרָה כַּקַּשׁ תִּשָּׂאֵם׃ וְאֶל־
כו מִי תְדַמְּיוּנִי וְאֶשְׁוֶה יֹאמַר קָדוֹשׁ׃ שְׂאוּ־מָרוֹם עֵינֵיכֶם וּרְאוּ
מִי־בָרָא אֵלֶּה הַמּוֹצִיא בְמִסְפָּר צְבָאָם לְכֻלָּם בְּשֵׁם יִקְרָא מֵרֹב
כז אוֹנִים וְאַמִּיץ כֹּחַ אִישׁ לֹא נֶעְדָּר׃ לָמָּה תֹאמַר (קְרִיאָה לְקַוּוֹת לַה'׃)
יַעֲקֹב וּתְדַבֵּר יִשְׂרָאֵל נִסְתְּרָה דַרְכִּי מֵיְהוָה וּמֵאֱלֹהַי מִשְׁפָּטִי
כח יַעֲבוֹר׃ הֲלוֹא יָדַעְתָּ אִם־לֹא שָׁמַעְתָּ אֱלֹהֵי עוֹלָם ׀ יְהוָה בּוֹרֵא
כט קְצוֹת הָאָרֶץ לֹא יִיעַף וְלֹא יִיגָע אֵין חֵקֶר לִתְבוּנָתוֹ׃ נֹתֵן לַיָּעֵף
ל כֹּחַ וּלְאֵין אוֹנִים עָצְמָה יַרְבֶּה׃ וְיִעֲפוּ נְעָרִים וְיִגָעוּ וּבַחוּרִים
לא כָּשׁוֹל יִכָּשֵׁלוּ׃ וְקוֹיֵ יְהוָה יַחֲלִיפוּ כֹחַ יַעֲלוּ אֵבֶר כַּנְּשָׁרִים יָרוּצוּ
מא א וְלֹא יִיגָעוּ יֵלְכוּ וְלֹא יִיעָפוּ׃ הַחֲרִישׁוּ (תּוֹכָחָה לַגּוֹיִם׃)

אֵלָ֖י אִיִּ֣ים וּלְאֻמִּ֑ים יַחֲלִ֤יפוּ כֹ֨חַ֙ יִגַּ֣שׁוּ אָ֣ז יְדַבֵּ֔רוּ יַחְדָּ֖ו לַמִּשְׁפָּ֥ט

ב נִקְרָ֒בָה׃ מִ֤י הֵעִיר֙ מִמִּזְרָ֔ח צֶ֖דֶק יִקְרָאֵ֣הוּ לְרַגְל֑וֹ יִתֵּ֨ן לְפָנָ֤יו גּוֹיִם֙

ג וּמְלָכִ֣ים יַ֔רְדְּ יִתֵּ֤ן כֶּֽעָפָר֙ חַרְבּ֔וֹ כְּקַ֥שׁ נִדָּ֖ף קַשְׁתּֽוֹ׃ יִרְדְּפֵ֣ם יַעֲב֣וֹר

ד שָׁל֑וֹם אֹ֥רַח בְּרַגְלָ֖יו לֹ֣א יָב֑וֹא׃ מִֽי־פָעַ֣ל וְעָשָׂ֔ה קֹרֵ֥א הַדֹּר֖וֹת

ה מֵרֹ֑אשׁ אֲנִ֤י יְהֹוָה֙ רִאשׁ֔וֹן וְאֶת־אַחֲרֹנִ֖ים אֲנִי־הֽוּא׃ רָא֤וּ אִיִּים֙

ו וְיִירָ֔אוּ קְצ֥וֹת הָאָ֖רֶץ יֶחֱרָ֑דוּ קָרְב֖וּ וַיֶּֽאֱתָיֽוּן׃ אִ֥ישׁ אֶת־רֵעֵ֖הוּ יַעְזֹ֑רוּ

ז וּלְאָחִ֖יו יֹאמַ֥ר חֲזָֽק׃ וַיְחַזֵּ֤ק חָרָשׁ֙ אֶת־צֹרֵ֔ף מַחֲלִ֥יק פַּטִּ֖ישׁ

אֶת־ה֑וֹלֶם פַּ֗עַם אֹמֵ֤ר לַדֶּ֨בֶק֙ ט֣וֹב ה֔וּא וַיְחַזְּקֵ֥הוּ בְמַסְמְרִ֖ים לֹ֥א

עוֹדֵ֥ד
לְיִשְׂרָאֵֽל׃

ח יִמּֽוֹט׃ וְאַתָּה֙ יִשְׂרָאֵ֣ל עַבְדִּ֔י יַעֲקֹ֖ב אֲשֶׁ֣ר בְּחַרְתִּ֑יךָ זֶ֖רַע

ט אַבְרָהָ֥ם אֹהֲבִֽי׃ אֲשֶׁ֤ר הֶחֱזַקְתִּ֨יךָ֙ מִקְצ֣וֹת הָאָ֔רֶץ וּמֵאֲצִילֶ֖יהָ

קְרָאתִ֑יךָ וָאֹ֤מַר לְךָ֙ עַבְדִּי־אַ֔תָּה בְּחַרְתִּ֖יךָ וְלֹ֥א מְאַסְתִּֽיךָ׃

י אַל־תִּירָא֙ כִּ֣י עִמְּךָ־אָ֔נִי אַל־תִּשְׁתָּ֖ע כִּֽי־אֲנִ֣י אֱלֹהֶ֑יךָ אִמַּצְתִּ֨יךָ֙

יא אַף־עֲזַרְתִּ֔יךָ אַף־תְּמַכְתִּ֖יךָ בִּימִ֥ין צִדְקִֽי׃ הֵ֤ן יֵבֹ֨שׁוּ֙ וְיִכָּ֣לְמ֔וּ כֹּ֖ל

יב הַנֶּחֱרִ֣ים בָּ֑ךְ יִֽהְי֥וּ כְאַ֛יִן וְיֹאבְד֖וּ אַנְשֵׁ֥י רִיבֶֽךָ׃ תְּבַקְשֵׁם֙ וְלֹ֣א

יג תִמְצָאֵ֔ם אַנְשֵׁ֖י מַצֻּתֶ֑ךָ יִהְי֥וּ כְאַ֛יִן וּכְאֶ֖פֶס אַנְשֵׁ֥י מִלְחַמְתֶּֽךָ׃ כִּ֗י

אֲנִ֤י יְהֹוָה֙ אֱלֹהֶ֔יךָ מַחֲזִ֖יק יְמִינֶ֑ךָ הָאֹמֵ֤ר לְךָ֙ אַל־תִּירָ֔א אֲנִ֖י

יד עֲזַרְתִּֽיךָ׃ אַל־תִּֽירְאִי֙ תּוֹלַ֣עַת יַעֲקֹ֔ב מְתֵ֖י יִשְׂרָאֵ֑ל אֲנִ֤י

טו עֲזַרְתִּיךְ֙ נְאֻם־יְהֹוָ֔ה וְגֹאֲלֵ֖ךְ קְד֥וֹשׁ יִשְׂרָאֵֽל׃ הִנֵּ֣ה שַׂמְתִּ֗יךְ לְמוֹרַג֙

חָר֣וּץ חָדָ֔שׁ בַּ֖עַל פִּֽיפִיּ֑וֹת תָּד֤וּשׁ הָרִים֙ וְתָדֹ֔ק וּגְבָע֖וֹת כַּמֹּ֥ץ

טז תָּשִֽׂים׃ תִּזְרֵם֙ וְר֣וּחַ תִּשָּׂאֵ֔ם וּסְעָרָ֖ה תָּפִ֣יץ אוֹתָ֑ם וְאַתָּה֙ תָּגִ֣יל

הַטּוֹבָ֨ה
בְּאַחֲרִ֖ית
הַיָּמִֽים׃

בַּֽיהֹוָ֔ה בִּקְד֥וֹשׁ יִשְׂרָאֵ֖ל תִּתְהַלָּֽל׃   הָעֲנִיִּ֨ים וְהָאֶבְיוֹנִ֜ים

מְבַקְשִׁ֥ים מַ֨יִם֙ וָאַ֔יִן לְשׁוֹנָ֖ם בַּצָּמָ֣א נָשָׁ֑תָּה אֲנִ֤י יְהֹוָה֙ אֶעֱנֵ֔ם אֱלֹהֵ֥י

יח יִשְׂרָאֵ֖ל לֹ֥א אֶעֶזְבֵֽם׃ אֶפְתַּ֤ח עַל־שְׁפָיִים֙ נְהָר֔וֹת וּבְת֥וֹךְ בְּקָע֖וֹת

מַעְיָנ֑וֹת אָשִׂ֤ים מִדְבָּר֙ לַאֲגַם־מַ֔יִם וְאֶ֥רֶץ צִיָּ֖ה לְמוֹצָ֥אֵי מָֽיִם׃

יט אֶתֵּ֤ן בַּמִּדְבָּר֙ אֶ֣רֶז שִׁטָּ֔ה וַהֲדַ֖ס וְעֵ֣ץ שָׁ֑מֶן אָשִׂ֣ים בָּעֲרָבָ֗ה בְּר֛וֹשׁ

כ תִּדְהָר וּתְאַשּׁוּר יַחְדָּו׃ לְמַעַן יִרְאוּ וְיֵדְעוּ וְיָשִׂימוּ וְיַשְׂכִּילוּ יַחְדָּו
כִּי יַד־יְהוָה עָשְׂתָה זֹּאת וּקְדוֹשׁ יִשְׂרָאֵל בְּרָאָהּ׃

אַפְסוּת נְבִיאֵי הָאֻמּוֹת:

כא קָרְבוּ רִיבְכֶם יֹאמַר יְהוָה הַגִּישׁוּ עֲצֻמוֹתֵיכֶם יֹאמַר מֶלֶךְ יַעֲקֹב׃
כב יַגִּישׁוּ וְיַגִּידוּ לָנוּ אֵת אֲשֶׁר תִּקְרֶינָה הָרִאשֹׁנוֹת ׀ מָה הֵנָּה הַגִּידוּ
כג וְנָשִׂימָה לִבֵּנוּ וְנֵדְעָה אַחֲרִיתָן אוֹ הַבָּאוֹת הַשְׁמִיעֻנוּ׃ הַגִּידוּ
הָאֹתִיּוֹת לְאָחוֹר וְנֵדְעָה כִּי אֱלֹהִים אַתֶּם אַף־תֵּיטִיבוּ וְתָרֵעוּ
כד וְנִשְׁתָּעָה ונרא וְנִרְאֶה יַחְדָּו׃ הֵן־אַתֶּם מֵאַיִן וּפָעָלְכֶם מֵאָפַע
תּוֹעֵבָה יִבְחַר בָּכֶם׃

נְבוּאָה עַל בְּשׂוֹרַת הַגְּאֻלָּה:

כה הַעִירוֹתִי מִצָּפוֹן וַיַּאת מִמִּזְרַח־שֶׁמֶשׁ יִקְרָא בִשְׁמִי וְיָבֹא סְגָנִים
כו כְּמוֹ־חֹמֶר וּכְמוֹ יוֹצֵר יִרְמָס־טִיט׃ מִי־הִגִּיד מֵרֹאשׁ וְנֵדָעָה
וּמִלְּפָנִים וְנֹאמַר צַדִּיק אַף אֵין־מַגִּיד אַף אֵין מַשְׁמִיעַ אַף
כז אֵין־שֹׁמֵעַ אִמְרֵיכֶם׃ רִאשׁוֹן לְצִיּוֹן הִנֵּה הִנָּם וְלִירוּשָׁלִַם מְבַשֵּׂר
כח אֶתֵּן׃ וְאֵרֶא וְאֵין אִישׁ וּמֵאֵלֶּה וְאֵין יוֹעֵץ וְאֶשְׁאָלֵם וְיָשִׁיבוּ דָבָר׃
כט הֵן כֻּלָּם אָוֶן אֶפֶס מַעֲשֵׂיהֶם רוּחַ וָתֹהוּ נִסְכֵּיהֶם׃

נְבוּאָה עַל מֶלֶךְ הַמָּשִׁיחַ:

מב א הֵן עַבְדִּי אֶתְמָךְ־בּוֹ בְּחִירִי רָצְתָה נַפְשִׁי נָתַתִּי רוּחִי עָלָיו
ב מִשְׁפָּט לַגּוֹיִם יוֹצִיא׃ לֹא יִצְעַק וְלֹא יִשָּׂא וְלֹא־יַשְׁמִיעַ בַּחוּץ
ג קוֹלוֹ׃ קָנֶה רָצוּץ לֹא יִשְׁבּוֹר וּפִשְׁתָּה כֵהָה לֹא יְכַבֶּנָּה לֶאֱמֶת
ד יוֹצִיא מִשְׁפָּט׃ לֹא יִכְהֶה וְלֹא יָרוּץ עַד־יָשִׂים בָּאָרֶץ מִשְׁפָּט
וּלְתוֹרָתוֹ אִיִּים יְיַחֵילוּ׃

הָאֱמוּנָה בַּה׳:

ה כֹּה־אָמַר הָאֵל ׀ יְהוָה בּוֹרֵא הַשָּׁמַיִם וְנוֹטֵיהֶם רֹקַע הָאָרֶץ
ו וְצֶאֱצָאֶיהָ נֹתֵן נְשָׁמָה לָעָם עָלֶיהָ וְרוּחַ לַהֹלְכִים בָּהּ׃ אֲנִי
יְהוָה קְרָאתִיךָ בְצֶדֶק וְאַחְזֵק בְּיָדֶךָ וְאֶצָּרְךָ וְאֶתֶּנְךָ לִבְרִית עָם
ז לְאוֹר גּוֹיִם׃ לִפְקֹחַ עֵינַיִם עִוְרוֹת לְהוֹצִיא מִמַּסְגֵּר אַסִּיר מִבֵּית
ח כֶּלֶא יֹשְׁבֵי חֹשֶׁךְ׃ אֲנִי יְהוָה הוּא שְׁמִי וּכְבוֹדִי לְאַחֵר לֹא־אֶתֵּן
ט וּתְהִלָּתִי לַפְּסִילִים׃ הָרִאשֹׁנוֹת הִנֵּה־בָאוּ וַחֲדָשׁוֹת אֲנִי מַגִּיד

בְּטֶרֶם תִּצְמַחְנָה אַשְׁמִיעַ אֶתְכֶם׃
י שִׁירוּ לַיהוָה שִׁיר חָדָשׁ תְּהִלָּתוֹ מִקְצֵה הָאָרֶץ יוֹרְדֵי הַיָּם וּמְלֹאוֹ
שִׁיר הָעַמִּים בְּעֵת הַגְּאֻלָּה׃
יא אִיִּים וְיֹשְׁבֵיהֶם׃ יִשְׂאוּ מִדְבָּר וְעָרָיו חֲצֵרִים תֵּשֵׁב קֵדָר יָרֹנּוּ
יב יֹשְׁבֵי סֶלַע מֵרֹאשׁ הָרִים יִצְוָחוּ׃ יָשִׂימוּ לַיהוָה כָּבוֹד וּתְהִלָּתוֹ
יג בָּאִיִּים יַגִּידוּ׃ יְהוָה כַּגִּבּוֹר יֵצֵא כְּאִישׁ מִלְחָמוֹת יָעִיר קִנְאָה
יד יָרִיעַ אַף־יַצְרִיחַ עַל־אֹיְבָיו יִתְגַּבָּר׃ הֶחֱשֵׁיתִי
הַנְּקָמָה בַּגּוֹיִם וְקִבּוּץ הַגָּלֻיּוֹת׃
מֵעוֹלָם אַחֲרִישׁ אֶתְאַפָּק כַּיּוֹלֵדָה אֶפְעֶה אֶשֹּׁם וְאֶשְׁאַף יָחַד׃
טו אַחֲרִיב הָרִים וּגְבָעוֹת וְכָל־עֶשְׂבָּם אוֹבִישׁ וְשַׂמְתִּי נְהָרוֹת
טז לָאִיִּים וַאֲגַמִּים אוֹבִישׁ׃ וְהוֹלַכְתִּי עִוְרִים בְּדֶרֶךְ לֹא יָדָעוּ
בִּנְתִיבוֹת לֹא־יָדְעוּ אַדְרִיכֵם אָשִׂים מַחְשָׁךְ לִפְנֵיהֶם לָאוֹר
יז וּמַעֲקַשִּׁים לְמִישׁוֹר אֵלֶּה הַדְּבָרִים עֲשִׂיתִם וְלֹא עֲזַבְתִּים׃ נָסֹגוּ
אָחוֹר יֵבֹשׁוּ בֹשֶׁת הַבֹּטְחִים בַּפָּסֶל הָאֹמְרִים לְמַסֵּכָה אַתֶּם
אֱלֹהֵינוּ׃
יח יט הַחֵרְשִׁים שְׁמָעוּ וְהַעִוְרִים הַבִּיטוּ לִרְאוֹת׃ מִי עִוֵּר כִּי אִם־עַבְדִּי
הַנְּבוּאוֹת וְהַצָּרוֹת, לְעוֹרֵר לֶאֱמֶת׃
כ וְחֵרֵשׁ כְּמַלְאָכִי אֶשְׁלָח מִי עִוֵּר כִּמְשֻׁלָּם וְעִוֵּר כְּעֶבֶד יְהוָה׃ ראית
כא רָאוֹת רַבּוֹת וְלֹא תִשְׁמֹר פָּקוֹחַ אָזְנַיִם וְלֹא יִשְׁמָע׃ יְהוָה חָפֵץ
כב לְמַעַן צִדְקוֹ יַגְדִּיל תּוֹרָה וְיַאְדִּיר׃ וְהוּא עַם־בָּזוּז וְשָׁסוּי הָפֵחַ
בַּחוּרִים כֻּלָּם וּבְבָתֵּי כְלָאִים הָחְבָּאוּ הָיוּ לָבַז וְאֵין מַצִּיל מְשִׁסָּה
כג וְאֵין־אֹמֵר הָשַׁב׃ מִי בָכֶם יַאֲזִין זֹאת יַקְשִׁב וְיִשְׁמַע לְאָחוֹר׃
כד מִי־נָתַן למשוסה לִמְשִׁסָּה יַעֲקֹב וְיִשְׂרָאֵל לְבֹזְזִים הֲלוֹא יְהוָה זוּ
כה חָטָאנוּ לוֹ וְלֹא־אָבוּ בִדְרָכָיו הָלוֹךְ וְלֹא שָׁמְעוּ בְּתוֹרָתוֹ׃ וַיִּשְׁפֹּךְ
עָלָיו חֵמָה אַפּוֹ וֶעֱזוּז מִלְחָמָה וַתְּלַהֲטֵהוּ מִסָּבִיב וְלֹא יָדָע
מג א וַתִּבְעַר־בּוֹ וְלֹא־יָשִׂים עַל־לֵב׃ וְעַתָּה כֹּה־אָמַר יְהוָה בֹּרַאֲךָ
עִדּוּד לָעָם לִקְרַאת הַגְּאֻלָּה׃
יַעֲקֹב וְיֹצֶרְךָ יִשְׂרָאֵל אַל־תִּירָא כִּי גְאַלְתִּיךָ קָרָאתִי בְשִׁמְךָ
ב לִי־אָתָּה׃ כִּי־תַעֲבֹר בַּמַּיִם אִתְּךָ אָנִי וּבַנְּהָרוֹת לֹא יִשְׁטְפוּךָ

ג כִּי־תֵלֵךְ בְּמוֹ־אֵשׁ לֹא תִכָּוֶה וְלֶהָבָה לֹא תִבְעַר־בָּךְ׃ כִּי אֲנִי
יְהוָה אֱלֹהֶיךָ קְדוֹשׁ יִשְׂרָאֵל מוֹשִׁיעֶךָ נָתַתִּי כָפְרְךָ מִצְרַיִם כּוּשׁ
ד וּסְבָא תַּחְתֶּיךָ׃ מֵאֲשֶׁר יָקַרְתָּ בְעֵינַי נִכְבַּדְתָּ וַאֲנִי אֲהַבְתִּיךָ וְאֶתֵּן
ה אָדָם תַּחְתֶּיךָ וּלְאֻמִּים תַּחַת נַפְשֶׁךָ׃ אַל־תִּירָא כִּי אִתְּךָ־אָנִי
ו מִמִּזְרָח אָבִיא זַרְעֶךָ וּמִמַּעֲרָב אֲקַבְּצֶךָּ׃ אֹמַר לַצָּפוֹן תֵּנִי
וּלְתֵימָן אַל־תִּכְלָאִי הָבִיאִי בָנַי מֵרָחוֹק וּבְנוֹתַי מִקְצֵה הָאָרֶץ׃
ז ח כֹּל הַנִּקְרָא בִשְׁמִי וְלִכְבוֹדִי בְּרָאתִיו יְצַרְתִּיו אַף־עֲשִׂיתִיו׃ הוֹצִיא
ט עַם־עִוֵּר וְעֵינַיִם יֵשׁ וְחֵרְשִׁים וְאָזְנַיִם לָמוֹ׃ כָּל־הַגּוֹיִם נִקְבְּצוּ יַחְדָּו
וְיֵאָסְפוּ לְאֻמִּים מִי בָהֶם יַגִּיד זֹאת וְרִאשֹׁנוֹת יַשְׁמִיעֻנוּ יִתְּנוּ
י עֵדֵיהֶם וְיִצְדָּקוּ וְיִשְׁמְעוּ וְיֹאמְרוּ אֱמֶת׃ אַתֶּם עֵדַי נְאֻם־יְהוָה
וְעַבְדִּי אֲשֶׁר בָּחָרְתִּי לְמַעַן תֵּדְעוּ וְתַאֲמִינוּ לִי וְתָבִינוּ כִּי־אֲנִי הוּא
יא לְפָנַי לֹא־נוֹצַר אֵל וְאַחֲרַי לֹא יִהְיֶה׃ אָנֹכִי אָנֹכִי יְהוָה
יב וְאֵין מִבַּלְעָדַי מוֹשִׁיעַ׃ אָנֹכִי הִגַּדְתִּי וְהוֹשַׁעְתִּי וְהִשְׁמַעְתִּי וְאֵין
יג בָּכֶם זָר וְאַתֶּם עֵדַי נְאֻם־יְהוָה וַאֲנִי־אֵל׃ גַּם־מִיּוֹם אֲנִי הוּא וְאֵין
יד מִיָּדִי מַצִּיל אֶפְעַל וּמִי יְשִׁיבֶנָּה׃ כֹּה־אָמַר יְהוָה גֹּאַלְכֶם
קְדוֹשׁ יִשְׂרָאֵל לְמַעַנְכֶם שִׁלַּחְתִּי בָבֶלָה וְהוֹרַדְתִּי בָרִיחִים כֻּלָּם
טו וְכַשְׂדִּים בָּאֳנִיּוֹת רִנָּתָם׃ אֲנִי יְהוָה קְדוֹשְׁכֶם בּוֹרֵא יִשְׂרָאֵל
טז מַלְכְּכֶם׃ כֹּה אָמַר יְהוָה הַנּוֹתֵן בַּיָּם דָּרֶךְ וּבְמַיִם עַזִּים
יז נְתִיבָה׃ הַמּוֹצִיא רֶכֶב־וָסוּס חַיִל וְעִזּוּז יַחְדָּו יִשְׁכְּבוּ בַּל־יָקוּמוּ
יח דָּעֲכוּ כַּפִּשְׁתָּה כָבוּ׃ אַל־תִּזְכְּרוּ רִאשֹׁנוֹת וְקַדְמֹנִיּוֹת אַל־
יט תִּתְבֹּנָנוּ׃ הִנְנִי עֹשֶׂה חֲדָשָׁה עַתָּה תִצְמָח הֲלוֹא תֵדָעוּהָ אַף אָשִׂים
כ בַּמִּדְבָּר דֶּרֶךְ בִּישִׁמוֹן נְהָרוֹת׃ תְּכַבְּדֵנִי חַיַּת הַשָּׂדֶה תַּנִּים וּבְנוֹת
יַעֲנָה כִּי־נָתַתִּי בַמִּדְבָּר מַיִם נְהָרוֹת בִּישִׁימֹן לְהַשְׁקוֹת עַמִּי
כא כב בְחִירִי׃ עַם־זוּ יָצַרְתִּי לִי תְּהִלָּתִי יְסַפֵּרוּ׃ וְלֹא־אֹתִי
כג קָרָאתָ יַעֲקֹב כִּי־יָגַעְתָּ בִּי יִשְׂרָאֵל׃ לֹא־הֵבֵיאתָ לִּי שֵׂה עֹלֹתֶיךָ

עֵדוּת יִשְׂרָאֵל עַל קִיּוּם הַבְטָחוֹת ה':

הַכְשָׁרַת הַדֶּרֶךְ לַגְּאוּלִים:

כַּפָּרַת הָעֲוֹנוֹת בְּחֶסֶד וְלֹא בִזְכוּת:

וּזְבָחֶיךָ לֹא כִבַּדְתָּנִי לֹא הֶעֱבַדְתִּיךָ בְּמִנְחָה וְלֹא הוֹגַעְתִּיךָ
כד בִּלְבוֹנָה׃ לֹא־קָנִיתָ לִּי בַכֶּסֶף קָנֶה וְחֵלֶב זְבָחֶיךָ לֹא הִרְוִיתָנִי אַךְ
כה הֶעֱבַדְתַּנִי בְּחַטֹּאותֶיךָ הוֹגַעְתַּנִי בַּעֲוֺנֹתֶיךָ׃ אָנֹכִי אָנֹכִי הוּא מֹחֶה
כו פְשָׁעֶיךָ לְמַעֲנִי וְחַטֹּאתֶיךָ לֹא אֶזְכֹּר׃ הַזְכִּירֵנִי נִשָּׁפְטָה יָחַד סַפֵּר
כז אַתָּה לְמַעַן תִּצְדָּק׃ אָבִיךָ הָרִאשׁוֹן חָטָא וּמְלִיצֶיךָ פָּשְׁעוּ בִי׃
כח וַאֲחַלֵּל שָׂרֵי קֹדֶשׁ וְאֶתְּנָה לַחֵרֶם יַעֲקֹב וְיִשְׂרָאֵל לְגִדּוּפִים׃
מד א ב וְעַתָּה שְׁמַע יַעֲקֹב עַבְדִּי וְיִשְׂרָאֵל בָּחַרְתִּי בוֹ׃ כֹּה־אָמַר יְהוָה
עֹשֶׂךָ וְיֹצֶרְךָ מִבֶּטֶן יַעְזְרֶךָּ אַל־תִּירָא עַבְדִּי יַעֲקֹב וִישֻׁרוּן
ג בָּחַרְתִּי בוֹ׃ כִּי אֶצָּק־מַיִם עַל־צָמֵא וְנֹזְלִים עַל־יַבָּשָׁה אֶצֹּק
ד רוּחִי עַל־זַרְעֶךָ וּבִרְכָתִי עַל־צֶאֱצָאֶיךָ׃ וְצָמְחוּ בְּבֵין חָצִיר
ה כַּעֲרָבִים עַל־יִבְלֵי־מָיִם׃ זֶה יֹאמַר לַיהוָה אָנִי וְזֶה יִקְרָא
בְשֵׁם־יַעֲקֹב וְזֶה יִכְתֹּב יָדוֹ לַיהוָה וּבְשֵׁם יִשְׂרָאֵל יְכַנֶּה׃
ו כֹּה־אָמַר יְהוָה מֶלֶךְ־יִשְׂרָאֵל וְגֹאֲלוֹ יְהוָה צְבָאוֹת אֲנִי רִאשׁוֹן
ז וַאֲנִי אַחֲרוֹן וּמִבַּלְעָדַי אֵין אֱלֹהִים׃ וּמִי־כָמוֹנִי יִקְרָא וְיַגִּידֶהָ
וְיַעְרְכֶהָ לִי מִשּׂוּמִי עַם־עוֹלָם וְאֹתִיּוֹת וַאֲשֶׁר תָּבֹאנָה יַגִּידוּ
ח לָמוֹ׃ אַל־תִּפְחֲדוּ וְאַל־תִּרְהוּ הֲלֹא מֵאָז הִשְׁמַעְתִּיךָ וְהִגַּדְתִּי
וְאַתֶּם עֵדָי הֲיֵשׁ אֱלוֹהַּ מִבַּלְעָדַי וְאֵין צוּר בַּל־יָדָעְתִּי׃
ט יֹצְרֵי־פֶסֶל כֻּלָּם תֹּהוּ וַחֲמוּדֵיהֶם בַּל־יוֹעִילוּ וְעֵדֵיהֶם הֵמָּה
י בַּל־יִרְאוּ וּבַל־יֵדְעוּ לְמַעַן יֵבֹשׁוּ׃ מִי־יָצַר אֵל וּפֶסֶל נָסָךְ לְבִלְתִּי
יא הוֹעִיל׃ הֵן כָּל־חֲבֵרָיו יֵבֹשׁוּ וְחָרָשִׁים הֵמָּה מֵאָדָם יִתְקַבְּצוּ כֻלָּם
יב יַעֲמֹדוּ יִפְחֲדוּ יֵבֹשׁוּ יָחַד׃ חָרַשׁ בַּרְזֶל מַעֲצָד וּפָעַל בַּפֶּחָם
וּבַמַּקָּבוֹת יִצְּרֵהוּ וַיִּפְעָלֵהוּ בִּזְרוֹעַ כֹּחוֹ גַּם־רָעֵב וְאֵין כֹּחַ
יג לֹא־שָׁתָה מַיִם וַיִּיעָף׃ חָרַשׁ עֵצִים נָטָה קָו יְתָאֲרֵהוּ בַשֶּׂרֶד
יַעֲשֵׂהוּ בַּמַּקְצֻעוֹת וּבַמְּחוּגָה יְתָאֳרֵהוּ וַיַּעֲשֵׂהוּ כְּתַבְנִית אִישׁ
יד כְּתִפְאֶרֶת אָדָם לָשֶׁבֶת בָּיִת׃ לִכְרָת־לוֹ אֲרָזִים וַיִּקַּח תִּרְזָה וְאַלּוֹן

הַשְׁרָאַת הַשְּׁכִינָה בְּיִשְׂרָאֵל׃

גְּדֻלַּת ה' מוּל אַפְסוּת עֲבוֹדָה זָרָה׃

הֵמָּה נקוד׃

טו וַיְאַמֶּץ־לוֹ בַּעֲצֵי־יָעַר נָטַע אֹרֶן וְגֶשֶׁם יְגַדֵּל׃ וְהָיָה לְאָדָם לְבָעֵר
וַיִּקַּח מֵהֶם וַיָּחָם אַף־יַשִּׂיק וְאָפָה לָחֶם אַף־יִפְעַל־אֵל וַיִּשְׁתָּחוּ
טז עָשָׂהוּ פֶסֶל וַיִּסְגָּד־לָמוֹ׃ חֶצְיוֹ שָׂרַף בְּמוֹ־אֵשׁ עַל־חֶצְיוֹ בָּשָׂר
יֹאכֵל יִצְלֶה צָלִי וְיִשְׂבָּע אַף־יָחֹם וְיֹאמַר הֶאָח חַמּוֹתִי רָאִיתִי
יז אוּר׃ וּשְׁאֵרִיתוֹ לְאֵל עָשָׂה לְפִסְלוֹ יסגוד יִסְגָּד־לוֹ וְיִשְׁתַּחוּ
יח וְיִתְפַּלֵּל אֵלָיו וְיֹאמַר הַצִּילֵנִי כִּי אֵלִי אָתָּה׃ לֹא יָדְעוּ וְלֹא יָבִינוּ
יט כִּי טַח מֵרְאוֹת עֵינֵיהֶם מֵהַשְׂכִּיל לִבֹּתָם׃ וְלֹא־יָשִׁיב אֶל־לִבּוֹ
וְלֹא דַעַת וְלֹא־תְבוּנָה לֵאמֹר חֶצְיוֹ שָׂרַפְתִּי בְמוֹ־אֵשׁ וְאַף אָפִיתִי
עַל־גֶּחָלָיו לֶחֶם אֶצְלֶה בָשָׂר וְאֹכֵל וְיִתְרוֹ לְתוֹעֵבָה אֶעֱשֶׂה לְבוּל
כ עֵץ אֶסְגּוֹד׃ רֹעֶה אֵפֶר לֵב הוּתַל הִטָּהוּ וְלֹא־יַצִּיל אֶת־נַפְשׁוֹ
כא וְלֹא יֹאמַר הֲלוֹא שֶׁקֶר בִּימִינִי׃ זְכָר־אֵלֶּה יַעֲקֹב
וְיִשְׂרָאֵל כִּי עַבְדִּי־אָתָּה יְצַרְתִּיךָ עֶבֶד־לִי אַתָּה יִשְׂרָאֵל לֹא
כב תִנָּשֵׁנִי׃ מָחִיתִי כָעָב פְּשָׁעֶיךָ וְכֶעָנָן חַטֹּאותֶיךָ שׁוּבָה אֵלַי כִּי
כג גְאַלְתִּיךָ׃ רָנּוּ שָׁמַיִם כִּי־עָשָׂה יְהוָה הָרִיעוּ תַּחְתִּיּוֹת אָרֶץ פִּצְחוּ
הָרִים רִנָּה יַעַר וְכָל־עֵץ בּוֹ כִּי־גָאַל יְהוָה יַעֲקֹב וּבְיִשְׂרָאֵל
כד יִתְפָּאָר׃ כֹּה־אָמַר יְהוָה גֹּאֲלֶךָ וְיֹצֶרְךָ מִבָּטֶן אָנֹכִי יְהוָה
כה עֹשֶׂה כֹּל נֹטֶה שָׁמַיִם לְבַדִּי רֹקַע הָאָרֶץ מֵאִתִּי מי אתי׃ מֵפֵר
אֹתוֹת בַּדִּים וְקֹסְמִים יְהוֹלֵל מֵשִׁיב חֲכָמִים אָחוֹר וְדַעְתָּם יְסַכֵּל׃
כו מֵקִים דְּבַר עַבְדּוֹ וַעֲצַת מַלְאָכָיו יַשְׁלִים הָאֹמֵר לִירוּשָׁלִַם תּוּשָׁב
כז וּלְעָרֵי יְהוּדָה תִּבָּנֶינָה וְחָרְבוֹתֶיהָ אֲקוֹמֵם׃ הָאֹמֵר לַצּוּלָה חֳרָבִי
כח וְנַהֲרֹתַיִךְ אוֹבִישׁ׃ הָאֹמֵר לְכוֹרֶשׁ רֹעִי וְכָל־חֶפְצִי יַשְׁלִם וְלֵאמֹר
לִירוּשָׁלִַם תִּבָּנֶה וְהֵיכָל תִּוָּסֵד׃
מה א כֹּה־אָמַר יְהוָה לִמְשִׁיחוֹ לְכוֹרֶשׁ אֲשֶׁר־הֶחֱזַקְתִּי בִימִינוֹ לְרַד־
לְפָנָיו גּוֹיִם וּמָתְנֵי מְלָכִים אֲפַתֵּחַ לִפְתֹּחַ לְפָנָיו דְּלָתַיִם
ב וּשְׁעָרִים לֹא יִסָּגֵרוּ׃ אֲנִי לְפָנֶיךָ אֵלֵךְ וַהֲדוּרִים אושר אֲיַשֵּׁר

הִתְעוֹרְרוּת לִתְשׁוּבָה, הַדֶּרֶךְ לַגְּאֻלָּה׃

הִתְעוֹרְרוּת לְכוֹרֶשׁ לְבִנְיַן יְרוּשָׁלַיִם׃

כּוֹרֶשׁ כִּשְׁלִיחַ ה׳׃

ג דַּלְתוֹת נְחוּשָׁה אֲשַׁבֵּר וּבְרִיחֵי בַרְזֶל אֲגַדֵּעַ: וְנָתַתִּי לְךָ אוֹצְרוֹת
חֹשֶׁךְ וּמַטְמֻנֵי מִסְתָּרִים לְמַעַן תֵּדַע כִּי־אֲנִי יְהוָה הַקּוֹרֵא בְשִׁמְךָ
ד אֱלֹהֵי יִשְׂרָאֵל: לְמַעַן עַבְדִּי יַעֲקֹב וְיִשְׂרָאֵל בְּחִירִי וָאֶקְרָא לְךָ
ה בִּשְׁמֶךָ אֲכַנְּךָ וְלֹא יְדַעְתָּנִי: אֲנִי יְהוָה וְאֵין עוֹד זוּלָתִי אֵין
ו אֱלֹהִים אֲאַזֶּרְךָ וְלֹא יְדַעְתָּנִי: לְמַעַן יֵדְעוּ מִמִּזְרַח־שֶׁמֶשׁ
ז וּמִמַּעֲרָבָהּ כִּי־אֶפֶס בִּלְעָדָי אֲנִי יְהוָה וְאֵין עוֹד: יוֹצֵר אוֹר וּבוֹרֵא
חֹשֶׁךְ עֹשֶׂה שָׁלוֹם וּבוֹרֵא רָע אֲנִי יְהוָה עֹשֶׂה כָל־אֵלֶּה:
ח הַרְעִיפוּ שָׁמַיִם מִמַּעַל וּשְׁחָקִים יִזְּלוּ־צֶדֶק תִּפְתַּח־אֶרֶץ וְיִפְרוּ־
ט יֶשַׁע וּצְדָקָה תַצְמִיחַ יַחַד אֲנִי יְהוָה בְּרָאתִיו: הוֹי רָב
אֶת־יֹצְרוֹ חֶרֶשׂ אֶת־חַרְשֵׂי אֲדָמָה הֲיֹאמַר חֹמֶר לְיֹצְרוֹ מַה־
י תַּעֲשֶׂה וּפָעָלְךָ אֵין־יָדַיִם לוֹ: הוֹי אֹמֵר לְאָב מַה־תּוֹלִיד
יא וּלְאִשָּׁה מַה־תְּחִילִין: כֹּה־אָמַר יְהוָה
קְדוֹשׁ יִשְׂרָאֵל וְיֹצְרוֹ הָאֹתִיּוֹת שְׁאָלוּנִי עַל־בָּנַי וְעַל־פֹּעַל יָדַי
יב תְּצַוֻּנִי: אָנֹכִי עָשִׂיתִי אֶרֶץ וְאָדָם עָלֶיהָ בָרָאתִי אֲנִי יָדַי נָטוּ
יג שָׁמַיִם וְכָל־צְבָאָם צִוֵּיתִי: אָנֹכִי הַעִירֹתִהוּ בְצֶדֶק וְכָל־דְּרָכָיו
אֲיַשֵּׁר הוּא־יִבְנֶה עִירִי וְגָלוּתִי יְשַׁלֵּחַ לֹא בִמְחִיר וְלֹא בְשֹׁחַד
יד אָמַר יְהוָה צְבָאוֹת: כֹּה ׀ אָמַר יְהוָה יְגִיעַ מִצְרַיִם
וּסְחַר־כּוּשׁ וּסְבָאִים אַנְשֵׁי מִדָּה עָלַיִךְ יַעֲבֹרוּ וְלָךְ יִהְיוּ אַחֲרַיִךְ
יֵלֵכוּ בַּזִּקִּים יַעֲבֹרוּ וְאֵלַיִךְ יִשְׁתַּחֲווּ אֵלַיִךְ יִתְפַּלָּלוּ אַךְ בָּךְ אֵל
טו וְאֵין עוֹד אֶפֶס אֱלֹהִים: אָכֵן אַתָּה אֵל מִסְתַּתֵּר אֱלֹהֵי יִשְׂרָאֵל
טז מוֹשִׁיעַ: בּוֹשׁוּ וְגַם־נִכְלְמוּ כֻּלָּם יַחְדָּו הָלְכוּ בַכְּלִמָּה חָרָשֵׁי
יז צִירִים: יִשְׂרָאֵל נוֹשַׁע בַּיהוָה תְּשׁוּעַת עוֹלָמִים לֹא־תֵבֹשׁוּ
וְלֹא־תִכָּלְמוּ עַד־עוֹלְמֵי עַד:
יח כִּי כֹה אָמַר־יְהוָה בּוֹרֵא הַשָּׁמַיִם הוּא הָאֱלֹהִים יֹצֵר הָאָרֶץ
וְעֹשָׂהּ הוּא כוֹנְנָהּ לֹא־תֹהוּ בְרָאָהּ לָשֶׁבֶת יְצָרָהּ אֲנִי יְהוָה

מְחָלְטוּת טוֹבַת הַנְהָגַת ה׳:

בִּזַּת כּוּשׁ וּמִצְרַיִם תְּחֻלַּק בִּירוּשָׁלָיִם:

קְרִיאָה לַתּוֹעִים לְהִתְקָרֵב לַה׳:

יט וְאֵין עוֹד: לֹא בַסֵּתֶר דִּבַּרְתִּי בִּמְקוֹם אֶרֶץ חֹשֶׁךְ לֹא אָמַרְתִּי
לְזֶרַע יַעֲקֹב תֹּהוּ בַקְּשׁוּנִי אֲנִי יְהוָה דֹּבֵר צֶדֶק מַגִּיד מֵישָׁרִים:
כ הִקָּבְצוּ וָבֹאוּ הִתְנַגְּשׁוּ יַחְדָּו פְּלִיטֵי הַגּוֹיִם לֹא יָדְעוּ הַנֹּשְׂאִים
כא אֶת־עֵץ פִּסְלָם וּמִתְפַּלְלִים אֶל־אֵל לֹא יוֹשִׁיעַ: הַגִּידוּ וְהַגִּישׁוּ
אַף יִוָּעֲצוּ יַחְדָּו מִי הִשְׁמִיעַ זֹאת מִקֶּדֶם מֵאָז הִגִּידָהּ הֲלוֹא
אֲנִי יְהוָה וְאֵין־עוֹד אֱלֹהִים מִבַּלְעָדַי אֵל־צַדִּיק וּמוֹשִׁיעַ אַיִן
כב זוּלָתִי: פְּנוּ־אֵלַי וְהִוָּשְׁעוּ כָּל־אַפְסֵי־אָרֶץ כִּי אֲנִי־אֵל וְאֵין עוֹד:
כג בִּי נִשְׁבַּעְתִּי יָצָא מִפִּי צְדָקָה דָּבָר וְלֹא יָשׁוּב כִּי־לִי תִּכְרַע
כד כָּל־בֶּרֶךְ תִּשָּׁבַע כָּל־לָשׁוֹן: אַךְ בַּיהוָה לִי אָמַר צְדָקוֹת וָעֹז עָדָיו
כה יָבוֹא וְיֵבֹשׁוּ כֹּל הַנֶּחֱרִים בּוֹ: בַּיהוָה יִצְדְּקוּ וְיִתְהַלְלוּ כָּל־זֶרַע
מו א יִשְׂרָאֵל: כָּרַע בֵּל קֹרֵס נְבוֹ הָיוּ עֲצַבֵּיהֶם לַחַיָּה וְלַבְּהֵמָה
לַעַג לָאֱלִילִים:
ב נְשֻׂאֹתֵיכֶם עֲמוּסוֹת מַשָּׂא לַעֲיֵפָה: קָרְסוּ כָרְעוּ יַחְדָּו לֹא יָכְלוּ
מַלֵּט מַשָּׂא וְנַפְשָׁם בַּשְּׁבִי הָלָכָה:

חִזּוּק יִשְׂרָאֵל לְהַאֲמִין בַּה׳:
ג שִׁמְעוּ אֵלַי בֵּית יַעֲקֹב וְכָל־שְׁאֵרִית בֵּית יִשְׂרָאֵל הָעֲמֻסִים מִנִּי־
ד בֶטֶן הַנְּשֻׂאִים מִנִּי־רָחַם: וְעַד־זִקְנָה אֲנִי הוּא וְעַד־שֵׂיבָה אֲנִי
ה אֶסְבֹּל אֲנִי עָשִׂיתִי וַאֲנִי אֶשָּׂא וַאֲנִי אֶסְבֹּל וַאֲמַלֵּט: לְמִי
ו תְדַמְּיוּנִי וְתַשְׁווּ וְתַמְשִׁלוּנִי וְנִדְמֶה: הַזָּלִים זָהָב מִכִּיס וְכֶסֶף בַּקָּנֶה
ז יִשְׁקֹלוּ יִשְׂכְּרוּ צוֹרֵף וְיַעֲשֵׂהוּ אֵל יִסְגְּדוּ אַף־יִשְׁתַּחֲווּ: יִשָּׂאֻהוּ
עַל־כָּתֵף יִסְבְּלֻהוּ וְיַנִּיחֻהוּ תַחְתָּיו וְיַעֲמֹד מִמְּקוֹמוֹ לֹא יָמִישׁ
ח אַף־יִצְעַק אֵלָיו וְלֹא יַעֲנֶה מִצָּרָתוֹ לֹא יוֹשִׁיעֶנּוּ: זִכְרוּ־
ט זֹאת וְהִתְאֹשָׁשׁוּ הָשִׁיבוּ פוֹשְׁעִים עַל־לֵב: זִכְרוּ רִאשֹׁנוֹת מֵעוֹלָם
י כִּי אָנֹכִי אֵל וְאֵין עוֹד אֱלֹהִים וְאֶפֶס כָּמוֹנִי: מַגִּיד מֵרֵאשִׁית אַחֲרִית
וּמִקֶּדֶם אֲשֶׁר לֹא־נַעֲשׂוּ אֹמֵר עֲצָתִי תָקוּם וְכָל־חֶפְצִי אֶעֱשֶׂה:
יא קֹרֵא מִמִּזְרָח עַיִט מֵאֶרֶץ מֶרְחָק אִישׁ עצתו עֲצָתִי אַף־דִּבַּרְתִּי
יב אַף־אֲבִיאֶנָּה יָצַרְתִּי אַף־אֶעֱשֶׂנָּה: שִׁמְעוּ

יג אֵלַי אַבִּירֵי לֵב הָרְחוֹקִים מִצְּדָקָה: קֵרַבְתִּי צִדְקָתִי לֹא תִרְחָק
וּתְשׁוּעָתִי לֹא תְאַחֵר וְנָתַתִּי בְצִיּוֹן תְּשׁוּעָה לְיִשְׂרָאֵל
מז א תִּפְאַרְתִּי: רְדִי ׀ וּשְׁבִי עַל־עָפָר בְּתוּלַת בַּת־בָּבֶל
שְׁבִי־לָאָרֶץ אֵין־כִּסֵּא בַּת־כַּשְׂדִּים כִּי לֹא תוֹסִיפִי יִקְרְאוּ־לָךְ
ב רַכָּה וַעֲנֻגָּה: קְחִי רֵחַיִם וְטַחֲנִי קָמַח גַּלִּי צַמָּתֵךְ חֶשְׂפִּי־שֹׁבֶל
ג גַּלִּי־שׁוֹק עִבְרִי נְהָרוֹת: תִּגָּל עֶרְוָתֵךְ גַּם תֵּרָאֶה חֶרְפָּתֵךְ נָקָם
אֶקָּח וְלֹא אֶפְגַּע אָדָם:
ד ה גֹּאֲלֵנוּ יְהוָה צְבָאוֹת שְׁמוֹ קְדוֹשׁ יִשְׂרָאֵל: שְׁבִי דוּמָם וּבֹאִי בַחֹשֶׁךְ
ו בַּת־כַּשְׂדִּים כִּי לֹא תוֹסִיפִי יִקְרְאוּ־לָךְ גְּבֶרֶת מַמְלָכוֹת: קָצַפְתִּי
עַל־עַמִּי חִלַּלְתִּי נַחֲלָתִי וָאֶתְּנֵם בְּיָדֵךְ לֹא־שַׂמְתְּ לָהֶם רַחֲמִים
ז עַל־זָקֵן הִכְבַּדְתְּ עֻלֵּךְ מְאֹד: וַתֹּאמְרִי לְעוֹלָם אֶהְיֶה גְבָרֶת עַד
לֹא־שַׂמְתְּ אֵלֶּה עַל־לִבֵּךְ לֹא זָכַרְתְּ אַחֲרִיתָהּ:
ח וְעַתָּה שִׁמְעִי־זֹאת עֲדִינָה הַיּוֹשֶׁבֶת לָבֶטַח הָאֹמְרָה בִּלְבָבָהּ
ט אֲנִי וְאַפְסִי עוֹד לֹא אֵשֵׁב אַלְמָנָה וְלֹא אֵדַע שְׁכוֹל: וְתָבֹאנָה
לָּךְ שְׁתֵּי־אֵלֶּה רֶגַע בְּיוֹם אֶחָד שְׁכוֹל וְאַלְמֹן כְּתֻמָּם בָּאוּ עָלַיִךְ
י בְּרֹב כְּשָׁפַיִךְ בְּעָצְמַת חֲבָרַיִךְ מְאֹד: וַתִּבְטְחִי בְרָעָתֵךְ אָמַרְתְּ
אֵין רֹאָנִי חָכְמָתֵךְ וְדַעְתֵּךְ הִיא שׁוֹבְבָתֶךְ וַתֹּאמְרִי בְלִבֵּךְ אֲנִי
יא וְאַפְסִי עוֹד: וּבָא עָלַיִךְ רָעָה לֹא תֵדְעִי שַׁחְרָהּ וְתִפֹּל עָלַיִךְ
הֹוָה לֹא תוּכְלִי כַּפְּרָהּ וְתָבֹא עָלַיִךְ פִּתְאֹם שֹׁאָה לֹא תֵדָעִי:
יב עִמְדִי־נָא בַחֲבָרַיִךְ וּבְרֹב כְּשָׁפַיִךְ בַּאֲשֶׁר יָגַעַתְּ מִנְּעוּרָיִךְ אוּלַי
יג תּוּכְלִי הוֹעִיל אוּלַי תַּעֲרוֹצִי: נִלְאֵית בְּרֹב עֲצָתָיִךְ יַעַמְדוּ־נָא
וְיוֹשִׁיעֻךְ הברו הֹבְרֵי שָׁמַיִם הַחֹזִים בַּכּוֹכָבִים מוֹדִיעִם לֶחֳדָשִׁים
יד מֵאֲשֶׁר יָבֹאוּ עָלָיִךְ: הִנֵּה הָיוּ כְקַשׁ אֵשׁ שְׂרָפָתַם לֹא־יַצִּילוּ
טו אֶת־נַפְשָׁם מִיַּד לֶהָבָה אֵין־גַּחֶלֶת לַחְמָם אוּר לָשֶׁבֶת נֶגְדּוֹ: כֵּן
הָיוּ־לָךְ אֲשֶׁר יָגָעַתְּ סֹחֲרַיִךְ מִנְּעוּרַיִךְ אִישׁ לְעֶבְרוֹ תָּעוּ אֵין

הַשְׁפָּלָה הָעֲתִידָה לְבָבֶל:

פֵּרוּט עָנְשָׁהּ שֶׁל בָּבֶל:

שְׁלִילַת הַהַצָּלָה בְּכִשּׁוּף וּבְנַחַשׁ:

תּוֹכָחָה לְחֹסֶר אֱמוּנָה:

מח א מוֹשִׁיעֵךְ: שִׁמְעוּ־זֹאת בֵּית־
יַעֲקֹב הַנִּקְרָאִים בְּשֵׁם יִשְׂרָאֵל וּמִמֵּי יְהוּדָה יָצָאוּ הַנִּשְׁבָּעִים ׀
בְּשֵׁם יְהֹוָה וּבֵאלֹהֵי יִשְׂרָאֵל יַזְכִּירוּ לֹא בֶאֱמֶת וְלֹא בִצְדָקָה:
ב כִּי־מֵעִיר הַקֹּדֶשׁ נִקְרָאוּ וְעַל־אֱלֹהֵי יִשְׂרָאֵל נִסְמָכוּ יְהֹוָה צְבָאוֹת
ג שְׁמוֹ: הָרִאשֹׁנוֹת מֵאָז הִגַּדְתִּי וּמִפִּי יָצְאוּ וְאַשְׁמִיעֵם
ד פִּתְאֹם עָשִׂיתִי וַתָּבֹאנָה: מִדַּעְתִּי כִּי קָשֶׁה אָתָּה וְגִיד בַּרְזֶל
ה עָרְפֶּךָ וּמִצְחֲךָ נְחוּשָׁה: וָאַגִּיד לְךָ מֵאָז בְּטֶרֶם תָּבוֹא הִשְׁמַעְתִּיךָ
ו פֶּן־תֹּאמַר עָצְבִּי עָשָׂם וּפִסְלִי וְנִסְכִּי צִוָּם: שָׁמַעְתָּ חֲזֵה כֻּלָּהּ
וְאַתֶּם הֲלוֹא תַגִּידוּ הִשְׁמַעְתִּיךָ חֲדָשׁוֹת מֵעַתָּה וּנְצֻרוֹת וְלֹא
ז יְדַעְתָּם: עַתָּה נִבְרְאוּ וְלֹא מֵאָז וְלִפְנֵי־יוֹם וְלֹא שְׁמַעְתָּם
ח פֶּן־תֹּאמַר הִנֵּה יְדַעְתִּין: גַּם לֹא־שָׁמַעְתָּ גַּם לֹא יָדַעְתָּ גַּם מֵאָז
לֹא־פִתְּחָה אָזְנֶךָ כִּי יָדַעְתִּי בָּגוֹד תִּבְגּוֹד וּפֹשֵׁעַ מִבֶּטֶן קֹרָא
ט לָךְ: לְמַעַן שְׁמִי אַאֲרִיךְ אַפִּי וּתְהִלָּתִי אֶחֱטָם־לָךְ לְבִלְתִּי
יא י הַכְרִיתֶךָ: הִנֵּה צְרַפְתִּיךָ וְלֹא בְכָסֶף בְּחַרְתִּיךָ בְּכוּר עֹנִי: לְמַעֲנִי
לְמַעֲנִי אֶעֱשֶׂה כִּי אֵיךְ יֵחָל וּכְבוֹדִי לְאַחֵר לֹא־אֶתֵּן:

הַתּוֹעֶלֶת בִּשְׁמִיעַת דִּבְרֵי ה׳:

יב שְׁמַע אֵלַי יַעֲקֹב וְיִשְׂרָאֵל מְקֹרָאִי אֲנִי־הוּא אֲנִי רִאשׁוֹן אַף אֲנִי
יג אַחֲרוֹן: אַף־יָדִי יָסְדָה אֶרֶץ וִימִינִי טִפְּחָה שָׁמָיִם קֹרֵא אֲנִי
יד אֲלֵיהֶם יַעַמְדוּ יַחְדָּו: הִקָּבְצוּ כֻלְּכֶם וּשֲׁמָעוּ מִי בָהֶם הִגִּיד
טו אֶת־אֵלֶּה יְהֹוָה אֲהֵבוֹ יַעֲשֶׂה חֶפְצוֹ בְּבָבֶל וּזְרֹעוֹ כַּשְׂדִּים: אֲנִי
טז אֲנִי דִּבַּרְתִּי אַף־קְרָאתִיו הֲבִאֹתִיו וְהִצְלִיחַ דַּרְכּוֹ: קִרְבוּ אֵלַי
שִׁמְעוּ־זֹאת לֹא מֵרֹאשׁ בַּסֵּתֶר דִּבַּרְתִּי מֵעֵת הֱיוֹתָהּ שָׁם אָנִי
וְעַתָּה אֲדֹנָי יֱהֹוִה שְׁלָחַנִי וְרוּחוֹ:

שְׂכַר הַשּׁוֹמְעִים בְּקוֹל ה׳:

יז כֹּה־אָמַר יְהֹוָה גֹּאַלְךָ קְדוֹשׁ יִשְׂרָאֵל אֲנִי יְהֹוָה אֱלֹהֶיךָ מְלַמֶּדְךָ
יח לְהוֹעִיל מַדְרִיכֲךָ בְּדֶרֶךְ תֵּלֵךְ: לוּא הִקְשַׁבְתָּ לְמִצְוֹתָי וַיְהִי כַנָּהָר
יט שְׁלוֹמֶךָ וְצִדְקָתְךָ כְּגַלֵּי הַיָּם: וַיְהִי כַחוֹל זַרְעֶךָ וְצֶאֱצָאֵי מֵעֶיךָ

כ כִּמְעוֹתָיו לֹא־יִכָּרֵת וְלֹא־יִשָּׁמֵד שְׁמוֹ מִלְּפָנָי: צְאוּ
מִבָּבֶל בִּרְחוּ מִכַּשְׂדִּים בְּקוֹל רִנָּה הַגִּידוּ הַשְׁמִיעוּ זֹאת הוֹצִיאוּהָ
כא עַד־קְצֵה הָאָרֶץ אִמְרוּ גָּאַל יְהוָה עַבְדּוֹ יַעֲקֹב: וְלֹא צָמְאוּ
בָּחֳרָבוֹת הוֹלִיכָם מַיִם מִצּוּר הִזִּיל לָמוֹ וַיִּבְקַע־צוּר וַיָּזֻבוּ מָיִם:
כב אֵין שָׁלוֹם אָמַר יְהוָה לָרְשָׁעִים:

קְרִיאָה לַעֲלוֹת מִבָּבֶל:

מט א שִׁמְעוּ אִיִּים אֵלַי וְהַקְשִׁיבוּ לְאֻמִּים מֵרָחוֹק יְהוָה מִבֶּטֶן קְרָאָנִי
ב מִמְּעֵי אִמִּי הִזְכִּיר שְׁמִי: וַיָּשֶׂם פִּי כְּחֶרֶב חַדָּה בְּצֵל יָדוֹ הֶחְבִּיאָנִי
ג וַיְשִׂימֵנִי לְחֵץ בָּרוּר בְּאַשְׁפָּתוֹ הִסְתִּירָנִי: וַיֹּאמֶר לִי עַבְדִּי־אָתָּה
ד יִשְׂרָאֵל אֲשֶׁר־בְּךָ אֶתְפָּאָר: וַאֲנִי אָמַרְתִּי לְרִיק יָגַעְתִּי לְתֹהוּ
וְהֶבֶל כֹּחִי כִלֵּיתִי אָכֵן מִשְׁפָּטִי אֶת־יְהוָה וּפְעֻלָּתִי אֶת־
ה אֱלֹהָי: וְעַתָּה | אָמַר יְהוָה יֹצְרִי מִבֶּטֶן לְעֶבֶד לוֹ
לְשׁוֹבֵב יַעֲקֹב אֵלָיו וְיִשְׂרָאֵל לא לוֹ יֵאָסֵף וְאֶכָּבֵד בְּעֵינֵי יְהוָה
ו וֵאלֹהַי הָיָה עֻזִּי: וַיֹּאמֶר נָקֵל מִהְיוֹתְךָ לִי עֶבֶד לְהָקִים
אֶת־שִׁבְטֵי יַעֲקֹב ונצירי וּנְצוּרֵי יִשְׂרָאֵל לְהָשִׁיב וּנְתַתִּיךָ לְאוֹר
ז גּוֹיִם לִהְיוֹת יְשׁוּעָתִי עַד־קְצֵה הָאָרֶץ: כֹּה אָמַר־יְהוָה
גֹּאֵל יִשְׂרָאֵל קְדוֹשׁוֹ לִבְזֹה־נֶפֶשׁ לִמְתָעֵב גּוֹי לְעֶבֶד מֹשְׁלִים
מְלָכִים יִרְאוּ וָקָמוּ שָׂרִים וְיִשְׁתַּחֲווּ לְמַעַן יְהוָה אֲשֶׁר נֶאֱמָן
ח קְדֹשׁ יִשְׂרָאֵל וַיִּבְחָרֶךָּ: כֹּה | אָמַר יְהוָה בְּעֵת רָצוֹן
עֲנִיתִיךָ וּבְיוֹם יְשׁוּעָה עֲזַרְתִּיךָ וְאֶצָּרְךָ וְאֶתֶּנְךָ לִבְרִית עָם
ט לְהָקִים אֶרֶץ לְהַנְחִיל נְחָלוֹת שֹׁמֵמוֹת: לֵאמֹר לַאֲסוּרִים צֵאוּ
לַאֲשֶׁר בַּחֹשֶׁךְ הִגָּלוּ עַל־דְּרָכִים יִרְעוּ וּבְכָל־שְׁפָיִים מַרְעִיתָם:
י לֹא יִרְעָבוּ וְלֹא יִצְמָאוּ וְלֹא־יַכֵּם שָׁרָב וָשָׁמֶשׁ כִּי־מְרַחֲמָם יְנַהֲגֵם
יא וְעַל־מַבּוּעֵי מַיִם יְנַהֲלֵם: וְשַׂמְתִּי כָל־הָרַי לַדָּרֶךְ וּמְסִלֹּתַי יְרֻמוּן:
יב הִנֵּה־אֵלֶּה מֵרָחוֹק יָבֹאוּ וְהִנֵּה־אֵלֶּה מִצָּפוֹן וּמִיָּם וְאֵלֶּה מֵאֶרֶץ
יג סִינִים: רָנּוּ שָׁמַיִם וְגִילִי אָרֶץ יפצחו וּפִצְחוּ הָרִים רִנָּה כִּי־נִחַם

תֵּאוּר שְׁלִיחוּת הַנָּבִיא:

הַכָּבוֹד וְהַשִּׂמְחָה לֶעָתִיד לָבֹא:

רבוי העם וכבודם לעתיד:

יְהוָה֙ עַמּ֔וֹ וַעֲנִיָּ֖ו יְרַחֵֽם׃ וַתֹּ֥אמֶר צִיּ֖וֹן עֲזָבַ֣נִי יְהוָ֑ה יד
וַאדֹנָ֖י שְׁכֵחָֽנִי׃ הֲתִשְׁכַּ֤ח אִשָּׁה֙ עוּלָ֔הּ מֵרַחֵ֖ם בֶּן־בִּטְנָ֑הּ גַּם־ טו
אֵ֣לֶּה תִשְׁכַּ֔חְנָה וְאָנֹכִ֖י לֹ֥א אֶשְׁכָּחֵֽךְ׃ הֵ֥ן עַל־כַּפַּ֖יִם חַקֹּתִ֑יךְ חוֹמֹתַ֥יִךְ טז
נֶגְדִּ֖י תָּמִֽיד׃ מִהֲר֖וּ בָּנָ֑יִךְ מְהָרְסַ֥יִךְ וּמַחֲרִבַ֖יִךְ מִמֵּ֥ךְ יֵצֵֽאוּ׃ יז
שְׂאִֽי־סָבִ֤יב עֵינַ֙יִךְ֙ וּרְאִ֔י כֻּלָּ֖ם נִקְבְּצ֣וּ בָֽאוּ־לָ֑ךְ חַי־אָ֣נִי נְאֻם־יְהוָ֗ה יח
כִּ֤י כֻלָּם֙ כַּעֲדִ֣י תִלְבָּ֔שִׁי וּֽתְקַשְּׁרִ֖ים כַּכַּלָּֽה׃ כִּ֤י חָרְבֹתַ֙יִךְ֙ יט
וְשֹׁ֣מְמֹתַ֔יִךְ וְאֶ֖רֶץ הֲרִסֻתֵ֑ךְ כִּ֤י עַתָּה֙ תֵּצְרִ֣י מִיּוֹשֵׁ֔ב וְרָחֲק֖וּ
מְבַלְּעָֽיִךְ׃ ע֚וֹד יֹאמְר֣וּ בְאָזְנַ֔יִךְ בְּנֵ֖י שִׁכֻּלָ֑יִךְ צַר־לִ֥י הַמָּק֖וֹם כ
גְּשָׁה־לִּ֥י וְאֵשֵֽׁבָה׃ וְאָמַ֣רְתְּ בִּלְבָבֵ֗ךְ מִ֤י יָֽלַד־לִי֙ אֶת־אֵ֔לֶּה וַאֲנִ֥י כא
שְׁכוּלָ֖ה וְגַלְמוּדָ֑ה גֹּלָ֣ה ׀ וְסוּרָ֗ה וְאֵ֙לֶּה֙ מִ֣י גִדֵּ֔ל הֵ֤ן אֲנִי֙ נִשְׁאַ֣רְתִּי
לְבַדִּ֔י אֵ֖לֶּה אֵיפֹ֥ה הֵֽם׃

עזרת הגוים בקבוץ הגליות:

כֹּֽה־אָמַ֞ר אֲדֹנָ֣י יְהוִ֗ה הִנֵּ֨ה אֶשָּׂ֤א אֶל־גּוֹיִם֙ יָדִ֔י וְאֶל־עַמִּ֖ים אָרִ֣ים כב
נִסִּ֑י וְהֵבִ֤יאוּ בָנַ֙יִךְ֙ בְּחֹ֔צֶן וּבְנֹתַ֖יִךְ עַל־כָּתֵ֥ף תִּנָּשֶֽׂאנָה׃ וְהָי֨וּ מְלָכִ֜ים כג
אֹֽמְנַ֗יִךְ וְשָׂרֽוֹתֵיהֶם֙ מֵינִיקֹתַ֔יִךְ אַפַּ֗יִם אֶ֚רֶץ יִשְׁתַּחֲווּ לָ֔ךְ וַעֲפַ֥ר רַגְלַ֖יִךְ
יְלַחֵ֑כוּ וְיָדַ֙עַתְּ֙ כִּֽי־אֲנִ֣י יְהוָ֔ה אֲשֶׁ֥ר לֹֽא־יֵבֹ֖שׁוּ קֹוָֽי׃ הֲיֻקַּ֥ח כד

העונש למעני ישראל:

מִגִּבּ֖וֹר מַלְק֑וֹחַ וְאִם־שְׁבִ֥י צַדִּ֖יק יִמָּלֵֽט׃ כִּי־כֹ֣ה ׀ כה
אָמַ֣ר יְהוָ֗ה גַּם־שְׁבִ֤י גִבּוֹר֙ יֻקָּ֔ח וּמַלְק֥וֹחַ עָרִ֖יץ יִמָּלֵ֑ט וְאֶת־
יְרִיבֵךְ֙ אָנֹכִ֣י אָרִ֔יב וְאֶת־בָּנַ֖יִךְ אָנֹכִ֥י אוֹשִֽׁיעַ׃ וְהַאֲכַלְתִּ֤י אֶת־ כו
מוֹנַ֙יִךְ֙ אֶת־בְּשָׂרָ֔ם וְכֶעָסִ֖יס דָּמָ֣ם יִשְׁכָּר֑וּן וְיָדְע֣וּ כָל־בָּשָׂ֗ר כִּ֣י

תוכחה לתשובה בגלות:

אֲנִ֤י יְהוָה֙ מוֹשִׁיעֵ֔ךְ וְגֹאֲלֵ֖ךְ אֲבִ֥יר יַעֲקֹֽב׃ כֹּ֣ה ׀ אָמַ֣ר נ א
יְהוָ֗ה אֵ֣י זֶה֩ סֵ֨פֶר כְּרִית֤וּת אִמְּכֶם֙ אֲשֶׁ֣ר שִׁלַּחְתִּ֔יהָ א֚וֹ מִ֣י מִנּוֹשַׁ֔י
אֲשֶׁר־מָכַ֥רְתִּי אֶתְכֶ֖ם ל֑וֹ הֵ֤ן בַּעֲוֺנֹתֵיכֶם֙ נִמְכַּרְתֶּ֔ם וּבְפִשְׁעֵיכֶ֖ם
שֻׁלְּחָ֥ה אִמְּכֶֽם׃ מַדּ֨וּעַ בָּ֜אתִי וְאֵ֣ין אִ֗ישׁ קָרָ֙אתִי֙ וְאֵ֣ין עוֹנֶ֔ה הֲקָצ֨וֹר ב
קָצְרָ֤ה יָדִי֙ מִפְּד֔וּת וְאִם־אֵין־בִּ֥י כֹ֖חַ לְהַצִּ֑יל הֵ֣ן בְּגַעֲרָתִ֞י אַחֲרִ֣יב
יָ֗ם אָשִׂ֤ים נְהָרוֹת֙ מִדְבָּ֔ר תִּבְאַ֤שׁ דְּגָתָם֙ מֵאֵ֣ין מַ֔יִם וְתָמֹ֖ת בַּצָּמָֽא׃

ג אַלְבִּישׁ שָׁמַיִם קַדְרוּת וְשַׂק אָשִׂים כְּסוּתָם׃
ד אֲדֹנָי יֱהֹוִה נָתַן לִי לְשׁוֹן לִמּוּדִים לָדַעַת לָעוּת אֶת־יָעֵף דָּבָר
חֹסֶן הַנָּבִיא:
ה יָעִיר ׀ בַּבֹּקֶר בַּבֹּקֶר יָעִיר לִי אֹזֶן לִשְׁמֹעַ כַּלִּמּוּדִים׃ אֲדֹנָי יֱהֹוִה
ו פָּתַח־לִי אֹזֶן וְאָנֹכִי לֹא מָרִיתִי אָחוֹר לֹא נְסוּגֹתִי׃ גֵּוִי נָתַתִּי
ז לְמַכִּים וּלְחָיַי לְמֹרְטִים פָּנַי לֹא הִסְתַּרְתִּי מִכְּלִמּוֹת וָרֹק׃ וַאדֹנָי
יֱהֹוִה יַעֲזָר־לִי עַל־כֵּן לֹא נִכְלָמְתִּי עַל־כֵּן שַׂמְתִּי פָנַי כַּחַלָּמִישׁ
ח וָאֵדַע כִּי־לֹא אֵבוֹשׁ׃ קָרוֹב מַצְדִּיקִי מִי־יָרִיב אִתִּי נַעַמְדָה יָּחַד
ט מִי־בַעַל מִשְׁפָּטִי יִגַּשׁ אֵלָי׃ הֵן אֲדֹנָי יֱהֹוִה יַעֲזָר־לִי מִי־הוּא
י יַרְשִׁיעֵנִי הֵן כֻּלָּם כַּבֶּגֶד יִבְלוּ עָשׁ יֹאכְלֵם׃ מִי בָכֶם
יְרֵא יְהֹוָה שֹׁמֵעַ בְּקוֹל עַבְדּוֹ אֲשֶׁר ׀ הָלַךְ חֲשֵׁכִים וְאֵין נֹגַהּ
יא לוֹ יִבְטַח בְּשֵׁם יְהֹוָה וְיִשָּׁעֵן בֵּאלֹהָיו׃ הֵן כֻּלְּכֶם קֹדְחֵי
אֵשׁ מְאַזְּרֵי זִיקוֹת לְכוּ ׀ בְּאוּר אֶשְׁכֶם וּבְזִיקוֹת בִּעַרְתֶּם מִיָּדִי
נא א הָיְתָה־זֹּאת לָכֶם לְמַעֲצֵבָה תִּשְׁכָּבוּן׃ שִׁמְעוּ אֵלַי רֹדְפֵי
צֶדֶק מְבַקְשֵׁי יְהֹוָה הַבִּיטוּ אֶל־צוּר חֻצַּבְתֶּם וְאֶל־מַקֶּבֶת בּוֹר
גְּדֻלַּת יִשְׂרָאֵל כִּגְדֻלַּת אֲבוֹתָם:
ב נֻקַּרְתֶּם׃ הַבִּיטוּ אֶל־אַבְרָהָם אֲבִיכֶם וְאֶל־שָׂרָה תְּחוֹלֶלְכֶם
ג כִּי־אֶחָד קְרָאתִיו וַאֲבָרְכֵהוּ וְאַרְבֵּהוּ׃ כִּי־נִחַם יְהֹוָה צִיּוֹן נִחַם
כָּל־חָרְבֹתֶיהָ וַיָּשֶׂם מִדְבָּרָהּ כְּעֵדֶן וְעַרְבָתָהּ כְּגַן־יְהֹוָה שָׂשׂוֹן
ד וְשִׂמְחָה יִמָּצֵא בָהּ תּוֹדָה וְקוֹל זִמְרָה׃ הַקְשִׁיבוּ אֵלַי
עַמִּי וּלְאוּמִּי אֵלַי הַאֲזִינוּ כִּי תוֹרָה מֵאִתִּי תֵצֵא וּמִשְׁפָּטִי לְאוֹר
הַיְשׁוּעָה וְהַצֶּדֶק לֶעָתִיד לָבֹא:
ה עַמִּים אַרְגִּיעַ׃ קָרוֹב צִדְקִי יָצָא יִשְׁעִי וּזְרֹעַי עַמִּים יִשְׁפֹּטוּ אֵלַי
ו אִיִּים יְקַוּוּ וְאֶל־זְרֹעִי יְיַחֵלוּן׃ שְׂאוּ לַשָּׁמַיִם עֵינֵיכֶם וְהַבִּיטוּ
אֶל־הָאָרֶץ מִתַּחַת כִּי־שָׁמַיִם כֶּעָשָׁן נִמְלָחוּ וְהָאָרֶץ כַּבֶּגֶד תִּבְלֶה
וְיֹשְׁבֶיהָ כְּמוֹ־כֵן יְמוּתוּן וִישׁוּעָתִי לְעוֹלָם תִּהְיֶה וְצִדְקָתִי לֹא
תֵחָת׃
ז שִׁמְעוּ אֵלַי יֹדְעֵי צֶדֶק עַם תּוֹרָתִי בְלִבָּם אַל־תִּירְאוּ חֶרְפַּת

ח אֱנוֹשׁ וּמִגִּדֻּפֹתָם אַל־תֵּחָתּוּ: כִּי כַבֶּגֶד יֹאכְלֵם עָשׁ וְכַצֶּמֶר
יֹאכְלֵם סָס וְצִדְקָתִי לְעוֹלָם תִּהְיֶה וִישׁוּעָתִי לְדוֹר

תְּפִלָּה לְהִתְגַּלּוּת גְּבוּרַת ה׳:

ט דּוֹרִים: עוּרִי עוּרִי לִבְשִׁי־עֹז זְרוֹעַ יְהוָה עוּרִי כִּימֵי
קֶדֶם דֹּרוֹת עוֹלָמִים הֲלוֹא אַתְּ־הִיא הַמַּחְצֶבֶת רַהַב מְחוֹלֶלֶת
י תַּנִּין: הֲלוֹא אַתְּ־הִיא הַמַּחֲרֶבֶת יָם מֵי תְּהוֹם רַבָּה הַשָּׂמָה
יא מַעֲמַקֵּי־יָם דֶּרֶךְ לַעֲבֹר גְּאוּלִים: וּפְדוּיֵי יְהוָה יְשׁוּבוּן וּבָאוּ צִיּוֹן
בְּרִנָּה וְשִׂמְחַת עוֹלָם עַל־רֹאשָׁם שָׂשׂוֹן וְשִׂמְחָה יַשִּׂיגוּן נָסוּ יָגוֹן

הִתְעוֹרְרוּת לְבִטָּחוֹן בַּה׳:

יב וַאֲנָחָה: אָנֹכִי אָנֹכִי הוּא מְנַחֶמְכֶם מִי־אַתְּ וַתִּירְאִי
יג מֵאֱנוֹשׁ יָמוּת וּמִבֶּן־אָדָם חָצִיר יִנָּתֵן: וַתִּשְׁכַּח יְהוָה עֹשֶׂךָ נוֹטֶה
שָׁמַיִם וְיֹסֵד אָרֶץ וַתְּפַחֵד תָּמִיד כָּל־הַיּוֹם מִפְּנֵי חֲמַת הַמֵּצִיק
יד כַּאֲשֶׁר כּוֹנֵן לְהַשְׁחִית וְאַיֵּה חֲמַת הַמֵּצִיק: מִהַר צֹעֶה לְהִפָּתֵחַ
טו וְלֹא־יָמוּת לַשַּׁחַת וְלֹא יֶחְסַר לַחְמוֹ: וְאָנֹכִי יְהוָה אֱלֹהֶיךָ רֹגַע
טז הַיָּם וַיֶּהֱמוּ גַּלָּיו יְהוָה צְבָאוֹת שְׁמוֹ: וָאָשִׂם דְּבָרַי בְּפִיךָ וּבְצֵל
יָדִי כִּסִּיתִיךָ לִנְטֹעַ שָׁמַיִם וְלִיסֹד אָרֶץ וְלֵאמֹר לְצִיּוֹן עַמִּי־

נְבוּאַת נֶחָמָה לִירוּשָׁלַיִם:

יז אָתָּה: הִתְעוֹרְרִי
הִתְעוֹרְרִי קוּמִי יְרוּשָׁלַםִ אֲשֶׁר שָׁתִית מִיַּד יְהוָה אֶת־כּוֹס חֲמָתוֹ
יח אֶת־קֻבַּעַת כּוֹס הַתַּרְעֵלָה שָׁתִית מָצִית: אֵין־מְנַהֵל לָהּ מִכָּל־
יט בָּנִים יָלָדָה וְאֵין מַחֲזִיק בְּיָדָהּ מִכָּל־בָּנִים גִּדֵּלָה: שְׁתַּיִם הֵנָּה
קֹרְאֹתַיִךְ מִי יָנוּד לָךְ הַשֹּׁד וְהַשֶּׁבֶר וְהָרָעָב וְהַחֶרֶב מִי אֲנַחֲמֵךְ:
כ בָּנַיִךְ עֻלְּפוּ שָׁכְבוּ בְּרֹאשׁ כָּל־חוּצוֹת כְּתוֹא מִכְמָר הַמְלֵאִים
כא חֲמַת־יְהוָה גַּעֲרַת אֱלֹהָיִךְ: לָכֵן שִׁמְעִי־נָא זֹאת עֲנִיָּה וּשְׁכֻרַת
וְלֹא מִיָּיִן:

כב כֹּה־אָמַר אֲדֹנַיִךְ יְהוָה וֵאלֹהַיִךְ יָרִיב עַמּוֹ הִנֵּה לָקַחְתִּי מִיָּדֵךְ
אֶת־כּוֹס הַתַּרְעֵלָה אֶת־קֻבַּעַת כּוֹס חֲמָתִי לֹא־תוֹסִיפִי
כג לִשְׁתּוֹתָהּ עוֹד: וְשַׂמְתִּיהָ בְּיַד־מוֹגַיִךְ אֲשֶׁר־אָמְרוּ לְנַפְשֵׁךְ שְׁחִי

וְנֶעֱבָרָה וַתָּשִׂימִי כָאָרֶץ גֵּוֵךְ וְכַחוּץ לַעֹבְרִים:

נְבוּאַת גְּאֻלָּה לִירוּשָׁלַ͏ִם:

נב א עוּרִי עוּרִי לִבְשִׁי עֻזֵּךְ צִיּוֹן לִבְשִׁי ׀ בִּגְדֵי תִפְאַרְתֵּךְ יְרוּשָׁלַ͏ִם
ב עִיר הַקֹּדֶשׁ כִּי לֹא יוֹסִיף יָבֹא־בָךְ עוֹד עָרֵל וְטָמֵא: הִתְנַעֲרִי
מֵעָפָר קוּמִי שְּׁבִי יְרוּשָׁלָ͏ִם התפתחו הִתְפַּתְּחִי מוֹסְרֵי צַוָּארֵךְ שְׁבִיָּה
בַּת־צִיּוֹן:
ג כִּי־כֹה אָמַר יְהֹוָה חִנָּם נִמְכַּרְתֶּם וְלֹא בְכֶסֶף
תִּגָּאֵלוּ:
ד כִּי כֹה אָמַר אֲדֹנָי יְהֹוִה מִצְרַיִם יָרַד־עַמִּי
בָרִאשֹׁנָה לָגוּר שָׁם וְאַשּׁוּר בְּאֶפֶס עֲשָׁקוֹ: וְעַתָּה מַה־לִּי־פֹה
ה נְאֻם־יְהֹוָה כִּי־לֻקַּח עַמִּי חִנָּם מֹשְׁלָו יְהֵילִילוּ נְאֻם־יְהֹוָה וְתָמִיד
כָּל־הַיּוֹם שְׁמִי מִנֹּאָץ: לָכֵן יֵדַע עַמִּי שְׁמִי לָכֵן בַּיּוֹם הַהוּא
ו כִּי־אֲנִי־הוּא הַמְדַבֵּר הִנֵּנִי:

בְּשׂוֹרַת הַגְּאֻלָּה:

ז מַה־
נָּאווּ עַל־הֶהָרִים רַגְלֵי מְבַשֵּׂר מַשְׁמִיעַ שָׁלוֹם מְבַשֵּׂר טוֹב
מַשְׁמִיעַ יְשׁוּעָה אֹמֵר לְצִיּוֹן מָלַךְ אֱלֹהָיִךְ: קוֹל צֹפַיִךְ נָשְׂאוּ קוֹל
ח יַחְדָּו יְרַנֵּנוּ כִּי עַיִן בְּעַיִן יִרְאוּ בְּשׁוּב יְהֹוָה צִיּוֹן: פִּצְחוּ רַנְּנוּ
ט יַחְדָּו חָרְבוֹת יְרוּשָׁלָ͏ִם כִּי־נִחַם יְהֹוָה עַמּוֹ גָּאַל יְרוּשָׁלָ͏ִם: חָשַׂף
י יְהֹוָה אֶת־זְרוֹעַ קָדְשׁוֹ לְעֵינֵי כָּל־הַגּוֹיִם וְרָאוּ כָּל־אַפְסֵי־אָרֶץ
אֵת יְשׁוּעַת אֱלֹהֵינוּ: סוּרוּ סוּרוּ צְאוּ מִשָּׁם טָמֵא
יא אַל־תִּגָּעוּ צְאוּ מִתּוֹכָהּ הִבָּרוּ נֹשְׂאֵי כְּלֵי יְהֹוָה: כִּי לֹא בְחִפָּזוֹן
יב תֵּצֵאוּ וּבִמְנוּסָה לֹא תֵלֵכוּן כִּי־הֹלֵךְ לִפְנֵיכֶם יְהֹוָה וּמְאַסִּפְכֶם
אֱלֹהֵי יִשְׂרָאֵל:

הִשְׁתּוֹמְמוּת הַגּוֹיִם בְּהִצְלָחַת עַבְדֵּי ה':

יג הִנֵּה יַשְׂכִּיל עַבְדִּי
יָרוּם וְנִשָּׂא וְגָבַהּ מְאֹד: כַּאֲשֶׁר שָׁמְמוּ עָלֶיךָ רַבִּים כֵּן־מִשְׁחַת
יד מֵאִישׁ מַרְאֵהוּ וְתֹאֲרוֹ מִבְּנֵי אָדָם: כֵּן יַזֶּה גּוֹיִם רַבִּים עָלָיו
טו יִקְפְּצוּ מְלָכִים פִּיהֶם כִּי אֲשֶׁר לֹא־סֻפַּר לָהֶם רָאוּ וַאֲשֶׁר
לֹא־שָׁמְעוּ הִתְבּוֹנָנוּ: מִי הֶאֱמִין לִשְׁמֻעָתֵנוּ וּזְרוֹעַ
נג א יְהֹוָה עַל־מִי נִגְלָתָה: וַיַּעַל כַּיּוֹנֵק לְפָנָיו וְכַשֹּׁרֶשׁ מֵאֶרֶץ צִיָּה
ב לֹא־תֹאַר לוֹ וְלֹא הָדָר וְנִרְאֵהוּ וְלֹא־מַרְאֶה וְנֶחְמְדֵהוּ: נִבְזֶה וַחֲדַל
ג

אִישִׁים אִישׁ מַכְאֹבוֹת וִידוּעַ חֹלִי וּכְמַסְתֵּר פָּנִים מִמֶּנּוּ נִבְזֶה
ד וְלֹא חֲשַׁבְנֻהוּ׃ אָכֵן חֳלָיֵנוּ הוּא נָשָׂא וּמַכְאֹבֵינוּ סְבָלָם וַאֲנַחְנוּ
ה חֲשַׁבְנֻהוּ נָגוּעַ מֻכֵּה אֱלֹהִים וּמְעֻנֶּה׃ וְהוּא מְחֹלָל מִפְּשָׁעֵנוּ מְדֻכָּא
ו מֵעֲוֺנֹתֵינוּ מוּסַר שְׁלוֹמֵנוּ עָלָיו וּבַחֲבֻרָתוֹ נִרְפָּא־לָנוּ׃ כֻּלָּנוּ כַּצֹּאן
ז תָּעִינוּ אִישׁ לְדַרְכּוֹ פָּנִינוּ וַיהוָה הִפְגִּיעַ בּוֹ אֵת עֲוֺן כֻּלָּנוּ׃ נִגַּשׂ
וְהוּא נַעֲנֶה וְלֹא יִפְתַּח־פִּיו כַּשֶּׂה לַטֶּבַח יוּבָל וּכְרָחֵל לִפְנֵי גֹזְזֶיהָ
ח נֶאֱלָמָה וְלֹא יִפְתַּח פִּיו׃ מֵעֹצֶר וּמִמִּשְׁפָּט לֻקָּח וְאֶת־דּוֹרוֹ מִי
ט יְשׂוֹחֵחַ כִּי נִגְזַר מֵאֶרֶץ חַיִּים מִפֶּשַׁע עַמִּי נֶגַע לָמוֹ׃ וַיִּתֵּן
אֶת־רְשָׁעִים קִבְרוֹ וְאֶת־עָשִׁיר בְּמֹתָיו עַל לֹא־חָמָס עָשָׂה וְלֹא
י מִרְמָה בְּפִיו׃ וַיהוָה חָפֵץ דַּכְּאוֹ הֶחֱלִי אִם־תָּשִׂים אָשָׁם נַפְשׁוֹ
יא יִרְאֶה זֶרַע יַאֲרִיךְ יָמִים וְחֵפֶץ יְהוָה בְּיָדוֹ יִצְלָח׃ מֵעֲמַל נַפְשׁוֹ
יִרְאֶה יִשְׂבָּע בְּדַעְתּוֹ יַצְדִּיק צַדִּיק עַבְדִּי לָרַבִּים וַעֲוֺנֹתָם הוּא
יב יִסְבֹּל׃ לָכֵן אֲחַלֶּק־לוֹ בָרַבִּים וְאֶת־עֲצוּמִים יְחַלֵּק שָׁלָל תַּחַת
אֲשֶׁר הֶעֱרָה לַמָּוֶת נַפְשׁוֹ וְאֶת־פֹּשְׁעִים נִמְנָה וְהוּא חֵטְא־רַבִּים
נָשָׂא וְלַפֹּשְׁעִים יַפְגִּיעַ׃

נבואת נֶחָמָה לְיִשְׂרָאֵל:

נד א רָנִּי עֲקָרָה לֹא יָלָדָה פִּצְחִי רִנָּה וְצַהֲלִי לֹא־חָלָה כִּי־רַבִּים
ב בְּנֵי־שׁוֹמֵמָה מִבְּנֵי בְעוּלָה אָמַר יְהוָה׃ הַרְחִיבִי ׀ מְקוֹם אָהֳלֵךְ
וִירִיעוֹת מִשְׁכְּנוֹתַיִךְ יַטּוּ אַל־תַּחְשֹׂכִי הַאֲרִיכִי מֵיתָרַיִךְ
ג וִיתֵדֹתַיִךְ חַזֵּקִי׃ כִּי־יָמִין וּשְׂמֹאול תִּפְרֹצִי וְזַרְעֵךְ גּוֹיִם יִירָשׁ
ד וְעָרִים נְשַׁמּוֹת יוֹשִׁיבוּ׃ אַל־תִּירְאִי כִּי־לֹא תֵבוֹשִׁי וְאַל־תִּכָּלְמִי
כִּי לֹא תַחְפִּירִי כִּי בֹשֶׁת עֲלוּמַיִךְ תִּשְׁכָּחִי וְחֶרְפַּת אַלְמְנוּתַיִךְ לֹא
ה תִזְכְּרִי־עוֹד׃ כִּי בֹעֲלַיִךְ עֹשַׂיִךְ יְהוָה צְבָאוֹת שְׁמוֹ וְגֹאֲלֵךְ קְדוֹשׁ
ו יִשְׂרָאֵל אֱלֹהֵי כָל־הָאָרֶץ יִקָּרֵא׃ כִּי־כְאִשָּׁה עֲזוּבָה וַעֲצוּבַת רוּחַ
ז קְרָאָךְ יְהוָה וְאֵשֶׁת נְעוּרִים כִּי תִמָּאֵס אָמַר אֱלֹהָיִךְ׃ בְּרֶגַע קָטֹן
ח עֲזַבְתִּיךְ וּבְרַחֲמִים גְּדֹלִים אֲקַבְּצֵךְ׃ בְּשֶׁצֶף קֶצֶף הִסְתַּרְתִּי פָנַי

ט רֶגַע מִמֵּךְ וּבְחֶסֶד עוֹלָם רִחַמְתִּיךְ אָמַר גֹּאֲלֵךְ יְהוָה׃ כִּי־
מֵי נֹחַ זֹאת לִי אֲשֶׁר נִשְׁבַּעְתִּי מֵעֲבֹר מֵי־נֹחַ עוֹד עַל־הָאָרֶץ
י כֵּן נִשְׁבַּעְתִּי מִקְּצֹף עָלַיִךְ וּמִגְּעָר־בָּךְ׃ כִּי הֶהָרִים יָמוּשׁוּ
וְהַגְּבָעוֹת תְּמוּטֶינָה וְחַסְדִּי מֵאִתֵּךְ לֹא־יָמוּשׁ וּבְרִית שְׁלוֹמִי לֹא
יא תָמוּט אָמַר מְרַחֲמֵךְ יְהוָה׃ עֲנִיָּה סֹעֲרָה לֹא נֻחָמָה
יב הִנֵּה אָנֹכִי מַרְבִּיץ בַּפּוּךְ אֲבָנַיִךְ וִיסַדְתִּיךְ בַּסַּפִּירִים׃ וְשַׂמְתִּי
כַּדְכֹד שִׁמְשֹׁתַיִךְ וּשְׁעָרַיִךְ לְאַבְנֵי אֶקְדָּח וְכָל־גְּבוּלֵךְ לְאַבְנֵי־
יג יד חֵפֶץ׃ וְכָל־בָּנַיִךְ לִמּוּדֵי יְהוָה וְרַב שְׁלוֹם בָּנָיִךְ׃ בִּצְדָקָה תִּכּוֹנָנִי
טו רַחֲקִי מֵעֹשֶׁק כִּי־לֹא תִירָאִי וּמִמְּחִתָּה כִּי לֹא־תִקְרַב אֵלָיִךְ׃ הֵן
טז גּוֹר יָגוּר אֶפֶס מֵאוֹתִי מִי־גָר אִתָּךְ עָלַיִךְ יִפּוֹל׃ הן הִנֵּה אָנֹכִי
בָּרָאתִי חָרָשׁ נֹפֵחַ בְּאֵשׁ פֶּחָם וּמוֹצִיא כְלִי לְמַעֲשֵׂהוּ וְאָנֹכִי
יז בָּרָאתִי מַשְׁחִית לְחַבֵּל׃ כָּל־כְּלִי יוּצַר עָלַיִךְ לֹא יִצְלָח וְכָל־לָשׁוֹן
תָּקוּם־אִתָּךְ לַמִּשְׁפָּט תַּרְשִׁיעִי זֹאת נַחֲלַת עַבְדֵי יְהוָה וְצִדְקָתָם
נה א מֵאִתִּי נְאֻם־יְהוָה׃ הוֹי כָּל־צָמֵא לְכוּ
לַמַּיִם וַאֲשֶׁר אֵין־לוֹ כָּסֶף לְכוּ שִׁבְרוּ וֶאֱכֹלוּ וּלְכוּ שִׁבְרוּ
ב בְּלוֹא־כֶסֶף וּבְלוֹא מְחִיר יַיִן וְחָלָב׃ לָמָּה תִשְׁקְלוּ־כֶסֶף בְּלוֹא־
לֶחֶם וִיגִיעֲכֶם בְּלוֹא לְשָׂבְעָה שִׁמְעוּ שָׁמוֹעַ אֵלַי וְאִכְלוּ־טוֹב
ג וְתִתְעַנַּג בַּדֶּשֶׁן נַפְשְׁכֶם׃ הַטּוּ אָזְנְכֶם וּלְכוּ אֵלַי שִׁמְעוּ וּתְחִי
ד נַפְשְׁכֶם וְאֶכְרְתָה לָכֶם בְּרִית עוֹלָם חַסְדֵי דָוִד הַנֶּאֱמָנִים׃ הֵן
ה עֵד לְאוּמִּים נְתַתִּיו נָגִיד וּמְצַוֵּה לְאֻמִּים׃ הֵן גּוֹי לֹא־תֵדַע תִּקְרָא
וְגוֹי לֹא־יְדָעוּךָ אֵלֶיךָ יָרוּצוּ לְמַעַן יְהוָה אֱלֹהֶיךָ וְלִקְדוֹשׁ יִשְׂרָאֵל
ו כִּי פֵאֲרָךְ׃ דִּרְשׁוּ יְהוָה בְּהִמָּצְאוֹ קְרָאֻהוּ בִּהְיוֹתוֹ
ז קָרוֹב׃ יַעֲזֹב רָשָׁע דַּרְכּוֹ וְאִישׁ אָוֶן מַחְשְׁבֹתָיו וְיָשֹׁב אֶל־יְהוָה
ח וִירַחֲמֵהוּ וְאֶל־אֱלֹהֵינוּ כִּי־יַרְבֶּה לִסְלוֹחַ׃ כִּי לֹא מַחְשְׁבוֹתַי
ט מַחְשְׁבוֹתֵיכֶם וְלֹא דַרְכֵיכֶם דְּרָכָי נְאֻם יְהוָה׃ כִּי־גָבְהוּ שָׁמַיִם

הַבְּרִית הַנִּצְחִית עִם יִשְׂרָאֵל׃

בְּנִיַּת יְרוּשָׁלַיִם בַּאֲבָנִים יְקָרוֹת׃

הַצִּמָּאוֹן לִדְבַר ה׳ וְחִדּוּשׁ הַבְּרִית׃

קְרִיאָה לִתְשׁוּבָה׃

י מֵאָרֶץ כֵּן גָּבְהוּ דְרָכַי מִדַּרְכֵיכֶם וּמַחְשְׁבֹתַי מִמַּחְשְׁבֹתֵיכֶם׃ כִּי
כַּאֲשֶׁר יֵרֵד הַגֶּשֶׁם וְהַשֶּׁלֶג מִן־הַשָּׁמַיִם וְשָׁמָּה לֹא יָשׁוּב כִּי
אִם־הִרְוָה אֶת־הָאָרֶץ וְהוֹלִידָהּ וְהִצְמִיחָהּ וְנָתַן זֶרַע לַזֹּרֵעַ
יא וְלֶחֶם לָאֹכֵל׃ כֵּן יִהְיֶה דְבָרִי אֲשֶׁר יֵצֵא מִפִּי לֹא־יָשׁוּב אֵלַי
רֵיקָם כִּי אִם־עָשָׂה אֶת־אֲשֶׁר חָפַצְתִּי וְהִצְלִיחַ אֲשֶׁר שְׁלַחְתִּיו׃
יב כִּי־בְשִׂמְחָה תֵצֵאוּ וּבְשָׁלוֹם תּוּבָלוּן הֶהָרִים וְהַגְּבָעוֹת יִפְצְחוּ
יג לִפְנֵיכֶם רִנָּה וְכָל־עֲצֵי הַשָּׂדֶה יִמְחֲאוּ־כָף׃ תַּחַת הַנַּעֲצוּץ יַעֲלֶה
בְרוֹשׁ תחת וְתַחַת הַסִּרְפַּד יַעֲלֶה הֲדַס וְהָיָה לַיהוָה לְשֵׁם לְאוֹת
עוֹלָם לֹא יִכָּרֵת׃

נו א כֹּה אָמַר יְהוָה שִׁמְרוּ מִשְׁפָּט וַעֲשׂוּ צְדָקָה כִּי־קְרוֹבָה יְשׁוּעָתִי — קְרִיאָה לְצֶדֶק וּלְשְׁמִירַת שַׁבָּת:
ב לָבוֹא וְצִדְקָתִי לְהִגָּלוֹת׃ אַשְׁרֵי אֱנוֹשׁ יַעֲשֶׂה־זֹּאת וּבֶן־אָדָם
יַחֲזִיק בָּהּ שֹׁמֵר שַׁבָּת מֵחַלְּלוֹ וְשֹׁמֵר יָדוֹ מֵעֲשׂוֹת כָּל־
ג רָע׃ וְאַל־יֹאמַר בֶּן־הַנֵּכָר הַנִּלְוָה אֶל־יְהוָה לֵאמֹר
הַבְדֵּל יַבְדִּילַנִי יְהוָה מֵעַל עַמּוֹ וְאַל־יֹאמַר הַסָּרִיס הֵן אֲנִי עֵץ
יָבֵשׁ׃

ד כִּי־כֹה ׀ אָמַר יְהוָה לַסָּרִיסִים אֲשֶׁר יִשְׁמְרוּ אֶת־שַׁבְּתוֹתַי — הַבְטָחַת שְׂכַר הַסָּרִיסִים וְהַגֵּרִים:
ה וּבָחֲרוּ בַּאֲשֶׁר חָפָצְתִּי וּמַחֲזִיקִים בִּבְרִיתִי׃ וְנָתַתִּי לָהֶם בְּבֵיתִי
וּבְחוֹמֹתַי יָד וָשֵׁם טוֹב מִבָּנִים וּמִבָּנוֹת שֵׁם עוֹלָם אֶתֶּן־לוֹ אֲשֶׁר
ו לֹא יִכָּרֵת׃ וּבְנֵי הַנֵּכָר הַנִּלְוִים
עַל־יְהוָה לְשָׁרְתוֹ וּלְאַהֲבָה אֶת־שֵׁם יְהוָה לִהְיוֹת לוֹ לַעֲבָדִים
ז כָּל־שֹׁמֵר שַׁבָּת מֵחַלְּלוֹ וּמַחֲזִיקִים בִּבְרִיתִי׃ וַהֲבִיאוֹתִים אֶל־הַר
קָדְשִׁי וְשִׂמַּחְתִּים בְּבֵית תְּפִלָּתִי עוֹלֹתֵיהֶם וְזִבְחֵיהֶם לְרָצוֹן
ח עַל־מִזְבְּחִי כִּי בֵיתִי בֵּית־תְּפִלָּה יִקָּרֵא לְכָל־הָעַמִּים׃ נְאֻם אֲדֹנָי
ט יְהוִה מְקַבֵּץ נִדְחֵי יִשְׂרָאֵל עוֹד אֲקַבֵּץ עָלָיו לְנִקְבָּצָיו׃ כֹּל חַיְתוֹ
שָׂדָי אֵתָיוּ לֶאֱכֹל כָּל־חַיְתוֹ בַּיָּעַר׃

תּוֹכָחָה לַמַּנְהִיגִים:

י צֹפָו עִוְרִים כֻּלָּם לֹא יָדָעוּ כֻּלָּם כְּלָבִים אִלְּמִים לֹא יוּכְלוּ
יא לִנְבֹּחַ הֹזִים שֹׁכְבִים אֹהֲבֵי לָנוּם: וְהַכְּלָבִים עַזֵּי־נֶפֶשׁ לֹא יָדְעוּ
שָׂבְעָה וְהֵמָּה רֹעִים לֹא יָדְעוּ הָבִין כֻּלָּם לְדַרְכָּם פָּנוּ אִישׁ לְבִצְעוֹ
יב מִקָּצֵהוּ: אֵתָיוּ אֶקְחָה־יַיִן וְנִסְבְּאָה שֵׁכָר וְהָיָה כָזֶה יוֹם מָחָר
נז א גָּדוֹל יֶתֶר מְאֹד: הַצַּדִּיק אָבָד וְאֵין אִישׁ שָׂם עַל־לֵב וְאַנְשֵׁי־חֶסֶד
ב נֶאֱסָפִים בְּאֵין מֵבִין כִּי־מִפְּנֵי הָרָעָה נֶאֱסַף הַצַּדִּיק: יָבוֹא שָׁלוֹם
ג יָנוּחוּ עַל־מִשְׁכְּבוֹתָם הֹלֵךְ נְכֹחוֹ: וְאַתֶּם קִרְבוּ־הֵנָּה

תּוֹכָחָה עַל הַהַשְׁחָתָה הַנּוֹרָאָה:

ד בְּנֵי עֹנְנָה זֶרַע מְנָאֵף וַתִּזְנֶה: עַל־מִי תִּתְעַנָּגוּ עַל־מִי תַּרְחִיבוּ
ה פֶה תַּאֲרִיכוּ לָשׁוֹן הֲלוֹא־אַתֶּם יִלְדֵי־פֶשַׁע זֶרַע שָׁקֶר: הַנֵּחָמִים
בָּאֵלִים תַּחַת כָּל־עֵץ רַעֲנָן שֹׁחֲטֵי הַיְלָדִים בַּנְּחָלִים תַּחַת סְעִפֵי
ו הַסְּלָעִים: בְּחַלְּקֵי־נַחַל חֶלְקֵךְ הֵם הֵם גּוֹרָלֵךְ גַּם־לָהֶם שָׁפַכְתְּ
ז נֶסֶךְ הֶעֱלִית מִנְחָה הַעַל אֵלֶּה אֶנָּחֵם: עַל הַר־גָּבֹהַּ וְנִשָּׂא שַׂמְתְּ
ח מִשְׁכָּבֵךְ גַּם־שָׁם עָלִית לִזְבֹּחַ זָבַח: וְאַחַר הַדֶּלֶת וְהַמְּזוּזָה
שַׂמְתְּ זִכְרוֹנֵךְ כִּי מֵאִתִּי גִּלִּית וַתַּעֲלִי הִרְחַבְתְּ מִשְׁכָּבֵךְ וַתִּכְרָת־
ט לָךְ מֵהֶם אָהַבְתְּ מִשְׁכָּבָם יָד חָזִית: וַתָּשֻׁרִי לַמֶּלֶךְ בַּשֶּׁמֶן וַתַּרְבִּי
י רִקֻּחָיִךְ וַתְּשַׁלְּחִי צִרַיִךְ עַד־מֵרָחֹק וַתַּשְׁפִּילִי עַד־שְׁאוֹל: בְּרֹב
דַּרְכֵּךְ יָגַעַתְּ לֹא אָמַרְתְּ נוֹאָשׁ חַיַּת יָדֵךְ מָצָאת עַל־כֵּן לֹא
יא חָלִית: וְאֶת־מִי דָּאַגְתְּ וַתִּירְאִי כִּי תְכַזֵּבִי וְאוֹתִי לֹא זָכַרְתְּ
לֹא־שַׂמְתְּ עַל־לִבֵּךְ הֲלֹא אֲנִי מַחְשֶׁה וּמֵעֹלָם וְאוֹתִי לֹא תִירָאִי:
יב יג אֲנִי אַגִּיד צִדְקָתֵךְ וְאֶת־מַעֲשַׂיִךְ וְלֹא יוֹעִילוּךְ: בְּזַעֲקֵךְ יַצִּילֻךְ
קִבּוּצַיִךְ וְאֶת־כֻּלָּם יִשָּׂא־רוּחַ יִקַּח־הָבֶל וְהַחוֹסֶה בִי יִנְחַל־אֶרֶץ
יד וְיִירַשׁ הַר־קָדְשִׁי: וְאָמַר סֹלּוּ־סֹלּוּ פַּנּוּ־דָרֶךְ הָרִימוּ מִכְשׁוֹל
טו מִדֶּרֶךְ עַמִּי: כִּי כֹה אָמַר

הָעֹנֶשׁ לָרְשָׁעִים:

רָם וְנִשָּׂא שֹׁכֵן עַד וְקָדוֹשׁ שְׁמוֹ מָרוֹם וְקָדוֹשׁ אֶשְׁכּוֹן וְאֶת־דַּכָּא
טז וּשְׁפַל־רוּחַ לְהַחֲיוֹת רוּחַ שְׁפָלִים וּלְהַחֲיוֹת לֵב נִדְכָּאִים: כִּי

לֹ֤א לְעוֹלָם֙ אָרִ֔יב וְלֹ֥א לָנֶ֖צַח אֶקְּצ֑וֹף כִּי־ר֙וּחַ֙ מִלְּפָנַ֣י יַעֲט֔וֹף
יז וּנְשָׁמ֖וֹת אֲנִ֥י עָשִֽׂיתִי׃ בַּעֲוֺ֥ן בִּצְע֛וֹ קָצַ֥פְתִּי וְאַכֵּ֖הוּ הַסְתֵּ֣ר וְאֶקְצֹ֑ף
יח וַיֵּ֥לֶךְ שׁוֹבָ֖ב בְּדֶ֥רֶךְ לִבּֽוֹ׃ דְּרָכָ֥יו רָאִ֖יתִי וְאֶרְפָּאֵ֑הוּ וְאַנְחֵ֕הוּ וַאֲשַׁלֵּ֧ם
יט נִחֻמִ֛ים ל֖וֹ וְלַאֲבֵלָֽיו׃ בּוֹרֵ֖א נוב נִ֣יב שְׂפָתָ֑יִם שָׁל֨וֹם ׀ שָׁל֜וֹם לָרָח֧וֹק
כ וְלַקָּר֛וֹב אָמַ֥ר יְהֹוָ֖ה וּרְפָאתִֽיו׃ וְהָרְשָׁעִ֖ים כַּיָּ֣ם נִגְרָ֑שׁ כִּ֤י הַשְׁקֵט֙
כא לֹ֣א יוּכָ֔ל וַיִּגְרְשׁ֥וּ מֵימָ֖יו רֶ֥פֶשׁ וָטִֽיט׃ אֵ֣ין שָׁל֔וֹם אָמַ֥ר אֱלֹהַ֖י
לָרְשָׁעִֽים׃

קְרִיאָה לִתְשׁוּבָה בְּלֵב שָׁלֵם:

נח א קְרָ֤א בְגָרוֹן֙ אַל־תַּחְשֹׂ֔ךְ כַּשּׁוֹפָ֖ר הָרֵ֣ם קוֹלֶ֑ךָ וְהַגֵּ֤ד לְעַמִּי֙ פִּשְׁעָ֔ם
ב וּלְבֵ֥ית יַעֲקֹ֖ב חַטֹּאתָֽם׃ וְאוֹתִ֗י י֥וֹם יוֹם֙ יִדְרֹשׁ֔וּן וְדַ֥עַת דְּרָכַ֖י
יֶחְפָּצ֑וּן כְּג֞וֹי אֲשֶׁר־צְדָקָ֣ה עָשָׂ֗ה וּמִשְׁפַּ֤ט אֱלֹהָיו֙ לֹ֣א עָזָ֔ב יִשְׁאָל֙וּנִי֙
ג מִשְׁפְּטֵי־צֶ֔דֶק קִרְבַ֥ת אֱלֹהִ֖ים יֶחְפָּצֽוּן׃ לָ֤מָּה צַּ֙מְנוּ֙ וְלֹ֣א רָאִ֔יתָ
עִנִּ֥ינוּ נַפְשֵׁ֖נוּ וְלֹ֣א תֵדָ֑ע הֵ֣ן בְּי֤וֹם צֹמְכֶם֙ תִּמְצְאוּ־חֵ֔פֶץ וְכָל־
ד עַצְּבֵיכֶ֖ם תִּנְגֹּֽשׂוּ׃ הֵ֣ן לְרִ֤יב וּמַצָּה֙ תָּצ֔וּמוּ וּלְהַכּ֖וֹת בְּאֶגְרֹ֣ף רֶ֑שַׁע
ה לֹֽא־תָצ֣וּמוּ כַיּ֔וֹם לְהַשְׁמִ֥יעַ בַּמָּר֖וֹם קוֹלְכֶֽם׃ הֲכָזֶ֗ה יִֽהְיֶה֙ צ֣וֹם
אֶבְחָרֵ֔הוּ י֛וֹם עַנּ֥וֹת אָדָ֖ם נַפְשׁ֑וֹ הֲלָכֹ֨ף כְּאַגְמֹ֜ן רֹאשׁ֗וֹ וְשַׂ֤ק וָאֵ֙פֶר֙
ו יַצִּ֔יעַ הֲלָזֶה֙ תִּקְרָא־צ֔וֹם וְי֥וֹם רָצ֖וֹן לַיהֹוָֽה׃ הֲל֣וֹא זֶ֗ה צ֚וֹם
אֶבְחָרֵ֔הוּ פַּתֵּ֙חַ֙ חַרְצֻבּ֣וֹת רֶ֔שַׁע הַתֵּ֖ר אֲגֻדּ֣וֹת מוֹטָ֑ה וְשַׁלַּ֤ח

הַגְּאֻלָּה בִּזְכוּת הַחֶסֶד וְהַשַּׁבָּת:

ז רְצוּצִים֙ חָפְשִׁ֔ים וְכָל־מוֹטָ֖ה תְּנַתֵּֽקוּ׃ הֲל֨וֹא פָרֹ֤ס לָֽרָעֵב֙ לַחְמֶ֔ךָ
וַעֲנִיִּ֥ים מְרוּדִ֖ים תָּ֣בִיא בָ֑יִת כִּֽי־תִרְאֶ֤ה עָרֹם֙ וְכִסִּית֔וֹ וּמִבְּשָׂרְךָ֖
ח לֹ֥א תִתְעַלָּֽם׃ אָ֣ז יִבָּקַ֤ע כַּשַּׁ֙חַר֙ אוֹרֶ֔ךָ וַאֲרֻכָתְךָ֖ מְהֵרָ֣ה תִצְמָ֑ח
ט וְהָלַ֤ךְ לְפָנֶ֙יךָ֙ צִדְקֶ֔ךָ כְּב֥וֹד יְהֹוָ֖ה יַאַסְפֶֽךָ׃ אָ֤ז תִּקְרָא֙ וַיהֹוָ֣ה יַעֲנֶ֔ה
תְּשַׁוַּ֖ע וְיֹאמַ֣ר הִנֵּ֑נִי אִם־תָּסִ֤יר מִתּֽוֹכְךָ֙ מוֹטָ֔ה שְׁלַ֥ח אֶצְבַּ֖ע
י וְדַבֶּר־אָֽוֶן׃ וְתָפֵ֤ק לָֽרָעֵב֙ נַפְשֶׁ֔ךָ וְנֶ֥פֶשׁ נַעֲנָ֖ה תַּשְׂבִּ֑יעַ וְזָרַ֤ח
יא בַּחֹ֙שֶׁךְ֙ אוֹרֶ֔ךָ וַאֲפֵלָתְךָ֖ כַּֽצָּהֳרָֽיִם׃ וְנָחֲךָ֣ יְהֹוָה֮ תָּמִיד֒ וְהִשְׂבִּ֤יעַ
בְּצַחְצָחוֹת֙ נַפְשֶׁ֔ךָ וְעַצְמֹתֶ֖יךָ יַחֲלִ֑יץ וְהָיִ֙יתָ֙ כְּגַ֣ן רָוֶ֔ה וּכְמוֹצָ֣א מַ֔יִם

יב אֲשֶׁר לֹא־יְכַזְּבוּ מֵימָיו: וּבָנוּ מִמְּךָ חׇרְבוֹת עוֹלָם מוֹסְדֵי
דוֹר־וָדוֹר תְּקוֹמֵם וְקֹרָא לְךָ גֹּדֵר פֶּרֶץ מְשֹׁבֵב נְתִיבוֹת לָשָׁבֶת:
יג אִם־תָּשִׁיב מִשַּׁבָּת רַגְלֶךָ עֲשׂוֹת חֲפָצֶךָ בְּיוֹם קׇדְשִׁי וְקָרָאתָ
לַשַּׁבָּת עֹנֶג לִקְדוֹשׁ יְהוָה מְכֻבָּד וְכִבַּדְתּוֹ מֵעֲשׂוֹת דְּרָכֶיךָ
יד מִמְּצוֹא חֶפְצְךָ וְדַבֵּר דָּבָר: אָז תִּתְעַנַּג עַל־יְהוָה וְהִרְכַּבְתִּיךָ
עַל־במותי בָּמֳתֵי אָרֶץ וְהַאֲכַלְתִּיךָ נַחֲלַת יַעֲקֹב אָבִיךָ כִּי פִּי יְהוָה
דִּבֵּר:

נט א ב הֵן לֹא־קָצְרָה יַד־יְהוָה מֵהוֹשִׁיעַ וְלֹא־כָבְדָה אׇזְנוֹ מִשְּׁמוֹעַ: כִּי
אִם־עֲוֺנֹתֵיכֶם הָיוּ מַבְדִּלִים בֵּינֵכֶם לְבֵין אֱלֹהֵיכֶם וְחַטֹּאותֵיכֶם
ג הִסְתִּירוּ פָנִים מִכֶּם מִשְּׁמוֹעַ: כִּי כַפֵּיכֶם נְגֹאֲלוּ בַדָּם
וְאֶצְבְּעוֹתֵיכֶם בֶּעָוֺן שִׂפְתוֹתֵיכֶם דִּבְּרוּ־שֶׁקֶר לְשׁוֹנְכֶם עַוְלָה
ד תֶהְגֶּה: אֵין־קֹרֵא בְצֶדֶק וְאֵין נִשְׁפָּט בֶּאֱמוּנָה בָּטוֹחַ עַל־תֹּהוּ
ה וְדַבֶּר־שָׁוְא הָרוֹ עָמָל וְהוֹלֵיד אָוֶן: בֵּיצֵי צִפְעוֹנִי בִּקֵּעוּ וְקוּרֵי
עַכָּבִישׁ יֶאֱרֹגוּ הָאֹכֵל מִבֵּיצֵיהֶם יָמוּת וְהַזּוּרֶה תִּבָּקַע אֶפְעֶה:
ו קוּרֵיהֶם לֹא־יִהְיוּ לְבֶגֶד וְלֹא יִתְכַּסּוּ בְּמַעֲשֵׂיהֶם מַעֲשֵׂיהֶם
ז מַעֲשֵׂי־אָוֶן וּפֹעַל חָמָס בְּכַפֵּיהֶם: רַגְלֵיהֶם לָרַע יָרֻצוּ וִימַהֲרוּ
לִשְׁפֹּךְ דָּם נָקִי מַחְשְׁבוֹתֵיהֶם מַחְשְׁבוֹת אָוֶן שֹׁד וָשֶׁבֶר
ח בִּמְסִלּוֹתָם: דֶּרֶךְ שָׁלוֹם לֹא יָדָעוּ וְאֵין מִשְׁפָּט בְּמַעְגְּלוֹתָם
ט נְתִיבוֹתֵיהֶם עִקְּשׁוּ לָהֶם כֹּל דֹּרֵךְ בָּהּ לֹא יָדַע שָׁלוֹם: עַל־כֵּן
רָחַק מִשְׁפָּט מִמֶּנּוּ וְלֹא תַשִּׂיגֵנוּ צְדָקָה נְקַוֶּה לָאוֹר וְהִנֵּה־חֹשֶׁךְ
י לִנְגֹהוֹת בָּאֲפֵלוֹת נְהַלֵּךְ: נְגַשְׁשָׁה כַעִוְרִים קִיר וּכְאֵין עֵינַיִם
יא נְגַשֵּׁשָׁה כָּשַׁלְנוּ בַצׇּהֳרַיִם כַּנֶּשֶׁף בָּאַשְׁמַנִּים כַּמֵּתִים: נֶהֱמֶה
כַדֻּבִּים כֻּלָּנוּ וְכַיּוֹנִים הָגֹה נֶהְגֶּה נְקַוֶּה לַמִּשְׁפָּט וָאַיִן לִישׁוּעָה
יב רָחֲקָה מִמֶּנּוּ: כִּי־רַבּוּ פְשָׁעֵינוּ נֶגְדֶּךָ וְחַטֹּאותֵינוּ עָנְתָה בָּנוּ
יג כִּי־פְשָׁעֵינוּ אִתָּנוּ וַעֲוֺנֹתֵינוּ יְדַעֲנוּם: פָּשֹׁעַ וְכַחֵשׁ בַּיהוָה וְנָסוֹג

הַסְתֵּר הַפָּנִים, תּוֹצָאַת הַחֵטְא:

קִינָה עַל מַצַּב הָעָם בַּגָּלוּת:

מֵאַחַר אֱלֹהֵינוּ דַּבֶּר־עֹשֶׁק וְסָרָה הֹרוֹ וְהֹגוֹ מִלֵּב דִּבְרֵי־שָׁקֶר׃
יד וְהֻסַּג אָחוֹר מִשְׁפָּט וּצְדָקָה מֵרָחוֹק תַּעֲמֹד כִּי־כָשְׁלָה בָרְחוֹב
טו אֱמֶת וּנְכֹחָה לֹא־תוּכַל לָבוֹא׃ וַתְּהִי הָאֱמֶת נֶעְדֶּרֶת
וְסָר מֵרָע מִשְׁתּוֹלֵל וַיַּרְא יְהוָה וַיֵּרַע בְּעֵינָיו כִּי־אֵין מִשְׁפָּט׃
טז וַיַּרְא כִּי־אֵין אִישׁ וַיִּשְׁתּוֹמֵם כִּי אֵין מַפְגִּיעַ וַתּוֹשַׁע לוֹ זְרֹעוֹ
יז וְצִדְקָתוֹ הִיא סְמָכָתְהוּ׃ וַיִּלְבַּשׁ צְדָקָה כַּשִּׁרְיָן וְכוֹבַע יְשׁוּעָה
יח בְּרֹאשׁוֹ וַיִּלְבַּשׁ בִּגְדֵי נָקָם תִּלְבֹּשֶׁת וַיַּעַט כַּמְעִיל קִנְאָה׃ כְּעַל
גְּמֻלוֹת כְּעַל יְשַׁלֵּם חֵמָה לְצָרָיו גְּמוּל לְאֹיְבָיו לָאִיִּים גְּמוּל
יט יְשַׁלֵּם׃ וְיִירְאוּ מִמַּעֲרָב אֶת־שֵׁם יְהוָה וּמִמִּזְרַח־שֶׁמֶשׁ אֶת־כְּבוֹדוֹ
כ כִּי־יָבוֹא כַנָּהָר צָר רוּחַ יְהוָה נֹסְסָה בוֹ׃ וּבָא לְצִיּוֹן גּוֹאֵל
כא וּלְשָׁבֵי פֶשַׁע בְּיַעֲקֹב נְאֻם יְהוָה׃ וַאֲנִי זֹאת בְּרִיתִי אוֹתָם אָמַר
יְהוָה רוּחִי אֲשֶׁר עָלֶיךָ וּדְבָרַי אֲשֶׁר־שַׂמְתִּי בְּפִיךָ לֹא־יָמוּשׁוּ
מִפִּיךָ וּמִפִּי זַרְעֲךָ וּמִפִּי זֶרַע זַרְעֲךָ אָמַר יְהוָה מֵעַתָּה וְעַד־
ס א עוֹלָם׃ קוּמִי אוֹרִי כִּי בָא אוֹרֵךְ וּכְבוֹד יְהוָה עָלַיִךְ
ב זָרָח׃ כִּי־הִנֵּה הַחֹשֶׁךְ יְכַסֶּה־אֶרֶץ וַעֲרָפֶל לְאֻמִּים וְעָלַיִךְ יִזְרַח
ג יְהוָה וּכְבוֹדוֹ עָלַיִךְ יֵרָאֶה׃ וְהָלְכוּ גוֹיִם לְאוֹרֵךְ וּמְלָכִים לְנֹגַהּ
ד זַרְחֵךְ׃ שְׂאִי־סָבִיב עֵינַיִךְ וּרְאִי כֻּלָּם נִקְבְּצוּ בָאוּ־לָךְ בָּנַיִךְ
ה מֵרָחוֹק יָבֹאוּ וּבְנֹתַיִךְ עַל־צַד תֵּאָמַנָה׃ אָז תִּרְאִי וְנָהַרְתְּ וּפָחַד
ו וְרָחַב לְבָבֵךְ כִּי־יֵהָפֵךְ עָלַיִךְ הֲמוֹן יָם חֵיל גּוֹיִם יָבֹאוּ לָךְ׃ שִׁפְעַת
גְּמַלִּים תְּכַסֵּךְ בִּכְרֵי מִדְיָן וְעֵיפָה כֻּלָּם מִשְּׁבָא יָבֹאוּ זָהָב וּלְבוֹנָה
ז יִשָּׂאוּ וּתְהִלֹּת יְהוָה יְבַשֵּׂרוּ׃ כָּל־צֹאן קֵדָר יִקָּבְצוּ לָךְ אֵילֵי נְבָיוֹת
ח יְשָׁרְתוּנֶךְ יַעֲלוּ עַל־רָצוֹן מִזְבְּחִי וּבֵית תִּפְאַרְתִּי אֲפָאֵר׃ מִי־אֵלֶּה
ט כָּעָב תְּעוּפֶינָה וְכַיּוֹנִים אֶל־אֲרֻבֹּתֵיהֶם׃ כִּי־לִי ׀ אִיִּים יְקַוּוּ
וָאֳנִיּוֹת תַּרְשִׁישׁ בָּרִאשֹׁנָה לְהָבִיא בָנַיִךְ מֵרָחוֹק כַּסְפָּם וּזְהָבָם
י אִתָּם לְשֵׁם יְהוָה אֱלֹהַיִךְ וְלִקְדוֹשׁ יִשְׂרָאֵל כִּי פֵאֲרָךְ׃ וּבָנוּ

הַעֲנָשַׁת הַפּוֹשְׁעִים וְהָאוֹיְבִים, וּבְעִקְבוֹתֶיהָ הַגְּאֻלָּה:

אוֹר הַגְּאֻלָּה:

הַמַּתָּנוֹת מִגּוֹיֵי הָאֲרָצוֹת:

בְּנִיַּת הַחוֹמוֹת עַל יְדֵי הַגּוֹיִם:

בְּנֵי־נֵכָר חֹמֹתַיִךְ וּמַלְכֵיהֶם יְשָׁרְתוּנֶךְ כִּי בְקִצְפִּי הִכִּיתִיךְ
יא וּבִרְצוֹנִי רִחַמְתִּיךְ: וּפִתְּחוּ שְׁעָרַיִךְ תָּמִיד יוֹמָם וָלַיְלָה לֹא יִסָּגֵרוּ
יב לְהָבִיא אֵלַיִךְ חֵיל גּוֹיִם וּמַלְכֵיהֶם נְהוּגִים: כִּי־הַגּוֹי וְהַמַּמְלָכָה
יג אֲשֶׁר לֹא־יַעַבְדוּךְ יֹאבֵדוּ וְהַגּוֹיִם חָרֹב יֶחֱרָבוּ: כְּבוֹד הַלְּבָנוֹן
אֵלַיִךְ יָבוֹא בְּרוֹשׁ תִּדְהָר וּתְאַשּׁוּר יַחְדָּו לְפָאֵר מְקוֹם מִקְדָּשִׁי
יד וּמְקוֹם רַגְלַי אֲכַבֵּד: וְהָלְכוּ אֵלַיִךְ שְׁחוֹחַ בְּנֵי מְעַנַּיִךְ וְהִשְׁתַּחֲווּ
עַל־כַּפּוֹת רַגְלַיִךְ כָּל־מְנַאֲצָיִךְ וְקָרְאוּ לָךְ עִיר יְהוָה צִיּוֹן קְדוֹשׁ
טו יִשְׂרָאֵל: תַּחַת הֱיוֹתֵךְ עֲזוּבָה וּשְׂנוּאָה וְאֵין עוֹבֵר וְשַׂמְתִּיךְ לִגְאוֹן
טז עוֹלָם מְשׂוֹשׂ דּוֹר וָדוֹר: וְיָנַקְתְּ חֲלֵב גּוֹיִם וְשֹׁד מְלָכִים תִּינָקִי

הַשֶּׁפַע וְהָעֹשֶׁר בְּבֹא הַגְּאֻלָּה:

יז וְיָדַעַתְּ כִּי אֲנִי יְהוָה מוֹשִׁיעֵךְ וְגֹאֲלֵךְ אֲבִיר יַעֲקֹב: תַּחַת הַנְּחֹשֶׁת
אָבִיא זָהָב וְתַחַת הַבַּרְזֶל אָבִיא כֶסֶף וְתַחַת הָעֵצִים נְחֹשֶׁת
וְתַחַת הָאֲבָנִים בַּרְזֶל וְשַׂמְתִּי פְקֻדָּתֵךְ שָׁלוֹם וְנֹגְשַׂיִךְ צְדָקָה:
יח לֹא־יִשָּׁמַע עוֹד חָמָס בְּאַרְצֵךְ שֹׁד וָשֶׁבֶר בִּגְבוּלָיִךְ וְקָרָאת
יט יְשׁוּעָה חוֹמֹתַיִךְ וּשְׁעָרַיִךְ תְּהִלָּה: לֹא־יִהְיֶה־לָּךְ עוֹד הַשֶּׁמֶשׁ
לְאוֹר יוֹמָם וּלְנֹגַהּ הַיָּרֵחַ לֹא־יָאִיר לָךְ וְהָיָה־לָךְ יְהוָה לְאוֹר
כ עוֹלָם וֵאלֹהַיִךְ לְתִפְאַרְתֵּךְ: לֹא־יָבוֹא עוֹד שִׁמְשֵׁךְ וִירֵחֵךְ לֹא
כא יֵאָסֵף כִּי יְהוָה יִהְיֶה־לָּךְ לְאוֹר עוֹלָם וְשָׁלְמוּ יְמֵי אֶבְלֵךְ: וְעַמֵּךְ
כֻּלָּם צַדִּיקִים לְעוֹלָם יִירְשׁוּ אָרֶץ נֵצֶר מטעו מַטָּעַי מַעֲשֵׂה יָדַי
כב לְהִתְפָּאֵר: הַקָּטֹן יִהְיֶה לָאֶלֶף וְהַצָּעִיר לְגוֹי עָצוּם אֲנִי יְהוָה

נֶחָמָה לַאֲבֵלֵי צִיּוֹן:

סא א בְּעִתָּהּ אֲחִישֶׁנָּה: רוּחַ אֲדֹנָי יֱהוִה עָלָי יַעַן מָשַׁח
יְהוָה אֹתִי לְבַשֵּׂר עֲנָוִים שְׁלָחַנִי לַחֲבֹשׁ לְנִשְׁבְּרֵי־לֵב לִקְרֹא
ב לִשְׁבוּיִם דְּרוֹר וְלַאֲסוּרִים פְּקַח־קוֹחַ: לִקְרֹא שְׁנַת־רָצוֹן לַיהוָה
ג וְיוֹם נָקָם לֵאלֹהֵינוּ לְנַחֵם כָּל־אֲבֵלִים: לָשׂוּם ׀ לַאֲבֵלֵי צִיּוֹן לָתֵת
לָהֶם פְּאֵר תַּחַת אֵפֶר שֶׁמֶן שָׂשׂוֹן תַּחַת אֵבֶל מַעֲטֵה תְהִלָּה תַּחַת
ד רוּחַ כֵּהָה וְקֹרָא לָהֶם אֵילֵי הַצֶּדֶק מַטַּע יְהוָה לְהִתְפָּאֵר: וּבָנוּ

חָרְבוֹת עוֹלָם שֹׁמְמוֹת רִאשֹׁנִים יְקוֹמֵמוּ וְחִדְּשׁוּ עָרֵי חֹרֶב
שֹׁמְמוֹת דּוֹר וָדוֹר׃ וְעָמְדוּ זָרִים וְרָעוּ צֹאנְכֶם וּבְנֵי נֵכָר אִכָּרֵיכֶם ה
וְכֹרְמֵיכֶם׃ וְאַתֶּם כֹּהֲנֵי יְהוָה תִּקָּרֵאוּ מְשָׁרְתֵי אֱלֹהֵינוּ יֵאָמֵר לָכֶם ו
חֵיל גּוֹיִם תֹּאכֵלוּ וּבִכְבוֹדָם תִּתְיַמָּרוּ׃ תַּחַת בָּשְׁתְּכֶם מִשְׁנֶה ז
וּכְלִמָּה יָרֹנּוּ חֶלְקָם לָכֵן בְּאַרְצָם מִשְׁנֶה יִירָשׁוּ שִׂמְחַת עוֹלָם
תִּהְיֶה לָהֶם׃ כִּי אֲנִי יְהוָה אֹהֵב מִשְׁפָּט שֹׂנֵא גָזֵל בְּעוֹלָה וְנָתַתִּי ח
פְעֻלָּתָם בֶּאֱמֶת וּבְרִית עוֹלָם אֶכְרוֹת לָהֶם׃ וְנוֹדַע בַּגּוֹיִם זַרְעָם ט
וְצֶאֱצָאֵיהֶם בְּתוֹךְ הָעַמִּים כָּל־רֹאֵיהֶם יַכִּירוּם כִּי הֵם זֶרַע בֵּרַךְ
יְהוָה׃

נְבוּאָה עַל בִּנְיַן יְרוּשָׁלַיִם:

שׂוֹשׂ אָשִׂישׂ בַּיהוָה תָּגֵל נַפְשִׁי בֵּאלֹהַי כִּי הִלְבִּישַׁנִי בִּגְדֵי־יֶשַׁע י
מְעִיל צְדָקָה יְעָטָנִי כֶּחָתָן יְכַהֵן פְּאֵר וְכַכַּלָּה תַּעְדֶּה כֵלֶיהָ׃ כִּי יא
כָאָרֶץ תּוֹצִיא צִמְחָהּ וּכְגַנָּה זֵרוּעֶיהָ תַצְמִיחַ כֵּן ׀ אֲדֹנָי יֱהוִה
יַצְמִיחַ צְדָקָה וּתְהִלָּה נֶגֶד כָּל־הַגּוֹיִם׃ לְמַעַן צִיּוֹן לֹא אֶחֱשֶׁה א סב
וּלְמַעַן יְרוּשָׁלִַם לֹא אֶשְׁקוֹט עַד־יֵצֵא כַנֹּגַהּ צִדְקָהּ וִישׁוּעָתָהּ
כְּלַפִּיד יִבְעָר׃ וְרָאוּ גוֹיִם צִדְקֵךְ וְכָל־מְלָכִים כְּבוֹדֵךְ וְקֹרָא לָךְ ב
שֵׁם חָדָשׁ אֲשֶׁר פִּי יְהוָה יִקֳּבֶנּוּ׃ וְהָיִית עֲטֶרֶת תִּפְאֶרֶת בְּיַד־יְהוָה ג
וצנוף וּצְנִיף מְלוּכָה בְּכַף־אֱלֹהָיִךְ׃ לֹא־יֵאָמֵר לָךְ עוֹד עֲזוּבָה ד
וּלְאַרְצֵךְ לֹא־יֵאָמֵר עוֹד שְׁמָמָה כִּי לָךְ יִקָּרֵא חֶפְצִי־בָהּ
וּלְאַרְצֵךְ בְּעוּלָה כִּי־חָפֵץ יְהוָה בָּךְ וְאַרְצֵךְ תִּבָּעֵל׃ כִּי־יִבְעַל ה
בָּחוּר בְּתוּלָה יִבְעָלוּךְ בָּנָיִךְ וּמְשׂוֹשׂ חָתָן עַל־כַּלָּה יָשִׂישׂ עָלַיִךְ
אֱלֹהָיִךְ׃ עַל־חוֹמֹתַיִךְ יְרוּשָׁלִַם הִפְקַדְתִּי שֹׁמְרִים כָּל־הַיּוֹם ו
וְכָל־הַלַּיְלָה תָּמִיד לֹא יֶחֱשׁוּ הַמַּזְכִּרִים אֶת־יְהוָה אַל־דֳּמִי לָכֶם׃
וְאַל־תִּתְּנוּ דֳמִי לוֹ עַד־יְכוֹנֵן וְעַד־יָשִׂים אֶת־יְרוּשָׁלִַם תְּהִלָּה ז
בָּאָרֶץ׃ נִשְׁבַּע יְהוָה בִּימִינוֹ וּבִזְרוֹעַ עֻזּוֹ אִם־אֶתֵּן אֶת־דְּגָנֵךְ ח
עוֹד מַאֲכָל לְאֹיְבַיִךְ וְאִם־יִשְׁתּוּ בְנֵי־נֵכָר תִּירוֹשֵׁךְ אֲשֶׁר יָגַעַתְּ

ט בּוֹ: כִּי מְאַסְפָיו יֹאכְלֻהוּ וְהִלְלוּ אֶת־יְהוָה וּמְקַבְּצָיו יִשְׁתֻּהוּ
י בְּחַצְרוֹת קָדְשִׁי: עִבְרוּ עִבְרוּ בַּשְּׁעָרִים פַּנּוּ דֶּרֶךְ הָעָם
הָכִינוּ הַדֶּרֶךְ וּבַשְּׂרוּ הַגְּאֻלָּה:
יא סֹלּוּ סֹלּוּ הַמְסִלָּה סַקְּלוּ מֵאֶבֶן הָרִימוּ נֵס עַל־הָעַמִּים: הִנֵּה
יְהוָה הִשְׁמִיעַ אֶל־קְצֵה הָאָרֶץ אִמְרוּ לְבַת־צִיּוֹן הִנֵּה יִשְׁעֵךְ בָּא
יב הִנֵּה שְׂכָרוֹ אִתּוֹ וּפְעֻלָּתוֹ לְפָנָיו: וְקָרְאוּ לָהֶם עַם־הַקֹּדֶשׁ גְּאוּלֵי
סג א יְהוָה וְלָךְ יִקָּרֵא דְרוּשָׁה עִיר לֹא נֶעֱזָבָה: מִי־זֶה ׀ בָּא
נִקְמַת ה' מֵאֱדוֹם:
מֵאֱדוֹם חֲמוּץ בְּגָדִים מִבָּצְרָה זֶה הָדוּר בִּלְבוּשׁוֹ צֹעֶה בְּרֹב כֹּחוֹ
ב אֲנִי מְדַבֵּר בִּצְדָקָה רַב לְהוֹשִׁיעַ: מַדּוּעַ אָדֹם לִלְבוּשֶׁךָ וּבְגָדֶיךָ
ג כְּדֹרֵךְ בְּגַת: פּוּרָה ׀ דָּרַכְתִּי לְבַדִּי וּמֵעַמִּים אֵין־אִישׁ אִתִּי
וְאֶדְרְכֵם בְּאַפִּי וְאֶרְמְסֵם בַּחֲמָתִי וְיֵז נִצְחָם עַל־בְּגָדַי וְכָל־
ד ה מַלְבּוּשַׁי אֶגְאָלְתִּי: כִּי יוֹם נָקָם בְּלִבִּי וּשְׁנַת גְּאוּלַי בָּאָה: וְאַבִּיט
וְאֵין עֹזֵר וְאֶשְׁתּוֹמֵם וְאֵין סוֹמֵךְ וַתּוֹשַׁע לִי זְרֹעִי וַחֲמָתִי הִיא
ו סְמָכָתְנִי: וְאָבוּס עַמִּים בְּאַפִּי וַאֲשַׁכְּרֵם בַּחֲמָתִי וְאוֹרִיד לָאָרֶץ
ז נִצְחָם: חַסְדֵי יְהוָה ׀ אַזְכִּיר תְּהִלֹּת יְהוָה כְּעַל כֹּל
הַזְכָּרַת חַסְדֵי ה' וַחֲטָאֵי הָעָם:
אֲשֶׁר־גְּמָלָנוּ יְהוָה וְרַב־טוּב לְבֵית יִשְׂרָאֵל אֲשֶׁר־גְּמָלָם כְּרַחֲמָיו
ח וּכְרֹב חֲסָדָיו: וַיֹּאמֶר אַךְ־עַמִּי הֵמָּה בָּנִים לֹא יְשַׁקֵּרוּ וַיְהִי לָהֶם
ט לְמוֹשִׁיעַ: בְּכָל־צָרָתָם ׀ לא לוֹ צָר וּמַלְאַךְ פָּנָיו הוֹשִׁיעָם
בְּאַהֲבָתוֹ וּבְחֶמְלָתוֹ הוּא גְאָלָם וַיְנַטְּלֵם וַיְנַשְּׂאֵם כָּל־יְמֵי עוֹלָם:
י וְהֵמָּה מָרוּ וְעִצְּבוּ אֶת־רוּחַ קָדְשׁוֹ וַיֵּהָפֵךְ לָהֶם לְאוֹיֵב הוּא
יא נִלְחַם־בָּם: וַיִּזְכֹּר יְמֵי־עוֹלָם מֹשֶׁה עַמּוֹ אַיֵּה ׀ הַמַּעֲלֵם מִיָּם אֵת
יב רֹעֵי צֹאנוֹ אַיֵּה הַשָּׂם בְּקִרְבּוֹ אֶת־רוּחַ קָדְשׁוֹ: מוֹלִיךְ לִימִין
מֹשֶׁה זְרוֹעַ תִּפְאַרְתּוֹ בּוֹקֵעַ מַיִם מִפְּנֵיהֶם לַעֲשׂוֹת לוֹ שֵׁם
יג יד עוֹלָם: מוֹלִיכָם בַּתְּהֹמוֹת כַּסּוּס בַּמִּדְבָּר לֹא יִכָּשֵׁלוּ: כַּבְּהֵמָה
בַּבִּקְעָה תֵרֵד רוּחַ יְהוָה תְּנִיחֶנּוּ כֵּן נִהַגְתָּ עַמְּךָ לַעֲשׂוֹת לְךָ
טו שֵׁם תִּפְאָרֶת: הַבֵּט מִשָּׁמַיִם וּרְאֵה מִזְּבֻל קָדְשְׁךָ וְתִפְאַרְתֶּךָ אַיֵּה

תְּחִנַּת הַנָּבִיא בְּעַד הָעָם:

טז קִנְאָתְךָ֙ וּגְב֣וּרֹתֶ֔ךָ הֲמ֥וֹן מֵעֶ֛יךָ וְֽרַחֲמֶ֖יךָ אֵלַ֥י הִתְאַפָּֽקוּ׃ כִּֽי־אַתָּ֣ה
אָבִ֔ינוּ כִּ֤י אַבְרָהָם֙ לֹ֣א יְדָעָ֔נוּ וְיִשְׂרָאֵ֖ל לֹ֣א יַכִּירָ֑נוּ אַתָּ֤ה יְהוָה֙
יז אָבִ֔ינוּ גֹּאֲלֵ֥נוּ מֵעוֹלָ֖ם שְׁמֶֽךָ׃ לָ֣מָּה תַתְעֵ֤נוּ יְהוָה֙ מִדְּרָכֶ֔יךָ
תַּקְשִׁ֥יחַ לִבֵּ֖נוּ מִיִּרְאָתֶ֑ךָ שׁ֚וּב לְמַ֣עַן עֲבָדֶ֔יךָ שִׁבְטֵ֖י נַחֲלָתֶֽךָ׃
יח יט לַמִּצְעָ֕ר יָרְשׁ֖וּ עַם־קָדְשֶׁ֑ךָ צָרֵ֕ינוּ בּוֹסְס֖וּ מִקְדָּשֶֽׁךָ׃ הָיִ֗ינוּ מֵֽעוֹלָם֙
לֹֽא־מָשַׁ֣לְתָּ בָּ֔ם לֹֽא־נִקְרָ֥א שִׁמְךָ֖ עֲלֵיהֶ֑ם לוּא־קָרַ֤עְתָּ שָׁמַ֙יִם֙
סד א יָרַ֔דְתָּ מִפָּנֶ֖יךָ הָרִ֥ים נָזֹֽלּוּ׃ כִּקְדֹ֧חַ אֵ֣שׁ הֲמָסִ֗ים מַ֚יִם תִּבְעֶה־אֵ֔שׁ
ב לְהוֹדִ֥יעַ שִׁמְךָ֖ לְצָרֶ֑יךָ מִפָּנֶ֖יךָ גּוֹיִ֥ם יִרְגָּֽזוּ׃ בַּעֲשׂוֹתְךָ֥ נוֹרָא֖וֹת לֹ֣א
ג נְקַוֶּ֑ה יָרַ֕דְתָּ מִפָּנֶ֖יךָ הָרִ֥ים נָזֹֽלּוּ׃ וּמֵעוֹלָ֥ם

קִינָה עַל הַצַּדִּיקִים:

לֹֽא־שָׁמְע֖וּ לֹ֣א הֶאֱזִ֑ינוּ עַ֣יִן לֹֽא־רָאָ֗תָה אֱלֹהִים֙ זֽוּלָתְךָ֔ יַעֲשֶׂ֖ה
ד לִמְחַכֵּה־לֽוֹ׃ פָּגַ֤עְתָּ אֶת־שָׂשׂ֙ וְעֹ֣שֵׂה צֶ֔דֶק בִּדְרָכֶ֖יךָ יִזְכְּר֑וּךָ
ה הֵן־אַתָּ֤ה קָצַ֙פְתָּ֙ וַנֶּחֱטָ֔א בָּהֶ֥ם עוֹלָ֖ם וְנִוָּשֵֽׁעַ׃ וַנְּהִ֤י כַטָּמֵא֙ כֻּלָּ֔נוּ
וּכְבֶ֥גֶד עִדִּ֖ים כָּל־צִדְקֹתֵ֑ינוּ וַנָּ֤בֶל כֶּֽעָלֶה֙ כֻּלָּ֔נוּ וַעֲוֺנֵ֖נוּ כָּר֥וּחַ
ו יִשָּׂאֻֽנוּ׃ וְאֵין־קוֹרֵ֣א בְשִׁמְךָ֔ מִתְעוֹרֵ֖ר לְהַחֲזִ֣יק בָּ֑ךְ כִּֽי־הִסְתַּ֤רְתָּ

בַּקָּשַׁת הָעָם לִתְשׁוּעַת ה':

ז פָנֶ֙יךָ֙ מִמֶּ֔נּוּ וַתְּמוּגֵ֖נוּ בְּיַד־עֲוֺנֵֽנוּ׃ וְעַתָּ֥ה יְהוָ֖ה אָבִ֣ינוּ אָ֑תָּה אֲנַ֤חְנוּ
ח הַחֹ֙מֶר֙ וְאַתָּ֣ה יֹצְרֵ֔נוּ וּמַעֲשֵׂ֥ה יָדְךָ֖ כֻּלָּֽנוּ׃ אַל־תִּקְצֹ֤ף יְהוָה֙
ט עַד־מְאֹ֔ד וְאַל־לָעַ֖ד תִּזְכֹּ֣ר עָוֺ֑ן הֵ֥ן הַבֶּט־נָ֖א עַמְּךָ֥ כֻלָּֽנוּ׃ עָרֵ֥י
י קָדְשְׁךָ֖ הָי֣וּ מִדְבָּ֑ר צִיּוֹן֙ מִדְבָּ֣ר הָיָ֔תָה יְרוּשָׁלִַ֖ם שְׁמָמָֽה׃ בֵּ֤ית
קָדְשֵׁ֙נוּ֙ וְתִפְאַרְתֵּ֔נוּ אֲשֶׁ֤ר הִֽלְל֙וּךָ֙ אֲבֹתֵ֔ינוּ הָיָ֖ה לִשְׂרֵ֣פַת אֵ֑שׁ
יא וְכָל־מַחֲמַדֵּ֖ינוּ הָיָ֥ה לְחָרְבָּֽה׃ הַעַל־אֵ֥לֶּה תִתְאַפַּ֖ק יְהוָ֑ה תֶּחֱשֶׁ֥ה
וּתְעַנֵּ֖נוּ עַד־מְאֹֽד׃

תְּשׁוּבַת ה' לְבַקָּשַׁת הָעָם:

סה א נִדְרַ֙שְׁתִּי֙ לְל֣וֹא שָׁאָ֔לוּ נִמְצֵ֖אתִי לְלֹ֣א בִקְשֻׁ֑נִי אָמַ֙רְתִּי֙ הִנֵּ֣נִי הִנֵּ֔נִי
ב אֶל־גּ֖וֹי לֹֽא־קֹרָ֥א בִשְׁמִֽי׃ פֵּרַ֧שְׂתִּי יָדַ֛י כָּל־הַיּ֖וֹם אֶל־עַ֣ם סוֹרֵ֑ר
ג הַהֹלְכִים֙ הַדֶּ֣רֶךְ לֹא־ט֔וֹב אַחַ֖ר מַחְשְׁבֹתֵיהֶֽם׃ הָעָ֗ם הַמַּכְעִיסִ֥ים
אוֹתִ֛י עַל־פָּנַ֖י תָּמִ֑יד זֹבְחִים֙ בַּגַּנּ֔וֹת וּמְקַטְּרִ֖ים עַל־הַלְּבֵנִֽים׃

ד הַיֹּשְׁבִים֙ בַּקְּבָרִ֔ים וּבַנְּצוּרִ֖ים יָלִ֑ינוּ הָאֹֽכְלִים֙ בְּשַׂ֣ר הַחֲזִ֔יר וּפרק

ה וּמְרַ֥ק פִּגֻּלִ֖ים כְּלֵיהֶֽם: הָאֹֽמְרִים֙ קְרַ֣ב אֵלֶ֔יךָ אַל־תִּגַּשׁ־בִּ֖י כִּ֣י

ו קְדַשְׁתִּ֑יךָ אֵ֚לֶּה עָשָׁ֣ן בְּאַפִּ֔י אֵ֥שׁ יֹקֶ֖דֶת כָּל־הַיּֽוֹם: הִנֵּ֥ה כְתוּבָ֖ה

ז לְפָנָ֑י לֹ֤א אֶחֱשֶׂה֙ כִּ֣י אִם־שִׁלַּ֔מְתִּי וְשִׁלַּמְתִּ֖י עַל־חֵיקָֽם: עֲוֺנֹ֨תֵיכֶ֜ם
וַעֲוֺנֹ֧ת אֲבוֹתֵיכֶ֛ם יַחְדָּ֖ו אָמַ֣ר יְהֹוָ֑ה אֲשֶׁ֨ר קִטְּר֜וּ עַל־הֶ֣הָרִ֗ים
וְעַל־הַגְּבָעוֹת֙ חֵֽרְפ֔וּנִי וּמַדֹּתִ֧י פְעֻלָּתָ֛ם רִֽאשֹׁנָ֖ה עַל אֶל־

יְשׁוּעָה
לִשְׁאֵרִית
הַפְּלֵיטָה
וָעֹנֶשׁ
לָרְשָׁעִים:

ח חֵיקָ֑ם: כֹּ֣ה ׀ אָמַ֣ר יְהֹוָ֗ה

כַּאֲשֶׁ֨ר יִמָּצֵ֤א הַתִּירוֹשׁ֙ בָּֽאֶשְׁכּ֔וֹל וְאָמַר֙ אַל־תַּשְׁחִיתֵ֔הוּ כִּ֥י בְרָכָ֖ה

ט בּ֑וֹ כֵּ֤ן אֶֽעֱשֶׂה֙ לְמַ֣עַן עֲבָדַ֔י לְבִלְתִּ֖י הַשְׁחִ֥ית הַכֹּֽל: וְהוֹצֵאתִ֤י
מִיַּֽעֲקֹב֙ זֶ֔רַע וּמִיהוּדָ֖ה יוֹרֵ֣שׁ הָרָ֑י וִירֵשׁ֣וּהָ בְחִירַ֔י וַעֲבָדַ֖י יִשְׁכְּנוּ־

י שָֽׁמָּה: וְהָיָ֤ה הַשָּׁרוֹן֙ לִנְוֵה־צֹ֔אן וְעֵ֥מֶק עָכ֖וֹר לְרֵ֣בֶץ בָּקָ֑ר לְעַמִּ֖י

יא אֲשֶׁ֥ר דְּרָשֽׁוּנִי: וְאַתֶּם֙ עֹזְבֵ֣י יְהֹוָ֔ה הַשְּׁכֵחִ֖ים אֶת־הַ֣ר קָדְשִׁ֑י

יב הָעֹֽרְכִ֤ים לַגַּד֙ שֻׁלְחָ֔ן וְהַֽמְמַלְאִ֖ים לַמְנִ֥י מִמְסָֽךְ: וּמָנִ֨יתִי אֶתְכֶ֜ם
לַחֶ֗רֶב וְכֻלְּכֶם֙ לַטֶּ֣בַח תִּכְרָ֔עוּ יַ֤עַן קָרָ֙אתִי֙ וְלֹ֣א עֲנִיתֶ֔ם דִּבַּ֖רְתִּי
וְלֹ֣א שְׁמַעְתֶּ֑ם וַתַּעֲשׂ֤וּ הָרַע֙ בְּעֵינַ֔י וּבַאֲשֶׁ֥ר לֹֽא־חָפַ֖צְתִּי
בְּחַרְתֶּֽם:

הַטּוֹבָה
לְיִשְׂרָאֵל
לְעֻמַּת
הַגּוֹיִם:

יג לָכֵ֞ן כֹּה־אָמַ֣ר ׀ אֲדֹנָ֣י יְהֹוִ֗ה הִנֵּ֨ה עֲבָדַ֤י ׀ יֹאכֵ֙לוּ֙ וְאַתֶּ֣ם תִּרְעָ֔בוּ
הִנֵּ֧ה עֲבָדַ֛י יִשְׁתּ֖וּ וְאַתֶּ֣ם תִּצְמָ֑אוּ הִנֵּ֤ה עֲבָדַי֙ יִשְׂמָ֔חוּ וְאַתֶּ֖ם תֵּבֹֽשׁוּ:

יד הִנֵּ֧ה עֲבָדַ֛י יָרֹ֖נּוּ מִטּ֣וּב לֵ֑ב וְאַתֶּ֤ם תִּצְעֲקוּ֙ מִכְּאֵ֣ב לֵ֔ב וּמִשֵּׁ֥בֶר

טו ר֖וּחַ תְּיֵלִֽילוּ: וְהִנַּחְתֶּ֨ם שִׁמְכֶ֤ם לִשְׁבוּעָה֙ לִבְחִירַ֔י וֶהֱמִֽיתְךָ֖ אֲדֹנָ֣י

טז יְהֹוִ֑ה וְלַעֲבָדָ֥יו יִקְרָ֖א שֵׁ֥ם אַחֵֽר: אֲשֶׁ֨ר הַמִּתְבָּרֵ֜ךְ בָּאָ֗רֶץ יִתְבָּרֵךְ֙
בֵּֽאלֹהֵ֣י אָמֵ֔ן וְהַנִּשְׁבָּ֣ע בָּאָ֔רֶץ יִשָּׁבַ֖ע בֵּאלֹהֵ֣י אָמֵ֑ן כִּ֣י נִשְׁכְּחוּ֙

הַשִּׂמְחָה
בָּעוֹלָם
הֶעָתִֽיד:

הַצָּר֣וֹת הָרִאשֹׁנ֔וֹת וְכִ֥י נִסְתְּר֖וּ מֵעֵינָֽי: כִּֽי־הִנְנִ֥י בוֹרֵ֛א שָׁמַ֥יִם

יז חֲדָשִׁ֖ים וָאָ֣רֶץ חֲדָשָׁ֑ה וְלֹ֤א תִזָּכַ֙רְנָה֙ הָרִ֣אשֹׁנ֔וֹת וְלֹ֥א תַעֲלֶ֖ינָה

יח עַל־לֵֽב: כִּֽי־אִם־שִׂ֤ישׂוּ וְגִ֙ילוּ֙ עֲדֵי־עַ֔ד אֲשֶׁ֖ר אֲנִ֣י בוֹרֵ֑א כִּ֣י הִנְנִי֩

בּוֹרֵא אֶת־יְרוּשָׁלַ͏ִם גִּילָה וְעַמָּהּ מָשׂוֹשׂ: וְגַלְתִּי בִירוּשָׁלַ͏ִם יט
וְשַׂשְׂתִּי בְעַמִּי וְלֹא־יִשָּׁמַע בָּהּ עוֹד קוֹל בְּכִי וְקוֹל זְעָקָה:
כ לֹא־יִהְיֶה מִשָּׁם עוֹד עוּל יָמִים וְזָקֵן אֲשֶׁר לֹא־יְמַלֵּא אֶת־יָמָיו
כִּי הַנַּעַר בֶּן־מֵאָה שָׁנָה יָמוּת וְהַחוֹטֶא בֶּן־מֵאָה שָׁנָה יְקֻלָּל:
כא כב וּבָנוּ בָתִּים וְיָשָׁבוּ וְנָטְעוּ כְרָמִים וְאָכְלוּ פִּרְיָם: לֹא יִבְנוּ וְאַחֵר
יֵשֵׁב לֹא יִטְּעוּ וְאַחֵר יֹאכֵל כִּי־כִימֵי הָעֵץ יְמֵי עַמִּי וּמַעֲשֵׂה
כג יְדֵיהֶם יְבַלּוּ בְחִירָי: לֹא יִיגְעוּ לָרִיק וְלֹא יֵלְדוּ לַבֶּהָלָה כִּי זֶרַע
כד בְּרוּכֵי יְהוָה הֵמָּה וְצֶאֱצָאֵיהֶם אִתָּם: וְהָיָה טֶרֶם יִקְרָאוּ וַאֲנִי
כה אֶעֱנֶה עוֹד הֵם מְדַבְּרִים וַאֲנִי אֶשְׁמָע: זְאֵב וְטָלֶה יִרְעוּ כְאֶחָד
וְאַרְיֵה כַּבָּקָר יֹאכַל־תֶּבֶן וְנָחָשׁ עָפָר לַחְמוֹ לֹא־יָרֵעוּ וְלֹא־
סו א יַשְׁחִיתוּ בְּכָל־הַר קָדְשִׁי אָמַר יְהוָה: כֹּה אָמַר יְהוָה
הַשָּׁמַיִם כִּסְאִי וְהָאָרֶץ הֲדֹם רַגְלָי אֵי־זֶה בַיִת אֲשֶׁר תִּבְנוּ־לִי
מְאִיסָה בְּקָרְבַּן הָרְשָׁעִים:
ב וְאֵי־זֶה מָקוֹם מְנוּחָתִי: וְאֶת־כָּל־אֵלֶּה יָדִי עָשָׂתָה וַיִּהְיוּ
כָל־אֵלֶּה נְאֻם־יְהוָה וְאֶל־זֶה אַבִּיט אֶל־עָנִי וּנְכֵה־רוּחַ וְחָרֵד
ג עַל־דְּבָרִי: שׁוֹחֵט הַשּׁוֹר מַכֵּה־אִישׁ זוֹבֵחַ הַשֶּׂה עֹרֵף כֶּלֶב מַעֲלֵה
מִנְחָה דַּם־חֲזִיר מַזְכִּיר לְבֹנָה מְבָרֵךְ אָוֶן גַּם־הֵמָּה בָּחֲרוּ בְּדַרְכֵיהֶם
ד וּבְשִׁקּוּצֵיהֶם נַפְשָׁם חָפֵצָה: גַּם־אֲנִי אֶבְחַר בְּתַעֲלֻלֵיהֶם וּמְגוּרֹתָם
אָבִיא לָהֶם יַעַן קָרָאתִי וְאֵין עוֹנֶה דִּבַּרְתִּי וְלֹא שָׁמֵעוּ וַיַּעֲשׂוּ הָרַע
ה בְּעֵינַי וּבַאֲשֶׁר לֹא־חָפַצְתִּי בָּחָרוּ: שִׁמְעוּ דְּבַר־יְהוָה
הַחֲרֵדִים אֶל־דְּבָרוֹ אָמְרוּ אֲחֵיכֶם שֹׂנְאֵיכֶם מְנַדֵּיכֶם לְמַעַן שְׁמִי
הַהַצָּלָה לַחֲרֵדִים אֶל דְּבַר ה':
ו יִכְבַּד יְהוָה וְנִרְאֶה בְשִׂמְחַתְכֶם וְהֵם יֵבֹשׁוּ: קוֹל שָׁאוֹן מֵעִיר
ז קוֹל מֵהֵיכָל קוֹל יְהוָה מְשַׁלֵּם גְּמוּל לְאֹיְבָיו: בְּטֶרֶם תָּחִיל יָלָדָה
ח בְּטֶרֶם יָבוֹא חֵבֶל לָהּ וְהִמְלִיטָה זָכָר: מִי־שָׁמַע כָּזֹאת מִי רָאָה
כָּאֵלֶּה הֲיוּחַל אֶרֶץ בְּיוֹם אֶחָד אִם־יִוָּלֵד גּוֹי פַּעַם אֶחָת כִּי־חָלָה
ט גַּם־יָלְדָה צִיּוֹן אֶת־בָּנֶיהָ: הַאֲנִי אַשְׁבִּיר וְלֹא אוֹלִיד יֹאמַר יְהוָה

י אִם־אֲנִי הַמּוֹלִיד וְעָצַרְתִּי אָמַר אֱלֹהָיִךְ׃ שִׂמְחוּ אֶת־
יְרוּשָׁלַ͏ִם וְגִילוּ בָהּ כָּל־אֹהֲבֶיהָ שִׂישׂוּ אִתָּהּ מָשׂוֹשׂ כָּל־
יא הַמִּתְאַבְּלִים עָלֶיהָ׃ לְמַעַן תִּינְקוּ וּשְׂבַעְתֶּם מִשֹּׁד תַּנְחֻמֶיהָ לְמַעַן
יב תָּמֹצּוּ וְהִתְעַנַּגְתֶּם מִזִּיז כְּבוֹדָהּ׃ כִּי־כֹה ׀ אָמַר יְהוָה
הִנְנִי נֹטֶה־אֵלֶיהָ כְּנָהָר שָׁלוֹם וּכְנַחַל שׁוֹטֵף כְּבוֹד גּוֹיִם וִינַקְתֶּם
יג עַל־צַד תִּנָּשֵׂאוּ וְעַל־בִּרְכַּיִם תְּשָׁעֳשָׁעוּ׃ כְּאִישׁ אֲשֶׁר אִמּוֹ
יד תְּנַחֲמֶנּוּ כֵּן אָנֹכִי אֲנַחֶמְכֶם וּבִירוּשָׁלַ͏ִם תְּנֻחָמוּ׃ וּרְאִיתֶם וְשָׂשׂ
לִבְּכֶם וְעַצְמוֹתֵיכֶם כַּדֶּשֶׁא תִפְרַחְנָה וְנוֹדְעָה יַד־יְהוָה אֶת־
טו עֲבָדָיו וְזָעַם אֶת־אֹיְבָיו׃ כִּי־הִנֵּה יְהוָה בָּאֵשׁ יָבוֹא
טז וְכַסּוּפָה מַרְכְּבֹתָיו לְהָשִׁיב בְּחֵמָה אַפּוֹ וְגַעֲרָתוֹ בְּלַהֲבֵי־אֵשׁ׃ כִּי
בָאֵשׁ יְהוָה נִשְׁפָּט וּבְחַרְבּוֹ אֶת־כָּל־בָּשָׂר וְרַבּוּ חַלְלֵי יְהוָה׃
יז הַמִּתְקַדְּשִׁים וְהַמִּטַּהֲרִים אֶל־הַגַּנּוֹת אַחַר אחד אַחַת בַּתָּוֶךְ אֹכְלֵי
יח בְּשַׂר הַחֲזִיר וְהַשֶּׁקֶץ וְהָעַכְבָּר יַחְדָּו יָסֻפוּ נְאֻם־יְהוָה׃ וְאָנֹכִי
מַעֲשֵׂיהֶם וּמַחְשְׁבֹתֵיהֶם בָּאָה לְקַבֵּץ אֶת־כָּל־הַגּוֹיִם וְהַלְּשֹׁנוֹת
יט וּבָאוּ וְרָאוּ אֶת־כְּבוֹדִי׃ וְשַׂמְתִּי בָהֶם אוֹת וְשִׁלַּחְתִּי מֵהֶם ׀
פְּלֵיטִים אֶל־הַגּוֹיִם תַּרְשִׁישׁ פּוּל וְלוּד מֹשְׁכֵי קֶשֶׁת תֻּבַל וְיָוָן
הָאִיִּים הָרְחֹקִים אֲשֶׁר לֹא־שָׁמְעוּ אֶת־שִׁמְעִי וְלֹא־רָאוּ אֶת־
כ כְּבוֹדִי וְהִגִּידוּ אֶת־כְּבוֹדִי בַּגּוֹיִם׃ וְהֵבִיאוּ אֶת־כָּל־אֲחֵיכֶם מִכָּל־
הַגּוֹיִם ׀ מִנְחָה ׀ לַיהוָה בַּסּוּסִים וּבָרֶכֶב וּבַצַּבִּים וּבַפְּרָדִים
וּבַכִּרְכָּרוֹת עַל הַר קָדְשִׁי יְרוּשָׁלַ͏ִם אָמַר יְהוָה כַּאֲשֶׁר יָבִיאוּ בְנֵי
כא יִשְׂרָאֵל אֶת־הַמִּנְחָה בִּכְלִי טָהוֹר בֵּית יְהוָה׃ וְגַם־מֵהֶם אֶקַּח
כב לַכֹּהֲנִים לַלְוִיִּם אָמַר יְהוָה׃ כִּי כַאֲשֶׁר הַשָּׁמַיִם הַחֲדָשִׁים וְהָאָרֶץ
הַחֲדָשָׁה אֲשֶׁר אֲנִי עֹשֶׂה עֹמְדִים לְפָנַי נְאֻם־יְהוָה כֵּן יַעֲמֹד
כג זַרְעֲכֶם וְשִׁמְכֶם׃ וְהָיָה מִדֵּי־חֹדֶשׁ בְּחָדְשׁוֹ וּמִדֵּי שַׁבָּת בְּשַׁבַּתּוֹ
כד יָבוֹא כָל־בָּשָׂר לְהִשְׁתַּחֲוֺת לְפָנַי אָמַר יְהוָה׃ וְיָצְאוּ וְרָאוּ בְּפִגְרֵי

הַשִּׂמְחָה וְהָעֹנֶג בִּירוּשָׁלָיִם:

הָֽאֲנָשִׁ֔ים הַפֹּשְׁעִ֖ים בִּ֑י כִּ֣י תוֹלַעְתָּ֞ם לֹ֣א תָמ֗וּת וְאִשָּׁם֙ לֹ֣א תִכְבֶּ֔ה וְהָי֥וּ דֵרָא֖וֹן לְכָל־בָּשָֽׂר׃

בין השנים
3298-3364

ירמיה

א א דִּבְרֵי יִרְמְיָהוּ בֶּן־חִלְקִיָּהוּ מִן־הַכֹּהֲנִים אֲשֶׁר בַּעֲנָתוֹת בְּאֶרֶץ תְּקוּפַת נְבוּאַת יִרְמְיָה: [3298]
ב בִּנְיָמִן: אֲשֶׁר הָיָה דְבַר־יְהוָה אֵלָיו בִּימֵי יֹאשִׁיָּהוּ בֶן־אָמוֹן מֶלֶךְ
ג יְהוּדָה בִּשְׁלֹשׁ־עֶשְׂרֵה שָׁנָה לְמָלְכוֹ: וַיְהִי בִּימֵי יְהוֹיָקִים בֶּן־
יֹאשִׁיָּהוּ מֶלֶךְ יְהוּדָה עַד־תֹּם עַשְׁתֵּי עֶשְׂרֵה שָׁנָה לְצִדְקִיָּהוּ בֶן־
יֹאשִׁיָּהוּ מֶלֶךְ יְהוּדָה עַד־גְּלוֹת יְרוּשָׁלִַם בַּחֹדֶשׁ הַחֲמִישִׁי:
ד ה וַיְהִי דְבַר־יְהוָה אֵלַי לֵאמֹר: בְּטֶרֶם אצורך אֶצָּרְךָ בַבֶּטֶן יְדַעְתִּיךָ הִקְדַּשְׁתּוֹ לְנָבִיא:
ו וּבְטֶרֶם תֵּצֵא מֵרֶחֶם הִקְדַּשְׁתִּיךָ נָבִיא לַגּוֹיִם נְתַתִּיךָ: וָאֹמַר אֲהָהּ
ז אֲדֹנָי יֱהוִה הִנֵּה לֹא־יָדַעְתִּי דַּבֵּר כִּי־נַעַר אָנֹכִי: וַיֹּאמֶר
יְהוָה אֵלַי אַל־תֹּאמַר נַעַר אָנֹכִי כִּי עַל־כָּל־אֲשֶׁר אֶשְׁלָחֲךָ תֵּלֵךְ
ח וְאֵת כָּל־אֲשֶׁר אֲצַוְּךָ תְּדַבֵּר: אַל־תִּירָא מִפְּנֵיהֶם כִּי־אִתְּךָ אֲנִי
ט לְהַצִּלֶךָ נְאֻם־יְהוָה: וַיִּשְׁלַח יְהוָה אֶת־יָדוֹ וַיַּגַּע עַל־פִּי וַיֹּאמֶר
י יְהוָה אֵלַי הִנֵּה נָתַתִּי דְבָרַי בְּפִיךָ: רְאֵה הִפְקַדְתִּיךָ | הַיּוֹם הַזֶּה
עַל־הַגּוֹיִם וְעַל־הַמַּמְלָכוֹת לִנְתוֹשׁ וְלִנְתוֹץ וּלְהַאֲבִיד וְלַהֲרוֹס
לִבְנוֹת וְלִנְטוֹעַ:
יא וַיְהִי דְבַר־יְהוָה אֵלַי לֵאמֹר מָה־אַתָּה רֹאֶה יִרְמְיָהוּ וָאֹמַר מַקֵּל מַרְאֵה הַשָּׁקֵד וְהַסִּיר הַנָּפוּחַ:
יב שָׁקֵד אֲנִי רֹאֶה: וַיֹּאמֶר יְהוָה אֵלַי הֵיטַבְתָּ לִרְאוֹת כִּי־שֹׁקֵד אֲנִי
יג עַל־דְּבָרִי לַעֲשֹׂתוֹ: וַיְהִי דְבַר־יְהוָה | אֵלַי שֵׁנִית
לֵאמֹר מָה אַתָּה רֹאֶה וָאֹמַר סִיר נָפוּחַ אֲנִי רֹאֶה וּפָנָיו מִפְּנֵי
יד צָפוֹנָה: וַיֹּאמֶר יְהוָה אֵלָי מִצָּפוֹן תִּפָּתַח הָרָעָה עַל כָּל־יֹשְׁבֵי
טו הָאָרֶץ: כִּי | הִנְנִי קֹרֵא לְכָל־מִשְׁפְּחוֹת מַמְלְכוֹת צָפוֹנָה נְאֻם־יְהוָה
וּבָאוּ וְנָתְנוּ אִישׁ כִּסְאוֹ פֶּתַח | שַׁעֲרֵי יְרוּשָׁלִַם וְעַל כָּל־חוֹמֹתֶיהָ
טז סָבִיב וְעַל כָּל־עָרֵי יְהוּדָה: וְדִבַּרְתִּי מִשְׁפָּטַי אוֹתָם עַל כָּל־
רָעָתָם אֲשֶׁר עֲזָבוּנִי וַיְקַטְּרוּ לֵאלֹהִים אֲחֵרִים וַיִּשְׁתַּחֲווּ

לְמַעֲשֵׂי יְדֵיהֶם: וְאַתָּה תֶּאְזֹר מָתְנֶיךָ וְקַמְתָּ וְדִבַּרְתָּ אֲלֵיהֶם   יז
אֵת כָּל־אֲשֶׁר אָנֹכִי אֲצַוֶּךָּ אַל־תֵּחַת מִפְּנֵיהֶם פֶּן־אֲחִתְּךָ לִפְנֵיהֶם:
וַאֲנִי הִנֵּה נְתַתִּיךָ הַיּוֹם לְעִיר מִבְצָר וּלְעַמּוּד בַּרְזֶל וּלְחֹמוֹת   יח
נְחֹשֶׁת עַל־כָּל־הָאָרֶץ לְמַלְכֵי יְהוּדָה לְשָׂרֶיהָ לְכֹהֲנֶיהָ וּלְעַם
הָאָרֶץ: וְנִלְחֲמוּ אֵלֶיךָ וְלֹא־יוּכְלוּ לָךְ כִּי־אִתְּךָ אֲנִי נְאֻם־יְהוָה   יט
לְהַצִּילֶךָ:

מַעֲלַת
 יִשְׂרָאֵל:

וַיְהִי דְבַר־יְהוָה אֵלַי לֵאמֹר: הָלֹךְ וְקָרָאתָ בְאָזְנֵי יְרוּשָׁלַ͏ִם לֵאמֹר   ב
כֹּה אָמַר יְהוָה זָכַרְתִּי לָךְ חֶסֶד נְעוּרַיִךְ אַהֲבַת כְּלוּלֹתָיִךְ לֶכְתֵּךְ
אַחֲרַי בַּמִּדְבָּר בְּאֶרֶץ לֹא זְרוּעָה: קֹדֶשׁ יִשְׂרָאֵל לַיהוָה רֵאשִׁית   ג
תְּבוּאָתֹה כָּל־אֹכְלָיו יֶאְשָׁמוּ רָעָה תָּבֹא אֲלֵיהֶם נְאֻם־יְהוָה:

תּוֹכֵחָה עַל
 עֲזִיבַת ה':

שִׁמְעוּ דְבַר־יְהוָה בֵּית יַעֲקֹב וְכָל־מִשְׁפְּחוֹת בֵּית יִשְׂרָאֵל: כֹּה   ד ה
אָמַר יְהוָה מַה־מָּצְאוּ אֲבוֹתֵיכֶם בִּי עָוֶל כִּי רָחֲקוּ מֵעָלָי וַיֵּלְכוּ
אַחֲרֵי הַהֶבֶל וַיֶּהְבָּלוּ: וְלֹא אָמְרוּ אַיֵּה יְהוָה הַמַּעֲלֶה אֹתָנוּ מֵאֶרֶץ   ו
מִצְרָיִם הַמּוֹלִיךְ אֹתָנוּ בַּמִּדְבָּר בְּאֶרֶץ עֲרָבָה וְשׁוּחָה בְּאֶרֶץ צִיָּה
וְצַלְמָוֶת בְּאֶרֶץ לֹא־עָבַר בָּהּ אִישׁ וְלֹא־יָשַׁב אָדָם שָׁם: וָאָבִיא   ז
אֶתְכֶם אֶל־אֶרֶץ הַכַּרְמֶל לֶאֱכֹל פִּרְיָהּ וְטוּבָהּ וַתָּבֹאוּ וַתְּטַמְּאוּ
אֶת־אַרְצִי וְנַחֲלָתִי שַׂמְתֶּם לְתוֹעֵבָה: הַכֹּהֲנִים לֹא אָמְרוּ אַיֵּה   ח
יְהוָה וְתֹפְשֵׂי הַתּוֹרָה לֹא יְדָעוּנִי וְהָרֹעִים פָּשְׁעוּ בִי וְהַנְּבִיאִים
נִבְּאוּ בַבַּעַל וְאַחֲרֵי לֹא־יוֹעִלוּ הָלָכוּ: לָכֵן עֹד אָרִיב אִתְּכֶם   ט
נְאֻם־יְהוָה וְאֶת־בְּנֵי בְנֵיכֶם אָרִיב: כִּי עִבְרוּ אִיֵּי כִתִּיִּים וּרְאוּ   י
וְקֵדָר שִׁלְחוּ וְהִתְבּוֹנְנוּ מְאֹד וּרְאוּ הֵן הָיְתָה כָּזֹאת: הַהֵימִיר גּוֹי   יא
אֱלֹהִים וְהֵמָּה לֹא אֱלֹהִים וְעַמִּי הֵמִיר כְּבוֹדוֹ בְּלוֹא יוֹעִיל: שֹׁמּוּ   יב
שָׁמַיִם עַל־זֹאת וְשַׂעֲרוּ חָרְבוּ מְאֹד נְאֻם־יְהוָה: כִּי־שְׁתַּיִם רָעוֹת   יג
עָשָׂה עַמִּי אֹתִי עָזְבוּ מְקוֹר מַיִם חַיִּים לַחְצֹב לָהֶם בֹּארוֹת
בֹּארֹת נִשְׁבָּרִים אֲשֶׁר לֹא־יָכִלוּ הַמָּיִם: הַעֶבֶד יִשְׂרָאֵל אִם־   יד

טו יָלִיד בַּיִת הוּא מַדּוּעַ הָיָה לָבַז: עָלָיו יִשְׁאֲגוּ כְפִרִים נָתְנוּ קוֹלָם
טז וַיָּשִׁיתוּ אַרְצוֹ לְשַׁמָּה עָרָיו נצתה נִצְּתוּ מִבְּלִי יֹשֵׁב: גַּם־בְּנֵי־נֹף
יז ותחפנס וְתַחְפַּנְחֵס יִרְעוּךְ קָדְקֹד: הֲלוֹא־זֹאת תַּעֲשֶׂה־לָּךְ עָזְבֵךְ
יח אֶת־יְהוָה אֱלֹהַיִךְ בְּעֵת מוֹלִכֵךְ בַּדָּרֶךְ: וְעַתָּה מַה־לָּךְ לְדֶרֶךְ תּוֹכָחָה עַל עֲבוֹדָה זָרָה:
מִצְרַיִם לִשְׁתּוֹת מֵי שִׁחוֹר וּמַה־לָּךְ לְדֶרֶךְ אַשּׁוּר לִשְׁתּוֹת מֵי
יט נָהָר: תְּיַסְּרֵךְ רָעָתֵךְ וּמְשֻׁבוֹתַיִךְ תּוֹכִחֻךְ וּדְעִי וּרְאִי כִּי־רַע וָמָר
עָזְבֵךְ אֶת־יְהוָה אֱלֹהָיִךְ וְלֹא פַחְדָּתִי אֵלַיִךְ נְאֻם־אֲדֹנָי יֱהוִה
כ צְבָאוֹת: כִּי מֵעוֹלָם שָׁבַרְתִּי עֻלֵּךְ נִתַּקְתִּי מוֹסְרוֹתַיִךְ וַתֹּאמְרִי
לֹא אעבוד אֶעֱבוֹר כִּי עַל־כָּל־גִּבְעָה גְּבֹהָה וְתַחַת כָּל־עֵץ רַעֲנָן
כא אַתְּ צֹעָה זֹנָה: וְאָנֹכִי נְטַעְתִּיךְ שֹׂרֵק כֻּלֹּה זֶרַע אֱמֶת וְאֵיךְ
כב נֶהְפַּכְתְּ לִי סוּרֵי הַגֶּפֶן נָכְרִיָּה: כִּי אִם־תְּכַבְּסִי בַּנֶּתֶר וְתַרְבִּי־לָךְ
כג בֹּרִית נִכְתָּם עֲוֹנֵךְ לְפָנַי נְאֻם אֲדֹנָי יֱהוִה: אֵיךְ תֹּאמְרִי לֹא
נִטְמֵאתִי אַחֲרֵי הַבְּעָלִים לֹא הָלַכְתִּי רְאִי דַרְכֵּךְ בַּגַּיְא דְּעִי מֶה
כד עָשִׂית בִּכְרָה קַלָּה מְשָׂרֶכֶת דְּרָכֶיהָ: פֶּרֶה ׀ לִמֻּד מִדְבָּר בְּאַוַּת
נפשו נַפְשָׁהּ שָׁאֲפָה רוּחַ תַּאֲנָתָהּ מִי יְשִׁיבֶנָּה כָּל־מְבַקְשֶׁיהָ
כה לֹא יִיעָפוּ בְּחָדְשָׁהּ יִמְצָאוּנְהָ: מִנְעִי רַגְלֵךְ מִיָּחֵף וגורנך וּגְרוֹנֵךְ
מִצִּמְאָה וַתֹּאמְרִי נוֹאָשׁ לוֹא כִּי־אָהַבְתִּי זָרִים וְאַחֲרֵיהֶם אֵלֵךְ:
כו כְּבֹשֶׁת גַּנָּב כִּי יִמָּצֵא כֵּן הֹבִישׁוּ בֵּית יִשְׂרָאֵל הֵמָּה מַלְכֵיהֶם שָׂרֵיהֶם
כז וְכֹהֲנֵיהֶם וּנְבִיאֵיהֶם: אֹמְרִים לָעֵץ אָבִי אַתָּה וְלָאֶבֶן אַתְּ ילדתני
יְלִדְתָּנוּ כִּי־פָנוּ אֵלַי עֹרֶף וְלֹא פָנִים וּבְעֵת רָעָתָם יֹאמְרוּ קוּמָה
כח וְהוֹשִׁיעֵנוּ: וְאַיֵּה אֱלֹהֶיךָ אֲשֶׁר עָשִׂיתָ לָּךְ יָקוּמוּ אִם־יוֹשִׁיעוּךָ
כט בְּעֵת רָעָתֶךָ כִּי מִסְפַּר עָרֶיךָ הָיוּ אֱלֹהֶיךָ יְהוּדָה: לָמָּה
ל תָרִיבוּ אֵלָי כֻּלְּכֶם פְּשַׁעְתֶּם בִּי נְאֻם־יְהוָה: לַשָּׁוְא הִכֵּיתִי
אֶת־בְּנֵיכֶם מוּסָר לֹא לָקָחוּ אָכְלָה חַרְבְּכֶם נְבִיאֵיכֶם כְּאַרְיֵה
לא מַשְׁחִית: הַדּוֹר אַתֶּם רְאוּ דְבַר־יְהוָה הֲמִדְבָּר הָיִיתִי לְיִשְׂרָאֵל

אִם אֶרֶץ מַאְפֵּלְיָה מַדּוּעַ אָמְרוּ עַמִּי רַדְנוּ לוֹא־נָבוֹא עוֹד
אֵלֶיךָ: הֲתִשְׁכַּח בְּתוּלָה עֶדְיָהּ כַּלָּה קִשֻּׁרֶיהָ וְעַמִּי שְׁכֵחוּנִי לב
יָמִים אֵין מִסְפָּר: מַה־תֵּיטִבִי דַּרְכֵּךְ לְבַקֵּשׁ אַהֲבָה לָכֵן גַּם לג
אֶת־הָרָעוֹת למדתי לִמַּדְתְּ אֶת־דְּרָכָיִךְ: גַּם בִּכְנָפַיִךְ נִמְצְאוּ דַּם לד
נַפְשׁוֹת אֶבְיוֹנִים נְקִיִּים לֹא־בַמַּחְתֶּרֶת מְצָאתִים כִּי עַל־כָּל־אֵלֶּה:
וַתֹּאמְרִי כִּי נִקֵּיתִי אַךְ שָׁב אַפּוֹ מִמֶּנִּי הִנְנִי נִשְׁפָּט אוֹתָךְ לה
עַל־אָמְרֵךְ לֹא חָטָאתִי: מַה־תֵּזְלִי מְאֹד לְשַׁנּוֹת אֶת־דַּרְכֵּךְ גַּם לו
מִמִּצְרַיִם תֵּבֹשִׁי כַּאֲשֶׁר־בֹּשְׁתְּ מֵאַשּׁוּר: גַּם מֵאֵת זֶה תֵּצְאִי לז
וְיָדַיִךְ עַל־רֹאשֵׁךְ כִּי־מָאַס יְהוָה בְּמִבְטַחַיִךְ וְלֹא תַצְלִיחִי לָהֶם:

קְרִיאָה לְיִשְׂרָאֵל לָשׁוּב אֶל ה':

לֵאמֹר הֵן יְשַׁלַּח אִישׁ אֶת־אִשְׁתּוֹ וְהָלְכָה מֵאִתּוֹ וְהָיְתָה לְאִישׁ־ א ג
אַחֵר הֲיָשׁוּב אֵלֶיהָ עוֹד הֲלוֹא חָנוֹף תֶּחֱנַף הָאָרֶץ הַהִיא וְאַתְּ
זָנִית רֵעִים רַבִּים וְשׁוֹב אֵלַי נְאֻם־יְהוָה: שְׂאִי־עֵינַיִךְ עַל־שְׁפָיִם ב
וּרְאִי אֵיפֹה לֹא שגלת שֻׁכַּבְתְּ עַל־דְּרָכִים יָשַׁבְתְּ לָהֶם כַּעֲרָבִי
בַּמִּדְבָּר וַתַּחֲנִיפִי אֶרֶץ בִּזְנוּתַיִךְ וּבְרָעָתֵךְ: וַיִּמָּנְעוּ רְבִבִים ג
וּמַלְקוֹשׁ לוֹא הָיָה וּמֵצַח אִשָּׁה זוֹנָה הָיָה לָךְ מֵאַנְתְּ הִכָּלֵם: הֲלוֹא ד
מֵעַתָּה קראתי קָרָאת לִי אָבִי אַלּוּף נְעֻרַי אָתָּה: הֲיִנְטֹר לְעוֹלָם ה
אִם־יִשְׁמֹר לָנֶצַח הִנֵּה דִבַּרְתְּ וַתַּעֲשִׂי הָרָעוֹת וַתּוּכָל:

הִתְנַהֲגוּת הָעָם בִּימֵי יֹאשִׁיָּהוּ:

וַיֹּאמֶר יְהוָה אֵלַי בִּימֵי יֹאשִׁיָּהוּ הַמֶּלֶךְ הֲרָאִיתָ אֲשֶׁר עָשְׂתָה ו
מְשֻׁבָה יִשְׂרָאֵל הֹלְכָה הִיא עַל־כָּל־הַר גָּבֹהַּ וְאֶל־תַּחַת כָּל־עֵץ
רַעֲנָן וַתִּזְנִי־שָׁם: וָאֹמַר אַחֲרֵי עֲשׂוֹתָהּ אֶת־כָּל־אֵלֶּה אֵלַי תָּשׁוּב ז
וְלֹא־שָׁבָה ותראה וַתֵּרֶא בָּגוֹדָה אֲחוֹתָהּ יְהוּדָה: וָאֵרֶא כִּי ח
עַל־כָּל־אֹדוֹת אֲשֶׁר נִאֲפָה מְשֻׁבָה יִשְׂרָאֵל שִׁלַּחְתִּיהָ וָאֶתֵּן
אֶת־סֵפֶר כְּרִיתֻתֶיהָ אֵלֶיהָ וְלֹא יָרְאָה בֹּגֵדָה יְהוּדָה אֲחוֹתָהּ
וַתֵּלֶךְ וַתִּזֶן גַּם־הִיא: וְהָיָה מִקֹּל זְנוּתָהּ וַתֶּחֱנַף אֶת־הָאָרֶץ ט
וַתִּנְאַף אֶת־הָאֶבֶן וְאֶת־הָעֵץ: וְגַם־בְּכָל־זֹאת לֹא־שָׁבָה אֵלַי י

בָּגוֹדָה אֲחוֹתָהּ יְהוּדָה בְּכָל־לִבָּהּ כִּי אִם־בְּשֶׁקֶר נְאֻם־

קְרִיאָה
לַעֲשֶׂרֶת
הַשְּׁבָטִים
לִתְשׁוּבָה:

יְהוָה: וַיֹּאמֶר יְהוָה אֵלַי צִדְּקָה נַפְשָׁהּ מְשֻׁבָה יִשְׂרָאֵל

יא

מִבֹּגֵדָה יְהוּדָה: הָלֹךְ וְקָרָאתָ אֶת־הַדְּבָרִים הָאֵלֶּה צָפוֹנָה

יב

וְאָמַרְתָּ שׁוּבָה מְשֻׁבָה יִשְׂרָאֵל נְאֻם־יְהוָה לוֹא־אַפִּיל פָּנַי בָּכֶם

כִּי־חָסִיד אֲנִי נְאֻם־יְהוָה לֹא אֶטּוֹר לְעוֹלָם: אַךְ דְּעִי עֲוֺנֵךְ כִּי

יג

בַּיהוָה אֱלֹהַיִךְ פָּשָׁעַתְּ וַתְּפַזְּרִי אֶת־דְּרָכַיִךְ לַזָּרִים תַּחַת כָּל־עֵץ

רַעֲנָן וּבְקוֹלִי לֹא־שְׁמַעְתֶּם נְאֻם־יְהוָה: שׁוּבוּ בָנִים שׁוֹבָבִים

יד

נְאֻם־יְהוָה כִּי אָנֹכִי בָּעַלְתִּי בָכֶם וְלָקַחְתִּי אֶתְכֶם אֶחָד מֵעִיר וּשְׁנַיִם

מִמִּשְׁפָּחָה וְהֵבֵאתִי אֶתְכֶם צִיּוֹן: וְנָתַתִּי לָכֶם רֹעִים כְּלִבִּי וְרָעוּ

טו

אֶתְכֶם דֵּעָה וְהַשְׂכֵּיל: וְהָיָה כִּי תִרְבּוּ וּפְרִיתֶם בָּאָרֶץ בַּיָּמִים הָהֵמָּה

טז

נְאֻם־יְהוָה לֹא־יֹאמְרוּ עוֹד אֲרוֹן בְּרִית־יְהוָה וְלֹא יַעֲלֶה עַל־לֵב

וְלֹא יִזְכְּרוּ־בוֹ וְלֹא יִפְקֹדוּ וְלֹא יֵעָשֶׂה עוֹד: בָּעֵת הַהִיא יִקְרְאוּ

יז

לִירוּשָׁלַ͏ִם כִּסֵּא יְהוָה וְנִקְווּ אֵלֶיהָ כָל־הַגּוֹיִם לְשֵׁם יְהוָה לִירוּשָׁלָ͏ִם

קִבּוּץ
גָּלֻיּוֹת
וַחֲזַרַת
בַּתְשׁוּבָה:

וְלֹא־יֵלְכוּ עוֹד אַחֲרֵי שְׁרִרוּת לִבָּם הָרָע: בַּיָּמִים הָהֵמָּה

יח

יֵלְכוּ בֵית־יְהוּדָה עַל־בֵּית יִשְׂרָאֵל וְיָבֹאוּ יַחְדָּו מֵאֶרֶץ צָפוֹן

עַל־הָאָרֶץ אֲשֶׁר הִנְחַלְתִּי אֶת־אֲבוֹתֵיכֶם: וְאָנֹכִי אָמַרְתִּי אֵיךְ

יט

אֲשִׁיתֵךְ בַּבָּנִים וְאֶתֶּן־לָךְ אֶרֶץ חֶמְדָּה נַחֲלַת צְבִי צִבְאוֹת גּוֹיִם

וָאֹמַר אָבִי תקראו תִּקְרְאִי־לִי וּמֵאַחֲרַי לֹא תשובו תָשׁוּבִי: אָכֵן

כ

בָּגְדָה אִשָּׁה מֵרֵעָהּ כֵּן בְּגַדְתֶּם בִּי בֵּית יִשְׂרָאֵל נְאֻם־יְהוָה: קוֹל

כא

עַל־שְׁפָיִים נִשְׁמָע בְּכִי תַחֲנוּנֵי בְּנֵי יִשְׂרָאֵל כִּי הֶעֱוּוּ אֶת־דַּרְכָּם

שָׁכְחוּ אֶת־יְהוָה אֱלֹהֵיהֶם: שׁוּבוּ בָּנִים שׁוֹבָבִים אֶרְפָּה

כב

וִדּוּי
הַשָּׁבִים:

מְשׁוּבֹתֵיכֶם הִנְנוּ אָתָנוּ לָךְ כִּי אַתָּה יְהוָה אֱלֹהֵינוּ: אָכֵן לַשֶּׁקֶר

כג

מִגְּבָעוֹת הָמוֹן הָרִים אָכֵן בַּיהוָה אֱלֹהֵינוּ תְּשׁוּעַת יִשְׂרָאֵל:

וְהַבֹּשֶׁת אָכְלָה אֶת־יְגִיעַ אֲבוֹתֵינוּ מִנְּעוּרֵינוּ אֶת־צֹאנָם וְאֶת־

כד

בְּקָרָם אֶת־בְּנֵיהֶם וְאֶת־בְּנוֹתֵיהֶם: נִשְׁכְּבָה בְּבָשְׁתֵּנוּ וּתְכַסֵּנוּ

כה

כְּלִמָּתֵנוּ כִּי לַיהוָה אֱלֹהֵינוּ חָטָאנוּ אֲנַחְנוּ וַאֲבוֹתֵינוּ מִנְּעוּרֵינוּ

קְרִיאָה לִתְשׁוּבָה בְּטֶרֶם בֹּא הָאוֹיֵב׃

ד א וְעַד־הַיּוֹם הַזֶּה וְלֹא שָׁמַעְנוּ בְּקוֹל יְהוָה אֱלֹהֵינוּ׃ אִם־
תָּשׁוּב יִשְׂרָאֵל ׀ נְאֻם־יְהוָה אֵלַי תָּשׁוּב וְאִם־תָּסִיר שִׁקּוּצֶיךָ מִפָּנַי
ב וְלֹא תָנוּד׃ וְנִשְׁבַּעְתָּ חַי־יְהוָה בֶּאֱמֶת בְּמִשְׁפָּט וּבִצְדָקָה
ג וְהִתְבָּרְכוּ בוֹ גּוֹיִם וּבוֹ יִתְהַלָּלוּ׃ כִּי־כֹה ׀ אָמַר יְהוָה
לְאִישׁ יְהוּדָה וְלִירוּשָׁלַםִ נִירוּ לָכֶם נִיר וְאַל־תִּזְרְעוּ אֶל־קֹצִים׃
ד הִמֹּלוּ לַיהוָה וְהָסִרוּ עָרְלוֹת לְבַבְכֶם אִישׁ יְהוּדָה וְיֹשְׁבֵי יְרוּשָׁלָםִ
פֶּן־תֵּצֵא כָאֵשׁ חֲמָתִי וּבָעֲרָה וְאֵין מְכַבֶּה מִפְּנֵי רֹעַ מַעַלְלֵיכֶם׃

הַמַּחְשֶׁת הַסַּכָּנָה׃

ה הַגִּידוּ בִיהוּדָה וּבִירוּשָׁלַםִ הַשְׁמִיעוּ וְאִמְרוּ ותקעו תִּקְעוּ שׁוֹפָר
בָּאָרֶץ קִרְאוּ מַלְאוּ וְאִמְרוּ הֵאָסְפוּ וְנָבוֹאָה אֶל־עָרֵי הַמִּבְצָר׃
ו שְׂאוּ־נֵס צִיּוֹנָה הָעִיזוּ אַל־תַּעֲמֹדוּ כִּי רָעָה אָנֹכִי מֵבִיא מִצָּפוֹן
ז וְשֶׁבֶר גָּדוֹל׃ עָלָה אַרְיֵה מִסֻּבְּכוֹ וּמַשְׁחִית גּוֹיִם נָסַע יָצָא מִמְּקֹמוֹ
ח לָשׂוּם אַרְצֵךְ לְשַׁמָּה עָרַיִךְ תִּצֶּינָה מֵאֵין יוֹשֵׁב׃ עַל־זֹאת חִגְרוּ
שַׂקִּים סִפְדוּ וְהֵילִילוּ כִּי לֹא־שָׁב חֲרוֹן אַף־יְהוָה מִמֶּנּוּ׃
ט וְהָיָה בַיּוֹם־הַהוּא נְאֻם־יְהוָה יֹאבַד לֵב־הַמֶּלֶךְ וְלֵב הַשָּׂרִים

אָשָׁם נְבִיאֵי הַשֶּׁקֶר׃

י וְנָשַׁמּוּ הַכֹּהֲנִים וְהַנְּבִאִים יִתְמָהוּ׃ וָאֹמַר אֲהָהּ ׀ אֲדֹנָי
יֱהוִה אָכֵן הַשֵּׁא הִשֵּׁאתָ לָעָם הַזֶּה וְלִירוּשָׁלַםִ לֵאמֹר שָׁלוֹם
יא יִהְיֶה לָכֶם וְנָגְעָה חֶרֶב עַד־הַנָּפֶשׁ׃ בָּעֵת הַהִיא יֵאָמֵר לָעָם־הַזֶּה
וְלִירוּשָׁלַםִ רוּחַ צַח שְׁפָיִם בַּמִּדְבָּר דֶּרֶךְ בַּת־עַמִּי לוֹא לִזְרוֹת
יב וְלוֹא לְהָבַר׃ רוּחַ מָלֵא מֵאֵלֶּה יָבוֹא לִי עַתָּה גַּם־אֲנִי אֲדַבֵּר
יג מִשְׁפָּטִים אוֹתָם׃ הִנֵּה ׀ כַּעֲנָנִים יַעֲלֶה וְכַסּוּפָה מַרְכְּבוֹתָיו קַלּוּ

קְרִיאָה לִתְשׁוּבָה לִפְנֵי הַפֻּרְעָנוּת׃

יד מִנְּשָׁרִים סוּסָיו אוֹי לָנוּ כִּי שֻׁדָּדְנוּ׃ כַּבְּסִי מֵרָעָה לִבֵּךְ יְרוּשָׁלַםִ
טו לְמַעַן תִּוָּשֵׁעִי עַד־מָתַי תָּלִין בְּקִרְבֵּךְ מַחְשְׁבוֹת אוֹנֵךְ׃ כִּי קוֹל
טז מַגִּיד מִדָּן וּמַשְׁמִיעַ אָוֶן מֵהַר אֶפְרָיִם׃ הַזְכִּירוּ לַגּוֹיִם הִנֵּה
הַשְׁמִיעוּ עַל־יְרוּשָׁלַםִ נֹצְרִים בָּאִים מֵאֶרֶץ הַמֶּרְחָק וַיִּתְּנוּ

יז עַל־עָרֵי יְהוּדָה קוֹלָם׃ כְּשֹׁמְרֵי שָׂדַי הָיוּ עָלֶיהָ מִסָּבִיב כִּי־אֹתִי
יח מָרָתָה נְאֻם־יְהוָה׃ דַּרְכֵּךְ וּמַעֲלָלַיִךְ עָשׂוֹ אֵלֶּה לָךְ זֹאת רָעָתֵךְ
כִּי מָר כִּי נָגַע עַד־לִבֵּךְ׃
יט מֵעַי ׀ מֵעַי ׀ אחולה אָחִילָה קִירוֹת לִבִּי הֹמֶה־לִּי לִבִּי לֹא אַחֲרִישׁ חֲזוֹן הַחֻרְבָּן׃
כ כִּי קוֹל שׁוֹפָר שמעתי שָׁמַעַתְּ נַפְשִׁי תְּרוּעַת מִלְחָמָה׃ שֶׁבֶר
עַל־שֶׁבֶר נִקְרָא כִּי־שֻׁדְּדָה כָּל־הָאָרֶץ פִּתְאֹם שֻׁדְּדוּ אֹהָלַי רֶגַע
כא יְרִיעֹתָי׃ עַד־מָתַי אֶרְאֶה־נֵּס אֶשְׁמְעָה קוֹל שׁוֹפָר׃
כב כִּי ׀ אֱוִיל עַמִּי אוֹתִי לֹא יָדָעוּ בָּנִים סְכָלִים הֵמָּה וְלֹא נְבוֹנִים
כג הֵמָּה חֲכָמִים הֵמָּה לְהָרַע וּלְהֵיטִיב לֹא יָדָעוּ׃ רָאִיתִי אֶת־הָאָרֶץ
כד וְהִנֵּה־תֹהוּ וָבֹהוּ וְאֶל־הַשָּׁמַיִם וְאֵין אוֹרָם׃ רָאִיתִי הֶהָרִים וְהִנֵּה
כה רֹעֲשִׁים וְכָל־הַגְּבָעוֹת הִתְקַלְקָלוּ׃ רָאִיתִי וְהִנֵּה אֵין הָאָדָם
כו וְכָל־עוֹף הַשָּׁמַיִם נָדָדוּ׃ רָאִיתִי וְהִנֵּה הַכַּרְמֶל הַמִּדְבָּר וְכָל־עָרָיו
כז נִתְּצוּ מִפְּנֵי יְהוָה מִפְּנֵי חֲרוֹן אַפּוֹ׃ כִּי־
כֹה אָמַר יְהוָה שְׁמָמָה תִהְיֶה כָּל־הָאָרֶץ וְכָלָה לֹא אֶעֱשֶׂה׃
כח עַל־זֹאת תֶּאֱבַל הָאָרֶץ וְקָדְרוּ הַשָּׁמַיִם מִמָּעַל עַל כִּי־דִבַּרְתִּי
כט זַמֹּתִי וְלֹא נִחַמְתִּי וְלֹא־אָשׁוּב מִמֶּנָּה׃ מִקּוֹל פָּרָשׁ וְרֹמֵה קֶשֶׁת
בֹּרַחַת כָּל־הָעִיר בָּאוּ בֶּעָבִים וּבַכֵּפִים עָלוּ כָּל־הָעִיר עֲזוּבָה
ל וְאֵין־יוֹשֵׁב בָּהֵן אִישׁ׃ ואתי וְאַתְּ שָׁדוּד מַה־תַּעֲשִׂי כִּי־תִלְבְּשִׁי
שָׁנִי כִּי־תַעְדִּי עֲדִי־זָהָב כִּי־תִקְרְעִי בַפּוּךְ עֵינַיִךְ לַשָּׁוְא תִּתְיַפִּי
לא מָאֲסוּ־בָךְ עֹגְבִים נַפְשֵׁךְ יְבַקֵּשׁוּ׃ כִּי קוֹל כְּחוֹלָה שָׁמַעְתִּי צָרָה
כְּמַבְכִּירָה קוֹל בַּת־צִיּוֹן תִּתְיַפֵּחַ תְּפָרֵשׂ כַּפֶּיהָ אוֹי־נָא לִי
כִּי־עָיְפָה נַפְשִׁי לְהֹרְגִים׃
ה א שׁוֹטְטוּ בְּחוּצוֹת יְרוּשָׁלַםִ וּרְאוּ־נָא וּדְעוּ וּבַקְשׁוּ בִרְחוֹבוֹתֶיהָ סֵרוּב הָעָם לִשְׁמֹעַ לְיִרְמְיָהוּ׃
אִם־תִּמְצְאוּ אִישׁ אִם־יֵשׁ עֹשֶׂה מִשְׁפָּט מְבַקֵּשׁ אֱמוּנָה וְאֶסְלַח
ב ג לָהּ׃ וְאִם חַי־יְהוָה יֹאמֵרוּ לָכֵן לַשֶּׁקֶר יִשָּׁבֵעוּ׃ יְהוָה עֵינֶיךָ

הֲלוֹא לֶאֱמוּנָה הִכִּיתָה אֹתָם וְלֹא־חָלוּ כִּלִּיתָם מֵאֲנוּ קַחַת מוּסָר
חִזְּקוּ פְנֵיהֶם מִסֶּלַע מֵאֲנוּ לָשׁוּב: וַאֲנִי אָמַרְתִּי אַךְ־דַּלִּים הֵם ד
נוֹאֲלוּ כִּי לֹא יָדְעוּ דֶּרֶךְ יְהֹוָה מִשְׁפַּט אֱלֹהֵיהֶם: אֵלְכָה־לִּי ה
אֶל־הַגְּדֹלִים וַאֲדַבְּרָה אוֹתָם כִּי הֵמָּה יָדְעוּ דֶּרֶךְ יְהֹוָה מִשְׁפַּט
אֱלֹהֵיהֶם אַךְ הֵמָּה יַחְדָּו שָׁבְרוּ עֹל נִתְּקוּ מוֹסֵרוֹת: עַל־כֵּן הִכָּם ו
אַרְיֵה מִיַּעַר זְאֵב עֲרָבוֹת יְשָׁדְדֵם נָמֵר שֹׁקֵד עַל־עָרֵיהֶם כָּל־
הַיּוֹצֵא מֵהֵנָּה יִטָּרֵף כִּי רַבּוּ פִּשְׁעֵיהֶם עָצְמוּ מְשֻׁבוֹתֵיהֶם: אֵי לָזֹאת ז
אסלוח אֶסְלַח־לָךְ בָּנַיִךְ עֲזָבוּנִי וַיִּשָּׁבְעוּ בְּלֹא אֱלֹהִים וָאַשְׂבִּעַ אוֹתָם
וַיִּנְאָפוּ וּבֵית זוֹנָה יִתְגּוֹדָדוּ: סוּסִים מְיֻזָּנִים מַשְׁכִּים הָיוּ אִישׁ ח
אֶל־אֵשֶׁת רֵעֵהוּ יִצְהָלוּ: הַעַל־אֵלֶּה לוֹא־אֶפְקֹד נְאֻם־יְהֹוָה וְאִם ט
בְּגוֹי אֲשֶׁר־כָּזֶה לֹא תִתְנַקֵּם נַפְשִׁי: עֲלוּ בְשָׁרוֹתֶיהָ י
וְשַׁחֵתוּ וְכָלָה אַל־תַּעֲשׂוּ הָסִירוּ נְטִישׁוֹתֶיהָ כִּי לוֹא לַיהֹוָה הֵמָּה:
כִּי בָּגוֹד בָּגְדוּ בִּי בֵּית יִשְׂרָאֵל וּבֵית יְהוּדָה נְאֻם־יְהֹוָה: כִּחֲשׁוּ יא יב

הַפֻּרְעָנוּת, תּוֹצְאַת בְּגִידַת הָעָם:

בַּיהֹוָה וַיֹּאמְרוּ לוֹא־הוּא וְלֹא־תָבוֹא עָלֵינוּ רָעָה וְחֶרֶב וְרָעָב
לוֹא נִרְאֶה: וְהַנְּבִיאִים יִהְיוּ לְרוּחַ וְהַדִּבֵּר אֵין בָּהֶם כֹּה יֵעָשֶׂה יג
לָהֶם: לָכֵן כֹּה־אָמַר יְהֹוָה אֱלֹהֵי צְבָאוֹת יַעַן דַּבֶּרְכֶם יד
אֶת־הַדָּבָר הַזֶּה הִנְנִי נֹתֵן דְּבָרַי בְּפִיךָ לְאֵשׁ וְהָעָם הַזֶּה עֵצִים

תֵּאוּר הַחֻרְבָּן וְסִבּוֹתָיו:

וַאֲכָלָתַם: הִנְנִי מֵבִיא עֲלֵיכֶם גּוֹי מִמֶּרְחָק בֵּית יִשְׂרָאֵל נְאֻם־ טו
יְהֹוָה גּוֹי ׀ אֵיתָן הוּא גּוֹי מֵעוֹלָם הוּא גּוֹי לֹא־תֵדַע לְשֹׁנוֹ וְלֹא
תִשְׁמַע מַה־יְדַבֵּר: אַשְׁפָּתוֹ כְּקֶבֶר פָּתוּחַ כֻּלָּם גִּבּוֹרִים: וְאָכַל טז יז
קְצִירְךָ וְלַחְמֶךָ יֹאכְלוּ בָּנֶיךָ וּבְנוֹתֶיךָ יֹאכַל צֹאנְךָ וּבְקָרֶךָ יֹאכַל
גַּפְנְךָ וּתְאֵנָתֶךָ יְרֹשֵׁשׁ עָרֵי מִבְצָרֶיךָ אֲשֶׁר אַתָּה בֹּטֵחַ בָּהֵנָּה
בֶּחָרֶב: וְגַם בַּיָּמִים הָהֵמָּה נְאֻם־יְהֹוָה לֹא־אֶעֱשֶׂה אִתְּכֶם כָּלָה: יח
וְהָיָה כִּי תֹאמְרוּ תַּחַת מֶה עָשָׂה יְהֹוָה אֱלֹהֵינוּ לָנוּ אֶת־כָּל־אֵלֶּה יט
וְאָמַרְתָּ אֲלֵיהֶם כַּאֲשֶׁר עֲזַבְתֶּם אוֹתִי וַתַּעַבְדוּ אֱלֹהֵי נֵכָר

בְּאַרְצְכֶם כֵּן תַּעַבְדוּ זָרִים בְּאֶרֶץ לֹא לָכֶם:
כ כא הַגִּידוּ זֹאת בְּבֵית יַעֲקֹב וְהַשְׁמִיעוּהָ בִיהוּדָה לֵאמֹר: שִׁמְעוּ־נָא
זֹאת עַם סָכָל וְאֵין לֵב עֵינַיִם לָהֶם וְלֹא יִרְאוּ אָזְנַיִם לָהֶם וְלֹא
כב יִשְׁמָעוּ: הַאוֹתִי לֹא־תִירָאוּ נְאֻם־יְהוָה אִם מִפָּנַי לֹא תָחִילוּ
אֲשֶׁר־שַׂמְתִּי חוֹל גְּבוּל לַיָּם חָק־עוֹלָם וְלֹא יַעַבְרֶנְהוּ וַיִּתְגָּעֲשׁוּ
כג וְלֹא יוּכָלוּ וְהָמוּ גַלָּיו וְלֹא יַעַבְרֻנְהוּ: וְלָעָם הַזֶּה הָיָה לֵב סוֹרֵר
כד וּמוֹרֶה סָרוּ וַיֵּלֵכוּ: וְלוֹא־אָמְרוּ בִלְבָבָם נִירָא נָא אֶת־יְהוָה
אֱלֹהֵינוּ הַנֹּתֵן גֶּשֶׁם וירה יוֹרֶה וּמַלְקוֹשׁ בְּעִתּוֹ שְׁבֻעֹת חֻקּוֹת קָצִיר
כה יִשְׁמָר־לָנוּ: עֲוֺנוֹתֵיכֶם הִטּוּ־אֵלֶּה וְחַטֹּאותֵיכֶם מָנְעוּ הַטּוֹב מִכֶּם:
כו כִּי־נִמְצְאוּ בְעַמִּי רְשָׁעִים יָשׁוּר כְּשַׁךְ יְקוּשִׁים הִצִּיבוּ מַשְׁחִית
כז אֲנָשִׁים יִלְכֹּדוּ: כִּכְלוּב מָלֵא עוֹף כֵּן בָּתֵּיהֶם מְלֵאִים מִרְמָה
כח עַל־כֵּן גָּדְלוּ וַיַּעֲשִׁירוּ: שָׁמְנוּ עָשְׁתוּ גַּם עָבְרוּ דִבְרֵי־רָע דִּין
כט לֹא־דָנוּ דִּין יָתוֹם וְיַצְלִיחוּ וּמִשְׁפַּט אֶבְיוֹנִים לֹא שָׁפָטוּ: הַעַל־
אֵלֶּה לֹא־אֶפְקֹד נְאֻם־יְהוָה אִם בְּגוֹי אֲשֶׁר־כָּזֶה לֹא תִתְנַקֵּם
ל נַפְשִׁי: שַׁמָּה וְשַׁעֲרוּרָה נִהְיְתָה
לא בָּאָרֶץ: הַנְּבִאִים נִבְּאוּ בַשֶּׁקֶר וְהַכֹּהֲנִים יִרְדּוּ עַל־יְדֵיהֶם וְעַמִּי
ו א אָהֲבוּ כֵן וּמַה־תַּעֲשׂוּ לְאַחֲרִיתָהּ: הָעִזוּ בְּנֵי בִנְיָמִן מִקֶּרֶב
יְרוּשָׁלַםִ וּבִתְקוֹעַ תִּקְעוּ שׁוֹפָר וְעַל־בֵּית הַכֶּרֶם שְׂאוּ מַשְׂאֵת
ב כִּי רָעָה נִשְׁקְפָה מִצָּפוֹן וְשֶׁבֶר גָּדוֹל: הַנָּוָה וְהַמְּעֻנָּגָה דָּמִיתִי
ג בַּת־צִיּוֹן: אֵלֶיהָ יָבֹאוּ רֹעִים וְעֶדְרֵיהֶם תָּקְעוּ עָלֶיהָ אֹהָלִים סָבִיב
ד רָעוּ אִישׁ אֶת־יָדוֹ: קַדְּשׁוּ עָלֶיהָ מִלְחָמָה קוּמוּ וְנַעֲלֶה בַצָּהֳרָיִם
ה אוֹי לָנוּ כִּי־פָנָה הַיּוֹם כִּי יִנָּטוּ צִלְלֵי־עָרֶב: קוּמוּ וְנַעֲלֶה בַלַּיְלָה
וְנַשְׁחִיתָה אַרְמְנוֹתֶיהָ:
ו כִּי כֹה אָמַר יְהוָה צְבָאוֹת כִּרְתוּ עֵצָה וְשִׁפְכוּ עַל־יְרוּשָׁלַםִ סֹלְלָה
ז הִיא הָעִיר הָפְקַד כֻּלָּהּ עֹשֶׁק בְּקִרְבָּהּ: כְּהָקִיר בור בַּיִר מֵימֶיהָ

כְּפִיּוּת הַטּוֹבָה לֹא תִסָּלַח:

אַזְהָרָה מִפְּנֵי הָאוֹיֵב:

כֵּן הֵקֵרָה רָעָתָהּ חָמָס וָשֹׁד יִשָּׁמַע בָּהּ עַל־פָּנַי תָּמִיד חֳלִי
ח וּמַכָּה: הִוָּסְרִי יְרוּשָׁלִַם פֶּן־תֵּקַע נַפְשִׁי מִמֵּךְ פֶּן־אֲשִׂימֵךְ שְׁמָמָה
אֶרֶץ לוֹא נוֹשָׁבָה:

הַסִּבּוֹת לַפֻּרְעָנוּת:
ט כֹּה אָמַר יְהוָה צְבָאוֹת עוֹלֵל יְעוֹלְלוּ כַגֶּפֶן שְׁאֵרִית יִשְׂרָאֵל הָשֵׁב
י יָדְךָ כְּבוֹצֵר עַל־סַלְסִלּוֹת: עַל־מִי אֲדַבְּרָה וְאָעִידָה וְיִשְׁמָעוּ
הִנֵּה עֲרֵלָה אָזְנָם וְלֹא יוּכְלוּ לְהַקְשִׁיב הִנֵּה דְבַר־יְהוָה הָיָה לָהֶם
יא לְחֶרְפָּה לֹא יַחְפְּצוּ־בוֹ: וְאֵת חֲמַת יְהוָה ׀ מָלֵאתִי נִלְאֵיתִי הָכִיל
שְׁפֹךְ עַל־עוֹלָל בַּחוּץ וְעַל סוֹד בַּחוּרִים יַחְדָּו כִּי־גַם־אִישׁ
יב עִם־אִשָּׁה יִלָּכֵדוּ זָקֵן עִם־מְלֵא יָמִים: וְנָסַבּוּ בָתֵּיהֶם לַאֲחֵרִים
שָׂדוֹת וְנָשִׁים יַחְדָּו כִּי־אַטֶּה אֶת־יָדִי עַל־יֹשְׁבֵי הָאָרֶץ נְאֻם־יְהוָה:
יג כִּי מִקְּטַנָּם וְעַד־גְּדוֹלָם כֻּלּוֹ בּוֹצֵעַ בָּצַע וּמִנָּבִיא וְעַד־כֹּהֵן כֻּלּוֹ
יד עֹשֶׂה שָּׁקֶר: וַיְרַפְּאוּ אֶת־שֶׁבֶר עַמִּי עַל־נְקַלָּה לֵאמֹר שָׁלוֹם ׀
טו שָׁלוֹם וְאֵין שָׁלוֹם: הֹבִישׁוּ כִּי תוֹעֵבָה עָשׂוּ גַּם־בּוֹשׁ לֹא־יֵבוֹשׁוּ
גַּם־הַכְלִים לֹא יָדָעוּ לָכֵן יִפְּלוּ בַנֹּפְלִים בְּעֵת־פְּקַדְתִּים יִכָּשְׁלוּ

תּוֹכָחָה עַל הַחֲטָאִים לַמְרוֹת הָאַזְהָרוֹת:
טז אָמַר יְהוָה: כֹּה אָמַר יְהוָה עִמְדוּ עַל־דְּרָכִים וּרְאוּ
וְשַׁאֲלוּ ׀ לִנְתִבוֹת עוֹלָם אֵי־זֶה דֶרֶךְ הַטּוֹב וּלְכוּ־בָהּ וּמִצְאוּ
יז מַרְגּוֹעַ לְנַפְשְׁכֶם וַיֹּאמְרוּ לֹא נֵלֵךְ: וַהֲקִמֹתִי עֲלֵיכֶם צֹפִים
יח הַקְשִׁיבוּ לְקוֹל שׁוֹפָר וַיֹּאמְרוּ לֹא נַקְשִׁיב: לָכֵן שִׁמְעוּ הַגּוֹיִם
יט וּדְעִי עֵדָה אֶת־אֲשֶׁר־בָּם: שִׁמְעִי הָאָרֶץ הִנֵּה אָנֹכִי מֵבִיא רָעָה
אֶל־הָעָם הַזֶּה פְּרִי מַחְשְׁבוֹתָם כִּי עַל־דְּבָרַי לֹא הִקְשִׁיבוּ וְתוֹרָתִי
כ וַיִּמְאֲסוּ־בָהּ: לָמָּה־זֶּה לִי לְבוֹנָה מִשְּׁבָא תָבוֹא וְקָנֶה הַטּוֹב
כא מֵאֶרֶץ מֶרְחָק עֹלוֹתֵיכֶם לֹא לְרָצוֹן וְזִבְחֵיכֶם לֹא־עָרְבוּ לִי: לָכֵן
כֹּה אָמַר יְהוָה הִנְנִי נֹתֵן אֶל־הָעָם הַזֶּה מִכְשֹׁלִים וְכָשְׁלוּ בָם
אָבוֹת וּבָנִים יַחְדָּו שָׁכֵן וְרֵעוֹ יאבדו וְאָבָדוּ:

תֵּאוּר בֹּא הָאוֹיֵב:
כב כֹּה אָמַר יְהוָה הִנֵּה עַם בָּא מֵאֶרֶץ צָפוֹן וְגוֹי גָּדוֹל יֵעוֹר

כג מִיַּרְכְּתֵי־אָֽרֶץ׃ קֶשֶׁת וְכִידוֹן יַחֲזִיקוּ אַכְזָרִי הוּא וְלֹא יְרַחֵמוּ
קוֹלָם כַּיָּם יֶהֱמֶה וְעַל־סוּסִים יִרְכָּבוּ עָרוּךְ כְּאִישׁ לַמִּלְחָמָה
כד עָלַיִךְ בַּת־צִיּֽוֹן׃ שָׁמַעְנוּ אֶת־שָׁמְעוֹ רָפוּ יָדֵינוּ צָרָה הֶחֱזִקַתְנוּ
כה חִיל כַּיּוֹלֵדָֽה׃ אַל־תֵּצְאוּ תצאי הַשָּׂדֶה וּבַדֶּרֶךְ אַל־תֵּלֵכוּ תלכי כִּי
כו חֶרֶב לְאֹיֵב מָגוֹר מִסָּבִֽיב׃ בַּת־עַמִּי חִגְרִי־שָׂק וְהִתְפַּלְּשִׁי בָאֵפֶר
אֵבֶל יָחִיד עֲשִׂי־לָךְ מִסְפַּד תַּמְרוּרִים כִּי פִתְאֹם יָבֹא הַשֹּׁדֵד
כז עָלֵֽינוּ׃ בָּחוֹן נְתַתִּיךָ בְעַמִּי מִבְצָר וְתֵדַע וּבָחַנְתָּ אֶת־דַּרְכָּֽם׃
כח כֻּלָּם סָרֵי סוֹרְרִים הֹלְכֵי רָכִיל נְחֹשֶׁת וּבַרְזֶל כֻּלָּם מַשְׁחִיתִים
כט הֵֽמָּה׃ נָחַר מַפֻּחַ מאשתם מֵאֵשׁ תַּם עֹפָרֶת לַשָּׁוְא צָרַף צָרוֹף
ל וְרָעִים לֹא נִתָּֽקוּ׃ כֶּסֶף נִמְאָס קָרְאוּ לָהֶם כִּֽי־מָאַס יְהוָה
בָּהֶֽם׃

ז א ב הַדָּבָר אֲשֶׁר הָיָה אֶֽל־יִרְמְיָהוּ מֵאֵת יְהוָה לֵאמֹֽר׃ עֲמֹד בְּשַׁעַר קְרִיאָה לִתְשׁוּבָה וּלְצֶדֶק:
בֵּית יְהוָה וְקָרָאתָ שָּׁם אֶת־הַדָּבָר הַזֶּה וְאָמַרְתָּ שִׁמְעוּ דְבַר־
יְהוָה כָּל־יְהוּדָה הַבָּאִים בַּשְּׁעָרִים הָאֵלֶּה לְהִֽשְׁתַּחֲוֺת
ג לַֽיהוָֽה׃ כֹּה־אָמַר יְהוָה צְבָאוֹת אֱלֹהֵי יִשְׂרָאֵל הֵיטִיבוּ
ד דַרְכֵיכֶם וּמַעַלְלֵיכֶם וַאֲשַׁכְּנָה אֶתְכֶם בַּמָּקוֹם הַזֶּֽה׃ אַל־תִּבְטְחוּ
לָכֶם אֶל־דִּבְרֵי הַשֶּׁקֶר לֵאמֹר הֵיכַל יְהוָה הֵיכַל יְהוָה הֵיכַל יְהוָה
ה הֵֽמָּה׃ כִּי אִם־הֵיטֵיב תֵּיטִיבוּ אֶת־דַּרְכֵיכֶם וְאֶת־מַעַלְלֵיכֶם
ו אִם־עָשׂוֹ תַעֲשׂוּ מִשְׁפָּט בֵּין אִישׁ וּבֵין רֵעֵֽהוּ׃ גֵּר יָתוֹם וְאַלְמָנָה
לֹא תַעֲשֹׁקוּ וְדָם נָקִי אַל־תִּשְׁפְּכוּ בַּמָּקוֹם הַזֶּה וְאַחֲרֵי אֱלֹהִים
ז אֲחֵרִים לֹא תֵלְכוּ לְרַע לָכֶֽם׃ וְשִׁכַּנְתִּי אֶתְכֶם בַּמָּקוֹם הַזֶּה בָּאָרֶץ
ח אֲשֶׁר נָתַתִּי לַאֲבוֹתֵיכֶם לְמִן־עוֹלָם וְעַד־עוֹלָֽם׃ הִנֵּה אַתֶּם הַכְנָסַת הַתּוֹעֵבוֹת לְתוֹךְ הַמִּקְדָּשׁ:
ט בֹּטְחִים לָכֶם עַל־דִּבְרֵי הַשָּׁקֶר לְבִלְתִּי הוֹעִֽיל׃ הֲגָנֹב ׀ רָצֹחַ
וְנָאֹף וְהִשָּׁבֵעַ לַשֶּׁקֶר וְקַטֵּר לַבָּעַל וְהָלֹךְ אַחֲרֵי אֱלֹהִים אֲחֵרִים
י אֲשֶׁר לֹֽא־יְדַעְתֶּֽם׃ וּבָאתֶם וַעֲמַדְתֶּם לְפָנַי בַּבַּיִת הַזֶּה אֲשֶׁר

נִקְרָא־שְׁמִי עָלָיו וַאֲמַרְתֶּם נִצַּלְנוּ לְמַעַן עֲשׂוֹת אֵת כָּל־הַתּוֹעֵבוֹת
יא הָאֵלֶּה: הַמְעָרַת פָּרִצִים הָיָה הַבַּיִת הַזֶּה אֲשֶׁר־נִקְרָא־שְׁמִי עָלָיו
יב בְּעֵינֵיכֶם גַּם אָנֹכִי הִנֵּה רָאִיתִי נְאֻם־יְהוָה: כִּי לְכוּ־נָא אֶל־מְקוֹמִי
אֲשֶׁר בְּשִׁילוֹ אֲשֶׁר שִׁכַּנְתִּי שְׁמִי שָׁם בָּרִאשׁוֹנָה וּרְאוּ אֵת אֲשֶׁר־
יג עָשִׂיתִי לוֹ מִפְּנֵי רָעַת עַמִּי יִשְׂרָאֵל: וְעַתָּה יַעַן עֲשׂוֹתְכֶם אֶת־כָּל־
הַמַּעֲשִׂים הָאֵלֶּה נְאֻם־יְהוָה וָאֲדַבֵּר אֲלֵיכֶם הַשְׁכֵּם וְדַבֵּר וְלֹא
יד שְׁמַעְתֶּם וָאֶקְרָא אֶתְכֶם וְלֹא עֲנִיתֶם: וְעָשִׂיתִי לַבַּיִת ׀ אֲשֶׁר
נִקְרָא־שְׁמִי עָלָיו אֲשֶׁר אַתֶּם בֹּטְחִים בּוֹ וְלַמָּקוֹם אֲשֶׁר־נָתַתִּי לָכֶם
טו וְלַאֲבוֹתֵיכֶם כַּאֲשֶׁר עָשִׂיתִי לְשִׁלוֹ: וְהִשְׁלַכְתִּי אֶתְכֶם מֵעַל פָּנָי
כַּאֲשֶׁר הִשְׁלַכְתִּי אֶת־כָּל־אֲחֵיכֶם אֵת כָּל־זֶרַע אֶפְרָיִם:

כַּעַס ה׳ עַל עֲבוֹדָה זָרָה:

טז וְאַתָּה אַל־תִּתְפַּלֵּל ׀ בְּעַד־הָעָם הַזֶּה וְאַל־תִּשָּׂא בַעֲדָם רִנָּה
יז וּתְפִלָּה וְאַל־תִּפְגַּע־בִּי כִּי־אֵינֶנִּי שֹׁמֵעַ אֹתָךְ: הַאֵינְךָ רֹאֶה מָה
יח הֵמָּה עֹשִׂים בְּעָרֵי יְהוּדָה וּבְחֻצוֹת יְרוּשָׁלִָם: הַבָּנִים מְלַקְּטִים
עֵצִים וְהָאָבוֹת מְבַעֲרִים אֶת־הָאֵשׁ וְהַנָּשִׁים לָשׁוֹת בָּצֵק לַעֲשׂוֹת
כַּוָּנִים לִמְלֶכֶת הַשָּׁמַיִם וְהַסֵּךְ נְסָכִים לֵאלֹהִים אֲחֵרִים לְמַעַן
יט הַכְעִסֵנִי: הַאֹתִי הֵם מַכְעִסִים נְאֻם־יְהוָה הֲלוֹא אֹתָם לְמַעַן בֹּשֶׁת
כ פְּנֵיהֶם: לָכֵן כֹּה־אָמַר ׀ אֲדֹנָי יֱהוִה הִנֵּה אַפִּי וַחֲמָתִי נִתֶּכֶת
אֶל־הַמָּקוֹם הַזֶּה עַל־הָאָדָם וְעַל־הַבְּהֵמָה וְעַל־עֵץ הַשָּׂדֶה
וְעַל־פְּרִי הָאֲדָמָה וּבָעֲרָה וְלֹא תִכְבֶּה:

שְׁמַע מִזֶּבַח טוֹב:

כא כֹּה אָמַר יְהוָה צְבָאוֹת אֱלֹהֵי יִשְׂרָאֵל עֹלוֹתֵיכֶם סְפוּ עַל־זִבְחֵיכֶם
כב וְאִכְלוּ בָשָׂר: כִּי לֹא־דִבַּרְתִּי אֶת־אֲבוֹתֵיכֶם וְלֹא צִוִּיתִים בְּיוֹם
כג הוציא הוֹצִיאִי אוֹתָם מֵאֶרֶץ מִצְרָיִם עַל־דִּבְרֵי עוֹלָה וָזָבַח: כִּי
אִם־אֶת־הַדָּבָר הַזֶּה צִוִּיתִי אוֹתָם לֵאמֹר שִׁמְעוּ בְקוֹלִי וְהָיִיתִי
לָכֶם לֵאלֹהִים וְאַתֶּם תִּהְיוּ־לִי לְעָם וַהֲלַכְתֶּם בְּכָל־הַדֶּרֶךְ
כד אֲשֶׁר אֲצַוֶּה אֶתְכֶם לְמַעַן יִיטַב לָכֶם: וְלֹא שָׁמְעוּ וְלֹא־הִטּוּ

אֶת־אָזְנָם וַיֵּלְכוּ בְּמֹעֵצוֹת בִּשְׁרִרוּת לִבָּם הָרָע וַיִּהְיוּ לְאָחוֹר
כה וְלֹא לְפָנִים׃ לְמִן־הַיּוֹם אֲשֶׁר יָצְאוּ אֲבוֹתֵיכֶם מֵאֶרֶץ מִצְרַיִם עַד
הַיּוֹם הַזֶּה וָאֶשְׁלַח אֲלֵיכֶם אֶת־כָּל־עֲבָדַי הַנְּבִיאִים יוֹם הַשְׁכֵּם
כו וְשָׁלֹחַ׃ וְלוֹא שָׁמְעוּ אֵלַי וְלֹא הִטּוּ אֶת־אָזְנָם וַיַּקְשׁוּ אֶת־עָרְפָּם
כז הֵרֵעוּ מֵאֲבוֹתָם׃ וְדִבַּרְתָּ אֲלֵיהֶם אֶת־כָּל־הַדְּבָרִים הָאֵלֶּה וְלֹא
כח יִשְׁמְעוּ אֵלֶיךָ וְקָרָאתָ אֲלֵיהֶם וְלֹא יַעֲנוּכָה׃ וְאָמַרְתָּ אֲלֵיהֶם זֶה
הַגּוֹי אֲשֶׁר לוֹא־שָׁמְעוּ בְּקוֹל יְהוָה אֱלֹהָיו וְלֹא לָקְחוּ מוּסָר
כט אָבְדָה הָאֱמוּנָה וְנִכְרְתָה מִפִּיהֶם׃ גָּזִּי נִזְרֵךְ וְהַשְׁלִיכִי
וּשְׂאִי עַל־שְׁפָיִם קִינָה כִּי מָאַס יְהוָה וַיִּטֹּשׁ אֶת־דּוֹר עֶבְרָתוֹ׃
ל כִּי־עָשׂוּ בְנֵי־יְהוּדָה הָרַע בְּעֵינַי נְאֻם־יְהוָה שָׂמוּ שִׁקּוּצֵיהֶם בַּבַּיִת
לא אֲשֶׁר־נִקְרָא־שְׁמִי עָלָיו לְטַמְּאוֹ׃ וּבָנוּ בָּמוֹת הַתֹּפֶת אֲשֶׁר בְּגֵיא
בֶן־הִנֹּם לִשְׂרֹף אֶת־בְּנֵיהֶם וְאֶת־בְּנֹתֵיהֶם בָּאֵשׁ אֲשֶׁר לֹא צִוִּיתִי
וְלֹא עָלְתָה עַל־לִבִּי׃

הָעֹנֶשׁ הַצָּפוּי לְעוֹבְרֵי עֲבֵרָה׃

לב לָכֵן הִנֵּה־יָמִים בָּאִים נְאֻם־יְהוָה וְלֹא־יֵאָמֵר עוֹד הַתֹּפֶת וְגֵיא
לג בֶן־הִנֹּם כִּי אִם־גֵּיא הַהֲרֵגָה וְקָבְרוּ בְתֹפֶת מֵאֵין מָקוֹם׃ וְהָיְתָה
נִבְלַת הָעָם הַזֶּה לְמַאֲכָל לְעוֹף הַשָּׁמַיִם וּלְבֶהֱמַת הָאָרֶץ וְאֵין
לד מַחֲרִיד׃ וְהִשְׁבַּתִּי ׀ מֵעָרֵי יְהוּדָה וּמֵחֻצוֹת יְרוּשָׁלִַם קוֹל שָׂשׂוֹן
וְקוֹל שִׂמְחָה קוֹל חָתָן וְקוֹל כַּלָּה כִּי לְחָרְבָּה תִּהְיֶה הָאָרֶץ׃
ח א בָּעֵת הַהִיא נְאֻם־יְהוָה ויציאו יוֹצִיאוּ אֶת־עַצְמוֹת מַלְכֵי־
יְהוּדָה וְאֶת־עַצְמוֹת־שָׂרָיו וְאֶת־עַצְמוֹת הַכֹּהֲנִים וְאֵת ׀ עַצְמוֹת
ב הַנְּבִיאִים וְאֵת עַצְמוֹת יוֹשְׁבֵי־יְרוּשָׁלִָם מִקִּבְרֵיהֶם׃ וּשְׁטָחוּם
לַשֶּׁמֶשׁ וְלַיָּרֵחַ וּלְכֹל ׀ צְבָא הַשָּׁמַיִם אֲשֶׁר אֲהֵבוּם וַאֲשֶׁר
עֲבָדוּם וַאֲשֶׁר הָלְכוּ אַחֲרֵיהֶם וַאֲשֶׁר דְּרָשׁוּם וַאֲשֶׁר הִשְׁתַּחֲווּ
ג לָהֶם לֹא יֵאָסְפוּ וְלֹא יִקָּבֵרוּ לְדֹמֶן עַל־פְּנֵי הָאֲדָמָה יִהְיוּ׃ וְנִבְחַר
מָוֶת מֵחַיִּים לְכֹל הַשְּׁאֵרִית הַנִּשְׁאָרִים מִן־הַמִּשְׁפָּחָה הָרָעָה

הַזֹּאת בְּכָל־הַמְּקֹמוֹת הַנִּשְׁאָרִים אֲשֶׁר הִדַּחְתִּים שָׁם נְאֻם יְהוָה
ד צְבָאוֹת: וְאָמַרְתָּ אֲלֵיהֶם כֹּה אָמַר יְהוָה הֲיִפְּלוּ וְלֹא
ה יָקוּמוּ אִם־יָשׁוּב וְלֹא יָשׁוּב: מַדּוּעַ שׁוֹבְבָה הָעָם הַזֶּה יְרוּשָׁלַםִ
ו מְשֻׁבָה נִצַּחַת הֶחֱזִיקוּ בַּתַּרְמִת מֵאֲנוּ לָשׁוּב: הִקְשַׁבְתִּי וָאֶשְׁמָע
לוֹא־כֵן יְדַבֵּרוּ אֵין אִישׁ נִחָם עַל־רָעָתוֹ לֵאמֹר מֶה עָשִׂיתִי כֻּלֹּה
ז שָׁב במרצותם בִּמְרוּצָתָם כְּסוּס שׁוֹטֵף בַּמִּלְחָמָה: גַּם־חֲסִידָה
בַשָּׁמַיִם יָדְעָה מוֹעֲדֶיהָ וְתֹר וסוס וְסִיס וְעָגוּר שָׁמְרוּ אֶת־עֵת
ח בֹּאָנָה וְעַמִּי לֹא יָדְעוּ אֵת מִשְׁפַּט יְהוָה: אֵיכָה תֹאמְרוּ חֲכָמִים
אֲנַחְנוּ וְתוֹרַת יְהוָה אִתָּנוּ אָכֵן הִנֵּה לַשֶּׁקֶר עָשָׂה עֵט שֶׁקֶר
ט סֹפְרִים: הֹבִשׁוּ חֲכָמִים חַתּוּ וַיִּלָּכֵדוּ הִנֵּה בִדְבַר־יְהוָה מָאָסוּ
י וְחָכְמַת מֶה לָהֶם: לָכֵן אֶתֵּן אֶת־נְשֵׁיהֶם לַאֲחֵרִים שְׂדוֹתֵיהֶם
לְיוֹרְשִׁים כִּי מִקָּטֹן וְעַד־גָּדוֹל כֻּלֹּה בֹּצֵעַ בָּצַע מִנָּבִיא וְעַד־כֹּהֵן
יא כֻּלֹּה עֹשֶׂה שָּׁקֶר: וַיְרַפּוּ אֶת־שֶׁבֶר בַּת־עַמִּי עַל־נְקַלָּה לֵאמֹר
יב שָׁלוֹם ׀ שָׁלוֹם וְאֵין שָׁלוֹם: הֹבִשׁוּ כִּי תוֹעֵבָה עָשׂוּ גַּם־בּוֹשׁ
לֹא־יֵבֹשׁוּ וְהִכָּלֵם לֹא יָדָעוּ לָכֵן יִפְּלוּ בַנֹּפְלִים בְּעֵת פְּקֻדָּתָם
יִכָּשְׁלוּ אָמַר יְהוָה:

תּוֹכָחָה לַנִּמְנָעִים מִתְּשׁוּבָה:

יג אָסֹף אֲסִיפֵם נְאֻם־יְהוָה אֵין עֲנָבִים בַּגֶּפֶן וְאֵין תְּאֵנִים בַּתְּאֵנָה
יד וְהֶעָלֶה נָבֵל וָאֶתֵּן לָהֶם יַעַבְרוּם: עַל־מָה אֲנַחְנוּ יֹשְׁבִים הֵאָסְפוּ
וְנָבוֹא אֶל־עָרֵי הַמִּבְצָר וְנִדְּמָה־שָּׁם כִּי יְהוָה אֱלֹהֵינוּ הֲדִמָּנוּ
טו וַיַּשְׁקֵנוּ מֵי־רֹאשׁ כִּי חָטָאנוּ לַיהוָה: קַוֵּה לְשָׁלוֹם וְאֵין טוֹב לְעֵת
טז מַרְפֵּה וְהִנֵּה בְעָתָה: מִדָּן נִשְׁמַע נַחְרַת סוּסָיו מִקּוֹל מִצְהֲלוֹת
אַבִּירָיו רָעֲשָׁה כָּל־הָאָרֶץ וַיָּבוֹאוּ וַיֹּאכְלוּ אֶרֶץ וּמְלוֹאָהּ עִיר
וְיֹשְׁבֵי בָהּ:
יז כִּי הִנְנִי מְשַׁלֵּחַ בָּכֶם נְחָשִׁים צִפְעֹנִים אֲשֶׁר אֵין־לָהֶם לָחַשׁ
יח וְנִשְּׁכוּ אֶתְכֶם נְאֻם־יְהוָה: מַבְלִיגִיתִי

תֵּאוּר הַחֻרְבָּן:

יט עֲלֵי יָגוֹן עָלַי לִבִּי דַוָּי: הִנֵּה־קוֹל שַׁוְעַת בַּת־עַמִּי מֵאֶרֶץ חָזוֹן הַחֻרְבָּן
מַרְחַקִּים הַיהוָה אֵין בְּצִיּוֹן אִם־מַלְכָּהּ אֵין בָּהּ מַדּוּעַ וְצַעַר הַנָּבִיא:
כ הִכְעִסוּנִי בִּפְסִלֵיהֶם בְּהַבְלֵי נֵכָר: עָבַר קָצִיר כָּלָה קָיִץ וַאֲנַחְנוּ
כא לוֹא נוֹשָׁעְנוּ: עַל־שֶׁבֶר בַּת־עַמִּי הָשְׁבָּרְתִּי קָדַרְתִּי שַׁמָּה
כב הֶחֱזִקָתְנִי: הַצֳרִי אֵין בְּגִלְעָד אִם־רֹפֵא אֵין שָׁם כִּי מַדּוּעַ לֹא
כג עָלְתָה אֲרֻכַת בַּת־עַמִּי: מִי־יִתֵּן רֹאשִׁי
מַיִם וְעֵינִי מְקוֹר דִּמְעָה וְאֶבְכֶּה יוֹמָם וָלַיְלָה אֵת חַלְלֵי
ט א בַת־עַמִּי: מִי־יִתְּנֵנִי בַמִּדְבָּר מְלוֹן אֹרְחִים וְאֶעֶזְבָה רְצוֹן הַנָּבִיא
ב אֶת־עַמִּי וְאֵלְכָה מֵאִתָּם כִּי כֻלָּם מְנָאֲפִים עֲצֶרֶת בֹּגְדִים: וַיַּדְרְכוּ לְהִתְרַחֵק מֵהָעָם
אֶת־לְשׁוֹנָם קַשְׁתָּם שֶׁקֶר וְלֹא לֶאֱמוּנָה גָּבְרוּ בָאָרֶץ כִּי מֵרָעָה הַחוֹטֵא:
ג אֶל־רָעָה ׀ יָצָאוּ וְאֹתִי לֹא־יָדָעוּ נְאֻם־יְהוָה: אִישׁ מֵרֵעֵהוּ
הִשָּׁמֵרוּ וְעַל־כָּל־אָח אַל־תִּבְטָחוּ כִּי כָל־אָח עָקוֹב יַעְקֹב
ד וְכָל־רֵעַ רָכִיל יַהֲלֹךְ: וְאִישׁ בְּרֵעֵהוּ יְהָתֵלּוּ וֶאֱמֶת לֹא יְדַבֵּרוּ
ה לִמְּדוּ לְשׁוֹנָם דַּבֶּר־שֶׁקֶר הַעֲוֵה נִלְאוּ: שִׁבְתְּךָ בְּתוֹךְ מִרְמָה
ו בְּמִרְמָה מֵאֲנוּ דַעַת־אוֹתִי נְאֻם־יְהוָה: לָכֵן כֹּה אָמַר נִקְמַת ה׳ בַּחוֹטְאִים:
יְהוָה צְבָאוֹת הִנְנִי צוֹרְפָם וּבְחַנְתִּים כִּי־אֵיךְ אֶעֱשֶׂה מִפְּנֵי
ז בַּת־עַמִּי: חֵץ שׁוחט שָׁחוּט לְשׁוֹנָם מִרְמָה דִבֵּר בְּפִיו שָׁלוֹם
ח אֶת־רֵעֵהוּ יְדַבֵּר וּבְקִרְבּוֹ יָשִׂים אָרְבּוֹ: הַעַל־אֵלֶּה לֹא־אֶפְקָד־בָּם
ט נְאֻם־יְהוָה אִם בְּגוֹי אֲשֶׁר־כָּזֶה לֹא תִתְנַקֵּם נַפְשִׁי: עַל־ קִינָה עַל הַחֻרְבָּן:
הֶהָרִים אֶשָּׂא בְכִי וָנֶהִי וְעַל־נְאוֹת מִדְבָּר קִינָה כִּי נִצְּתוּ
מִבְּלִי־אִישׁ עֹבֵר וְלֹא שָׁמְעוּ קוֹל מִקְנֶה מֵעוֹף הַשָּׁמַיִם וְעַד־
י בְּהֵמָה נָדְדוּ הָלָכוּ: וְנָתַתִּי אֶת־יְרוּשָׁלִַם לְגַלִּים מְעוֹן תַּנִּים
יא וְאֶת־עָרֵי יְהוּדָה אֶתֵּן שְׁמָמָה מִבְּלִי יוֹשֵׁב: מִי־הָאִישׁ
הֶחָכָם וְיָבֵן אֶת־זֹאת וַאֲשֶׁר דִּבֶּר פִּי־יְהוָה אֵלָיו וְיַגִּדָהּ עַל־מָה
יב אָבְדָה הָאָרֶץ נִצְּתָה כַמִּדְבָּר מִבְּלִי עֹבֵר: וַיֹּאמֶר יְהוָה

עֲזִיבַת הַתּוֹרָה הַגּוֹרֶם לְחֻרְבָּן:

עַל־עָזְבָם֙ אֶת־תּ֣וֹרָתִ֔י אֲשֶׁ֥ר נָתַ֖תִּי לִפְנֵיהֶ֑ם וְלֹֽא־שָׁמְע֥וּ בְקוֹלִ֖י
וְלֹא־הָ֥לְכוּ בָֽהּ׃ וַיֵּ֣לְכ֔וּ אַחֲרֵ֖י שְׁרִר֣וּת לִבָּ֑ם וְאַֽחֲרֵי֙ הַבְּעָלִ֔ים יג
אֲשֶׁ֥ר לִמְּד֖וּם אֲבוֹתָֽם׃
לָכֵ֡ן כֹּה־אָמַ֞ר יְהוָ֤ה צְבָאוֹת֙ אֱלֹהֵ֣י יִשְׂרָאֵ֔ל הִנְנִ֧י מַאֲכִילָ֛ם יד
אֶת־הָעָ֥ם הַזֶּ֖ה לַעֲנָ֑ה וְהִשְׁקִיתִ֖ים מֵי־רֹֽאשׁ׃ וַהֲפִֽצוֹתִים֙ בַּגּוֹיִ֔ם טו
אֲשֶׁר֙ לֹ֣א יָֽדְע֔וּ הֵ֖מָּה וַאֲבוֹתָ֑ם וְשִׁלַּחְתִּ֤י אַֽחֲרֵיהֶם֙ אֶת־הַחֶ֔רֶב עַ֥ד
כַּלּוֹתִ֖י אוֹתָֽם׃

קְרִיאָה לְקִינָה עַל הַחֻרְבָּן:

כֹּ֤ה אָמַר֙ יְהוָ֣ה צְבָא֔וֹת הִתְבּוֹנְנ֛וּ וְקִרְא֥וּ לַמְקוֹנְנ֖וֹת וּתְבוֹאֶ֑ינָה טז
וְאֶל־הַחֲכָמ֥וֹת שִׁלְח֖וּ וְתָבֽוֹאנָה׃ וּתְמַהֵ֕רְנָה וְתִשֶּׂ֥נָה עָלֵ֖ינוּ נֶ֑הִי יז
וְתֵרַ֤דְנָה עֵינֵ֙ינוּ֙ דִּמְעָ֔ה וְעַפְעַפֵּ֖ינוּ יִזְּלוּ־מָֽיִם׃ כִּ֣י ק֧וֹל נְהִ֛י נִשְׁמַ֥ע יח
מִצִּיּ֖וֹן אֵ֣יךְ שֻׁדָּ֑דְנוּ בֹּ֣שְׁנוּ מְאֹד֙ כִּֽי־עָזַ֣בְנוּ אָ֔רֶץ כִּ֥י הִשְׁלִ֖יכוּ
מִשְׁכְּנוֹתֵֽינוּ׃ כִּֽי־שְׁמַ֤עְנָה יט
נָשִׁים֙ דְּבַר־יְהוָ֔ה וְתִקַּ֥ח אָזְנְכֶ֖ם דְּבַר־פִּ֑יו וְלַמֵּ֤דְנָה בְנֽוֹתֵיכֶם֙ נֶ֔הִי
וְאִשָּׁ֥ה רְעוּתָ֖הּ קִינָֽה׃ כִּי־עָ֤לָה מָ֙וֶת֙ בְּחַלּוֹנֵ֔ינוּ בָּ֖א בְּאַרְמְנוֹתֵ֑ינוּ כ
לְהַכְרִ֤ית עוֹלָל֙ מִח֔וּץ בַּחוּרִ֖ים מֵרְחֹבֽוֹת׃ דַּבֵּ֗ר כֹּ֚ה נְאֻם־יְהוָ֔ה כא
וְנָֽפְלָה֙ נִבְלַ֣ת הָֽאָדָ֔ם כְּדֹ֖מֶן עַל־פְּנֵ֣י הַשָּׂדֶ֑ה וּכְעָמִ֛יר מֵאַחֲרֵ֥י

לְהִתְהַלֵּל רַק בִּידִיעַת ה׳

הַקֹּצֵ֖ר וְאֵ֥ין מְאַסֵּֽף׃ כֹּ֣ה ׀ אָמַ֣ר יְהוָ֗ה כב
אַל־יִתְהַלֵּ֤ל חָכָם֙ בְּחָכְמָת֔וֹ וְאַל־יִתְהַלֵּ֥ל הַגִּבּ֖וֹר בִּגְבֽוּרָת֑וֹ אַל־
יִתְהַלֵּ֥ל עָשִׁ֖יר בְּעָשְׁרֽוֹ׃ כִּ֣י אִם־בְּזֹ֞את יִתְהַלֵּ֣ל הַמִּתְהַלֵּ֗ל הַשְׂכֵּל֮ כג
וְיָדֹ֣עַ אוֹתִי֒ כִּ֚י אֲנִ֣י יְהוָ֔ה עֹ֥שֶׂה חֶ֛סֶד מִשְׁפָּ֥ט וּצְדָקָ֖ה בָּאָ֑רֶץ

נְקָמָה מֵהַחוֹטְאִים וְגַם מֵהָאֻמּוֹת:

כִּֽי־בְאֵ֥לֶּה חָפַ֖צְתִּי נְאֻם־יְהוָֽה׃ הִנֵּ֛ה יָמִ֥ים בָּאִ֖ים נְאֻם־ כד
יְהוָ֑ה וּפָקַדְתִּ֔י עַל־כָּל־מ֖וּל בְּעָרְלָֽה׃ עַל־מִצְרַ֣יִם וְעַל־יְהוּדָ֗ה כה
וְעַל־אֱד֞וֹם וְעַל־בְּנֵ֤י עַמּוֹן֙ וְעַל־מוֹאָ֔ב וְעַל֙ כָּל־קְצוּצֵ֣י פֵאָ֔ה
הַיֹּשְׁבִ֖ים בַּמִּדְבָּ֑ר כִּ֤י כָל־הַגּוֹיִם֙ עֲרֵלִ֔ים וְכָל־בֵּ֥ית יִשְׂרָאֵ֖ל
עַרְלֵי־לֵֽב׃

י א ב שִׁמְעוּ אֶת־הַדָּבָר אֲשֶׁר דִּבֶּר יְהוָה עֲלֵיכֶם בֵּית יִשְׂרָאֵל: כֹּה ׀
אָמַר יְהוָה אֶל־דֶּרֶךְ הַגּוֹיִם אַל־תִּלְמָדוּ וּמֵאֹתוֹת הַשָּׁמַיִם
ג אַל־תֵּחָתּוּ כִּי־יֵחַתּוּ הַגּוֹיִם מֵהֵמָּה: כִּי־חֻקּוֹת הָעַמִּים הֶבֶל הוּא
ד כִּי־עֵץ מִיַּעַר כְּרָתוֹ מַעֲשֵׂה יְדֵי־חָרָשׁ בַּמַּעֲצָד: בְּכֶסֶף וּבְזָהָב
ה יְיַפֵּהוּ בְּמַסְמְרוֹת וּבְמַקָּבוֹת יְחַזְּקוּם וְלוֹא יָפִיק: כְּתֹמֶר מִקְשָׁה
הֵמָּה וְלֹא יְדַבֵּרוּ נָשׂוֹא יִנָּשׂוּא כִּי לֹא יִצְעָדוּ אַל־תִּירְאוּ מֵהֶם
כִּי־לֹא יָרֵעוּ וְגַם־הֵיטֵיב אֵין אוֹתָם:

אֵין לְפַחֵד מֵאוֹתוֹת הַשָּׁמַיִם:

ו ז מֵאֵין כָּמוֹךָ יְהוָה גָּדוֹל אַתָּה וְגָדוֹל שִׁמְךָ בִּגְבוּרָה: מִי לֹא יִרָאֲךָ
מֶלֶךְ הַגּוֹיִם כִּי לְךָ יָאָתָה כִּי בְכָל־חַכְמֵי הַגּוֹיִם וּבְכָל־מַלְכוּתָם
ח ט מֵאֵין כָּמוֹךָ: וּבְאַחַת יִבְעֲרוּ וְיִכְסָלוּ מוּסַר הֲבָלִים עֵץ הוּא: כֶּסֶף
מְרֻקָּע מִתַּרְשִׁישׁ יוּבָא וְזָהָב מֵאוּפָז מַעֲשֵׂה חָרָשׁ וִידֵי צוֹרֵף
י תְּכֵלֶת וְאַרְגָּמָן לְבוּשָׁם מַעֲשֵׂה חֲכָמִים כֻּלָּם: וַיהוָה אֱלֹהִים
אֱמֶת הוּא־אֱלֹהִים חַיִּים וּמֶלֶךְ עוֹלָם מִקִּצְפּוֹ תִּרְעַשׁ הָאָרֶץ
וְלֹא־יָכִלוּ גוֹיִם זַעְמוֹ:

גַּדְלוּת ה' מוּל אַפְסוּת הָאֱלִילִים:

יא כִּדְנָה תֵּאמְרוּן לְהוֹם אֱלָהַיָּא דִּי־שְׁמַיָּא וְאַרְקָא לָא עֲבַדוּ יֵאבַדוּ
יב מֵאַרְעָא וּמִן־תְּחוֹת שְׁמַיָּא אֵלֶּה: עֹשֵׂה
יג אֶרֶץ בְּכֹחוֹ מֵכִין תֵּבֵל בְּחָכְמָתוֹ וּבִתְבוּנָתוֹ נָטָה שָׁמָיִם: לְקוֹל
תִּתּוֹ הֲמוֹן מַיִם בַּשָּׁמַיִם וַיַּעֲלֶה נְשִׂאִים מִקְצֵה ארץ הָאָרֶץ בְּרָקִים
יד לַמָּטָר עָשָׂה וַיּוֹצֵא רוּחַ מֵאֹצְרֹתָיו: נִבְעַר כָּל־אָדָם מִדַּעַת
טו הֹבִישׁ כָּל־צוֹרֵף מִפָּסֶל כִּי שֶׁקֶר נִסְכּוֹ וְלֹא־רוּחַ בָּם: הֶבֶל הֵמָּה
טז מַעֲשֵׂה תַּעְתֻּעִים בְּעֵת פְּקֻדָּתָם יֹאבֵדוּ: לֹא־כְאֵלֶּה חֵלֶק יַעֲקֹב
כִּי־יוֹצֵר הַכֹּל הוּא וְיִשְׂרָאֵל שֵׁבֶט נַחֲלָתוֹ יְהוָה צְבָאוֹת
יז שְׁמוֹ: אִסְפִּי מֵאֶרֶץ כִּנְעָתֵךְ
יח יושבתי יֹשֶׁבֶת בַּמָּצוֹר: כִּי־כֹה אָמַר יְהוָה
הִנְנִי קוֹלֵעַ אֶת־יוֹשְׁבֵי הָאָרֶץ בַּפַּעַם הַזֹּאת וַהֲצֵרוֹתִי לָהֶם לְמַעַן

קִינָה עַל הַמָּצוֹר:

יט יִמְצָֽאוּ׃ א֣וֹי לִי֙ עַל־שִׁבְרִ֔י נַחְלָ֖ה
כ מַכָּתִ֑י וַאֲנִ֣י אָמַ֔רְתִּי אַ֛ךְ זֶ֥ה חֳלִ֖י וְאֶשָּׂאֶֽנּוּ׃ אׇהֳלִ֣י שֻׁדָּ֔ד וְכׇל־מֵיתָרַ֖י
נִתָּ֑קוּ בָּנַ֤י יְצָאֻ֙נִי֙ וְאֵינָ֔ם אֵין־נֹטֶ֥ה עוֹד֙ אׇהֳלִ֔י וּמֵקִ֖ים יְרִיעוֹתָֽי׃
כא כִּ֤י נִבְעֲרוּ֙ הָֽרֹעִ֔ים וְאֶת־יְהֹוָ֖ה לֹ֣א דָרָ֑שׁוּ עַל־כֵּן֙ לֹ֣א הִשְׂכִּ֔ילוּ
וְכׇל־מַרְעִיתָ֖ם נְפוֹצָֽה׃
כב ק֤וֹל שְׁמוּעָה֙ הִנֵּ֣ה בָאָ֔ה וְרַ֥עַשׁ גָּד֖וֹל מֵאֶ֣רֶץ צָפ֑וֹן לָשׂ֞וּם אֶת־עָרֵ֧י
כג יְהוּדָ֛ה שְׁמָמָ֖ה מְע֥וֹן תַּנִּֽים׃ יָדַ֣עְתִּי יְהֹוָ֔ה כִּ֛י לֹ֥א לָאָדָ֖ם
כד דַּרְכּ֑וֹ לֹֽא־לְאִ֣ישׁ הֹלֵ֔ךְ וְהָכִ֖ין אֶֽת־צַעֲדֽוֹ׃ יַסְּרֵ֥נִי יְהֹוָ֖ה אַךְ־בְּמִשְׁפָּ֑ט
כה אַל־בְּאַפְּךָ֖ פֶּן־תַּמְעִטֵֽנִי׃ שְׁפֹ֣ךְ חֲמָתְךָ֩ עַל־הַגּוֹיִ֨ם אֲשֶׁ֣ר לֹֽא־
יְדָע֗וּךָ וְעַ֣ל מִשְׁפָּח֔וֹת אֲשֶׁ֥ר בְּשִׁמְךָ֖ לֹ֣א קָרָ֑אוּ כִּֽי־אָכְל֣וּ אֶֽת־
יַעֲקֹ֗ב וַאֲכָלֻ֙הוּ֙ וַיְכַלֻּ֔הוּ וְאֶת־נָוֵ֖הוּ הֵשַֽׁמּוּ׃
יא א ב הַדָּבָר֙ אֲשֶׁ֣ר הָיָ֣ה אֶֽל־יִרְמְיָ֔הוּ מֵאֵ֥ת יְהֹוָ֖ה לֵאמֹֽר׃ שִׁמְע֕וּ
אֶֽת־דִּבְרֵ֖י הַבְּרִ֣ית הַזֹּ֑את וְדִבַּרְתָּם֙ אֶל־אִ֣ישׁ יְהוּדָ֔ה וְעַל־יֹשְׁבֵ֖י
ג יְרוּשָׁלָֽ͏ִם׃ וְאָמַרְתָּ֣ אֲלֵיהֶ֔ם כֹּֽה־אָמַ֥ר יְהֹוָ֖ה אֱלֹהֵ֣י יִשְׂרָאֵ֑ל אָר֣וּר
ד הָאִ֔ישׁ אֲשֶׁ֣ר לֹ֣א יִשְׁמַ֔ע אֶת־דִּבְרֵ֖י הַבְּרִ֥ית הַזֹּֽאת׃ אֲשֶׁ֣ר צִוִּ֣יתִי
אֶת־אֲבוֹתֵיכֶ֡ם בְּי֣וֹם הוֹצִֽיאִי־אוֹתָ֨ם מֵאֶֽרֶץ־מִצְרַ֜יִם מִכּ֤וּר
הַבַּרְזֶל֙ לֵאמֹ֔ר שִׁמְע֣וּ בְקוֹלִ֗י וַעֲשִׂיתֶ֣ם אוֹתָ֔ם כְּכֹ֥ל אֲשֶׁר־אֲצַוֶּ֖ה
ה אֶתְכֶ֑ם וִהְיִ֤יתֶם לִי֙ לְעָ֔ם וְאָ֣נֹכִ֔י אֶהְיֶ֥ה לָכֶ֖ם לֵאלֹהִֽים׃ לְמַ֡עַן
הָקִ֨ים אֶת־הַשְּׁבוּעָ֜ה אֲשֶׁר־נִשְׁבַּ֣עְתִּי לַאֲבֽוֹתֵיכֶ֗ם לָתֵ֤ת לָהֶם֙ אֶ֛רֶץ
זָבַ֥ת חָלָ֛ב וּדְבַ֖שׁ כַּיּ֣וֹם הַזֶּ֑ה וָאַ֥עַן וָאֹמַ֖ר אָמֵ֥ן ׀ יְהֹוָֽה׃
ו וַיֹּ֨אמֶר יְהֹוָ֜ה אֵלַ֗י קְרָ֨א אֶת־כׇּל־הַדְּבָרִ֤ים הָאֵ֙לֶּה֙ בְּעָרֵ֣י יְהוּדָ֔ה
וּבְחֻצ֥וֹת יְרוּשָׁלַ֖͏ִם לֵאמֹ֑ר שִׁמְע֗וּ אֶת־דִּבְרֵי֙ הַבְּרִ֣ית הַזֹּ֔את
ז וַעֲשִׂיתֶ֖ם אוֹתָֽם׃ כִּ֣י הָעֵ֣ד הַעִדֹ֗תִי בַּאֲב֣וֹתֵיכֶ֗ם בְּיוֹם֩ הַעֲלוֹתִ֨י
אוֹתָ֜ם מֵאֶ֤רֶץ מִצְרַ֙יִם֙ וְעַד־הַיּ֣וֹם הַזֶּ֔ה הַשְׁכֵּ֥ם וְהָעֵ֖ד לֵאמֹ֑ר שִׁמְע֖וּ
ח בְּקוֹלִֽי׃ וְלֹ֤א שָֽׁמְעוּ֙ וְלֹא־הִטּ֣וּ אֶת־אׇזְנָ֔ם וַיֵּ֣לְכ֔וּ אִ֕ישׁ בִּשְׁרִיר֖וּת

תְּפִלָּה לָחוּס עַל יְהוּדָה:

חִדּוּשׁ בְּרִית ה׳ עִם יִשְׂרָאֵל:

לָכֶם הָרָע וָאָבִיא עֲלֵיהֶם אֶת־כָּל־דִּבְרֵי הַבְּרִית־הַזֹּאת אֲשֶׁר־

צִוִּיתִי לַעֲשׂוֹת וְלֹא עָשׂוּ: וַיֹּאמֶר יְהֹוָה אֵלַי נִמְצָא־ ט

קֶשֶׁר בְּאִישׁ יְהוּדָה וּבְיֹשְׁבֵי יְרוּשָׁלָ͏ִם: שָׁבוּ עַל־עֲוֺנֹת אֲבוֹתָם י

הָרִאשֹׁנִים אֲשֶׁר מֵאֲנוּ לִשְׁמוֹעַ אֶת־דְּבָרַי וְהֵמָּה הָלְכוּ אַחֲרֵי

אֱלֹהִים אֲחֵרִים לְעׇבְדָם הֵפֵרוּ בֵית־יִשְׂרָאֵל וּבֵית יְהוּדָה אֶת־

בְּרִיתִי אֲשֶׁר כָּרַתִּי אֶת־אֲבוֹתָם: לָכֵן כֹּה אָמַר יְהֹוָה יא

הִנְנִי מֵבִיא אֲלֵיהֶם רָעָה אֲשֶׁר לֹא־יוּכְלוּ לָצֵאת מִמֶּנָּה וְזָעֲקוּ

אֵלַי וְלֹא אֶשְׁמַע אֲלֵיהֶם: וְהָלְכוּ עָרֵי יְהוּדָה וְיֹשְׁבֵי יְרוּשָׁלַ͏ִם יב

וְזָעֲקוּ אֶל־הָאֱלֹהִים אֲשֶׁר הֵם מְקַטְּרִים לָהֶם וְהוֹשֵׁעַ לֹא־

יוֹשִׁיעוּ לָהֶם בְּעֵת רָעָתָם: כִּי מִסְפַּר עָרֶיךָ הָיוּ אֱלֹהֶיךָ יְהוּדָה יג

וּמִסְפַּר חֻצוֹת יְרוּשָׁלַ͏ִם שַׂמְתֶּם מִזְבְּחוֹת לַבֹּשֶׁת מִזְבְּחוֹת לְקַטֵּר

לַבָּעַל: וְאַתָּה אַל־תִּתְפַּלֵּל בְּעַד־הָעָם הַזֶּה וְאַל־תִּשָּׂא יד

בַעֲדָם רִנָּה וּתְפִלָּה כִּי אֵינֶנִּי שֹׁמֵעַ בְּעֵת קׇרְאָם אֵלַי בְּעַד

רָעָתָם: מֶה לִידִידִי בְּבֵיתִי עֲשׂוֹתָהּ הַמְזִמָּתָה טו

הָרַבִּים וּבְשַׂר־קֹדֶשׁ יַעַבְרוּ מֵעָלָיִךְ כִּי רָעָתֵכִי אָז תַּעֲלֹזִי: זַיִת טז

רַעֲנָן יְפֵה פְרִי־תֹאַר קָרָא יְהֹוָה שְׁמֵךְ לְקוֹל ׀ הֲמוּלָּה גְדֹלָה

הִצִּית אֵשׁ עָלֶיהָ וְרָעוּ דָּלִיּוֹתָיו: וַיהֹוָה צְבָאוֹת הַנּוֹטֵעַ אוֹתָךְ יז

דִּבֶּר עָלַיִךְ רָעָה בִּגְלַל רָעַת בֵּית־יִשְׂרָאֵל וּבֵית יְהוּדָה אֲשֶׁר

עָשׂוּ לָהֶם לְהַכְעִסֵנִי לְקַטֵּר לַבָּעַל:

וַיהֹוָה הוֹדִיעַנִי וָאֵדָעָה אָז הִרְאִיתַנִי מַעַלְלֵיהֶם: וַאֲנִי כְּכֶבֶשׂ יח

אַלּוּף יוּבַל לִטְבּוֹחַ וְלֹא־יָדַעְתִּי כִּי־עָלַי ׀ חָשְׁבוּ מַחֲשָׁבוֹת

נַשְׁחִיתָה עֵץ בְּלַחְמוֹ וְנִכְרְתֶנּוּ מֵאֶרֶץ חַיִּים וּשְׁמוֹ לֹא־יִזָּכֵר

עוֹד: וַיהֹוָה צְבָאוֹת שֹׁפֵט צֶדֶק בֹּחֵן כְּלָיוֹת וָלֵב אֶרְאֶה נִקְמָתְךָ כ

מֵהֶם כִּי אֵלֶיךָ גִּלִּיתִי אֶת־רִיבִי: לָכֵן כֹּה־אָמַר יְהֹוָה כא

עַל־אַנְשֵׁי עֲנָתוֹת הַמְבַקְשִׁים אֶת־נַפְשְׁךָ לֵאמֹר לֹא תִנָּבֵא בְּשֵׁם

יְהֹוָה וְלֹא תָמוּת בְּיָדֵנוּ:

כב לָכֵן כֹּה אָמַר יְהֹוָה צְבָאוֹת הִנְנִי פֹקֵד עֲלֵיהֶם הַבַּחוּרִים יָמֻתוּ

בַחֶרֶב בְּנֵיהֶם וּבְנוֹתֵיהֶם יָמֻתוּ בָרָעָב: וּשְׁאֵרִית לֹא תִהְיֶה לָהֶם כג

תְּלוּנַת הַנָּבִיא עַל טוֹבַת הָרְשָׁעִים יב א כִּי־אָבִיא רָעָה אֶל־אַנְשֵׁי עֲנָתוֹת שְׁנַת פְּקֻדָּתָם: צַדִּיק

אַתָּה יְהֹוָה כִּי אָרִיב אֵלֶיךָ אַךְ מִשְׁפָּטִים אֲדַבֵּר אוֹתָךְ מַדּוּעַ

ב דֶּרֶךְ רְשָׁעִים צָלֵחָה שָׁלוּ כָּל־בֹּגְדֵי בָגֶד: נְטַעְתָּם גַּם־שֹׁרָשׁוּ

יֵלְכוּ גַּם־עָשׂוּ פֶרִי קָרוֹב אַתָּה בְּפִיהֶם וְרָחוֹק מִכִּלְיוֹתֵיהֶם:

ג וְאַתָּה יְהֹוָה יְדַעְתָּנִי תִּרְאֵנִי וּבָחַנְתָּ לִבִּי אִתָּךְ הַתִּקֵם כְּצֹאן

לְטִבְחָה וְהַקְדִּשֵׁם לְיוֹם הֲרֵגָה:

הֲכָנַת הַנָּבִיא לַקָּשִׁיִּים ד עַד־מָתַי תֶּאֱבַל הָאָרֶץ וְעֵשֶׂב כָּל־הַשָּׂדֶה יִיבָשׁ מֵרָעַת יֹשְׁבֵי־

בָהּ סָפְתָה בְהֵמוֹת וָעוֹף כִּי אָמְרוּ לֹא יִרְאֶה אֶת־אַחֲרִיתֵנוּ:

ה כִּי אֶת־רַגְלִים ׀ רַצְתָּה וַיַּלְאוּךָ וְאֵיךְ תְּתַחֲרֶה אֶת־הַסּוּסִים

וּבְאֶרֶץ שָׁלוֹם אַתָּה בוֹטֵחַ וְאֵיךְ תַּעֲשֶׂה בִּגְאוֹן הַיַּרְדֵּן: כִּי

ו גַם־אַחֶיךָ וּבֵית־אָבִיךָ גַּם־הֵמָּה בָּגְדוּ בָךְ גַּם־הֵמָּה קָרְאוּ אַחֲרֶיךָ

קִינַת־עַל הָחָרְבָּן: מָלֵא אַל־תַּאֲמֵן בָּם כִּי־יְדַבְּרוּ אֵלֶיךָ טוֹבוֹת: ז עָזַבְתִּי

אֶת־בֵּיתִי נָטַשְׁתִּי אֶת־נַחֲלָתִי נָתַתִּי אֶת־יְדִדוּת נַפְשִׁי בְּכַף

ח אֹיְבֶיהָ: הָיְתָה־לִּי נַחֲלָתִי כְּאַרְיֵה בַיָּעַר נָתְנָה עָלַי בְּקוֹלָהּ עַל־כֵּן

ט שְׂנֵאתִיהָ: הַעַיִט צָבוּעַ נַחֲלָתִי לִי הַעַיִט סָבִיב עָלֶיהָ לְכוּ אִסְפוּ

כָּל־חַיַּת הַשָּׂדֶה הֵתָיוּ לְאָכְלָה: רֹעִים רַבִּים שִׁחֲתוּ כַרְמִי בֹּסְסוּ

יא אֶת־חֶלְקָתִי נָתְנוּ אֶת־חֶלְקַת חֶמְדָּתִי לְמִדְבַּר שְׁמָמָה: שָׂמָהּ

לִשְׁמָמָה אָבְלָה עָלַי שְׁמֵמָה נָשַׁמָּה כָּל־הָאָרֶץ כִּי אֵין אִישׁ שָׂם

יב עַל־לֵב: עַל־כָּל־שְׁפָיִם בַּמִּדְבָּר בָּאוּ שֹׁדְדִים כִּי חֶרֶב לַיהֹוָה

אֹכְלָה מִקְצֵה־אֶרֶץ וְעַד־קְצֵה הָאָרֶץ אֵין שָׁלוֹם לְכָל־

יג בָּשָׂר: זָרְעוּ חִטִּים וְקֹצִים קָצָרוּ נֶחְלוּ לֹא יוֹעִלוּ וּבֹשׁוּ

מִתְּבוּאֹתֵיכֶם מֵחֲרוֹן אַף־יְהֹוָה:

יד כֹּה | אָמַר יְהוָה עַל־כָּל־שְׁכֵנַי הָרָעִים הַנֹּגְעִים בַּנַּחֲלָה אֲשֶׁר־
הִנְחַלְתִּי אֶת־עַמִּי אֶת־יִשְׂרָאֵל הִנְנִי נֹתְשָׁם מֵעַל אַדְמָתָם
טו וְאֶת־בֵּית יְהוּדָה אֶתּוֹשׁ מִתּוֹכָם: וְהָיָה אַחֲרֵי נָתְשִׁי אוֹתָם אָשׁוּב
טז וְרִחַמְתִּים וַהֲשִׁבֹתִים אִישׁ לְנַחֲלָתוֹ וְאִישׁ לְאַרְצוֹ: וְהָיָה אִם־
לָמֹד יִלְמְדוּ אֶת־דַּרְכֵי עַמִּי לְהִשָּׁבֵעַ בִּשְׁמִי חַי־יְהוָה כַּאֲשֶׁר
יז לִמְּדוּ אֶת־עַמִּי לְהִשָּׁבֵעַ בַּבָּעַל וְנִבְנוּ בְּתוֹךְ עַמִּי: וְאִם לֹא
יִשְׁמָעוּ וְנָתַשְׁתִּי אֶת־הַגּוֹי הַהוּא נָתוֹשׁ וְאַבֵּד נְאֻם־
יג א יְהוָה: כֹּה־אָמַר יְהוָה אֵלַי הָלוֹךְ וְקָנִיתָ לְּךָ אֵזוֹר

מְשַׁל הָאֵזוֹר:

ב פִּשְׁתִּים וְשַׂמְתּוֹ עַל־מָתְנֶיךָ וּבַמַּיִם לֹא תְבִאֵהוּ: וָאֶקְנֶה אֶת־
הָאֵזוֹר כִּדְבַר יְהוָה וָאָשִׂם עַל־מָתְנָי:
ג ד וַיְהִי דְבַר־יְהוָה אֵלַי שֵׁנִית לֵאמֹר: קַח אֶת־הָאֵזוֹר אֲשֶׁר קָנִיתָ
אֲשֶׁר עַל־מָתְנֶיךָ וְקוּם לֵךְ פְּרָתָה וְטָמְנֵהוּ שָׁם בִּנְקִיק הַסָּלַע:
ה ו וָאֵלֵךְ וָאֶטְמְנֵהוּ בִּפְרָת כַּאֲשֶׁר צִוָּה יְהוָה אוֹתִי: וַיְהִי מִקֵּץ יָמִים
רַבִּים וַיֹּאמֶר יְהוָה אֵלַי קוּם לֵךְ פְּרָתָה וְקַח מִשָּׁם אֶת־הָאֵזוֹר
ז אֲשֶׁר צִוִּיתִיךָ לְטָמְנוֹ־שָׁם: וָאֵלֵךְ פְּרָתָה וָאֶחְפֹּר וָאֶקַּח אֶת־
הָאֵזוֹר מִן־הַמָּקוֹם אֲשֶׁר־טְמַנְתִּיו שָׁמָּה וְהִנֵּה נִשְׁחַת הָאֵזוֹר לֹא
יִצְלַח לַכֹּל:

ח ט וַיְהִי דְבַר־יְהוָה אֵלַי לֵאמֹר: כֹּה אָמַר יְהוָה כָּכָה אַשְׁחִית
י אֶת־גְּאוֹן יְהוּדָה וְאֶת־גְּאוֹן יְרוּשָׁלִַם הָרָב: הָעָם הַזֶּה הָרָע
הַמֵּאֲנִים | לִשְׁמוֹעַ אֶת־דְּבָרַי הַהֹלְכִים בִּשְׁרִרוּת לִבָּם וַיֵּלְכוּ
אַחֲרֵי אֱלֹהִים אֲחֵרִים לְעָבְדָם וּלְהִשְׁתַּחֲוֺת לָהֶם וִיהִי כָּאֵזוֹר
יא הַזֶּה אֲשֶׁר לֹא־יִצְלַח לַכֹּל: כִּי
כַּאֲשֶׁר יִדְבַּק הָאֵזוֹר אֶל־מָתְנֵי־אִישׁ כֵּן הִדְבַּקְתִּי אֵלַי אֶת־כָּל־
בֵּית יִשְׂרָאֵל וְאֶת־כָּל־בֵּית יְהוּדָה נְאֻם־יְהוָה לִהְיוֹת לִי לְעָם
יב וּלְשֵׁם וְלִתְהִלָּה וּלְתִפְאָרֶת וְלֹא שָׁמֵעוּ: וְאָמַרְתָּ אֲלֵיהֶם אֶת־

הַדָּבָר הַזֶּה כֹּה־אָמַר יְהוָה אֱלֹהֵי יִשְׂרָאֵל כָּל־נֵבֶל
יִמָּלֵא יָיִן וְאָמְרוּ אֵלֶיךָ הֲיָדֹעַ לֹא נֵדַע כִּי כָל־נֵבֶל יִמָּלֵא יָיִן׃
יג וְאָמַרְתָּ אֲלֵיהֶם כֹּה־אָמַר יְהוָה הִנְנִי מְמַלֵּא אֶת־כָּל־יֹשְׁבֵי הָאָרֶץ
הַזֹּאת וְאֶת־הַמְּלָכִים הַיֹּשְׁבִים לְדָוִד עַל־כִּסְאוֹ וְאֶת־הַכֹּהֲנִים
יד וְאֶת־הַנְּבִאִים וְאֵת כָּל־יֹשְׁבֵי יְרוּשָׁלָםִ שִׁכָּרוֹן׃ וְנִפַּצְתִּים אִישׁ
אֶל־אָחִיו וְהָאָבוֹת וְהַבָּנִים יַחְדָּו נְאֻם־יְהוָה לֹא־אֶחְמוֹל וְלֹא־
טו אָחוּס וְלֹא אֲרַחֵם מֵהַשְׁחִיתָם׃ שִׁמְעוּ וְהַאֲזִינוּ אַל־תִּגְבָּהוּ כִּי
טז יְהוָה דִּבֵּר׃ תְּנוּ לַיהוָה אֱלֹהֵיכֶם כָּבוֹד בְּטֶרֶם יַחְשִׁךְ וּבְטֶרֶם
יִתְנַגְּפוּ רַגְלֵיכֶם עַל־הָרֵי נָשֶׁף וְקִוִּיתֶם לְאוֹר וְשָׂמָהּ לְצַלְמָוֶת
יז ישית וְשִׁית לַעֲרָפֶל׃ וְאִם לֹא תִשְׁמָעוּהָ בְּמִסְתָּרִים תִּבְכֶּה־נַפְשִׁי
מִפְּנֵי גֵוָה וְדָמֹעַ תִּדְמַע וְתֵרַד עֵינִי דִּמְעָה כִּי נִשְׁבָּה עֵדֶר
יח יְהוָה׃ אֱמֹר לַמֶּלֶךְ וְלַגְּבִירָה הַשְׁפִּילוּ שֵׁבוּ כִּי יָרַד
יט מַרְאֲשׁוֹתֵיכֶם עֲטֶרֶת תִּפְאַרְתְּכֶם׃ עָרֵי הַנֶּגֶב סֻגְּרוּ וְאֵין פֹּתֵחַ
כ הָגְלָת יְהוּדָה כֻּלָּהּ הָגְלָת שְׁלוֹמִים׃ שאי שְׂאוּ עֵינֵיכֶם
וראי וּרְאוּ הַבָּאִים מִצָּפוֹן אַיֵּה הָעֵדֶר נִתַּן־לָךְ צֹאן תִּפְאַרְתֵּךְ׃
כא מַה־תֹּאמְרִי כִּי־יִפְקֹד עָלַיִךְ וְאַתְּ לִמַּדְתְּ אֹתָם עָלַיִךְ אַלֻּפִים
כב לְרֹאשׁ הֲלוֹא חֲבָלִים יֹאחֱזוּךְ כְּמוֹ אֵשֶׁת לֵדָה׃ וְכִי תֹאמְרִי
בִּלְבָבֵךְ מַדּוּעַ קְרָאֻנִי אֵלֶּה בְּרֹב עֲוֹנֵךְ נִגְלוּ שׁוּלַיִךְ נֶחְמְסוּ
כג עֲקֵבָיִךְ׃ הֲיַהֲפֹךְ כּוּשִׁי עוֹרוֹ וְנָמֵר חֲבַרְבֻּרֹתָיו גַּם־אַתֶּם תּוּכְלוּ
כד כה לְהֵיטִיב לִמֻּדֵי הָרֵעַ׃ וַאֲפִיצֵם כְּקַשׁ־עוֹבֵר לְרוּחַ מִדְבָּר׃ זֶה
גוֹרָלֵךְ מְנָת־מִדַּיִךְ מֵאִתִּי נְאֻם־יְהוָה אֲשֶׁר שָׁכַחַתְּ אוֹתִי וַתִּבְטְחִי
כו כז בַּשָּׁקֶר׃ וְגַם־אֲנִי חָשַׂפְתִּי שׁוּלַיִךְ עַל־פָּנָיִךְ וְנִרְאָה קְלוֹנֵךְ׃ נִאֻפַיִךְ
וּמִצְהֲלוֹתַיִךְ זִמַּת זְנוּתֵךְ עַל־גְּבָעוֹת בַּשָּׂדֶה רָאִיתִי שִׁקּוּצָיִךְ
יד א אוֹי לָךְ יְרוּשָׁלַםִ לֹא תִטְהֲרִי אַחֲרֵי מָתַי עֹד׃ אֲשֶׁר
ב הָיָה דְבַר־יְהוָה אֶל־יִרְמְיָהוּ עַל־דִּבְרֵי הַבַּצָּרוֹת׃ אָבְלָה יְהוּדָה

הַנִּמְשָׁל - שִׁכָּרוֹן לְיוֹשְׁבֵי יְרוּשָׁלָיִם:

תֵּאוּר חֶבְלֵי הַחֻרְבָּן:

תֵּאוּר הַבַּצֹּרֶת וּתְפִלָּה בְּעַד הָעָם:

ג וּשְׁעָרֶיהָ אֻמְלְלוּ קָדְרוּ לָאָרֶץ וְצִוְחַת יְרוּשָׁלִַם עָלָתָה׃ וְאַדִּרֵיהֶם
שָׁלְחוּ צעוריהם צְעִירֵיהֶם לַמָּיִם בָּאוּ עַל־גֵּבִים לֹא־מָצְאוּ מַיִם
ד שָׁבוּ כְלֵיהֶם רֵיקָם בֹּשׁוּ וְהָכְלְמוּ וְחָפוּ רֹאשָׁם׃ בַּעֲבוּר הָאֲדָמָה
ה חַתָּה כִּי לֹא־הָיָה גֶשֶׁם בָּאָרֶץ בֹּשׁוּ אִכָּרִים חָפוּ רֹאשָׁם׃ כִּי
ו גַם־אַיֶּלֶת בַּשָּׂדֶה יָלְדָה וְעָזוֹב כִּי לֹא־הָיָה דֶּשֶׁא׃ וּפְרָאִים עָמְדוּ
עַל־שְׁפָיִם שָׁאֲפוּ רוּחַ כַּתַּנִּים כָּלוּ עֵינֵיהֶם כִּי־אֵין עֵשֶׂב׃
ז אִם־עֲוֺנֵינוּ עָנוּ בָנוּ יְהוָה עֲשֵׂה לְמַעַן שְׁמֶךָ כִּי־רַבּוּ מְשׁוּבֹתֵינוּ
ח לְךָ חָטָאנוּ׃ מִקְוֵה יִשְׂרָאֵל מוֹשִׁיעוֹ בְּעֵת צָרָה לָמָּה תִהְיֶה כְּגֵר
ט בָּאָרֶץ וּכְאֹרֵחַ נָטָה לָלוּן׃ לָמָּה תִהְיֶה כְּאִישׁ נִדְהָם כְּגִבּוֹר
לֹא־יוּכַל לְהוֹשִׁיעַ וְאַתָּה בְקִרְבֵּנוּ יְהוָה וְשִׁמְךָ עָלֵינוּ נִקְרָא
י אַל־תַּנִּחֵנוּ׃ כֹּה־אָמַר יְהוָה לָעָם הַזֶּה כֵּן אָהֲבוּ לָנוּעַ תְּשׁוּבַת ה׳ לַתְּפִלָּה:
רַגְלֵיהֶם לֹא חָשָׂכוּ וַיהוָה לֹא רָצָם עַתָּה יִזְכֹּר עֲוֺנָם וְיִפְקֹד
חַטֹּאתָם׃
יא יב וַיֹּאמֶר יְהוָה אֵלַי אַל־תִּתְפַּלֵּל בְּעַד־הָעָם הַזֶּה לְטוֹבָה׃ כִּי יָצֻמוּ
אֵינֶנִּי שֹׁמֵעַ אֶל־רִנָּתָם וְכִי יַעֲלוּ עֹלָה וּמִנְחָה אֵינֶנִּי רֹצָם כִּי
יג בַּחֶרֶב וּבָרָעָב וּבַדֶּבֶר אָנֹכִי מְכַלֶּה אוֹתָם׃ וָאֹמַר עֲוֺן נְבִיאֵי הַשָּׁקֶר:
אֲהָהּ ׀ אֲדֹנָי יֱהוִה הִנֵּה הַנְּבִאִים אֹמְרִים לָהֶם לֹא־תִרְאוּ חֶרֶב
וְרָעָב לֹא־יִהְיֶה לָכֶם כִּי־שְׁלוֹם אֱמֶת אֶתֵּן לָכֶם בַּמָּקוֹם
יד הַזֶּה׃ וַיֹּאמֶר יְהוָה אֵלַי שֶׁקֶר הַנְּבִאִים
נִבְּאִים בִּשְׁמִי לֹא שְׁלַחְתִּים וְלֹא צִוִּיתִים וְלֹא דִבַּרְתִּי אֲלֵיהֶם
חֲזוֹן שֶׁקֶר וְקֶסֶם ואלול ותרמות וֶאֱלִיל וְתַרְמִית לִבָּם הֵמָּה מִתְנַבְּאִים
טו לָכֶם׃ לָכֵן כֹּה־אָמַר עֹנֶשׁ לִנְבִיאֵי הַשָּׁקֶר:
יְהוָה עַל־הַנְּבִאִים הַנִּבְּאִים בִּשְׁמִי וַאֲנִי לֹא־שְׁלַחְתִּים וְהֵמָּה
אֹמְרִים חֶרֶב וְרָעָב לֹא יִהְיֶה בָּאָרֶץ הַזֹּאת בַּחֶרֶב וּבָרָעָב יִתַּמּוּ
טז הַנְּבִאִים הָהֵמָּה׃ וְהָעָם אֲשֶׁר־הֵמָּה נִבְּאִים לָהֶם יִהְיוּ מֻשְׁלָכִים

בְּחֻצ֣וֹת יְרוּשָׁלִַ֔ם מִפְּנֵ֣י ׀ הָרָעָ֣ב וְהַחֶ֗רֶב וְאֵ֥ין מְקַבֵּ֖ר לַהֵ֑מָּה הֵ֖מָּה

קִינָ֤ה עַל
הַחֻרְבָּ֔ן
וּתְפִלָּ֑ה:

נְשֵׁיהֶם֙ וּבְנֵֽיהֶ֔ם וּבְנֹ֣תֵיהֶ֑ם וְשָׁפַכְתִּ֧י עֲלֵיהֶ֛ם אֶת־רָעָתָ֖ם: וְאָמַרְתָּ֣
אֲלֵיהֶ֗ם אֶת־הַדָּבָ֣ר הַזֶּה֮ תֵּרַ֣דְנָה עֵינַ֣י דִּמְעָה֮ לַ֣יְלָה וְיוֹמָם֒
וְאַל־תִּדְמֶ֑ינָה כִּי֩ שֶׁ֨בֶר גָּד֜וֹל נִשְׁבְּרָ֗ה בְּתוּלַת֙ בַּת־עַמִּ֔י מַכָּ֖ה

יז

נַחְלָ֥ה מְאֹֽד: אִם־יָצָ֣אתִי הַשָּׂדֶ֗ה וְהִנֵּה֙ חַֽלְלֵי־חֶ֔רֶב וְאִם֙ בָּ֣אתִי
הָעִ֔יר וְהִנֵּ֖ה תַּחֲלוּאֵ֣י רָעָ֑ב כִּֽי־גַם־נָבִ֧יא גַם־כֹּהֵ֛ן סָחֲר֥וּ אֶל־אֶ֖רֶץ

יח

וְלֹ֥א יָדָֽעוּ:   הֲמָאֹ֨ס מָאַ֜סְתָּ אֶת־יְהוּדָ֗ה אִם־בְּצִיּוֹן֙ גָּעֲלָ֣ה
נַפְשֶׁ֔ךָ מַדּ֨וּעַ֙ הִכִּיתָ֔נוּ וְאֵ֥ין לָ֖נוּ מַרְפֵּ֑א קַוֵּ֤ה לְשָׁלוֹם֙ וְאֵ֣ין ט֔וֹב

יט

וּלְעֵ֥ת מַרְפֵּ֖א וְהִנֵּ֥ה בְעָתָֽה: יָדַ֧עְנוּ יְהֹוָ֛ה רִשְׁעֵ֖נוּ עֲוֺ֣ן אֲבוֹתֵ֑ינוּ כִּ֥י
חָטָ֖אנוּ לָֽךְ: אַל־תִּנְאַץ֙ לְמַ֣עַן שִׁמְךָ֔ אַל־תְּנַבֵּ֖ל כִּסֵּ֣א כְבוֹדֶ֑ךָ זְכֹ֕ר

כ

כא

אַל־תָּפֵ֥ר בְּרִֽיתְךָ֖ אִתָּֽנוּ: הֲיֵ֨שׁ בְּהַבְלֵ֤י הַגּוֹיִם֙ מַגְשִׁמִ֔ים וְאִם־
הַשָּׁמַ֖יִם יִתְּנ֣וּ רְבִבִ֑ים הֲלֹ֨א אַתָּה־ה֜וּא יְהֹוָ֤ה אֱלֹהֵ֙ינוּ֙ וּנְקַוֶּה־לָּ֔ךְ
כִּֽי־אַתָּ֥ה עָשִׂ֖יתָ אֶת־כָּל־אֵֽלֶּה:

כב

נְבוּאַ֤ת
פֻּרְעָנוּ֙ת
עַל
יְרוּשָׁלַ֑יִם:

וַיֹּ֤אמֶר יְהֹוָה֙ אֵלַ֔י אִם־יַֽעֲמֹ֨ד מֹשֶׁ֤ה וּשְׁמוּאֵל֙ לְפָנַ֔י אֵ֥ין נַפְשִׁ֖י

טו א

אֶל־הָעָ֣ם הַזֶּ֑ה שַׁלַּ֥ח מֵֽעַל־פָּנַ֖י וְיֵצֵֽאוּ: וְהָיָ֛ה כִּֽי־יֹאמְר֥וּ אֵלֶ֖יךָ אָ֣נָה
נֵצֵ֑א וְאָמַרְתָּ֣ אֲלֵיהֶ֗ם כֹּֽה־אָמַ֣ר יְהֹוָ֔ה אֲשֶׁ֧ר לַמָּ֣וֶת לַמָּ֗וֶת וַאֲשֶׁ֤ר

ב

לַחֶ֙רֶב֙ לַחֶ֔רֶב וַאֲשֶׁ֤ר לָֽרָעָב֙ לָֽרָעָ֔ב וַאֲשֶׁ֥ר לַשְּׁבִ֖י לַשֶּֽׁבִי: וּפָקַדְתִּ֨י
עֲלֵיהֶ֜ם אַרְבַּ֤ע מִשְׁפָּחוֹת֙ נְאֻם־יְהֹוָ֔ה אֶת־הַחֶ֣רֶב לַהֲרֹ֔ג וְאֶת־
הַכְּלָבִ֖ים לִסְחֹ֑ב וְאֶת־ע֧וֹף הַשָּׁמַ֛יִם וְאֶת־בֶּהֱמַ֥ת הָאָ֖רֶץ לֶאֱכֹ֥ל

ג

וּלְהַשְׁחִֽית: וּנְתַתִּ֣ים לזועה לְזַעֲוָ֔ה לְכֹ֖ל מַמְלְכ֣וֹת הָאָ֑רֶץ בִּ֠גְלַל

ד

מְנַשֶּׁ֤ה בֶן־יְחִזְקִיָּ֙הוּ֙ מֶ֣לֶךְ יְהוּדָ֔ה עַ֥ל אֲשֶׁר־עָשָׂ֖ה בִּירוּשָׁלָֽ͏ִם: כִּ֠י
מִֽי־יַחְמֹ֤ל עָלַ֙יִךְ֙ יְר֣וּשָׁלִַ֔ם וּמִ֖י יָנ֣וּד לָ֑ךְ וּמִ֣י יָס֔וּר לִשְׁאֹ֥ל לְשָׁלֹ֖ם

ה

לָֽךְ: אַ֣תְּ נָטַ֥שְׁתְּ אֹתִ֛י נְאֻם־יְהֹוָ֖ה אָח֣וֹר תֵּלֵ֑כִי וָאַ֨ט אֶת־יָדִ֤י עָלַ֙יִךְ֙

ו

וָֽאַשְׁחִיתֵ֔ךְ נִלְאֵ֖יתִי הִנָּחֵֽם: וָאֶזְרֵ֥ם בְּמִזְרֶ֖ה בְּשַׁעֲרֵ֣י הָאָ֑רֶץ שִׁכַּ֤לְתִּי

ז

אִבַּ֙דְתִּי֙ אֶת־עַמִּ֔י מִדַּרְכֵיהֶ֖ם לוֹא־שָׁ֑בוּ: עָצְמוּ־לִ֤י אַלְמְנֹתָו֙

ח

מֵחוֹל יַמִּים הֵבֵאתִי לָהֶם עַל־אֵם בָּחוּר שֹׁדֵד בַּצׇּהֳרָיִם הִפַּלְתִּי
ט עָלֶיהָ פִּתְאֹם עִיר וּבֶהָלוֹת: אֻמְלְלָה יֹלֶדֶת הַשִּׁבְעָה נָפְחָה
נַפְשָׁהּ באה בָּא שִׁמְשָׁהּ בְּעֹד יוֹמָם בּוֹשָׁה וְחָפֵרָה וּשְׁאֵרִיתָם
י לַחֶרֶב אֶתֵּן לִפְנֵי אֹיְבֵיהֶם נְאֻם־יְהֹוָה: אוֹי־לִי אִמִּי כִּי
התְאוֹנְנוּת הַנָּבִיא עַל שׂוֹנְאָיו וּתְשׁוּבַת ה':
יְלִדְתִּנִי אִישׁ רִיב וְאִישׁ מָדוֹן לְכׇל־הָאָרֶץ לֹא־נָשִׁיתִי וְלֹא־נָשׁוּ־
יא בִי כֻּלֹּה מְקַלְלַוְנִי: אָמַר יְהֹוָה אִם־לֹא
שרותך שֵׁרִיתִךָ לְטוֹב אִם־לוֹא | הִפְגַּעְתִּי בְךָ בְּעֵת רָעָה וּבְעֵת
יב יג צָרָה אֶת־הָאֹיֵב: הֲיָרֹעַ בַּרְזֶל | בַּרְזֶל מִצָּפוֹן וּנְחֹשֶׁת: חֵילְךָ
וְאוֹצְרוֹתֶיךָ לָבַז אֶתֵּן לֹא בִמְחִיר וּבְכׇל־חַטֹּאותֶיךָ וּבְכׇל־גְּבוּלֶיךָ:
יד וְהַעֲבַרְתִּי אֶת־אֹיְבֶיךָ בְּאֶרֶץ לֹא יָדָעְתָּ כִּי־אֵשׁ קָדְחָה בְאַפִּי
טו עֲלֵיכֶם תּוּקָד: אַתָּה יָדַעְתָּ יְהֹוָה זׇכְרֵנִי וּפׇקְדֵנִי וְהִנָּקֶם
לִי מֵרֹדְפַי אַל־לְאֶרֶךְ אַפְּךָ תִּקָּחֵנִי דַּע שְׂאֵתִי עָלֶיךָ חֶרְפָּה:
טז נִמְצְאוּ דְבָרֶיךָ וָאֹכְלֵם וַיְהִי דבריך דְבָרְךָ לִי לְשָׂשׂוֹן וּלְשִׂמְחַת
יז לְבָבִי כִּי־נִקְרָא שִׁמְךָ עָלַי יְהֹוָה אֱלֹהֵי צְבָאוֹת: לֹא־
יָשַׁבְתִּי בְסוֹד־מְשַׂחֲקִים וָאֶעְלֹז מִפְּנֵי יָדְךָ בָּדָד יָשַׁבְתִּי כִּי־זַעַם
יח מִלֵּאתָנִי: לָמָּה הָיָה כְאֵבִי נֶצַח וּמַכָּתִי אֲנוּשָׁה מֵאֲנָה הֵרָפֵא הָיוֹ
יט תִהְיֶה לִי כְּמוֹ אַכְזָב מַיִם לֹא נֶאֱמָנוּ: לָכֵן כֹּה־אָמַר
יְהֹוָה אִם־תָּשׁוּב וַאֲשִׁיבְךָ לְפָנַי תַּעֲמֹד וְאִם־תּוֹצִיא יָקָר מִזּוֹלֵל
כ כְּפִי תִהְיֶה יָשֻׁבוּ הֵמָּה אֵלֶיךָ וְאַתָּה לֹא־תָשׁוּב אֲלֵיהֶם: וּנְתַתִּיךָ
לָעָם הַזֶּה לְחוֹמַת נְחֹשֶׁת בְּצוּרָה וְנִלְחֲמוּ אֵלֶיךָ וְלֹא־יוּכְלוּ לָךְ
כא כִּי־אִתְּךָ אֲנִי לְהוֹשִׁיעֲךָ וּלְהַצִּילֶךָ נְאֻם־יְהֹוָה: וְהִצַּלְתִּיךָ מִיַּד
טז א רָעִים וּפְדִתִיךָ מִכַּף עָרִצִים: וַיְהִי דְבַר־יְהֹוָה אֵלַי
נְבוּאָה עַל מִיתַת הַבָּנִים:
ב לֵאמֹר: לֹא־תִקַּח לְךָ אִשָּׁה וְלֹא־יִהְיוּ לְךָ בָּנִים וּבָנוֹת בַּמָּקוֹם
ג הַזֶּה: כִּי־כֹה | אָמַר יְהֹוָה
עַל־הַבָּנִים וְעַל־הַבָּנוֹת הַיִּלּוֹדִים בַּמָּקוֹם הַזֶּה וְעַל־אִמֹּתָם

הַיִּלֹּדוֹת אוֹתָם וְעַל־אֲבוֹתָם הַמּוֹלִדִים אוֹתָם בָּאָרֶץ הַזֹּאת׃
ד מְמוֹתֵי תַחֲלֻאִים יָמֻתוּ לֹא יִסָּפְדוּ וְלֹא יִקָּבֵרוּ לְדֹמֶן עַל־פְּנֵי
הָאֲדָמָה יִהְיוּ וּבַחֶרֶב וּבָרָעָב יִכְלוּ וְהָיְתָה נִבְלָתָם לְמַאֲכָל
ה לְעוֹף הַשָּׁמַיִם וּלְבֶהֱמַת הָאָרֶץ׃ כִּי־כֹה ׀ אָמַר יְהוָה
אַל־תָּבוֹא בֵּית מַרְזֵחַ וְאַל־תֵּלֵךְ לִסְפּוֹד וְאַל־תָּנֹד לָהֶם
כִּי־אָסַפְתִּי אֶת־שְׁלוֹמִי מֵאֵת הָעָם הַזֶּה נְאֻם־יְהוָה אֶת־הַחֶסֶד
ו וְאֶת־הָרַחֲמִים׃ וּמֵתוּ גְדֹלִים וּקְטַנִּים בָּאָרֶץ הַזֹּאת לֹא יִקָּבֵרוּ
ז וְלֹא־יִסְפְּדוּ לָהֶם וְלֹא יִתְגֹּדַד וְלֹא יִקָּרֵחַ לָהֶם׃ וְלֹא־יִפְרְסוּ
לָהֶם עַל־אֵבֶל לְנַחֲמוֹ עַל־מֵת וְלֹא־יַשְׁקוּ אוֹתָם כּוֹס תַּנְחוּמִים
ח עַל־אָבִיו וְעַל־אִמּוֹ׃ וּבֵית־מִשְׁתֶּה לֹא־תָבוֹא לָשֶׁבֶת אוֹתָם לֶאֱכֹל
וְלִשְׁתּוֹת׃

הַשְׁבָּתַת הַשִּׂמְחָה עֵקֶב עֲזִיבָתָם אֶת ה׳:

ט כִּי כֹה אָמַר יְהוָה צְבָאוֹת אֱלֹהֵי יִשְׂרָאֵל הִנְנִי מַשְׁבִּית
מִן־הַמָּקוֹם הַזֶּה לְעֵינֵיכֶם וּבִימֵיכֶם קוֹל שָׂשׂוֹן וְקוֹל שִׂמְחָה
י קוֹל חָתָן וְקוֹל כַּלָּה׃ וְהָיָה כִּי תַגִּיד לָעָם הַזֶּה אֵת כָּל־הַדְּבָרִים
הָאֵלֶּה וְאָמְרוּ אֵלֶיךָ עַל־מֶה דִבֶּר יְהוָה עָלֵינוּ אֵת כָּל־הָרָעָה
הַגְּדוֹלָה הַזֹּאת וּמֶה עֲוֹנֵנוּ וּמֶה חַטָּאתֵנוּ אֲשֶׁר חָטָאנוּ לַיהוָה
יא אֱלֹהֵינוּ׃ וְאָמַרְתָּ אֲלֵיהֶם עַל אֲשֶׁר־עָזְבוּ אֲבוֹתֵיכֶם אוֹתִי
נְאֻם־יְהוָה וַיֵּלְכוּ אַחֲרֵי אֱלֹהִים אֲחֵרִים וַיַּעַבְדוּם וַיִּשְׁתַּחֲווּ לָהֶם
יב וְאֹתִי עָזָבוּ וְאֶת־תּוֹרָתִי לֹא שָׁמָרוּ׃ וְאַתֶּם הֲרֵעֹתֶם לַעֲשׂוֹת
מֵאֲבוֹתֵיכֶם וְהִנְּכֶם הֹלְכִים אִישׁ אַחֲרֵי שְׁרִרוּת לִבּוֹ־הָרָע לְבִלְתִּי
יג שְׁמֹעַ אֵלָי׃ וְהֵטַלְתִּי אֶתְכֶם מֵעַל הָאָרֶץ הַזֹּאת עַל־הָאָרֶץ אֲשֶׁר
לֹא יְדַעְתֶּם אַתֶּם וַאֲבוֹתֵיכֶם וַעֲבַדְתֶּם־שָׁם אֶת־אֱלֹהִים אֲחֵרִים
יוֹמָם וָלַיְלָה אֲשֶׁר לֹא־אֶתֵּן לָכֶם חֲנִינָה׃

הַבְטָחַת ה׳ לַהֲשִׁיבָם:

יד לָכֵן הִנֵּה־יָמִים בָּאִים נְאֻם־יְהוָה וְלֹא־יֵאָמֵר עוֹד חַי־יְהוָה אֲשֶׁר
טו הֶעֱלָה אֶת־בְּנֵי יִשְׂרָאֵל מֵאֶרֶץ מִצְרָיִם׃ כִּי אִם־חַי־יְהוָה אֲשֶׁר

הֶעֱלָה אֶת־בְּנֵי יִשְׂרָאֵל מֵאֶרֶץ צָפוֹן וּמִכֹּל הָאֲרָצוֹת אֲשֶׁר הִדִּיחָם
שָׁמָּה וַהֲשִׁבֹתִים עַל־אַדְמָתָם אֲשֶׁר נָתַתִּי לַאֲבוֹתָם׃
טז הִנְנִי שֹׁלֵחַ לדוגים לְדַיָּגִים רַבִּים נְאֻם־יְהוָה וְדִיגוּם וְאַחֲרֵי־כֵן
אֶשְׁלַח לְרַבִּים צַיָּדִים וְצָדוּם מֵעַל כָּל־הַר וּמֵעַל כָּל־גִּבְעָה
יז וּמִנְּקִיקֵי הַסְּלָעִים׃ כִּי עֵינַי עַל־כָּל־דַּרְכֵיהֶם לֹא נִסְתְּרוּ מִלְּפָנָי
יח וְלֹא־נִצְפַּן עֲוֺנָם מִנֶּגֶד עֵינָי׃ וְשִׁלַּמְתִּי רִאשׁוֹנָה מִשְׁנֵה עֲוֺנָם
וְחַטָּאתָם עַל חַלְּלָם אֶת־אַרְצִי בְּנִבְלַת שִׁקּוּצֵיהֶם וְתוֹעֲבוֹתֵיהֶם
מָלְאוּ אֶת־נַחֲלָתִי׃

הָעֹנֶשׁ בְּעִקְּבוֹת חִלּוּל הָאָרֶץ׃

יט יְהוָה עֻזִּי וּמָעֻזִּי וּמְנוּסִי בְּיוֹם צָרָה אֵלֶיךָ גּוֹיִם יָבֹאוּ מֵאַפְסֵי־
אֶרֶץ וְיֹאמְרוּ אַךְ־שֶׁקֶר נָחֲלוּ אֲבוֹתֵינוּ הֶבֶל וְאֵין־בָּם מוֹעִיל׃
כ כא הֲיַעֲשֶׂה־לּוֹ אָדָם אֱלֹהִים וְהֵמָּה לֹא אֱלֹהִים׃ לָכֵן הִנְנִי מוֹדִיעָם
בַּפַּעַם הַזֹּאת אוֹדִיעֵם אֶת־יָדִי וְאֶת־גְּבוּרָתִי וְיָדְעוּ כִּי־שְׁמִי
יז א יְהוָה׃ חַטַּאת יְהוּדָה כְּתוּבָה בְּעֵט בַּרְזֶל בְּצִפֹּרֶן שָׁמִיר
ב חֲרוּשָׁה עַל־לוּחַ לִבָּם וּלְקַרְנוֹת מִזְבְּחוֹתֵיכֶם׃ כִּזְכֹּר בְּנֵיהֶם
ג מִזְבְּחוֹתָם וַאֲשֵׁרֵיהֶם עַל־עֵץ רַעֲנָן עַל גְּבָעוֹת הַגְּבֹהוֹת׃ הֲרָרִי
בַּשָּׂדֶה חֵילְךָ כָל־אוֹצְרוֹתֶיךָ לָבַז אֶתֵּן בָּמֹתֶיךָ בְּחַטָּאת בְּכָל־
ד גְּבוּלֶיךָ׃ וְשָׁמַטְתָּה וּבְךָ מִנַּחֲלָתְךָ אֲשֶׁר נָתַתִּי לָךְ וְהַעֲבַדְתִּיךָ
אֶת־אֹיְבֶיךָ בָּאָרֶץ אֲשֶׁר לֹא־יָדָעְתָּ כִּי־אֵשׁ קְדַחְתֶּם בְּאַפִּי
ה עַד־עוֹלָם תּוּקָד׃ כֹּה אָמַר יְהוָה אָרוּר הַגֶּבֶר אֲשֶׁר
ו יִבְטַח בָּאָדָם וְשָׂם בָּשָׂר זְרֹעוֹ וּמִן־יְהוָה יָסוּר לִבּוֹ׃ וְהָיָה כְּעַרְעָר
בָּעֲרָבָה וְלֹא יִרְאֶה כִּי־יָבוֹא טוֹב וְשָׁכַן חֲרֵרִים בַּמִּדְבָּר אֶרֶץ
ז מְלֵחָה וְלֹא תֵשֵׁב׃ בָּרוּךְ הַגֶּבֶר אֲשֶׁר יִבְטַח בַּיהוָה וְהָיָה
ח יְהוָה מִבְטַחוֹ׃ וְהָיָה כְּעֵץ שָׁתוּל עַל־מַיִם וְעַל־יוּבַל יְשַׁלַּח
שָׁרָשָׁיו וְלֹא ירא יִרְאֶה כִּי־יָבֹא חֹם וְהָיָה עָלֵהוּ רַעֲנָן וּבִשְׁנַת
ט בַּצֹּרֶת לֹא יִדְאָג וְלֹא יָמִישׁ מֵעֲשׂוֹת פֶּרִי׃ עָקֹב הַלֵּב מִכֹּל וְאָנֻשׁ

תְּפִלַּת הַנָּבִיא וְהָעֹנֶשׁ׃

חֶסְרוֹן הַבּוֹטֵחַ בָּאָדָם׃

מַעֲלַת הַבּוֹטֵחַ בַּה'׃

י הוּא מִי יֵדָעֶנּוּ׃ אֲנִי יְהוָה חֹקֵר לֵב בֹּחֵן כְּלָיוֹת וְלָתֵת לְאִישׁ
יא כִּדְרָכָו כִּפְרִי מַעֲלָלָיו׃ קֹרֵא דָגַר וְלֹא יָלָד עֹשֶׂה עֹשֶׁר
יב וְלֹא בְמִשְׁפָּט בַּחֲצִי יָמָו יַעַזְבֶנּוּ וּבְאַחֲרִיתוֹ יִהְיֶה נָבָל׃ כִּסֵּא
יג כָּבוֹד מָרוֹם מֵרִאשׁוֹן מְקוֹם מִקְדָּשֵׁנוּ׃ מִקְוֵה יִשְׂרָאֵל יְהוָה
כָּל־עֹזְבֶיךָ יֵבֹשׁוּ יסורי וְסוּרַי בָּאָרֶץ יִכָּתֵבוּ כִּי עָזְבוּ מְקוֹר
מַיִם־חַיִּים אֶת־יְהוָה׃

תְּפִלַּת הַנָּבִיא עַל אוֹיְבָיו:

יד רְפָאֵנִי יְהוָה וְאֵרָפֵא הוֹשִׁיעֵנִי וְאִוָּשֵׁעָה כִּי תְהִלָּתִי אָתָּה׃
טו טז הִנֵּה־הֵמָּה אֹמְרִים אֵלָי אַיֵּה דְבַר־יְהוָה יָבוֹא נָא׃ וַאֲנִי לֹא־אַצְתִּי ׀
מֵרֹעֶה אַחֲרֶיךָ וְיוֹם אָנוּשׁ לֹא הִתְאַוֵּיתִי אַתָּה יָדָעְתָּ מוֹצָא שְׂפָתַי
יז נֹכַח פָּנֶיךָ הָיָה׃ אַל־תִּהְיֵה־לִי לִמְחִתָּה מַחֲסִי־אַתָּה בְּיוֹם רָעָה׃
יח יֵבֹשׁוּ רֹדְפַי וְאַל־אֵבֹשָׁה אָנִי יֵחַתּוּ הֵמָּה וְאַל־אֵחַתָּה אָנִי הָבִיא
יט עֲלֵיהֶם יוֹם רָעָה וּמִשְׁנֶה שִׁבָּרוֹן שָׁבְרֵם׃ כֹּה־אָמַר

מַעֲלַת הַשַּׁבָּת:

יְהוָה אֵלַי הָלֹךְ וְעָמַדְתָּ בְּשַׁעַר בְּנֵי־הָעָם עם אֲשֶׁר יָבֹאוּ בוֹ מַלְכֵי
כ יְהוּדָה וַאֲשֶׁר יֵצְאוּ בוֹ וּבְכֹל שַׁעֲרֵי יְרוּשָׁלִָם׃ וְאָמַרְתָּ אֲלֵיהֶם
שִׁמְעוּ דְבַר־יְהוָה מַלְכֵי יְהוּדָה וְכָל־יְהוּדָה וְכֹל יֹשְׁבֵי יְרוּשָׁלִָם
כא הַבָּאִים בַּשְּׁעָרִים הָאֵלֶּה׃ כֹּה אָמַר יְהוָה הִשָּׁמְרוּ בְּנַפְשׁוֹתֵיכֶם
וְאַל־תִּשְׂאוּ מַשָּׂא בְּיוֹם הַשַּׁבָּת וַהֲבֵאתֶם בְּשַׁעֲרֵי יְרוּשָׁלִָם׃
כב וְלֹא־תוֹצִיאוּ מַשָּׂא מִבָּתֵּיכֶם בְּיוֹם הַשַּׁבָּת וְכָל־מְלָאכָה לֹא
תַעֲשׂוּ וְקִדַּשְׁתֶּם אֶת־יוֹם הַשַּׁבָּת כַּאֲשֶׁר צִוִּיתִי אֶת־אֲבוֹתֵיכֶם׃
כג וְלֹא שָׁמְעוּ וְלֹא הִטּוּ אֶת־אָזְנָם וַיַּקְשׁוּ אֶת־עָרְפָּם לְבִלְתִּי שומע
כד שְׁמוֹעַ וּלְבִלְתִּי קַחַת מוּסָר׃ וְהָיָה אִם־שָׁמֹעַ תִּשְׁמְעוּן אֵלַי
נְאֻם־יְהוָה לְבִלְתִּי ׀ הָבִיא מַשָּׂא בְּשַׁעֲרֵי הָעִיר הַזֹּאת בְּיוֹם
הַשַּׁבָּת וּלְקַדֵּשׁ אֶת־יוֹם הַשַּׁבָּת לְבִלְתִּי עֲשׂוֹת־בָּהּ כָּל־מְלָאכָה׃
כה וּבָאוּ בְשַׁעֲרֵי הָעִיר הַזֹּאת מְלָכִים ׀ וְשָׂרִים יֹשְׁבִים עַל־כִּסֵּא
דָוִד רֹכְבִים ׀ בָּרֶכֶב וּבַסּוּסִים הֵמָּה וְשָׂרֵיהֶם אִישׁ יְהוּדָה וְיֹשְׁבֵי

כו יְרֽוּשָׁלָ֑͏ִם וְיָשְׁבָ֥ה הָעִ֛יר הַזֹּ֖את לְעוֹלָֽם׃ וּבָ֣אוּ מֵעָרֵֽי־יְהוּדָ֡ה
וּמִסְּבִיב֣וֹת יְרֽוּשָׁלַ͏ִ֡ם וּמֵאֶ֨רֶץ בִּנְיָמִ֜ן וּמִן־הַשְּׁפֵלָ֤ה וּמִן־הָהָר֙ וּמִן־
הַנֶּ֔גֶב מְבִאִ֛ים עוֹלָ֥ה וְזֶ֖בַח וּמִנְחָ֣ה וּלְבוֹנָ֑ה וּמְבִאֵ֥י תוֹדָ֖ה בֵּ֥ית
כז יְהוָֽה׃ וְאִם־לֹ֨א תִשְׁמְע֜וּ אֵלַ֗י לְקַדֵּשׁ֙ אֶת־י֣וֹם הַשַּׁבָּ֔ת וּלְבִלְתִּ֣י ׀
שְׂאֵ֣ת מַשָּׂ֗א וּבֹ֛א בְּשַׁעֲרֵ֥י יְרֽוּשָׁלַ͏ִ֖ם בְּי֣וֹם הַשַּׁבָּ֑ת וְהִצַּ֧תִּי אֵ֣שׁ
בִּשְׁעָרֶ֗יהָ וְאָכְלָ֛ה אַרְמְנ֥וֹת יְרֽוּשָׁלַ͏ִ֖ם וְלֹ֥א תִכְבֶּֽה׃
יח א הַדָּבָר֙ אֲשֶׁ֣ר הָיָ֣ה אֶֽל־יִרְמְיָ֔הוּ מֵאֵ֥ת יְהוָ֖ה לֵאמֹֽר׃ ב ק֥וּם וְיָרַדְתָּ֖ מָשָׁל הַיּוֹצֵר:
ג בֵּ֣ית הַיּוֹצֵ֑ר וְשָׁ֖מָּה אַשְׁמִיעֲךָ֥ אֶת־דְּבָרָֽי׃ וָאֵרֵ֖ד בֵּ֣ית הַיּוֹצֵ֑ר והנהו
ד וְהִנֵּה־ה֛וּא עֹשֶׂ֥ה מְלָאכָ֖ה עַל־הָאָבְנָֽיִם׃ וְנִשְׁחַ֣ת הַכְּלִ֗י אֲשֶׁ֨ר ה֥וּא
עֹשֶׂ֛ה בַּחֹ֖מֶר בְּיַ֣ד הַיּוֹצֵ֑ר וְשָׁ֗ב וַֽיַּעֲשֵׂ֙הוּ֙ כְּלִ֣י אַחֵ֔ר כַּאֲשֶׁ֥ר יָשַׁ֛ר
ה בְּעֵינֵ֥י הַיּוֹצֵ֖ר לַעֲשֽׂוֹת׃ וַיְהִ֥י הַנִּמְשָׁל:
ו דְבַר־יְהוָ֖ה אֵלַ֥י לֵאמֽוֹר׃ הֲכַיּוֹצֵ֨ר הַזֶּ֜ה לֹא־אוּכַ֨ל לַעֲשׂ֥וֹת לָכֶ֛ם
בֵּ֥ית יִשְׂרָאֵ֖ל נְאֻם־יְהוָ֑ה הִנֵּ֤ה כַחֹ֙מֶר֙ בְּיַ֣ד הַיּוֹצֵ֔ר כֵּן־אַתֶּ֥ם בְּיָדִ֖י
ז בֵּ֥ית יִשְׂרָאֵֽל׃ רֶ֣גַע אֲדַבֵּ֔ר עַל־גּ֖וֹי וְעַל־מַמְלָכָ֑ה לִנְת֥וֹשׁ
ח וְלִנְת֖וֹץ וּֽלְהַאֲבִֽיד׃ וְשָׁב֙ הַגּ֣וֹי הַה֔וּא מֵרָ֣עָת֔וֹ אֲשֶׁ֥ר דִּבַּ֖רְתִּי עָלָ֑יו
ט וְנִֽחַמְתִּי֙ עַל־הָ֣רָעָ֔ה אֲשֶׁ֥ר חָשַׁ֖בְתִּי לַעֲשׂ֥וֹת לֽוֹ׃ וְרֶ֣גַע
י אֲדַבֵּ֔ר עַל־גּ֖וֹי וְעַל־מַמְלָכָ֑ה לִבְנֹ֖ת וְלִנְטֹֽעַ׃ וְעָשָׂ֤ה הרעה הָרַע֙
בְּעֵינַ֔י לְבִלְתִּ֖י שְׁמֹ֣עַ בְּקוֹלִ֑י וְנִֽחַמְתִּי֙ עַל־הַטּוֹבָ֔ה אֲשֶׁ֥ר אָמַ֖רְתִּי
יא לְהֵיטִ֥יב אוֹתֽוֹ׃ וְעַתָּ֡ה הַמַּסְקָנָה:
אֱמָר־נָ֣א אֶל־אִֽישׁ־יְהוּדָה֩ וְעַל־יוֹשְׁבֵ֨י יְרֽוּשָׁלַ͏ִ֜ם לֵאמֹ֗ר כֹּ֚ה אָמַ֣ר
יְהוָ֔ה הִנֵּ֨ה אָנֹכִ֜י יוֹצֵ֤ר עֲלֵיכֶם֙ רָעָ֔ה וְחֹשֵׁ֥ב עֲלֵיכֶ֖ם מַחֲשָׁבָ֑ה שׁ֣וּבוּ
יב נָ֗א אִ֚ישׁ מִדַּרְכּ֣וֹ הָֽרָעָ֔ה וְהֵיטִ֥יבוּ דַרְכֵיכֶ֖ם וּמַעַלְלֵיכֶֽם׃ וְאָמְר֖וּ
נוֹאָ֑שׁ כִּֽי־אַחֲרֵ֤י מַחְשְׁבוֹתֵ֙ינוּ֙ נֵלֵ֔ךְ וְאִ֛ישׁ שְׁרִר֥וּת לִבּֽוֹ־הָרָ֖ע
נַעֲשֶֽׂה׃
יג לָכֵ֗ן כֹּ֚ה אָמַ֣ר יְהוָ֔ה שַֽׁאֲלוּ־נָא֙ בַּגּוֹיִ֔ם מִ֥י שָׁמַ֖ע כָּאֵ֑לֶּה שַֽׁעֲרֻרִת֙

הַהֶפְסֵד וְהַסִּכְלוּת בַּעֲזִיבַת ה׳:

יד עָשְׂתָה מְאֹד בְּתוּלַת יִשְׂרָאֵל׃ הֲיַעֲזֹב מִצּוּר שָׂדַי שֶׁלֶג לְבָנוֹן
טו אִם־יִנָּתְשׁוּ מַיִם זָרִים קָרִים נוֹזְלִים׃ כִּי־שְׁכֵחֻנִי עַמִּי לַשָּׁוְא
יְקַטֵּרוּ וַיַּכְשִׁלוּם בְּדַרְכֵיהֶם שְׁבִילֵי עוֹלָם לָלֶכֶת נְתִיבוֹת דֶּרֶךְ
טז לֹא סְלוּלָה׃ לָשׂוּם אַרְצָם לְשַׁמָּה שרוקת שְׁרִיקֹת עוֹלָם כֹּל עוֹבֵר
יז עָלֶיהָ יִשֹּׁם וְיָנִיד בְּרֹאשׁוֹ׃ כְּרוּחַ־קָדִים אֲפִיצֵם לִפְנֵי אוֹיֵב עֹרֶף
יח וְלֹא־פָנִים אַרְאֵם בְּיוֹם אֵידָם׃ וַיֹּאמְרוּ לְכוּ וְנַחְשְׁבָה

קְלָלָה לְשׂוֹנְאֵי הַנָּבִיא:

עַל־יִרְמְיָהוּ מַחֲשָׁבוֹת כִּי לֹא־תֹאבַד תּוֹרָה מִכֹּהֵן וְעֵצָה מֵחָכָם
וְדָבָר מִנָּבִיא לְכוּ וְנַכֵּהוּ בַלָּשׁוֹן וְאַל־נַקְשִׁיבָה אֶל־כָּל־דְּבָרָיו׃
יט כ הַקְשִׁיבָה יְהוָה אֵלָי וּשְׁמַע לְקוֹל יְרִיבָי׃ הַיְשֻׁלַּם תַּחַת־טוֹבָה
רָעָה כִּי־כָרוּ שׁוּחָה לְנַפְשִׁי זְכֹר ׀ עָמְדִי לְפָנֶיךָ לְדַבֵּר עֲלֵיהֶם
כא טוֹבָה לְהָשִׁיב אֶת־חֲמָתְךָ מֵהֶם׃ לָכֵן תֵּן אֶת־בְּנֵיהֶם לָרָעָב
וְהַגִּרֵם עַל־יְדֵי־חֶרֶב וְתִהְיֶנָה נְשֵׁיהֶם שַׁכֻּלוֹת וְאַלְמָנוֹת
וְאַנְשֵׁיהֶם יִהְיוּ הֲרֻגֵי מָוֶת בַּחוּרֵיהֶם מֻכֵּי־חֶרֶב בַּמִּלְחָמָה׃
כב תִּשָּׁמַע זְעָקָה מִבָּתֵּיהֶם כִּי־תָבִיא עֲלֵיהֶם גְּדוּד פִּתְאֹם כִּי־כָרוּ
כג שיחה שׁוּחָה לְלָכְדֵנִי וּפַחִים טָמְנוּ לְרַגְלָי׃ וְאַתָּה יְהוָה יָדַעְתָּ
אֶת־כָּל־עֲצָתָם עָלַי לַמָּוֶת אַל־תְּכַפֵּר עַל־עֲוֺנָם וְחַטָּאתָם
מִלְּפָנֶיךָ אַל־תֶּמְחִי והיו וְיִהְיוּ מֻכְשָׁלִים לְפָנֶיךָ בְּעֵת אַפְּךָ עֲשֵׂה

מְשַׁל הַבַּקְבּוּק וְלֻקְחוֹ:

יט א בָהֶם׃ כֹּה אָמַר יְהוָה הָלֹךְ וְקָנִיתָ בַקְבֻּק יוֹצֵר חָרֶשׂ
ב וּמִזִּקְנֵי הָעָם וּמִזִּקְנֵי הַכֹּהֲנִים׃ וְיָצָאתָ אֶל־גֵּיא בֶן־הִנֹּם אֲשֶׁר
פֶּתַח שַׁעַר החרסות הַחַרְסִית וְקָרָאתָ שָּׁם אֶת־הַדְּבָרִים אֲשֶׁר־
ג אֲדַבֵּר אֵלֶיךָ׃ וְאָמַרְתָּ שִׁמְעוּ דְבַר־יְהוָה מַלְכֵי יְהוּדָה וְיֹשְׁבֵי
יְרוּשָׁלָם כֹּה־אָמַר יְהוָה צְבָאוֹת אֱלֹהֵי יִשְׂרָאֵל הִנְנִי מֵבִיא רָעָה
ד עַל־הַמָּקוֹם הַזֶּה אֲשֶׁר כָּל־שֹׁמְעָהּ תִּצַּלְנָה אָזְנָיו׃ יַעַן ׀ אֲשֶׁר
עֲזָבֻנִי וַיְנַכְּרוּ אֶת־הַמָּקוֹם הַזֶּה וַיְקַטְּרוּ־בוֹ לֵאלֹהִים אֲחֵרִים
אֲשֶׁר לֹא־יְדָעוּם הֵמָּה וַאֲבוֹתֵיהֶם וּמַלְכֵי יְהוּדָה וּמָלְאוּ אֶת־

ה הַמָּקוֹם הַזֶּה דַּם נְקִיִּם: וּבָנוּ אֶת־בָּמוֹת הַבַּעַל לִשְׂרֹף אֶת־בְּנֵיהֶם
בָּאֵשׁ עֹלוֹת לַבָּעַל אֲשֶׁר לֹא־צִוִּיתִי וְלֹא דִבַּרְתִּי וְלֹא עָלְתָה
עַל־לִבִּי:
ו לָכֵן הִנֵּה־יָמִים בָּאִים נְאֻם־יְהוָה וְלֹא־יִקָּרֵא לַמָּקוֹם הַזֶּה עוֹד
ז הַתֹּפֶת וְגֵיא בֶן־הִנֹּם כִּי אִם־גֵּיא הַהֲרֵגָה: וּבַקֹּתִי אֶת־עֲצַת יְהוּדָה
וִירוּשָׁלִַם בַּמָּקוֹם הַזֶּה וְהִפַּלְתִּים בַּחֶרֶב לִפְנֵי אֹיְבֵיהֶם וּבְיַד
מְבַקְשֵׁי נַפְשָׁם וְנָתַתִּי אֶת־נִבְלָתָם לְמַאֲכָל לְעוֹף הַשָּׁמַיִם
ח וּלְבֶהֱמַת הָאָרֶץ: וְשַׂמְתִּי אֶת־הָעִיר הַזֹּאת לְשַׁמָּה וְלִשְׁרֵקָה כֹּל
ט עֹבֵר עָלֶיהָ יִשֹּׁם וְיִשְׁרֹק עַל־כָּל־מַכֹּתֶהָ: וְהַאֲכַלְתִּים אֶת־בְּשַׂר
בְּנֵיהֶם וְאֵת בְּשַׂר בְּנֹתֵיהֶם וְאִישׁ בְּשַׂר־רֵעֵהוּ יֹאכֵלוּ בְּמָצוֹר
י וּבְמָצוֹק אֲשֶׁר יָצִיקוּ לָהֶם אֹיְבֵיהֶם וּמְבַקְשֵׁי נַפְשָׁם: וְשָׁבַרְתָּ
יא הַבַּקְבֻּק לְעֵינֵי הָאֲנָשִׁים הַהֹלְכִים אוֹתָךְ: וְאָמַרְתָּ אֲלֵיהֶם
כֹּה־אָמַר ׀ יְהוָה צְבָאוֹת כָּכָה אֶשְׁבֹּר אֶת־הָעָם הַזֶּה וְאֶת־הָעִיר
הַזֹּאת כַּאֲשֶׁר יִשְׁבֹּר אֶת־כְּלִי הַיּוֹצֵר אֲשֶׁר לֹא־יוּכַל לְהֵרָפֵה
יב עוֹד וּבְתֹפֶת יִקְבְּרוּ מֵאֵין מָקוֹם לִקְבּוֹר: כֵּן־אֶעֱשֶׂה לַמָּקוֹם הַזֶּה
יג נְאֻם־יְהוָה וּלְיוֹשְׁבָיו וְלָתֵת אֶת־הָעִיר הַזֹּאת כְּתֹפֶת: וְהָיוּ בָּתֵּי
יְרוּשָׁלִַם וּבָתֵּי מַלְכֵי יְהוּדָה כִּמְקוֹם הַתֹּפֶת הַטְּמֵאִים לְכֹל
הַבָּתִּים אֲשֶׁר קִטְּרוּ עַל־גַּגֹּתֵיהֶם לְכֹל צְבָא הַשָּׁמַיִם וְהַסֵּךְ
נְסָכִים לֵאלֹהִים אֲחֵרִים:
יד וַיָּבֹא יִרְמְיָהוּ מֵהַתֹּפֶת אֲשֶׁר שְׁלָחוֹ יְהוָה שָׁם לְהִנָּבֵא וַיַּעֲמֹד
טו בַּחֲצַר בֵּית־יְהוָה וַיֹּאמֶר אֶל־כָּל־הָעָם: כֹּה־אָמַר יְהוָה
צְבָאוֹת אֱלֹהֵי יִשְׂרָאֵל הִנְנִי מֵבִי אֶל־הָעִיר הַזֹּאת וְעַל־כָּל־עָרֶיהָ
אֵת כָּל־הָרָעָה אֲשֶׁר דִּבַּרְתִּי עָלֶיהָ כִּי הִקְשׁוּ אֶת־עָרְפָּם לְבִלְתִּי
כ א שְׁמוֹעַ אֶת־דְּבָרָי: וַיִּשְׁמַע פַּשְׁחוּר בֶּן־אִמֵּר הַכֹּהֵן וְהוּא־פָקִיד הַכָּאַת
ב נָגִיד בְּבֵית יְהוָה אֶת־יִרְמְיָהוּ נִבָּא אֶת־הַדְּבָרִים הָאֵלֶּה: וַיַּכֶּה יִרְמְיָהוּ וּכְלִיאָתוֹ:

פַּשְׁחוּר אֵת יִרְמְיָהוּ הַנָּבִיא וַיִּתֵּן אֹתוֹ עַל־הַמַּהְפֶּכֶת אֲשֶׁר
ג בְּשַׁעַר בִּנְיָמִן הָעֶלְיוֹן אֲשֶׁר בְּבֵית יְהוָה: וַיְהִי מִמָּחֳרָת וַיֹּצֵא
פַשְׁחוּר אֶת־יִרְמְיָהוּ מִן־הַמַּהְפָּכֶת וַיֹּאמֶר אֵלָיו יִרְמְיָהוּ לֹא
ד פַשְׁחוּר קָרָא יְהוָה שְׁמֶךָ כִּי אִם־מָגוֹר מִסָּבִיב: כִּי
כֹה אָמַר יְהוָה הִנְנִי נֹתֶנְךָ לְמָגוֹר לְךָ וּלְכָל־אֹהֲבֶיךָ וְנָפְלוּ בְּחֶרֶב
אֹיְבֵיהֶם וְעֵינֶיךָ רֹאוֹת וְאֶת־כָּל־יְהוּדָה אֶתֵּן בְּיַד מֶלֶךְ־בָּבֶל
ה וְהִגְלָם בָּבֶלָה וְהִכָּם בֶּחָרֶב: וְנָתַתִּי אֶת־כָּל־חֹסֶן הָעִיר הַזֹּאת
וְאֶת־כָּל־יְגִיעָהּ וְאֶת־כָּל־יְקָרָהּ וְאֵת כָּל־אוֹצְרוֹת מַלְכֵי יְהוּדָה
ו אֶתֵּן בְּיַד אֹיְבֵיהֶם וּבְזָזוּם וּלְקָחוּם וֶהֱבִיאוּם בָּבֶלָה: וְאַתָּה
פַשְׁחוּר וְכֹל יֹשְׁבֵי בֵיתֶךָ תֵּלְכוּ בַּשֶּׁבִי וּבָבֶל תָּבוֹא וְשָׁם תָּמוּת
וְשָׁם תִּקָּבֵר אַתָּה וְכָל־אֹהֲבֶיךָ אֲשֶׁר־נִבֵּאתָ לָהֶם בַּשָּׁקֶר:

נְבוּאַת שְׁבִיָּה לְפַשְׁחוּר וּבִזַּת יְרוּשָׁלִָם:

ז פִּתִּיתַנִי יְהוָה וָאֶפָּת חֲזַקְתַּנִי וַתּוּכָל הָיִיתִי לִשְׂחוֹק כָּל־הַיּוֹם
ח כֻּלֹּה לֹעֵג לִי: כִּי־מִדֵּי אֲדַבֵּר אֶזְעָק חָמָס וָשֹׁד אֶקְרָא כִּי־הָיָה
ט דְבַר־יְהוָה לִי לְחֶרְפָּה וּלְקֶלֶס כָּל־הַיּוֹם: וְאָמַרְתִּי לֹא־אֶזְכְּרֶנּוּ
וְלֹא־אֲדַבֵּר עוֹד בִּשְׁמוֹ וְהָיָה בְלִבִּי כְּאֵשׁ בֹּעֶרֶת עָצֻר בְּעַצְמֹתָי
י וְנִלְאֵיתִי כַּלְכֵל וְלֹא אוּכָל: כִּי שָׁמַעְתִּי דִּבַּת רַבִּים מָגוֹר מִסָּבִיב
הַגִּידוּ וְנַגִּידֶנּוּ כֹּל אֱנוֹשׁ שְׁלֹמִי שֹׁמְרֵי צַלְעִי אוּלַי יְפֻתֶּה וְנוּכְלָה
יא לוֹ וְנִקְחָה נִקְמָתֵנוּ מִמֶּנּוּ: וַיהוָה אוֹתִי כְּגִבּוֹר עָרִיץ עַל־כֵּן רֹדְפַי
יִכָּשְׁלוּ וְלֹא יֻכָלוּ בֹּשׁוּ מְאֹד כִּי־לֹא הִשְׂכִּילוּ כְּלִמַּת עוֹלָם לֹא
יב תִשָּׁכֵחַ: וַיהוָה צְבָאוֹת בֹּחֵן צַדִּיק רֹאֶה כְלָיוֹת וָלֵב אֶרְאֶה
יג נִקְמָתְךָ מֵהֶם כִּי אֵלֶיךָ גִּלִּיתִי אֶת־רִיבִי: שִׁירוּ

תְּפִלָּה נוֹסֶפֶת עַל שׂוֹנְאֵי הַנָּבִיא:

לַיהוָה הַלְלוּ אֶת־יְהוָה כִּי הִצִּיל אֶת־נֶפֶשׁ אֶבְיוֹן מִיַּד
יד מְרֵעִים: אָרוּר הַיּוֹם אֲשֶׁר יֻלַּדְתִּי בּוֹ יוֹם אֲשֶׁר־יְלָדַתְנִי
טו אִמִּי אַל־יְהִי בָרוּךְ: אָרוּר הָאִישׁ אֲשֶׁר בִּשַּׂר אֶת־אָבִי לֵאמֹר
טז יֻלַּד־לְךָ בֵּן זָכָר שַׂמֵּחַ שִׂמְּחָהוּ: וְהָיָה הָאִישׁ הַהוּא כֶּעָרִים

הַלֵּל עַל הַצָּלָתוֹ, וְקִלְלַת הֻלַּדְתּוֹ:

אֲשֶׁר־הָפַךְ יְהוָה וְלֹא נִחָם וְשָׁמַע זְעָקָה בַּבֹּקֶר וּתְרוּעָה בְּעֵת
יז צָהֳרָיִם׃ אֲשֶׁר לֹא־מוֹתְתַנִי מֵרָחֶם וַתְּהִי־לִי אִמִּי קִבְרִי וְרַחְמָה
יח הֲרַת עוֹלָם׃ לָמָּה זֶּה מֵרֶחֶם יָצָאתִי לִרְאוֹת עָמָל וְיָגוֹן וַיִּכְלוּ
בְּבֹשֶׁת יָמָי׃

פְּנִיַּת הַמֶּלֶךְ לַנָּבִיא שֶׁיִּתְפַּלֵּל׃

כא א הַדָּבָר אֲשֶׁר־הָיָה אֶל־יִרְמְיָהוּ מֵאֵת יְהוָה בִּשְׁלֹחַ אֵלָיו הַמֶּלֶךְ
צִדְקִיָּהוּ אֶת־פַּשְׁחוּר בֶּן־מַלְכִּיָּה וְאֶת־צְפַנְיָה בֶן־מַעֲשֵׂיָה הַכֹּהֵן
ב לֵאמֹר׃ דְּרָשׁ־נָא בַעֲדֵנוּ אֶת־יְהוָה כִּי נְבוּכַדְרֶאצַּר מֶלֶךְ־
בָּבֶל נִלְחָם עָלֵינוּ אוּלַי יַעֲשֶׂה יְהוָה אוֹתָנוּ כְּכָל־נִפְלְאֹתָיו
ג וְיַעֲלֶה מֵעָלֵינוּ׃ וַיֹּאמֶר יִרְמְיָהוּ אֲלֵיהֶם כֹּה תֹאמְרֻן אֶל־

תְּשׁוּבַת יִרְמְיָהוּ בִּדְבַר ה׳׃

ד צִדְקִיָּהוּ׃ כֹּה־אָמַר יְהוָה אֱלֹהֵי יִשְׂרָאֵל הִנְנִי מֵסֵב אֶת־
כְּלֵי הַמִּלְחָמָה אֲשֶׁר בְּיֶדְכֶם אֲשֶׁר אַתֶּם נִלְחָמִים בָּם אֶת־מֶלֶךְ
בָּבֶל וְאֶת־הַכַּשְׂדִּים הַצָּרִים עֲלֵיכֶם מִחוּץ לַחוֹמָה וְאָסַפְתִּי
ה אוֹתָם אֶל־תּוֹךְ הָעִיר הַזֹּאת׃ וְנִלְחַמְתִּי אֲנִי אִתְּכֶם בְּיָד נְטוּיָה
ו וּבִזְרוֹעַ חֲזָקָה וּבְאַף וּבְחֵמָה וּבְקֶצֶף גָּדוֹל׃ וְהִכֵּיתִי אֶת־יוֹשְׁבֵי
הָעִיר הַזֹּאת וְאֶת־הָאָדָם וְאֶת־הַבְּהֵמָה בְּדֶבֶר גָּדוֹל יָמֻתוּ׃
ז וְאַחֲרֵי־כֵן נְאֻם־יְהוָה אֶתֵּן אֶת־צִדְקִיָּהוּ מֶלֶךְ־יְהוּדָה וְאֶת־
עֲבָדָיו ׀ וְאֶת־הָעָם וְאֶת־הַנִּשְׁאָרִים בָּעִיר הַזֹּאת מִן־הַדֶּבֶר ׀
מִן־הַחֶרֶב וּמִן־הָרָעָב בְּיַד נְבוּכַדְרֶאצַּר מֶלֶךְ־בָּבֶל וּבְיַד
אֹיְבֵיהֶם וּבְיַד מְבַקְשֵׁי נַפְשָׁם וְהִכָּם לְפִי־חֶרֶב לֹא־יָחוּס עֲלֵיהֶם
ח וְלֹא יַחְמֹל וְלֹא יְרַחֵם׃ וְאֶל־הָעָם הַזֶּה תֹּאמַר כֹּה אָמַר יְהוָה
ט הִנְנִי נֹתֵן לִפְנֵיכֶם אֶת־דֶּרֶךְ הַחַיִּים וְאֶת־דֶּרֶךְ הַמָּוֶת׃ הַיֹּשֵׁב
בָּעִיר הַזֹּאת יָמוּת בַּחֶרֶב וּבָרָעָב וּבַדָּבֶר וְהַיּוֹצֵא וְנָפַל עַל־
י הַכַּשְׂדִּים הַצָּרִים עֲלֵיכֶם יחיה וְחָיָה וְהָיְתָה־לּוֹ נַפְשׁוֹ לְשָׁלָל׃ כִּי
שַׂמְתִּי פָנַי בָּעִיר הַזֹּאת לְרָעָה וְלֹא לְטוֹבָה נְאֻם־יְהוָה בְּיַד־מֶלֶךְ
יא בָּבֶל תִּנָּתֵן וּשְׂרָפָהּ בָּאֵשׁ׃ וּלְבֵית מֶלֶךְ יְהוּדָה שִׁמְעוּ

נְבוּאָה לְבֵית הַמֶּלֶךְ:

יב דְּבַר־יְהוָה: בֵּית דָּוִד כֹּה אָמַר יְהוָה דִּינוּ לַבֹּקֶר מִשְׁפָּט וְהַצִּילוּ
גָזוּל מִיַּד עוֹשֵׁק פֶּן־תֵּצֵא כָאֵשׁ חֲמָתִי וּבָעֲרָה וְאֵין מְכַבֶּה מִפְּנֵי
יג רֹעַ מעלליהם מַעַלְלֵיכֶם: הִנְנִי אֵלַיִךְ יֹשֶׁבֶת הָעֵמֶק צוּר הַמִּישֹׁר
נְאֻם־יְהוָה הָאֹמְרִים מִי־יֵחַת עָלֵינוּ וּמִי יָבוֹא בִּמְעוֹנוֹתֵינוּ:
יד וּפָקַדְתִּי עֲלֵיכֶם כִּפְרִי מַעַלְלֵיכֶם נְאֻם־יְהוָה וְהִצַּתִּי אֵשׁ בְּיַעְרָהּ
כב א וְאָכְלָה כָּל־סְבִיבֶיהָ: כֹּה אָמַר יְהוָה רֵד בֵּית־מֶלֶךְ יְהוּדָה וְדִבַּרְתָּ
ב שָׁם אֶת־הַדָּבָר הַזֶּה: וְאָמַרְתָּ שְׁמַע דְּבַר־יְהוָה מֶלֶךְ יְהוּדָה
הַיֹּשֵׁב עַל־כִּסֵּא דָוִד אַתָּה וַעֲבָדֶיךָ וְעַמְּךָ הַבָּאִים בַּשְּׁעָרִים
ג הָאֵלֶּה: כֹּה ׀ אָמַר יְהוָה עֲשׂוּ מִשְׁפָּט וּצְדָקָה וְהַצִּילוּ גָזוּל מִיַּד
עָשׁוֹק וְגֵר יָתוֹם וְאַלְמָנָה אַל־תֹּנוּ אַל־תַּחְמֹסוּ וְדָם נָקִי
ד אַל־תִּשְׁפְּכוּ בַּמָּקוֹם הַזֶּה: כִּי אִם־עָשׂוֹ תַּעֲשׂוּ אֶת־הַדָּבָר הַזֶּה
וּבָאוּ בְשַׁעֲרֵי הַבַּיִת הַזֶּה מְלָכִים יֹשְׁבִים לְדָוִד עַל־כִּסְאוֹ רֹכְבִים
ה בָּרֶכֶב וּבַסּוּסִים הוּא וַעֲבָדָו וְעַמּוֹ: וְאִם לֹא תִשְׁמְעוּ אֶת־
הַדְּבָרִים הָאֵלֶּה בִּי נִשְׁבַּעְתִּי נְאֻם־יְהוָה כִּי־לְחָרְבָּה יִהְיֶה הַבַּיִת
הַזֶּה:

ו כִּי־כֹה ׀ אָמַר יְהוָה עַל־בֵּית מֶלֶךְ יְהוּדָה גִּלְעָד אַתָּה לִי רֹאשׁ
ז הַלְּבָנוֹן אִם־לֹא אֲשִׁיתְךָ מִדְבָּר עָרִים לֹא נושבה נוֹשָׁבוּ: וְקִדַּשְׁתִּי
עָלֶיךָ מַשְׁחִתִים אִישׁ וְכֵלָיו וְכָרְתוּ מִבְחַר אֲרָזֶיךָ וְהִפִּילוּ
ח עַל־הָאֵשׁ: וְעָבְרוּ גּוֹיִם רַבִּים עַל הָעִיר הַזֹּאת וְאָמְרוּ אִישׁ
ט אֶל־רֵעֵהוּ עַל־מֶה עָשָׂה יְהוָה כָּכָה לָעִיר הַגְּדוֹלָה הַזֹּאת: וְאָמְרוּ
עַל אֲשֶׁר עָזְבוּ אֶת־בְּרִית יְהוָה אֱלֹהֵיהֶם וַיִּשְׁתַּחֲווּ לֵאלֹהִים
י אֲחֵרִים וַיַּעַבְדוּם: אַל־תִּבְכּוּ לְמֵת וְאַל־תָּנֻדוּ לוֹ בְּכוּ

נְבוּאָה לְשַׁלּוּם בֶּן יֹאשִׁיָּהוּ:

יא בָכוֹ לַהֹלֵךְ כִּי לֹא יָשׁוּב עוֹד וְרָאָה אֶת־אֶרֶץ מוֹלַדְתּוֹ: כִּי כֹה
אָמַר־יְהוָה אֶל־שַׁלֻּם בֶּן־יֹאשִׁיָּהוּ מֶלֶךְ יְהוּדָה הַמֹּלֵךְ תַּחַת
יֹאשִׁיָּהוּ אָבִיו אֲשֶׁר יָצָא מִן־הַמָּקוֹם הַזֶּה לֹא־יָשׁוּב שָׁם עוֹד:

יב כִּי בִּמְקוֹם אֲשֶׁר־הִגְלוּ אֹתוֹ שָׁם יָמוּת וְאֶת־הָאָרֶץ הַזֹּאת
יג לֹא־יִרְאֶה עוֹד: הוֹי בֹּנֶה בֵיתוֹ בְּלֹא־צֶדֶק וַעֲלִיּוֹתָיו תּוֹכָחָה לִיהוֹיָקִים הַבּוֹנֶה אַרְמוֹנוֹת בְּעֹשֶׁק:
יד בְּלֹא מִשְׁפָּט בְּרֵעֵהוּ יַעֲבֹד חִנָּם וּפֹעֲלוֹ לֹא יִתֶּן־לוֹ: הָאֹמֵר
אֶבְנֶה־לִּי בֵּית מִדּוֹת וַעֲלִיּוֹת מְרֻוָּחִים וְקָרַע לוֹ חַלּוֹנָי וְסָפוּן
טו בָּאָרֶז וּמָשׁוֹחַ בַּשָּׁשַׁר: הֲתִמְלֹךְ כִּי אַתָּה מְתַחֲרֶה בָאָרֶז אָבִיךָ
טז הֲלוֹא אָכַל וְשָׁתָה וְעָשָׂה מִשְׁפָּט וּצְדָקָה אָז טוֹב לוֹ: דָּן דִּין־עָנִי
יז וְאֶבְיוֹן אָז טוֹב הֲלוֹא־הִיא הַדַּעַת אֹתִי נְאֻם־יְהוָה: כִּי אֵין עֵינֶיךָ
וְלִבְּךָ כִּי אִם־עַל־בִּצְעֶךָ וְעַל דַּם־הַנָּקִי לִשְׁפּוֹךְ וְעַל־הָעֹשֶׁק
יח וְעַל־הַמְּרוּצָה לַעֲשׂוֹת: לָכֵן כֹּה־אָמַר יְהוָה אֶל־ עָנְשׁוֹ שֶׁל יְהוֹיָקִים:
יְהוֹיָקִים בֶּן־יֹאשִׁיָּהוּ מֶלֶךְ יְהוּדָה לֹא־יִסְפְּדוּ לוֹ הוֹי אָחִי וְהוֹי
יט אָחוֹת לֹא־יִסְפְּדוּ לוֹ הוֹי אָדוֹן וְהוֹי הֹדֹה: קְבוּרַת חֲמוֹר יִקָּבֵר
כ סָחוֹב וְהַשְׁלֵךְ מֵהָלְאָה לְשַׁעֲרֵי יְרוּשָׁלִָם: עֲלִי
הַלְּבָנוֹן וּצְעָקִי וּבַבָּשָׁן תְּנִי קוֹלֵךְ וְצַעֲקִי מֵעֲבָרִים כִּי נִשְׁבְּרוּ
כא כָּל־מְאַהֲבָיִךְ: דִּבַּרְתִּי אֵלַיִךְ בְּשַׁלְוֹתַיִךְ אָמַרְתְּ לֹא אֶשְׁמָע זֶה
כב דַרְכֵּךְ מִנְּעוּרַיִךְ כִּי לֹא־שָׁמַעַתְּ בְּקוֹלִי: כָּל־רֹעַיִךְ תִּרְעֶה־רוּחַ
כג וּמְאַהֲבַיִךְ בַּשְּׁבִי יֵלֵכוּ כִּי אָז תֵּבֹשִׁי וְנִכְלַמְתְּ מִכֹּל רָעָתֵךְ: ישבתי
ישַׁבְתְּ בַּלְּבָנוֹן מקננתי מְקֻנַּנְתְּ בָּאֲרָזִים מַה־נֵּחַנְתְּ בְּבֹא־לָךְ חֲבָלִים
כד חִיל כַּיֹּלֵדָה: חַי־אָנִי נְאֻם־יְהוָה כִּי אִם־יִהְיֶה כָּנְיָהוּ בֶּן־יְהוֹיָקִים תּוֹכָחָה לְכָנְיָהוּ וְאִמּוֹ:
כה מֶלֶךְ יְהוּדָה חוֹתָם עַל־יַד יְמִינִי כִּי מִשָּׁם אֶתְּקֶנְךָּ: וּנְתַתִּיךָ בְּיַד
מְבַקְשֵׁי נַפְשֶׁךָ וּבְיַד אֲשֶׁר־אַתָּה יָגוֹר מִפְּנֵיהֶם וּבְיַד נְבוּכַדְרֶאצַּר
כו מֶלֶךְ־בָּבֶל וּבְיַד הַכַּשְׂדִּים: וְהֵטַלְתִּי אֹתְךָ וְאֶת־אִמְּךָ אֲשֶׁר
יְלָדַתְךָ עַל הָאָרֶץ אַחֶרֶת אֲשֶׁר לֹא־יֻלַּדְתֶּם שָׁם וְשָׁם תָּמוּתוּ:
כז וְעַל־הָאָרֶץ אֲשֶׁר־הֵם מְנַשְּׂאִים אֶת־נַפְשָׁם לָשׁוּב שָׁם שָׁמָּה לֹא
יָשׁוּבוּ:
כח הָעֶצֶב נִבְזֶה נָפוּץ הָאִישׁ הַזֶּה כָּנְיָהוּ אִם־כְּלִי אֵין חֵפֶץ בּוֹ מַדּוּעַ

כט הוּטְלוּ הוּא וְזַרְעוֹ וְהֻשְׁלְכוּ עַל־הָאָרֶץ אֲשֶׁר לֹא־יָדָעוּ: אֶרֶץ
ל אֶרֶץ אָרֶץ שִׁמְעִי דְּבַר־יְהוָה: כֹּה ׀ אָמַר יְהוָה כִּתְבוּ אֶת־הָאִישׁ
הַזֶּה עֲרִירִי גֶּבֶר לֹא־יִצְלַח בְּיָמָיו כִּי לֹא יִצְלַח מִזַּרְעוֹ אִישׁ
יֹשֵׁב עַל־כִּסֵּא דָוִד וּמֹשֵׁל עוֹד בִּיהוּדָה:

תּוֹכָחָה לַמַּנְהִיגִים:

כג א הוֹי רֹעִים מְאַבְּדִים וּמְפִצִים אֶת־צֹאן מַרְעִיתִי נְאֻם־
ב יְהוָה: לָכֵן כֹּה־אָמַר יְהוָה
אֱלֹהֵי יִשְׂרָאֵל עַל־הָרֹעִים הָרֹעִים אֶת־עַמִּי אַתֶּם הֲפִצֹתֶם
אֶת־צֹאנִי וַתַּדִּחוּם וְלֹא פְקַדְתֶּם אֹתָם הִנְנִי פֹקֵד עֲלֵיכֶם אֶת־רֹעַ
ג מַעַלְלֵיכֶם נְאֻם־יְהוָה: וַאֲנִי אֲקַבֵּץ אֶת־שְׁאֵרִית צֹאנִי מִכֹּל
הָאֲרָצוֹת אֲשֶׁר־הִדַּחְתִּי אֹתָם שָׁם וַהֲשִׁבֹתִי אֶתְהֶן עַל־נְוֵהֶן וּפָרוּ
ד וְרָבוּ: וַהֲקִמֹתִי עֲלֵיהֶם רֹעִים וְרָעוּם וְלֹא־יִירְאוּ עוֹד וְלֹא־יֵחַתּוּ

נְבוּאָה לַמָּשִׁיחַ:

ה וְלֹא יִפָּקֵדוּ נְאֻם־יְהוָה: הִנֵּה יָמִים בָּאִים נְאֻם־יְהוָה
וַהֲקִמֹתִי לְדָוִד צֶמַח צַדִּיק וּמָלַךְ מֶלֶךְ וְהִשְׂכִּיל וְעָשָׂה מִשְׁפָּט
ו וּצְדָקָה בָּאָרֶץ: בְּיָמָיו תִּוָּשַׁע יְהוּדָה וְיִשְׂרָאֵל יִשְׁכֹּן לָבֶטַח
וְזֶה־שְּׁמוֹ אֲשֶׁר־יִקְרְאוֹ יְהוָה ׀ צִדְקֵנוּ:
ז לָכֵן הִנֵּה־יָמִים בָּאִים נְאֻם־יְהוָה וְלֹא־יֹאמְרוּ עוֹד חַי־יְהוָה אֲשֶׁר
ח הֶעֱלָה אֶת־בְּנֵי יִשְׂרָאֵל מֵאֶרֶץ מִצְרָיִם: כִּי אִם־חַי־יְהוָה אֲשֶׁר
הֶעֱלָה וַאֲשֶׁר הֵבִיא אֶת־זֶרַע בֵּית יִשְׂרָאֵל מֵאֶרֶץ צָפוֹנָה וּמִכֹּל
הָאֲרָצוֹת אֲשֶׁר הִדַּחְתִּים שָׁם וְיָשְׁבוּ עַל־אַדְמָתָם:

תּוֹכָחָה לִנְבִיאֵי הַשָּׁקֶר:

ט לַנְּבִאִים נִשְׁבַּר לִבִּי בְקִרְבִּי רָחֲפוּ כָּל־עַצְמוֹתַי הָיִיתִי כְּאִישׁ
י שִׁכּוֹר וּכְגֶבֶר עֲבָרוֹ יָיִן מִפְּנֵי יְהוָה וּמִפְּנֵי דִּבְרֵי קָדְשׁוֹ: כִּי
מְנָאֲפִים מָלְאָה הָאָרֶץ כִּי־מִפְּנֵי אָלָה אָבְלָה הָאָרֶץ יָבְשׁוּ נְאוֹת
יא מִדְבָּר וַתְּהִי מְרוּצָתָם רָעָה וּגְבוּרָתָם לֹא־כֵן: כִּי־גַם־נָבִיא
יב גַם־כֹּהֵן חָנֵפוּ גַּם־בְּבֵיתִי מָצָאתִי רָעָתָם נְאֻם־יְהוָה: לָכֵן יִהְיֶה
דַרְכָּם לָהֶם כַּחֲלַקְלַקּוֹת בָּאֲפֵלָה יִדַּחוּ וְנָפְלוּ בָהּ כִּי־אָבִיא

יג עֲלֵיהֶם רָעָה שְׁנַת פְּקֻדָּתָם נְאֻם־יְהוָה: וּבִנְבִאֵי שֹׁמְרוֹן רָאִיתִי
יד תִפְלָה הִנַּבְּאוּ בַבַּעַל וַיַּתְעוּ אֶת־עַמִּי אֶת־יִשְׂרָאֵל: וּבִנְבִאֵי
יְרוּשָׁלַםִ רָאִיתִי שַׁעֲרוּרָה נָאוֹף וְהָלֹךְ בַּשֶּׁקֶר וְחִזְּקוּ יְדֵי מְרֵעִים
לְבִלְתִּי־שָׁבוּ אִישׁ מֵרָעָתוֹ הָיוּ־לִי כֻלָּם כִּסְדֹם וְיֹשְׁבֶיהָ
כַּעֲמֹרָה:
טו לָכֵן כֹּה־אָמַר יְהוָה צְבָאוֹת עַל־הַנְּבִאִים הִנְנִי מַאֲכִיל אוֹתָם
לַעֲנָה וְהִשְׁקִתִים מֵי־רֹאשׁ כִּי מֵאֵת נְבִיאֵי יְרוּשָׁלַםִ יָצְאָה חֲנֻפָּה
לְכָל־הָאָרֶץ:
טז כֹּה־אָמַר יְהוָה צְבָאוֹת אַל־תִּשְׁמְעוּ עַל־דִּבְרֵי הַנְּבִאִים הַנִּבְּאִים
לָכֶם מַהְבִּלִים הֵמָּה אֶתְכֶם חֲזוֹן לִבָּם יְדַבֵּרוּ לֹא מִפִּי יְהוָה:
יז אֹמְרִים אָמוֹר לִמְנַאֲצַי דִּבֶּר יְהוָה שָׁלוֹם יִהְיֶה לָכֶם וְכֹל
יח הֹלֵךְ בִּשְׁרִרוּת לִבּוֹ אָמְרוּ לֹא־תָבוֹא עֲלֵיכֶם רָעָה: כִּי מִי עָמַד
בְּסוֹד יְהוָה וְיֵרֶא וְיִשְׁמַע אֶת־דְּבָרוֹ מִי־הִקְשִׁיב דברי דְּבָרוֹ
יט וַיִּשְׁמָע: הִנֵּה ׀ סַעֲרַת יְהוָה חֵמָה יָצְאָה וְסַעַר
כ מִתְחוֹלֵל עַל רֹאשׁ רְשָׁעִים יָחוּל: לֹא יָשׁוּב אַף־יְהוָה עַד־עֲשֹׂתוֹ
וְעַד־הֲקִימוֹ מְזִמּוֹת לִבּוֹ בְּאַחֲרִית הַיָּמִים תִּתְבּוֹנְנוּ בָהּ בִּינָה:
כא לֹא־שָׁלַחְתִּי אֶת־הַנְּבִאִים וְהֵם רָצוּ לֹא־דִבַּרְתִּי אֲלֵיהֶם וְהֵם
כב נִבָּאוּ: וְאִם־עָמְדוּ בְּסוֹדִי וְיַשְׁמִעוּ דְבָרַי אֶת־עַמִּי וִישִׁבוּם
כג מִדַּרְכָּם הָרָע וּמֵרֹעַ מַעַלְלֵיהֶם: הַאֱלֹהֵי מִקָּרֹב אָנִי
כד נְאֻם־יְהוָה וְלֹא אֱלֹהֵי מֵרָחֹק: אִם־יִסָּתֵר אִישׁ בַּמִּסְתָּרִים וַאֲנִי
לֹא־אֶרְאֶנּוּ נְאֻם־יְהוָה הֲלוֹא אֶת־הַשָּׁמַיִם וְאֶת־הָאָרֶץ אֲנִי מָלֵא
כה נְאֻם־יְהוָה: שָׁמַעְתִּי אֵת אֲשֶׁר־אָמְרוּ הַנְּבִאִים הַנִּבְּאִים בִּשְׁמִי
כו שֶׁקֶר לֵאמֹר חָלַמְתִּי חָלָמְתִּי: עַד־מָתַי הֲיֵשׁ בְּלֵב הַנְּבִאִים נִבְּאֵי
כז הַשָּׁקֶר וּנְבִיאֵי תַּרְמִת לִבָּם: הַחֹשְׁבִים לְהַשְׁכִּיחַ אֶת־עַמִּי שְׁמִי
בַּחֲלוֹמֹתָם אֲשֶׁר יְסַפְּרוּ אִישׁ לְרֵעֵהוּ כַּאֲשֶׁר שָׁכְחוּ אֲבוֹתָם

מַזְהִיר מִפְּנֵי נְבִיאֵי הַשָּׁקֶר:

הַהֶבְדֵּל בֵּין נְבִיאֵי הָאֱמֶת לְזוּלָתָם:

כח אֶת־שְׁמִ֖י בַּבָּֽעַל׃ הַנָּבִ֞יא אֲשֶׁר־אִתּ֤וֹ חֲלוֹם֙ יְסַפֵּ֣ר חֲל֔וֹם וַאֲשֶׁ֤ר
דְּבָרִי֙ אִתּ֔וֹ יְדַבֵּ֥ר דְּבָרִ֖י אֱמֶ֑ת מַה־לַתֶּ֥בֶן אֶת־הַבָּ֖ר נְאֻם־
כט יְהוָֽה׃ הֲל֨וֹא כֹ֧ה דְבָרִ֛י כָּאֵ֖שׁ נְאֻם־יְהוָ֑ה וּכְפַטִּ֖ישׁ יְפֹ֥צֵֽץ
ל סָֽלַע׃ לָכֵ֛ן הִנְנִ֥י עַל־הַנְּבִאִ֖ים נְאֻם־יְהוָ֑ה מְגַנְּבֵ֣י דְבָרַ֔י
לא אִ֖ישׁ מֵאֵ֥ת רֵעֵֽהוּ׃ הִנְנִ֥י עַל־הַנְּבִיאִ֖ם נְאֻם־יְהוָ֑ה הַלֹּקְחִ֣ים לְשׁוֹנָ֔ם
לב וַיִּנְאֲמ֖וּ נְאֻֽם׃ הִנְנִ֞י עַל־נִבְּאֵ֨י חֲלֹמ֥וֹת שֶׁ֙קֶר֙ נְאֻם־יְהוָ֔ה וַֽיְסַפְּרוּם֙
וַיַּתְע֣וּ אֶת־עַמִּ֔י בְּשִׁקְרֵיהֶ֖ם וּבְפַחֲזוּתָ֑ם וְאָנֹכִ֨י לֹֽא־שְׁלַחְתִּ֜ים וְלֹ֣א

הָעֹנֶשׁ לַקּוֹרְאִים לִנְבוּאַת ה׳ מַשָּׂא:

לג צִוִּיתִ֗ים וְהוֹעֵ֛יל לֹא־יוֹעִ֥ילוּ לָֽעָם־הַזֶּ֖ה נְאֻם־יְהוָֽה׃ וְכִֽי־יִשְׁאָלְךָ֠
הָעָ֨ם הַזֶּ֜ה אֽוֹ־הַנָּבִ֤יא אֽוֹ־כֹהֵן֙ לֵאמֹ֔ר מַה־מַּשָּׂ֖א יְהוָ֑ה וְאָמַרְתָּ֣
לד אֲלֵיהֶ֗ם אֶֽת־מַה־מַּשָּׂ֛א וְנָטַשְׁתִּ֥י אֶתְכֶ֖ם נְאֻם־יְהוָֽה׃ וְהַנָּבִ֤יא
וְהַכֹּהֵן֙ וְהָעָ֔ם אֲשֶׁ֥ר יֹאמַ֖ר מַשָּׂ֣א יְהוָ֑ה וּפָקַדְתִּ֛י עַל־הָאִ֥ישׁ הַה֖וּא
לה וְעַל־בֵּיתֽוֹ׃ כֹּ֥ה תֹאמְר֛וּ אִ֥ישׁ עַל־רֵעֵ֖הוּ וְאִ֣ישׁ אֶל־אָחִ֑יו מֶֽה־עָנָ֣ה
לו יְהוָ֔ה וּמַה־דִּבֶּ֖ר יְהוָֽה׃ וּמַשָּׂ֥א יְהוָ֖ה לֹ֣א תִזְכְּרוּ־ע֑וֹד כִּ֧י הַמַּשָּׂ֛א
יִֽהְיֶה֙ לְאִ֣ישׁ דְּבָר֔וֹ וַהֲפַכְתֶּ֗ם אֶת־דִּבְרֵי֙ אֱלֹהִ֣ים חַיִּ֔ים יְהוָ֥ה
לז צְבָא֖וֹת אֱלֹהֵֽינוּ׃ כֹּ֥ה תֹאמַ֖ר אֶל־הַנָּבִ֑יא מֶֽה־עָנָ֣ךְ יְהוָ֔ה וּמַה־דִּבֶּ֖ר
לח יְהוָֽה׃ וְאִם־מַשָּׂ֣א יְהוָה֮ תֹּאמֵרוּ֒ לָכֵ֗ן כֹּ֚ה אָמַ֣ר יְהוָ֔ה יַ֚עַן אֲמָרְכֶ֔ם
אֶת־הַדָּבָ֥ר הַזֶּ֖ה מַשָּׂ֣א יְהוָ֑ה וָאֶשְׁלַ֤ח אֲלֵיכֶם֙ לֵאמֹ֔ר לֹ֥א תֹאמְר֖וּ
לט מַשָּׂ֥א יְהוָֽה׃ לָכֵ֗ן הִנְנִ֛י וְנָשִׁ֥יתִי אֶתְכֶ֖ם נָשֹׁ֑א וְנָטַשְׁתִּ֣י אֶתְכֶ֗ם
מ וְאֶת־הָעִ֙יר֙ אֲשֶׁ֨ר נָתַ֧תִּי לָכֶ֛ם וְלַאֲבוֹתֵיכֶ֖ם מֵעַ֥ל פָּנָֽי׃ וְנָתַתִּ֥י
עֲלֵיכֶ֖ם חֶרְפַּ֣ת עוֹלָ֑ם וּכְלִמּ֣וּת עוֹלָ֔ם אֲשֶׁ֖ר לֹ֥א תִשָּׁכֵֽחַ׃

מְשַׁל דּוּדָאֵי הַתְּאֵנִים:

כד א הִרְאַ֙נִי֙ יְהוָ֔ה וְהִנֵּ֗ה שְׁנֵי֙ דּוּדָאֵ֣י תְאֵנִ֔ים מֽוּעָדִ֖ים לִפְנֵ֣י הֵיכַ֣ל
יְהוָ֑ה אַחֲרֵ֣י הַגְל֣וֹת נְבֽוּכַדְרֶאצַּ֣ר מֶֽלֶךְ־בָּ֠בֶל אֶת־יְכָנְיָ֨הוּ בֶן־
יְהוֹיָקִ֜ים מֶֽלֶךְ־יְהוּדָ֗ה וְאֶת־שָׂרֵ֨י יְהוּדָ֜ה וְאֶת־הֶחָרָ֤שׁ וְאֶת־
ב הַמַּסְגֵּר֙ מִיר֣וּשָׁלַ֔͏ִם וַיְבִאֵ֖ם בָּבֶֽל׃ הַדּ֣וּד אֶחָ֗ד תְּאֵנִים֙ טֹב֣וֹת מְאֹ֔ד
כִּתְאֵנֵ֖י הַבַּכֻּר֑וֹת וְהַדּ֣וּד אֶחָ֗ד תְּאֵנִים֙ רָע֣וֹת מְאֹ֔ד אֲשֶׁ֥ר לֹא־

תְּאָכַלְנָה מֵרֹעַ׃
ג וַיֹּאמֶר יְהוָה אֵלַי מָה־אַתָּה רֹאֶה יִרְמְיָהוּ וָאֹמַר תְּאֵנִים הַתְּאֵנִים
הַטֹּבוֹת טֹבוֹת מְאֹד וְהָרָעוֹת רָעוֹת מְאֹד אֲשֶׁר לֹא־תֵאָכַלְנָה
מֵרֹעַ׃
ד ה וַיְהִי דְבַר־יְהוָה אֵלַי לֵאמֹר׃ כֹּה־אָמַר יְהוָה אֱלֹהֵי יִשְׂרָאֵל הַנִּמְשָׁל לַתְּאֵנִים הַטּוֹבוֹת:
כַּתְּאֵנִים הַטֹּבוֹת הָאֵלֶּה כֵּן־אַכִּיר אֶת־גָּלוּת יְהוּדָה אֲשֶׁר שִׁלַּחְתִּי
ו מִן־הַמָּקוֹם הַזֶּה אֶרֶץ כַּשְׂדִּים לְטוֹבָה׃ וְשַׂמְתִּי עֵינִי עֲלֵיהֶם
לְטוֹבָה וַהֲשִׁבֹתִים עַל־הָאָרֶץ הַזֹּאת וּבְנִיתִים וְלֹא אֶהֱרֹס
ז וּנְטַעְתִּים וְלֹא אֶתּוֹשׁ׃ וְנָתַתִּי לָהֶם לֵב לָדַעַת אֹתִי כִּי אֲנִי יְהוָה
וְהָיוּ־לִי לְעָם וְאָנֹכִי אֶהְיֶה לָהֶם לֵאלֹהִים כִּי־יָשֻׁבוּ אֵלַי
ח בְּכָל־לִבָּם׃ וְכַתְּאֵנִים הַנִּמְשָׁל לַתְּאֵנִים הָרָעוֹת:
הָרָעוֹת אֲשֶׁר לֹא־תֵאָכַלְנָה מֵרֹעַ כִּי־כֹה ׀ אָמַר יְהוָה כֵּן אֶתֵּן
אֶת־צִדְקִיָּהוּ מֶלֶךְ־יְהוּדָה וְאֶת־שָׂרָיו וְאֵת ׀ שְׁאֵרִית יְרוּשָׁלִַם
ט הַנִּשְׁאָרִים בָּאָרֶץ הַזֹּאת וְהַיֹּשְׁבִים בְּאֶרֶץ מִצְרָיִם׃ וּנְתַתִּים
לזועה לְזַעֲוָה לְרָעָה לְכֹל מַמְלְכוֹת הָאָרֶץ לְחֶרְפָּה וּלְמָשָׁל לִשְׁנִינָה
י וְלִקְלָלָה בְּכָל־הַמְּקֹמוֹת אֲשֶׁר־אַדִּיחֵם שָׁם׃ וְשִׁלַּחְתִּי בָם אֶת־
הַחֶרֶב אֶת־הָרָעָב וְאֶת־הַדָּבֶר עַד־תֻּמָּם מֵעַל הָאֲדָמָה אֲשֶׁר־
נָתַתִּי לָהֶם וְלַאֲבוֹתֵיהֶם׃
כה א הַדָּבָר אֲשֶׁר־הָיָה עַל־יִרְמְיָהוּ עַל־כָּל־עַם יְהוּדָה בַּשָּׁנָה הָרְבִעִית קְרִיאָה לִתְשׁוּבָה וְסֵרוּב הָעָם:
לִיהוֹיָקִים בֶּן־יֹאשִׁיָּהוּ מֶלֶךְ יְהוּדָה הִיא הַשָּׁנָה הָרִאשֹׁנִית
ב לִנְבוּכַדְרֶאצַּר מֶלֶךְ בָּבֶל׃ אֲשֶׁר דִּבֶּר יִרְמְיָהוּ הַנָּבִיא עַל־כָּל־עַם [3220]
ג יְהוּדָה וְאֶל כָּל־יֹשְׁבֵי יְרוּשָׁלִַם לֵאמֹר׃ מִן־שְׁלֹשׁ עֶשְׂרֵה שָׁנָה
לְיֹאשִׁיָּהוּ בֶן־אָמוֹן מֶלֶךְ יְהוּדָה וְעַד ׀ הַיּוֹם הַזֶּה זֶה שָׁלֹשׁ
וְעֶשְׂרִים שָׁנָה הָיָה דְבַר־יְהוָה אֵלָי וָאֲדַבֵּר אֲלֵיכֶם אַשְׁכֵּים וְדַבֵּר
ד וְלֹא שְׁמַעְתֶּם׃ וְשָׁלַח יְהוָה אֲלֵיכֶם אֶת־כָּל־עֲבָדָיו הַנְּבִאִים

הַשְׁכֵּם וְשָׁלֹחַ וְלֹא שְׁמַעְתֶּם וְלֹא־הִטִּיתֶם אֶת־אָזְנְכֶם לִשְׁמֹעַ׃
ה לֵאמֹר שׁוּבוּ־נָא אִישׁ מִדַּרְכּוֹ הָרָעָה וּמֵרֹעַ מַעַלְלֵיכֶם וּשְׁבוּ
עַל־הָאֲדָמָה אֲשֶׁר נָתַן יְהוָה לָכֶם וְלַאֲבוֹתֵיכֶם לְמִן־עוֹלָם
ו וְעַד־עוֹלָם׃ וְאַל־תֵּלְכוּ אַחֲרֵי אֱלֹהִים אֲחֵרִים לְעָבְדָם
וּלְהִשְׁתַּחֲוֹת לָהֶם וְלֹא־תַכְעִיסוּ אוֹתִי בְּמַעֲשֵׂה יְדֵיכֶם וְלֹא אָרַע
ז לָכֶם׃ וְלֹא־שְׁמַעְתֶּם אֵלַי נְאֻם־יְהוָה לְמַעַן הכעסוני הַכְעִיסֵנִי
בְּמַעֲשֵׂה יְדֵיכֶם לְרַע לָכֶם׃

הָעֹנֶשׁ הַצָּפוּי מִבָּבֶל, וְהַצָּפוּי לְבָבֶל:

ח לָכֵן כֹּה אָמַר יְהוָה צְבָאוֹת יַעַן אֲשֶׁר לֹא־שְׁמַעְתֶּם אֶת־דְּבָרָי׃
ט הִנְנִי שֹׁלֵחַ וְלָקַחְתִּי אֶת־כָּל־מִשְׁפְּחוֹת צָפוֹן נְאֻם־יְהוָה וְאֶל־
נְבוּכַדְרֶאצַּר מֶלֶךְ־בָּבֶל עַבְדִּי וַהֲבִאֹתִים עַל־הָאָרֶץ הַזֹּאת
וְעַל־יֹשְׁבֶיהָ וְעַל כָּל־הַגּוֹיִם הָאֵלֶּה סָבִיב וְהַחֲרַמְתִּים וְשַׂמְתִּים
י לְשַׁמָּה וְלִשְׁרֵקָה וּלְחָרְבוֹת עוֹלָם׃ וְהַאֲבַדְתִּי מֵהֶם קוֹל שָׂשׂוֹן
יא וְקוֹל שִׂמְחָה קוֹל חָתָן וְקוֹל כַּלָּה קוֹל רֵחַיִם וְאוֹר נֵר׃ וְהָיְתָה
כָּל־הָאָרֶץ הַזֹּאת לְחָרְבָּה לְשַׁמָּה וְעָבְדוּ הַגּוֹיִם הָאֵלֶּה אֶת־מֶלֶךְ
יב בָּבֶל שִׁבְעִים שָׁנָה׃ וְהָיָה כִמְלֹאות שִׁבְעִים שָׁנָה אֶפְקֹד עַל־ [3389]
מֶלֶךְ־בָּבֶל וְעַל־הַגּוֹי הַהוּא נְאֻם־יְהוָה אֶת־עֲוֺנָם וְעַל־אֶרֶץ
יג כַּשְׂדִּים וְשַׂמְתִּי אֹתוֹ לְשִׁמְמוֹת עוֹלָם׃ והבאותי וְהֵבֵאתִי עַל־הָאָרֶץ
הַהִיא אֶת־כָּל־דְּבָרַי אֲשֶׁר־דִּבַּרְתִּי עָלֶיהָ אֵת כָּל־הַכָּתוּב בַּסֵּפֶר
יד הַזֶּה אֲשֶׁר־נִבָּא יִרְמְיָהוּ עַל־כָּל־הַגּוֹיִם׃ כִּי עָבְדוּ־בָם גַּם־הֵמָּה
גּוֹיִם רַבִּים וּמְלָכִים גְּדוֹלִים וְשִׁלַּמְתִּי לָהֶם כְּפָעֳלָם וּכְמַעֲשֵׂה
יְדֵיהֶם׃

הַשְׁקָאַת כּוֹס חֲמַת ה׳:

טו כִּי כֹה אָמַר יְהוָה אֱלֹהֵי יִשְׂרָאֵל אֵלַי קַח אֶת־כּוֹס הַיַּיִן הַחֵמָה
הַזֹּאת מִיָּדִי וְהִשְׁקִיתָה אֹתוֹ אֶת־כָּל־הַגּוֹיִם אֲשֶׁר אָנֹכִי שֹׁלֵחַ
טז אוֹתְךָ אֲלֵיהֶם׃ וְשָׁתוּ וְהִתְגֹּעֲשׁוּ וְהִתְהֹלָלוּ מִפְּנֵי הַחֶרֶב אֲשֶׁר
יז אָנֹכִי שֹׁלֵחַ בֵּינֹתָם׃ וָאֶקַּח אֶת־הַכּוֹס מִיַּד יְהוָה וָאַשְׁקֶה

יח אֶת־כָּל־הַגּוֹיִם אֲשֶׁר־שְׁלָחַנִי יְהוָה אֲלֵיהֶם׃ אֶת־יְרוּשָׁלִַם וְאֶת־
עָרֵי יְהוּדָה וְאֶת־מְלָכֶיהָ אֶת־שָׂרֶיהָ לָתֵת אֹתָם לְחָרְבָּה לְשַׁמָּה
יט לִשְׁרֵקָה וְלִקְלָלָה כַּיּוֹם הַזֶּה׃ אֶת־פַּרְעֹה מֶלֶךְ־מִצְרַיִם וְאֶת־
כ עֲבָדָיו וְאֶת־שָׂרָיו וְאֶת־כָּל־עַמּוֹ׃ וְאֵת כָּל־הָעֶרֶב וְאֵת כָּל־מַלְכֵי
אֶרֶץ הָעוּץ וְאֵת כָּל־מַלְכֵי אֶרֶץ פְּלִשְׁתִּים וְאֶת־אַשְׁקְלוֹן וְאֶת־
כא עַזָּה וְאֶת־עֶקְרוֹן וְאֵת שְׁאֵרִית אַשְׁדּוֹד׃ אֶת־אֱדוֹם וְאֶת־מוֹאָב
כב וְאֶת־בְּנֵי עַמּוֹן׃ וְאֵת כָּל־מַלְכֵי־צֹר וְאֵת כָּל־מַלְכֵי צִידוֹן וְאֵת
כג מַלְכֵי הָאִי אֲשֶׁר בְּעֵבֶר הַיָּם׃ אֶת־דְּדָן וְאֶת־תֵּימָא וְאֶת־בּוּז
כד וְאֵת כָּל־קְצוּצֵי פֵאָה׃ וְאֵת כָּל־מַלְכֵי עֲרָב וְאֵת כָּל־מַלְכֵי הָעֶרֶב
כה הַשֹּׁכְנִים בַּמִּדְבָּר׃ וְאֵת ׀ כָּל־מַלְכֵי זִמְרִי וְאֵת כָּל־מַלְכֵי עֵילָם
כו וְאֵת כָּל־מַלְכֵי מָדָי׃ וְאֵת ׀ כָּל־מַלְכֵי הַצָּפוֹן הַקְּרֹבִים וְהָרְחֹקִים
אִישׁ אֶל־אָחִיו וְאֵת כָּל־הַמַּמְלְכוֹת הָאָרֶץ אֲשֶׁר עַל־פְּנֵי הָאֲדָמָה
כז וּמֶלֶךְ שֵׁשַׁךְ יִשְׁתֶּה אַחֲרֵיהֶם׃ וְאָמַרְתָּ אֲלֵיהֶם
כֹּה־אָמַר יְהוָה צְבָאוֹת אֱלֹהֵי יִשְׂרָאֵל שְׁתוּ וְשִׁכְרוּ וּקְיוּ וְנִפְלוּ
כח וְלֹא תָקוּמוּ מִפְּנֵי הַחֶרֶב אֲשֶׁר אָנֹכִי שֹׁלֵחַ בֵּינֵיכֶם׃ וְהָיָה כִּי
יְמָאֲנוּ לָקַחַת־הַכּוֹס מִיָּדְךָ לִשְׁתּוֹת וְאָמַרְתָּ אֲלֵיהֶם כֹּה אָמַר
כט יְהוָה צְבָאוֹת שָׁתוֹ תִשְׁתּוּ׃ כִּי הִנֵּה בָעִיר אֲשֶׁר נִקְרָא־שְׁמִי עָלֶיהָ
אָנֹכִי מֵחֵל לְהָרַע וְאַתֶּם הִנָּקֵה תִנָּקוּ לֹא תִנָּקוּ כִּי חֶרֶב אֲנִי קֹרֵא
ל עַל־כָּל־יֹשְׁבֵי הָאָרֶץ נְאֻם יְהוָה צְבָאוֹת׃ וְאַתָּה תִּנָּבֵא אֲלֵיהֶם (נִקְמַת ה' בַּגּוֹיִם:)
אֵת כָּל־הַדְּבָרִים הָאֵלֶּה וְאָמַרְתָּ אֲלֵיהֶם יְהוָה מִמָּרוֹם יִשְׁאָג
וּמִמְּעוֹן קָדְשׁוֹ יִתֵּן קוֹלוֹ שָׁאֹג יִשְׁאַג עַל־נָוֵהוּ הֵידָד כְּדֹרְכִים
לא יַעֲנֶה אֶל כָּל־יֹשְׁבֵי הָאָרֶץ׃ בָּא שָׁאוֹן עַד־קְצֵה הָאָרֶץ כִּי רִיב
לַיהוָה בַּגּוֹיִם נִשְׁפָּט הוּא לְכָל־בָּשָׂר הָרְשָׁעִים נְתָנָם לַחֶרֶב
לב נְאֻם־יְהוָה׃ כֹּה אָמַר יְהוָה צְבָאוֹת הִנֵּה רָעָה יֹצֵאת
לג מִגּוֹי אֶל־גּוֹי וְסַעַר גָּדוֹל יֵעוֹר מִיַּרְכְּתֵי־אָרֶץ׃ וְהָיוּ חַלְלֵי יְהוָה

בַּיּ֣וֹם הַה֗וּא מִקְצֵ֤ה הָאָ֙רֶץ֙ וְעַד־קְצֵ֣ה הָאָ֔רֶץ לֹ֣א יִסָּפְד֗וּ וְלֹ֤א יֵאָֽסְפוּ֙
לד וְלֹ֣א יִקָּבֵ֔רוּ לְדֹ֛מֶן עַל־פְּנֵ֥י הָאֲדָמָ֖ה יִהְיֽוּ׃ הֵילִ֨ילוּ הָרֹעִ֜ים וְזַעֲק֗וּ
וְהִֽתְפַּלְּשׁוּ֙ אַדִּירֵ֣י הַצֹּ֔אן כִּֽי־מָלְא֥וּ יְמֵיכֶ֖ם לִטְב֑וֹחַ וּתְפוֹצ֣וֹתִיכֶ֔ם
לה וּנְפַלְתֶּ֖ם כִּכְלִ֥י חֶמְדָּֽה׃ וְאָבַ֥ד מָנ֖וֹס מִן־הָרֹעִ֑ים וּפְלֵיטָ֖ה מֵאַדִּירֵ֥י
לו הַצֹּֽאן׃ ק֚וֹל צַעֲקַ֣ת הָרֹעִ֔ים וִֽילְלַ֖ת אַדִּירֵ֣י הַצֹּ֑אן כִּֽי־שֹׁדֵ֥ד יְהוָ֖ה
לז לח אֶת־מַרְעִיתָֽם׃ וְנָדַ֖מּוּ נְא֣וֹת הַשָּׁל֑וֹם מִפְּנֵ֖י חֲר֥וֹן אַף־יְהוָֽה׃ עָזַ֥ב
כַּכְּפִ֖יר סֻכּ֑וֹ כִּֽי־הָיְתָ֤ה אַרְצָם֙ לְשַׁמָּ֔ה מִפְּנֵי֙ חֲר֣וֹן הַיּוֹנָ֔ה וּמִפְּנֵ֖י
חֲר֥וֹן אַפּֽוֹ׃

כו א בְּרֵאשִׁ֗ית מַמְלְכ֛וּת יְהוֹיָקִ֥ים בֶּן־יֹאשִׁיָּ֖הוּ מֶ֣לֶךְ יְהוּדָ֑ה הָיָ֛ה הַדָּבָ֥ר
ב הַזֶּ֖ה מֵאֵ֥ת יְהוָ֖ה לֵאמֹֽר׃ כֹּ֣ה ׀ אָמַ֣ר יְהוָ֗ה עֲמֹד֙ בַּחֲצַ֣ר בֵּית־יְהוָ֔ה
וְדִבַּרְתָּ֞ עַל־כָּל־עָרֵ֣י יְהוּדָ֗ה הַבָּאִים֙ לְהִשְׁתַּחֲוֺ֣ת בֵּית־יְהוָ֔ה אֵ֚ת
ג כָּל־הַדְּבָרִ֔ים אֲשֶׁ֥ר צִוִּיתִ֖יךָ לְדַבֵּ֣ר אֲלֵיהֶ֑ם אַל־תִּגְרַ֖ע דָּבָֽר׃ אוּלַ֣י
יִשְׁמְע֔וּ וְיָשֻׁ֕בוּ אִ֖ישׁ מִדַּרְכּ֣וֹ הָרָעָ֑ה וְנִחַמְתִּ֣י אֶל־הָרָעָ֗ה אֲשֶׁ֨ר
ד אָנֹכִ֤י חֹשֵׁב֙ לַעֲשׂ֣וֹת לָהֶ֔ם מִפְּנֵ֖י רֹ֥עַ מַעַלְלֵיהֶֽם׃ וְאָמַרְתָּ֣ אֲלֵיהֶ֔ם
כֹּ֖ה אָמַ֣ר יְהוָ֑ה אִם־לֹ֤א תִשְׁמְעוּ֙ אֵלַ֔י לָלֶ֙כֶת֙ בְּת֣וֹרָתִ֔י אֲשֶׁ֥ר נָתַ֖תִּי
ה לִפְנֵיכֶֽם׃ לִ֠שְׁמֹעַ עַל־דִּבְרֵ֞י עֲבָדַ֣י הַנְּבִאִ֗ים אֲשֶׁ֨ר אָנֹכִ֜י שֹׁלֵ֤חַ
ו אֲלֵיכֶ֔ם וְהַשְׁכֵּ֖ם וְשָׁלֹ֑חַ וְלֹ֖א שְׁמַעְתֶּֽם׃ וְנָתַתִּ֛י אֶת־הַבַּ֥יִת הַזֶּ֖ה
כְּשִׁלֹ֑ה וְאֶת־הָעִ֤יר הזאתה הַזֹּאת֙ אֶתֵּ֣ן לִקְלָלָ֔ה לְכֹ֖ל גּוֹיֵ֥
הָאָֽרֶץ׃

ז וַיִּשְׁמְע֛וּ הַכֹּהֲנִ֥ים וְהַנְּבִאִ֖ים וְכָל־הָעָ֑ם אֶֽת־יִרְמְיָ֔הוּ מְדַבֵּ֛ר אֶת־
ח הַדְּבָרִ֥ים הָאֵ֖לֶּה בְּבֵ֥ית יְהוָֽה׃ וַיְהִ֣י ׀ כְּכַלּ֣וֹת יִרְמְיָ֗הוּ לְדַבֵּר֙ אֵ֣ת
כָּל־אֲשֶׁר־צִוָּ֣ה יְהוָ֔ה לְדַבֵּ֖ר אֶל־כָּל־הָעָ֑ם וַיִּתְפְּשׂ֨וּ אֹת֜וֹ הַכֹּהֲנִ֧ים
ט וְהַנְּבִאִ֛ים וְכָל־הָעָ֖ם לֵאמֹ֑ר מ֖וֹת תָּמֽוּת׃ מַדּ֜וּעַ נִבֵּ֣יתָ בְשֵׁם־יְהוָ֗ה
לֵאמֹר֙ כְּשִׁלוֹ֙ יִהְיֶ֣ה הַבַּ֣יִת הַזֶּ֔ה וְהָעִ֥יר הַזֹּ֛את תֶּחֱרַ֖ב מֵאֵ֣ין יוֹשֵׁ֑ב
י וַיִּקָּהֵ֧ל כָּל־הָעָ֛ם אֶֽל־יִרְמְיָ֖הוּ בְּבֵ֥ית יְהוָֽה׃ וַֽיִּשְׁמְע֣וּ ׀ שָׂרֵ֣י יְהוּדָ֗ה

אַזְהָרָה מִפְּנֵי הַחֻרְבָּן: [3316′]

הַתְּבִיעָה לַהֲרֹג אֶת יִרְמְיָהוּ:

אֵת הַדְּבָרִים הָאֵלֶּה וַיַּעֲלוּ מִבֵּית־הַמֶּלֶךְ בֵּית יְהוָה וַיֵּשְׁבוּ בְּפֶתַח
יא שַׁעַר־יְהוָה הֶחָדָשׁ׃ וַיֹּאמְרוּ הַכֹּהֲנִים וְהַנְּבִאִים אֶל־
הַשָּׂרִים וְאֶל־כָּל־הָעָם לֵאמֹר מִשְׁפַּט־מָוֶת לָאִישׁ הַזֶּה כִּי נִבָּא
יב אֶל־הָעִיר הַזֹּאת כַּאֲשֶׁר שְׁמַעְתֶּם בְּאָזְנֵיכֶם׃ וַיֹּאמֶר יִרְמְיָהוּ דִּבְרֵי
אֶל־כָּל־הַשָּׂרִים וְאֶל־כָּל־הָעָם לֵאמֹר יְהוָה שְׁלָחַנִי לְהִנָּבֵא יִרְמְיָה
אֶל־הַבַּיִת הַזֶּה וְאֶל־הָעִיר הַזֹּאת אֵת כָּל־הַדְּבָרִים אֲשֶׁר וְאַזְהָרָתוֹ:
יג שְׁמַעְתֶּם׃ וְעַתָּה הֵיטִיבוּ דַרְכֵיכֶם וּמַעַלְלֵיכֶם וְשִׁמְעוּ בְּקוֹל
יד יְהוָה אֱלֹהֵיכֶם וְיִנָּחֵם יְהוָה אֶל־הָרָעָה אֲשֶׁר דִּבֶּר עֲלֵיכֶם׃ וַאֲנִי
טו הִנְנִי בְיֶדְכֶם עֲשׂוּ־לִי כַּטּוֹב וְכַיָּשָׁר בְּעֵינֵיכֶם׃ אַךְ ׀ יָדֹעַ תֵּדְעוּ
כִּי אִם־מְמִתִים אַתֶּם אֹתִי כִּי־דָם נָקִי אַתֶּם נֹתְנִים עֲלֵיכֶם
וְאֶל־הָעִיר הַזֹּאת וְאֶל־יֹשְׁבֶיהָ כִּי בֶאֱמֶת שְׁלָחַנִי יְהוָה עֲלֵיכֶם
טז לְדַבֵּר בְּאָזְנֵיכֶם אֵת כָּל־הַדְּבָרִים הָאֵלֶּה׃ וַיֹּאמְרוּ הַחֲלָצַת
הַשָּׂרִים וְכָל־הָעָם אֶל־הַכֹּהֲנִים וְאֶל־הַנְּבִיאִים אֵין־לָאִישׁ הַזֶּה הַשָּׂרִים
יז מִשְׁפַּט־מָוֶת כִּי בְּשֵׁם יְהוָה אֱלֹהֵינוּ דִּבֶּר אֵלֵינוּ׃ וַיָּקֻמוּ אֲנָשִׁים וְהַזְּקֵנִים
יח מִזִּקְנֵי הָאָרֶץ וַיֹּאמְרוּ אֶל־כָּל־קְהַל הָעָם לֵאמֹר׃ מיכיה מִיכָה לְעֶזְרָתוֹ:
הַמּוֹרַשְׁתִּי הָיָה נִבָּא בִּימֵי חִזְקִיָּהוּ מֶלֶךְ־יְהוּדָה וַיֹּאמֶר אֶל־כָּל־
עַם יְהוּדָה לֵאמֹר כֹּה־אָמַר ׀ יְהוָה צְבָאוֹת צִיּוֹן שָׂדֶה תֵחָרֵשׁ
יט וִירוּשָׁלַיִם עִיִּים תִּהְיֶה וְהַר הַבַּיִת לְבָמוֹת יָעַר׃ הֶהָמֵת הֱמִתֻהוּ
חִזְקִיָּהוּ מֶלֶךְ־יְהוּדָה וְכָל־יְהוּדָה הֲלֹא יָרֵא אֶת־יְהוָה וַיְחַל
אֶת־פְּנֵי יְהוָה וַיִּנָּחֶם יְהוָה אֶל־הָרָעָה אֲשֶׁר־דִּבֶּר עֲלֵיהֶם וַאֲנַחְנוּ
כ עֹשִׂים רָעָה גְדוֹלָה עַל־נַפְשׁוֹתֵינוּ׃ וְגַם־אִישׁ הָיָה מִתְנַבֵּא בְּשֵׁם טַעֲנוֹת
יְהוָה אוּרִיָּהוּ בֶּן־שְׁמַעְיָהוּ מִקִּרְיַת הַיְּעָרִים וַיִּנָּבֵא עַל־הָעִיר מִתְנַגְּדֵי
כא הַזֹּאת וְעַל־הָאָרֶץ הַזֹּאת כְּכֹל דִּבְרֵי יִרְמְיָהוּ׃ וַיִּשְׁמַע הַמֶּלֶךְ־ יִרְמְיָהוּ
יְהוֹיָקִים וְכָל־גִּבּוֹרָיו וְכָל־הַשָּׂרִים אֶת־דְּבָרָיו וַיְבַקֵּשׁ הַמֶּלֶךְ לַהֲמִיתוֹ:
כב הֲמִיתוֹ וַיִּשְׁמַע אוּרִיָּהוּ וַיִּרָא וַיִּבְרַח וַיָּבֹא מִצְרָיִם׃ וַיִּשְׁלַח הַמֶּלֶךְ

יְהוֹיָקִים אֲנָשִׁים מִצְרָיִם אֶת־אֶלְנָתָן בֶּן־עַכְבּוֹר וַאֲנָשִׁים אִתּוֹ
כג אֶל־מִצְרָיִם׃ וַיּוֹצִיאוּ אֶת־אוּרִיָּהוּ מִמִּצְרַיִם וַיְבִאֻהוּ אֶל־הַמֶּלֶךְ
יְהוֹיָקִים וַיַּכֵּהוּ בֶּחָרֶב וַיַּשְׁלֵךְ אֶת־נִבְלָתוֹ אֶל־קִבְרֵי בְּנֵי הָעָם׃
כד אַךְ יַד אֲחִיקָם בֶּן־שָׁפָן הָיְתָה אֶת־יִרְמְיָהוּ לְבִלְתִּי תֵּת־אֹתוֹ
בְיַד־הָעָם לַהֲמִיתוֹ׃

אַזְהָרָה לַגּוֹיִם לְהִשְׁתַּעְבֵּד לִנְבוּכַדְנֶצַּר׃ [3316]

כז א בְּרֵאשִׁית מַמְלֶכֶת יְהוֹיָקִם בֶּן־יֹאושִׁיָּהוּ מֶלֶךְ יְהוּדָה הָיָה הַדָּבָר
ב הַזֶּה אֶל־יִרְמְיָה מֵאֵת יְהוָה לֵאמֹר׃ כֹּה־אָמַר יְהוָה אֵלַי עֲשֵׂה
ג לְךָ מוֹסֵרוֹת וּמֹטוֹת וּנְתַתָּם עַל־צַוָּארֶךָ׃ וְשִׁלַּחְתָּם אֶל־מֶלֶךְ
אֱדוֹם וְאֶל־מֶלֶךְ מוֹאָב וְאֶל־מֶלֶךְ בְּנֵי עַמּוֹן וְאֶל־מֶלֶךְ צֹר
וְאֶל־מֶלֶךְ צִידוֹן בְּיַד מַלְאָכִים הַבָּאִים יְרוּשָׁלַםִ אֶל־צִדְקִיָּהוּ
ד מֶלֶךְ יְהוּדָה׃ וְצִוִּיתָ אֹתָם אֶל־אֲדֹנֵיהֶם לֵאמֹר כֹּה־אָמַר יְהוָה
ה צְבָאוֹת אֱלֹהֵי יִשְׂרָאֵל כֹּה תֹאמְרוּ אֶל־אֲדֹנֵיכֶם׃ אָנֹכִי עָשִׂיתִי
אֶת־הָאָרֶץ אֶת־הָאָדָם וְאֶת־הַבְּהֵמָה אֲשֶׁר עַל־פְּנֵי הָאָרֶץ בְּכֹחִי
ו הַגָּדוֹל וּבִזְרוֹעִי הַנְּטוּיָה וּנְתַתִּיהָ לַאֲשֶׁר יָשַׁר בְּעֵינָי׃ וְעַתָּה אָנֹכִי
נָתַתִּי אֶת־כָּל־הָאֲרָצוֹת הָאֵלֶּה בְּיַד נְבוּכַדְנֶאצַּר מֶלֶךְ־בָּבֶל
ז עַבְדִּי וְגַם אֶת־חַיַּת הַשָּׂדֶה נָתַתִּי לוֹ לְעָבְדוֹ׃ וְעָבְדוּ אֹתוֹ
כָל־הַגּוֹיִם וְאֶת־בְּנוֹ וְאֶת־בֶּן־בְּנוֹ עַד בֹּא־עֵת אַרְצוֹ גַּם־הוּא
ח וְעָבְדוּ בוֹ גּוֹיִם רַבִּים וּמְלָכִים גְּדֹלִים׃ וְהָיָה הַגּוֹי וְהַמַּמְלָכָה
אֲשֶׁר לֹא־יַעַבְדוּ אֹתוֹ אֶת־נְבוּכַדְנֶאצַּר מֶלֶךְ־בָּבֶל וְאֵת אֲשֶׁר
לֹא־יִתֵּן אֶת־צַוָּארוֹ בְּעֹל מֶלֶךְ בָּבֶל בַּחֶרֶב וּבָרָעָב וּבַדֶּבֶר
ט אֶפְקֹד עַל־הַגּוֹי הַהוּא נְאֻם־יְהוָה עַד־תֻּמִּי אֹתָם בְּיָדוֹ׃ וְאַתֶּם
אַל־תִּשְׁמְעוּ אֶל־נְבִיאֵיכֶם וְאֶל־קֹסְמֵיכֶם וְאֶל חֲלֹמֹתֵיכֶם וְאֶל־
עֹנְנֵיכֶם וְאֶל־כַּשָּׁפֵיכֶם אֲשֶׁר־הֵם אֹמְרִים אֲלֵיכֶם לֵאמֹר לֹא
י תַעַבְדוּ אֶת־מֶלֶךְ בָּבֶל׃ כִּי שֶׁקֶר הֵם נִבְּאִים לָכֶם לְמַעַן הַרְחִיק
יא אֶתְכֶם מֵעַל אַדְמַתְכֶם וְהִדַּחְתִּי אֶתְכֶם וַאֲבַדְתֶּם׃ וְהַגּוֹי אֲשֶׁר

יָבִיא אֶת־צַוָּארוֹ בְּעֹל מֶלֶךְ־בָּבֶל וַעֲבָדוֹ וְהִנַּחְתִּיו עַל־אַדְמָתוֹ
יב נְאֻם־יְהוָה וַעֲבָדָהּ וְיָשַׁב בָּהּ׃ וְאֶל־צִדְקִיָּה מֶלֶךְ־יְהוּדָה
דִּבַּרְתִּי כְּכָל־הַדְּבָרִים הָאֵלֶּה לֵאמֹר הָבִיאוּ אֶת־צַוְּארֵיכֶם בְּעֹל
יג מֶלֶךְ־בָּבֶל וְעִבְדוּ אֹתוֹ וְעַמּוֹ וִחְיוּ׃ לָמָּה תָמוּתוּ אַתָּה וְעַמֶּךָ
בַּחֶרֶב בָּרָעָב וּבַדָּבֶר כַּאֲשֶׁר דִּבֶּר יְהוָה אֶל־הַגּוֹי אֲשֶׁר לֹא־יַעֲבֹד
יד אֶת־מֶלֶךְ בָּבֶל׃ וְאַל־תִּשְׁמְעוּ אֶל־דִּבְרֵי הַנְּבִאִים הָאֹמְרִים
אֲלֵיכֶם לֵאמֹר לֹא תַעַבְדוּ אֶת־מֶלֶךְ בָּבֶל כִּי שֶׁקֶר הֵם נִבְּאִים
טו לָכֶם׃ כִּי לֹא שְׁלַחְתִּים נְאֻם־יְהוָה וְהֵם נִבְּאִים בִּשְׁמִי לַשָּׁקֶר
לְמַעַן הַדִּיחִי אֶתְכֶם וַאֲבַדְתֶּם אַתֶּם וְהַנְּבִאִים הַנִּבְּאִים לָכֶם׃
טז וְאֶל־הַכֹּהֲנִים וְאֶל־כָּל־הָעָם הַזֶּה דִּבַּרְתִּי לֵאמֹר כֹּה אָמַר יְהוָה
אַל־תִּשְׁמְעוּ אֶל־דִּבְרֵי נְבִיאֵיכֶם הַנִּבְּאִים לָכֶם לֵאמֹר הִנֵּה כְלֵי
בֵית־יְהוָה מוּשָׁבִים מִבָּבֶלָה עַתָּה מְהֵרָה כִּי שֶׁקֶר הֵמָּה נִבְּאִים
יז לָכֶם׃ אַל־תִּשְׁמְעוּ אֲלֵיהֶם עִבְדוּ אֶת־מֶלֶךְ־בָּבֶל וִחְיוּ לָמָּה
יח תִהְיֶה הָעִיר הַזֹּאת חָרְבָּה׃ וְאִם־נְבִאִים הֵם וְאִם־יֵשׁ דְּבַר־יְהוָה
אִתָּם יִפְגְּעוּ־נָא בַּיהוָה צְבָאוֹת לְבִלְתִּי־בֹאוּ הַכֵּלִים ׀ הַנּוֹתָרִים
יט בְּבֵית־יְהוָה וּבֵית מֶלֶךְ יְהוּדָה וּבִירוּשָׁלִַם בָּבֶלָה׃ כִּי כֹה אָמַר
יְהוָה צְבָאוֹת אֶל־הָעַמֻּדִים וְעַל־הַיָּם וְעַל־הַמְּכֹנוֹת וְעַל יֶתֶר
כ הַכֵּלִים הַנּוֹתָרִים בָּעִיר הַזֹּאת׃ אֲשֶׁר לֹא־לְקָחָם נְבוּכַדְנֶאצַּר
מֶלֶךְ בָּבֶל בַּגְלוֹתוֹ אֶת־יְכָנְיָה יכוניה בֶן־יְהוֹיָקִים מֶלֶךְ־יְהוּדָה
כא מִירוּשָׁלִַם בָּבֶלָה וְאֵת כָּל־חֹרֵי יְהוּדָה וִירוּשָׁלִָם׃ כִּי כֹה אָמַר
יְהוָה צְבָאוֹת אֱלֹהֵי יִשְׂרָאֵל עַל־הַכֵּלִים הַנּוֹתָרִים בֵּית יְהוָה
כב וּבֵית מֶלֶךְ־יְהוּדָה וִירוּשָׁלִָם׃ בָּבֶלָה יוּבָאוּ וְשָׁמָּה יִהְיוּ עַד יוֹם
פָּקְדִי אֹתָם נְאֻם־יְהוָה וְהַעֲלִיתִים וַהֲשִׁיבֹתִים אֶל־הַמָּקוֹם
הַזֶּה׃
כח א וַיְהִי ׀ בַּשָּׁנָה הַהִיא בְּרֵאשִׁית מַמְלֶכֶת צִדְקִיָּה מֶלֶךְ־יְהוּדָה

אַזְהָרָה לְצִדְקִיָּהוּ לְהִשְׁתַּעְבֵּד לִנְבוּכַדְנֶצַּר׃

אַזְהָרָתוֹ מִנְּבִיאֵי הַשֶּׁקֶר׃

נְבוּאָה עַל גָּלוּת כְּלֵי הַמִּקְדָּשׁ׃

נְבוּאַת הַשֶּׁקֶר שֶׁל חֲנַנְיָה:

בשנת בַּשָּׁנָה הָרְבִעִית בַּחֹדֶשׁ הַחֲמִישִׁי אָמַר אֵלַי חֲנַנְיָה בֶן־עַזּוּר
הַנָּבִיא אֲשֶׁר מִגִּבְעוֹן בְּבֵית יְהוָה לְעֵינֵי הַכֹּהֲנִים וְכָל־הָעָם
לֵאמֹר׃ כֹּה־אָמַר יְהוָה צְבָאוֹת אֱלֹהֵי יִשְׂרָאֵל לֵאמֹר שָׁבַרְתִּי ב
אֶת־עֹל מֶלֶךְ בָּבֶל׃ בְּעוֹד | שְׁנָתַיִם יָמִים אֲנִי מֵשִׁיב אֶל־הַמָּקוֹם ג
הַזֶּה אֶת־כָּל־כְּלֵי בֵּית יְהוָה אֲשֶׁר לָקַח נְבוּכַדְנֶאצַּר מֶלֶךְ־בָּבֶל
מִן־הַמָּקוֹם הַזֶּה וַיְבִיאֵם בָּבֶל׃ וְאֶת־יְכָנְיָה בֶן־יְהוֹיָקִים מֶלֶךְ־ ד
יְהוּדָה וְאֶת־כָּל־גָּלוּת יְהוּדָה הַבָּאִים בָּבֶלָה אֲנִי מֵשִׁיב אֶל־
הַמָּקוֹם הַזֶּה נְאֻם־יְהוָה כִּי אֶשְׁבֹּר אֶת־עֹל מֶלֶךְ בָּבֶל׃ וַיֹּאמֶר ה
יִרְמְיָה הַנָּבִיא אֶל־חֲנַנְיָה הַנָּבִיא לְעֵינֵי הַכֹּהֲנִים וּלְעֵינֵי כָל־הָעָם

עֲנִיַּת יִרְמְיָה עַל נְבוּאָתוֹ:

הָעֹמְדִים בְּבֵית יְהוָה׃ וַיֹּאמֶר יִרְמְיָה הַנָּבִיא אָמֵן כֵּן יַעֲשֶׂה יְהוָה ו
יָקֵם יְהוָה אֶת־דְּבָרֶיךָ אֲשֶׁר נִבֵּאתָ לְהָשִׁיב כְּלֵי בֵית־יְהוָה
וְכָל־הַגּוֹלָה מִבָּבֶל אֶל־הַמָּקוֹם הַזֶּה׃ אַךְ־שְׁמַע־נָא הַדָּבָר הַזֶּה ז
אֲשֶׁר אָנֹכִי דֹּבֵר בְּאָזְנֶיךָ וּבְאָזְנֵי כָּל־הָעָם׃ הַנְּבִיאִים אֲשֶׁר הָיוּ ח
לְפָנַי וּלְפָנֶיךָ מִן־הָעוֹלָם וַיִּנָּבְאוּ אֶל־אֲרָצוֹת רַבּוֹת וְעַל־
מַמְלָכוֹת גְּדֹלוֹת לְמִלְחָמָה וּלְרָעָה וּלְדָבֶר׃ הַנָּבִיא אֲשֶׁר יִנָּבֵא ט
לְשָׁלוֹם בְּבֹא דְּבַר הַנָּבִיא יִוָּדַע הַנָּבִיא אֲשֶׁר־שְׁלָחוֹ יְהוָה

שְׁבִירַת עֹל יִרְמְיָה עַל יְדֵי חֲנַנְיָה:

בֶּאֱמֶת׃ וַיִּקַּח חֲנַנְיָה הַנָּבִיא אֶת־הַמּוֹטָה מֵעַל צַוַּאר יִרְמְיָה י
הַנָּבִיא וַיִּשְׁבְּרֵהוּ׃ וַיֹּאמֶר חֲנַנְיָה לְעֵינֵי כָל־הָעָם לֵאמֹר כֹּה אָמַר יא
יְהוָה כָּכָה אֶשְׁבֹּר אֶת־עֹל | נְבֻכַדְנֶאצַּר מֶלֶךְ־בָּבֶל בְּעוֹד
שְׁנָתַיִם יָמִים מֵעַל צַוַּאר כָּל־הַגּוֹיִם וַיֵּלֶךְ יִרְמְיָה הַנָּבִיא
לְדַרְכּוֹ׃

עֹנֶשׁ חֲנַנְיָה - מִיתָתוֹ בְּאוֹתָהּ שָׁנָה:

וַיְהִי דְבַר־יְהוָה אֶל־יִרְמְיָה אַחֲרֵי שְׁבוֹר חֲנַנְיָה הַנָּבִיא אֶת־ יב
הַמּוֹטָה מֵעַל צַוַּאר יִרְמְיָה הַנָּבִיא לֵאמֹר׃ הָלוֹךְ וְאָמַרְתָּ יג
אֶל־חֲנַנְיָה לֵאמֹר כֹּה אָמַר יְהוָה מוֹטֹת עֵץ שָׁבָרְתָּ וְעָשִׂיתָ
תַחְתֵּיהֶן מֹטוֹת בַּרְזֶל׃ כִּי כֹה־אָמַר יְהוָה צְבָאוֹת אֱלֹהֵי יִשְׂרָאֵל יד

עֹל בַּרְזֶל נָתַתִּי עַל־צַוַּאר ׀ כָּל־הַגּוֹיִם הָאֵלֶּה לַעֲבֹד אֶת־
נְבֻכַדְנֶאצַּר מֶלֶךְ־בָּבֶל וַעֲבִדֻהוּ וְגַם אֶת־חַיַּת הַשָּׂדֶה נָתַתִּי לוֹ׃
טו וַיֹּאמֶר יִרְמְיָה הַנָּבִיא אֶל־חֲנַנְיָה הַנָּבִיא שְׁמַע־נָא חֲנַנְיָה לֹא־
טז שְׁלָחֲךָ יְהוָה וְאַתָּה הִבְטַחְתָּ אֶת־הָעָם הַזֶּה עַל־שָׁקֶר׃ לָכֵן כֹּה
אָמַר יְהוָה הִנְנִי מְשַׁלֵּחֲךָ מֵעַל פְּנֵי הָאֲדָמָה הַשָּׁנָה אַתָּה מֵת
יז כִּי־סָרָה דִבַּרְתָּ אֶל־יְהוָה׃ וַיָּמָת חֲנַנְיָה הַנָּבִיא בַּשָּׁנָה הַהִיא [3328]
בַּחֹדֶשׁ הַשְּׁבִיעִי׃

כט א וְאֵלֶּה דִּבְרֵי הַסֵּפֶר אֲשֶׁר שָׁלַח יִרְמְיָה הַנָּבִיא מִירוּשָׁלָםִ אֶל־יֶתֶר
זִקְנֵי הַגּוֹלָה וְאֶל־הַכֹּהֲנִים וְאֶל־הַנְּבִיאִים וְאֶל־כָּל־הָעָם אֲשֶׁר
ב הֶגְלָה נְבוּכַדְנֶאצַּר מִירוּשָׁלַםִ בָּבֶלָה׃ אַחֲרֵי צֵאת יְכָנְיָה־הַמֶּלֶךְ
וְהַגְּבִירָה וְהַסָּרִיסִים שָׂרֵי יְהוּדָה וִירוּשָׁלַםִ וְהֶחָרָשׁ וְהַמַּסְגֵּר
ג מִירוּשָׁלָםִ׃ בְּיַד אֶלְעָשָׂה בֶן־שָׁפָן וּגְמַרְיָה בֶּן־חִלְקִיָּה אֲשֶׁר שָׁלַח
צִדְקִיָּה מֶלֶךְ־יְהוּדָה אֶל־נְבוּכַדְנֶאצַּר מֶלֶךְ בָּבֶל בָּבֶלָה לֵאמֹר׃
ד כֹּה אָמַר יְהוָה צְבָאוֹת אֱלֹהֵי יִשְׂרָאֵל לְכָל־הַגּוֹלָה אֲשֶׁר־הִגְלֵיתִי
ה מִירוּשָׁלַםִ בָּבֶלָה׃ בְּנוּ בָתִּים וְשֵׁבוּ וְנִטְעוּ גַנּוֹת וְאִכְלוּ אֶת־
ו פִּרְיָן׃ קְחוּ נָשִׁים וְהוֹלִידוּ בָּנִים וּבָנוֹת וּקְחוּ לִבְנֵיכֶם נָשִׁים
וְאֶת־בְּנוֹתֵיכֶם תְּנוּ לַאֲנָשִׁים וְתֵלַדְנָה בָּנִים וּבָנוֹת וּרְבוּ־שָׁם
ז וְאַל־תִּמְעָטוּ׃ וְדִרְשׁוּ אֶת־שְׁלוֹם הָעִיר אֲשֶׁר הִגְלֵיתִי אֶתְכֶם שָׁמָּה
ח וְהִתְפַּלְלוּ בַעֲדָהּ אֶל־יְהוָה כִּי בִשְׁלוֹמָהּ יִהְיֶה לָכֶם שָׁלוֹם׃ כִּי
כֹה אָמַר יְהוָה צְבָאוֹת אֱלֹהֵי יִשְׂרָאֵל אַל־יַשִּׁיאוּ לָכֶם נְבִיאֵיכֶם
אֲשֶׁר־בְּקִרְבְּכֶם וְקֹסְמֵיכֶם וְאַל־תִּשְׁמְעוּ אֶל־חֲלֹמֹתֵיכֶם אֲשֶׁר
ט אַתֶּם מַחְלְמִים׃ כִּי בְשֶׁקֶר הֵם נִבְּאִים לָכֶם בִּשְׁמִי לֹא שְׁלַחְתִּים
נְאֻם־יְהוָה׃

י כִּי־כֹה אָמַר יְהוָה כִּי לְפִי מְלֹאת לְבָבֶל שִׁבְעִים שָׁנָה אֶפְקֹד
אֶתְכֶם וַהֲקִמֹתִי עֲלֵיכֶם אֶת־דְּבָרִי הַטּוֹב לְהָשִׁיב אֶתְכֶם אֶל־ [3389]

סֵפֶר נֶחָמָה לַגּוֹלִים בָּבֶלָה:

הַבְטָחָה כִּי יָשׁוּבוּ:

יא הַמָּקוֹם הַזֶּה: כִּי אָנֹכִי יָדַעְתִּי אֶת־הַמַּחֲשָׁבֹת אֲשֶׁר אָנֹכִי חֹשֵׁב
עֲלֵיכֶם נְאֻם־יְהוָה מַחְשְׁבוֹת שָׁלוֹם וְלֹא לְרָעָה לָתֵת לָכֶם
יב אַחֲרִית וְתִקְוָה: וּקְרָאתֶם אֹתִי וַהֲלַכְתֶּם וְהִתְפַּלַּלְתֶּם אֵלָי
יג וְשָׁמַעְתִּי אֲלֵיכֶם: וּבִקַּשְׁתֶּם אֹתִי וּמְצָאתֶם כִּי תִדְרְשֻׁנִי בְּכָל־
יד לְבַבְכֶם: וְנִמְצֵאתִי לָכֶם נְאֻם־יְהוָה וְשַׁבְתִּי אֶת־שְׁבוּתְכֶם שביתכם
וְקִבַּצְתִּי אֶתְכֶם מִכָּל־הַגּוֹיִם וּמִכָּל־הַמְּקוֹמוֹת אֲשֶׁר הִדַּחְתִּי
אֶתְכֶם שָׁם נְאֻם־יְהוָה וַהֲשִׁבֹתִי אֶתְכֶם אֶל־הַמָּקוֹם אֲשֶׁר־
טו הִגְלֵיתִי אֶתְכֶם מִשָּׁם: כִּי אֲמַרְתֶּם הֵקִים לָנוּ יְהוָה נְבִאִים
טז בָּבֶלָה: כִּי־כֹה ׀ אָמַר יְהוָה אֶל־הַמֶּלֶךְ הַיּוֹשֵׁב אֶל־ הָעֹנֶשׁ לַנִּשְׁאָרִים:
כִּסֵּא דָוִד וְאֶל־כָּל־הָעָם הַיּוֹשֵׁב בָּעִיר הַזֹּאת אֲחֵיכֶם אֲשֶׁר
יז לֹא־יָצְאוּ אִתְּכֶם בַּגּוֹלָה: כֹּה אָמַר יְהוָה צְבָאוֹת הִנְנִי
מְשַׁלֵּחַ בָּם אֶת־הַחֶרֶב אֶת־הָרָעָב וְאֶת־הַדָּבֶר וְנָתַתִּי אוֹתָם
יח כַּתְּאֵנִים הַשֹּׁעָרִים אֲשֶׁר לֹא־תֵאָכַלְנָה מֵרֹעַ: וְרָדַפְתִּי אַחֲרֵיהֶם
בַּחֶרֶב בָּרָעָב וּבַדָּבֶר וּנְתַתִּים לזועה לְזַעֲוָה לְכֹל ׀ מַמְלְכוֹת הָאָרֶץ
לְאָלָה וּלְשַׁמָּה וְלִשְׁרֵקָה וּלְחֶרְפָּה בְּכָל־הַגּוֹיִם אֲשֶׁר־הִדַּחְתִּים
יט שָׁם: תַּחַת אֲשֶׁר־לֹא־שָׁמְעוּ אֶל־דְּבָרַי נְאֻם־יְהוָה אֲשֶׁר שָׁלַחְתִּי
אֲלֵיהֶם אֶת־עֲבָדַי הַנְּבִאִים הַשְׁכֵּם וְשָׁלֹחַ וְלֹא שְׁמַעְתֶּם
כ נְאֻם־יְהוָה: וְאַתֶּם שִׁמְעוּ דְבַר־יְהוָה כָּל־הַגּוֹלָה אֲשֶׁר־שִׁלַּחְתִּי
מִירוּשָׁלַםִ בָּבֶלָה:

כא כֹּה־אָמַר יְהוָה צְבָאוֹת אֱלֹהֵי יִשְׂרָאֵל אֶל־אַחְאָב בֶּן־קוֹלָיָה פֻּרְעָנוּת לְאַחְאָב וְצִדְקִיָּהוּ נְבִיאֵי הַשֶּׁקֶר:
וְאֶל־צִדְקִיָּהוּ בֶן־מַעֲשֵׂיָה הַנִּבְּאִים לָכֶם בִּשְׁמִי שָׁקֶר הִנְנִי ׀ נֹתֵן
כב אֹתָם בְּיַד נְבוּכַדְרֶאצַּר מֶלֶךְ־בָּבֶל וְהִכָּם לְעֵינֵיכֶם: וְלֻקַּח מֵהֶם
קְלָלָה לְכֹל גָּלוּת יְהוּדָה אֲשֶׁר בְּבָבֶל לֵאמֹר יְשִׂמְךָ יְהוָה
כג כְּצִדְקִיָּהוּ וּכְאֶחָב אֲשֶׁר־קָלָם מֶלֶךְ־בָּבֶל בָּאֵשׁ: יַעַן אֲשֶׁר עָשׂוּ
נְבָלָה בְּיִשְׂרָאֵל וַיְנַאֲפוּ אֶת־נְשֵׁי רֵעֵיהֶם וַיְדַבְּרוּ דָבָר בִּשְׁמִי

שֶׁקֶר אֲשֶׁר לוֹא צִוִּיתִם וְאָנֹכִי הוידע הַיּוֹדֵעַ וָעֵד נְאֻם־
כד כה יְהוָה: וְאֶל־שְׁמַעְיָהוּ הַנֶּחֱלָמִי תֹּאמַר לֵאמֹר: כֹּה־אָמַר
יְהוָה צְבָאוֹת אֱלֹהֵי יִשְׂרָאֵל לֵאמֹר יַעַן אֲשֶׁר אַתָּה שָׁלַחְתָּ
בְשִׁמְכָה סְפָרִים אֶל־כָּל־הָעָם אֲשֶׁר בִּירוּשָׁלִַם וְאֶל־צְפַנְיָה
כו בֶן־מַעֲשֵׂיָה הַכֹּהֵן וְאֶל כָּל־הַכֹּהֲנִים לֵאמֹר: יְהוָה נְתָנְךָ כֹהֵן תַּחַת
יְהוֹיָדָע הַכֹּהֵן לִהְיוֹת פְּקִדִים בֵּית יְהוָה לְכָל־אִישׁ מְשֻׁגָּע
כז וּמִתְנַבֵּא וְנָתַתָּה אֹתוֹ אֶל־הַמַּהְפֶּכֶת וְאֶל־הַצִּינֹק: וְעַתָּה לָמָּה
כח לֹא גָעַרְתָּ בְּיִרְמְיָהוּ הָעַנְּתֹתִי הַמִּתְנַבֵּא לָכֶם: כִּי עַל־כֵּן שָׁלַח
אֵלֵינוּ בָּבֶל לֵאמֹר אֲרֻכָּה הִיא בְּנוּ בָתִּים וְשֵׁבוּ וְנִטְעוּ גַנּוֹת
כט וְאִכְלוּ אֶת־פְּרִיהֶן: וַיִּקְרָא צְפַנְיָה הַכֹּהֵן אֶת־הַסֵּפֶר הַזֶּה בְּאָזְנֵי
יִרְמְיָהוּ הַנָּבִיא:
ל לא וַיְהִי דְּבַר־יְהוָה אֶל־יִרְמְיָהוּ לֵאמֹר: שְׁלַח עַל־כָּל־הַגּוֹלָה לֵאמֹר
כֹּה אָמַר יְהוָה אֶל־שְׁמַעְיָה הַנֶּחֱלָמִי יַעַן אֲשֶׁר נִבָּא לָכֶם שְׁמַעְיָה
לב וַאֲנִי לֹא שְׁלַחְתִּיו וַיַּבְטַח אֶתְכֶם עַל־שָׁקֶר: לָכֵן כֹּה־אָמַר יְהוָה
הִנְנִי פֹקֵד עַל־שְׁמַעְיָה הַנֶּחֱלָמִי וְעַל־זַרְעוֹ לֹא־יִהְיֶה לוֹ אִישׁ ׀
יוֹשֵׁב ׀ בְּתוֹךְ־הָעָם הַזֶּה וְלֹא־יִרְאֶה בַטּוֹב אֲשֶׁר־אֲנִי עֹשֶׂה־
לְעַמִּי נְאֻם־יְהוָה כִּי־סָרָה דִבֶּר עַל־יְהוָה:

פֻּרְעָנוּת לִשְׁמַעְיָה נְבִיא הַשָּׁקֶר:

ל א ב הַדָּבָר אֲשֶׁר הָיָה אֶל־יִרְמְיָהוּ מֵאֵת יְהוָה לֵאמֹר: כֹּה־אָמַר יְהוָה
אֱלֹהֵי יִשְׂרָאֵל לֵאמֹר כְּתָב־לְךָ אֵת כָּל־הַדְּבָרִים אֲשֶׁר־דִּבַּרְתִּי
ג אֵלֶיךָ אֶל־סֵפֶר: כִּי הִנֵּה יָמִים בָּאִים נְאֻם־יְהוָה וְשַׁבְתִּי
אֶת־שְׁבוּת עַמִּי יִשְׂרָאֵל וִיהוּדָה אָמַר יְהוָה וַהֲשִׁבֹתִים אֶל־הָאָרֶץ
אֲשֶׁר־נָתַתִּי לַאֲבוֹתָם וִירֵשׁוּהָ:

צִוּוּי ה' לִכְתֹּב דִּבְרֵי הַנְּבוּאָה:

ד ה וְאֵלֶּה הַדְּבָרִים אֲשֶׁר דִּבֶּר יְהוָה אֶל־יִשְׂרָאֵל וְאֶל־יְהוּדָה: כִּי־כֹה
ו אָמַר יְהוָה קוֹל חֲרָדָה שָׁמָעְנוּ פַּחַד וְאֵין שָׁלוֹם: שַׁאֲלוּ־נָא וּרְאוּ
אִם־יֹלֵד זָכָר מַדּוּעַ רָאִיתִי כָל־גֶּבֶר יָדָיו עַל־חֲלָצָיו כַּיּוֹלֵדָה

דִּבְרֵי עִדּוּד וְחָזוֹן לֶעָתִיד:

וְנֶהֶפְכ֤וּ כָל־פָּנִים֙ לְיֵרָק֔וֹן: ה֗וֹי כִּ֥י גָד֛וֹל הַיּ֥וֹם הַה֖וּא מֵאַ֣יִן כָּמֹ֑הוּ ז

וְעֵֽת־צָרָ֥ה הִיא֙ לְיַֽעֲקֹ֔ב וּמִמֶּ֖נָּה יִוָּשֵֽׁעַ: וְהָיָה֩ בַיּ֨וֹם הַה֜וּא נְאֻ֣ם ׀ ח

יְהֹוָ֣ה צְבָא֗וֹת אֶשְׁבֹּ֤ר עֻלּוֹ֙ מֵעַ֣ל צַוָּארֶ֔ךָ וּמוֹסְרוֹתֶ֖יךָ אֲנַתֵּ֑ק

וְלֹא־יַעַבְדוּ־ב֥וֹ ע֖וֹד זָרִֽים: וְעָ֣בְד֔וּ אֵ֖ת יְהֹוָ֣ה אֱלֹֽהֵיהֶ֑ם וְאֵת֙ דָּוִ֣ד ט

מַלְכָּ֔ם אֲשֶׁ֥ר אָקִ֖ים לָהֶֽם: וְאַתָּ֣ה אַל־תִּירָ֩א עַבְדִּ֨י י

קִבּוּץ
גָּלֻיּ֔וֹת
וְהַֽעֲנָשַׁ֖ת
הַגּוֹיִֽם

יַֽעֲקֹ֤ב נְאֻם־יְהֹוָה֙ וְאַל־תֵּחַ֣ת יִשְׂרָאֵ֔ל כִּ֠י הִנְנִ֤י מֽוֹשִֽׁיעֲךָ֙ מֵֽרָח֔וֹק

וְאֶֽת־זַרְעֲךָ֖ מֵאֶ֣רֶץ שִׁבְיָ֑ם וְשָׁ֧ב יַֽעֲקֹ֛ב וְשָׁקַ֥ט וְשַׁאֲנַ֖ן וְאֵ֥ין מַחֲרִֽיד:

כִּֽי־אִתְּךָ֥ אֲנִ֛י נְאֻם־יְהֹוָ֖ה לְהֽוֹשִׁיעֶ֑ךָ כִּי֩ אֶעֱשֶׂ֨ה כָלָ֜ה בְּכָ֣ל־הַגּוֹיִ֣ם ׀ יא

אֲשֶׁ֧ר הֲפִצוֹתִ֣יךָ שָּׁ֗ם אַ֤ךְ אֹֽתְךָ֙ לֹֽא־אֶֽעֱשֶׂ֣ה כָלָ֔ה וְיִסַּרְתִּ֙יךָ֙

רְפוּאַת
יִשְׂרָאֵ֖ל
לֶֽעָתִ֥יד
לָבֹֽא

לַמִּשְׁפָּ֔ט וְנַקֵּ֖ה לֹ֥א אֲנַקֶּֽךָּ:   כִּ֣י כֹ֤ה אָמַר֙ יְהֹוָ֔ה אָנ֖וּשׁ יב

לְשִׁבְרֵ֑ךְ נַחְלָ֖ה מַכָּתֵֽךְ: אֵֽין־דָּ֥ן דִּינֵ֖ךְ לְמָז֑וֹר רְפֻא֥וֹת תְּעָלָ֖ה אֵ֥ין יג

לָֽךְ: כָּל־מְאַהֲבַ֣יִךְ שְׁכֵח֔וּךְ אוֹתָ֖ךְ לֹ֣א יִדְרֹ֑שׁוּ כִּי֩ מַכַּ֨ת אוֹיֵ֤ב יד

הִכִּיתִ֙יךְ֙ מוּסַ֣ר אַכְזָרִ֔י עַ֚ל רֹ֣ב עֲוֺנֵ֔ךְ עָצְמ֖וּ חַטֹּאתָֽיִךְ: מַה־תִּזְעַק֙ טו

עַל־שִׁבְרֵ֔ךְ אָנ֖וּשׁ מַכְאֹבֵ֑ךְ עַ֣ל ׀ רֹ֣ב עֲוֺנֵ֗ךְ עָֽצְמוּ֙ חַטֹּאתַ֔יִךְ

עָשִׂ֥יתִי אֵ֖לֶּה לָֽךְ: לָכֵ֞ן כָּל־אֹֽכְלַ֙יִךְ֙ יֵֽאָכֵ֔לוּ וְכָל־צָרַ֥יִךְ כֻּלָּ֖ם בַּשְּׁבִ֣י טז

יֵלֵ֑כוּ וְהָי֤וּ שֹׁאסַ֙יִךְ֙ לִמְשִׁסָּ֔ה וְכָל־בֹּֽזְזַ֖יִךְ אֶתֵּ֥ן לָבַֽז: כִּי֩ אַֽעֲלֶ֨ה יז

אֲרֻכָ֥ה לָ֛ךְ וּמִמַּכּוֹתַ֖יִךְ אֶרְפָּאֵ֣ךְ נְאֻם־יְהֹוָ֑ה כִּ֤י נִדָּחָה֙ קָ֣רְאוּ לָ֔ךְ

בְּשׂוֹרַ֥ת
צִיּ֖וֹן
הַֽגְאֻלָּ֖ה
לֶֽעָתִֽיד

צִיּוֹן֙ הִ֔יא דֹּרֵ֖שׁ אֵ֥ין לָֽהּ: כֹּ֤ה ׀ אָמַ֣ר יְהֹוָ֔ה הִנְנִי־שָׁב֙ יח

שְׁבוּת֙ אָֽהֳלֵ֣י יַֽעֲק֔וֹב וּמִשְׁכְּנֹתָ֖יו אֲרַחֵ֑ם וְנִבְנְתָ֥ה עִיר֙ עַל־תִּלָּ֔הּ

וְאַרְמ֖וֹן עַל־מִשְׁפָּט֥וֹ יֵשֵֽׁב: וְיָצָ֤א מֵהֶם֙ תּוֹדָ֔ה וְק֖וֹל מְשַֽׂחֲקִ֑ים יט

וְהִרְבִּתִים֙ וְלֹ֣א יִמְעָ֔טוּ וְהִכְבַּדְתִּ֖ים וְלֹ֥א יִצְעָֽרוּ: וְהָי֤וּ בָנָיו֙ כְּקֶ֔דֶם כ

וַֽעֲדָת֖וֹ לְפָנַ֣י תִּכּ֑וֹן וּפָ֣קַדְתִּ֔י עַ֖ל כָּל־לֹֽחֲצָֽיו: וְהָיָ֨ה אַדִּיר֜וֹ מִמֶּ֗נּוּ כא

וּמֹֽשְׁל֙וֹ֙ מִקִּרְבּ֣וֹ יֵצֵ֔א וְהִקְרַבְתִּ֖יו וְנִגַּ֣שׁ אֵלָ֑י כִּ֣י מִ֣י הוּא־זֶ֗ה עָרַ֧ב

אֶת־לִבּ֛וֹ לָגֶ֥שֶׁת אֵלַ֖י נְאֻם־יְהֹוָֽה: וִֽהְיִ֥יתֶם לִ֖י לְעָ֑ם וְאָ֣נֹכִ֔י אֶֽהְיֶ֥ה כב

לָכֶ֖ם לֵֽאלֹהִֽים: הִנֵּ֣ה ׀ סַֽעֲרַ֣ת יְהֹוָ֗ה חֵמָה֙ יָֽצְאָ֔ה סַ֖עַר כג

הָעֹנֶשׁ בְּאַחֲרִית הַיָּמִים:
כד מִתְגּוֹרֵר עַל רֹאשׁ רְשָׁעִים יָחוּל: לֹא יָשׁוּב חֲרוֹן אַף־יְהֹוָה עַד־עֲשֹׂתוֹ וְעַד־הֲקִימוֹ מְזִמּוֹת לִבּוֹ בְּאַחֲרִית הַיָּמִים תִּתְבּוֹנְנוּ בָהּ: כה בָּעֵת הַהִיא נְאֻם־יְהֹוָה אֶהְיֶה לֵאלֹהִים לְכֹל מִשְׁפְּחוֹת יִשְׂרָאֵל וְהֵמָּה יִהְיוּ־לִי לְעָם:

הִתְקַבְּצוּת הַשְּׂרִידִים וַעֲלִיָּתָם לַמִּקְדָּשׁ:
לא א כֹּה אָמַר יְהֹוָה מָצָא חֵן בַּמִּדְבָּר עַם שְׂרִידֵי חָרֶב הָלוֹךְ לְהַרְגִּיעוֹ יִשְׂרָאֵל: ב מֵרָחוֹק יְהֹוָה נִרְאָה לִי וְאַהֲבַת עוֹלָם אֲהַבְתִּיךְ עַל־כֵּן מְשַׁכְתִּיךְ חָסֶד: ג עוֹד אֶבְנֵךְ וְנִבְנֵית בְּתוּלַת יִשְׂרָאֵל עוֹד תַּעְדִּי תֻפַּיִךְ וְיָצָאת בִּמְחוֹל מְשַׂחֲקִים: ד עוֹד תִּטְּעִי כְרָמִים בְּהָרֵי שֹׁמְרוֹן נָטְעוּ נֹטְעִים וְחִלֵּלוּ: ה כִּי יֶשׁ־יוֹם קָרְאוּ נֹצְרִים בְּהַר אֶפְרָיִם קוּמוּ וְנַעֲלֶה צִיּוֹן אֶל־יְהֹוָה אֱלֹהֵינוּ:

קִבּוּץ גָּלֻיּוֹת:
ו כִּי־כֹה אָמַר יְהֹוָה רָנּוּ לְיַעֲקֹב שִׂמְחָה וְצַהֲלוּ בְּרֹאשׁ הַגּוֹיִם הַשְׁמִיעוּ הַלְלוּ וְאִמְרוּ הוֹשַׁע יְהֹוָה אֶת־עַמְּךָ אֵת שְׁאֵרִית יִשְׂרָאֵל: ז הִנְנִי מֵבִיא אוֹתָם מֵאֶרֶץ צָפוֹן וְקִבַּצְתִּים מִיַּרְכְּתֵי־אָרֶץ בָּם עִוֵּר וּפִסֵּחַ הָרָה וְיֹלֶדֶת יַחְדָּו קָהָל גָּדוֹל יָשׁוּבוּ הֵנָּה: ח בִּבְכִי יָבֹאוּ וּבְתַחֲנוּנִים אוֹבִילֵם אוֹלִיכֵם אֶל־נַחֲלֵי מַיִם בְּדֶרֶךְ יָשָׁר לֹא יִכָּשְׁלוּ בָהּ כִּי־הָיִיתִי לְיִשְׂרָאֵל לְאָב וְאֶפְרַיִם בְּכֹרִי הוּא:

הַטּוֹב הַצָּפוּן לְיִשְׂרָאֵל:
ט שִׁמְעוּ דְבַר־יְהֹוָה גּוֹיִם וְהַגִּידוּ בָאִיִּים מִמֶּרְחָק וְאִמְרוּ מְזָרֵה יִשְׂרָאֵל יְקַבְּצֶנּוּ וּשְׁמָרוֹ כְּרֹעֶה עֶדְרוֹ: י כִּי־פָדָה יְהֹוָה אֶת־יַעֲקֹב וּגְאָלוֹ מִיַּד חָזָק מִמֶּנּוּ: יא וּבָאוּ וְרִנְּנוּ בִמְרוֹם־צִיּוֹן וְנָהֲרוּ אֶל־טוּב יְהֹוָה עַל־דָּגָן וְעַל־תִּירֹשׁ וְעַל־יִצְהָר וְעַל־בְּנֵי־צֹאן וּבָקָר וְהָיְתָה נַפְשָׁם כְּגַן רָוֶה וְלֹא־יוֹסִיפוּ לְדַאֲבָה עוֹד: יב אָז תִּשְׂמַח בְּתוּלָה בְּמָחוֹל וּבַחֻרִים וּזְקֵנִים יַחְדָּו וְהָפַכְתִּי אֶבְלָם לְשָׂשׂוֹן וְנִחַמְתִּים וְשִׂמַּחְתִּים מִיגוֹנָם: יג וְרִוֵּיתִי נֶפֶשׁ הַכֹּהֲנִים דָּשֶׁן וְעַמִּי אֶת־טוּבִי יִשְׂבָּעוּ נְאֻם־יְהֹוָה:

בְּכִי רָחֵל עַל בָּנֶיהָ:

יד כֹּה ׀ אָמַר יְהוָה קוֹל בְּרָמָה נִשְׁמָע נְהִי בְּכִי תַמְרוּרִים רָחֵל מְבַכָּה
עַל־בָּנֶיהָ מֵאֲנָה לְהִנָּחֵם עַל־בָּנֶיהָ כִּי אֵינֶנּוּ׃ טו כֹּה ׀ אָמַר
יְהוָה מִנְעִי קוֹלֵךְ מִבֶּכִי וְעֵינַיִךְ מִדִּמְעָה כִּי יֵשׁ שָׂכָר לִפְעֻלָּתֵךְ
טז נְאֻם־יְהוָה וְשָׁבוּ מֵאֶרֶץ אוֹיֵב׃ וְיֵשׁ־תִּקְוָה לְאַחֲרִיתֵךְ נְאֻם־יְהוָה
יז וְשָׁבוּ בָנִים לִגְבוּלָם׃ שָׁמוֹעַ שָׁמַעְתִּי אֶפְרַיִם מִתְנוֹדֵד יִסַּרְתַּנִי

תְּפִלַּת אֶפְרַיִם:

וָאִוָּסֵר כְּעֵגֶל לֹא לֻמָּד הֲשִׁבֵנִי וְאָשׁוּבָה כִּי אַתָּה יְהוָה אֱלֹהָי׃
יח כִּי־אַחֲרֵי שׁוּבִי נִחַמְתִּי וְאַחֲרֵי הִוָּדְעִי סָפַקְתִּי עַל־יָרֵךְ בֹּשְׁתִּי
יט וְגַם־נִכְלַמְתִּי כִּי נָשָׂאתִי חֶרְפַּת נְעוּרָי׃ הֲבֵן יַקִּיר לִי אֶפְרַיִם אִם
יֶלֶד שַׁעֲשֻׁעִים כִּי־מִדֵּי דַבְּרִי בּוֹ זָכֹר אֶזְכְּרֶנּוּ עוֹד עַל־כֵּן הָמוּ
כ מֵעַי לוֹ רַחֵם אֲרַחֲמֶנּוּ נְאֻם־יְהוָה׃ הַצִּיבִי לָךְ צִיֻּנִים
שִׂמִי לָךְ תַּמְרוּרִים שִׁתִי לִבֵּךְ לַמְסִלָּה דֶּרֶךְ הלכתי הָלָכְתְּ שׁוּבִי
כא בְּתוּלַת יִשְׂרָאֵל שֻׁבִי אֶל־עָרַיִךְ אֵלֶּה׃ עַד־מָתַי תִּתְחַמָּקִין הַבַּת
הַשּׁוֹבֵבָה כִּי־בָרָא יְהוָה חֲדָשָׁה בָּאָרֶץ נְקֵבָה תְּסוֹבֵב גָּבֶר׃

הַבְּרָכָה הָעֲתִידָה:

כב כֹּה־אָמַר יְהוָה צְבָאוֹת אֱלֹהֵי יִשְׂרָאֵל עוֹד יֹאמְרוּ אֶת־הַדָּבָר
הַזֶּה בְּאֶרֶץ יְהוּדָה וּבְעָרָיו בְּשׁוּבִי אֶת־שְׁבוּתָם יְבָרֶכְךָ יְהוָה
כג נְוֵה־צֶדֶק הַר הַקֹּדֶשׁ׃ וְיָשְׁבוּ בָהּ יְהוּדָה וְכָל־עָרָיו יַחְדָּו אִכָּרִים
כד וְנָסְעוּ בַּעֵדֶר׃ כִּי הִרְוֵיתִי נֶפֶשׁ עֲיֵפָה וְכָל־נֶפֶשׁ דָּאֲבָה מִלֵּאתִי׃

נְטִיעַת יִשְׂרָאֵל בְּאַרְצוֹ:

כה כו עַל־זֹאת הֱקִיצֹתִי וָאֶרְאֶה וּשְׁנָתִי עָרְבָה לִּי׃ הִנֵּה יָמִים
בָּאִים נְאֻם־יְהוָה וְזָרַעְתִּי אֶת־בֵּית יִשְׂרָאֵל וְאֶת־בֵּית יְהוּדָה זֶרַע
כז אָדָם וְזֶרַע בְּהֵמָה׃ וְהָיָה כַּאֲשֶׁר שָׁקַדְתִּי עֲלֵיהֶם לִנְתוֹשׁ וְלִנְתוֹץ
וְלַהֲרֹס וּלְהַאֲבִיד וּלְהָרֵעַ כֵּן אֶשְׁקֹד עֲלֵיהֶם לִבְנוֹת וְלִנְטוֹעַ
כח נְאֻם־יְהוָה׃ בַּיָּמִים הָהֵם לֹא־יֹאמְרוּ עוֹד אָבוֹת אָכְלוּ בֹסֶר וְשִׁנֵּי
כט בָנִים תִּקְהֶינָה׃ כִּי אִם־אִישׁ בַּעֲוֺנוֹ יָמוּת כָּל־הָאָדָם הָאֹכֵל הַבֹּסֶר

בְּרִית חֲדָשָׁה בֶּעָתִיד:

ל תִּקְהֶינָה שִׁנָּיו׃ הִנֵּה יָמִים בָּאִים נְאֻם־יְהוָה וְכָרַתִּי
לא אֶת־בֵּית יִשְׂרָאֵל וְאֶת־בֵּית יְהוּדָה בְּרִית חֲדָשָׁה׃ לֹא כַבְּרִית

אֲשֶׁר כָּרַ֫תִּי֙ אֶת־אֲבוֹתָ֔ם בְּיוֹם֙ הֶחֱזִיקִ֣י בְיָדָ֔ם לְהוֹצִיאָ֖ם מֵאֶ֣רֶץ
מִצְרָ֑יִם אֲשֶׁר־הֵ֜מָּה הֵפֵ֣רוּ אֶת־בְּרִיתִ֗י וְאָנֹכִ֛י בָּעַ֥לְתִּי בָ֖ם נְאֻם־
יְהוָֽה: לב כִּ֣י זֹ֣את הַבְּרִ֡ית אֲשֶׁ֣ר אֶכְרֹת֩ אֶת־בֵּ֨ית יִשְׂרָאֵ֜ל אַחֲרֵ֨י
הַיָּמִ֤ים הָהֵם֙ נְאֻם־יְהוָ֔ה נָתַ֤תִּי אֶת־תּֽוֹרָתִי֙ בְּקִרְבָּ֔ם וְעַל־לִבָּ֖ם
אֶכְתֲּבֶ֑נָּה וְהָיִ֤יתִי לָהֶם֙ לֵֽאלֹהִ֔ים וְהֵ֖מָּה יִֽהְיוּ־לִ֥י לְעָֽם: לג וְלֹ֣א
יְלַמְּד֣וּ ע֗וֹד אִ֣ישׁ אֶת־רֵעֵ֜הוּ וְאִ֤ישׁ אֶת־אָחִיו֙ לֵאמֹ֔ר דְּע֖וּ
אֶת־יְהוָ֑ה כִּֽי־כוּלָּם֩ יֵדְע֨וּ אוֹתִ֜י לְמִקְטַנָּ֤ם וְעַד־גְּדוֹלָם֙ נְאֻם־יְהוָ֔ה

שְׁבוּעַת ה'
עַל נְצָחִיּ֫וּת
יִשְׂרָאֵֽל:

כִּ֤י אֶסְלַח֙ לַֽעֲוֺנָ֔ם וּלְחַטָּאתָ֖ם לֹ֥א אֶזְכָּר־עֽוֹד: לד ׀ כֹּ֣ה ׀
אָמַ֣ר יְהוָ֗ה נֹתֵ֥ן שֶׁ֙מֶשׁ֙ לְא֣וֹר יוֹמָ֔ם חֻקֹּ֛ת יָרֵ֥חַ וְכֽוֹכָבִ֖ים לְא֣וֹר
לָ֑יְלָה רֹגַ֤ע הַיָּם֙ וַיֶּֽהֱמ֣וּ גַלָּ֔יו יְהוָ֥ה צְבָא֖וֹת שְׁמֽוֹ: לה אִם־יָמֻ֜שׁוּ הַחֻקִּ֥ים
הָאֵ֛לֶּה מִלְּפָנַ֖י נְאֻם־יְהוָ֑ה גַּם֩ זֶ֨רַע יִשְׂרָאֵ֜ל יִשְׁבְּת֗וּ מִֽהְי֥וֹת גּ֛וֹי
לְפָנַ֖י כָּל־הַיָּמִֽים: לו ׀ כֹּ֣ה ׀ אָמַ֣ר יְהוָ֗ה אִם־יִמַּ֤דּוּ שָׁמַ֙יִם֙

נְבוּאָה עַל
בִּנְיַ֫ן
יְרוּשָׁלַ֫יִם:
קְרֵי וְלֹא
כְתִיב:

מִלְמַ֔עְלָה וְיֵחָקְר֥וּ מֽוֹסְדֵי־אֶ֖רֶץ לְמָ֑טָּה גַּם־אֲנִ֞י אֶמְאַ֨ס בְּכָל־זֶ֧רַע
יִשְׂרָאֵ֛ל עַֽל־כָּל־אֲשֶׁ֥ר עָשׂ֖וּ נְאֻם־יְהוָֽה: לז הִנֵּ֛ה יָמִ֥ים
בָּאִ֖ים נְאֻם־יְהוָ֑ה וְנִבְנְתָ֤ה הָעִיר֙ לַֽיהוָ֔ה מִמִּגְדַּ֥ל חֲנַנְאֵ֖ל שַׁ֥עַר
הַפִּנָּֽה: לח וְיָצָ֨א ע֜וֹד קָ֤ו קוה הַמִּדָּה֙ נֶגְדּ֔וֹ עַ֖ל גִּבְעַ֣ת גָּרֵ֑ב וְנָסַ֖ב גֹּֽעָתָה:
לט וְכָל־הָעֵ֣מֶק הַפְּגָרִ֣ים ׀ וְהַדֶּ֗שֶׁן וְכָֽל־הַשְּׁדֵמוֹת֙ עַד־נַ֣חַל
קִדְר֗וֹן עַד־פִּנַּ֞ת שַׁ֤עַר הַסּוּסִים֙ מִזְרָ֔חָה קֹ֖דֶשׁ לַֽיהוָ֑ה לֹֽא־יִנָּתֵ֧שׁ
וְֽלֹא־יֵהָרֵ֛ס ע֖וֹד לְעוֹלָֽם:

נְבוּאָה
לְיִרְמְיָ֫הוּ
בַּֽחֲצַ֫ר
הַמַּטָּרָֽה:
[3337]

לב א הַדָּבָ֞ר אֲשֶׁר־הָיָ֤ה אֶֽל־יִרְמְיָ֙הוּ֙ מֵאֵ֣ת יְהוָ֔ה בשנת בַּשָּׁנָה֙ הָֽעֲשִׂרִ֔ית
לְצִדְקִיָּ֖הוּ מֶ֣לֶךְ יְהוּדָ֑ה הִ֚יא הַשָּׁנָ֔ה שְׁמֹנֶֽה־עֶשְׂרֵ֥ה שָׁנָ֖ה
לִנְבֽוּכַדְרֶאצַּֽר: ב וְאָ֗ז חֵ֚יל מֶ֣לֶךְ בָּבֶ֔ל צָרִ֖ים עַל־יְרֽוּשָׁלָ֑͏ִם וְיִרְמְיָ֣הוּ
הַנָּבִ֗יא הָיָ֤ה כָלוּא֙ בַּֽחֲצַ֣ר הַמַּטָּרָ֔ה אֲשֶׁ֖ר בֵּֽית־מֶ֥לֶךְ יְהוּדָֽה: ג אֲשֶׁ֣ר
כְּלָא֔וֹ צִדְקִיָּ֥הוּ מֶֽלֶךְ־יְהוּדָ֖ה לֵאמֹ֑ר מַדּ֩וּעַ֩ אַתָּ֨ה נִבָּ֜א לֵאמֹ֗ר כֹּ֚ה
אָמַ֣ר יְהוָ֔ה הִנְנִ֨י נֹתֵ֜ן אֶת־הָעִ֥יר הַזֹּ֛את בְּיַ֥ד מֶֽלֶךְ־בָּבֶ֖ל וּלְכָדָֽהּ:

ד וְצִדְקִיָּהוּ מֶלֶךְ יְהוּדָה לֹא יִמָּלֵט מִיַּד הַכַּשְׂדִּים כִּי־הִנָּתֹן יִנָּתֵן
בְּיַד מֶלֶךְ־בָּבֶל וְדִבֶּר־פִּיו עִם־פִּיו וְעֵינָיו אֶת־עֵינָו תִּרְאֶינָה׃
ה וּבָבֶל יוֹלִךְ אֶת־צִדְקִיָּהוּ וְשָׁם יִהְיֶה עַד־פָּקְדִי אֹתוֹ נְאֻם־יְהוָה
כִּי תִלָּחֲמוּ אֶת־הַכַּשְׂדִּים לֹא תַצְלִיחוּ׃

קְנִיַּת שָׂדֶה חֲנַמְאֵל:

ו ז וַיֹּאמֶר יִרְמְיָהוּ הָיָה דְּבַר־יְהוָה אֵלַי לֵאמֹר׃ הִנֵּה חֲנַמְאֵל בֶּן־שַׁלֻּם
דֹּדְךָ בָּא אֵלֶיךָ לֵאמֹר קְנֵה לְךָ אֶת־שָׂדִי אֲשֶׁר בַּעֲנָתוֹת כִּי לְךָ
ח מִשְׁפַּט הַגְּאֻלָּה לִקְנוֹת׃ וַיָּבֹא אֵלַי חֲנַמְאֵל בֶּן־דֹּדִי כִּדְבַר יְהוָה
אֶל־חֲצַר הַמַּטָּרָה וַיֹּאמֶר אֵלַי קְנֵה נָא אֶת־שָׂדִי אֲשֶׁר־בַּעֲנָתוֹת
אֲשֶׁר ׀ בְּאֶרֶץ בִּנְיָמִין כִּי־לְךָ מִשְׁפַּט הַיְרֻשָּׁה וּלְךָ הַגְּאֻלָּה
ט קְנֵה־לָךְ וָאֵדַע כִּי דְבַר־יְהוָה הוּא׃ וָאֶקְנֶה אֶת־הַשָּׂדֶה מֵאֵת
חֲנַמְאֵל בֶּן־דֹּדִי אֲשֶׁר בַּעֲנָתוֹת וָאֶשְׁקְלָה־לּוֹ אֶת־הַכֶּסֶף שִׁבְעָה
י שְׁקָלִים וַעֲשָׂרָה הַכָּסֶף׃ וָאֶכְתֹּב בַּסֵּפֶר וָאֶחְתֹּם וָאָעֵד עֵדִים
יא וָאֶשְׁקֹל הַכֶּסֶף בְּמֹאזְנָיִם׃ וָאֶקַּח אֶת־סֵפֶר הַמִּקְנָה אֶת־הֶחָתוּם
יב הַמִּצְוָה וְהַחֻקִּים וְאֶת־הַגָּלוּי׃ וָאֶתֵּן אֶת־הַסֵּפֶר הַמִּקְנָה אֶל־בָּרוּךְ
בֶּן־נֵרִיָּה בֶּן־מַחְסֵיָה לְעֵינֵי חֲנַמְאֵל דֹּדִי וּלְעֵינֵי הָעֵדִים
הַכֹּתְבִים בְּסֵפֶר הַמִּקְנָה לְעֵינֵי כָּל־הַיְּהוּדִים הַיֹּשְׁבִים בַּחֲצַר
יג יד הַמַּטָּרָה׃ וָאֲצַוֶּה אֶת־בָּרוּךְ לְעֵינֵיהֶם לֵאמֹר׃ כֹּה־אָמַר יְהוָה
צְבָאוֹת אֱלֹהֵי יִשְׂרָאֵל לָקוֹחַ אֶת־הַסְּפָרִים הָאֵלֶּה אֵת סֵפֶר
הַמִּקְנָה הַזֶּה וְאֵת הֶחָתוּם וְאֵת סֵפֶר הַגָּלוּי הַזֶּה וּנְתַתָּם
טו בִּכְלִי־חָרֶשׂ לְמַעַן יַעַמְדוּ יָמִים רַבִּים׃ כִּי כֹה אָמַר
יְהוָה צְבָאוֹת אֱלֹהֵי יִשְׂרָאֵל עוֹד יִקָּנוּ בָתִּים וְשָׂדוֹת וּכְרָמִים
בָּאָרֶץ הַזֹּאת׃

תְּמִיהַת יִרְמְיָהוּ לְצִוּ הַקְּנִיָּה:

טז וָאֶתְפַּלֵּל אֶל־יְהוָה אַחֲרֵי תִתִּי אֶת־סֵפֶר הַמִּקְנָה אֶל־בָּרוּךְ
יז בֶּן־נֵרִיָּה לֵאמֹר׃ אֲהָהּ אֲדֹנָי יֱהוִה הִנֵּה ׀ אַתָּה עָשִׂיתָ אֶת־
הַשָּׁמַיִם וְאֶת־הָאָרֶץ בְּכֹחֲךָ הַגָּדוֹל וּבִזְרֹעֲךָ הַנְּטוּיָה לֹא־יִפָּלֵא

יח מִמְּךָ֖ כׇּל־דָּבָֽר׃ עֹ֤שֶׂה חֶ֙סֶד֙ לַאֲלָפִ֔ים וּמְשַׁלֵּם֙ עֲוֺ֣ן אָב֔וֹת אֶל־חֵ֥יק
יט בְּנֵיהֶ֖ם אַחֲרֵיהֶ֑ם הָאֵ֤ל הַגָּדוֹל֙ הַגִּבּ֔וֹר יְהֹוָ֥ה צְבָא֖וֹת שְׁמֽוֹ׃ גְּדֹל֙
הָֽעֵצָ֔ה וְרַ֖ב הָעֲלִילִיָּ֑ה אֲשֶׁר־עֵינֶ֣יךָ פְקֻח֗וֹת עַל־כׇּל־דַּרְכֵי֙ בְּנֵ֣י
כ אָדָ֔ם לָתֵ֤ת לְאִישׁ֙ כִּדְרָכָ֔יו וְכִפְרִ֖י מַעֲלָלָֽיו׃ אֲשֶׁר־שַׂ֩מְתָּ֩ אֹת֨וֹת
וּמֹפְתִ֤ים בְּאֶֽרֶץ־מִצְרַ֙יִם֙ עַד־הַיּ֣וֹם הַזֶּ֔ה וּבְיִשְׂרָאֵ֖ל וּבָאָדָ֑ם
כא וַתַּֽעֲשֶׂה־לְּךָ֥ שֵׁ֖ם כַּיּ֥וֹם הַזֶּֽה׃ וַתֹּצֵ֛א אֶת־עַמְּךָ֥ אֶת־יִשְׂרָאֵ֖ל מֵאֶ֣רֶץ
מִצְרָ֑יִם בְּאֹת֣וֹת וּבְמוֹפְתִ֗ים וּבְיָ֤ד חֲזָקָה֙ וּבְאֶזְר֣וֹעַ נְטוּיָ֔ה
כב וּבְמוֹרָ֖א גָּדֽוֹל׃ וַתִּתֵּ֤ן לָהֶם֙ אֶת־הָאָ֣רֶץ הַזֹּ֔את אֲשֶׁר־נִשְׁבַּ֥עְתָּ
כג לַאֲבוֹתָ֖ם לָתֵ֣ת לָהֶ֑ם אֶ֛רֶץ זָבַ֥ת חָלָ֖ב וּדְבָֽשׁ׃ וַיָּבֹ֜אוּ וַיִּרְשׁ֣וּ אֹתָ֗הּ
וְלֹֽא־שָׁמְע֣וּ בְקוֹלֶ֘ךָ֮ ובתרותך וּבְתוֹרָתְךָ֣ לֹֽא־הָלָ֔כוּ אֵת֩ כׇּל־אֲשֶׁ֨ר
צִוִּ֧יתָה לָהֶ֛ם לַעֲשׂ֖וֹת לֹ֣א עָשׂ֑וּ וַתַּקְרֵ֣א אֹתָ֔ם אֵ֥ת כׇּל־הָרָעָ֖ה הַזֹּֽאת׃
כד הִנֵּ֣ה הַסֹּלְל֗וֹת בָּ֣אוּ הָעִיר֮ לְלׇכְדָהּ֒ וְהָעִ֣יר נִתְּנָ֗ה בְּיַ֤ד הַכַּשְׂדִּים֙
הַנִּלְחָמִ֣ים עָלֶ֔יהָ מִפְּנֵ֛י הַחֶ֥רֶב וְהָרָעָ֖ב וְהַדָּ֑בֶר וַאֲשֶׁ֥ר דִּבַּ֛רְתָּ הָיָ֖ה
כה וְהִנְּךָ֥ רֹאֶֽה׃ וְאַתָּ֞ה אָמַ֤רְתָּ אֵלַי֙ אֲדֹנָ֣י יֱהֹוִ֔ה קְנֵֽה־לְךָ֥ הַשָּׂדֶ֛ה בַּכֶּ֖סֶף
כו וְהָעֵ֣ד עֵדִ֑ים וְהָעִ֥יר נִתְּנָ֖ה בְּיַ֥ד הַכַּשְׂדִּֽים׃ וַֽיְהִי֙
כז דְּבַר־יְהֹוָ֔ה אֶֽל־יִרְמְיָ֖הוּ לֵאמֹֽר׃ הִנֵּה֙ אֲנִ֣י יְהֹוָ֔ה אֱלֹהֵ֖י כׇּל־בָּשָׂ֑ר
כח הֲמִמֶּ֕נִּי יִפָּלֵ֖א כׇּל־דָּבָֽר׃ לָכֵ֕ן כֹּ֖ה אָמַ֣ר יְהֹוָ֑ה הִנְנִ֣י נֹתֵ֡ן אֶת־הָעִ֣יר
הַזֹּ֩את בְּיַ֨ד הַכַּשְׂדִּ֜ים וּבְיַ֛ד נְבוּכַדְרֶאצַּ֥ר מֶֽלֶךְ־בָּבֶ֖ל וּלְכָדָֽהּ׃
כט וּבָ֨אוּ הַכַּשְׂדִּ֜ים הַנִּלְחָמִים֙ עַל־הָעִ֣יר הַזֹּ֔את וְהִצִּ֜יתוּ אֶת־הָעִ֥יר
הַזֹּ֛את בָּאֵ֖שׁ וּשְׂרָפ֑וּהָ וְאֵ֣ת הַבָּתִּ֡ים אֲשֶׁר֩ קִטְּר֨וּ עַל־גַּגּֽוֹתֵיהֶ֜ם
ל לַבַּ֗עַל וְהִסִּ֤כוּ נְסָכִים֙ לֵאלֹהִ֣ים אֲחֵרִ֔ים לְמַ֖עַן הַכְעִסֵֽנִי׃ כִּֽי־הָי֨וּ
בְנֵֽי־יִשְׂרָאֵ֜ל וּבְנֵ֣י יְהוּדָ֗ה אַ֣ךְ עֹשִׂ֥ים הָרַ֛ע בְּעֵינַ֖י מִנְּעֻרֹתֵיהֶ֑ם כִּ֣י
לא בְנֵֽי־יִשְׂרָאֵ֗ל אַ֣ךְ מַכְעִסִ֥ים אֹתִ֛י בְּמַעֲשֵׂ֥ה יְדֵיהֶ֖ם נְאֻם־יְהֹוָֽה׃ כִּ֥י
עַל־אַפִּי֙ וְעַל־חֲמָתִ֔י הָ֤יְתָה לִּי֙ הָעִ֣יר הַזֹּ֔את לְמִן־הַיּוֹם֙ אֲשֶׁ֣ר בָּנ֣וּ
לב אוֹתָ֔הּ וְעַ֖ד הַיּ֣וֹם הַזֶּ֑ה לַהֲסִירָ֖הּ מֵעַ֥ל פָּנָֽי׃ עַ֣ל כׇּל־רָעַ֣ת בְּנֵֽי־

תְּשׁוּבַת ה׳
מְלֻוָּה
תּוֹכָחָה
לְיִשְׂרָאֵל:

יִשְׂרָאֵל וּבְנֵי יְהוּדָה אֲשֶׁר עָשׂוּ לְהַכְעִסֵנִי הֵמָּה מַלְכֵיהֶם שָׂרֵיהֶם
כֹּהֲנֵיהֶם וּנְבִיאֵיהֶם וְאִישׁ יְהוּדָה וְיֹשְׁבֵי יְרוּשָׁלָ‍ִם: וַיִּפְנוּ אֵלַי עֹרֶף לג
וְלֹא פָנִים וְלַמֵּד אֹתָם הַשְׁכֵּם וְלַמֵּד וְאֵינָם שֹׁמְעִים לָקַחַת מוּסָר:
וַיָּשִׂימוּ שִׁקּוּצֵיהֶם בַּבַּיִת אֲשֶׁר־נִקְרָא־שְׁמִי עָלָיו לְטַמְּאוֹ: וַיִּבְנוּ לד לה
אֶת־בָּמוֹת הַבַּעַל אֲשֶׁר ׀ בְּגֵיא בֶן־הִנֹּם לְהַעֲבִיר אֶת־בְּנֵיהֶם
וְאֶת־בְּנוֹתֵיהֶם לַמֹּלֶךְ אֲשֶׁר לֹא־צִוִּיתִים וְלֹא עָלְתָה עַל־לִבִּי
לַעֲשׂוֹת הַתּוֹעֵבָה הַזֹּאת לְמַעַן הַחֲטִי אֶת־יְהוּדָה: וְעַתָּה לו
לָכֵן כֹּה־אָמַר יְהוָה אֱלֹהֵי יִשְׂרָאֵל אֶל־הָעִיר הַזֹּאת אֲשֶׁר ׀ אַתֶּם
אֹמְרִים נִתְּנָה בְּיַד מֶלֶךְ־בָּבֶל בַּחֶרֶב וּבָרָעָב וּבַדָּבֶר: הִנְנִי לז
מְקַבְּצָם מִכָּל־הָאֲרָצוֹת אֲשֶׁר הִדַּחְתִּים שָׁם בְּאַפִּי וּבַחֲמָתִי
וּבְקֶצֶף גָּדוֹל וַהֲשִׁבֹתִים אֶל־הַמָּקוֹם הַזֶּה וְהֹשַׁבְתִּים לָבֶטַח: וְהָיוּ לח
לִי לְעָם וַאֲנִי אֶהְיֶה לָהֶם לֵאלֹהִים: וְנָתַתִּי לָהֶם לֵב אֶחָד וְדֶרֶךְ לט
אֶחָד לְיִרְאָה אוֹתִי כָּל־הַיָּמִים לְטוֹב לָהֶם וְלִבְנֵיהֶם אַחֲרֵיהֶם:
וְכָרַתִּי לָהֶם בְּרִית עוֹלָם אֲשֶׁר לֹא־אָשׁוּב מֵאַחֲרֵיהֶם לְהֵיטִיבִי מ
אוֹתָם וְאֶת־יִרְאָתִי אֶתֵּן בִּלְבָבָם לְבִלְתִּי סוּר מֵעָלָי: וְשַׂשְׂתִּי מא
עֲלֵיהֶם לְהֵטִיב אוֹתָם וּנְטַעְתִּים בָּאָרֶץ הַזֹּאת בֶּאֱמֶת בְּכָל־לִבִּי
וּבְכָל־נַפְשִׁי: כִּי־כֹה אָמַר יְהוָה כַּאֲשֶׁר הֵבֵאתִי אֶל־ מב
הָעָם הַזֶּה אֵת כָּל־הָרָעָה הַגְּדוֹלָה הַזֹּאת כֵּן אָנֹכִי מֵבִיא עֲלֵיהֶם
אֶת־כָּל־הַטּוֹבָה אֲשֶׁר אָנֹכִי דֹּבֵר עֲלֵיהֶם: וְנִקְנָה הַשָּׂדֶה בָּאָרֶץ מג
הַזֹּאת אֲשֶׁר ׀ אַתֶּם אֹמְרִים שְׁמָמָה הִיא מֵאֵין אָדָם וּבְהֵמָה
נִתְּנָה בְּיַד הַכַּשְׂדִּים: שָׂדוֹת בַּכֶּסֶף יִקְנוּ וְכָתוֹב בַּסֵּפֶר ׀ וְחָתוֹם מד
וְהָעֵד עֵדִים בְּאֶרֶץ בִּנְיָמִן וּבִסְבִיבֵי יְרוּשָׁלַ‍ִם וּבְעָרֵי יְהוּדָה
וּבְעָרֵי הָהָר וּבְעָרֵי הַשְּׁפֵלָה וּבְעָרֵי הַנֶּגֶב כִּי־אָשִׁיב אֶת־שְׁבוּתָם
נְאֻם יְהוָה:
וַיְהִי דְבַר־יְהוָה אֶל־יִרְמְיָהוּ שֵׁנִית וְהוּא עוֹדֶנּוּ עָצוּר בַּחֲצַר לג א

הַבְטָחָה עַל שִׁיבָתָם:

סִכּוּם הַנְּבוּאָה:

ב הַמַּטָּרָה לֵאמֹר: כֹּה־אָמַר יְהֹוָה עֹשָׂהּ יְהֹוָה יוֹצֵר אוֹתָהּ
ג לַהֲכִינָהּ יְהֹוָה שְׁמוֹ: קְרָא אֵלַי וְאֶעֱנֶךָּ וְאַגִּידָה לְּךָ גְּדֹלוֹת
וּבְצֻרוֹת לֹא יְדַעְתָּם:
ד כִּי כֹה אָמַר יְהֹוָה אֱלֹהֵי יִשְׂרָאֵל עַל־בָּתֵּי הָעִיר הַזֹּאת וְעַל־בָּתֵּי
ה מַלְכֵי יְהוּדָה הַנְּתֻצִים אֶל־הַסֹּלְלוֹת וְאֶל־הֶחָרֶב: בָּאִים לְהִלָּחֵם
אֶת־הַכַּשְׂדִּים וּלְמַלְאָם אֶת־פִּגְרֵי הָאָדָם אֲשֶׁר־הִכֵּיתִי בְאַפִּי
וּבַחֲמָתִי וַאֲשֶׁר הִסְתַּרְתִּי פָנַי מֵהָעִיר הַזֹּאת עַל כָּל־רָעָתָם:
ו הִנְנִי מַעֲלֶה־לָּהּ אֲרֻכָה וּמַרְפֵּא וּרְפָאתִים וְגִלֵּיתִי לָהֶם עֲתֶרֶת
ז שָׁלוֹם וֶאֱמֶת: וַהֲשִׁבֹתִי אֶת־שְׁבוּת יְהוּדָה וְאֵת שְׁבוּת יִשְׂרָאֵל
ח וּבְנִתִים כְּבָרִאשֹׁנָה: וְטִהַרְתִּים מִכָּל־עֲוֺנָם אֲשֶׁר חָטְאוּ־לִי
וְסָלַחְתִּי לכול לְכָל־עֲוֺנוֹתֵיהֶם אֲשֶׁר חָטְאוּ־לִי וַאֲשֶׁר פָּשְׁעוּ בִי:
ט וְהָיְתָה לִּי לְשֵׁם שָׂשׂוֹן לִתְהִלָּה וּלְתִפְאֶרֶת לְכֹל גּוֹיֵי הָאָרֶץ
אֲשֶׁר יִשְׁמְעוּ אֶת־כָּל־הַטּוֹבָה אֲשֶׁר אָנֹכִי עֹשֶׂה אוֹתָם וּפָחֲדוּ
וְרָגְזוּ עַל כָּל־הַטּוֹבָה וְעַל כָּל־הַשָּׁלוֹם אֲשֶׁר אָנֹכִי עֹשֶׂה
י לָּהּ: כֹּה ׀ אָמַר יְהֹוָה עוֹד
יִשָּׁמַע בַּמָּקוֹם־הַזֶּה אֲשֶׁר אַתֶּם אֹמְרִים חָרֵב הוּא מֵאֵין אָדָם
וּמֵאֵין בְּהֵמָה בְּעָרֵי יְהוּדָה וּבְחֻצוֹת יְרוּשָׁלִַם הַנְשַׁמּוֹת מֵאֵין
יא אָדָם וּמֵאֵין יוֹשֵׁב וּמֵאֵין בְּהֵמָה: קוֹל שָׂשׂוֹן וְקוֹל שִׂמְחָה קוֹל
חָתָן וְקוֹל כַּלָּה קוֹל אֹמְרִים הוֹדוּ אֶת־יְהֹוָה צְבָאוֹת כִּי־טוֹב
יְהֹוָה כִּי־לְעוֹלָם חַסְדּוֹ מְבִאִים תּוֹדָה בֵּית יְהֹוָה כִּי־אָשִׁיב
יב אֶת־שְׁבוּת־הָאָרֶץ כְּבָרִאשֹׁנָה אָמַר יְהֹוָה: כֹּה
אָמַר יְהֹוָה צְבָאוֹת עוֹד יִהְיֶה ׀ בַּמָּקוֹם הַזֶּה הֶחָרֵב מֵאֵין־
יג אָדָם וְעַד־בְּהֵמָה וּבְכָל־עָרָיו נְוֵה רֹעִים מַרְבִּצִים צֹאן: בְּעָרֵי
הָהָר בְּעָרֵי הַשְּׁפֵלָה וּבְעָרֵי הַנֶּגֶב וּבְאֶרֶץ בִּנְיָמִן וּבִסְבִיבֵי
יְרוּשָׁלִַם וּבְעָרֵי יְהוּדָה עֹד תַּעֲבֹרְנָה הַצֹּאן עַל־יְדֵי מוֹנֶה אָמַר

לְאַחַר הָעֹנֶשׁ - אֲרוּכָה וּמַרְפֵּא:

עוֹד יִשָּׁמַע שָׂשׂוֹן וְשִׂמְחָה בִּירוּשָׁלָיִם:

יָשׁוּב כָּל עָרֵי יְהוּדָה וּבִנְיָמִן:

יד יְהוָֽה׃ הִנֵּ֛ה יָמִ֥ים בָּאִ֖ים נְאֻם־יְהוָ֑ה וַהֲקִמֹתִי֙ אֶת־הַדָּבָ֣ר
טו הַטּ֔וֹב אֲשֶׁ֣ר דִּבַּ֔רְתִּי אֶל־בֵּ֥ית יִשְׂרָאֵ֖ל וְעַל־בֵּ֥ית יְהוּדָֽה׃ בַּיָּמִ֤ים
הָהֵם֙ וּבָעֵ֣ת הַהִ֔יא אַצְמִ֥יחַ לְדָוִ֖ד צֶ֣מַח צְדָקָ֑ה וְעָשָׂ֛ה מִשְׁפָּ֥ט
טז וּצְדָקָ֖ה בָּאָֽרֶץ׃ בַּיָּמִ֤ים הָהֵם֙ תִּוָּשַׁ֣ע יְהוּדָ֔ה וִירוּשָׁלַ֖͏ִם תִּשְׁכּ֣וֹן
יז לָבֶ֑טַח וְזֶ֥ה אֲשֶׁר־יִקְרָא־לָ֖הּ יְהוָ֥ה ׀ צִדְקֵֽנוּ׃ כִּי־כֹ֖ה
אָמַ֣ר יְהוָ֑ה לֹֽא־יִכָּרֵ֣ת לְדָוִ֔ד אִ֕ישׁ יֹשֵׁ֖ב עַל־כִּסֵּ֥א בֵית־יִשְׂרָאֵֽל׃
יח וְלַכֹּהֲנִים֙ הַלְוִיִּ֔ם לֹֽא־יִכָּרֵ֥ת אִ֖ישׁ מִלְּפָנָ֑י מַעֲלֶ֨ה עוֹלָ֜ה וּמַקְטִ֥יר
מִנְחָ֛ה וְעֹ֥שֶׂה זֶּ֖בַח כָּל־הַיָּמִֽים׃
יט כ וַֽיְהִי֙ דְּבַר־יְהוָ֔ה אֶֽל־יִרְמְיָ֖הוּ לֵאמֽוֹר׃ כֹּ֚ה אָמַ֣ר יְהוָ֔ה אִם־תָּפֵ֙רוּ֙
אֶת־בְּרִיתִ֣י הַיּ֔וֹם וְאֶת־בְּרִיתִ֖י הַלָּ֑יְלָה וּלְבִלְתִּ֛י הֱי֥וֹת יוֹמָֽם־וָלַ֖יְלָה
כא בְּעִתָּֽם׃ גַּם־בְּרִיתִ֤י תֻפַר֙ אֶת־דָּוִ֣ד עַבְדִּ֔י מִֽהְיֽוֹת־ל֥וֹ בֵ֖ן מֹלֵ֣ךְ
כב עַל־כִּסְא֑וֹ וְאֶת־הַלְוִיִּ֥ם הַכֹּהֲנִ֖ים מְשָׁרְתָֽי׃ אֲשֶׁ֤ר לֹֽא־יִסָּפֵר֙ צְבָ֣א
הַשָּׁמַ֔יִם וְלֹ֥א יִמַּ֖ד ח֣וֹל הַיָּ֑ם כֵּ֣ן אַרְבֶּ֗ה אֶת־זֶ֙רַע֙ דָּוִ֣ד עַבְדִּ֔י
כג וְאֶת־הַלְוִיִּ֖ם מְשָׁרְתֵ֥י אֹתִֽי׃ וַֽיְהִי֙ דְּבַר־יְהוָ֔ה אֶֽל־
כד יִרְמְיָ֖הוּ לֵאמֹֽר׃ הֲל֣וֹא רָאִ֗יתָ מָֽה־הָעָ֣ם הַזֶּה֮ דִּבְּר֣וּ לֵאמֹר֒ שְׁתֵּ֣י
הַמִּשְׁפָּח֗וֹת אֲשֶׁ֨ר בָּחַ֧ר יְהוָ֛ה בָּהֶ֖ם וַיִּמְאָסֵ֑ם וְאֶת־עַמִּי֙ יִנְאָצ֔וּן
כה מִֽהְי֥וֹת ע֖וֹד גּ֥וֹי לִפְנֵיהֶֽם׃ כֹּ֚ה אָמַ֣ר יְהוָ֔ה אִם־לֹ֥א
כו בְרִיתִ֖י יוֹמָ֣ם וָלָ֑יְלָה חֻקּ֛וֹת שָׁמַ֥יִם וָאָ֖רֶץ לֹא־שָֽׂמְתִּי׃ גַּם־זֶ֣רַע
יַעֲק֞וֹב וְדָוִ֣ד עַבְדִּ֗י אֶמְאַס֙ מִקַּ֤חַת מִזַּרְעוֹ֙ מֹשְׁלִ֔ים אֶל־זֶ֥רַע
אַבְרָהָ֖ם יִשְׂחָ֣ק וְיַעֲקֹ֑ב כִּֽי־אָשִׁ֥יב אשוב אֶת־שְׁבוּתָ֖ם
וְרִחַמְתִּֽים׃

הַבְּרִית עִם דָּוִד, הַכֹּהֲנִים וְהַלְוִיִּם:

לד א הַדָּבָ֣ר אֲשֶׁר־הָיָ֣ה אֶֽל־יִרְמְיָ֮הוּ֮ מֵאֵ֣ת יְהוָה֒ וּנְבוּכַדְרֶאצַּ֣ר מֶלֶךְ־
בָּבֶ֣ל ׀ וְכָל־חֵיל֡וֹ וְֽכָל־מַמְלְכ֞וֹת אֶ֨רֶץ מֶמְשֶׁ֤לֶת יָדוֹ֙ וְכָל־הָ֣עַמִּ֔ים
ב נִלְחָמִ֛ים עַל־יְרוּשָׁלַ֖͏ִם וְעַל־כָּל־עָרֶ֑יהָ לֵאמֹֽר׃ כֹּה־אָמַ֤ר יְהוָה֙
אֱלֹהֵ֣י יִשְׂרָאֵ֔ל הָלֹךְ֙ וְאָמַרְתָּ֔ אֶל־צִדְקִיָּ֖הוּ מֶ֣לֶךְ יְהוּדָ֑ה וְאָמַרְתָּ֣

נְבוּאָה לְצִדְקִיָּהוּ שֶׁיִּלָּכֵד בְּיַד הַכַּשְׂדִּים:

אֵלָיו כֹּה אָמַר יְהוָה הִנְנִי נֹתֵן אֶת־הָעִיר הַזֹּאת בְּיַד מֶלֶךְ־בָּבֶל
ג וּשְׂרָפָהּ בָּאֵשׁ: וְאַתָּה לֹא תִמָּלֵט מִיָּדוֹ כִּי תָּפֹשׂ תִּתָּפֵשׂ וּבְיָדוֹ
תִּנָּתֵן וְעֵינֶיךָ אֶת־עֵינֵי מֶלֶךְ־בָּבֶל תִּרְאֶינָה וּפִיהוּ אֶת־פִּיךָ יְדַבֵּר
ד וּבָבֶל תָּבוֹא: אַךְ שְׁמַע דְּבַר־יְהוָה צִדְקִיָּהוּ מֶלֶךְ יְהוּדָה כֹּה־אָמַר
ה יְהוָה עָלֶיךָ לֹא תָמוּת בֶּחָרֶב: בְּשָׁלוֹם תָּמוּת וּכְמִשְׂרְפוֹת אֲבוֹתֶיךָ
הַמְּלָכִים הָרִאשֹׁנִים אֲשֶׁר־הָיוּ לְפָנֶיךָ כֵּן יִשְׂרְפוּ־לָךְ וְהוֹי אָדוֹן
ו יִסְפְּדוּ־לָךְ כִּי־דָבָר אֲנִי־דִבַּרְתִּי נְאֻם־יְהוָה: וַיְדַבֵּר
יִרְמְיָהוּ הַנָּבִיא אֶל־צִדְקִיָּהוּ מֶלֶךְ יְהוּדָה אֵת כָּל־הַדְּבָרִים הָאֵלֶּה
ז בִּירוּשָׁלָ͏ִם: וְחֵיל מֶלֶךְ־בָּבֶל נִלְחָמִים עַל־יְרוּשָׁלַ͏ִם וְעַל כָּל־עָרֵי
יְהוּדָה הַנּוֹתָרוֹת אֶל־לָכִישׁ וְאֶל־עֲזֵקָה כִּי הֵנָּה נִשְׁאֲרוּ בְּעָרֵי
יְהוּדָה עָרֵי מִבְצָר:

ח הַדָּבָר אֲשֶׁר־הָיָה אֶל־יִרְמְיָהוּ מֵאֵת יְהוָה אַחֲרֵי כְּרֹת הַמֶּלֶךְ (קְרִיאָה לְשִׁלּוּחַ הָעֲבָדִים:)
צִדְקִיָּהוּ בְּרִית אֶת־כָּל־הָעָם אֲשֶׁר בִּירוּשָׁלַ͏ִם לִקְרֹא לָהֶם דְּרוֹר:
ט לְשַׁלַּח אִישׁ אֶת־עַבְדּוֹ וְאִישׁ אֶת־שִׁפְחָתוֹ הָעִבְרִי וְהָעִבְרִיָּה
י חָפְשִׁים לְבִלְתִּי עֲבָד־בָּם בִּיהוּדִי אָחִיהוּ אִישׁ: וַיִּשְׁמְעוּ כָל־
הַשָּׂרִים וְכָל־הָעָם אֲשֶׁר־בָּאוּ בַבְּרִית לְשַׁלַּח אִישׁ אֶת־עַבְדּוֹ
וְאִישׁ אֶת־שִׁפְחָתוֹ חָפְשִׁים לְבִלְתִּי עֲבָד־בָּם עוֹד וַיִּשְׁמְעוּ
יא וַיְשַׁלֵּחוּ: וַיָּשׁוּבוּ אַחֲרֵי־כֵן וַיָּשִׁבוּ אֶת־הָעֲבָדִים וְאֶת־
הַשְּׁפָחוֹת אֲשֶׁר שִׁלְּחוּ חָפְשִׁים ויכבישום וַיִּכְבְּשׁוּם לַעֲבָדִים
וְלִשְׁפָחוֹת:

יב יג וַיְהִי דְבַר־יְהוָה אֶל־יִרְמְיָהוּ מֵאֵת יְהוָה לֵאמֹר: כֹּה־אָמַר יְהוָה (תּוֹכָחָה עַל כְּבִישַׁת הָעֲבָדִים:)
אֱלֹהֵי יִשְׂרָאֵל אָנֹכִי כָּרַתִּי בְרִית אֶת־אֲבוֹתֵיכֶם בְּיוֹם הוֹצִאִי
יד אוֹתָם מֵאֶרֶץ מִצְרַיִם מִבֵּית עֲבָדִים לֵאמֹר: מִקֵּץ שֶׁבַע שָׁנִים
תְּשַׁלְּחוּ אִישׁ אֶת־אָחִיו הָעִבְרִי אֲשֶׁר־יִמָּכֵר לְךָ וַעֲבָדְךָ שֵׁשׁ
שָׁנִים וְשִׁלַּחְתּוֹ חָפְשִׁי מֵעִמָּךְ וְלֹא־שָׁמְעוּ אֲבוֹתֵיכֶם אֵלַי וְלֹא

טו הִטּוּ אֶת־אָזְנָם: וַתָּשֻׁבוּ אַתֶּם הַיּוֹם וַתַּעֲשׂוּ אֶת־הַיָּשָׁר בְּעֵינַי
לִקְרֹא דְרוֹר אִישׁ לְרֵעֵהוּ וַתִּכְרְתוּ בְרִית לְפָנַי בַּבַּיִת אֲשֶׁר־נִקְרָא
טז שְׁמִי עָלָיו: וַתָּשֻׁבוּ וַתְּחַלְּלוּ אֶת־שְׁמִי וַתָּשִׁבוּ אִישׁ אֶת־עַבְדּוֹ
וְאִישׁ אֶת־שִׁפְחָתוֹ אֲשֶׁר־שִׁלַּחְתֶּם חָפְשִׁים לְנַפְשָׁם וַתִּכְבְּשׁוּ
הָעֹנֶשׁ עַל כְּבִישַׁת הָעֲבָדִים:
יז אֹתָם לִהְיוֹת לָכֶם לַעֲבָדִים וְלִשְׁפָחוֹת: לָכֵן כֹּה־אָמַר
יְהוָה אַתֶּם לֹא־שְׁמַעְתֶּם אֵלַי לִקְרֹא דְרוֹר אִישׁ לְאָחִיו וְאִישׁ
לְרֵעֵהוּ הִנְנִי קֹרֵא לָכֶם דְּרוֹר נְאֻם־יְהוָה אֶל־הַחֶרֶב אֶל־הַדֶּבֶר
וְאֶל־הָרָעָב וְנָתַתִּי אֶתְכֶם לזועה לְזַעֲוָה לְכֹל מַמְלְכוֹת הָאָרֶץ:
יח וְנָתַתִּי אֶת־הָאֲנָשִׁים הָעֹבְרִים אֶת־בְּרִתִי אֲשֶׁר לֹא־הֵקִימוּ
אֶת־דִּבְרֵי הַבְּרִית אֲשֶׁר כָּרְתוּ לְפָנָי הָעֵגֶל אֲשֶׁר כָּרְתוּ לִשְׁנַיִם
יט וַיַּעַבְרוּ בֵּין בְּתָרָיו: שָׂרֵי יְהוּדָה וְשָׂרֵי יְרוּשָׁלַםִ הַסָּרִסִים
כ וְהַכֹּהֲנִים וְכֹל עַם הָאָרֶץ הָעֹבְרִים בֵּין בִּתְרֵי הָעֵגֶל: וְנָתַתִּי אוֹתָם
בְּיַד אֹיְבֵיהֶם וּבְיַד מְבַקְשֵׁי נַפְשָׁם וְהָיְתָה נִבְלָתָם לְמַאֲכָל לְעוֹף
כא הַשָּׁמַיִם וּלְבֶהֱמַת הָאָרֶץ: וְאֶת־צִדְקִיָּהוּ מֶלֶךְ־יְהוּדָה וְאֶת־שָׂרָיו
אֶתֵּן בְּיַד אֹיְבֵיהֶם וּבְיַד מְבַקְשֵׁי נַפְשָׁם וּבְיַד חֵיל מֶלֶךְ בָּבֶל
כב הָעֹלִים מֵעֲלֵיכֶם: הִנְנִי מְצַוֶּה נְאֻם־יְהוָה וַהֲשִׁבֹתִים אֶל־הָעִיר
הַזֹּאת וְנִלְחֲמוּ עָלֶיהָ וּלְכָדוּהָ וּשְׂרָפֻהָ בָאֵשׁ וְאֶת־עָרֵי יְהוּדָה
אֶתֵּן שְׁמָמָה מֵאֵין יֹשֵׁב:

סֵרוּב בְּנֵי רֵכָב לִשְׁתּוֹת יַיִן:
לה א הַדָּבָר אֲשֶׁר־הָיָה אֶל־יִרְמְיָהוּ מֵאֵת יְהוָה בִּימֵי יְהוֹיָקִים בֶּן־
ב יֹאשִׁיָּהוּ מֶלֶךְ יְהוּדָה לֵאמֹר: הָלוֹךְ אֶל־בֵּית הָרֵכָבִים וְדִבַּרְתָּ
אוֹתָם וַהֲבֵאוֹתָם בֵּית יְהוָה אֶל־אַחַת הַלְּשָׁכוֹת וְהִשְׁקִיתָ אוֹתָם
ג יָיִן: וָאֶקַּח אֶת־יַאֲזַנְיָה בֶן־יִרְמְיָהוּ בֶּן־חֲבַצִּנְיָה וְאֶת־אֶחָיו וְאֶת־
ד כָּל־בָּנָיו וְאֵת כָּל־בֵּית הָרֵכָבִים: וָאָבִא אֹתָם בֵּית יְהוָה אֶל־
לִשְׁכַּת בְּנֵי חָנָן בֶּן־יִגְדַּלְיָהוּ אִישׁ הָאֱלֹהִים אֲשֶׁר־אֵצֶל לִשְׁכַּת
הַשָּׂרִים אֲשֶׁר מִמַּעַל לְלִשְׁכַּת מַעֲשֵׂיָהוּ בֶן־שַׁלֻּם שֹׁמֵר הַסַּף:

ה וָאֶתֵּן לִפְנֵי ׀ בְּנֵי בֵית־הָרֵכָבִים גְּבִעִים מְלֵאִים יַיִן וְכֹסוֹת וָאֹמַר
ו אֲלֵיהֶם שְׁתוּ־יָיִן׃ וַיֹּאמְרוּ לֹא נִשְׁתֶּה־יָּיִן כִּי יוֹנָדָב בֶּן־רֵכָב אָבִינוּ
ז צִוָּה עָלֵינוּ לֵאמֹר לֹא תִשְׁתּוּ־יַיִן אַתֶּם וּבְנֵיכֶם עַד־עוֹלָם׃ וּבַיִת
לֹא־תִבְנוּ וְזֶרַע לֹא־תִזְרָעוּ וְכֶרֶם לֹא־תִטָּעוּ וְלֹא יִהְיֶה לָכֶם
כִּי בָּאֳהָלִים תֵּשְׁבוּ כָּל־יְמֵיכֶם לְמַעַן תִּחְיוּ יָמִים רַבִּים עַל־פְּנֵי
ח הָאֲדָמָה אֲשֶׁר אַתֶּם גָּרִים שָׁם׃ וַנִּשְׁמַע בְּקוֹל יְהוֹנָדָב בֶּן־רֵכָב
אָבִינוּ לְכֹל אֲשֶׁר צִוָּנוּ לְבִלְתִּי שְׁתוֹת־יַיִן כָּל־יָמֵינוּ אֲנַחְנוּ נָשֵׁינוּ
ט בָּנֵינוּ וּבְנֹתֵינוּ׃ וּלְבִלְתִּי בְּנוֹת בָּתִּים לְשִׁבְתֵּנוּ וְכֶרֶם וְשָׂדֶה וָזֶרַע
י לֹא יִהְיֶה־לָּנוּ׃ וַנֵּשֶׁב בָּאֳהָלִים וַנִּשְׁמַע וַנַּעַשׂ כְּכֹל אֲשֶׁר־צִוָּנוּ
יא יוֹנָדָב אָבִינוּ׃ וַיְהִי בַּעֲלוֹת נְבוּכַדְרֶאצַּר מֶלֶךְ־בָּבֶל אֶל־הָאָרֶץ
וַנֹּאמֶר בֹּאוּ וְנָבוֹא יְרוּשָׁלַםִ מִפְּנֵי חֵיל הַכַּשְׂדִּים וּמִפְּנֵי חֵיל אֲרָם
וַנֵּשֶׁב בִּירוּשָׁלָםִ׃

יב יג וַיְהִי דְּבַר־יְהוָה אֶל־יִרְמְיָהוּ לֵאמֹר׃ כֹּה־אָמַר יְהוָה צְבָאוֹת
אֱלֹהֵי יִשְׂרָאֵל הָלֹךְ וְאָמַרְתָּ לְאִישׁ יְהוּדָה וּלְיוֹשְׁבֵי יְרוּשָׁלָםִ הֲלוֹא
יד תִקְחוּ מוּסָר לִשְׁמֹעַ אֶל־דְּבָרַי נְאֻם־יְהוָה׃ הוּקַם אֶת־דִּבְרֵי
יְהוֹנָדָב בֶּן־רֵכָב אֲשֶׁר־צִוָּה אֶת־בָּנָיו לְבִלְתִּי שְׁתוֹת־יַיִן וְלֹא שָׁתוּ
עַד־הַיּוֹם הַזֶּה כִּי שָׁמְעוּ אֵת מִצְוַת אֲבִיהֶם וְאָנֹכִי דִּבַּרְתִּי אֲלֵיכֶם
טו הַשְׁכֵּם וְדַבֵּר וְלֹא שְׁמַעְתֶּם אֵלָי׃ וָאֶשְׁלַח אֲלֵיכֶם אֶת־כָּל־עֲבָדַי
הַנְּבִאִים ׀ הַשְׁכֵּים וְשָׁלֹחַ ׀ לֵאמֹר שֻׁבוּ־נָא אִישׁ מִדַּרְכּוֹ הָרָעָה
וְהֵיטִיבוּ מַעַלְלֵיכֶם וְאַל־תֵּלְכוּ אַחֲרֵי אֱלֹהִים אֲחֵרִים לְעָבְדָם
וּשְׁבוּ אֶל־הָאֲדָמָה אֲשֶׁר־נָתַתִּי לָכֶם וְלַאֲבֹתֵיכֶם וְלֹא הִטִּיתֶם
טז אֶת־אָזְנְכֶם וְלֹא שְׁמַעְתֶּם אֵלָי׃ כִּי הֵקִימוּ בְּנֵי יְהוֹנָדָב בֶּן־רֵכָב
יז אֶת־מִצְוַת אֲבִיהֶם אֲשֶׁר צִוָּם וְהָעָם הַזֶּה לֹא שָׁמְעוּ אֵלָי׃ לָכֵן
כֹּה־אָמַר יְהוָה אֱלֹהֵי צְבָאוֹת אֱלֹהֵי יִשְׂרָאֵל הִנְנִי מֵבִיא אֶל־
יְהוּדָה וְאֶל כָּל־יוֹשְׁבֵי יְרוּשָׁלַםִ אֵת כָּל־הָרָעָה אֲשֶׁר דִּבַּרְתִּי

הַלֶּקַח לְיוֹשְׁבֵי יְרוּשָׁלַיִם מִבְּנֵי רֵכָב׃

עֲלֵיהֶם יַעַן דִּבַּרְתִּי אֲלֵיהֶם וְלֹא שָׁמֵעוּ וָאֶקְרָא לָהֶם וְלֹא עָנוּ׃
בִּרְכַּת ה' לָרֵכָבִים: יח וּלְבֵית הָרֵכָבִים אָמַר יִרְמְיָהוּ כֹּה־אָמַר יְהוָה צְבָאוֹת אֱלֹהֵי
יִשְׂרָאֵל יַעַן אֲשֶׁר שְׁמַעְתֶּם עַל־מִצְוַת יְהוֹנָדָב אֲבִיכֶם וַתִּשְׁמְרוּ
יט אֶת־כָּל־מִצְוֺתָיו וַתַּעֲשׂוּ כְּכֹל אֲשֶׁר־צִוָּה אֶתְכֶם׃ לָכֵן כֹּה אָמַר
יְהוָה צְבָאוֹת אֱלֹהֵי יִשְׂרָאֵל לֹא־יִכָּרֵת אִישׁ לְיוֹנָדָב בֶּן־רֵכָב
עֹמֵד לְפָנַי כָּל־הַיָּמִים׃

לו א כְּתִיבַת סֵפֶר קִינוֹת: [3320] וַיְהִי בַּשָּׁנָה הָרְבִעִית לִיהוֹיָקִים בֶּן־יֹאשִׁיָּהוּ מֶלֶךְ יְהוּדָה הָיָה
ב הַדָּבָר הַזֶּה אֶל־יִרְמְיָהוּ מֵאֵת יְהוָה לֵאמֹר׃ קַח־לְךָ מְגִלַּת־סֵפֶר
וְכָתַבְתָּ אֵלֶיהָ אֵת כָּל־הַדְּבָרִים אֲשֶׁר־דִּבַּרְתִּי אֵלֶיךָ עַל־יִשְׂרָאֵל
וְעַל־יְהוּדָה וְעַל־כָּל־הַגּוֹיִם מִיּוֹם דִּבַּרְתִּי אֵלֶיךָ מִימֵי יֹאשִׁיָּהוּ
ג וְעַד הַיּוֹם הַזֶּה׃ אוּלַי יִשְׁמְעוּ בֵּית יְהוּדָה אֵת כָּל־הָרָעָה אֲשֶׁר
אָנֹכִי חֹשֵׁב לַעֲשׂוֹת לָהֶם לְמַעַן יָשׁוּבוּ אִישׁ מִדַּרְכּוֹ הָרָעָה
ד וְסָלַחְתִּי לַעֲוֺנָם וּלְחַטָּאתָם׃ וַיִּקְרָא יִרְמְיָהוּ אֶת־בָּרוּךְ
בֶּן־נֵרִיָּה וַיִּכְתֹּב בָּרוּךְ מִפִּי יִרְמְיָהוּ אֵת כָּל־דִּבְרֵי יְהוָה אֲשֶׁר־
ה דִּבֶּר אֵלָיו עַל־מְגִלַּת־סֵפֶר׃ וַיְצַוֶּה יִרְמְיָהוּ אֶת־בָּרוּךְ לֵאמֹר אֲנִי
ו עָצוּר לֹא אוּכַל לָבוֹא בֵּית יְהוָה׃ וּבָאתָ אַתָּה וְקָרָאתָ בַמְּגִלָּה
אֲשֶׁר־כָּתַבְתָּ־מִפִּי אֶת־דִּבְרֵי יְהוָה בְּאָזְנֵי הָעָם בֵּית יְהוָה בְּיוֹם
ז צוֹם וְגַם בְּאָזְנֵי כָל־יְהוּדָה הַבָּאִים מֵעָרֵיהֶם תִּקְרָאֵם׃ אוּלַי תִּפֹּל
תְּחִנָּתָם לִפְנֵי יְהוָה וְיָשֻׁבוּ אִישׁ מִדַּרְכּוֹ הָרָעָה כִּי־גָדוֹל הָאַף
ח וְהַחֵמָה אֲשֶׁר־דִּבֶּר יְהוָה אֶל־הָעָם הַזֶּה׃ וַיַּעַשׂ בָּרוּךְ בֶּן־נֵרִיָּה
כְּכֹל אֲשֶׁר־צִוָּהוּ יִרְמְיָהוּ הַנָּבִיא לִקְרֹא בַסֵּפֶר דִּבְרֵי יְהוָה בֵּית
יְהוָה׃

ט הַקְרָאַת הַסֵּפֶר בְּאָזְנֵי הָעָם: [3321] וַיְהִי בַשָּׁנָה הַחֲמִשִׁית לִיהוֹיָקִים בֶּן־יֹאשִׁיָּהוּ מֶלֶךְ־יְהוּדָה
בַּחֹדֶשׁ הַתְּשִׁעִי קָרְאוּ צוֹם לִפְנֵי יְהוָה כָּל־הָעָם בִּירוּשָׁלִָם
י וְכָל־הָעָם הַבָּאִים מֵעָרֵי יְהוּדָה בִּירוּשָׁלִָם׃ וַיִּקְרָא בָרוּךְ בַּסֵּפֶר

אֶת־דִּבְרֵי יִרְמְיָהוּ בֵּית יְהוָה בְּלִשְׁכַּת גְּמַרְיָהוּ בֶן־שָׁפָן הַסֹּפֵר
בֶּחָצֵר הָעֶלְיוֹן פֶּתַח שַׁעַר בֵּית־יְהוָה הֶחָדָשׁ בְּאָזְנֵי כָּל־הָעָם׃
יא וַיִּשְׁמַע מִכָיְהוּ בֶן־גְּמַרְיָהוּ בֶן־שָׁפָן אֶת־כָּל־דִּבְרֵי יְהוָה מֵעַל
יב הַסֵּפֶר׃ וַיֵּרֶד בֵּית־הַמֶּלֶךְ עַל־לִשְׁכַּת הַסֹּפֵר וְהִנֵּה־שָׁם כָּל־
הַשָּׂרִים יוֹשְׁבִים אֱלִישָׁמָע הַסֹּפֵר וּדְלָיָהוּ בֶן־שְׁמַעְיָהוּ וְאֶלְנָתָן
בֶּן־עַכְבּוֹר וּגְמַרְיָהוּ בֶן־שָׁפָן וְצִדְקִיָּהוּ בֶן־חֲנַנְיָהוּ וְכָל־הַשָּׂרִים׃
יג וַיַּגֵּד לָהֶם מִכָיְהוּ אֵת כָּל־הַדְּבָרִים אֲשֶׁר שָׁמֵעַ בִּקְרֹא בָרוּךְ
יד בַּסֵּפֶר בְּאָזְנֵי הָעָם׃ וַיִּשְׁלְחוּ כָל־הַשָּׂרִים אֶל־בָּרוּךְ אֶת־יְהוּדִי
בֶּן־נְתַנְיָהוּ בֶּן־שֶׁלֶמְיָהוּ בֶן־כּוּשִׁי לֵאמֹר הַמְּגִלָּה אֲשֶׁר קָרָאתָ
בָּהּ בְּאָזְנֵי הָעָם קָחֶנָּה בְיָדְךָ וָלֵךְ וַיִּקַּח בָּרוּךְ בֶּן־נֵרִיָּהוּ
טו אֶת־הַמְּגִלָּה בְּיָדוֹ וַיָּבֹא אֲלֵיהֶם׃ וַיֹּאמְרוּ אֵלָיו שֵׁב נָא וּקְרָאֶנָּה
טז בְּאָזְנֵינוּ וַיִּקְרָא בָרוּךְ בְּאָזְנֵיהֶם׃ וַיְהִי כְּשָׁמְעָם אֶת־כָּל־הַדְּבָרִים
פָּחֲדוּ אִישׁ אֶל־רֵעֵהוּ וַיֹּאמְרוּ אֶל־בָּרוּךְ הַגֵּיד נַגִּיד לַמֶּלֶךְ אֵת
יז כָּל־הַדְּבָרִים הָאֵלֶּה׃ וְאֶת־בָּרוּךְ שָׁאֲלוּ לֵאמֹר הַגֶּד־נָא לָנוּ אֵיךְ
יח כָּתַבְתָּ אֶת־כָּל־הַדְּבָרִים הָאֵלֶּה מִפִּיו׃ וַיֹּאמֶר לָהֶם בָּרוּךְ מִפִּיו
יִקְרָא אֵלַי אֵת כָּל־הַדְּבָרִים הָאֵלֶּה וַאֲנִי כֹּתֵב עַל־הַסֵּפֶר
יט בַּדְּיוֹ׃ וַיֹּאמְרוּ הַשָּׂרִים אֶל־בָּרוּךְ לֵךְ הִסָּתֵר אַתָּה
כ וְיִרְמְיָהוּ וְאִישׁ אַל־יֵדַע אֵיפֹה אַתֶּם׃ וַיָּבֹאוּ אֶל־הַמֶּלֶךְ חָצֵרָה
וְאֶת־הַמְּגִלָּה הִפְקִדוּ בְּלִשְׁכַּת אֱלִישָׁמָע הַסֹּפֵר וַיַּגִּידוּ בְּאָזְנֵי
כא הַמֶּלֶךְ אֵת כָּל־הַדְּבָרִים׃ וַיִּשְׁלַח הַמֶּלֶךְ אֶת־יְהוּדִי לָקַחַת
אֶת־הַמְּגִלָּה וַיִּקָּחֶהָ מִלִּשְׁכַּת אֱלִישָׁמָע הַסֹּפֵר וַיִּקְרָאֶהָ יְהוּדִי
כב בְּאָזְנֵי הַמֶּלֶךְ וּבְאָזְנֵי כָּל־הַשָּׂרִים הָעֹמְדִים מֵעַל הַמֶּלֶךְ׃ וְהַמֶּלֶךְ
יוֹשֵׁב בֵּית הַחֹרֶף בַּחֹדֶשׁ הַתְּשִׁיעִי וְאֶת־הָאָח לְפָנָיו מְבֹעָרֶת׃
כג וַיְהִי ׀ כִּקְרוֹא יְהוּדִי שָׁלֹשׁ דְּלָתוֹת וְאַרְבָּעָה יִקְרָעֶהָ בְּתַעַר
הַסֹּפֵר וְהַשְׁלֵךְ אֶל־הָאֵשׁ אֲשֶׁר אֶל־הָאָח עַד־תֹּם כָּל־הַמְּגִלָּה

הַקְּרָאָה בְּאָזְנֵי הַשָּׂרִים׃

הַקְּרָאַת הַמְּגִלָּה לִיהוֹיָקִים וּשְׂרֵפָתָהּ׃

כד עַל־הָאֵשׁ אֲשֶׁר עַל־הָאָח: וְלֹא פָחֲדוּ וְלֹא קָרְעוּ אֶת־בִּגְדֵיהֶם
כה הַמֶּלֶךְ וְכָל־עֲבָדָיו הַשֹּׁמְעִים אֵת כָּל־הַדְּבָרִים הָאֵלֶּה: וְגַם
אֶלְנָתָן וּדְלָיָהוּ וּגְמַרְיָהוּ הִפְגִּעוּ בַמֶּלֶךְ לְבִלְתִּי שְׂרֹף אֶת־הַמְּגִלָּה
כו וְלֹא שָׁמַע אֲלֵיהֶם: וַיְצַוֶּה הַמֶּלֶךְ אֶת־יְרַחְמְאֵל בֶּן־הַמֶּלֶךְ
וְאֶת־שְׂרָיָהוּ בֶן־עַזְרִיאֵל וְאֶת־שֶׁלֶמְיָהוּ בֶּן־עַבְדְּאֵל לָקַחַת אֶת־
כז בָּרוּךְ הַסֹּפֵר וְאֵת יִרְמְיָהוּ הַנָּבִיא וַיַּסְתִּרֵם יְהוָה: וַיְהִי
דְבַר־יְהוָה אֶל־יִרְמְיָהוּ אַחֲרֵי ׀ שְׂרֹף הַמֶּלֶךְ אֶת־הַמְּגִלָּה וְאֶת־
כח הַדְּבָרִים אֲשֶׁר כָּתַב בָּרוּךְ מִפִּי יִרְמְיָהוּ לֵאמֹר: שׁוּב קַח־לְךָ
מְגִלָּה אַחֶרֶת וּכְתֹב עָלֶיהָ אֵת כָּל־הַדְּבָרִים הָרִאשֹׁנִים אֲשֶׁר
הָיוּ עַל־הַמְּגִלָּה הָרִאשֹׁנָה אֲשֶׁר שָׂרַף יְהוֹיָקִים מֶלֶךְ־יְהוּדָה:
כט וְעַל־יְהוֹיָקִים מֶלֶךְ־יְהוּדָה תֹּאמַר כֹּה אָמַר יְהוָה אַתָּה שָׂרַפְתָּ
אֶת־הַמְּגִלָּה הַזֹּאת לֵאמֹר מַדּוּעַ כָּתַבְתָּ עָלֶיהָ לֵאמֹר בֹּא־יָבוֹא
מֶלֶךְ־בָּבֶל וְהִשְׁחִית אֶת־הָאָרֶץ הַזֹּאת וְהִשְׁבִּית מִמֶּנָּה אָדָם
ל וּבְהֵמָה: לָכֵן כֹּה־אָמַר יְהוָה עַל־יְהוֹיָקִים מֶלֶךְ יְהוּדָה
לֹא־יִהְיֶה־לּוֹ יוֹשֵׁב עַל־כִּסֵּא דָוִד וְנִבְלָתוֹ תִּהְיֶה מֻשְׁלֶכֶת
לא לַחֹרֶב בַּיּוֹם וְלַקֶּרַח בַּלָּיְלָה: וּפָקַדְתִּי עָלָיו וְעַל־זַרְעוֹ וְעַל־עֲבָדָיו
אֶת־עֲוֹנָם וְהֵבֵאתִי עֲלֵיהֶם וְעַל־יֹשְׁבֵי יְרוּשָׁלַםִ וְאֶל־אִישׁ יְהוּדָה
לב אֵת כָּל־הָרָעָה אֲשֶׁר־דִּבַּרְתִּי אֲלֵיהֶם וְלֹא שָׁמֵעוּ: וְיִרְמְיָהוּ לָקַח ׀
מְגִלָּה אַחֶרֶת וַיִּתְּנָהּ אֶל־בָּרוּךְ בֶּן־נֵרִיָּהוּ הַסֹּפֵר וַיִּכְתֹּב עָלֶיהָ
מִפִּי יִרְמְיָהוּ אֵת כָּל־דִּבְרֵי הַסֵּפֶר אֲשֶׁר שָׂרַף יְהוֹיָקִים מֶלֶךְ־
יְהוּדָה בָּאֵשׁ וְעוֹד נוֹסַף עֲלֵיהֶם דְּבָרִים רַבִּים כָּהֵמָּה:

כְּתִיבַת הַמְּגִלָּה הַחֲדָשָׁה:
הָעֹנֶשׁ לִיהוֹיָקִים:

לז א וַיִּמְלָךְ־מֶלֶךְ צִדְקִיָּהוּ בֶּן־יֹאשִׁיָּהוּ תַּחַת כָּנְיָהוּ בֶּן־יְהוֹיָקִים אֲשֶׁר
ב הִמְלִיךְ נְבוּכַדְרֶאצַּר מֶלֶךְ־בָּבֶל בְּאֶרֶץ יְהוּדָה: וְלֹא שָׁמַע הוּא
וַעֲבָדָיו וְעַם הָאָרֶץ אֶל־דִּבְרֵי יְהוָה אֲשֶׁר דִּבֶּר בְּיַד יִרְמְיָהוּ
ג הַנָּבִיא: וַיִּשְׁלַח הַמֶּלֶךְ צִדְקִיָּהוּ אֶת־יְהוּכַל בֶּן־שֶׁלֶמְיָה וְאֶת־

דְּחִיַּת הַצָּעַת הַכְּנִיעָה לַכַּשְׂדִּים:

צְפַנְיָהוּ בֶן־מַעֲשֵׂיָה הַכֹּהֵן אֶל־יִרְמְיָהוּ הַנָּבִיא לֵאמֹר הִתְפַּלֶּל־נָא
ד בַּעֲדֵנוּ אֶל־יְהוָה אֱלֹהֵינוּ: וְיִרְמְיָהוּ בָּא וְיֹצֵא בְּתוֹךְ הָעָם וְלֹא־נָתְנוּ
ה אֹתוֹ בֵּית הכליא הַכְּלוּא: וְחֵיל פַּרְעֹה יָצָא מִמִּצְרָיִם וַיִּשְׁמְעוּ
הַכַּשְׂדִּים הַצָּרִים עַל־יְרוּשָׁלִַם אֶת־שִׁמְעָם וַיֵּעָלוּ מֵעַל
יְרוּשָׁלִָם:

בַּקָּשָׁה מִטַּעַם הַמֶּלֶךְ לְיִרְמְיָה לְהִתְפַּלֵּל:

ו וַיְהִי דְּבַר־יְהוָה אֶל־יִרְמְיָהוּ הַנָּבִיא לֵאמֹר: כֹּה־אָמַר יְהוָה אֱלֹהֵי
ז יִשְׂרָאֵל כֹּה תֹאמְרוּ אֶל־מֶלֶךְ יְהוּדָה הַשֹּׁלֵחַ אֶתְכֶם אֵלַי
לְדָרְשֵׁנִי הִנֵּה ׀ חֵיל פַּרְעֹה הַיֹּצֵא לָכֶם לְעֶזְרָה שָׁב לְאַרְצוֹ
ח מִצְרָיִם: וְשָׁבוּ הַכַּשְׂדִּים וְנִלְחֲמוּ עַל־הָעִיר הַזֹּאת וּלְכָדֻהָ
וּשְׂרָפֻהָ בָאֵשׁ:

אַל תִּבְטְחוּ בְּמִצְרָיִם:

ט כֹּה ׀ אָמַר יְהוָה אַל־תַּשִּׁאוּ נַפְשֹׁתֵיכֶם לֵאמֹר הָלֹךְ יֵלְכוּ מֵעָלֵינוּ
י הַכַּשְׂדִּים כִּי־לֹא יֵלֵכוּ: כִּי אִם־הִכִּיתֶם כָּל־חֵיל כַּשְׂדִּים
הַנִּלְחָמִים אִתְּכֶם וְנִשְׁאֲרוּ־בָם אֲנָשִׁים מְדֻקָּרִים אִישׁ בְּאָהֳלוֹ
יא יָקוּמוּ וְשָׂרְפוּ אֶת־הָעִיר הַזֹּאת בָּאֵשׁ: וְהָיָה בְּהֵעָלוֹת חֵיל
יב הַכַּשְׂדִּים מֵעַל יְרוּשָׁלִָם מִפְּנֵי חֵיל פַּרְעֹה: וַיֵּצֵא
יִרְמְיָהוּ מִירוּשָׁלִַם לָלֶכֶת אֶרֶץ בִּנְיָמִן לַחֲלִק מִשָּׁם בְּתוֹךְ הָעָם:
יג וַיְהִי־הוּא בְּשַׁעַר בִּנְיָמִן וְשָׁם בַּעַל פְּקִדֻת וּשְׁמוֹ יִרְאִיָּיה
בֶּן־שֶׁלֶמְיָה בֶּן־חֲנַנְיָה וַיִּתְפֹּשׂ אֶת־יִרְמְיָהוּ הַנָּבִיא לֵאמֹר אֶל־
יד הַכַּשְׂדִּים אַתָּה נֹפֵל: וַיֹּאמֶר יִרְמְיָהוּ שֶׁקֶר אֵינֶנִּי נֹפֵל עַל־
הַכַּשְׂדִּים וְלֹא שָׁמַע אֵלָיו וַיִּתְפֹּשׂ יִרְאִיָּיה בְּיִרְמְיָהוּ וַיְבִאֵהוּ
טו אֶל־הַשָּׂרִים: וַיִּקְצְפוּ הַשָּׂרִים עַל־יִרְמְיָהוּ וְהִכּוּ אֹתוֹ וְנָתְנוּ אוֹתוֹ
טז בֵּית הָאֵסוּר בֵּית יְהוֹנָתָן הַסֹּפֵר כִּי־אֹתוֹ עָשׂוּ לְבֵית הַכֶּלֶא: כִּי
בָא יִרְמְיָהוּ אֶל־בֵּית הַבּוֹר וְאֶל־הַחֲנֻיוֹת וַיֵּשֶׁב־שָׁם יִרְמְיָהוּ יָמִים
יז רַבִּים: וַיִּשְׁלַח הַמֶּלֶךְ צִדְקִיָּהוּ וַיִּקָּחֵהוּ וַיִּשְׁאָלֵהוּ הַמֶּלֶךְ בְּבֵיתוֹ
בַּסֵּתֶר וַיֹּאמֶר הֲיֵשׁ דָּבָר מֵאֵת יְהוָה וַיֹּאמֶר יִרְמְיָהוּ יֵשׁ וַיֹּאמֶר

תְּפִיסַת יִרְמְיָהוּ וּנְתִינָתוֹ בַּכֶּלֶא:

יח בְּיַד מֶלֶךְ־בָּבֶל תִּנָּתֵן: וַיֹּאמֶר יִרְמְיָהוּ אֶל־הַמֶּלֶךְ צִדְקִיָּהוּ מֶה
חָטָאתִי לְךָ וְלַעֲבָדֶיךָ וְלָעָם הַזֶּה כִּי־נְתַתֶּם אוֹתִי אֶל־בֵּית
יט הַכֶּלֶא: ואיו וְאַיֵּה נְבִיאֵיכֶם אֲשֶׁר־נִבְּאוּ לָכֶם לֵאמֹר לֹא־יָבֹא
כ מֶלֶךְ־בָּבֶל עֲלֵיכֶם וְעַל הָאָרֶץ הַזֹּאת: וְעַתָּה שְׁמַע־נָא אֲדֹנִי
הַמֶּלֶךְ תִּפָּל־נָא תְחִנָּתִי לְפָנֶיךָ וְאַל־תְּשִׁבֵנִי בֵּית יְהוֹנָתָן הַסֹּפֵר

הַפְקָדַת יִרְמְיָה בַּחֲצַר הַמַּטָּרָה:

כא וְלֹא אָמוּת שָׁם: וַיְצַוֶּה הַמֶּלֶךְ צִדְקִיָּהוּ וַיַּפְקִדוּ אֶת־יִרְמְיָהוּ בַּחֲצַר
הַמַּטָּרָה וְנָתֹן לוֹ כִכַּר־לֶחֶם לַיּוֹם מִחוּץ הָאֹפִים עַד־תֹּם
לח א כָּל־הַלֶּחֶם מִן־הָעִיר וַיֵּשֶׁב יִרְמְיָהוּ בַּחֲצַר הַמַּטָּרָה: וַיִּשְׁמַע
שְׁפַטְיָה בֶן־מַתָּן וּגְדַלְיָהוּ בֶּן־פַּשְׁחוּר וְיוּכַל בֶּן־שֶׁלֶמְיָהוּ
וּפַשְׁחוּר בֶּן־מַלְכִּיָּה אֶת־הַדְּבָרִים אֲשֶׁר יִרְמְיָהוּ מְדַבֵּר אֶל־כָּל־
ב הָעָם לֵאמֹר: כֹּה אָמַר יְהוָה הַיֹּשֵׁב בָּעִיר הַזֹּאת יָמוּת בַּחֶרֶב
בָּרָעָב וּבַדָּבֶר וְהַיֹּצֵא אֶל־הַכַּשְׂדִּים יחיה וְחָיָה וְהָיְתָה־לּוֹ נַפְשׁוֹ
ג לְשָׁלָל וָחָי: כֹּה אָמַר יְהוָה הִנָּתֹן תִּנָּתֵן הָעִיר הַזֹּאת
ד בְּיַד חֵיל מֶלֶךְ־בָּבֶל וּלְכָדָהּ: וַיֹּאמְרוּ הַשָּׂרִים אֶל־הַמֶּלֶךְ יוּמַת
נָא אֶת־הָאִישׁ הַזֶּה כִּי־עַל־כֵּן הוּא־מְרַפֵּא אֶת־יְדֵי אַנְשֵׁי
הַמִּלְחָמָה הַנִּשְׁאָרִים | בָּעִיר הַזֹּאת וְאֵת יְדֵי כָל־הָעָם לְדַבֵּר
אֲלֵיהֶם כַּדְּבָרִים הָאֵלֶּה כִּי | הָאִישׁ הַזֶּה אֵינֶנּוּ דֹרֵשׁ לְשָׁלוֹם
ה לָעָם הַזֶּה כִּי אִם־לְרָעָה: וַיֹּאמֶר הַמֶּלֶךְ צִדְקִיָּהוּ הִנֵּה־הוּא

הַשְׁלָכַת יִרְמְיָהוּ אֶל בּוֹר הַטִּיט:

ו בְּיֶדְכֶם כִּי־אֵין הַמֶּלֶךְ יוּכַל אֶתְכֶם דָּבָר: וַיִּקְחוּ אֶת־יִרְמְיָהוּ
וַיַּשְׁלִכוּ אֹתוֹ אֶל־הַבּוֹר | מַלְכִּיָּהוּ בֶן־הַמֶּלֶךְ אֲשֶׁר בַּחֲצַר
הַמַּטָּרָה וַיְשַׁלְּחוּ אֶת־יִרְמְיָהוּ בַּחֲבָלִים וּבַבּוֹר אֵין־מַיִם כִּי

הוֹצָאַת יִרְמְיָהוּ עַל יְדֵי עֶבֶד מֶלֶךְ:

ז אִם־טִיט וַיִּטְבַּע יִרְמְיָהוּ בַּטִּיט: וַיִּשְׁמַע עֶבֶד־מֶלֶךְ
הַכּוּשִׁי אִישׁ סָרִיס וְהוּא בְּבֵית הַמֶּלֶךְ כִּי־נָתְנוּ אֶת־יִרְמְיָהוּ
ח אֶל־הַבּוֹר וְהַמֶּלֶךְ יוֹשֵׁב בְּשַׁעַר בִּנְיָמִן: וַיֵּצֵא עֶבֶד־מֶלֶךְ מִבֵּית
ט הַמֶּלֶךְ וַיְדַבֵּר אֶל־הַמֶּלֶךְ לֵאמֹר: אֲדֹנִי הַמֶּלֶךְ הֵרֵעוּ הָאֲנָשִׁים

הָאֵ֣לֶּה אֵ֣ת כָּל־אֲשֶׁ֤ר עָשׂוּ֙ לְיִרְמְיָ֣הוּ הַנָּבִ֔יא אֵ֖ת אֲשֶׁר־הִשְׁלִ֣יכוּ

אֶל־הַבּ֑וֹר וַיָּ֖מָת תַּחְתָּ֑יו מִפְּנֵ֣י הָרָעָ֔ב כִּ֣י אֵין־הַלֶּ֥חֶם ע֖וֹד בָּעִֽיר׃

 י וַיְצַוֶּ֣ה הַמֶּ֗לֶךְ אֵ֣ת עֶֽבֶד־מֶ֧לֶךְ הַכּוּשִׁ֛י לֵאמֹ֖ר קַ֣ח בְּיָדְךָ֣ מִזֶּה֙

שְׁלֹשִׁ֣ים אֲנָשִׁ֔ים וְֽהַעֲלִ֛יתָ אֶֽת־יִרְמְיָ֥הוּ הַנָּבִ֖יא מִן־הַבּ֑וֹר בְּטֶ֖רֶם

יא יָמֽוּת׃ וַיִּקַּ֣ח ׀ עֶֽבֶד־מֶ֨לֶךְ אֶת־הָאֲנָשִׁ֜ים בְּיָד֗וֹ וַיָּבֹ֤א בֵית־הַמֶּ֙לֶךְ֙

אֶל־תַּ֣חַת הָאוֹצָ֔ר וַיִּקַּ֤ח מִשָּׁם֙ בְּלוֹיֵ֣ הַסְּחָבוֹת֙ סְחָב֔וֹת וּבְלוֹיֵ֖ מְלָחִ֑ים

יב וַיְשַׁלְּחֵ֧ם אֶֽל־יִרְמְיָ֛הוּ אֶל־הַבּ֖וֹר בַּחֲבָלִֽים׃ וַיֹּ֡אמֶר עֶֽבֶד־מֶ֨לֶךְ

הַכּוּשִׁ֜י אֶֽל־יִרְמְיָ֗הוּ שִׂ֣ים נָ֠א בְּלוֹאֵ֨י הַסְּחָב֤וֹת וְהַמְּלָחִים֙ תַּ֚חַת

יג אַצִּל֣וֹת יָדֶ֔יךָ מִתַּ֖חַת לַחֲבָלִ֑ים וַיַּ֥עַשׂ יִרְמְיָ֖הוּ כֵּֽן׃ וַיִּמְשְׁכ֤וּ

אֶֽת־יִרְמְיָ֙הוּ֙ בַּחֲבָלִ֔ים וַיַּעֲל֥וּ אֹת֖וֹ מִן־הַבּ֑וֹר וַיֵּ֥שֶׁב יִרְמְיָ֖הוּ בַּחֲצַ֥ר

נְבוּאָ֣ה
לְצִדְקִיָּ֖הוּ
לָצֵ֥את
לַכַּשְׂדִּֽים׃

יד הַמַּטָּרָֽה׃ וַיִּשְׁלַ֞ח

הַמֶּ֣לֶךְ צִדְקִיָּ֗הוּ וַיִּקַּ֞ח אֶֽת־יִרְמְיָ֤הוּ הַנָּבִיא֙ אֵלָ֔יו אֶל־מָב֣וֹא

הַשְּׁלִישִׁ֗י אֲשֶׁ֖ר בְּבֵ֣ית יְהוָ֑ה וַיֹּ֨אמֶר הַמֶּ֜לֶךְ אֶֽל־יִרְמְיָ֗הוּ שֹׁאֵ֤ל אֲנִי֙

טו אֹֽתְךָ֣ דָּבָ֔ר אַל־תְּכַחֵ֥ד מִמֶּ֖נִּי דָּבָ֑ר וַיֹּ֨אמֶר יִרְמְיָ֤הוּ אֶל־צִדְקִיָּ֙הוּ֙

כִּ֚י אַגִּ֣יד לְךָ֔ הֲל֖וֹא הָמֵ֣ת תְּמִיתֵ֑נִי וְכִ֣י אִיעָ֣צְךָ֔ לֹ֥א תִשְׁמַ֖ע אֵלָֽי׃

כְּתִ֥יב וְלֹ֖א
קְרֵֽי

טז וַיִּשָּׁבַ֞ע הַמֶּ֣לֶךְ צִדְקִיָּ֗הוּ אֶֽל־יִרְמְיָ֛הוּ בַּסֵּ֥תֶר לֵאמֹ֖ר חַי־יְהוָ֑ה אֵ֣ת ֮

אֲשֶׁר֩ עָשָׂה־לָ֨נוּ אֶת־הַנֶּ֤פֶשׁ הַזֹּאת֙ אִם־אֲמִיתֶ֔ךָ וְאִם־אֶתֶּנְךָ֖ בְּיַ֥ד

יז הָאֲנָשִׁ֣ים הָאֵ֔לֶּה אֲשֶׁ֖ר מְבַקְשִׁ֥ים אֶת־נַפְשֶֽׁךָ׃ וַיֹּ֣אמֶר

יִרְמְיָ֣הוּ אֶל־צִדְקִיָּ֗הוּ כֹּֽה־אָמַ֞ר יְהוָ֤ה אֱלֹהֵ֣י צְבָא֔וֹת

אֱלֹהֵ֣י יִשְׂרָאֵ֔ל אִם־יָצֹ֨א תֵצֵ֜א אֶל־שָׂרֵ֤י מֶֽלֶךְ־בָּבֶל֙ וְחָיְתָ֣ה נַפְשֶׁ֔ךָ

יח וְהָעִ֣יר הַזֹּ֔את לֹ֥א תִשָּׂרֵ֖ף בָּאֵ֑שׁ וְחָיִ֖תָה אַתָּ֥ה וּבֵיתֶֽךָ׃ וְאִם֙ לֹֽא־תֵצֵ֗א

אֶל־שָׂרֵי֙ מֶ֣לֶךְ בָּבֶ֔ל וְנִתְּנָ֞ה הָעִ֤יר הַזֹּאת֙ בְּיַ֣ד הַכַּשְׂדִּ֔ים וּשְׂרָפ֖וּהָ

יט בָּאֵ֑שׁ וְאַתָּ֖ה לֹא־תִמָּלֵ֥ט מִיָּדָֽם׃ וַיֹּ֛אמֶר הַמֶּ֥לֶךְ צִדְקִיָּ֖הוּ

אֶֽל־יִרְמְיָ֑הוּ אֲנִ֣י דֹאֵ֗ג אֶת־הַיְּהוּדִ֞ים אֲשֶׁ֤ר נָֽפְלוּ֙ אֶל־הַכַּשְׂדִּ֔ים

כ פֶּֽן־יִתְּנ֥וּ אֹתִ֛י בְּיָדָ֖ם וְהִתְעַלְּלוּ־בִֽי׃ וַיֹּ֤אמֶר יִרְמְיָ֙הוּ֙ לֹ֣א יִתֵּ֔נוּ

שְׁמַע־נָא בְּקוֹל יְהוָה לַאֲשֶׁר אֲנִי דֹּבֵר אֵלֶיךָ וְיִיטַב לְךָ וּתְחִי
כא כב נַפְשֶׁךָ: וְאִם־מָאֵן אַתָּה לָצֵאת זֶה הַדָּבָר אֲשֶׁר הִרְאַנִי יְהוָה: וְהִנֵּה
כָל־הַנָּשִׁים אֲשֶׁר נִשְׁאֲרוּ בְּבֵית מֶלֶךְ־יְהוּדָה מוּצָאוֹת אֶל־שָׂרֵי
מֶלֶךְ בָּבֶל וְהֵנָּה אֹמְרוֹת הִסִּיתוּךָ וְיָכְלוּ לְךָ אַנְשֵׁי שְׁלֹמֶךָ הָטְבְּעוּ
כג בַבֹּץ רַגְלֶךָ נָסֹגוּ אָחוֹר: וְאֶת־כָּל־נָשֶׁיךָ וְאֶת־בָּנֶיךָ מוֹצִאִים
אֶל־הַכַּשְׂדִּים וְאַתָּה לֹא־תִמָּלֵט מִיָּדָם כִּי בְיַד מֶלֶךְ־בָּבֶל תִּתָּפֵשׂ
כד וְאֶת־הָעִיר הַזֹּאת תִּשְׂרֹף בָּאֵשׁ: וַיֹּאמֶר צִדְקִיָּהוּ אֶל־
בַּקָּשַׁת צִדְקִיָּהוּ מִיִּרְמְיָהוּ לְהַחֲרִישׁ:
כה יִרְמְיָהוּ אִישׁ אַל־יֵדַע בַּדְּבָרִים־הָאֵלֶּה וְלֹא תָמוּת: וְכִי־יִשְׁמְעוּ
הַשָּׂרִים כִּי־דִבַּרְתִּי אִתָּךְ וּבָאוּ אֵלֶיךָ וְאָמְרוּ אֵלֶיךָ הַגִּידָה־נָּא
לָנוּ מַה־דִּבַּרְתָּ אֶל־הַמֶּלֶךְ אַל־תְּכַחֵד מִמֶּנּוּ וְלֹא נְמִיתֶךָ וּמַה־
כו דִּבֶּר אֵלֶיךָ הַמֶּלֶךְ: וְאָמַרְתָּ אֲלֵיהֶם מַפִּיל־אֲנִי תְחִנָּתִי לִפְנֵי הַמֶּלֶךְ
לְבִלְתִּי הֲשִׁיבֵנִי בֵּית יְהוֹנָתָן לָמוּת שָׁם:
כז וַיָּבֹאוּ כָל־הַשָּׂרִים אֶל־יִרְמְיָהוּ וַיִּשְׁאֲלוּ אֹתוֹ וַיַּגֵּד לָהֶם כְּכָל־
הַדְּבָרִים הָאֵלֶּה אֲשֶׁר צִוָּה הַמֶּלֶךְ וַיַּחֲרִשׁוּ מִמֶּנּוּ כִּי לֹא־נִשְׁמַע
כח הַדָּבָר: וַיֵּשֶׁב יִרְמְיָהוּ בַּחֲצַר הַמַּטָּרָה עַד־יוֹם אֲשֶׁר־נִלְכְּדָה
יְרוּשָׁלָ‍ִם וְהָיָה כַּאֲשֶׁר
לט א נִלְכְּדָה יְרוּשָׁלָ‍ִם: בַּשָּׁנָה הַתְּשִׁעִית לְצִדְקִיָּהוּ מֶלֶךְ־יְהוּדָה
כִּבּוּשׁ הָעִיר:
[3336] בַּחֹדֶשׁ הָעֲשִׂרִי בָּא נְבוּכַדְרֶאצַּר מֶלֶךְ־בָּבֶל וְכָל־חֵילוֹ אֶל־
ב יְרוּשָׁלַ‍ִם וַיָּצֻרוּ עָלֶיהָ: בְּעַשְׁתֵּי־עֶשְׂרֵה שָׁנָה לְצִדְקִיָּהוּ בַּחֹדֶשׁ
ג [3338] הָרְבִיעִי בְּתִשְׁעָה לַחֹדֶשׁ הָבְקְעָה הָעִיר: וַיָּבֹאוּ כֹּל שָׂרֵי מֶלֶךְ־
בָּבֶל וַיֵּשְׁבוּ בְּשַׁעַר הַתָּוֶךְ נֵרְגַל שַׂרְאֶצֶר סַמְגַּר־נְבוּ שַׂר־סְכִים
רַב־סָרִיס נֵרְגַל שַׂרְאֶצֶר רַב־מָג וְכָל־שְׁאֵרִית שָׂרֵי מֶלֶךְ־בָּבֶל:
ד וַיְהִי כַּאֲשֶׁר רָאָם צִדְקִיָּהוּ מֶלֶךְ־יְהוּדָה וְכֹל אַנְשֵׁי הַמִּלְחָמָה
וַיִּבְרְחוּ וַיֵּצְאוּ לַיְלָה מִן־הָעִיר דֶּרֶךְ גַּן הַמֶּלֶךְ בְּשַׁעַר בֵּין
ה הַחֹמֹתָיִם וַיֵּצֵא דֶּרֶךְ הָעֲרָבָה: וַיִּרְדְּפוּ חֵיל־כַּשְׂדִּים אַחֲרֵיהֶם
לְכִידַת צִדְקִיָּהוּ:

וַיַּשִּׂגוּ אֶת־צִדְקִיָּהוּ בְּעַרְבוֹת יְרֵחוֹ וַיִּקְחוּ אֹתוֹ וַיַּעֲלֻהוּ אֶל־
נְבוּכַדְרֶאצַּר מֶלֶךְ־בָּבֶל רִבְלָתָה בְּאֶרֶץ חֲמָת וַיְדַבֵּר אִתּוֹ
ו מִשְׁפָּטִים: וַיִּשְׁחַט מֶלֶךְ בָּבֶל אֶת־בְּנֵי צִדְקִיָּהוּ בְּרִבְלָה לְעֵינָיו
ז וְאֵת כָּל־חֹרֵי יְהוּדָה שָׁחַט מֶלֶךְ בָּבֶל: וְאֶת־עֵינֵי צִדְקִיָּהוּ עִוֵּר
ח וַיַּאַסְרֵהוּ בַּנְחֻשְׁתַּיִם לָבִיא אֹתוֹ בָּבֶלָה: וְאֶת־בֵּית הַמֶּלֶךְ וְאֶת־
חֻרְבַּן יְרוּשָׁלַיִם וּשְׂרֵפָתָהּ:
ט בֵּית הָעָם שָׂרְפוּ הַכַּשְׂדִּים בָּאֵשׁ וְאֶת־חֹמוֹת יְרוּשָׁלִַם נָתָצוּ: וְאֵת
יֶתֶר הָעָם הַנִּשְׁאָרִים בָּעִיר וְאֶת־הַנֹּפְלִים אֲשֶׁר נָפְלוּ עָלָיו וְאֵת
י יֶתֶר הָעָם הַנִּשְׁאָרִים הֶגְלָה נְבוּזַרְאֲדָן רַב־טַבָּחִים בָּבֶל: וּמִן־
הָעָם הַדַּלִּים אֲשֶׁר אֵין־לָהֶם מְאוּמָה הִשְׁאִיר נְבוּזַרְאֲדָן רַב־
טַבָּחִים בְּאֶרֶץ יְהוּדָה וַיִּתֵּן לָהֶם כְּרָמִים וִיגֵבִים בַּיּוֹם הַהוּא:
יא וַיְצַו נְבוּכַדְרֶאצַּר מֶלֶךְ־בָּבֶל עַל־יִרְמְיָהוּ בְּיַד נְבוּזַרְאֲדָן רַב־
צִוּוּי נְבוּכַדְנֶצַּר לִשְׁמֹר עַל יִרְמְיָהוּ:
יב טַבָּחִים לֵאמֹר: קָחֶנּוּ וְעֵינֶיךָ שִׂים עָלָיו וְאַל־תַּעַשׂ לוֹ מְאוּמָה
יג רָע כִּי אם כַּאֲשֶׁר יְדַבֵּר אֵלֶיךָ כֵּן עֲשֵׂה עִמּוֹ: וַיִּשְׁלַח נְבוּזַרְאֲדָן
כתיב ולא קרי:
רַב־טַבָּחִים וּנְבוּשַׁזְבָּן רַב־סָרִיס וְנֵרְגַל שַׂרְאֶצֶר רַב־מָג וְכֹל רַבֵּי
יד מֶלֶךְ־בָּבֶל: וַיִּשְׁלְחוּ וַיִּקְחוּ אֶת־יִרְמְיָהוּ מֵחֲצַר הַמַּטָּרָה וַיִּתְּנוּ
אֹתוֹ אֶל־גְּדַלְיָהוּ בֶּן־אֲחִיקָם בֶּן־שָׁפָן לְהוֹצִאֵהוּ אֶל־הַבָּיִת וַיֵּשֶׁב
טו בְּתוֹךְ הָעָם: וְאֶל־יִרְמְיָהוּ הָיָה דְבַר־יְהוָה בִּהְיֹתוֹ
נְבוּאָה טוֹבָה לְעֶבֶד מֶלֶךְ הַכּוּשִׁי:
טז עָצוּר בַּחֲצַר הַמַּטָּרָה לֵאמֹר: הָלוֹךְ וְאָמַרְתָּ לְעֶבֶד־מֶלֶךְ הַכּוּשִׁי
לֵאמֹר כֹּה־אָמַר יְהוָה צְבָאוֹת אֱלֹהֵי יִשְׂרָאֵל הִנְנִי מֵבִי אֶת־
דְּבָרַי אֶל־הָעִיר הַזֹּאת לְרָעָה וְלֹא לְטוֹבָה וְהָיוּ לְפָנֶיךָ בַּיּוֹם
יז הַהוּא: וְהִצַּלְתִּיךָ בַיּוֹם־הַהוּא נְאֻם־יְהוָה וְלֹא תִנָּתֵן בְּיַד הָאֲנָשִׁים
יח אֲשֶׁר־אַתָּה יָגוֹר מִפְּנֵיהֶם: כִּי מַלֵּט אֲמַלֶּטְךָ וּבַחֶרֶב לֹא תִפֹּל
וְהָיְתָה לְךָ נַפְשְׁךָ לְשָׁלָל כִּי־בָטַחְתָּ בִּי נְאֻם־יְהוָה:
מ א הַדָּבָר אֲשֶׁר־הָיָה אֶל־יִרְמְיָהוּ מֵאֵת יְהוָה אַחַר ׀ שַׁלַּח אֹתוֹ
יִרְמְיָהוּ מַחְלִיט לְהִשָּׁאֵר בְּיִשְׂרָאֵל:
נְבוּזַרְאֲדָן רַב־טַבָּחִים מִן־הָרָמָה בְּקַחְתּוֹ אֹתוֹ וְהוּא־אָסוּר

ב בָּאזִקִּים בְּתוֹךְ כָּל־גָּלוּת יְרוּשָׁלַםִ וִיהוּדָה הַמֻּגְלִים בָּבֶלָה: וַיִּקַּח
רַב־טַבָּחִים לְיִרְמְיָהוּ וַיֹּאמֶר אֵלָיו יְהוָה אֱלֹהֶיךָ דִּבֶּר אֶת־הָרָעָה
ג הַזֹּאת אֶל־הַמָּקוֹם הַזֶּה: וַיָּבֵא וַיַּעַשׂ יְהוָה כַּאֲשֶׁר דִּבֵּר כִּי־
חֲטָאתֶם לַיהוָה וְלֹא־שְׁמַעְתֶּם בְּקוֹלוֹ וְהָיָה לָכֶם דבר הַדָּבָר הַזֶּה:
ד וְעַתָּה הִנֵּה פִתַּחְתִּיךָ הַיּוֹם מִן־הָאזִקִּים אֲשֶׁר עַל־יָדֶךָ אִם־טוֹב
בְּעֵינֶיךָ לָבוֹא אִתִּי בָבֶל בֹּא וְאָשִׂים אֶת־עֵינִי עָלֶיךָ וְאִם־רַע
בְּעֵינֶיךָ לָבוֹא־אִתִּי בָבֶל חֲדָל רְאֵה כָּל־הָאָרֶץ לְפָנֶיךָ אֶל־טוֹב
ה וְאֶל־הַיָּשָׁר בְּעֵינֶיךָ לָלֶכֶת שָׁמָּה לֵךְ: וְעוֹדֶנּוּ לֹא־יָשׁוּב וְשֻׁבָה
אֶל־גְּדַלְיָה בֶן־אֲחִיקָם בֶּן־שָׁפָן אֲשֶׁר הִפְקִיד מֶלֶךְ־בָּבֶל בְּעָרֵי
יְהוּדָה וְשֵׁב אִתּוֹ בְּתוֹךְ הָעָם אוֹ אֶל־כָּל־הַיָּשָׁר בְּעֵינֶיךָ לָלֶכֶת
ו לֵךְ וַיִּתֶּן־לוֹ רַב־טַבָּחִים אֲרֻחָה וּמַשְׂאֵת וַיְשַׁלְּחֵהוּ: וַיָּבֹא יִרְמְיָהוּ
אֶל־גְּדַלְיָה בֶן־אֲחִיקָם הַמִּצְפָּתָה וַיֵּשֶׁב אִתּוֹ בְּתוֹךְ הָעָם
הַנִּשְׁאָרִים בָּאָרֶץ:

הַנְהָגַת גְּדַלְיָה:

ז וַיִּשְׁמְעוּ כָל־שָׂרֵי הַחֲיָלִים אֲשֶׁר בַּשָּׂדֶה הֵמָּה וְאַנְשֵׁיהֶם כִּי־
הִפְקִיד מֶלֶךְ־בָּבֶל אֶת־גְּדַלְיָהוּ בֶן־אֲחִיקָם בָּאָרֶץ וְכִי ׀ הִפְקִיד
אִתּוֹ אֲנָשִׁים וְנָשִׁים וָטָף וּמִדַּלַּת הָאָרֶץ מֵאֲשֶׁר לֹא־הָגְלוּ בָּבֶלָה:
ח וַיָּבֹאוּ אֶל־גְּדַלְיָה הַמִּצְפָּתָה וְיִשְׁמָעֵאל בֶּן־נְתַנְיָהוּ וְיוֹחָנָן וְיוֹנָתָן
בְּנֵי־קָרֵחַ וּשְׂרָיָה בֶן־תַּנְחֻמֶת וּבְנֵי ׀ עופי עֵיפַי הַנְּטֹפָתִי וִיזַנְיָהוּ
ט בֶּן־הַמַּעֲכָתִי הֵמָּה וְאַנְשֵׁיהֶם: וַיִּשָּׁבַע לָהֶם גְּדַלְיָהוּ בֶן־אֲחִיקָם
בֶּן־שָׁפָן וּלְאַנְשֵׁיהֶם לֵאמֹר אַל־תִּירְאוּ מֵעֲבוֹד הַכַּשְׂדִּים שְׁבוּ
י בָאָרֶץ וְעִבְדוּ אֶת־מֶלֶךְ בָּבֶל וְיִיטַב לָכֶם: וַאֲנִי הִנְנִי יֹשֵׁב בַּמִּצְפָּה
לַעֲמֹד לִפְנֵי הַכַּשְׂדִּים אֲשֶׁר יָבֹאוּ אֵלֵינוּ וְאַתֶּם אִסְפוּ יַיִן וְקַיִץ
יא וְשֶׁמֶן וְשִׂמוּ בִּכְלֵיכֶם וּשְׁבוּ בְּעָרֵיכֶם אֲשֶׁר־תְּפַשְׂתֶּם: וְגַם
כָּל־הַיְּהוּדִים אֲשֶׁר־בְּמוֹאָב ׀ וּבִבְנֵי־עַמּוֹן וּבֶאֱדוֹם וַאֲשֶׁר בְּכָל־
הָאֲרָצוֹת שָׁמְעוּ כִּי־נָתַן מֶלֶךְ־בָּבֶל שְׁאֵרִית לִיהוּדָה וְכִי הִפְקִיד

יב עֲלֵיהֶם אֶת־גְּדַלְיָהוּ בֶּן־אֲחִיקָם בֶּן־שָׁפָן: וַיָּשֻׁבוּ כָל־הַיְּהוּדִים
מִכָּל־הַמְּקֹמוֹת אֲשֶׁר נִדְּחוּ־שָׁם וַיָּבֹאוּ אֶרֶץ־יְהוּדָה אֶל־גְּדַלְיָהוּ
יג הַמִּצְפָּתָה וַיַּאַסְפוּ יַיִן וָקַיִץ הַרְבֵּה מְאֹד: וְיוֹחָנָן
בֶּן־קָרֵחַ וְכָל־שָׂרֵי הַחֲיָלִים אֲשֶׁר בַּשָּׂדֶה בָּאוּ אֶל־גְּדַלְיָהוּ
יד הַמִּצְפָּתָה: וַיֹּאמְרוּ אֵלָיו הֲיָדֹעַ תֵּדַע כִּי בַּעֲלִיס | מֶלֶךְ
בְּנֵי־עַמּוֹן שָׁלַח אֶת־יִשְׁמָעֵאל בֶּן־נְתַנְיָה לְהַכֹּתְךָ נָפֶשׁ וְלֹא־
טו הֶאֱמִין לָהֶם גְּדַלְיָהוּ בֶּן־אֲחִיקָם: וְיוֹחָנָן בֶּן־קָרֵחַ אָמַר אֶל־
גְּדַלְיָהוּ בַסֵּתֶר בַּמִּצְפָּה לֵאמֹר אֵלְכָה נָּא וְאַכֶּה אֶת־יִשְׁמָעֵאל
בֶּן־נְתַנְיָה וְאִישׁ לֹא יֵדָע לָמָּה יַכֶּכָּה נֶּפֶשׁ וְנָפֹצוּ כָּל־יְהוּדָה
טז הַנִּקְבָּצִים אֵלֶיךָ וְאָבְדָה שְׁאֵרִית יְהוּדָה: וַיֹּאמֶר גְּדַלְיָהוּ בֶן־
אֲחִיקָם אֶל־יוֹחָנָן בֶּן־קָרֵחַ אַל־תַּעֲשֶׂה תעש אֶת־הַדָּבָר הַזֶּה
כִּי־שֶׁקֶר אַתָּה דֹבֵר אֶל־יִשְׁמָעֵאל:

אַזְהָרַת יוֹחָנָן לִגְדַלְיָה מִפְּנֵי יִשְׁמָעֵאל:

סֵרוּב גְּדַלְיָה לְקַבֵּל לָשׁוֹן הָרָע:

מא א וַיְהִי | בַּחֹדֶשׁ הַשְּׁבִיעִי בָּא יִשְׁמָעֵאל בֶּן־נְתַנְיָה בֶן־אֱלִישָׁמָע
מִזֶּרַע הַמְּלוּכָה וְרַבֵּי הַמֶּלֶךְ וַעֲשָׂרָה אֲנָשִׁים אִתּוֹ אֶל־גְּדַלְיָהוּ
ב בֶּן־אֲחִיקָם הַמִּצְפָּתָה וַיֹּאכְלוּ שָׁם לֶחֶם יַחְדָּו בַּמִּצְפָּה: וַיָּקָם
יִשְׁמָעֵאל בֶּן־נְתַנְיָה וַעֲשֶׂרֶת הָאֲנָשִׁים | אֲשֶׁר־הָיוּ אִתּוֹ וַיַּכּוּ
אֶת־גְּדַלְיָהוּ בֶן־אֲחִיקָם בֶּן־שָׁפָן בַּחֶרֶב וַיָּמֶת אֹתוֹ אֲשֶׁר־הִפְקִיד
ג מֶלֶךְ־בָּבֶל בָּאָרֶץ: וְאֵת כָּל־הַיְּהוּדִים אֲשֶׁר־הָיוּ אִתּוֹ אֶת־גְּדַלְיָהוּ
בַּמִּצְפָּה וְאֶת־הַכַּשְׂדִּים אֲשֶׁר נִמְצְאוּ־שָׁם אֵת אַנְשֵׁי הַמִּלְחָמָה
ד הִכָּה יִשְׁמָעֵאל: וַיְהִי בַּיּוֹם הַשֵּׁנִי לְהָמִית אֶת־גְּדַלְיָהוּ וְאִישׁ לֹא
ה יָדָע: וַיָּבֹאוּ אֲנָשִׁים מִשְּׁכֶם מִשִּׁלוֹ וּמִשֹּׁמְרוֹן שְׁמֹנִים אִישׁ
מְגֻלְּחֵי זָקָן וּקְרֻעֵי בְגָדִים וּמִתְגֹּדְדִים וּמִנְחָה וּלְבוֹנָה בְּיָדָם
ו לְהָבִיא בֵּית יְהוָה: וַיֵּצֵא יִשְׁמָעֵאל בֶּן־נְתַנְיָה לִקְרָאתָם מִן־
הַמִּצְפָּה הֹלֵךְ הָלֹךְ וּבֹכֶה וַיְהִי כִּפְגֹשׁ אֹתָם וַיֹּאמֶר אֲלֵיהֶם בֹּאוּ
ז אֶל־גְּדַלְיָהוּ בֶן־אֲחִיקָם: וַיְהִי כְּבוֹאָם אֶל־תּוֹךְ הָעִיר וַיִּשְׁחָטֵם

הֲרִיגַת גְּדַלְיָה וְיִשְׂרָאֵל:
[3339]

יִשְׁמָעֵאל בֶּן־נְתַנְיָה אֶל־תּוֹךְ הַבּוֹר הוּא וְהָאֲנָשִׁים אֲשֶׁר־אִתּוֹ:
ח וַעֲשָׂרָה אֲנָשִׁים נִמְצְאוּ־בָם וַיֹּאמְרוּ אֶל־יִשְׁמָעֵאל אַל־תְּמִתֵנוּ
כִּי־יֶשׁ־לָנוּ מַטְמֹנִים בַּשָּׂדֶה חִטִּים וּשְׂעֹרִים וְשֶׁמֶן וּדְבָשׁ וַיֶּחְדַּל
ט וְלֹא הֱמִיתָם בְּתוֹךְ אֲחֵיהֶם: וְהַבּוֹר אֲשֶׁר הִשְׁלִיךְ שָׁם יִשְׁמָעֵאל
אֵת ׀ כָּל־פִּגְרֵי הָאֲנָשִׁים אֲשֶׁר הִכָּה בְּיַד־גְּדַלְיָהוּ הוּא אֲשֶׁר
עָשָׂה הַמֶּלֶךְ אָסָא מִפְּנֵי בַּעְשָׁא מֶלֶךְ־יִשְׂרָאֵל אֹתוֹ מִלֵּא
י יִשְׁמָעֵאל בֶּן־נְתַנְיָהוּ חֲלָלִים: וַיִּשְׁבְּ ׀ יִשְׁמָעֵאל אֶת־כָּל־שְׁאֵרִית
הָעָם אֲשֶׁר בַּמִּצְפָּה אֶת־בְּנוֹת הַמֶּלֶךְ וְאֶת־כָּל־הָעָם הַנִּשְׁאָרִים
בַּמִּצְפָּה אֲשֶׁר הִפְקִיד נְבוּזַרְאֲדָן רַב־טַבָּחִים אֶת־גְּדַלְיָהוּ בֶּן־
אֲחִיקָם וַיִּשְׁבֵּם יִשְׁמָעֵאל בֶּן־נְתַנְיָה וַיֵּלֶךְ לַעֲבֹר אֶל־בְּנֵי
יא עַמּוֹן: וַיִּשְׁמַע יוֹחָנָן בֶּן־
קָרֵחַ וְכָל־שָׂרֵי הַחֲיָלִים אֲשֶׁר אִתּוֹ אֵת כָּל־הָרָעָה אֲשֶׁר עָשָׂה
יב יִשְׁמָעֵאל בֶּן־נְתַנְיָה: וַיִּקְחוּ אֶת־כָּל־הָאֲנָשִׁים וַיֵּלְכוּ לְהִלָּחֵם
עִם־יִשְׁמָעֵאל בֶּן־נְתַנְיָה וַיִּמְצְאוּ אֹתוֹ אֶל־מַיִם רַבִּים אֲשֶׁר
יג בְּגִבְעוֹן: וַיְהִי כִּרְאוֹת כָּל־הָעָם אֲשֶׁר אֶת־יִשְׁמָעֵאל אֶת־יוֹחָנָן
יד בֶּן־קָרֵחַ וְאֵת כָּל־שָׂרֵי הַחֲיָלִים אֲשֶׁר אִתּוֹ וַיִּשְׂמָחוּ: וַיָּסֹבּוּ
כָּל־הָעָם אֲשֶׁר־שָׁבָה יִשְׁמָעֵאל מִן־הַמִּצְפָּה וַיָּשֻׁבוּ וַיֵּלְכוּ אֶל־
טו יוֹחָנָן בֶּן־קָרֵחַ: וְיִשְׁמָעֵאל בֶּן־נְתַנְיָה נִמְלַט בִּשְׁמֹנָה אֲנָשִׁים
טז מִפְּנֵי יוֹחָנָן וַיֵּלֶךְ אֶל־בְּנֵי עַמּוֹן: וַיִּקַּח יוֹחָנָן בֶּן־קָרֵחַ
וְכָל־שָׂרֵי הַחֲיָלִים אֲשֶׁר־אִתּוֹ אֵת כָּל־שְׁאֵרִית הָעָם אֲשֶׁר הֵשִׁיב
מֵאֵת יִשְׁמָעֵאל בֶּן־נְתַנְיָה מִן־הַמִּצְפָּה אַחַר הִכָּה אֶת־גְּדַלְיָה
בֶּן־אֲחִיקָם גְּבָרִים אַנְשֵׁי הַמִּלְחָמָה וְנָשִׁים וְטַף וְסָרִסִים אֲשֶׁר
יז הֵשִׁיב מִגִּבְעוֹן: וַיֵּלְכוּ וַיֵּשְׁבוּ בְּגֵרוּת כמוהם כִּמְהָם אֲשֶׁר־אֵצֶל
יח בֵּית לָחֶם לָלֶכֶת לָבוֹא מִצְרָיִם: מִפְּנֵי הַכַּשְׂדִּים כִּי יָרְאוּ מִפְּנֵיהֶם
כִּי־הִכָּה יִשְׁמָעֵאל בֶּן־נְתַנְיָה אֶת־גְּדַלְיָהוּ בֶּן־אֲחִיקָם אֲשֶׁר־

מִלְחֶמֶת יוֹחָנָן בֶּן קָרֵחַ בְּיִשְׁמָעֵאל:

שְׁאֵרִית הָעָם בְּגֵרוּת כִּמְהָם:

הִפְקִיד מֶלֶךְ־בָּבֶל בָּאָרֶץ:

מב א וַיִּגְּשׁוּ כָּל־שָׂרֵי הַחֲיָלִים וְיוֹחָנָן בֶּן־קָרֵחַ וְיִזַנְיָה בֶּן־הוֹשַׁעְיָה

בַּקֵּשָׁה
מֵהַנָּבִיא
לְהִתְפַּלֵּל:

ב וְכָל־הָעָם מִקָּטֹן וְעַד־גָּדוֹל: וַיֹּאמְרוּ אֶל־יִרְמְיָהוּ הַנָּבִיא תִּפָּל־נָא

תְחִנָּתֵנוּ לְפָנֶיךָ וְהִתְפַּלֵּל בַּעֲדֵנוּ אֶל־יְהוָה אֱלֹהֶיךָ בְּעַד כָּל־

הַשְּׁאֵרִית הַזֹּאת כִּי־נִשְׁאַרְנוּ מְעַט מֵהַרְבֵּה כַּאֲשֶׁר עֵינֶיךָ רֹאוֹת

ג אֹתָנוּ: וְיַגֶּד־לָנוּ יְהוָה אֱלֹהֶיךָ אֶת־הַדֶּרֶךְ אֲשֶׁר נֵלֶךְ־בָּהּ

ד וְאֶת־הַדָּבָר אֲשֶׁר נַעֲשֶׂה: וַיֹּאמֶר אֲלֵיהֶם יִרְמְיָהוּ הַנָּבִיא שָׁמַעְתִּי

הִנְנִי מִתְפַּלֵּל אֶל־יְהוָה אֱלֹהֵיכֶם כְּדִבְרֵיכֶם וְהָיָה כָּל־הַדָּבָר

ה אֲשֶׁר־יַעֲנֶה יְהוָה אֶתְכֶם אַגִּיד לָכֶם לֹא־אֶמְנַע מִכֶּם דָּבָר: וְהֵמָּה

אָמְרוּ אֶל־יִרְמְיָהוּ יְהִי יְהוָה בָּנוּ לְעֵד אֱמֶת וְנֶאֱמָן אִם־לֹא

ו כְּכָל־הַדָּבָר אֲשֶׁר יִשְׁלָחֲךָ יְהוָה אֱלֹהֶיךָ אֵלֵינוּ כֵּן נַעֲשֶׂה: אִם־טוֹב

וְאִם־רָע בְּקוֹל ׀ יְהוָה אֱלֹהֵינוּ אֲשֶׁר אנו אֲנַחְנוּ שֹׁלְחִים אֹתְךָ

אֵלָיו נִשְׁמָע לְמַעַן אֲשֶׁר יִיטַב־לָנוּ כִּי נִשְׁמַע בְּקוֹל יְהוָה

אֱלֹהֵינוּ:

ז וַיְהִי מִקֵּץ עֲשֶׂרֶת יָמִים וַיְהִי דְבַר־יְהוָה אֶל־יִרְמְיָהוּ: וַיִּקְרָא

תְּשׁוּבַת
הַנָּבִיא לֹא
לָרֶדֶת
מִצְרַיְמָה:

ח אֶל־יוֹחָנָן בֶּן־קָרֵחַ וְאֶל כָּל־שָׂרֵי הַחֲיָלִים אֲשֶׁר אִתּוֹ וּלְכָל־

ט הָעָם לְמִקָּטֹן וְעַד־גָּדוֹל: וַיֹּאמֶר אֲלֵיהֶם כֹּה־אָמַר יְהוָה אֱלֹהֵי

יִשְׂרָאֵל אֲשֶׁר שְׁלַחְתֶּם אֹתִי אֵלָיו לְהַפִּיל תְּחִנַּתְכֶם לְפָנָיו:

י אִם־שׁוֹב תֵּשְׁבוּ בָּאָרֶץ הַזֹּאת וּבָנִיתִי אֶתְכֶם וְלֹא אֶהֱרֹס

וְנָטַעְתִּי אֶתְכֶם וְלֹא אֶתּוֹשׁ כִּי נִחַמְתִּי אֶל־הָרָעָה אֲשֶׁר עָשִׂיתִי

יא לָכֶם: אַל־תִּירְאוּ מִפְּנֵי מֶלֶךְ בָּבֶל אֲשֶׁר־אַתֶּם יְרֵאִים מִפָּנָיו

אַל־תִּירְאוּ מִמֶּנּוּ נְאֻם־יְהוָה כִּי־אִתְּכֶם אָנִי לְהוֹשִׁיעַ אֶתְכֶם

יב וּלְהַצִּיל אֶתְכֶם מִיָּדוֹ: וְאֶתֵּן לָכֶם רַחֲמִים וְרִחַם אֶתְכֶם וְהֵשִׁיב

יג אֶתְכֶם אֶל־אַדְמַתְכֶם: וְאִם־אֹמְרִים אַתֶּם לֹא נֵשֵׁב בָּאָרֶץ הַזֹּאת

יד לְבִלְתִּי שְׁמֹעַ בְּקוֹל יְהוָה אֱלֹהֵיכֶם: לֵאמֹר לֹא כִּי אֶרֶץ מִצְרַיִם

נָבוֹא אֲשֶׁר לֹא־נִרְאֶה מִלְחָמָה וְקוֹל שׁוֹפָר לֹא נִשְׁמָע וְלַלֶּחֶם

לֹא־נִרְעָב וְשָׁם נֵשֵׁב: וְעַתָּה לָכֵן שִׁמְעוּ דְבַר־יְהֹוָה שְׁאֵרִית טו

יְהוּדָה כֹּה־אָמַר יְהֹוָה צְבָאוֹת אֱלֹהֵי יִשְׂרָאֵל אִם־אַתֶּם שׂוֹם

תְּשִׂמוּן פְּנֵיכֶם לָבֹא מִצְרַיִם וּבָאתֶם לָגוּר שָׁם: וְהָיְתָה הַחֶרֶב טז

אֲשֶׁר אַתֶּם יְרֵאִים מִמֶּנָּה שָׁם תַּשִּׂיג אֶתְכֶם בְּאֶרֶץ מִצְרָיִם

וְהָרָעָב אֲשֶׁר־אַתֶּם ׀ דֹּאֲגִים מִמֶּנּוּ שָׁם יִדְבַּק אַחֲרֵיכֶם מִצְרָיִם

וְשָׁם תָּמֻתוּ: וְיִהְיוּ כָל־הָאֲנָשִׁים אֲשֶׁר־שָׂמוּ אֶת־פְּנֵיהֶם לָבוֹא יז

מִצְרַיִם לָגוּר שָׁם יָמוּתוּ בַּחֶרֶב בָּרָעָב וּבַדָּבֶר וְלֹא־יִהְיֶה לָהֶם

שָׂרִיד וּפָלִיט מִפְּנֵי הָרָעָה אֲשֶׁר אֲנִי מֵבִיא עֲלֵיהֶם: כִּי כֹה אָמַר יח

יְהֹוָה צְבָאוֹת אֱלֹהֵי יִשְׂרָאֵל כַּאֲשֶׁר נִתַּךְ אַפִּי וַחֲמָתִי עַל־יֹשְׁבֵי

יְרוּשָׁלַ͏ִם כֵּן תִּתַּךְ חֲמָתִי עֲלֵיכֶם בְּבֹאֲכֶם מִצְרָיִם וִהְיִיתֶם לְאָלָה

וּלְשַׁמָּה וְלִקְלָלָה וּלְחֶרְפָּה וְלֹא־תִרְאוּ עוֹד אֶת־הַמָּקוֹם הַזֶּה:

דִּבֶּר יְהֹוָה עֲלֵיכֶם שְׁאֵרִית יְהוּדָה אַל־תָּבֹאוּ מִצְרָיִם יָדֹעַ תֵּדְעוּ יט

כִּי־הַעִידֹתִי בָכֶם הַיּוֹם: כִּי הַתְעֵתֶם בְּנַפְשׁוֹתֵיכֶם כִּי־ כ

אַתֶּם שְׁלַחְתֶּם אֹתִי אֶל־יְהֹוָה אֱלֹהֵיכֶם לֵאמֹר הִתְפַּלֵּל בַּעֲדֵנוּ

אֶל־יְהֹוָה אֱלֹהֵינוּ וּכְכֹל אֲשֶׁר יֹאמַר יְהֹוָה אֱלֹהֵינוּ כֵּן הַגֶּד־לָנוּ

וְעָשִׂינוּ: וָאַגִּד לָכֶם הַיּוֹם וְלֹא שְׁמַעְתֶּם בְּקוֹל יְהֹוָה אֱלֹהֵיכֶם וּלְכֹל כא

אֲשֶׁר־שְׁלָחַנִי אֲלֵיכֶם: וְעַתָּה יָדֹעַ תֵּדְעוּ כִּי בַּחֶרֶב בָּרָעָב וּבַדֶּבֶר כב

תָּמוּתוּ בַּמָּקוֹם אֲשֶׁר חֲפַצְתֶּם לָבוֹא לָגוּר שָׁם: **וַיְהִי** א **מג**

כְּכַלּוֹת יִרְמְיָהוּ לְדַבֵּר אֶל־כָּל־הָעָם אֶת־כָּל־דִּבְרֵי יְהֹוָה

אֱלֹהֵיהֶם אֲשֶׁר שְׁלָחוֹ יְהֹוָה אֱלֹהֵיהֶם אֲלֵיהֶם אֵת כָּל־הַדְּבָרִים

הָאֵלֶּה: וַיֹּאמֶר עֲזַרְיָה בֶן־הוֹשַׁעְיָה וְיוֹחָנָן בֶּן־קָרֵחַ ב

וְכָל־הָאֲנָשִׁים הַזֵּדִים אֹמְרִים אֶל־יִרְמְיָהוּ שֶׁקֶר אַתָּה מְדַבֵּר לֹא

שְׁלָחֲךָ יְהֹוָה אֱלֹהֵינוּ לֵאמֹר לֹא־תָבֹאוּ מִצְרַיִם לָגוּר שָׁם: כִּי ג

בָּרוּךְ בֶּן־נֵרִיָּה מַסִּית אֹתְךָ בָּנוּ לְמַעַן תֵּת אֹתָנוּ בְיַד־הַכַּשְׂדִּים

יְרִידַת
יוֹחָנָן
וְהָעָם
לְמִצְרַיִם:

ד לְהָמִית אֹתָנוּ וּלְהַגְלוֹת אֹתָנוּ בָּבֶל: וְלֹא־שָׁמַע יוֹחָנָן בֶּן־קָרֵחַ
וְכָל־שָׂרֵי הַחֲיָלִים וְכָל־הָעָם בְּקוֹל יְהֹוָה לָשֶׁבֶת בְּאֶרֶץ יְהוּדָה:

ה וַיִּקַּח יוֹחָנָן בֶּן־קָרֵחַ וְכָל־שָׂרֵי הַחֲיָלִים אֵת כָּל־שְׁאֵרִית יְהוּדָה
אֲשֶׁר־שָׁבוּ מִכָּל־הַגּוֹיִם אֲשֶׁר נִדְּחוּ־שָׁם לָגוּר בְּאֶרֶץ יְהוּדָה:

ו אֶת־הַגְּבָרִים וְאֶת־הַנָּשִׁים וְאֶת־הַטַּף וְאֶת־בְּנוֹת הַמֶּלֶךְ וְאֵת
כָּל־הַנֶּפֶשׁ אֲשֶׁר הִנִּיחַ נְבוּזַרְאֲדָן רַב־טַבָּחִים אֶת־גְּדַלְיָהוּ
בֶּן־אֲחִיקָם בֶּן־שָׁפָן וְאֵת יִרְמְיָהוּ הַנָּבִיא וְאֶת־בָּרוּךְ בֶּן־נֵרִיָּהוּ:

ז וַיָּבֹאוּ אֶרֶץ מִצְרַיִם כִּי לֹא שָׁמְעוּ בְּקוֹל יְהֹוָה וַיָּבֹאוּ עַד־
תַּחְפַּנְחֵס:

נְבוּאָה עַל
חֻרְבַּן
מִצְרַיִם:

ח וַיְהִי דְבַר־יְהֹוָה אֶל־יִרְמְיָהוּ בְּתַחְפַּנְחֵס

ט לֵאמֹר: קַח בְּיָדְךָ אֲבָנִים גְּדֹלוֹת וּטְמַנְתָּם בַּמֶּלֶט בַּמַּלְבֵּן אֲשֶׁר
בְּפֶתַח בֵּית־פַּרְעֹה בְּתַחְפַּנְחֵס לְעֵינֵי אֲנָשִׁים יְהוּדִים: וְאָמַרְתָּ

י אֲלֵיהֶם כֹּה־אָמַר יְהֹוָה צְבָאוֹת אֱלֹהֵי יִשְׂרָאֵל הִנְנִי שֹׁלֵחַ
וְלָקַחְתִּי אֶת־נְבוּכַדְרֶאצַּר מֶלֶךְ־בָּבֶל עַבְדִּי וְשַׂמְתִּי כִסְאוֹ
מִמַּעַל לָאֲבָנִים הָאֵלֶּה אֲשֶׁר טָמָנְתִּי וְנָטָה אֶת־שַׁפְרִירוֹ שפרורו

יא עֲלֵיהֶם: ובאה וּבָא וְהִכָּה אֶת־אֶרֶץ מִצְרָיִם אֲשֶׁר לַמָּוֶת לַמָּוֶת

יב וַאֲשֶׁר לַשְּׁבִי לַשֶּׁבִי וַאֲשֶׁר לַחֶרֶב לֶחָרֶב: וְהִצַּתִּי אֵשׁ בְּבָתֵּי אֱלֹהֵי
מִצְרַיִם וּשְׂרָפָם וְשָׁבָם וְעָטָה אֶת־אֶרֶץ מִצְרַיִם כַּאֲשֶׁר־יַעְטֶה

יג הָרֹעֶה אֶת־בִּגְדוֹ וְיָצָא מִשָּׁם בְּשָׁלוֹם: וְשִׁבַּר אֶת־מַצְּבוֹת בֵּית
שֶׁמֶשׁ אֲשֶׁר בְּאֶרֶץ מִצְרָיִם וְאֶת־בָּתֵּי אֱלֹהֵי־מִצְרַיִם יִשְׂרֹף
בָּאֵשׁ:

תּוֹכָחָה
לַיְּהוּדִים
הַיּוֹשְׁבִים
בְּמִצְרַיִם:

מד א הַדָּבָר אֲשֶׁר הָיָה אֶל־יִרְמְיָהוּ אֶל כָּל־הַיְּהוּדִים הַיֹּשְׁבִים בְּאֶרֶץ
מִצְרַיִם הַיֹּשְׁבִים בְּמִגְדֹּל וּבְתַחְפַּנְחֵס וּבְנֹף וּבְאֶרֶץ פַּתְרוֹס

ב לֵאמֹר: כֹּה־אָמַר יְהֹוָה צְבָאוֹת אֱלֹהֵי יִשְׂרָאֵל אַתֶּם רְאִיתֶם אֵת
כָּל־הָרָעָה אֲשֶׁר הֵבֵאתִי עַל־יְרוּשָׁלַ͏ִם וְעַל כָּל־עָרֵי יְהוּדָה וְהִנָּם

ג חָרְבָּה הַיּוֹם הַזֶּה וְאֵין בָּהֶם יוֹשֵׁב: מִפְּנֵי רָעָתָם אֲשֶׁר עָשׂוּ

לְהַכְעִסֵ֨נִי֙ לָלֶ֣כֶת לְקַטֵּ֔ר לַעֲבֹ֖ד לֵאלֹהִ֣ים אֲחֵרִ֑ים אֲשֶׁ֣ר לֹ֣א יְדָע֔וּם

הֵ֖מָּה אַתֶּ֣ם וַאֲבֹֽתֵיכֶֽם: וָאֶשְׁלַ֣ח אֲלֵיכֶ֗ם אֶת־כָּל־עֲבָדַ֣י הַנְּבִיאִ֔ים

הַשְׁכֵּ֥ם וְשָׁלֹ֖חַ לֵאמֹ֑ר אַל־נָ֣א תַעֲשׂ֗וּ אֵ֛ת דְּבַר־הַתֹּעֵבָ֥ה הַזֹּ֖את

אֲשֶׁ֥ר שָׂנֵֽאתִי: וְלֹ֤א שָֽׁמְעוּ֙ וְלֹא־הִטּ֣וּ אֶת־אׇזְנָ֔ם לָשׁ֖וּב מֵרָֽעָתָ֑ם

לְבִלְתִּ֥י קַטֵּ֖ר לֵאלֹהִ֥ים אֲחֵרִֽים: וַתִּתַּ֤ךְ חֲמָתִי֙ וְאַפִּ֔י וַתִּבְעַר֙ בְּעָרֵ֣י

יְהוּדָ֔ה וּבְחֻצ֖וֹת יְרֽוּשָׁלָ֑͏ִם וַתִּהְיֶ֛ינָה לְחׇרְבָּ֥ה לִשְׁמָמָ֖ה כַּיּ֥וֹם

הַזֶּֽה:

תּוֹכָחָה עַל
עֲבוֹדָה
זָרָה:

וְעַתָּ֡ה כֹּֽה־אָמַ֣ר

יְהֹוָה֩ אֱלֹהֵ֨י צְבָא֜וֹת אֱלֹהֵ֣י יִשְׂרָאֵ֗ל לָמָ֤ה אַתֶּם֙ עֹשִׂים֙ רָעָ֣ה גְדוֹלָ֔ה

אֶל־נַפְשֹׁתֵכֶ֔ם לְהַכְרִ֨ית לָכֶ֜ם אִישׁ־וְאִשָּׁ֛ה עוֹלֵ֥ל וְיוֹנֵ֖ק מִתּ֣וֹךְ

יְהוּדָ֑ה לְבִלְתִּ֛י הוֹתִ֥יר לָכֶ֖ם שְׁאֵרִֽית: לְהַכְעִסֵ֙נִי֙ בְּמַעֲשֵׂ֣י יְדֵיכֶ֔ם

לְקַטֵּ֞ר לֵאלֹהִ֤ים אֲחֵרִים֙ בְּאֶ֣רֶץ מִצְרַ֔יִם אֲשֶׁר־אַתֶּ֥ם בָּאִ֖ים לָג֣וּר

שָׁ֑ם לְמַ֙עַן֙ הַכְרִ֣ית לָכֶ֔ם וּלְמַ֤עַן הֱיֽוֹתְכֶם֙ לִקְלָלָ֣ה וּלְחֶרְפָּ֔ה בְּכֹ֖ל

גּוֹיֵ֥י הָאָֽרֶץ: הַֽשְׁכַחְתֶּם֙ אֶת־רָע֣וֹת אֲבֽוֹתֵיכֶ֔ם וְאֶת־רָעוֹת֙ ׀ מַלְכֵ֣י

יְהוּדָ֔ה וְאֵת֙ רָע֣וֹת נָשָׁ֔יו וְאֵת֙ רָעֹ֣תֵכֶ֔ם וְאֵ֖ת רָעֹ֣ת נְשֵׁיכֶ֑ם אֲשֶׁ֤ר

עָשׂוּ֙ בְּאֶ֣רֶץ יְהוּדָ֔ה וּבְחֻצ֖וֹת יְרוּשָׁלָֽ͏ִם: לֹ֣א דֻכְּא֔וּ עַ֖ד הַיּ֣וֹם הַזֶּ֑ה

וְלֹ֣א יָֽרְא֗וּ וְלֹא־הָֽלְכ֤וּ בְתֽוֹרָתִי֙ וּבְחֻקֹּתַ֔י אֲשֶׁר־נָתַ֥תִּי לִפְנֵיכֶ֖ם

וְלִפְנֵ֥י אֲבוֹתֵיכֶֽם: לָכֵ֗ן כֹּֽה־אָמַ֞ר יְהֹוָ֤ה צְבָאוֹת֙ אֱלֹהֵ֣י

יִשְׂרָאֵ֔ל הִנְנִ֨י שָׂ֥ם פָּנַ֛י בָּכֶ֖ם לְרָעָ֑ה וּלְהַכְרִ֖ית אֶת־כׇּל־יְהוּדָֽה:

וְלָ֣קַחְתִּ֞י אֶת־שְׁאֵרִ֣ית יְהוּדָ֗ה אֲשֶׁר־שָׂ֤מוּ פְנֵיהֶם֙ לָב֣וֹא אֶֽרֶץ־

מִצְרַ֙יִם֙ לָג֣וּר שָׁ֔ם וְתַ֙מּוּ֙ כֹ֔ל בְּאֶ֖רֶץ מִצְרַ֑יִם יִפֹּ֗לוּ בַּחֶ֤רֶב בָּֽרָעָב֙

יִתַּ֔מּוּ מִקָּטֹן֙ וְעַד־גָּד֔וֹל בַּחֶ֥רֶב וּבָרָעָ֖ב יָמֻ֑תוּ וְהָיוּ֙ לְאָלָ֣ה לְשַׁמָּ֔ה

וְלִקְלָלָ֖ה וּלְחֶרְפָּֽה: וּפָקַדְתִּ֗י עַ֤ל הַיּֽוֹשְׁבִים֙ בְּאֶ֣רֶץ מִצְרַ֔יִם כַּאֲשֶׁ֥ר

פָּקַ֖דְתִּי עַל־יְרוּשָׁלָ֑͏ִם בַּחֶ֥רֶב בָּרָעָ֖ב וּבַדָּֽבֶר: וְלֹ֨א יִהְיֶ֜ה פָּלִ֣יט

וְשָׂרִ֗יד לִשְׁאֵרִית֙ יְהוּדָ֔ה הַבָּאִ֥ים לָגֽוּר־שָׁ֖ם בְּאֶ֣רֶץ מִצְרָ֑יִם

וְלָשׁ֣וּב ׀ אֶ֣רֶץ יְהוּדָ֗ה אֲשֶׁר־הֵ֜מָּה מְנַשְּׂאִ֤ים אֶת־נַפְשָׁם֙ לָשׁ֣וּב

לָשֶׁבֶת שָׁם כִּי לֹא־יָשׁוּבוּ כִּי אִם־פְּלֵטִים׃
טו וַיַּעֲנוּ אֶת־יִרְמְיָהוּ כָּל־הָאֲנָשִׁים הַיֹּדְעִים כִּי־מְקַטְּרוֹת נְשֵׁיהֶם סֵרוּב הָעָם לִשְׁמֹעַ׃
לֵאלֹהִים אֲחֵרִים וְכָל־הַנָּשִׁים הָעֹמְדוֹת קָהָל גָּדוֹל וְכָל־הָעָם
טז הַיֹּשְׁבִים בְּאֶרֶץ־מִצְרַיִם בְּפַתְרוֹס לֵאמֹר׃ הַדָּבָר אֲשֶׁר־דִּבַּרְתָּ
יז אֵלֵינוּ בְּשֵׁם יְהוָה אֵינֶנּוּ שֹׁמְעִים אֵלֶיךָ׃ כִּי עָשֹׂה נַעֲשֶׂה אֶת־כָּל־
הַדָּבָר ׀ אֲשֶׁר־יָצָא מִפִּינוּ לְקַטֵּר לִמְלֶכֶת הַשָּׁמַיִם וְהַסֵּיךְ־לָהּ
נְסָכִים כַּאֲשֶׁר עָשִׂינוּ אֲנַחְנוּ וַאֲבֹתֵינוּ מְלָכֵינוּ וְשָׂרֵינוּ בְּעָרֵי יְהוּדָה
וּבְחֻצוֹת יְרוּשָׁלָ͏ִם וַנִּשְׂבַּע־לֶחֶם וַנִּהְיֶה טוֹבִים וְרָעָה לֹא רָאִינוּ׃
יח וּמִן־אָז חָדַלְנוּ לְקַטֵּר לִמְלֶכֶת הַשָּׁמַיִם וְהַסֵּךְ־לָהּ נְסָכִים חָסַרְנוּ
יט כֹל וּבַחֶרֶב וּבָרָעָב תָּמְנוּ׃ וְכִי־אֲנַחְנוּ מְקַטְּרִים לִמְלֶכֶת הַשָּׁמַיִם
וּלְהַסֵּךְ לָהּ נְסָכִים הֲמִבַּלְעֲדֵי אֲנָשֵׁינוּ עָשִׂינוּ לָהּ כַּוָּנִים
כ לְהַעֲצִבָה וְהַסֵּךְ לָהּ נְסָכִים׃ וַיֹּאמֶר יִרְמְיָהוּ אֶל־כָּל־ הַפֻּרְעָנוּת בַּעֲוֹן עֲבוֹדָה זָרָה׃
הָעָם עַל־הַגְּבָרִים וְעַל־הַנָּשִׁים וְעַל־כָּל־הָעָם הָעֹנִים אֹתוֹ דָּבָר
כא לֵאמֹר׃ הֲלוֹא אֶת־הַקִּטֵּר אֲשֶׁר קִטַּרְתֶּם בְּעָרֵי יְהוּדָה וּבְחֻצוֹת
יְרוּשָׁלַ͏ִם אַתֶּם וַאֲבוֹתֵיכֶם מַלְכֵיכֶם וְשָׂרֵיכֶם וְעַם הָאָרֶץ אֹתָם
כב זָכַר יְהוָה וַתַּעֲלֶה עַל־לִבּוֹ׃ וְלֹא־יוּכַל יְהוָה עוֹד לָשֵׂאת מִפְּנֵי
רֹעַ מַעַלְלֵיכֶם מִפְּנֵי הַתּוֹעֵבֹת אֲשֶׁר עֲשִׂיתֶם וַתְּהִי אַרְצְכֶם
כג לְחָרְבָּה וּלְשַׁמָּה וְלִקְלָלָה מֵאֵין יוֹשֵׁב כְּהַיּוֹם הַזֶּה׃ מִפְּנֵי אֲשֶׁר
קִטַּרְתֶּם וַאֲשֶׁר חֲטָאתֶם לַיהוָה וְלֹא שְׁמַעְתֶּם בְּקוֹל יְהוָה
וּבְתֹרָתוֹ וּבְחֻקֹּתָיו וּבְעֵדְוֹתָיו לֹא הֲלַכְתֶּם עַל־כֵּן קָרָאת אֶתְכֶם
כד הָרָעָה הַזֹּאת כַּיּוֹם הַזֶּה׃ וַיֹּאמֶר יִרְמְיָהוּ אֶל־כָּל־הָעָם
וְאֶל כָּל־הַנָּשִׁים שִׁמְעוּ דְּבַר־יְהוָה כָּל־יְהוּדָה אֲשֶׁר בְּאֶרֶץ
כה מִצְרָיִם׃ כֹּה־אָמַר יְהוָה־צְבָאוֹת אֱלֹהֵי יִשְׂרָאֵל לֵאמֹר אַתֶּם
וּנְשֵׁיכֶם וַתְּדַבֵּרְנָה בְּפִיכֶם וּבִידֵיכֶם מִלֵּאתֶם ׀ לֵאמֹר עָשֹׂה
נַעֲשֶׂה אֶת־נְדָרֵינוּ אֲשֶׁר נָדַרְנוּ לְקַטֵּר לִמְלֶכֶת הַשָּׁמַיִם וּלְהַסֵּךְ

לָהּ נְסָכִים הָקֵים תָּקִימְנָה אֶת־נִדְרֵיכֶם וְעָשֹׂה תַּעֲשֶׂינָה
כו אֶת־נִדְרֵיכֶם׃ לָכֵן שִׁמְעוּ דְבַר־יְהוָה כָּל־יְהוּדָה
הַיֹּשְׁבִים בְּאֶרֶץ מִצְרָיִם הִנְנִי נִשְׁבַּעְתִּי בִּשְׁמִי הַגָּדוֹל אָמַר יְהוָה
אִם־יִהְיֶה עוֹד שְׁמִי נִקְרָא ׀ בְּפִי ׀ כָּל־אִישׁ יְהוּדָה אֹמֵר
כז חַי־אֲדֹנָי יְהוִה בְּכָל־אֶרֶץ מִצְרָיִם׃ הִנְנִי שֹׁקֵד עֲלֵיהֶם לְרָעָה וְלֹא
לְטוֹבָה וְתַמּוּ כָל־אִישׁ יְהוּדָה אֲשֶׁר בְּאֶרֶץ־מִצְרַיִם בַּחֶרֶב
כח וּבָרָעָב עַד־כְּלוֹתָם׃ וּפְלִיטֵי חֶרֶב יְשֻׁבוּן מִן־אֶרֶץ מִצְרַיִם אֶרֶץ
יְהוּדָה מְתֵי מִסְפָּר וְיָדְעוּ כָּל־שְׁאֵרִית יְהוּדָה הַבָּאִים לְאֶרֶץ־
כט מִצְרַיִם לָגוּר שָׁם דְּבַר־מִי יָקוּם מִמֶּנִּי וּמֵהֶם׃ וְזֹאת־לָכֶם הָאוֹת
נְאֻם־יְהוָה כִּי־פֹקֵד אֲנִי עֲלֵיכֶם בַּמָּקוֹם הַזֶּה לְמַעַן תֵּדְעוּ כִּי
קוֹם יָקוּמוּ דְבָרַי עֲלֵיכֶם לְרָעָה׃
ל כֹּה ׀ אָמַר יְהוָה הִנְנִי נֹתֵן אֶת־פַּרְעֹה חָפְרַע מֶלֶךְ־מִצְרַיִם
בְּיַד אֹיְבָיו וּבְיַד מְבַקְשֵׁי נַפְשׁוֹ כַּאֲשֶׁר נָתַתִּי אֶת־צִדְקִיָּהוּ
מֶלֶךְ־יְהוּדָה בְּיַד נְבוּכַדְרֶאצַּר מֶלֶךְ־בָּבֶל אֹיְבוֹ וּמְבַקֵּשׁ
מה א נַפְשׁוֹ׃ הַדָּבָר אֲשֶׁר דִּבֶּר יִרְמְיָהוּ הַנָּבִיא אֶל־בָּרוּךְ (נְבוּאָה לְבָרוּךְ בֶּן נֵרִיָּה: [3320])
בֶּן־נֵרִיָּה בְּכָתְבוֹ אֶת־הַדְּבָרִים הָאֵלֶּה עַל־סֵפֶר מִפִּי יִרְמְיָהוּ
בַּשָּׁנָה הָרְבִעִית לִיהוֹיָקִים בֶּן־יֹאשִׁיָּהוּ מֶלֶךְ יְהוּדָה לֵאמֹר׃
ב ג כֹּה־אָמַר יְהוָה אֱלֹהֵי יִשְׂרָאֵל עָלֶיךָ בָּרוּךְ׃ אָמַרְתָּ אוֹי־נָא לִי
כִּי־יָסַף יְהוָה יָגוֹן עַל־מַכְאֹבִי יָגַעְתִּי בְּאַנְחָתִי וּמְנוּחָה לֹא
ד מָצָאתִי׃ כֹּה ׀ תֹּאמַר אֵלָיו כֹּה אָמַר יְהוָה הִנֵּה אֲשֶׁר־בָּנִיתִי אֲנִי
ה הֹרֵס וְאֵת אֲשֶׁר־נָטַעְתִּי אֲנִי נֹתֵשׁ וְאֶת־כָּל־הָאָרֶץ הִיא׃ וְאַתָּה
תְּבַקֶּשׁ־לְךָ גְדֹלוֹת אַל־תְּבַקֵּשׁ כִּי הִנְנִי מֵבִיא רָעָה עַל־כָּל־בָּשָׂר
נְאֻם־יְהוָה וְנָתַתִּי לְךָ אֶת־נַפְשְׁךָ לְשָׁלָל עַל כָּל־הַמְּקֹמוֹת אֲשֶׁר
תֵּלֶךְ־שָׁם׃
מו א ב אֲשֶׁר הָיָה דְבַר־יְהוָה אֶל־יִרְמְיָהוּ הַנָּבִיא עַל־הַגּוֹיִם׃ לְמִצְרַיִם

נְבוּאָה עַל מִלְחָמוֹת בָּבֶל בְּמִצְרָיִם:
[3320]

עַל־חֵיל פַּרְעֹה נְכוֹ מֶלֶךְ מִצְרַיִם אֲשֶׁר־הָיָה עַל־נְהַר־פְּרָת
בְּכַרְכְּמִשׁ אֲשֶׁר הִכָּה נְבוּכַדְרֶאצַּר מֶלֶךְ בָּבֶל בִּשְׁנַת הָרְבִיעִית
ג לִיהוֹיָקִים בֶּן־יֹאשִׁיָּהוּ מֶלֶךְ יְהוּדָה׃ עִרְכוּ מָגֵן וְצִנָּה וּגְשׁוּ
ד לַמִּלְחָמָה׃ אִסְרוּ הַסּוּסִים וַעֲלוּ הַפָּרָשִׁים וְהִתְיַצְּבוּ בְּכוֹבָעִים
ה מִרְקוּ הָרְמָחִים לִבְשׁוּ הַסִּרְיֹנֹת׃ מַדּוּעַ רָאִיתִי הֵמָּה חַתִּים
נְסֹגִים אָחוֹר וְגִבּוֹרֵיהֶם יֻכַּתּוּ וּמָנוֹס נָסוּ וְלֹא הִפְנוּ מָגוֹר מִסָּבִיב
ו נְאֻם־יְהוָה׃ אַל־יָנוּס הַקַּל וְאַל־יִמָּלֵט הַגִּבּוֹר צָפוֹנָה עַל־יַד
ז נְהַר־פְּרָת כָּשְׁלוּ וְנָפָלוּ׃ מִי־זֶה כַּיְאֹר יַעֲלֶה כַּנְּהָרוֹת יִתְגָּעֲשׁוּ
ח מֵימָיו׃ מִצְרַיִם כַּיְאֹר יַעֲלֶה וְכַנְּהָרוֹת יִתְגֹּעֲשׁוּ מָיִם וַיֹּאמֶר
ט אַעֲלֶה אֲכַסֶּה־אֶרֶץ אֹבִידָה עִיר וְיֹשְׁבֵי בָהּ׃ עֲלוּ הַסּוּסִים
וְהִתְהֹלְלוּ הָרֶכֶב וְיֵצְאוּ הַגִּבּוֹרִים כּוּשׁ וּפוּט תֹּפְשֵׂי מָגֵן וְלוּדִים
י תֹּפְשֵׂי דֹּרְכֵי קָשֶׁת׃ וְהַיּוֹם הַהוּא לַאדֹנָי יְהוִה צְבָאוֹת יוֹם נְקָמָה
לְהִנָּקֵם מִצָּרָיו וְאָכְלָה חֶרֶב וְשָׂבְעָה וְרָוְתָה מִדָּמָם כִּי זֶבַח
יא לַאדֹנָי יְהוִה צְבָאוֹת בְּאֶרֶץ צָפוֹן אֶל־נְהַר־פְּרָת׃ עֲלִי גִלְעָד וּקְחִי
צֳרִי בְּתוּלַת בַּת־מִצְרָיִם לַשָּׁוְא הרביתי הִרְבֵּית רְפֻאוֹת תְּעָלָה
יב אֵין לָךְ׃ שָׁמְעוּ גוֹיִם קְלוֹנֵךְ וְצִוְחָתֵךְ מָלְאָה הָאָרֶץ כִּי־גִבּוֹר
בְּגִבּוֹר כָּשָׁלוּ יַחְדָּיו נָפְלוּ שְׁנֵיהֶם׃

נְבוּאָה עַל מַפֶּלֶת מִצְרָיִם:

יג הַדָּבָר אֲשֶׁר דִּבֶּר יְהוָה אֶל־יִרְמְיָהוּ הַנָּבִיא לָבוֹא נְבוּכַדְרֶאצַּר
יד מֶלֶךְ בָּבֶל לְהַכּוֹת אֶת־אֶרֶץ מִצְרָיִם׃ הַגִּידוּ בְמִצְרַיִם וְהַשְׁמִיעוּ
בְמִגְדּוֹל וְהַשְׁמִיעוּ בְנֹף וּבְתַחְפַּנְחֵס אִמְרוּ הִתְיַצֵּב וְהָכֵן לָךְ
טו כִּי־אָכְלָה חֶרֶב סְבִיבֶיךָ׃ מַדּוּעַ נִסְחַף אַבִּירֶיךָ לֹא עָמַד כִּי
טז יְהוָה הֲדָפוֹ׃ הִרְבָּה כּוֹשֵׁל גַּם־נָפַל אִישׁ אֶל־רֵעֵהוּ וַיֹּאמְרוּ קוּמָה ׀
יז וְנָשֻׁבָה אֶל־עַמֵּנוּ וְאֶל־אֶרֶץ מוֹלַדְתֵּנוּ מִפְּנֵי חֶרֶב הַיּוֹנָה׃ קָרְאוּ
יח שָׁם פַּרְעֹה מֶלֶךְ־מִצְרַיִם שָׁאוֹן הֶעֱבִיר הַמּוֹעֵד׃ חַי־אָנִי נְאֻם־
הַמֶּלֶךְ יְהוָה צְבָאוֹת שְׁמוֹ כִּי כְּתָבוֹר בֶּהָרִים וּכְכַרְמֶל בַּיָּם יָבוֹא׃

יט כְּלֵי גוֹלָה עֲשִׂי לָךְ יוֹשֶׁבֶת בַּת־מִצְרָיִם כִּי־נֹף לְשַׁמָּה תִהְיֶה
כ וְנִצְּתָה מֵאֵין יוֹשֵׁב׃ עֶגְלָה יְפֵה־פִיָּה מִצְרָיִם קֶרֶץ
כא מִצָּפוֹן בָּא בָא׃ גַּם־שְׂכִרֶיהָ בְקִרְבָּהּ כְּעֶגְלֵי מַרְבֵּק כִּי־גַם־הֵמָּה
הִפְנוּ נָסוּ יַחְדָּיו לֹא עָמָדוּ כִּי יוֹם אֵידָם בָּא עֲלֵיהֶם עֵת פְּקֻדָּתָם׃
כב קוֹלָהּ כַּנָּחָשׁ יֵלֵךְ כִּי־בְחַיִל יֵלֵכוּ וּבְקַרְדֻּמּוֹת בָּאוּ לָהּ כְּחֹטְבֵי
כג עֵצִים׃ כָּרְתוּ יַעְרָהּ נְאֻם־יְהוָה כִּי לֹא יֵחָקֵר כִּי רַבּוּ מֵאַרְבֶּה
כד כה וְאֵין לָהֶם מִסְפָּר׃ הֹבִישָׁה בַּת־מִצְרָיִם נִתְּנָה בְּיַד עַם־צָפוֹן׃ אָמַר
יְהוָה צְבָאוֹת אֱלֹהֵי יִשְׂרָאֵל הִנְנִי פוֹקֵד אֶל־אָמוֹן מִנֹּא וְעַל־
פַּרְעֹה וְעַל־מִצְרַיִם וְעַל־אֱלֹהֶיהָ וְעַל־מְלָכֶיהָ וְעַל־פַּרְעֹה וְעַל
כו הַבֹּטְחִים בּוֹ׃ וּנְתַתִּים בְּיַד מְבַקְשֵׁי נַפְשָׁם וּבְיַד נְבוּכַדְרֶאצַּר
מֶלֶךְ־בָּבֶל וּבְיַד עֲבָדָיו וְאַחֲרֵי־כֵן תִּשְׁכֹּן כִּימֵי־קֶדֶם נְאֻם־
יְהוָה׃

פְּסוּקֵי נֶחָמָה לְיִשְׂרָאֵל:

כז וְאַתָּה אַל־תִּירָא עַבְדִּי יַעֲקֹב וְאַל־תֵּחַת יִשְׂרָאֵל כִּי הִנְנִי מוֹשִׁעֲךָ
מֵרָחוֹק וְאֶת־זַרְעֲךָ מֵאֶרֶץ שִׁבְיָם וְשָׁב יַעֲקוֹב וְשָׁקַט וְשַׁאֲנַן וְאֵין
כח מַחֲרִיד׃ אַתָּה אַל־תִּירָא עַבְדִּי יַעֲקֹב נְאֻם־יְהוָה כִּי אִתְּךָ אָנִי כִּי
אֶעֱשֶׂה כָלָה בְּכָל־הַגּוֹיִם ׀ אֲשֶׁר הִדַּחְתִּיךָ שָׁמָּה וְאֹתְךָ לֹא־אֶעֱשֶׂה
כָלָה וְיִסַּרְתִּיךָ לַמִּשְׁפָּט וְנַקֵּה לֹא אֲנַקֶּךָּ׃

נְבוּאָה עַל פְּלִשְׁתִּים:

מז א אֲשֶׁר הָיָה דְבַר־יְהוָה אֶל־יִרְמְיָהוּ הַנָּבִיא אֶל־פְּלִשְׁתִּים בְּטֶרֶם
ב יַכֶּה פַרְעֹה אֶת־עַזָּה׃ כֹּה ׀ אָמַר יְהוָה הִנֵּה־מַיִם עֹלִים מִצָּפוֹן
וְהָיוּ לְנַחַל שׁוֹטֵף וְיִשְׁטְפוּ אֶרֶץ וּמְלוֹאָהּ עִיר וְיֹשְׁבֵי בָהּ
ג וְזָעֲקוּ הָאָדָם וְהֵילִל כֹּל יוֹשֵׁב הָאָרֶץ׃ מִקּוֹל שַׁעֲטַת פַּרְסוֹת
אַבִּירָיו מֵרַעַשׁ לְרִכְבּוֹ הֲמוֹן גַּלְגִּלָּיו לֹא־הִפְנוּ אָבוֹת אֶל־בָּנִים
ד מֵרִפְיוֹן יָדָיִם׃ עַל־הַיּוֹם הַבָּא לִשְׁדוֹד אֶת־כָּל־פְּלִשְׁתִּים
לְהַכְרִית לְצֹר וּלְצִידוֹן כֹּל שָׂרִיד עֹזֵר כִּי־שֹׁדֵד יְהוָה אֶת־
ה פְּלִשְׁתִּים שְׁאֵרִית אִי כַפְתּוֹר׃ בָּאָה קָרְחָה אֶל־עַזָּה נִדְמְתָה

ו אַשְׁקְלוֹן שְׁאֵרִית עִמְקָם עַד־מָתַי תִּתְגּוֹדָדִי: הוֹי חֶרֶב לַיהוָה
ז עַד־אָנָה לֹא תִשְׁקֹטִי הֵאָסְפִי אֶל־תַּעְרֵךְ הֵרָגְעִי וָדֹמִּי: אֵיךְ
תִּשְׁקֹטִי וַיהוָה צִוָּה־לָהּ אֶל־אַשְׁקְלוֹן וְאֶל־חוֹף הַיָּם שָׁם
יְעָדָהּ:

מח א לְמוֹאָב כֹּה־אָמַר יְהוָה צְבָאוֹת אֱלֹהֵי יִשְׂרָאֵל הוֹי אֶל־נְבוֹ כִּי נְבוּאַת חֻרְבָּן לְמוֹאָב:
ב שֻׁדָּדָה הֹבִישָׁה נִלְכְּדָה קִרְיָתָיִם הֹבִישָׁה הַמִּשְׂגָּב וָחָתָּה: אֵין
עוֹד תְּהִלַּת מוֹאָב בְּחֶשְׁבּוֹן חָשְׁבוּ עָלֶיהָ רָעָה לְכוּ וְנַכְרִיתֶנָּה
ג מִגּוֹי גַּם־מַדְמֵן תִּדֹּמִּי אַחֲרַיִךְ תֵּלֶךְ חָרֶב: קוֹל צְעָקָה מֵחוֹרוֹנָיִם
ד שֹׁד וָשֶׁבֶר גָּדוֹל: נִשְׁבְּרָה מוֹאָב הִשְׁמִיעוּ זְּעָקָה צעוריה צְעִירֶיהָ:
ה כִּי מַעֲלֵה הלחות הַלֻּחִית בִּבְכִי יַעֲלֶה־בֶּכִי כִּי בְּמוֹרַד חוֹרֹנַיִם צָרֵי
ו צַעֲקַת־שֶׁבֶר שָׁמֵעוּ: נֻסוּ מַלְּטוּ נַפְשְׁכֶם וְתִהְיֶינָה כַּעֲרוֹעֵר
ז בַּמִּדְבָּר: כִּי יַעַן בִּטְחֵךְ בְּמַעֲשַׂיִךְ וּבְאוֹצְרוֹתַיִךְ גַּם־אַתְּ תִּלָּכֵדִי
ח וְיָצָא כמיש כְמוֹשׁ בַּגּוֹלָה כֹּהֲנָיו וְשָׂרָיו יחד יַחְדָּיו: וְיָבֹא שֹׁדֵד
אֶל־כָּל־עִיר וְעִיר לֹא תִמָּלֵט וְאָבַד הָעֵמֶק וְנִשְׁמַד הַמִּישֹׁר אֲשֶׁר
ט אָמַר יְהוָה: תְּנוּ־צִיץ לְמוֹאָב כִּי נָצֹא תֵּצֵא וְעָרֶיהָ לְשַׁמָּה
י תִהְיֶינָה מֵאֵין יוֹשֵׁב בָּהֵן: אָרוּר עֹשֶׂה מְלֶאכֶת יְהוָה רְמִיָּה
יא וְאָרוּר מֹנֵעַ חַרְבּוֹ מִדָּם: שַׁאֲנַן מוֹאָב מִנְּעוּרָיו וְשֹׁקֵט הוּא
אֶל־שְׁמָרָיו וְלֹא־הוּרַק מִכְּלִי אֶל־כֶּלִי וּבַגּוֹלָה לֹא הָלָךְ עַל־כֵּן
יב עָמַד טַעְמוֹ בּוֹ וְרֵיחוֹ לֹא נָמָר: לָכֵן הִנֵּה־יָמִים בָּאִים תֵּאוּר הַשֶּׁבֶר בְּמוֹאָב:
נְאֻם־יְהוָה וְשִׁלַּחְתִּי־לוֹ צֹעִים וְצֵעֻהוּ וְכֵלָיו יָרִיקוּ וְנִבְלֵיהֶם יְנַפֵּצוּ:
יג וּבֹשׁ מוֹאָב מִכְּמוֹשׁ כַּאֲשֶׁר־בֹּשׁוּ בֵּית יִשְׂרָאֵל מִבֵּית אֵל
יד מִבְטֶחָם: אֵיךְ תֹּאמְרוּ גִּבּוֹרִים אֲנָחְנוּ וְאַנְשֵׁי־חַיִל לַמִּלְחָמָה:
טו שֻׁדַּד מוֹאָב וְעָרֶיהָ עָלָה וּמִבְחַר בַּחוּרָיו יָרְדוּ לַטָּבַח נְאֻם־הַמֶּלֶךְ
טז יְהוָה צְבָאוֹת שְׁמוֹ: קָרוֹב אֵיד־מוֹאָב לָבוֹא וְרָעָתוֹ מִהֲרָה מְאֹד:
יז נֻדוּ לוֹ כָּל־סְבִיבָיו וְכֹל יֹדְעֵי שְׁמוֹ אִמְרוּ אֵיכָה נִשְׁבַּר מַטֵּה־עֹז

יח מַקֵּל תִּפְאָרָה׃ רְדִי מִכָּבוֹד ישבי וּשְׁבִי בַצָּמָא יֹשֶׁבֶת בַּת־דִּיבוֹן
יט כִּי־שֹׁדֵד מוֹאָב עָלָה בָךְ שִׁחֵת מִבְצָרָיִךְ׃ אֶל־דֶּרֶךְ עִמְדִי וְצַפִּי
כ יוֹשֶׁבֶת עֲרוֹעֵר שַׁאֲלִי־נָס וְנִמְלָטָה אִמְרִי מַה־נִּהְיָתָה׃ הֹבִישׁ
מוֹאָב כִּי־חַתָּה הילילי וזעקי הֵילִילוּ ׀ וּזְעָקוּ הַגִּידוּ בְאַרְנוֹן כִּי שֻׁדַּד
כא מוֹאָב׃ וּמִשְׁפָּט בָּא אֶל־אֶרֶץ הַמִּישֹׁר אֶל־חֹלוֹן וְאֶל־יַהְצָה
כב כג וְעַל־מֵיפַעַת מופעת׃ וְעַל־דִּיבוֹן וְעַל־נְבוֹ וְעַל־בֵּית דִּבְלָתָיִם׃ וְעַל
כד קִרְיָתַיִם וְעַל־בֵּית גָּמוּל וְעַל־בֵּית מְעוֹן׃ וְעַל־קְרִיּוֹת וְעַל־בָּצְרָה
כה וְעַל כָּל־עָרֵי אֶרֶץ מוֹאָב הָרְחֹקוֹת וְהַקְּרֹבוֹת׃ נִגְדְּעָה קֶרֶן מוֹאָב
כו וּזְרֹעוֹ נִשְׁבָּרָה נְאֻם יְהוָה׃ הַשְׁכִּירֻהוּ כִּי עַל־יְהוָה הִגְדִּיל וְסָפַק
כז מוֹאָב בְּקִיאוֹ וְהָיָה לִשְׂחֹק גַּם־הוּא׃ וְאִם ׀ לוֹא הַשְּׂחֹק הָיָה לְךָ
יִשְׂרָאֵל אִם־בְּגַנָּבִים נמצאה נִמְצָא כִּי־מִדֵּי דְבָרֶיךָ בּוֹ תִּתְנוֹדָד׃
כח עִזְבוּ עָרִים וְשִׁכְנוּ בַּסֶּלַע יֹשְׁבֵי מוֹאָב וִהְיוּ כְיוֹנָה תְּקַנֵּן בְּעֶבְרֵי
כט פִי־פָחַת׃ שָׁמַעְנוּ גְאוֹן־מוֹאָב גֵּאֶה מְאֹד גָּבְהוֹ וּגְאוֹנוֹ וְגַאֲוָתוֹ
ל וְרֻם לִבּוֹ׃ אֲנִי יָדַעְתִּי נְאֻם־יְהוָה עֶבְרָתוֹ וְלֹא־כֵן בַּדָּיו לֹא־כֵן
לא עָשׂוּ׃ עַל־כֵּן עַל־מוֹאָב אֲיֵלִיל וּלְמוֹאָב כֻּלֹּה אֶזְעָק אֶל־אַנְשֵׁי הָאֵבֶל בְּמוֹאָב׃
לב קִיר־חֶרֶשׂ יֶהְגֶּה׃ מִבְּכִי יַעְזֵר אֶבְכֶּה־לָּךְ הַגֶּפֶן שִׂבְמָה
נְטִישֹׁתַיִךְ עָבְרוּ יָם עַד יָם יַעְזֵר נָגָעוּ עַל־קֵיצֵךְ וְעַל־בְּצִירֵךְ
לג שֹׁדֵד נָפָל׃ וְנֶאֶסְפָה שִׂמְחָה וָגִיל מִכַּרְמֶל וּמֵאֶרֶץ מוֹאָב וְיַיִן
לד מִיקָבִים הִשְׁבַּתִּי לֹא־יִדְרֹךְ הֵידָד הֵידָד לֹא הֵידָד׃ מִזַּעֲקַת
חֶשְׁבּוֹן עַד־אֶלְעָלֵה עַד־יַהַץ נָתְנוּ קוֹלָם מִצֹּעַר עַד־חֹרֹנַיִם
לה עֶגְלַת שְׁלִשִׁיָּה כִּי גַּם־מֵי נִמְרִים לִמְשַׁמּוֹת יִהְיוּ׃ וְהִשְׁבַּתִּי
לו לְמוֹאָב נְאֻם־יְהוָה מַעֲלֶה בָמָה וּמַקְטִיר לֵאלֹהָיו׃ עַל־כֵּן לִבִּי
לְמוֹאָב כַּחֲלִלִים יֶהֱמֶה וְלִבִּי אֶל־אַנְשֵׁי קִיר־חֶרֶשׂ כַּחֲלִילִים
לז יֶהֱמֶה עַל־כֵּן יִתְרַת עָשָׂה אָבָדוּ׃ כִּי כָל־רֹאשׁ קָרְחָה וְכָל־זָקָן
לח גְּרֻעָה עַל כָּל־יָדַיִם גְּדֻדֹת וְעַל־מָתְנַיִם שָׂק׃ עַל כָּל־גַּגּוֹת מוֹאָב

וּבִרְחֹבֹתֶיהָ כֻּלֹּה מִסְפֵּד כִּי־שָׁבַרְתִּי אֶת־מוֹאָב כִּכְלִי אֵין־חֵפֶץ
לט בּוֹ נְאֻם־יְהוָה: אֵיךְ חַתָּה הֵילִילוּ אֵיךְ הִפְנָה־עֹרֶף מוֹאָב בּוֹשׁ
מ וְהָיָה מוֹאָב לִשְׂחֹק וְלִמְחִתָּה לְכָל־סְבִיבָיו: כִּי־כֹה עֹנֶשׁ מוֹאָב עַל לַעֲגוֹ
מא אָמַר יְהוָה הִנֵּה כַנֶּשֶׁר יִדְאֶה וּפָרַשׂ כְּנָפָיו אֶל־מוֹאָב: נִלְכְּדָה לְגָלוּת יִשְׂרָאֵל:
הַקְּרִיּוֹת וְהַמְּצָדוֹת נִתְפָּשָׂה וְהָיָה לֵב גִּבּוֹרֵי מוֹאָב בַּיּוֹם הַהוּא
מב מג כְּלֵב אִשָּׁה מְצֵרָה: וְנִשְׁמַד מוֹאָב מֵעָם כִּי עַל־יְהוָה הִגְדִּיל: פַּחַד
מד וָפַחַת וָפָח עָלֶיךָ יוֹשֵׁב מוֹאָב נְאֻם־יְהוָה: הניס הַנָּס מִפְּנֵי הַפַּחַד
יִפֹּל אֶל־הַפַּחַת וְהָעֹלֶה מִן־הַפַּחַת יִלָּכֵד בַּפָּח כִּי־אָבִיא אֵלֶיהָ
מה אֶל־מוֹאָב שְׁנַת פְּקֻדָּתָם נְאֻם־יְהוָה: בְּצֵל חֶשְׁבּוֹן עָמְדוּ מִכֹּחַ
נָסִים כִּי־אֵשׁ יָצָא מֵחֶשְׁבּוֹן וְלֶהָבָה מִבֵּין סִיחוֹן וַתֹּאכַל פְּאַת
מו מוֹאָב וְקָדְקֹד בְּנֵי שָׁאוֹן: אוֹי־לְךָ מוֹאָב אָבַד עַם־כְּמוֹשׁ
מז כִּי־לֻקְּחוּ בָנֶיךָ בַּשֶּׁבִי וּבְנֹתֶיךָ בַּשִּׁבְיָה: וְשַׁבְתִּי שְׁבוּת־מוֹאָב
מט א בְּאַחֲרִית הַיָּמִים נְאֻם־יְהוָה עַד־הֵנָּה מִשְׁפַּט מוֹאָב: לִבְנֵי נְבוּאָה עַל בְּנֵי עַמּוֹן:
עַמּוֹן כֹּה אָמַר יְהוָה הֲבָנִים אֵין לְיִשְׂרָאֵל אִם־יוֹרֵשׁ אֵין לוֹ
ב מַדּוּעַ יָרַשׁ מַלְכָּם אֶת־גָּד וְעַמּוֹ בְּעָרָיו יָשָׁב: לָכֵן הִנֵּה יָמִים
בָּאִים נְאֻם־יְהוָה וְהִשְׁמַעְתִּי אֶל־רַבַּת בְּנֵי־עַמּוֹן תְּרוּעַת
מִלְחָמָה וְהָיְתָה לְתֵל שְׁמָמָה וּבְנֹתֶיהָ בָּאֵשׁ תִּצַּתְנָה וְיָרַשׁ יִשְׂרָאֵל
ג אֶת־יֹרְשָׁיו אָמַר יְהוָה: הֵילִילִי חֶשְׁבּוֹן כִּי שֻׁדְּדָה־עַי צְעַקְנָה
בְּנוֹת רַבָּה חֲגֹרְנָה שַׂקִּים סְפֹדְנָה וְהִתְשׁוֹטַטְנָה בַּגְּדֵרוֹת כִּי מַלְכָּם
ד בַּגּוֹלָה יֵלֵךְ כֹּהֲנָיו וְשָׂרָיו יַחְדָּו: מַה־תִּתְהַלְלִי בָּעֲמָקִים זָב
ה עִמְקֵךְ הַבַּת הַשּׁוֹבֵבָה הַבֹּטְחָה בְּאֹצְרֹתֶיהָ מִי יָבוֹא אֵלָי: הִנְנִי
מֵבִיא עָלַיִךְ פַּחַד נְאֻם־אֲדֹנָי יְהוִה צְבָאוֹת מִכָּל־סְבִיבָיִךְ
ו וְנִדַּחְתֶּם אִישׁ לְפָנָיו וְאֵין מְקַבֵּץ לַנֹּדֵד: וְאַחֲרֵי־כֵן אָשִׁיב
אֶת־שְׁבוּת בְּנֵי־עַמּוֹן נְאֻם־יְהוָה:
ז לֶאֱדוֹם כֹּה אָמַר יְהוָה צְבָאוֹת הַאֵין עוֹד חָכְמָה בְּתֵימָן אָבְדָה נְבוּאָה עַל אֱדוֹם:

ח עֵצָה מִבָּנִים נִסְרְחָה חָכְמָתָם: נֻסוּ הָפְנוּ הֶעְמִיקוּ לָשֶׁבֶת יֹשְׁבֵי
ט דְּדָן כִּי אֵיד עֵשָׂו הֵבֵאתִי עָלָיו עֵת פְּקַדְתִּיו: אִם־בֹּצְרִים בָּאוּ
י לָךְ לֹא יַשְׁאִרוּ עוֹלֵלוֹת אִם־גַּנָּבִים בַּלַּיְלָה הִשְׁחִיתוּ דַיָּם: כִּי־אֲנִי
חָשַׂפְתִּי אֶת־עֵשָׂו גִּלֵּיתִי אֶת־מִסְתָּרָיו וְנֶחְבָּה לֹא יוּכָל שֻׁדַּד
יא זַרְעוֹ וְאֶחָיו וּשְׁכֵנָיו וְאֵינֶנּוּ: עָזְבָה יְתֹמֶיךָ אֲנִי אֲחַיֶּה וְאַלְמְנוֹתֶיךָ
יב עָלַי תִּבְטָחוּ: כִּי־כֹה | אָמַר יְהוָה הִנֵּה אֲשֶׁר־אֵין
מִשְׁפָּטָם לִשְׁתּוֹת הַכּוֹס שָׁתוֹ יִשְׁתּוּ וְאַתָּה הוּא נָקֹה תִּנָּקֶה לֹא
יג תִנָּקֶה כִּי שָׁתֹה תִּשְׁתֶּה: כִּי בִי נִשְׁבַּעְתִּי נְאֻם־יְהוָה כִּי־לְשַׁמָּה
לְחֶרְפָּה לְחֹרֶב וְלִקְלָלָה תִּהְיֶה בָצְרָה וְכָל־עָרֶיהָ תִּהְיֶינָה
יד לְחָרְבוֹת עוֹלָם: שְׁמוּעָה שָׁמַעְתִּי מֵאֵת יְהוָה וְצִיר בַּגּוֹיִם שָׁלוּחַ
טו הִתְקַבְּצוּ וּבֹאוּ עָלֶיהָ וְקוּמוּ לַמִּלְחָמָה: כִּי־הִנֵּה קָטֹן נְתַתִּיךָ
טז בַּגּוֹיִם בָּזוּי בָּאָדָם: תִּפְלַצְתְּךָ הִשִּׁיא אֹתָךְ זְדוֹן לִבֶּךָ שֹׁכְנִי בְּחַגְוֵי
הַסֶּלַע תֹּפְשִׂי מְרוֹם גִּבְעָה כִּי־תַגְבִּיהַּ כַּנֶּשֶׁר קִנֶּךָ מִשָּׁם
יז אוֹרִידְךָ נְאֻם־יְהוָה: וְהָיְתָה אֱדוֹם לְשַׁמָּה כֹּל עֹבֵר עָלֶיהָ יִשֹּׁם
יח וְיִשְׁרֹק עַל־כָּל־מַכּוֹתֶהָ: כְּמַהְפֵּכַת סְדֹם וַעֲמֹרָה וּשְׁכֵנֶיהָ אָמַר
יט יְהוָה לֹא־יֵשֵׁב שָׁם אִישׁ וְלֹא־יָגוּר בָּהּ בֶּן־אָדָם: הִנֵּה כְּאַרְיֵה
יַעֲלֶה מִגְּאוֹן הַיַּרְדֵּן אֶל־נְוֵה אֵיתָן כִּי־אַרְגִּיעָה אֲרִיצֶנּוּ מֵעָלֶיהָ
וּמִי בָחוּר אֵלֶיהָ אֶפְקֹד כִּי מִי כָמוֹנִי וּמִי יֹעִידֶנִּי וּמִי־זֶה רֹעֶה
כ אֲשֶׁר יַעֲמֹד לְפָנָי: לָכֵן שִׁמְעוּ עֲצַת־יְהוָה אֲשֶׁר יָעַץ
אֶל־אֱדוֹם וּמַחְשְׁבוֹתָיו אֲשֶׁר חָשַׁב אֶל־יֹשְׁבֵי תֵימָן אִם־לֹא
כא יִסְחָבוּם צְעִירֵי הַצֹּאן אִם־לֹא יַשִּׁים עֲלֵיהֶם נְוֵהֶם: מִקּוֹל נִפְלָם
כב רָעֲשָׁה הָאָרֶץ צְעָקָה בְּיַם־סוּף נִשְׁמַע קוֹלָהּ: הִנֵּה כַנֶּשֶׁר יַעֲלֶה
וְיִדְאֶה וְיִפְרֹשׂ כְּנָפָיו עַל־בָּצְרָה וְהָיָה לֵב גִּבּוֹרֵי אֱדוֹם בַּיּוֹם
הַהוּא כְּלֵב אִשָּׁה מְצֵרָה:

כג לְדַמֶּשֶׂק בּוֹשָׁה חֲמָת וְאַרְפָּד כִּי־שְׁמֻעָה רָעָה שָׁמְעוּ נָמֹגוּ בַּיָּם נְבוּאָה עַל דַּמָּשֶׂק:

כד דְּאָגָה הַשְׁקֵט לֹא יוּכָל: רָפְתָה דַמֶּשֶׂק הִפְנְתָה לָנוּס וְרֶטֶט ׀
כה הֶחֱזִיקָה צָרָה וַחֲבָלִים אֲחָזַתָּה כַּיּוֹלֵדָה: אֵיךְ לֹא־עֻזְּבָה עִיר
כו תהלה תְּהִלָּת קִרְיַת מְשׂוֹשִׂי: לָכֵן יִפְּלוּ בַחוּרֶיהָ בִּרְחֹבֹתֶיהָ וְכָל־
כז אַנְשֵׁי הַמִּלְחָמָה יִדַּמּוּ בַּיּוֹם הַהוּא נְאֻם יְהוָה צְבָאוֹת: וְהִצַּתִּי
אֵשׁ בְּחוֹמַת דַּמֶּשֶׂק וְאָכְלָה אַרְמְנוֹת בֶּן־הֲדָד:
כח לְקֵדָר ׀ וּלְמַמְלְכוֹת חָצוֹר אֲשֶׁר הִכָּה נבוכדראצור נְבוּכַדְרֶאצַּר (נְבוּאָה עַל קֵדָר:)
מֶלֶךְ־בָּבֶל כֹּה אָמַר יְהוָה קוּמוּ עֲלוּ אֶל־קֵדָר וְשָׁדְדוּ אֶת־בְּנֵי־
כט קֶדֶם: אָהֳלֵיהֶם וְצֹאנָם יִקָּחוּ יְרִיעוֹתֵיהֶם וְכָל־כְּלֵיהֶם וּגְמַלֵּיהֶם
ל יִשְׂאוּ לָהֶם וְקָרְאוּ עֲלֵיהֶם מָגוֹר מִסָּבִיב: נֻסוּ נֻּדוּ מְאֹד הֶעְמִיקוּ
לָשֶׁבֶת יֹשְׁבֵי חָצוֹר נְאֻם־יְהוָה כִּי־יָעַץ עֲלֵיכֶם נְבוּכַדְרֶאצַּר
לא מֶלֶךְ־בָּבֶל עֵצָה וְחָשַׁב עליהם עֲלֵיכֶם מַחֲשָׁבָה: קוּמוּ עֲלוּ אֶל־גּוֹי
שְׁלֵיו יוֹשֵׁב לָבֶטַח נְאֻם־יְהוָה לֹא־דְלָתַיִם וְלֹא־בְרִיחַ לוֹ בָּדָד
לב יִשְׁכֹּנוּ: וְהָיוּ גְמַלֵּיהֶם לָבַז וַהֲמוֹן מִקְנֵיהֶם לְשָׁלָל וְזֵרִתִים
לְכָל־רוּחַ קְצוּצֵי פֵאָה וּמִכָּל־עֲבָרָיו אָבִיא אֶת־אֵידָם נְאֻם־
לג יְהוָה: וְהָיְתָה חָצוֹר לִמְעוֹן תַּנִּים שְׁמָמָה עַד־עוֹלָם לֹא־יֵשֵׁב
לד שָׁם אִישׁ וְלֹא־יָגוּר בָּהּ בֶּן־אָדָם: אֲשֶׁר הָיָה דְבַר־ (נְבוּאָה עַל עֵילָם: [3327'])
יְהוָה אֶל־יִרְמְיָהוּ הַנָּבִיא אֶל־עֵילָם בְּרֵאשִׁית מַלְכוּת צִדְקִיָּה
לה מֶלֶךְ־יְהוּדָה לֵאמֹר: כֹּה אָמַר יְהוָה צְבָאוֹת הִנְנִי שֹׁבֵר אֶת־קֶשֶׁת
לו עֵילָם רֵאשִׁית גְּבוּרָתָם: וְהֵבֵאתִי אֶל־עֵילָם אַרְבַּע רוּחוֹת
מֵאַרְבַּע קְצוֹת הַשָּׁמַיִם וְזֵרִתִים לְכֹל הָרֻחוֹת הָאֵלֶּה וְלֹא־יִהְיֶה
לז הַגּוֹי אֲשֶׁר לֹא־יָבוֹא שָׁם נִדְּחֵי עֵילָם עולם: וְהַחְתַּתִּי אֶת־עֵילָם
לִפְנֵי אֹיְבֵיהֶם וְלִפְנֵי ׀ מְבַקְשֵׁי נַפְשָׁם וְהֵבֵאתִי עֲלֵיהֶם ׀ רָעָה
אֶת־חֲרוֹן אַפִּי נְאֻם־יְהוָה וְשִׁלַּחְתִּי אַחֲרֵיהֶם אֶת־הַחֶרֶב עַד
לח כַּלּוֹתִי אוֹתָם: וְשַׂמְתִּי כִסְאִי בְּעֵילָם וְהַאֲבַדְתִּי מִשָּׁם מֶלֶךְ וְשָׂרִים
לט נְאֻם־יְהוָה: וְהָיָה ׀ בְּאַחֲרִית הַיָּמִים אשוב אָשִׁיב אֶת־שְׁבוּת

שבית עֵילָם נְאֻם־יְהוָה:

נְפִילַת בָּבֶל וּתְשׁוּעַת יִשְׂרָאֵל:

נ א הַדָּבָר אֲשֶׁר דִּבֶּר יְהוָה אֶל־בָּבֶל אֶל־אֶרֶץ כַּשְׂדִּים בְּיַד יִרְמְיָהוּ
ב הַנָּבִיא: הַגִּידוּ בַגּוֹיִם וְהַשְׁמִיעוּ וּשְׂאוּ־נֵס הַשְׁמִיעוּ אַל־תְּכַחֵדוּ
אִמְרוּ נִלְכְּדָה בָבֶל הֹבִישׁ בֵּל חַת מְרֹדָךְ הֹבִישׁוּ עֲצַבֶּיהָ חַתּוּ
ג גִּלּוּלֶיהָ: כִּי עָלָה עָלֶיהָ גּוֹי מִצָּפוֹן הוּא־יָשִׁית אֶת־אַרְצָהּ
לְשַׁמָּה וְלֹא־יִהְיֶה יוֹשֵׁב בָּהּ מֵאָדָם וְעַד־בְּהֵמָה נָדוּ הָלָכוּ:
ד בַּיָּמִים הָהֵמָּה וּבָעֵת הַהִיא נְאֻם־יְהוָה יָבֹאוּ בְנֵי־יִשְׂרָאֵל הֵמָּה
וּבְנֵי־יְהוּדָה יַחְדָּו הָלוֹךְ וּבָכוֹ יֵלֵכוּ וְאֶת־יְהוָה אֱלֹהֵיהֶם יְבַקֵּשׁוּ:
ה צִיּוֹן יִשְׁאָלוּ דֶּרֶךְ הֵנָּה פְנֵיהֶם בֹּאוּ וְנִלְווּ אֶל־יְהוָה בְּרִית עוֹלָם
ו לֹא תִשָּׁכֵחַ: צֹאן אֹבְדוֹת היה הָיוּ עַמִּי רֹעֵיהֶם הִתְעוּם הָרִים
ז שובבים שׁוֹבְבוּם מֵהַר אֶל־גִּבְעָה הָלָכוּ שָׁכְחוּ רִבְצָם: כָּל־
מוֹצְאֵיהֶם אֲכָלוּם וְצָרֵיהֶם אָמְרוּ לֹא נֶאְשָׁם תַּחַת אֲשֶׁר חָטְאוּ
ח לַיהוָה נְוֵה־צֶדֶק וּמִקְוֵה אֲבוֹתֵיהֶם יְהוָה: נֻדוּ מִתּוֹךְ
ט בָּבֶל וּמֵאֶרֶץ כַּשְׂדִּים יצאו צֵאוּ וִהְיוּ כְּעַתּוּדִים לִפְנֵי־צֹאן: כִּי
הִנֵּה אָנֹכִי מֵעִיר וּמַעֲלֶה עַל־בָּבֶל קְהַל־גּוֹיִם גְּדֹלִים מֵאֶרֶץ
צָפוֹן וְעָרְכוּ לָהּ מִשָּׁם תִּלָּכֵד חִצָּיו כְּגִבּוֹר מַשְׁכִּיל לֹא יָשׁוּב
י יא רֵיקָם: וְהָיְתָה כַשְׂדִּים לְשָׁלָל כָּל־שֹׁלְלֶיהָ יִשְׂבָּעוּ נְאֻם־יְהוָה: כִּי
תשמחי תִשְׂמְחוּ כִּי תעלזי תַעַלְזוּ שֹׁסֵי נַחֲלָתִי כִּי תפושי תָפוּשׁוּ
יב כְּעֶגְלָה דָשָׁה ותצהלי וְתִצְהֲלוּ כָּאַבִּרִים: בּוֹשָׁה אִמְּכֶם מְאֹד חָפְרָה
יג יוֹלַדְתְּכֶם הִנֵּה אַחֲרִית גּוֹיִם מִדְבָּר צִיָּה וַעֲרָבָה: מִקֶּצֶף יְהוָה
לֹא תֵשֵׁב וְהָיְתָה שְׁמָמָה כֻּלָּהּ כֹּל עֹבֵר עַל־בָּבֶל יִשֹּׁם וְיִשְׁרֹק
יד עַל־כָּל־מַכּוֹתֶיהָ: עִרְכוּ עַל־בָּבֶל ׀ סָבִיב כָּל־דֹּרְכֵי קֶשֶׁת יְדוּ
טו אֵלֶיהָ אַל־תַּחְמְלוּ אֶל־חֵץ כִּי לַיהוָה חָטָאָה: הָרִיעוּ עָלֶיהָ סָבִיב
נָתְנָה יָדָהּ נָפְלוּ אשויתיה אָשְׁיוֹתֶיהָ נֶהֶרְסוּ חוֹמוֹתֶיהָ כִּי נִקְמַת
טז יְהוָה הִיא הִנָּקְמוּ בָהּ כַּאֲשֶׁר עָשְׂתָה עֲשׂוּ־לָהּ: כִּרְתוּ זוֹרֵעַ

מִבָּבֶל וְתֹפֵשׂ מַגָּל בְּעֵת קָצִיר מִפְּנֵי חֶרֶב הַיּוֹנָה אִישׁ אֶל־עַמּוֹ
יז יִפְנוּ וְאִישׁ לְאַרְצוֹ יָנֻסוּ: שֶׂה פְזוּרָה
יִשְׂרָאֵל אֲרָיוֹת הִדִּיחוּ הָרִאשׁוֹן אֲכָלוֹ מֶלֶךְ אַשּׁוּר וְזֶה הָאַחֲרוֹן
עִצְּמוֹ נְבוּכַדְרֶאצַּר מֶלֶךְ בָּבֶל:
יח לָכֵן כֹּה־אָמַר יְהוָה צְבָאוֹת אֱלֹהֵי יִשְׂרָאֵל הִנְנִי פֹקֵד אֶל־מֶלֶךְ הַבְטָחָה
יט בָּבֶל וְאֶל־אַרְצוֹ כַּאֲשֶׁר פָּקַדְתִּי אֶל־מֶלֶךְ אַשּׁוּר: וְשֹׁבַבְתִּי לְשִׁיבַת יִשְׂרָאֵל לְאַרְצוֹ:
אֶת־יִשְׂרָאֵל אֶל־נָוֵהוּ וְרָעָה הַכַּרְמֶל וְהַבָּשָׁן וּבְהַר אֶפְרַיִם
כ וְהַגִּלְעָד תִּשְׂבַּע נַפְשׁוֹ: בַּיָּמִים הָהֵם וּבָעֵת הַהִיא נְאֻם־יְהוָה
יְבֻקַּשׁ אֶת־עֲוֺן יִשְׂרָאֵל וְאֵינֶנּוּ וְאֶת־חַטֹּאת יְהוּדָה וְלֹא תִמָּצֶאינָה
כִּי אֶסְלַח לַאֲשֶׁר אַשְׁאִיר:
כא עַל־הָאָרֶץ מְרָתַיִם עֲלֵה עָלֶיהָ וְאֶל־יוֹשְׁבֵי פְּקוֹד חֲרֹב וְהַחֲרֵם מִלְחֶמֶת ה׳ בְּבָבֶל:
כב אַחֲרֵיהֶם נְאֻם־יְהוָה וַעֲשֵׂה כְּכֹל אֲשֶׁר צִוִּיתִיךָ: קוֹל
כג מִלְחָמָה בָּאָרֶץ וְשֶׁבֶר גָּדוֹל: אֵיךְ נִגְדַּע וַיִּשָּׁבֵר פַּטִּישׁ כָּל־הָאָרֶץ
כד אֵיךְ הָיְתָה לְשַׁמָּה בָּבֶל בַּגּוֹיִם: יָקֹשְׁתִּי לָךְ וְגַם־נִלְכַּדְתְּ בָּבֶל וְאַתְּ
כה לֹא יָדָעַתְּ נִמְצֵאת וְגַם־נִתְפַּשְׂתְּ כִּי בַיהוָה הִתְגָּרִית: פָּתַח יְהוָה
אֶת־אוֹצָרוֹ וַיּוֹצֵא אֶת־כְּלֵי זַעְמוֹ כִּי־מְלָאכָה הִיא לַאדֹנָי יֱהוִה
כו צְבָאוֹת בְּאֶרֶץ כַּשְׂדִּים: בֹּאוּ־לָהּ מִקֵּץ פִּתְחוּ מַאֲבֻסֶיהָ סָלּוּהָ
כז כְמוֹ־עֲרֵמִים וְהַחֲרִימוּהָ אַל־תְּהִי־לָהּ שְׁאֵרִית: חִרְבוּ כָּל־פָּרֶיהָ
כח יֵרְדוּ לַטָּבַח הוֹי עֲלֵיהֶם כִּי־בָא יוֹמָם עֵת פְּקֻדָּתָם: קוֹל
נָסִים וּפְלֵטִים מֵאֶרֶץ בָּבֶל לְהַגִּיד בְּצִיּוֹן אֶת־נִקְמַת יְהוָה אֱלֹהֵינוּ
כט נִקְמַת הֵיכָלוֹ: הַשְׁמִיעוּ אֶל־בָּבֶל ׀ רַבִּים כָּל־דֹּרְכֵי קֶשֶׁת חֲנוּ
עָלֶיהָ סָבִיב אַל־יְהִי־לָהּ פְּלֵטָה שַׁלְּמוּ־לָהּ כְּפָעֳלָהּ כְּכֹל קרי ולא כתיב:
אֲשֶׁר עָשְׂתָה עֲשׂוּ־לָהּ כִּי אֶל־יְהוָה זָדָה אֶל־קְדוֹשׁ יִשְׂרָאֵל:
ל לָכֵן יִפְּלוּ בַחוּרֶיהָ בִּרְחֹבֹתֶיהָ וְכָל־אַנְשֵׁי מִלְחַמְתָּהּ יִדַּמּוּ בַּיּוֹם
הַהוּא נְאֻם־יְהוָה:

לא הִנְנִ֤י אֵלֶ֙יךָ֙ זָד֔וֹן נְאֻם־אֲדֹנָ֥י יֱהֹוִ֖ה צְבָא֑וֹת כִּ֛י בָּ֥א יוֹמְךָ֖ עֵ֥ת
לב פְּקַדְתִּֽיךָ׃ וְכָשַׁ֤ל זָדוֹן֙ וְנָפַ֔ל וְאֵ֥ין ל֖וֹ מֵקִ֑ים וְהִצַּ֤תִּי אֵשׁ֙ בְּעָרָ֔יו
לג וְאָכְלָ֖ה כָּל־סְבִיבֹתָֽיו׃ כֹּ֤ה אָמַר֙ יְהֹוָ֣ה צְבָא֔וֹת עֲשׁוּקִ֛ים
בְּנֵֽי־יִשְׂרָאֵ֥ל וּבְנֵֽי־יְהוּדָ֖ה יַחְדָּ֑ו וְכָל־שֹֽׁבֵיהֶם֙ הֶחֱזִ֣יקוּ בָ֔ם מֵאֲנ֖וּ
לד שַׁלְּחָֽם׃ גֹּאֲלָ֣ם ׀ חָזָ֗ק יְהֹוָ֤ה צְבָאוֹת֙ שְׁמ֔וֹ רִ֥יב יָרִ֖יב אֶת־רִיבָ֑ם
לה לְמַ֙עַן֙ הִרְגִּ֣יעַ אֶת־הָאָ֔רֶץ וְהִרְגִּ֖יז לְיֹשְׁבֵ֥י בָבֶֽל׃ חֶ֥רֶב עַל־כַּשְׂדִּ֖ים הַחֻרְבָּן בְּבָבֶל:
לו נְאֻם־יְהֹוָ֑ה וְאֶל־יֹשְׁבֵ֣י בָבֶ֔ל וְאֶל־שָׂרֶ֖יהָ וְאֶל־חֲכָמֶֽיהָ׃ חֶ֥רֶב אֶל־
לז הַבַּדִּ֖ים וְנֹאָ֑לוּ חֶ֥רֶב אֶל־גִּבּוֹרֶ֖יהָ וָחָֽתּוּ׃ חֶ֜רֶב אֶל־סוּסָ֣יו וְאֶל־רִכְבּ֗וֹ
וְאֶל־כָּל־הָעֶ֛רֶב אֲשֶׁ֥ר בְּתוֹכָ֖הּ וְהָי֣וּ לְנָשִׁ֑ים חֶ֥רֶב אֶל־אוֹצְרֹתֶ֖יהָ
לח וּבֻזָּֽזוּ׃ חֹ֥רֶב אֶל־מֵימֶ֖יהָ וְיָבֵ֑שׁוּ כִּ֣י אֶ֤רֶץ פְּסִלִים֙ הִ֔יא וּבָאֵימִ֖ים
לט יִתְהֹלָֽלוּ׃ לָכֵ֗ן יֵשְׁב֤וּ צִיִּים֙ אֶת־אִיִּ֔ים וְיָ֥שְׁבוּ בָ֖הּ בְּנ֣וֹת יַעֲנָ֑ה
מ וְלֹא־תֵשֵׁ֥ב עוֹד֙ לָנֶ֔צַח וְלֹ֥א תִשְׁכּ֖וֹן עַד־דּ֥וֹר וָדֹֽר׃ כְּמַהְפֵּכַ֨ת
אֱלֹהִ֜ים אֶת־סְדֹ֧ם וְאֶת־עֲמֹרָ֛ה וְאֶת־שְׁכֵנֶ֖יהָ נְאֻם־יְהֹוָ֑ה לֹא־יֵשֵׁ֥ב
מא שָׁם֙ אִ֔ישׁ וְלֹֽא־יָג֥וּר בָּ֖הּ בֶּן־אָדָֽם׃ הִנֵּ֛ה עַ֥ם בָּ֖א מִצָּפ֑וֹן וְג֤וֹי גְּבוּרַת הָאוֹיֵב:
מב גָּדוֹל֙ וּמְלָכִ֣ים רַבִּ֔ים יֵעֹ֖רוּ מִיַּרְכְּתֵי־אָֽרֶץ׃ קֶ֣שֶׁת וְכִידֹ֞ן יַחֲזִ֗יקוּ
אַכְזָרִ֥י הֵ֙מָּה֙ וְלֹ֣א יְרַחֵ֔מוּ קוֹלָם֙ כַּיָּ֣ם יֶהֱמֶ֔ה וְעַל־סוּסִ֖ים יִרְכָּ֑בוּ
מג עָר֗וּךְ כְּאִישׁ֙ לַמִּלְחָמָ֔ה עָלַ֖יִךְ בַּת־בָּבֶֽל׃ שָׁמַ֧ע מֶֽלֶךְ־בָּבֶ֛ל
מד אֶת־שִׁמְעָ֖ם וְרָפ֣וּ יָדָ֑יו צָרָה֙ הֶחֱזִיקַ֔תְהוּ חִ֖יל כַּיּוֹלֵדָֽה׃ הִנֵּ֗ה כְּאַרְיֵה֩
יַעֲלֶ֨ה מִגְּא֣וֹן הַיַּרְדֵּ֮ן אֶל־נְוֵ֣ה אֵיתָן֒ כִּֽי־אַרְגִּ֤עָה ארוצם אֲרִיצֵם֙
מֵעָלֶ֔יהָ וּמִ֥י בָח֖וּר אֵלֶ֣יהָ אֶפְקֹ֑ד כִּ֣י מִ֤י כָמ֙וֹנִי֙ וּמִ֣י יוֹעִדֶ֔נִּי וּמִי־זֶ֣ה
מה רֹעֶ֔ה אֲשֶׁ֥ר יַעֲמֹ֖ד לְפָנָֽי׃ לָכֵ֞ן שִׁמְע֣וּ עֲצַת־יְהֹוָ֗ה אֲשֶׁ֤ר יָעַץ֙
אֶל־בָּבֶ֔ל וּמַ֙חְשְׁבוֹתָ֔יו אֲשֶׁ֥ר חָשַׁ֖ב אֶל־אֶ֣רֶץ כַּשְׂדִּ֑ים אִם־לֹ֤א
מו יִסְחָבוּם֙ צְעִירֵ֣י הַצֹּ֔אן אִם־לֹ֛א יַשִּׁ֥ים עֲלֵיהֶ֖ם נָוֶֽה׃ מִקּ֗וֹל נִתְפְּשָׂ֤ה
נא א בָבֶל֙ נִרְעֲשָׁ֣ה הָאָ֔רֶץ וּזְעָקָ֖ה בַּגּוֹיִ֥ם נִשְׁמָֽע׃ כֹּ֚ה אָמַ֣ר קְרִיאַת ה' לִנְקָמָה בְּבָבֶל:
יְהֹוָ֔ה הִנְנִי֙ מֵעִ֣יר עַל־בָּבֶ֔ל וְאֶל־יֹשְׁבֵ֖י לֵ֣ב קָמָ֑י ר֖וּחַ מַשְׁחִֽית׃

ב וְשִׁלַּחְתִּי לְבָבֶל ׀ זָרִים וְזֵרוּהָ וִיבֹקְקוּ אֶת־אַרְצָהּ כִּי־הָיוּ עָלֶיהָ
ג מִסָּבִיב בְּיוֹם רָעָה: אֶל־יִדְרֹךְ ידרך הַדֹּרֵךְ קַשְׁתּוֹ וְאֶל־יִתְעַל כתיב ולא קרי:
ד בְּסִרְיֹנוֹ וְאַל־תַּחְמְלוּ אֶל־בַּחֻרֶיהָ הַחֲרִימוּ כָּל־צְבָאָהּ: וְנָפְלוּ
ה חֲלָלִים בְּאֶרֶץ כַּשְׂדִּים וּמְדֻקָּרִים בְּחוּצוֹתֶיהָ: כִּי לֹא־אַלְמָן
יִשְׂרָאֵל וִיהוּדָה מֵאֱלֹהָיו מֵיְהוָה צְבָאוֹת כִּי אַרְצָם מָלְאָה אָשָׁם
ו מִקְּדוֹשׁ יִשְׂרָאֵל: נֻסוּ ׀ מִתּוֹךְ בָּבֶל וּמַלְּטוּ אִישׁ נַפְשׁוֹ אַל־תִּדַּמּוּ
בַּעֲוֺנָהּ כִּי עֵת נְקָמָה הִיא לַיהוָה גְּמוּל הוּא מְשַׁלֵּם לָהּ:
ז כּוֹס־זָהָב בָּבֶל בְּיַד־יְהוָה מְשַׁכֶּרֶת כָּל־הָאָרֶץ מִיֵּינָהּ שָׁתוּ גוֹיִם
ח עַל־כֵּן יִתְהֹלְלוּ גוֹיִם: פִּתְאֹם נָפְלָה בָבֶל וַתִּשָּׁבֵר הֵילִילוּ עָלֶיהָ
ט קְחוּ צֳרִי לְמַכְאוֹבָהּ אוּלַי תֵּרָפֵא: רִפִּאנוּ אֶת־בָּבֶל וְלֹא
נִרְפָּתָה עִזְבוּהָ וְנֵלֵךְ אִישׁ לְאַרְצוֹ כִּי־נָגַע אֶל־הַשָּׁמַיִם מִשְׁפָּטָהּ
י וְנִשָּׂא עַד־שְׁחָקִים: הוֹצִיא יְהוָה אֶת־צִדְקֹתֵינוּ בֹּאוּ וּנְסַפְּרָה
יא בְצִיּוֹן אֶת־מַעֲשֵׂה יְהוָה אֱלֹהֵינוּ: הָבֵרוּ הַחִצִּים מִלְאוּ
הַשְּׁלָטִים הֵעִיר יְהוָה אֶת־רוּחַ מַלְכֵי מָדַי כִּי־עַל־בָּבֶל מְזִמָּתוֹ
יב לְהַשְׁחִיתָהּ כִּי־נִקְמַת יְהוָה הִיא נִקְמַת הֵיכָלוֹ: אֶל־חוֹמֹת בָּבֶל
שְׂאוּ־נֵס הַחֲזִיקוּ הַמִּשְׁמָר הָקִימוּ שֹׁמְרִים הָכִינוּ הָאֹרְבִים כִּי
יג גַּם־זָמַם יְהוָה גַּם־עָשָׂה אֵת אֲשֶׁר־דִּבֶּר אֶל־יֹשְׁבֵי בָבֶל: שכנתי
יד שֹׁכַנְתְּ עַל־מַיִם רַבִּים רַבַּת אוֹצָרֹת בָּא קִצֵּךְ אַמַּת בִּצְעֵךְ: נִשְׁבַּע
יְהוָה צְבָאוֹת בְּנַפְשׁוֹ כִּי אִם־מִלֵּאתִיךְ אָדָם כַּיֶּלֶק וְעָנוּ עָלַיִךְ
טו הֵידָד: עֹשֵׂה אֶרֶץ בְּכֹחוֹ גְּבוּרַת ה׳ מול אַפְסוּת הָאֱלִילִים:
טז מֵכִין תֵּבֵל בְּחָכְמָתוֹ וּבִתְבוּנָתוֹ נָטָה שָׁמָיִם: לְקוֹל תִּתּוֹ הֲמוֹן
מַיִם בַּשָּׁמַיִם וַיַּעַל נְשִׂאִים מִקְצֵה־אָרֶץ בְּרָקִים לַמָּטָר עָשָׂה
יז וַיּוֹצֵא רוּחַ מֵאֹצְרֹתָיו: נִבְעַר כָּל־אָדָם מִדַּעַת הֹבִישׁ כָּל־צֹרֵף
יח מִפָּסֶל כִּי שֶׁקֶר נִסְכּוֹ וְלֹא־רוּחַ בָּם: הֶבֶל הֵמָּה מַעֲשֵׂה תַּעְתֻּעִים
יט בְּעֵת פְּקֻדָּתָם יֹאבֵדוּ: לֹא־כְאֵלֶּה חֵלֶק יַעֲקוֹב כִּי־יוֹצֵר הַכֹּל הוּא

וְשֵׁבֶט נַחֲלָתוֹ יְהוָה צְבָאוֹת שְׁמוֹ׃

סוֹפָהּ שֶׁל בָּבֶל:

כ מַפֵּץ־אַתָּה לִי כְּלֵי מִלְחָמָה וְנִפַּצְתִּי בְךָ גּוֹיִם וְהִשְׁחַתִּי בְךָ
כא כב מַמְלָכוֹת׃ וְנִפַּצְתִּי בְךָ סוּס וְרֹכְבוֹ וְנִפַּצְתִּי בְךָ רֶכֶב וְרֹכְבוֹ׃ וְנִפַּצְתִּי
בְךָ אִישׁ וְאִשָּׁה וְנִפַּצְתִּי בְךָ זָקֵן וָנָעַר וְנִפַּצְתִּי בְךָ בָּחוּר וּבְתוּלָה׃
כג וְנִפַּצְתִּי בְךָ רֹעֶה וְעֶדְרוֹ וְנִפַּצְתִּי בְךָ אִכָּר וְצִמְדּוֹ וְנִפַּצְתִּי בְךָ פַּחוֹת
כד וּסְגָנִים׃ וְשִׁלַּמְתִּי לְבָבֶל וּלְכֹל ׀ יוֹשְׁבֵי כַשְׂדִּים אֵת כָּל־רָעָתָם
כה אֲשֶׁר־עָשׂוּ בְצִיּוֹן לְעֵינֵיכֶם נְאֻם יְהוָה׃ הִנְנִי אֵלֶיךָ הַר
הַמַּשְׁחִית נְאֻם־יְהוָה הַמַּשְׁחִית אֶת־כָּל־הָאָרֶץ וְנָטִיתִי אֶת־יָדִי
כו עָלֶיךָ וְגִלְגַּלְתִּיךָ מִן־הַסְּלָעִים וּנְתַתִּיךָ לְהַר שְׂרֵפָה׃ וְלֹא־יִקְחוּ
מִמְּךָ אֶבֶן לְפִנָּה וְאֶבֶן לְמוֹסָדוֹת כִּי־שִׁמְמוֹת עוֹלָם תִּהְיֶה

קְרִיאָה לָעַמִּים לְהִלָּחֵם בְּבָבֶל:

כז נְאֻם־יְהוָה׃ שְׂאוּ־נֵס בָּאָרֶץ תִּקְעוּ שׁוֹפָר בַּגּוֹיִם קַדְּשׁוּ עָלֶיהָ
גּוֹיִם הַשְׁמִיעוּ עָלֶיהָ מַמְלְכוֹת אֲרָרַט מִנִּי וְאַשְׁכְּנָז פִּקְדוּ עָלֶיהָ
כח טִפְסָר הַעֲלוּ־סוּס כְּיֶלֶק סָמָר׃ קַדְּשׁוּ עָלֶיהָ גוֹיִם אֶת־מַלְכֵי
מָדַי אֶת־פַּחוֹתֶיהָ וְאֶת־כָּל־סְגָנֶיהָ וְאֵת כָּל־אֶרֶץ מֶמְשַׁלְתּוֹ׃
כט וַתִּרְעַשׁ הָאָרֶץ וַתָּחֹל כִּי קָמָה עַל־בָּבֶל מַחְשְׁבוֹת יְהוָה לָשׂוּם
ל אֶת־אֶרֶץ בָּבֶל לְשַׁמָּה מֵאֵין יוֹשֵׁב׃ חָדְלוּ גִבּוֹרֵי בָבֶל לְהִלָּחֵם
יָשְׁבוּ בַּמְּצָדוֹת נָשְׁתָה גְבוּרָתָם הָיוּ לְנָשִׁים הִצִּיתוּ מִשְׁכְּנֹתֶיהָ
לא נִשְׁבְּרוּ בְרִיחֶיהָ׃ רָץ לִקְרַאת־רָץ יָרוּץ וּמַגִּיד לִקְרַאת מַגִּיד
לב לְהַגִּיד לְמֶלֶךְ בָּבֶל כִּי־נִלְכְּדָה עִירוֹ מִקָּצֶה׃ וְהַמַּעְבָּרוֹת נִתְפָּשׂוּ
לג וְאֶת־הָאֲגַמִּים שָׂרְפוּ בָאֵשׁ וְאַנְשֵׁי הַמִּלְחָמָה נִבְהָלוּ׃ כִּי
כֹה אָמַר יְהוָה צְבָאוֹת אֱלֹהֵי יִשְׂרָאֵל בַּת־בָּבֶל כְּגֹרֶן עֵת

קִינָה עַל מַעֲשֵׂי בָּבֶל לְיִשְׂרָאֵל:

לד הִדְרִיכָהּ עוֹד מְעַט וּבָאָה עֵת־הַקָּצִיר לָהּ׃ אכלנו הממנו אֲכָלַנִי
הֲמָמַנִי נְבוּכַדְרֶאצַּר מֶלֶךְ בָּבֶל הציגנו הִצִּיגַנִי כְּלִי רִיק בלענו בְּלָעַנִי
לה כַּתַּנִּין מִלָּא כְרֵשׂוֹ מֵעֲדָנָי הדיחנו הֱדִיחָנִי׃ חֲמָסִי וּשְׁאֵרִי עַל־
בָּבֶל תֹּאמַר יֹשֶׁבֶת צִיּוֹן וְדָמִי אֶל־יֹשְׁבֵי כַשְׂדִּים תֹּאמַר

לו יְרוּשָׁלָ͏ִם: לָכֵן כֹּה אָמַר יְהוָה נִקְמַת ה' בְּבָבֶל:
הִנְנִי־רָב אֶת־רִיבֵךְ וְנִקַּמְתִּי אֶת־נִקְמָתֵךְ וְהַחֲרַבְתִּי אֶת־יַמָּהּ
לז וְהֹבַשְׁתִּי אֶת־מְקוֹרָהּ: וְהָיְתָה בָבֶל | לְגַלִּים | מְעוֹן־תַּנִּים
לח שַׁמָּה וּשְׁרֵקָה מֵאֵין יוֹשֵׁב: יַחְדָּו כַּכְּפִרִים יִשְׁאָגוּ נָעֲרוּ כְּגוֹרֵי
לט אֲרָיוֹת: בְּחֻמָּם אָשִׁית אֶת־מִשְׁתֵּיהֶם וְהִשְׁכַּרְתִּים לְמַעַן יַעֲלֹזוּ
מ וְיָשְׁנוּ שְׁנַת־עוֹלָם וְלֹא יָקִיצוּ נְאֻם יְהוָה: אוֹרִידֵם כְּכָרִים
מא לִטְבוֹחַ כְּאֵילִים עִם־עַתּוּדִים: אֵיךְ נִלְכְּדָה שֵׁשַׁךְ וַתִּתָּפֵשׂ
מב תְּהִלַּת כָּל־הָאָרֶץ אֵיךְ הָיְתָה לְשַׁמָּה בָּבֶל בַּגּוֹיִם: עָלָה עַל־בָּבֶל
מג הַיָּם בַּהֲמוֹן גַּלָּיו נִכְסָתָה: הָיוּ עָרֶיהָ לְשַׁמָּה אֶרֶץ צִיָּה וַעֲרָבָה
מד אֶרֶץ לֹא־יֵשֵׁב בָּהֵן כָּל־אִישׁ וְלֹא־יַעֲבֹר בָּהֵן בֶּן־אָדָם: וּפָקַדְתִּי
עַל־בֵּל בְּבָבֶל וְהֹצֵאתִי אֶת־בִּלְעוֹ מִפִּיו וְלֹא־יִנְהֲרוּ אֵלָיו עוֹד
מה גּוֹיִם גַּם־חוֹמַת בָּבֶל נָפָלָה: צְאוּ מִתּוֹכָהּ עַמִּי וּמַלְּטוּ אִישׁ קְרִיאָה לַיְּהוּדִים
מו אֶת־נַפְשׁוֹ מֵחֲרוֹן אַף־יְהוָה: וּפֶן־יֵרַךְ לְבַבְכֶם וְתִירְאוּ בַּשְּׁמוּעָה לָצֵאת מִבָּבֶל:
הַנִּשְׁמַעַת בָּאָרֶץ וּבָא בַשָּׁנָה הַשְּׁמוּעָה וְאַחֲרָיו בַּשָּׁנָה הַשְּׁמוּעָה
מז וְחָמָס בָּאָרֶץ וּמֹשֵׁל עַל־מֹשֵׁל: לָכֵן הִנֵּה יָמִים בָּאִים וּפָקַדְתִּי
עַל־פְּסִילֵי בָבֶל וְכָל־אַרְצָהּ תֵּבוֹשׁ וְכָל־חֲלָלֶיהָ יִפְּלוּ בְתוֹכָהּ:
מח וְרִנְּנוּ עַל־בָּבֶל שָׁמַיִם וָאָרֶץ וְכֹל אֲשֶׁר בָּהֶם כִּי מִצָּפוֹן יָבוֹא־לָהּ
מט הַשּׁוֹדְדִים נְאֻם־יְהוָה: גַּם־בָּבֶל לִנְפֹּל חַלְלֵי יִשְׂרָאֵל גַּם־לְבָבֶל
נ נָפְלוּ חַלְלֵי כָל־הָאָרֶץ: פְּלֵטִים מֵחֶרֶב הִלְכוּ אַל־תַּעֲמֹדוּ זִכְרוּ
נא מֵרָחוֹק אֶת־יְהוָה וִירוּשָׁלַ͏ִם תַּעֲלֶה עַל־לְבַבְכֶם: בֹּשְׁנוּ כִּי־
שָׁמַעְנוּ חֶרְפָּה כִּסְּתָה כְלִמָּה פָּנֵינוּ כִּי בָּאוּ זָרִים עַל־מִקְדְּשֵׁי
בֵּית יְהוָה:
נב לָכֵן הִנֵּה־יָמִים בָּאִים נְאֻם־יְהוָה וּפָקַדְתִּי עַל־פְּסִילֶיהָ וּבְכָל־ זַעֲקַת
נג אַרְצָהּ יֶאֱנֹק חָלָל: כִּי־תַעֲלֶה בָבֶל הַשָּׁמַיִם וְכִי תְבַצֵּר מְרוֹם בָּבֶל:
נד עֻזָּהּ מֵאִתִּי יָבֹאוּ שֹׁדְדִים לָהּ נְאֻם־יְהוָה: קוֹל זְעָקָה

נה מִבָּבֶל וְשֶׁבֶר גָּדוֹל מֵאֶרֶץ כַּשְׂדִּים׃ כִּי־שֹׁדֵד יְהוָה אֶת־בָּבֶל
וְאִבַּד מִמֶּנָּה קוֹל גָּדוֹל וְהָמוּ גַלֵּיהֶם כְּמַיִם רַבִּים נִתַּן שְׁאוֹן
נו קוֹלָם׃ כִּי בָא עָלֶיהָ עַל־בָּבֶל שׁוֹדֵד וְנִלְכְּדוּ גִּבּוֹרֶיהָ חִתְּתָה
נז קַשְּׁתוֹתָם כִּי אֵל גְּמֻלוֹת יְהוָה שַׁלֵּם יְשַׁלֵּם׃ וְהִשְׁכַּרְתִּי שָׂרֶיהָ
וַחֲכָמֶיהָ פַּחוֹתֶיהָ וּסְגָנֶיהָ וְגִבּוֹרֶיהָ וְיָשְׁנוּ שְׁנַת־עוֹלָם וְלֹא יָקִיצוּ
נח נְאֻם־הַמֶּלֶךְ יְהוָה צְבָאוֹת שְׁמוֹ׃ כֹּה־אָמַר
יְהוָה צְבָאוֹת חֹמוֹת בָּבֶל הָרְחָבָה עַרְעֵר תִּתְעַרְעָר וּשְׁעָרֶיהָ
הַגְּבֹהִים בָּאֵשׁ יִצַּתּוּ וְיִגְעוּ עַמִּים בְּדֵי־רִיק וּלְאֻמִּים בְּדֵי־אֵשׁ
נט וְיָעֵפוּ׃ הַדָּבָר אֲשֶׁר־צִוָּה ׀ יִרְמְיָהוּ הַנָּבִיא אֶת־שְׂרָיָה

הַשְׁלָכַת סֵפֶר הַנְּבוּאָה עַל מַפֶּלֶת בָּבֶל: [3331]

בֶן־נֵרִיָּה בֶּן־מַחְסֵיָה בְּלֶכְתּוֹ אֶת־צִדְקִיָּהוּ מֶלֶךְ־יְהוּדָה בָּבֶל
ס בִּשְׁנַת הָרְבִעִית לְמָלְכוֹ וּשְׂרָיָה שַׂר מְנוּחָה׃ וַיִּכְתֹּב יִרְמְיָהוּ אֵת
כָּל־הָרָעָה אֲשֶׁר־תָּבוֹא אֶל־בָּבֶל אֶל־סֵפֶר אֶחָד אֵת כָּל־הַדְּבָרִים
סא הָאֵלֶּה הַכְּתֻבִים אֶל־בָּבֶל׃ וַיֹּאמֶר יִרְמְיָהוּ אֶל־שְׂרָיָה כְּבֹאֲךָ בָבֶל
סב וְרָאִיתָ וְקָרָאתָ אֵת כָּל־הַדְּבָרִים הָאֵלֶּה׃ וְאָמַרְתָּ יְהוָה אַתָּה
דִבַּרְתָּ אֶל־הַמָּקוֹם הַזֶּה לְהַכְרִיתוֹ לְבִלְתִּי הֱיוֹת־בּוֹ יוֹשֵׁב
סג לְמֵאָדָם וְעַד־בְּהֵמָה כִּי־שִׁמְמוֹת עוֹלָם תִּהְיֶה׃ וְהָיָה כְּכַלֹּתְךָ
לִקְרֹא אֶת־הַסֵּפֶר הַזֶּה תִּקְשֹׁר עָלָיו אֶבֶן וְהִשְׁלַכְתּוֹ אֶל־תּוֹךְ
סד פְּרָת׃ וְאָמַרְתָּ כָּכָה תִּשְׁקַע בָּבֶל וְלֹא־תָקוּם מִפְּנֵי הָרָעָה אֲשֶׁר
אָנֹכִי מֵבִיא עָלֶיהָ וְיָעֵפוּ עַד־הֵנָּה דִּבְרֵי יִרְמְיָהוּ׃
נב א בֶּן־עֶשְׂרִים וְאַחַת שָׁנָה צִדְקִיָּהוּ בְמָלְכוֹ וְאַחַת עֶשְׂרֵה שָׁנָה
מָלַךְ בִּירוּשָׁלָםִ וְשֵׁם אִמּוֹ חמיטל חֲמוּטַל בַּת־יִרְמְיָהוּ מִלִּבְנָה׃
ב ג וַיַּעַשׂ הָרַע בְּעֵינֵי יְהוָה כְּכֹל אֲשֶׁר־עָשָׂה יְהוֹיָקִים׃ כִּי ׀ עַל־אַף
יְהוָה הָיְתָה בִּירוּשָׁלַםִ וִיהוּדָה עַד־הִשְׁלִיכוֹ אוֹתָם מֵעַל פָּנָיו
ד וַיִּמְרֹד צִדְקִיָּהוּ בְּמֶלֶךְ בָּבֶל׃ וַיְהִי בַשָּׁנָה הַתְּשִׁעִית לְמָלְכוֹ
בַּחֹדֶשׁ הָעֲשִׂירִי בֶּעָשׂוֹר לַחֹדֶשׁ בָּא נְבוּכַדְרֶאצַּר מֶלֶךְ־בָּבֶל

מְצוֹר מֶלֶךְ בָּבֶל וּבְקִיעַת הָעִיר: [3336]

הוּא וְכָל־חֵילוֹ עַל־יְרוּשָׁלַ͏ִם וַיַּחֲנוּ עָלֶיהָ וַיִּבְנוּ עָלֶיהָ דָּיֵק סָבִיב׃
ה וַתָּבֹא הָעִיר בַּמָּצוֹר עַד עַשְׁתֵּי עֶשְׂרֵה שָׁנָה לַמֶּלֶךְ צִדְקִיָּהוּ׃
ו בַּחֹדֶשׁ הָרְבִיעִי בְּתִשְׁעָה לַחֹדֶשׁ וַיֶּחֱזַק הָרָעָב בָּעִיר וְלֹא־הָיָה הַחָרְבָּן וְהַגָּלוּת׃
ז לֶחֶם לְעַם הָאָרֶץ׃ וַתִּבָּקַע הָעִיר וְכָל־אַנְשֵׁי הַמִּלְחָמָה יִבְרְחוּ [3338]
וַיֵּצְאוּ מֵהָעִיר לַיְלָה דֶּרֶךְ שַׁעַר בֵּין־הַחֹמֹתַיִם אֲשֶׁר עַל־גַּן
ח הַמֶּלֶךְ וְכַשְׂדִּים עַל־הָעִיר סָבִיב וַיֵּלְכוּ דֶּרֶךְ הָעֲרָבָה׃ וַיִּרְדְּפוּ
חֵיל־כַּשְׂדִּים אַחֲרֵי הַמֶּלֶךְ וַיַּשִּׂיגוּ אֶת־צִדְקִיָּהוּ בְּעַרְבֹת יְרֵחוֹ
ט וְכָל־חֵילוֹ נָפֹצוּ מֵעָלָיו׃ וַיִּתְפְּשׂוּ אֶת־הַמֶּלֶךְ וַיַּעֲלוּ אֹתוֹ אֶל־מֶלֶךְ
י בָּבֶל רִבְלָתָה בְּאֶרֶץ חֲמָת וַיְדַבֵּר אִתּוֹ מִשְׁפָּטִים׃ וַיִּשְׁחַט
מֶלֶךְ־בָּבֶל אֶת־בְּנֵי צִדְקִיָּהוּ לְעֵינָיו וְגַם אֶת־כָּל־שָׂרֵי יְהוּדָה
יא שָׁחַט בְּרִבְלָתָה׃ וְאֶת־עֵינֵי צִדְקִיָּהוּ עִוֵּר וַיַּאַסְרֵהוּ בַנְחֻשְׁתַּיִם
וַיְבִאֵהוּ מֶלֶךְ־בָּבֶל בָּבֶלָה וַיִּתְּנֵהוּ בבית בֵית־הַפְּקֻדֹּת עַד־יוֹם
יב מוֹתוֹ׃ וּבַחֹדֶשׁ הַחֲמִישִׁי בֶּעָשׂוֹר לַחֹדֶשׁ הִיא שְׁנַת תְּשַׁע־עֶשְׂרֵה
שָׁנָה לַמֶּלֶךְ נְבוּכַדְרֶאצַּר מֶלֶךְ־בָּבֶל בָּא נְבוּזַרְאֲדָן רַב־טַבָּחִים
יג עָמַד לִפְנֵי מֶלֶךְ־בָּבֶל בִּירוּשָׁלָ͏ִם׃ וַיִּשְׂרֹף אֶת־בֵּית־יְהוָה וְאֶת־
בֵּית הַמֶּלֶךְ וְאֵת כָּל־בָּתֵּי יְרוּשָׁלַ͏ִם וְאֶת־כָּל־בֵּית הַגָּדוֹל שָׂרַף
יד בָּאֵשׁ׃ וְאֶת־כָּל־חֹמוֹת יְרוּשָׁלַ͏ִם סָבִיב נָתְצוּ כָּל־חֵיל כַּשְׂדִּים
טו אֲשֶׁר אֶת־רַב־טַבָּחִים׃ וּמִדַּלּוֹת הָעָם וְאֶת־יֶתֶר הָעָם
הַנִּשְׁאָרִים בָּעִיר וְאֶת־הַנֹּפְלִים אֲשֶׁר נָפְלוּ אֶל־מֶלֶךְ בָּבֶל וְאֵת
טז יֶתֶר הָאָמוֹן הֶגְלָה נְבוּזַרְאֲדָן רַב־טַבָּחִים׃ וּמִדַּלּוֹת הָאָרֶץ
יז הִשְׁאִיר נְבוּזַרְאֲדָן רַב־טַבָּחִים לְכֹרְמִים וּלְיֹגְבִים׃ וְאֶת־עַמּוּדֵי הַגְלָיַת כְּלֵי הַמִּקְדָּשׁ׃
הַנְּחֹשֶׁת אֲשֶׁר לְבֵית־יְהוָה וְאֶת־הַמְּכֹנוֹת וְאֶת־יָם הַנְּחֹשֶׁת אֲשֶׁר
בְּבֵית־יְהוָה שִׁבְּרוּ כַשְׂדִּים וַיִּשְׂאוּ אֶת־כָּל־נְחֻשְׁתָּם בָּבֶלָה׃
יח וְאֶת־הַסִּרוֹת וְאֶת־הַיָּעִים וְאֶת־הַמְזַמְּרוֹת וְאֶת־הַמִּזְרָקֹת וְאֶת־
יט הַכַּפּוֹת וְאֵת כָּל־כְּלֵי הַנְּחֹשֶׁת אֲשֶׁר־יְשָׁרְתוּ בָהֶם לָקָחוּ׃ וְאֶת־

הַסִּפִּים וְאֶת־הַמַּחְתּוֹת וְאֶת־הַמִּזְרָקוֹת וְאֶת־הַסִּירוֹת וְאֶת־
הַמְּנֹרוֹת וְאֶת־הַכַּפּוֹת וְאֶת־הַמְּנַקִּיּוֹת אֲשֶׁר זָהָב זָהָב וַאֲשֶׁר־
כ כֶּסֶף כָּסֶף לָקַח רַב־טַבָּחִים׃ הָעַמּוּדִים ׀ שְׁנַיִם הַיָּם אֶחָד
וְהַבָּקָר שְׁנַיִם־עָשָׂר נְחֹשֶׁת אֲשֶׁר־תַּחַת הַמְּכֹנוֹת אֲשֶׁר עָשָׂה
הַמֶּלֶךְ שְׁלֹמֹה לְבֵית יְהוָה לֹא־הָיָה מִשְׁקָל לִנְחָשְׁתָּם כָּל־הַכֵּלִים
כא הָאֵלֶּה׃ וְהָעַמּוּדִים שְׁמֹנֶה עֶשְׂרֵה אַמָּה קומה קוֹמַת הָעַמֻּד הָאֶחָד
וְחוּט שְׁתֵּים־עֶשְׂרֵה אַמָּה יְסֻבֶּנּוּ וְעָבְיוֹ אַרְבַּע אֶצְבָּעוֹת נָבוּב׃
כב וְכֹתֶרֶת עָלָיו נְחֹשֶׁת וְקוֹמַת הַכֹּתֶרֶת הָאַחַת חָמֵשׁ אַמּוֹת וּשְׂבָכָה
וְרִמּוֹנִים עַל־הַכּוֹתֶרֶת סָבִיב הַכֹּל נְחֹשֶׁת וְכָאֵלֶּה לָעַמּוּד הַשֵּׁנִי
כג וְרִמּוֹנִים׃ וַיִּהְיוּ הָרִמֹּנִים תִּשְׁעִים וְשִׁשָּׁה רוּחָה כָּל־הָרִמּוֹנִים
כד מֵאָה עַל־הַשְּׂבָכָה סָבִיב׃ וַיִּקַּח רַב־טַבָּחִים
שְׁבִי הַמַּנְהִיגִים וַהֲמָתָתָם׃
אֶת־שְׂרָיָה כֹּהֵן הָרֹאשׁ וְאֶת־צְפַנְיָה כֹּהֵן הַמִּשְׁנֶה וְאֶת־שְׁלֹשֶׁת
כה שֹׁמְרֵי הַסַּף׃ וּמִן־הָעִיר לָקַח סָרִיס אֶחָד אֲשֶׁר־הָיָה פָקִיד ׀
עַל־אַנְשֵׁי הַמִּלְחָמָה וְשִׁבְעָה אֲנָשִׁים מֵרֹאֵי פְנֵי־הַמֶּלֶךְ אֲשֶׁר
נִמְצְאוּ בָעִיר וְאֵת סֹפֵר שַׂר הַצָּבָא הַמַּצְבִּא אֶת־עַם הָאָרֶץ
כו וְשִׁשִּׁים אִישׁ מֵעַם הָאָרֶץ הַנִּמְצְאִים בְּתוֹךְ הָעִיר׃ וַיִּקַּח אוֹתָם
כז נְבוּזַרְאֲדָן רַב־טַבָּחִים וַיֹּלֶךְ אוֹתָם אֶל־מֶלֶךְ בָּבֶל רִבְלָתָה׃ וַיַּכֶּה
אוֹתָם מֶלֶךְ בָּבֶל וַיְמִתֵם בְּרִבְלָה בְּאֶרֶץ חֲמָת וַיִּגֶל יְהוּדָה מֵעַל
כח אַדְמָתוֹ׃ זֶה הָעָם אֲשֶׁר הֶגְלָה נְבוּכַדְרֶאצַּר בִּשְׁנַת־
מִסְפַּר הַגּוֹלִים׃
כט שֶׁבַע יְהוּדִים שְׁלֹשֶׁת אֲלָפִים וְעֶשְׂרִים וּשְׁלֹשָׁה׃ בִּשְׁנַת שְׁמוֹנֶה
עֶשְׂרֵה לִנְבוּכַדְרֶאצַּר מִירוּשָׁלִַם נֶפֶשׁ שְׁמֹנֶה מֵאוֹת שְׁלֹשִׁים
ל וּשְׁנָיִם׃ בִּשְׁנַת שָׁלֹשׁ וְעֶשְׂרִים לִנְבוּכַדְרֶאצַּר הֶגְלָה נְבוּזַרְאֲדָן
רַב־טַבָּחִים יְהוּדִים נֶפֶשׁ שְׁבַע מֵאוֹת אַרְבָּעִים וַחֲמִשָּׁה כָּל־נֶפֶשׁ
לא אַרְבַּעַת אֲלָפִים וְשֵׁשׁ מֵאוֹת׃ וַיְהִי בִשְׁלֹשִׁים וָשֶׁבַע
שִׁחְרוּר יְהוֹיָכִין מִכִּלְאוֹ׃
שָׁנָה לְגָלוּת יְהוֹיָכִן מֶלֶךְ־יְהוּדָה בִּשְׁנֵים עָשָׂר חֹדֶשׁ בְּעֶשְׂרִים

וַחֲמִשָּׁה לַחֹדֶשׁ נָשָׂא אֱוִיל מְרֹדַךְ מֶלֶךְ בָּבֶל בִּשְׁנַת מַלְכֻתוֹ
אֶת־רֹאשׁ יְהוֹיָכִין מֶלֶךְ־יְהוּדָה וַיֹּצֵא אֹתוֹ מִבֵּית הכליא הַכְּלוּא:

לב וַיְדַבֵּר אִתּוֹ טֹבוֹת וַיִּתֵּן אֶת־כִּסְאוֹ מִמַּעַל לְכִסֵּא מלכים הַמְּלָכִים

לג אֲשֶׁר אִתּוֹ בְּבָבֶל: וְשִׁנָּה אֵת בִּגְדֵי כִלְאוֹ וְאָכַל לֶחֶם לְפָנָיו תָּמִיד

לד כָּל־יְמֵי חַיָּו: וַאֲרֻחָתוֹ אֲרֻחַת תָּמִיד נִתְּנָה־לּוֹ מֵאֵת מֶלֶךְ־בָּבֶל
דְּבַר־יוֹם בְּיוֹמוֹ עַד־יוֹם מוֹתוֹ כֹּל יְמֵי חַיָּיו:

בין השנים
3330-3352

יחזקאל

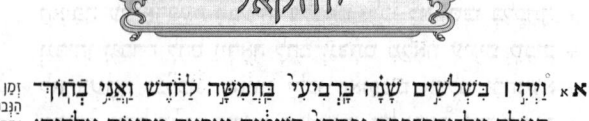

א א וַיְהִי ׀ בִּשְׁלֹשִׁים שָׁנָה בָּרְבִיעִי בַּחֲמִשָּׁה לַחֹדֶשׁ וַאֲנִי בְתוֹךְ־
הַגּוֹלָה עַל־נְהַר־כְּבָר נִפְתְּחוּ הַשָּׁמַיִם וָאֶרְאֶה מַרְאוֹת אֱלֹהִים׃
ב בַּחֲמִשָּׁה לַחֹדֶשׁ הִיא הַשָּׁנָה הַחֲמִישִׁית לְגָלוּת הַמֶּלֶךְ יוֹיָכִין׃
ג הָיֹה הָיָה דְבַר־יְהוָה אֶל־יְחֶזְקֵאל בֶּן־בּוּזִי הַכֹּהֵן בְּאֶרֶץ כַּשְׂדִּים
ד עַל־נְהַר־כְּבָר וַתְּהִי עָלָיו שָׁם יַד־יְהוָה׃ וָאֵרֶא וְהִנֵּה רוּחַ
סְעָרָה בָּאָה מִן־הַצָּפוֹן עָנָן גָּדוֹל וְאֵשׁ מִתְלַקַּחַת וְנֹגַהּ לוֹ סָבִיב
ה וּמִתּוֹכָהּ כְּעֵין הַחַשְׁמַל מִתּוֹךְ הָאֵשׁ׃ וּמִתּוֹכָהּ דְּמוּת אַרְבַּע
ו חַיּוֹת וְזֶה מַרְאֵיהֶן דְּמוּת אָדָם לָהֵנָּה׃ וְאַרְבָּעָה פָנִים לְאֶחָת
ז וְאַרְבַּע כְּנָפַיִם לְאַחַת לָהֶם׃ וְרַגְלֵיהֶם רֶגֶל יְשָׁרָה וְכַף רַגְלֵיהֶם
ח כְּכַף רֶגֶל עֵגֶל וְנֹצְצִים כְּעֵין נְחֹשֶׁת קָלָל׃ וידו וִידֵי אָדָם מִתַּחַת
כַּנְפֵיהֶם עַל אַרְבַּעַת רִבְעֵיהֶם וּפְנֵיהֶם וְכַנְפֵיהֶם לְאַרְבַּעְתָּם׃
ט חֹבְרֹת אִשָּׁה אֶל־אֲחוֹתָהּ כַּנְפֵיהֶם לֹא־יִסַּבּוּ בְלֶכְתָּן אִישׁ
י אֶל־עֵבֶר פָּנָיו יֵלֵכוּ׃ וּדְמוּת פְּנֵיהֶם פְּנֵי אָדָם וּפְנֵי אַרְיֵה
אֶל־הַיָּמִין לְאַרְבַּעְתָּם וּפְנֵי־שׁוֹר מֵהַשְּׂמֹאול לְאַרְבַּעְתָּן וּפְנֵי־
יא נֶשֶׁר לְאַרְבַּעְתָּן׃ וּפְנֵיהֶם וְכַנְפֵיהֶם פְּרֻדוֹת מִלְמָעְלָה לְאִישׁ
יב שְׁתַּיִם חֹבְרוֹת אִישׁ וּשְׁתַּיִם מְכַסּוֹת אֵת גְּוִיֹּתֵיהֶנָה׃ וְאִישׁ
אֶל־עֵבֶר פָּנָיו יֵלֵכוּ אֶל אֲשֶׁר יִהְיֶה־שָּׁמָּה הָרוּחַ לָלֶכֶת יֵלֵכוּ
יג לֹא יִסַּבּוּ בְּלֶכְתָּן׃ וּדְמוּת הַחַיּוֹת מַרְאֵיהֶם כְּגַחֲלֵי־אֵשׁ בֹּעֲרוֹת
כְּמַרְאֵה הַלַּפִּדִים הִיא מִתְהַלֶּכֶת בֵּין הַחַיּוֹת וְנֹגַהּ לָאֵשׁ
יד וּמִן־הָאֵשׁ יוֹצֵא בָרָק׃ וְהַחַיּוֹת רָצוֹא וָשׁוֹב כְּמַרְאֵה הַבָּזָק׃
טו וָאֵרֶא הַחַיּוֹת וְהִנֵּה אוֹפַן אֶחָד בָּאָרֶץ אֵצֶל הַחַיּוֹת לְאַרְבַּעַת
טז פָּנָיו׃ מַרְאֵה הָאוֹפַנִּים וּמַעֲשֵׂיהֶם כְּעֵין תַּרְשִׁישׁ וּדְמוּת אֶחָד
לְאַרְבַּעְתָּן וּמַרְאֵיהֶם וּמַעֲשֵׂיהֶם כַּאֲשֶׁר יִהְיֶה הָאוֹפַן בְּתוֹךְ

זְמַן הַנְּבוּאָה וּמְקוֹמָהּ: [3330]

חָזְיוֹן מַעֲשֵׂה הַמֶּרְכָּבָה:

יז הָאוֹפָן: עַל־אַרְבַּעַת רִבְעֵיהֶן בְּלֶכְתָּם יֵלֵכוּ לֹא יִסַּבּוּ בְּלֶכְתָּן:
יח וְגַבֵּיהֶן וְגֹבַהּ לָהֶם וְיִרְאָה לָהֶם וְגַבֹּתָם מְלֵאֹת עֵינַיִם סָבִיב
יט לְאַרְבַּעְתָּן: וּבְלֶכֶת הַחַיּוֹת יֵלְכוּ הָאוֹפַנִּים אֶצְלָם וּבְהִנָּשֵׂא
כ הַחַיּוֹת מֵעַל הָאָרֶץ יִנָּשְׂאוּ הָאוֹפַנִּים: עַל אֲשֶׁר יִהְיֶה־שָּׁם
הָרוּחַ לָלֶכֶת יֵלֵכוּ שָׁמָּה הָרוּחַ לָלֶכֶת וְהָאוֹפַנִּים יִנָּשְׂאוּ
כא לְעֻמָּתָם כִּי רוּחַ הַחַיָּה בָּאוֹפַנִּים: בְּלֶכְתָּם יֵלֵכוּ וּבְעָמְדָם
יַעֲמֹדוּ וּבְהִנָּשְׂאָם מֵעַל הָאָרֶץ יִנָּשְׂאוּ הָאוֹפַנִּים לְעֻמָּתָם כִּי
כב רוּחַ הַחַיָּה בָּאוֹפַנִּים: וּדְמוּת עַל־רָאשֵׁי הַחַיָּה רָקִיעַ כְּעֵין
כג הַקֶּרַח הַנּוֹרָא נָטוּי עַל־רָאשֵׁיהֶם מִלְמָעְלָה: וְתַחַת הָרָקִיעַ
כַּנְפֵיהֶם יְשָׁרוֹת אִשָּׁה אֶל־אֲחוֹתָהּ לְאִישׁ שְׁתַּיִם מְכַסּוֹת לָהֵנָּה
כד וּלְאִישׁ שְׁתַּיִם מְכַסּוֹת לָהֵנָּה אֵת גְּוִיֹּתֵיהֶם: וָאֶשְׁמַע אֶת־קוֹל
כַּנְפֵיהֶם כְּקוֹל מַיִם רַבִּים כְּקוֹל־שַׁדַּי בְּלֶכְתָּם קוֹל הֲמֻלָּה כְּקוֹל
כה מַחֲנֶה בְּעָמְדָם תְּרַפֶּינָה כַנְפֵיהֶן: וַיְהִי־קוֹל מֵעַל לָרָקִיעַ אֲשֶׁר
כו עַל־רֹאשָׁם בְּעָמְדָם תְּרַפֶּינָה כַנְפֵיהֶן: וּמִמַּעַל לָרָקִיעַ אֲשֶׁר
עַל־רֹאשָׁם כְּמַרְאֵה אֶבֶן־סַפִּיר דְּמוּת כִּסֵּא וְעַל דְּמוּת הַכִּסֵּא
כז דְּמוּת כְּמַרְאֵה אָדָם עָלָיו מִלְמָעְלָה: וָאֵרֶא ׀ כְּעֵין חַשְׁמַל
כְּמַרְאֵה־אֵשׁ בֵּית־לָהּ סָבִיב מִמַּרְאֵה מָתְנָיו וּלְמָעְלָה
וּמִמַּרְאֵה מָתְנָיו וּלְמַטָּה רָאִיתִי כְּמַרְאֵה־אֵשׁ וְנֹגַהּ לוֹ סָבִיב:
כח כְּמַרְאֵה הַקֶּשֶׁת אֲשֶׁר יִהְיֶה בֶעָנָן בְּיוֹם הַגֶּשֶׁם כֵּן מַרְאֵה הַנֹּגַהּ
סָבִיב הוּא מַרְאֵה דְּמוּת כְּבוֹד־יְהוָה וָאֶרְאֶה וָאֶפֹּל עַל־פָּנַי
וָאֶשְׁמַע קוֹל מְדַבֵּר:

ב א וַיֹּאמֶר אֵלָי בֶּן־אָדָם עֲמֹד עַל־רַגְלֶיךָ וַאֲדַבֵּר אֹתָךְ: וַתָּבֹא בִי
ב רוּחַ כַּאֲשֶׁר דִּבֶּר אֵלַי וַתַּעֲמִדֵנִי עַל־רַגְלָי וָאֶשְׁמַע אֵת מִדַּבֵּר
אֵלָי:
ג וַיֹּאמֶר אֵלַי בֶּן־אָדָם שׁוֹלֵחַ אֲנִי אוֹתְךָ אֶל־בְּנֵי יִשְׂרָאֵל

שְׁלִיחוּת הַנָּבִיא לְיִשְׂרָאֵל בַּגּוֹלָה:

אֶל־גּוֹיִם הַמּוֹרְדִים אֲשֶׁר מָרְדוּ־בִי הֵמָּה וַאֲבוֹתָם פָּשְׁעוּ בִי
ד עַד־עֶצֶם הַיּוֹם הַזֶּה: וְהַבָּנִים קְשֵׁי פָנִים וְחִזְקֵי־לֵב אֲנִי שׁוֹלֵחַ
ה אוֹתְךָ אֲלֵיהֶם וְאָמַרְתָּ אֲלֵיהֶם כֹּה אָמַר אֲדֹנָי יְהוִה: וְהֵמָּה
אִם־יִשְׁמְעוּ וְאִם־יֶחְדָּלוּ כִּי בֵּית מְרִי הֵמָּה וְיָדְעוּ כִּי נָבִיא הָיָה
בְתוֹכָם:
ו וְאַתָּה בֶן־אָדָם אַל־תִּירָא מֵהֶם וּמִדִּבְרֵיהֶם אַל־תִּירָא כִּי סָרָבִים [דִּבְרֵי חִזּוּק לַנָּבִיא:]
וְסַלּוֹנִים אוֹתָךְ וְאֶל־עַקְרַבִּים אַתָּה יוֹשֵׁב מִדִּבְרֵיהֶם אַל־תִּירָא
ז וּמִפְּנֵיהֶם אַל־תֵּחָת כִּי בֵּית מְרִי הֵמָּה: וְדִבַּרְתָּ אֶת־דְּבָרַי אֲלֵיהֶם
אִם־יִשְׁמְעוּ וְאִם־יֶחְדָּלוּ כִּי מְרִי הֵמָּה:
ח וְאַתָּה בֶן־אָדָם שְׁמַע אֵת אֲשֶׁר־אֲנִי מְדַבֵּר אֵלֶיךָ אַל־תְּהִי־מֶרִי
ט כְּבֵית הַמֶּרִי פְּצֵה פִיךָ וֶאֱכֹל אֵת אֲשֶׁר־אֲנִי נֹתֵן אֵלֶיךָ: וָאֶרְאֶה [פְּתִיחַת מְגִלַּת הַנְּבוּאָה וַאֲכִילָתָהּ:]
י וְהִנֵּה־יָד שְׁלוּחָה אֵלָי וְהִנֵּה־בוֹ מְגִלַּת־סֵפֶר: וַיִּפְרֹשׂ אוֹתָהּ
לְפָנַי וְהִיא כְתוּבָה פָּנִים וְאָחוֹר וְכָתוּב אֵלֶיהָ קִנִים וָהֶגֶה
ג א וָהִי: וַיֹּאמֶר אֵלַי בֶּן־אָדָם אֵת אֲשֶׁר־תִּמְצָא אֱכוֹל אֱכוֹל
ב אֶת־הַמְּגִלָּה הַזֹּאת וְלֵךְ דַּבֵּר אֶל־בֵּית יִשְׂרָאֵל: וָאֶפְתַּח אֶת־פִּי
ג וַיַּאֲכִלֵנִי אֵת הַמְּגִלָּה הַזֹּאת: וַיֹּאמֶר אֵלַי בֶּן־אָדָם בִּטְנְךָ תַאֲכֵל
וּמֵעֶיךָ תְמַלֵּא אֵת הַמְּגִלָּה הַזֹּאת אֲשֶׁר אֲנִי נֹתֵן אֵלֶיךָ וָאֹכְלָה
וַתְּהִי בְּפִי כִּדְבַשׁ לְמָתוֹק:
ד וַיֹּאמֶר אֵלַי בֶּן־אָדָם לֶךְ־בֹּא אֶל־בֵּית יִשְׂרָאֵל וְדִבַּרְתָּ בִדְבָרַי [הֲכָנַת הַנָּבִיא לְסָרְבָנוּת יִשְׂרָאֵל:]
ה אֲלֵיהֶם: כִּי לֹא אֶל־עַם עִמְקֵי שָׂפָה וְכִבְדֵי לָשׁוֹן אַתָּה שָׁלוּחַ
ו אֶל־בֵּית יִשְׂרָאֵל: לֹא | אֶל־עַמִּים רַבִּים עִמְקֵי שָׂפָה וְכִבְדֵי
לָשׁוֹן אֲשֶׁר לֹא־תִשְׁמַע דִּבְרֵיהֶם אִם־לֹא אֲלֵיהֶם שְׁלַחְתִּיךָ הֵמָּה
ז יִשְׁמְעוּ אֵלֶיךָ: וּבֵית יִשְׂרָאֵל לֹא יֹאבוּ לִשְׁמֹעַ אֵלֶיךָ כִּי־אֵינָם
אֹבִים לִשְׁמֹעַ אֵלָי כִּי כָּל־בֵּית יִשְׂרָאֵל חִזְקֵי־מֵצַח וּקְשֵׁי־לֵב
ח הֵמָּה: הִנֵּה נָתַתִּי אֶת־פָּנֶיךָ חֲזָקִים לְעֻמַּת פְּנֵיהֶם וְאֶת־מִצְחֲךָ

ט חָזָק לְעֻמַּת מִצְחָם: כְּשָׁמִיר חָזָק מִצֹּר נָתַתִּי מִצְחֶךָ לֹא־תִירָא
אוֹתָם וְלֹא־תֵחַת מִפְּנֵיהֶם כִּי בֵּית מְרִי הֵמָּה:

הֲבָאַת הַנָּבִיא אֶל נְהַר כְּבָר:

י וַיֹּאמֶר אֵלָי בֶּן־אָדָם אֶת־כָּל־דְּבָרַי אֲשֶׁר אֲדַבֵּר אֵלֶיךָ קַח
יא בִּלְבָבְךָ וּבְאָזְנֶיךָ שְׁמָע: וְלֵךְ בֹּא אֶל־הַגּוֹלָה אֶל־בְּנֵי עַמֶּךָ
וְדִבַּרְתָּ אֲלֵיהֶם וְאָמַרְתָּ אֲלֵיהֶם כֹּה אָמַר אֲדֹנָי יֱהֹוִה אִם־יִשְׁמְעוּ
יב וְאִם־יֶחְדָּלוּ: וַתִּשָּׂאֵנִי רוּחַ וָאֶשְׁמַע אַחֲרַי קוֹל רַעַשׁ גָּדוֹל בָּרוּךְ
יג כְּבוֹד־יְהֹוָה מִמְּקוֹמוֹ: וְקוֹל ׀ כַּנְפֵי הַחַיּוֹת מַשִּׁיקוֹת אִשָּׁה
יד אֶל־אֲחוֹתָהּ וְקוֹל הָאוֹפַנִּים לְעֻמָּתָם וְקוֹל רַעַשׁ גָּדוֹל: וְרוּחַ
נְשָׂאַתְנִי וַתִּקָּחֵנִי וָאֵלֵךְ מַר בַּחֲמַת רוּחִי וְיַד־יְהֹוָה עָלַי חָזָקָה:
טו וָאָבוֹא אֶל־הַגּוֹלָה תֵּל אָבִיב הַיֹּשְׁבִים אֶל־נְהַר־כְּבָר ואשר וָאֵשֵׁב
הֵמָּה יוֹשְׁבִים שָׁם וָאֵשֵׁב שָׁם שִׁבְעַת יָמִים מַשְׁמִים בְּתוֹכָם:

אַחֲרָיוּת הַנָּבִיא לְהַזְהִיר מֵחֵטְא:

טז וַיְהִי מִקְצֵה שִׁבְעַת יָמִים
יז וַיְהִי דְבַר־יְהֹוָה אֵלַי לֵאמֹר: בֶּן־אָדָם צֹפֶה נְתַתִּיךָ לְבֵית יִשְׂרָאֵל
יח וְשָׁמַעְתָּ מִפִּי דָּבָר וְהִזְהַרְתָּ אוֹתָם מִמֶּנִּי: בְּאָמְרִי לָרָשָׁע מוֹת
תָּמוּת וְלֹא הִזְהַרְתּוֹ וְלֹא דִבַּרְתָּ לְהַזְהִיר רָשָׁע מִדַּרְכּוֹ הָרְשָׁעָה
יט לְחַיֹּתוֹ הוּא רָשָׁע בַּעֲוֺנוֹ יָמוּת וְדָמוֹ מִיָּדְךָ אֲבַקֵּשׁ: וְאַתָּה
כִּי־הִזְהַרְתָּ רָשָׁע וְלֹא־שָׁב מֵרִשְׁעוֹ וּמִדַּרְכּוֹ הָרְשָׁעָה הוּא בַּעֲוֺנוֹ
כ יָמוּת וְאַתָּה אֶת־נַפְשְׁךָ הִצַּלְתָּ: וּבְשׁוּב צַדִּיק מִצִּדְקוֹ וְעָשָׂה עָוֶל
וְנָתַתִּי מִכְשׁוֹל לְפָנָיו הוּא יָמוּת כִּי לֹא הִזְהַרְתּוֹ בְּחַטָּאתוֹ יָמוּת
כא וְלֹא תִזָּכַרְןָ צִדְקֹתָו אֲשֶׁר עָשָׂה וְדָמוֹ מִיָּדְךָ אֲבַקֵּשׁ: וְאַתָּה כִּי
הִזְהַרְתּוֹ צַדִּיק לְבִלְתִּי חֲטֹא צַדִּיק וְהוּא לֹא־חָטָא חָיוֹ יִחְיֶה כִּי
נִזְהָר וְאַתָּה אֶת־נַפְשְׁךָ הִצַּלְתָּ:

הַהִתְגַּלּוּת בַּבִּקְעָה:

כב וַתְּהִי עָלַי שָׁם יַד־יְהֹוָה וַיֹּאמֶר אֵלַי קוּם צֵא אֶל־הַבִּקְעָה וְשָׁם
כג אֲדַבֵּר אוֹתָךְ: וָאָקוּם וָאֵצֵא אֶל־הַבִּקְעָה וְהִנֵּה־שָׁם כְּבוֹד־יְהֹוָה
כד עֹמֵד כַּכָּבוֹד אֲשֶׁר רָאִיתִי עַל־נְהַר־כְּבָר וָאֶפֹּל עַל־פָּנָי: וַתָּבֹא־בִי

רוּחַ וַתַּעֲמִדֵנִי עַל־רַגְלָי וַיְדַבֵּר אֹתִי֙ וַיֹּאמֶר אֵלַ֔י בֹּא הִסָּגֵ֖ר

כה בְּת֣וֹךְ בֵּיתֶֽךָ: וְאַתָּ֣ה בֶן־אָדָ֗ם הִנֵּ֨ה נָתְנ֤וּ עָלֶ֙יךָ֙ עֲבוֹתִ֔ים וַאֲסָר֖וּךָ

כו בָּהֶ֑ם וְלֹ֥א תֵצֵ֖א בְּתוֹכָֽם: וּלְשֽׁוֹנְךָ֙ אַדְבִּ֣יק אֶל־חִכֶּ֔ךָ וְנֶֽאֱלַ֖מְתָּ

כז וְלֹא־תִֽהְיֶ֥ה לָהֶ֖ם לְאִ֣ישׁ מוֹכִ֑יחַ כִּ֛י בֵּ֥ית מְרִ֖י הֵֽמָּה: וּֽבְדַבְּרִ֧י

אֽוֹתְךָ֣ אֶפְתַּ֣ח אֶת־פִּ֗יךָ וְאָמַרְתָּ֤ אֲלֵיהֶם֙ כֹּ֤ה אָמַר֙ אֲדֹנָ֣י יֱהֹוִ֔ה

הַשֹּׁמֵ֤עַ ׀ יִשְׁמָע֙ וְהֶֽחָדֵ֣ל ׀ יֶחְדָּ֔ל כִּ֛י בֵּ֥ית מְרִ֖י הֵֽמָּה:

מַעֲשֵׂה
הַלְּבֵנָה,
סֵמֶל
לִירוּשָׁלַיִם:

ד א וְאַתָּ֤ה בֶן־אָדָם֙ קַח־לְךָ֣ לְבֵנָ֔ה וְנָתַתָּ֥ה אוֹתָ֖הּ לְפָנֶ֑יךָ וְחַקּוֹתָ֤

ב עָלֶ֙יהָ֙ עִ֔יר אֶת־יְרוּשָׁלָֽ͏ִם: וְנָתַתָּ֨ה עָלֶ֜יהָ מָצ֗וֹר וּבָנִ֤יתָ עָלֶ֙יהָ֙ דָּיֵ֔ק

וְשָׁפַכְתָּ֥ עָלֶ֖יהָ סֹלְלָ֑ה וְנָתַתָּ֨ה עָלֶ֤יהָ מַֽחֲנוֹת֙ וְשִׂים־עָלֶ֥יהָ כָּרִ֖ים

ג סָבִֽיב: וְאַתָּ֤ה קַח־לְךָ֙ מַֽחֲבַ֣ת בַּרְזֶ֔ל וְנָתַתָּ֤ה אוֹתָהּ֙ קִ֣יר בַּרְזֶ֔ל

בֵּֽינְךָ֖ וּבֵ֣ין הָעִ֑יר וַהֲכִינֹתָה֩ אֶת־פָּנֶ֨יךָ אֵלֶ֜יהָ וְהָֽיְתָ֤ה בַמָּצוֹר֙ וְצַרְתָּ֣

עָלֶ֔יהָ א֥וֹת הִ֖יא לְבֵ֥ית יִשְׂרָאֵֽל:

שְׁכִינַת
הַנָּבִיא
כְּסֵמֶל
לִנְשִׂיאַת
הָעֲווֹנוֹת:

ד וְאַתָּ֤ה שְׁכַב֙ עַל־צִדְּךָ֣ הַשְּׂמָאלִ֔י וְשַׂמְתָּ֥ אֶת־עֲוֺ֖ן בֵּֽית־יִשְׂרָאֵ֑ל

ה עָלָ֑יו מִסְפַּ֣ר הַיָּמִ֗ים אֲשֶׁ֤ר תִּשְׁכַּב֙ עָלָ֔יו תִּשָּׂ֖א אֶת־עֲוֺנָֽם: וַאֲנִ֗י

נָתַ֤תִּֽי לְךָ֙ אֶת־שְׁנֵ֣י עֲוֺנָ֔ם לְמִסְפַּ֣ר יָמִ֔ים שְׁלֹשׁ־מֵא֥וֹת וְתִשְׁעִ֖ים

ו י֑וֹם וְנָשָׂ֖אתָ עֲוֺ֥ן בֵּֽית־יִשְׂרָאֵֽל: וְכִלִּיתָ֣ אֶת־אֵ֗לֶּה וְשָׁכַבְתָּ֞ עַל־צִדְּךָ֤

הַיְמָנִי֙ שֵׁנִ֔ית וְנָשָׂ֖אתָ אֶת־עֲוֺ֣ן בֵּֽית־יְהוּדָ֑ה אַרְבָּעִ֣ים י֔וֹם

פְּעֻלּוֹת
כְּסֵמֶל
לַמָּצוֹר עַל
יְרוּשָׁלַיִם:

ז י֥וֹם לַשָּׁנָ֖ה י֣וֹם לַשָּׁנָ֑ה נְתַתִּ֖יו לָֽךְ: וְאֶל־מְצ֤וֹר יְרוּשָׁלִַ֙ם֙ תָּכִ֣ין פָּנֶ֔יךָ

ח וּֽזְרֹעֲךָ֖ חֲשׂוּפָ֑ה וְנִבֵּאתָ֖ עָלֶֽיהָ: וְהִנֵּ֛ה נָתַ֥תִּי עָלֶ֖יךָ עֲבוֹתִ֑ים וְלֹֽא־

ט תֵהָפֵ֤ךְ מִֽצִּדְּךָ֙ אֶל־צִדֶּ֔ךָ עַד־כַּלּוֹתְךָ֖ יְמֵ֥י מְצוּרֶֽךָ: וְאַתָּ֣ה

קַח־לְךָ֡ חִטִּ֡ין וּ֠שְׂעֹרִ֠ים וּפ֨וֹל וַֽעֲדָשִׁ֜ים וְדֹ֣חַן וְכֻסְּמִ֗ים וְנָֽתַתָּ֤ה

אוֹתָם֙ בִּכְלִ֣י אֶחָ֔ד וְעָשִׂ֧יתָ אוֹתָ֛ם לְךָ֖ לְלָ֑חֶם מִסְפַּ֤ר הַיָּמִים֙

אֲשֶׁר־אַתָּ֣ה ׀ שׁוֹכֵ֣ב עַֽל־צִדְּךָ֗ שְׁלֹשׁ־מֵא֧וֹת וְתִשְׁעִ֛ים י֖וֹם

י תֹּאכְלֶֽנּוּ: וּמַֽאֲכָֽלְךָ֙ אֲשֶׁ֣ר תֹּֽאכְלֶ֔נּוּ בְּמִשְׁק֕וֹל עֶשְׂרִ֥ים שֶׁ֖קֶל לַיּ֑וֹם

יא מֵעֵ֥ת עַד־עֵ֖ת תֹּֽאכְלֶֽנּוּ: וּמַ֙יִם֙ בִּמְשׂוּרָ֣ה תִשְׁתֶּ֔ה שִׁשִּׁ֥ית הַהִ֖ין

יב מְעַט עַד־עֵת תִּשְׁתֶּה׃ וְעֻגַת שְׂעֹרִים תֹּאכְלֶנָּה וְהִיא בְּגֶלְלֵי צֵאַת
יג הָאָדָם תְּעֻגֶנָה לְעֵינֵיהֶם׃ וַיֹּאמֶר יְהוָה

פִּתְרוֹן הִתְנַהֲגוּת הַנָּבִיא:

כָּכָה יֹאכְלוּ בְנֵי־יִשְׂרָאֵל אֶת־לַחְמָם טָמֵא בַּגּוֹיִם אֲשֶׁר אַדִּיחֵם
יד שָׁם׃ וָאֹמַר אֲהָהּ אֲדֹנָי יֱהוִה הִנֵּה נַפְשִׁי לֹא מְטֻמָּאָה וּנְבֵלָה
וּטְרֵפָה לֹא־אָכַלְתִּי מִנְּעוּרַי וְעַד־עַתָּה וְלֹא־בָא בְּפִי בְּשַׂר
טו פִּגּוּל׃ וַיֹּאמֶר אֵלַי רְאֵה
נָתַתִּי לְךָ אֶת־צפועי צְפִיעֵי הַבָּקָר תַּחַת גֶּלְלֵי הָאָדָם וְעָשִׂיתָ
טז אֶת־לַחְמְךָ עֲלֵיהֶם׃ וַיֹּאמֶר אֵלַי בֶּן־אָדָם
הִנְנִי שֹׁבֵר מַטֵּה־לֶחֶם בִּירוּשָׁלִַם וְאָכְלוּ־לֶחֶם בְּמִשְׁקָל וּבִדְאָגָה
יז וּמַיִם בִּמְשׂוּרָה וּבְשִׁמָּמוֹן יִשְׁתּוּ׃ לְמַעַן יַחְסְרוּ לֶחֶם וָמָיִם וְנָשַׁמּוּ
אִישׁ וְאָחִיו וְנָמַקּוּ בַּעֲוֹנָם׃

גִּלּוּחַ הַשֵּׂעָר, סֵמֶל לְהַשְׁמָדַת יְרוּשָׁלַיִם:

ה א וְאַתָּה בֶן־אָדָם קַח־לְךָ ׀ חֶרֶב חַדָּה תַּעַר הַגַּלָּבִים תִּקָּחֶנָּה
לָּךְ וְהַעֲבַרְתָּ עַל־רֹאשְׁךָ וְעַל־זְקָנֶךָ וְלָקַחְתָּ לְךָ מֹאזְנֵי מִשְׁקָל
ב וְחִלַּקְתָּם׃ שְׁלִשִׁית בָּאוּר תַּבְעִיר בְּתוֹךְ הָעִיר כִּמְלֹאת יְמֵי
הַמָּצוֹר וְלָקַחְתָּ אֶת־הַשְּׁלִשִׁית תַּכֶּה בַחֶרֶב סְבִיבוֹתֶיהָ
ג וְהַשְּׁלִשִׁית תִּזְרֶה לָרוּחַ וְחֶרֶב אָרִיק אַחֲרֵיהֶם׃ וְלָקַחְתָּ מִשָּׁם
ד מְעַט בְּמִסְפָּר וְצַרְתָּ אוֹתָם בִּכְנָפֶיךָ׃ וּמֵהֶם עוֹד תִּקָּח וְהִשְׁלַכְתָּ
אוֹתָם אֶל־תּוֹךְ הָאֵשׁ וְשָׂרַפְתָּ אֹתָם בָּאֵשׁ מִמֶּנּוּ תֵצֵא־אֵשׁ
אֶל־כָּל־בֵּית יִשְׂרָאֵל׃

תּוֹכָחָה לִירוּשָׁלַיִם הַמִּתְחַבֶּרֶת לַגּוֹיִם:

ה כֹּה אָמַר אֲדֹנָי יֱהוִה זֹאת יְרוּשָׁלִַם בְּתוֹךְ הַגּוֹיִם שַׂמְתִּיהָ
ו וּסְבִיבוֹתֶיהָ אֲרָצוֹת׃ וַתֶּמֶר אֶת־מִשְׁפָּטַי לְרִשְׁעָה מִן־הַגּוֹיִם
וְאֶת־חֻקּוֹתַי מִן־הָאֲרָצוֹת אֲשֶׁר סְבִיבוֹתֶיהָ כִּי בְמִשְׁפָּטַי מָאָסוּ
ז וְחֻקּוֹתַי לֹא־הָלְכוּ בָהֶם׃ לָכֵן כֹּה־אָמַר ׀

הָעֹנֶשׁ עַל תּוֹעֲבוֹתֵיהֶם:

אֲדֹנָי יֱהוִה יַעַן הֲמָנְכֶם מִן־הַגּוֹיִם אֲשֶׁר סְבִיבוֹתֵיכֶם בְּחֻקּוֹתַי
לֹא הֲלַכְתֶּם וְאֶת־מִשְׁפָּטַי לֹא עֲשִׂיתֶם וּכְמִשְׁפְּטֵי הַגּוֹיִם אֲשֶׁר

ח סְבִיבוֹתֵיכֶם לֹא עֲשִׂיתֶם׃ לָכֵן כֹּה אָמַר אֲדֹנָי יֱהוִה הִנְנִי עָלַיִךְ
ט גַּם־אָנִי וְעָשִׂיתִי בְתוֹכֵךְ מִשְׁפָּטִים לְעֵינֵי הַגּוֹיִם׃ וְעָשִׂיתִי בָךְ
אֵת אֲשֶׁר לֹא־עָשִׂיתִי וְאֵת אֲשֶׁר־לֹא־אֶעֱשֶׂה כָמֹהוּ עוֹד יַעַן
כָּל־תּוֹעֲבֹתָיִךְ׃

עֹנֶשׁ סְמָלֵי הַשַּׁעַר׃

י לָכֵן אָבוֹת יֹאכְלוּ בָנִים בְּתוֹכֵךְ וּבָנִים יֹאכְלוּ אֲבוֹתָם וְעָשִׂיתִי בָךְ
יא שְׁפָטִים וְזֵרִיתִי אֶת־כָּל־שְׁאֵרִיתֵךְ לְכָל־רוּחַ׃ לָכֵן חַי־
אָנִי נְאֻם אֲדֹנָי יֱהוִה אִם־לֹא יַעַן אֶת־מִקְדָּשִׁי טִמֵּאת בְּכָל־
שִׁקּוּצַיִךְ וּבְכָל־תּוֹעֲבֹתָיִךְ וְגַם־אֲנִי אֶגְרַע וְלֹא־תָחוֹס עֵינִי
יב וְגַם־אֲנִי לֹא אֶחְמוֹל׃ שְׁלִשִׁתַיִךְ בַּדֶּבֶר יָמוּתוּ וּבָרָעָב יִכְלוּ
בְתוֹכֵךְ וְהַשְּׁלִשִׁית בַּחֶרֶב יִפְּלוּ סְבִיבוֹתָיִךְ וְהַשְּׁלִישִׁית לְכָל־
יג רוּחַ אֱזָרֶה וְחֶרֶב אָרִיק אַחֲרֵיהֶם׃ וְכָלָה אַפִּי וַהֲנִחוֹתִי חֲמָתִי
בָּם וְהִנֶּחָמְתִּי וְיָדְעוּ כִּי־אֲנִי יְהוָה דִּבַּרְתִּי בְּקִנְאָתִי בְּכַלּוֹתִי חֲמָתִי
יד בָּם׃ וְאֶתְּנֵךְ לְחָרְבָּה וּלְחֶרְפָּה בַּגּוֹיִם אֲשֶׁר סְבִיבוֹתָיִךְ לְעֵינֵי
טו כָּל־עוֹבֵר׃ וְהָיְתָה חֶרְפָּה וּגְדוּפָה מוּסָר וּמְשַׁמָּה לַגּוֹיִם אֲשֶׁר
סְבִיבוֹתָיִךְ בַּעֲשׂוֹתִי בָךְ שְׁפָטִים בְּאַף וּבְחֵמָה וּבְתֹכְחוֹת חֵמָה
טז אֲנִי יְהוָה דִּבַּרְתִּי׃ בְּשַׁלְּחִי אֶת־חִצֵּי הָרָעָב הָרָעִים בָּהֶם אֲשֶׁר
הָיוּ לְמַשְׁחִית אֲשֶׁר־אֲשַׁלַּח אוֹתָם לְשַׁחֶתְכֶם וְרָעָב אֹסֵף עֲלֵיכֶם
יז וְשָׁבַרְתִּי לָכֶם מַטֵּה־לָחֶם׃ וְשִׁלַּחְתִּי עֲלֵיכֶם רָעָב וְחַיָּה רָעָה
וְשִׁכְּלֻךְ וְדֶבֶר וָדָם יַעֲבָר־בָּךְ וְחֶרֶב אָבִיא עָלַיִךְ אֲנִי יְהוָה
דִּבַּרְתִּי׃

הַשְׁמָדַת הַגִּלּוּלִים וְעוֹבְדֵיהֶם׃

ו א ב וַיְהִי דְבַר־יְהוָה אֵלַי לֵאמֹר׃ בֶּן־אָדָם שִׂים פָּנֶיךָ אֶל־הָרֵי יִשְׂרָאֵל
ג וְהִנָּבֵא אֲלֵיהֶם׃ וְאָמַרְתָּ הָרֵי יִשְׂרָאֵל שִׁמְעוּ דְּבַר־אֲדֹנָי יֱהוִה
כֹּה־אָמַר אֲדֹנָי יֱהוִה לֶהָרִים וְלַגְּבָעוֹת לָאֲפִיקִים ולגיאות וְלַגֵּאָיֹת
ד הִנְנִי אֲנִי מֵבִיא עֲלֵיכֶם חֶרֶב וְאִבַּדְתִּי בָּמוֹתֵיכֶם׃ וְנָשַׁמּוּ
מִזְבְּחוֹתֵיכֶם וְנִשְׁבְּרוּ חַמָּנֵיכֶם וְהִפַּלְתִּי חַלְלֵיכֶם לִפְנֵי גִּלּוּלֵיכֶם׃

וְנָתַתִּ֞י אֶת־פִּגְרֵי֙ בְּנֵ֣י יִשְׂרָאֵ֔ל לִפְנֵ֖י גִּלּֽוּלֵיהֶ֑ם וְזֵרִיתִי֙ אֶת־ ה

עַצְמ֣וֹתֵיכֶ֔ם סְבִיב֖וֹת מִזְבְּחוֹתֵיכֶֽם: בְּכֹל֙ מוֹשְׁבֹ֣תֵיכֶ֔ם הֶעָרִ֣ים ו

תֶּחֱרַ֗בְנָה וְהַבָּמ֖וֹת תִּישָׁ֑מְנָה לְמַ֩עַן֩ יֶחֶרְב֨וּ וְיֶאְשְׁמ֜וּ מִזְבְּחֽוֹתֵיכֶ֗ם

וְנִשְׁבְּרוּ֙ וְנִשְׁבְּת֣וּ גִּלּֽוּלֵיכֶ֔ם וְנִגְדְּעוּ֙ חַמָּ֣נֵיכֶ֔ם וְנִמְח֖וּ מַעֲשֵׂיכֶֽם:

וְנָפַ֥ל חָלָ֖ל בְּתֽוֹכְכֶ֑ם וִֽידַעְתֶּ֖ם כִּֽי־אֲנִ֥י יְהֹוָֽה: וְהוֹתַרְתִּ֗י בִּֽהְי֤וֹת ז

לָכֶם֙ פְּלִ֣יטֵי חֶ֔רֶב בַּגּוֹיִ֖ם בְּהִזָּרֽוֹתֵיכֶ֥ם בָּאֲרָצֽוֹת: וְזָכְר֣וּ פְלִֽיטֵיכֶ֗ם ט

אוֹתִי֮ בַּגּוֹיִם֒ אֲשֶׁ֣ר נִשְׁבּוּ־שָׁ֔ם אֲשֶׁ֣ר נִשְׁבַּ֗רְתִּי אֶת־לִבָּ֤ם הַזּוֹנֶה֙

אֲשֶׁר־סָ֣ר מֵֽעָלַ֔י וְאֵת֙ עֵֽינֵיהֶ֔ם הַזֹּנ֕וֹת אַֽחֲרֵ֖י גִּלּֽוּלֵיהֶ֑ם וְנָקֹ֨טּוּ֙

בִּפְנֵיהֶ֔ם אֶל־הָֽרָעוֹת֙ אֲשֶׁ֣ר עָשׂ֔וּ לְכֹ֖ל תּֽוֹעֲבֹֽתֵיהֶֽם: וְיָֽדְע֖וּ כִּֽי־אֲנִ֣י י

יְהֹוָ֑ה לֹ֤א אֶל־חִנָּם֙ דִּבַּ֔רְתִּי לַֽעֲשׂ֥וֹת לָהֶ֖ם הָֽרָעָ֥ה הַזֹּֽאת:

הַחֻרְבָּ֖ן
יָבֽוֹא

כֹּֽה־אָמַ֞ר אֲדֹנָ֣י יְהֹוִ֗ה הַכֵּ֤ה בְכַפְּךָ֙ וּרְקַ֣ע בְּרַגְלְךָ֔ וֶֽאֱמָר־אָ֣ח אֶ֠ל יא

לְהַכֹּת֮ ה

כָּל־תּוֹעֲב֥וֹת רָע֖וֹת בֵּ֣ית יִשְׂרָאֵ֑ל אֲשֶׁ֗ר בַּחֶ֛רֶב בָּֽרָעָ֥ב וּבַדֶּ֖בֶר

יִפֹּֽלוּ: הָֽרָח֞וֹק בַּדֶּ֣בֶר יָמ֗וּת וְהַקָּרוֹב֙ בַּחֶ֣רֶב יִפּ֔וֹל וְהַנִּשְׁאָ֥ר וְהַנָּצ֖וּר יב

בָּֽרָעָ֣ב יָמ֑וּת וְכִלֵּיתִ֥י חֲמָתִ֖י בָּֽם: וִֽידַעְתֶּם֙ כִּֽי־אֲנִ֣י יְהֹוָ֔ה בִּֽהְי֣וֹת יג

חַלְלֵיהֶ֗ם בְּת֣וֹךְ גִּלּֽוּלֵיהֶם֮ סְבִיב֣וֹת מִזְבְּחֽוֹתֵיהֶם֒ אֶל֙ כָּל־גִּבְעָ֣ה

רָמָ֔ה בְּכֹל֙ רָאשֵׁ֣י הֶֽהָרִ֔ים וְתַ֤חַת כָּל־עֵ֣ץ רַֽעֲנָ֔ן וְתַ֖חַת כָּל־אֵלָ֣ה

עֲבֻתָּ֑ה מְק֗וֹם אֲשֶׁ֤ר נָֽתְנוּ־שָׁם֙ רֵ֣יחַ נִיחֹ֔חַ לְכֹ֖ל גִּלּֽוּלֵיהֶֽם:

וְנָטִ֤יתִי אֶת־יָדִי֙ עֲלֵיהֶ֔ם וְנָֽתַתִּ֣י אֶת־הָאָ֗רֶץ שְׁמָמָ֤ה וּמְשַׁמָּה֙ יד

מִמִּדְבָּ֣ר דִּבְלָ֔תָה בְּכֹ֖ל מֽוֹשְׁבֹֽתֵיהֶ֑ם וְיָֽדְע֖וּ כִּֽי־אֲנִ֥י יְהֹוָֽה:

הִתְקָרְב֧וּת
י֣וֹם הַדִּֽין

וַיְהִ֥י דְבַר־יְהֹוָ֖ה אֵלַ֥י לֵאמֹֽר: וְאַתָּ֣ה בֶן־אָדָ֗ם כֹּה־אָמַ֞ר אֲדֹנָ֤י יְהֹוִה֙ ז ב

לְאַדְמַ֣ת יִשְׂרָאֵ֔ל קֵ֣ץ בָּ֥א הַקֵּ֖ץ עַל־אַרְבַּע[ארבעת] כַּנְפ֥וֹת הָאָֽרֶץ:

עַתָּה֙ הַקֵּ֣ץ עָלַ֔יִךְ וְשִׁלַּחְתִּ֤י אַפִּי֙ בָּ֔ךְ וּשְׁפַטְתִּ֖יךְ כִּדְרָכָ֑יִךְ וְנָֽתַתִּ֣י ג

עָלַ֔יִךְ אֵ֖ת כָּל־תּֽוֹעֲבֹתָֽיִךְ: וְלֹא־תָח֥וֹס עֵינִ֛י עָלַ֖יִךְ וְלֹ֣א אֶחְמ֑וֹל ד

כִּ֣י דְרָכַ֜יִךְ עָלַ֣יִךְ אֶתֵּ֗ן וְתֽוֹעֲבוֹתַ֨יִךְ֙ בְּתוֹכֵ֣ךְ תִּֽהְיֶ֔יןָ וִֽידַעְתֶּ֖ם

כִּֽי־אֲנִ֥י יְהֹוָֽה:

ה ו כֹּה אָמַר אֲדֹנָי יֱהֹוִה רָעָה אַחַת רָעָה הִנֵּה בָאָה׃ קֵץ בָּא בָּא
ז הַקֵּץ הֵקִיץ אֵלָיִךְ הִנֵּה בָּאָה׃ בָּאָה הַצְּפִירָה אֵלֶיךָ יוֹשֵׁב הָאָרֶץ
ח בָּא הָעֵת קָרוֹב הַיּוֹם מְהוּמָה וְלֹא־הֵד הָרִים׃ עַתָּה מִקָּרוֹב
אֶשְׁפּוֹךְ חֲמָתִי עָלַיִךְ וְכִלֵּיתִי אַפִּי בָּךְ וּשְׁפַטְתִּיךְ כִּדְרָכָיִךְ וְנָתַתִּי
ט עָלַיִךְ אֵת כָּל־תּוֹעֲבוֹתָיִךְ׃ וְלֹא־תָחוֹס עֵינִי וְלֹא אֶחְמוֹל כִּדְרָכַיִךְ
עָלַיִךְ אֶתֵּן וְתוֹעֲבוֹתַיִךְ בְּתוֹכֵךְ תִּהְיֶיןָ וִידַעְתֶּם כִּי אֲנִי יְהֹוָה
י מַכֶּה׃ הִנֵּה הַיּוֹם הִנֵּה בָאָה יָצְאָה הַצְּפִרָה צָץ הַמַּטֶּה פָּרַח הַזָּדוֹן׃
יא הֶחָמָס ׀ קָם לְמַטֵּה־רֶשַׁע לֹא־מֵהֶם וְלֹא מֵהֲמוֹנָם וְלֹא מֶהֱמֵהֶם
יב וְלֹא־נֹהַּ בָּהֶם׃ בָּא הָעֵת הִגִּיעַ הַיּוֹם הַקּוֹנֶה אַל־יִשְׂמָח
יג וְהַמּוֹכֵר אַל־יִתְאַבָּל כִּי חָרוֹן אֶל־כָּל־הֲמוֹנָהּ׃ כִּי הַמּוֹכֵר אֶל־
הַמִּמְכָּר לֹא יָשׁוּב וְעוֹד בַּחַיִּים חַיָּתָם כִּי־חָזוֹן אֶל־כָּל־הֲמוֹנָהּ
יד לֹא יָשׁוּב וְאִישׁ בַּעֲוֺנוֹ חַיָּתוֹ לֹא יִתְחַזָּקוּ׃ תָּקְעוּ בַתָּקוֹעַ וְהָכִין
טו הַכֹּל וְאֵין הֹלֵךְ לַמִּלְחָמָה כִּי חֲרוֹנִי אֶל־כָּל־הֲמוֹנָהּ׃ הַחֶרֶב
בַּחוּץ וְהַדֶּבֶר וְהָרָעָב מִבָּיִת אֲשֶׁר בַּשָּׂדֶה בַּחֶרֶב יָמוּת וַאֲשֶׁר
טז בָּעִיר רָעָב וָדֶבֶר יֹאכְלֶנּוּ׃ וּפָלְטוּ פְּלִיטֵיהֶם וְהָיוּ אֶל־הֶהָרִים
יז כְּיוֹנֵי הַגֵּאָיוֹת כֻּלָּם הֹמוֹת אִישׁ בַּעֲוֺנוֹ׃ כָּל־הַיָּדַיִם תִּרְפֶּינָה
יח וְכָל־בִּרְכַּיִם תֵּלַכְנָה מָּיִם׃ וְחָגְרוּ שַׂקִּים וְכִסְּתָה אוֹתָם פַּלָּצוּת
יט וְאֶל כָּל־פָּנִים בּוּשָׁה וּבְכָל־רָאשֵׁיהֶם קָרְחָה׃ כַּסְפָּם בַּחוּצוֹת
יַשְׁלִיכוּ וּזְהָבָם לְנִדָּה יִהְיֶה כַּסְפָּם וּזְהָבָם לֹא־יוּכַל לְהַצִּילָם
בְּיוֹם עֶבְרַת יְהֹוָה נַפְשָׁם לֹא יְשַׂבֵּעוּ וּמֵעֵיהֶם לֹא יְמַלֵּאוּ
כ כִּי־מִכְשׁוֹל עֲוֺנָם הָיָה׃ וּצְבִי עֶדְיוֹ לְגָאוֹן שָׂמָהוּ וְצַלְמֵי תוֹעֲבֹתָם
כא שִׁקּוּצֵיהֶם עָשׂוּ בוֹ עַל־כֵּן נְתַתִּיו לָהֶם לְנִדָּה׃ וּנְתַתִּיו בְּיַד־הַזָּרִים
כב לָבַז וּלְרִשְׁעֵי הָאָרֶץ לְשָׁלָל וחללוה וְחִלְּלוּהוּ׃ וַהֲסִבּוֹתִי פָנַי מֵהֶם
וְחִלְּלוּ אֶת־צְפוּנִי וּבָאוּ־בָהּ פָּרִיצִים וְחִלְּלוּהָ׃
כג עֲשֵׂה הָרַתּוֹק כִּי הָאָרֶץ מָלְאָה מִשְׁפַּט דָּמִים וְהָעִיר מָלְאָה

רִפְיוֹן הַיָּדַיִם בְּעֵת הַחֻרְבָּן:

נְתִינַת הַמִּקְדָּשׁ בְּיַד זָרִים:

כד חָמָס: וְהֵבֵאתִי רָעֵי גוֹיִם וְיָרְשׁוּ אֶת־בָּתֵּיהֶם וְהִשְׁבַּתִּי גְּאוֹן

הַבִּלְבּוּל וְהַבֶּהָלָה בְּחָרְבָּן:

כה כו עַזִּים וְנִחֲלוּ מְקַדְשֵׁיהֶם: קְפָדָה־בָא וּבִקְשׁוּ שָׁלוֹם וָאָיִן: הֹוָה
עַל־הֹוָה תָּבוֹא וּשְׁמֻעָה אֶל־שְׁמוּעָה תִּהְיֶה וּבִקְשׁוּ חָזוֹן מִנָּבִיא
כז וְתוֹרָה תֹּאבַד מִכֹּהֵן וְעֵצָה מִזְּקֵנִים: הַמֶּלֶךְ יִתְאַבָּל וְנָשִׂיא יִלְבַּשׁ
שְׁמָמָה וִידֵי עַם־הָאָרֶץ תִּבָּהַלְנָה מִדַּרְכָּם אֶעֱשֶׂה אוֹתָם
וּבְמִשְׁפְּטֵיהֶם אֶשְׁפְּטֵם וְיָדְעוּ כִּי־אֲנִי יְהוָה:

חָזוֹן הֲבָאַת הַנָּבִיא יְרוּשָׁלַיְמָה:
[3333]

ח א וַיְהִי | בַּשָּׁנָה הַשִּׁשִּׁית בַּשִּׁשִּׁי בַּחֲמִשָּׁה לַחֹדֶשׁ אֲנִי יוֹשֵׁב בְּבֵיתִי
ב וְזִקְנֵי יְהוּדָה יוֹשְׁבִים לְפָנָי וַתִּפֹּל עָלַי שָׁם יַד אֲדֹנָי יְהוִה: וָאֶרְאֶה
וְהִנֵּה דְמוּת כְּמַרְאֵה־אֵשׁ מִמַּרְאֵה מָתְנָיו וּלְמַטָּה אֵשׁ וּמִמָּתְנָיו
ג וּלְמַעְלָה כְּמַרְאֵה־זֹהַר כְּעֵין הַחַשְׁמַלָה: וַיִּשְׁלַח תַּבְנִית יָד
וַיִּקָּחֵנִי בְּצִיצִת רֹאשִׁי וַתִּשָּׂא אֹתִי רוּחַ | בֵּין־הָאָרֶץ וּבֵין
הַשָּׁמַיִם וַתָּבֵא אֹתִי יְרוּשָׁלַמָה בְּמַרְאוֹת אֱלֹהִים אֶל־פֶּתַח שַׁעַר
הַפְּנִימִית הַפּוֹנֶה צָפוֹנָה אֲשֶׁר־שָׁם מוֹשַׁב סֵמֶל הַקִּנְאָה הַמַּקְנֶה:
ד וְהִנֵּה־שָׁם כְּבוֹד אֱלֹהֵי יִשְׂרָאֵל כַּמַּרְאֶה אֲשֶׁר רָאִיתִי בַּבִּקְעָה:

סֵמֶל הַקִּנְאָה וּמַשְׁמָעוּתוֹ:

ה וַיֹּאמֶר אֵלַי בֶּן־אָדָם שָׂא־נָא עֵינֶיךָ דֶּרֶךְ צָפוֹנָה וָאֶשָּׂא עֵינַי
דֶּרֶךְ צָפוֹנָה וְהִנֵּה מִצָּפוֹן לְשַׁעַר הַמִּזְבֵּחַ סֵמֶל הַקִּנְאָה הַזֶּה
ו בַּבִּאָה: וַיֹּאמֶר אֵלַי בֶּן־אָדָם הֲרֹאֶה אַתָּה מהם מָה הֵם עֹשִׂים
תּוֹעֵבוֹת גְּדֹלוֹת אֲשֶׁר בֵּית־יִשְׂרָאֵל | עֹשִׂים פֹּה לְרָחֳקָה מֵעַל
מִקְדָּשִׁי וְעוֹד תָּשׁוּב תִּרְאֶה תּוֹעֵבוֹת גְּדֹלוֹת:

מַרְאֵה תּוֹעֲבוֹת הָעָם:

ז וַיָּבֵא אֹתִי אֶל־פֶּתַח הֶחָצֵר וָאֶרְאֶה וְהִנֵּה חֹר־אֶחָד בַּקִּיר:
ח וַיֹּאמֶר אֵלַי בֶּן־אָדָם חֲתָר־נָא בַקִּיר וָאֶחְתֹּר בַּקִּיר וְהִנֵּה פֶּתַח
ט אֶחָד: וַיֹּאמֶר אֵלַי בֹּא וּרְאֵה אֶת־הַתּוֹעֵבוֹת הָרָעוֹת
י אֲשֶׁר הֵם עֹשִׂים פֹּה: וָאָבוֹא וָאֶרְאֶה וְהִנֵּה כָל־תַּבְנִית רֶמֶשׂ
וּבְהֵמָה שֶׁקֶץ וְכָל־גִּלּוּלֵי בֵּית יִשְׂרָאֵל מְחֻקֶּה עַל־הַקִּיר סָבִיב |
יא סָבִיב: וְשִׁבְעִים אִישׁ מִזִּקְנֵי בֵית־יִשְׂרָאֵל וְיַאֲזַנְיָהוּ בֶן־שָׁפָן עֹמֵד

בְּתוֹכָם עֹמְדִים לִפְנֵיהֶם וְאִישׁ מִקְטַרְתּוֹ בְּיָדוֹ וַעֲתַר עֲנַן
יב הַקְּטֹרֶת עֹלֶה: וַיֹּאמֶר אֵלַי הֲרָאִיתָ בֶן־אָדָם אֲשֶׁר זִקְנֵי בֵית־
יִשְׂרָאֵל עֹשִׂים בַּחֹשֶׁךְ אִישׁ בְּחַדְרֵי מַשְׂכִּיתוֹ כִּי אֹמְרִים אֵין
יג יְהוָה רֹאֶה אֹתָנוּ עָזַב יְהוָה אֶת־הָאָרֶץ: וַיֹּאמֶר אֵלָי עוֹד תָּשׁוּב
יד תִּרְאֶה תּוֹעֵבוֹת גְּדֹלוֹת אֲשֶׁר־הֵמָּה עֹשִׂים: וַיָּבֵא אֹתִי אֶל־פֶּתַח
שַׁעַר בֵּית־יְהוָה אֲשֶׁר אֶל־הַצָּפוֹנָה וְהִנֵּה־שָׁם הַנָּשִׁים יֹשְׁבוֹת
טו מְבַכּוֹת אֶת־הַתַּמּוּז: וַיֹּאמֶר אֵלָי
הֲרָאִיתָ בֶן־אָדָם עוֹד תָּשׁוּב תִּרְאֶה תּוֹעֵבוֹת גְּדֹלוֹת מֵאֵלֶּה:
טז וַיָּבֵא אֹתִי אֶל־חֲצַר בֵּית־יְהוָה הַפְּנִימִית וְהִנֵּה־פֶתַח הֵיכַל יְהוָה
בֵּין הָאוּלָם וּבֵין הַמִּזְבֵּחַ כְּעֶשְׂרִים וַחֲמִשָּׁה אִישׁ אֲחֹרֵיהֶם
אֶל־הֵיכַל יְהוָה וּפְנֵיהֶם קֵדְמָה וְהֵמָּה מִשְׁתַּחֲוִיתֶם קֵדְמָה
יז לַשָּׁמֶשׁ: וַיֹּאמֶר אֵלַי הֲרָאִיתָ בֶן־אָדָם הֲנָקֵל לְבֵית יְהוּדָה
מֵעֲשׂוֹת אֶת־הַתּוֹעֵבוֹת אֲשֶׁר עָשׂוּ־פֹה כִּי־מָלְאוּ אֶת־הָאָרֶץ
חָמָס וַיָּשֻׁבוּ לְהַכְעִיסֵנִי וְהִנָּם שֹׁלְחִים אֶת־הַזְּמוֹרָה אֶל־אַפָּם:
יח וְגַם־אֲנִי אֶעֱשֶׂה בְחֵמָה לֹא־תָחוֹס עֵינִי וְלֹא אֶחְמֹל וְקָרְאוּ בְאָזְנַי
ט א קוֹל גָּדוֹל וְלֹא אֶשְׁמַע אוֹתָם: וַיִּקְרָא בְאָזְנַי קוֹל גָּדוֹל לֵאמֹר קְרִיאָה לַמַּשְׁחִיתִים לְהַשְׁחִית בָּעָם:
ב קָרְבוּ פְּקֻדּוֹת הָעִיר וְאִישׁ כְּלִי מַשְׁחֵתוֹ בְּיָדוֹ: וְהִנֵּה שִׁשָּׁה אֲנָשִׁים
בָּאִים ׀ מִדֶּרֶךְ־שַׁעַר הָעֶלְיוֹן אֲשֶׁר ׀ מָפְנֶה צָפוֹנָה וְאִישׁ כְּלִי
מַפָּצוֹ בְּיָדוֹ וְאִישׁ־אֶחָד בְּתוֹכָם לָבֻשׁ בַּדִּים וְקֶסֶת הַסֹּפֵר
ג בְּמָתְנָיו וַיָּבֹאוּ וַיַּעַמְדוּ אֵצֶל מִזְבַּח הַנְּחֹשֶׁת: וּכְבוֹד ׀ אֱלֹהֵי
יִשְׂרָאֵל נַעֲלָה מֵעַל הַכְּרוּב אֲשֶׁר הָיָה עָלָיו אֶל מִפְתַּן
הַבָּיִת וַיִּקְרָא אֶל־הָאִישׁ הַלָּבֻשׁ הַבַּדִּים אֲשֶׁר קֶסֶת הַסֹּפֵר
בְּמָתְנָיו:
ד וַיֹּאמֶר יְהוָה אֵלָו עֲבֹר בְּתוֹךְ הָעִיר בְּתוֹךְ יְרוּשָׁלִָם וְהִתְוִיתָ תָּו
עַל־מִצְחוֹת הָאֲנָשִׁים הַנֶּאֱנָחִים וְהַנֶּאֱנָקִים עַל כָּל־הַתּוֹעֵבוֹת

ה הַנַּעֲשׂוֹת בְּתוֹכָהּ׃ וּלְאֵלֶּה אָמַר בְּאָזְנַי עִבְרוּ בָעִיר אַחֲרָיו וְהַכּוּ
ו על אַל־תָּחֹס עיניכם עֵינְכֶם וְאַל־תַּחְמֹלוּ׃ זָקֵן בָּחוּר וּבְתוּלָה וְטַף
וְנָשִׁים תַּהַרְגוּ לְמַשְׁחִית וְעַל־כָּל־אִישׁ אֲשֶׁר־עָלָיו הַתָּו אַל־
תִּגַּשׁוּ וּמִמִּקְדָּשִׁי תָּחֵלּוּ וַיָּחֵלּוּ בָּאֲנָשִׁים הַזְּקֵנִים אֲשֶׁר לִפְנֵי
ז הַבָּיִת׃ וַיֹּאמֶר אֲלֵיהֶם טַמְּאוּ אֶת־הַבַּיִת וּמַלְאוּ אֶת־הַחֲצֵרוֹת
ח חֲלָלִים צֵאוּ וְיָצְאוּ וְהִכּוּ בָעִיר׃ וַיְהִי כְּהַכּוֹתָם וְנֵאשֲׁאַר אָנִי
וָאֶפְּלָה עַל־פָּנַי וָאֶזְעַק וָאֹמַר אֲהָהּ אֲדֹנָי יֱהוִה הֲמַשְׁחִית אַתָּה
אֵת כָּל־שְׁאֵרִית יִשְׂרָאֵל בְּשָׁפְכְּךָ אֶת־חֲמָתְךָ עַל־יְרוּשָׁלִָם׃

זַעֲקַת הַנָּבִיא וּתְשׁוּבַת ה׳:

ט וַיֹּאמֶר אֵלַי עֲוֹן בֵּית־יִשְׂרָאֵל וִיהוּדָה גָּדוֹל בִּמְאֹד מְאֹד וַתִּמָּלֵא
הָאָרֶץ דָּמִים וְהָעִיר מָלְאָה מֻטֶּה כִּי אָמְרוּ עָזַב יְהוָה אֶת־הָאָרֶץ
י וְאֵין יְהוָה רֹאֶה׃ וְגַם־אֲנִי לֹא־תָחוֹס עֵינִי וְלֹא אֶחְמֹל דַּרְכָּם
יא בְּרֹאשָׁם נָתָתִּי׃ וְהִנֵּה הָאִישׁ | לְבֻשׁ הַבַּדִּים אֲשֶׁר הַקֶּסֶת בְּמָתְנָיו
מֵשִׁיב דָּבָר לֵאמֹר עָשִׂיתִי כאשר כְּכֹל אֲשֶׁר צִוִּיתָנִי׃

הַקָּלַת הַגְּזֵרָה בִּשְׂרֵפַת הָעִיר:

י א וָאֶרְאֶה וְהִנֵּה אֶל־הָרָקִיעַ אֲשֶׁר עַל־רֹאשׁ הַכְּרֻבִים כְּאֶבֶן סַפִּיר
ב כְּמַרְאֵה דְּמוּת כִּסֵּא נִרְאָה עֲלֵיהֶם׃ וַיֹּאמֶר אֶל־הָאִישׁ | לְבֻשׁ
הַבַּדִּים וַיֹּאמֶר בֹּא אֶל־בֵּינוֹת לַגַּלְגַּל אֶל־תַּחַת לַכְּרוּב וּמַלֵּא
חָפְנֶיךָ גַחֲלֵי־אֵשׁ מִבֵּינוֹת לַכְּרֻבִים וּזְרֹק עַל־הָעִיר וַיָּבֹא לְעֵינָי׃
ג וְהַכְּרֻבִים עֹמְדִים מִימִין לַבַּיִת בְּבֹאוֹ הָאִישׁ וְהֶעָנָן מָלֵא אֶת־
ד הֶחָצֵר הַפְּנִימִית׃ וַיָּרָם כְּבוֹד־יְהוָה מֵעַל הַכְּרוּב עַל מִפְתַּן הַבָּיִת
וַיִּמָּלֵא הַבַּיִת אֶת־הֶעָנָן וְהֶחָצֵר מָלְאָה אֶת־נֹגַהּ כְּבוֹד יְהוָה׃
ה וְקוֹל כַּנְפֵי הַכְּרוּבִים נִשְׁמַע עַד־הֶחָצֵר הַחִיצֹנָה כְּקוֹל אֵל־שַׁדַּי
ו בְּדַבְּרוֹ׃ וַיְהִי בְּצַוֺּתוֹ אֶת־הָאִישׁ לְבֻשׁ־הַבַּדִּים לֵאמֹר קַח אֵשׁ
מִבֵּינוֹת לַגַּלְגַּל מִבֵּינוֹת לַכְּרוּבִים וַיָּבֹא וַיַּעֲמֹד אֵצֶל הָאוֹפָן׃
ז וַיִּשְׁלַח הַכְּרוּב אֶת־יָדוֹ מִבֵּינוֹת לַכְּרוּבִים אֶל־הָאֵשׁ אֲשֶׁר
בֵּינוֹת הַכְּרֻבִים וַיִּשָּׂא וַיִּתֵּן אֶל־חָפְנֵי לְבֻשׁ הַבַּדִּים וַיִּקַּח וַיֵּצֵא׃

ח ט וַיֵּרָא לַכְּרֻבִים תַּבְנִית יַד־אָדָם תַּחַת כַּנְפֵיהֶם: וָאֶרְאֶה וְהִנֵּה
אַרְבָּעָה אוֹפַנִּים אֵצֶל הַכְּרוּבִים אוֹפַן אֶחָד אֵצֶל הַכְּרוּב אֶחָד
וְאוֹפַן אֶחָד אֵצֶל הַכְּרוּב אֶחָד וּמַרְאֵה הָאוֹפַנִּים כְּעֵין אֶבֶן

תֵּאוּר הָאוֹפַנִּים וְהַכְּרוּבִים וּמַעֲשֵׂיהֶם:

י תַּרְשִׁישׁ: וּמַרְאֵיהֶם דְּמוּת אֶחָד לְאַרְבַּעְתָּם כַּאֲשֶׁר יִהְיֶה
יא הָאוֹפַן בְּתוֹךְ הָאוֹפָן: בְּלֶכְתָּם אֶל־אַרְבַּעַת רִבְעֵיהֶם יֵלֵכוּ לֹא
יִסַּבּוּ בְּלֶכְתָּם כִּי הַמָּקוֹם אֲשֶׁר־יִפְנֶה הָרֹאשׁ אַחֲרָיו יֵלֵכוּ לֹא
יב יִסַּבּוּ בְּלֶכְתָּם: וְכָל־בְּשָׂרָם וְגַבֵּהֶם וִידֵיהֶם וְכַנְפֵיהֶם וְהָאוֹפַנִּים
יג מְלֵאִים עֵינַיִם סָבִיב לְאַרְבַּעְתָּם אוֹפַנֵּיהֶם: לָאוֹפַנִּים לָהֶם
יד קוֹרָא הַגַּלְגַּל בְּאָזְנָי: וְאַרְבָּעָה פָנִים לְאֶחָד פְּנֵי הָאֶחָד פְּנֵי הַכְּרוּב
וּפְנֵי הַשֵּׁנִי פְּנֵי אָדָם וְהַשְּׁלִישִׁי פְּנֵי אַרְיֵה וְהָרְבִיעִי פְּנֵי־נָשֶׁר:
טו טז וַיֵּרֹמּוּ הַכְּרוּבִים הִיא הַחַיָּה אֲשֶׁר רָאִיתִי בִּנְהַר־כְּבָר: וּבְלֶכֶת
הַכְּרוּבִים יֵלְכוּ הָאוֹפַנִּים אֶצְלָם וּבִשְׂאֵת הַכְּרוּבִים אֶת־כַּנְפֵיהֶם
יז לָרוּם מֵעַל הָאָרֶץ לֹא־יִסַּבּוּ הָאוֹפַנִּים גַּם־הֵם מֵאֶצְלָם: בְּעָמְדָם
יח יַעֲמֹדוּ וּבְרוֹמָם יֵרוֹמּוּ אוֹתָם כִּי רוּחַ הַחַיָּה בָּהֶם: וַיֵּצֵא כְּבוֹד
יט יְהוָה מֵעַל מִפְתַּן הַבָּיִת וַיַּעֲמֹד עַל־הַכְּרוּבִים: וַיִּשְׂאוּ הַכְּרוּבִים
אֶת־כַּנְפֵיהֶם וַיֵּרוֹמּוּ מִן־הָאָרֶץ לְעֵינַי בְּצֵאתָם וְהָאוֹפַנִּים
לְעֻמָּתָם וַיַּעֲמֹד פֶּתַח שַׁעַר בֵּית־יְהוָה הַקַּדְמוֹנִי וּכְבוֹד אֱלֹהֵי־
כ יִשְׂרָאֵל עֲלֵיהֶם מִלְמָעְלָה: הִיא הַחַיָּה אֲשֶׁר רָאִיתִי תַּחַת
כא אֱלֹהֵי־יִשְׂרָאֵל בִּנְהַר־כְּבָר וָאֵדַע כִּי כְרוּבִים הֵמָּה: אַרְבָּעָה
אַרְבָּעָה פָנִים לְאֶחָד וְאַרְבַּע כְּנָפַיִם לְאֶחָד וּדְמוּת יְדֵי אָדָם
כב תַּחַת כַּנְפֵיהֶם: וּדְמוּת פְּנֵיהֶם הֵמָּה הַפָּנִים אֲשֶׁר רָאִיתִי עַל־נְהַר־

שָׂרֵי הָעָם הָרְשָׁעִים:

יא א כְּבָר מַרְאֵיהֶם וְאוֹתָם אִישׁ אֶל־עֵבֶר פָּנָיו יֵלֵכוּ: וַתִּשָּׂא אֹתִי רוּחַ
וַתָּבֵא אֹתִי אֶל־שַׁעַר בֵּית־יְהוָה הַקַּדְמוֹנִי הַפּוֹנֶה קָדִימָה וְהִנֵּה
בְּפֶתַח הַשַּׁעַר עֶשְׂרִים וַחֲמִשָּׁה אִישׁ וָאֶרְאֶה בְתוֹכָם אֶת־יַאֲזַנְיָה
בֶן־עַזֻּר וְאֶת־פְּלַטְיָהוּ בֶן־בְּנָיָהוּ שָׂרֵי הָעָם:

ב וַיֹּאמֶר אֵלָי בֶּן־אָדָם אֵלֶּה הָאֲנָשִׁים הַחֹשְׁבִים אָוֶן וְהַיֹּעֲצִים
ג עֲצַת־רָע בָּעִיר הַזֹּאת׃ הָאֹמְרִים לֹא בְקָרוֹב בְּנוֹת בָּתִּים הִיא
ד הַסִּיר וַאֲנַחְנוּ הַבָּשָׂר׃ לָכֵן הִנָּבֵא
ה עֲלֵיהֶם הִנָּבֵא בֶּן־אָדָם׃ וַתִּפֹּל עָלַי רוּחַ יְהוָה וַיֹּאמֶר אֵלַי אֱמֹר
כֹּה־אָמַר יְהוָה כֵּן אֲמַרְתֶּם בֵּית יִשְׂרָאֵל וּמַעֲלוֹת רוּחֲכֶם אֲנִי
ו יְדַעְתִּיהָ׃ הִרְבֵּיתֶם חַלְלֵיכֶם בָּעִיר הַזֹּאת וּמִלֵּאתֶם חוּצֹתֶיהָ
חָלָל׃

מְשַׁל הַסִּיר וְהַבָּשָׂר:

ז לָכֵן כֹּה־אָמַר אֲדֹנָי יְהוִה חַלְלֵיכֶם אֲשֶׁר שַׂמְתֶּם בְּתוֹכָהּ הֵמָּה
ח הַבָּשָׂר וְהִיא הַסִּיר וְאֶתְכֶם הוֹצִיא מִתּוֹכָהּ׃ חֶרֶב יְרֵאתֶם וְחֶרֶב
ט אָבִיא עֲלֵיכֶם נְאֻם אֲדֹנָי יְהוִה׃ וְהוֹצֵאתִי אֶתְכֶם מִתּוֹכָהּ וְנָתַתִּי
י אֶתְכֶם בְּיַד־זָרִים וְעָשִׂיתִי בָכֶם שְׁפָטִים׃ בַּחֶרֶב תִּפֹּלוּ עַל־גְּבוּל
יא יִשְׂרָאֵל אֶשְׁפּוֹט אֶתְכֶם וִידַעְתֶּם כִּי־אֲנִי יְהוָה׃ הִיא לֹא־תִהְיֶה
לָכֶם לְסִיר וְאַתֶּם תִּהְיוּ בְתוֹכָהּ לְבָשָׂר אֶל־גְּבוּל יִשְׂרָאֵל
יב אֶשְׁפֹּט אֶתְכֶם׃ וִידַעְתֶּם כִּי־אֲנִי יְהוָה אֲשֶׁר בְּחֻקַּי לֹא הֲלַכְתֶּם
וּמִשְׁפָּטַי לֹא עֲשִׂיתֶם וּכְמִשְׁפְּטֵי הַגּוֹיִם אֲשֶׁר סְבִיבוֹתֵיכֶם

מוֹת פְּלַטְיָהוּ שַׂר הָעָם:

יג עֲשִׂיתֶם׃ וַיְהִי כְּהִנָּבְאִי וּפְלַטְיָהוּ בֶן־בְּנָיָה מֵת וָאֶפֹּל עַל־פָּנַי
וָאֶזְעַק | קוֹל־גָּדוֹל וָאֹמַר אֲהָהּ אֲדֹנָי יְהוִה כָּלָה אַתָּה עֹשֶׂה
אֵת שְׁאֵרִית יִשְׂרָאֵל׃

כִּי הִרְחַקְתִּים, אֱהִי לָהֶם לְמִקְדָּשׁ מְעַט:

יד טו וַיְהִי דְבַר־יְהוָה אֵלַי לֵאמֹר׃ בֶּן־אָדָם אַחֶיךָ אַחֶיךָ אַנְשֵׁי גְאֻלָּתֶךָ
וְכָל־בֵּית יִשְׂרָאֵל כֻּלֹּה אֲשֶׁר אָמְרוּ לָהֶם יֹשְׁבֵי יְרוּשָׁלַםִ רַחֲקוּ
טז מֵעַל יְהוָה לָנוּ הִיא נִתְּנָה הָאָרֶץ לְמוֹרָשָׁה׃ לָכֵן
אֱמֹר כֹּה־אָמַר אֲדֹנָי יְהוִה כִּי הִרְחַקְתִּים בַּגּוֹיִם וְכִי הֲפִיצוֹתִים
בָּאֲרָצוֹת וָאֱהִי לָהֶם לְמִקְדָּשׁ מְעַט בָּאֲרָצוֹת אֲשֶׁר־בָּאוּ

הַבְטָחַת הַשִּׁיבָה וְהַתְּשׁוּבָה:

יז שָׁם׃ לָכֵן אֱמֹר כֹּה־אָמַר אֲדֹנָי יְהוִה וְקִבַּצְתִּי אֶתְכֶם
מִן־הָעַמִּים וְאָסַפְתִּי אֶתְכֶם מִן־הָאֲרָצוֹת אֲשֶׁר נְפֹצוֹתֶם בָּהֶם

יח וְנָתַתִּי לָכֶם אֶת־אַדְמַת יִשְׂרָאֵל׃ וּבָאוּ־שָׁמָּה וְהֵסִירוּ אֶת־כָּל־
יט שִׁקּוּצֶיהָ וְאֶת־כָּל־תּוֹעֲבוֹתֶיהָ מִמֶּנָּה׃ וְנָתַתִּי לָהֶם לֵב אֶחָד
וְרוּחַ חֲדָשָׁה אֶתֵּן בְּקִרְבְּכֶם וַהֲסִרֹתִי לֵב הָאֶבֶן מִבְּשָׂרָם וְנָתַתִּי
כ לָהֶם לֵב בָּשָׂר׃ לְמַעַן בְּחֻקֹּתַי יֵלֵכוּ וְאֶת־מִשְׁפָּטַי יִשְׁמְרוּ וְעָשׂוּ
כא אֹתָם וְהָיוּ־לִי לְעָם וַאֲנִי אֶהְיֶה לָהֶם לֵאלֹהִים׃ וְאֶל־לֵב
שִׁקּוּצֵיהֶם וְתוֹעֲבוֹתֵיהֶם לִבָּם הֹלֵךְ דַּרְכָּם בְּרֹאשָׁם נָתַתִּי נְאֻם
כב אֲדֹנָי יֱהֹוִה׃ וַיִּשְׂאוּ הַכְּרוּבִים אֶת־כַּנְפֵיהֶם וְהָאוֹפַנִּים לְעֻמָּתָם
כג וּכְבוֹד אֱלֹהֵי־יִשְׂרָאֵל עֲלֵיהֶם מִלְמָעְלָה׃ וַיַּעַל כְּבוֹד יְהֹוָה מֵעַל
כד תּוֹךְ הָעִיר וַיַּעֲמֹד עַל־הָהָר אֲשֶׁר מִקֶּדֶם לָעִיר׃ וְרוּחַ נְשָׂאַתְנִי
וַתְּבִאֵנִי כַשְׂדִּימָה אֶל־הַגּוֹלָה בַּמַּרְאֶה בְּרוּחַ אֱלֹהִים וַיַּעַל
כה מֵעָלַי הַמַּרְאֶה אֲשֶׁר רָאִיתִי׃ וָאֲדַבֵּר אֶל־הַגּוֹלָה אֵת כָּל־דִּבְרֵי
יְהֹוָה אֲשֶׁר הֶרְאָנִי׃

סִלּוּק כְּבוֹד ה׳ וְהַחְזָרַת הַנָּבִיא כַּשְׂדִּימָה׃

יב א ב וַיְהִי דְבַר־יְהֹוָה אֵלַי לֵאמֹר׃ בֶּן־אָדָם בְּתוֹךְ בֵּית־הַמֶּרִי אַתָּה
יֹשֵׁב אֲשֶׁר עֵינַיִם לָהֶם לִרְאוֹת וְלֹא רָאוּ אָזְנַיִם לָהֶם לִשְׁמֹעַ
ג וְלֹא שָׁמֵעוּ כִּי בֵּית מְרִי הֵם׃ וְאַתָּה בֶן־אָדָם עֲשֵׂה לְךָ כְּלֵי גוֹלָה
וּגְלֵה יוֹמָם לְעֵינֵיהֶם וְגָלִיתָ מִמְּקוֹמְךָ אֶל־מָקוֹם אַחֵר לְעֵינֵיהֶם
ד אוּלַי יִרְאוּ כִּי בֵּית מְרִי הֵמָּה׃ וְהוֹצֵאתָ כֵלֶיךָ כִּכְלֵי גוֹלָה יוֹמָם
ה לְעֵינֵיהֶם וְאַתָּה תֵּצֵא בָעֶרֶב לְעֵינֵיהֶם כְּמוֹצָאֵי גּוֹלָה׃ לְעֵינֵיהֶם
ו חֲתָר־לְךָ בַקִּיר וְהוֹצֵאתָ בּוֹ׃ לְעֵינֵיהֶם עַל־כָּתֵף תִּשָּׂא בָּעֲלָטָה
תוֹצִיא פָּנֶיךָ תְכַסֶּה וְלֹא תִרְאֶה אֶת־הָאָרֶץ כִּי־מוֹפֵת נְתַתִּיךָ
ז לְבֵית יִשְׂרָאֵל׃ וָאַעַשׂ כֵּן כַּאֲשֶׁר צֻוֵּיתִי כֵּלַי הוֹצֵאתִי כִּכְלֵי גוֹלָה
יוֹמָם וּבָעֶרֶב חָתַרְתִּי־לִי בַקִּיר בְּיָד בָּעֲלָטָה הוֹצֵאתִי עַל־כָּתֵף
נָשָׂאתִי לְעֵינֵיהֶם׃

צִוּוּי עֲשִׂיַּת כְּלֵי גוֹלָה׃

ח ט וַיְהִי דְבַר־יְהֹוָה אֵלַי בַּבֹּקֶר לֵאמֹר׃ בֶּן־אָדָם הֲלֹא אָמְרוּ אֵלֶיךָ
י בֵּית יִשְׂרָאֵל בֵּית הַמֶּרִי מָה אַתָּה עֹשֶׂה׃ אֱמֹר אֲלֵיהֶם כֹּה אָמַר

פִּתְרוֹן מַעֲשֵׂה הַנָּבִיא וּמַשְׁמָעוּתוֹ׃

אֲדֹנָי יֱהֹוִה הַנָּשִׂיא הַמַּשָּׂא הַזֶּה בִּירוּשָׁלַ͏ִם וְכָל־בֵּית יִשְׂרָאֵל
יא אֲשֶׁר־הֵמָּה בְתוֹכָם׃ אֱמֹר אֲנִי מוֹפֶתְכֶם כַּאֲשֶׁר עָשִׂיתִי כֵּן יֵעָשֶׂה
יב לָהֶם בַּגּוֹלָה בַשְּׁבִי יֵלֵכוּ׃ וְהַנָּשִׂיא אֲשֶׁר־בְּתוֹכָם אֶל־כָּתֵף יִשָּׂא
בָּעֲלָטָה וְיֵצֵא בַּקִּיר יַחְתְּרוּ לְהוֹצִיא בוֹ פָּנָיו יְכַסֶּה יַעַן אֲשֶׁר
יג לֹא־יִרְאֶה לַעַיִן הוּא אֶת־הָאָרֶץ׃ וּפָרַשְׂתִּי אֶת־רִשְׁתִּי עָלָיו
וְנִתְפַּשׂ בִּמְצוּדָתִי וְהֵבֵאתִי אֹתוֹ בָבֶלָה אֶרֶץ כַּשְׂדִּים וְאוֹתָהּ
יד לֹא־יִרְאֶה וְשָׁם יָמוּת׃ וְכֹל אֲשֶׁר סְבִיבֹתָיו עֶזְרֹה וְכָל־אֲגַפָּיו
טו אֱזָרֶה לְכָל־רוּחַ וְחֶרֶב אָרִיק אַחֲרֵיהֶם׃ וְיָדְעוּ כִּי־אֲנִי יְהֹוָה
טז בַּהֲפִיצִי אוֹתָם בַּגּוֹיִם וְזֵרִיתִי אוֹתָם בָּאֲרָצוֹת׃ וְהוֹתַרְתִּי מֵהֶם
אַנְשֵׁי מִסְפָּר מֵחֶרֶב מֵרָעָב וּמִדָּבֶר לְמַעַן יְסַפְּרוּ אֶת־כָּל־
תּוֹעֲבוֹתֵיהֶם בַּגּוֹיִם אֲשֶׁר־בָּאוּ שָׁם וְיָדְעוּ כִּי־אֲנִי יְהֹוָה׃

יז יח וַיְהִי דְבַר־יְהֹוָה אֵלַי לֵאמֹר׃ בֶּן־אָדָם לַחְמְךָ בְּרַעַשׁ תֹּאכֵל
יט וּמֵימֶיךָ בְּרָגְזָה וּבִדְאָגָה תִּשְׁתֶּה׃ וְאָמַרְתָּ אֶל־עַם הָאָרֶץ כֹּה־אָמַר
אֲדֹנָי יֱהֹוִה לְיוֹשְׁבֵי יְרוּשָׁלַ͏ִם אֶל־אַדְמַת יִשְׂרָאֵל לַחְמָם בִּדְאָגָה
יֹאכֵלוּ וּמֵימֵיהֶם בְּשִׁמָּמוֹן יִשְׁתּוּ לְמַעַן תֵּשַׁם אַרְצָהּ מִמְּלֹאָהּ
כ מֵחֲמַס כָּל־הַיֹּשְׁבִים בָּהּ׃ וְהֶעָרִים הַנּוֹשָׁבוֹת תֶּחֱרַבְנָה וְהָאָרֶץ
שְׁמָמָה תִהְיֶה וִידַעְתֶּם כִּי־אֲנִי יְהֹוָה׃

כא כב וַיְהִי דְבַר־יְהֹוָה אֵלַי לֵאמֹר׃ בֶּן־אָדָם מָה־הַמָּשָׁל הַזֶּה לָכֶם
כג עַל־אַדְמַת יִשְׂרָאֵל לֵאמֹר יַאַרְכוּ הַיָּמִים וְאָבַד כָּל־חָזוֹן׃ לָכֵן
אֱמֹר אֲלֵיהֶם כֹּה־אָמַר אֲדֹנָי יֱהֹוִה הִשְׁבַּתִּי אֶת־הַמָּשָׁל הַזֶּה
וְלֹא־יִמְשְׁלוּ אֹתוֹ עוֹד בְּיִשְׂרָאֵל כִּי אִם־דַּבֵּר אֲלֵיהֶם קָרְבוּ
כד הַיָּמִים וּדְבַר כָּל־חָזוֹן׃ כִּי לֹא יִהְיֶה עוֹד כָּל־חֲזוֹן שָׁוְא וּמִקְסַם
כה חָלָק בְּתוֹךְ בֵּית יִשְׂרָאֵל׃ כִּי ׀ אֲנִי יְהֹוָה אֲדַבֵּר אֵת אֲשֶׁר אֲדַבֵּר
דָּבָר וְיֵעָשֶׂה לֹא תִמָּשֵׁךְ עוֹד כִּי בִימֵיכֶם בֵּית הַמֶּרִי אֲדַבֵּר
דָּבָר וַעֲשִׂיתִיו נְאֻם אֲדֹנָי יֱהֹוִה׃

כו כז וַיְהִ֥י דְבַר־יְהוָ֖ה אֵלַ֥י לֵאמֹֽר׃ בֶּן־אָדָ֗ם הִנֵּ֤ה בֵֽית־יִשְׂרָאֵל֙ אֹֽמְרִ֔ים
הֶחָז֛וֹן אֲשֶׁר־ה֥וּא חֹזֶ֖ה לְיָמִ֣ים רַבִּ֑ים וּלְעִתִּ֥ים רְחוֹק֖וֹת ה֥וּא נִבָּֽא׃
כח לָכֵ֞ן אֱמֹ֣ר אֲלֵיהֶ֗ם כֹּ֤ה אָמַר֙ אֲדֹנָ֣י יְהוִ֔ה לֹֽא־תִמָּשֵׁ֥ךְ ע֖וֹד כָּל־דְּבָרָ֑י
אֲשֶׁ֨ר אֲדַבֵּ֤ר דָּבָר֙ וְיֵֽעָשֶׂ֔ה נְאֻ֖ם אֲדֹנָ֥י יְהוִֽה׃
יג א ב וַיְהִ֥י דְבַר־יְהוָ֖ה אֵלַ֥י לֵאמֹֽר׃ בֶּן־אָדָ֕ם הִנָּבֵ֛א אֶל־נְבִיאֵ֥י יִשְׂרָאֵ֖ל פֻּרְעָנוּת לִנְבִיאֵי הַשֶּׁקֶר׃
ג הַנִּבָּאִ֑ים וְאָמַרְתָּ֙ לִנְבִיאֵ֣י מִלִּבָּ֔ם שִׁמְע֖וּ דְּבַר־יְהוָֽה׃ כֹּ֤ה אָמַר֙
אֲדֹנָ֣י יְהוִ֔ה ה֖וֹי עַל־הַנְּבִיאִ֣ים הַנְּבָלִ֑ים אֲשֶׁ֥ר הֹלְכִ֛ים אַחַ֥ר רוּחָ֖ם
ד ה וּלְבִלְתִּ֥י רָאֽוּ׃ כְּשֻׁעָלִ֖ים בָּחֳרָב֑וֹת נְבִיאֶ֖יךָ יִשְׂרָאֵ֥ל הָיֽוּ׃ לֹ֤א עֲלִיתֶם֙
בַּפְּרָצ֔וֹת וַתִּגְדְּר֥וּ גָדֵ֖ר עַל־בֵּ֣ית יִשְׂרָאֵ֑ל לַעֲמֹ֥ד בַּמִּלְחָמָ֖ה בְּי֥וֹם
ו יְהוָֽה׃ חָ֤זוּ שָׁוְא֙ וְקֶ֣סֶם כָּזָ֔ב הָאֹמְרִים֙ נְאֻם־יְהוָ֔ה וַֽיהוָ֖ה לֹ֣א שְׁלָחָ֑ם
ז וְיִחֲל֖וּ לְקַיֵּ֥ם דָּבָֽר׃ הֲל֤וֹא מַֽחֲזֵה־שָׁוְא֙ חֲזִיתֶ֔ם וּמִקְסַ֥ם כָּזָ֖ב אֲמַרְתֶּ֑ם
ח וְאֹֽמְרִים֙ נְאֻם־יְהוָ֔ה וַאֲנִ֖י לֹ֥א דִבַּֽרְתִּי׃ לָכֵ֗ן כֹּ֤ה אָמַר֙
אֲדֹנָ֣י יְהוִ֔ה יַ֚עַן דַּבֶּרְכֶ֣ם שָׁ֔וְא וַחֲזִיתֶ֖ם כָּזָ֑ב לָכֵן֙ הִנְנִ֣י אֲלֵיכֶ֔ם
ט נְאֻ֖ם אֲדֹנָ֥י יְהוִֽה׃ וְהָיְתָ֣ה יָדִ֡י אֶל־הַנְּבִיאִ֞ים הַחֹזִ֣ים שָׁ֣וְא וְהַקֹּסְמִים֮
כָּזָב֒ בְּס֨וֹד עַמִּ֜י לֹא־יִהְי֗וּ וּבִכְתָ֤ב בֵּית־יִשְׂרָאֵל֙ לֹ֣א יִכָּתֵ֔בוּ
י וְאֶל־אַדְמַ֥ת יִשְׂרָאֵ֖ל לֹ֣א יָבֹ֑אוּ וִידַעְתֶּ֕ם כִּ֥י אֲנִ֖י אֲדֹנָ֥י יְהוִֽה׃ יַ֣עַן
וּבְיַ֜עַן הִטְע֧וּ אֶת־עַמִּ֛י לֵאמֹ֥ר שָׁל֖וֹם וְאֵ֣ין שָׁל֑וֹם וְהוּא֙ בֹּ֣נֶה חַ֔יִץ
יא וְהִנָּ֛ם טָחִ֥ים אֹת֖וֹ תָּפֵֽל׃ אֱמֹ֛ר אֶל־טָחֵ֥י תָפֵ֖ל וְיִפֹּ֑ל הָיָ֣ה ׀ גֶּ֣שֶׁם
שׁוֹטֵ֗ף וְאַתֵּ֜נָה אַבְנֵ֤י אֶלְגָּבִישׁ֙ תִּפֹּ֔לְנָה וְר֥וּחַ סְעָר֖וֹת תְּבַקֵּֽעַ׃
יב וְהִנֵּ֖ה נָפַ֣ל הַקִּ֑יר הֲלוֹא֙ יֵאָמֵ֣ר אֲלֵיכֶ֔ם אַיֵּ֥ה הַטִּ֖יחַ אֲשֶׁ֥ר
יג טַחְתֶּֽם׃ לָכֵ֗ן כֹּ֤ה אָמַר֙
אֲדֹנָ֣י יְהוִ֔ה וּבִקַּעְתִּ֥י רֽוּחַ־סְעָר֖וֹת בַּחֲמָתִ֑י וְגֶ֤שֶׁם שֹׁטֵף֙ בְּאַפִּ֣י
יד יִֽהְיֶ֔ה וְאַבְנֵ֥י אֶלְגָּבִ֖ישׁ בְּחֵמָ֥ה לְכָלָֽה׃ וְהָרַסְתִּ֨י אֶת־הַקִּ֜יר אֲשֶׁר־
טַחְתֶּ֣ם תָּפֵ֗ל וְהִגַּעְתִּ֙יהוּ֙ אֶל־הָאָ֔רֶץ וְנִגְלָ֖ה יְסֹד֑וֹ וְנָֽפְלָה֙ וּכְלִיתֶ֣ם
טו בְּתוֹכָ֔הּ וִידַעְתֶּ֖ם כִּֽי־אֲנִ֥י יְהוָֽה׃ וְכִלֵּיתִ֤י אֶת־חֲמָתִי֙ בַּקִּ֔יר

וּבַטָּחִים אֹתוֹ תָּפֵל וְאֹמַר לָכֶם אֵין הַקִּיר וְאֵין הַטָּחִים אֹתוֹ׃
טז נְבִיאֵי יִשְׂרָאֵל הַנִּבְּאִים אֶל־יְרוּשָׁלִַם וְהַחֹזִים לָהּ חֲזוֹן שָׁלֹם
וְאֵין שָׁלֹם נְאֻם אֲדֹנָי יֱהֹוִה׃

פִּרְעָנוּת לִנְבִיאוֹת הַשֶּׁקֶר:

יז וְאַתָּה בֶן־אָדָם שִׂים פָּנֶיךָ אֶל־בְּנוֹת עַמְּךָ הַמִּתְנַבְּאוֹת מִלִּבְּהֶן
יח וְהִנָּבֵא עֲלֵיהֶן׃ וְאָמַרְתָּ כֹּה־אָמַר ׀ אֲדֹנָי יֱהֹוִה הוֹי לִמְתַפְּרוֹת
כְּסָתוֹת עַל ׀ כָּל־אַצִּילֵי יָדַי וְעֹשׂוֹת הַמִּסְפָּחוֹת עַל־רֹאשׁ
כָּל־קוֹמָה לְצוֹדֵד נְפָשׁוֹת הַנְּפָשׁוֹת תְּצוֹדֵדְנָה לְעַמִּי וּנְפָשׁוֹת
יט לָכֶנָה תְחַיֶּינָה׃ וַתְּחַלֶּלְנָה אֹתִי אֶל־עַמִּי בְּשַׁעֲלֵי שְׂעֹרִים וּבִפְתוֹתֵי
לֶחֶם לְהָמִית נְפָשׁוֹת אֲשֶׁר לֹא־תְמוּתֶנָה וּלְחַיּוֹת נְפָשׁוֹת אֲשֶׁר
כ לֹא־תִחְיֶינָה בְּכַזֶּבְכֶם לְעַמִּי שֹׁמְעֵי כָזָב׃ לָכֵן
כֹּה־אָמַר ׀ אֲדֹנָי יֱהֹוִה הִנְנִי אֶל־כִּסְּתוֹתֵיכֶנָה אֲשֶׁר אַתֵּנָה
מְצֹדְדוֹת שָׁם אֶת־הַנְּפָשׁוֹת לְפֹרְחוֹת וְקָרַעְתִּי אֹתָם מֵעַל
זְרוֹעֹתֵיכֶם וְשִׁלַּחְתִּי אֶת־הַנְּפָשׁוֹת אֲשֶׁר אַתֶּם מְצֹדְדוֹת אֶת־
כא נְפָשִׁים לְפֹרְחֹת׃ וְקָרַעְתִּי אֶת־מִסְפְּחֹתֵיכֶם וְהִצַּלְתִּי אֶת־עַמִּי
מִיֶּדְכֶן וְלֹא־יִהְיוּ עוֹד בְּיֶדְכֶן לִמְצוּדָה וִידַעְתֶּן כִּי־אֲנִי יְהֹוָה׃
כב יַעַן הַכְאוֹת לֶב־צַדִּיק שֶׁקֶר וַאֲנִי לֹא הִכְאַבְתִּיו וּלְחַזֵּק יְדֵי רָשָׁע
כג לְבִלְתִּי־שׁוּב מִדַּרְכּוֹ הָרָע לְהַחֲיֹתוֹ׃ לָכֵן שָׁוְא לֹא תֶחֱזֶינָה וְקֶסֶם
לֹא־תִקְסַמְנָה עוֹד וְהִצַּלְתִּי אֶת־עַמִּי מִיֶּדְכֶן וִידַעְתֶּן כִּי־אֲנִי
יד א יְהֹוָה׃ וַיָּבוֹא אֵלַי אֲנָשִׁים מִזִּקְנֵי יִשְׂרָאֵל וַיֵּשְׁבוּ לְפָנָי׃

תּוֹכָחָה לְעוֹבְדֵי עֲבוֹדָה זָרָה:

ב ג וַיְהִי דְבַר־יְהֹוָה אֵלַי לֵאמֹר׃ בֶּן־אָדָם הָאֲנָשִׁים הָאֵלֶּה הֶעֱלוּ
גִלּוּלֵיהֶם עַל־לִבָּם וּמִכְשׁוֹל עֲוֺנָם נָתְנוּ נֹכַח פְּנֵיהֶם הַאִדָּרֹשׁ
ד אִדָּרֵשׁ לָהֶם׃ לָכֵן דַּבֵּר־אוֹתָם
וְאָמַרְתָּ אֲלֵיהֶם כֹּה־אָמַר ׀ אֲדֹנָי יֱהֹוִה אִישׁ אִישׁ מִבֵּית יִשְׂרָאֵל
אֲשֶׁר יַעֲלֶה אֶת־גִּלּוּלָיו אֶל־לִבּוֹ וּמִכְשׁוֹל עֲוֺנוֹ יָשִׂים נֹכַח פָּנָיו
ה וּבָא אֶל־הַנָּבִיא אֲנִי יְהֹוָה נַעֲנֵיתִי לוֹ בה בָא בְּרֹב גִּלּוּלָיו׃ לְמַעַן

תְּפֹ֥שׂ אֶת־בֵּֽית־יִשְׂרָאֵ֖ל בְּלִבָּ֑ם אֲשֶׁ֤ר נָזֹ֙רוּ֙ מֵעָלַ֔י בְּגִלּֽוּלֵיהֶ֖ם
ו כֻּלָּֽם׃ לָכֵ֞ן אֱמֹ֣ר ׀ אֶל־בֵּ֣ית יִשְׂרָאֵ֗ל כֹּ֤ה אָמַר֙ אֲדֹנָ֣י
יֱהֹוִ֔ה שׁ֣וּבוּ וְהָשִׁ֔יבוּ מֵעַ֖ל גִּלּֽוּלֵיכֶ֑ם וּמֵעַ֥ל כָּל־תּוֹעֲבֹתֵיכֶ֖ם הָשִׁ֥יבוּ
ז פְנֵיכֶֽם׃ כִּ֡י אִ֣ישׁ אִ֩ישׁ מִבֵּ֨ית יִשְׂרָאֵ֜ל וּמֵהַגֵּ֣ר ׀ אֲשֶׁר־יָג֣וּר בְּיִשְׂרָאֵ֗ל
וְיִנָּזֵ֤ר מֵֽאַחֲרַ֙י וְיַ֤עַל גִּלּוּלָיו֙ אֶל־לִבּ֔וֹ וּמִכְשׁ֣וֹל עֲוֺנ֔וֹ יָשִׂ֖ים נֹ֣כַח
ח פָּנָ֑יו וּבָ֤א אֶל־הַנָּבִיא֙ לִדְרָשׁ־ל֣וֹ בִ֔י אֲנִ֣י יְהֹוָ֔ה נַעֲנֶה־קּ֖וֹ בִּֽי׃ וְנָתַתִּ֨י
פָנַ֜י בָּאִ֣ישׁ הַה֗וּא וַהֲשִׂמֹתִ֙יהוּ֙ לְא֣וֹת וְלִמְשָׁלִ֔ים וְהִכְרַתִּ֖יו מִתּ֣וֹךְ
ט עַמִּ֑י וִֽידַעְתֶּ֖ם כִּֽי־אֲנִ֥י יְהֹוָֽה׃ וְהַנָּבִ֤יא כִֽי־יְפֻתֶּה֙ וְדִבֶּ֣ר
דָּבָ֔ר אֲנִ֤י יְהֹוָה֙ פִּתֵּ֔יתִי אֵ֖ת הַנָּבִ֣יא הַה֑וּא וְנָטִ֤יתִי אֶת־יָדִי֙ עָלָ֔יו
י וְהִ֨שְׁמַדְתִּ֔יו מִתּ֖וֹךְ עַמִּ֥י יִשְׂרָאֵֽל׃ וְנָשְׂא֖וּ עֲוֺנָ֑ם כַּעֲוֺן֙ הַדֹּרֵ֔שׁ כַּעֲוֺ֥ן
יא הַנָּבִ֖יא יִֽהְיֶֽה׃ לְמַ֡עַן לֹֽא־יִתְע֨וּ ע֜וֹד בֵּֽית־יִשְׂרָאֵל֙ מֵאַחֲרַ֔י
וְלֹֽא־יִטַּמְּא֥וּ ע֖וֹד בְּכָל־פִּשְׁעֵיהֶ֑ם וְהָ֧יוּ לִ֣י לְעָ֗ם וַאֲנִי֙ אֶהְיֶ֤ה לָהֶם֙
לֵֽאלֹהִ֔ים נְאֻ֖ם אֲדֹנָ֥י יֱהֹוִֽה׃

יב
יג וַיְהִ֥י דְבַר־יְהֹוָ֖ה אֵלַ֥י לֵאמֹֽר׃ בֶּן־אָדָ֗ם אֶ֚רֶץ כִּ֤י תֶֽחֱטָא־לִי֙ לִמְעָל־מַ֔עַל וְנָטִ֤יתִי יָדִי֙ עָלֶ֔יהָ וְשָׁבַ֥רְתִּי לָ֖הּ מַטֵּה־לָ֑חֶם
יד וְהִשְׁלַחְתִּי־בָהּ֙ רָעָ֔ב וְהִכְרַתִּ֥י מִמֶּ֖נָּה אָדָ֥ם וּבְהֵמָֽה׃ וְהָי֗וּ שְׁלֹ֙שֶׁת֙
הָאֲנָשִׁ֣ים הָאֵ֔לֶּה בְּתוֹכָ֔הּ נֹ֥חַ דנאל דָּ֖נִיֵּאל וְאִיּ֑וֹב הֵ֤מָּה בְצִדְקָתָם֙
טו יְנַצְּל֣וּ נַפְשָׁ֔ם נְאֻ֖ם אֲדֹנָ֥י יֱהֹוִֽה׃ לוּ־חַיָּ֥ה רָעָ֖ה אַעֲבִ֣יר בָּאָ֑רֶץ
טז וְשִׁכְּלַ֗תָּה וְהָיְתָ֤ה שְׁמָמָה֙ מִבְּלִ֣י עוֹבֵ֔ר מִפְּנֵ֖י הַחַיָּֽה׃ שְׁלֹ֨שֶׁת
הָאֲנָשִׁ֣ים הָאֵ֘לֶּה֮ בְּתוֹכָהּ֒ חַי־אָ֗נִי נְאֻם֙ אֲדֹנָ֣י יֱהֹוִ֔ה אִם־בָּנִ֥ים
יז וְאִם־בָּנ֖וֹת יַצִּ֑ילוּ הֵ֤מָּה לְבַדָּם֙ יִנָּצֵ֔לוּ וְהָאָ֖רֶץ תִּהְיֶ֥ה שְׁמָמָֽה׃ א֛וֹ
חֶ֥רֶב אָבִ֖יא עַל־הָאָ֣רֶץ הַהִ֑יא וְאָמַרְתִּ֗י חֶ֚רֶב תַּעֲבֹ֣ר בָּאָ֔רֶץ וְהִכְרַתִּ֥י
יח מִמֶּ֖נָּה אָדָ֥ם וּבְהֵמָֽה׃ וּשְׁלֹ֨שֶׁת הָאֲנָשִׁ֣ים הָאֵ֘לֶּה֮ בְּתוֹכָהּ֒ חַי־אָ֕נִי
יט נְאֻם֙ אֲדֹנָ֣י יֱהֹוִ֔ה לֹ֥א יַצִּ֖ילוּ בָּנִ֣ים וּבָנ֑וֹת כִּ֛י הֵ֥ם לְבַדָּ֖ם יִנָּצֵֽלוּ׃ א֛וֹ
דֶּ֥בֶר אֲשַׁלַּ֖ח אֶל־הָאָ֣רֶץ הַהִ֑יא וְשָׁפַכְתִּ֨י חֲמָתִ֤י עָלֶ֙יהָ֙ בְּדָ֔ם

הַמְנַבֵּא שֶׁקֶר יֵעָנֵשׁ:

זְכוּת הַצַּדִּיקִים לֹא תַצִּיל הָרְשָׁעִים:

כ לְהַכְרִית מִמֶּנָּה אָדָם וּבְהֵמָה׃ וְנֹחַ דנאל דָּנִיֵּאל וְאִיּוֹב בְּתוֹכָהּ
חַי־אָנִי נְאֻם אֲדֹנָי יֱהֹוִה אִם־בֵּן אִם־בַּת יַצִּילוּ הֵמָּה בְצִדְקָתָם
יַצִּילוּ נַפְשָׁם׃

פְּלֵיטַת יְרוּשָׁלַיִם מֵהַצָּרוֹת:

כא כִּי כֹה אָמַר אֲדֹנָי יֱהֹוִה אַף כִּי־אַרְבַּעַת שְׁפָטַי ׀ הָרָעִים חֶרֶב
וְרָעָב וְחַיָּה רָעָה וָדֶבֶר שִׁלַּחְתִּי אֶל־יְרוּשָׁלָםִ לְהַכְרִית מִמֶּנָּה
כב אָדָם וּבְהֵמָה׃ וְהִנֵּה נוֹתְרָה־בָּהּ פְּלֵטָה הַמּוּצָאִים בָּנִים וּבָנוֹת
הִנָּם יוֹצְאִים אֲלֵיכֶם וּרְאִיתֶם אֶת־דַּרְכָּם וְאֶת־עֲלִילוֹתָם
וְנִחַמְתֶּם עַל־הָרָעָה אֲשֶׁר הֵבֵאתִי עַל־יְרוּשָׁלָםִ אֵת כָּל־אֲשֶׁר
כג הֵבֵאתִי עָלֶיהָ׃ וְנִחֲמוּ אֶתְכֶם כִּי־תִרְאוּ אֶת־דַּרְכָּם וְאֶת־
עֲלִילוֹתָם וִידַעְתֶּם כִּי לֹא חִנָּם עָשִׂיתִי אֵת כָּל־אֲשֶׁר־עָשִׂיתִי
בָהּ נְאֻם אֲדֹנָי יֱהֹוִה׃

מְשַׁל עֵץ הַגֶּפֶן:

טו א ב וַיְהִי דְבַר־יְהוָה אֵלַי לֵאמֹר׃ בֶּן־אָדָם מַה־יִּהְיֶה עֵץ־הַגֶּפֶן
ג מִכָּל־עֵץ הַזְּמוֹרָה אֲשֶׁר הָיָה בַּעֲצֵי הַיָּעַר׃ הֲיֻקַּח מִמֶּנּוּ עֵץ
לַעֲשׂוֹת לִמְלָאכָה אִם־יִקְחוּ מִמֶּנּוּ יָתֵד לִתְלוֹת עָלָיו כָּל־כֶּלִי׃
ד הִנֵּה לָאֵשׁ נִתַּן לְאָכְלָה אֵת שְׁנֵי קְצוֹתָיו אָכְלָה הָאֵשׁ וְתוֹכוֹ נָחָר
ה הֲיִצְלַח לִמְלָאכָה׃ הִנֵּה בִּהְיוֹתוֹ תָמִים לֹא יֵעָשֶׂה לִמְלָאכָה אַף
ו כִּי־אֵשׁ אֲכָלַתְהוּ וַיֵּחָר וְנַעֲשָׂה עוֹד לִמְלָאכָה׃ לָכֵן כֹּה
אָמַר אֲדֹנָי יֱהֹוִה כַּאֲשֶׁר עֵץ־הַגֶּפֶן בְּעֵץ הַיַּעַר אֲשֶׁר־נְתַתִּיו לָאֵשׁ
ז לְאָכְלָה כֵּן נָתַתִּי אֶת־יֹשְׁבֵי יְרוּשָׁלָםִ׃ וְנָתַתִּי אֶת־פָּנַי בָּהֶם
מֵהָאֵשׁ יָצָאוּ וְהָאֵשׁ תֹּאכְלֵם וִידַעְתֶּם כִּי־אֲנִי יְהוָה בְּשׂוּמִי
ח אֶת־פָּנַי בָּהֶם׃ וְנָתַתִּי אֶת־הָאָרֶץ שְׁמָמָה יַעַן מָעֲלוּ מַעַל נְאֻם
אֲדֹנָי יֱהֹוִה׃

בְּחִירַת עַם יִשְׂרָאֵל בְּדֶרֶךְ מָשָׁל:

טז א ב וַיְהִי דְבַר־יְהוָה אֵלַי לֵאמֹר׃ בֶּן־אָדָם הוֹדַע אֶת־יְרוּשָׁלָםִ
ג אֶת־תּוֹעֲבֹתֶיהָ׃ וְאָמַרְתָּ כֹּה־אָמַר אֲדֹנָי יֱהֹוִה לִירוּשָׁלַםִ מְכֹרֹתַיִךְ
וּמֹלְדֹתַיִךְ מֵאֶרֶץ הַכְּנַעֲנִי אָבִיךְ הָאֱמֹרִי וְאִמֵּךְ חִתִּית׃

ה וּמוֹלְדוֹתַ֗יִךְ בְּי֨וֹם הוּלֶּ֤דֶת אֹתָךְ֙ לֹֽא־כָרַּ֣ת שָׁרֵּ֔ךְ וּבְמַ֥יִם לֹֽא־
רֻחַ֖צְתְּ לְמִשְׁעִ֑י וְהָמְלֵ֙חַ֙ לֹ֣א הֻמְלַ֔חַתְּ וְהָחְתֵּ֖ל לֹ֥א חֻתָּֽלְתְּ:

ה לֹא־חָ֨סָה עָלַ֜יִךְ עַ֗יִן לַעֲשׂ֥וֹת לָ֛ךְ אַחַ֥ת מֵאֵ֖לֶּה לְחֻמְלָ֣ה עָלָ֑יִךְ

ו וַתֻּשְׁלְכִ֞י אֶל־פְּנֵ֤י הַשָּׂדֶה֙ בְּגֹ֣עַל נַפְשֵׁ֔ךְ בְּי֖וֹם הֻלֶּ֥דֶת אֹתָֽךְ: וָאֶעֱבֹ֤ר
עָלַ֙יִךְ֙ וָאֶרְאֵ֔ךְ מִתְבּוֹסֶ֖סֶת בְּדָמָ֑יִךְ וָאֹ֤מַר לָךְ֙ בְּדָמַ֣יִךְ חֲיִ֔י וָאֹ֥מַר

ז לָ֖ךְ בְּדָמַ֥יִךְ חֲיִֽי: רְבָבָ֗ה כְּצֶ֤מַח הַשָּׂדֶה֙ נְתַתִּ֔יךְ וַתִּרְבִּי֙ וַֽתִּגְדְּלִ֔י
וַתָּבֹ֖אִי בַּעֲדִ֣י עֲדָיִ֑ים שָׁדַ֤יִם נָכֹ֙נוּ֙ וּשְׂעָרֵ֣ךְ צִמֵּ֔חַ וְאַ֖תְּ עֵרֹ֥ם

הַשְׁרָאַת
הַשְּׁכִינָה
בְּיִשְׂרָאֵל:

ח וְעֶרְיָֽה: וָאֶעֱבֹ֤ר עָלַ֙יִךְ֙ וָאֶרְאֵ֔ךְ וְהִנֵּ֥ה עִתֵּ֖ךְ עֵ֣ת דֹּדִ֑ים וָאֶפְרֹ֤שׂ
כְּנָפִי֙ עָלַ֔יִךְ וָאֲכַסֶּ֖ה עֶרְוָתֵ֑ךְ וָאֶשָּׁ֣בַֽע לָ֗ךְ וָאָב֤וֹא בִבְרִית֙ אֹתָ֔ךְ

ט נְאֻ֛ם אֲדֹנָ֥י יְהוִ֖ה וַתִּֽהְיִי־לִֽי: וָאֶרְחָצֵ֣ךְ בַּמַּ֔יִם וָאֶשְׁטֹ֥ף דָּמַ֖יִךְ

י מֵעָלָ֑יִךְ וָאֲסֻכֵ֖ךְ בַּשָּֽׁמֶן: וָאַלְבִּישֵׁ֣ךְ רִקְמָ֔ה וָאֶנְעֲלֵ֖ךְ תָּ֑חַשׁ
יא וָאֶחְבְּשֵׁ֣ךְ בַּשֵּׁ֔שׁ וַאֲכַסֵּ֖ךְ מֶֽשִׁי: וָאֶעְדֵּ֖ךְ עֶ֑דִי וָאֶתְּנָ֤ה צְמִידִים֙

יב עַל־יָדַ֔יִךְ וְרָבִ֖יד עַל־גְּרוֹנֵֽךְ: וָאֶתֵּ֥ן נֶ֙זֶם֙ עַל־אַפֵּ֔ךְ וַעֲגִילִ֖ים

יג עַל־אָזְנָ֑יִךְ וַעֲטֶ֥רֶת תִּפְאֶ֖רֶת בְּרֹאשֵֽׁךְ: וַתַּעְדִּ֞י זָהָ֣ב וָכֶ֗סֶף
וּמַלְבּוּשֵׁךְ֙ *ששי* שֵׁ֤שׁ וָמֶ֙שִׁי֙ וְרִקְמָ֔ה סֹ֧לֶת וּדְבַ֛שׁ וָשֶׁ֖מֶן *אכלתי*

יד אָכָ֑לְתְּ וַתִּ֙יפִי֙ בִּמְאֹ֣ד מְאֹ֔ד וַֽתִּצְלְחִ֖י לִמְלוּכָֽה: וַיֵּ֨צֵא לָ֥ךְ שֵׁ֛ם בַּגּוֹיִ֖ם
בְּיָפְיֵ֑ךְ כִּ֣י ׀ כָּלִ֣יל ה֗וּא בַּֽהֲדָרִי֙ אֲשֶׁר־שַׂ֣מְתִּי עָלַ֔יִךְ נְאֻ֖ם אֲדֹנָ֥י

כְּפִיַּת
טוֹבָה לה':

טו יְהוִֽה: וַתִּבְטְחִ֣י בְיָפְיֵ֔ךְ וַתִּזְנִ֖י עַל־שְׁמֵ֑ךְ וַתִּשְׁפְּכִ֧י אֶת־תַּזְנוּתַ֛יִךְ
טז עַל־כָּל־עוֹבֵ֖ר לוֹ־יֶֽהִי: וַתִּקְחִ֣י מִבְּגָדַ֗יִךְ וַתַּֽעֲשִׂי־לָ֤ךְ בָּמ֣וֹת
טז טְלֻא֔וֹת וַתִּזְנִ֖י עֲלֵיהֶ֑ם לֹ֥א בָא֖וֹת וְלֹ֥א יִהְיֶֽה: וַתִּקְחִ֞י כְּלֵ֣י
תִפְאַרְתֵּ֗ךְ מִזְּהָבִ֤י וּמִכַּסְפִּי֙ אֲשֶׁ֣ר נָתַ֣תִּי לָ֔ךְ וַתַּעֲשִׂי־לָ֖ךְ צַלְמֵ֣י

יז זָכָ֑ר וַתִּזְנִי־בָֽם: וַתִּקְחִ֛י אֶת־בִּגְדֵ֥י רִקְמָתֵ֖ךְ וַתְּכַסִּ֑ים וְשַׁמְנִ֙י

יח וּקְטָרְתִּ֗י *נתתי* נָתַ֖תְּ לִפְנֵיהֶֽם: וְלַחְמִי֩ אֲשֶׁר־נָתַ֨תִּי לָ֜ךְ סֹ֣לֶת וָשֶׁ֤מֶן
וּדְבַשׁ֙ הֶֽאֱכַלְתִּ֔יךְ וּנְתַתִּ֧יהוּ לִפְנֵיהֶ֛ם לְרֵ֥יחַ נִיחֹ֖חַ וַיֶּ֑הִי נְאֻ֖ם

כ אֲדֹנָ֥י יְהוִֽה: וַתִּקְחִ֞י אֶת־בָּנַ֙יִךְ֙ וְאֶת־בְּנוֹתַ֔יִךְ אֲשֶׁ֣ר יָלַ֣דְתְּ לִ֗י

וַתִּזְבָּחִים לָהֶם לֶאֱכוֹל הַמְעַט מתזנותך מִתַּזְנוּתָיִךְ: וַתִּשְׁחֲטִי כא
אֶת־בָּנַי וַתִּתְּנִים בְּהַעֲבִיר אוֹתָם לָהֶם: וְאֵת כָּל־תּוֹעֲבֹתַיִךְ כב
וְתַזְנֻתַיִךְ לֹא זכרתי זָכַרְתְּ אֶת־יְמֵי נְעוּרָיִךְ בִּהְיוֹתֵךְ עֵירֹם וְעֶרְיָה
מִתְבּוֹסֶסֶת בְּדָמֵךְ הָיִית: וַיְהִי אַחֲרֵי כָּל־רָעָתֵךְ אוֹי אוֹי לָךְ נְאֻם כג
אֲדֹנָי יֱהוִה: וַתִּבְנִי־לָךְ גֶּב וַתַּעֲשִׂי־לָךְ רָמָה בְּכָל־רְחוֹב: אֶל־כָּל־ כד כה
רֹאשׁ דֶּרֶךְ בָּנִית רָמָתֵךְ וַתְּתַעֲבִי אֶת־יָפְיֵךְ וַתְּפַשְּׂקִי אֶת־רַגְלַיִךְ
לְכָל־עוֹבֵר וַתַּרְבִּי אֶת־תַּזְנוּתָיִךְ תזנותך: וַתִּזְנִי אֶל־בְּנֵי־מִצְרַיִם כו
שְׁכֵנַיִךְ גִּדְלֵי בָשָׂר וַתַּרְבִּי אֶת־תַּזְנֻתֵךְ לְהַכְעִיסֵנִי: וְהִנֵּה נָטִיתִי כז
יָדִי עָלַיִךְ וָאֶגְרַע חֻקֵּךְ וָאֶתְּנֵךְ בְּנֶפֶשׁ שֹׂנְאוֹתַיִךְ בְּנוֹת פְּלִשְׁתִּים
הַנִּכְלָמוֹת מִדַּרְכֵּךְ זִמָּה: וַתִּזְנִי אֶל־בְּנֵי אַשּׁוּר מִבִּלְתִּי שָׂבְעָתֵךְ כח
וַתִּזְנִים וְגַם לֹא שָׂבָעַתְּ: וַתַּרְבִּי אֶת־תַּזְנוּתֵךְ אֶל־אֶרֶץ כְּנַעַן כט
כַּשְׂדִּימָה וְגַם־בְּזֹאת לֹא שָׂבָעַתְּ: מָה אֲמֻלָה לִבָּתֵךְ נְאֻם אֲדֹנָי ל
יֱהוִה בַּעֲשׂוֹתֵךְ אֶת־כָּל־אֵלֶּה מַעֲשֵׂה אִשָּׁה־זוֹנָה שַׁלָּטֶת:
בִּבְנוֹתַיִךְ גַּבֵּךְ בְּרֹאשׁ כָּל־דֶּרֶךְ וְרָמָתֵךְ עשיתי עָשִׂית בְּכָל־רְחוֹב לא
וְלֹא־הָיִית הייתי כַּזּוֹנָה לְקַלֵּס אֶתְנָן: הָאִשָּׁה הַמְּנָאָפֶת תַּחַת לב
אִישָׁהּ תִּקַּח אֶת־זָרִים: לְכָל־זֹנוֹת יִתְּנוּ־נֵדֶה וְאַתְּ נָתַתְּ אֶת־ לג
נְדָנַיִךְ לְכָל־מְאַהֲבַיִךְ וַתִּשְׁחֳדִי אוֹתָם לָבוֹא אֵלַיִךְ מִסָּבִיב
בְּתַזְנוּתָיִךְ: וַיְהִי־בָךְ הֵפֶךְ מִן־הַנָּשִׁים בְּתַזְנוּתַיִךְ וְאַחֲרַיִךְ לֹא לד
זוּנָּה וּבְתִתֵּךְ אֶתְנָן וְאֶתְנַן לֹא נִתַּן־לָךְ וַתְּהִי לְהֶפֶךְ: לָכֵן זוֹנָה לה
שִׁמְעִי דְּבַר־יְהוָה:

כֹּה־אָמַר אֲדֹנָי יֱהוִה יַעַן הִשָּׁפֵךְ נְחֻשְׁתֵּךְ וַתִּגָּלֶה עֶרְוָתֵךְ לו
בְּתַזְנוּתַיִךְ עַל־מְאַהֲבָיִךְ וְעַל כָּל־גִּלּוּלֵי תוֹעֲבוֹתַיִךְ וְכִדְמֵי בָנַיִךְ
אֲשֶׁר נָתַתְּ לָהֶם: לָכֵן הִנְנִי מְקַבֵּץ אֶת־כָּל־מְאַהֲבַיִךְ אֲשֶׁר עָרַבְתְּ לז
עֲלֵיהֶם וְאֵת כָּל־אֲשֶׁר אָהַבְתְּ עַל כָּל־אֲשֶׁר שָׂנֵאת וְקִבַּצְתִּי
אֹתָם עָלַיִךְ מִסָּבִיב וְגִלֵּיתִי עֶרְוָתֵךְ אֲלֵהֶם וְרָאוּ אֶת־כָּל־

דִּמְיוֹן יִשְׂרָאֵל לְאִשָּׁה זוֹנָה:

פֻּרְעָנוּת לְיִשְׂרָאֵל עַל חֲטָאֵיהֶם:

לח עֶרְוָתֵךְ: וּשְׁפַטְתִּיךְ מִשְׁפְּטֵי נֹאֲפוֹת וְשֹׁפְכֹת דָּם וּנְתַתִּיךְ דַּם
לט חֵמָה וְקִנְאָה: וְנָתַתִּי אוֹתָךְ בְּיָדָם וְהָרְסוּ גַבֵּךְ וְנִתְּצוּ רָמֹתַיִךְ
וְהִפְשִׁיטוּ אוֹתָךְ בְּגָדַיִךְ וְלָקְחוּ כְּלֵי תִפְאַרְתֵּךְ וְהִנִּיחוּךְ עֵירֹם
מ וְעֶרְיָה: וְהֶעֱלוּ עָלַיִךְ קָהָל וְרָגְמוּ אוֹתָךְ בָּאָבֶן וּבִתְּקוּךְ
מא בְּחַרְבוֹתָם: וְשָׂרְפוּ בָתַּיִךְ בָּאֵשׁ וְעָשׂוּ־בָךְ שְׁפָטִים לְעֵינֵי נָשִׁים
מב רַבּוֹת וְהִשְׁבַּתִּיךְ מִזּוֹנָה וְגַם־אֶתְנַן לֹא תִתְּנִי־עוֹד: וַהֲנִחֹתִי
מג חֲמָתִי בָּךְ וְסָרָה קִנְאָתִי מִמֵּךְ וְשָׁקַטְתִּי וְלֹא אֶכְעַס עוֹד: יַעַן
אֲשֶׁר לֹא־זָכַרְתְּ זכרתי אֶת־יְמֵי נְעוּרַיִךְ וַתִּרְגְּזִי־לִי בְּכָל־אֵלֶּה
וְגַם־אֲנִי הֵא דַּרְכֵּךְ | בְּרֹאשׁ נָתַתִּי נְאֻם אֲדֹנָי יֱהֹוִה וְלֹא עשיתי
מד עָשִׂית אֶת־הַזִּמָּה עַל כָּל־תּוֹעֲבֹתָיִךְ: הִנֵּה כָּל־הַמֹּשֵׁל עָלַיִךְ
מה יִמְשֹׁל לֵאמֹר כְּאִמָּה בִּתָּהּ: בַּת־אִמֵּךְ אַתְּ גֹּעֶלֶת אִישָׁהּ וּבָנֶיהָ
וַאֲחוֹת אֲחוֹתֵךְ אַתְּ אֲשֶׁר גָּעֲלוּ אַנְשֵׁיהֶן וּבְנֵיהֶן אִמְּכֶן חִתִּית
מו וַאֲבִיכֶן אֱמֹרִי: וַאֲחוֹתֵךְ הַגְּדוֹלָה שֹׁמְרוֹן הִיא וּבְנוֹתֶיהָ הַיּוֹשֶׁבֶת
עַל־שְׂמֹאולֵךְ וַאֲחוֹתֵךְ הַקְּטַנָּה מִמֵּךְ הַיּוֹשֶׁבֶת מִימִינֵךְ סְדֹם
מז וּבְנוֹתֶיהָ: וְלֹא בְדַרְכֵיהֶן הָלַכְתְּ וּכְתוֹעֲבוֹתֵיהֶן עשיתי עָשִׂית
מח כִּמְעַט קָט וַתַּשְׁחִתִי מֵהֵן בְּכָל־דְּרָכָיִךְ: חַי־אָנִי נְאֻם אֲדֹנָי יֱהֹוִה
אִם־עָשְׂתָה סְדֹם אֲחוֹתֵךְ הִיא וּבְנוֹתֶיהָ כַּאֲשֶׁר עָשִׂית אַתְּ
מט וּבְנוֹתָיִךְ: הִנֵּה־זֶה הָיָה עֲוֹן סְדֹם אֲחוֹתֵךְ גָּאוֹן שִׂבְעַת־לֶחֶם
וְשַׁלְוַת הַשְׁקֵט הָיָה לָהּ וְלִבְנוֹתֶיהָ וְיַד־עָנִי וְאֶבְיוֹן לֹא הֶחֱזִיקָה:
נ וַתִּגְבְּהֶינָה וַתַּעֲשֶׂינָה תוֹעֵבָה לְפָנָי וָאָסִיר אֶתְהֶן כַּאֲשֶׁר
נא רָאִיתִי: וְשֹׁמְרוֹן כַּחֲצִי חַטֹּאתַיִךְ
לֹא חָטָאָה וַתַּרְבִּי אֶת־תּוֹעֲבוֹתַיִךְ מֵהֵנָּה וַתְּצַדְּקִי אֶת־אֲחוֹתַיִךְ
נב אחותך בְּכָל־תּוֹעֲבֹתַיִךְ אֲשֶׁר עשיתי עָשִׂית: גַּם־אַתְּ | שְׂאִי כְלִמָּתֵךְ
אֲשֶׁר פִּלַּלְתְּ לַאֲחוֹתֵךְ בְּחַטֹּאתַיִךְ אֲשֶׁר־הִתְעַבְתְּ מֵהֵן תִּצְדַּקְנָה
מִמֵּךְ וְגַם־אַתְּ בּוֹשִׁי וּשְׂאִי כְלִמָּתֵךְ בְּצַדֶּקְתֵּךְ אַחְיוֹתֵךְ:

הַשְׁוָאַת יְהוּדָה לְשׁוֹמְרוֹן וְלִסְדוֹם:

עֲוֹן יְרוּשָׁלַיִם גָּדוֹל מֵעֲוֹן שׁוֹמְרוֹן:

שְׁבוּת סְדוֹם, שׁוֹמְרוֹן וִירוּשָׁלָיִם:

נג וְשַׁבְתִּי אֶת־שְׁבִיתְהֶן אֶת־שְׁבוּת שבית סְדֹם וּבְנוֹתֶיהָ וְאֶת־שְׁבוּת
נד שבית שֹׁמְרוֹן וּבְנוֹתֶיהָ ושבית וּשְׁבוּת שְׁבִיתַיִךְ בְּתוֹכֶהְנָה׃ לְמַעַן
תִּשְׂאִי כְלִמָּתֵךְ וְנִכְלַמְתְּ מִכֹּל אֲשֶׁר עָשִׂית בְּנַחֲמֵךְ אֹתָן׃
נה וַאֲחוֹתַיִךְ סְדֹם וּבְנוֹתֶיהָ תָּשֹׁבְןָ לְקַדְמָתָן וְשֹׁמְרוֹן וּבְנוֹתֶיהָ
נו תָּשֹׁבְןָ לְקַדְמָתָן וְאַתְּ וּבְנוֹתַיִךְ תְּשֻׁבֶינָה לְקַדְמַתְכֶן׃ וְלוֹא הָיְתָה
נז סְדֹם אֲחוֹתֵךְ לִשְׁמוּעָה בְּפִיךְ בְּיוֹם גְּאוֹנָיִךְ׃ בְּטֶרֶם תִּגָּלֶה רָעָתֵךְ
כְּמוֹ עֵת חֶרְפַּת בְּנוֹת־אֲרָם וְכָל־סְבִיבוֹתֶיהָ בְּנוֹת פְּלִשְׁתִּים
נח הַשָּׁאטוֹת אוֹתָךְ מִסָּבִיב׃ אֶת־זִמָּתֵךְ וְאֶת־תּוֹעֲבוֹתַיִךְ אַתְּ

לְקִיחַת מוּסָר מִבְּרִית ה׳ הַקְּדוּמָה:

נט נְשָׂאתִים נְאֻם יְהוָה׃ כִּי כֹה אָמַר אֲדֹנָי יֱהוִה ועשית
וְעָשִׂיתִי אוֹתָךְ כַּאֲשֶׁר עָשִׂית אֲשֶׁר־בָּזִית אָלָה לְהָפֵר בְּרִית׃
ס וְזָכַרְתִּי אֲנִי אֶת־בְּרִיתִי אוֹתָךְ בִּימֵי נְעוּרָיִךְ וַהֲקִמוֹתִי לָךְ בְּרִית
סא עוֹלָם׃ וְזָכַרְתְּ אֶת־דְּרָכַיִךְ וְנִכְלַמְתְּ בְּקַחְתֵּךְ אֶת־אֲחוֹתַיִךְ
הַגְּדֹלוֹת מִמֵּךְ אֶל־הַקְּטַנּוֹת מִמֵּךְ וְנָתַתִּי אֶתְהֶן לָךְ לְבָנוֹת וְלֹא
סב מִבְּרִיתֵךְ׃ וַהֲקִימוֹתִי אֲנִי אֶת־בְּרִיתִי אִתָּךְ וְיָדַעַתְּ כִּי־אֲנִי יְהוָה׃
סג לְמַעַן תִּזְכְּרִי וָבֹשְׁתְּ וְלֹא יִהְיֶה־לָּךְ עוֹד פִּתְחוֹן פֶּה מִפְּנֵי
כְּלִמָּתֵךְ בְּכַפְּרִי־לָךְ לְכָל־אֲשֶׁר עָשִׂית נְאֻם אֲדֹנָי יֱהוִה׃

חִידַת הַנֶּשֶׁר הַגָּדוֹל וְהַגֶּפֶן הַסּוֹרַחַת:

יז א ב וַיְהִי דְבַר־יְהוָה אֵלַי לֵאמֹר׃ בֶּן־אָדָם חוּד חִידָה וּמְשֹׁל מָשָׁל
ג אֶל־בֵּית יִשְׂרָאֵל׃ וְאָמַרְתָּ כֹּה־אָמַר ׀ אֲדֹנָי יֱהוִה הַנֶּשֶׁר הַגָּדוֹל
גְּדוֹל הַכְּנָפַיִם אֶרֶךְ הָאֵבֶר מָלֵא הַנּוֹצָה אֲשֶׁר־לוֹ הָרִקְמָה בָּא
ד אֶל־הַלְּבָנוֹן וַיִּקַּח אֶת־צַמֶּרֶת הָאָרֶז׃ אֵת רֹאשׁ יְנִיקוֹתָיו קָטָף
ה וַיְבִיאֵהוּ אֶל־אֶרֶץ כְּנַעַן בְּעִיר רֹכְלִים שָׂמוֹ׃ וַיִּקַּח מִזֶּרַע הָאָרֶץ
ו וַיִּתְּנֵהוּ בִּשְׂדֵה־זָרַע קָח עַל־מַיִם רַבִּים צַפְצָפָה שָׂמוֹ׃ וַיִּצְמַח
וַיְהִי לְגֶפֶן סֹרַחַת שִׁפְלַת קוֹמָה לִפְנוֹת דָּלִיּוֹתָיו אֵלָיו וְשָׁרָשָׁיו
ז תַּחְתָּיו יִהְיוּ וַתְּהִי לְגֶפֶן וַתַּעַשׂ בַּדִּים וַתְּשַׁלַּח פֹּארוֹת׃ וַיְהִי
נֶשֶׁר־אֶחָד גָּדוֹל גְּדוֹל כְּנָפַיִם וְרַב־נוֹצָה וְהִנֵּה הַגֶּפֶן הַזֹּאת כָּפְנָה

שָׁרָשֶׁיהָ עָלָיו וְדָלִיּוֹתָיו שִׁלְחָה־לּוֹ לְהַשְׁקוֹת אוֹתָהּ מֵעֲרֻגוֹת
ח מַטָּעָהּ: אֶל־שָׂדֶה טּוֹב אֶל־מַיִם רַבִּים הִיא שְׁתוּלָה לַעֲשׂוֹת
ט עָנָף וְלָשֵׂאת פֶּרִי לִהְיוֹת לְגֶפֶן אַדָּרֶת: אֱמֹר כֹּה אָמַר אֲדֹנָי
יֱהֹוִה תִּצְלָח הֲלוֹא אֶת־שָׁרָשֶׁיהָ יְנַתֵּק וְאֶת־פִּרְיָהּ ׀ יְקוֹסֵס וְיָבֵשׁ
כָּל־טַרְפֵּי צִמְחָהּ תִּיבָשׁ וְלֹא־בִזְרֹעַ גְּדוֹלָה וּבְעַם־רָב לְמַשְׂאוֹת
י אוֹתָהּ מִשָּׁרָשֶׁיהָ: וְהִנֵּה שְׁתוּלָה הֲתִצְלָח הֲלֹא כְגַעַת בָּהּ רוּחַ
הַקָּדִים תִּיבַשׁ יָבֹשׁ עַל־עֲרֻגֹת צִמְחָהּ תִּיבָשׁ:
יא יב וַיְהִי דְבַר־יְהֹוָה אֵלַי לֵאמֹר: אֱמָר־נָא לְבֵית הַמֶּרִי הֲלֹא יְדַעְתֶּם הַנִּמְשָׁל, נְבוּכַדְנֶצַּר וְצִדְקִיָּהוּ:
מָה־אֵלֶּה אֱמֹר הִנֵּה־בָא מֶלֶךְ־בָּבֶל יְרוּשָׁלַםִ וַיִּקַּח אֶת־מַלְכָּהּ
יג וְאֶת־שָׂרֶיהָ וַיָּבֵא אוֹתָם אֵלָיו בָּבֶלָה: וַיִּקַּח מִזֶּרַע הַמְּלוּכָה
וַיִּכְרֹת אִתּוֹ בְּרִית וַיָּבֵא אֹתוֹ בְּאָלָה וְאֶת־אֵילֵי הָאָרֶץ לָקָח:
יד לִהְיוֹת מַמְלָכָה שְׁפָלָה לְבִלְתִּי הִתְנַשֵּׂא לִשְׁמֹר אֶת־בְּרִיתוֹ
טו לְעָמְדָהּ: וַיִּמְרָד־בּוֹ לִשְׁלֹחַ מַלְאָכָיו מִצְרַיִם לָתֶת־לוֹ סוּסִים
טז וְעַם־רָב הֲיִצְלָח הֲיִמָּלֵט הָעֹשֵׂה אֵלֶּה וְהֵפֵר בְּרִית וְנִמְלָט: חַי־אָנִי
נְאֻם אֲדֹנָי יֱהֹוִה אִם־לֹא בִּמְקוֹם הַמֶּלֶךְ הַמַּמְלִיךְ אֹתוֹ אֲשֶׁר בָּזָה
יז אֶת־אָלָתוֹ וַאֲשֶׁר הֵפֵר אֶת־בְּרִיתוֹ אִתּוֹ בְתוֹךְ־בָּבֶל יָמוּת: וְלֹא
בְחַיִל גָּדוֹל וּבְקָהָל רָב יַעֲשֶׂה אוֹתוֹ פַרְעֹה בַּמִּלְחָמָה בִּשְׁפֹּךְ סֹלְלָה
יח וּבִבְנוֹת דָּיֵק לְהַכְרִית נְפָשׁוֹת רַבּוֹת: וּבָזָה אָלָה לְהָפֵר בְּרִית וְהִנֵּה
יט נָתַן יָדוֹ וְכָל־אֵלֶּה עָשָׂה לֹא יִמָּלֵט: לָכֵן הָעֹנֶשׁ הַצָּפוּי לְצִדְקִיָּהוּ:
כֹּה־אָמַר אֲדֹנָי יֱהֹוִה חַי־אָנִי אִם־לֹא אָלָתִי אֲשֶׁר בָּזָה וּבְרִיתִי
כ אֲשֶׁר הֵפִיר וּנְתַתִּיו בְּרֹאשׁוֹ: וּפָרַשְׂתִּי עָלָיו רִשְׁתִּי וְנִתְפַּשׂ
בִּמְצוּדָתִי וַהֲבִיאוֹתִיהוּ בָבֶלָה וְנִשְׁפַּטְתִּי אִתּוֹ שָׁם מַעֲלוֹ אֲשֶׁר
כא מָעַל־בִּי: וְאֵת כָּל־מִבְרָחָו בְּכָל־אֲגַפָּיו בַּחֶרֶב יִפֹּלוּ וְהַנִּשְׁאָרִים
לְכָל־רוּחַ יִפָּרֵשׂוּ וִידַעְתֶּם כִּי אֲנִי יְהֹוָה דִּבַּרְתִּי:
כב כֹּה אָמַר אֲדֹנָי יֱהֹוִה וְלָקַחְתִּי אָנִי מִצַּמֶּרֶת הָאֶרֶז הָרָמָה וְנָתָתִּי

שִׁלְטוֹנוֹ שֶׁל הַמָּשִׁיחַ:

מֵרֹאשׁ יֹנְקוֹתָיו רַךְ אֶקְטֹף וְשָׁתַלְתִּי אָנִי עַל הַר־גָּבֹהַּ וְתָלוּל׃
כג בְּהַר מְרוֹם יִשְׂרָאֵל אֶשְׁתֳּלֶנּוּ וְנָשָׂא עָנָף וְעָשָׂה פֶרִי וְהָיָה לְאֶרֶז
אַדִּיר וְשָׁכְנוּ תַחְתָּיו כֹּל צִפּוֹר כָּל־כָּנָף בְּצֵל דָּלִיּוֹתָיו תִּשְׁכֹּנָּה׃
כד וְיָדְעוּ כָּל־עֲצֵי הַשָּׂדֶה כִּי אֲנִי יְהוָה הִשְׁפַּלְתִּי ׀ עֵץ גָּבֹהַּ
הִגְבַּהְתִּי עֵץ שָׁפָל הוֹבַשְׁתִּי עֵץ לָח וְהִפְרַחְתִּי עֵץ יָבֵשׁ אֲנִי
יְהוָה דִּבַּרְתִּי וְעָשִׂיתִי׃

הַגְּמוּל לְכָל אָדָם עַל מַעֲשָׂיו:

יח א ב וַיְהִי דְבַר־יְהוָה אֵלַי לֵאמֹר׃ מַה־לָּכֶם אַתֶּם מֹשְׁלִים אֶת־הַמָּשָׁל
הַזֶּה עַל־אַדְמַת יִשְׂרָאֵל לֵאמֹר אָבוֹת יֹאכְלוּ בֹסֶר וְשִׁנֵּי הַבָּנִים
ג תִּקְהֶינָה׃ חַי־אָנִי נְאֻם אֲדֹנָי יְהוִה אִם־יִהְיֶה לָכֶם עוֹד מְשֹׁל
ד הַמָּשָׁל הַזֶּה בְּיִשְׂרָאֵל׃ הֵן כָּל־הַנְּפָשׁוֹת לִי הֵנָּה כְּנֶפֶשׁ הָאָב
ה וּכְנֶפֶשׁ הַבֵּן לִי־הֵנָּה הַנֶּפֶשׁ הַחֹטֵאת הִיא תָמוּת׃ וְאִישׁ כִּי־יִהְיֶה
ו צַדִּיק וְעָשָׂה מִשְׁפָּט וּצְדָקָה׃ אֶל־הֶהָרִים לֹא אָכָל וְעֵינָיו לֹא
נָשָׂא אֶל־גִּלּוּלֵי בֵּית יִשְׂרָאֵל וְאֶת־אֵשֶׁת רֵעֵהוּ לֹא טִמֵּא
ז וְאֶל־אִשָּׁה נִדָּה לֹא יִקְרָב׃ וְאִישׁ לֹא יוֹנֶה חֲבֹלָתוֹ חוֹב יָשִׁיב
ח גְּזֵלָה לֹא יִגְזֹל לַחְמוֹ לְרָעֵב יִתֵּן וְעֵירֹם יְכַסֶּה־בָּגֶד׃ בַּנֶּשֶׁךְ
לֹא־יִתֵּן וְתַרְבִּית לֹא יִקָּח מֵעָוֶל יָשִׁיב יָדוֹ מִשְׁפַּט אֱמֶת יַעֲשֶׂה
ט בֵּין אִישׁ לְאִישׁ׃ בְּחֻקּוֹתַי יְהַלֵּךְ וּמִשְׁפָּטַי שָׁמַר לַעֲשׂוֹת אֱמֶת
י צַדִּיק הוּא חָיֹה יִחְיֶה נְאֻם אֲדֹנָי יְהוִה׃ וְהוֹלִיד בֵּן־פָּרִיץ שֹׁפֵךְ
יא דָּם וְעָשָׂה אָח מֵאַחַד מֵאֵלֶּה׃ וְהוּא אֶת־כָּל־אֵלֶּה לֹא עָשָׂה כִּי
יב גַם אֶל־הֶהָרִים אָכַל וְאֶת־אֵשֶׁת רֵעֵהוּ טִמֵּא׃ עָנִי וְאֶבְיוֹן הוֹנָה
גְּזֵלוֹת גָּזָל חֲבֹל לֹא יָשִׁיב וְאֶל־הַגִּלּוּלִים נָשָׂא עֵינָיו תּוֹעֵבָה
יג עָשָׂה׃ בַּנֶּשֶׁךְ נָתַן וְתַרְבִּית לָקַח וָחָי לֹא יִחְיֶה אֵת כָּל־הַתּוֹעֵבוֹת

בֵּן הָרָשָׁע לֹא יֵעָנֵשׁ:

יד הָאֵלֶּה עָשָׂה מוֹת יוּמָת דָּמָיו בּוֹ יִהְיֶה׃ וְהִנֵּה הוֹלִיד בֵּן וַיַּרְא
אֶת־כָּל־חַטֹּאת אָבִיו אֲשֶׁר עָשָׂה וַיִּרְאֶה וְלֹא יַעֲשֶׂה כָּהֵן׃
טו עַל־הֶהָרִים לֹא אָכָל וְעֵינָיו לֹא נָשָׂא אֶל־גִּלּוּלֵי בֵּית יִשְׂרָאֵל

טז אֶת־אֵ֥שֶׁת רֵעֵ֖הוּ לֹ֥א טִמֵּֽא׃ וְאִישׁ֙ לֹ֣א הוֹנָ֔ה חֲבֹל֙ לֹ֣א חָבָ֔ל וּגְזֵלָ֖ה
יז לֹ֣א גָזָ֑ל לַחְמוֹ֙ לְרָעֵ֣ב נָתָ֔ן וְעֵר֖וֹם כִּסָּה־בָֽגֶד׃ מֵֽעָנִ֞י הֵשִׁ֣יב יָד֗וֹ
נֶ֤שֶׁךְ וְתַרְבִּית֙ לֹ֣א לָקָ֔ח מִשְׁפָּטַ֣י עָשָׂ֔ה בְּחֻקּוֹתַ֖י הָלָ֑ךְ ה֗וּא לֹ֥א
יח יָמ֛וּת בַּעֲוֺ֥ן אָבִ֖יו חָיֹ֥ה יִחְיֶֽה׃ אָבִ֞יו כִּי־עָ֣שַׁק עֹ֗שֶׁק גָּזַל֙ גֵּ֣זֶל אָ֔ח
יט וַאֲשֶׁ֛ר לֹא־ט֖וֹב עָשָׂ֣ה בְּת֣וֹךְ עַמָּ֑יו וְהִנֵּה־מֵ֖ת בַּעֲוֺנֽוֹ׃ וַאֲמַרְתֶּ֕ם מַדֻּ֛עַ
לֹא־נָשָׂ֥א הַבֵּ֖ן בַּעֲוֺ֣ן הָאָ֑ב וְהַבֵּ֞ן מִשְׁפָּ֧ט וּצְדָקָ֣ה עָשָׂ֗ה אֵ֣ת כָּל־חֻקּוֹתַ֥י
כ שָׁמַ֛ר וַיַּעֲשֶׂ֥ה אֹתָ֖ם חָיֹ֥ה יִחְיֶֽה׃ הַנֶּ֥פֶשׁ הַחֹטֵ֖את הִ֣יא תָמ֑וּת בֵּ֞ן
לֹא־יִשָּׂ֣א ׀ בַּעֲוֺ֣ן הָאָ֗ב וְאָב֙ לֹ֤א יִשָּׂא֙ בַּעֲוֺ֣ן הַבֵּ֔ן צִדְקַ֤ת הַצַּדִּיק֙ עָלָ֣יו
כא תִּֽהְיֶ֔ה וְרִשְׁעַ֥ת רשע הָרָשָׁ֖ע עָלָ֥יו תִּֽהְיֶֽה׃ וְהָרָשָׁ֗ע כִּ֤י
יָשׁוּב֙ מִכָּל־חַטֹּאתָו֙ אֲשֶׁ֣ר עָשָׂ֔ה וְשָׁמַר֙ אֶת־כָּל־חֻקּוֹתַ֔י וְעָשָׂ֥ה
כב מִשְׁפָּ֖ט וּצְדָקָ֑ה חָיֹ֥ה יִחְיֶ֖ה לֹ֥א יָמֽוּת׃ כָּל־פְּשָׁעָיו֙ אֲשֶׁ֣ר עָשָׂ֔ה לֹ֥א
כג יִזָּכְר֖וּ ל֑וֹ בְּצִדְקָת֥וֹ אֲשֶׁר־עָשָׂ֖ה יִחְיֶֽה׃ הֶחָפֹ֤ץ אֶחְפֹּץ֙ מ֣וֹת רָשָׁ֔ע
כד נְאֻ֖ם אֲדֹנָ֣י יֱהֹוִ֑ה הֲל֛וֹא בְּשׁוּב֥וֹ מִדְּרָכָ֖יו וְחָיָֽה׃ וּבְשׁ֨וּב
צַדִּ֤יק מִצִּדְקָתוֹ֙ וְעָ֣שָׂה עָ֔וֶל כְּכֹ֨ל הַתּוֹעֵב֜וֹת אֲשֶׁר־עָשָׂ֧ה הָרָשָׁ֛ע
יַעֲשֶׂ֖ה וָחָ֑י כָּל־צִדְקֹתָ֤ו אֲשֶׁר־עָשָׂה֙ לֹ֣א תִזָּכַ֔רְנָה בְּמַעֲל֧וֹ אֲשֶׁר־
כה מָעַ֛ל וּבְחַטָּאת֥וֹ אֲשֶׁר־חָטָ֖א בָּ֥ם יָמֽוּת׃ וַאֲמַרְתֶּ֕ם לֹ֥א יִתָּכֵ֖ן דֶּ֣רֶךְ
אֲדֹנָ֑י שִׁמְעוּ־נָא֙ בֵּ֣ית יִשְׂרָאֵ֔ל הֲדַרְכִּי֙ לֹ֣א יִתָּכֵ֔ן הֲלֹ֥א דַרְכֵיכֶ֖ם
כו לֹ֥א יִתָּכֵֽנוּ׃ בְּשׁוּב־צַדִּ֧יק מִצִּדְקָת֛וֹ וְעָ֥שָׂה עָ֖וֶל וּמֵ֣ת עֲלֵיהֶ֑ם בְּעַוְל֥וֹ
כז אֲשֶׁר־עָשָׂ֖ה יָמֽוּת׃ וּבְשׁ֣וּב רָשָׁ֗ע מֵֽרִשְׁעָתוֹ֙ אֲשֶׁ֣ר עָשָׂ֔ה
כח וַיַּ֥עַשׂ מִשְׁפָּ֖ט וּצְדָקָ֑ה ה֖וּא אֶת־נַפְשׁ֥וֹ יְחַיֶּֽה׃ וַיִּרְאֶ֥ה וישוב וַיָּ֖שָׁב
כט מִכָּל־פְּשָׁעָ֖יו אֲשֶׁ֣ר עָשָׂ֑ה חָי֥וֹ יִחְיֶ֖ה לֹ֥א יָמֽוּת׃ וְאָֽמְרוּ֙ בֵּ֣ית יִשְׂרָאֵ֔ל
לֹ֥א יִתָּכֵ֖ן דֶּ֣רֶךְ אֲדֹנָ֑י הַדְּרָכַ֞י לֹ֤א יִתָּֽכְנוּ֙ בֵּ֣ית יִשְׂרָאֵ֔ל הֲלֹ֥א דַרְכֵיכֶ֖ם
ל לֹ֥א יִתָּכֵֽן׃ לָכֵן֩ אִ֨ישׁ כִּדְרָכָ֜יו אֶשְׁפֹּ֤ט אֶתְכֶם֙ בֵּ֣ית יִשְׂרָאֵ֔ל נְאֻ֖ם
אֲדֹנָ֣י יֱהֹוִ֑ה שׁ֤וּבוּ וְהָשִׁ֙יבוּ֙ מִכָּל־פִּשְׁעֵיכֶ֔ם וְלֹא־יִהְיֶ֥ה לָכֶ֛ם
לא לְמִכְשׁ֖וֹל עָוֺֽן׃ הַשְׁלִ֣יכוּ מֵעֲלֵיכֶ֗ם אֶת־כָּל־פִּשְׁעֵיכֶם֙ אֲשֶׁ֣ר

בְּשׁוּב אָדָם מִדְּרָכָיו לֹא יִזָּכְרוּ מַעֲשָׂיו:

קְרִיאָה לְבֵית יִשְׂרָאֵל לִתְשׁוּבָה:

פְּשַׁעְתֶּם בָּם וַעֲשׂוּ לָכֶם לֵב חָדָשׁ וְרוּחַ חֲדָשָׁה וְלָמָּה תָמֻתוּ
לב בֵּית יִשְׂרָאֵל׃ כִּי לֹא אֶחְפֹּץ בְּמוֹת הַמֵּת נְאֻם אֲדֹנָי יֱהוִה וְהָשִׁיבוּ
וִחְיוּ׃

קִינָה עַל נְשִׂיאֵי יִשְׂרָאֵל׃

יט א ב וְאַתָּה שָׂא קִינָה אֶל־נְשִׂיאֵי יִשְׂרָאֵל׃ וְאָמַרְתָּ מָה אִמְּךָ לְבִיָּא
ג בֵּין אֲרָיוֹת רָבָצָה בְּתוֹךְ כְּפִרִים רִבְּתָה גוּרֶיהָ׃ וַתַּעַל אֶחָד מִגֻּרֶיהָ
ד כְּפִיר הָיָה וַיִּלְמַד לִטְרָף־טֶרֶף אָדָם אָכָל׃ וַיִּשְׁמְעוּ אֵלָיו גּוֹיִם
ה בְּשַׁחְתָּם נִתְפָּשׂ וַיְבִאֻהוּ בַחַחִים אֶל־אֶרֶץ מִצְרָיִם׃ וַתֵּרֶא כִּי
נוֹחֲלָה אָבְדָה תִּקְוָתָהּ וַתִּקַּח אֶחָד מִגֻּרֶיהָ כְּפִיר שָׂמָתְהוּ׃
ו וַיִּתְהַלֵּךְ בְּתוֹךְ־אֲרָיוֹת כְּפִיר הָיָה וַיִּלְמַד לִטְרָף־טֶרֶף אָדָם אָכָל׃
ז וַיֵּדַע אַלְמְנוֹתָיו וְעָרֵיהֶם הֶחֱרִיב וַתֵּשַׁם אֶרֶץ וּמְלֹאָהּ מִקּוֹל
ח שַׁאֲגָתוֹ׃ וַיִּתְּנוּ עָלָיו גּוֹיִם סָבִיב מִמְּדִינוֹת וַיִּפְרְשׂוּ עָלָיו רִשְׁתָּם
ט בְּשַׁחְתָּם נִתְפָּשׂ׃ וַיִּתְּנֻהוּ בַסּוּגַר בַּחַחִים וַיְבִאֻהוּ אֶל־מֶלֶךְ
בָּבֶל יְבִאֻהוּ בַּמְּצֹדוֹת לְמַעַן לֹא־יִשָּׁמַע קוֹלוֹ עוֹד אֶל־הָרֵי
יִשְׂרָאֵל׃

י אִמְּךָ כַגֶּפֶן בְּדָמְךָ עַל־מַיִם שְׁתוּלָה פֹּרִיָּה וַעֲנֵפָה הָיְתָה מִמַּיִם
יא רַבִּים׃ וַיִּהְיוּ־לָהּ מַטּוֹת עֹז אֶל־שִׁבְטֵי מֹשְׁלִים וַתִּגְבַּהּ
יב קוֹמָתוֹ עַל־בֵּין עֲבֹתִים וַיֵּרָא בְגָבְהוֹ בְּרֹב דָּלִיֹּתָיו׃ וַתֻּתַּשׁ בְּחֵמָה
לָאָרֶץ הֻשְׁלָכָה וְרוּחַ הַקָּדִים הוֹבִישׁ פִּרְיָהּ הִתְפָּרְקוּ וְיָבֵשׁוּ
יג מַטֵּה עֻזָּהּ אֵשׁ אֲכָלָתְהוּ׃ וְעַתָּה שְׁתוּלָה בַמִּדְבָּר בְּאֶרֶץ צִיָּה
יד וְצָמָא׃ וַתֵּצֵא אֵשׁ מִמַּטֵּה בַדֶּיהָ פִּרְיָהּ אָכָלָה וְלֹא־הָיָה בָהּ
מַטֵּה־עֹז שֵׁבֶט לִמְשׁוֹל קִינָה הִיא וַתְּהִי לְקִינָה׃

חֲטָאֵי יִשְׂרָאֵל בְּמִצְרַיִם וּבַמִּדְבָּר׃ [3334]

כ א וַיְהִי ׀ בַּשָּׁנָה הַשְּׁבִיעִית בַּחֲמִשִׁי בֶּעָשׂוֹר לַחֹדֶשׁ בָּאוּ אֲנָשִׁים
ב מִזִּקְנֵי יִשְׂרָאֵל לִדְרֹשׁ אֶת־יְהוָה וַיֵּשְׁבוּ לְפָנָי׃ וַיְהִי
ג דְבַר־יְהוָה אֵלַי לֵאמֹר׃ בֶּן־אָדָם דַּבֵּר אֶת־זִקְנֵי יִשְׂרָאֵל וְאָמַרְתָּ
אֲלֵהֶם כֹּה אָמַר אֲדֹנָי יֱהוִה הֲלִדְרֹשׁ אֹתִי אַתֶּם בָּאִים חַי־אָנִי

ד אִם־אִדָּרֵשׁ לָכֶם נְאֻם אֲדֹנָי יֱהוִה׃ הֲתִשְׁפֹּט אֹתָם הֲתִשְׁפּוֹט
ה בֶּן־אָדָם אֶת־תּוֹעֲבֹת אֲבוֹתָם הוֹדִיעֵם׃ וְאָמַרְתָּ אֲלֵיהֶם כֹּה־אָמַר
אֲדֹנָי יֱהוִה בְּיוֹם בָּחֳרִי בְיִשְׂרָאֵל וָאֶשָּׂא יָדִי לְזֶרַע בֵּית יַעֲקֹב
וָאִוָּדַע לָהֶם בְּאֶרֶץ מִצְרָיִם וָאֶשָּׂא יָדִי לָהֶם לֵאמֹר אֲנִי יְהוָה
ו אֱלֹהֵיכֶם׃ בַּיּוֹם הַהוּא נָשָׂאתִי יָדִי לָהֶם לְהוֹצִיאָם מֵאֶרֶץ מִצְרָיִם
אֶל־אֶרֶץ אֲשֶׁר־תַּרְתִּי לָהֶם זָבַת חָלָב וּדְבַשׁ צְבִי הִיא לְכָל־
ז הָאֲרָצוֹת׃ וָאֹמַר אֲלֵהֶם אִישׁ שִׁקּוּצֵי עֵינָיו הַשְׁלִיכוּ וּבְגִלּוּלֵי
ח מִצְרַיִם אַל־תִּטַּמָּאוּ אֲנִי יְהוָה אֱלֹהֵיכֶם׃ וַיַּמְרוּ־בִי וְלֹא אָבוּ
לִשְׁמֹעַ אֵלַי אִישׁ אֶת־שִׁקּוּצֵי עֵינֵיהֶם לֹא הִשְׁלִיכוּ וְאֶת־גִּלּוּלֵי
מִצְרַיִם לֹא עָזָבוּ וָאֹמַר לִשְׁפֹּךְ חֲמָתִי עֲלֵיהֶם לְכַלּוֹת אַפִּי בָּהֶם
ט בְּתוֹךְ אֶרֶץ מִצְרָיִם׃ וָאַעַשׂ לְמַעַן שְׁמִי לְבִלְתִּי הֵחֵל לְעֵינֵי הַגּוֹיִם
אֲשֶׁר־הֵמָּה בְתוֹכָם אֲשֶׁר נוֹדַעְתִּי אֲלֵיהֶם לְעֵינֵיהֶם לְהוֹצִיאָם
י מֵאֶרֶץ מִצְרָיִם׃ וָאוֹצִיאֵם מֵאֶרֶץ מִצְרָיִם וָאֲבִאֵם אֶל־הַמִּדְבָּר׃
יא וָאֶתֵּן לָהֶם אֶת־חֻקּוֹתַי וְאֶת־מִשְׁפָּטַי הוֹדַעְתִּי אוֹתָם אֲשֶׁר יַעֲשֶׂה
יב אוֹתָם הָאָדָם וָחַי בָּהֶם׃ וְגַם אֶת־שַׁבְּתוֹתַי נָתַתִּי לָהֶם לִהְיוֹת
יג לְאוֹת בֵּינִי וּבֵינֵיהֶם לָדַעַת כִּי אֲנִי יְהוָה מְקַדְּשָׁם׃ וַיַּמְרוּ־בִי
בֵית־יִשְׂרָאֵל בַּמִּדְבָּר בְּחֻקּוֹתַי לֹא־הָלָכוּ וְאֶת־מִשְׁפָּטַי מָאָסוּ
אֲשֶׁר יַעֲשֶׂה אֹתָם הָאָדָם וָחַי בָּהֶם וְאֶת־שַׁבְּתֹתַי חִלְּלוּ מְאֹד
יד וָאֹמַר לִשְׁפֹּךְ חֲמָתִי עֲלֵיהֶם בַּמִּדְבָּר לְכַלּוֹתָם׃ וָאֶעֱשֶׂה לְמַעַן
שְׁמִי לְבִלְתִּי הֵחֵל לְעֵינֵי הַגּוֹיִם אֲשֶׁר הוֹצֵאתִים לְעֵינֵיהֶם׃
טו וְגַם־אֲנִי נָשָׂאתִי יָדִי לָהֶם בַּמִּדְבָּר לְבִלְתִּי הָבִיא אוֹתָם אֶל־
הָאָרֶץ אֲשֶׁר־נָתַתִּי זָבַת חָלָב וּדְבַשׁ צְבִי הִיא לְכָל־הָאֲרָצוֹת׃
טז יַעַן בְּמִשְׁפָּטַי מָאָסוּ וְאֶת־חֻקּוֹתַי לֹא־הָלְכוּ בָהֶם וְאֶת־שַׁבְּתוֹתַי
יז חִלֵּלוּ כִּי אַחֲרֵי גִלּוּלֵיהֶם לִבָּם הֹלֵךְ׃ וַתָּחָס עֵינִי עֲלֵיהֶם
יח מִשַּׁחֲתָם וְלֹא־עָשִׂיתִי אוֹתָם כָּלָה בַּמִּדְבָּר׃ וָאֹמַר אֶל־בְּנֵיהֶם

בַּמִּדְבָּר בְּחוּקֵּי אֲבוֹתֵיכֶם אַל־תֵּלֵכוּ וְאֶת־מִשְׁפְּטֵיהֶם אַל־
יט תִּשְׁמֹרוּ וּבְגִלּוּלֵיהֶם אַל־תִּטַּמָּאוּ׃ אֲנִי יְהוָה אֱלֹהֵיכֶם בְּחֻקּוֹתַי
כ לֵכוּ וְאֶת־מִשְׁפָּטַי שִׁמְרוּ וַעֲשׂוּ אוֹתָם׃ וְאֶת־שַׁבְּתוֹתַי קַדֵּשׁוּ וְהָיוּ
כא לְאוֹת בֵּינִי וּבֵינֵיכֶם לָדַעַת כִּי אֲנִי יְהוָה אֱלֹהֵיכֶם׃ וַיַּמְרוּ־בִי
הַבָּנִים בְּחֻקּוֹתַי לֹא־הָלָכוּ וְאֶת־מִשְׁפָּטַי לֹא־שָׁמְרוּ לַעֲשׂוֹת
אוֹתָם אֲשֶׁר יַעֲשֶׂה אוֹתָם הָאָדָם וָחַי בָּהֶם אֶת־שַׁבְּתוֹתַי חִלֵּלוּ
כב וָאֹמַר לִשְׁפֹּךְ חֲמָתִי עֲלֵיהֶם לְכַלּוֹת אַפִּי בָּם בַּמִּדְבָּר׃ וַהֲשִׁבֹתִי
אֶת־יָדִי וָאַעַשׂ לְמַעַן שְׁמִי לְבִלְתִּי הֵחֵל לְעֵינֵי הַגּוֹיִם אֲשֶׁר־
כג הוֹצֵאתִי אוֹתָם לְעֵינֵיהֶם׃ גַּם־אֲנִי נָשָׂאתִי אֶת־יָדִי לָהֶם בַּמִּדְבָּר
כד לְהָפִיץ אֹתָם בַּגּוֹיִם וּלְזָרוֹת אוֹתָם בָּאֲרָצוֹת׃ יַעַן מִשְׁפָּטַי
לֹא־עָשׂוּ וְחֻקּוֹתַי מָאָסוּ וְאֶת־שַׁבְּתוֹתַי חִלֵּלוּ וְאַחֲרֵי גִּלּוּלֵי
כה אֲבוֹתָם הָיוּ עֵינֵיהֶם׃ וְגַם־אֲנִי נָתַתִּי לָהֶם חֻקִּים לֹא טוֹבִים
כו וּמִשְׁפָּטִים לֹא יִחְיוּ בָּהֶם׃ וָאֲטַמֵּא אוֹתָם בְּמַתְּנוֹתָם בְּהַעֲבִיר
כָּל־פֶּטֶר רָחַם לְמַעַן אֲשִׁמֵּם לְמַעַן אֲשֶׁר יֵדְעוּ אֲשֶׁר אֲנִי
כז יְהוָה׃ לָכֵן דַּבֵּר אֶל־בֵּית יִשְׂרָאֵל חֲטָאֵי הָעָם
בֶּן־אָדָם וְאָמַרְתָּ אֲלֵיהֶם כֹּה אָמַר אֲדֹנָי יְהוִה עוֹד זֹאת גִּדְּפוּ בְּאַרְצָם:
כח אוֹתִי אֲבוֹתֵיכֶם בְּמַעֲלָם בִּי מָעַל׃ וָאֲבִיאֵם אֶל־הָאָרֶץ אֲשֶׁר
נָשָׂאתִי אֶת־יָדִי לָתֵת אוֹתָהּ לָהֶם וַיִּרְאוּ כָל־גִּבְעָה רָמָה
וְכָל־עֵץ עָבֹת וַיִּזְבְּחוּ־שָׁם אֶת־זִבְחֵיהֶם וַיִּתְּנוּ־שָׁם כַּעַס קָרְבָּנָם
כט וַיָּשִׂימוּ שָׁם רֵיחַ נִיחוֹחֵיהֶם וַיַּסִּיכוּ שָׁם אֶת־נִסְכֵּיהֶם׃ וָאֹמַר
אֲלֵהֶם מָה הַבָּמָה אֲשֶׁר־אַתֶּם הַבָּאִים שָׁם וַיִּקָּרֵא שְׁמָהּ בָּמָה
ל עַד הַיּוֹם הַזֶּה׃ לָכֵן אֱמֹר ׀ אֶל־בֵּית יִשְׂרָאֵל כֹּה אָמַר שְׁבוּעַת ה׳
אֲדֹנָי יְהוִה הַבְדֶרֶךְ אֲבוֹתֵיכֶם אַתֶּם נִטְמְאִים וְאַחֲרֵי שִׁקּוּצֵיהֶם לְיַסֵּר הָעָם בְּחָזְקָה:
לא אַתֶּם זֹנִים׃ וּבִשְׂאֵת מַתְּנֹתֵיכֶם בְּהַעֲבִיר בְּנֵיכֶם בָּאֵשׁ אַתֶּם
נִטְמְאִים לְכָל־גִּלּוּלֵיכֶם עַד־הַיּוֹם וַאֲנִי אִדָּרֵשׁ לָכֶם

לב בֵּית יִשְׂרָאֵל חַי־אָנִי נְאֻם אֲדֹנָי יֱהֹוִה אִם־אִדָּרֵשׁ לָכֶם: וְהָעֹלָה
עַל־רוּחֲכֶם הָיוֹ לֹא תִהְיֶה אֲשֶׁר ׀ אַתֶּם אֹמְרִים נִהְיֶה כַגּוֹיִם
לג כְּמִשְׁפְּחוֹת הָאֲרָצוֹת לְשָׁרֵת עֵץ וָאָבֶן: חַי־אָנִי נְאֻם אֲדֹנָי יֱהֹוִה
אִם־לֹא בְּיָד חֲזָקָה וּבִזְרוֹעַ נְטוּיָה וּבְחֵמָה שְׁפוּכָה אֶמְלוֹךְ
לד עֲלֵיכֶם: וְהוֹצֵאתִי אֶתְכֶם מִן־הָעַמִּים וְקִבַּצְתִּי אֶתְכֶם מִן־
הָאֲרָצוֹת אֲשֶׁר נְפוֹצֹתֶם בָּם בְּיָד חֲזָקָה וּבִזְרוֹעַ נְטוּיָה וּבְחֵמָה
לה שְׁפוּכָה: וְהֵבֵאתִי אֶתְכֶם אֶל־מִדְבַּר הָעַמִּים וְנִשְׁפַּטְתִּי אִתְּכֶם
לו שָׁם פָּנִים אֶל־פָּנִים: כַּאֲשֶׁר נִשְׁפַּטְתִּי אֶת־אֲבוֹתֵיכֶם בְּמִדְבַּר
לז אֶרֶץ מִצְרָיִם כֵּן אִשָּׁפֵט אִתְּכֶם נְאֻם אֲדֹנָי יֱהֹוִה: וְהַעֲבַרְתִּי אֶתְכֶם
לח תַּחַת הַשָּׁבֶט וְהֵבֵאתִי אֶתְכֶם בְּמָסֹרֶת הַבְּרִית: וּבָרוֹתִי מִכֶּם
הַמֹּרְדִים וְהַפּוֹשְׁעִים בִּי מֵאֶרֶץ מְגוּרֵיהֶם אוֹצִיא אוֹתָם וְאֶל־
לט אַדְמַת יִשְׂרָאֵל לֹא יָבוֹא וִידַעְתֶּם כִּי־אֲנִי יְהֹוָה: וְאַתֶּם בֵּית־
יִשְׂרָאֵל כֹּה־אָמַר ׀ אֲדֹנָי יֱהֹוִה אִישׁ גִּלּוּלָיו לְכוּ עֲבֹדוּ וְאַחַר
אִם־אֵינְכֶם שֹׁמְעִים אֵלָי וְאֶת־שֵׁם קָדְשִׁי לֹא תְחַלְּלוּ־עוֹד
מ בְּמַתְּנוֹתֵיכֶם וּבְגִלּוּלֵיכֶם: כִּי בְהַר־קָדְשִׁי בְּהַר ׀ מְרוֹם יִשְׂרָאֵל
נְאֻם אֲדֹנָי יֱהֹוִה שָׁם יַעַבְדֻנִי כָּל־בֵּית יִשְׂרָאֵל כֻּלֹּה בָּאָרֶץ שָׁם
אֶרְצֵם וְשָׁם אֶדְרוֹשׁ אֶת־תְּרוּמֹתֵיכֶם וְאֶת־רֵאשִׁית מַשְׂאוֹתֵיכֶם
מא בְּכָל־קָדְשֵׁיכֶם: בְּרֵיחַ נִיחֹחַ אֶרְצֶה אֶתְכֶם בְּהוֹצִיאִי אֶתְכֶם
מִן־הָעַמִּים וְקִבַּצְתִּי אֶתְכֶם מִן־הָאֲרָצוֹת אֲשֶׁר נְפֹצֹתֶם בָּם
מב וְנִקְדַּשְׁתִּי בָכֶם לְעֵינֵי הַגּוֹיִם: וִידַעְתֶּם כִּי־אֲנִי יְהֹוָה בַּהֲבִיאִי
אֶתְכֶם אֶל־אַדְמַת יִשְׂרָאֵל אֶל־הָאָרֶץ אֲשֶׁר נָשָׂאתִי אֶת־יָדִי
מג לָתֵת אוֹתָהּ לַאֲבוֹתֵיכֶם: וּזְכַרְתֶּם־שָׁם אֶת־דַּרְכֵיכֶם וְאֵת
כָּל־עֲלִילוֹתֵיכֶם אֲשֶׁר נִטְמֵאתֶם בָּם וּנְקֹטֹתֶם בִּפְנֵיכֶם בְּכָל־
מד רָעוֹתֵיכֶם אֲשֶׁר עֲשִׂיתֶם: וִידַעְתֶּם כִּי־אֲנִי יְהֹוָה בַּעֲשׂוֹתִי אִתְּכֶם
לְמַעַן שְׁמִי לֹא כְדַרְכֵיכֶם הָרָעִים וְכַעֲלִילוֹתֵיכֶם הַנִּשְׁחָתוֹת

קִיּוּם הַמִּצְווֹת בְּאֶרֶץ יִשְׂרָאֵל:

בֵּית יִשְׂרָאֵל נְאֻם אֲדֹנָי יֱהוִה:

נְבוּאָה עַל שְׂרֵפַת הַמִּקְדָּשׁ:
כא א ב וַיְהִי דְבַר־יְהוָה אֵלַי לֵאמֹר: בֶּן־אָדָם שִׂים פָּנֶיךָ דֶּרֶךְ תֵּימָנָה
ג וְהַטֵּף אֶל־דָּרוֹם וְהִנָּבֵא אֶל־יַעַר הַשָּׂדֶה נֶגֶב: וְאָמַרְתָּ לְיַעַר הַנֶּגֶב
שְׁמַע דְּבַר־יְהוָה כֹּה־אָמַר אֲדֹנָי יֱהוִה הִנְנִי מַצִּית־בְּךָ ׀ אֵשׁ
וְאָכְלָה בְךָ כָל־עֵץ־לַח וְכָל־עֵץ יָבֵשׁ לֹא־תִכְבֶּה לַהֶבֶת שַׁלְהֶבֶת
ד וְנִצְרְבוּ־בָהּ כָּל־פָּנִים מִנֶּגֶב צָפוֹנָה: וְרָאוּ כָּל־בָּשָׂר כִּי אֲנִי
ה יְהוָה בִּעַרְתִּיהָ לֹא תִּכְבֶּה: וָאֹמַר אֲהָהּ אֲדֹנָי יֱהוִה הֵמָּה אֹמְרִים
לִי הֲלֹא מְמַשֵּׁל מְשָׁלִים הוּא:

הַדִּין בָּרְשָׁעִים:
ו ז וַיְהִי דְבַר־יְהוָה אֵלַי לֵאמֹר: בֶּן־אָדָם שִׂים פָּנֶיךָ אֶל־יְרוּשָׁלִַם
ח וְהַטֵּף אֶל־מִקְדָּשִׁים וְהִנָּבֵא אֶל־אַדְמַת יִשְׂרָאֵל: וְאָמַרְתָּ לְאַדְמַת
יִשְׂרָאֵל כֹּה אָמַר יְהוָה הִנְנִי אֵלַיִךְ וְהוֹצֵאתִי חַרְבִּי מִתַּעְרָהּ
ט וְהִכְרַתִּי מִמֵּךְ צַדִּיק וְרָשָׁע: יַעַן אֲשֶׁר־הִכְרַתִּי מִמֵּךְ צַדִּיק וְרָשָׁע
י לָכֵן תֵּצֵא חַרְבִּי מִתַּעְרָהּ אֶל־כָּל־בָּשָׂר מִנֶּגֶב צָפוֹן: וְיָדְעוּ
כָּל־בָּשָׂר כִּי אֲנִי יְהוָה הוֹצֵאתִי חַרְבִּי מִתַּעְרָהּ לֹא תָשׁוּב

אַנְחַת הַנָּבִיא לְעֵינֵי הָעָם:
יא עוֹד: וְאַתָּה בֶן־אָדָם הֵאָנַח בְּשִׁבְרוֹן מָתְנַיִם
יב וּבִמְרִירוּת תֵּאָנַח לְעֵינֵיהֶם: וְהָיָה כִּי־יֹאמְרוּ אֵלֶיךָ עַל־מָה אַתָּה
נֶאֱנָח וְאָמַרְתָּ אֶל־שְׁמוּעָה כִי־בָאָה וְנָמֵס כָּל־לֵב וְרָפוּ כָל־יָדַיִם
וְכִהֲתָה כָל־רוּחַ וְכָל־בִּרְכַּיִם תֵּלַכְנָה מַּיִם הִנֵּה בָאָה וְנִהְיָתָה
נְאֻם אֲדֹנָי יֱהוִה:

נְבוּאָה עַל הַחֶרֶב בְּיִשְׂרָאֵל:
יג יד וַיְהִי דְבַר־יְהוָה אֵלַי לֵאמֹר: בֶּן־אָדָם הִנָּבֵא וְאָמַרְתָּ כֹּה אָמַר
טו אֲדֹנָי אֱמֹר חֶרֶב חֶרֶב הוּחַדָּה וְגַם־מְרוּטָה: לְמַעַן טְבֹחַ טֶבַח
הוּחַדָּה לְמַעַן־הֱיֵה־לָהּ בָּרָק מֹרָטָּה אוֹ נָשִׂישׂ שֵׁבֶט בְּנִי מֹאֶסֶת
טז כָּל־עֵץ: וַיִּתֵּן אֹתָהּ לְמָרְטָה לִתְפֹּשׂ בַּכָּף הִיא־הוּחַדָּה חֶרֶב
יז וְהִיא מֹרָטָּה לָתֵת אוֹתָהּ בְּיַד־הוֹרֵג: זְעַק וְהֵילֵל בֶּן־אָדָם
כִּי־הִיא הָיְתָה בְעַמִּי הִיא בְּכָל־נְשִׂיאֵי יִשְׂרָאֵל מְגוּרֵי אֶל־חֶרֶב

יח הָיָה אֶת־עַמִּי לָכֵן סְפֹק אֶל־יָרֵךְ׃ כִּי בֹחַן וּמָה אִם־גַּם־שֵׁבֶט
מֹאֶסֶת לֹא יִהְיֶה נְאֻם אֲדֹנָי יֱהֹוִה׃
יט וְאַתָּה בֶן־אָדָם הִנָּבֵא וְהַךְ כַּף אֶל־כָּף וְתִכָּפֵל חֶרֶב שְׁלִישִׁתָה
כ חֶרֶב חֲלָלִים הִיא חֶרֶב חָלָל הַגָּדוֹל הַחֹדֶרֶת לָהֶם׃ לְמַעַן ׀ לָמוּג
לֵב וְהַרְבֵּה הַמִּכְשֹׁלִים עַל כָּל־שַׁעֲרֵיהֶם נָתַתִּי אִבְחַת־חָרֶב אָח
כא עֲשׂוּיָה לְבָרָק מְעֻטָּה לְטָבַח׃ הִתְאַחֲדִי הֵימִנִי הָשִׂימִי הַשְׂמִילִי
כב אָנָה פָּנַיִךְ מֻעָדוֹת׃ וְגַם־אֲנִי אַכֶּה כַפִּי אֶל־כַּפִּי וַהֲנִחֹתִי חֲמָתִי
אֲנִי יְהֹוָה דִּבַּרְתִּי׃
כג כד וַיְהִי דְבַר־יְהֹוָה אֵלַי לֵאמֹר׃ וְאַתָּה בֶן־אָדָם שִׂים־לְךָ ׀ שְׁנַיִם
נְבוּאָה עַל בִּיאַת מֶלֶךְ בָּבֶל:
דְּרָכִים לָבוֹא חֶרֶב מֶלֶךְ־בָּבֶל מֵאֶרֶץ אֶחָד יֵצְאוּ שְׁנֵיהֶם וְיָד
כה בָּרֵא בְּרֹאשׁ דֶּרֶךְ־עִיר בָּרֵא׃ דֶּרֶךְ תָּשִׂים לָבוֹא חֶרֶב אֵת רַבַּת
כו בְּנֵי־עַמּוֹן וְאֶת־יְהוּדָה בִירוּשָׁלִַם בְּצוּרָה׃ כִּי־עָמַד מֶלֶךְ־בָּבֶל
אֶל־אֵם הַדֶּרֶךְ בְּרֹאשׁ שְׁנֵי הַדְּרָכִים לִקְסָם־קָסֶם קִלְקַל בַּחִצִּים
כז שָׁאַל בַּתְּרָפִים רָאָה בַּכָּבֵד׃ בִּימִינוֹ הָיָה ׀ הַקֶּסֶם יְרוּשָׁלִַם לָשׂוּם
כָּרִים לִפְתֹּחַ פֶּה בְּרֶצַח לְהָרִים קוֹל בִּתְרוּעָה לָשׂוּם כָּרִים
כח עַל־שְׁעָרִים לִשְׁפֹּךְ סֹלְלָה לִבְנוֹת דָּיֵק׃ וְהָיָה לָהֶם כקסום
כִּקְסָם־שָׁוְא בְּעֵינֵיהֶם שְׁבֻעֵי שְׁבֻעוֹת לָהֶם וְהוּא־מַזְכִּיר עָוֺן
כט לְהִתָּפֵשׂ׃ לָכֵן כֹּה־אָמַר אֲדֹנָי יֱהֹוִה
יַעַן הַזְכַּרְכֶם עֲוֺנְכֶם בְּהִגָּלוֹת פִּשְׁעֵיכֶם לְהֵרָאוֹת חַטֹּאותֵיכֶם
בְּכֹל עֲלִילוֹתֵיכֶם יַעַן הִזָּכֶרְכֶם בַּכַּף תִּתָּפֵשׂוּ׃
ל וְאַתָּה חָלָל רָשָׁע נְשִׂיא יִשְׂרָאֵל אֲשֶׁר־בָּא יוֹמוֹ בְּעֵת עֲוֺן
לא קֵץ׃ כֹּה אָמַר אֲדֹנָי יֱהֹוִה הָסִיר הַמִּצְנֶפֶת וְהָרִים
לב הָעֲטָרָה זֹאת לֹא־זֹאת הַשָּׁפָלָה הַגְבֵּהַ וְהַגָּבֹהַ הַשְׁפִּיל׃ עַוָּה
נְבוּאַת פֻּרְעָנוּת עַל צִדְקִיָּהוּ:
עַוָּה עַוָּה אֲשִׂימֶנָּה גַּם־זֹאת לֹא הָיָה עַד־בֹּא אֲשֶׁר־לוֹ הַמִּשְׁפָּט
וּנְתַתִּיו׃

נְבוּאַת חָרְבָּן עַל בְּנֵי עַמּוֹן:

לג וְאַתָּה בֶן־אָדָם הִנָּבֵא וְאָמַרְתָּ כֹּה אָמַר אֲדֹנָי יֱהֹוִה אֶל־בְּנֵי
עַמּוֹן וְאֶל־חֶרְפָּתָם וְאָמַרְתָּ חֶרֶב חֶרֶב פְּתוּחָה לְטֶבַח מְרוּטָה
לד לְהָכִיל לְמַעַן בָּרָק׃ בַּחֲזוֹת לָךְ שָׁוְא בִּקְסָם־לָךְ כָּזָב לָתֵת אוֹתָךְ
לה אֶל־צַוְּארֵי חַלְלֵי רְשָׁעִים אֲשֶׁר־בָּא יוֹמָם בְּעֵת עֲוֺן קֵץ׃ הָשַׁב
אֶל־תַּעְרָהּ בִּמְקוֹם אֲשֶׁר־נִבְרֵאת בְּאֶרֶץ מְכֻרוֹתַיִךְ אֶשְׁפֹּט
לו אֹתָךְ׃ וְשָׁפַכְתִּי עָלַיִךְ זַעְמִי בְּאֵשׁ עֶבְרָתִי אָפִיחַ עָלָיִךְ וּנְתַתִּיךְ
לז בְּיַד אֲנָשִׁים בֹּעֲרִים חָרָשֵׁי מַשְׁחִית׃ לָאֵשׁ תִּהְיֶה לְאָכְלָה דָּמֵךְ
יִהְיֶה בְּתוֹךְ הָאָרֶץ לֹא תִזָּכֵרִי כִּי אֲנִי יְהֹוָה דִּבַּרְתִּי׃

עֲווֹנוֹת יְרוּשָׁלַיִם הַגּוֹרְמִים לְחָרְבָּנָהּ:

כב א ב וַיְהִי דְבַר־יְהֹוָה אֵלַי לֵאמֹר׃ וְאַתָּה בֶן־אָדָם הֲתִשְׁפֹּט הֲתִשְׁפֹּט
ג אֶת־עִיר הַדָּמִים וְהוֹדַעְתָּהּ אֵת כָּל־תּוֹעֲבוֹתֶיהָ׃ וְאָמַרְתָּ כֹּה
אָמַר אֲדֹנָי יֱהֹוִה עִיר שֹׁפֶכֶת דָּם בְּתוֹכָהּ לָבוֹא עִתָּהּ וְעָשְׂתָה
ד גִלּוּלִים עָלֶיהָ לְטָמְאָה׃ בְּדָמֵךְ אֲשֶׁר־שָׁפַכְתְּ אָשַׁמְתְּ וּבְגִלּוּלַיִךְ
אֲשֶׁר־עָשִׂית טָמֵאת וַתַּקְרִיבִי יָמַיִךְ וַתָּבוֹא עַד־שְׁנוֹתָיִךְ עַל־כֵּן
ה נְתַתִּיךְ חֶרְפָּה לַגּוֹיִם וְקַלָּסָה לְכָל־הָאֲרָצוֹת׃ הַקְּרֹבוֹת וְהָרְחֹקוֹת
ו מִמֵּךְ יִתְקַלְּסוּ־בָךְ טְמֵאַת הַשֵּׁם רַבַּת הַמְּהוּמָה׃ הִנֵּה נְשִׂיאֵי
ז יִשְׂרָאֵל אִישׁ לִזְרֹעוֹ הָיוּ בָךְ לְמַעַן שְׁפָךְ־דָּם׃ אָב וָאֵם הֵקַלּוּ
ח בָךְ לַגֵּר עָשׂוּ בַעֹשֶׁק בְּתוֹכֵךְ יָתוֹם וְאַלְמָנָה הוֹנוּ בָךְ׃ קָדָשַׁי
ט בָּזִית וְאֶת־שַׁבְּתֹתַי חִלָּלְתְּ׃ אַנְשֵׁי רָכִיל הָיוּ בָךְ לְמַעַן שְׁפָךְ־דָּם
י וְאֶל־הֶהָרִים אָכְלוּ בָךְ זִמָּה עָשׂוּ בְתוֹכֵךְ׃ עֶרְוַת־אָב גִּלָּה־בָךְ
יא טְמֵאַת הַנִּדָּה עִנּוּ־בָךְ׃ וְאִישׁ ׀ אֶת־אֵשֶׁת רֵעֵהוּ עָשָׂה תּוֹעֵבָה
וְאִישׁ אֶת־כַּלָּתוֹ טִמֵּא בְזִמָּה וְאִישׁ אֶת־אֲחֹתוֹ בַת־אָבִיו עִנָּה־
יב בָךְ׃ שֹׁחַד לָקְחוּ־בָךְ לְמַעַן שְׁפָךְ־דָּם נֶשֶׁךְ וְתַרְבִּית לָקַחַתְּ

הָעֹנֶשׁ לִירוּשָׁלַיִם:

יג וַתְּבַצְּעִי רֵעַיִךְ בַּעֹשֶׁק וְאֹתִי שָׁכַחַתְּ נְאֻם אֲדֹנָי יֱהֹוִה׃ וְהִנֵּה
הִכֵּיתִי כַפִּי אֶל־בִּצְעֵךְ אֲשֶׁר עָשִׂית וְעַל־דָּמֵךְ אֲשֶׁר הָיוּ בְּתוֹכֵךְ׃
יד הֲיַעֲמֹד לִבֵּךְ אִם־תֶּחֱזַקְנָה יָדַיִךְ לַיָּמִים אֲשֶׁר אֲנִי עֹשֶׂה אוֹתָךְ

טו אֲנִי יְהֹוָה דִּבַּרְתִּי וְעָשִׂיתִי: וַהֲפִיצוֹתִי אוֹתָךְ בַּגּוֹיִם וְזֵרִיתִיךְ
טז בָּאֲרָצוֹת וַהֲתִמֹּתִי טֻמְאָתֵךְ מִמֵּךְ: וְנִחַלְתְּ בָּךְ לְעֵינֵי גוֹיִם וְיָדַעַתְּ
כִּי־אֲנִי יְהֹוָה:
יז יח וַיְהִי דְבַר־יְהֹוָה אֵלַי לֵאמֹר: בֶּן־אָדָם הָיוּ־לִי בֵית־יִשְׂרָאֵל לסוג
לְסִיג כֻּלָּם נְחֹשֶׁת וּבְדִיל וּבַרְזֶל וְעוֹפֶרֶת בְּתוֹךְ כּוּר סִגִים כֶּסֶף
יט הָיוּ: לָכֵן כֹּה אָמַר אֲדֹנָי יֱהֹוִה יַעַן הֱיוֹת כֻּלְּכֶם לְסִגִים
כ לָכֵן הִנְנִי קֹבֵץ אֶתְכֶם אֶל־תּוֹךְ יְרוּשָׁלִָם: קְבֻצַת כֶּסֶף וּנְחֹשֶׁת
וּבַרְזֶל וְעוֹפֶרֶת וּבְדִיל אֶל־תּוֹךְ כּוּר לָפַחַת־עָלָיו אֵשׁ לְהַנְתִּיךְ
כא כֵּן אֶקְבֹּץ בְּאַפִּי וּבַחֲמָתִי וְהִנַּחְתִּי וְהִתַּכְתִּי אֶתְכֶם: וְכִנַּסְתִּי
כב אֶתְכֶם וְנָפַחְתִּי עֲלֵיכֶם בְּאֵשׁ עֶבְרָתִי וְנִתַּכְתֶּם בְּתוֹכָהּ: כְּהִתּוּךְ
כֶּסֶף בְּתוֹךְ כּוּר כֵּן תֻּתְּכוּ בְתוֹכָהּ וִידַעְתֶּם כִּי־אֲנִי יְהֹוָה
שָׁפַכְתִּי חֲמָתִי עֲלֵיכֶם:
כג כד וַיְהִי דְבַר־יְהֹוָה אֵלַי לֵאמֹר: בֶּן־אָדָם אֱמָר־לָהּ אַתְּ אֶרֶץ לֹא
כה מְטֹהָרָה הִיא לֹא גֻשְׁמָהּ בְּיוֹם זָעַם: קֶשֶׁר נְבִיאֶיהָ בְּתוֹכָהּ
כַּאֲרִי שׁוֹאֵג טֹרֵף טָרֶף נֶפֶשׁ אָכָלוּ חֹסֶן וִיקָר יִקָּחוּ אַלְמְנוֹתֶיהָ
כו הִרְבּוּ בְתוֹכָהּ: כֹּהֲנֶיהָ חָמְסוּ תוֹרָתִי וַיְחַלְּלוּ קָדָשַׁי בֵּין־קֹדֶשׁ
לְחֹל לֹא הִבְדִּילוּ וּבֵין־הַטָּמֵא לְטָהוֹר לֹא הוֹדִיעוּ וּמִשַּׁבְּתוֹתַי
כז הֶעְלִימוּ עֵינֵיהֶם וָאֵחַל בְּתוֹכָם: שָׂרֶיהָ בְקִרְבָּהּ כִּזְאֵבִים טֹרְפֵי
כח טָרֶף לִשְׁפָּךְ־דָּם לְאַבֵּד נְפָשׁוֹת לְמַעַן בְּצֹעַ בָּצַע: וּנְבִיאֶיהָ טָחוּ
לָהֶם תָּפֵל חֹזִים שָׁוְא וְקֹסְמִים לָהֶם כָּזָב אֹמְרִים כֹּה אָמַר אֲדֹנָי
כט יֱהֹוִה וַיהֹוָה לֹא דִבֵּר: עַם הָאָרֶץ עָשְׁקוּ עֹשֶׁק וְגָזְלוּ גָּזֵל וְעָנִי
ל וְאֶבְיוֹן הוֹנוּ וְאֶת־הַגֵּר עָשְׁקוּ בְּלֹא מִשְׁפָּט: וָאֲבַקֵּשׁ מֵהֶם אִישׁ
גֹּדֵר־גָּדֵר וְעֹמֵד בַּפֶּרֶץ לְפָנַי בְּעַד הָאָרֶץ לְבִלְתִּי שַׁחֲתָהּ וְלֹא
לא מָצָאתִי: וָאֶשְׁפֹּךְ עֲלֵיהֶם זַעְמִי בְּאֵשׁ עֶבְרָתִי כִּלִּיתִים דַּרְכָּם
בְּרֹאשָׁם נָתַתִּי נְאֻם אֲדֹנָי יֱהֹוִה:

יְרוּשָׁלִַם, כּוּר הַתּוּךְ:

חַטָּאֵי הַכֹּהֲנִים, הַשָּׂרִים וּנְבִיאֶיהָם:

מָשָׁל אָהֳלָה וְאָהֳלִיבָה:

כג א ב וַיְהִ֥י דְבַר־יְהוָ֖ה אֵלַ֥י לֵאמֹֽר׃ בֶּן־אָדָ֑ם שְׁתַּ֣יִם נָשִׁ֔ים בְּנ֥וֹת
ג אֵם־אַחַ֖ת הָיֽוּ׃ וַתִּזְנֶ֣ינָה בְמִצְרַ֔יִם בִּנְעוּרֵיהֶ֖ן זָנ֑וּ שָׁ֚מָּה מֹעֲכ֣וּ
ד שְׁדֵיהֶ֔ן וְשָׁ֣ם עִשּׂ֔וּ דַּדֵּ֖י בְּתוּלֵיהֶֽן׃ וּשְׁמוֹתָ֗ן אָהֳלָ֤ה הַגְּדוֹלָה֙
וְאָהֳלִיבָ֣ה אֲחוֹתָ֔הּ וַתִּהְיֶ֣ינָה לִ֔י וַתֵּלַ֖דְנָה בָּנִ֣ים וּבָנ֑וֹת וּשְׁמוֹתָ֕ן

רָעַת אָהֳלָה, הִיא שׁוֹמְרוֹן, וְעָנְשָׁהּ:

ה שֹׁמְר֣וֹן אָהֳלָ֔ה וִירוּשָׁלִַ֖ם אָהֳלִיבָֽה׃ וַתִּ֥זֶן אָהֳלָ֖ה תַּחְתָּ֑י וַתַּעְגַּב֙
ו עַל־מְאַהֲבֶ֔יהָ אֶל־אַשּׁ֖וּר קְרוֹבִֽים׃ לְבֻשֵׁ֤י תְכֵ֙לֶת֙ פַּח֣וֹת וּסְגָנִ֔ים
ז בַּחוּרֵ֥י חֶ֖מֶד כֻּלָּ֑ם פָּרָשִׁ֕ים רֹכְבֵ֖י סוּסִֽים׃ וַתִּתֵּ֤ן תַּזְנוּתֶ֙יהָ֙ עֲלֵיהֶ֔ם
מִבְחַ֥ר בְּנֵי־אַשּׁ֖וּר כֻּלָּ֑ם וּבְכֹ֥ל אֲשֶׁר־עָגְבָ֛ה בְּכָל־גִּלּוּלֵיהֶ֖ם
ח נִטְמָֽאָה׃ וְאֶת־תַּזְנוּתֶ֤יהָ מִמִּצְרַ֙יִם֙ לֹ֣א עָזָ֔בָה כִּ֤י אוֹתָהּ֙ שָׁכְב֣וּ
ט בִנְעוּרֶ֔יהָ וְהֵ֥מָּה עִשּׂ֖וּ דַּדֵּ֣י בְתוּלֶ֑יהָ וַיִּשְׁפְּכ֥וּ תַזְנוּתָ֖ם עָלֶֽיהָ׃ לָכֵ֥ן
י נְתַתִּ֖יהָ בְּיַד־מְאַֽהֲבֶ֑יהָ בְּיַד֙ בְּנֵ֣י אַשּׁ֔וּר אֲשֶׁ֥ר עָגְבָ֖ה עֲלֵיהֶֽם׃ הֵ֜מָּה
גִּלּ֣וּ עֶרְוָתָ֗הּ בָּנֶ֤יהָ וּבְנוֹתֶ֙יהָ֙ לָקָ֔חוּ וְאוֹתָ֖הּ בַּחֶ֣רֶב הָרָ֑גוּ

רָעַת אָהֳלִיבָה, הִיא יְרוּשָׁלָיִם:

יא וַתְּהִי־שֵׁם֙ לַנָּשִׁ֔ים וּשְׁפוּטִ֖ים עָ֥שׂוּ בָֽהּ׃ וַתֵּ֙רֶא֙
אֲחוֹתָ֣הּ אָהֳלִיבָ֔ה וַתַּשְׁחֵ֥ת עַגְבָתָ֖הּ מִמֶּ֑נָּה וְאֶת־תַּזְנוּתֶ֔יהָ
יב מִזְּנוּנֵ֖י אֲחוֹתָֽהּ׃ אֶל־בְּנֵי֩ אַשּׁ֨וּר עָגָ֜בָה פַּח֣וֹת וּסְגָנִ֗ים קְרֹבִים֙
יג לְבֻשֵׁ֣י מִכְל֔וֹל פָּרָשִׁ֖ים רֹכְבֵ֣י סוּסִ֑ים בַּחוּרֵ֥י חֶ֖מֶד כֻּלָּֽם׃ וָאֵ֖רֶא
יד כִּ֣י נִטְמָ֑אָה דֶּ֥רֶךְ אֶחָ֖ד לִשְׁתֵּיהֶֽן׃ וַתּ֖וֹסֶף אֶל־תַּזְנוּתֶ֑יהָ וַתֵּ֗רֶא אַנְשֵׁי֙
טו מְחֻקֶּ֣ה עַל־הַקִּ֔יר צַלְמֵ֣י כשדיים כַשְׂדִּ֔ים חֲקֻקִ֖ים בַּשָּׁשַֽׁר׃ חֲגוֹרֵ֨י
אֵז֜וֹר בְּמָתְנֵיהֶ֗ם סְרוּחֵ֤י טְבוּלִים֙ בְּרָ֣אשֵׁיהֶ֔ם מַרְאֵ֥ה שָׁלִשִׁ֖ים
טז כֻּלָּ֑ם דְּמ֣וּת בְּנֵי־בָבֶ֔ל כַּשְׂדִּ֖ים אֶ֥רֶץ מוֹלַדְתָּֽם׃ ותעגב וַתַּעְגְּבָ֥ה
יז עֲלֵיהֶ֖ם לְמַרְאֵ֣ה עֵינֶ֑יהָ וַתִּשְׁלַ֧ח מַלְאָכִ֛ים אֲלֵיהֶ֖ם כַּשְׂדִּֽימָה׃ וַיָּבֹ֨אוּ
אֵלֶ֤יהָ בְנֵֽי־בָבֶל֙ לְמִשְׁכַּ֣ב דֹּדִ֔ים וַיְטַמְּא֥וּ אוֹתָ֖הּ בְּתַזְנוּתָ֑ם
יח וַתִּטְמָא־בָ֔ם וַתֵּ֥קַע נַפְשָׁ֖הּ מֵהֶֽם׃ וַתְּגַל֙ תַּזְנוּתֶ֔יהָ וַתְּגַ֖ל אֶת־
עֶרְוָתָ֑הּ וַתֵּ֤קַע נַפְשִׁי֙ מֵעָלֶ֔יהָ כַּאֲשֶׁ֥ר נָקְעָ֛ה נַפְשִׁ֖י מֵעַ֥ל
יט אֲחוֹתָֽהּ׃ וַתַּרְבֶּ֖ה אֶת־תַּזְנוּתֶ֑יהָ לִזְכֹּר֙ אֶת־יְמֵ֣י נְעוּרֶ֔יהָ אֲשֶׁ֥ר

כ זָנְתָה בְּאֶרֶץ מִצְרָיִם׃ וַתַּעְגְּבָה עַל פִּלַגְשֵׁיהֶם אֲשֶׁר בְּשַׂר־חֲמוֹרִים
כא בְּשָׂרָם וְזִרְמַת סוּסִים זִרְמָתָם׃ וַתִּפְקְדִי אֵת זִמַּת נְעוּרָיִךְ בַּעְשׂוֹת
כב מִמִּצְרַיִם דַּדַּיִךְ לְמַעַן שְׁדֵי נְעוּרָיִךְ׃ לָכֵן אָהֳלִיבָה עֹנֶשׁ יְרוּשָׁלַיִם׃
כֹּה־אָמַר אֲדֹנָי יֱהוִה הִנְנִי מֵעִיר אֶת־מְאַהֲבַיִךְ עָלַיִךְ אֵת
כג אֲשֶׁר־נָקְעָה נַפְשֵׁךְ מֵהֶם וַהֲבֵאתִים עָלַיִךְ מִסָּבִיב׃ בְּנֵי בָבֶל
וְכָל־כַּשְׂדִּים פְּקוֹד וְשׁוֹעַ וְקוֹעַ כָּל־בְּנֵי אַשּׁוּר אוֹתָם בַּחוּרֵי
חֶמֶד פַּחוֹת וּסְגָנִים כֻּלָּם שָׁלִשִׁים וּקְרוּאִים רֹכְבֵי סוּסִים
כד כֻּלָּם׃ וּבָאוּ עָלַיִךְ הֹצֶן רֶכֶב וְגַלְגַּל וּבִקְהַל עַמִּים צִנָּה וּמָגֵן
וְקוֹבַע יָשִׂימוּ עָלַיִךְ סָבִיב וְנָתַתִּי לִפְנֵיהֶם מִשְׁפָּט וּשְׁפָטוּךְ
כה בְּמִשְׁפְּטֵיהֶם׃ וְנָתַתִּי קִנְאָתִי בָּךְ וְעָשׂוּ אוֹתָךְ בְּחֵמָה אַפֵּךְ וְאָזְנַיִךְ
יָסִירוּ וְאַחֲרִיתֵךְ בַּחֶרֶב תִּפּוֹל הֵמָּה בָּנַיִךְ וּבְנוֹתַיִךְ יִקָּחוּ
כו וְאַחֲרִיתֵךְ תֵּאָכֵל בָּאֵשׁ׃ וְהִפְשִׁיטוּךְ אֶת־בְּגָדָיִךְ וְלָקְחוּ כְּלֵי
כז תִפְאַרְתֵּךְ׃ וְהִשְׁבַּתִּי זִמָּתֵךְ מִמֵּךְ וְאֶת־זְנוּתֵךְ מֵאֶרֶץ מִצְרָיִם
וְלֹא־תִשְׂאִי עֵינַיִךְ אֲלֵיהֶם וּמִצְרַיִם לֹא תִזְכְּרִי־עוֹד׃
כח כִּי כֹה אָמַר אֲדֹנָי יֱהוִה הִנְנִי נֹתְנָךְ בְּיַד אֲשֶׁר שָׂנֵאת בְּיַד
כט אֲשֶׁר־נָקְעָה נַפְשֵׁךְ מֵהֶם׃ וְעָשׂוּ אוֹתָךְ בְּשִׂנְאָה וְלָקְחוּ כָּל־יְגִיעֵךְ
וַעֲזָבוּךְ עֵירֹם וְעֶרְיָה וְנִגְלָה עֶרְוַת זְנוּנַיִךְ וְזִמָּתֵךְ וְתַזְנוּתָיִךְ׃
ל עָשֹׂה אֵלֶּה לָךְ בִּזְנוֹתֵךְ אַחֲרֵי גוֹיִם עַל אֲשֶׁר־נִטְמֵאת בְּגִלּוּלֵיהֶם׃
לא לב בְּדֶרֶךְ אֲחוֹתֵךְ הָלָכְתְּ וְנָתַתִּי כוֹסָהּ בְּיָדֵךְ׃ כֹּה אָמַר
אֲדֹנָי יֱהוִה כּוֹס אֲחוֹתֵךְ תִּשְׁתִּי הָעֲמֻקָּה וְהָרְחָבָה תִּהְיֶה לִצְחֹק
לג וּלְלַעַג מִרְבָּה לְהָכִיל׃ שִׁכָּרוֹן וְיָגוֹן תִּמָּלֵאִי כּוֹס שַׁמָּה וּשְׁמָמָה
לד כּוֹס אֲחוֹתֵךְ שֹׁמְרוֹן׃ וְשָׁתִית אוֹתָהּ וּמָצִית וְאֶת־חֲרָשֶׂיהָ תְּגָרֵמִי
לה וְשָׁדַיִךְ תְּנַתֵּקִי כִּי אֲנִי דִבַּרְתִּי נְאֻם אֲדֹנָי יֱהוִה׃ לָכֵן
כֹּה אָמַר אֲדֹנָי יֱהוִה יַעַן שָׁכַחַתְּ אוֹתִי וַתַּשְׁלִיכִי אוֹתִי אַחֲרֵי
לו גַוֵּךְ וְגַם־אַתְּ שְׂאִי זִמָּתֵךְ וְאֶת־תַּזְנוּתָיִךְ׃ וַיֹּאמֶר

תּוֹעֲבוֹת אָהֳלָה וְאָהֳלִיבָה:

יְהוָה אֵלַי בֶּן־אָדָם הֲתִשְׁפּוֹט אֶת־אׇהֳלָה וְאֶת־אׇהֳלִיבָה וְהַגֵּד
לז לָהֶן אֵת תּוֹעֲבוֹתֵיהֶן: כִּי נִאֵפוּ וְדָם בִּידֵיהֶן וְאֶת־גִּלּוּלֵיהֶן נִאֵפוּ
לח וְגַם אֶת־בְּנֵיהֶן אֲשֶׁר יָלְדוּ־לִי הֶעֱבִירוּ לָהֶם לְאׇכְלָה: עוֹד זֹאת
עָשׂוּ לִי טִמְּאוּ אֶת־מִקְדָּשִׁי בַּיּוֹם הַהוּא וְאֶת־שַׁבְּתוֹתַי חִלֵּלוּ:
לט וּבְשַׁחֲטָם אֶת־בְּנֵיהֶם לְגִלּוּלֵיהֶם וַיָּבֹאוּ אֶל־מִקְדָּשִׁי בַּיּוֹם הַהוּא
מ לְחַלְּלוֹ וְהִנֵּה־כֹה עָשׂוּ בְּתוֹךְ בֵּיתִי: וְאַף כִּי תִשְׁלַחְנָה לַאֲנָשִׁים
בָּאִים מִמֶּרְחָק אֲשֶׁר מַלְאָךְ שָׁלוּחַ אֲלֵיהֶם וְהִנֵּה־בָאוּ לַאֲשֶׁר
מא רָחַצְתְּ כָּחַלְתְּ עֵינַיִךְ וְעָדִית עֶדִי: וְיָשַׁבְתְּ עַל־מִטָּה כְבוּדָּה
מב וְשֻׁלְחָן עָרוּךְ לְפָנֶיהָ וּקְטׇרְתִּי וְשַׁמְנִי שַׂמְתְּ עָלֶיהָ: וְקוֹל הָמוֹן
שָׁלֵו בָהּ וְאֶל־אֲנָשִׁים מֵרֹב אָדָם מוּבָאִים סובאים סָבָאִים
מִמִּדְבָּר וַיִּתְּנוּ צְמִידִים אֶל־יְדֵיהֶן וַעֲטֶרֶת תִּפְאֶרֶת עַל־
מג רָאשֵׁיהֶן: וָאֹמַר לַבָּלָה נִאוּפִים עת יזנה עַתָּה יִזְנוּ תַזְנוּתֶהָ וָהִיא:
מד וַיָּבוֹא אֵלֶיהָ כְּבוֹא אֶל־אִשָּׁה זוֹנָה כֵּן בָּאוּ אֶל־אׇהֳלָה וְאֶל־
מה אׇהֳלִיבָה אִשֹּׁת הַזִּמָּה: וַאֲנָשִׁים צַדִּיקִם הֵמָּה יִשְׁפְּטוּ אוֹתְהֶם
מִשְׁפַּט נֹאֲפוֹת וּמִשְׁפַּט שֹׁפְכוֹת דָּם כִּי נֹאֲפֹת הֵנָּה וְדָם

נְבוּאַת פֻּרְעָנוּת קָשָׁה עֲלֵיהֶן:

מו בִּידֵיהֶן: כִּי כֹה אָמַר אֲדֹנָי יֱהֹוִה הַעֲלֵה עֲלֵיהֶם קָהָל
מז וְנָתֹן אֶתְהֶן לְזַעֲוָה וָלָבַז: וְרָגְמוּ עֲלֵיהֶן אֶבֶן קָהָל וּבָרֵא אוֹתְהֶן
בְּחַרְבוֹתָם בְּנֵיהֶם וּבְנוֹתֵיהֶם יַהֲרֹגוּ וּבָתֵּיהֶן בָּאֵשׁ יִשְׂרֹפוּ:
מח וְהִשְׁבַּתִּי זִמָּה מִן־הָאָרֶץ וְנִוַּסְּרוּ כׇּל־הַנָּשִׁים וְלֹא תַעֲשֶׂינָה
מט כְּזִמַּתְכֶנָה: וְנָתְנוּ זִמַּתְכֶנָה עֲלֵיכֶן וַחֲטָאֵי גִלּוּלֵיכֶן תִּשֶּׂאינָה
וִידַעְתֶּם כִּי אֲנִי אֲדֹנָי יֱהֹוִה:

הַמָּצוֹר עַל יְרוּשָׁלַיִם בְּיו״ד בְּטֵבֵת

[3336]

כד א וַיְהִי דְבַר־יְהוָה אֵלַי בַּשָּׁנָה הַתְּשִׁיעִית בַּחֹדֶשׁ הָעֲשִׂירִי בֶּעָשׂוֹר
ב לַחֹדֶשׁ לֵאמֹר: בֶּן־אָדָם כתוב כְּתׇב־לְךָ אֶת־שֵׁם הַיּוֹם אֶת־עֶצֶם
ג הַיּוֹם הַזֶּה סָמַךְ מֶלֶךְ־בָּבֶל אֶל־יְרוּשָׁלַםִ בְּעֶצֶם הַיּוֹם הַזֶּה: וּמְשֹׁל

מְשַׁל סִיר נְתָחֵי הַבָּשָׂר:

אֶל־בֵּית־הַמֶּרִי מָשָׁל וְאָמַרְתָּ אֲלֵיהֶם כֹּה אָמַר אֲדֹנָי יֱהֹוִה שְׁפֹת

ד הַסִּיר שְׁפֹת וְגַם־יְצֹק בּוֹ מָיִם: אֱסֹף נְתָחֶיהָ אֵלֶיהָ כָּל־נֵתַח
ה טוֹב יָרֵךְ וְכָתֵף מִבְחַר עֲצָמִים מַלֵּא: מִבְחַר הַצֹּאן לָקוֹחַ וְגַם
דּוּר הָעֲצָמִים תַּחְתֶּיהָ רַתַּח רְתָחֶיהָ גַּם־בָּשְׁלוּ עֲצָמֶיהָ
ו בְּתוֹכָהּ: לָכֵן כֹּה־אָמַר ׀ אֲדֹנָי יֱהוִֹה אוֹי עִיר הַדָּמִים פִּתְרוֹן הַמָּשָׁל:
סִיר אֲשֶׁר חֶלְאָתָה בָהּ וְחֶלְאָתָהּ לֹא יָצְאָה מִמֶּנָּה לִנְתָחֶיהָ
ז לִנְתָחֶיהָ הוֹצִיאָהּ לֹא־נָפַל עָלֶיהָ גּוֹרָל: כִּי דָמָהּ בְּתוֹכָהּ
הָיָה עַל־צְחִיחַ סֶלַע שָׂמָתְהוּ לֹא שְׁפָכַתְהוּ עַל־הָאָרֶץ לְכַסּוֹת
ח עָלָיו עָפָר: לְהַעֲלוֹת חֵמָה לִנְקֹם נָקָם נָתַתִּי אֶת־דָּמָהּ עַל־
צְחִיחַ סָלַע לְבִלְתִּי הִכָּסוֹת:
ט לָכֵן כֹּה אָמַר אֲדֹנָי יֱהוִֹה אוֹי עִיר הַדָּמִים גַּם־אֲנִי אַגְדִּיל
י הַמְּדוּרָה: הַרְבֵּה הָעֵצִים הַדְלֵק הָאֵשׁ הָתֵם הַבָּשָׂר וְהַרְקַח
יא הַמֶּרְקָחָה וְהָעֲצָמוֹת יֵחָרוּ: וְהַעֲמִידֶהָ עַל־גֶּחָלֶיהָ רֵקָה לְמַעַן
תֵּחַם וְחָרָה נְחֻשְׁתָּהּ וְנִתְּכָה בְתוֹכָהּ טֻמְאָתָהּ תִּתֹּם
יב חֶלְאָתָהּ: תְּאֻנִים הֶלְאָת וְלֹא־תֵצֵא מִמֶּנָּה רַבַּת חֶלְאָתָהּ בְּאֵשׁ
יג חֶלְאָתָהּ: בְּטֻמְאָתֵךְ זִמָּה יַעַן טִהַרְתִּיךְ וְלֹא טָהַרְתְּ מִטֻּמְאָתֵךְ
יד לֹא תִטְהֲרִי־עוֹד עַד־הֲנִיחִי אֶת־חֲמָתִי בָּךְ: אֲנִי יְהוָה דִּבַּרְתִּי
בָּאָה וְעָשִׂיתִי לֹא־אֶפְרַע וְלֹא־אָחוּס וְלֹא אֶנָּחֵם כִּדְרָכַיִךְ
וְכַעֲלִילוֹתַיִךְ שְׁפָטוּךְ נְאֻם אֲדֹנָי יֱהוִֹה:
טו טז וַיְהִי דְבַר־יְהוָה אֵלַי לֵאמֹר: בֶּן־אָדָם הִנְנִי לֹקֵחַ מִמְּךָ אֶת־ צִוּוּי שֶׁלֹּא לְהִתְאַבֵּל עַל אִשְׁתּוֹ:
מַחְמַד עֵינֶיךָ בְּמַגֵּפָה וְלֹא תִסְפֹּד וְלֹא תִבְכֶּה וְלוֹא תָבוֹא
יז דִּמְעָתֶךָ: הֵאָנֵק ׀ דֹּם מֵתִים אֵבֶל לֹא־תַעֲשֶׂה פְּאֵרְךָ חֲבוֹשׁ
עָלֶיךָ וּנְעָלֶיךָ תָּשִׂים בְּרַגְלֶיךָ וְלֹא תַעְטֶה עַל־שָׂפָם וְלֶחֶם
יח אֲנָשִׁים לֹא תֹאכֵל: וָאֲדַבֵּר אֶל־הָעָם בַּבֹּקֶר וַתָּמָת אִשְׁתִּי בָּעָרֶב
יט וָאַעַשׂ בַּבֹּקֶר כַּאֲשֶׁר צֻוֵּיתִי: וַיֹּאמְרוּ אֵלַי הָעָם הֲלֹא־תַגִּיד לָנוּ מַעֲשֵׂי יְחֶזְקֵאל מוֹפֵת לָעָם:
כ מָה־אֵלֶּה לָּנוּ כִּי אַתָּה עֹשֶׂה: וָאֹמַר אֲלֵיהֶם דְּבַר־יְהוָה הָיָה אֵלַי

כא לֵאמֹר: אֱמֹר ׀ לְבֵית יִשְׂרָאֵל כֹּה־אָמַר אֲדֹנָי יֱהֹוִה הִנְנִי מְחַלֵּל
אֶת־מִקְדָּשִׁי גְּאוֹן עֻזְּכֶם מַחְמַד עֵינֵיכֶם וּמַחְמַל נַפְשְׁכֶם וּבְנֵיכֶם
כב וּבְנוֹתֵיכֶם אֲשֶׁר עֲזַבְתֶּם בַּחֶרֶב יִפֹּלוּ: וַעֲשִׂיתֶם כַּאֲשֶׁר עָשִׂיתִי
כג עַל־שָׂפָם לֹא תַעְטוּ וְלֶחֶם אֲנָשִׁים לֹא תֹאכֵלוּ: וּפְאֵרֵכֶם
עַל־רָאשֵׁיכֶם וְנַעֲלֵיכֶם בְּרַגְלֵיכֶם לֹא תִסְפְּדוּ וְלֹא תִבְכּוּ
כד וּנְמַקֹּתֶם בַּעֲוֺנֹתֵיכֶם וּנְהַמְתֶּם אִישׁ אֶל־אָחִיו: וְהָיָה יְחֶזְקֵאל
לָכֶם לְמוֹפֵת כְּכֹל אֲשֶׁר־עָשָׂה תַּעֲשׂוּ בְּבֹאָהּ וִידַעְתֶּם כִּי אֲנִי
כה אֲדֹנָי יֱהֹוִה: וְאַתָּה בֶן־אָדָם הֲלוֹא בְּיוֹם קַחְתִּי מֵהֶם שְׁתִיקַת הַנָּבִיא עַד הַחֻרְבָּן:
אֶת־מָעוּזָּם מְשׂוֹשׂ תִּפְאַרְתָּם אֶת־מַחְמַד עֵינֵיהֶם וְאֶת־מַשָּׂא
כו נַפְשָׁם בְּנֵיהֶם וּבְנוֹתֵיהֶם: בַּיּוֹם הַהוּא יָבוֹא הַפָּלִיט אֵלֶיךָ
כז לְהַשְׁמָעוּת אָזְנָיִם: בַּיּוֹם הַהוּא יִפָּתַח פִּיךָ אֶת־הַפָּלִיט וּתְדַבֵּר
וְלֹא תֵאָלֵם עוֹד וְהָיִיתָ לָהֶם לְמוֹפֵת וְיָדְעוּ כִּי־אֲנִי יְהֹוָה:

כה א ב וַיְהִי דְבַר־יְהֹוָה אֵלַי לֵאמֹר: בֶּן־אָדָם שִׂים פָּנֶיךָ אֶל־בְּנֵי עַמּוֹן נְבוּאַת חֻרְבָּן לִבְנֵי עַמּוֹן:
ג וְהִנָּבֵא עֲלֵיהֶם: וְאָמַרְתָּ לִבְנֵי עַמּוֹן שִׁמְעוּ דְּבַר־אֲדֹנָי יֱהֹוִה
כֹּה־אָמַר אֲדֹנָי יֱהֹוִה יַעַן אָמְרֵךְ הֶאָח אֶל־מִקְדָּשִׁי כִּי־נִחָל
וְאֶל־אַדְמַת יִשְׂרָאֵל כִּי נָשַׁמָּה וְאֶל־בֵּית יְהוּדָה כִּי הָלְכוּ בַּגּוֹלָה:
ד לָכֵן הִנְנִי נֹתְנָךְ לִבְנֵי־קֶדֶם לְמוֹרָשָׁה וְיִשְּׁבוּ טִירוֹתֵיהֶם בָּךְ וְנָתְנוּ
ה בָךְ מִשְׁכְּנֵיהֶם הֵמָּה יֹאכְלוּ פִרְיֵךְ וְהֵמָּה יִשְׁתּוּ חֲלָבֵךְ: וְנָתַתִּי
אֶת־רַבָּה לִנְוֵה גְמַלִּים וְאֶת־בְּנֵי עַמּוֹן לְמִרְבַּץ־צֹאן וִידַעְתֶּם
כִּי־אֲנִי יְהֹוָה:

ו כִּי כֹה אָמַר אֲדֹנָי יֱהֹוִה יַעַן מַחְאֲךָ יָד וְרַקְעֲךָ בְּרָגֶל וַתִּשְׂמַח
ז בְּכָל־שָׁאטְךָ בְּנֶפֶשׁ אֶל־אַדְמַת יִשְׂרָאֵל: לָכֵן הִנְנִי נָטִיתִי
אֶת־יָדִי עָלֶיךָ וּנְתַתִּיךָ לבג לְבַז לַגּוֹיִם וְהִכְרַתִּיךָ מִן־הָעַמִּים
וְהַאֲבַדְתִּיךָ מִן־הָאֲרָצוֹת אַשְׁמִידְךָ וְיָדַעְתָּ כִּי־אֲנִי יְהֹוָה:
ח כֹּה אָמַר אֲדֹנָי יֱהֹוִה יַעַן אֲמֹר מוֹאָב וְשֵׂעִיר הִנֵּה כְּכָל־הַגּוֹיִם בֵּית

עֹנֶשׁ
לְמוֹאָב:

ט יְהוּדָה: לָכֵן הִנְנִי פֹתֵחַ אֶת־כֶּתֶף מוֹאָב מֵהֶעָרִים מֵעָרָיו מִקָּצֵהוּ

י צְבִי אֶרֶץ בֵּית הַיְשִׁימֹת בַּעַל מְעוֹן וְקִרְיָתְמָה וקריתמה לִבְנֵי־קֶדֶם
עַל־בְּנֵי עַמּוֹן וּנְתַתִּיהָ לְמוֹרָשָׁה לְמַעַן לֹא־תִזָּכֵר בְּנֵי־עַמּוֹן

יא בַּגּוֹיִם: וּבְמוֹאָב אֶעֱשֶׂה שְׁפָטִים וְיָדְעוּ כִּי־אֲנִי יְהוָה:

נְבוּאַת
נָקְמָה עַל
אֱדוֹם:

יב כֹּה אָמַר אֲדֹנָי יְהוָה יַעַן עֲשׂוֹת אֱדוֹם בִּנְקֹם נָקָם לְבֵית יְהוּדָה

יג וַיֶּאְשְׁמוּ אָשׁוֹם וְנִקְמוּ בָהֶם: לָכֵן כֹּה אָמַר אֲדֹנָי יְהוִה וְנָטִתִי
יָדִי עַל־אֱדוֹם וְהִכְרַתִּי מִמֶּנָּה אָדָם וּבְהֵמָה וּנְתַתִּיהָ חָרְבָּה

יד מִתֵּימָן וּדְדָנֶה בַּחֶרֶב יִפֹּלוּ: וְנָתַתִּי אֶת־נִקְמָתִי בֶּאֱדוֹם בְּיַד עַמִּי
יִשְׂרָאֵל וְעָשׂוּ בֶאֱדוֹם כְּאַפִּי וְכַחֲמָתִי וְיָדְעוּ אֶת־נִקְמָתִי נְאֻם

נְבוּאַת
פֻּרְעָנוּת
עַל
פְּלִשְׁתִּים:

טו אֲדֹנָי יְהוִה: כֹּה אָמַר אֲדֹנָי יְהוִה יַעַן עֲשׂוֹת פְּלִשְׁתִּים בִּנְקָמָה

טז וַיִּנָּקְמוּ נָקָם בִּשְׁאָט בְּנֶפֶשׁ לְמַשְׁחִית אֵיבַת עוֹלָם: לָכֵן כֹּה אָמַר
אֲדֹנָי יְהוִה הִנְנִי נוֹטֶה יָדִי עַל־פְּלִשְׁתִּים וְהִכְרַתִּי אֶת־כְּרֵתִים

יז וְהַאֲבַדְתִּי אֶת־שְׁאֵרִית חוֹף הַיָּם: וְעָשִׂיתִי בָם נְקָמוֹת גְּדֹלוֹת
בְּתוֹכְחוֹת חֵמָה וְיָדְעוּ כִּי־אֲנִי יְהוָה בְּתִתִּי אֶת־נִקְמָתִי בָּם:

נְבוּאַת
פֻּרְעָנוּת
עַל־צוֹר:
[3338]

כו א וַיְהִי בְּעַשְׁתֵּי־עֶשְׂרֵה שָׁנָה בְּאֶחָד לַחֹדֶשׁ הָיָה דְבַר־יְהוָה אֵלַי

ב לֵאמֹר: בֶּן־אָדָם יַעַן אֲשֶׁר־אָמְרָה צֹּר עַל־יְרוּשָׁלִַם הֶאָח

ג נִשְׁבְּרָה דַּלְתוֹת הָעַמִּים נָסֵבָּה אֵלָי אִמָּלְאָה הָחֳרָבָה: לָכֵן כֹּה
אָמַר אֲדֹנָי יְהוִה הִנְנִי עָלַיִךְ צֹר וְהַעֲלֵיתִי עָלַיִךְ גּוֹיִם רַבִּים

ד כְּהַעֲלוֹת הַיָּם לְגַלָּיו: וְשִׁחֲתוּ חֹמוֹת צֹר וְהָרְסוּ מִגְדָּלֶיהָ וְסִחֵיתִי
עֲפָרָהּ מִמֶּנָּה וְנָתַתִּי אוֹתָהּ לִצְחִיחַ סָלַע: מִשְׁטַח חֲרָמִים

ה תִּהְיֶה בְּתוֹךְ הַיָּם כִּי אֲנִי דִבַּרְתִּי נְאֻם אֲדֹנָי יְהוִה וְהָיְתָה לְבַז

ו לַגּוֹיִם: וּבְנוֹתֶיהָ אֲשֶׁר בַּשָּׂדֶה בַּחֶרֶב תֵּהָרַגְנָה וְיָדְעוּ כִּי־אֲנִי
יְהוָה:

ז כִּי כֹה אָמַר אֲדֹנָי יְהוִה הִנְנִי מֵבִיא אֶל־צֹר נְבוּכַדְרֶאצַּר
מֶלֶךְ־בָּבֶל מִצָּפוֹן מֶלֶךְ מְלָכִים בְּסוּס וּבְרֶכֶב וּבְפָרָשִׁים וְקָהָל

וְעַם־רָב: בְּנוֹתַ֣יִךְ בַּשָּׂדֶ֔ה בַּחֶ֖רֶב יַהֲרֹ֑ג וְנָתַ֨ן עָלַ֤יִךְ דָּיֵ֙ק וְשָׁפַ֤ךְ ח

עָלַ֙יִךְ֙ סֹֽלְלָ֔ה וְהֵקִ֥ים עָלַ֖יִךְ צִנָּֽה: וּמְחִ֣י קׇבׇלּ֗וֹ יִתֵּ֖ן בְּחֹֽמוֹתָ֑יִךְ ט

וּמִגְדְּלֹתַ֕יִךְ יִתֹּ֖ץ בְּחַרְבֽוֹתָֽיו: מִשִּׁפְעַ֤ת סוּסָיו֙ יְכַסֵּ֣ךְ אֲבָקָ֔ם מִקּוֹל֩ י

פָּרַ֨שׁ וְגַלְגַּ֜ל וָרֶ֗כֶב תִּרְעַ֙שְׁנָה֙ חֽוֹמוֹתַ֔יִךְ בְּבֹאוֹ֙ בִּשְׁעָרַ֔יִךְ כִּמְבוֹאֵ֖י

עִ֣יר מְבֻקָּעָֽה: בְּפַרְס֣וֹת סוּסָ֔יו יִרְמֹ֖ס אֶת־כׇּל־חֽוּצוֹתָ֑יִךְ עַמֵּךְ֙ יא

בַּחֶ֣רֶב יַהֲרֹ֔ג וּמַצְּב֥וֹת עֻזֵּ֖ךְ לָאָ֥רֶץ תֵּרֵֽד: וְשָׁלְל֣וּ חֵילֵ֗ךְ וּבָֽזְז֣וּ רְכֻלָּתֵ֔ךְ יב

וְהָֽרְסוּ֙ חֽוֹמוֹתַ֔יִךְ וּבָתֵּ֥י חֶמְדָּתֵ֖ךְ יִתֹּ֑צוּ וַֽאֲבָנַ֤יִךְ וְעֵצַ֙יִךְ֙ וַֽעֲפָרֵ֔ךְ בְּת֥וֹךְ

מַ֖יִם יָשִֽׂימוּ: וְהִשְׁבַּתִּ֖י הֲמ֣וֹן שִׁירָ֑יִךְ וְק֣וֹל כִּנּוֹרַ֔יִךְ לֹ֥א יִשָּׁמַ֖ע עֽוֹד: יג

וּנְתַתִּ֞יךְ לִצְחִ֣יחַ סֶ֗לַע מִשְׁטַ֤ח חֲרָמִים֙ תִּֽהְיֶ֔ה לֹ֥א תִבָּנֶ֖ה ע֑וֹד כִּ֣י יד

הַשְׁפָּעַת
חׇרְבַּן צוֹר:
אֲנִ֤י יְהֹוָה֙ דִּבַּ֔רְתִּי נְאֻ֖ם אֲדֹנָ֥י יֱהֹוִֽה: כֹּ֥ה אָמַ֛ר אֲדֹנָ֥י יֱהֹוִ֖ה טו

לְצ֑וֹר הֲלֹ֣א ׀ מִקּ֣וֹל מַפַּלְתֵּ֗ךְ בֶּאֱנֹ֤ק חָלָל֙ בֵּהָ֤רֵֽג הֶ֙רֶג֙ בְּתוֹכֵ֔ךְ

יִרְעֲשׁ֖וּ הָאִיִּֽים: וְֽיָרְד֞וּ מֵעַ֣ל כִּסְאוֹתָ֗ם כֹּל֙ נְשִׂיאֵ֣י הַיָּ֔ם וְהֵסִ֙ירוּ֙ טז

אֶת־מְעִ֣ילֵיהֶ֔ם וְאֶת־בִּגְדֵ֥י רִקְמָתָ֖ם יִפְשֹׁ֑טוּ חֲרָד֣וֹת ׀ יִלְבָּ֗שׁוּ

עַל־הָאָ֙רֶץ֙ יֵשֵׁ֔בוּ וְחָֽרְדוּ֙ לִרְגָעִ֔ים וְשָֽׁמְמ֖וּ עָלָֽיִךְ: וְנָשְׂא֨וּ עָלַ֤יִךְ יז

קִינָה֙ וְאָ֣מְרוּ לָ֔ךְ אֵ֣יךְ אָבַ֛דְתְּ נוֹשֶׁ֥בֶת מִיַּמִּ֖ים הָעִ֣יר הַהֻלָּ֑לָה אֲשֶׁר֩

הָֽיְתָ֨ה חֲזָקָ֤ה בַיָּם֙ הִ֣יא וְיֹֽשְׁבֶ֔יהָ אֲשֶׁר־נָֽתְנ֥וּ חִתִּיתָ֖ם לְכׇל־יֽוֹשְׁבֶֽיהָ:

עַתָּה֙ יֶחְרְד֣וּ הָֽאִיִּ֔ן י֖וֹם מַפַּלְתֵּ֑ךְ וְנִבְהֲל֛וּ הָאִיִּ֥ים אֲשֶׁר־בַּיָּ֖ם יח

חׇרְבָּנָהּ
הַסּוֹפִי שֶׁל
צוֹר:
מִצֵּאתֵֽךְ:   כִּ֣י כֹ֤ה אָמַר֙ יט

אֲדֹנָ֣י יֱהֹוִ֔ה בְּתִתִּ֤י אֹתָךְ֙ עִ֣יר נֶחֱרֶ֔בֶת כֶּֽעָרִ֖ים אֲשֶׁ֣ר לֹֽא־נוֹשָׁ֑בוּ

בְּהַֽעֲל֤וֹת עָלַ֙יִךְ֙ אֶת־תְּה֔וֹם וְכִסּ֖וּךְ הַמַּ֣יִם הָֽרַבִּֽים: וְהֽוֹרַדְתִּ֣יךְ כ

אֶת־י֣וֹרְדֵי ב֗וֹר אֶל־עַ֚ם עוֹלָ֔ם וְֽ֠הוֹשַׁבְתִּ֞יךְ בְּאֶ֨רֶץ תַּחְתִּיּ֜וֹת

כׇּֽחֳרָב֤וֹת מֵֽעוֹלָם֙ אֶת־י֣וֹרְדֵי ב֔וֹר לְמַ֖עַן לֹ֣א תֵשֵׁ֑בִי וְנָתַתִּ֥י צְבִ֖י

בְּאֶ֥רֶץ חַיִּֽים: בַּלָּה֥וֹת אֶתְּנֵ֖ךְ וְאֵינֵ֑ךְ וּֽתְבֻקְשִׁ֗י וְלֹֽא־תִמָּצְאִ֥י עוֹד֙ כא

לְעוֹלָ֔ם נְאֻ֖ם אֲדֹנָ֥י יֱהֹוִֽה:

כְּבוֹדָהּ שֶׁל
צוֹר:
וַֽיְהִ֥י דְבַר־יְהֹוָ֖ה אֵלַ֥י לֵאמֹֽר: וְאַתָּ֣ה בֶן־אָדָ֔ם שָֽׂא עַל־צֹ֖ר קִינָֽה: **כז** א

ג וְאָמַרְתָּ֣ לְצ֗וֹר הישבתי הַיֹּשֶׁ֙בֶת֙ עַל־מְבוֹאֹ֣ת יָ֔ם רֹכֶ֙לֶת֙ הָֽעַמִּ֔ים
אֶל־אִיִּ֖ים רַבִּ֑ים כֹּ֤ה אָמַר֙ אֲדֹנָ֣י יֱהֹוִ֔ה צ֕וֹר אַ֣תְּ אָמַ֔רְתְּ
ד ה אֲנִ֖י כְּלִ֥ילַת יֹֽפִי׃ בְּלֵ֥ב יַמִּ֖ים גְּבוּלָ֑יִךְ בֹּנַ֕יִךְ כָּלְל֖וּ יׇפְיֵֽךְ׃ בְּרוֹשִׁ֤ים
מִשְּׂנִיר֙ בָּ֣נוּ לָ֔ךְ אֵ֖ת כׇּל־לֻחֹתָ֑יִם אֶ֤רֶז מִלְּבָנוֹן֙ לָקָ֔חוּ לַעֲשׂ֥וֹת תֹּ֖רֶן
ו עָלָֽיִךְ׃ אַלּוֹנִים֙ מִבָּ֔שָׁן עָשׂ֖וּ מִשּׁוֹטָ֑יִךְ קַרְשֵׁ֤ךְ עָֽשׂוּ־שֵׁן֙ בַּת־
ז אֲשֻׁרִ֔ים מֵאִיֵּ֖י כִּתִּיִּֽם׃ שֵׁשׁ־בְּרִקְמָ֤ה מִמִּצְרַ֙יִם֙ הָיָ֣ה מִפְרָשֵׂ֔ךְ
ח לִהְי֥וֹת לָ֖ךְ לְנֵ֑ס תְּכֵ֧לֶת וְאַרְגָּמָ֛ן מֵאִיֵּ֥י אֱלִישָׁ֖ה הָיָ֥ה מְכַסֵּֽךְ׃ יֹשְׁבֵ֤י
צִידוֹן֙ וְאַרְוַ֔ד הָי֥וּ שָׁטִ֖ים לָ֑ךְ חֲכָמַ֤יִךְ צוֹר֙ הָ֣יוּ בָ֔ךְ הֵ֖מָּה חֹבְלָֽיִךְ׃
ט זִקְנֵ֨י גְבַ֤ל וַחֲכָמֶ֙יהָ֙ הָ֣יוּ בָ֔ךְ מַחֲזִיקֵ֖י בִּדְקֵ֑ךְ כׇּל־אֳנִיּ֨וֹת הַיָּ֤ם
י וּמַלָּֽחֵיהֶם֙ הָ֣יוּ בָ֔ךְ לַעֲרֹ֖ב מַעֲרָבֵֽךְ׃ פָּרַ֨ס וְל֤וּד וּפוּט֙ הָי֣וּ בְחֵילֵ֔ךְ
יא אַנְשֵׁ֖י מִלְחַמְתֵּ֑ךְ מָגֵ֤ן וְכוֹבַע֙ תִּלּוּ־בָ֔ךְ הֵ֖מָּה נָתְנ֥וּ הֲדָרֵֽךְ׃ בְּנֵ֧י
אַרְוַ֣ד וְחֵילֵ֗ךְ עַל־חוֹמוֹתַ֙יִךְ֙ סָבִ֔יב וְגַ֨מָּדִ֔ים בְּמִגְדְּלוֹתַ֖יִךְ הָי֑וּ
יב שִׁלְטֵיהֶ֞ם תִּלּ֤וּ עַל־חוֹמוֹתַ֙יִךְ֙ סָבִ֔יב הֵ֖מָּה כָּלְל֥וּ יׇפְיֵֽךְ׃ תַּרְשִׁ֥ישׁ
סֹחַרְתֵּ֖ךְ מֵרֹ֣ב כׇּל־ה֑וֹן בְּכֶ֧סֶף בַּרְזֶ֛ל בְּדִ֥יל וְעוֹפֶ֖רֶת נָתְנ֥וּ עִזְבוֹנָֽיִךְ׃
יג יָוָ֤ן תֻּבַל֙ וָמֶ֔שֶׁךְ הֵ֖מָּה רֹכְלָ֑יִךְ בְּנֶ֣פֶשׁ אָדָ֗ם וּכְלֵ֤י נְחֹ֙שֶׁת֙ נָתְנ֖וּ
יד מַעֲרָבֵֽךְ׃ מִבֵּ֖ית תּ֣וֹגַרְמָ֑ה סוּסִ֤ים וּפָֽרָשִׁים֙ וּפְרָדִ֔ים נָתְנ֖וּ
טו עִזְבוֹנָֽיִךְ׃ בְּנֵ֣י דְדָ֔ן רֹכְלַ֕יִךְ אִיִּ֥ים רַבִּ֖ים סְחֹ֣רַת יָדֵ֑ךְ קַרְנ֥וֹת שֵׁן֙
טז והובנים וְהָ֣בְנִ֔ים הֵשִׁ֖יבוּ אֶשְׁכָּרֵֽךְ׃ אֲרָ֥ם סֹחַרְתֵּ֖ךְ מֵרֹ֣ב מַעֲשָׂ֑יִךְ
בְּ֠נֹפֶךְ אַרְגָּמָ֨ן וְרִקְמָ֜ה וּב֗וּץ וְרָאמֹ֙ת֙ וְכַדְכֹּ֔ד נָתְנ֖וּ בְּעִזְבוֹנָֽיִךְ׃
יז יְהוּדָה֙ וְאֶ֣רֶץ יִשְׂרָאֵ֔ל הֵ֖מָּה רֹכְלָ֑יִךְ בְּחִטֵּ֤י מִנִּית֙ וּפַנַּ֔ג וּדְבַ֤שׁ
יח וָשֶׁ֙מֶן֙ וָצֹ֔רִי נָתְנ֖וּ מַעֲרָבֵֽךְ׃ דַּמֶּ֧שֶׂק סֹחַרְתֵּ֛ךְ בְּרֹ֥ב מַעֲשַׂ֖יִךְ מֵרֹ֣ב
יט כׇּל־ה֑וֹן בְּיֵ֥ין חֶלְבּ֖וֹן וְצֶ֥מֶר צָֽחַר׃ וְדָ֨ן וְיָוָ֤ן מְאוּזָּל֙ בְּעִזְבוֹנַ֣יִךְ נָתָ֔נוּ
כ בַּרְזֶ֣ל עָשׁ֗וֹת קִדָּ֛ה וְקָנֶ֖ה בְּמַעֲרָבֵ֥ךְ הָיָֽה׃ דְּדָן֙ רֹכַלְתֵּ֔ךְ בְּבִגְדֵי־
כא חֹ֖פֶשׁ לְרִכְבָּֽה׃ עֲרַב֙ וְכׇל־נְשִׂיאֵ֣י קֵדָ֔ר הֵ֖מָּה סֹחֲרֵ֣י יָדֵ֑ךְ בְּכָרִ֤ים
כב וְאֵילִם֙ וְעַתּוּדִ֔ים בָּ֖ם סֹחֲרָֽיִךְ׃ רֹכְלֵי֙ שְׁבָא֙ וְרַעְמָ֔ה הֵ֖מָּה רֹכְלָ֑יִךְ

כג בְּרֹאשׁ כָּל־בֹּשֶׂם וּבְכָל־אֶבֶן יְקָרָה וְזָהָב נָתְנוּ עִזְבוֹנָיִךְ: חָרָן
כד וְכַנֵּה וָעֶדֶן רֹכְלֵי שְׁבָא אַשּׁוּר כִּלְמַד רֹכַלְתֵּךְ: הֵמָּה רֹכְלַיִךְ
בְמַכְלֻלִים בִּגְלוֹמֵי תְּכֵלֶת וְרִקְמָה וּבְגִנְזֵי בְּרֹמִים בַּחֲבָלִים
כה חֲבֻשִׁים וַאֲרֻזִים בְּמַרְכֻלְתֵּךְ: אֳנִיּוֹת תַּרְשִׁישׁ שָׁרוֹתַיִךְ מַעֲרָבֵךְ
כו וַתִּמָּלְאִי וַתִּכְבְּדִי מְאֹד בְּלֵב יַמִּים: בְּמַיִם רַבִּים הֱבִאוּךְ הַשָּׁטִים
כז אֹתָךְ רוּחַ הַקָּדִים שְׁבָרֵךְ בְּלֵב יַמִּים: הוֹנֵךְ וְעִזְבוֹנַיִךְ מַעֲרָבֵךְ
מַלָּחַיִךְ וְחֹבְלָיִךְ מַחֲזִיקֵי בִדְקֵךְ וְעֹרְבֵי מַעֲרָבֵךְ וְכָל־אַנְשֵׁי
מִלְחַמְתֵּךְ אֲשֶׁר־בָּךְ וּבְכָל־קְהָלֵךְ אֲשֶׁר בְּתוֹכֵךְ יִפְּלוּ בְּלֵב יַמִּים
כח כט בְּיוֹם מַפַּלְתֵּךְ: לְקוֹל זַעֲקַת חֹבְלָיִךְ יִרְעֲשׁוּ מִגְרֹשׁוֹת: וְיָרְדוּ
מֵאֳנִיּוֹתֵיהֶם כֹּל תֹּפְשֵׂי מָשׁוֹט מַלָּחִים כֹּל חֹבְלֵי הַיָּם אֶל־הָאָרֶץ
ל יַעֲמֹדוּ: וְהִשְׁמִיעוּ עָלַיִךְ בְּקוֹלָם וְיִזְעֲקוּ מָרָה וְיַעֲלוּ עָפָר
לא עַל־רָאשֵׁיהֶם בָּאֵפֶר יִתְפַּלָּשׁוּ: וְהִקְרִיחוּ אֵלַיִךְ קָרְחָה וְחָגְרוּ
לב שַׂקִּים וּבָכוּ אֵלַיִךְ בְּמַר־נֶפֶשׁ מִסְפֵּד מָר: וְנָשְׂאוּ אֵלַיִךְ בְּנִיהֶם
לג קִינָה וְקוֹנְנוּ עָלָיִךְ מִי כְצוֹר כְּדֻמָה בְּתוֹךְ הַיָּם: בְּצֵאת עִזְבוֹנַיִךְ
מִיַּמִּים הִשְׂבַּעַתְּ עַמִּים רַבִּים בְּרֹב הוֹנַיִךְ וּמַעֲרָבַיִךְ הֶעֱשַׁרְתְּ
לד מַלְכֵי־אָרֶץ: עֵת נִשְׁבֶּרֶת מִיַּמִּים בְּמַעֲמַקֵּי־מָיִם מַעֲרָבֵךְ וְכָל־
לה קְהָלֵךְ בְּתוֹכֵךְ נָפָלוּ: כֹּל יֹשְׁבֵי הָאִיִּים שָׁמְמוּ עָלָיִךְ וּמַלְכֵיהֶם
לו שָׂעֲרוּ שַׂעַר רָעֲמוּ פָּנִים: סֹחֲרִים בָּעַמִּים שָׁרְקוּ עָלָיִךְ בַּלָּהוֹת
הָיִית וְאֵינֵךְ עַד־עוֹלָם:

כח א ב וַיְהִי דְבַר־יְהוָה אֵלַי לֵאמֹר: בֶּן־אָדָם אֱמֹר לִנְגִיד צֹר כֹּה־אָמַר ׀
אֲדֹנָי יֱהוִה יַעַן גָּבַהּ לִבְּךָ וַתֹּאמֶר אֵל אָנִי מוֹשַׁב אֱלֹהִים יָשַׁבְתִּי
ג בְּלֵב יַמִּים וְאַתָּה אָדָם וְלֹא־אֵל וַתִּתֵּן לִבְּךָ כְּלֵב אֱלֹהִים: הִנֵּה חָכָם
ד אַתָּה מדנאל מִדָּנִיֵּאל כָּל־סָתוּם לֹא עֲמָמוּךָ: בְּחָכְמָתְךָ וּבִתְבוּנָתְךָ
ה עָשִׂיתָ לְּךָ חָיִל וַתַּעַשׂ זָהָב וָכֶסֶף בְּאוֹצְרוֹתֶיךָ: בְּרֹב חָכְמָתְךָ
ו בִּרְכֻלָּתְךָ הִרְבִּיתָ חֵילֶךָ וַיִּגְבַּהּ לְבָבְךָ בְּחֵילֶךָ: לָכֵן כֹּה

גדלת נגיד צור ומפלתו:

ז אָמַר אֲדֹנָי יֱהֹוִה יַעַן תִּתְּךָ אֶת־לְבָבְךָ כְּלֵב אֱלֹהִים׃ לָכֵן הִנְנִי
מֵבִיא עָלֶיךָ זָרִים עָרִיצֵי גּוֹיִם וְהֵרִיקוּ חַרְבוֹתָם עַל־יְפִי
ח חָכְמָתֶךָ וְחִלְּלוּ יִפְעָתֶךָ׃ לַשַּׁחַת יוֹרִדוּךָ וָמַתָּה מְמוֹתֵי חָלָל בְּלֵב
ט יַמִּים׃ הֶאָמֹר תֹּאמַר אֱלֹהִים אָנִי לִפְנֵי הֹרְגֶךָ וְאַתָּה אָדָם וְלֹא־אֵל
י בְּיַד מְחַלְלֶיךָ׃ מוֹתֵי עֲרֵלִים תָּמוּת בְּיַד־זָרִים כִּי אֲנִי דִבַּרְתִּי
נְאֻם אֲדֹנָי יֱהֹוִה׃

קִינָה עַל מֶלֶךְ צוֹר׃

יא וַיְהִי דְבַר־יְהוָה אֵלַי לֵאמֹר׃ בֶּן־אָדָם שָׂא קִינָה עַל־מֶלֶךְ צוֹר יב
וְאָמַרְתָּ לּוֹ כֹּה אָמַר אֲדֹנָי יֱהֹוִה אַתָּה חוֹתֵם תָּכְנִית מָלֵא חָכְמָה
יג וּכְלִיל יֹפִי׃ בְּעֵדֶן גַּן־אֱלֹהִים הָיִיתָ כָּל־אֶבֶן יְקָרָה מְסֻכָתֶךָ אֹדֶם
פִּטְדָה וְיָהֲלֹם תַּרְשִׁישׁ שֹׁהַם וְיָשְׁפֵה סַפִּיר נֹפֶךְ וּבָרְקַת וְזָהָב
יד מְלֶאכֶת תֻּפֶּיךָ וּנְקָבֶיךָ בָּךְ בְּיוֹם הִבָּרַאֲךָ כּוֹנָנוּ׃ אַתְּ־כְּרוּב
מִמְשַׁח הַסּוֹכֵךְ וּנְתַתִּיךָ בְּהַר קֹדֶשׁ אֱלֹהִים הָיִיתָ בְּתוֹךְ אַבְנֵי־
טו אֵשׁ הִתְהַלָּכְתָּ׃ תָּמִים אַתָּה בִּדְרָכֶיךָ מִיּוֹם הִבָּרְאָךְ עַד־נִמְצָא
טז עַוְלָתָה בָּךְ׃ בְּרֹב רְכֻלָּתְךָ מָלוּ תוֹכְךָ חָמָס וַתֶּחֱטָא וָאֲחַלֶּלְךָ
יז מֵהַר אֱלֹהִים וָאַבֶּדְךָ כְּרוּב הַסֹּכֵךְ מִתּוֹךְ אַבְנֵי־אֵשׁ׃ גָּבַהּ לִבְּךָ
בְּיָפְיֶךָ שִׁחַתָּ חָכְמָתְךָ עַל־יִפְעָתֶךָ עַל־אֶרֶץ הִשְׁלַכְתִּיךָ לִפְנֵי
יח מְלָכִים נְתַתִּיךָ לְרַאֲוָה בָךְ׃ מֵרֹב עֲוֺנֶיךָ בְּעֶוֶל רְכֻלָּתְךָ חִלַּלְתָּ
מִקְדָּשֶׁיךָ וָאוֹצִא־אֵשׁ מִתּוֹכְךָ הִיא אֲכָלַתְךָ וָאֶתֶּנְךָ לְאֵפֶר
יט עַל־הָאָרֶץ לְעֵינֵי כָּל־רֹאֶיךָ׃ כָּל־יוֹדְעֶיךָ בָּעַמִּים שָׁמְמוּ עָלֶיךָ
בַּלָּהוֹת הָיִיתָ וְאֵינְךָ עַד־עוֹלָם׃

נְבוּאַת פֻּרְעָנוּת עַל צִידוֹן׃

כ וַיְהִי דְבַר־יְהוָה אֵלַי לֵאמֹר׃ בֶּן־אָדָם שִׂים פָּנֶיךָ אֶל־צִידוֹן וְהִנָּבֵא כא
כב עָלֶיהָ׃ וְאָמַרְתָּ כֹּה אָמַר אֲדֹנָי יֱהֹוִה הִנְנִי עָלַיִךְ צִידוֹן וְנִכְבַּדְתִּי
בְּתוֹכֵךְ וְיָדְעוּ כִּי־אֲנִי יְהוָה בַּעֲשׂוֹתִי בָהּ שְׁפָטִים וְנִקְדַּשְׁתִּי
כג בָהּ׃ וְשִׁלַּחְתִּי־בָהּ דֶּבֶר וָדָם בְּחוּצוֹתֶיהָ וְנִפְלַל חָלָל בְּתוֹכָהּ
כד בְּחֶרֶב עָלֶיהָ מִסָּבִיב וְיָדְעוּ כִּי־אֲנִי יְהוָה׃ וְלֹא־יִהְיֶה עוֹד לְבֵית

יִשְׂרָאֵל סִלּוֹן מַמְאִיר וְקוֹץ מַכְאִב מִכֹּל סְבִיבֹתָם הַשָּׁאטִים
אוֹתָם וְיָדְעוּ כִּי אֲנִי אֲדֹנָי יֱהוִֹה:

קִבּוּץ גָּלֻיּוֹת וְהַעֲנָשַׁת הָאוֹיְבִים:

כה כֹּה־אָמַר אֲדֹנָי יֱהוִֹה בְּקַבְּצִי ׀ אֶת־בֵּית יִשְׂרָאֵל מִן־הָעַמִּים
אֲשֶׁר נָפֹצוּ בָם וְנִקְדַּשְׁתִּי בָם לְעֵינֵי הַגּוֹיִם וְיָשְׁבוּ עַל־אַדְמָתָם
כו אֲשֶׁר נָתַתִּי לְעַבְדִּי לְיַעֲקֹב: וְיָשְׁבוּ עָלֶיהָ לָבֶטַח וּבָנוּ בָתִּים
וְנָטְעוּ כְרָמִים וְיָשְׁבוּ לָבֶטַח בַּעֲשׂוֹתִי שְׁפָטִים בְּכֹל הַשָּׁאטִים
אֹתָם מִסְּבִיבוֹתָם וְיָדְעוּ כִּי אֲנִי יְהוָה אֱלֹהֵיהֶם:

נְבוּאַת פֻּרְעָנוּת עַל פַּרְעֹה וְעַל מִצְרַיִם:
[3337]

כט א בַּשָּׁנָה הָעֲשִׂרִית בָּעֲשִׂרִי בִּשְׁנֵים עָשָׂר לַחֹדֶשׁ הָיָה דְבַר־יְהוָה
ב אֵלַי לֵאמֹר: בֶּן־אָדָם שִׂים פָּנֶיךָ עַל־פַּרְעֹה מֶלֶךְ מִצְרָיִם וְהִנָּבֵא
ג עָלָיו וְעַל־מִצְרַיִם כֻּלָּהּ: דַּבֵּר וְאָמַרְתָּ כֹּה־אָמַר ׀ אֲדֹנָי יֱהוִֹה
הִנְנִי עָלֶיךָ פַּרְעֹה מֶלֶךְ־מִצְרַיִם הַתַּנִּים הַגָּדוֹל הָרֹבֵץ בְּתוֹךְ
ד יְאֹרָיו אֲשֶׁר אָמַר לִי יְאֹרִי וַאֲנִי עֲשִׂיתִנִי: וְנָתַתִּי חחיים חַחִים
בִּלְחָיֶיךָ וְהִדְבַּקְתִּי דְגַת־יְאֹרֶיךָ בְּקַשְׂקְשֹׂתֶיךָ וְהַעֲלִיתִיךָ מִתּוֹךְ
ה יְאֹרֶיךָ וְאֵת כָּל־דְּגַת יְאֹרֶיךָ בְּקַשְׂקְשֹׂתֶיךָ תִּדְבָּק: וּנְטַשְׁתִּיךָ
הַמִּדְבָּרָה אוֹתְךָ וְאֵת כָּל־דְּגַת יְאֹרֶיךָ עַל־פְּנֵי הַשָּׂדֶה תִּפּוֹל לֹא
תֵאָסֵף וְלֹא תִקָּבֵץ לְחַיַּת הָאָרֶץ וּלְעוֹף הַשָּׁמַיִם נְתַתִּיךָ לְאָכְלָה:
ו וְיָדְעוּ כָּל־יֹשְׁבֵי מִצְרַיִם כִּי אֲנִי יְהוָה יַעַן הֱיוֹתָם מִשְׁעֶנֶת קָנֶה
ז לְבֵית יִשְׂרָאֵל: בְּתָפְשָׂם בְּךָ בככף בַכַּף תֵּרוֹץ וּבָקַעְתָּ
לָהֶם כָּל־כָּתֵף וּבְהִשָּׁעֲנָם עָלֶיךָ תִּשָּׁבֵר וְהַעֲמַדְתָּ לָהֶם כָּל־
ח מָתְנָיִם: לָכֵן כֹּה אָמַר אֲדֹנָי יֱהוִֹה הִנְנִי מֵבִיא עָלַיִךְ

חָרְבַּן מִצְרַיִם אַרְבָּעִים שָׁנָה:

ט חֶרֶב וְהִכְרַתִּי מִמֵּךְ אָדָם וּבְהֵמָה: וְהָיְתָה אֶרֶץ־מִצְרַיִם לִשְׁמָמָה
י וְחָרְבָּה וְיָדְעוּ כִּי־אֲנִי יְהוָה יַעַן אָמַר יְאֹר לִי וַאֲנִי עָשִׂיתִי: לָכֵן
הִנְנִי אֵלֶיךָ וְאֶל־יְאֹרֶיךָ וְנָתַתִּי אֶת־אֶרֶץ מִצְרַיִם לְחָרְבוֹת חֹרֶב
יא שְׁמָמָה מִמִּגְדֹּל סְוֵנֵה וְעַד־גְּבוּל כּוּשׁ: לֹא תַעֲבָר־בָּהּ רֶגֶל
אָדָם וְרֶגֶל בְּהֵמָה לֹא תַעֲבָר־בָּהּ וְלֹא תֵשֵׁב אַרְבָּעִים שָׁנָה:

יב וְנָתַתִּי אֶת־אֶרֶץ מִצְרַיִם שְׁמָמָה בְּתוֹךְ ׀ אֲרָצוֹת נְשַׁמּוֹת וְעָרֶיהָ בְּתוֹךְ עָרִים מָחֳרָבוֹת תִּהְיֶיןָ שְׁמָמָה אַרְבָּעִים שָׁנָה וַהֲפִצֹתִי אֶת־מִצְרַיִם בַּגּוֹיִם וְזֵרִיתִים בָּאֲרָצוֹת: כִּי כֹּה אָמַר

שִׁיבַת מַלְכוּת מִצְרַיִם:

יג אֲדֹנָי יֱהֹוִה מִקֵּץ אַרְבָּעִים שָׁנָה אֲקַבֵּץ אֶת־מִצְרַיִם מִן־הָעַמִּים אֲשֶׁר־נָפֹצוּ שָׁמָּה:

יד וְשַׁבְתִּי אֶת־שְׁבוּת מִצְרַיִם וַהֲשִׁבֹתִי אֹתָם אֶרֶץ פַּתְרוֹס עַל־אֶרֶץ מְכוּרָתָם וְהָיוּ שָׁם מַמְלָכָה שְׁפָלָה:

טו מִן־הַמַּמְלָכוֹת תִּהְיֶה שְׁפָלָה וְלֹא־תִתְנַשֵּׂא עוֹד עַל־הַגּוֹיִם

טז וְהִמְעַטְתִּים לְבִלְתִּי רְדוֹת בַּגּוֹיִם: וְלֹא יִהְיֶה־עוֹד לְבֵית יִשְׂרָאֵל לְמִבְטָח מַזְכִּיר עָוֹן בִּפְנוֹתָם אַחֲרֵיהֶם וְיָדְעוּ כִּי אֲנִי אֲדֹנָי יֱהֹוִה:

יז וַיְהִי בְעֶשְׂרִים וָשֶׁבַע שָׁנָה בָּרִאשׁוֹן בְּאֶחָד לַחֹדֶשׁ הָיָה דְבַר־יְהֹוָה אֵלַי לֵאמֹר:

כִּבּוּשׁ מִצְרַיִם עַל יְדֵי נְבוּכַדְנֶצַּר: [3346]

יח בֶּן־אָדָם נְבוּכַדְרֶאצַּר מֶלֶךְ־בָּבֶל הֶעֱבִיד אֶת־חֵילוֹ עֲבֹדָה גְדוֹלָה אֶל־צֹר כָּל־רֹאשׁ מֻקְרָח וְכָל־כָּתֵף מְרוּטָה וְשָׂכָר לֹא־הָיָה לוֹ וּלְחֵילוֹ מִצֹּר עַל־הָעֲבֹדָה אֲשֶׁר־עָבַד עָלֶיהָ:

יט לָכֵן כֹּה אָמַר אֲדֹנָי יֱהֹוִה הִנְנִי נֹתֵן לִנְבוּכַדְרֶאצַּר מֶלֶךְ־בָּבֶל אֶת־אֶרֶץ מִצְרָיִם וְנָשָׂא הֲמֹנָהּ וְשָׁלַל שְׁלָלָהּ וּבָזַז בִּזָּהּ וְהָיְתָה שָׂכָר לְחֵילוֹ: פְּעֻלָּתוֹ אֲשֶׁר־עָבַד בָּהּ נָתַתִּי לוֹ אֶת־אֶרֶץ מִצְרָיִם אֲשֶׁר עָשׂוּ לִי נְאֻם אֲדֹנָי יֱהֹוִה:

כא בַּיּוֹם הַהוּא אַצְמִיחַ קֶרֶן לְבֵית יִשְׂרָאֵל וּלְךָ אֶתֵּן פִּתְחוֹן־פֶּה בְּתוֹכָם וְיָדְעוּ כִּי־אֲנִי יְהֹוָה:

חֻרְבַּן מִצְרַיִם וּבְנֵי בְרִיתָהּ:

ל א וַיְהִי דְבַר־יְהֹוָה אֵלַי לֵאמֹר: בֶּן־אָדָם הִנָּבֵא וְאָמַרְתָּ כֹּה אָמַר

ב אֲדֹנָי יֱהֹוִה הֵילִילוּ הָהּ לַיּוֹם: כִּי־קָרוֹב יוֹם וְקָרוֹב יוֹם לַיהֹוָה

ג יוֹם עָנָן עֵת גּוֹיִם יִהְיֶה: וּבָאָה חֶרֶב בְּמִצְרַיִם וְהָיְתָה חַלְחָלָה בְּכוּשׁ בִּנְפֹל חָלָל בְּמִצְרַיִם וְלָקְחוּ הֲמוֹנָהּ וְנֶהֶרְסוּ יְסֹדוֹתֶיהָ:

ה כּוּשׁ וּפוּט וְלוּד וְכָל־הָעֶרֶב וְכוּב וּבְנֵי אֶרֶץ הַבְּרִית אִתָּם בַּחֶרֶב

יִפֹּלוּ׃

ו כֹּה אָמַר יְהוָה וְנָפְלוּ סֹמְכֵי מִצְרַיִם וְיָרַד גְּאוֹן עֻזָּהּ מִמִּגְדֹּל
ז סְוֵנֵה בַּחֶרֶב יִפְּלוּ־בָהּ נְאֻם אֲדֹנָי יֱהוִה׃ וְנָשַׁמּוּ בְּתוֹךְ אֲרָצוֹת
ח נְשַׁמּוֹת וְעָרָיו בְּתוֹךְ־עָרִים נַחֲרָבוֹת תִּהְיֶינָה׃ וְיָדְעוּ כִּי־אֲנִי
ט יְהוָה בְּתִתִּי־אֵשׁ בְּמִצְרַיִם וְנִשְׁבְּרוּ כָּל־עֹזְרֶיהָ׃ בַּיּוֹם הַהוּא יֵצְאוּ
מַלְאָכִים מִלְּפָנַי בַּצִּים לְהַחֲרִיד אֶת־כּוּשׁ בֶּטַח וְהָיְתָה חַלְחָלָה
מַפֶּלֶת מִצְרַיִם עַל יְדֵי נְבוּכַדְנֶצַּר:
י בָהֶם בְּיוֹם מִצְרַיִם כִּי הִנֵּה בָּאָה׃ כֹּה אָמַר אֲדֹנָי יֱהוִה
יא וְהִשְׁבַּתִּי אֶת־הֲמוֹן מִצְרַיִם בְּיַד נְבוּכַדְרֶאצַּר מֶלֶךְ־בָּבֶל׃ הוּא
וְעַמּוֹ אִתּוֹ עָרִיצֵי גּוֹיִם מוּבָאִים לְשַׁחֵת הָאָרֶץ וְהֵרִיקוּ חַרְבוֹתָם
יב עַל־מִצְרַיִם וּמָלְאוּ אֶת־הָאָרֶץ חָלָל׃ וְנָתַתִּי יְאֹרִים חָרָבָה
וּמָכַרְתִּי אֶת־הָאָרֶץ בְּיַד־רָעִים וַהֲשִׁמֹּתִי אֶרֶץ וּמְלֹאָהּ בְּיַד־
הַהֶרֶס וְהַשְּׁמָמָה בְּעָרֵי מִצְרָיִם:
יג זָרִים אֲנִי יְהוָה דִּבַּרְתִּי׃ כֹּה־אָמַר אֲדֹנָי יֱהוִה וְהַאֲבַדְתִּי
גִלּוּלִים וְהִשְׁבַּתִּי אֱלִילִים מִנֹּף וְנָשִׂיא מֵאֶרֶץ־מִצְרַיִם לֹא
יד יִהְיֶה־עוֹד וְנָתַתִּי יִרְאָה בְּאֶרֶץ מִצְרָיִם׃ וַהֲשִׁמֹּתִי אֶת־פַּתְרוֹס
טו וְנָתַתִּי אֵשׁ בְּצֹעַן וְעָשִׂיתִי שְׁפָטִים בְּנֹא׃ וְשָׁפַכְתִּי חֲמָתִי עַל־סִין
טז מָעוֹז מִצְרָיִם וְהִכְרַתִּי אֶת־הֲמוֹן נֹא׃ וְנָתַתִּי אֵשׁ בְּמִצְרַיִם חוּל
יז תחיל תָּחוּל סִין וְנֹא תִּהְיֶה לְהִבָּקֵעַ וְנֹף צָרֵי יוֹמָם׃ בַּחוּרֵי אָוֶן
יח וּפִי־בֶסֶת בַּחֶרֶב יִפֹּלוּ וְהֵנָּה בַּשְּׁבִי תֵלַכְנָה׃ וּבִתְחַפְנְחֵס חָשַׂךְ
הַיּוֹם בְּשִׁבְרִי־שָׁם אֶת־מֹטוֹת מִצְרַיִם וְנִשְׁבַּת־בָּהּ גְּאוֹן עֻזָּהּ
יט הִיא עָנָן יְכַסֶּנָּה וּבְנוֹתֶיהָ בַּשְּׁבִי תֵלַכְנָה׃ וְעָשִׂיתִי שְׁפָטִים
בְּמִצְרָיִם וְיָדְעוּ כִּי־אֲנִי יְהוָה׃

הֶרֶס מִצְרַיִם בְּיַד בָּבֶל:
כ וַיְהִי בְּאַחַת עֶשְׂרֵה שָׁנָה בָּרִאשׁוֹן בְּשִׁבְעָה לַחֹדֶשׁ הָיָה דְבַר־
כא יְהוָה אֵלַי לֵאמֹר׃ בֶּן־אָדָם אֶת־זְרוֹעַ פַּרְעֹה מֶלֶךְ־מִצְרַיִם
[3338]
שָׁבַרְתִּי וְהִנֵּה לֹא־חֻבְּשָׁה לָתֵת רְפֻאוֹת לָשׂוּם חִתּוּל לְחָבְשָׁהּ
כב לְחָזְקָהּ לִתְפֹּשׂ בֶּחָרֶב׃ לָכֵן כֹּה־אָמַר ׀ אֲדֹנָי יֱהוִה

הִנְנִי אֶל־פַּרְעֹה מֶלֶךְ־מִצְרַיִם וְשָׁבַרְתִּי אֶת־זְרֹעֹתָיו אֶת־הַחֲזָקָה
כג וְאֶת־הַנִּשְׁבָּרֶת וְהִפַּלְתִּי אֶת־הַחֶרֶב מִיָּדוֹ׃ וַהֲפִצוֹתִי אֶת־מִצְרַיִם
כד בַּגּוֹיִם וְזֵרִיתִם בָּאֲרָצוֹת׃ וְחִזַּקְתִּי אֶת־זְרֹעוֹת מֶלֶךְ בָּבֶל וְנָתַתִּי
אֶת־חַרְבִּי בְּיָדוֹ וְשָׁבַרְתִּי אֶת־זְרֹעוֹת פַּרְעֹה וְנָאַק נַאֲקוֹת חָלָל
כה לְפָנָיו׃ וְהַחֲזַקְתִּי אֶת־זְרֹעוֹת מֶלֶךְ בָּבֶל וּזְרֹעוֹת פַּרְעֹה תִּפֹּלְנָה
וְיָדְעוּ כִּי־אֲנִי יְהוָה בְּתִתִּי חַרְבִּי בְּיַד מֶלֶךְ־בָּבֶל וְנָטָה אוֹתָהּ
כו אֶל־אֶרֶץ מִצְרָיִם׃ וַהֲפִצוֹתִי אֶת־מִצְרַיִם בַּגּוֹיִם וְזֵרִיתִי אוֹתָם
בָּאֲרָצוֹת וְיָדְעוּ כִּי־אֲנִי יְהוָה׃

לא א וַיְהִי בְּאַחַת עֶשְׂרֵה שָׁנָה בַּשְּׁלִישִׁי בְּאֶחָד לַחֹדֶשׁ הָיָה דְבַר־יְהוָה
ב אֵלַי לֵאמֹר׃ בֶּן־אָדָם אֱמֹר אֶל־פַּרְעֹה מֶלֶךְ־מִצְרַיִם וְאֶל־הֲמוֹנוֹ
ג אֶל־מִי דָּמִיתָ בְגָדְלֶךָ׃ הִנֵּה אַשּׁוּר אֶרֶז בַּלְּבָנוֹן יְפֵה עָנָף וְחֹרֶשׁ
ד מֵצַל וּגְבַהּ קוֹמָה וּבֵין עֲבֹתִים הָיְתָה צַמַּרְתּוֹ׃ מַיִם גִּדְּלוּהוּ
תְּהוֹם רֹמְמָתְהוּ אֶת־נַהֲרֹתֶיהָ הֹלֵךְ סְבִיבוֹת מַטָּעָהּ וְאֶת־
ה תְּעָלֹתֶיהָ שִׁלְחָה אֶל כָּל־עֲצֵי הַשָּׂדֶה׃ עַל־כֵּן גָּבְהָא קֹמָתוֹ מִכֹּל
עֲצֵי הַשָּׂדֶה וַתִּרְבֶּינָה סַרְעַפֹּתָיו וַתֶּאֱרַכְנָה פֹארֹתָו מִמַּיִם רַבִּים
ו בְּשַׁלְּחוֹ׃ בִּסְעַפֹּתָיו קִנְנוּ כָּל־עוֹף הַשָּׁמַיִם וְתַחַת פֹּארֹתָיו יָלְדוּ
ז כֹּל חַיַּת הַשָּׂדֶה וּבְצִלּוֹ יֵשְׁבוּ כֹּל גּוֹיִם רַבִּים׃ וַיְּיִף בְּגָדְלוֹ בְּאֹרֶךְ
ח דָּלִיּוֹתָיו כִּי־הָיָה שָׁרְשׁוֹ אֶל־מַיִם רַבִּים׃ אֲרָזִים לֹא־עֲמָמֻהוּ בְּגַן־
אֱלֹהִים בְּרוֹשִׁים לֹא דָמוּ אֶל־סְעַפֹּתָיו וְעַרְמֹנִים לֹא־הָיוּ כְּפֹארֹתָיו
ט כָּל־עֵץ בְּגַן־אֱלֹהִים לֹא־דָמָה אֵלָיו בְּיָפְיוֹ׃ יָפֶה עֲשִׂיתִיו בְּרֹב
דָּלִיּוֹתָיו וַיְקַנְאֻהוּ כָּל־עֲצֵי־עֵדֶן אֲשֶׁר בְּגַן הָאֱלֹהִים׃

מוּסָר לְפַרְעֹה מֵאַשּׁוּר: [3338]

י לָכֵן כֹּה אָמַר אֲדֹנָי יְהוִה יַעַן אֲשֶׁר גָּבַהְתָּ בְּקוֹמָה וַיִּתֵּן צַמַּרְתּוֹ
יא אֶל־בֵּין עֲבוֹתִים וְרָם לְבָבוֹ בְּגָבְהוֹ׃ וְאֶתְּנֵהוּ בְּיַד אֵיל גּוֹיִם עָשׂוֹ
יב יַעֲשֶׂה לוֹ כְּרִשְׁעוֹ גֵּרַשְׁתִּהוּ׃ וַיִּכְרְתֻהוּ זָרִים עָרִיצֵי גוֹיִם וַיִּטְּשֻׁהוּ
אֶל־הֶהָרִים וּבְכָל־גֵּאָיוֹת נָפְלוּ דָלִיּוֹתָיו וַתִּשָּׁבַרְנָה פֹארֹתָיו בְּכֹל

גַּאֲוַת אַשּׁוּר וּנְפִילָתוֹ:

יג אֲפִיקֵי הָאָרֶץ וַיֵּרְדוּ מִצִּלּוֹ כָּל־עַמֵּי הָאָרֶץ וַיִּטְּשֻׁהוּ: עַל־מַפַּלְתּוֹ
יד יִשְׁכְּנוּ כָּל־עוֹף הַשָּׁמָיִם וְאֶל־פֹּרֹאתָיו הָיוּ כֹּל חַיַּת הַשָּׂדֶה: לְמַעַן
אֲשֶׁר לֹא־יִגְבְּהוּ בְקוֹמָתָם כָּל־עֲצֵי־מַיִם וְלֹא־יִתְּנוּ אֶת־צַמַּרְתָּם
אֶל־בֵּין עֲבֹתִים וְלֹא־יַעַמְדוּ אֵלֵיהֶם בְּגָבְהָם כָּל־שֹׁתֵי מָיִם
כִּי־כֻלָּם נִתְּנוּ לַמָּוֶת אֶל־אֶרֶץ תַּחְתִּית בְּתוֹךְ בְּנֵי אָדָם אֶל־יוֹרְדֵי
בוֹר:
טו כֹּה־אָמַר אֲדֹנָי יֱהוִה בְּיוֹם רִדְתּוֹ שְׁאוֹלָה הֶאֱבַלְתִּי כִּסֵּתִי עָלָיו
אֶת־תְּהוֹם וָאֶמְנַע נַהֲרוֹתֶיהָ וַיִּכָּלְאוּ מַיִם רַבִּים וָאַקְדִּר עָלָיו
טז לְבָנוֹן וְכָל־עֲצֵי הַשָּׂדֶה עָלָיו עֻלְפֶּה: מִקּוֹל מַפַּלְתּוֹ הִרְעַשְׁתִּי
גוֹיִם בְּהוֹרִדִי אֹתוֹ שְׁאוֹלָה אֶת־יוֹרְדֵי בוֹר וַיִּנָּחֲמוּ בְּאֶרֶץ תַּחְתִּית
יז כָּל־עֲצֵי־עֵדֶן מִבְחַר וְטוֹב־לְבָנוֹן כָּל־שֹׁתֵי מָיִם: גַּם־הֵם אִתּוֹ
יָרְדוּ שְׁאוֹלָה אֶל־חַלְלֵי־חָרֶב וּזְרֹעוֹ יָשְׁבוּ בְצִלּוֹ בְּתוֹךְ גּוֹיִם:
יח אֶל־מִי דָמִיתָ כָּכָה בְּכָבוֹד וּבְגֹדֶל בַּעֲצֵי־עֵדֶן וְהוּרַדְתָּ אֶת־עֲצֵי־
עֵדֶן אֶל־אֶרֶץ תַּחְתִּית בְּתוֹךְ עֲרֵלִים תִּשְׁכַּב אֶת־חַלְלֵי־חֶרֶב
הוּא פַרְעֹה וְכָל־הֲמוֹנֹה נְאֻם אֲדֹנָי יֱהוִה:

מַפֶּלֶת אַשּׁוּר וְחֶרְבָּנוֹ:

לב א וַיְהִי בִּשְׁתֵּי עֶשְׂרֵה שָׁנָה בִּשְׁנֵי־עָשָׂר חֹדֶשׁ בְּאֶחָד לַחֹדֶשׁ
ב הָיָה דְבַר־יְהוָה אֵלַי לֵאמֹר: בֶּן־אָדָם שָׂא קִינָה עַל־פַּרְעֹה
מֶלֶךְ־מִצְרַיִם וְאָמַרְתָּ אֵלָיו כְּפִיר גּוֹיִם נִדְמֵיתָ וְאַתָּה כַּתַּנִּים
בַּיַּמִּים וַתָּגַח בְּנַהֲרוֹתֶיךָ וַתִּדְלַח־מַיִם בְּרַגְלֶיךָ וַתִּרְפֹּס
ג נַהֲרוֹתָם: כֹּה אָמַר
אֲדֹנָי יֱהוִה וּפָרַשְׂתִּי עָלֶיךָ אֶת־רִשְׁתִּי בִּקְהַל עַמִּים רַבִּים
ד וְהֶעֱלוּךָ בְּחֶרְמִי: וּנְטַשְׁתִּיךָ בָאָרֶץ עַל־פְּנֵי הַשָּׂדֶה אֲטִילֶךָ
וְהִשְׁכַּנְתִּי עָלֶיךָ כָּל־עוֹף הַשָּׁמַיִם וְהִשְׂבַּעְתִּי מִמְּךָ חַיַּת כָּל־
ה הָאָרֶץ: וְנָתַתִּי אֶת־בְּשָׂרְךָ עַל־הֶהָרִים וּמִלֵּאתִי הַגֵּאָיוֹת רָמוּתֶךָ:
ו וְהִשְׁקֵיתִי אֶרֶץ צָפָתְךָ מִדָּמְךָ אֶל־הֶהָרִים וַאֲפִקִים יִמָּלְאוּן מִמֶּךָּ:

גְּדֻלַּת פַּרְעֹה וּמַפַּלְתּוֹ בְּדֶרֶךְ מָשָׁל:
[3339]

ז וְכִסֵּיתִי בְכַבּוֹתְךָ שָׁמַיִם וְהִקְדַּרְתִּי אֶת־כֹּכְבֵיהֶם שֶׁמֶשׁ בֶּעָנָן
ח אֲכַסֶּנּוּ וְיָרֵחַ לֹא־יָאִיר אוֹרוֹ׃ כָּל־מְאוֹרֵי אוֹר בַּשָּׁמַיִם
אַקְדִּירֵם עָלֶיךָ וְנָתַתִּי חֹשֶׁךְ עַל־אַרְצְךָ נְאֻם אֲדֹנָי יֱהֹוִה׃
ט וְהִכְעַסְתִּי לֵב עַמִּים רַבִּים בַּהֲבִיאִי שִׁבְרְךָ בַּגּוֹיִם עַל־אֲרָצוֹת
י אֲשֶׁר לֹא־יְדַעְתָּם׃ וַהֲשִׁמּוֹתִי עָלֶיךָ עַמִּים רַבִּים וּמַלְכֵיהֶם
יִשְׂעֲרוּ עָלֶיךָ שַׂעַר בְּעוֹפְפִי חַרְבִּי עַל־פְּנֵיהֶם וְחָרְדוּ לִרְגָעִים
אִישׁ לְנַפְשׁוֹ בְּיוֹם מַפַּלְתֶּךָ׃
יא יב כִּי כֹה אָמַר אֲדֹנָי יֱהֹוִה חֶרֶב מֶלֶךְ־בָּבֶל תְּבוֹאֶךָּ׃ בְּחַרְבוֹת חָרְבַּן מִצְרַיִם עַל יְדֵי בָּבֶל׃
גִּבּוֹרִים אַפִּיל הֲמוֹנֶךָ עָרִיצֵי גוֹיִם כֻּלָּם וְשָׁדְדוּ אֶת־גְּאוֹן מִצְרַיִם
יג וְנִשְׁמַד כָּל־הֲמוֹנָהּ׃ וְהַאֲבַדְתִּי אֶת־כָּל־בְּהֶמְתָּהּ מֵעַל מַיִם
רַבִּים וְלֹא תִדְלָחֵם רֶגֶל־אָדָם עוֹד וּפַרְסוֹת בְּהֵמָה לֹא תִדְלָחֵם׃
יד אָז אַשְׁקִיעַ מֵימֵיהֶם וְנַהֲרוֹתָם כַּשֶּׁמֶן אוֹלִיךְ נְאֻם אֲדֹנָי יֱהֹוִה׃
טו בְּתִתִּי אֶת־אֶרֶץ מִצְרַיִם שְׁמָמָה וּנְשַׁמָּה אֶרֶץ מִמְּלֹאָהּ בְּהַכּוֹתִי
טז אֶת־כָּל־יוֹשְׁבֵי בָהּ וְיָדְעוּ כִּי־אֲנִי יְהֹוָה׃ קִינָה הִיא וְקוֹנְנוּהָ
בְּנוֹת הַגּוֹיִם תְּקוֹנֵנָּה אוֹתָהּ עַל־מִצְרַיִם וְעַל־כָּל־הֲמוֹנָהּ
תְּקוֹנֵנָּה אוֹתָהּ נְאֻם אֲדֹנָי יֱהֹוִה׃
יז וַיְהִי בִּשְׁתֵּי עֶשְׂרֵה שָׁנָה בַּחֲמִשָּׁה עָשָׂר לַחֹדֶשׁ הָיָה דְבַר־יְהֹוָה סוֹפָהּ הַמַּר שֶׁל מִצְרַיִם וּשְׁכֵנֶיהָ׃ [3339]
יח אֵלַי לֵאמֹר׃ בֶּן־אָדָם נְהֵה עַל־הֲמוֹן מִצְרַיִם וְהוֹרִדֵהוּ אוֹתָהּ
יט וּבְנוֹת גּוֹיִם אַדִּרִם אֶל־אֶרֶץ תַּחְתִּיּוֹת אֶת־יוֹרְדֵי בוֹר׃ מִמִּי נָעָמְתָּ
כ רְדָה וְהָשְׁכְּבָה אֶת־עֲרֵלִים׃ בְּתוֹךְ חַלְלֵי־חֶרֶב יִפֹּלוּ חֶרֶב נִתָּנָה
כא מָשְׁכוּ אוֹתָהּ וְכָל־הֲמוֹנֶיהָ׃ יְדַבְּרוּ־לוֹ אֵלֵי גִבּוֹרִים מִתּוֹךְ שְׁאוֹל
כב אֶת־עֹזְרָיו יָרְדוּ שָׁכְבוּ הָעֲרֵלִים חַלְלֵי־חָרֶב׃ שָׁם אַשּׁוּר וְכָל־
כג קְהָלָהּ סְבִיבוֹתָיו קִבְרֹתָיו כֻּלָּם חֲלָלִים הַנֹּפְלִים בֶּחָרֶב׃ אֲשֶׁר
נִתְּנוּ קִבְרֹתֶיהָ בְּיַרְכְּתֵי־בוֹר וַיְהִי קְהָלָהּ סְבִיבֹת קְבֻרָתָהּ
כד כֻּלָּם חֲלָלִים נֹפְלִים בַּחֶרֶב אֲשֶׁר־נָתְנוּ חִתִּית בְּאֶרֶץ חַיִּים שָׁם

עֵילָם וְכָל־הֲמוֹנָה־ סְבִיבוֹת קְבֻרָתָה־ כֻּלָּם חֲלָלִים הַנֹּפְלִים
בַּחֶרֶב אֲשֶׁר־יָרְדוּ עֲרֵלִים ׀ אֶל־אֶרֶץ תַּחְתִּיּוֹת אֲשֶׁר נָתְנוּ
חִתִּיתָם בְּאֶרֶץ חַיִּים וַיִּשְׂאוּ כְלִמָּתָם אֶת־יוֹרְדֵי בוֹר׃ בְּתוֹךְ כה
חֲלָלִים נָתְנוּ מִשְׁכָּב לָה־ בְּכָל־הֲמוֹנָה־ סְבִיבוֹתָיו קִבְרֹתֶהָ כֻּלָּם
עֲרֵלִים חַלְלֵי־חֶרֶב כִּי־נִתַּן חִתִּיתָם בְּאֶרֶץ חַיִּים וַיִּשְׂאוּ כְלִמָּתָם
אֶת־יוֹרְדֵי בוֹר בְּתוֹךְ חֲלָלִים נִתָּן׃ שָׁם מֶשֶׁךְ תֻּבַל וְכָל־ כו
הֲמוֹנָה־ סְבִיבוֹתָיו קִבְרוֹתֶיהָ כֻּלָּם עֲרֵלִים מְחֻלְלֵי חֶרֶב כִּי־נָתְנוּ
חִתִּיתָם בְּאֶרֶץ חַיִּים׃ וְלֹא יִשְׁכְּבוּ אֶת־גִּבּוֹרִים נֹפְלִים מֵעֲרֵלִים כז
אֲשֶׁר יָרְדוּ־שְׁאוֹל בִּכְלֵי־מִלְחַמְתָּם וַיִּתְּנוּ אֶת־חַרְבוֹתָם תַּחַת
רָאשֵׁיהֶם וַתְּהִי עֲוֹנֹתָם עַל־עַצְמוֹתָם כִּי־חִתִּית גִּבּוֹרִים בְּאֶרֶץ
חַיִּים׃ וְאַתָּה בְּתוֹךְ עֲרֵלִים תִּשָּׁבַר וְתִשְׁכַּב אֶת־חַלְלֵי־חָרֶב׃ כח
שָׁמָּה אֱדוֹם מְלָכֶיהָ וְכָל־נְשִׂיאֶיהָ אֲשֶׁר־נִתְּנוּ בִגְבוּרָתָם אֶת־ כט
חַלְלֵי־חָרֶב הֵמָּה אֶת־עֲרֵלִים יִשְׁכָּבוּ וְאֶת־יֹרְדֵי בוֹר׃ שָׁמָּה נְסִיכֵי ל
צָפוֹן כֻּלָּם וְכָל־צִדֹנִי אֲשֶׁר־יָרְדוּ אֶת־חֲלָלִים בְּחִתִּיתָם מִגְּבוּרָתָם
בּוֹשִׁים וַיִּשְׁכְּבוּ עֲרֵלִים אֶת־חַלְלֵי־חֶרֶב וַיִּשְׂאוּ כְלִמָּתָם אֶת־
יוֹרְדֵי בוֹר׃ אוֹתָם יִרְאֶה פַרְעֹה וְנִחַם עַל־כָּל־הֲמוֹנֹה חַלְלֵי־חֶרֶב לא
פַּרְעֹה וְכָל־חֵילוֹ נְאֻם אֲדֹנָי יֱהֹוִה׃ כִּי־נָתַתִּי אֶת־חִתִּיתִי חתיתו לב
בְּאֶרֶץ חַיִּים וְהֻשְׁכַּב בְּתוֹךְ עֲרֵלִים אֶת־חַלְלֵי־חֶרֶב פַּרְעֹה
וְכָל־הֲמוֹנֹה נְאֻם אֲדֹנָי יֱהֹוִה׃

לג א ב וַיְהִי דְבַר־יְהֹוָה אֵלַי לֵאמֹר׃ בֶּן־אָדָם דַּבֵּר אֶל־בְּנֵי־עַמְּךָ — תַּפְקִיד
וְאָמַרְתָּ אֲלֵיהֶם אֶרֶץ כִּי־אָבִיא עָלֶיהָ חָרֶב וְלָקְחוּ עַם־הָאָרֶץ — הַצּוֹפֶה:
אִישׁ אֶחָד מִקְצֵיהֶם וְנָתְנוּ אֹתוֹ לָהֶם לְצֹפֶה׃ וְרָאָה אֶת־הַחֶרֶב ג
בָּאָה עַל־הָאָרֶץ וְתָקַע בַּשּׁוֹפָר וְהִזְהִיר אֶת־הָעָם׃ וְשָׁמַע הַשֹּׁמֵעַ ד
אֶת־קוֹל הַשּׁוֹפָר וְלֹא נִזְהָר וַתָּבוֹא חֶרֶב וַתִּקָּחֵהוּ דָּמוֹ בְרֹאשׁוֹ
יִהְיֶה׃ אֵת קוֹל הַשּׁוֹפָר שָׁמַע וְלֹא נִזְהָר דָּמוֹ בּוֹ יִהְיֶה וְהוּא ה

ו נִזְהָר נַפְשׁוֹ מִלֵּט: וְהַצֹּפֶה כִּי־יִרְאֶה אֶת־הַחֶרֶב בָּאָה וְלֹא־תָקַע
בַּשּׁוֹפָר וְהָעָם לֹא־נִזְהָר וַתָּבוֹא חֶרֶב וַתִּקַּח מֵהֶם נָפֶשׁ הוּא בַּעֲוֺנוֹ
נִלְקָח וְדָמוֹ מִיַּד־הַצֹּפֶה אֶדְרֹשׁ:
ז וְאַתָּה בֶן־אָדָם צֹפֶה נְתַתִּיךָ לְבֵית יִשְׂרָאֵל וְשָׁמַעְתָּ מִפִּי דָּבָר הַנָּבִיא כְּצוֹפֶה:
ח וְהִזְהַרְתָּ אֹתָם מִמֶּנִּי: בְּאָמְרִי לָרָשָׁע רָשָׁע מוֹת תָּמוּת וְלֹא
דִבַּרְתָּ לְהַזְהִיר רָשָׁע מִדַּרְכּוֹ הוּא רָשָׁע בַּעֲוֺנוֹ יָמוּת וְדָמוֹ מִיָּדְךָ
ט אֲבַקֵּשׁ: וְאַתָּה כִּי־הִזְהַרְתָּ רָשָׁע מִדַּרְכּוֹ לָשׁוּב מִמֶּנָּה וְלֹא־שָׁב
מִדַּרְכּוֹ הוּא בַּעֲוֺנוֹ יָמוּת וְאַתָּה נַפְשְׁךָ הִצַּלְתָּ:
י וְאַתָּה בֶן־אָדָם אֱמֹר אֶל־בֵּית יִשְׂרָאֵל כֵּן אֲמַרְתֶּם לֵאמֹר קְרִיאָה לִתְשׁוּבָה:
כִּי־פְשָׁעֵינוּ וְחַטֹּאתֵינוּ עָלֵינוּ וּבָם אֲנַחְנוּ נְמַקִּים וְאֵיךְ נִחְיֶה:
יא אֱמֹר אֲלֵיהֶם חַי־אָנִי ׀ נְאֻם ׀ אֲדֹנָי יֱהֹוִה אִם־אֶחְפֹּץ בְּמוֹת
הָרָשָׁע כִּי אִם־בְּשׁוּב רָשָׁע מִדַּרְכּוֹ וְחָיָה שׁוּבוּ שׁוּבוּ מִדַּרְכֵיכֶם
הָרָעִים וְלָמָּה תָמוּתוּ בֵּית יִשְׂרָאֵל:
יב וְאַתָּה בֶן־אָדָם אֱמֹר אֶל־בְּנֵי־עַמְּךָ צִדְקַת הַצַּדִּיק לֹא תַצִּילֶנּוּ הַנְהָגַת ה׳ עִם הַצַּדִּיקִים וְהָרְשָׁעִים:
בְּיוֹם פִּשְׁעוֹ וְרִשְׁעַת הָרָשָׁע לֹא־יִכָּשֶׁל בָּהּ בְּיוֹם שׁוּבוֹ מֵרִשְׁעוֹ
יג וְצַדִּיק לֹא יוּכַל לִחְיוֹת בָּהּ בְּיוֹם חֲטֹאתוֹ: בְּאָמְרִי לַצַּדִּיק חָיֹה
יִחְיֶה וְהוּא־בָטַח עַל־צִדְקָתוֹ וְעָשָׂה עָוֶל כָּל־צִדְקֹתָו לֹא תִזָּכַרְנָה
יד וּבְעַוְלוֹ אֲשֶׁר־עָשָׂה בּוֹ יָמוּת: וּבְאָמְרִי לָרָשָׁע מוֹת תָּמוּת וְשָׁב
טו מֵחַטָּאתוֹ וְעָשָׂה מִשְׁפָּט וּצְדָקָה: חֲבֹל יָשִׁיב רָשָׁע גְּזֵלָה יְשַׁלֵּם
בְּחֻקּוֹת הַחַיִּים הָלַךְ לְבִלְתִּי עֲשׂוֹת עָוֶל חָיוֹ יִחְיֶה לֹא יָמוּת:
טז כָּל־חַטֹּאתוֹ אֲשֶׁר חָטָא לֹא תִזָּכַרְנָה לוֹ מִשְׁפָּט וּצְדָקָה עָשָׂה
יז חָיוֹ יִחְיֶה: וְאָמְרוּ בְּנֵי עַמְּךָ לֹא יִתָּכֵן דֶּרֶךְ אֲדֹנָי וְהֵמָּה דַּרְכָּם
יח יט לֹא־יִתָּכֵן: בְּשׁוּב־צַדִּיק מִצִּדְקָתוֹ וְעָשָׂה עָוֶל וּמֵת בָּהֶם: וּבְשׁוּב
רָשָׁע מֵרִשְׁעָתוֹ וְעָשָׂה מִשְׁפָּט וּצְדָקָה עֲלֵיהֶם הוּא יִחְיֶה:
כ וַאֲמַרְתֶּם לֹא יִתָּכֵן דֶּרֶךְ אֲדֹנָי אִישׁ כִּדְרָכָיו אֶשְׁפּוֹט אֶתְכֶם בֵּית

יִשְׂרָאֵל:

הוֹדָעַת הַפָּלִיט עַל חָרְבַּן הָעִיר: [3339]

כא וַיְהִי בִּשְׁתֵּי עֶשְׂרֵה שָׁנָה בָּעֲשִׂרִי בַּחֲמִשָּׁה לַחֹדֶשׁ לְגָלוּתֵנוּ
כב בָּא־אֵלַי הַפָּלִיט מִירוּשָׁלַםִ לֵאמֹר הֻכְּתָה הָעִיר: וְיַד־יְהוָה הָיְתָה
אֵלַי בָּעֶרֶב לִפְנֵי בּוֹא הַפָּלִיט וַיִּפְתַּח אֶת־פִּי עַד־בּוֹא אֵלַי בַּבֹּקֶר
וַיִּפָּתַח פִּי וְלֹא נֶאֱלַמְתִּי עוֹד:

הִתְנַהֲגוּת הַבְּרִיּוֹת וְעָנְשָׁן:

כג כד וַיְהִי דְבַר־יְהוָה אֵלַי לֵאמֹר: בֶּן־אָדָם יֹשְׁבֵי הֶחֳרָבוֹת
הָאֵלֶּה עַל־אַדְמַת יִשְׂרָאֵל אֹמְרִים לֵאמֹר אֶחָד הָיָה אַבְרָהָם
וַיִּירַשׁ אֶת־הָאָרֶץ וַאֲנַחְנוּ רַבִּים לָנוּ נִתְּנָה הָאָרֶץ
כה לְמוֹרָשָׁה: לָכֵן אֱמֹר אֲלֵיהֶם כֹּה־אָמַר ׀ אֲדֹנָי יְהוִה
עַל־הַדָּם ׀ תֹּאכֵלוּ וְעֵינֵכֶם תִּשְׂאוּ אֶל־גִּלּוּלֵיכֶם וְדָם תִּשְׁפֹּכוּ
כו וְהָאָרֶץ תִּירָשׁוּ: עֲמַדְתֶּם עַל־חַרְבְּכֶם עֲשִׂיתֶן תּוֹעֵבָה וְאִישׁ
כז אֶת־אֵשֶׁת רֵעֵהוּ טִמֵּאתֶם וְהָאָרֶץ תִּירָשׁוּ: כֹּה־תֹאמַר
אֲלֵהֶם כֹּה־אָמַר אֲדֹנָי יְהוִה חַי־אָנִי אִם־לֹא אֲשֶׁר בֶּחֳרָבוֹת
בַּחֶרֶב יִפֹּלוּ וַאֲשֶׁר עַל־פְּנֵי הַשָּׂדֶה לַחַיָּה נְתַתִּיו לְאָכְלוֹ וַאֲשֶׁר
כח בַּמְּצָדוֹת וּבַמְּעָרוֹת בַּדֶּבֶר יָמוּתוּ: וְנָתַתִּי אֶת־הָאָרֶץ שְׁמָמָה
וּמְשַׁמָּה וְנִשְׁבַּת גְּאוֹן עֻזָּהּ וְשָׁמְמוּ הָרֵי יִשְׂרָאֵל מֵאֵין עוֹבֵר:
כט וְיָדְעוּ כִּי־אֲנִי יְהוָה בְּתִתִּי אֶת־הָאָרֶץ שְׁמָמָה וּמְשַׁמָּה עַל
כָּל־תּוֹעֲבֹתָם אֲשֶׁר עָשׂוּ:

חֹסֶר הָאֵמוּן בְּדִבְרֵי הַנָּבִיא:

ל וְאַתָּה בֶן־אָדָם בְּנֵי עַמְּךָ הַנִּדְבָּרִים בְּךָ אֵצֶל הַקִּירוֹת וּבְפִתְחֵי
הַבָּתִּים וְדִבֶּר־חַד אֶת־אַחַד אִישׁ אֶת־אָחִיו לֵאמֹר בֹּאוּ־נָא
לא וְשִׁמְעוּ מָה הַדָּבָר הַיּוֹצֵא מֵאֵת יְהוָה: וְיָבוֹאוּ אֵלֶיךָ כִּמְבוֹא־עָם
וְיֵשְׁבוּ לְפָנֶיךָ עַמִּי וְשָׁמְעוּ אֶת־דְּבָרֶיךָ וְאוֹתָם לֹא יַעֲשׂוּ
לב כִּי־עֲגָבִים בְּפִיהֶם הֵמָּה עֹשִׂים אַחֲרֵי בִצְעָם לִבָּם הֹלֵךְ: וְהִנְּךָ
לָהֶם כְּשִׁיר עֲגָבִים יְפֵה קוֹל וּמֵטִב נַגֵּן וְשָׁמְעוּ אֶת־דְּבָרֶיךָ
לג וְעֹשִׂים אֵינָם אוֹתָם: וּבְבֹאָהּ הִנֵּה בָאָה וְיָדְעוּ כִּי נָבִיא הָיָה

בְּתוֹכְכֶם:

תּוֹכֵחָה
לְרוֹעֵי
יִשְׂרָאֵל:

לד וַיְהִי דְבַר־יְהֹוָה אֵלַי לֵאמֹר: בֶּן־אָדָם הִנָּבֵא עַל־רוֹעֵי יִשְׂרָאֵל
הִנָּבֵא וְאָמַרְתָּ אֲלֵיהֶם לָרֹעִים כֹּה־אָמַר ׀ אֲדֹנָי יֱהֹוִה הוֹי
רֹעֵי־יִשְׂרָאֵל אֲשֶׁר הָיוּ רֹעִים אוֹתָם הֲלוֹא הַצֹּאן יִרְעוּ הָרֹעִים:
ג אֶת־הַחֵלֶב תֹּאכֵלוּ וְאֶת־הַצֶּמֶר תִּלְבָּשׁוּ הַבְּרִיאָה תִּזְבָּחוּ הַצֹּאן
ד לֹא תִרְעוּ: אֶת־הַנַּחְלוֹת לֹא חִזַּקְתֶּם וְאֶת־הַחוֹלָה לֹא־רִפֵּאתֶם
וְלַנִּשְׁבֶּרֶת לֹא חֲבַשְׁתֶּם וְאֶת־הַנִּדַּחַת לֹא הֲשֵׁבֹתֶם וְאֶת־הָאֹבֶדֶת
ה לֹא בִקַּשְׁתֶּם וּבְחָזְקָה רְדִיתֶם אֹתָם וּבְפָרֶךְ: וַתְּפוּצֶינָה מִבְּלִי
ו רֹעֶה וַתִּהְיֶינָה לְאָכְלָה לְכָל־חַיַּת הַשָּׂדֶה וַתְּפוּצֶינָה: יִשְׁגּוּ צֹאנִי
בְּכָל־הֶהָרִים וְעַל כָּל־גִּבְעָה רָמָה וְעַל כָּל־פְּנֵי הָאָרֶץ נָפֹצוּ צֹאנִי
ז וְאֵין דּוֹרֵשׁ וְאֵין מְבַקֵּשׁ: לָכֵן רֹעִים שִׁמְעוּ אֶת־דְּבַר יְהֹוָה:
ח חַי־אָנִי נְאֻם ׀ אֲדֹנָי יֱהֹוִה אִם־לֹא יַעַן הֱיוֹת־צֹאנִי ׀ לָבַז
וַתִּהְיֶינָה צֹאנִי לְאָכְלָה לְכָל־חַיַּת הַשָּׂדֶה מֵאֵין רֹעֶה וְלֹא־
דָרְשׁוּ רֹעַי אֶת־צֹאנִי וַיִּרְעוּ הָרֹעִים אוֹתָם וְאֶת־צֹאנִי לֹא רָעוּ:
ט לָכֵן הָרֹעִים שִׁמְעוּ דְּבַר־יְהֹוָה: כֹּה־אָמַר אֲדֹנָי יֱהֹוִה הִנְנִי
אֶל־הָרֹעִים וְדָרַשְׁתִּי אֶת־צֹאנִי מִיָּדָם וְהִשְׁבַּתִּים מֵרְעוֹת צֹאן
וְלֹא־יִרְעוּ עוֹד הָרֹעִים אוֹתָם וְהִצַּלְתִּי צֹאנִי מִפִּיהֶם וְלֹא־תִהְיֶיןָ

רְעִיַּת ה'
אֶת עַמּוֹ:

יא לָהֶם לְאָכְלָה: כִּי כֹּה אָמַר אֲדֹנָי יֱהֹוִה הִנְנִי־אָנִי
יב וְדָרַשְׁתִּי אֶת־צֹאנִי וּבִקַּרְתִּים: כְּבַקָּרַת רֹעֶה עֶדְרוֹ בְּיוֹם־הֱיוֹתוֹ
בְתוֹךְ־צֹאנוֹ נִפְרָשׁוֹת כֵּן אֲבַקֵּר אֶת־צֹאנִי וְהִצַּלְתִּי אֶתְהֶם
יג מִכָּל־הַמְּקוֹמֹת אֲשֶׁר נָפֹצוּ שָׁם בְּיוֹם עָנָן וַעֲרָפֶל: וְהוֹצֵאתִים
מִן־הָעַמִּים וְקִבַּצְתִּים מִן־הָאֲרָצוֹת וַהֲבִיאֹתִים אֶל־אַדְמָתָם
וּרְעִיתִים אֶל־הָרֵי יִשְׂרָאֵל בָּאֲפִיקִים וּבְכֹל מוֹשְׁבֵי הָאָרֶץ:
יד בְּמִרְעֶה־טּוֹב אֶרְעֶה אֹתָם וּבְהָרֵי מְרוֹם־יִשְׂרָאֵל יִהְיֶה נְוֵהֶם
שָׁם תִּרְבַּצְנָה בְּנָוֶה טּוֹב וּמִרְעֶה שָׁמֵן תִּרְעֶינָה אֶל־הָרֵי יִשְׂרָאֵל:

טו טז אֲנִי אֶרְעֶה צֹאנִי וַאֲנִי אַרְבִּיצֵם נְאֻם אֲדֹנָי יֱהֹוִה: אֶת־הָאֹבֶדֶת
אֲבַקֵּשׁ וְאֶת־הַנִּדַּחַת אָשִׁיב וְלַנִּשְׁבֶּרֶת אֶחֱבֹשׁ וְאֶת־הַחוֹלָה
אֲחַזֵּק וְאֶת־הַשְּׁמֵנָה וְאֶת־הַחֲזָקָה אַשְׁמִיד אֶרְעֶנָּה בְמִשְׁפָּט:
יז וְאַתֵּנָה צֹאנִי כֹּה אָמַר אֲדֹנָי יֱהֹוִה הִנְנִי שֹׁפֵט בֵּין־שֶׂה לָשֶׂה
יח לָאֵילִים וְלָעַתּוּדִים: הַמְעַט מִכֶּם הַמִּרְעֶה הַטּוֹב תִּרְעוּ וְיֶתֶר
מִרְעֵיכֶם תִּרְמְסוּ בְּרַגְלֵיכֶם וּמִשְׁקַע־מַיִם תִּשְׁתּוּ וְאֵת הַנּוֹתָרִים
יט בְּרַגְלֵיכֶם תִּרְפֹּשׂוּן: וְצֹאנִי מִרְמַס רַגְלֵיכֶם תִּרְעֶינָה וּמִרְפַּשׂ
רַגְלֵיכֶם תִּשְׁתֶּינָה:
כ לָכֵן כֹּה אָמַר אֲדֹנָי יֱהֹוִה אֲלֵיהֶם הִנְנִי־אָנִי וְשָׁפַטְתִּי בֵּין־שֶׂה
כא בִרְיָה וּבֵין שֶׂה רָזָה: יַעַן בְּצַד וּבְכָתֵף תֶּהְדֹּפוּ וּבְקַרְנֵיכֶם תְּנַגְּחוּ
כב כָּל־הַנַּחְלוֹת עַד אֲשֶׁר הֲפִיצוֹתֶם אוֹתָנָה אֶל־הַחוּצָה: וְהוֹשַׁעְתִּי
כג לְצֹאנִי וְלֹא־תִהְיֶינָה עוֹד לָבַז וְשָׁפַטְתִּי בֵּין שֶׂה לָשֶׂה: וַהֲקִמֹתִי
עֲלֵיהֶם רֹעֶה אֶחָד וְרָעָה אֶתְהֶן אֵת עַבְדִּי דָוִיד הוּא יִרְעֶה אֹתָם

הַבְּרָכָה שֶׁיָּבִיא הַמָּשִׁיחַ:

כד וְהוּא־יִהְיֶה לָהֶן לְרֹעֶה: וַאֲנִי יְהֹוָה אֶהְיֶה לָהֶם לֵאלֹהִים וְעַבְדִּי
כה דָוִד נָשִׂיא בְתוֹכָם אֲנִי יְהֹוָה דִּבַּרְתִּי: וְכָרַתִּי לָהֶם בְּרִית שָׁלוֹם
וְהִשְׁבַּתִּי חַיָּה־רָעָה מִן־הָאָרֶץ וְיָשְׁבוּ בַמִּדְבָּר לָבֶטַח וְיָשְׁנוּ
כו בַּיְּעָרִים: וְנָתַתִּי אוֹתָם וּסְבִיבוֹת גִּבְעָתִי בְּרָכָה וְהוֹרַדְתִּי הַגֶּשֶׁם
כז בְּעִתּוֹ גִּשְׁמֵי בְרָכָה יִהְיוּ: וְנָתַן עֵץ הַשָּׂדֶה אֶת־פִּרְיוֹ וְהָאָרֶץ
תִּתֵּן יְבוּלָהּ וְהָיוּ עַל־אַדְמָתָם לָבֶטַח וְיָדְעוּ כִּי־אֲנִי יְהֹוָה בְּשִׁבְרִי
כח אֶת־מֹטוֹת עֻלָּם וְהִצַּלְתִּים מִיַּד הָעֹבְדִים בָּהֶם: וְלֹא־יִהְיוּ עוֹד
בַּז לַגּוֹיִם וְחַיַּת הָאָרֶץ לֹא תֹאכְלֵם וְיָשְׁבוּ לָבֶטַח וְאֵין מַחֲרִיד:
כט וַהֲקִמֹתִי לָהֶם מַטָּע לְשֵׁם וְלֹא־יִהְיוּ עוֹד אֲסֻפֵי רָעָב בָּאָרֶץ
ל וְלֹא־יִשְׂאוּ עוֹד כְּלִמַּת הַגּוֹיִם: וְיָדְעוּ כִּי אֲנִי יְהֹוָה אֱלֹהֵיהֶם אִתָּם
לא וְהֵמָּה עַמִּי בֵּית יִשְׂרָאֵל נְאֻם אֲדֹנָי יֱהֹוִה: וְאַתֵּן צֹאנִי צֹאן מַרְעִיתִי
אָדָם אַתֶּם אֲנִי אֱלֹהֵיכֶם נְאֻם אֲדֹנָי יֱהֹוִה:

נְבוּאָה עַל
חֻרְבַּן הַר
שֵׂעִיר:

לה א וַיְהִי דְבַר־יְהוָה אֵלַי לֵאמֹר: בֶּן־אָדָם שִׂים פָּנֶיךָ עַל־הַר שֵׂעִיר

ב וְהִנָּבֵא עָלָיו: וְאָמַרְתָּ לּוֹ כֹּה אָמַר אֲדֹנָי יְהוִה הִנְנִי אֵלֶיךָ

ג הַר־שֵׂעִיר וְנָטִיתִי יָדִי עָלֶיךָ וּנְתַתִּיךָ שְׁמָמָה וּמְשַׁמָּה: עָרֶיךָ

ד חָרְבָּה אָשִׂים וְאַתָּה שְׁמָמָה תִהְיֶה וְיָדַעְתָּ כִּי־אֲנִי יְהוָה: יַעַן

ה הֱיוֹת לְךָ אֵיבַת עוֹלָם וַתַּגֵּר אֶת־בְּנֵי־יִשְׂרָאֵל עַל־יְדֵי־חָרֶב בְּעֵת

אֵידָם בְּעֵת עֲוֹן קֵץ: לָכֵן חַי־אָנִי נְאֻם אֲדֹנָי יְהוִה כִּי־לְדָם

ו אֶעֶשְׂךָ וְדָם יִרְדֲּפֶךָ אִם־לֹא דָם שָׂנֵאתָ וְדָם יִרְדֲּפֶךָ: וְנָתַתִּי

ז אֶת־הַר שֵׂעִיר לְשִׁמְמָה וּשְׁמָמָה וְהִכְרַתִּי מִמֶּנּוּ עֹבֵר וָשָׁב:

ח וּמִלֵּאתִי אֶת־הָרָיו חֲלָלָיו גִּבְעוֹתֶיךָ וְגֵיאוֹתֶיךָ וְכָל־אֲפִיקֶיךָ חַלְלֵי־

ט חֶרֶב יִפְּלוּ בָהֶם: שִׁמְמוֹת עוֹלָם אֶתֶּנְךָ וְעָרֶיךָ לֹא תישבנה תָשֹׁבְנָה

י וִידַעְתֶּם כִּי־אֲנִי יְהוָה: יַעַן אֲמָרְךָ אֶת־שְׁנֵי הַגּוֹיִם וְאֶת־שְׁתֵּי

יא הָאֲרָצוֹת לִי תִהְיֶינָה וִירֵשְׁנוּהָ וַיהוָה שָׁם הָיָה: לָכֵן

חַי־אָנִי נְאֻם אֲדֹנָי יְהוִה וְעָשִׂיתִי כְּאַפְּךָ וּכְקִנְאָתְךָ אֲשֶׁר עָשִׂיתָ

יב מִשִּׂנְאָתֶיךָ בָּם וְנוֹדַעְתִּי בָם כַּאֲשֶׁר אֶשְׁפְּטֶךָ: וְיָדַעְתָּ כִּי־אֲנִי

יְהוָה שָׁמַעְתִּי אֶת־כָּל־נָאָצוֹתֶיךָ אֲשֶׁר אָמַרְתָּ עַל־הָרֵי יִשְׂרָאֵל

יג לֵאמֹר | שממה שָׁמֵמוּ לָנוּ נִתְּנוּ לְאָכְלָה: וַתַּגְדִּילוּ עָלַי בְּפִיכֶם

יד וְהַעְתַּרְתֶּם עָלַי דִּבְרֵיכֶם אֲנִי שָׁמָעְתִּי: כֹּה אָמַר אֲדֹנָי

טו יְהוִה כִּשְׂמֹחַ כָּל־הָאָרֶץ שְׁמָמָה אֶעֱשֶׂה־לָּךְ: כְּשִׂמְחָתְךָ לְנַחֲלַת

בֵּית־יִשְׂרָאֵל עַל אֲשֶׁר־שָׁמֵמָה כֵּן אֶעֱשֶׂה־לָּךְ שְׁמָמָה תִהְיֶה

הַר־שֵׂעִיר וְכָל־אֱדוֹם כֻּלָּהּ וְיָדְעוּ כִּי־אֲנִי יְהוָה:

נְבוּאַת
נֶחָמָה
לְהָרֵי
יִשְׂרָאֵל:

לו א וְאַתָּה בֶן־אָדָם הִנָּבֵא אֶל־הָרֵי יִשְׂרָאֵל וְאָמַרְתָּ הָרֵי יִשְׂרָאֵל

ב שִׁמְעוּ דְּבַר־יְהוָה: כֹּה אָמַר אֲדֹנָי יְהוִה יַעַן אָמַר הָאוֹיֵב עֲלֵיכֶם

ג הֶאָח וּבָמוֹת עוֹלָם לְמוֹרָשָׁה הָיְתָה לָּנוּ: לָכֵן הִנָּבֵא וְאָמַרְתָּ כֹּה

אָמַר אֲדֹנָי יְהוִה יַעַן בְּיַעַן שַׁמּוֹת וְשָׁאֹף אֶתְכֶם מִסָּבִיב

לִהְיוֹתְכֶם מוֹרָשָׁה לִשְׁאֵרִית הַגּוֹיִם וַתֵּעֲלוּ עַל־שְׂפַת לָשׁוֹן

ד וְדִבַּת־עָם׃ לָכֵן הָרֵי יִשְׂרָאֵל שִׁמְעוּ דְּבַר־אֲדֹנָי יֱהֹוִה כֹּה־אָמַר
אֲדֹנָי יֱהֹוִה לֶהָרִים וְלַגְּבָעוֹת לָאֲפִיקִים וְלַגֵּאָיוֹת וְלֶחֳרָבוֹת
הַשֹּׁמְמוֹת וְלֶעָרִים הַנֶּעֱזָבוֹת אֲשֶׁר הָיוּ לְבַז וּלְלַעַג לִשְׁאֵרִית
ה הַגּוֹיִם אֲשֶׁר מִסָּבִיב׃ לָכֵן כֹּה־אָמַר אֲדֹנָי יֱהֹוִה אִם־לֹא בְּאֵשׁ
קִנְאָתִי דִבַּרְתִּי עַל־שְׁאֵרִית הַגּוֹיִם וְעַל־אֱדוֹם כֻּלָּא אֲשֶׁר נָתְנוּ־
אֶת־אַרְצִי ׀ לָהֶם לְמוֹרָשָׁה בְּשִׂמְחַת כָּל־לֵבָב בִּשְׁאָט נֶפֶשׁ
ו לְמַעַן מִגְרָשָׁהּ לָבַז׃ לָכֵן הִנָּבֵא עַל־אַדְמַת יִשְׂרָאֵל וְאָמַרְתָּ
לֶהָרִים וְלַגְּבָעוֹת לָאֲפִיקִים וְלַגֵּאָיוֹת כֹּה־אָמַר ׀ אֲדֹנָי יֱהֹוִה הִנְנִי
ז בְקִנְאָתִי וּבַחֲמָתִי דִּבַּרְתִּי יַעַן כְּלִמַּת גּוֹיִם נְשָׂאתֶם׃ לָכֵן כֹּה
אָמַר אֲדֹנָי יֱהֹוִה אֲנִי נָשָׂאתִי אֶת־יָדִי אִם־לֹא הַגּוֹיִם אֲשֶׁר לָכֶם
ח מִסָּבִיב הֵמָּה כְּלִמָּתָם יִשָּׂאוּ׃ וְאַתֶּם הָרֵי יִשְׂרָאֵל עַנְפְּכֶם תִּתֵּנוּ
ט וּפֶרְיְכֶם תִּשְׂאוּ לְעַמִּי יִשְׂרָאֵל כִּי קֵרְבוּ לָבוֹא׃ כִּי הִנְנִי אֲלֵיכֶם
י וּפָנִיתִי אֲלֵיכֶם וְנֶעֱבַדְתֶּם וְנִזְרַעְתֶּם׃ וְהִרְבֵּיתִי עֲלֵיכֶם אָדָם
כָּל־בֵּית יִשְׂרָאֵל כֻּלֹּה וְנֹשְׁבוּ הֶעָרִים וְהֶחֳרָבוֹת תִּבָּנֶינָה׃
יא וְהִרְבֵּיתִי עֲלֵיכֶם אָדָם וּבְהֵמָה וְרָבוּ וּפָרוּ וְהוֹשַׁבְתִּי אֶתְכֶם
כְּקַדְמוֹתֵיכֶם וְהֵיטִבֹתִי מֵרִאשֹׁתֵיכֶם וִידַעְתֶּם כִּי־אֲנִי יְהֹוָה׃
יב וְהוֹלַכְתִּי עֲלֵיכֶם אָדָם אֶת־עַמִּי יִשְׂרָאֵל וִירֵשׁוּךָ וְהָיִיתָ לָהֶם
יג לְנַחֲלָה וְלֹא־תוֹסִף עוֹד לְשַׁכְּלָם׃ כֹּה אָמַר אֲדֹנָי יֱהֹוִה
יַעַן אֹמְרִים לָכֶם אֹכֶלֶת אָדָם אתי אָתְּ וּמְשַׁכֶּלֶת גויך גּוֹיַיִךְ הָיִית׃
יד לָכֵן אָדָם לֹא־תֹאכְלִי עוֹד וגויך וְגוֹיַיִךְ לֹא תכשלי תְשַׁכְּלִי־עוֹד
טו נְאֻם אֲדֹנָי יֱהֹוִה׃ וְלֹא־אַשְׁמִיעַ אֵלַיִךְ עוֹד כְּלִמַּת הַגּוֹיִם וְחֶרְפַּת
עַמִּים לֹא תִשְׂאִי־עוֹד וגויך וְגוֹיַיִךְ לֹא־תַכְשִׁלִי עוֹד נְאֻם אֲדֹנָי
יֱהֹוִה׃

הֲשָׁבַת הָאָרֶץ לְעַם יִשְׂרָאֵל וְטוֹבָתָם בָּהּ:

טז יז וַיְהִי דְבַר־יְהֹוָה אֵלַי לֵאמֹר׃ בֶּן־אָדָם בֵּית יִשְׂרָאֵל יֹשְׁבִים
עַל־אַדְמָתָם וַיְטַמְּאוּ אוֹתָהּ בְּדַרְכָּם וּבַעֲלִילוֹתָם כְּטֻמְאַת

סִבַּת הַגָּלוּת, טֻמְאַת הָאָרֶץ:

יח הַנֵּדָה הָיְתָה דַרְכָּם לְפָנָי וָאֶשְׁפֹּךְ חֲמָתִי עֲלֵיהֶם עַל־הַדָּם

יט אֲשֶׁר־שָׁפְכוּ עַל־הָאָרֶץ וּבְגִלּוּלֵיהֶם טִמְּאוּהָ: וָאָפִיץ אֹתָם בַּגּוֹיִם

כ וַיִּזָּרוּ בָּאֲרָצוֹת כְּדַרְכָּם וְכַעֲלִילוֹתָם שְׁפַטְתִּים: וַיָּבוֹא אֶל־הַגּוֹיִם

אֲשֶׁר־בָּאוּ שָׁם וַיְחַלְּלוּ אֶת־שֵׁם קָדְשִׁי בֶּאֱמֹר לָהֶם עַם־יְהֹוָה

כא אֵלֶּה וּמֵאַרְצוֹ יָצָאוּ: וָאֶחְמֹל עַל־שֵׁם קָדְשִׁי אֲשֶׁר חִלְּלֻהוּ בֵּית

יִשְׂרָאֵל בַּגּוֹיִם אֲשֶׁר־בָּאוּ שָׁמָּה:

כב לָכֵן אֱמֹר לְבֵית־יִשְׂרָאֵל כֹּה אָמַר אֲדֹנָי יֱהֹוִה לֹא לְמַעַנְכֶם אֲנִי

עֹשֶׂה בֵּית יִשְׂרָאֵל כִּי אִם־לְשֵׁם־קָדְשִׁי אֲשֶׁר חִלַּלְתֶּם בַּגּוֹיִם

כג אֲשֶׁר־בָּאתֶם שָׁם: וְקִדַּשְׁתִּי אֶת־שְׁמִי הַגָּדוֹל הַמְחֻלָּל בַּגּוֹיִם

אֲשֶׁר חִלַּלְתֶּם בְּתוֹכָם וְיָדְעוּ הַגּוֹיִם כִּי־אֲנִי יְהֹוָה נְאֻם אֲדֹנָי

כד יֱהֹוִה בְּהִקָּדְשִׁי בָכֶם לְעֵינֵיהֶם: וְלָקַחְתִּי אֶתְכֶם מִן־הַגּוֹיִם

וְקִבַּצְתִּי אֶתְכֶם מִכָּל־הָאֲרָצוֹת וְהֵבֵאתִי אֶתְכֶם אֶל־אַדְמַתְכֶם:

כה וְזָרַקְתִּי עֲלֵיכֶם מַיִם טְהוֹרִים וּטְהַרְתֶּם מִכֹּל טֻמְאוֹתֵיכֶם וּמִכָּל־

כו גִּלּוּלֵיכֶם אֲטַהֵר אֶתְכֶם: וְנָתַתִּי לָכֶם לֵב חָדָשׁ וְרוּחַ חֲדָשָׁה

אֶתֵּן בְּקִרְבְּכֶם וַהֲסִרֹתִי אֶת־לֵב הָאֶבֶן מִבְּשַׂרְכֶם וְנָתַתִּי לָכֶם

כז לֵב בָּשָׂר: וְאֶת־רוּחִי אֶתֵּן בְּקִרְבְּכֶם וְעָשִׂיתִי אֵת אֲשֶׁר־בְּחֻקַּי

כח תֵּלֵכוּ וּמִשְׁפָּטַי תִּשְׁמְרוּ וַעֲשִׂיתֶם: וִישַׁבְתֶּם בָּאָרֶץ אֲשֶׁר נָתַתִּי

לַאֲבֹתֵיכֶם וִהְיִיתֶם לִי לְעָם וְאָנֹכִי אֶהְיֶה לָכֶם לֵאלֹהִים:

כט וְהוֹשַׁעְתִּי אֶתְכֶם מִכֹּל טֻמְאוֹתֵיכֶם וְקָרָאתִי אֶל־הַדָּגָן וְהִרְבֵּיתִי

ל אֹתוֹ וְלֹא־אֶתֵּן עֲלֵיכֶם רָעָב: וְהִרְבֵּיתִי אֶת־פְּרִי הָעֵץ וּתְנוּבַת

לא הַשָּׂדֶה לְמַעַן אֲשֶׁר לֹא תִקְחוּ עוֹד חֶרְפַּת רָעָב בַּגּוֹיִם: וּזְכַרְתֶּם

אֶת־דַּרְכֵיכֶם הָרָעִים וּמַעַלְלֵיכֶם אֲשֶׁר לֹא־טוֹבִים וּנְקֹטֹתֶם

לב בִּפְנֵיכֶם עַל עֲוֹנֹתֵיכֶם וְעַל תּוֹעֲבוֹתֵיכֶם: לֹא לְמַעַנְכֶם אֲנִי־עֹשֶׂה

נְאֻם אֲדֹנָי יֱהֹוִה יִוָּדַע לָכֶם בּוֹשׁוּ וְהִכָּלְמוּ מִדַּרְכֵיכֶם בֵּית

לג יִשְׂרָאֵל: כֹּה אָמַר אֲדֹנָי יֱהֹוִה

קִבּוּץ
יִשְׂרָאֵל,
וְטָהֳרָתָם:

הַפְרָחַת הַשְּׁמָמָה וְרִבּוּי הָעָם:

בְּיוֹם טַהֲרִי אֶתְכֶם מִכֹּל עֲוֺנוֹתֵיכֶם וְהוֹשַׁבְתִּי אֶת־הֶעָרִים וְנִבְנוּ
לד הֶחֳרָבוֹת: וְהָאָרֶץ הַנְּשַׁמָּה תֵּעָבֵד תַּחַת אֲשֶׁר הָיְתָה שְׁמָמָה לְעֵינֵי
לה כָּל־עוֹבֵר: וְאָמְרוּ הָאָרֶץ הַלֵּזוּ הַנְּשַׁמָּה הָיְתָה כְּגַן־עֵדֶן וְהֶעָרִים
לו הֶחֳרֵבוֹת וְהַנְשַׁמּוֹת וְהַנֶּהֱרָסוֹת בְּצוּרוֹת יָשָׁבוּ: וְיָדְעוּ הַגּוֹיִם אֲשֶׁר
יִשָּׁאֲרוּ סְבִיבוֹתֵיכֶם כִּי ׀ אֲנִי יְהֹוָה בָּנִיתִי הַנֶּהֱרָסוֹת נָטַעְתִּי
לז הַנְּשַׁמָּה אֲנִי יְהֹוָה דִּבַּרְתִּי וְעָשִׂיתִי: כֹּה אָמַר אֲדֹנָי
יֱהֹוִה עוֹד זֹאת אִדָּרֵשׁ לְבֵית־יִשְׂרָאֵל לַעֲשׂוֹת לָהֶם אַרְבֶּה אֹתָם
לח כַּצֹּאן אָדָם: כְּצֹאן קָדָשִׁים כְּצֹאן יְרוּשָׁלַ͏ִם בְּמוֹעֲדֶיהָ כֵּן
תִּהְיֶינָה הֶעָרִים הֶחֳרֵבוֹת מְלֵאוֹת צֹאן אָדָם וְיָדְעוּ כִּי־אֲנִי
יְהֹוָה:

תְּחִיַּת הָעֲצָמוֹת הַיְבֵשׁוֹת:

לז א הָיְתָה עָלַי יַד־יְהֹוָה וַיּוֹצִאֵנִי בְרוּחַ יְהֹוָה וַיְנִיחֵנִי בְּתוֹךְ הַבִּקְעָה
ב וְהִיא מְלֵאָה עֲצָמוֹת: וְהֶעֱבִירַנִי עֲלֵיהֶם סָבִיב ׀ סָבִיב וְהִנֵּה
ג רַבּוֹת מְאֹד עַל־פְּנֵי הַבִּקְעָה וְהִנֵּה יְבֵשׁוֹת מְאֹד: וַיֹּאמֶר אֵלַי
בֶּן־אָדָם הֲתִחְיֶינָה הָעֲצָמוֹת הָאֵלֶּה וָאֹמַר אֲדֹנָי יֱהֹוִה אַתָּה
ד יָדָעְתָּ: וַיֹּאמֶר אֵלַי הִנָּבֵא עַל־הָעֲצָמוֹת הָאֵלֶּה וְאָמַרְתָּ אֲלֵיהֶם
ה הָעֲצָמוֹת הַיְבֵשׁוֹת שִׁמְעוּ דְּבַר־יְהֹוָה: כֹּה אָמַר אֲדֹנָי יֱהֹוִה
ו לָעֲצָמוֹת הָאֵלֶּה הִנֵּה אֲנִי מֵבִיא בָכֶם רוּחַ וִחְיִיתֶם: וְנָתַתִּי
עֲלֵיכֶם גִּידִים וְהַעֲלֵתִי עֲלֵיכֶם בָּשָׂר וְקָרַמְתִּי עֲלֵיכֶם עוֹר וְנָתַתִּי
ז בָכֶם רוּחַ וִחְיִיתֶם וִידַעְתֶּם כִּי־אֲנִי יְהֹוָה: וְנִבֵּאתִי כַּאֲשֶׁר צֻוֵּיתִי
וַיְהִי־קוֹל כְּהִנָּבְאִי וְהִנֵּה־רַעַשׁ וַתִּקְרְבוּ עֲצָמוֹת עֶצֶם אֶל־עַצְמוֹ:
ח וְרָאִיתִי וְהִנֵּה־עֲלֵיהֶם גִּדִים וּבָשָׂר עָלָה וַיִּקְרַם עֲלֵיהֶם עוֹר
ט מִלְמָעְלָה וְרוּחַ אֵין בָּהֶם: וַיֹּאמֶר אֵלַי הִנָּבֵא אֶל־הָרוּחַ הִנָּבֵא
בֶן־אָדָם וְאָמַרְתָּ אֶל־הָרוּחַ כֹּה־
אָמַר ׀ אֲדֹנָי יֱהֹוִה מֵאַרְבַּע רוּחוֹת בֹּאִי הָרוּחַ וּפְחִי בַּהֲרוּגִים
י הָאֵלֶּה וְיִחְיוּ: וְהִנַּבֵּאתִי כַּאֲשֶׁר צִוָּנִי וַתָּבוֹא בָהֶם הָרוּחַ וַיִּחְיוּ

יא וַיַּעַמְדוּ עַל־רַגְלֵיהֶם חַיִל גָּדוֹל מְאֹד־מְאֹד׃ וַיֹּאמֶר אֵלַי בֶּן־אָדָם
הָעֲצָמוֹת הָאֵלֶּה כָּל־בֵּית יִשְׂרָאֵל הֵמָּה הִנֵּה אֹמְרִים יָבְשׁוּ
יב עַצְמוֹתֵינוּ וְאָבְדָה תִקְוָתֵנוּ נִגְזַרְנוּ לָנוּ׃ לָכֵן הִנָּבֵא וְאָמַרְתָּ
אֲלֵיהֶם כֹּה־אָמַר אֲדֹנָי יֱהֹוִה הִנֵּה אֲנִי פֹתֵחַ אֶת־קִבְרוֹתֵיכֶם
וְהַעֲלֵיתִי אֶתְכֶם מִקִּבְרוֹתֵיכֶם עַמִּי וְהֵבֵאתִי אֶתְכֶם אֶל־אַדְמַת
יג יִשְׂרָאֵל׃ וִידַעְתֶּם כִּי־אֲנִי יְהֹוָה בְּפִתְחִי אֶת־קִבְרוֹתֵיכֶם
יד וּבְהַעֲלוֹתִי אֶתְכֶם מִקִּבְרוֹתֵיכֶם עַמִּי׃ וְנָתַתִּי רוּחִי בָכֶם וִחְיִיתֶם
וְהִנַּחְתִּי אֶתְכֶם עַל־אַדְמַתְכֶם וִידַעְתֶּם כִּי־אֲנִי יְהֹוָה דִּבַּרְתִּי
וְעָשִׂיתִי נְאֻם־יְהֹוָה׃

מָשָׁל הָעֵצִים - לַאֲחִדוּת הָעָם:

טו
טז וַיְהִי דְבַר־יְהֹוָה אֵלַי לֵאמֹר׃ וְאַתָּה בֶן־אָדָם קַח־לְךָ עֵץ אֶחָד
וּכְתֹב עָלָיו לִיהוּדָה וְלִבְנֵי יִשְׂרָאֵל חֲבֵרָו וּלְקַח עֵץ אֶחָד וּכְתוֹב
יז עָלָיו לְיוֹסֵף עֵץ אֶפְרַיִם וְכָל־בֵּית יִשְׂרָאֵל חֲבֵרָו׃ וְקָרַב אֹתָם
יח אֶחָד אֶל־אֶחָד לְךָ לְעֵץ אֶחָד וְהָיוּ לַאֲחָדִים בְּיָדֶךָ׃ וְכַאֲשֶׁר
יֹאמְרוּ אֵלֶיךָ בְּנֵי עַמְּךָ לֵאמֹר הֲלוֹא־תַגִּיד לָנוּ מָה־אֵלֶּה לָּךְ׃
יט דַּבֵּר אֲלֵהֶם כֹּה־אָמַר אֲדֹנָי יֱהֹוִה הִנֵּה אֲנִי לֹקֵחַ אֶת־עֵץ יוֹסֵף
אֲשֶׁר בְּיַד־אֶפְרַיִם וְשִׁבְטֵי יִשְׂרָאֵל חֲבֵרָו וְנָתַתִּי אוֹתָם עָלָיו
כ אֶת־עֵץ יְהוּדָה וַעֲשִׂיתִם לְעֵץ אֶחָד וְהָיוּ אֶחָד בְּיָדִי׃ וְהָיוּ הָעֵצִים
כא אֲשֶׁר־תִּכְתֹּב עֲלֵיהֶם בְּיָדְךָ לְעֵינֵיהֶם׃ וְדַבֵּר אֲלֵיהֶם כֹּה־אָמַר
אֲדֹנָי יֱהֹוִה הִנֵּה אֲנִי לֹקֵחַ אֶת־בְּנֵי יִשְׂרָאֵל מִבֵּין הַגּוֹיִם אֲשֶׁר
הָלְכוּ־שָׁם וְקִבַּצְתִּי אֹתָם מִסָּבִיב וְהֵבֵאתִי אוֹתָם אֶל־אַדְמָתָם׃
כב וְעָשִׂיתִי אֹתָם לְגוֹי אֶחָד בָּאָרֶץ בְּהָרֵי יִשְׂרָאֵל וּמֶלֶךְ אֶחָד יִהְיֶה
לְכֻלָּם לְמֶלֶךְ וְלֹא יהיה יִהְיוּ־עוֹד לִשְׁנֵי גוֹיִם וְלֹא יֵחָצוּ עוֹד

טָהֳרַת יִשְׂרָאֵל בְּהַנְהָגַת הַמָּשִׁיחַ:

כג לִשְׁתֵּי מַמְלָכוֹת עוֹד׃ וְלֹא יִטַּמְּאוּ עוֹד בְּגִלּוּלֵיהֶם וּבְשִׁקּוּצֵיהֶם
וּבְכֹל פִּשְׁעֵיהֶם וְהוֹשַׁעְתִּי אֹתָם מִכֹּל מוֹשְׁבֹתֵיהֶם אֲשֶׁר חָטְאוּ
בָהֶם וְטִהַרְתִּי אוֹתָם וְהָיוּ־לִי לְעָם וַאֲנִי אֶהְיֶה לָהֶם לֵאלֹהִים׃

כד וְעַבְדִּי דָוִד מֶלֶךְ עֲלֵיהֶם וְרוֹעֶה אֶחָד יִהְיֶה לְכֻלָּם וּבְמִשְׁפָּטַי
כה יֵלֵכוּ וְחֻקּוֹתַי יִשְׁמְרוּ וְעָשׂוּ אוֹתָם: וְיָשְׁבוּ עַל־הָאָרֶץ אֲשֶׁר נָתַתִּי
לְעַבְדִּי לְיַעֲקֹב אֲשֶׁר יָשְׁבוּ־בָהּ אֲבוֹתֵיכֶם וְיָשְׁבוּ עָלֶיהָ הֵמָּה
וּבְנֵיהֶם וּבְנֵי בְנֵיהֶם עַד־עוֹלָם וְדָוִד עַבְדִּי נָשִׂיא לָהֶם לְעוֹלָם:
כו וְכָרַתִּי לָהֶם בְּרִית שָׁלוֹם בְּרִית עוֹלָם יִהְיֶה אוֹתָם וּנְתַתִּים
כז וְהִרְבֵּיתִי אוֹתָם וְנָתַתִּי אֶת־מִקְדָּשִׁי בְּתוֹכָם לְעוֹלָם: וְהָיָה מִשְׁכָּנִי
כח עֲלֵיהֶם וְהָיִיתִי לָהֶם לֵאלֹהִים וְהֵמָּה יִהְיוּ־לִי לְעָם: וְיָדְעוּ הַגּוֹיִם
כִּי אֲנִי יְהוָה מְקַדֵּשׁ אֶת־יִשְׂרָאֵל בִּהְיוֹת מִקְדָּשִׁי בְּתוֹכָם
לְעוֹלָם:

לח א ב וַיְהִי דְבַר־יְהוָה אֵלַי לֵאמֹר: בֶּן־אָדָם שִׂים פָּנֶיךָ אֶל־גּוֹג אֶרֶץ (נְבוּאָה עַל גּוֹג:)
ג הַמָּגוֹג נְשִׂיא רֹאשׁ מֶשֶׁךְ וְתֻבָל וְהִנָּבֵא עָלָיו: וְאָמַרְתָּ כֹּה אָמַר
ד אֲדֹנָי יְהוִה הִנְנִי אֵלֶיךָ גּוֹג נְשִׂיא רֹאשׁ מֶשֶׁךְ וְתֻבָל: וְשׁוֹבַבְתִּיךָ
וְנָתַתִּי חַחִים בִּלְחָיֶיךָ וְהוֹצֵאתִי אוֹתְךָ וְאֶת־כָּל־חֵילֶךָ סוּסִים
וּפָרָשִׁים לְבֻשֵׁי מִכְלוֹל כֻּלָּם קָהָל רָב צִנָּה וּמָגֵן תֹּפְשֵׂי חֲרָבוֹת
ה ו כֻּלָּם: פָּרַס כּוּשׁ וּפוּט אִתָּם כֻּלָּם מָגֵן וְכוֹבָע: גֹּמֶר וְכָל־אֲגַפֶּיהָ
בֵּית תּוֹגַרְמָה יַרְכְּתֵי צָפוֹן וְאֶת־כָּל־אֲגַפָּיו עַמִּים רַבִּים אִתָּךְ:
ז הִכֹּן וְהָכֵן לְךָ אַתָּה וְכָל־קְהָלֶךָ הַנִּקְהָלִים עָלֶיךָ וְהָיִיתָ לָהֶם
ח לְמִשְׁמָר: מִיָּמִים רַבִּים תִּפָּקֵד בְּאַחֲרִית הַשָּׁנִים תָּבוֹא | אֶל־
אֶרֶץ | מְשׁוֹבֶבֶת מֵחֶרֶב מְקֻבֶּצֶת מֵעַמִּים רַבִּים עַל הָרֵי יִשְׂרָאֵל
אֲשֶׁר־הָיוּ לְחָרְבָּה תָּמִיד וְהִיא מֵעַמִּים הוּצָאָה וְיָשְׁבוּ לָבֶטַח
ט כֻּלָּם: וְעָלִיתָ כַּשֹּׁאָה תָבוֹא כֶּעָנָן לְכַסּוֹת הָאָרֶץ תִּהְיֶה אַתָּה
י וְכָל־אֲגַפֶּיךָ וְעַמִּים רַבִּים אוֹתָךְ: כֹּה אָמַר אֲדֹנָי יְהוִה (הִתְכַּנְּסוּת גּוֹג לָבֹז אֶת יִשְׂרָאֵל:)
וְהָיָה | בַּיּוֹם הַהוּא יַעֲלוּ דְבָרִים עַל־לְבָבֶךָ וְחָשַׁבְתָּ מַחֲשֶׁבֶת
יא רָעָה: וְאָמַרְתָּ אֶעֱלֶה עַל־אֶרֶץ פְּרָזוֹת אָבוֹא הַשֹּׁקְטִים יֹשְׁבֵי
לָבֶטַח כֻּלָּם יֹשְׁבִים בְּאֵין חוֹמָה וּבְרִיחַ וּדְלָתַיִם אֵין לָהֶם:

יב לִשְׁלֹל שָׁלָל וְלָבֹז בַּז לְהָשִׁיב יָדְךָ עַל־חֳרָבוֹת נוֹשָׁבֹת וְאֶל־עַם
יג מְאֻסָּף מִגּוֹיִם עֹשֶׂה מִקְנֶה וְקִנְיָן יֹשְׁבֵי עַל־טַבּוּר הָאָרֶץ׃ שְׁבָא
וּדְדָן וְסֹחֲרֵי תַרְשִׁישׁ וְכָל־כְּפִירֶיהָ יֹאמְרוּ לְךָ הֲלִשְׁלֹל שָׁלָל
אַתָּה בָא הֲלָבֹז בַּז הִקְהַלְתָּ קְהָלֶךָ לָשֵׂאת ׀ כֶּסֶף וְזָהָב לָקַחַת
יד מִקְנֶה וְקִנְיָן לִשְׁלֹל שָׁלָל גָּדוֹל׃ לָכֵן הִנָּבֵא בֶן־אָדָם
וְאָמַרְתָּ לְגוֹג כֹּה אָמַר אֲדֹנָי יֱהֹוִה הֲלוֹא ׀ בַּיּוֹם הַהוּא בְּשֶׁבֶת
טו עַמִּי יִשְׂרָאֵל לָבֶטַח תֵּדָע׃ וּבָאתָ מִמְּקוֹמְךָ מִיַּרְכְּתֵי צָפוֹן אַתָּה
וְעַמִּים רַבִּים אִתָּךְ רֹכְבֵי סוּסִים כֻּלָּם קָהָל גָּדוֹל וְחַיִל רָב׃
טז וְעָלִיתָ עַל־עַמִּי יִשְׂרָאֵל כֶּעָנָן לְכַסּוֹת הָאָרֶץ בְּאַחֲרִית הַיָּמִים
תִּהְיֶה וַהֲבִאוֹתִיךָ עַל־אַרְצִי לְמַעַן דַּעַת הַגּוֹיִם אֹתִי בְּהִקָּדְשִׁי
יז בְךָ לְעֵינֵיהֶם גּוֹג׃ כֹּה־אָמַר נְקָמַת ה׳ בְּגוֹג:
אֲדֹנָי יֱהֹוִה הַאַתָּה־הוּא אֲשֶׁר־דִּבַּרְתִּי בְּיָמִים קַדְמוֹנִים בְּיַד
עֲבָדַי נְבִיאֵי יִשְׂרָאֵל הַנִּבְּאִים בַּיָּמִים הָהֵם שָׁנִים לְהָבִיא אֹתְךָ
יח עֲלֵיהֶם׃ וְהָיָה ׀ בַּיּוֹם הַהוּא בְּיוֹם בּוֹא גוֹג עַל־אַדְמַת
יט יִשְׂרָאֵל נְאֻם אֲדֹנָי יֱהֹוִה תַּעֲלֶה חֲמָתִי בְּאַפִּי׃ וּבְקִנְאָתִי בְאֵשׁ־
עֶבְרָתִי דִּבַּרְתִּי אִם־לֹא ׀ בַּיּוֹם הַהוּא יִהְיֶה רַעַשׁ גָּדוֹל עַל
כ אַדְמַת יִשְׂרָאֵל׃ וְרָעֲשׁוּ מִפָּנַי דְּגֵי הַיָּם וְעוֹף הַשָּׁמַיִם וְחַיַּת
הַשָּׂדֶה וְכָל־הָרֶמֶשׂ הָרֹמֵשׂ עַל־הָאֲדָמָה וְכֹל הָאָדָם אֲשֶׁר
עַל־פְּנֵי הָאֲדָמָה וְנֶהֶרְסוּ הֶהָרִים וְנָפְלוּ הַמַּדְרֵגוֹת וְכָל־חוֹמָה
כא לָאָרֶץ תִּפּוֹל׃ וְקָרָאתִי עָלָיו לְכָל־הָרַי חֶרֶב נְאֻם אֲדֹנָי יֱהֹוִה
כב חֶרֶב אִישׁ בְּאָחִיו תִּהְיֶה׃ וְנִשְׁפַּטְתִּי אִתּוֹ בְּדֶבֶר וּבְדָם וְגֶשֶׁם
שׁוֹטֵף וְאַבְנֵי אֶלְגָּבִישׁ אֵשׁ וְגָפְרִית אַמְטִיר עָלָיו וְעַל־אֲגַפָּיו
כג וְעַל־עַמִּים רַבִּים אֲשֶׁר אִתּוֹ׃ וְהִתְגַּדִּלְתִּי וְהִתְקַדִּשְׁתִּי וְנוֹדַעְתִּי
לט א לְעֵינֵי גּוֹיִם רַבִּים וְיָדְעוּ כִּי־אֲנִי יְהֹוָה׃ וְאַתָּה בֶן־אָדָם הַנְּקָמָה בְּגוֹג:
הִנָּבֵא עַל־גּוֹג וְאָמַרְתָּ כֹּה אָמַר אֲדֹנָי יֱהֹוִה הִנְנִי אֵלֶיךָ גּוֹג נְשִׂיא

רֹאשׁ מֶשֶׁךְ וְתֻבָל: וְשֹׁבַבְתִּיךָ וְשִׁשֵּׁאתִיךָ וְהַעֲלִיתִיךָ מִיַּרְכְּתֵי ב

צָפוֹן וַהֲבִאוֹתִךָ עַל־הָרֵי יִשְׂרָאֵל: וְהִכֵּיתִי קַשְׁתְּךָ מִיַּד שְׂמֹאולֶךָ ג

וְחִצֶּיךָ מִיַּד יְמִינְךָ אַפִּיל: עַל־הָרֵי יִשְׂרָאֵל תִּפּוֹל אַתָּה וְכָל־ ד
אֲגַפֶּיךָ וְעַמִּים אֲשֶׁר אִתָּךְ לְעֵיט צִפּוֹר כָּל־כָּנָף וְחַיַּת הַשָּׂדֶה

נְתַתִּיךָ לְאָכְלָה: עַל־פְּנֵי הַשָּׂדֶה תִּפּוֹל כִּי אֲנִי דִבַּרְתִּי נְאֻם אֲדֹנָי ה

יְהֹוִה: וְשִׁלַּחְתִּי־אֵשׁ בְּמָגוֹג וּבְיֹשְׁבֵי הָאִיִּים לָבֶטַח וְיָדְעוּ כִּי־אֲנִי ו

יְהֹוָה: וְאֶת־שֵׁם קָדְשִׁי אוֹדִיעַ בְּתוֹךְ עַמִּי יִשְׂרָאֵל וְלֹא־אַחֵל ז
אֶת־שֵׁם־קָדְשִׁי עוֹד וְיָדְעוּ הַגּוֹיִם כִּי־אֲנִי יְהֹוָה קָדוֹשׁ בְּיִשְׂרָאֵל:

הִנֵּה בָאָה וְנִהְיָתָה נְאֻם אֲדֹנָי יְהֹוִה הוּא הַיּוֹם אֲשֶׁר דִּבַּרְתִּי: ח

וְיָצְאוּ יֹשְׁבֵי ׀ עָרֵי יִשְׂרָאֵל וּבִעֲרוּ וְהִשִּׂיקוּ בְּנֶשֶׁק וּמָגֵן וְצִנָּה ט
בְּקֶשֶׁת וּבְחִצִּים וּבְמַקֵּל יָד וּבְרֹמַח וּבִעֲרוּ בָהֶם אֵשׁ שֶׁבַע שָׁנִים:

וְלֹא־יִשְׂאוּ עֵצִים מִן־הַשָּׂדֶה וְלֹא יַחְטְבוּ מִן־הַיְּעָרִים כִּי בַנֶּשֶׁק י
יְבַעֲרוּ־אֵשׁ וְשָׁלְלוּ אֶת־שֹׁלְלֵיהֶם וּבָזְזוּ אֶת־בֹּזְזֵיהֶם נְאֻם אֲדֹנָי

קְבֻרַת
חֵיל גּוֹג יְהֹוִה: וְהָיָה בַיּוֹם הַהוּא אֶתֵּן לְגוֹג ׀ מְקוֹם־שָׁם קֶבֶר יא

וְטָהֳרַת
הָאָרֶץ בְּיִשְׂרָאֵל גֵּי הָעֹבְרִים קִדְמַת הַיָּם וְחֹסֶמֶת הִיא אֶת־הָעֹבְרִים

וְקָבְרוּ שָׁם אֶת־גּוֹג וְאֶת־כָּל־הֲמוֹנֹה וְקָרְאוּ גֵּיא הֲמוֹן גּוֹג: יב

וּקְבָרוּם בֵּית יִשְׂרָאֵל לְמַעַן טַהֵר אֶת־הָאָרֶץ שִׁבְעָה חֳדָשִׁים: יג

וְקָבְרוּ כָּל־עַם הָאָרֶץ וְהָיָה לָהֶם לְשֵׁם יוֹם הִכָּבְדִי נְאֻם אֲדֹנָי יד

יְהֹוִה: וְאַנְשֵׁי תָמִיד יַבְדִּילוּ עֹבְרִים בָּאָרֶץ מְקַבְּרִים אֶת־ יד
הָעֹבְרִים אֶת־הַנּוֹתָרִים עַל־פְּנֵי הָאָרֶץ לְטַהֲרָהּ מִקְצֵה שִׁבְעָה

חֳדָשִׁים יַחְקֹרוּ: וְעָבְרוּ הָעֹבְרִים בָּאָרֶץ וְרָאָה עֶצֶם אָדָם וּבָנָה טו

אֶצְלוֹ צִיּוּן עַד קָבְרוּ אֹתוֹ הַמְקַבְּרִים אֶל־גֵּיא הֲמוֹן גּוֹג: וְגַם טז
שֶׁם־עִיר הֲמוֹנָה וְטִהֲרוּ הָאָרֶץ:

קְרִיאָה
לְחַיּוֹת וְאַתָּה בֶן־אָדָם כֹּה־אָמַר ׀ אֲדֹנָי יְהֹוִה אֱמֹר לְצִפּוֹר כָּל־כָּנָף יז

לֶאֱכֹל פִּגְרֵי
גּוֹג וּלְכֹל ׀ חַיַּת הַשָּׂדֶה הִקָּבְצוּ וָבֹאוּ הֵאָסְפוּ מִסָּבִיב עַל־זִבְחִי אֲשֶׁר

אֲנִי זֹבֵחַ לָכֶם זֶבַח גָּדוֹל עַל הָרֵי יִשְׂרָאֵל וַאֲכַלְתֶּם בָּשָׂר

וּשְׁתִיתֶם דָּם: בְּשַׂר גִּבּוֹרִים תֹּאכֵלוּ וְדַם־נְשִׂיאֵי הָאָרֶץ תִּשְׁתּוּ

יח אֵילִים כָּרִים וְעַתּוּדִים פָּרִים מְרִיאֵי בָשָׁן כֻּלָּם: וַאֲכַלְתֶּם־חֵלֶב

יט לְשָׂבְעָה וּשְׁתִיתֶם דָּם לְשִׁכָּרוֹן מִזִּבְחִי אֲשֶׁר־זָבַחְתִּי לָכֶם:

כ וּשְׂבַעְתֶּם עַל־שֻׁלְחָנִי סוּס וָרֶכֶב גִּבּוֹר וְכָל־אִישׁ מִלְחָמָה נְאֻם

אֲדֹנָי יְהוִֹה: וְנָתַתִּי אֶת־כְּבוֹדִי בַּגּוֹיִם וְרָאוּ כָל־הַגּוֹיִם אֶת־

כא מִשְׁפָּטִי אֲשֶׁר עָשִׂיתִי וְאֶת־יָדִי אֲשֶׁר־שַׂמְתִּי בָהֶם: וְיָדְעוּ בֵּית

כב יִשְׂרָאֵל כִּי אֲנִי יְהוָה אֱלֹהֵיהֶם מִן־הַיּוֹם הַהוּא וָהָלְאָה: וְיָדְעוּ

כג הַגּוֹיִם כִּי בַעֲוֹנָם גָּלוּ בֵית־יִשְׂרָאֵל עַל אֲשֶׁר מָעֲלוּ־בִי וָאַסְתִּר

פָּנַי מֵהֶם וָאֶתְּנֵם בְּיַד צָרֵיהֶם וַיִּפְּלוּ בַחֶרֶב כֻּלָּם: כְּטֻמְאָתָם

כד וּכְפִשְׁעֵיהֶם עָשִׂיתִי אֹתָם וָאַסְתִּר פָּנַי מֵהֶם: לָכֵן כֹּה

כה אָמַר אֲדֹנָי יְהוִֹה עַתָּה אָשִׁיב אֶת־שְׁבִות יַעֲקֹב וְרִחַמְתִּי

כו כָּל־בֵּית יִשְׂרָאֵל וְקִנֵּאתִי לְשֵׁם קָדְשִׁי: וְנָשׂוּ אֶת־כְּלִמָּתָם

וְאֶת־כָּל־מַעֲלָם אֲשֶׁר מָעֲלוּ־בִי בְּשִׁבְתָּם עַל־אַדְמָתָם לָבֶטַח

כז וְאֵין מַחֲרִיד: בְּשׁוֹבְבִי אוֹתָם מִן־הָעַמִּים וְקִבַּצְתִּי אֹתָם

כח מֵאַרְצוֹת אֹיְבֵיהֶם וְנִקְדַּשְׁתִּי בָם לְעֵינֵי הַגּוֹיִם רַבִּים: וְיָדְעוּ כִּי

אֲנִי יְהוָה אֱלֹהֵיהֶם בְּהַגְלוֹתִי אֹתָם אֶל־הַגּוֹיִם וְכִנַּסְתִּים עַל־

כט אַדְמָתָם וְלֹא־אוֹתִיר עוֹד מֵהֶם שָׁם: וְלֹא־אַסְתִּיר עוֹד פָּנַי מֵהֶם

אֲשֶׁר שָׁפַכְתִּי אֶת־רוּחִי עַל־בֵּית יִשְׂרָאֵל נְאֻם אֲדֹנָי יְהוִֹה:

מ בְּעֶשְׂרִים וְחָמֵשׁ שָׁנָה לְגָלוּתֵנוּ בְּרֹאשׁ הַשָּׁנָה בֶּעָשׂוֹר לַחֹדֶשׁ

בְּאַרְבַּע עֶשְׂרֵה שָׁנָה אַחַר אֲשֶׁר הֻכְּתָה הָעִיר בְּעֶצֶם | הַיּוֹם

ב הַזֶּה הָיְתָה עָלַי יַד־יְהוָה וַיָּבֵא אֹתִי שָׁמָּה: בְּמַרְאוֹת אֱלֹהִים

הֱבִיאַנִי אֶל־אֶרֶץ יִשְׂרָאֵל וַיְנִיחֵנִי אֶל־הַר גָּבֹהַּ מְאֹד וְעָלָיו

ג כְּמִבְנֵה־עִיר מִנֶּגֶב: וַיָּבִיא אוֹתִי שָׁמָּה וְהִנֵּה־אִישׁ מַרְאֵהוּ

כְּמַרְאֵה נְחֹשֶׁת וּפְתִיל־פִּשְׁתִּים בְּיָדוֹ וּקְנֵה הַמִּדָּה וְהוּא עֹמֵד

קִדּוּשׁ הַשֵּׁם בַּעֲשִׂיַּת דִּין בַּגּוֹיִם:

קִבּוּץ יִשְׂרָאֵל לְאַרְצוֹ:

חֲזוֹן הַבַּיִת הַשְּׁלִישִׁי:

[3352]

ד בַּשָּׁעַר: וַיְדַבֵּר אֵלַי הָאִישׁ בֶּן־אָדָם רְאֵה בְעֵינֶיךָ וּבְאָזְנֶיךָ שְּׁמָע
וְשִׂים לִבְּךָ לְכֹל אֲשֶׁר־אֲנִי מַרְאֶה אוֹתָךְ כִּי לְמַעַן הַרְאוֹתְכָה
מִדּוֹת הַחוֹמָה וְהַשְּׁעָרִים:
ה הֻבָאתָה הֵנָּה הַגֵּד אֶת־כָּל־אֲשֶׁר־אַתָּה רֹאֶה לְבֵית יִשְׂרָאֵל: וְהִנֵּה
חוֹמָה מִחוּץ לַבַּיִת סָבִיב | סָבִיב וּבְיַד הָאִישׁ קְנֵה הַמִּדָּה
שֵׁשׁ־אַמּוֹת בָּאַמָּה וָטֹפַח וַיָּמָד אֶת־רֹחַב הַבִּנְיָן קָנֶה אֶחָד וְקוֹמָה
ו קָנֶה אֶחָד: וַיָּבוֹא אֶל־שַׁעַר אֲשֶׁר פָּנָיו דֶּרֶךְ הַקָּדִימָה וַיַּעַל
בְּמַעֲלוֹתָו וַיָּמָד | אֶת־סַף הַשַּׁעַר קָנֶה אֶחָד רֹחַב וְאֵת סַף אֶחָד
ז קָנֶה אֶחָד רֹחַב: וְהַתָּא קָנֶה אֶחָד אֹרֶךְ וְקָנֶה אֶחָד רֹחַב וּבֵין
הַתָּאִים חָמֵשׁ אַמּוֹת וְסַף הַשַּׁעַר מֵאֵצֶל אֻלָם הַשַּׁעַר מֵהַבַּיִת
ח ט קָנֶה אֶחָד: וַיָּמָד אֶת־אֻלָם הַשַּׁעַר מֵהַבַּיִת קָנֶה אֶחָד: וַיָּמָד
אֶת־אֻלָם הַשַּׁעַר שְׁמֹנֶה אַמּוֹת וְאֵילָו שְׁתַּיִם אַמּוֹת וְאֻלָם הַשַּׁעַר
י מֵהַבָּיִת: וְתָאֵי הַשַּׁעַר דֶּרֶךְ הַקָּדִים שְׁלֹשָׁה מִפֹּה וּשְׁלֹשָׁה מִפֹּה
יא מִדָּה אַחַת לִשְׁלָשְׁתָּם וּמִדָּה אַחַת לָאֵילִם מִפֹּה וּמִפּוֹ: וַיָּמָד
אֶת־רֹחַב פֶּתַח־הַשַּׁעַר עֶשֶׂר אַמּוֹת אֹרֶךְ הַשַּׁעַר שְׁלוֹשׁ עֶשְׂרֵה
יב אַמּוֹת: וּגְבוּל לִפְנֵי הַתָּאוֹת אַמָּה אֶחָת וְאַמָּה־אַחַת גְּבוּל מִפֹּה
יג וְהַתָּא שֵׁשׁ־אַמּוֹת מִפּוֹ וְשֵׁשׁ אַמּוֹת מִפּוֹ: וַיָּמָד אֶת־הַשַּׁעַר מִגַּג
יד הַתָּא לְגַגּוֹ רֹחַב עֶשְׂרִים וְחָמֵשׁ אַמּוֹת פֶּתַח נֶגֶד פָּתַח: וַיַּעַשׂ
אֶת־אֵילִים שִׁשִּׁים אַמָּה וְאֶל־אֵיל הֶחָצֵר הַשַּׁעַר סָבִיב | סָבִיב:
טו וְעַל פְּנֵי הַשַּׁעַר היאתון הָאִיתוֹן עַל־לִפְנֵי אֻלָם הַשַּׁעַר הַפְּנִימִי
טז חֲמִשִּׁים אַמָּה: וְחַלֹּנוֹת אֲטֻמוֹת אֶל־הַתָּאִים וְאֶל אֵלֵיהֵמָה
לִפְנִימָה לַשַּׁעַר סָבִיב | סָבִיב וְכֵן לָאֵלַמּוֹת וְחַלּוֹנוֹת סָבִיב |
הֶחָצֵר הַחִיצוֹנָה וְהַלְּשָׁכוֹת:
יז סָבִיב לִפְנִימָה וְאֶל־אַיִל תִּמֹרִים: וַיְבִיאֵנִי אֶל־הֶחָצֵר הַחִיצוֹנָה
וְהִנֵּה לְשָׁכוֹת וְרִצְפָה עָשׂוּי לֶחָצֵר סָבִיב | סָבִיב שְׁלֹשִׁים
יח לְשָׁכוֹת אֶל־הָרִצְפָה: וְהָרִצְפָה אֶל־כֶּתֶף הַשְּׁעָרִים לְעֻמַּת אֹרֶךְ
יט הַשְּׁעָרִים הָרִצְפָה הַתַּחְתּוֹנָה: וַיָּמָד רֹחַב מִלִּפְנֵי הַשַּׁעַר

הַתְּחֹתוֹנָה לִפְנֵי הֶחָצֵר הַפְּנִימִי מִחוּץ מֵאָה אַמָּה הַקָּדִים וְהַצָּפוֹן:

כ וְהַשַּׁעַר אֲשֶׁר פָּנָיו דֶּרֶךְ הַצָּפוֹן לֶחָצֵר הַחִיצוֹנָה מָדַד אָרְכּוֹ

כא וְרָחְבּוֹ: וְתָאָו שְׁלוֹשָׁה מִפּוֹ וּשְׁלֹשָׁה מִפּוֹ וְאֵילָו וְאֵלַמָּו הָיָה כְּמִדַּת הַשַּׁעַר הָרִאשׁוֹן חֲמִשִּׁים אַמָּה אָרְכּוֹ וְרֹחַב חָמֵשׁ

כב וְעֶשְׂרִים בָּאַמָּה: וְחַלּוֹנָו וְאֵלַמָּו וְתִמֹרָו כְּמִדַּת הַשַּׁעַר אֲשֶׁר פָּנָיו דֶּרֶךְ הַקָּדִים וּבְמַעֲלוֹת שֶׁבַע יַעֲלוּ־בוֹ וְאֵילַמָּו לִפְנֵיהֶם:

כג וְשַׁעַר לֶחָצֵר הַפְּנִימִי נֶגֶד הַשַּׁעַר לַצָּפוֹן וְלַקָּדִים וַיָּמָד מִשַּׁעַר

כד אֶל־שַׁעַר מֵאָה אַמָּה: וַיּוֹלִכֵנִי דֶּרֶךְ הַדָּרוֹם וְהִנֵּה־שַׁעַר דֶּרֶךְ הַדָּרוֹם וּמָדַד אֵילָו וְאֵלַמָּו כַּמִּדּוֹת הָאֵלֶּה: וְחַלּוֹנִים לוֹ וּלְאֵילַמָּו

כה סָבִיב סָבִיב כְּהַחַלֹּנוֹת הָאֵלֶּה חֲמִשִּׁים אַמָּה אֹרֶךְ וְרֹחַב חָמֵשׁ

כו וְעֶשְׂרִים אַמָּה: וּמַעֲלוֹת שִׁבְעָה עֹלוֹתָו וְאֵלַמָּו לִפְנֵיהֶם וְתִמֹרִים

כז לוֹ אֶחָד מִפּוֹ וְאֶחָד מִפּוֹ אֶל־אֵילָו: וְשַׁעַר לֶחָצֵר הַפְּנִימִי דֶּרֶךְ הַדָּרוֹם וַיָּמָד מִשַּׁעַר אֶל־הַשַּׁעַר דֶּרֶךְ הַדָּרוֹם מֵאָה אַמּוֹת:

כח וַיְבִיאֵנִי אֶל־חָצֵר הַפְּנִימִי בְּשַׁעַר הַדָּרוֹם וַיָּמָד אֶת־הַשַּׁעַר

כט הַדָּרוֹם כַּמִּדּוֹת הָאֵלֶּה: וְתָאָו וְאֵילָו וְאֵלַמָּו כַּמִּדּוֹת הָאֵלֶּה וְחַלּוֹנוֹת לוֹ וּלְאֵלַמָּו סָבִיב סָבִיב חֲמִשִּׁים אַמָּה אֹרֶךְ וְרֹחַב

ל עֶשְׂרִים וְחָמֵשׁ אַמּוֹת: וְאֵלַמּוֹת סָבִיב סָבִיב אֹרֶךְ חָמֵשׁ

לא וְעֶשְׂרִים אַמָּה וְרֹחַב חָמֵשׁ אַמּוֹת: וְאֵלַמָּו אֶל־חָצֵר הַחִצוֹנָה

לב וְתִמֹרִים אֶל־אֵילָו וּמַעֲלוֹת שְׁמוֹנֶה מַעֲלָו: וַיְבִיאֵנִי אֶל־הֶחָצֵר

לג הַפְּנִימִי דֶּרֶךְ הַקָּדִים וַיָּמָד אֶת־הַשַּׁעַר כַּמִּדּוֹת הָאֵלֶּה: וְתָאָו וְאֵילָו וְאֵלַמָּו כַּמִּדּוֹת הָאֵלֶּה וְחַלּוֹנוֹת לוֹ וּלְאֵלַמָּו סָבִיב סָבִיב

לד אֹרֶךְ חֲמִשִּׁים אַמָּה וְרֹחַב חָמֵשׁ וְעֶשְׂרִים אַמָּה: וְאֵלַמָּו לֶחָצֵר הַחִיצוֹנָה וְתִמֹרִים אֶל־אֵלָו מִפּוֹ וּמִפּוֹ וּשְׁמֹנֶה מַעֲלוֹת מַעֲלָו:

לה וַיְבִיאֵנִי אֶל־שַׁעַר הַצָּפוֹן וּמָדַד כַּמִּדּוֹת הָאֵלֶּה: תָּאָו אֵלָו וְאֵלַמָּו וְחַלּוֹנוֹת לוֹ סָבִיב סָבִיב אֹרֶךְ חֲמִשִּׁים אַמָּה וְרֹחַב חָמֵשׁ

הֶחָצֵר הַפְּנִימִי, תָּאָיו וְאֵלַמָּיו:

לז וְעֶשְׂרִים אַמָּה: וְאֵילָו לֶחָצֵר הַחִיצוֹנָה וְתִמֹרִים אֶל־אֵילָו מִפּוֹ

הָאוּלָם לַעֲבוֹדַת הַקָּרְבָּנוֹת:

לח וּמִפּוֹ וּשְׁמֹנֶה מַעֲלוֹת מַעֲלָו: וְלִשְׁכָּה וּפִתְחָהּ בְּאֵילִים הַשְּׁעָרִים
לט שָׁם יָדִיחוּ אֶת־הָעֹלָה: וּבְאֻלָם הַשַּׁעַר שְׁנַיִם שֻׁלְחָנוֹת מִפּוֹ
וּשְׁנַיִם שֻׁלְחָנוֹת מִפֹּה לִשְׁחוֹט אֲלֵיהֶם הָעוֹלָה וְהַחַטָּאת וְהָאָשָׁם:
מ וְאֶל־הַכָּתֵף מִחוּצָה לָעוֹלֶה לְפֶתַח הַשַּׁעַר הַצָּפוֹנָה שְׁנַיִם
שֻׁלְחָנוֹת וְאֶל־הַכָּתֵף הָאַחֶרֶת אֲשֶׁר לְאֻלָם הַשַּׁעַר שְׁנַיִם
מא שֻׁלְחָנוֹת: אַרְבָּעָה שֻׁלְחָנוֹת מִפֹּה וְאַרְבָּעָה שֻׁלְחָנוֹת מִפֹּה לְכֶתֶף
מב הַשָּׁעַר שְׁמוֹנָה שֻׁלְחָנוֹת אֲלֵיהֶם יִשְׁחָטוּ: וְאַרְבָּעָה שֻׁלְחָנוֹת
לָעוֹלָה אַבְנֵי גָזִית אֹרֶךְ אַמָּה אַחַת וָחֵצִי וְרֹחַב אַמָּה אַחַת וָחֵצִי
וְגֹבַהּ אַמָּה אֶחָת אֲלֵיהֶם וְיַנִּיחוּ אֶת־הַכֵּלִים אֲשֶׁר יִשְׁחֲטוּ
מג אֶת־הָעוֹלָה בָּם וְהַזָּבַח: וְהַשְׁפַתַּיִם טֹפַח אֶחָד מוּכָנִים בַּבַּיִת

הַלְּשָׁכוֹת בֶּחָצֵר הַפְּנִימִית:

מד סָבִיב ׀ סָבִיב וְאֶל־הַשֻּׁלְחָנוֹת בְּשַׂר הַקָּרְבָּן: וּמִחוּצָה לַשַּׁעַר
הַפְּנִימִי לְשָׁכוֹת שָׁרִים בֶּחָצֵר הַפְּנִימִי אֲשֶׁר אֶל־כֶּתֶף שַׁעַר
הַצָּפוֹן וּפְנֵיהֶם דֶּרֶךְ הַדָּרוֹם אֶחָד אֶל־כֶּתֶף שַׁעַר הַקָּדִים פְּנֵי
מה דֶּרֶךְ הַצָּפֹן: וַיְדַבֵּר אֵלַי זֹה הַלִּשְׁכָּה אֲשֶׁר פָּנֶיהָ דֶּרֶךְ הַדָּרוֹם
מו לַכֹּהֲנִים שֹׁמְרֵי מִשְׁמֶרֶת הַבָּיִת: וְהַלִּשְׁכָּה אֲשֶׁר פָּנֶיהָ דֶּרֶךְ הַצָּפוֹן
לַכֹּהֲנִים שֹׁמְרֵי מִשְׁמֶרֶת הַמִּזְבֵּחַ הֵמָּה בְנֵי־צָדוֹק הַקְּרֵבִים
מז מִבְּנֵי־לֵוִי אֶל־יְהוָה לְשָׁרְתוֹ: וַיָּמָד אֶת־הֶחָצֵר אֹרֶךְ ׀ מֵאָה אַמָּה

מִדּוֹת הֶחָצֵר הַפְּנִימִית וְהָאוּלָם:

מח וְרֹחַב מֵאָה אַמָּה מְרֻבָּעַת וְהַמִּזְבֵּחַ לִפְנֵי הַבָּיִת: וַיְבִאֵנִי
אֶל־אֻלָם הַבַּיִת וַיָּמָד אֵל אֻלָם חָמֵשׁ אַמּוֹת מִפֹּה וְחָמֵשׁ אַמּוֹת
מט מִפֹּה וְרֹחַב הַשַּׁעַר שָׁלֹשׁ אַמּוֹת מִפּוֹ וְשָׁלֹשׁ אַמּוֹת מִפּוֹ: אֹרֶךְ
הָאֻלָם עֶשְׂרִים אַמָּה וְרֹחַב עַשְׁתֵּי עֶשְׂרֵה אַמָּה וּבַמַּעֲלוֹת אֲשֶׁר

מִדּוֹת הַהֵיכָל וְרֹחַב הַפֶּתַח:

מא א יַעֲלוּ אֵלָיו וְעַמֻּדִים אֶל־הָאֵילִים אֶחָד מִפֹּה וְאֶחָד מִפֹּה: וַיְבִאֵנִי
אֶל־הַהֵיכָל וַיָּמָד אֶת־הָאֵילִים שֵׁשׁ־אַמּוֹת רֹחַב־מִפּוֹ וְשֵׁשׁ־
ב אַמּוֹת־רֹחַב מִפּוֹ רֹחַב הָאֹהֶל: וְרֹחַב הַפֶּתַח עֶשֶׂר אַמּוֹת וְכִתְפוֹת

הַפֶּתַח חָמֵשׁ אַמּוֹת מִפּוֹ וְחָמֵשׁ אַמּוֹת מִפּוֹ וַיָּמָד אָרְכּוֹ אַרְבָּעִים
ג אַמָּה וְרֹחַב עֶשְׂרִים אַמָּה: וּבָא לִפְנִימָה וַיָּמָד אֵיל־הַפֶּתַח שְׁתַּיִם מִדּוֹת הַדְּבִיר וּפִתְחוֹ:
ד אַמּוֹת וְהַפֶּתַח שֵׁשׁ אַמּוֹת וְרֹחַב הַפֶּתַח שֶׁבַע אַמּוֹת: וַיָּמָד
אֶת־אָרְכּוֹ עֶשְׂרִים אַמָּה וְרֹחַב עֶשְׂרִים אַמָּה אֶל־פְּנֵי הַהֵיכָל
ה וַיֹּאמֶר אֵלַי זֶה קֹדֶשׁ הַקֳּדָשִׁים: וַיָּמָד קִיר־הַבַּיִת שֵׁשׁ אַמּוֹת מִדּוֹת הַצְּלָעוֹת וְצוּרוֹתֵיהֶם:
ו וְרֹחַב הַצֵּלָע אַרְבַּע אַמּוֹת סָבִיב | סָבִיב לַבַּיִת סָבִיב: וְהַצְּלָעוֹת
צֵלָע אֶל־צֵלָע שָׁלוֹשׁ וּשְׁלֹשִׁים פְּעָמִים וּבָאוֹת בַּקִּיר אֲשֶׁר־
לַבַּיִת לַצְּלָעוֹת סָבִיב | סָבִיב לִהְיוֹת אֲחוּזִים וְלֹא־יִהְיוּ
ז אֲחוּזִים בְּקִיר הַבָּיִת: וְרָחֲבָה וְנָסְבָה לְמַעְלָה לְמַעְלָה לַצְּלָעוֹת
כִּי מוּסַב־הַבַּיִת לְמַעְלָה לְמַעְלָה סָבִיב | סָבִיב לַבַּיִת עַל־כֵּן
רֹחַב־לַבַּיִת לְמָעְלָה וְכֵן הַתַּחְתּוֹנָה יַעֲלֶה עַל־הָעֶלְיוֹנָה לַתִּיכוֹנָה:
ח וְרָאִיתִי לַבַּיִת גֹּבַהּ סָבִיב | סָבִיב מיסדות מוּסְדוֹת הַצְּלָעוֹת
ט מְלוֹ הַקָּנֶה שֵׁשׁ אַמּוֹת אַצִּילָה: רֹחַב הַקִּיר אֲשֶׁר־לַצֵּלָע אֶל־הַחוּץ
י חָמֵשׁ אַמּוֹת וַאֲשֶׁר מֻנָּח בֵּית צְלָעוֹת אֲשֶׁר לַבָּיִת: וּבֵין הַלְּשָׁכוֹת
יא רֹחַב עֶשְׂרִים אַמָּה סָבִיב לַבַּיִת סָבִיב | סָבִיב: וּפֶתַח הַצֵּלָע
לַמֻּנָּח פֶּתַח אֶחָד דֶּרֶךְ הַצָּפוֹן וּפֶתַח אֶחָד לַדָּרוֹם וְרֹחַב מְקוֹם
יב הַמֻּנָּח חָמֵשׁ אַמּוֹת סָבִיב | סָבִיב: וְהַבִּנְיָן אֲשֶׁר אֶל־פְּנֵי הַגִּזְרָה מִדּוֹת הַבַּיִת בַּמַּעֲרָב וּבַמִּזְרָח:
פְּאַת דֶּרֶךְ־הַיָּם רֹחַב שִׁבְעִים אַמָּה וְקִיר הַבִּנְיָן חָמֵשׁ־אַמּוֹת
יג רֹחַב סָבִיב | סָבִיב וְאָרְכּוֹ תִּשְׁעִים אַמָּה: וּמָדַד אֶת־הַבַּיִת אֹרֶךְ
יד מֵאָה אַמָּה וְהַגִּזְרָה וְהַבִּנְיָה וְקִירוֹתֶיהָ אֹרֶךְ מֵאָה אַמָּה: וְרֹחַב
טו פְּנֵי הַבַּיִת וְהַגִּזְרָה לַקָּדִים מֵאָה אַמָּה: וּמָדַד אֹרֶךְ־הַבִּנְיָן אֶל־פְּנֵי
הַגִּזְרָה אֲשֶׁר עַל־אַחֲרֶיהָ ואתוקיהא וְאַתִּיקֶיהָא מִפּוֹ וּמִפּוֹ מֵאָה
טז אַמָּה וְהַהֵיכָל הַפְּנִימִי וְאֻלַמֵּי הֶחָצֵר: הַסִּפִּים וְהַחַלּוֹנִים צִפּוּי הַקִּירוֹת:
הָאֲטֻמוֹת וְהָאַתִּיקִים סָבִיב לִשְׁלָשְׁתָּם נֶגֶד הַסַּף שְׂחִיף עֵץ
יז סָבִיב | סָבִיב וְהָאָרֶץ עַד־הַחַלֹּנוֹת וְהַחַלֹּנוֹת מְכֻסּוֹת: עַל־מֵעַל

הַפֶּתַח וְעַד־הַבַּיִת הַפְּנִימִי וְלַחוּץ וְאֶל־כָּל־הַקִּיר סָבִיב ׀ סָבִיב

קְשׁוּטֵי הַקִּירוֹת:

יח בַּפְּנִימִי וּבַחִיצוֹן מִדּוֹת: וְעָשׂוּי כְּרוּבִים וְתִמֹרִים וְתִמֹרָה בֵּין־
יט כְּרוּב לִכְרוּב וּשְׁנַיִם פָּנִים לַכְּרוּב: וּפְנֵי אָדָם אֶל־הַתִּמֹרָה מִפּוֹ
וּפְנֵי־כְפִיר אֶל־הַתִּמֹרָה מִפּוֹ עָשׂוּי אֶל־כָּל־הַבַּיִת סָבִיב ׀ סָבִיב:
כ מֵהָאָרֶץ עַד־מֵעַל הַפֶּתַח הַכְּרוּבִים וְהַתִּמֹרִים עֲשׂוּיִם וְקִיר

ההיכל נקוד:

כא הַהֵיכָל: הַהֵיכָל מְזוּזַת רְבֻעָה וּפְנֵי הַקֹּדֶשׁ הַמַּרְאֶה כַּמַּרְאֶה:

מִזְבַּח הַזָּהָב וּמִדּוֹתָיו:

כב הַמִּזְבֵּחַ עֵץ שָׁלוֹשׁ אַמּוֹת גָּבֹהַּ וְאָרְכּוֹ שְׁתַּיִם־אַמּוֹת
וּמִקְצֹעוֹתָיו לוֹ וְאָרְכּוֹ וְקִירֹתָיו עֵץ וַיְדַבֵּר אֵלַי זֶה הַשֻּׁלְחָן אֲשֶׁר

דַּלְתוֹת הַהֵיכָל וְצוּרוֹתֵיהֶם:

כג כד לִפְנֵי יְהוָה: וּשְׁתַּיִם דְּלָתוֹת לַהֵיכָל וְלַקֹּדֶשׁ: וּשְׁתַּיִם דְּלָתוֹת
לַדְּלָתוֹת שְׁתַּיִם מוּסַבּוֹת דְּלָתוֹת שְׁתַּיִם לְדֶלֶת אֶחָת וּשְׁתֵּי
כה דְלָתוֹת לָאַחֶרֶת: וַעֲשׂוּיָה אֲלֵיהֶן אֶל־דַּלְתוֹת הַהֵיכָל כְּרוּבִים
וְתִמֹרִים כַּאֲשֶׁר עֲשׂוּיִם לַקִּירוֹת וְעָב עֵץ אֶל־פְּנֵי הָאוּלָם מֵהַחוּץ:
כו וְחַלּוֹנִים אֲטֻמוֹת וְתִמֹרִים מִפּוֹ וּמִפּוֹ אֶל־כִּתְפוֹת הָאוּלָם וְצַלְעוֹת

הַלְּשָׁכוֹת וּמִדּוֹתֵיהֶן:

מב א הַבַּיִת וְהָעֻבִּים: וַיּוֹצִאֵנִי אֶל־הֶחָצֵר הַחִיצוֹנָה הַדֶּרֶךְ דֶּרֶךְ הַצָּפוֹן
וַיְבִאֵנִי אֶל־הַלִּשְׁכָּה אֲשֶׁר נֶגֶד הַגִּזְרָה וַאֲשֶׁר־נֶגֶד הַבִּנְיָן אֶל־
ב הַצָּפוֹן: אֶל־פְּנֵי־אֹרֶךְ אַמּוֹת הַמֵּאָה פֶּתַח הַצָּפוֹן וְהָרֹחַב חֲמִשִּׁים
ג אַמּוֹת: נֶגֶד הָעֶשְׂרִים אֲשֶׁר לֶחָצֵר הַפְּנִימִי וְנֶגֶד רִצְפָה אֲשֶׁר
ד לֶחָצֵר הַחִיצוֹנָה אַתִּיק אֶל־פְּנֵי־אַתִּיק בַּשְּׁלִשִׁים: וְלִפְנֵי הַלְּשָׁכוֹת
מַהֲלַךְ עֶשֶׂר אַמּוֹת רֹחַב אֶל־הַפְּנִימִית דֶּרֶךְ אַמָּה אֶחָת
ה וּפִתְחֵיהֶם לַצָּפוֹן: וְהַלְּשָׁכוֹת הָעֶלְיוֹנֹת קְצֻרוֹת כִּי־יוֹכְלוּ אַתִּיקִים
ו מֵהֵנָּה מֵהַתַּחְתֹּנוֹת וּמֵהַתִּכֹנוֹת בִּנְיָן: כִּי מְשֻׁלָּשׁוֹת הֵנָּה וְאֵין
לָהֶן עַמּוּדִים כְּעַמּוּדֵי הַחֲצֵרוֹת עַל־כֵּן נֶאֱצַל מֵהַתַּחְתּוֹנוֹת
ז וּמֵהַתִּיכֹנוֹת מֵהָאָרֶץ: וְגָדֵר אֲשֶׁר־לַחוּץ לְעֻמַּת הַלְּשָׁכוֹת דֶּרֶךְ
ח הֶחָצֵר הַחִצֹנָה אֶל־פְּנֵי הַלְּשָׁכוֹת אָרְכּוֹ חֲמִשִּׁים אַמָּה: כִּי־אֹרֶךְ
הַלְּשָׁכוֹת אֲשֶׁר לֶחָצֵר הַחִצֹנָה חֲמִשִּׁים אַמָּה וְהִנֵּה עַל־פְּנֵי

ט הַֽהֵיכָ֖ל מֵאָ֥ה אַמָּֽה׃ ומתחתה לשכות וּמִתַּ֖חַת הַלְּשָׁכ֣וֹת הָאֵ֑לֶּה המבוא
י הַמֵּבִיא֙ מֵֽהַקָּדִ֔ים בְּבֹא֣וֹ לָהֵ֔נָּה מֵהֶחָצֵ֖ר הַחִצֹנָֽה׃ בְּרֹ֣חַב ׀ גֶּ֣דֶר
הֶחָצֵ֗ר דֶּ֚רֶךְ הַקָּדִ֔ים אֶל־פְּנֵ֥י הַגִּזְרָ֖ה וְאֶל־פְּנֵ֥י הַבִּנְיָ֖ן לְשָׁכֽוֹת׃
יא וְדֶ֣רֶךְ֮ לִפְנֵיהֶם֒ כְּמַרְאֵ֣ה הַלְּשָׁכ֗וֹת אֲשֶׁר֙ דֶּ֣רֶךְ הַצָּפ֔וֹן כְּאָרְכָּ֖ן כֵּ֣ן
יב רָחְבָּ֑ן וְכֹל֙ מוֹצָ֣אֵיהֶ֔ן וּכְמִשְׁפְּטֵיהֶ֖ן וּכְפִתְחֵיהֶֽן׃ וּכְפִתְחֵ֣י הַלְּשָׁכ֗וֹת
אֲשֶׁר֙ דֶּ֣רֶךְ הַדָּר֔וֹם פֶּ֖תַח בְּרֹ֣אשׁ דָּ֑רֶךְ דֶּ֗רֶךְ בִּפְנֵי֙ הַגְּדֶ֣רֶת הֲגִינָ֔ה
יג דֶּ֥רֶךְ הַקָּדִ֖ים בְּבוֹאָֽן׃ וַיֹּ֣אמֶר אֵלַ֗י לִֽשְׁכ֨וֹת הַצָּפ֜וֹן לִֽשְׁכ֣וֹת הַדָּר֗וֹם
אֲשֶׁר֙ אֶל־פְּנֵ֣י הַגִּזְרָ֔ה הֵ֣נָּה ׀ לִֽשְׁכ֣וֹת הַקֹּ֗דֶשׁ אֲשֶׁ֨ר יֹאכְלוּ־שָׁ֧ם
הַכֹּהֲנִ֛ים אֲשֶׁר־קְרוֹבִ֥ים לַֽיהוָ֖ה קָדְשֵׁ֣י הַקֳּדָשִׁ֑ים שָׁ֣ם יַנִּ֣יחוּ ׀
קָדְשֵׁ֣י הַקֳּדָשִׁ֗ים וְהַמִּנְחָה֙ וְהַחַטָּ֣את וְהָאָשָׁ֔ם כִּ֥י הַמָּק֖וֹם קָדֹֽשׁ׃
יד בְּבֹאָ֣ם הַכֹּהֲנִ֗ים וְלֹֽא־יֵצְא֤וּ מֵהַקֹּ֙דֶשׁ֙ אֶל־הֶחָצֵ֣ר הַחִיצוֹנָ֔ה וְשָׁ֞ם
יַנִּ֤יחוּ בִגְדֵיהֶם֙ אֲשֶׁר־יְשָׁרְת֣וּ בָהֶ֔ן כִּי־קֹ֖דֶשׁ הֵ֑נָּה ילבשו וְלָבְשׁוּ֙
טו בְּגָדִ֣ים אֲחֵרִ֔ים וְקָרְב֖וּ אֶל־אֲשֶׁ֥ר לָעָֽם׃ וְכִלָּ֗ה אֶת־מִדּוֹת֙ הַבַּ֣יִת מִדּוֹת הַר הַבָּיִת:
הַפְּנִימִ֔י וְהוֹצִיאַ֙נִי֙ דֶּ֣רֶךְ הַשַּׁ֔עַר אֲשֶׁ֥ר פָּנָ֖יו דֶּ֣רֶךְ הַקָּדִ֑ים וּמְדָד֖וֹ
טז סָבִ֥יב ׀ סָבִֽיב׃ מָדַ֛ד ר֥וּחַ הַקָּדִ֖ים בִּקְנֵ֣ה הַמִּדָּ֑ה חֲמֵשׁ־מֵא֥וֹת
יז אמות קָנִ֛ים בִּקְנֵ֥ה הַמִּדָּ֖ה סָבִֽיב׃ מָדַ֖ד ר֣וּחַ הַצָּפ֑וֹן חֲמֵשׁ־מֵא֥וֹת
יח קָנִ֛ים בִּקְנֵ֥ה הַמִּדָּ֖ה סָבִֽיב׃ אֵ֛ת ר֥וּחַ הַדָּר֖וֹם מָדָ֑ד חֲמֵשׁ־מֵא֥וֹת
יט קָנִ֖ים בִּקְנֵ֥ה הַמִּדָּֽה׃ סָבַ֖ב אֶל־ר֣וּחַ הַיָּ֑ם מָדַ֛ד חֲמֵשׁ־מֵא֥וֹת קָנִ֖ים
כ בִּקְנֵ֥ה הַמִּדָּֽה׃ לְאַרְבַּ֨ע רוּח֜וֹת מְדָד֗וֹ ח֤וֹמָה לוֹ֙ סָבִ֣יב ׀ סָבִ֔יב
אֹ֚רֶךְ חֲמֵ֣שׁ מֵא֔וֹת וְרֹ֖חַב חֲמֵ֣שׁ מֵא֑וֹת לְהַבְדִּ֕יל בֵּ֥ין הַקֹּ֖דֶשׁ לְחֹֽל׃
מג א ב וַיּוֹלִכֵ֖נִי אֶל־הַשָּׁ֑עַר שַׁ֕עַר אֲשֶׁ֥ר פֹּנֶ֖ה דֶּ֥רֶךְ הַקָּדִֽים׃ וְהִנֵּה֙ כְּב֙וֹד בִּיאַת כְּבוֹד ה' אֶל הַבַּיִת:
אֱלֹהֵ֣י יִשְׂרָאֵ֔ל בָּ֖א מִדֶּ֣רֶךְ הַקָּדִ֑ים וְקוֹל֗וֹ כְּקוֹל֙ מַ֣יִם רַבִּ֔ים וְהָאָ֖רֶץ
ג הֵאִ֥ירָה מִכְּבֹדֽוֹ׃ וּכְמַרְאֵ֨ה הַמַּרְאֶ֜ה אֲשֶׁ֣ר רָאִ֗יתִי כַּמַּרְאֶ֤ה אֲשֶׁר־
רָאִ֙יתִי֙ בְּבֹאִי֙ לְשַׁחֵ֣ת אֶת־הָעִ֔יר וּמַרְא֕וֹת כַּמַּרְאֶ֕ה אֲשֶׁ֥ר רָאִ֖יתִי
ד אֶל־נְהַר־כְּבָ֑ר וָאֶפֹּ֖ל אֶל־פָּנָֽי׃ וּכְב֥וֹד יְהוָ֖ה בָּ֣א אֶל־הַבָּ֑יִת דֶּ֚רֶךְ

ה שַׁ֕עַר אֲשֶׁ֥ר פָּנָ֖יו דֶּ֥רֶךְ הַקָּדִֽים׃ וַתִּשָּׂאֵ֣נִי ר֔וּחַ וַתְּבִאֵ֖נִי אֶל־הֶחָצֵ֣ר
ו הַפְּנִימִ֑י וְהִנֵּ֛ה מָלֵ֥א כְבוֹד־יְהֹוָ֖ה הַבָּֽיִת׃ וָאֶשְׁמַ֛ע מִדַּבֵּ֥ר אֵלַ֖י
ז מֵהַבָּ֑יִת וְאִ֕ישׁ הָיָ֥ה עֹמֵ֖ד אֶצְלִֽי׃ וַיֹּ֣אמֶר אֵלַ֗י בֶּן־אָדָם֙ אֶת־מְק֣וֹם
כִּסְאִ֗י וְאֶת־מְקוֹם֙ כַּפּ֣וֹת רַגְלַ֔י אֲשֶׁ֧ר אֶשְׁכָּן־שָׁ֛ם בְּת֥וֹךְ בְּנֵֽי־
יִשְׂרָאֵ֖ל לְעוֹלָ֑ם וְלֹ֣א יְטַמְּא֣וּ ע֣וֹד בֵּֽית־יִ֠שְׂרָאֵל שֵׁ֣ם קָדְשִׁ֞י הֵ֤מָּה
ח וּמַלְכֵיהֶם֙ בִּזְנוּתָ֔ם וּבְפִגְרֵ֥י מַלְכֵיהֶ֖ם בָּמוֹתָֽם׃ בְּתִתָּ֨ם סִפָּ֜ם
אֶת־סִפִּ֗י וּמְזוּזָתָם֙ אֵ֣צֶל מְזוּזָתִ֔י וְהַקִּ֖יר בֵּינִ֣י וּבֵינֵיהֶ֑ם וְטִמְּא֣וּ ׀
ט אֶת־שֵׁ֣ם קָדְשִׁ֗י בְּתוֹעֲבוֹתָם֙ אֲשֶׁ֣ר עָשׂ֔וּ וָאֲכַ֥ל אֹתָ֖ם בְּאַפִּֽי׃ עַתָּ֞ה
יְרַֽחֲק֧וּ אֶת־זְנוּתָ֛ם וּפִגְרֵ֥י מַלְכֵיהֶ֖ם מִמֶּ֑נִּי וְשָׁכַנְתִּ֥י בְתוֹכָ֖ם
י לְעוֹלָֽם׃ אַתָּ֣ה בֶן־אָדָ֗ם הַגֵּ֤ד אֶת־בֵּֽית־יִשְׂרָאֵל֙ אֶת־
יא הַבַּ֔יִת וְיִכָּלְמ֖וּ מֵעֲוֺנֽוֹתֵיהֶ֑ם וּמָדְד֖וּ אֶת־תָּכְנִֽית׃ וְאִֽם־נִכְלְמ֞וּ מִכֹּ֣ל
אֲשֶׁר־עָשׂ֗וּ צוּרַ֣ת הַבַּ֡יִת וּתְכוּנָת֡וֹ וּמוֹצָאָ֡יו וּמוֹבָאָ֡יו וְֽכָל־צוּרֹתָ֡ו
וְאֵ֣ת כָּל־חֻקֹּתָיו֩ וְֽכָל־צוּרֹתָ֨ו וְכָל־תּוֹרֹתָו֙ הוֹדַ֣ע אוֹתָ֔ם וּכְתֹ֖ב
לְעֵינֵיהֶ֑ם וְיִשְׁמְר֞וּ אֶת־כָּל־צוּרָת֛וֹ וְאֶת־כָּל־חֻקֹּתָ֖יו וְעָשׂ֥וּ אוֹתָֽם׃
יב זֹ֖את תּוֹרַ֣ת הַבָּ֑יִת עַל־רֹ֣אשׁ הָהָ֡ר כָּל־גְּבֻל֞וֹ סָבִ֤יב ׀ סָבִיב֙ קֹ֣דֶשׁ
יג קָֽדָשִׁ֔ים הִנֵּה־זֹ֖את תּוֹרַ֥ת הַבָּֽיִת׃ וְאֵ֨לֶּה מִדּ֤וֹת הַמִּזְבֵּ֙חַ֙ בָּֽאַמּ֔וֹת
אַמָּ֥ה אַמָּ֖ה וָטֹ֑פַח וְחֵ֣יק הָאַמָּ֗ה וְאַמָּה־רֹ֙חַב֙ וּגְבוּלָ֨הּ אֶל־שְׂפָתָ֤הּ
יד סָבִיב֙ זֶ֣רֶת הָאֶחָ֔ד וְזֶ֖ה גַּ֥ב הַמִּזְבֵּֽחַ׃ וּמֵחֵ֨יק הָאָ֜רֶץ עַד־הָעֲזָרָ֤ה
הַתַּחְתּוֹנָה֙ שְׁתַּ֣יִם אַמּ֔וֹת וְרֹ֖חַב אַמָּ֣ה אֶחָ֑ת וּמֵהָעֲזָרָ֨ה הַקְּטַנָּ֜ה
טו עַד־הָעֲזָרָ֤ה הַגְּדוֹלָה֙ אַרְבַּ֣ע אַמּ֔וֹת וְרֹ֖חַב הָאַמָּֽה׃ וְהַֽהַרְאֵ֖ל אַרְבַּ֣ע
טז אַמּ֑וֹת וּמֵהָֽאֲרִאֵיל֙ וּלְמַ֔עְלָה הַקְּרָנ֖וֹת אַרְבַּֽע׃ וְהָֽאֲרִאֵ֗יל שְׁתֵּ֤ים
עֶשְׂרֵה֙ אֹ֔רֶךְ בִּשְׁתֵּ֥ים עֶשְׂרֵ֖ה רֹ֑חַב רָב֕וּעַ אֶ֖ל אַרְבַּ֥עַת רְבָעָֽיו׃
יז וְהָעֲזָרָ֞ה אַרְבַּ֧ע עֶשְׂרֵ֣ה אֹ֗רֶךְ בְּאַרְבַּ֥ע עֶשְׂרֵה֙ רֹ֔חַב אֶ֖ל אַרְבַּ֣עַת
רְבָעֶ֑יהָ וְהַגְּב֡וּל סָבִ֨יב אוֹתָ֜הּ חֲצִ֣י הָאַמָּ֗ה וְהַֽחֵיק־לָ֤הּ אַמָּה֙
יח סָבִ֔יב וּמַעֲלֹתֵ֖הוּ פְּנ֥וֹת קָדִֽים׃ וַיֹּ֣אמֶר אֵלַ֗י בֶּן־אָדָם֙ כֹּ֤ה אָמַר֙

אַזְהָרָה עַל טֻמְאַת הַבַּיִת:

נְבוּאַת הַבַּיִת לְתוֹכַחַת הָעָם:

הַמִּזְבֵּחַ הַחִיצוֹן וּמִדּוֹתָיו:

אֲדֹנָי יֱהֹוִה אֵלֶּה חֻקּוֹת הַמִּזְבֵּחַ בְּיוֹם הֵעָשׂוֹתוֹ לְהַעֲלוֹת עָלָיו
יט עוֹלָה וְלִזְרֹק עָלָיו דָּם: וְנָתַתָּה אֶל־הַכֹּהֲנִים הַלְוִיִּם אֲשֶׁר הֵם
מִזֶּרַע צָדוֹק הַקְּרֹבִים אֵלַי נְאֻם אֲדֹנָי יֱהֹוִה לְשָׁרְתֵנִי פַּר בֶּן־בָּקָר
כ לְחַטָּאת: וְלָקַחְתָּ מִדָּמוֹ וְנָתַתָּה עַל־אַרְבַּע קַרְנֹתָיו וְאֶל־אַרְבַּע
כא פִּנּוֹת הָעֲזָרָה וְאֶל־הַגְּבוּל סָבִיב וְחִטֵּאתָ אוֹתוֹ וְכִפַּרְתָּהוּ: וְלָקַחְתָּ
כב אֵת הַפָּר הַחַטָּאת וּשְׂרָפוֹ בְּמִפְקַד הַבַּיִת מִחוּץ לַמִּקְדָּשׁ: וּבַיּוֹם
הַשֵּׁנִי תַּקְרִיב שְׂעִיר־עִזִּים תָּמִים לְחַטָּאת וְחִטְּאוּ אֶת־הַמִּזְבֵּחַ
כג כַּאֲשֶׁר חִטְּאוּ בַּפָּר: בְּכַלּוֹתְךָ מֵחַטֵּא תַּקְרִיב פַּר בֶּן־בָּקָר תָּמִים
כד וְאַיִל מִן־הַצֹּאן תָּמִים: וְהִקְרַבְתָּם לִפְנֵי יְהוָה וְהִשְׁלִיכוּ הַכֹּהֲנִים
כה עֲלֵיהֶם מֶלַח וְהֶעֱלוּ אוֹתָם עֹלָה לַיהוָה: שִׁבְעַת יָמִים תַּעֲשֶׂה
שְׂעִיר־חַטָּאת לַיּוֹם וּפַר בֶּן־בָּקָר וְאַיִל מִן־הַצֹּאן תְּמִימִים יַעֲשׂוּ:
כו כז שִׁבְעַת יָמִים יְכַפְּרוּ אֶת־הַמִּזְבֵּחַ וְטִהֲרוּ אֹתוֹ וּמִלְאוּ יָדוֹ: וִיכַלּוּ
אֶת־הַיָּמִים וְהָיָה בַיּוֹם הַשְּׁמִינִי וָהָלְאָה יַעֲשׂוּ הַכֹּהֲנִים
עַל־הַמִּזְבֵּחַ אֶת־עוֹלוֹתֵיכֶם וְאֶת־שַׁלְמֵיכֶם וְרָצָאתִי אֶתְכֶם
מד א נְאֻם אֲדֹנָי יֱהֹוִה: וַיָּשֶׁב אֹתִי דֶּרֶךְ שַׁעַר הַמִּקְדָּשׁ
ב הַחִיצוֹן הַפֹּנֶה קָדִים וְהוּא סָגוּר: וַיֹּאמֶר אֵלַי יְהוָה הַשַּׁעַר הַזֶּה
סָגוּר יִהְיֶה לֹא יִפָּתֵחַ וְאִישׁ לֹא־יָבֹא בוֹ כִּי יְהוָה אֱלֹהֵי־
ג יִשְׂרָאֵל בָּא בוֹ וְהָיָה סָגוּר: אֶת־הַנָּשִׂיא נָשִׂיא הוּא יֵשֶׁב־בּוֹ לאכול
לֶאֱכָל־לֶחֶם לִפְנֵי יְהוָה מִדֶּרֶךְ אוּלָם הַשַּׁעַר יָבוֹא וּמִדַּרְכּוֹ יֵצֵא:
ד וַיְבִיאֵנִי דֶּרֶךְ־שַׁעַר הַצָּפוֹן אֶל־פְּנֵי הַבַּיִת וָאֵרֶא וְהִנֵּה מָלֵא
ה כְבוֹד־יְהוָה אֶת־בֵּית יְהוָה וָאֶפֹּל אֶל־פָּנָי: וַיֹּאמֶר אֵלַי יְהוָה
בֶּן־אָדָם שִׂים לִבְּךָ וּרְאֵה בְעֵינֶיךָ וּבְאָזְנֶיךָ שְׁמָע אֵת כָּל־אֲשֶׁר
אֲנִי מְדַבֵּר אֹתָךְ לְכָל־חֻקּוֹת בֵּית־יְהוָה וּלְכָל־תּוֹרֹתָו וְשַׂמְתָּ
ו לִבְּךָ לִמְבוֹא הַבַּיִת בְּכֹל מוֹצָאֵי הַמִּקְדָּשׁ: וְאָמַרְתָּ אֶל־מֶרִי
אֶל־בֵּית יִשְׂרָאֵל כֹּה אָמַר אֲדֹנָי יֱהֹוִה רַב־לָכֶם מִכָּל־תּוֹעֲבוֹתֵיכֶם

הַקָּרְבָּנוֹת לַחֲנֻכַּת הַמִּזְבֵּחַ:

תַּפְקִיד הַשַּׁעַר הַמִּזְרָחִי שֶׁבַּמִּקְדָּשׁ:

הַרְחָקַת נָכְרִים וַעֲרֵלִים מֵהַמִּקְדָּשׁ:

בֵּית יִשְׂרָאֵל: בַּהֲבִיאֲכֶם בְּנֵי־נֵכָר עַרְלֵי־לֵב וְעַרְלֵי בָשָׂר לִהְיוֹת
ז בְּמִקְדָּשִׁי לְחַלְּלוֹ אֶת־בֵּיתִי בְּהַקְרִיבְכֶם אֶת־לַחְמִי חֵלֶב וָדָם וַיָּפֵרוּ
ח אֶת־בְּרִיתִי אֶל כָּל־תּוֹעֲבוֹתֵיכֶם: וְלֹא שְׁמַרְתֶּם מִשְׁמֶרֶת קָדָשָׁי
ט וַתְּשִׂימוּן לְשֹׁמְרֵי מִשְׁמַרְתִּי בְּמִקְדָּשִׁי לָכֶם: כֹּה־אָמַר

הַרְחָקַת הַכֹּהֲנִים הַחוֹטְאִים מֵהָעֲבוֹדָה:

אֲדֹנָי יֱהֹוִה כָּל־בֶּן־נֵכָר עֶרֶל לֵב וְעֶרֶל בָּשָׂר לֹא יָבוֹא אֶל־
י מִקְדָּשִׁי לְכָל־בֶּן־נֵכָר אֲשֶׁר בְּתוֹךְ בְּנֵי יִשְׂרָאֵל: כִּי אִם־הַלְוִיִּם
אֲשֶׁר רָחֲקוּ מֵעָלַי בִּתְעוֹת יִשְׂרָאֵל אֲשֶׁר תָּעוּ מֵעָלַי אַחֲרֵי
יא גִּלּוּלֵיהֶם וְנָשְׂאוּ עֲוֺנָם: וְהָיוּ בְמִקְדָּשִׁי מְשָׁרְתִים פְּקֻדּוֹת אֶל־
שַׁעֲרֵי הַבַּיִת וּמְשָׁרְתִים אֶת־הַבָּיִת הֵמָּה יִשְׁחֲטוּ אֶת־הָעֹלָה
יב וְאֶת־הַזֶּבַח לָעָם וְהֵמָּה יַעַמְדוּ לִפְנֵיהֶם לְשָׁרְתָם: יַעַן אֲשֶׁר
יְשָׁרְתוּ אוֹתָם לִפְנֵי גִלּוּלֵיהֶם וְהָיוּ לְבֵית־יִשְׂרָאֵל לְמִכְשׁוֹל עָוֺן
עַל־כֵּן נָשָׂאתִי יָדִי עֲלֵיהֶם נְאֻם אֲדֹנָי יֱהֹוִה וְנָשְׂאוּ עֲוֺנָם:
יג וְלֹא־יִגְּשׁוּ אֵלַי לְכַהֵן לִי וְלָגֶשֶׁת עַל־כָּל־קָדָשַׁי אֶל־קָדְשֵׁי
יד הַקֳּדָשִׁים וְנָשְׂאוּ כְּלִמָּתָם וְתוֹעֲבוֹתָם אֲשֶׁר עָשׂוּ: וְנָתַתִּי אוֹתָם
שֹׁמְרֵי מִשְׁמֶרֶת הַבָּיִת לְכֹל עֲבֹדָתוֹ וּלְכֹל אֲשֶׁר יֵעָשֶׂה בּוֹ:

הַזְמָנַת הַכֹּהֲנִים בְּנֵי צָדוֹק לְשָׁרֵת:

טו וְהַכֹּהֲנִים הַלְוִיִּם בְּנֵי צָדוֹק אֲשֶׁר שָׁמְרוּ אֶת־מִשְׁמֶרֶת מִקְדָּשִׁי
בִּתְעוֹת בְּנֵי־יִשְׂרָאֵל מֵעָלַי הֵמָּה יִקְרְבוּ אֵלַי לְשָׁרְתֵנִי וְעָמְדוּ
טז לְפָנַי לְהַקְרִיב לִי חֵלֶב וָדָם נְאֻם אֲדֹנָי יֱהֹוִה: הֵמָּה יָבֹאוּ
אֶל־מִקְדָּשִׁי וְהֵמָּה יִקְרְבוּ אֶל־שֻׁלְחָנִי לְשָׁרְתֵנִי וְשָׁמְרוּ אֶת־
יז מִשְׁמַרְתִּי: וְהָיָה בְּבוֹאָם אֶל־שַׁעֲרֵי הֶחָצֵר הַפְּנִימִית בִּגְדֵי
פִשְׁתִּים יִלְבָּשׁוּ וְלֹא־יַעֲלֶה עֲלֵיהֶם צֶמֶר בְּשָׁרְתָם בְּשַׁעֲרֵי הֶחָצֵר
יח הַפְּנִימִית וָבָיְתָה: פַּאֲרֵי פִשְׁתִּים יִהְיוּ עַל־רֹאשָׁם וּמִכְנְסֵי
יט פִשְׁתִּים יִהְיוּ עַל־מָתְנֵיהֶם לֹא יַחְגְּרוּ בַּיָּזַע: וּבְצֵאתָם אֶל־הֶחָצֵר
הַחִיצוֹנָה אֶל־הֶחָצֵר הַחִיצוֹנָה אֶל־הָעָם יִפְשְׁטוּ אֶת־בִּגְדֵיהֶם
אֲשֶׁר־הֵמָּה מְשָׁרְתִם בָּם וְהִנִּיחוּ אוֹתָם בְּלִשְׁכֹת הַקֹּדֶשׁ וְלָבְשׁוּ

כ בְּגָדִים אֲחֵרִים וְלֹא־יְקַדְּשׁוּ אֶת־הָעָם בְּבִגְדֵיהֶם: וְרֹאשָׁם לֹא
כא יְגַלֵּחוּ וּפֶרַע לֹא יְשַׁלֵּחוּ כָּסוֹם יִכְסְמוּ אֶת־רָאשֵׁיהֶם: וְיַיִן
כב לֹא־יִשְׁתּוּ כָּל־כֹּהֵן בְּבוֹאָם אֶל־הֶחָצֵר הַפְּנִימִית: וְאַלְמָנָה
וּגְרוּשָׁה לֹא־יִקְחוּ לָהֶם לְנָשִׁים כִּי אִם־בְּתוּלֹת מִזֶּרַע בֵּית
כג יִשְׂרָאֵל וְהָאַלְמָנָה אֲשֶׁר תִּהְיֶה אַלְמָנָה מִכֹּהֵן יִקָּחוּ: וְאֶת־עַמִּי
כד יוֹרוּ בֵּין קֹדֶשׁ לְחֹל וּבֵין־טָמֵא לְטָהוֹר יוֹדִעֻם: וְעַל־רִיב הֵמָּה
יַעַמְדוּ לשפט לְמִשְׁפָּט בְּמִשְׁפָּטַי ושפטהו יִשְׁפְּטֻהוּ וְאֶת־תּוֹרֹתַי
כה וְאֶת־חֻקֹּתַי בְּכָל־מוֹעֲדַי יִשְׁמֹרוּ וְאֶת־שַׁבְּתוֹתַי יְקַדֵּשׁוּ: וְאֶל־מֵת
אָדָם לֹא יָבוֹא לְטָמְאָה כִּי אִם־לְאָב וּלְאֵם וּלְבֵן וּלְבַת לְאָח
כו וּלְאָחוֹת אֲשֶׁר־לֹא־הָיְתָה לְאִישׁ יִטַּמָּאוּ: וְאַחֲרֵי טָהֳרָתוֹ שִׁבְעַת
כז יָמִים יִסְפְּרוּ־לוֹ: וּבְיוֹם בֹּאוֹ אֶל־הַקֹּדֶשׁ אֶל־הֶחָצֵר הַפְּנִימִית
כח לְשָׁרֵת בַּקֹּדֶשׁ יַקְרִיב חַטָּאתוֹ נְאֻם אֲדֹנָי יֱהוִה: וְהָיְתָה לָהֶם
לְנַחֲלָה אֲנִי נַחֲלָתָם וַאֲחֻזָּה לֹא־תִתְּנוּ לָהֶם בְּיִשְׂרָאֵל אֲנִי
כט אֲחֻזָּתָם: הַמִּנְחָה וְהַחַטָּאת וְהָאָשָׁם הֵמָּה יֹאכְלוּם וְכָל־חֵרֶם מַתְּנוֹת הַכְּהֻנָּה:
ל בְּיִשְׂרָאֵל לָהֶם יִהְיֶה: וְרֵאשִׁית כָּל־בִּכּוּרֵי כֹל וְכָל־תְּרוּמַת כֹּל
מִכֹּל תְּרוּמוֹתֵיכֶם לַכֹּהֲנִים יִהְיֶה וְרֵאשִׁית עֲרִסוֹתֵיכֶם תִּתְּנוּ
לא לַכֹּהֵן לְהָנִיחַ בְּרָכָה אֶל־בֵּיתֶךָ: כָּל־נְבֵלָה וּטְרֵפָה מִן־הָעוֹף
וּמִן־הַבְּהֵמָה לֹא יֹאכְלוּ הַכֹּהֲנִים:
מה א וּבְהַפִּילְכֶם אֶת־הָאָרֶץ בְּנַחֲלָה תָּרִימוּ תְרוּמָה לַיהוָה ׀ קֹדֶשׁ הַתְּרוּמָה מִמִּגְרְשֵׁי הָאָרֶץ:
מִן־הָאָרֶץ אֹרֶךְ חֲמִשָּׁה וְעֶשְׂרִים אֶלֶף אֹרֶךְ וְרֹחַב עֲשָׂרָה אָלֶף
ב קֹדֶשׁ־הוּא בְכָל־גְּבוּלָהּ סָבִיב: יִהְיֶה מִזֶּה אֶל־הַקֹּדֶשׁ חֲמֵשׁ
מֵאוֹת בַּחֲמֵשׁ מֵאוֹת מְרֻבָּע סָבִיב וַחֲמִשִּׁים אַמָּה מִגְרָשׁ לוֹ
ג סָבִיב: וּמִן־הַמִּדָּה הַזֹּאת תָּמוֹד אֹרֶךְ חמש חֲמִשָּׁה וְעֶשְׂרִים אֶלֶף
ד וְרֹחַב עֲשֶׂרֶת אֲלָפִים וּבוֹ־יִהְיֶה הַמִּקְדָּשׁ קֹדֶשׁ קָדָשִׁים: קֹדֶשׁ
מִן־הָאָרֶץ הוּא לַכֹּהֲנִים מְשָׁרְתֵי הַמִּקְדָּשׁ יִהְיֶה הַקְּרֵבִים

לְשָׁרֵת אֶת־יְהוָה וְהָיָה לָהֶם מָקוֹם לְבָתִּים וּמִקְדָּשׁ לַמִּקְדָּשׁ׃
ה וַחֲמִשָּׁה וְעֶשְׂרִים אֶלֶף אֹרֶךְ וַעֲשֶׂרֶת אֲלָפִים רֹחַב יהיה וְהָיָה
ו לַלְוִיִּם מְשָׁרְתֵי הַבַּיִת לָהֶם לַאֲחֻזָּה עֶשְׂרִים לְשָׁכֹת׃ וַאֲחֻזַּת
הָעִיר תִּתְּנוּ חֲמֵשֶׁת אֲלָפִים רֹחַב וְאֹרֶךְ חֲמִשָּׁה וְעֶשְׂרִים אֶלֶף
ז לְעֻמַּת תְּרוּמַת הַקֹּדֶשׁ לְכָל־בֵּית יִשְׂרָאֵל יִהְיֶה׃ וְלַנָּשִׂיא מִזֶּה

אֲחֻזַּת הַנָּשִׂיא וְהַנְהָגָתוֹ׃

וּמִזֶּה לִתְרוּמַת הַקֹּדֶשׁ וְלַאֲחֻזַּת הָעִיר אֶל־פְּנֵי תְרוּמַת־הַקֹּדֶשׁ
וְאֶל־פְּנֵי אֲחֻזַּת הָעִיר מִפְּאַת־יָם יָמָּה וּמִפְּאַת־קֵדְמָה קָדִימָה
ח וְאֹרֶךְ לְעֻמּוֹת אַחַד הַחֲלָקִים מִגְּבוּל יָם אֶל־גְּבוּל קָדִימָה׃ לָאָרֶץ
יִהְיֶה־לּוֹ לַאֲחֻזָּה בְּיִשְׂרָאֵל וְלֹא־יוֹנוּ עוֹד נְשִׂיאַי אֶת־עַמִּי
וְהָאָרֶץ יִתְּנוּ לְבֵית־יִשְׂרָאֵל לְשִׁבְטֵיהֶם׃
ט כֹּה־אָמַר אֲדֹנָי יְהוִה רַב־לָכֶם נְשִׂיאֵי יִשְׂרָאֵל חָמָס וָשֹׁד הָסִירוּ
וּמִשְׁפָּט וּצְדָקָה עֲשׂוּ הָרִימוּ גְרֻשֹׁתֵיכֶם מֵעַל עַמִּי נְאֻם אֲדֹנָי
י יא יְהוִה׃ מֹאזְנֵי־צֶדֶק וְאֵיפַת־צֶדֶק וּבַת־צֶדֶק יְהִי לָכֶם׃ הָאֵיפָה
וְהַבַּת תֹּכֶן אֶחָד יִהְיֶה לָשֵׂאת מַעְשַׂר הַחֹמֶר הַבָּת וַעֲשִׂירִת
יב הַחֹמֶר הָאֵיפָה אֶל־הַחֹמֶר יִהְיֶה מַתְכֻּנְתּוֹ׃ וְהַשֶּׁקֶל עֶשְׂרִים גֵּרָה
עֶשְׂרִים שְׁקָלִים חֲמִשָּׁה וְעֶשְׂרִים שְׁקָלִים עֲשָׂרָה וַחֲמִשָּׁה שֶׁקֶל
יג הַמָּנֶה יִהְיֶה לָכֶם׃ זֹאת הַתְּרוּמָה אֲשֶׁר תָּרִימוּ שִׁשִּׁית הָאֵיפָה

הַמַּס לַנָּשִׂיא׃

יד מֵחֹמֶר הַחִטִּים וְשִׁשִּׁיתֶם הָאֵיפָה מֵחֹמֶר הַשְּׂעֹרִים׃ וְחֹק הַשֶּׁמֶן
הַבַּת הַשֶּׁמֶן מַעְשַׂר הַבַּת מִן־הַכֹּר עֲשֶׂרֶת הַבַּתִּים חֹמֶר
טו כִּי־עֲשֶׂרֶת הַבַּתִּים חֹמֶר׃ וְשֶׂה־אַחַת מִן־הַצֹּאן מִן־הַמָּאתַיִם
מִמַּשְׁקֵה יִשְׂרָאֵל לְמִנְחָה וּלְעוֹלָה וְלִשְׁלָמִים לְכַפֵּר עֲלֵיהֶם נְאֻם
אֲדֹנָי יְהוִה׃

קָרְבְּנוֹת הַנָּשִׂיא׃

טז כֹּל הָעָם הָאָרֶץ יִהְיוּ אֶל־הַתְּרוּמָה הַזֹּאת לַנָּשִׂיא בְּיִשְׂרָאֵל׃
יז וְעַל־הַנָּשִׂיא יִהְיֶה הָעוֹלוֹת וְהַמִּנְחָה וְהַנֵּסֶךְ בַּחַגִּים וּבֶחֳדָשִׁים
וּבַשַּׁבָּתוֹת בְּכָל־מוֹעֲדֵי בֵּית יִשְׂרָאֵל הוּא־יַעֲשֶׂה אֶת־הַחַטָּאת

וְאֶת־הַמִּנְחָה וְאֶת־הָעוֹלָה וְאֶת־הַשְּׁלָמִים לְכַפֵּר בְּעַד בֵּית־
יח יִשְׂרָאֵל׃ כֹּה־אָמַר אֲדֹנָי יֱהֹוִה

טָהֳרַת הַמִּקְדָּשׁ׃

בָּרִאשׁוֹן בְּאֶחָד לַחֹדֶשׁ תִּקַּח פַּר־בֶּן־בָּקָר תָּמִים וְחִטֵּאתָ
יט אֶת־הַמִּקְדָּשׁ׃ וְלָקַח הַכֹּהֵן מִדַּם הַחַטָּאת וְנָתַן אֶל־מְזוּזַת הַבַּיִת
וְאֶל־אַרְבַּע פִּנּוֹת הָעֲזָרָה לַמִּזְבֵּחַ וְעַל־מְזוּזַת שַׁעַר הֶחָצֵר
כ הַפְּנִימִית׃ וְכֵן תַּעֲשֶׂה בְּשִׁבְעָה בַחֹדֶשׁ מֵאִישׁ שֹׁגֶה וּמִפֶּתִי
כא וְכִפַּרְתֶּם אֶת־הַבָּיִת׃ בָּרִאשׁוֹן בְּאַרְבָּעָה עָשָׂר יוֹם לַחֹדֶשׁ יִהְיֶה

קָרְבְּנוֹת הַנָּשִׂיא בַּמּוֹעֲדִים׃

כב לָכֶם הַפָּסַח חָג שְׁבֻעוֹת יָמִים מַצּוֹת יֵאָכֵל׃ וְעָשָׂה הַנָּשִׂיא בַּיּוֹם
כג הַהוּא בַּעֲדוֹ וּבְעַד כָּל־עַם הָאָרֶץ פַּר חַטָּאת׃ וְשִׁבְעַת יְמֵי־הֶחָג
יַעֲשֶׂה עוֹלָה לַיהֹוָה שִׁבְעַת פָּרִים וְשִׁבְעַת אֵילִים תְּמִימִם לַיּוֹם
כד שִׁבְעַת הַיָּמִים וְחַטָּאת שְׂעִיר עִזִּים לַיּוֹם׃ וּמִנְחָה אֵיפָה לַפָּר
כה וְאֵיפָה לָאַיִל יַעֲשֶׂה וְשֶׁמֶן הִין לָאֵיפָה׃ בַּשְּׁבִיעִי בַּחֲמִשָּׁה עָשָׂר
יוֹם לַחֹדֶשׁ בֶּחָג יַעֲשֶׂה כָאֵלֶּה שִׁבְעַת הַיָּמִים כַּחַטָּאת כָּעֹלָה
מו א וְכַמִּנְחָה וְכַשָּׁמֶן׃ כֹּה־אָמַר

הַהַנְהָגָה בְּשַׁעַר הֶחָצֵר הַפְּנִימִית׃

אֲדֹנָי יֱהֹוִה שַׁעַר הֶחָצֵר הַפְּנִימִית הַפֹּנֶה קָדִים יִהְיֶה סָגוּר
שֵׁשֶׁת יְמֵי הַמַּעֲשֶׂה וּבְיוֹם הַשַּׁבָּת יִפָּתֵחַ וּבְיוֹם הַחֹדֶשׁ יִפָּתֵחַ׃
ב וּבָא הַנָּשִׂיא דֶּרֶךְ אוּלָם הַשַּׁעַר מִחוּץ וְעָמַד עַל־מְזוּזַת הַשַּׁעַר
וְעָשׂוּ הַכֹּהֲנִים אֶת־עוֹלָתוֹ וְאֶת־שְׁלָמָיו וְהִשְׁתַּחֲוָה עַל־מִפְתַּן
ג הַשַּׁעַר וְיָצָא וְהַשַּׁעַר לֹא־יִסָּגֵר עַד־הָעָרֶב׃ וְהִשְׁתַּחֲווּ עַם־הָאָרֶץ
ד פֶּתַח הַשַּׁעַר הַהוּא בַּשַּׁבָּתוֹת וּבֶחֳדָשִׁים לִפְנֵי יְהֹוָה׃ וְהָעֹלָה

הֶמְשֵׁךְ קָרְבְּנוֹת הַנָּשִׂיא׃

אֲשֶׁר־יַקְרִב הַנָּשִׂיא לַיהֹוָה בְּיוֹם הַשַּׁבָּת שִׁשָּׁה כְבָשִׂים תְּמִימִם
ה וְאַיִל תָּמִים׃ וּמִנְחָה אֵיפָה לָאַיִל וְלַכְּבָשִׂים מִנְחָה מַתַּת יָדוֹ
ו וְשֶׁמֶן הִין לָאֵיפָה׃ וּבְיוֹם הַחֹדֶשׁ
ז פַּר בֶּן־בָּקָר תְּמִימִם וְשֵׁשֶׁת כְּבָשִׂים וָאַיִל תְּמִימִם יִהְיוּ׃ וְאֵיפָה
לַפָּר וְאֵיפָה לָאַיִל יַעֲשֶׂה מִנְחָה וְלַכְּבָשִׂים כַּאֲשֶׁר תַּשִּׂיג יָדוֹ

וְשֶׁ֥מֶן הִ֖ין לָֽאֵיפָֽה: וּבְב֨וֹא הַנָּשִׂ֜יא דֶּרֶךְ אוּלָ֤ם הַשַּׁ֙עַר֙ יָב֔וֹא ח

וּבְדַרְכּ֖וֹ יֵצֵֽא: וּבְב֣וֹא עַם־הָאָ֩רֶץ֩ לִפְנֵ֨י יְהֹוָ֜ה בַּמּֽוֹעֲדִ֗ים הַבָּ֣א ט

דֶּֽרֶךְ־שַׁ֩עַר֩ צָפ֨וֹן לְהִֽשְׁתַּחֲוֺ֜ת יֵצֵ֣א דֶּֽרֶךְ־שַׁ֣עַר נֶ֗גֶב וְהַבָּא֙ דֶּֽרֶךְ־

שַׁ֣עַר נֶ֔גֶב יֵצֵ֖א דֶּֽרֶךְ־שַׁ֣עַר צָפ֑וֹנָה לֹ֣א יָשׁ֗וּב דֶּ֚רֶךְ הַשַּׁ֙עַר֙

אֲשֶׁר־בָּ֣א ב֔וֹ כִּ֥י נִכְח֖וֹ יצאו יֵצֵֽא: וְהַנָּשִׂ֖יא בְּתוֹכָ֑ם בְּבוֹאָ֣ם יָב֔וֹא י

וּבְצֵאתָ֖ם יֵצֵֽאוּ: וּבַחַגִּ֣ים וּבַמּֽוֹעֲדִ֗ים תִּֽהְיֶ֤ה הַמִּנְחָה֙ אֵיפָ֤ה לַפָּר֙ יא

וְאֵיפָ֣ה לָאַ֔יִל וְלַכְּבָשִׂ֖ים מַתַּ֣ת יָד֑וֹ וְשֶׁ֖מֶן הִ֥ין לָֽאֵיפָֽה:

וְכִֽי־יַעֲשֶׂה֩ הַנָּשִׂ֨יא נְדָבָ֜ה עוֹלָ֣ה אֽוֹ־שְׁלָמִים֮ נְדָבָ֣ה לַֽיהֹוָה֒ וּפָ֣תַח יב

ל֗וֹ אֶת־הַשַּׁ֙עַר֙ הַפֹּנֶ֣ה קָדִ֔ים וְעָשָׂ֤ה אֶת־עֹֽלָתוֹ֙ וְאֶת־שְׁלָמָ֔יו

כַּאֲשֶׁ֥ר יַעֲשֶׂ֖ה בְּי֣וֹם הַשַּׁבָּ֑ת וְיָצָ֛א וְסָגַ֥ר אֶת־הַשַּׁ֖עַר אַֽחֲרֵ֥י צֵאתֽוֹ:

וְכֶ֨בֶשׂ בֶּן־שְׁנָת֜וֹ תָּמִ֗ים תַּֽעֲשֶׂ֥ה עוֹלָ֛ה לַיּ֖וֹם לַֽיהֹוָ֑ה בַּבֹּ֥קֶר בַּבֹּ֖קֶר יג

תַּעֲשֶׂ֥ה אֹתֽוֹ: וּמִנְחָה֩ תַֽעֲשֶׂ֨ה עָלָ֜יו בַּבֹּ֣קֶר בַּבֹּ֗קֶר שִׁשִּׁ֤ית הָֽאֵיפָה֙ יד

וְשֶׁ֗מֶן שְׁלִישִׁ֤ית הַהִין֙ לָרֹ֣ס אֶת־הַסֹּ֔לֶת מִנְחָה֙ לַֽיהֹוָ֔ה חֻקּ֖וֹת עוֹלָ֥ם

תָּמִֽיד: ועשו יַֽעֲשׂ֞וּ אֶת־הַכֶּ֤בֶשׂ וְאֶת־הַמִּנְחָה֙ וְאֶת־הַשֶּׁ֔מֶן בַּבֹּ֖קֶר טו

בַּבֹּ֑קֶר עוֹלַ֖ת תָּמִֽיד:

כֹּה־אָמַ֞ר אֲדֹנָ֣י יֱהֹוִ֗ה כִּֽי־יִתֵּ֨ן טז

הַנָּשִׂ֤יא מַתָּנָה֙ לְאִ֣ישׁ מִבָּנָ֔יו נַחֲלָת֥וֹ הִ֖יא לְבָנָ֣יו תִּֽהְיֶ֑ה אֲחֻזָּתָ֛ם

הִ֖יא בְּנַחֲלָֽה: וְכִֽי־יִתֵּ֨ן מַתָּנָ֜ה מִנַּחֲלָת֗וֹ לְאַחַד֙ מֵֽעֲבָדָ֔יו יז

וְהָ֤יְתָה לּוֹ֙ עַד־שְׁנַ֣ת הַדְּר֔וֹר וְשָׁבַ֖ת לַנָּשִׂ֑יא אַ֣ךְ נַחֲלָת֔וֹ בָּנָ֖יו לָהֶ֥ם

תִּֽהְיֶֽה: וְלֹֽא־יִקַּ֨ח הַנָּשִׂ֜יא מִנַּחֲלַ֣ת הָעָ֗ם לְהֽוֹנֹתָם֙ מֵאֲחֻזָּתָ֔ם יח

מֵאֲחֻזָּת֖וֹ יַנְחִ֣ל אֶת־בָּנָ֑יו לְמַ֙עַן֙ אֲשֶׁ֣ר לֹֽא־יָפֻ֔צוּ עַמִּ֖י אִ֥ישׁ

מֵאֲחֻזָּתֽוֹ: וַיְבִיאֵ֣נִי בַמָּבוֹא֮ אֲשֶׁ֣ר עַל־כֶּ֣תֶף הַשַּׁ֒עַר֒ אֶל־הַלִּשְׁכ֤וֹת יט

הַקֹּ֙דֶשׁ֙ אֶל־הַכֹּ֣הֲנִ֔ים הַפֹּנ֖וֹת צָפ֑וֹנָה וְהִנֵּה־שָׁ֣ם מָק֔וֹם בירכתם

בַּיַּרְכָתַ֖יִם יָֽמָּה: וַיֹּ֣אמֶר אֵלַ֔י זֶ֣ה הַמָּק֗וֹם אֲשֶׁ֤ר יְבַשְּׁלוּ־שָׁם֙ הַכֹּ֣הֲנִ֔ים כ

אֶת־הָֽאָשָׁ֖ם וְאֶת־הַֽחַטָּ֑את אֲשֶׁ֤ר יֹאפוּ֙ אֶת־הַמִּנְחָ֔ה לְבִלְתִּ֥י הוֹצִ֛יא

אֶל־הֶֽחָצֵ֥ר הַחִֽיצוֹנָ֖ה לְקַדֵּ֥שׁ אֶת־הָעָֽם: וַיּֽוֹצִיאֵ֗נִי אֶל־הֶֽחָצֵר֙ כא

הַנְּנִיסָה
לַמִּקְדָּשׁ

הַבָּ֣א
בַּמּֽוֹעֲדִים

נִדְבַת
הַנָּשִׂיא

קָרְבַּן
הַתָּמִיד

וַֽעֲבוֹדָתוֹ

הַנָּנַת
הַנָּשִׂיא
בְּנַחֲלָתוֹ

לְשַׁ֥ם
הַמְבַשְּׁלִים
הַפְּנִימִית

הַחִיצוֹנָה וַיַּעֲבִרֵנִי אֶל־אַרְבַּעַת מִקְצוֹעֵי הֶחָצֵר וְהִנֵּה חָצֵר לְשְׁכוֹת הַמְבַשְּׁלִים
כב בְּמִקְצֹעַ הֶחָצֵר חָצֵר בְּמִקְצֹעַ הֶחָצֵר׃ בְּאַרְבַּעַת מִקְצֹעוֹת הֶחָצֵר הַחִיצוֹנִיּוֹת:
חֲצֵרוֹת קְטֻרוֹת אַרְבָּעִים אֹרֶךְ וּשְׁלֹשִׁים רֹחַב מִדָּה אַחַת
כג לְאַרְבַּעְתָּם מְהֻקְצָעוֹת׃ וְטוּר סָבִיב בָּהֶם סָבִיב לְאַרְבַּעְתָּם מהקצעות נקוד:
כד וּמְבַשְּׁלוֹת עָשׂוּי מִתַּחַת הַטִּירוֹת סָבִיב׃ וַיֹּאמֶר אֵלָי אֵלֶּה בֵּית
הַמְבַשְּׁלִים אֲשֶׁר יְבַשְּׁלוּ־שָׁם מְשָׁרְתֵי הַבַּיִת אֶת־זֶבַח הָעָם׃
מז א וַיְשִׁבֵנִי אֶל־פֶּתַח הַבַּיִת וְהִנֵּה־מַיִם יֹצְאִים מִתַּחַת מִפְתַּן הַבַּיִת הַמַּיִם הַמְפַכִּים
קָדִימָה כִּי־פְנֵי הַבַּיִת קָדִים וְהַמַּיִם יֹרְדִים מִתַּחַת מִכֶּתֶף הַבַּיִת מֵהַמִּקְדָּשׁ:
ב הַיְמָנִית מִנֶּגֶב לַמִּזְבֵּחַ׃ וַיּוֹצִאֵנִי דֶּרֶךְ־שַׁעַר צָפוֹנָה וַיְסִבֵּנִי דֶּרֶךְ
חוּץ אֶל־שַׁעַר הַחוּץ דֶּרֶךְ הַפּוֹנֶה קָדִים וְהִנֵּה־מַיִם מְפַכִּים
ג מִן־הַכָּתֵף הַיְמָנִית׃ בְּצֵאת־הָאִישׁ קָדִים וְקָו בְּיָדוֹ וַיָּמָד אֶלֶף
ד בָּאַמָּה וַיַּעֲבִרֵנִי בַמַּיִם מֵי אָפְסָיִם׃ וַיָּמָד אֶלֶף וַיַּעֲבִרֵנִי בַמַּיִם
ה מַיִם בִּרְכָּיִם וַיָּמָד אֶלֶף וַיַּעֲבִרֵנִי מֵי מָתְנָיִם׃ וַיָּמָד אֶלֶף נַחַל
אֲשֶׁר לֹא־אוּכַל לַעֲבֹר כִּי־גָאוּ הַמַּיִם מֵי שָׂחוּ נַחַל אֲשֶׁר
ו לֹא־יֵעָבֵר׃ וַיֹּאמֶר אֵלַי הֲרָאִיתָ בֶן־אָדָם וַיּוֹלִכֵנִי וַיְשִׁבֵנִי שְׂפַת
ז הַנָּחַל׃ בְּשׁוּבֵנִי וְהִנֵּה אֶל־שְׂפַת הַנַּחַל עֵץ רַב מְאֹד מִזֶּה וּמִזֶּה׃ סְגֻלּוֹת הַנַּחַל:
ח וַיֹּאמֶר אֵלַי הַמַּיִם הָאֵלֶּה יוֹצְאִים אֶל־הַגְּלִילָה הַקַּדְמוֹנָה וְיָרְדוּ
עַל־הָעֲרָבָה וּבָאוּ הַיָּמָּה אֶל־הַיָּמָּה הַמּוּצָאִים וְנִרְפְּאוּ הַמָּיִם׃
ט וְהָיָה כָל־נֶפֶשׁ חַיָּה ׀ אֲשֶׁר־יִשְׁרֹץ אֶל כָּל־אֲשֶׁר יָבוֹא שָׁם נַחֲלַיִם
יִחְיֶה וְהָיָה הַדָּגָה רַבָּה מְאֹד כִּי בָאוּ שָׁמָּה הַמַּיִם הָאֵלֶּה וְיֵרָפְאוּ
י וָחָי כֹּל אֲשֶׁר־יָבוֹא שָׁמָּה הַנָּחַל׃ וְהָיָה יעמדו עָמְדוּ עָלָיו דַּוָּגִים
מֵעֵין גֶּדִי וְעַד־עֵין עֶגְלַיִם מִשְׁטוֹחַ לַחֲרָמִים יִהְיוּ לְמִינָה
יא תִּהְיֶה דְגָתָם כִּדְגַת הַיָּם הַגָּדוֹל רַבָּה מְאֹד׃ בִּצֹּאתָו וּגְבָאָיו
יב וְלֹא יֵרָפְאוּ לְמֶלַח נִתָּנוּ׃ וְעַל־הַנַּחַל יַעֲלֶה עַל־שְׂפָתוֹ מִזֶּה ׀
וּמִזֶּה ׀ כָּל־עֵץ־מַאֲכָל לֹא־יִבּוֹל עָלֵהוּ וְלֹא־יִתֹּם פִּרְיוֹ לָחֳדָשָׁיו

יְבַכֵּר כִּי מֵימָיו מִן־הַמִּקְדָּשׁ הֵמָּה יוֹצְאִים והיו וְהָיָה פִרְיוֹ לְמַאֲכָל
וְעָלֵהוּ לִתְרוּפָה׃

גבולות הארץ וחלקתה׃

יג כֹּה אָמַר אֲדֹנָי יֱהֹוִה גֵּה גְבוּל אֲשֶׁר תִּתְנַחֲלוּ אֶת־הָאָרֶץ לִשְׁנֵי
יד עָשָׂר שִׁבְטֵי יִשְׂרָאֵל יוֹסֵף חֲבָלִים׃ וּנְחַלְתֶּם אוֹתָהּ אִישׁ כְּאָחִיו
אֲשֶׁר נָשָׂאתִי אֶת־יָדִי לְתִתָּהּ לַאֲבֹתֵיכֶם וְנָפְלָה הָאָרֶץ הַזֹּאת
טו לָכֶם בְּנַחֲלָה׃ וְזֶה גְּבוּל הָאָרֶץ לִפְאַת צָפוֹנָה מִן־הַיָּם הַגָּדוֹל
טז הַדֶּרֶךְ חֶתְלֹן לְבוֹא צְדָדָה׃ חֲמָת ׀ בֵּרוֹתָה סִבְרַיִם אֲשֶׁר
בֵּין־גְּבוּל דַּמֶּשֶׂק וּבֵין גְּבוּל חֲמָת חָצֵר הַתִּיכוֹן אֲשֶׁר אֶל־גְּבוּל
יז חַוְרָן׃ וְהָיָה גְבוּל מִן־הַיָּם חֲצַר עֵינוֹן גְּבוּל דַּמֶּשֶׂק וְצָפוֹן ׀ צָפוֹנָה
יח וּגְבוּל חֲמָת וְאֵת פְּאַת צָפוֹן׃ וּפְאַת קָדִים מִבֵּין חַוְרָן וּמִבֵּין־
דַּמֶּשֶׂק וּמִבֵּין הַגִּלְעָד וּמִבֵּין אֶרֶץ יִשְׂרָאֵל הַיַּרְדֵּן מִגְּבוּל
יט עַל־הַיָּם הַקַּדְמוֹנִי תָּמֹדּוּ וְאֵת פְּאַת קָדִימָה׃ וּפְאַת נֶגֶב תֵּימָנָה
מִתָּמָר עַד־מֵי מְרִיבוֹת קָדֵשׁ נַחֲלָה אֶל־הַיָּם הַגָּדוֹל וְאֵת
כ פְּאַת־תֵּימָנָה נֶגְבָּה׃ וּפְאַת־יָם הַיָּם הַגָּדוֹל מִגְּבוּל עַד־נֹכַח לְבוֹא
כא חֲמָת זֹאת פְּאַת־יָם׃ וְחִלַּקְתֶּם אֶת־הָאָרֶץ הַזֹּאת לָכֶם לְשִׁבְטֵי
כב יִשְׂרָאֵל׃ וְהָיָה תַּפִּלוּ אוֹתָהּ בְּנַחֲלָה לָכֶם וּלְהַגֵּרִים הַגָּרִים
בְּתוֹכְכֶם אֲשֶׁר־הוֹלִדוּ בָנִים בְּתוֹכְכֶם וְהָיוּ לָכֶם כְּאֶזְרָח בִּבְנֵי
כג יִשְׂרָאֵל אִתְּכֶם יִפְּלוּ בְנַחֲלָה בְּתוֹךְ שִׁבְטֵי יִשְׂרָאֵל׃ וְהָיָה בַשֵּׁבֶט
אֲשֶׁר־גָּר הַגֵּר אִתּוֹ שָׁם תִּתְּנוּ נַחֲלָתוֹ נְאֻם אֲדֹנָי יֱהֹוִה׃

נחלות השבטים הצפוניים׃

מח א וְאֵלֶּה שְׁמוֹת הַשְּׁבָטִים מִקְצֵה צָפוֹנָה אֶל־יַד דֶּרֶךְ־חֶתְלֹן ׀
לְבוֹא־חֲמָת חֲצַר עֵינָן גְּבוּל דַּמֶּשֶׂק צָפוֹנָה אֶל־יַד חֲמָת וְהָיוּ־לוֹ
ב פְאַת־קָדִים הַיָּם דָּן אֶחָד׃ וְעַל ׀ גְּבוּל דָּן מִפְּאַת קָדִים
ג עַד־פְּאַת־יָמָּה אָשֵׁר אֶחָד׃ וְעַל ׀ גְּבוּל אָשֵׁר מִפְּאַת קָדִימָה
ד וְעַד־פְּאַת־יָמָּה נַפְתָּלִי אֶחָד׃ וְעַל ׀ גְּבוּל נַפְתָּלִי מִפְּאַת קָדְמָה
ה עַד־פְּאַת־יָמָּה מְנַשֶּׁה אֶחָד׃ וְעַל ׀ גְּבוּל מְנַשֶּׁה מִפְּאַת קָדְמָה

ו עַד־פְּאַת־יָמָּה אֶפְרַיִם אֶחָד: וְעַל ׀ גְּבוּל אֶפְרַיִם מִפְּאַת קָדִים
ז וְעַד־פְּאַת־יָמָּה רְאוּבֵן אֶחָד: וְעַל ׀ גְּבוּל רְאוּבֵן מִפְּאַת קָדִים
ח עַד־פְּאַת־יָמָּה יְהוּדָה אֶחָד: וְעַל גְּבוּל יְהוּדָה מִפְּאַת קָדִים

הַתְּרוּמָה לַמִּקְדָּשׁ וְלַכֹּהֲנִים:

עַד־פְּאַת־יָמָּה תִּהְיֶה הַתְּרוּמָה אֲשֶׁר־תָּרִימוּ חֲמִשָּׁה וְעֶשְׂרִים
אֶלֶף רֹחַב וְאֹרֶךְ כְּאַחַד הַחֲלָקִים מִפְּאַת קָדִימָה עַד־פְּאַת־יָמָּה
ט וְהָיָה הַמִּקְדָּשׁ בְּתוֹכוֹ: הַתְּרוּמָה אֲשֶׁר תָּרִימוּ לַיהוָה אֹרֶךְ חֲמִשָּׁה
י וְעֶשְׂרִים אֶלֶף וְרֹחַב עֲשֶׂרֶת אֲלָפִים: וּלְאֵלֶּה תִּהְיֶה תְרוּמַת־
הַקֹּדֶשׁ לַכֹּהֲנִים צָפוֹנָה חֲמִשָּׁה וְעֶשְׂרִים אֶלֶף וְיָמָּה רֹחַב עֲשֶׂרֶת
אֲלָפִים וְקָדִימָה רֹחַב עֲשֶׂרֶת אֲלָפִים וְנֶגְבָּה אֹרֶךְ חֲמִשָּׁה וְעֶשְׂרִים
יא אָלֶף וְהָיָה מִקְדַּשׁ־יְהוָה בְּתוֹכוֹ: לַכֹּהֲנִים הַמְקֻדָּשׁ מִבְּנֵי צָדוֹק
אֲשֶׁר שָׁמְרוּ מִשְׁמַרְתִּי אֲשֶׁר לֹא־תָעוּ בִּתְעוֹת בְּנֵי יִשְׂרָאֵל
יב כַּאֲשֶׁר תָּעוּ הַלְוִיִּם: וְהָיְתָה לָהֶם תְּרוּמִיָּה מִתְּרוּמַת הָאָרֶץ קֹדֶשׁ

הַתְּרוּמָה לַלְוִיִּם:

יג קָדָשִׁים אֶל־גְּבוּל הַלְוִיִּם: וְהַלְוִיִּם לְעֻמַּת גְּבוּל הַכֹּהֲנִים חֲמִשָּׁה
וְעֶשְׂרִים אֶלֶף אֹרֶךְ וְרֹחַב עֲשֶׂרֶת אֲלָפִים כָּל־אֹרֶךְ חֲמִשָּׁה
יד וְעֶשְׂרִים אֶלֶף וְרֹחַב עֲשֶׂרֶת אֲלָפִים: וְלֹא־יִמְכְּרוּ מִמֶּנּוּ וְלֹא יָמֵר

הַנַּחֲלָה לָעִיר:

טו וְלֹא יעבור יַעֲבִיר רֵאשִׁית הָאָרֶץ כִּי־קֹדֶשׁ לַיהוָה: וַחֲמֵשֶׁת אֲלָפִים
הַנּוֹתָר בָּרֹחַב עַל־פְּנֵי חֲמִשָּׁה וְעֶשְׂרִים אֶלֶף חֹל־הוּא לָעִיר
טז לְמוֹשָׁב וּלְמִגְרָשׁ וְהָיְתָה הָעִיר בְּתוֹכֹה: וְאֵלֶּה מִדּוֹתֶיהָ פְּאַת

ה״חמש״ השני, כתיב ולא קרי:

צָפוֹן חֲמֵשׁ מֵאוֹת וְאַרְבַּעַת אֲלָפִים וּפְאַת־נֶגֶב חֲמֵשׁ חמש מֵאוֹת
וְאַרְבַּעַת אֲלָפִים וּמִפְּאַת קָדִים חֲמֵשׁ מֵאוֹת וְאַרְבַּעַת אֲלָפִים
יז וּפְאַת־יָמָּה חֲמֵשׁ מֵאוֹת וְאַרְבַּעַת אֲלָפִים: וְהָיָה מִגְרָשׁ לָעִיר
צָפוֹנָה חֲמִשִּׁים וּמָאתַיִם וְנֶגְבָּה חֲמִשִּׁים וּמָאתָיִם וְקָדִימָה
יח חֲמִשִּׁים וּמָאתָיִם וְיָמָּה חֲמִשִּׁים וּמָאתָיִם: וְהַנּוֹתָר בָּאֹרֶךְ לְעֻמַּת ׀
תְּרוּמַת הַקֹּדֶשׁ עֲשֶׂרֶת אֲלָפִים קָדִימָה וַעֲשֶׂרֶת אֲלָפִים יָמָּה
וְהָיָה לְעֻמַּת תְּרוּמַת הַקֹּדֶשׁ וְהָיְתָה תְבוּאָתֹה לְלֶחֶם לְעֹבְדֵי

יט כ הָעִיר׃ וְהָעֹבֵד הָעִיר יַעַבְדוּהוּ מִכֹּל שִׁבְטֵי יִשְׂרָאֵל׃ כָּל־הַתְּרוּמָה
חֲמִשָּׁה וְעֶשְׂרִים אֶלֶף בַּחֲמִשָּׁה וְעֶשְׂרִים אָלֶף רְבִיעִית תָּרִימוּ
כא אֶת־תְּרוּמַת הַקֹּדֶשׁ אֶל־אֲחֻזַּת הָעִיר׃ וְהַנּוֹתָר לַנָּשִׂיא מִזֶּה ׀
הַנַּחֲלָה לַנָּשִׂיא:
וּמִזֶּה ׀ לִתְרוּמַת־הַקֹּדֶשׁ וְלַאֲחֻזַּת הָעִיר אֶל־פְּנֵי חֲמִשָּׁה
וְעֶשְׂרִים אֶלֶף ׀ תְּרוּמָה עַד־גְּבוּל קָדִימָה וְיָמָּה עַל־פְּנֵי חֲמִשָּׁה
וְעֶשְׂרִים אֶלֶף עַל־גְּבוּל יָמָּה לְעֻמַּת חֲלָקִים לַנָּשִׂיא וְהָיְתָה
כב תְּרוּמַת הַקֹּדֶשׁ וּמִקְדַּשׁ הַבַּיִת בְּתוֹכֹה׃ וּמֵאֲחֻזַּת הַלְוִיִּם וּמֵאֲחֻזַּת
הָעִיר בְּתוֹךְ אֲשֶׁר לַנָּשִׂיא יִהְיֶה בֵּין ׀ גְּבוּל יְהוּדָה וּבֵין גְּבוּל
כג בִּנְיָמִן לַנָּשִׂיא יִהְיֶה׃ וְיֶתֶר הַשְּׁבָטִים מִפְּאַת קָדִימָה עַד־פְּאַת־
נַחֲלוֹת יֶתֶר הַשְּׁבָטִים:
כד יָמָּה בִּנְיָמִן אֶחָד׃ וְעַל ׀ גְּבוּל בִּנְיָמִן מִפְּאַת קָדִימָה עַד־פְּאַת־
כה יָמָּה שִׁמְעוֹן אֶחָד׃ וְעַל ׀ גְּבוּל שִׁמְעוֹן מִפְּאַת קָדִימָה עַד־פְּאַת־
כו יָמָּה יִשָּׂשכָר אֶחָד׃ וְעַל ׀ גְּבוּל יִשָּׂשכָר מִפְּאַת קָדִימָה עַד־
כז פְּאַת־יָמָּה זְבוּלֻן אֶחָד׃ וְעַל ׀ גְּבוּל זְבוּלֻן מִפְּאַת קָדְמָה עַד־
כח פְּאַת־יָמָּה גָּד אֶחָד׃ וְעַל גְּבוּל גָּד אֶל־פְּאַת נֶגֶב תֵּימָנָה וְהָיָה
כט גְבוּל מִתָּמָר מֵי מְרִיבַת קָדֵשׁ נַחֲלָה עַל־הַיָּם הַגָּדוֹל׃ זֹאת הָאָרֶץ
אֲשֶׁר־תַּפִּילוּ מִנַּחֲלָה לְשִׁבְטֵי יִשְׂרָאֵל וְאֵלֶּה מַחְלְקוֹתָם נְאֻם
ל אֲדֹנָי יֱהוִה׃ וְאֵלֶּה תּוֹצְאֹת
שַׁעֲרֵי הָעִיר וְהֶקֵּף הָעִיר:
לא הָעִיר מִפְּאַת צָפוֹן חֲמֵשׁ מֵאוֹת וְאַרְבַּעַת אֲלָפִים מִדָּה׃ וְשַׁעֲרֵי
הָעִיר עַל־שְׁמוֹת שִׁבְטֵי יִשְׂרָאֵל שְׁעָרִים שְׁלוֹשָׁה צָפוֹנָה שַׁעַר
לב רְאוּבֵן אֶחָד שַׁעַר יְהוּדָה אֶחָד שַׁעַר לֵוִי אֶחָד׃ וְאֶל־פְּאַת קָדִימָה
חֲמֵשׁ מֵאוֹת וְאַרְבַּעַת אֲלָפִים וּשְׁעָרִים שְׁלֹשָׁה וְשַׁעַר יוֹסֵף אֶחָד
לג שַׁעַר בִּנְיָמִן אֶחָד שַׁעַר דָּן אֶחָד׃ וּפְאַת־נֶגְבָּה חֲמֵשׁ מֵאוֹת
וְאַרְבַּעַת אֲלָפִים מִדָּה וּשְׁעָרִים שְׁלֹשָׁה שַׁעַר שִׁמְעוֹן אֶחָד שַׁעַר
לד יִשָּׂשכָר אֶחָד שַׁעַר זְבוּלֻן אֶחָד׃ פְּאַת־יָמָּה חֲמֵשׁ מֵאוֹת
וְאַרְבַּעַת אֲלָפִים שַׁעֲרֵיהֶם שְׁלֹשָׁה שַׁעַר גָּד אֶחָד שַׁעַר אָשֵׁר

לה אֶחָ֑ד שַׁ֥עַר נַפְתָּלִ֖י אֶחָֽד׃ סָבִ֕יב שְׁמֹנָ֥ה עָשָׂ֖ר אָ֑לֶף וְשֵׁם־הָעִ֥יר
מִיּ֖וֹם יְהוָ֥ה ׀ שָֽׁמָּה׃

בין השנים
3021-3410

תרי עשר

הושע [3115-28]

א א דְּבַר־יְהוָה | אֲשֶׁר הָיָה אֶל־הוֹשֵׁעַ בֶּן־בְּאֵרִי בִּימֵי עֻזִּיָּה יוֹתָם
אָחָז יְחִזְקִיָּה מַלְכֵי יְהוּדָה וּבִימֵי יָרָבְעָם בֶּן־יוֹאָשׁ מֶלֶךְ יִשְׂרָאֵל:
ב תְּחִלַּת דִּבֶּר־יְהוָה בְּהוֹשֵׁעַ
וַיֹּאמֶר יְהוָה אֶל־הוֹשֵׁעַ לֵךְ קַח־לְךָ אֵשֶׁת זְנוּנִים וְיַלְדֵי זְנוּנִים — נְשׂוּאֵי הוֹשֵׁעַ כְּסֵמֶל לִזְנוּת יִשְׂרָאֵל:
ג כִּי־זָנֹה תִזְנֶה הָאָרֶץ מֵאַחֲרֵי יְהוָה: וַיֵּלֶךְ וַיִּקַּח אֶת־גֹּמֶר
ד בַּת־דִּבְלָיִם וַתַּהַר וַתֵּלֶד־לוֹ בֵּן: וַיֹּאמֶר יְהוָה אֵלָיו קְרָא שְׁמוֹ
יִזְרְעֶאל כִּי־עוֹד מְעַט וּפָקַדְתִּי אֶת־דְּמֵי יִזְרְעֶאל עַל־בֵּית יֵהוּא
ה וְהִשְׁבַּתִּי מַמְלְכוּת בֵּית יִשְׂרָאֵל: וְהָיָה בַּיּוֹם הַהוּא וְשָׁבַרְתִּי
ו אֶת־קֶשֶׁת יִשְׂרָאֵל בְּעֵמֶק יִזְרְעֶאל: וַתַּהַר עוֹד וַתֵּלֶד בַּת
וַיֹּאמֶר לוֹ קְרָא שְׁמָהּ לֹא רֻחָמָה כִּי לֹא אוֹסִיף עוֹד אֲרַחֵם
ז אֶת־בֵּית יִשְׂרָאֵל כִּי־נָשֹׂא אֶשָּׂא לָהֶם: וְאֶת־בֵּית יְהוּדָה אֲרַחֵם
וְהוֹשַׁעְתִּים בַּיהוָה אֱלֹהֵיהֶם וְלֹא אוֹשִׁיעֵם בְּקֶשֶׁת וּבְחֶרֶב
ח וּבְמִלְחָמָה בְּסוּסִים וּבְפָרָשִׁים: וַתִּגְמֹל אֶת־לֹא רֻחָמָה וַתַּהַר
ט וַתֵּלֶד בֵּן: וַיֹּאמֶר קְרָא שְׁמוֹ לֹא עַמִּי כִּי אַתֶּם לֹא עַמִּי וְאָנֹכִי
לֹא־אֶהְיֶה לָכֶם:
ב א וְהָיָה מִסְפַּר בְּנֵי־יִשְׂרָאֵל כְּחוֹל הַיָּם אֲשֶׁר לֹא־יִמַּד וְלֹא יִסָּפֵר — נְבוּאָה לִימוֹת הַמָּשִׁיחַ:
וְהָיָה בִּמְקוֹם אֲשֶׁר־יֵאָמֵר לָהֶם לֹא־עַמִּי אַתֶּם יֵאָמֵר לָהֶם בְּנֵי
ב אֵל־חָי: וְנִקְבְּצוּ בְּנֵי־יְהוּדָה וּבְנֵי־יִשְׂרָאֵל יַחְדָּו וְשָׂמוּ לָהֶם רֹאשׁ
ג אֶחָד וְעָלוּ מִן־הָאָרֶץ כִּי גָדוֹל יוֹם יִזְרְעֶאל: אִמְרוּ לַאֲחֵיכֶם עַמִּי
ד וְלַאֲחוֹתֵיכֶם רֻחָמָה: רִיבוּ בְאִמְּכֶם רִיבוּ כִּי־הִיא לֹא אִשְׁתִּי — תּוֹכָחָה עַל עֲזִיבַת ה':
וְאָנֹכִי לֹא אִישָׁהּ וְתָסֵר זְנוּנֶיהָ מִפָּנֶיהָ וְנַאֲפוּפֶיהָ מִבֵּין שָׁדֶיהָ:
ה פֶּן־אַפְשִׁיטֶנָּה עֲרֻמָּה וְהִצַּגְתִּיהָ כְּיוֹם הִוָּלְדָהּ וְשַׂמְתִּיהָ כַמִּדְבָּר
ו וְשַׁתִּהָ כְּאֶרֶץ צִיָּה וַהֲמִתִּיהָ בַּצָּמָא: וְאֶת־בָּנֶיהָ לֹא אֲרַחֵם כִּי־בְנֵי

ז זְנוּנִים הֵמָּה׃ כִּי זָנְתָה אִמָּם הֹבִישָׁה הוֹרָתָם כִּי אָמְרָה
אֵלְכָה אַחֲרֵי מְאַהֲבַי נֹתְנֵי לַחְמִי וּמֵימַי צַמְרִי וּפִשְׁתִּי שַׁמְנִי
ח וְשִׁקּוּיָי׃ לָכֵן הִנְנִי־שָׂךְ אֶת־דַּרְכֵּךְ בַּסִּירִים וְגָדַרְתִּי אֶת־גְּדֵרָהּ (הָעֹנֶשׁ עַל עֲזִיבַת ה׳:)
ט וּנְתִיבוֹתֶיהָ לֹא תִמְצָא׃ וְרִדְּפָה אֶת־מְאַהֲבֶיהָ וְלֹא־תַשִּׂיג אֹתָם
וּבִקְשָׁתַם וְלֹא תִמְצָא וְאָמְרָה אֵלְכָה וְאָשׁוּבָה אֶל־אִישִׁי הָרִאשׁוֹן
י כִּי טוֹב לִי אָז מֵעָתָּה׃ וְהִיא לֹא יָדְעָה כִּי אָנֹכִי נָתַתִּי לָהּ הַדָּגָן
יא וְהַתִּירוֹשׁ וְהַיִּצְהָר וְכֶסֶף הִרְבֵּיתִי לָהּ וְזָהָב עָשׂוּ לַבָּעַל׃ לָכֵן
אָשׁוּב וְלָקַחְתִּי דְגָנִי בְּעִתּוֹ וְתִירוֹשִׁי בְּמוֹעֲדוֹ וְהִצַּלְתִּי צַמְרִי
יב וּפִשְׁתִּי לְכַסּוֹת אֶת־עֶרְוָתָהּ׃ וְעַתָּה אֲגַלֶּה אֶת־נַבְלֻתָהּ לְעֵינֵי
יג מְאַהֲבֶיהָ וְאִישׁ לֹא־יַצִּילֶנָּה מִיָּדִי׃ וְהִשְׁבַּתִּי כָּל־מְשׂוֹשָׂהּ חַגָּהּ
יד חָדְשָׁהּ וְשַׁבַּתָּהּ וְכֹל מוֹעֲדָהּ׃ וַהֲשִׁמֹּתִי גַּפְנָהּ וּתְאֵנָתָהּ
אֲשֶׁר אָמְרָה אֶתְנָה הֵמָּה לִי אֲשֶׁר נָתְנוּ־לִי מְאַהֲבָי וְשַׂמְתִּים
טו לְיַעַר וַאֲכָלָתַם חַיַּת הַשָּׂדֶה׃ וּפָקַדְתִּי עָלֶיהָ אֶת־יְמֵי הַבְּעָלִים
אֲשֶׁר תַּקְטִיר לָהֶם וַתַּעַד נִזְמָהּ וְחֶלְיָתָהּ וַתֵּלֶךְ אַחֲרֵי מְאַהֲבֶיהָ
טז וְאֹתִי שָׁכְחָה נְאֻם־יְהוָה׃ לָכֵן הִנֵּה (הֲשָׁבַת יִשְׂרָאֵל לַעֲבוֹדַת ה׳:)
יז אָנֹכִי מְפַתֶּיהָ וְהֹלַכְתִּיהָ הַמִּדְבָּר וְדִבַּרְתִּי עַל־לִבָּהּ׃ וְנָתַתִּי לָהּ
אֶת־כְּרָמֶיהָ מִשָּׁם וְאֶת־עֵמֶק עָכוֹר לְפֶתַח תִּקְוָה וְעָנְתָה שָּׁמָּה
יח כִּימֵי נְעוּרֶיהָ וּכְיוֹם עֲלוֹתָהּ מֵאֶרֶץ־מִצְרָיִם׃ וְהָיָה בַיּוֹם־הַהוּא
יט נְאֻם־יְהוָה תִּקְרְאִי אִישִׁי וְלֹא־תִקְרְאִי־לִי עוֹד בַּעְלִי׃ וַהֲסִרֹתִי
כ אֶת־שְׁמוֹת הַבְּעָלִים מִפִּיהָ וְלֹא־יִזָּכְרוּ עוֹד בִּשְׁמָם׃ וְכָרַתִּי לָהֶם
בְרִית בַּיּוֹם הַהוּא עִם־חַיַּת הַשָּׂדֶה וְעִם־עוֹף הַשָּׁמַיִם וְרֶמֶשׂ
הָאֲדָמָה וְקֶשֶׁת וְחֶרֶב וּמִלְחָמָה אֶשְׁבּוֹר מִן־הָאָרֶץ וְהִשְׁכַּבְתִּים
כא לָבֶטַח׃ וְאֵרַשְׂתִּיךְ לִי לְעוֹלָם וְאֵרַשְׂתִּיךְ לִי בְּצֶדֶק וּבְמִשְׁפָּט (בְּרִית הָאֵרוּסִין:)
כב וּבְחֶסֶד וּבְרַחֲמִים׃ וְאֵרַשְׂתִּיךְ לִי בֶּאֱמוּנָה וְיָדַעַתְּ אֶת־יְהוָה׃
כג וְהָיָה ׀ בַּיּוֹם הַהוּא אֶעֱנֶה נְאֻם־יְהוָה אֶעֱנֶה אֶת־הַשָּׁמַיִם וְהֵם

כד יַעֲנוּ אֶת־הָאָרֶץ: וְהָאָרֶץ תַּעֲנֶה אֶת־הַדָּגָן וְאֶת־הַתִּירוֹשׁ וְאֶת־
כה הַיִּצְהָר וְהֵם יַעֲנוּ אֶת־יִזְרְעֶאל: וּזְרַעְתִּיהָ לִּי בָּאָרֶץ וְרִחַמְתִּי
אֶת־לֹא רֻחָמָה וְאָמַרְתִּי לְלֹא־עַמִּי עַמִּי־אַתָּה וְהוּא יֹאמַר
אֱלֹהָי:

נְבוּאָה לְשִׁיבַת הָעָם לְמַצָּבוֹ הַקּוֹדֵם:

ג א וַיֹּאמֶר יְהוָה אֵלַי עוֹד לֵךְ אֱהַב־אִשָּׁה אֲהֻבַת רֵעַ וּמְנָאָפֶת
כְּאַהֲבַת יְהוָה אֶת־בְּנֵי יִשְׂרָאֵל וְהֵם פֹּנִים אֶל־אֱלֹהִים אֲחֵרִים
ב וְאֹהֲבֵי אֲשִׁישֵׁי עֲנָבִים: וָאֶכְּרֶהָ לִּי בַּחֲמִשָּׁה עָשָׂר כָּסֶף וְחֹמֶר
ג שְׂעֹרִים וְלֶתֶךְ שְׂעֹרִים: וָאֹמַר אֵלֶיהָ יָמִים רַבִּים תֵּשְׁבִי לִי לֹא
ד תִזְנִי וְלֹא תִהְיִי לְאִישׁ וְגַם־אֲנִי אֵלָיִךְ: כִּי | יָמִים רַבִּים יֵשְׁבוּ בְּנֵי
יִשְׂרָאֵל אֵין מֶלֶךְ וְאֵין שָׂר וְאֵין זֶבַח וְאֵין מַצֵּבָה וְאֵין אֵפוֹד
ה וּתְרָפִים: אַחַר יָשֻׁבוּ בְּנֵי יִשְׂרָאֵל וּבִקְשׁוּ אֶת־יְהוָה אֱלֹהֵיהֶם וְאֵת
דָּוִיד מַלְכָּם וּפָחֲדוּ אֶל־יְהוָה וְאֶל־טוּבוֹ בְּאַחֲרִית הַיָּמִים:

אִשָּׁה נוֹסֶפֶת - כְּסֵמֶל לִזְנוּת יִשְׂרָאֵל:

ד א שִׁמְעוּ דְבַר־יְהוָה בְּנֵי יִשְׂרָאֵל כִּי רִיב לַיהוָה עִם־יוֹשְׁבֵי הָאָרֶץ
ב כִּי אֵין־אֱמֶת וְאֵין־חֶסֶד וְאֵין־דַּעַת אֱלֹהִים בָּאָרֶץ: אָלֹה וְכַחֵשׁ
ג וְרָצֹחַ וְגָנֹב וְנָאֹף פָּרָצוּ וְדָמִים בְּדָמִים נָגָעוּ: עַל־כֵּן | תֶּאֱבַל
הָאָרֶץ וְאֻמְלַל כָּל־יוֹשֵׁב בָּהּ בְּחַיַּת הַשָּׂדֶה וּבְעוֹף הַשָּׁמָיִם
ד וְגַם־דְּגֵי הַיָּם יֵאָסֵפוּ: אַךְ אִישׁ אַל־יָרֵב וְאַל־יוֹכַח אִישׁ וְעַמְּךָ
ה כִּמְרִיבֵי כֹהֵן: וְכָשַׁלְתָּ הַיּוֹם וְכָשַׁל גַּם־נָבִיא עִמְּךָ לָיְלָה וְדָמִיתִי
ו אִמֶּךָ: נִדְמוּ עַמִּי מִבְּלִי הַדָּעַת כִּי־אַתָּה הַדַּעַת מָאַסְתָּ ואמאסאך
וְאֶמְאָסְךָ מִכַּהֵן לִי וַתִּשְׁכַּח תּוֹרַת אֱלֹהֶיךָ אֶשְׁכַּח בָּנֶיךָ גַּם־אָנִי:
ז ח כְּרֻבָּם כֵּן חָטְאוּ־לִי כְּבוֹדָם בְּקָלוֹן אָמִיר: חַטַּאת עַמִּי יֹאכֵלוּ
ט וְאֶל־עֲוֺנָם יִשְׂאוּ נַפְשׁוֹ: וְהָיָה כָעָם כַּכֹּהֵן וּפָקַדְתִּי עָלָיו דְּרָכָיו
י וּמַעֲלָלָיו אָשִׁיב לוֹ: וְאָכְלוּ וְלֹא יִשְׂבָּעוּ הִזְנוּ וְלֹא יִפְרֹצוּ
יא יב כִּי־אֶת־יְהוָה עָזְבוּ לִשְׁמֹר: זְנוּת וְיַיִן וְתִירוֹשׁ יִקַּח־לֵב: עַמִּי
בְּעֵצוֹ יִשְׁאָל וּמַקְלוֹ יַגִּיד לוֹ כִּי רוּחַ זְנוּנִים הִתְעָה וַיִּזְנוּ מִתַּחַת

תּוֹכָחָה עַל עֲווֹנוֹת הָעָם:

מְאִיסַת תּוֹכַחַת הַנְּבִיאִים:

גּוֹרְמֵי חֲטָאֵי הָעָם:

יג אֱלֹהֵיהֶם׃ עַל־רָאשֵׁי הֶהָרִים יְזַבֵּחוּ וְעַל־הַגְּבָעוֹת יְקַטֵּרוּ תַּחַת
אַלּוֹן וְלִבְנֶה וְאֵלָה כִּי טוֹב צִלָּהּ עַל־כֵּן תִּזְנֶינָה בְּנוֹתֵיכֶם
יד וְכַלּוֹתֵיכֶם תְּנָאַפְנָה׃ לֹא־אֶפְקוֹד עַל־בְּנוֹתֵיכֶם כִּי תִזְנֶינָה וְעַל־
כַּלּוֹתֵיכֶם כִּי תְנָאַפְנָה כִּי־הֵם עִם־הַזֹּנוֹת יְפָרֵדוּ וְעִם־הַקְּדֵשׁוֹת
אַזְהָרָה לִיהוּדָה לֹא לְהִתְחַבֵּר לְיִשְׂרָאֵל:
טו יְזַבֵּחוּ וְעָם לֹא־יָבִין יִלָּבֵט׃ אִם־זֹנֶה אַתָּה יִשְׂרָאֵל אַל־יֶאְשַׁם
יְהוּדָה וְאַל־תָּבֹאוּ הַגִּלְגָּל וְאַל־תַּעֲלוּ בֵּית אָוֶן וְאַל־תִּשָּׁבְעוּ
טז חַי־יְהוָה׃ כִּי כְּפָרָה סֹרֵרָה סָרַר יִשְׂרָאֵל עַתָּה יִרְעֵם יְהוָה כְּכֶבֶשׂ
יז יח בַּמֶּרְחָב׃ חֲבוּר עֲצַבִּים אֶפְרָיִם הַנַּח־לוֹ׃ סָר סָבְאָם הַזְנֵה הִזְנוּ
יט אָהֲבוּ הֵבוּ קָלוֹן מָגִנֶּיהָ׃ צָרַר רוּחַ אוֹתָהּ בִּכְנָפֶיהָ וְיֵבֹשׁוּ
מִזִּבְחוֹתָם׃

תּוֹכָחָה לְיִשְׂרָאֵל עַל הִתְרַחֲקוּתָם מֵה׳:
ה א שִׁמְעוּ־זֹאת הַכֹּהֲנִים וְהַקְשִׁיבוּ ׀ בֵּית יִשְׂרָאֵל וּבֵית הַמֶּלֶךְ
הַאֲזִינוּ כִּי לָכֶם הַמִּשְׁפָּט כִּי־פַח הֱיִיתֶם לְמִצְפָּה וְרֶשֶׁת פְּרוּשָׂה
ב ג עַל־תָּבוֹר׃ וְשַׁחֲטָה שֵׂטִים הֶעְמִיקוּ וַאֲנִי מוּסָר לְכֻלָּם׃ אֲנִי יָדַעְתִּי
אֶפְרַיִם וְיִשְׂרָאֵל לֹא־נִכְחַד מִמֶּנִּי כִּי עַתָּה הִזְנֵיתָ אֶפְרַיִם נִטְמָא
ד יִשְׂרָאֵל׃ לֹא יִתְּנוּ מַעַלְלֵיהֶם לָשׁוּב אֶל־אֱלֹהֵיהֶם כִּי רוּחַ זְנוּנִים
ה בְּקִרְבָּם וְאֶת־יְהוָה לֹא יָדָעוּ׃ וְעָנָה גְאוֹן־יִשְׂרָאֵל בְּפָנָיו וְיִשְׂרָאֵל
ו וְאֶפְרַיִם יִכָּשְׁלוּ בַּעֲוֺנָם כָּשַׁל גַּם־יְהוּדָה עִמָּם׃ בְּצֹאנָם וּבִבְקָרָם
ז יֵלְכוּ לְבַקֵּשׁ אֶת־יְהוָה וְלֹא יִמְצָאוּ חָלַץ מֵהֶם׃ בַּיהוָה בָּגָדוּ כִּי־בָנִים
אַזְהָרַת הָעֹנֶשׁ לְאֶפְרַיִם וִיהוּדָה:
ח זָרִים יָלָדוּ עַתָּה יֹאכְלֵם חֹדֶשׁ אֶת־חֶלְקֵיהֶם׃ תִּקְעוּ
שׁוֹפָר בַּגִּבְעָה חֲצֹצְרָה בָּרָמָה הָרִיעוּ בֵּית אָוֶן אַחֲרֶיךָ בִּנְיָמִין׃
ט אֶפְרַיִם לְשַׁמָּה תִהְיֶה בְּיוֹם תּוֹכֵחָה בְּשִׁבְטֵי יִשְׂרָאֵל הוֹדַעְתִּי
י נֶאֱמָנָה׃ הָיוּ שָׂרֵי יְהוּדָה כְּמַסִּיגֵי גְּבוּל עֲלֵיהֶם אֶשְׁפּוֹךְ כַּמַּיִם
יא עֶבְרָתִי׃ עָשׁוּק אֶפְרַיִם רְצוּץ מִשְׁפָּט כִּי הוֹאִיל הָלַךְ אַחֲרֵי־צָו׃
הַהִשָּׁעֲנוּת עַל מַלְכֵי הַגּוֹיִם:
יב יג וַאֲנִי כָעָשׁ לְאֶפְרָיִם וְכָרָקָב לְבֵית יְהוּדָה׃ וַיַּרְא אֶפְרַיִם אֶת־חָלְיוֹ
וִיהוּדָה אֶת־מְזֹרוֹ וַיֵּלֶךְ אֶפְרַיִם אֶל־אַשּׁוּר וַיִּשְׁלַח אֶל־מֶלֶךְ יָרֵב

יד וְהוּא לֹא יוּכַל לִרְפֹּא לָכֶם וְלֹא־יִגְהֶה מִכֶּם מָזוֹר׃ כִּי אָנֹכִי כַשַּׁחַל
לְאֶפְרַיִם וְכַכְּפִיר לְבֵית יְהוּדָה אֲנִי אֲנִי אֶטְרֹף וְאֵלֵךְ אֶשָּׂא וְאֵין
טו מַצִּיל׃ אֵלֵךְ אָשׁוּבָה אֶל־מְקוֹמִי עַד אֲשֶׁר־יֶאְשְׁמוּ וּבִקְשׁוּ פָנָי
ו א בַּצַּר לָהֶם יְשַׁחֲרֻנְנִי׃ לְכוּ וְנָשׁוּבָה אֶל־יְהוָה כִּי הוּא טָרָף וְיִרְפָּאֵנוּ

הַיְשׁוּעָה שֶׁבַּתְּשׁוּבָה:

ב יַךְ וְיַחְבְּשֵׁנוּ׃ יְחַיֵּנוּ מִיֹּמָיִם בַּיּוֹם הַשְּׁלִישִׁי יְקִמֵנוּ וְנִחְיֶה לְפָנָיו׃
ג וְנֵדְעָה נִרְדְּפָה לָדַעַת אֶת־יְהוָה כְּשַׁחַר נָכוֹן מֹצָאוֹ וְיָבוֹא כַגֶּשֶׁם
ד לָנוּ כְּמַלְקוֹשׁ יוֹרֶה אָרֶץ׃ מָה אֶעֱשֶׂה־לְּךָ אֶפְרַיִם מָה אֶעֱשֶׂה־לְּךָ
ה יְהוּדָה וְחַסְדְּכֶם כַּעֲנַן־בֹּקֶר וְכַטַּל מַשְׁכִּים הֹלֵךְ׃ עַל־כֵּן חָצַבְתִּי
ו בַּנְּבִיאִים הֲרַגְתִּים בְּאִמְרֵי־פִי וּמִשְׁפָּטֶיךָ אוֹר יֵצֵא׃ כִּי חֶסֶד
ז חָפַצְתִּי וְלֹא־זָבַח וְדַעַת אֱלֹהִים מֵעֹלוֹת׃ וְהֵמָּה כְּאָדָם עָבְרוּ

בְּגִידַת הָעָם וַחֲטָאֵיהֶם:

ח ט בְּרִית שָׁם בָּגְדוּ בִי׃ גִּלְעָד קִרְיַת פֹּעֲלֵי אָוֶן עֲקֻבָּה מִדָּם׃ וּכְחַכֵּי
אִישׁ גְּדוּדִים חֶבֶר כֹּהֲנִים דֶּרֶךְ יְרַצְּחוּ־שֶׁכְמָה כִּי זִמָּה עָשׂוּ׃
י בְּבֵית יִשְׂרָאֵל רָאִיתִי שעריריה שַׁעֲרוּרִיָּה שָׁם זְנוּת לְאֶפְרַיִם נִטְמָא
יא יִשְׂרָאֵל׃ גַּם־יְהוּדָה שָׁת קָצִיר לָךְ בְּשׁוּבִי שְׁבוּת עַמִּי׃
ז א כְּרָפְאִי לְיִשְׂרָאֵל וְנִגְלָה עֲוֹן אֶפְרַיִם וְרָעוֹת שֹׁמְרוֹן כִּי פָעֲלוּ
ב שָׁקֶר וְגַנָּב יָבוֹא פָּשַׁט גְּדוּד בַּחוּץ׃ וּבַל־יֹאמְרוּ לִלְבָבָם

שְׁחִיתוּת הָעָם מְעַכֶּבֶת יְשׁוּעַת ה':

ג כָּל־רָעָתָם זָכָרְתִּי עַתָּה סְבָבוּם מַעַלְלֵיהֶם נֶגֶד פָּנַי הָיוּ׃ בְּרָעָתָם
ד יְשַׂמְּחוּ־מֶלֶךְ וּבְכַחֲשֵׁיהֶם שָׂרִים׃ כֻּלָּם מְנָאֲפִים כְּמוֹ תַנּוּר
ה בֹּעֵרָה מֵאֹפֶה יִשְׁבּוֹת מֵעִיר מִלּוּשׁ בָּצֵק עַד־חֻמְצָתוֹ׃ יוֹם מַלְכֵּנוּ
ו הֶחֱלוּ שָׂרִים חֲמַת מִיָּיִן מָשַׁךְ יָדוֹ אֶת־לֹצְצִים׃ כִּי־קֵרְבוּ כַתַּנּוּר
לִבָּם בְּאָרְבָּם כָּל־הַלַּיְלָה יָשֵׁן אֹפֵהֶם בֹּקֶר הוּא בֹעֵר כְּאֵשׁ לֶהָבָה׃
ז כֻּלָּם יֵחַמּוּ כַּתַּנּוּר וְאָכְלוּ אֶת־שֹׁפְטֵיהֶם כָּל־מַלְכֵיהֶם נָפָלוּ
ח אֵין־קֹרֵא בָהֶם אֵלָי׃ אֶפְרַיִם בָּעַמִּים הוּא יִתְבּוֹלָל אֶפְרַיִם הָיָה
ט עֻגָה בְּלִי הֲפוּכָה׃ אָכְלוּ זָרִים כֹּחוֹ וְהוּא לֹא יָדָע גַּם־שֵׂיבָה זָרְקָה
י בּוֹ וְהוּא לֹא יָדָע׃ וְעָנָה גְאוֹן־יִשְׂרָאֵל בְּפָנָיו וְלֹא־שָׁבוּ אֶל־יְהוָה

דִּכּוּי הַגּוֹיִם אֵינוֹ מְעוֹרֵר לִתְשׁוּבָה:

יא אֱלֹהֵיהֶם וְלֹא בִקְשֻׁהוּ בְּכָל־זֹאת: וַיְהִי אֶפְרַיִם כְּיוֹנָה פוֹתָה אֵין
יב לֵב מִצְרַיִם קָרָאוּ אַשּׁוּר הָלָכוּ: כַּאֲשֶׁר יֵלֵכוּ אֶפְרוֹשׂ עֲלֵיהֶם רִשְׁתִּי
יג כְּעוֹף הַשָּׁמַיִם אוֹרִידֵם אַיְסִרֵם כְּשֵׁמַע לַעֲדָתָם: אוֹי כְּפִיּוּת הַטּוֹבָה:
לָהֶם כִּי־נָדְדוּ מִמֶּנִּי שֹׁד לָהֶם כִּי־פָשְׁעוּ בִי וְאָנֹכִי אֶפְדֵּם וְהֵמָּה
יד דִּבְּרוּ עָלַי כְּזָבִים: וְלֹא־זָעֲקוּ אֵלַי בְּלִבָּם כִּי יְיֵלִילוּ עַל־
טו מִשְׁכְּבוֹתָם עַל־דָּגָן וְתִירוֹשׁ יִתְגּוֹרָרוּ יָסוּרוּ בִי: וַאֲנִי יִסַּרְתִּי
טז חִזַּקְתִּי זְרוֹעֹתָם וְאֵלַי יְחַשְּׁבוּ־רָע: יָשׁוּבוּ ׀ לֹא עָל הָיוּ כְּקֶשֶׁת
רְמִיָּה יִפְּלוּ בַחֶרֶב שָׂרֵיהֶם מִזַּעַם לְשׁוֹנָם זוֹ לַעְגָּם בְּאֶרֶץ
ח א מִצְרָיִם: אֶל־חִכְּךָ שֹׁפָר כַּנֶּשֶׁר עַל־בֵּית יְהוָה יַעַן עָבְרוּ בְרִיתִי קְרִיאָה לְאוֹיֵב לָבֹא:
ב ג וְעַל־תּוֹרָתִי פָּשָׁעוּ: לִי יִזְעָקוּ אֱלֹהַי יְדַעֲנוּךָ יִשְׂרָאֵל: זָנַח יִשְׂרָאֵל
ד טוֹב אוֹיֵב יִרְדְּפוֹ: הֵם הִמְלִיכוּ וְלֹא מִמֶּנִּי הֵשִׂירוּ וְלֹא יָדָעְתִּי חֵטְא הָעֲגָלִים
ה כַּסְפָּם וּזְהָבָם עָשׂוּ לָהֶם עֲצַבִּים לְמַעַן יִכָּרֵת: זָנַח עֶגְלֵךְ שֹׁמְרוֹן עֲדַיִן קַיָּם בְּלִבָּם:
ו חָרָה אַפִּי בָּם עַד־מָתַי לֹא יוּכְלוּ נִקָּיֹן: כִּי מִיִּשְׂרָאֵל וְהוּא חָרָשׁ
ז עָשָׂהוּ וְלֹא אֱלֹהִים הוּא כִּי־שְׁבָבִים יִהְיֶה עֵגֶל שֹׁמְרוֹן: כִּי רוּחַ שִׁפְלוּת הָעָם וְעַל
יִזְרָעוּ וְסוּפָתָה יִקְצֹרוּ קָמָה אֵין־לוֹ צֶמַח בְּלִי יַעֲשֶׂה־קֶּמַח אוּלַי הַגָּלוּת:
ח יַעֲשֶׂה זָרִים יִבְלָעֻהוּ: נִבְלַע יִשְׂרָאֵל עַתָּה הָיוּ בַגּוֹיִם כִּכְלִי
ט אֵין־חֵפֶץ בּוֹ: כִּי־הֵמָּה עָלוּ אַשּׁוּר פֶּרֶא בּוֹדֵד לוֹ אֶפְרַיִם הִתְנוּ
י אֲהָבִים: גַּם כִּי־יִתְנוּ בַגּוֹיִם עַתָּה אֲקַבְּצֵם וַיָּחֵלּוּ מְּעָט מִמַּשָּׂא
יא מֶלֶךְ שָׂרִים: כִּי־הִרְבָּה אֶפְרַיִם מִזְבְּחֹת לַחֲטֹא הָיוּ־לוֹ מִזְבְּחוֹת
יב יג לַחֲטֹא: אכתוב אֶכְתָּב־לוֹ רבו רֻבֵּי תּוֹרָתִי כְּמוֹ־זָר נֶחְשָׁבוּ: זִבְחֵי
הַבְהָבַי יִזְבְּחוּ בָשָׂר וַיֹּאכֵלוּ יְהוָה לֹא רָצָם עַתָּה יִזְכֹּר עֲוֺנָם
יד וְיִפְקֹד חַטֹּאותָם הֵמָּה מִצְרַיִם יָשׁוּבוּ: וַיִּשְׁכַּח יִשְׂרָאֵל אֶת־עֹשֵׂהוּ
וַיִּבֶן הֵיכָלוֹת וִיהוּדָה הִרְבָּה עָרִים בְּצֻרוֹת וְשִׁלַּחְתִּי־אֵשׁ בְּעָרָיו
וְאָכְלָה אַרְמְנֹתֶיהָ:
ט א אַל־תִּשְׂמַח יִשְׂרָאֵל ׀ אֶל־גִּיל כָּעַמִּים כִּי זָנִיתָ מֵעַל אֱלֹהֶיךָ

ב אָהַבְתָּ אֶתְנָן עַל כָּל־גָּרְנוֹת דָּגָן: גֹּרֶן וָיֶקֶב לֹא יִרְעֵם וְתִירוֹשׁ
ג יְכַחֶשׁ בָּהּ: לֹא יֵשְׁבוּ בְּאֶרֶץ יְהוָה וְשָׁב אֶפְרַיִם מִצְרַיִם וּבְאַשּׁוּר
ד טָמֵא יֹאכֵלוּ: לֹא־יִסְּכוּ לַיהוָה ׀ יַיִן וְלֹא יֶעֶרְבוּ־לוֹ זִבְחֵיהֶם כְּלֶחֶם
אוֹנִים לָהֶם כָּל־אֹכְלָיו יִטַּמָּאוּ כִּי־לַחְמָם לְנַפְשָׁם לֹא יָבוֹא בֵּית
ה ו יְהוָה: מַה־תַּעֲשׂוּ לְיוֹם מוֹעֵד וּלְיוֹם חַג־יְהוָה: כִּי־הִנֵּה הָלְכוּ
מִשֹּׁד מִצְרַיִם תְּקַבְּצֵם מֹף תְּקַבְּרֵם מַחְמַד לְכַסְפָּם קִמּוֹשׂ יִירָשֵׁם
ז חוֹחַ בְּאָהֳלֵיהֶם: בָּאוּ ׀ יְמֵי הַפְּקֻדָּה בָּאוּ יְמֵי הַשִּׁלֻּם יֵדְעוּ
יִשְׂרָאֵל אֱוִיל הַנָּבִיא מְשֻׁגָּע אִישׁ הָרוּחַ עַל רֹב עֲוֹנְךָ וְרַבָּה
ח מַשְׂטֵמָה: צֹפֶה אֶפְרַיִם עִם־אֱלֹהָי נָבִיא פַּח יָקוֹשׁ עַל־כָּל־דְּרָכָיו
ט מַשְׂטֵמָה בְּבֵית אֱלֹהָיו: הֶעְמִיקוּ שִׁחֵתוּ כִּימֵי הַגִּבְעָה יִזְכּוֹר
י עֲוֹנָם יִפְקוֹד חַטֹּאותָם: כַּעֲנָבִים בַּמִּדְבָּר מָצָאתִי
יִשְׂרָאֵל כְּבִכּוּרָה בִתְאֵנָה בְּרֵאשִׁיתָהּ רָאִיתִי אֲבוֹתֵיכֶם הֵמָּה
יא בָּאוּ בַעַל־פְּעוֹר וַיִּנָּזְרוּ לַבֹּשֶׁת וַיִּהְיוּ שִׁקּוּצִים כְּאָהֳבָם: אֶפְרַיִם
יב כָּעוֹף יִתְעוֹפֵף כְּבוֹדָם מִלֵּדָה וּמִבֶּטֶן וּמֵהֵרָיוֹן: כִּי אִם־יְגַדְּלוּ
אֶת־בְּנֵיהֶם וְשִׁכַּלְתִּים מֵאָדָם כִּי־גַם־אוֹי לָהֶם בְּשׂוּרִי מֵהֶם:
יג אֶפְרַיִם כַּאֲשֶׁר־רָאִיתִי לְצוֹר שְׁתוּלָה בְנָוֶה וְאֶפְרַיִם לְהוֹצִיא
יד אֶל־הֹרֵג בָּנָיו: תֵּן־לָהֶם יְהוָה מַה־תִּתֵּן תֵּן־לָהֶם רֶחֶם מַשְׁכִּיל
טו וְשָׁדַיִם צֹמְקִים: כָּל־רָעָתָם בַּגִּלְגָּל כִּי־שָׁם שְׂנֵאתִים עַל רֹעַ
מַעַלְלֵיהֶם מִבֵּיתִי אֲגָרְשֵׁם לֹא אוֹסֵף אַהֲבָתָם כָּל־שָׂרֵיהֶם
טז סֹרְרִים: הֻכָּה אֶפְרַיִם שָׁרְשָׁם יָבֵשׁ פְּרִי בלי בַל־יַעֲשׂוּן גַּם כִּי
יז יֵלֵדוּן וְהֵמַתִּי מַחֲמַדֵּי בִטְנָם: יִמְאָסֵם אֱלֹהַי כִּי לֹא שָׁמְעוּ לוֹ
י א וְיִהְיוּ נֹדְדִים בַּגּוֹיִם: גֶּפֶן בּוֹקֵק יִשְׂרָאֵל פְּרִי יְשַׁוֶּה־לּוֹ
כְּרֹב לְפִרְיוֹ הִרְבָּה לַמִּזְבְּחוֹת כְּטוֹב לְאַרְצוֹ הֵיטִיבוּ מַצֵּבוֹת:
ב חָלַק לִבָּם עַתָּה יֶאְשָׁמוּ הוּא יַעֲרֹף מִזְבְּחוֹתָם יְשֹׁדֵד מַצֵּבוֹתָם:
ג כִּי עַתָּה יֹאמְרוּ אֵין מֶלֶךְ לָנוּ כִּי לֹא יָרֵאנוּ אֶת־יְהוָה וְהַמֶּלֶךְ

הִתְגַּשְּׁמוּת נְבוּאוֹת הַפֻּרְעָנוּת שֶׁנִּמְאֲסָה:

כְּגֹדֶל הָאַהֲבָה מִקֶּדֶם - כֵּן הַמְּאִיסָה:

חֻרְבַּן הָעֲבוֹדָה זָרָה וְהַבּוּשָׁה לְעוֹבְדֶיהָ:

ד מַה־יַּעֲשֶׂה־לָּנוּ: דִּבְּרוּ דְבָרִים אָלוֹת שָׁוְא כָּרֹת בְּרִית וּפָרַח
ה כָּרֹאשׁ מִשְׁפָּט עַל תַּלְמֵי שָׂדָי: לְעֶגְלוֹת בֵּית אָוֶן יָגוּרוּ שְׁכַן
שֹׁמְרוֹן כִּי־אָבַל עָלָיו עַמּוֹ וּכְמָרָיו עָלָיו יָגִילוּ עַל־כְּבוֹדוֹ כִּי־גָלָה
ו מִמֶּנּוּ: גַּם־אוֹתוֹ לְאַשּׁוּר יוּבָל מִנְחָה לְמֶלֶךְ יָרֵב בָּשְׁנָה אֶפְרַיִם
ז יִקָּח וְיֵבוֹשׁ יִשְׂרָאֵל מֵעֲצָתוֹ: נִדְמֶה שֹׁמְרוֹן מַלְכָּהּ כְּקֶצֶף
ח עַל־פְּנֵי־מָיִם: וְנִשְׁמְדוּ בָּמוֹת אָוֶן חַטַּאת יִשְׂרָאֵל קוֹץ וְדַרְדַּר
יַעֲלֶה עַל־מִזְבְּחוֹתָם וְאָמְרוּ לֶהָרִים כַּסּוּנוּ וְלַגְּבָעוֹת נִפְלוּ
עָלֵינוּ:

הַפֻּרְעָנוּת, תּוֹצָאַת קַשְׁיוּת הָעֹרֶף:

ט מִימֵי הַגִּבְעָה חָטָאתָ יִשְׂרָאֵל שָׁם עָמָדוּ לֹא־תַשִּׂיגֵם בַּגִּבְעָה
י מִלְחָמָה עַל־בְּנֵי עַלְוָה: בְּאַוָּתִי וְאֶסֳּרֵם וְאֻסְּפוּ עֲלֵיהֶם עַמִּים
יא בְּאָסְרָם לִשְׁתֵּי עינתם עוֹנֹתָם: וְאֶפְרַיִם עֶגְלָה מְלֻמָּדָה אֹהַבְתִּי
לָדוּשׁ וַאֲנִי עָבַרְתִּי עַל־טוּב צַוָּארָהּ אַרְכִּיב אֶפְרַיִם יַחֲרוֹשׁ
יב יְהוּדָה יְשַׂדֶּד־לוֹ יַעֲקֹב: זִרְעוּ לָכֶם לִצְדָקָה קִצְרוּ לְפִי־חֶסֶד
נִירוּ לָכֶם נִיר וְעֵת לִדְרוֹשׁ אֶת־יְהוָה עַד־יָבוֹא וְיֹרֶה צֶדֶק לָכֶם:
יג חֲרַשְׁתֶּם־רֶשַׁע עַוְלָתָה קְצַרְתֶּם אֲכַלְתֶּם פְּרִי־כָחַשׁ כִּי־בָטַחְתָּ
יד בְדַרְכְּךָ בְּרֹב גִּבּוֹרֶיךָ: וְקָאם שָׁאוֹן בְּעַמֶּךָ וְכָל־מִבְצָרֶיךָ יוּשַּׁד
כְּשֹׁד שַׁלְמַן בֵּית אַרְבֵאל בְּיוֹם מִלְחָמָה אֵם עַל־בָּנִים רֻטָּשָׁה:
טו כָּכָה עָשָׂה לָכֶם בֵּית־אֵל מִפְּנֵי רָעַת רָעַתְכֶם בַּשַּׁחַר נִדְמֹה

אַהֲבַת ה׳ לְיִשְׂרָאֵל, וּבְרִיחָתָם מֵהַתּוֹכָחָה:

יא א נִדְמָה מֶלֶךְ יִשְׂרָאֵל: כִּי נַעַר יִשְׂרָאֵל וָאֹהֲבֵהוּ וּמִמִּצְרַיִם קָרָאתִי
ב לִבְנִי: קָרְאוּ לָהֶם כֵּן הָלְכוּ מִפְּנֵיהֶם לַבְּעָלִים יְזַבֵּחוּ וְלַפְּסִלִים
ג יְקַטֵּרוּן: וְאָנֹכִי תִרְגַּלְתִּי לְאֶפְרַיִם קָחָם עַל־זְרוֹעֹתָיו וְלֹא יָדְעוּ
ד כִּי רְפָאתִים: בְּחַבְלֵי אָדָם אֶמְשְׁכֵם בַּעֲבֹתוֹת אַהֲבָה וָאֶהְיֶה
ה לָהֶם כִּמְרִימֵי עֹל עַל לְחֵיהֶם וְאַט אֵלָיו אוֹכִיל: לֹא יָשׁוּב
ו אֶל־אֶרֶץ מִצְרַיִם וְאַשּׁוּר הוּא מַלְכּוֹ כִּי מֵאֲנוּ לָשׁוּב: וְחָלָה חֶרֶב
ז בְּעָרָיו וְכִלְּתָה בַדָּיו וְאָכָלָה מִמֹּעֲצוֹתֵיהֶם: וְעַמִּי תְלוּאִים

רַחֲמֵי ה' לָעָם וְשִׁיבָתוֹ לֵאלֹהָיו׃

ח לִמְשׁוּבָתִי וְאֶל־עַל יִקְרָאֻהוּ יַחַד לֹא יְרוֹמֵם׃ אֵיךְ אֶתֶּנְךָ אֶפְרַיִם
אֲמַגֶּנְךָ יִשְׂרָאֵל אֵיךְ אֶתֶּנְךָ כְאַדְמָה אֲשִׂימְךָ כִּצְבֹאיִם נֶהְפַּךְ
ט עָלַי לִבִּי יַחַד נִכְמְרוּ נִחוּמָי׃ לֹא אֶעֱשֶׂה חֲרוֹן אַפִּי לֹא אָשׁוּב
לְשַׁחֵת אֶפְרָיִם כִּי אֵל אָנֹכִי וְלֹא־אִישׁ בְּקִרְבְּךָ קָדוֹשׁ וְלֹא אָבוֹא
י בְּעִיר׃ אַחֲרֵי יְהוָה יֵלְכוּ כְּאַרְיֵה יִשְׁאָג כִּי־הוּא יִשְׁאַג וְיֶחֶרְדוּ
יא בָנִים מִיָּם׃ יֶחֶרְדוּ כְצִפּוֹר מִמִּצְרַיִם וּכְיוֹנָה מֵאֶרֶץ אַשּׁוּר

הַתּוֹכָחָה לְאֶפְרַיִם נֶאֱמֶרֶת לִיהוּדָה׃

יב א וְהוֹשַׁבְתִּים עַל־בָּתֵּיהֶם נְאֻם־יְהוָה׃ סְבָבֻנִי בְכַחַשׁ
אֶפְרַיִם וּבְמִרְמָה בֵּית יִשְׂרָאֵל וִיהוּדָה עֹד רָד עִם־אֵל וְעִם־
ב קְדוֹשִׁים נֶאֱמָן׃ אֶפְרַיִם רֹעֶה רוּחַ וְרֹדֵף קָדִים כָּל־הַיּוֹם כָּזָב
ג וָשֹׁד יַרְבֶּה וּבְרִית עִם־אַשּׁוּר יִכְרֹתוּ וְשֶׁמֶן לְמִצְרַיִם יוּבָל׃ וְרִיב
לַיהוָה עִם־יְהוּדָה וְלִפְקֹד עַל־יַעֲקֹב כִּדְרָכָיו כְּמַעֲלָלָיו יָשִׁיב

ד ה לוֹ׃ בַּבֶּטֶן עָקַב אֶת־אָחִיו וּבְאוֹנוֹ שָׂרָה אֶת־אֱלֹהִים׃ וַיָּשַׂר
אֶל־מַלְאָךְ וַיֻּכָל בָּכָה וַיִּתְחַנֶּן־לוֹ בֵּית־אֵל יִמְצָאֶנּוּ וְשָׁם יְדַבֵּר
ו ז עִמָּנוּ׃ וַיהוָה אֱלֹהֵי הַצְּבָאוֹת יְהוָה זִכְרוֹ׃ וְאַתָּה בֵּאלֹהֶיךָ תָשׁוּב

ח חֶסֶד וּמִשְׁפָּט שְׁמֹר וְקַוֵּה אֶל־אֱלֹהֶיךָ תָּמִיד׃ כְּנַעַן בְּיָדוֹ מֹאזְנֵי
ט מִרְמָה לַעֲשֹׁק אָהֵב׃ וַיֹּאמֶר אֶפְרַיִם אַךְ עָשַׁרְתִּי מָצָאתִי אוֹן לִי
י כָּל־יְגִיעַי לֹא יִמְצְאוּ־לִי עָוֹן אֲשֶׁר־חֵטְא׃ וְאָנֹכִי יְהוָה אֱלֹהֶיךָ

תּוֹכַחַת הַנְּבִיאִים׃

יא מֵאֶרֶץ מִצְרָיִם עֹד אוֹשִׁיבְךָ בָאֳהָלִים כִּימֵי מוֹעֵד׃ וְדִבַּרְתִּי
עַל־הַנְּבִיאִים וְאָנֹכִי חָזוֹן הִרְבֵּיתִי וּבְיַד הַנְּבִיאִים אֲדַמֶּה׃
יב אִם־גִּלְעָד אָוֶן אַךְ־שָׁוְא הָיוּ בַּגִּלְגָּל שְׁוָרִים זִבֵּחוּ גַּם מִזְבְּחוֹתָם

יג כְּגַלִּים עַל תַּלְמֵי שָׂדָי׃ וַיִּבְרַח יַעֲקֹב שְׂדֵה אֲרָם וַיַּעֲבֹד יִשְׂרָאֵל
יד בְּאִשָּׁה וּבְאִשָּׁה שָׁמָר׃ וּבְנָבִיא הֶעֱלָה יְהוָה אֶת־יִשְׂרָאֵל מִמִּצְרָיִם
טו וּבְנָבִיא נִשְׁמָר׃ הִכְעִיס אֶפְרַיִם תַּמְרוּרִים וְדָמָיו עָלָיו יִטּוֹשׁ

גְּדֻלַּת אֶפְרַיִם, וְחֶטְאוֹ׃

יג א וְחֶרְפָּתוֹ יָשִׁיב לוֹ אֲדֹנָיו׃ כְּדַבֵּר אֶפְרַיִם רְתֵת נָשָׂא הוּא בְּיִשְׂרָאֵל
ב וַיֶּאְשַׁם בַּבַּעַל וַיָּמֹת׃ וְעַתָּה ׀ יוֹסִפוּ לַחֲטֹא וַיַּעֲשׂוּ לָהֶם מַסֵּכָה

מִכַּסְפָּם כִּתְבוּנָם עֲצַבִּים מַעֲשֵׂה חָרָשִׁים כֻּלֹּה לָהֶם הֵם אֹמְרִים
זֹבְחֵי אָדָם עֲגָלִים יִשָּׁקוּן׃ לָכֵן יִהְיוּ כַּעֲנַן־בֹּקֶר וְכַטַּל מַשְׁכִּים ג

תְּמִיהָה עַל עֲזִיבַת יִשְׂרָאֵל אֶת ה׳:

הֹלֵךְ כְּמֹץ יְסֹעֵר מִגֹּרֶן וּכְעָשָׁן מֵאֲרֻבָּה׃ וְאָנֹכִי יְהוָה אֱלֹהֶיךָ ד
מֵאֶרֶץ מִצְרָיִם וֵאלֹהִים זוּלָתִי לֹא תֵדָע וּמוֹשִׁיעַ אַיִן בִּלְתִּי׃
אֲנִי יְדַעְתִּיךָ בַּמִּדְבָּר בְּאֶרֶץ תַּלְאֻבוֹת׃ כְּמַרְעִיתָם וַיִּשְׂבָּעוּ ה ו

הַפְּרָעָנוּת, תּוֹצָאַת מַעֲשֵׂיהֶם:

שָׂבְעוּ וַיָּרָם לִבָּם עַל־כֵּן שְׁכֵחוּנִי׃ וָאֱהִי לָהֶם כְּמוֹ־שָׁחַל כְּנָמֵר ז
עַל־דֶּרֶךְ אָשׁוּר׃ אֶפְגְּשֵׁם כְּדֹב שַׁכּוּל וְאֶקְרַע סְגוֹר לִבָּם וְאֹכְלֵם ח
שָׁם כְּלָבִיא חַיַּת הַשָּׂדֶה תְּבַקְּעֵם׃ שִׁחֶתְךָ יִשְׂרָאֵל כִּי־בִי בְעֶזְרֶךָ׃ ט
אֱהִי מַלְכְּךָ אֵפוֹא וְיוֹשִׁיעֲךָ בְּכָל־עָרֶיךָ וְשֹׁפְטֶיךָ אֲשֶׁר אָמַרְתָּ י
תְּנָה־לִּי מֶלֶךְ וְשָׂרִים׃ אֶתֶּן־לְךָ מֶלֶךְ בְּאַפִּי וְאֶקַּח בְּעֶבְרָתִי׃ יא

מְצוּי הַדִּין עִם אֶפְרָיִם:

צָרוּר עֲוֺן אֶפְרָיִם צְפוּנָה חַטָּאתוֹ׃ חֶבְלֵי יוֹלֵדָה יָבֹאוּ לוֹ הוּא־בֵן יב יג
לֹא חָכָם כִּי־עֵת לֹא־יַעֲמֹד בְּמִשְׁבַּר בָּנִים׃ מִיַּד שְׁאוֹל אֶפְדֵּם יד
מִמָּוֶת אֶגְאָלֵם אֱהִי דְבָרֶיךָ מָוֶת אֱהִי קָטָבְךָ שְׁאוֹל נֹחַם יִסָּתֵר
מֵעֵינָי׃ כִּי הוּא בֵּין אַחִים יַפְרִיא יָבוֹא קָדִים רוּחַ יְהוָה מִמִּדְבָּר טו
עֹלֶה וְיֵבוֹשׁ מְקוֹרוֹ וְיֶחֱרַב מַעְיָנוֹ הוּא יִשְׁסֶה אוֹצַר כָּל־כְּלִי
חֶמְדָּה׃ תֶּאְשַׁם שֹׁמְרוֹן כִּי מָרְתָה בֵּאלֹהֶיהָ בַּחֶרֶב יִפְּלוּ עֹלְלֵיהֶם א יד
יְרֻטָּשׁוּ וְהָרִיּוֹתָיו יְבֻקָּעוּ׃

פְּנִיָּה לָעָם לִתְשׁוּבָה:

שׁוּבָה יִשְׂרָאֵל עַד יְהוָה אֱלֹהֶיךָ כִּי כָשַׁלְתָּ בַּעֲוֺנֶךָ׃ קְחוּ עִמָּכֶם ב ג
דְּבָרִים וְשׁוּבוּ אֶל־יְהוָה אִמְרוּ אֵלָיו כָּל־תִּשָּׂא עָוֺן וְקַח־טוֹב
וּנְשַׁלְּמָה פָרִים שְׂפָתֵינוּ׃ אַשּׁוּר ׀ לֹא יוֹשִׁיעֵנוּ עַל־סוּס לֹא נִרְכָּב ד
וְלֹא־נֹאמַר עוֹד אֱלֹהֵינוּ לְמַעֲשֵׂה יָדֵינוּ אֲשֶׁר־בְּךָ יְרֻחַם יָתוֹם׃

קַבָּלַת הַתְּשׁוּבָה וַהֲטָבַת ה׳ לְיִשְׂרָאֵל:

אֶרְפָּא מְשׁוּבָתָם אֹהֲבֵם נְדָבָה כִּי שָׁב אַפִּי מִמֶּנּוּ׃ אֶהְיֶה כַטַּל ה ו
לְיִשְׂרָאֵל יִפְרַח כַּשּׁוֹשַׁנָּה וְיַךְ שָׁרָשָׁיו כַּלְּבָנוֹן׃ יֵלְכוּ יֹנְקוֹתָיו וִיהִי ז
כַזַּיִת הוֹדוֹ וְרֵיחַ לוֹ כַּלְּבָנוֹן׃ יָשֻׁבוּ יֹשְׁבֵי בְצִלּוֹ יְחַיּוּ דָגָן וְיִפְרְחוּ ח
כַגֶּפֶן זִכְרוֹ כְּיֵין לְבָנוֹן׃ אֶפְרַיִם מַה־לִּי עוֹד לָעֲצַבִּים אֲנִי עָנִיתִי ט

י וַאֲשׁוּרֶנּוּ אֲנִי כִּבְרוֹשׁ רַעֲנָן מִמֶּנִּי פֶּרְיְךָ נִמְצָא׃ מִי חָכָם וְיָבֵן
אֵלֶּה נָבוֹן וְיֵדָעֵם כִּי־יְשָׁרִים דַּרְכֵי יְהוָה וְצַדִּקִים יֵלְכוּ בָם
וּפֹשְׁעִים יִכָּשְׁלוּ בָם׃

הַכָּרָה בְּצִדְקַת דַּרְכֵי ה׳:

יואל [3228-83]
נְבוּאָה עַל מַכַּת הָאַרְבֶּה:

א א ב דְּבַר־יְהוָה אֲשֶׁר הָיָה אֶל־יוֹאֵל בֶּן־פְּתוּאֵל׃ שִׁמְעוּ־זֹאת
הַזְּקֵנִים וְהַאֲזִינוּ כֹּל יוֹשְׁבֵי הָאָרֶץ הֶהָיְתָה זֹּאת בִּימֵיכֶם וְאִם
ג בִּימֵי אֲבֹתֵיכֶם׃ עָלֶיהָ לִבְנֵיכֶם סַפֵּרוּ וּבְנֵיכֶם לִבְנֵיהֶם וּבְנֵיהֶם
ד לְדוֹר אַחֵר׃ יֶתֶר הַגָּזָם אָכַל הָאַרְבֶּה וְיֶתֶר הָאַרְבֶּה אָכַל הַיָּלֶק
ה וְיֶתֶר הַיֶּלֶק אָכַל הֶחָסִיל׃ הָקִיצוּ שִׁכּוֹרִים וּבְכוּ וְהֵילִלוּ כָּל־שֹׁתֵי
ו יָיִן עַל־עָסִיס כִּי נִכְרַת מִפִּיכֶם׃ כִּי־גוֹי עָלָה עַל־אַרְצִי עָצוּם
ז וְאֵין מִסְפָּר שִׁנָּיו שִׁנֵּי אַרְיֵה וּמְתַלְּעוֹת לָבִיא לוֹ׃ שָׂם גַּפְנִי
לְשַׁמָּה וּתְאֵנָתִי לִקְצָפָה חָשֹׂף חֲשָׂפָהּ וְהִשְׁלִיךְ הִלְבִּינוּ שָׂרִיגֶיהָ׃
ח ט אֱלִי כִּבְתוּלָה חֲגֻרַת־שַׂק עַל־בַּעַל נְעוּרֶיהָ׃ הָכְרַת מִנְחָה וָנֶסֶךְ
י מִבֵּית יְהוָה אָבְלוּ הַכֹּהֲנִים מְשָׁרְתֵי יְהוָה׃ שֻׁדַּד שָׂדֶה אָבְלָה
יא אֲדָמָה כִּי שֻׁדַּד דָּגָן הוֹבִישׁ תִּירוֹשׁ אֻמְלַל יִצְהָר׃ הֹבִישׁוּ אִכָּרִים
יב הֵילִילוּ כֹּרְמִים עַל־חִטָּה וְעַל־שְׂעֹרָה כִּי אָבַד קְצִיר שָׂדֶה׃ הַגֶּפֶן
הוֹבִישָׁה וְהַתְּאֵנָה אֻמְלָלָה רִמּוֹן גַּם־תָּמָר וְתַפּוּחַ כָּל־עֲצֵי
יג הַשָּׂדֶה יָבֵשׁוּ כִּי־הֹבִישׁ שָׂשׂוֹן מִן־בְּנֵי אָדָם׃ חִגְרוּ
וְסִפְדוּ הַכֹּהֲנִים הֵילִילוּ מְשָׁרְתֵי מִזְבֵּחַ בֹּאוּ לִינוּ בַשַּׂקִּים
יד מְשָׁרְתֵי אֱלֹהָי כִּי נִמְנַע מִבֵּית אֱלֹהֵיכֶם מִנְחָה וָנָסֶךְ׃ קַדְּשׁוּ־צוֹם
קִרְאוּ עֲצָרָה אִסְפוּ זְקֵנִים כֹּל יֹשְׁבֵי הָאָרֶץ בֵּית יְהוָה אֱלֹהֵיכֶם
טו וְזַעֲקוּ אֶל־יְהוָה׃ אֲהָהּ לַיּוֹם כִּי קָרוֹב יוֹם יְהוָה וּכְשֹׁד מִשַּׁדַּי
טז יָבוֹא׃ הֲלוֹא נֶגֶד עֵינֵינוּ אֹכֶל נִכְרָת מִבֵּית אֱלֹהֵינוּ שִׂמְחָה וָגִיל׃

תֵּאוּר הָאַרְבֶּה וְנִזְקָיו:

הָאֵבֶל וְהַצּוֹם:

יז עָבְשׁוּ פְרֻדוֹת תַּחַת מֶגְרְפֹתֵיהֶם נָשַׁמּוּ אֹצָרוֹת נֶהֶרְסוּ מַמְּגֻרוֹת
יח כִּי הֹבִישׁ דָּגָן: מַה־נֶּאֶנְחָה בְהֵמָה נָבֹכוּ עֶדְרֵי בָקָר כִּי אֵין
יט מִרְעֶה לָהֶם גַּם־עֶדְרֵי הַצֹּאן נֶאְשָׁמוּ: אֵלֶיךָ יְהוָה אֶקְרָא כִּי אֵשׁ
כ אָכְלָה נְאוֹת מִדְבָּר וְלֶהָבָה לִהֲטָה כָּל־עֲצֵי הַשָּׂדֶה: גַּם־בַּהֲמוֹת
שָׂדֶה תַּעֲרוֹג אֵלֶיךָ כִּי יָבְשׁוּ אֲפִיקֵי מָיִם וְאֵשׁ אָכְלָה נְאוֹת
ב א הַמִּדְבָּר: תִּקְעוּ שׁוֹפָר בְּצִיּוֹן וְהָרִיעוּ בְּהַר קָדְשִׁי יִרְגְּזוּ
הַשּׁוֹפָר הַקּוֹרֵא לִתְשׁוּבָה:
ב כֹּל יֹשְׁבֵי הָאָרֶץ כִּי־בָא יוֹם־יְהוָה כִּי קָרוֹב: יוֹם חֹשֶׁךְ וַאֲפֵלָה
יוֹם עָנָן וַעֲרָפֶל כְּשַׁחַר פָּרֻשׂ עַל־הֶהָרִים עַם רַב וְעָצוּם כָּמֹהוּ
לֹא נִהְיָה מִן־הָעוֹלָם וְאַחֲרָיו לֹא יוֹסֵף עַד־שְׁנֵי דּוֹר וָדוֹר:
ג לְפָנָיו אָכְלָה אֵשׁ וְאַחֲרָיו תְּלַהֵט לֶהָבָה כְּגַן־עֵדֶן הָאָרֶץ לְפָנָיו
תֵּאוּר רָעַת הָאַרְבֶּה:
ד וְאַחֲרָיו מִדְבַּר שְׁמָמָה וְגַם־פְּלֵיטָה לֹא־הָיְתָה לּוֹ: כְּמַרְאֵה
ה סוּסִים מַרְאֵהוּ וּכְפָרָשִׁים כֵּן יְרוּצוּן: כְּקוֹל מַרְכָּבוֹת עַל־רָאשֵׁי
הֶהָרִים יְרַקֵּדוּן כְּקוֹל לַהַב אֵשׁ אֹכְלָה קָשׁ כְּעַם עָצוּם עֱרוּךְ
ו ז מִלְחָמָה: מִפָּנָיו יָחִילוּ עַמִּים כָּל־פָּנִים קִבְּצוּ פָארוּר: כְּגִבּוֹרִים
יְרֻצוּן כְּאַנְשֵׁי מִלְחָמָה יַעֲלוּ חוֹמָה וְאִישׁ בִּדְרָכָיו יֵלֵכוּן וְלֹא
ח יְעַבְּטוּן אֹרְחוֹתָם: וְאִישׁ אָחִיו לֹא יִדְחָקוּן גֶּבֶר בִּמְסִלָּתוֹ יֵלֵכוּן
ט וּבְעַד הַשֶּׁלַח יִפֹּלוּ לֹא יִבְצָעוּ: בָּעִיר יָשֹׁקּוּ בַּחוֹמָה יְרֻצוּן בַּבָּתִּים
י יַעֲלוּ בְּעַד הַחַלּוֹנִים יָבֹאוּ כַּגַּנָּב: לְפָנָיו רָגְזָה אֶרֶץ רָעֲשׁוּ שָׁמָיִם
יא שֶׁמֶשׁ וְיָרֵחַ קָדָרוּ וְכוֹכָבִים אָסְפוּ נָגְהָם: וַיהוָה נָתַן קוֹלוֹ לִפְנֵי
חֵילוֹ כִּי רַב מְאֹד מַחֲנֵהוּ כִּי עָצוּם עֹשֵׂה דְבָרוֹ כִּי־גָדוֹל יוֹם־יְהוָה
יב וְנוֹרָא מְאֹד וּמִי יְכִילֶנּוּ: וְגַם־עַתָּה נְאֻם־יְהוָה שֻׁבוּ עָדַי בְּכָל־
קְרִיאָה לִתְשׁוּבָה, לְצוֹם וְלִתְפִלָּה:
יג לְבַבְכֶם וּבְצוֹם וּבִבְכִי וּבְמִסְפֵּד: וְקִרְעוּ לְבַבְכֶם וְאַל־בִּגְדֵיכֶם
וְשׁוּבוּ אֶל־יְהוָה אֱלֹהֵיכֶם כִּי־חַנּוּן וְרַחוּם הוּא אֶרֶךְ אַפַּיִם
יד וְרַב־חֶסֶד וְנִחָם עַל־הָרָעָה: מִי יוֹדֵעַ יָשׁוּב וְנִחָם וְהִשְׁאִיר
אַחֲרָיו בְּרָכָה מִנְחָה וָנֶסֶךְ לַיהוָה אֱלֹהֵיכֶם:

טז תִּקְע֣וּ שׁוֹפָר֮ בְּצִיּוֹן֒ קַדְּשׁוּ־צ֖וֹם קִרְא֥וּ עֲצָרָֽה׃ אִסְפוּ־עָ֞ם קַדְּשׁ֤וּ

הַשּׁוֹפָ֖ר
הַקּוֹרֵ֑א
לִתְפִלָּה׃

קָהָל֙ קִבְצ֣וּ זְקֵנִ֔ים אִסְפוּ֙ עֽוֹלָלִ֔ים וְיֹנְקֵ֖י שָׁדָ֑יִם יֵצֵ֤א חָתָן֙ מֵֽחֶדְר֔וֹ

יז וְכַלָּ֖ה מֵחֻפָּתָֽהּ׃ בֵּ֤ין הָֽאוּלָם֙ וְלַמִּזְבֵּ֔חַ יִבְכּוּ֙ הַכֹּ֣הֲנִ֔ים מְשָׁרְתֵ֖י

קַבָּלַת
תְּפִלָּתָם
וְהַבְטָחַת
הַשֶּׁפַע׃

יְהוָ֑ה וְֽיֹאמְר֡וּ ח֣וּסָה יְהוָ֣ה עַל־עַמֶּ֗ךָ וְאַל־תִּתֵּ֨ן נַחֲלָֽתְךָ֤ לְחֶרְפָּה֙

יח לִמְשָׁל־בָּ֣ם גּוֹיִ֔ם לָ֚מָּה יֹאמְר֣וּ בָֽעַמִּ֔ים אַיֵּ֖ה אֱלֹֽהֵיהֶ֑ם וַיְקַנֵּ֥א יְהוָ֖ה

יט לְאַרְצ֑וֹ וַיַּחְמֹ֖ל עַל־עַמּֽוֹ׃ וַיַּ֨עַן יְהוָ֜ה וַיֹּ֣אמֶר לְעַמּ֗וֹ הִנְנִ֨י שֹׁלֵ֤חַ

לָכֶם֙ אֶת־הַדָּגָן֙ וְהַתִּיר֣וֹשׁ וְהַיִּצְהָ֔ר וּשְׂבַעְתֶּ֖ם אֹת֑וֹ וְלֹא־אֶתֵּ֨ן

כ אֶתְכֶ֥ם ע֛וֹד חֶרְפָּ֖ה בַּגּוֹיִֽם׃ וְֽאֶת־הַצְּפוֹנִ֞י אַרְחִ֣יק מֵעֲלֵיכֶ֗ם

וְהִדַּחְתִּיו֮ אֶל־אֶ֣רֶץ צִיָּ֣ה וּשְׁמָמָה֒ אֶת־פָּנָ֗יו אֶל־הַיָּם֙ הַקַּדְמֹנִ֔י וְסֹפ֖וֹ

אֶל־הַיָּ֣ם הָאַחֲר֑וֹן וְעָלָ֣ה בָאְשׁ֗וֹ וְתַ֨עַל֙ צַחֲנָת֔וֹ כִּ֥י הִגְדִּ֖יל לַעֲשֽׂוֹת׃

כב אַל־תִּֽירְאִ֖י אֲדָמָ֑ה גִּ֣ילִי וּשְׂמָ֔חִי כִּֽי־הִגְדִּ֥יל יְהוָ֖ה לַעֲשֽׂוֹת׃ אַל־

תִּֽירְאוּ֙ בַּהֲמ֣וֹת שָׂדַ֔י כִּ֥י דָשְׁא֖וּ נְא֣וֹת מִדְבָּ֑ר כִּֽי־עֵץ֙ נָשָׂ֣א פִרְי֔וֹ

כג תְּאֵנָ֥ה וָגֶ֖פֶן נָתְנ֥וּ חֵילָֽם׃ וּבְנֵ֣י צִיּ֗וֹן גִּ֤ילוּ וְשִׂמְחוּ֙ בַּיהוָ֣ה אֱלֹֽהֵיכֶ֔ם

כִּֽי־נָתַ֥ן לָכֶ֛ם אֶת־הַמּוֹרֶ֖ה לִצְדָקָ֑ה וַיּ֣וֹרֶד לָכֶ֗ם גֶּ֛שֶׁם מוֹרֶ֥ה

כד וּמַלְק֖וֹשׁ בָּרִאשֽׁוֹן׃ וּמָלְא֥וּ הַגֳּרָנ֖וֹת בָּ֑ר וְהֵשִׁ֥יקוּ הַיְקָבִ֖ים תִּיר֥וֹשׁ

כה וְיִצְהָֽר׃ וְשִׁלַּמְתִּ֤י לָכֶם֙ אֶת־הַשָּׁנִ֔ים אֲשֶׁר֙ אָכַ֣ל הָֽאַרְבֶּ֔ה הַיֶּ֖לֶק

כו וְהֶחָסִ֣יל וְהַגָּזָ֑ם חֵילִי֙ הַגָּד֔וֹל אֲשֶׁ֥ר שִׁלַּ֖חְתִּי בָּכֶֽם׃ וַאֲכַלְתֶּ֤ם אָכוֹל֙

וְשָׂב֔וֹעַ וְהִלַּלְתֶּ֗ם אֶת־שֵׁ֤ם יְהוָה֙ אֱלֹ֣הֵיכֶ֔ם אֲשֶׁר־עָשָׂ֥ה עִמָּכֶ֖ם

כז לְהַפְלִ֑יא וְלֹא־יֵבֹ֥שׁוּ עַמִּ֖י לְעוֹלָֽם׃ וִידַעְתֶּ֗ם כִּ֣י בְקֶ֤רֶב יִשְׂרָאֵל֙

אָ֔נִי וַאֲנִ֛י יְהוָ֥ה אֱלֹהֵיכֶ֖ם וְאֵ֣ין ע֑וֹד וְלֹא־יֵבֹ֥שׁוּ עַמִּ֖י לְעוֹלָֽם׃

ג א וְהָיָ֣ה אַֽחֲרֵי־כֵ֗ן אֶשְׁפּ֤וֹךְ אֶת־רוּחִי֙ עַל־כָּל־בָּשָׂ֔ר וְנִבְּא֖וּ בְּנֵיכֶ֣ם

הַשְׁפָּעַת
הַנְּבוּאָה עַל
הָעָם׃

ב וּבְנֽוֹתֵיכֶ֑ם זִקְנֵיכֶם֙ חֲלֹמ֣וֹת יַחֲלֹמ֔וּן בַּח֣וּרֵיכֶ֔ם חֶזְיֹנ֖וֹת יִרְא֑וּ וְגַ֤ם

עַל־הָֽעֲבָדִים֙ וְעַל־הַשְּׁפָח֔וֹת בַּיָּמִ֣ים הָהֵ֑מָּה אֶשְׁפּ֖וֹךְ אֶת־רוּחִֽי׃

הַמּוֹפְתִים
לִפְנֵי בּוֹא
יוֹם ה'
הַגָּדוֹל׃

ג וְנָֽתַתִּי֙ מֽוֹפְתִ֔ים בַּשָּׁמַ֖יִם וּבָאָ֑רֶץ דָּ֣ם וָאֵ֔שׁ וְתִ֖ימֲר֥וֹת עָשָֽׁן׃ הַשֶּׁ֗מֶשׁ

יֵהָפֵ֣ךְ לְחֹ֔שֶׁךְ וְהַיָּרֵ֖חַ לְדָ֑ם לִפְנֵ֗י בּ֚וֹא י֣וֹם יְהוָ֔ה הַגָּד֖וֹל וְהַנּוֹרָֽא׃

ה וְהָיָה כֹּל אֲשֶׁר־יִקְרָא בְּשֵׁם יְהוָה יִמָּלֵט כִּי בְּהַר־צִיּוֹן וּבִירוּשָׁלִַם
תִּהְיֶה פְלֵיטָה כַּאֲשֶׁר אָמַר יְהוָה וּבַשְּׂרִידִים אֲשֶׁר יְהוָה קֹרֵא׃

מִשְׁפַּט הַגּוֹיִם׃

ד א כִּי הִנֵּה בַּיָּמִים הָהֵמָּה וּבָעֵת הַהִיא אֲשֶׁר אשוב אָשִׁיב אֶת־שְׁבוּת
ב יְהוּדָה וִירוּשָׁלִָם׃ וְקִבַּצְתִּי אֶת־כָּל־הַגּוֹיִם וְהוֹרַדְתִּים אֶל־עֵמֶק
יְהוֹשָׁפָט וְנִשְׁפַּטְתִּי עִמָּם שָׁם עַל־עַמִּי וְנַחֲלָתִי יִשְׂרָאֵל אֲשֶׁר
ג פִּזְּרוּ בַגּוֹיִם וְאֶת־אַרְצִי חִלֵּקוּ׃ וְאֶל־עַמִּי יַדּוּ גוֹרָל וַיִּתְּנוּ הַיֶּלֶד
ד בַּזּוֹנָה וְהַיַּלְדָּה מָכְרוּ בַיַּיִן וַיִּשְׁתּוּ׃ וְגַם מָה־אַתֶּם לִי צֹר וְצִידוֹן

מִשְׁפַּט צֹר, צִידוֹן וּפְלֶשֶׁת׃

וְכֹל גְּלִילוֹת פְּלָשֶׁת הַגְּמוּל אַתֶּם מְשַׁלְּמִים עָלָי וְאִם־גֹּמְלִים
ה אַתֶּם עָלַי קַל מְהֵרָה אָשִׁיב גְּמֻלְכֶם בְּרֹאשְׁכֶם׃ אֲשֶׁר־כַּסְפִּי
ו וּזְהָבִי לְקַחְתֶּם וּמַחֲמַדַּי הַטֹּבִים הֲבֵאתֶם לְהֵיכְלֵיכֶם׃ וּבְנֵי יְהוּדָה
וּבְנֵי יְרוּשָׁלִַם מְכַרְתֶּם לִבְנֵי הַיְּוָנִים לְמַעַן הַרְחִיקָם מֵעַל גְּבוּלָם׃
ז הִנְנִי מְעִירָם מִן־הַמָּקוֹם אֲשֶׁר־מְכַרְתֶּם אֹתָם שָׁמָּה וַהֲשִׁבֹתִי
ח גְמֻלְכֶם בְּרֹאשְׁכֶם׃ וּמָכַרְתִּי אֶת־בְּנֵיכֶם וְאֶת־בְּנוֹתֵיכֶם בְּיַד בְּנֵי
יְהוּדָה וּמְכָרוּם לִשְׁבָאיִם אֶל־גּוֹי רָחוֹק כִּי יְהוָה דִּבֵּר׃

תְּבוּסַת הַגּוֹיִם בְּעֵמֶק יְהוֹשָׁפָט׃

ט קִרְאוּ־זֹאת בַגּוֹיִם קַדְּשׁוּ מִלְחָמָה הָעִירוּ הַגִּבּוֹרִים יִגְּשׁוּ יַעֲלוּ
י כֹּל אַנְשֵׁי הַמִּלְחָמָה׃ כֹּתּוּ אִתֵּיכֶם לַחֲרָבוֹת וּמַזְמְרֹתֵיכֶם
יא לִרְמָחִים הַחַלָּשׁ יֹאמַר גִּבּוֹר אָנִי׃ עוּשׁוּ וָבֹאוּ כָל־הַגּוֹיִם מִסָּבִיב
יב וְנִקְבָּצוּ שָׁמָּה הַנְחַת יְהוָה גִּבּוֹרֶיךָ׃ יֵעוֹרוּ וְיַעֲלוּ הַגּוֹיִם אֶל־עֵמֶק
יג יְהוֹשָׁפָט כִּי שָׁם אֵשֵׁב לִשְׁפֹּט אֶת־כָּל־הַגּוֹיִם מִסָּבִיב׃ שִׁלְחוּ
מַגָּל כִּי בָשַׁל קָצִיר בֹּאוּ רְדוּ כִּי־מָלְאָה גַּת הֵשִׁיקוּ הַיְקָבִים כִּי
יד רַבָּה רָעָתָם׃ הֲמוֹנִים הֲמוֹנִים בְּעֵמֶק הֶחָרוּץ כִּי קָרוֹב יוֹם יְהוָה
טו טז בְּעֵמֶק הֶחָרוּץ׃ שֶׁמֶשׁ וְיָרֵחַ קָדָרוּ וְכוֹכָבִים אָסְפוּ נָגְהָם׃ וַיהוָה
מִצִּיּוֹן יִשְׁאָג וּמִירוּשָׁלִַם יִתֵּן קוֹלוֹ וְרָעֲשׁוּ שָׁמַיִם וָאָרֶץ וַיהוָה
יז מַחֲסֶה לְעַמּוֹ וּמָעוֹז לִבְנֵי יִשְׂרָאֵל׃ וִידַעְתֶּם כִּי אֲנִי יְהוָה
אֱלֹהֵיכֶם שֹׁכֵן בְּצִיּוֹן הַר־קָדְשִׁי וְהָיְתָה יְרוּשָׁלִַם קֹדֶשׁ וְזָרִים

יח לֹא־יַעַבְרוּ־בָהּ עוֹד: וְהָיָה בַיּוֹם הַהוּא יִטְּפוּ הֶהָרִים
עָסִיס וְהַגְּבָעוֹת תֵּלַכְנָה חָלָב וְכָל־אֲפִיקֵי יְהוּדָה יֵלְכוּ מָיִם
יט וּמַעְיָן מִבֵּית יְהוָה יֵצֵא וְהִשְׁקָה אֶת־נַחַל הַשִּׁטִּים: מִצְרַיִם
לִשְׁמָמָה תִהְיֶה וֶאֱדוֹם לְמִדְבַּר שְׁמָמָה תִּהְיֶה מֵחֲמַס בְּנֵי
כ יְהוּדָה אֲשֶׁר־שָׁפְכוּ דָם־נָקִיא בְּאַרְצָם: וִיהוּדָה לְעוֹלָם תֵּשֵׁב
כא וִירוּשָׁלִַם לְדוֹר וָדוֹר: וְנִקֵּיתִי דָּמָם לֹא־נִקֵּיתִי וַיהוָה שֹׁכֵן
בְּצִיּוֹן:

הַטּוֹבָה הַמֻּבְטַחַת וְהַנְּקָמָה בַּגּוֹיִם:

עמוס
[3165]

א א דִּבְרֵי עָמוֹס אֲשֶׁר־הָיָה בַנֹּקְדִים מִתְּקוֹעַ אֲשֶׁר חָזָה עַל־
יִשְׂרָאֵל בִּימֵי ׀ עֻזִּיָּה מֶלֶךְ־יְהוּדָה וּבִימֵי יָרָבְעָם בֶּן־יוֹאָשׁ מֶלֶךְ
ב יִשְׂרָאֵל שְׁנָתַיִם לִפְנֵי הָרָעַשׁ: וַיֹּאמַר ׀ יְהוָה מִצִּיּוֹן יִשְׁאָג
וּמִירוּשָׁלִַם יִתֵּן קוֹלוֹ וְאָבְלוּ נְאוֹת הָרֹעִים וְיָבֵשׁ רֹאשׁ
הַכַּרְמֶל:

תְּקוּפַת נְבוּאַת עָמוֹס:

ג כֹּה אָמַר יְהוָה עַל־שְׁלֹשָׁה פִּשְׁעֵי דַמֶּשֶׂק וְעַל־אַרְבָּעָה לֹא
ד אֲשִׁיבֶנּוּ עַל־דּוּשָׁם בַּחֲרֻצוֹת הַבַּרְזֶל אֶת־הַגִּלְעָד: וְשִׁלַּחְתִּי אֵשׁ
ה בְּבֵית חֲזָאֵל וְאָכְלָה אַרְמְנוֹת בֶּן־הֲדָד: וְשָׁבַרְתִּי בְּרִיחַ דַּמֶּשֶׂק
וְהִכְרַתִּי יוֹשֵׁב מִבִּקְעַת־אָוֶן וְתוֹמֵךְ שֵׁבֶט מִבֵּית עֶדֶן וְגָלוּ
עַם־אֲרָם קִירָה אָמַר יְהוָה:

נְבוּאַת פֻּרְעָנוּת עַל דַּמֶּשֶׂק:

ו כֹּה אָמַר יְהוָה עַל־שְׁלֹשָׁה פִּשְׁעֵי עַזָּה וְעַל־אַרְבָּעָה לֹא אֲשִׁיבֶנּוּ
ז עַל־הַגְלוֹתָם גָּלוּת שְׁלֵמָה לְהַסְגִּיר לֶאֱדוֹם: וְשִׁלַּחְתִּי אֵשׁ בְּחוֹמַת
ח עַזָּה וְאָכְלָה אַרְמְנֹתֶיהָ: וְהִכְרַתִּי יוֹשֵׁב מֵאַשְׁדּוֹד וְתוֹמֵךְ שֵׁבֶט
מֵאַשְׁקְלוֹן וַהֲשִׁיבוֹתִי יָדִי עַל־עֶקְרוֹן וְאָבְדוּ שְׁאֵרִית פְּלִשְׁתִּים
אָמַר אֲדֹנָי יְהוִה:

נְבוּאַת פֻּרְעָנוּת עַל פְּלֶשֶׁת:

נבואת
פרענות על
צר

כֹּה אָמַר יְהֹוָה עַל־שְׁלֹשָׁה פִּשְׁעֵי־צֹר וְעַל־אַרְבָּעָה לֹא אֲשִׁיבֶ֑נּוּ ט
עַל־הַסְגִּירָם גָּלוּת שְׁלֵמָה לֶאֱדֹום וְלֹא זָכְרוּ בְּרִית אַחִֽים׃
וְשִׁלַּחְתִּי אֵשׁ בְּחֹומַת צֹר וְאָכְלָה אַרְמְנֹתֶֽיהָ׃ י

נבואת
פרענות על
אדום

כֹּה אָמַר יְהֹוָה עַל־שְׁלֹשָׁה פִּשְׁעֵי אֱדֹום וְעַל־אַרְבָּעָה לֹא יא
אֲשִׁיבֶ֑נּוּ עַל־רׇדְפֹו בַחֶרֶב אָחִיו וְשִׁחֵת רַחֲמָיו וַיִּטְרֹף לָעַד אַפֹּו
וְעֶבְרָתֹו שְׁמָרָה נֶֽצַח׃ וְשִׁלַּחְתִּי אֵשׁ בְּתֵימָן וְאָכְלָה אַרְמְנֹות יב
בׇּצְרָֽה׃

נבואת
פרענות על
בני עמון

כֹּה אָמַר יְהֹוָה עַל־שְׁלֹשָׁה פִּשְׁעֵי בְנֵי־עַמֹּון וְעַל־אַרְבָּעָה לֹא יג
אֲשִׁיבֶ֑נּוּ עַל־בִּקְעָם הָרֹות הַגִּלְעָד לְמַעַן הַרְחִיב אֶת־גְּבוּלָֽם׃
וְהִצַּתִּי אֵשׁ בְּחֹומַת רַבָּה וְאָכְלָה אַרְמְנֹותֶיהָ בִּתְרוּעָה בְּיֹום יד
מִלְחָמָה בְּסַעַר בְּיֹום סוּפָֽה׃ וְהָלַךְ מַלְכָּם בַּגֹּולָה הוּא וְשָׂרָיו טו
יַחְדָּו אָמַר יְהֹוָֽה׃

נבואת
פרענות על
מואב

כֹּה אָמַר יְהֹוָה עַל־שְׁלֹשָׁה פִּשְׁעֵי מֹואָב וְעַל־אַרְבָּעָה לֹא ב א
אֲשִׁיבֶ֑נּוּ עַל־שׇׂרְפֹו עַצְמֹות מֶלֶךְ־אֱדֹום לַשִּֽׂיד׃ וְשִׁלַּחְתִּי־אֵשׁ ב
בְּמֹואָב וְאָכְלָה אַרְמְנֹות הַקְּרִיֹּות וּמֵת בְּשָׁאֹון מֹואָב בִּתְרוּעָה
בְּקֹול שֹׁופָֽר׃ וְהִכְרַתִּי שֹׁופֵט מִקִּרְבָּהּ וְכׇל־שָׂרֶיהָ אֶהֱרֹוג עִמֹּו ג
אָמַר יְהֹוָֽה׃

נבואת
פרענות על
יהודה

כֹּה אָמַר יְהֹוָה עַל־שְׁלֹשָׁה פִּשְׁעֵי יְהוּדָה וְעַל־אַרְבָּעָה לֹא ד
אֲשִׁיבֶ֑נּוּ עַל־מׇאֳסָם אֶת־תֹּורַת יְהֹוָה וְחֻקָּיו לֹא שָׁמָרוּ וַיַּתְעוּם
כִּזְבֵיהֶם אֲשֶׁר־הָלְכוּ אֲבֹותָם אַחֲרֵיהֶֽם׃ וְשִׁלַּחְתִּי אֵשׁ בִּיהוּדָה ה
וְאָכְלָה אַרְמְנֹות יְרוּשָׁלָֽ͏ִם׃

נבואת
פרענות על
ישראל

כֹּה אָמַר יְהֹוָה עַל־שְׁלֹשָׁה פִּשְׁעֵי יִשְׂרָאֵל וְעַל־אַרְבָּעָה לֹא ו
אֲשִׁיבֶ֑נּוּ עַל־מִכְרָם בַּכֶּסֶף צַדִּיק וְאֶבְיֹון בַּעֲבוּר נַעֲלָֽיִם׃
הַשֹּׁאֲפִים עַל־עֲפַר־אֶרֶץ בְּרֹאשׁ דַּלִּים וְדֶרֶךְ עֲנָוִים יַטּוּ וְאִישׁ ז
וְאָבִיו יֵלְכוּ אֶל־הַנַּעֲרָה לְמַעַן חַלֵּל אֶת־שֵׁם קׇדְשִׁי׃ וְעַל־בְּגָדִים ח

חֲבֻלִים יַטּוּ אֵצֶל כָּל־מִזְבֵּחַ וְיֵין עֲנוּשִׁים יִשְׁתּוּ בֵּית אֱלֹהֵיהֶם׃
ט וְאָנֹכִי הִשְׁמַדְתִּי אֶת־הָאֱמֹרִי מִפְּנֵיהֶם אֲשֶׁר כְּגֹבַהּ אֲרָזִים גָּבְהוֹ וְחָסֹן הוּא כָּאַלּוֹנִים וָאַשְׁמִיד פִּרְיוֹ מִמַּעַל וְשָׁרָשָׁיו מִתָּחַת׃ כְּפִיּוּת הַטּוֹבָה שֶׁל יִשְׂרָאֵל בַּה׳:
י וְאָנֹכִי הֶעֱלֵיתִי אֶתְכֶם מֵאֶרֶץ מִצְרָיִם וָאוֹלֵךְ אֶתְכֶם בַּמִּדְבָּר
יא אַרְבָּעִים שָׁנָה לָרֶשֶׁת אֶת־אֶרֶץ הָאֱמֹרִי׃ וָאָקִים מִבְּנֵיכֶם
לִנְבִיאִים וּמִבַּחוּרֵיכֶם לִנְזִרִים הַאַף אֵין־זֹאת בְּנֵי יִשְׂרָאֵל
יב נְאֻם־יְהוָה׃ וַתַּשְׁקוּ אֶת־הַנְּזִרִים יָיִן וְעַל־הַנְּבִיאִים צִוִּיתֶם לֵאמֹר
יג לֹא תִּנָּבְאוּ׃ הִנֵּה אָנֹכִי מֵעִיק תַּחְתֵּיכֶם כַּאֲשֶׁר תָּעִיק הָעֲגָלָה עָנְשָׁם שֶׁל יִשְׂרָאֵל:
יד הַמְלֵאָה לָהּ עָמִיר׃ וְאָבַד מָנוֹס מִקָּל וְחָזָק לֹא־יְאַמֵּץ כֹּחוֹ
טו וְגִבּוֹר לֹא־יְמַלֵּט נַפְשׁוֹ׃ וְתֹפֵשׂ הַקֶּשֶׁת לֹא יַעֲמֹד וְקַל בְּרַגְלָיו
טז לֹא יְמַלֵּט וְרֹכֵב הַסּוּס לֹא יְמַלֵּט נַפְשׁוֹ׃ וְאַמִּיץ לִבּוֹ בַּגִּבּוֹרִים
עָרוֹם יָנוּס בַּיּוֹם־הַהוּא נְאֻם־יְהוָה׃
ג א שִׁמְעוּ אֶת־הַדָּבָר הַזֶּה אֲשֶׁר דִּבֶּר יְהוָה עֲלֵיכֶם בְּנֵי יִשְׂרָאֵל עַל אַהֲבַת ה׳ אֶת יִשְׂרָאֵל הַסִּבָּה לִתְבִיעָה:
ב כָּל־הַמִּשְׁפָּחָה אֲשֶׁר הֶעֱלֵיתִי מֵאֶרֶץ מִצְרַיִם לֵאמֹר׃ רַק אֶתְכֶם
יָדַעְתִּי מִכֹּל מִשְׁפְּחוֹת הָאֲדָמָה עַל־כֵּן אֶפְקֹד עֲלֵיכֶם אֵת
ג ד כָּל־עֲוֹנֹתֵיכֶם׃ הֲיֵלְכוּ שְׁנַיִם יַחְדָּו בִּלְתִּי אִם־נוֹעָדוּ׃ הֲיִשְׁאַג אַרְיֵה מְשָׁלִים עַל וַדָּאוּת הִתְגַּשְּׁמוּת הַנְּבוּאָה:
בַּיַּעַר וְטֶרֶף אֵין לוֹ הֲיִתֵּן כְּפִיר קוֹלוֹ מִמְּעֹנָתוֹ בִּלְתִּי אִם־לָכָד׃
ה הֲתִפֹּל צִפּוֹר עַל־פַּח הָאָרֶץ וּמוֹקֵשׁ אֵין לָהּ הֲיַעֲלֶה־פַּח
ו מִן־הָאֲדָמָה וְלָכוֹד לֹא יִלְכּוֹד׃ אִם־יִתָּקַע שׁוֹפָר בְּעִיר וְעָם לֹא
ז יֶחֱרָדוּ אִם־תִּהְיֶה רָעָה בְּעִיר וַיהוָה לֹא עָשָׂה׃ כִּי לֹא יַעֲשֶׂה הִתְעוֹרְרוּת לְמוּסַר הַנְּבִיאִים:
ח אֲדֹנָי יְהוִה דָּבָר כִּי אִם־גָּלָה סוֹדוֹ אֶל־עֲבָדָיו הַנְּבִיאִים׃ אַרְיֵה
ט שָׁאָג מִי לֹא יִירָא אֲדֹנָי יְהוִה דִּבֶּר מִי לֹא יִנָּבֵא׃ הַשְׁמִיעוּ הַזְמָנַת פְּלִשְׁתִּים וּמִצְרַיִם לַעֲלוֹת עַל שֹׁמְרוֹן:
עַל־אַרְמְנוֹת בְּאַשְׁדּוֹד וְעַל־אַרְמְנוֹת בְּאֶרֶץ מִצְרָיִם וְאִמְרוּ
הֵאָסְפוּ עַל־הָרֵי שֹׁמְרוֹן וּרְאוּ מְהוּמֹת רַבּוֹת בְּתוֹכָהּ וַעֲשׁוּקִים
י בְּקִרְבָּהּ׃ וְלֹא־יָדְעוּ עֲשׂוֹת־נְכֹחָה נְאֻם־יְהוָה הָאֹצְרִים חָמָס

וָשֹׁד בְּאַרְמְנוֹתֵיהֶם׃

עָנְשָׁם שֶׁל יִשְׂרָאֵל וְהַשְׁמָדַת הָעֲבוֹדָה זָרָה׃

יא לָכֵן כֹּה אָמַר אֲדֹנָי יֱהֹוִה צַר וּסְבִיב הָאָרֶץ וְהוֹרִיד מִמֵּךְ עֻזֵּךְ
יב וְנָבֹזּוּ אַרְמְנוֹתָיִךְ׃ כֹּה אָמַר יְהוָה כַּאֲשֶׁר יַצִּיל הָרֹעֶה מִפִּי הָאֲרִי
שְׁתֵּי כְרָעַיִם אוֹ בְדַל־אֹזֶן כֵּן יִנָּצְלוּ בְּנֵי יִשְׂרָאֵל הַיֹּשְׁבִים
יג בְּשֹׁמְרוֹן בִּפְאַת מִטָּה וּבִדְמֶשֶׁק עָרֶשׂ׃ שִׁמְעוּ וְהָעִידוּ בְּבֵית
יד יַעֲקֹב נְאֻם־אֲדֹנָי יֱהֹוִה אֱלֹהֵי הַצְּבָאוֹת׃ כִּי בְּיוֹם פָּקְדִי פִשְׁעֵי־
יִשְׂרָאֵל עָלָיו וּפָקַדְתִּי עַל־מִזְבְּחוֹת בֵּית־אֵל וְנִגְדְּעוּ קַרְנוֹת
טו הַמִּזְבֵּחַ וְנָפְלוּ לָאָרֶץ׃ וְהִכֵּיתִי בֵית־הַחֹרֶף עַל־בֵּית הַקָּיִץ
ד א וְאָבְדוּ בָּתֵּי הַשֵּׁן וְסָפוּ בָּתִּים רַבִּים נְאֻם־יְהוָה׃ שִׁמְעוּ

תּוֹכָחָה לִנְשׁוֹת הַשָּׂרִים׃

הַדָּבָר הַזֶּה פָּרוֹת הַבָּשָׁן אֲשֶׁר בְּהַר שֹׁמְרוֹן הָעֹשְׁקוֹת דַּלִּים
ב הָרֹצְצוֹת אֶבְיוֹנִים הָאֹמְרֹת לַאֲדֹנֵיהֶם הָבִיאָה וְנִשְׁתֶּה׃ נִשְׁבַּע
אֲדֹנָי יֱהֹוִה בְּקָדְשׁוֹ כִּי הִנֵּה יָמִים בָּאִים עֲלֵיכֶם וְנִשָּׂא אֶתְכֶם
ג בְּצִנּוֹת וְאַחֲרִיתְכֶן בְּסִירוֹת דּוּגָה׃ וּפְרָצִים תֵּצֶאנָה אִשָּׁה נֶגְדָּהּ
ד וְהִשְׁלַכְתֶּנָה הַהַרְמוֹנָה נְאֻם־יְהוָה׃ בֹּאוּ בֵית־אֵל וּפִשְׁעוּ הַגִּלְגָּל
הַרְבּוּ לִפְשֹׁעַ וְהָבִיאוּ לַבֹּקֶר זִבְחֵיכֶם לִשְׁלֹשֶׁת יָמִים
ה מַעְשְׂרֹתֵיכֶם׃ וְקַטֵּר מֵחָמֵץ תּוֹדָה וְקִרְאוּ נְדָבוֹת הַשְׁמִיעוּ כִּי
ו כֵן אֲהַבְתֶּם בְּנֵי יִשְׂרָאֵל נְאֻם אֲדֹנָי יֱהֹוִה׃ וְגַם־אֲנִי נָתַתִּי לָכֶם

לַמְרוֹת הָעֹנֶשׁ לֹא חָזְרוּ בִּתְשׁוּבָה׃

נִקְיוֹן שִׁנַּיִם בְּכָל־עָרֵיכֶם וְחֹסֶר לֶחֶם בְּכֹל מְקוֹמֹתֵיכֶם וְלֹא־
ז שַׁבְתֶּם עָדַי נְאֻם־יְהוָה׃ וְגַם אָנֹכִי מָנַעְתִּי מִכֶּם אֶת־הַגֶּשֶׁם בְּעוֹד
שְׁלֹשָׁה חֳדָשִׁים לַקָּצִיר וְהִמְטַרְתִּי עַל־עִיר אֶחָת וְעַל־עִיר אַחַת
לֹא אַמְטִיר חֶלְקָה אַחַת תִּמָּטֵר וְחֶלְקָה אֲשֶׁר־לֹא־תַמְטִיר עָלֶיהָ
ח תִּיבָשׁ׃ וְנָעוּ שְׁתַּיִם שָׁלֹשׁ עָרִים אֶל־עִיר אַחַת לִשְׁתּוֹת מַיִם וְלֹא
ט יִשְׂבָּעוּ וְלֹא־שַׁבְתֶּם עָדַי נְאֻם־יְהוָה׃ הִכֵּיתִי אֶתְכֶם בַּשִּׁדָּפוֹן
וּבַיֵּרָקוֹן הַרְבּוֹת גַּנּוֹתֵיכֶם וְכַרְמֵיכֶם וּתְאֵנֵיכֶם וְזֵיתֵיכֶם יֹאכַל
י הַגָּזָם וְלֹא־שַׁבְתֶּם עָדַי נְאֻם־יְהוָה׃ שִׁלַּחְתִּי בָכֶם דֶּבֶר

בְּדֶרֶךְ מִצְרַיִם הָרַגְתִּי בַחֶרֶב בַּחוּרֵיכֶם עִם שְׁבִי סוּסֵיכֶם וָאַעֲלֶה
יא בְּאֹשׁ מַחֲנֵיכֶם וּבְאַפְּכֶם וְלֹא־שַׁבְתֶּם עָדַי נְאֻם־יְהוָה׃ הָפַכְתִּי
בָכֶם כְּמַהְפֵּכַת אֱלֹהִים אֶת־סְדֹם וְאֶת־עֲמֹרָה וַתִּהְיוּ כְּאוּד
יב מֻצָּל מִשְּׂרֵפָה וְלֹא־שַׁבְתֶּם עָדַי נְאֻם־יְהוָה׃ לָכֵן כֹּה אֶעֱשֶׂה־לְּךָ קְרִיאָה
יִשְׂרָאֵל עֵקֶב כִּי־זֹאת אֶעֱשֶׂה־לָּךְ הִכּוֹן לִקְרַאת־אֱלֹהֶיךָ יִשְׂרָאֵל׃ לִתְשׁוּבָה:
יג כִּי הִנֵּה יוֹצֵר הָרִים וּבֹרֵא רוּחַ וּמַגִּיד לְאָדָם מַה־שֵּׂחוֹ עֹשֵׂה
שַׁחַר עֵיפָה וְדֹרֵךְ עַל־בָּמֳתֵי אָרֶץ יְהוָה אֱלֹהֵי־צְבָאוֹת שְׁמוֹ׃
ה א שִׁמְעוּ אֶת־הַדָּבָר הַזֶּה אֲשֶׁר אָנֹכִי נֹשֵׂא עֲלֵיכֶם קִינָה בֵּית קִינָה עַל
ב יִשְׂרָאֵל׃ נָפְלָה לֹא־תוֹסִיף קוּם בְּתוּלַת יִשְׂרָאֵל נִטְּשָׁה עַל־ פֻּרְעָנוּת
ג אַדְמָתָהּ אֵין מְקִימָהּ׃ כִּי כֹה אָמַר אֲדֹנָי יְהוִה הָעִיר הַיֹּצֵאת יִשְׂרָאֵל:
אֶלֶף תַּשְׁאִיר מֵאָה וְהַיּוֹצֵאת מֵאָה תַּשְׁאִיר עֲשָׂרָה לְבֵית יִשְׂרָאֵל׃
ד ה כִּי כֹה אָמַר יְהוָה לְבֵית יִשְׂרָאֵל דִּרְשׁוּנִי וִחְיוּ׃ וְאַל־תִּדְרְשׁוּ
בֵּית־אֵל וְהַגִּלְגָּל לֹא תָבֹאוּ וּבְאֵר שֶׁבַע לֹא תַעֲבֹרוּ כִּי הַגִּלְגָּל
ו גָּלֹה יִגְלֶה וּבֵית־אֵל יִהְיֶה לְאָוֶן׃ דִּרְשׁוּ אֶת־יְהוָה וִחְיוּ פֶּן־יִצְלַח
ז כָּאֵשׁ בֵּית יוֹסֵף וַאֲכָלָה וְאֵין־מְכַבֶּה לְבֵית־אֵל׃ הַהֹפְכִים לְלַעֲנָה
ח מִשְׁפָּט וּצְדָקָה לָאָרֶץ הִנִּיחוּ׃ עֹשֵׂה כִימָה וּכְסִיל וְהֹפֵךְ לַבֹּקֶר
צַלְמָוֶת וְיוֹם לַיְלָה הֶחְשִׁיךְ הַקּוֹרֵא לְמֵי־הַיָּם וַיִּשְׁפְּכֵם עַל־פְּנֵי
ט הָאָרֶץ יְהוָה שְׁמוֹ׃ הַמַּבְלִיג שֹׁד עַל־עָז וְשֹׁד עַל־מִבְצָר יָבוֹא׃
י יא שָׂנְאוּ בַשַּׁעַר מוֹכִיחַ וְדֹבֵר תָּמִים יְתָעֵבוּ׃ לָכֵן יַעַן בּוֹשַׁסְכֶם תּוֹכָחָה עַל
עַל־דָּל וּמַשְׂאַת־בַּר תִּקְחוּ מִמֶּנּוּ בָּתֵּי גָזִית בְּנִיתֶם וְלֹא־תֵשְׁבוּ גְּזֵלַת הַדַּל:
יב בָם כַּרְמֵי־חֶמֶד נְטַעְתֶּם וְלֹא תִשְׁתּוּ אֶת־יֵינָם׃ כִּי יָדַעְתִּי רַבִּים
פִּשְׁעֵיכֶם וַעֲצֻמִים חַטֹּאתֵיכֶם צֹרְרֵי צַדִּיק לֹקְחֵי כֹפֶר וְאֶבְיוֹנִים
יג בַּשַּׁעַר הִטּוּ׃ לָכֵן הַמַּשְׂכִּיל בָּעֵת הַהִיא יִדֹּם כִּי עֵת רָעָה הִיא׃
יד דִּרְשׁוּ־טוֹב וְאַל־רָע לְמַעַן תִּחְיוּ וִיהִי־כֵן יְהוָה אֱלֹהֵי־ קְרִיאָה לָשׁוּב אֶל
טו צְבָאוֹת אִתְּכֶם כַּאֲשֶׁר אֲמַרְתֶּם׃ שִׂנְאוּ־רָע וְאֶהֱבוּ טוֹב וְהַצִּיגוּ ה':

בַּשַּׁעַר מִשְׁפָּט אוּלַי יֶחֱנַן יְהוָה אֱלֹהֵי־צְבָאוֹת שְׁאֵרִית
טז יוֹסֵף: לָכֵן כֹּה־אָמַר יְהוָה אֱלֹהֵי צְבָאוֹת אֲדֹנָי בְּכָל־
רְחֹבוֹת מִסְפֵּד וּבְכָל־חוּצוֹת יֹאמְרוּ הוֹ־הוֹ וְקָרְאוּ אִכָּר אֶל־אֵבֶל
יז וּמִסְפֵּד אֶל־יוֹדְעֵי נֶהִי: וּבְכָל־כְּרָמִים מִסְפֵּד כִּי־אֶעֱבֹר בְּקִרְבְּךָ
אָמַר יְהוָה:

יח פִּרְעָנוּת לַלּוֹעֲגִים לָאַזְהָרוֹת: הוֹי הַמִּתְאַוִּים אֶת־יוֹם יְהוָה לָמָּה־זֶּה לָכֶם יוֹם יְהוָה הוּא־חֹשֶׁךְ
יט וְלֹא־אוֹר: כַּאֲשֶׁר יָנוּס אִישׁ מִפְּנֵי הָאֲרִי וּפְגָעוֹ הַדֹּב וּבָא הַבַּיִת
כ וְסָמַךְ יָדוֹ עַל־הַקִּיר וּנְשָׁכוֹ הַנָּחָשׁ: הֲלֹא־חֹשֶׁךְ יוֹם יְהוָה
כא מְאִיסַת ה׳ בַּעֲבוֹדַת הָרְשָׁעִים: וְלֹא־אוֹר וְאָפֵל וְלֹא־נֹגַהּ לוֹ: שָׂנֵאתִי מָאַסְתִּי חַגֵּיכֶם וְלֹא
כב אָרִיחַ בְּעַצְּרֹתֵיכֶם: כִּי אִם־תַּעֲלוּ־לִי עֹלוֹת וּמִנְחֹתֵיכֶם לֹא
כג אֶרְצֶה וְשֶׁלֶם מְרִיאֵיכֶם לֹא אַבִּיט: הָסֵר מֵעָלַי הֲמוֹן שִׁרֶיךָ
כד וְזִמְרַת נְבָלֶיךָ לֹא אֶשְׁמָע: וְיִגַּל כַּמַּיִם מִשְׁפָּט וּצְדָקָה כְּנַחַל
כה אֵיתָן: הַזְּבָחִים וּמִנְחָה הִגַּשְׁתֶּם־לִי בַמִּדְבָּר אַרְבָּעִים שָׁנָה בֵּית
כו הַגָּלוּת הָרְשָׁעִים וֶאֱלִילֵיהֶם: יִשְׂרָאֵל: וּנְשָׂאתֶם אֵת סִכּוּת מַלְכְּכֶם וְאֵת כִּיּוּן צַלְמֵיכֶם כּוֹכַב
כז אֱלֹהֵיכֶם אֲשֶׁר עֲשִׂיתֶם לָכֶם: וְהִגְלֵיתִי אֶתְכֶם מֵהָלְאָה לְדַמָּשֶׂק
אָמַר יְהוָה אֱלֹהֵי־צְבָאוֹת שְׁמוֹ:

ו א עֹנֶשׁ גָּלוּת לַהוֹלְלִים: הוֹי הַשַּׁאֲנַנִּים בְּצִיּוֹן וְהַבֹּטְחִים בְּהַר שֹׁמְרוֹן נְקֻבֵי רֵאשִׁית הַגּוֹיִם
ב וּבָאוּ לָהֶם בֵּית יִשְׂרָאֵל: עִבְרוּ כַלְנֵה וּרְאוּ וּלְכוּ מִשָּׁם חֲמַת
רַבָּה וּרְדוּ גַת־פְּלִשְׁתִּים הֲטוֹבִים מִן־הַמַּמְלָכוֹת הָאֵלֶּה אִם־רַב
ג גְּבוּלָם מִגְּבֻלְכֶם: הַמְנַדִּים לְיוֹם רָע וַתַּגִּישׁוּן שֶׁבֶת חָמָס:
ד הַשֹּׁכְבִים עַל־מִטּוֹת שֵׁן וּסְרֻחִים עַל־עַרְשׂוֹתָם וְאֹכְלִים כָּרִים
ה מִצֹּאן וַעֲגָלִים מִתּוֹךְ מַרְבֵּק: הַפֹּרְטִים עַל־פִּי הַנָּבֶל כְּדָוִיד חָשְׁבוּ
ו לָהֶם כְּלֵי־שִׁיר: הַשֹּׁתִים בְּמִזְרְקֵי יַיִן וְרֵאשִׁית שְׁמָנִים יִמְשָׁחוּ
ז וְלֹא נֶחְלוּ עַל־שֵׁבֶר יוֹסֵף: לָכֵן עַתָּה יִגְלוּ בְּרֹאשׁ גֹּלִים וְסָר
ח מִרְזַח סְרוּחִים: נִשְׁבַּע אֲדֹנָי יְהוִה בְּנַפְשׁוֹ נְאֻם־יְהוָה אֱלֹהֵי

צְבָאוֹת מְתָאֵב אָנֹכִי אֶת־גְּאוֹן יַעֲקֹב וְאַרְמְנֹתָיו שָׂנֵאתִי
ט וְהִסְגַּרְתִּי עִיר וּמְלֹאָהּ׃ וְהָיָה אִם־יִוָּתְרוּ עֲשָׂרָה אֲנָשִׁים בְּבַיִת
י אֶחָד וָמֵתוּ׃ וּנְשָׂאוֹ דּוֹדוֹ וּמְסָרְפוֹ לְהוֹצִיא עֲצָמִים מִן־הַבַּיִת
וְאָמַר לַאֲשֶׁר בְּיַרְכְּתֵי הַבַּיִת הַעוֹד עִמָּךְ וְאָמַר אָפֶס וְאָמַר הָס
יא כִּי לֹא לְהַזְכִּיר בְּשֵׁם יְהוָה׃ כִּי־הִנֵּה
יְהוָה מְצַוֶּה וְהִכָּה הַבַּיִת הַגָּדוֹל רְסִיסִים וְהַבַּיִת הַקָּטֹן בְּקִעִים׃
יב הַיְרֻצוּן בַּסֶּלַע סוּסִים אִם־יַחֲרוֹשׁ בַּבְּקָרִים כִּי־הֲפַכְתֶּם לְרֹאשׁ
יג מִשְׁפָּט וּפְרִי צְדָקָה לְלַעֲנָה׃ הַשְּׂמֵחִים לְלֹא דָבָר הָאֹמְרִים הֲלוֹא
יד בְּחָזְקֵנוּ לָקַחְנוּ לָנוּ קַרְנָיִם׃ כִּי הִנְנִי מֵקִים עֲלֵיכֶם בֵּית יִשְׂרָאֵל
נְאֻם־יְהוָה אֱלֹהֵי הַצְּבָאוֹת גּוֹי וְלָחֲצוּ אֶתְכֶם מִלְּבוֹא חֲמָת
עַד־נַחַל הָעֲרָבָה׃

ז א כֹּה הִרְאַנִי אֲדֹנָי יֱהוִה וְהִנֵּה יוֹצֵר גֹּבַי בִּתְחִלַּת עֲלוֹת הַלָּקֶשׁ
ב וְהִנֵּה־לֶקֶשׁ אַחַר גִּזֵּי הַמֶּלֶךְ׃ וְהָיָה אִם־כִּלָּה לֶאֱכוֹל אֶת־עֵשֶׂב
הָאָרֶץ וָאֹמַר אֲדֹנָי יֱהוִה סְלַח־נָא מִי יָקוּם יַעֲקֹב כִּי קָטֹן הוּא׃
ג ד נִחַם יְהוָה עַל־זֹאת לֹא תִהְיֶה אָמַר יְהוָה׃ כֹּה הִרְאַנִי אֲדֹנָי
יֱהוִה וְהִנֵּה קֹרֵא לָרִב בָּאֵשׁ אֲדֹנָי יֱהוִה וַתֹּאכַל אֶת־תְּהוֹם רַבָּה
ה וְאָכְלָה אֶת־הַחֵלֶק׃ וָאֹמַר אֲדֹנָי יֱהוִה חֲדַל־נָא מִי יָקוּם יַעֲקֹב
ו כִּי קָטֹן הוּא׃ נִחַם יְהוָה עַל־זֹאת גַּם־הִיא לֹא תִהְיֶה אָמַר
אֲדֹנָי יֱהוִה׃

ז ח כֹּה הִרְאַנִי וְהִנֵּה אֲדֹנָי נִצָּב עַל־חוֹמַת אֲנָךְ וּבְיָדוֹ אֲנָךְ׃ וַיֹּאמֶר
יְהוָה אֵלַי מָה־אַתָּה רֹאֶה עָמוֹס וָאֹמַר אֲנָךְ וַיֹּאמֶר אֲדֹנָי הִנְנִי
ט שָׂם אֲנָךְ בְּקֶרֶב עַמִּי יִשְׂרָאֵל לֹא־אוֹסִיף עוֹד עֲבוֹר לוֹ׃ וְנָשַׁמּוּ
בָּמוֹת יִשְׂחָק וּמִקְדְּשֵׁי יִשְׂרָאֵל יֶחֱרָבוּ וְקַמְתִּי עַל־בֵּית יָרָבְעָם
י בֶּחָרֶב׃ וַיִּשְׁלַח אֲמַצְיָה
כֹּהֵן בֵּית־אֵל אֶל־יָרָבְעָם מֶלֶךְ־יִשְׂרָאֵל לֵאמֹר קָשַׁר עָלֶיךָ עָמוֹס

בְּקֶרֶב בֵּית יִשְׂרָאֵל לֹא־תוּכַל הָאָרֶץ לְהָכִיל אֶת־כָּל־דְּבָרָיו׃
יא כִּי־כֹה אָמַר עָמוֹס בַּחֶרֶב יָמוּת יָרָבְעָם וְיִשְׂרָאֵל גָּלֹה יִגְלֶה
יב מֵעַל אַדְמָתוֹ׃ וַיֹּאמֶר אֲמַצְיָה אֶל־עָמוֹס חֹזֶה לֵךְ
וִכּוּחַ אֲמַצְיָה עִם עָמוֹס׃
יג בְּרַח־לְךָ אֶל־אֶרֶץ יְהוּדָה וֶאֱכָל־שָׁם לֶחֶם וְשָׁם תִּנָּבֵא׃ וּבֵית־אֵל
לֹא־תוֹסִיף עוֹד לְהִנָּבֵא כִּי מִקְדַּשׁ־מֶלֶךְ הוּא וּבֵית מַמְלָכָה
יד הוּא׃ וַיַּעַן עָמוֹס וַיֹּאמֶר אֶל־אֲמַצְיָה לֹא־נָבִיא אָנֹכִי וְלֹא
טו בֶן־נָבִיא אָנֹכִי כִּי־בוֹקֵר אָנֹכִי וּבוֹלֵס שִׁקְמִים׃ וַיִּקָּחֵנִי יְהוָה
מֵאַחֲרֵי הַצֹּאן וַיֹּאמֶר אֵלַי יְהוָה לֵךְ הִנָּבֵא אֶל־עַמִּי יִשְׂרָאֵל׃
טז וְעַתָּה שְׁמַע דְּבַר־יְהוָה אַתָּה אֹמֵר לֹא תִנָּבֵא עַל־יִשְׂרָאֵל וְלֹא
יז תַטִּיף עַל־בֵּית יִשְׂחָק׃ לָכֵן כֹּה־אָמַר יְהוָה אִשְׁתְּךָ בָּעִיר
תִּזְנֶה וּבָנֶיךָ וּבְנֹתֶיךָ בַּחֶרֶב יִפֹּלוּ וְאַדְמָתְךָ בַּחֶבֶל תְּחֻלָּק
וְאַתָּה עַל־אֲדָמָה טְמֵאָה תָּמוּת וְיִשְׂרָאֵל גָּלֹה יִגְלֶה מֵעַל
אַדְמָתוֹ׃

ח א ב כֹּה הִרְאַנִי אֲדֹנָי יְהוִה וְהִנֵּה כְּלוּב קָיִץ׃ וַיֹּאמֶר מָה־אַתָּה רֹאֶה
נְבוּאַת הַקֵּץ עַל יִשְׂרָאֵל׃
עָמוֹס וָאֹמַר כְּלוּב קָיִץ וַיֹּאמֶר יְהוָה אֵלַי בָּא הַקֵּץ אֶל־עַמִּי
ג יִשְׂרָאֵל לֹא־אוֹסִיף עוֹד עֲבוֹר לוֹ׃ וְהֵילִילוּ שִׁירוֹת הֵיכָל בַּיּוֹם
הַהוּא נְאֻם אֲדֹנָי יְהוִה רַב הַפֶּגֶר בְּכָל־מָקוֹם הִשְׁלִיךְ הָס׃

ד ה שִׁמְעוּ־זֹאת הַשֹּׁאֲפִים אֶבְיוֹן וְלַשְׁבִּית ענוי עֲנִיֵּי־אָרֶץ׃ לֵאמֹר מָתַי
תּוֹכָחָה לְעוֹשְׁקֵי דַלִּים וְעֹנֶשׁ הַצָּפוּי׃
יַעֲבֹר הַחֹדֶשׁ וְנַשְׁבִּירָה שֶּׁבֶר וְהַשַּׁבָּת וְנִפְתְּחָה־בָּר לְהַקְטִין אֵיפָה
ו וּלְהַגְדִּיל שֶׁקֶל וּלְעַוֵּת מֹאזְנֵי מִרְמָה׃ לִקְנוֹת בַּכֶּסֶף דַּלִּים וְאֶבְיוֹן
ז בַּעֲבוּר נַעֲלָיִם וּמַפַּל בַּר נַשְׁבִּיר׃ נִשְׁבַּע יְהוָה בִּגְאוֹן יַעֲקֹב
ח אִם־אֶשְׁכַּח לָנֶצַח כָּל־מַעֲשֵׂיהֶם׃ הַעַל זֹאת לֹא־תִרְגַּז הָאָרֶץ
וְאָבַל כָּל־יוֹשֵׁב בָּהּ וְעָלְתָה כָאֹר כֻּלָּהּ וְנִגְרְשָׁה ונשקה וְנִשְׁקְעָה
כִּיאוֹר מִצְרָיִם׃

ט וְהָיָה ׀ בַּיּוֹם הַהוּא נְאֻם אֲדֹנָי יְהוִה וְהֵבֵאתִי הַשֶּׁמֶשׁ בַּצָּהֳרָיִם

וְהַחֲשַׁכְתִּי לָאָרֶץ בְּיוֹם אוֹר: וְהָפַכְתִּי חַגֵּיכֶם לְאֵבֶל וְכָל־שִׁירֵיכֶם י
לְקִינָה וְהַעֲלֵיתִי עַל־כָּל־מָתְנַיִם שָׂק וְעַל־כָּל־רֹאשׁ קָרְחָה
וְשַׂמְתִּיהָ כְּאֵבֶל יָחִיד וְאַחֲרִיתָהּ כְּיוֹם מָר:

הָעַמָּא
לְדָבָר ה׳
וְסִפֶּלֶת
הָעֲבוֹדָה
זָרָה:
הִנֵּה ׀ יָמִים בָּאִים נְאֻם אֲדֹנָי יֱהֹוִה וְהִשְׁלַחְתִּי רָעָב בָּאָרֶץ יא
לֹא־רָעָב לַלֶּחֶם וְלֹא־צָמָא לַמַּיִם כִּי אִם־לִשְׁמֹעַ אֵת דִּבְרֵי
יְהֹוָה: וְנָעוּ מִיָּם עַד־יָם וּמִצָּפוֹן וְעַד־מִזְרָח יְשׁוֹטְטוּ לְבַקֵּשׁ יב
אֶת־דְּבַר־יְהֹוָה וְלֹא יִמְצָאוּ: בַּיּוֹם הַהוּא תִּתְעַלַּפְנָה הַבְּתוּלֹת יג
הַיָּפוֹת וְהַבַּחוּרִים בַּצָּמָא: הַנִּשְׁבָּעִים בְּאַשְׁמַת שֹׁמְרוֹן וְאָמְרוּ יד
חֵי אֱלֹהֶיךָ דָּן וְחֵי דֶּרֶךְ בְּאֵר־שָׁבַע וְנָפְלוּ וְלֹא־יָקוּמוּ עוֹד:

גֵּרוּשׁ
יִשְׂרָאֵל
מֵאַרְצוֹ:
רָאִיתִי אֶת־אֲדֹנָי נִצָּב עַל־הַמִּזְבֵּחַ וַיֹּאמֶר הַךְ הַכַּפְתּוֹר ט
וְיִרְעֲשׁוּ הַסִּפִּים וּבְצַעַם בְּרֹאשׁ כֻּלָּם וְאַחֲרִיתָם בַּחֶרֶב אֶהֱרֹג
לֹא־יָנוּס לָהֶם נָס וְלֹא־יִמָּלֵט לָהֶם פָּלִיט: אִם־יַחְתְּרוּ בִשְׁאוֹל ב
מִשָּׁם יָדִי תִקָּחֵם וְאִם־יַעֲלוּ הַשָּׁמַיִם מִשָּׁם אוֹרִידֵם: וְאִם־יֵחָבְאוּ ג
בְּרֹאשׁ הַכַּרְמֶל מִשָּׁם אֲחַפֵּשׂ וּלְקַחְתִּים וְאִם־יִסָּתְרוּ מִנֶּגֶד עֵינַי
בְּקַרְקַע הַיָּם מִשָּׁם אֲצַוֶּה אֶת־הַנָּחָשׁ וּנְשָׁכָם: וְאִם־יֵלְכוּ בַשְּׁבִי ד
לִפְנֵי אֹיְבֵיהֶם מִשָּׁם אֲצַוֶּה אֶת־הַחֶרֶב וַהֲרָגָתַם וְשַׂמְתִּי עֵינִי
עֲלֵיהֶם לְרָעָה וְלֹא לְטוֹבָה: וַאדֹנָי יֱהֹוִה הַצְּבָאוֹת הַנּוֹגֵעַ בָּאָרֶץ ה
וַתָּמוֹג וְאָבְלוּ כָּל־יוֹשְׁבֵי בָהּ וְעָלְתָה כַיְאֹר כֻּלָּהּ וְשָׁקְעָה כִּיאֹר
מִצְרָיִם: הַבּוֹנֶה בַשָּׁמַיִם מַעֲלוֹתָו וַאֲגֻדָּתוֹ עַל־אֶרֶץ יְסָדָהּ ו
הַקֹּרֵא לְמֵי־הַיָּם וַיִּשְׁפְּכֵם עַל־פְּנֵי הָאָרֶץ יְהֹוָה שְׁמוֹ:

עֹנֶשׁ
הָרְשָׁעִים
וְהַצָּלַת
הַצַּדִּיקִים:
הֲלוֹא כִבְנֵי כֻשִׁיִּים אַתֶּם לִי בְּנֵי יִשְׂרָאֵל נְאֻם־יְהֹוָה הֲלוֹא ז
אֶת־יִשְׂרָאֵל הֶעֱלֵיתִי מֵאֶרֶץ מִצְרַיִם וּפְלִשְׁתִּיִּים מִכַּפְתּוֹר וַאֲרָם
מִקִּיר: הִנֵּה עֵינֵי ׀ אֲדֹנָי יֱהֹוִה בַּמַּמְלָכָה הַחַטָּאָה וְהִשְׁמַדְתִּי ח
אֹתָהּ מֵעַל פְּנֵי הָאֲדָמָה אֶפֶס כִּי לֹא הַשְׁמֵיד אַשְׁמִיד אֶת־בֵּית
יַעֲקֹב נְאֻם־יְהֹוָה: כִּי־הִנֵּה אָנֹכִי מְצַוֶּה וַהֲנִעוֹתִי בְכָל־הַגּוֹיִם ט

אֶת־בֵּית יִשְׂרָאֵל כַּאֲשֶׁר יִנּוֹעַ בַּכְּבָרָה וְלֹא־יִפּוֹל צְרוֹר אָרֶץ:
י בַּחֶרֶב יָמוּתוּ כֹּל חַטָּאֵי עַמִּי הָאֹמְרִים לֹא־תַגִּישׁ וְתַקְדִּים בַּעֲדֵינוּ
יא הָרָעָה: בַּיּוֹם הַהוּא אָקִים אֶת־סֻכַּת דָּוִיד הַנֹּפֶלֶת וְגָדַרְתִּי
יב אֶת־פִּרְצֵיהֶן וַהֲרִסֹתָיו אָקִים וּבְנִיתִיהָ כִּימֵי עוֹלָם: לְמַעַן יִירְשׁוּ
אֶת־שְׁאֵרִית אֱדוֹם וְכָל־הַגּוֹיִם אֲשֶׁר־נִקְרָא שְׁמִי עֲלֵיהֶם נְאֻם־
יְהוָה עֹשֶׂה זֹּאת:

גלוי מַלְכוּת בֵּית דָּוִד:

יג הִנֵּה יָמִים בָּאִים נְאֻם־יְהוָה וְנִגַּשׁ חוֹרֵשׁ בַּקֹּצֵר וְדֹרֵךְ עֲנָבִים
בְּמֹשֵׁךְ הַזָּרַע וְהִטִּיפוּ הֶהָרִים עָסִיס וְכָל־הַגְּבָעוֹת תִּתְמוֹגַגְנָה:
יד וְשַׁבְתִּי אֶת־שְׁבוּת עַמִּי יִשְׂרָאֵל וּבָנוּ עָרִים נְשַׁמּוֹת וְיָשָׁבוּ וְנָטְעוּ
טו כְרָמִים וְשָׁתוּ אֶת־יֵינָם וְעָשׂוּ גַנּוֹת וְאָכְלוּ אֶת־פְּרִיהֶם: וּנְטַעְתִּים
עַל־אַדְמָתָם וְלֹא יִנָּתְשׁוּ עוֹד מֵעַל אַדְמָתָם אֲשֶׁר נָתַתִּי לָהֶם
אָמַר יְהוָה אֱלֹהֶיךָ:

תֵּאוּר הַגְּאֻלָּה הַנִּצְחִית:

עבדיה [3021-47]

א א חֲזוֹן עֹבַדְיָה כֹּה־אָמַר אֲדֹנָי יְהוִה לֶאֱדוֹם שְׁמוּעָה שָׁמַעְנוּ מֵאֵת
ב יְהוָה וְצִיר בַּגּוֹיִם שֻׁלָּח קוּמוּ וְנָקוּמָה עָלֶיהָ לַמִּלְחָמָה: הִנֵּה קָטֹן
ג נְתַתִּיךָ בַּגּוֹיִם בָּזוּי אַתָּה מְאֹד: זְדוֹן לִבְּךָ הִשִּׁיאֶךָ שֹׁכְנִי
ד בְחַגְוֵי־סֶלַע מְרוֹם שִׁבְתּוֹ אֹמֵר בְּלִבּוֹ מִי יוֹרִדֵנִי אָרֶץ: אִם־
תַּגְבִּיהַּ כַּנֶּשֶׁר וְאִם־בֵּין כּוֹכָבִים שִׂים קִנֶּךָ מִשָּׁם אוֹרִידְךָ
ה נְאֻם־יְהוָה: אִם־גַּנָּבִים בָּאוּ־לְךָ אִם־שׁוֹדְדֵי לַיְלָה אֵיךְ נִדְמֵיתָה
הֲלוֹא יִגְנְבוּ דַּיָּם אִם־בֹּצְרִים בָּאוּ לָךְ הֲלוֹא יַשְׁאִירוּ עֹלֵלוֹת:
ו ז אֵיךְ נֶחְפְּשׂוּ עֵשָׂו נִבְעוּ מַצְפֻּנָיו: עַד־הַגְּבוּל שִׁלְּחוּךָ כֹּל אַנְשֵׁי
בְרִיתֶךָ הִשִּׁיאוּךָ יָכְלוּ לְךָ אַנְשֵׁי שְׁלֹמֶךָ לַחְמְךָ יָשִׂימוּ מָזוֹר
ח תַּחְתֶּיךָ אֵין תְּבוּנָה בּוֹ: הֲלוֹא בַּיּוֹם הַהוּא נְאֻם־יְהוָה וְהַאֲבַדְתִּי

קְרִיאָה לְמִלְחָמָה עַל אֱדוֹם:

מַפֶּלֶת אֱדוֹם, וְאָבְדַן גְּבוּרָתוֹ:

ט חֲכָמִים מֵאֱדוֹם וּתְבוּנָה מֵהַר עֵשָׂו: וְחַתּוּ גִבּוֹרֶיךָ תֵּימָן לְמַעַן
י יִכָּרֶת־אִישׁ מֵהַר עֵשָׂו מִקָּטֶל: מֵחֲמַס אָחִיךָ יַעֲקֹב תְּכַסְּךָ בוּשָׁה
יא וְנִכְרַתָּ לְעוֹלָם: בְּיוֹם עֲמָדְךָ מִנֶּגֶד בְּיוֹם שְׁבוֹת זָרִים חֵילוֹ
וְנָכְרִים בָּאוּ שְׁעָרָו וְעַל־יְרוּשָׁלַםִ יַדּוּ גוֹרָל גַּם־אַתָּה כְּאַחַד
יב מֵהֶם: וְאַל־תֵּרֶא בְיוֹם־אָחִיךָ בְּיוֹם נָכְרוֹ וְאַל־תִּשְׂמַח לִבְנֵי־
יג יְהוּדָה בְּיוֹם אָבְדָם וְאַל־תַּגְדֵּל פִּיךָ בְּיוֹם צָרָה: אַל־תָּבוֹא
בְשַׁעַר־עַמִּי בְּיוֹם אֵידָם אַל־תֵּרֶא גַם־אַתָּה בְּרָעָתוֹ בְּיוֹם אֵידוֹ
יד וְאַל־תִּשְׁלַחְנָה בְחֵילוֹ בְּיוֹם אֵידוֹ: וְאַל־תַּעֲמֹד עַל־הַפֶּרֶק
טו לְהַכְרִית אֶת־פְּלִיטָיו וְאַל־תַּסְגֵּר שְׂרִידָיו בְּיוֹם צָרָה: כִּי־קָרוֹב
יוֹם־יְהוָה עַל־כָּל־הַגּוֹיִם כַּאֲשֶׁר עָשִׂיתָ יֵעָשֶׂה לָּךְ גְּמֻלְךָ יָשׁוּב
טז בְּרֹאשֶׁךָ: כִּי כַּאֲשֶׁר שְׁתִיתֶם עַל־הַר קָדְשִׁי יִשְׁתּוּ כָל־הַגּוֹיִם
יז תָּמִיד וְשָׁתוּ וְלָעוּ וְהָיוּ כְּלוֹא הָיוּ: וּבְהַר צִיּוֹן תִּהְיֶה פְלֵיטָה
יח וְהָיָה קֹדֶשׁ וְיָרְשׁוּ בֵּית יַעֲקֹב אֵת מוֹרָשֵׁיהֶם: וְהָיָה בֵית־יַעֲקֹב
אֵשׁ וּבֵית יוֹסֵף לֶהָבָה וּבֵית עֵשָׂו לְקַשׁ וְדָלְקוּ בָהֶם וַאֲכָלוּם
יט וְלֹא־יִהְיֶה שָׂרִיד לְבֵית עֵשָׂו כִּי יְהוָה דִּבֵּר: וְיָרְשׁוּ הַנֶּגֶב אֶת־הַר
עֵשָׂו וְהַשְּׁפֵלָה אֶת־פְּלִשְׁתִּים וְיָרְשׁוּ אֶת־שְׂדֵה אֶפְרַיִם וְאֵת
כ שְׂדֵה שֹׁמְרוֹן וּבִנְיָמִן אֶת־הַגִּלְעָד: וְגָלֻת הַחֵל־הַזֶּה לִבְנֵי יִשְׂרָאֵל
אֲשֶׁר־כְּנַעֲנִים עַד־צָרְפַת וְגָלֻת יְרוּשָׁלַםִ אֲשֶׁר בִּסְפָרַד יִרְשׁוּ
כא אֵת עָרֵי הַנֶּגֶב: וְעָלוּ מוֹשִׁעִים בְּהַר צִיּוֹן לִשְׁפֹּט אֶת־הַר עֵשָׂו
וְהָיְתָה לַיהוָה הַמְּלוּכָה:

הַסִּבּוֹת לְעֹנֶשׁ אֱדוֹם:

הַשְׁמָדַת אֱדוֹם וְכִבּוּשׁ אֶרֶץ יִשְׂרָאֵל:

יונה

[3055-83]

שְׁלִיחוּת יוֹנָה לְנִינְוֵה:

א א וַיְהִי דְּבַר־יְהוָה אֶל־יוֹנָה בֶן־אֲמִתַּי לֵאמֹר: ב קוּם לֵךְ אֶל־נִינְוֵה
ג הָעִיר הַגְּדוֹלָה וּקְרָא עָלֶיהָ כִּי־עָלְתָה רָעָתָם לְפָנָי: וַיָּקָם יוֹנָה

לִבְרֹחַ תַּרְשִׁישָׁה מִלִּפְנֵי יְהוָה וַיֵּרֶד יָפוֹ וַיִּמְצָא אֳנִיָּה ׀ בָּאָה
תַרְשִׁישׁ וַיִּתֵּן שְׂכָרָהּ וַיֵּרֶד בָּהּ לָבוֹא עִמָּהֶם תַּרְשִׁישָׁה מִלִּפְנֵי
נִסְיוֹן הַמַּלָּחִים לְהִנָּצֵל:
ד יְהוָה: וַיהוָה הֵטִיל רוּחַ־גְּדוֹלָה אֶל־הַיָּם וַיְהִי סַעַר־גָּדוֹל בַּיָּם
ה וְהָאֳנִיָּה חִשְּׁבָה לְהִשָּׁבֵר: וַיִּירְאוּ הַמַּלָּחִים וַיִּזְעֲקוּ אִישׁ אֶל־אֱלֹהָיו
וַיָּטִלוּ אֶת־הַכֵּלִים אֲשֶׁר בָּאֳנִיָּה אֶל־הַיָּם לְהָקֵל מֵעֲלֵיהֶם וְיוֹנָה
ו יָרַד אֶל־יַרְכְּתֵי הַסְּפִינָה וַיִּשְׁכַּב וַיֵּרָדַם: וַיִּקְרַב אֵלָיו רַב הַחֹבֵל
וַיֹּאמֶר לוֹ מַה־לְּךָ נִרְדָּם קוּם קְרָא אֶל־אֱלֹהֶיךָ אוּלַי יִתְעַשֵּׁת
חִפּוּשׂ אַחַר הָאָשֵׁם וּלְכִידַת יוֹנָה:
ז הָאֱלֹהִים לָנוּ וְלֹא נֹאבֵד: וַיֹּאמְרוּ אִישׁ אֶל־רֵעֵהוּ לְכוּ וְנַפִּילָה
גוֹרָלוֹת וְנֵדְעָה בְּשֶׁלְּמִי הָרָעָה הַזֹּאת לָנוּ וַיַּפִּלוּ גּוֹרָלוֹת וַיִּפֹּל
ח הַגּוֹרָל עַל־יוֹנָה: וַיֹּאמְרוּ אֵלָיו הַגִּידָה־נָּא לָנוּ בַּאֲשֶׁר לְמִי־הָרָעָה
הַזֹּאת לָנוּ מַה־מְּלַאכְתְּךָ וּמֵאַיִן תָּבוֹא מָה אַרְצֶךָ וְאֵי־מִזֶּה עַם
ט אָתָּה: וַיֹּאמֶר אֲלֵיהֶם עִבְרִי אָנֹכִי וְאֶת־יְהוָה אֱלֹהֵי הַשָּׁמַיִם אֲנִי
י יָרֵא אֲשֶׁר־עָשָׂה אֶת־הַיָּם וְאֶת־הַיַּבָּשָׁה: וַיִּירְאוּ הָאֲנָשִׁים יִרְאָה
גְדוֹלָה וַיֹּאמְרוּ אֵלָיו מַה־זֹּאת עָשִׂיתָ כִּי־יָדְעוּ הָאֲנָשִׁים כִּי־
הַצָּעַת יוֹנָה לְהַשְׁלִיכוֹ הַיָּמָּה:
יא מִלִּפְנֵי יְהוָה הוּא בֹרֵחַ כִּי הִגִּיד לָהֶם: וַיֹּאמְרוּ אֵלָיו מַה־נַּעֲשֶׂה
יב לָּךְ וְיִשְׁתֹּק הַיָּם מֵעָלֵינוּ כִּי הַיָּם הוֹלֵךְ וְסֹעֵר: וַיֹּאמֶר אֲלֵיהֶם
שָׂאוּנִי וַהֲטִילֻנִי אֶל־הַיָּם וְיִשְׁתֹּק הַיָּם מֵעֲלֵיכֶם כִּי יוֹדֵעַ אָנִי
יג כִּי בְשֶׁלִּי הַסַּעַר הַגָּדוֹל הַזֶּה עֲלֵיכֶם: וַיַּחְתְּרוּ הָאֲנָשִׁים לְהָשִׁיב
הַשְׁלָכַת יוֹנָה וְיִרְאַת הַמַּלָּחִים:
יד אֶל־הַיַּבָּשָׁה וְלֹא יָכֹלוּ כִּי הַיָּם הוֹלֵךְ וְסֹעֵר עֲלֵיהֶם: וַיִּקְרְאוּ
אֶל־יְהוָה וַיֹּאמְרוּ אָנָּה יְהוָה אַל־נָא נֹאבְדָה בְּנֶפֶשׁ הָאִישׁ הַזֶּה
וְאַל־תִּתֵּן עָלֵינוּ דָּם נָקִיא כִּי־אַתָּה יְהוָה כַּאֲשֶׁר חָפַצְתָּ עָשִׂיתָ:
טו טז וַיִּשְׂאוּ אֶת־יוֹנָה וַיְטִלֻהוּ אֶל־הַיָּם וַיַּעֲמֹד הַיָּם מִזַּעְפּוֹ: וַיִּירְאוּ
הָאֲנָשִׁים יִרְאָה גְדוֹלָה אֶת־יְהוָה וַיִּזְבְּחוּ־זֶבַח לַיהוָה וַיִּדְּרוּ
יוֹנָה בִּמְעֵי הַדָּג וּתְפִלָּתוֹ:
ב א נְדָרִים: וַיְמַן יְהוָה דָּג גָּדוֹל לִבְלֹעַ אֶת־יוֹנָה וַיְהִי יוֹנָה בִּמְעֵי
ב הַדָּג שְׁלֹשָׁה יָמִים וּשְׁלֹשָׁה לֵילוֹת: וַיִּתְפַּלֵּל יוֹנָה אֶל־יְהוָה אֱלֹהָיו

ג מִמְּעֵי הַדָּגָה: וַיֹּאמֶר קָרָאתִי מִצָּרָה לִי אֶל־יְהוָה וַיַּעֲנֵנִי מִבֶּטֶן
ד שְׁאוֹל שִׁוַּעְתִּי שָׁמַעְתָּ קוֹלִי: וַתַּשְׁלִיכֵנִי מְצוּלָה בִּלְבַב יַמִּים
ה וְנָהָר יְסֹבְבֵנִי כָּל־מִשְׁבָּרֶיךָ וְגַלֶּיךָ עָלַי עָבָרוּ: וַאֲנִי אָמַרְתִּי
נִגְרַשְׁתִּי מִנֶּגֶד עֵינֶיךָ אַךְ אוֹסִיף לְהַבִּיט אֶל־הֵיכַל קָדְשֶׁךָ:
ו ז אֲפָפוּנִי מַיִם עַד־נֶפֶשׁ תְּהוֹם יְסֹבְבֵנִי סוּף חָבוּשׁ לְרֹאשִׁי: לְקִצְבֵי
הָרִים יָרַדְתִּי הָאָרֶץ בְּרִחֶיהָ בַעֲדִי לְעוֹלָם וַתַּעַל מִשַּׁחַת חַיַּי
ח יְהוָה אֱלֹהָי: בְּהִתְעַטֵּף עָלַי נַפְשִׁי אֶת־יְהוָה זָכָרְתִּי וַתָּבוֹא אֵלֶיךָ
ט תְּפִלָּתִי אֶל־הֵיכַל קָדְשֶׁךָ: מְשַׁמְּרִים הַבְלֵי־שָׁוְא חַסְדָּם יַעֲזֹבוּ:
י וַאֲנִי בְּקוֹל תּוֹדָה אֶזְבְּחָה־לָּךְ אֲשֶׁר נָדַרְתִּי אֲשַׁלֵּמָה יְשׁוּעָתָה
לַיהוָה:
יא וַיֹּאמֶר יְהוָה לַדָּג וַיָּקֵא אֶת־יוֹנָה אֶל־הַיַּבָּשָׁה: **ג** א וַיְהִי

הַצִּוּוּי הַשֵּׁנִי לְיוֹנָה:

ב דְבַר־יְהוָה אֶל־יוֹנָה שֵׁנִית לֵאמֹר: קוּם לֵךְ אֶל־נִינְוֵה הָעִיר
ג הַגְּדוֹלָה וּקְרָא אֵלֶיהָ אֶת־הַקְּרִיאָה אֲשֶׁר אָנֹכִי דֹּבֵר אֵלֶיךָ: וַיָּקָם

נְבוּאַת יוֹנָה בְּנִינְוֵה וּתְשׁוּבָתָם:

יוֹנָה וַיֵּלֶךְ אֶל־נִינְוֵה כִּדְבַר יְהוָה וְנִינְוֵה הָיְתָה עִיר־גְּדוֹלָה
ד לֵאלֹהִים מַהֲלַךְ שְׁלֹשֶׁת יָמִים: וַיָּחֶל יוֹנָה לָבוֹא בָעִיר מַהֲלַךְ
יוֹם אֶחָד וַיִּקְרָא וַיֹּאמַר עוֹד אַרְבָּעִים יוֹם וְנִינְוֵה נֶהְפָּכֶת:
ה וַיַּאֲמִינוּ אַנְשֵׁי נִינְוֵה בֵּאלֹהִים וַיִּקְרְאוּ־צוֹם וַיִּלְבְּשׁוּ שַׂקִּים
ו מִגְּדוֹלָם וְעַד־קְטַנָּם: וַיִּגַּע הַדָּבָר אֶל־מֶלֶךְ נִינְוֵה וַיָּקָם מִכִּסְאוֹ
ז וַיַּעֲבֵר אַדַּרְתּוֹ מֵעָלָיו וַיְכַס שַׂק וַיֵּשֶׁב עַל־הָאֵפֶר: וַיַּזְעֵק וַיֹּאמֶר
בְּנִינְוֵה מִטַּעַם הַמֶּלֶךְ וּגְדֹלָיו לֵאמֹר הָאָדָם וְהַבְּהֵמָה הַבָּקָר
ח וְהַצֹּאן אַל־יִטְעֲמוּ מְאוּמָה אַל־יִרְעוּ וּמַיִם אַל־יִשְׁתּוּ: וְיִתְכַּסּוּ
שַׂקִּים הָאָדָם וְהַבְּהֵמָה וְיִקְרְאוּ אֶל־אֱלֹהִים בְּחָזְקָה וְיָשֻׁבוּ אִישׁ
ט מִדַּרְכּוֹ הָרָעָה וּמִן־הֶחָמָס אֲשֶׁר בְּכַפֵּיהֶם: מִי־יוֹדֵעַ יָשׁוּב וְנִחַם
י הָאֱלֹהִים וְשָׁב מֵחֲרוֹן אַפּוֹ וְלֹא נֹאבֵד: וַיַּרְא הָאֱלֹהִים אֶת־
מַעֲשֵׂיהֶם כִּי־שָׁבוּ מִדַּרְכָּם הָרָעָה וַיִּנָּחֶם הָאֱלֹהִים עַל־הָרָעָה

קַבָּלַת תְּשׁוּבָתָם וְכַעְסוֹ שֶׁל יוֹנָה:

ד א אֲשֶׁר־דִּבֶּר לַעֲשׂוֹת־לָהֶם וְלֹא עָשָׂה׃ וַיֵּרַע אֶל־יוֹנָה רָעָה גְדוֹלָה
ב וַיִּחַר לוֹ׃ וַיִּתְפַּלֵּל אֶל־יְהוָה וַיֹּאמַר אָנָּה יְהוָה הֲלוֹא־זֶה דְבָרִי
עַד־הֱיוֹתִי עַל־אַדְמָתִי עַל־כֵּן קִדַּמְתִּי לִבְרֹחַ תַּרְשִׁישָׁה כִּי
יָדַעְתִּי כִּי אַתָּה אֵל־חַנּוּן וְרַחוּם אֶרֶךְ אַפַּיִם וְרַב־חֶסֶד וְנִחָם
ג עַל־הָרָעָה׃ וְעַתָּה יְהוָה קַח־נָא אֶת־נַפְשִׁי מִמֶּנִּי כִּי טוֹב מוֹתִי
מֵחַיָּי׃

נִסָּיוֹן הַקִּיקָיוֹן כְּהֶסְבֵּר לְהַנְהָגַת ה׳:

ד ה וַיֹּאמֶר יְהוָה הַהֵיטֵב חָרָה לָךְ׃ וַיֵּצֵא יוֹנָה מִן־הָעִיר וַיֵּשֶׁב מִקֶּדֶם
לָעִיר וַיַּעַשׂ לוֹ שָׁם סֻכָּה וַיֵּשֶׁב תַּחְתֶּיהָ בַּצֵּל עַד אֲשֶׁר יִרְאֶה
ו מַה־יִּהְיֶה בָּעִיר׃ וַיְמַן יְהוָה־אֱלֹהִים קִיקָיוֹן וַיַּעַל ׀ מֵעַל לְיוֹנָה
לִהְיוֹת צֵל עַל־רֹאשׁוֹ לְהַצִּיל לוֹ מֵרָעָתוֹ וַיִּשְׂמַח יוֹנָה עַל־
ז הַקִּיקָיוֹן שִׂמְחָה גְדוֹלָה׃ וַיְמַן הָאֱלֹהִים תּוֹלַעַת בַּעֲלוֹת הַשַּׁחַר
ח לַמָּחֳרָת וַתַּךְ אֶת־הַקִּיקָיוֹן וַיִּיבָשׁ׃ וַיְהִי ׀ כִּזְרֹחַ הַשֶּׁמֶשׁ וַיְמַן
אֱלֹהִים רוּחַ קָדִים חֲרִישִׁית וַתַּךְ הַשֶּׁמֶשׁ עַל־רֹאשׁ יוֹנָה
ט וַיִּתְעַלָּף וַיִּשְׁאַל אֶת־נַפְשׁוֹ לָמוּת וַיֹּאמֶר טוֹב מוֹתִי מֵחַיָּי׃ וַיֹּאמֶר
אֱלֹהִים אֶל־יוֹנָה הַהֵיטֵב חָרָה־לְךָ עַל־הַקִּיקָיוֹן וַיֹּאמֶר הֵיטֵב
י חָרָה־לִי עַד־מָוֶת׃ וַיֹּאמֶר יְהוָה אַתָּה חַסְתָּ עַל־הַקִּיקָיוֹן אֲשֶׁר
יא לֹא־עָמַלְתָּ בּוֹ וְלֹא גִדַּלְתּוֹ שֶׁבִּן־לַיְלָה הָיָה וּבִן־לַיְלָה אָבָד׃ וַאֲנִי
לֹא אָחוּס עַל־נִינְוֵה הָעִיר הַגְּדוֹלָה אֲשֶׁר יֶשׁ־בָּהּ הַרְבֵּה
מִשְׁתֵּים־עֶשְׂרֵה רִבּוֹ אָדָם אֲשֶׁר לֹא־יָדַע בֵּין־יְמִינוֹ לִשְׂמֹאלוֹ
וּבְהֵמָה רַבָּה׃

[3167-228]

מיכה

הַתְרָאָה עַל הִתְגַּלּוּת דִּין ה׳:

א א דְּבַר־יְהוָה ׀ אֲשֶׁר הָיָה אֶל־מִיכָה הַמֹּרַשְׁתִּי בִּימֵי יוֹתָם אָחָז
ב יְחִזְקִיָּה מַלְכֵי יְהוּדָה אֲשֶׁר־חָזָה עַל־שֹׁמְרוֹן וִירוּשָׁלָםִ׃ שִׁמְעוּ

עַמִּים כֻּלָּם הַקְשִׁיבִי אֶרֶץ וּמְלֹאָהּ וִיהִי אֲדֹנָי יְהוִה בָּכֶם לְעֵד
ג אֲדֹנָי מֵהֵיכַל קָדְשׁוֹ: כִּי־הִנֵּה יְהוָה יֹצֵא מִמְּקוֹמוֹ וְיָרַד וְדָרַךְ
ד עַל־בָּמֳתֵי במותי אָרֶץ: וְנָמַסּוּ הֶהָרִים תַּחְתָּיו וְהָעֲמָקִים יִתְבַּקָּעוּ
ה כַּדּוֹנַג מִפְּנֵי הָאֵשׁ כְּמַיִם מֻגָּרִים בְּמוֹרָד: בְּפֶשַׁע יַעֲקֹב כָּל־זֹאת
וּבְחַטֹּאות בֵּית יִשְׂרָאֵל מִי־פֶשַׁע יַעֲקֹב הֲלוֹא שֹׁמְרוֹן וּמִי בָּמוֹת
ו יְהוּדָה הֲלוֹא יְרוּשָׁלִָם: וְשַׂמְתִּי שֹׁמְרוֹן לְעִי הַשָּׂדֶה לְמַטָּעֵי כָרֶם
ז וְהִגַּרְתִּי לַגַּי אֲבָנֶיהָ וִיסֹדֶיהָ אֲגַלֶּה: וְכָל־פְּסִילֶיהָ יֻכַּתּוּ וְכָל־
אֶתְנַנֶּיהָ יִשָּׂרְפוּ בָאֵשׁ וְכָל־עֲצַבֶּיהָ אָשִׂים שְׁמָמָה כִּי מֵאֶתְנַן
ח זוֹנָה קִבָּצָה וְעַד־אֶתְנַן זוֹנָה יָשׁוּבוּ: עַל־זֹאת אֶסְפְּדָה וְאֵילִילָה
אֵילְכָה שילל שׁוֹלָל וְעָרוֹם אֶעֱשֶׂה מִסְפֵּד כַּתַּנִּים וְאֵבֶל כִּבְנוֹת
ט יַעֲנָה: כִּי אֲנוּשָׁה מַכּוֹתֶיהָ כִּי־בָאָה עַד־יְהוּדָה נָגַע עַד־שַׁעַר
י עַמִּי עַד־יְרוּשָׁלִָם: בְּגַת אַל־תַּגִּידוּ בָּכוֹ אַל־תִּבְכּוּ בְּבֵית לְעַפְרָה
יא עָפָר התפלשתי הִתְפַּלָּשִׁי: עִבְרִי לָכֶם יוֹשֶׁבֶת שָׁפִיר עֶרְיָה־בֹשֶׁת
לֹא יָצְאָה יוֹשֶׁבֶת צַאֲנָן מִסְפַּד בֵּית הָאֵצֶל יִקַּח מִכֶּם עֶמְדָּתוֹ:
יב כִּי־חָלָה לְטוֹב יוֹשֶׁבֶת מָרוֹת כִּי־יָרַד רָע מֵאֵת יְהוָה לְשַׁעַר
יג יְרוּשָׁלִָם: רְתֹם הַמֶּרְכָּבָה לָרֶכֶשׁ יוֹשֶׁבֶת לָכִישׁ רֵאשִׁית חַטָּאת
יד הִיא לְבַת־צִיּוֹן כִּי־בָךְ נִמְצְאוּ פִּשְׁעֵי יִשְׂרָאֵל: לָכֵן תִּתְּנִי
שִׁלּוּחִים עַל מוֹרֶשֶׁת גַּת בָּתֵּי אַכְזִיב לְאַכְזָב לְמַלְכֵי יִשְׂרָאֵל:
טו עֹד הַיֹּרֵשׁ אָבִי לָךְ יוֹשֶׁבֶת מָרֵשָׁה עַד־עֲדֻלָּם יָבוֹא כְּבוֹד
טז יִשְׂרָאֵל: קָרְחִי וָגֹזִּי עַל־בְּנֵי תַּעֲנוּגָיִךְ הַרְחִבִי קָרְחָתֵךְ כַּנֶּשֶׁר כִּי
ב א גָּלוּ מִמֵּךְ: הוֹי חֹשְׁבֵי־אָוֶן
וּפֹעֲלֵי רָע עַל־מִשְׁכְּבוֹתָם בְּאוֹר הַבֹּקֶר יַעֲשׂוּהָ כִּי יֶשׁ־לְאֵל
ב יָדָם: וְחָמְדוּ שָׂדוֹת וְגָזָלוּ וּבָתִּים וְנָשָׂאוּ וְעָשְׁקוּ גֶּבֶר וּבֵיתוֹ
ג וְאִישׁ וְנַחֲלָתוֹ: לָכֵן כֹּה
אָמַר יְהוָה הִנְנִי חֹשֵׁב עַל־הַמִּשְׁפָּחָה הַזֹּאת רָעָה אֲשֶׁר לֹא־

הָעֹנֶשׁ הַצָּפוּי לְשׁוֹמְרוֹן:

קִינָה עַל יְרוּשָׁלִַם:

הַפֻּרְעָנוּת הַצְּפוּיָה לִירוּשָׁלַיִם וּסְבִיבוֹתֶיהָ:

הַחֲטָאִים גָּזֵל וָעֹשֶׁק:

הָעֹנֶשׁ עַל חֲטָאִים אֵלּוּ:

תְּמִישׁוּ מִשָּׁם צַוְּארֹתֵיכֶם וְלֹא תֵלְכוּ רוֹמָה כִּי עֵת רָעָה הִיא׃
ד בַּיּוֹם הַהוּא יִשָּׂא עֲלֵיכֶם מָשָׁל וְנָהָה נְהִי נִהְיָה אָמַר שָׁדוֹד
ה נְשַׁדֻּנוּ חֵלֶק עַמִּי יָמִיר אֵיךְ יָמִישׁ לִי לְשׁוֹבֵב שָׂדֵינוּ יְחַלֵּק׃ לָכֵן
ו לֹא־יִהְיֶה לְךָ מַשְׁלִיךְ חֶבֶל בְּגוֹרָל בִּקְהַל יְהוָה׃ אַל־תַּטִּפוּ
ז יַטִּיפוּן לֹא־יַטִּפוּ לָאֵלֶּה לֹא יִסַּג כְּלִמּוֹת׃ הֶאָמוּר בֵּית־יַעֲקֹב
הֲקָצַר רוּחַ יְהוָה אִם־אֵלֶּה מַעֲלָלָיו הֲלוֹא דְבָרַי יֵיטִיבוּ עִם
ח הַיָּשָׁר הוֹלֵךְ׃ וְאֶתְמוּל עַמִּי לְאוֹיֵב יְקוֹמֵם מִמּוּל שַׂלְמָה אֶדֶר
ט תַּפְשִׁטוּן מֵעֹבְרִים בֶּטַח שׁוּבֵי מִלְחָמָה׃ נְשֵׁי עַמִּי תְּגָרְשׁוּן מִבֵּית
י תַּעֲנֻגֶיהָ מֵעַל עֹלָלֶיהָ תִּקְחוּ הֲדָרִי לְעוֹלָם׃ קוּמוּ וּלְכוּ כִּי
יא לֹא־זֹאת הַמְּנוּחָה בַּעֲבוּר טָמְאָה תְּחַבֵּל וְחֶבֶל נִמְרָץ׃ לוּ־אִישׁ
הֹלֵךְ רוּחַ וָשֶׁקֶר כִּזֵּב אַטִּף לְךָ לַיַּיִן וְלַשֵּׁכָר וְהָיָה מַטִּיף הָעָם
יב הַזֶּה׃ אָסֹף אֶאֱסֹף יַעֲקֹב כֻּלָּךְ קַבֵּץ אֲקַבֵּץ שְׁאֵרִית יִשְׂרָאֵל יַחַד — נֶחָמָה לְאַחֲרִית הַיָּמִים׃
אֲשִׂימֶנּוּ כְּצֹאן בָּצְרָה כְּעֵדֶר בְּתוֹךְ הַדָּבְרוֹ תְּהִימֶנָה מֵאָדָם׃
יג עָלָה הַפֹּרֵץ לִפְנֵיהֶם פָּרְצוּ וַיַּעֲבֹרוּ שַׁעַר וַיֵּצְאוּ בוֹ וַיַּעֲבֹר מַלְכָּם
לִפְנֵיהֶם וַיהוָה בְּרֹאשָׁם׃

ג א וָאֹמַר שִׁמְעוּ־נָא רָאשֵׁי יַעֲקֹב וּקְצִינֵי בֵּית יִשְׂרָאֵל הֲלוֹא לָכֶם — עֹנֶשׁ לְרָאשֵׁי הָעָם׃
ב לָדַעַת אֶת־הַמִּשְׁפָּט׃ שֹׂנְאֵי טוֹב וְאֹהֲבֵי רעה רָע גֹּזְלֵי עוֹרָם
ג מֵעֲלֵיהֶם וּשְׁאֵרָם מֵעַל עַצְמוֹתָם׃ וַאֲשֶׁר אָכְלוּ שְׁאֵר עַמִּי וְעוֹרָם
מֵעֲלֵיהֶם הִפְשִׁיטוּ וְאֶת־עַצְמֹתֵיהֶם פִּצֵּחוּ וּפָרְשׂוּ כַּאֲשֶׁר בַּסִּיר
ד וּכְבָשָׂר בְּתוֹךְ קַלָּחַת׃ אָז יִזְעֲקוּ אֶל־יְהוָה וְלֹא יַעֲנֶה אוֹתָם וְיַסְתֵּר
פָּנָיו מֵהֶם בָּעֵת הַהִיא כַּאֲשֶׁר הֵרֵעוּ מַעַלְלֵיהֶם׃
ה כֹּה אָמַר יְהוָה עַל־הַנְּבִיאִים הַמַּתְעִים אֶת־עַמִּי הַנֹּשְׁכִים — עֹנֶשׁ לִנְבִיאֵי הַשֶּׁקֶר׃
בְּשִׁנֵּיהֶם וְקָרְאוּ שָׁלוֹם וַאֲשֶׁר לֹא־יִתֵּן עַל־פִּיהֶם וְקִדְּשׁוּ עָלָיו
ו מִלְחָמָה׃ לָכֵן לַיְלָה לָכֶם מֵחָזוֹן וְחָשְׁכָה לָכֶם מִקְּסֹם וּבָאָה
ז הַשֶּׁמֶשׁ עַל־הַנְּבִיאִים וְקָדַר עֲלֵיהֶם הַיּוֹם׃ וּבֹשׁוּ הַחֹזִים וְחָפְרוּ

ח הַקֹּסְמִים וְעָטוּ עַל־שָׂפָם כֻּלָּם כִּי אֵין מַעֲנֵה אֱלֹהִים: וְאוּלָם
אָנֹכִי מָלֵאתִי כֹחַ אֶת־רוּחַ יְהוָה וּמִשְׁפָּט וּגְבוּרָה לְהַגִּיד
לְיַעֲקֹב פִּשְׁעוֹ וּלְיִשְׂרָאֵל חַטָּאתוֹ:

תּוֹכָחָה לְרָאשֵׁי הָעָם וְלַכֹּהֲנִים:

ט שִׁמְעוּ־נָא זֹאת רָאשֵׁי בֵּית יַעֲקֹב וּקְצִינֵי בֵּית יִשְׂרָאֵל הַמְתַעֲבִים
י מִשְׁפָּט וְאֵת כָּל־הַיְשָׁרָה יְעַקֵּשׁוּ: בֹּנֶה צִיּוֹן בְּדָמִים וִירוּשָׁלַ͏ִם
יא בְּעַוְלָה: רָאשֶׁיהָ | בְּשֹׁחַד יִשְׁפֹּטוּ וְכֹהֲנֶיהָ בִּמְחִיר יוֹרוּ וּנְבִיאֶיהָ
בְּכֶסֶף יִקְסֹמוּ וְעַל־יְהוָה יִשָּׁעֵנוּ לֵאמֹר הֲלוֹא יְהוָה בְּקִרְבֵּנוּ
יב לֹא־תָבוֹא עָלֵינוּ רָעָה: לָכֵן בִּגְלַלְכֶם צִיּוֹן שָׂדֶה תֵחָרֵשׁ וִירוּשָׁלַ͏ִם
עִיִּין תִּהְיֶה וְהַר הַבַּיִת לְבָמוֹת יָעַר:

חֲזוֹן הַגְּדֻלָּה בְּאַחֲרִית הַיָּמִים:

ד א וְהָיָה | בְּאַחֲרִית הַיָּמִים יִהְיֶה הַר בֵּית־יְהוָה נָכוֹן בְּרֹאשׁ
ב הֶהָרִים וְנִשָּׂא הוּא מִגְּבָעוֹת וְנָהֲרוּ עָלָיו עַמִּים: וְהָלְכוּ גּוֹיִם רַבִּים
וְאָמְרוּ לְכוּ | וְנַעֲלֶה אֶל־הַר־יְהוָה וְאֶל־בֵּית אֱלֹהֵי יַעֲקֹב וְיוֹרֵנוּ
מִדְּרָכָיו וְנֵלְכָה בְּאֹרְחֹתָיו כִּי מִצִּיּוֹן תֵּצֵא תוֹרָה וּדְבַר־יְהוָה
ג מִירוּשָׁלָ͏ִם: וְשָׁפַט בֵּין עַמִּים רַבִּים וְהוֹכִיחַ לְגוֹיִם עֲצֻמִים
עַד־רָחוֹק וְכִתְּתוּ חַרְבֹתֵיהֶם לְאִתִּים וַחֲנִיתֹתֵיהֶם לְמַזְמֵרוֹת
ד לֹא־יִשְׂאוּ גּוֹי אֶל־גּוֹי חֶרֶב וְלֹא־יִלְמְדוּן עוֹד מִלְחָמָה: וְיָשְׁבוּ
אִישׁ תַּחַת גַּפְנוֹ וְתַחַת תְּאֵנָתוֹ וְאֵין מַחֲרִיד כִּי־פִי יְהוָה צְבָאוֹת
ה דִּבֵּר: כִּי כָּל־הָעַמִּים יֵלְכוּ אִישׁ בְּשֵׁם אֱלֹהָיו וַאֲנַחְנוּ נֵלֵךְ
בְּשֵׁם־יְהוָה אֱלֹהֵינוּ לְעוֹלָם וָעֶד:

קִבּוּץ גָּלֻיּוֹת:

ו בַּיּוֹם הַהוּא נְאֻם־יְהוָה אֹסְפָה הַצֹּלֵעָה וְהַנִּדָּחָה אֲקַבֵּצָה וַאֲשֶׁר
ז הֲרֵעֹתִי: וְשַׂמְתִּי אֶת־הַצֹּלֵעָה לִשְׁאֵרִית וְהַנַּהֲלָאָה לְגוֹי עָצוּם
וּמָלַךְ יְהוָה עֲלֵיהֶם בְּהַר צִיּוֹן מֵעַתָּה וְעַד־עוֹלָם:

שִׁפְלוּת הָעָם בַּגָּלוּת:

ח וְאַתָּה מִגְדַּל־עֵדֶר עֹפֶל בַּת־צִיּוֹן עָדֶיךָ תֵּאתֶה וּבָאָה הַמֶּמְשָׁלָה
ט הָרִאשֹׁנָה מַמְלֶכֶת לְבַת יְרוּשָׁלָ͏ִם: עַתָּה לָמָּה תָרִיעִי רֵעַ הֲמֶלֶךְ
י אֵין־בָּךְ אִם־יוֹעֲצֵךְ אָבָד כִּי־הֶחֱזִיקֵךְ חִיל כַּיּוֹלֵדָה: חוּלִי וָגֹחִי

בַת־צִיּוֹן כַּיּוֹלֵדָה כִּי־עַתָּה תֵצְאִי מִקִּרְיָה וְשָׁכַנְתְּ בַּשָּׂדֶה וּבָאת
יא עַד־בָּבֶל שָׁם תִּנָּצֵלִי שָׁם יִגְאָלֵךְ יְהוָה מִכַּף אֹיְבָיִךְ׃ וְעַתָּה נֶאֶסְפוּ רְאִיַּת הַגּוֹיִם בְּרָעַת צִיּוֹן:
יב עָלַיִךְ גּוֹיִם רַבִּים הָאֹמְרִים תֶּחֱנָף וְתַחַז בְּצִיּוֹן עֵינֵינוּ׃ וְהֵמָּה לֹא
יָדְעוּ מַחְשְׁבוֹת יְהוָה וְלֹא הֵבִינוּ עֲצָתוֹ כִּי קִבְּצָם כֶּעָמִיר גֹּרְנָה׃
יג קוּמִי וָדוֹשִׁי בַת־צִיּוֹן כִּי־קַרְנֵךְ אָשִׂים בַּרְזֶל וּפַרְסֹתַיִךְ אָשִׂים
נְחוּשָׁה וַהֲדִקּוֹת עַמִּים רַבִּים וְהַחֲרַמְתִּי לַיהוָה בִּצְעָם וְחֵילָם
יד לַאֲדוֹן כָּל־הָאָרֶץ׃ עַתָּה תִּתְגֹּדְדִי בַת־גְּדוּד מָצוֹר שָׂם עָלֵינוּ
ה א בַּשֵּׁבֶט יַכּוּ עַל־הַלְּחִי אֵת שֹׁפֵט יִשְׂרָאֵל׃ וְאַתָּה בֵּית־ הֲרָמַת קֶרֶן יִשְׂרָאֵל:
לֶחֶם אֶפְרָתָה צָעִיר לִהְיוֹת בְּאַלְפֵי יְהוּדָה מִמְּךָ לִי יֵצֵא
ב לִהְיוֹת מוֹשֵׁל בְּיִשְׂרָאֵל וּמוֹצָאֹתָיו מִקֶּדֶם מִימֵי עוֹלָם׃ לָכֵן
יִתְּנֵם עַד־עֵת יוֹלֵדָה יָלָדָה וְיֶתֶר אֶחָיו יְשׁוּבוּן עַל־בְּנֵי יִשְׂרָאֵל׃
ג וְעָמַד וְרָעָה בְּעֹז יְהוָה בִּגְאוֹן שֵׁם יְהוָה אֱלֹהָיו וְיָשָׁבוּ כִּי־עַתָּה
ד יִגְדַּל עַד־אַפְסֵי־אָרֶץ׃ וְהָיָה זֶה שָׁלוֹם אַשּׁוּר ׀ כִּי־יָבוֹא בְאַרְצֵנוּ
וְכִי יִדְרֹךְ בְּאַרְמְנוֹתֵינוּ וַהֲקֵמֹנוּ עָלָיו שִׁבְעָה רֹעִים וּשְׁמֹנָה נְסִיכֵי
ה אָדָם׃ וְרָעוּ אֶת־אֶרֶץ אַשּׁוּר בַּחֶרֶב וְאֶת־אֶרֶץ נִמְרֹד בִּפְתָחֶיהָ
וְהִצִּיל מֵאַשּׁוּר כִּי־יָבוֹא בְאַרְצֵנוּ וְכִי יִדְרֹךְ בִּגְבוּלֵנוּ׃
ו וְהָיָה ׀ שְׁאֵרִית יַעֲקֹב בְּקֶרֶב עַמִּים רַבִּים כְּטַל מֵאֵת יְהוָה תְּקוּמַת יִשְׂרָאֵל בַּגּוֹיִם:
כִּרְבִיבִים עֲלֵי־עֵשֶׂב אֲשֶׁר לֹא־יְקַוֶּה לְאִישׁ וְלֹא יְיַחֵל לִבְנֵי
אָדָם׃
ז וְהָיָה שְׁאֵרִית יַעֲקֹב בַּגּוֹיִם בְּקֶרֶב עַמִּים רַבִּים כְּאַרְיֵה בְּבַהֲמוֹת הַכְרָתַת הַמַּפְרִיעִים לְיִשְׂרָאֵל:
יַעַר כִּכְפִיר בְּעֶדְרֵי־צֹאן אֲשֶׁר אִם־עָבַר וְרָמַס וְטָרַף וְאֵין מַצִּיל׃
ח ט תָּרֹם יָדְךָ עַל־צָרֶיךָ וְכָל־אֹיְבֶיךָ יִכָּרֵתוּ׃ וְהָיָה בַיּוֹם־הַהוּא
נְאֻם־יְהוָה וְהִכְרַתִּי סוּסֶיךָ מִקִּרְבֶּךָ וְהַאֲבַדְתִּי מַרְכְּבֹתֶיךָ׃
י יא וְהִכְרַתִּי עָרֵי אַרְצֶךָ וְהָרַסְתִּי כָּל־מִבְצָרֶיךָ׃ וְהִכְרַתִּי כְשָׁפִים
יב מִיָּדֶךָ וּמְעוֹנְנִים לֹא יִהְיוּ־לָךְ׃ וְהִכְרַתִּי פְסִילֶיךָ וּמַצֵּבוֹתֶיךָ

יג מִקִּרְבֶּךָ וְלֹא־תִשְׁתַּחֲוֶה עוֹד לְמַעֲשֵׂה יָדֶיךָ׃ וְנָתַשְׁתִּי אֲשֵׁירֶיךָ
יד מִקִּרְבֶּךָ וְהִשְׁמַדְתִּי עָרֶיךָ׃ וְעָשִׂיתִי בְּאַף וּבְחֵמָה נָקָם אֶת־הַגּוֹיִם
אֲשֶׁר לֹא שָׁמֵעוּ׃
ו א שִׁמְעוּ־נָא אֵת אֲשֶׁר־יְהוָה אֹמֵר קוּם רִיב אֶת־הֶהָרִים וְתִשְׁמַעְנָה
ב הַגְּבָעוֹת קוֹלֶךָ׃ שִׁמְעוּ הָרִים אֶת־רִיב יְהוָה וְהָאֵתָנִים מֹסְדֵי
ג אָרֶץ כִּי רִיב לַיהוָה עִם־עַמּוֹ וְעִם־יִשְׂרָאֵל יִתְוַכָּח׃ עַמִּי
ד מֶה־עָשִׂיתִי לְךָ וּמָה הֶלְאֵתִיךָ עֲנֵה בִי׃ כִּי הֶעֱלִתִיךָ מֵאֶרֶץ
מִצְרַיִם וּמִבֵּית עֲבָדִים פְּדִיתִיךָ וָאֶשְׁלַח לְפָנֶיךָ אֶת־מֹשֶׁה אַהֲרֹן
ה וּמִרְיָם׃ עַמִּי זְכָר־נָא מַה־יָּעַץ בָּלָק מֶלֶךְ מוֹאָב וּמֶה־עָנָה אֹתוֹ
בִּלְעָם בֶּן־בְּעוֹר מִן־הַשִּׁטִּים עַד־הַגִּלְגָּל לְמַעַן דַּעַת צִדְקוֹת
ו יְהוָה׃ בַּמָּה אֲקַדֵּם יְהוָה אִכַּף לֵאלֹהֵי מָרוֹם הַאֲקַדְּמֶנּוּ בְעוֹלוֹת
ז בַּעֲגָלִים בְּנֵי שָׁנָה׃ הֲיִרְצֶה יְהוָה בְּאַלְפֵי אֵילִים בְּרִבְבוֹת
ח נַחֲלֵי־שָׁמֶן הַאֶתֵּן בְּכוֹרִי פִּשְׁעִי פְּרִי בִטְנִי חַטַּאת נַפְשִׁי׃ הִגִּיד
לְךָ אָדָם מַה־טּוֹב וּמָה־יְהוָה דּוֹרֵשׁ מִמְּךָ כִּי אִם־עֲשׂוֹת מִשְׁפָּט
ט וְאַהֲבַת חֶסֶד וְהַצְנֵעַ לֶכֶת עִם־אֱלֹהֶיךָ׃ קוֹל יְהוָה
י לָעִיר יִקְרָא וְתוּשִׁיָּה יִרְאֶה שְׁמֶךָ שִׁמְעוּ מַטֶּה וּמִי יְעָדָהּ׃ עוֹד
יא הַאִשׁ בֵּית רָשָׁע אֹצְרוֹת רֶשַׁע וְאֵיפַת רָזוֹן זְעוּמָה׃ הַאֶזְכֶּה
יב בְּמֹאזְנֵי רֶשַׁע וּבְכִיס אַבְנֵי מִרְמָה׃ אֲשֶׁר עֲשִׁירֶיהָ מָלְאוּ חָמָס
יג וְיֹשְׁבֶיהָ דִּבְּרוּ־שָׁקֶר וּלְשׁוֹנָם רְמִיָּה בְּפִיהֶם׃ וְגַם־אֲנִי הֶחֱלֵיתִי
יד הַכּוֹתֶךָ הַשְׁמֵם עַל־חַטֹּאתֶךָ׃ אַתָּה תֹאכַל וְלֹא תִשְׂבָּע וְיֶשְׁחֲךָ
טו בְּקִרְבֶּךָ וְתַסֵּג וְלֹא תַפְלִיט וַאֲשֶׁר תְּפַלֵּט לַחֶרֶב אֶתֵּן׃ אַתָּה תִזְרַע
וְלֹא תִקְצוֹר אַתָּה תִדְרֹךְ־זַיִת וְלֹא־תָסוּךְ שֶׁמֶן וְתִירוֹשׁ וְלֹא
טז תִשְׁתֶּה־יָּיִן׃ וְיִשְׁתַּמֵּר חֻקּוֹת עָמְרִי וְכֹל מַעֲשֵׂה בֵית־אַחְאָב
וַתֵּלְכוּ בְּמֹעֲצוֹתָם לְמַעַן תִּתִּי אֹתְךָ לְשַׁמָּה וְיֹשְׁבֶיהָ לִשְׁרֵקָה
וְחֶרְפַּת עַמִּי תִּשָּׂאוּ׃

תּוֹכָחָה לָעָם עַל כְּפִיּוּת הַטּוֹבָה:

דְּרִישַׁת ה' מֵעַמּוֹ:

תּוֹכָחָה עַל הָעֹשֶׁק וְהֶחָמָס:

המַּצָּב הָרוּחָנִי הַיָּרוּד שֶׁל הַדּוֹר:

ז א אַלְלַי לִי כִּי הָיִיתִי כְּאָסְפֵּי־קַיִץ כְּעֹלְלֹת בָּצִיר אֵין־אֶשְׁכּוֹל
ב לֶאֱכוֹל בִּכּוּרָה אִוְּתָה נַפְשִׁי: אָבַד חָסִיד מִן־הָאָרֶץ וְיָשָׁר בָּאָדָם
ג אָיִן כֻּלָּם לְדָמִים יֶאֱרֹבוּ אִישׁ אֶת־אָחִיהוּ יָצוּדוּ חֵרֶם: עַל־הָרַע
כַּפַּיִם לְהֵיטִיב הַשַּׂר שֹׁאֵל וְהַשֹּׁפֵט בַּשִּׁלּוּם וְהַגָּדוֹל דֹּבֵר הַוַּת
ד נַפְשׁוֹ הוּא וַיְעַבְּתוּהָ: טוֹבָם כְּחֵדֶק יָשָׁר מִמְּסוּכָה יוֹם מְצַפֶּיךָ
ה פְּקֻדָּתְךָ בָאָה עַתָּה תִהְיֶה מְבוּכָתָם: אַל־תַּאֲמִינוּ בְרֵעַ אַל־
ו תִּבְטְחוּ בְּאַלּוּף מִשֹּׁכֶבֶת חֵיקֶךָ שְׁמֹר פִּתְחֵי־פִיךָ: כִּי־בֵן מְנַבֵּל
אָב בַּת קָמָה בְאִמָּהּ כַּלָּה בַּחֲמֹתָהּ אֹיְבֵי אִישׁ אַנְשֵׁי בֵיתוֹ:

הַנֶּחָמָה בֶּעָתִיד אַחַר שִׁלּוּם הָעֲווֹנוֹת:

ז וַאֲנִי בַּיהוָה אֲצַפֶּה אוֹחִילָה לֵאלֹהֵי יִשְׁעִי יִשְׁמָעֵנִי אֱלֹהָי:
ח אַל־תִּשְׂמְחִי אֹיַבְתִּי לִי כִּי נָפַלְתִּי קָמְתִּי כִּי־אֵשֵׁב בַּחֹשֶׁךְ יְהוָה
אוֹר לִי:

ט זַעַף יְהוָה אֶשָּׂא כִּי חָטָאתִי לוֹ עַד אֲשֶׁר יָרִיב רִיבִי וְעָשָׂה
י מִשְׁפָּטִי יוֹצִיאֵנִי לָאוֹר אֶרְאֶה בְּצִדְקָתוֹ: וְתֵרֶא אֹיַבְתִּי וּתְכַסֶּהָ
בוּשָׁה הָאֹמְרָה אֵלַי אַיּוֹ יְהוָה אֱלֹהָיִךְ עֵינַי תִּרְאֶינָּה בָּהּ עַתָּה
יא תִּהְיֶה לְמִרְמָס כְּטִיט חוּצוֹת: יוֹם לִבְנוֹת גְּדֵרָיִךְ יוֹם הַהוּא
יב יִרְחַק־חֹק: יוֹם הוּא וְעָדֶיךָ יָבוֹא לְמִנִּי אַשּׁוּר וְעָרֵי מָצוֹר וּלְמִנִּי
יג מָצוֹר וְעַד־נָהָר וְיָם מִיָּם וְהַר הָהָר: וְהָיְתָה הָאָרֶץ לִשְׁמָמָה
עַל־יֹשְׁבֶיהָ מִפְּרִי מַעַלְלֵיהֶם:

נִפְלָאוֹת הָעֲתִידוֹת כִּימֵי קֶדֶם:

יד רְעֵה עַמְּךָ בְשִׁבְטֶךָ צֹאן נַחֲלָתֶךָ שֹׁכְנִי לְבָדָד יַעַר בְּתוֹךְ כַּרְמֶל
טו יִרְעוּ בָשָׁן וְגִלְעָד כִּימֵי עוֹלָם: כִּימֵי צֵאתְךָ מֵאֶרֶץ מִצְרָיִם אַרְאֶנּוּ
טז נִפְלָאוֹת: יִרְאוּ גוֹיִם וְיֵבֹשׁוּ מִכֹּל גְּבוּרָתָם יָשִׂימוּ יָד עַל־פֶּה
יז אָזְנֵיהֶם תֶּחֱרַשְׁנָה: יְלַחֲכוּ עָפָר כַּנָּחָשׁ כְּזֹחֲלֵי אֶרֶץ יִרְגְּזוּ
יח מִמִּסְגְּרֹתֵיהֶם אֶל־יְהוָה אֱלֹהֵינוּ יִפְחָדוּ וְיִרְאוּ מִמֶּךָּ: מִי־אֵל
כָּמוֹךָ נֹשֵׂא עָוֹן וְעֹבֵר עַל־פֶּשַׁע לִשְׁאֵרִית נַחֲלָתוֹ לֹא־הֶחֱזִיק
יט לָעַד אַפּוֹ כִּי־חָפֵץ חֶסֶד הוּא: יָשׁוּב יְרַחֲמֵנוּ יִכְבֹּשׁ עֲוֹנֹתֵינוּ

כ וְתַשְׁלִ֥יךְ בִּמְצֻל֥וֹת יָ֖ם כָּל־חַטֹּאותָֽם׃ תִּתֵּ֤ן אֱמֶת֙ לְיַֽעֲקֹ֔ב חֶ֖סֶד
לְאַבְרָהָ֑ם אֲשֶׁר־נִשְׁבַּ֥עְתָּ לַאֲבֹתֵ֖ינוּ מִ֥ימֵי קֶֽדֶם׃

———

———

———

א א ב מַשָּׂ֖א נִֽינְוֵ֑ה סֵ֣פֶר חֲז֔וֹן נַח֖וּם הָֽאֶלְקֹשִֽׁי׃ אֵ֣ל קַנּ֤וֹא וְנֹקֵם֙ יְהוָ֔ה נחום [3228-83]
ג נֹקֵ֥ם יְהוָ֖ה וּבַ֣עַל חֵמָ֑ה נֹקֵ֤ם יְהוָה֙ לְצָרָ֔יו וְנוֹטֵ֥ר ה֖וּא לְאֹיְבָֽיו׃ יְהוָ֗ה נִקְמַת ה' בַּגּוֹיִם׃
אֶ֤רֶךְ אַפַּ֙יִם֙ וגדול וּגְדָל־כֹּ֔חַ וְנַקֵּ֖ה לֹ֣א יְנַקֶּ֑ה יְהוָ֗ה בְּסוּפָ֤ה
ד וּבִשְׂעָרָה֙ דַּרְכּ֔וֹ וְעָנָ֖ן אֲבַ֥ק רַגְלָֽיו׃ גּוֹעֵ֤ר בַּיָּם֙ וַיַּבְּשֵׁ֔הוּ וְכָל־
ה הַנְּהָר֖וֹת הֶחֱרִ֑יב אֻמְלַ֤ל בָּשָׁן֙ וְכַרְמֶ֔ל וּפֶ֥רַח לְבָנ֖וֹן אֻמְלָֽל׃ הָרִים֙
רָעֲשׁ֣וּ מִמֶּ֔נּוּ וְהַגְּבָע֖וֹת הִתְמֹגָ֑גוּ וַתִּשָּׂ֤א הָאָ֙רֶץ֙ מִפָּנָ֔יו וְתֵבֵ֖ל
ו וְכָל־י֥שְׁבֵי בָֽהּ׃ לִפְנֵ֤י זַעְמוֹ֙ מִ֣י יַֽעֲמ֔וֹד וּמִ֥י יָק֖וּם בַּחֲר֣וֹן אַפּ֑וֹ
ז חֲמָתוֹ֙ נִתְּכָ֣ה כָאֵ֔שׁ וְהַצֻּרִ֖ים נִתְּצ֥וּ מִמֶּֽנּוּ׃ ט֣וֹב יְהוָ֔ה לְמָע֖וֹז בְּי֣וֹם
ח צָרָ֑ה וְיֹדֵ֖עַ חֹ֥סֵי בֽוֹ׃ וּבְשֶׁ֣טֶף עֹבֵ֔ר כָּלָ֖ה יַעֲשֶׂ֣ה מְקוֹמָ֑הּ וְאֹיְבָ֖יו הַפֻּרְעָנוּת לְנִינְוֵה
ט יְרַדֶּף־חֹֽשֶׁךְ׃ מַה־תְּחַשְּׁבוּן֙ אֶל־יְהוָ֔ה כָּלָ֖ה ה֣וּא עֹשֶׂ֑ה לֹֽא־תָק֥וּם וּלְאַשּׁוּר׃
י פַּעֲמַ֖יִם צָרָֽה׃ כִּ֚י עַד־סִירִ֣ים סְבֻכִ֔ים וּכְסָבְאָ֖ם סְבוּאִ֑ים אֻ֙כְּל֔וּ
יא כְּקַ֥שׁ יָבֵ֖שׁ מָלֵֽא׃ מִמֵּ֣ךְ יָצָ֔א חֹשֵׁ֥ב עַל־יְהוָ֖ה רָעָ֑ה יֹעֵ֖ץ
יב בְּלִיָּֽעַל׃ כֹּ֣ה ׀ אָמַ֣ר יְהוָ֗ה אִם־שְׁלֵמִים֙ וְכֵ֣ן רַבִּ֔ים וְכֵ֖ן
יג נָגֹ֣זּוּ וְעָבָ֑ר וְעִנִּתִ֕ךְ לֹ֥א אֲעַנֵּ֖ךְ עֽוֹד׃ וְעַתָּ֕ה אֶשְׁבֹּ֥ר מֹטֵ֖הוּ מֵעָלָ֑יִךְ
יד וּמוֹסְרֹתַ֖יִךְ אֲנַתֵּֽק׃ וְצִוָּ֤ה עָלֶ֙יךָ֙ יְהוָ֔ה לֹֽא־יִזָּרַ֥ע מִשִּׁמְךָ֖ ע֑וֹד מִבֵּ֨ית
אֱלֹהֶ֜יךָ אַכְרִ֨ית פֶּ֧סֶל וּמַסֵּכָ֛ה אָשִׂ֥ים קִבְרֶ֖ךָ כִּ֥י קַלּֽוֹתָ׃
ב א הִנֵּ֨ה עַל־הֶהָרִ֜ים רַגְלֵ֣י מְבַשֵּׂ֗ר מַשְׁמִ֙יעַ֙ שָׁל֔וֹם חָגִּ֧י יְהוּדָ֛ה חַגַּ֖יִךְ הַבְּשׂוֹרָה לִיהוּדָה עַל
שַׁלְּמִ֣י נְדָרָ֑יִךְ כִּי֩ לֹ֨א יוֹסִ֥יף ע֛וֹד לעבור לַעֲבָר־בָּ֥ךְ בְּלִיַּ֖עַל כֻּלֹּ֥ה מַפֶּלֶת
ב נִכְרָֽת׃ עָלָ֥ה מֵפִ֛יץ עַל־פָּנַ֖יִךְ נָצ֣וֹר מְצֻרָ֑ה צַפֵּה־דֶ֙רֶךְ֙ חַזֵּ֣ק מָתְנַ֔יִם אַשּׁוּר׃
ג אַמֵּ֥ץ כֹּ֖חַ מְאֹֽד׃ כִּ֣י שָׁ֤ב יְהוָה֙ אֶת־גְּא֣וֹן יַעֲקֹ֔ב כִּגְא֖וֹן יִשְׂרָאֵ֑ל

עָצְמַת אַשּׁוּר וּמַפַּלְתּוֹ:

ד כִּי בְקָקוּם בֹּקְקִים וּזְמֹרֵיהֶם שִׁחֵתוּ׃ מָגֵן גִּבֹּרֵיהוּ מְאָדָּם
אַנְשֵׁי־חַיִל מְתֻלָּעִים בְּאֵשׁ־פְּלָדֹת הָרֶכֶב בְּיוֹם הֲכִינוֹ וְהַבְּרֹשִׁים
ה הָרְעָלוּ׃ בַּחוּצוֹת יִתְהוֹלְלוּ הָרֶכֶב יִשְׁתַּקְשְׁקוּן בָּרְחֹבוֹת מַרְאֵיהֶן
ו כַּלַּפִּידִים כַּבְּרָקִים יְרוֹצֵצוּ׃ יִזְכֹּר אַדִּירָיו יִכָּשְׁלוּ בהלכותם
ז בַּהֲלִיכָתָם יְמַהֲרוּ חוֹמָתָהּ וְהֻכַן הַסֹּכֵךְ׃ שַׁעֲרֵי הַנְּהָרוֹת נִפְתָּחוּ
ח וְהַהֵיכָל נָמוֹג׃ וְהֻצַּב גֻּלְּתָה הֹעֲלָתָה וְאַמְהֹתֶיהָ מְנַהֲגוֹת כְּקוֹל
ט יוֹנִים מְתֹפְפֹת עַל־לִבְבֵהֶן׃ וְנִינְוֵה כִבְרֵכַת־מַיִם מִימֵי הִיא וְהֵמָּה
י נָסִים עִמְדוּ עֲמֹדוּ וְאֵין מַפְנֶה׃ בֹּזּוּ כֶסֶף בֹּזּוּ זָהָב וְאֵין קֵצֶה
יא לַתְּכוּנָה כָּבֹד מִכֹּל כְּלִי חֶמְדָּה׃ בּוּקָה וּמְבוּקָה וּמְבֻלָּקָה וְלֵב
נָמֵס וּפַק בִּרְכַּיִם וְחַלְחָלָה בְּכָל־מָתְנַיִם וּפְנֵי כֻלָּם קִבְּצוּ פָארוּר׃

לַעַג לְאַשּׁוּר:

יב אַיֵּה מְעוֹן אֲרָיוֹת וּמִרְעֶה הוּא לַכְּפִרִים אֲשֶׁר הָלַךְ אַרְיֵה לָבִיא
יג שָׁם גּוּר אַרְיֵה וְאֵין מַחֲרִיד׃ אַרְיֵה טֹרֵף בְּדֵי גֹרוֹתָיו וּמְחַנֵּק
יד לְלִבְאֹתָיו וַיְמַלֵּא־טֶרֶף חֹרָיו וּמְעֹנֹתָיו טְרֵפָה׃ הִנְנִי אֵלַיִךְ נְאֻם
יְהוָה צְבָאוֹת וְהִבְעַרְתִּי בֶעָשָׁן רִכְבָּהּ וּכְפִירַיִךְ תֹּאכַל חָרֶב
וְהִכְרַתִּי מֵאֶרֶץ טַרְפֵּךְ וְלֹא־יִשָּׁמַע עוֹד קוֹל מַלְאָכֵכֵה׃

הַמְּהוּמָה בְּמַפֶּלֶת נִינְוֵה:

ג א ב הוֹי עִיר דָּמִים כֻּלָּהּ כַּחַשׁ פֶּרֶק מְלֵאָה לֹא יָמִישׁ טָרֶף׃ קוֹל
ג שׁוֹט וְקוֹל רַעַשׁ אוֹפָן וְסוּס דֹּהֵר וּמֶרְכָּבָה מְרַקֵּדָה׃ פָּרָשׁ מַעֲלֶה
וְלַהַב חֶרֶב וּבְרַק חֲנִית וְרֹב חָלָל וְכֹבֶד פָּגֶר וְאֵין קֵצֶה לַגְּוִיָּה

פֵּרוּט חַטֹּאתֶיהָ וְעָנְשָׁהּ:

ד יכשלו וְכָשְׁלוּ בִּגְוִיָּתָם׃ מֵרֹב זְנוּנֵי זוֹנָה טוֹבַת חֵן בַּעֲלַת כְּשָׁפִים
ה הַמֹּכֶרֶת גּוֹיִם בִּזְנוּנֶיהָ וּמִשְׁפָּחוֹת בִּכְשָׁפֶיהָ׃ הִנְנִי אֵלַיִךְ נְאֻם
יְהוָה צְבָאוֹת וְגִלֵּיתִי שׁוּלַיִךְ עַל־פָּנָיִךְ וְהַרְאֵיתִי גוֹיִם מַעְרֵךְ
ו וּמַמְלָכוֹת קְלוֹנֵךְ׃ וְהִשְׁלַכְתִּי עָלַיִךְ שִׁקֻּצִים וְנִבַּלְתִּיךְ וְשַׂמְתִּיךְ
ז כְּרֹאִי׃ וְהָיָה כָל־רֹאַיִךְ יִדּוֹד מִמֵּךְ וְאָמַר שָׁדְּדָה נִינְוֵה מִי יָנוּד

הָעַמִּים הַחֲזָקִים מִנִּינְוֵה וּמַפַּלְתָּם:

ח לָהּ מֵאַיִן אֲבַקֵּשׁ מְנַחֲמִים לָךְ׃ הֲתֵיטְבִי מִנֹּא אָמוֹן הַיֹּשְׁבָה
ט בַּיְאֹרִים מַיִם סָבִיב לָהּ אֲשֶׁר־חֵיל יָם מִיָּם חוֹמָתָהּ׃ כּוּשׁ

י עָצְמָה וּמִצְרַיִם וְאֵין קֵצֶה פּוּט וְלוּבִים הָיוּ בְּעֶזְרָתֵךְ׃ גַּם־הִיא
לַגֹּלָה הָלְכָה בַשֶּׁבִי גַּם עֹלָלֶיהָ יְרֻטְּשׁוּ בְּרֹאשׁ כָּל־חוּצוֹת
יא וְעַל־נִכְבַּדֶּיהָ יַדּוּ גוֹרָל וְכָל־גְּדוֹלֶיהָ רֻתְּקוּ בַזִּקִּים׃ גַּם־אַתְּ
יב תִּשְׁכְּרִי תְּהִי נַעֲלָמָה גַּם־אַתְּ תְּבַקְשִׁי מָעוֹז מֵאוֹיֵב׃ כָּל־מִבְצָרַיִךְ
יג תְּאֵנִים עִם־בִּכּוּרִים אִם־יִנּוֹעוּ וְנָפְלוּ עַל־פִּי אוֹכֵל׃ הִנֵּה עַמֵּךְ
נָשִׁים בְּקִרְבֵּךְ לְאֹיְבַיִךְ פָּתוֹחַ נִפְתְּחוּ שַׁעֲרֵי אַרְצֵךְ אָכְלָה אֵשׁ
יד בְּרִיחָיִךְ׃ מֵי מָצוֹר שַׁאֲבִי־לָךְ חַזְּקִי מִבְצָרָיִךְ בֹּאִי בַטִּיט וְרִמְסִי
טו בַחֹמֶר הַחֲזִיקִי מַלְבֵּן׃ שָׁם תֹּאכְלֵךְ אֵשׁ תַּכְרִיתֵךְ חֶרֶב תֹּאכְלֵךְ
טז כַּיָּלֶק הִתְכַּבֵּד כַּיֶּלֶק הִתְכַּבְּדִי כָּאַרְבֶּה׃ הִרְבֵּית רֹכְלַיִךְ מִכּוֹכְבֵי
יז הַשָּׁמָיִם יֶלֶק פָּשַׁט וַיָּעֹף׃ מִנְּזָרַיִךְ כָּאַרְבֶּה וְטַפְסְרַיִךְ כְּגוֹב גֹּבָי
הַחוֹנִים בַּגְּדֵרוֹת בְּיוֹם קָרָה שֶׁמֶשׁ זָרְחָה וְנוֹדַד וְלֹא־נוֹדַע
יח מְקוֹמוֹ אַיָּם׃ נָמוּ רֹעֶיךָ מֶלֶךְ אַשּׁוּר יִשְׁכְּנוּ אַדִּירֶיךָ נָפֹשׁוּ עַמְּךָ
יט עַל־הֶהָרִים וְאֵין מְקַבֵּץ׃ אֵין־כֵּהָה לְשִׁבְרֶךָ נַחְלָה מַכָּתֶךָ כֹּל ׀
שֹׁמְעֵי שִׁמְעֲךָ תָּקְעוּ כַף עָלֶיךָ כִּי עַל־מִי לֹא־עָבְרָה רָעָתְךָ
תָּמִיד׃

מַפֶּלֶת אַשּׁוּר וְשִׂמְחַת הָעַמִּים:

———

———

———

חבקוק [3228-83]

הִתְאוֹנְנוּת עַל הַצְלָחַת נְבוּכַדְנֶצַּר:

א א ב הַמַּשָּׂא אֲשֶׁר חָזָה חֲבַקּוּק הַנָּבִיא׃ עַד־אָנָה יְהוָה שִׁוַּעְתִּי וְלֹא
ג תִשְׁמָע אֶזְעַק אֵלֶיךָ חָמָס וְלֹא תוֹשִׁיעַ׃ לָמָּה תַרְאֵנִי אָוֶן וְעָמָל
ד תַּבִּיט וְשֹׁד וְחָמָס לְנֶגְדִּי וַיְהִי רִיב וּמָדוֹן יִשָּׂא׃ עַל־כֵּן תָּפוּג
תּוֹרָה וְלֹא־יֵצֵא לָנֶצַח מִשְׁפָּט כִּי רָשָׁע מַכְתִּיר אֶת־הַצַּדִּיק
ה עַל־כֵּן יֵצֵא מִשְׁפָּט מְעֻקָּל׃ רְאוּ בַגּוֹיִם וְהַבִּיטוּ וְהִתַּמְּהוּ תְּמָהוּ
ו כִּי־פֹעַל פֹּעֵל בִּימֵיכֶם לֹא תַאֲמִינוּ כִּי יְסֻפָּר׃ כִּי־הִנְנִי מֵקִים
אֶת־הַכַּשְׂדִּים הַגּוֹי הַמַּר וְהַנִּמְהָר הַהוֹלֵךְ לְמֶרְחֲבֵי־אֶרֶץ לָרֶשֶׁת

רִשְׁעוּת הַכַּשְׂדִּים:

ז מִשְׁכָּנוֹת לֹּא־לוֹ: אָיֹם וְנוֹרָא הוּא מִמֶּנּוּ מִשְׁפָּטוֹ וּשְׂאֵתוֹ יֵצֵא:
ח וְקַלּוּ מִנְּמֵרִים סוּסָיו וְחַדּוּ מִזְּאֵבֵי עֶרֶב וּפָשׁוּ פָּרָשָׁיו וּפָרָשָׁיו
ט מֵרָחוֹק יָבֹאוּ יָעֻפוּ כְּנֶשֶׁר חָשׁ לֶאֱכוֹל: כֻּלֹּה לְחָמָס יָבוֹא מְגַמַּת
י פְּנֵיהֶם קָדִימָה וַיֶּאֱסֹף כַּחוֹל שֶׁבִי: וְהוּא בַּמְּלָכִים יִתְקַלָּס וְרֹזְנִים
יא מִשְׂחָק לוֹ הוּא לְכָל־מִבְצָר יִשְׂחָק וַיִּצְבֹּר עָפָר וַיִּלְכְּדָהּ: אָז
יב חָלַף רוּחַ וַיַּעֲבֹר וְאָשֵׁם זוּ כֹחוֹ לֵאלֹהוֹ: הֲלוֹא אַתָּה מִקֶּדֶם — תְּפִלַּת הַנָּבִיא:
יְהוָה אֱלֹהַי קְדֹשִׁי לֹא נָמוּת יְהוָה לְמִשְׁפָּט שַׂמְתּוֹ וְצוּר לְהוֹכִיחַ
יג יְסַדְתּוֹ: טְהוֹר עֵינַיִם מֵרְאוֹת רָע וְהַבִּיט אֶל־עָמָל לֹא תוּכָל — תְּלוּנָה עַל הַצְלָחַת נְבוּכַדְנֶצַּר:
יד לָמָּה תַבִּיט בּוֹגְדִים תַּחֲרִישׁ בְּבַלַּע רָשָׁע צַדִּיק מִמֶּנּוּ: וַתַּעֲשֶׂה
טו אָדָם כִּדְגֵי הַיָּם כְּרֶמֶשׂ לֹא־מֹשֵׁל בּוֹ: כֻּלֹּה בְּחַכָּה הֵעֲלָה יְגֹרֵהוּ
טז בְחֶרְמוֹ וְיַאַסְפֵהוּ בְּמִכְמַרְתּוֹ עַל־כֵּן יִשְׂמַח וְיָגִיל: עַל־כֵּן יְזַבֵּחַ
לְחֶרְמוֹ וִיקַטֵּר לְמִכְמַרְתּוֹ כִּי בָהֵמָּה שָׁמֵן חֶלְקוֹ וּמַאֲכָלוֹ בְּרִאָה:
ב יז א הַעַל כֵּן יָרִיק חֶרְמוֹ וְתָמִיד לַהֲרֹג גּוֹיִם לֹא יַחְמוֹל: עַל־ — צְפִיַּת הַנָּבִיא לִתְשׁוּבָה:
מִשְׁמַרְתִּי אֶעֱמֹדָה וְאֶתְיַצְּבָה עַל־מָצוֹר וַאֲצַפֶּה לִרְאוֹת מַה־
ב יְדַבֶּר־בִּי וּמָה אָשִׁיב עַל־תּוֹכַחְתִּי: וַיַּעֲנֵנִי יְהוָה וַיֹּאמֶר כְּתוֹב — תְּשׁוּבַת ה':
ג חָזוֹן וּבָאֵר עַל־הַלֻּחוֹת לְמַעַן יָרוּץ קוֹרֵא בוֹ: כִּי עוֹד חָזוֹן
לַמּוֹעֵד וְיָפֵחַ לַקֵּץ וְלֹא יְכַזֵּב אִם־יִתְמַהְמָהּ חַכֵּה־לוֹ כִּי־בֹא
ד יָבֹא לֹא יְאַחֵר: הִנֵּה עֻפְּלָה לֹא־יָשְׁרָה נַפְשׁוֹ בּוֹ וְצַדִּיק בֶּאֱמוּנָתוֹ
ה יִחְיֶה: וְאַף כִּי־הַיַּיִן — גַּאֲוַת אָשׁוּר:
בֹּגֵד גֶּבֶר יָהִיר וְלֹא יִנְוֶה אֲשֶׁר הִרְחִיב כִּשְׁאוֹל נַפְשׁוֹ וְהוּא כַמָּוֶת
וְלֹא יִשְׂבָּע וַיֶּאֱסֹף אֵלָיו כָּל־הַגּוֹיִם וַיִּקְבֹּץ אֵלָיו כָּל־הָעַמִּים:
ו הֲלוֹא־אֵלֶּה כֻלָּם עָלָיו מָשָׁל יִשָּׂאוּ וּמְלִיצָה חִידוֹת לוֹ וְיֹאמַר — נִקְמַת הָעַמִּים בִּנְבוּכַדְנֶצַּר:
ז הוֹי הַמַּרְבֶּה לֹּא־לוֹ עַד־מָתַי וּמַכְבִּיד עָלָיו עַבְטִיט: הֲלוֹא פֶתַע
ח יָקוּמוּ נֹשְׁכֶיךָ וְיִקְצוּ מְזַעְזְעֶיךָ וְהָיִיתָ לִמְשִׁסּוֹת לָמוֹ: כִּי־אַתָּה
שַׁלּוֹתָ גּוֹיִם רַבִּים יְשָׁלּוּךָ כָּל־יֶתֶר עַמִּים מִדְּמֵי אָדָם וַחֲמַס־

אֶ֥רֶץ קִרְיָ֖ה וְכָל־יֹ֥שְׁבֵי בָֽהּ׃
ט הֹ֗וי בֹּצֵ֛עַ בֶּ֥צַע רָ֖ע לְבֵיתֹ֑ו לָשׂ֤וּם בַּמָּרֹום֙ קִנֹּ֔ו לְהִנָּצֵ֖ל מִכַּף־רָֽע׃ פִּשְׁעֵי הַכַּשְׂדִּים:
י יא יָעַ֥צְתָּ בֹּ֖שֶׁת לְבֵיתֶ֑ךָ קְצֹות־עַמִּ֥ים רַבִּ֖ים וְחֹוטֵ֥א נַפְשֶֽׁךָ׃ כִּי־אֶ֖בֶן
מִקִּ֣יר תִּזְעָ֑ק וְכָפִ֖יס מֵעֵ֥ץ יַעֲנֶֽנָּה׃
יב יג הֹ֛וי בֹּנֶ֥ה עִ֖יר בְּדָמִ֑ים וְכֹונֵ֥ן קִרְיָ֖ה בְּעַוְלָֽה׃ הֲלֹ֣וא הִנֵּ֔ה מֵאֵ֖ת יְהוָ֣ה הַגְּמוּל מֵאֵת ה׳:
יד צְבָאֹ֑ות וְיִֽיגְע֤וּ עַמִּים֙ בְּדֵי־אֵ֔שׁ וּלְאֻמִּ֖ים בְּדֵי־רִ֥יק יִעָֽפוּ׃ כִּ֚י
תִּמָּלֵ֣א הָאָ֔רֶץ לָדַ֖עַת אֶת־כְּבֹ֣וד יְהוָ֑ה כַּמַּ֖יִם יְכַסּ֥וּ עַל־יָֽם׃
טו הֹ֚וי מַשְׁקֵ֣ה רֵעֵ֔הוּ מְסַפֵּ֥חַ חֲמָתְךָ֖ וְאַ֣ף שַׁכֵּ֑ר לְמַ֥עַן הַבִּ֖יט בִּזָּיוֹן הַכַּשְׂדִּים:
טז עַל־מְעֹורֵיהֶֽם׃ שָׂבַ֨עְתָּ קָלֹ֜ון מִכָּבֹ֗וד שְׁתֵ֥ה גַם־אַ֖תָּה וְהֵֽעָרֵ֑ל
יז תִּסֹּ֣וב עָלֶ֗יךָ כֹּ֚וס יְמִ֣ין יְהוָ֔ה וְקִיקָלֹ֖ון עַל־כְּבֹודֶֽךָ׃ כִּ֣י חֲמַ֤ס לְבָנֹון֙
יְכַסֶּ֔ךָּ וְשֹׁ֥ד בְּהֵמֹ֖ות יְחִיתַ֑ן מִדְּמֵ֤י אָדָם֙ וַחֲמַס־אֶ֔רֶץ קִרְיָ֖ה וְכָל־
יח יֹ֥שְׁבֵי בָֽהּ׃ מָֽה־הֹועִ֣יל פֶּ֗סֶל כִּ֤י פְסָלֹו֙ יֹֽצְרֹ֔ו מַסֵּכָ֖ה וּמֹ֣ורֶה שָּׁ֑קֶר אַפְסוּת הָאֱלִילִים:
יט כִּ֣י בָטַ֞ח יֹצֵ֤ר יִצְרֹו֙ עָלָ֔יו לַעֲשֹׂ֖ות אֱלִילִ֥ים אִלְּמִֽים׃ הֹ֧וי
אֹמֵ֣ר לָעֵץ֙ הָקִ֔יצָה ע֖וּרִי לְאֶ֣בֶן דּוּמָ֑ם ה֣וּא יֹורֶ֔ה הִנֵּה־ה֗וּא תָּפ֤וּשׂ
כ זָהָב֙ וָכֶ֔סֶף וְכָל־ר֖וּחַ אֵ֥ין בְּקִרְבֹּֽו׃ וַֽיהוָ֖ה בְּהֵיכַ֣ל קָדְשֹׁ֑ו הַ֥ס מִפָּנָ֖יו
ג א כָּל־הָאָֽרֶץ׃ תְּפִלָּ֖ה לַחֲבַקּ֣וּק תְּפִלָּה לַה׳ לְמַהֵר מִשְׁפָּטוֹ:
ב הַנָּבִ֑יא עַ֖ל שִׁגְיֹנֹֽות׃ יְהוָ֗ה שָׁמַ֣עְתִּי שִׁמְעֲךָ֮ יָרֵאתִי֒ יְהוָ֗ה פָּֽעָלְךָ֙
בְּקֶ֤רֶב שָׁנִים֙ חַיֵּ֔יהוּ בְּקֶ֥רֶב שָׁנִ֖ים תֹּודִ֑יעַ בְּרֹ֖גֶז רַחֵ֥ם תִּזְכֹּֽור׃
ג אֱלֹ֙והַ֙ מִתֵּימָ֣ן יָבֹ֔וא וְקָדֹ֥ושׁ מֵֽהַר־פָּארָ֖ן סֶ֑לָה כִּסָּ֤ה שָׁמַ֙יִם֙ הֹוד֔וֹ הִתְגַּלּוּת כְּבוֹד ה׳ בְּהַר סִינַי:
ד וּתְהִלָּתֹ֖ו מָלְאָ֥ה הָאָֽרֶץ׃ וְנֹ֙גַהּ֙ כָּאֹ֣ור תִּהְיֶ֔ה קַרְנַ֥יִם מִיָּדֹ֖ו לֹ֑ו
ה ו וְשָׁ֖ם חֶבְיֹ֥ון עֻזֹּֽה׃ לְפָנָ֖יו יֵ֣לֶךְ דָּ֑בֶר וְיֵצֵ֥א רֶ֖שֶׁף לְרַגְלָֽיו׃ עָמַ֣ד׀ הִתְגַּלּוּת גְּבוּרַת ה׳:
וַיְמֹ֣דֶד אֶ֗רֶץ רָאָה֙ וַיַּתֵּ֣ר גֹּויִ֔ם וַיִּתְפֹּֽצְצוּ֙ הַרְרֵי־עַ֔ד שַׁח֖וּ גִּבְעֹ֣ות
ז עֹולָ֑ם הֲלִיכֹ֥ות עֹולָ֖ם לֹֽו׃ תַּ֣חַת אָ֔וֶן רָאִ֖יתִי אָהֳלֵ֣י כוּשָׁ֑ן יִרְגְּז֕וּן
ח יְרִיעֹ֖ות אֶ֥רֶץ מִדְיָֽן׃ הֲבִנְהָרִים֙ חָרָ֣ה יְהוָ֔ה אִ֤ם בַּנְּהָרִים֙ אַפֶּ֔ךָ
אִם־בַּיָּ֖ם עֶבְרָתֶ֑ךָ כִּ֤י תִרְכַּב֙ עַל־סוּסֶ֔יךָ מַרְכְּבֹתֶ֖יךָ יְשׁוּעָֽה׃

ט עֶרְיָה תֵעוֹר קַשְׁתֶּךָ שְׁבֻעוֹת מַטּוֹת אֹמֶר סֶלָה נְהָרוֹת תְּבַקַּע־
י אָרֶץ׃ רָאוּךָ יָחִילוּ הָרִים זֶרֶם מַיִם עָבָר נָתַן תְּהוֹם קוֹלוֹ רוֹם
יא יָדֵיהוּ נָשָׂא׃ שֶׁמֶשׁ יָרֵחַ עָמַד זְבֻלָה לְאוֹר חִצֶּיךָ יְהַלֵּכוּ לְנֹגַהּ
יב יג בְּרַק חֲנִיתֶךָ׃ בְּזַעַם תִּצְעַד־אָרֶץ בְּאַף תָּדוּשׁ גּוֹיִם׃ יָצָאתָ לְיֵשַׁע
עַמֶּךָ לְיֵשַׁע אֶת־מְשִׁיחֶךָ מָחַצְתָּ רֹּאשׁ מִבֵּית רָשָׁע עָרוֹת יְסוֹד
עַד־צַוָּאר סֶלָה׃

הַנְּקָמָה בַּגּוֹיִם. יְשׁוּעַת עַם יִשְׂרָאֵל:

יד נָקַבְתָּ בְמַטָּיו רֹאשׁ פְּרָזָו יִסְעֲרוּ לַהֲפִיצֵנִי עֲלִיצֻתָם כְּמוֹ־לֶאֱכֹל
טו טז עָנִי בַּמִּסְתָּר׃ דָּרַכְתָּ בַיָּם סוּסֶיךָ חֹמֶר מַיִם רַבִּים׃ שָׁמַעְתִּי ׀
וַתִּרְגַּז בִּטְנִי לְקוֹל צָלֲלוּ שְׂפָתַי יָבוֹא רָקָב בַּעֲצָמַי וְתַחְתַּי אֶרְגָּז
יז אֲשֶׁר אָנוּחַ לְיוֹם צָרָה לַעֲלוֹת לְעַם יְגוּדֶנּוּ׃ כִּי־תְאֵנָה לֹא־
תִפְרָח וְאֵין יְבוּל בַּגְּפָנִים כִּחֵשׁ מַעֲשֵׂה־זַיִת וּשְׁדֵמוֹת לֹא־עָשָׂה
יח אֹכֶל גָּזַר מִמִּכְלָה צֹאן וְאֵין בָּקָר בָּרְפָתִים׃ וַאֲנִי בַּיהוָה אֶעְלוֹזָה
יט אָגִילָה בֵּאלֹהֵי יִשְׁעִי׃ יְהוִה אֲדֹנָי חֵילִי וַיָּשֶׂם רַגְלַי כָּאַיָּלוֹת וְעַל
בָּמוֹתַי יַדְרִכֵנִי לַמְנַצֵּחַ בִּנְגִינוֹתָי׃

הִזְדַּעְזְעוּת הַנָּבִיא מֵחֶזְיוֹן הַפֻּרְעָנוּת:
הוֹדָיָה לַה' עַל יְשׁוּעָתוֹ:

[3285-316]

צפניה

נְבוּאַת פֻּרְעָנוּת לָעוֹלָם:

א א דְּבַר־יְהוָה ׀ אֲשֶׁר הָיָה אֶל־צְפַנְיָה בֶּן־כּוּשִׁי בֶן־גְּדַלְיָה בֶּן־
ב אֲמַרְיָה בֶּן־חִזְקִיָּה בִּימֵי יֹאשִׁיָּהוּ בֶן־אָמוֹן מֶלֶךְ יְהוּדָה׃ אָסֹף
ג אָסֵף כֹּל מֵעַל פְּנֵי הָאֲדָמָה נְאֻם־יְהוָה׃ אָסֵף אָדָם וּבְהֵמָה אָסֵף
עוֹף־הַשָּׁמַיִם וּדְגֵי הַיָּם וְהַמַּכְשֵׁלוֹת אֶת־הָרְשָׁעִים וְהִכְרַתִּי
ד אֶת־הָאָדָם מֵעַל פְּנֵי הָאֲדָמָה נְאֻם־יְהוָה׃ וְנָטִיתִי יָדִי עַל־יְהוּדָה
וְעַל כָּל־יוֹשְׁבֵי יְרוּשָׁלָםִ וְהִכְרַתִּי מִן־הַמָּקוֹם הַזֶּה אֶת־שְׁאָר
ה הַבַּעַל אֶת־שֵׁם הַכְּמָרִים עִם־הַכֹּהֲנִים׃ וְאֶת־הַמִּשְׁתַּחֲוִים עַל־
הַגַּגּוֹת לִצְבָא הַשָּׁמָיִם וְאֶת־הַמִּשְׁתַּחֲוִים הַנִּשְׁבָּעִים לַיהוָה

פֵּרוּט הַחֲטָאִים:

ו וְהַנִּשְׁבָּעִים בְּמַלְכָּם: וְאֶת־הַנְּסוֹגִים מֵאַחֲרֵי יְהוָה וַאֲשֶׁר לֹא־
ז בִקְשׁוּ אֶת־יְהוָה וְלֹא דְרָשֻׁהוּ: הַס מִפְּנֵי אֲדֹנָי יֱהוִה כִּי קָרוֹב
ח יוֹם יְהוָה כִּי־הֵכִין יְהוָה זֶבַח הִקְדִּישׁ קְרֻאָיו: וְהָיָה בְּיוֹם זֶבַח
יְהוָה וּפָקַדְתִּי עַל־הַשָּׂרִים וְעַל־בְּנֵי הַמֶּלֶךְ וְעַל כָּל־הַלֹּבְשִׁים
ט מַלְבּוּשׁ נָכְרִי: וּפָקַדְתִּי עַל כָּל־הַדּוֹלֵג עַל־הַמִּפְתָּן בַּיּוֹם הַהוּא
י הַמְמַלְאִים בֵּית אֲדֹנֵיהֶם חָמָס וּמִרְמָה: וְהָיָה בַיּוֹם הַהוּא
נְאֻם־יְהוָה קוֹל צְעָקָה מִשַּׁעַר הַדָּגִים וִילָלָה מִן־הַמִּשְׁנֶה וְשֶׁבֶר
יא גָּדוֹל מֵהַגְּבָעוֹת: הֵילִילוּ יֹשְׁבֵי הַמַּכְתֵּשׁ כִּי נִדְמָה כָּל־עַם כְּנַעַן
יב נִכְרְתוּ כָּל־נְטִילֵי כָסֶף: וְהָיָה
בָּעֵת הַהִיא אֲחַפֵּשׂ אֶת־יְרוּשָׁלִַם בַּנֵּרוֹת וּפָקַדְתִּי עַל־הָאֲנָשִׁים
הַקֹּפְאִים עַל־שִׁמְרֵיהֶם הָאֹמְרִים בִּלְבָבָם לֹא־יֵיטִיב יְהוָה וְלֹא
יג יָרֵעַ: וְהָיָה חֵילָם לִמְשִׁסָּה וּבָתֵּיהֶם לִשְׁמָמָה וּבָנוּ בָתִּים וְלֹא
יד יֵשֵׁבוּ וְנָטְעוּ כְרָמִים וְלֹא יִשְׁתּוּ אֶת־יֵינָם: קָרוֹב יוֹם־יְהוָה הַגָּדוֹל
טו קָרוֹב וּמַהֵר מְאֹד קוֹל יוֹם יְהוָה מַר צֹרֵחַ שָׁם גִּבּוֹר: יוֹם עֶבְרָה
הַיּוֹם הַהוּא יוֹם צָרָה וּמְצוּקָה יוֹם שֹׁאָה וּמְשׁוֹאָה יוֹם חֹשֶׁךְ
טז וַאֲפֵלָה יוֹם עָנָן וַעֲרָפֶל: יוֹם שׁוֹפָר וּתְרוּעָה עַל הֶעָרִים הַבְּצֻרוֹת
יז וְעַל הַפִּנּוֹת הַגְּבֹהוֹת: וַהֲצֵרֹתִי לָאָדָם וְהָלְכוּ כַּעִוְרִים כִּי לַיהוָה
יח חָטָאוּ וְשֻׁפַּךְ דָּמָם כֶּעָפָר וּלְחֻמָם כַּגְּלָלִים: גַּם־כַּסְפָּם גַּם־
זְהָבָם לֹא־יוּכַל לְהַצִּילָם בְּיוֹם עֶבְרַת יְהוָה וּבְאֵשׁ קִנְאָתוֹ
תֵּאָכֵל כָּל־הָאָרֶץ כִּי־כָלָה אַךְ־נִבְהָלָה יַעֲשֶׂה אֵת כָּל־יֹשְׁבֵי
ב א הָאָרֶץ: הִתְקוֹשְׁשׁוּ וָקוֹשּׁוּ
ב הַגּוֹי לֹא נִכְסָף: בְּטֶרֶם לֶדֶת חֹק כְּמֹץ עָבַר יוֹם בְּטֶרֶם | לֹא־יָבוֹא
עֲלֵיכֶם חֲרוֹן אַף־יְהוָה בְּטֶרֶם לֹא־יָבוֹא עֲלֵיכֶם יוֹם אַף־יְהוָה:
ג בַּקְּשׁוּ אֶת־יְהוָה כָּל־עַנְוֵי הָאָרֶץ אֲשֶׁר מִשְׁפָּטוֹ פָּעָלוּ בַּקְּשׁוּ־צֶדֶק
ד בַּקְּשׁוּ עֲנָוָה אוּלַי תִּסָּתְרוּ בְּיוֹם אַף־יְהוָה: כִּי עַזָּה עֲזוּבָה

עֹנֶשׁ לָאוֹמְרִים "לֹא יֵיטִיב וְלֹא יָרֵעַ"

תִּהְיֶה וְאַשְׁקְלוֹן לִשְׁמָמָה אַשְׁדּוֹד בַּצָּהֳרַיִם יְגָרְשׁוּהָ וְעֶקְרוֹן
תֵּעָקֵר: הוֹי יֹשְׁבֵי ה
חֶבֶל הַיָּם גּוֹי כְּרֵתִים דְּבַר־יְהוָה עֲלֵיכֶם כְּנַעַן אֶרֶץ פְּלִשְׁתִּים
וְהַאֲבַדְתִּיךְ מֵאֵין יוֹשֵׁב: וְהָיְתָה חֶבֶל הַיָּם נְוֹת כְּרֹת רֹעִים וְגִדְרוֹת ו
צֹאן: וְהָיָה חֶבֶל לִשְׁאֵרִית בֵּית יְהוּדָה עֲלֵיהֶם יִרְעוּן בְּבָתֵּי ז
אַשְׁקְלוֹן בָּעֶרֶב יִרְבָּצוּן כִּי יִפְקְדֵם יְהוָה אֱלֹהֵיהֶם וְשָׁב שבותם
שְׁבִיתָם: שָׁמַעְתִּי חֶרְפַּת מוֹאָב וְגִדּוּפֵי בְּנֵי עַמּוֹן אֲשֶׁר חֵרְפוּ ח
אֶת־עַמִּי וַיַּגְדִּילוּ עַל־גְּבוּלָם: לָכֵן חַי־אָנִי נְאֻם יְהוָה צְבָאוֹת ט
אֱלֹהֵי יִשְׂרָאֵל כִּי־מוֹאָב כִּסְדֹם תִּהְיֶה וּבְנֵי עַמּוֹן כַּעֲמֹרָה
מִמְשַׁק חָרוּל וּמִכְרֵה־מֶלַח וּשְׁמָמָה עַד־עוֹלָם שְׁאֵרִית עַמִּי
יְבָזּוּם וְיֶתֶר גּוֹי יִנְחָלוּם: זֹאת לָהֶם תַּחַת גְּאוֹנָם כִּי חֵרְפוּ וַיַּגְדִּלוּ י
עַל־עַם יְהוָה צְבָאוֹת: נוֹרָא יְהוָה עֲלֵיהֶם כִּי רָזָה אֵת כָּל־אֱלֹהֵי יא
הָאָרֶץ וְיִשְׁתַּחֲווּ־לוֹ אִישׁ מִמְּקוֹמוֹ כֹּל אִיֵּי הַגּוֹיִם: גַּם־אַתֶּם יב
כּוּשִׁים חַלְלֵי חַרְבִּי הֵמָּה: וְיֵט יָדוֹ עַל־צָפוֹן וִיאַבֵּד אֶת־אַשּׁוּר יג
וְיָשֵׂם אֶת־נִינְוֵה לִשְׁמָמָה צִיָּה כַּמִּדְבָּר: וְרָבְצוּ בְתוֹכָהּ עֲדָרִים יד
כָּל־חַיְתוֹ־גוֹי גַּם־קָאַת גַּם־קִפֹּד בְּכַפְתֹּרֶיהָ יָלִינוּ קוֹל יְשׁוֹרֵר
בַּחַלּוֹן חֹרֶב בַּסַּף כִּי אַרְזָה עֵרָה: זֹאת הָעִיר הָעַלִּיזָה הַיּוֹשֶׁבֶת טו
לָבֶטַח הָאֹמְרָה בִּלְבָבָהּ אֲנִי וְאַפְסִי עוֹד אֵיךְ ׀ הָיְתָה לְשַׁמָּה
מַרְבֵּץ לַחַיָּה כֹּל עוֹבֵר עָלֶיהָ יִשְׁרֹק יָנִיעַ יָדוֹ:
הוֹי מֹרְאָה וְנִגְאָלָה הָעִיר הַיּוֹנָה: לֹא שָׁמְעָה בְּקוֹל לֹא לָקְחָה ג א ב
מוּסָר בַּיהוָה לֹא בָטָחָה אֶל־אֱלֹהֶיהָ לֹא קָרֵבָה: שָׂרֶיהָ בְקִרְבָּהּ ג
אֲרָיוֹת שֹׁאֲגִים שֹׁפְטֶיהָ זְאֵבֵי עֶרֶב לֹא גָרְמוּ לַבֹּקֶר: נְבִיאֶיהָ ד
פֹּחֲזִים אַנְשֵׁי בֹּגְדוֹת כֹּהֲנֶיהָ חִלְּלוּ־קֹדֶשׁ חָמְסוּ תּוֹרָה: יְהוָה ה
צַדִּיק בְּקִרְבָּהּ לֹא יַעֲשֶׂה עַוְלָה בַּבֹּקֶר בַּבֹּקֶר מִשְׁפָּטוֹ יִתֵּן לָאוֹר
לֹא נֶעְדָּר וְלֹא־יוֹדֵעַ עַוָּל בֹּשֶׁת: הִכְרַתִּי גוֹיִם נָשַׁמּוּ פִּנּוֹתָם ו

נְפִילַת פְּלֶשֶׁת בְּיַד יְהוּדָה:

נְפִילַת עַמּוֹן וּמוֹאָב:

הֶרֶג כּוּשִׁים וְחָרְבַּן נִינְוֵה:

הַמַּנְהִיגִים, הַסִּבָּה לְהַשְׁפָּלַת יְרוּשָׁלִַם:

הֶחֱרַ֤בְתִּי חֽוּצוֹתָם֙ מִבְּלִ֣י עוֹבֵ֔ר נִצְדּ֧וּ עָרֵיהֶ֛ם מִבְּלִי־אִ֖ישׁ מֵאֵ֥ין
ז יוֹשֵֽׁב׃ אָמַ֜רְתִּי אַךְ־תִּֽירְאִ֤י אוֹתִי֙ תִּקְחִ֣י מוּסָ֔ר וְלֹא־יִכָּרֵ֣ת
מְעוֹנָ֔הּ כֹּ֥ל אֲשֶׁר־פָּקַ֖דְתִּי עָלֶ֑יהָ אָכֵן֙ הִשְׁכִּ֣ימוּ הִשְׁחִ֔יתוּ כֹּ֖ל
ח עֲלִילוֹתָֽם׃ לָכֵ֤ן חַכּוּ־לִי֙ נְאֻם־יְהוָ֔ה לְי֖וֹם קוּמִ֣י לְעַ֑ד כִּ֣י מִשְׁפָּטִ֞י
לֶאֱסֹ֣ף גּוֹיִ֗ם לְקָבְצִ֣י מַמְלָכ֡וֹת לִשְׁפֹּ֨ךְ עֲלֵיהֶ֤ם זַעְמִי֙ כֹּ֚ל חֲר֣וֹן
ט אַפִּ֔י כִּ֚י בְּאֵ֣שׁ קִנְאָתִ֔י תֵּאָכֵ֖ל כָּל־הָאָֽרֶץ׃ כִּי־אָ֛ז אֶהְפֹּ֥ךְ אֶל־עַמִּ֖ים
י שָׂפָ֣ה בְרוּרָ֑ה לִקְרֹ֤א כֻלָּם֙ בְּשֵׁ֣ם יְהוָ֔ה לְעָבְד֖וֹ שְׁכֶ֥ם אֶחָֽד׃ מֵעֵ֖בֶר
יא לְנַהֲרֵי־כ֑וּשׁ עֲתָרַי֙ בַּת־פּוּצַ֔י יוֹבִל֖וּן מִנְחָתִֽי׃ בַּיּ֣וֹם הַה֗וּא לֹ֤א
תֵב֙וֹשִׁי֙ מִכֹּ֣ל עֲלִילֹתַ֔יִךְ אֲשֶׁ֥ר פָּשַׁ֖עַתְּ בִּ֑י כִּי־אָ֣ז ׀ אָסִ֣יר מִקִּרְבֵּ֗ךְ
יב עַלִּיזֵי֙ גַּאֲוָתֵ֔ךְ וְלֹֽא־תוֹסִ֧פִי לְגָבְהָ֛ה ע֖וֹד בְּהַ֥ר קָדְשִֽׁי׃ וְהִשְׁאַרְתִּ֣י
יג בְקִרְבֵּ֔ךְ עַ֥ם עָנִ֖י וָדָ֑ל וְחָס֖וּ בְּשֵׁ֥ם יְהוָֽה׃ שְׁאֵרִ֨ית יִשְׂרָאֵ֜ל לֹא־יַעֲשׂ֣וּ
עַוְלָה֮ וְלֹא־יְדַבְּר֣וּ כָזָב֒ וְלֹֽא־יִמָּצֵ֥א בְּפִיהֶ֖ם לְשׁ֣וֹן תַּרְמִ֑ית כִּי־הֵ֛מָּה
יִרְע֥וּ וְרָבְצ֖וּ וְאֵ֥ין מַחֲרִֽיד׃

יד רָנִּי֙ בַּת־צִיּ֔וֹן הָרִ֖יעוּ יִשְׂרָאֵ֑ל שִׂמְחִ֤י וְעָלְזִי֙ בְּכָל־לֵ֔ב בַּ֖ת
טו יְרוּשָׁלִָֽם׃ הֵסִ֤יר יְהוָה֙ מִשְׁפָּטַ֔יִךְ פִּנָּ֖ה אֹיְבֵ֑ךְ מֶ֣לֶךְ יִשְׂרָאֵ֤ל ׀ יְהוָה֙
בְּקִרְבֵּ֔ךְ לֹא־תִֽירְאִ֥י רָ֖ע עֽוֹד׃
טז בַּיּ֣וֹם הַה֗וּא יֵאָמֵ֛ר לִירוּשָׁלִַ֖ם אַל־תִּירָ֑אִי צִיּ֖וֹן אַל־יִרְפּ֥וּ יָדָֽיִךְ׃
יז יְהוָ֧ה אֱלֹהַ֛יִךְ בְּקִרְבֵּ֖ךְ גִּבּ֣וֹר יוֹשִׁ֑יעַ יָשִׂ֨ישׂ עָלַ֜יִךְ בְּשִׂמְחָ֗ה יַחֲרִישׁ֙
יח בְּאַ֣הֲבָת֔וֹ יָגִ֥יל עָלַ֖יִךְ בְּרִנָּֽה׃ נוּגֵ֧י מִמּוֹעֵ֛ד אָסַ֖פְתִּי מִמֵּ֣ךְ הָי֑וּ מַשְׂאֵ֥ת
יט עָלֶ֖יהָ חֶרְפָּֽה׃ הִנְנִ֥י עֹשֶׂ֛ה אֶת־כָּל־מְעַנַּ֖יִךְ בָּעֵ֣ת הַהִ֑יא וְהוֹשַׁעְתִּ֣י
אֶת־הַצֹּלֵעָ֗ה וְהַנִּֽדָּחָה֙ אֲקַבֵּ֔ץ וְשַׂמְתִּים֙ לִתְהִלָּ֣ה וּלְשֵׁ֔ם בְּכָל־
כ הָאָ֖רֶץ בָּשְׁתָּֽם׃ בָּעֵ֤ת הַהִיא֙ אָבִ֣יא אֶתְכֶ֔ם וּבָעֵ֖ת קַבְּצִ֣י אֶתְכֶ֑ם
כִּֽי־אֶתֵּ֨ן אֶתְכֶ֜ם לְשֵׁ֣ם וְלִתְהִלָּ֗ה בְּכֹל֙ עַמֵּ֣י הָאָ֔רֶץ בְּשׁוּבִ֧י אֶת־
שְׁבוּתֵיכֶ֛ם לְעֵינֵיכֶ֖ם אָמַ֥ר יְהוָֽה׃

הָעֹנֶשׁ לַגּוֹיִם - מוּסָר לְיִשְׂרָאֵל:

עִכּוּב הַגְּאֻלָּה בִּגְלַל הַחֲטָאִים:

דִּין בָּרְשָׁעִים וּפְלֵיטַת הַצַּדִּיקִים:

הַשִּׂמְחָה בַּהַצָּלָה:

חגי　　**א**

בִּשְׁנַ֣ת שְׁתַּ֗יִם לְדָרְיָ֤וֶשׁ הַמֶּ֙לֶךְ֙ בַּחֹ֣דֶשׁ הַשִּׁשִּׁ֔י בְּי֥וֹם אֶחָ֖ד לַחֹ֑דֶשׁ
[3408]
הָיָ֣ה דְבַר־יְהֹוָה֮ בְּיַד־חַגַּ֣י הַנָּבִיא֒ אֶל־זְרֻבָּבֶ֤ל בֶּן־שְׁאַלְתִּיאֵל֙ פַּחַ֣ת
הַתְּרָשָׁלוּת
הָעָם בְּבִנְיַן
הַמִּקְדָּשׁ׃
יְהוּדָ֔ה וְאֶל־יְהוֹשֻׁ֧עַ בֶּן־יְהוֹצָדָ֛ק הַכֹּהֵ֥ן הַגָּד֖וֹל לֵאמֹֽר׃ כֹּ֥ה אָמַ֛ר **ב**
יְהֹוָ֥ה צְבָא֖וֹת לֵאמֹ֑ר הָעָ֤ם הַזֶּה֙ אָֽמְר֔וּ לֹ֥א עֶת־בֹּ֛א עֶת־בֵּ֥ית יְהֹוָ֖ה
לְהִבָּנֽוֹת׃

הַמְּאֵרָה
עֵקֶב
וַֽיְהִי֙ דְּבַר־יְהֹוָ֔ה בְּיַד־חַגַּ֥י הַנָּבִ֖יא לֵאמֹֽר׃ הַעֵ֤ת לָכֶם֙ אַתֶּ֔ם לָשֶׁ֖בֶת **ג** **ד**
הַתְּרַשְּׁלוּתָֽם׃
בְּבָתֵּיכֶ֖ם סְפוּנִ֑ים וְהַבַּ֥יִת הַזֶּ֖ה חָרֵֽב׃ וְעַתָּ֕ה כֹּ֥ה אָמַ֖ר יְהֹוָ֣ה **ה**
צְבָא֑וֹת שִׂ֥ימוּ לְבַבְכֶ֖ם עַל־דַּרְכֵיכֶֽם׃ זְרַעְתֶּ֨ם הַרְבֵּ֜ה וְהָבֵ֣א מְעָ֗ט **ו**
אָכ֤וֹל וְאֵין־לְשָׂבְעָה֙ שָׁת֣וֹ וְאֵין־לְשָׁכְרָ֔ה לָב֖וֹשׁ וְאֵין־לְחֹ֣ם ל֑וֹ
וְהַ֨מִּשְׂתַּכֵּ֔ר מִשְׂתַּכֵּ֖ר אֶל־צְר֥וֹר נָקֽוּב׃

מְנִיעַ
הַמְּאֵרָה עַ"יְ
בְּנְיַ֖ן הַבַּֽיִת׃
כֹּ֥ה אָמַ֖ר יְהֹוָ֣ה צְבָא֑וֹת שִׂ֥ימוּ לְבַבְכֶ֖ם עַל־דַּרְכֵיכֶֽם׃ עֲל֥וּ הָהָ֛ר **ז** **ח**
וַהֲבֵאתֶ֥ם עֵ֖ץ וּבְנ֣וּ הַבָּ֑יִת וְאֶרְצֶה־בּ֥וֹ **ואכבד** וְאֶכָּבְדָ֖ה אָמַ֥ר יְהֹוָֽה׃
פָּנֹ֤ה אֶל־הַרְבֵּה֙ וְהִנֵּ֣ה לִמְעָ֔ט וַהֲבֵאתֶ֥ם הַבַּ֖יִת וְנָפַ֣חְתִּי ב֑וֹ יַ֣עַן מֶ֗ה **ט**
נְאֻם֙ יְהֹוָ֣ה צְבָא֔וֹת יַ֣עַן בֵּיתִ֗י אֲשֶׁר־ה֣וּא חָרֵ֔ב וְאַתֶּ֥ם רָצִ֖ים אִ֥ישׁ
לְבֵיתֽוֹ׃ עַל־כֵּ֣ן עֲלֵיכֶ֔ם כָּֽלְא֥וּ שָׁמַ֖יִם מִטָּ֑ל וְהָאָ֖רֶץ כָּֽלְאָ֥ה יְבוּלָֽהּ׃ **י**
וָאֶקְרָ֨א חֹ֜רֶב עַל־הָאָ֣רֶץ וְעַל־הֶֽהָרִ֗ים וְעַל־הַדָּגָן֙ וְעַל־הַתִּיר֣וֹשׁ **יא**
וְעַל־הַיִּצְהָ֔ר וְעַ֖ל אֲשֶׁ֣ר תּוֹצִ֣יא הָאֲדָמָ֑ה וְעַל־הָֽאָדָם֙ וְעַל־הַבְּהֵמָ֔ה
וְעַ֖ל כׇּל־יְגִ֥יעַ כַּפָּֽיִם׃

הַתְּעוֹרְרוּת
הָעָם לְבִנְיַ֖ן
בֵּ֖ית ה'׃
וַיִּשְׁמַ֣ע זְרֻבָּבֶ֣ל ׀ בֶּֽן־שַׁלְתִּיאֵ֡ל וִיהוֹשֻׁ֣עַ בֶּן־יְהוֹצָדָק֩ הַכֹּהֵ֨ן **יב**
הַגָּד֜וֹל וְכֹ֣ל ׀ שְׁאֵרִ֣ית הָעָ֗ם בְּקוֹל֙ יְהֹוָ֣ה אֱלֹֽהֵיהֶ֔ם וְעַל־דִּבְרֵי֙ חַגַּ֣י
הַנָּבִ֔יא כַּאֲשֶׁ֥ר שְׁלָח֖וֹ יְהֹוָ֣ה אֱלֹהֵיהֶ֑ם וַיִּֽירְא֥וּ הָעָ֖ם מִפְּנֵ֥י יְהֹוָֽה׃
וַ֠יֹּ֠אמֶר חַגַּ֞י מַלְאַ֧ךְ יְהֹוָ֛ה בְּמַלְאֲכ֥וּת יְהֹוָ֖ה לָעָ֣ם לֵאמֹ֑ר אֲנִ֤י אִתְּכֶם֙ **יג**
נְאֻם־יְהֹוָֽה׃ וַיָּ֣עַר יְהֹוָ֡ה אֶת־רוּחַ֩ זְרֻבָּבֶ֨ל בֶּן־שַׁלְתִּיאֵ֜ל פַּחַ֣ת **יד**

יְהוּדָה וְאֶת־רוּחַ יְהוֹשֻׁעַ בֶּן־יְהוֹצָדָק הַכֹּהֵן הַגָּדוֹל וְאֶת־רוּחַ
כֹּל שְׁאֵרִית הָעָם וַיָּבֹאוּ וַיַּעֲשׂוּ מְלָאכָה בְּבֵית־יְהוָה צְבָאוֹת
אֱלֹהֵיהֶם׃
חִזּוּק יְדֵי בּוֹנֵי הַבַּיִת:
בְּיוֹם עֶשְׂרִים וְאַרְבָּעָה לַחֹדֶשׁ בַּשִּׁשִּׁי בִּשְׁנַת שְׁתַּיִם לְדָרְיָוֶשׁ טו
[3408]
הַמֶּלֶךְ׃ בַּשְּׁבִיעִי בְּעֶשְׂרִים וְאֶחָד לַחֹדֶשׁ הָיָה דְּבַר־יְהוָה בְּיַד־ ב א
חַגַּי הַנָּבִיא לֵאמֹר׃ אֱמָר־נָא אֶל־זְרֻבָּבֶל בֶּן־שַׁלְתִּיאֵל פַּחַת ב
יְהוּדָה וְאֶל־יְהוֹשֻׁעַ בֶּן־יְהוֹצָדָק הַכֹּהֵן הַגָּדוֹל וְאֶל־שְׁאֵרִית הָעָם
לֵאמֹר׃ מִי בָכֶם הַנִּשְׁאָר אֲשֶׁר רָאָה אֶת־הַבַּיִת הַזֶּה בִּכְבוֹדוֹ ג
הָרִאשׁוֹן וּמָה אַתֶּם רֹאִים אֹתוֹ עַתָּה הֲלוֹא כָמֹהוּ כְּאַיִן בְּעֵינֵיכֶם׃
וְעַתָּה חֲזַק זְרֻבָּבֶל ׀ נְאֻם־יְהוָה וַחֲזַק יְהוֹשֻׁעַ בֶּן־יְהוֹצָדָק הַכֹּהֵן ד
הַגָּדוֹל וַחֲזַק כָּל־עַם הָאָרֶץ נְאֻם־יְהוָה וַעֲשׂוּ כִּי־אֲנִי אִתְּכֶם נְאֻם
יְהוָה צְבָאוֹת׃ אֶת־הַדָּבָר אֲשֶׁר כָּרַתִּי אִתְּכֶם בְּצֵאתְכֶם מִמִּצְרַיִם ה
וְרוּחִי עֹמֶדֶת בְּתוֹכְכֶם אַל־תִּירָאוּ׃
תְּרוּמוֹת הַגּוֹיִם לְפָאֵר הַבַּיִת:
כִּי כֹה אָמַר יְהוָה צְבָאוֹת עוֹד אַחַת מְעַט הִיא וַאֲנִי מַרְעִישׁ ו
אֶת־הַשָּׁמַיִם וְאֶת־הָאָרֶץ וְאֶת־הַיָּם וְאֶת־הֶחָרָבָה׃ וְהִרְעַשְׁתִּי ז
אֶת־כָּל־הַגּוֹיִם וּבָאוּ חֶמְדַּת כָּל־הַגּוֹיִם וּמִלֵּאתִי אֶת־הַבַּיִת הַזֶּה
כָּבוֹד אָמַר יְהוָה צְבָאוֹת׃ לִי הַכֶּסֶף וְלִי הַזָּהָב נְאֻם יְהוָה צְבָאוֹת׃ ח
גָּדוֹל יִהְיֶה כְּבוֹד הַבַּיִת הַזֶּה הָאַחֲרוֹן מִן־הָרִאשׁוֹן אָמַר יְהוָה ט
צְבָאוֹת וּבַמָּקוֹם הַזֶּה אֶתֵּן שָׁלוֹם נְאֻם יְהוָה צְבָאוֹת׃
בְּחִינָה לַכֹּהֲנִים בְּהִלְכוֹת מִקְדָּשׁ:
בְּעֶשְׂרִים וְאַרְבָּעָה לַתְּשִׁיעִי בִּשְׁנַת שְׁתַּיִם לְדָרְיָוֶשׁ הָיָה דְּבַר־ י
יְהוָה אֶל־חַגַּי הַנָּבִיא לֵאמֹר׃ כֹּה אָמַר יְהוָה צְבָאוֹת שְׁאַל־נָא יא
[3409]
אֶת־הַכֹּהֲנִים תּוֹרָה לֵאמֹר׃ הֶן ׀ יִשָּׂא־אִישׁ בְּשַׂר־קֹדֶשׁ בִּכְנַף יב
בִּגְדוֹ וְנָגַע בִּכְנָפוֹ אֶל־הַלֶּחֶם וְאֶל־הַנָּזִיד וְאֶל־הַיַּיִן וְאֶל־שֶׁמֶן
וְאֶל־כָּל־מַאֲכָל הֲיִקְדָּשׁ וַיַּעֲנוּ הַכֹּהֲנִים וַיֹּאמְרוּ לֹא׃ וַיֹּאמֶר חַגַּי יג
אִם־יִגַּע טְמֵא־נֶפֶשׁ בְּכָל־אֵלֶּה הֲיִטְמָא וַיַּעֲנוּ הַכֹּהֲנִים וַיֹּאמְרוּ

יד יִטְמָא׃ וַיַּעַן חַגַּי וַיֹּאמֶר כֵּן הָעָם־הַזֶּה וְכֵן־הַגּוֹי הַזֶּה לְפָנַי
נְאֻם־יְהוָה וְכֵן כָּל־מַעֲשֵׂה יְדֵיהֶם וַאֲשֶׁר יַקְרִיבוּ שָׁם טָמֵא הוּא׃
טו וְעַתָּה שִׂימוּ־נָא לְבַבְכֶם מִן־הַיּוֹם הַזֶּה וָמָעְלָה מִטֶּרֶם שׂוּם־אֶבֶן
טז אֶל־אֶבֶן בְּהֵיכַל יְהוָה׃ מִהְיוֹתָם בָּא אֶל־עֲרֵמַת עֶשְׂרִים וְהָיְתָה
עֲשָׂרָה בָּא אֶל־הַיֶּקֶב לַחְשֹׂף חֲמִשִּׁים פּוּרָה וְהָיְתָה עֶשְׂרִים׃
יז הִכֵּיתִי אֶתְכֶם בַּשִּׁדָּפוֹן וּבַיֵּרָקוֹן וּבַבָּרָד אֵת כָּל־מַעֲשֵׂה יְדֵיכֶם
יח וְאֵין־אֶתְכֶם אֵלַי נְאֻם־יְהוָה׃ שִׂימוּ־נָא לְבַבְכֶם מִן־הַיּוֹם הַזֶּה
וָמָעְלָה מִיּוֹם עֶשְׂרִים וְאַרְבָּעָה לַתְּשִׁיעִי לְמִן־הַיּוֹם אֲשֶׁר־יֻסַּד
יט הֵיכַל־יְהוָה שִׂימוּ לְבַבְכֶם׃ הַעוֹד הַזֶּרַע בַּמְּגוּרָה וְעַד־הַגֶּפֶן
וְהַתְּאֵנָה וְהָרִמּוֹן וְעֵץ הַזַּיִת לֹא נָשָׂא מִן־הַיּוֹם הַזֶּה אֲבָרֵךְ׃

הַבְּרָכָה בְּעִקְּבוֹת הַבִּנְיָן׃

כ וַיְהִי דְבַר־יְהוָה ׀ שֵׁנִית אֶל־חַגַּי בְּעֶשְׂרִים וְאַרְבָּעָה לַחֹדֶשׁ
כא לֵאמֹר׃ אֱמֹר אֶל־זְרֻבָּבֶל פַּחַת־יְהוּדָה לֵאמֹר אֲנִי מַרְעִישׁ
כב אֶת־הַשָּׁמַיִם וְאֶת־הָאָרֶץ׃ וְהָפַכְתִּי כִּסֵּא מַמְלָכוֹת וְהִשְׁמַדְתִּי
חֹזֶק מַמְלְכוֹת הַגּוֹיִם וְהָפַכְתִּי מֶרְכָּבָה וְרֹכְבֶיהָ וְיָרְדוּ סוּסִים
כג וְרֹכְבֵיהֶם אִישׁ בְּחֶרֶב אָחִיו׃ בַּיּוֹם הַהוּא נְאֻם־יְהוָה צְבָאוֹת
אֶקָּחֲךָ זְרֻבָּבֶל בֶּן־שְׁאַלְתִּיאֵל עַבְדִּי נְאֻם־יְהוָה וְשַׂמְתִּיךָ
כַּחוֹתָם כִּי־בְךָ בָחַרְתִּי נְאֻם יְהוָה צְבָאוֹת׃

הַשְׁמָדַת הַמַּמְלָכוֹת וּבְחִירַת זְרֻבָּבֶל׃

———

———

———

זכריה [3408]

א א בַּחֹדֶשׁ הַשְּׁמִינִי בִּשְׁנַת שְׁתַּיִם לְדָרְיָוֶשׁ הָיָה דְבַר־יְהוָה אֶל־
ב זְכַרְיָה בֶּן־בֶּרֶכְיָה בֶּן־עִדּוֹ הַנָּבִיא לֵאמֹר׃ קָצַף יְהוָה עַל־
ג אֲבוֹתֵיכֶם קָצֶף׃ וְאָמַרְתָּ אֲלֵהֶם כֹּה אָמַר יְהוָה צְבָאוֹת שׁוּבוּ
אֵלַי נְאֻם יְהוָה צְבָאוֹת וְאָשׁוּב אֲלֵיכֶם אָמַר יְהוָה צְבָאוֹת׃
ד אַל־תִּהְיוּ כַאֲבֹתֵיכֶם אֲשֶׁר קָרְאוּ־אֲלֵיהֶם הַנְּבִיאִים הָרִאשֹׁנִים

קְרִיאָה לִתְשׁוּבָה וְהִתְבּוֹנְנוּת׃

לֵאמֹר כֹּה אָמַר יְהוָה צְבָאוֹת שׁוּבוּ נָא מִדַּרְכֵיכֶם הָרָעִים
ומעליליכם וּמַעַלְלֵיכֶם הָרָעִים וְלֹא שָׁמְעוּ וְלֹא־הִקְשִׁיבוּ אֵלַי
ה נְאֻם־יְהוָה׃ אֲבוֹתֵיכֶם אַיֵּה־הֵם וְהַנְּבִאִים הַלְעוֹלָם יִחְיוּ׃ אַךְ ׀
ו דְּבָרַי וְחֻקַּי אֲשֶׁר צִוִּיתִי אֶת־עֲבָדַי הַנְּבִיאִים הֲלוֹא הִשִּׂיגוּ
אֲבֹתֵיכֶם וַיָּשׁוּבוּ וַיֹּאמְרוּ כַּאֲשֶׁר זָמַם יְהוָה צְבָאוֹת לַעֲשׂוֹת לָנוּ
כִּדְרָכֵינוּ וּכְמַעֲלָלֵינוּ כֵּן עָשָׂה אִתָּנוּ׃

הַסּוּסִים, סֵמֶל לַשְּׁלִיטִים: [3408]

ז בְּיוֹם עֶשְׂרִים וְאַרְבָּעָה לְעַשְׁתֵּי־עָשָׂר חֹדֶשׁ הוּא־חֹדֶשׁ שְׁבָט
בִּשְׁנַת שְׁתַּיִם לְדָרְיָוֶשׁ הָיָה דְבַר־יְהוָה אֶל־זְכַרְיָה בֶּן־בֶּרֶכְיָהוּ
ח בֶּן־עִדּוֹא הַנָּבִיא לֵאמֹר׃ רָאִיתִי ׀ הַלַּיְלָה וְהִנֵּה־אִישׁ רֹכֵב
עַל־סוּס אָדֹם וְהוּא עֹמֵד בֵּין הַהֲדַסִּים אֲשֶׁר בַּמְּצֻלָה וְאַחֲרָיו
ט סוּסִים אֲדֻמִּים שְׂרֻקִּים וּלְבָנִים׃ וָאֹמַר מָה־אֵלֶּה אֲדֹנִי וַיֹּאמֶר
י אֵלַי הַמַּלְאָךְ הַדֹּבֵר בִּי אֲנִי אַרְאֶךָּ מָה־הֵמָּה אֵלֶּה׃ וַיַּעַן הָאִישׁ
הָעֹמֵד בֵּין־הַהֲדַסִּים וַיֹּאמַר אֵלֶּה אֲשֶׁר שָׁלַח יְהוָה לְהִתְהַלֵּךְ
יא בָּאָרֶץ׃ וַיַּעֲנוּ אֶת־מַלְאַךְ יְהוָה הָעֹמֵד בֵּין הַהֲדַסִּים וַיֹּאמְרוּ

תְּפִלַּת הַמַּלְאָךְ, וּנְבוּאַת הַנֶּחָמָה:

יב הִתְהַלַּכְנוּ בָאָרֶץ וְהִנֵּה כָל־הָאָרֶץ יֹשֶׁבֶת וְשֹׁקָטֶת׃ וַיַּעַן מַלְאַךְ־
יְהוָה וַיֹּאמַר יְהוָה צְבָאוֹת עַד־מָתַי אַתָּה לֹא־תְרַחֵם אֶת־
יג יְרוּשָׁלִַם וְאֵת עָרֵי יְהוּדָה אֲשֶׁר זָעַמְתָּה זֶה שִׁבְעִים שָׁנָה׃ וַיַּעַן
יְהוָה אֶת־הַמַּלְאָךְ הַדֹּבֵר בִּי דְּבָרִים טוֹבִים דְּבָרִים נִחֻמִים׃
יד וַיֹּאמֶר אֵלַי הַמַּלְאָךְ הַדֹּבֵר בִּי קְרָא לֵאמֹר כֹּה אָמַר יְהוָה צְבָאוֹת
טו קִנֵּאתִי לִירוּשָׁלִַם וּלְצִיּוֹן קִנְאָה גְדוֹלָה׃ וְקֶצֶף גָּדוֹל אֲנִי קֹצֵף
עַל־הַגּוֹיִם הַשַּׁאֲנַנִּים אֲשֶׁר אֲנִי קָצַפְתִּי מְּעָט וְהֵמָּה עָזְרוּ לְרָעָה׃
טז לָכֵן כֹּה־אָמַר יְהוָה שַׁבְתִּי לִירוּשָׁלִַם בְּרַחֲמִים בֵּיתִי יִבָּנֶה בָּהּ
יז נְאֻם יְהוָה צְבָאוֹת וקוה וְקָו יִנָּטֶה עַל־יְרוּשָׁלִָם׃ עוֹד ׀ קְרָא לֵאמֹר
כֹּה אָמַר יְהוָה צְבָאוֹת עוֹד תְּפוּצֶנָה עָרַי מִטּוֹב וְנִחַם יְהוָה עוֹד
אֶת־צִיּוֹן וּבָחַר עוֹד בִּירוּשָׁלִָם׃

ב א ב וָאֶשָּׂא אֶת־עֵינַי וָאֵרֶא וְהִנֵּה אַרְבַּע קְרָנוֹת׃ וָאֹמַר אֶל־הַמַּלְאָךְ
הַדֹּבֵר בִּי מָה־אֵלֶּה וַיֹּאמֶר אֵלַי אֵלֶּה הַקְּרָנוֹת אֲשֶׁר זֵרוּ
אֶת־יְהוּדָה אֶת־יִשְׂרָאֵל וִירוּשָׁלִָם׃
ג ד וַיַּרְאֵנִי יְהוָה אַרְבָּעָה חָרָשִׁים׃ וָאֹמַר מָה אֵלֶּה בָאִים לַעֲשׂוֹת
וַיֹּאמֶר לֵאמֹר אֵלֶּה הַקְּרָנוֹת אֲשֶׁר־זֵרוּ אֶת־יְהוּדָה כְּפִי־אִישׁ
לֹא־נָשָׂא רֹאשׁוֹ וַיָּבֹאוּ אֵלֶּה לְהַחֲרִיד אֹתָם לְיַדּוֹת אֶת־קַרְנוֹת
ה הַגּוֹיִם הַנֹּשְׂאִים קֶרֶן אֶל־אֶרֶץ יְהוּדָה לְזָרוֹתָהּ׃ וָאֶשָּׂא
ו עֵינַי וָאֵרֶא וְהִנֵּה־אִישׁ וּבְיָדוֹ חֶבֶל מִדָּה׃ וָאֹמַר אָנָה אַתָּה הֹלֵךְ
וַיֹּאמֶר אֵלַי לָמֹד אֶת־יְרוּשָׁלִַם לִרְאוֹת כַּמָּה־רָחְבָּהּ וְכַמָּה
ז אָרְכָּהּ׃ וְהִנֵּה הַמַּלְאָךְ הַדֹּבֵר בִּי יֹצֵא וּמַלְאָךְ אַחֵר יֹצֵא לִקְרָאתוֹ׃
ח וַיֹּאמֶר אֵלָו רֻץ דַּבֵּר אֶל־הַנַּעַר הַלָּז לֵאמֹר פְּרָזוֹת תֵּשֵׁב יְרוּשָׁלִַם
ט מֵרֹב אָדָם וּבְהֵמָה בְּתוֹכָהּ׃ וַאֲנִי אֶהְיֶה־לָּהּ נְאֻם־יְהוָה חוֹמַת
אֵשׁ סָבִיב וּלְכָבוֹד אֶהְיֶה בְתוֹכָהּ׃
י הוֹי הוֹי וְנֻסוּ מֵאֶרֶץ צָפוֹן נְאֻם־יְהוָה כִּי כְּאַרְבַּע רוּחוֹת הַשָּׁמַיִם
יא פֵּרַשְׂתִּי אֶתְכֶם נְאֻם־יְהוָה׃ הוֹי צִיּוֹן הִמָּלְטִי יוֹשֶׁבֶת בַּת־
בָּבֶל׃
יב כִּי כֹה אָמַר יְהוָה צְבָאוֹת אַחַר כָּבוֹד שְׁלָחַנִי אֶל־הַגּוֹיִם הַשֹּׁלְלִים
יג אֶתְכֶם כִּי הַנֹּגֵעַ בָּכֶם נֹגֵעַ בְּבָבַת עֵינוֹ׃ כִּי הִנְנִי מֵנִיף אֶת־
יָדִי עֲלֵיהֶם וְהָיוּ שָׁלָל לְעַבְדֵיהֶם וִידַעְתֶּם כִּי־יְהוָה צְבָאוֹת
יד שְׁלָחָנִי׃ רָנִּי וְשִׂמְחִי בַּת־צִיּוֹן
טו כִּי הִנְנִי־בָא וְשָׁכַנְתִּי בְתוֹכֵךְ נְאֻם־יְהוָה׃ וְנִלְווּ גוֹיִם רַבִּים
אֶל־יְהוָה בַּיּוֹם הַהוּא וְהָיוּ לִי לְעָם וְשָׁכַנְתִּי בְתוֹכֵךְ וְיָדַעַתְּ
טז כִּי־יְהוָה צְבָאוֹת שְׁלָחַנִי אֵלָיִךְ׃ וְנָחַל יְהוָה אֶת־יְהוּדָה חֶלְקוֹ עַל
יז אַדְמַת הַקֹּדֶשׁ וּבָחַר עוֹד בִּירוּשָׁלִָם׃ הַס כָּל־בָּשָׂר מִפְּנֵי יְהוָה
כִּי נֵעוֹר מִמְּעוֹן קָדְשׁוֹ׃

מַרְאֵה הַקְּרָנוֹת, סֵמֶל לַמַּלְכֻיּוֹת:

מַרְאֵה חֶבֶל הַמִּדָּה וּבִטּוּלוֹ:

קְרִיאָה לְקִבּוּץ הַגָּלֻיּוֹת:

הַשְׁרָאַת הַשְּׁכִינָה עַל יִשְׂרָאֵל:

ג א וַיַּרְאֵנִי אֶת־יְהוֹשֻׁעַ הַכֹּהֵן הַגָּדוֹל עֹמֵד לִפְנֵי מַלְאַךְ יְהוָה וְהַשָּׂטָן
ב עֹמֵד עַל־יְמִינוֹ לְשִׂטְנוֹ׃ וַיֹּאמֶר יְהוָה אֶל־הַשָּׂטָן יִגְעַר יְהוָה בְּךָ
הַשָּׂטָן וְיִגְעַר יְהוָה בְּךָ הַבֹּחֵר בִּירוּשָׁלִָם הֲלוֹא זֶה אוּד מֻצָּל
ג מֵאֵשׁ׃ וִיהוֹשֻׁעַ הָיָה לָבֻשׁ בְּגָדִים צוֹאִים וְעֹמֵד לִפְנֵי הַמַּלְאָךְ׃
ד וַיַּעַן וַיֹּאמֶר אֶל־הָעֹמְדִים לְפָנָיו לֵאמֹר הָסִירוּ הַבְּגָדִים הַצֹּאִים
מֵעָלָיו וַיֹּאמֶר אֵלָיו רְאֵה הֶעֱבַרְתִּי מֵעָלֶיךָ עֲוֺנֶךָ וְהַלְבֵּשׁ אֹתְךָ
ה מַחֲלָצוֹת׃ וָאֹמַר יָשִׂימוּ צָנִיף טָהוֹר עַל־רֹאשׁוֹ וַיָּשִׂימוּ הַצָּנִיף
ו הַטָּהוֹר עַל־רֹאשׁוֹ וַיַּלְבִּשֻׁהוּ בְּגָדִים וּמַלְאַךְ יְהוָה עֹמֵד׃ וַיָּעַד
ז מַלְאַךְ יְהוָה בִּיהוֹשֻׁעַ לֵאמֹר׃ כֹּה־אָמַר יְהוָה צְבָאוֹת אִם־בִּדְרָכַי
תֵּלֵךְ וְאִם אֶת־מִשְׁמַרְתִּי תִשְׁמֹר וְגַם־אַתָּה תָּדִין אֶת־בֵּיתִי וְגַם
תִּשְׁמֹר אֶת־חֲצֵרָי וְנָתַתִּי לְךָ מַהְלְכִים בֵּין הָעֹמְדִים הָאֵלֶּה׃
ח שְׁמַע־נָא יְהוֹשֻׁעַ ׀ הַכֹּהֵן הַגָּדוֹל אַתָּה וְרֵעֶיךָ הַיֹּשְׁבִים לְפָנֶיךָ
ט כִּי־אַנְשֵׁי מוֹפֵת הֵמָּה כִּי־הִנְנִי מֵבִיא אֶת־עַבְדִּי צֶמַח׃ כִּי ׀ הִנֵּה
הָאֶבֶן אֲשֶׁר נָתַתִּי לִפְנֵי יְהוֹשֻׁעַ עַל־אֶבֶן אַחַת שִׁבְעָה עֵינָיִם
הִנְנִי מְפַתֵּחַ פִּתֻּחָהּ נְאֻם יְהוָה צְבָאוֹת וּמַשְׁתִּי אֶת־עֲוֺן
י הָאָרֶץ־הַהִיא בְּיוֹם אֶחָד׃ בַּיּוֹם הַהוּא נְאֻם יְהוָה צְבָאוֹת תִּקְרְאוּ
ד א אִישׁ לְרֵעֵהוּ אֶל־תַּחַת גֶּפֶן וְאֶל־תַּחַת תְּאֵנָה׃ וַיָּשָׁב הַמַּלְאָךְ
ב הַדֹּבֵר בִּי וַיְעִירֵנִי כְּאִישׁ אֲשֶׁר־יֵעוֹר מִשְּׁנָתוֹ׃ וַיֹּאמֶר אֵלַי מָה
אַתָּה רֹאֶה ויאמר וָאֹמַר רָאִיתִי ׀ וְהִנֵּה מְנוֹרַת זָהָב כֻּלָּהּ וְגֻלָּהּ
עַל־רֹאשָׁהּ וְשִׁבְעָה נֵרֹתֶיהָ עָלֶיהָ שִׁבְעָה וְשִׁבְעָה מוּצָקוֹת
ג לַנֵּרוֹת אֲשֶׁר עַל־רֹאשָׁהּ׃ וּשְׁנַיִם זֵיתִים עָלֶיהָ אֶחָד מִימִין
ד הַגֻּלָּה וְאֶחָד עַל־שְׂמֹאלָהּ׃ וָאַעַן וָאֹמַר אֶל־הַמַּלְאָךְ הַדֹּבֵר בִּי
ה לֵאמֹר מָה־אֵלֶּה אֲדֹנִי׃ וַיַּעַן הַמַּלְאָךְ הַדֹּבֵר בִּי וַיֹּאמֶר אֵלַי הֲלוֹא
ו יָדַעְתָּ מָה־הֵמָּה אֵלֶּה וָאֹמַר לֹא אֲדֹנִי׃ וַיַּעַן וַיֹּאמֶר אֵלַי לֵאמֹר
זֶה דְּבַר־יְהוָה אֶל־זְרֻבָּבֶל לֵאמֹר לֹא בְחַיִל וְלֹא בְכֹחַ כִּי

הַגְּעָרָה בְּשָׂטָן לְבַל יַשְׂטִין עַל יְהוֹשֻׁעַ׃

הַבְּגָדִים הַצּוֹאִים - בָּנָיו שֶׁנָּשְׂאוּ נָכְרִיּוֹת׃

הַבְּשׂוֹרָה לִיהוֹשֻׁעַ בִּתְנַאי׃

מַרְאֵה הַמְּנוֹרָה׃

הַנִּמְשָׁל לִזְרֻבָּבֶל׃

ז אִם־בְּרוּחִי אָמַר יְהוָה צְבָאוֹת׃ מִי־אַתָּה הַר־הַגָּדוֹל לִפְנֵי זְרֻבָּבֶל
לְמִישֹׁר וְהוֹצִיא אֶת־הָאֶבֶן הָרֹאשָׁה תְּשֻׁאוֹת חֵן חֵן לָהּ׃

זְרֻבָּבֶל בּוֹנֶה הַבַּיִת הַשֵּׁנִי׃

ח ט וַיְהִי דְבַר־יְהוָה אֵלַי לֵאמֹר׃ יְדֵי זְרֻבָּבֶל יִסְּדוּ הַבַּיִת הַזֶּה וְיָדָיו
י תְּבַצַּעְנָה וְיָדַעְתָּ כִּי־יְהוָה צְבָאוֹת שְׁלָחַנִי אֲלֵיכֶם׃ כִּי מִי בַז
לְיוֹם קְטַנּוֹת וְשָׂמְחוּ וְרָאוּ אֶת־הָאֶבֶן הַבְּדִיל בְּיַד זְרֻבָּבֶל

מַשְׁמָעוּת פְּרָטֵי הַמְּנוֹרָה׃

יא שִׁבְעָה־אֵלֶּה עֵינֵי יְהוָה הֵמָּה מְשׁוֹטְטִים בְּכָל־הָאָרֶץ׃ וָאַעַן וָאֹמַר
אֵלָיו מַה־שְּׁנֵי הַזֵּיתִים הָאֵלֶּה עַל־יְמִין הַמְּנוֹרָה וְעַל־
יב שְׂמֹאולָהּ׃ וָאַעַן שֵׁנִית וָאֹמַר אֵלָיו מַה־שְּׁתֵּי שִׁבֲּלֵי הַזֵּיתִים
אֲשֶׁר בְּיַד שְׁנֵי צַנְתְּרוֹת הַזָּהָב הַמְרִיקִים מֵעֲלֵיהֶם הַזָּהָב׃
יג יד וַיֹּאמֶר אֵלַי לֵאמֹר הֲלוֹא יָדַעְתָּ מָה־אֵלֶּה וָאֹמַר לֹא אֲדֹנִי׃ וַיֹּאמֶר

מַרְאֵה הַמְּגִלָּה הָעָפָה וּפִתְרוֹנָהּ׃

ה א אֵלֶּה שְׁנֵי בְנֵי־הַיִּצְהָר הָעֹמְדִים עַל־אֲדוֹן כָּל־הָאָרֶץ׃ וָאָשׁוּב
ב וָאֶשָּׂא עֵינַי וָאֶרְאֶה וְהִנֵּה מְגִלָּה עָפָה׃ וַיֹּאמֶר אֵלַי מָה אַתָּה רֹאֶה
וָאֹמַר אֲנִי רֹאֶה מְגִלָּה עָפָה אָרְכָּהּ עֶשְׂרִים בָּאַמָּה וְרָחְבָּהּ
ג עֶשֶׂר בָּאַמָּה׃ וַיֹּאמֶר אֵלַי זֹאת הָאָלָה הַיּוֹצֵאת עַל־פְּנֵי כָל־הָאָרֶץ
כִּי כָל־הַגֹּנֵב מִזֶּה כָּמוֹהָ נִקָּה וְכָל־הַנִּשְׁבָּע מִזֶּה כָּמוֹהָ נִקָּה׃
ד הוֹצֵאתִיהָ נְאֻם יְהוָה צְבָאוֹת וּבָאָה אֶל־בֵּית הַגַּנָּב וְאֶל־בֵּית
הַנִּשְׁבָּע בִּשְׁמִי לַשָּׁקֶר וְלָנָה בְּתוֹךְ בֵּיתוֹ וְכִלַּתּוּ וְאֶת־עֵצָיו

„הָאֵיפָה" פֻּרְעָנוּת עַל הָעוֹשֵׁק׃

ה וְאֶת־אֲבָנָיו׃ וַיֵּצֵא הַמַּלְאָךְ הַדֹּבֵר בִּי וַיֹּאמֶר אֵלַי שָׂא נָא עֵינֶיךָ
ו וּרְאֵה מָה הַיּוֹצֵאת הַזֹּאת׃ וָאֹמַר מַה־הִיא וַיֹּאמֶר זֹאת הָאֵיפָה
ז הַיּוֹצֵאת וַיֹּאמֶר זֹאת עֵינָם בְּכָל־הָאָרֶץ׃ וְהִנֵּה כִּכַּר עֹפֶרֶת נִשֵּׂאת
ח וְזֹאת אִשָּׁה אַחַת יוֹשֶׁבֶת בְּתוֹךְ הָאֵיפָה׃ וַיֹּאמֶר זֹאת הָרִשְׁעָה
וַיַּשְׁלֵךְ אֹתָהּ אֶל־תּוֹךְ הָאֵיפָה וַיַּשְׁלֵךְ אֶת־אֶבֶן הָעֹפֶרֶת אֶל־

מַרְאֵה הַנָּשִׁים בְּכַנְפֵי הַחֲסִידָה׃

ט פִּיהָ׃ וָאֶשָּׂא עֵינַי וָאֵרֶא וְהִנֵּה שְׁתַּיִם נָשִׁים יוֹצְאוֹת
וְרוּחַ בְּכַנְפֵיהֶם וְלָהֵנָּה כְנָפַיִם כְּכַנְפֵי הַחֲסִידָה וַתִּשֶּׂאנָה אֶת־
י הָאֵיפָה בֵּין הָאָרֶץ וּבֵין הַשָּׁמָיִם׃ וָאֹמַר אֶל־הַמַּלְאָךְ הַדֹּבֵר בִּי

יא   אָ֣נָה הֵ֔מָּה מֽוֹלִכ֖וֹת אֶת־הָאֵיפָ֑ה וַיֹּ֣אמֶר אֵלַ֗י לִבְנֽוֹת־לָ֥הֿ בַ֙יִת֙
בְּאֶ֣רֶץ שִׁנְעָ֔ר וְהוּכַ֛ן וְהֻנִּ֥יחָה שָּׁ֖ם עַל־מְכֻנָתָֽהּ׃

מַרְאֶה
הַמֶּרְכָּבָה,
מֶמְשֶׁלֶת
הָאֻמּוֹת׃

ו   וָאָשֻׁ֗ב וָאֶשָּׂ֤א עֵינַי֙ וָֽאֶרְאֶ֔ה וְהִנֵּ֨ה אַרְבַּ֤ע מַרְכָּבוֹת֙ יֹֽצְא֔וֹת מִבֵּ֖ין
ב   שְׁנֵ֣י הֶֽהָרִ֑ים וְהֶהָרִ֖ים הָרֵ֥י נְחֹֽשֶׁת׃ בַּמֶּרְכָּבָ֥ה הָרִֽאשֹׁנָ֖ה סוּסִ֣ים
ג   אֲדֻמִּ֑ים וּבַמֶּרְכָּבָ֥ה הַשֵּׁנִ֖ית סוּסִ֥ים שְׁחֹרִֽים׃ וּבַמֶּרְכָּבָ֥ה הַשְּׁלִשִׁ֖ית
ד   סוּסִ֣ים לְבָנִ֑ים וּבַמֶּרְכָּבָה֙ הָרְבִעִ֔ית סוּסִ֥ים בְּרֻדִּ֖ים אֲמֻצִּֽים׃ וָאַ֕עַן
ה   וָֽאֹמַ֖ר אֶל־הַמַּלְאָ֣ךְ הַדֹּבֵ֣ר בִּ֑י מָה־אֵ֖לֶּה אֲדֹנִֽי׃ וַיַּ֥עַן הַמַּלְאָ֖ךְ
   וַיֹּ֣אמֶר אֵלָ֑י אֵ֣לֶּה אַרְבַּ֗ע רֻח֣וֹת הַשָּׁמַ֔יִם יֽוֹצְא֕וֹת מֵֽהִתְיַצֵּ֖ב
ו   עַל־אֲד֥וֹן כָּל־הָאָֽרֶץ׃ אֲשֶׁר־בָּ֞הּ הַסּוּסִ֣ים הַשְּׁחֹרִ֗ים יֹֽצְאִים֙
   אֶל־אֶ֣רֶץ צָפ֔וֹן וְהַלְּבָנִ֔ים יָֽצְא֖וּ אֶל־אַֽחֲרֵיהֶ֑ם וְהַ֨בְּרֻדִּ֔ים יָֽצְא֖וּ
ז   אֶל־אֶ֣רֶץ הַתֵּימָ֑ן׃ וְהָֽאֲמֻצִּ֣ים יָצְא֗וּ וַיְבַקְשׁוּ֙ לָלֶ֙כֶת֙ לְהִתְהַלֵּ֣ךְ
ח   בָּאָ֔רֶץ וַיֹּ֕אמֶר לְכ֖וּ הִתְהַלְּכ֣וּ בָאָ֑רֶץ וַתִּתְהַלַּ֖כְנָה בָּאָֽרֶץ׃ וַיַּזְעֵ֣ק
   אֹתִ֔י וַיְדַבֵּ֥ר אֵלַ֖י לֵאמֹ֑ר רְאֵ֗ה הַיּֽוֹצְאִים֙ אֶל־אֶ֣רֶץ צָפ֔וֹן הֵנִ֥יחוּ
   אֶת־רוּחִ֖י בְּאֶ֥רֶץ צָפֽוֹן׃

הַעֲטָרוֹת,
הַשַּׁבָּת
הַמְקֻנָּה
וְהַמְּלוּכוֹת׃

ט   וַֽיְהִ֥י דְבַר־יְהֹוָ֖ה אֵלַ֥י לֵאמֹֽר׃ לָק֣וֹחַ֮ מֵאֵ֣ת הַגּוֹלָה֒ מֵֽחֶלְדַּ֗י וּמֵאֵ֤ת
   טֽוֹבִיָּה֙ וּמֵאֵ֣ת יְדַֽעְיָ֔ה וּבָאתָ֤ אַתָּה֙ בַּיּ֣וֹם הַה֔וּא וּבָ֕אתָ֖ בֵּ֖ית יֹאשִׁיָּ֥ה
יא   בֶן־צְפַנְיָ֑ה אֲשֶׁר־בָּ֖אוּ מִבָּבֶֽל׃ וְלָֽקַחְתָּ֥ כֶֽסֶף־וְזָהָ֖ב וְעָשִׂ֣יתָ עֲטָר֑וֹת
יב   וְשַׂמְתָּ֛ בְּרֹ֥אשׁ יְהוֹשֻׁ֥עַ בֶּן־יְהוֹצָדָ֖ק הַכֹּהֵ֥ן הַגָּדֽוֹל׃ וְאָמַרְתָּ֤ אֵלָיו֙
   לֵאמֹ֔ר כֹּ֥ה אָמַ֛ר יְהֹוָ֥ה צְבָא֖וֹת לֵאמֹ֑ר הִנֵּה־אִ֞ישׁ צֶ֤מַח שְׁמוֹ֙
יג   וּמִתַּחְתָּ֣יו יִצְמָ֔ח וּבָנָ֖ה אֶת־הֵיכַ֣ל יְהֹוָֽה׃ וְ֠הוּא יִבְנֶ֞ה אֶת־הֵיכַ֤ל יְהֹוָה֙
   וְהֽוּא־יִשָּׂ֣א ה֔וֹד וְיָשַׁ֥ב וּמָשַׁ֖ל עַל־כִּסְא֑וֹ וְהָיָ֤ה כֹהֵן֙ עַל־כִּסְא֔וֹ וַֽעֲצַ֣ת
יד   שָׁל֔וֹם תִּֽהְיֶ֖ה בֵּ֥ין שְׁנֵיהֶֽם׃ וְהָעֲטָרֹ֗ת תִּֽהְיֶ֤ה לְחֵ֙לֶם֙ וּלְטֽוֹבִיָּ֣ה
טו   וְלִידַֽעְיָ֔ה וּלְחֵ֖ן בֶּן־צְפַנְיָ֑ה לְזִכָּר֖וֹן בְּהֵיכַ֥ל יְהֹוָֽה׃ וּרְחוֹקִ֣ים ׀ יָבֹ֗אוּ
   וּבָנוּ֙ בְּהֵיכַ֣ל יְהֹוָ֔ה וִֽידַעְתֶּ֕ם כִּֽי־יְהֹוָ֥ה צְבָא֖וֹת שְׁלָחַ֣נִי אֲלֵיכֶ֑ם וְהָיָה֙
   אִם־שָׁמ֣וֹעַ תִּשְׁמְע֔וּן בְּק֖וֹל יְהֹוָ֥ה אֱלֹֽהֵיכֶֽם׃

שְׁאֵלָה אִם לְהִתְעַנּוֹת בְּט׳ בְּאָב: [3410]

ז א וַיְהִי בִּשְׁנַת אַרְבַּע לְדָרְיָוֶשׁ הַמֶּלֶךְ הָיָה דְבַר־יְהוָה אֶל־זְכַרְיָה
ב בְּאַרְבָּעָה לַחֹדֶשׁ הַתְּשִׁעִי בְּכִסְלֵו: וַיִּשְׁלַח בֵּית־אֵל שַׂרְאֶצֶר
ג וְרֶגֶם מֶלֶךְ וַאֲנָשָׁיו לְחַלּוֹת אֶת־פְּנֵי יְהוָה: לֵאמֹר אֶל־הַכֹּהֲנִים
אֲשֶׁר לְבֵית־יְהוָה צְבָאוֹת וְאֶל־הַנְּבִיאִים לֵאמֹר הַאֶבְכֶּה בַּחֹדֶשׁ
ד הַחֲמִשִׁי הִנָּזֵר כַּאֲשֶׁר עָשִׂיתִי זֶה כַּמֶּה שָׁנִים: וַיְהִי

תְּשׁוּבַת ה׳ כִּי אֵין הַצּוֹם עִקָּר:

ה דְּבַר־יְהוָה צְבָאוֹת אֵלַי לֵאמֹר: אֱמֹר אֶל־כָּל־עַם הָאָרֶץ וְאֶל־
הַכֹּהֲנִים לֵאמֹר כִּי־צַמְתֶּם וְסָפוֹד בַּחֲמִישִׁי וּבַשְּׁבִיעִי וְזֶה
ו שִׁבְעִים שָׁנָה הֲצוֹם צַמְתֻּנִי אָנִי: וְכִי תֹאכְלוּ וְכִי תִשְׁתּוּ הֲלוֹא
ז אַתֶּם הָאֹכְלִים וְאַתֶּם הַשֹּׁתִים: הֲלוֹא אֶת־הַדְּבָרִים אֲשֶׁר קָרָא
יְהוָה בְּיַד הַנְּבִיאִים הָרִאשֹׁנִים בִּהְיוֹת יְרוּשָׁלִַם יֹשֶׁבֶת וּשְׁלֵוָה
וְעָרֶיהָ סְבִיבֹתֶיהָ וְהַנֶּגֶב וְהַשְּׁפֵלָה יֹשֵׁב:

הָעִקָּר - תִּקּוּן הַמִּדּוֹת וַעֲשִׂיַּת חֶסֶד:

ח ט וַיְהִי דְּבַר־יְהוָה אֶל־זְכַרְיָה לֵאמֹר: כֹּה אָמַר יְהוָה צְבָאוֹת לֵאמֹר
מִשְׁפַּט אֱמֶת שְׁפֹטוּ וְחֶסֶד וְרַחֲמִים עֲשׂוּ אִישׁ אֶת־אָחִיו:
י וְאַלְמָנָה וְיָתוֹם גֵּר וְעָנִי אַל־תַּעֲשֹׁקוּ וְרָעַת אִישׁ אָחִיו אַל־
יא תַּחְשְׁבוּ בִּלְבַבְכֶם: וַיְמָאֲנוּ לְהַקְשִׁיב וַיִּתְּנוּ כָתֵף סֹרָרֶת וְאָזְנֵיהֶם
יב הִכְבִּידוּ מִשְּׁמוֹעַ: וְלִבָּם שָׂמוּ שָׁמִיר מִשְּׁמוֹעַ אֶת־הַתּוֹרָה
וְאֶת־הַדְּבָרִים אֲשֶׁר שָׁלַח יְהוָה צְבָאוֹת בְּרוּחוֹ בְּיַד הַנְּבִיאִים
יג הָרִאשֹׁנִים וַיְהִי קֶצֶף גָּדוֹל מֵאֵת יְהוָה צְבָאוֹת: וַיְהִי כַאֲשֶׁר־קָרָא
יד וְלֹא שָׁמֵעוּ כֵּן יִקְרְאוּ וְלֹא אֶשְׁמָע אָמַר יְהוָה צְבָאוֹת: וְאֵסָעֲרֵם
עַל כָּל־הַגּוֹיִם אֲשֶׁר לֹא־יְדָעוּם וְהָאָרֶץ נָשַׁמָּה אַחֲרֵיהֶם מֵעֹבֵר
וּמִשָּׁב וַיָּשִׂימוּ אֶרֶץ־חֶמְדָּה לְשַׁמָּה:

הַנִּפְלָאוֹת בְּשִׁיבַת צִיּוֹן:

ח א ב וַיְהִי דְּבַר־יְהוָה צְבָאוֹת לֵאמֹר: כֹּה אָמַר יְהוָה צְבָאוֹת קִנֵּאתִי
ג לְצִיּוֹן קִנְאָה גְדוֹלָה וְחֵמָה גְדוֹלָה קִנֵּאתִי לָהּ: כֹּה אָמַר יְהוָה
שַׁבְתִּי אֶל־צִיּוֹן וְשָׁכַנְתִּי בְּתוֹךְ יְרוּשָׁלִָם וְנִקְרְאָה יְרוּשָׁלִַם
ד עִיר־הָאֱמֶת וְהַר־יְהוָה צְבָאוֹת הַר הַקֹּדֶשׁ: כֹּה אָמַר יְהוָה צְבָאוֹת

עַד יֵשְׁבוּ זְקֵנִים וּזְקֵנוֹת בִּרְחֹבוֹת יְרוּשָׁלָםִ וְאִישׁ מִשְׁעַנְתּוֹ בְּיָדוֹ
ה מֵרֹב יָמִים׃ וּרְחֹבוֹת הָעִיר יִמָּלְאוּ יְלָדִים וִילָדוֹת מְשַׂחֲקִים
בִּרְחֹבֹתֶיהָ׃
ו כֹּה אָמַר יְהוָה צְבָאוֹת כִּי יִפָּלֵא בְּעֵינֵי שְׁאֵרִית הָעָם הַזֶּה
בַּיָּמִים הָהֵם גַּם־בְּעֵינַי יִפָּלֵא נְאֻם יְהוָה צְבָאוֹת׃
ז כֹּה אָמַר יְהוָה צְבָאוֹת הִנְנִי מוֹשִׁיעַ אֶת־עַמִּי מֵאֶרֶץ מִזְרָח וּמֵאֶרֶץ
ח מְבוֹא הַשָּׁמֶשׁ׃ וְהֵבֵאתִי אֹתָם וְשָׁכְנוּ בְּתוֹךְ יְרוּשָׁלָםִ וְהָיוּ־לִי לְעָם
וַאֲנִי אֶהְיֶה לָהֶם לֵאלֹהִים בֶּאֱמֶת וּבִצְדָקָה׃
ט כֹּה־אָמַר יְהוָה צְבָאוֹת תֶּחֱזַקְנָה יְדֵיכֶם הַשֹּׁמְעִים בַּיָּמִים הָאֵלֶּה
הַבְּרָכָה בְּבִנְיַת הַהֵיכָל׃
אֵת הַדְּבָרִים הָאֵלֶּה מִפִּי הַנְּבִיאִים אֲשֶׁר בְּיוֹם יֻסַּד בֵּית־יְהוָה
י צְבָאוֹת הַהֵיכָל לְהִבָּנוֹת׃ כִּי לִפְנֵי הַיָּמִים הָהֵם שְׂכַר הָאָדָם לֹא
נִהְיָה וּשְׂכַר הַבְּהֵמָה אֵינֶנָּה וְלַיּוֹצֵא וְלַבָּא אֵין־שָׁלוֹם מִן־הַצָּר
יא וַאֲשַׁלַּח אֶת־כָּל־הָאָדָם אִישׁ בְּרֵעֵהוּ׃ וְעַתָּה לֹא כַיָּמִים
יב הָרִאשֹׁנִים אֲנִי לִשְׁאֵרִית הָעָם הַזֶּה נְאֻם יְהוָה צְבָאוֹת׃ כִּי־זֶרַע
הַשָּׁלוֹם הַגֶּפֶן תִּתֵּן פִּרְיָהּ וְהָאָרֶץ תִּתֵּן אֶת־יְבוּלָהּ וְהַשָּׁמַיִם
יג יִתְּנוּ טַלָּם וְהִנְחַלְתִּי אֶת־שְׁאֵרִית הָעָם הַזֶּה אֶת־כָּל־אֵלֶּה׃ וְהָיָה
כַּאֲשֶׁר הֱיִיתֶם קְלָלָה בַּגּוֹיִם בֵּית יְהוּדָה וּבֵית יִשְׂרָאֵל כֵּן אוֹשִׁיעַ
יד אֶתְכֶם וִהְיִיתֶם בְּרָכָה אַל־תִּירָאוּ תֶּחֱזַקְנָה יְדֵיכֶם׃ כִּי
הִתְפַּיְּסוּת ה׳ עִם הַשָּׁבִים לִירוּשָׁלַיִם׃
כֹה אָמַר יְהוָה צְבָאוֹת כַּאֲשֶׁר זָמַמְתִּי לְהָרַע לָכֶם בְּהַקְצִיף
טו אֲבֹתֵיכֶם אֹתִי אָמַר יְהוָה צְבָאוֹת וְלֹא נִחָמְתִּי׃ כֵּן שַׁבְתִּי זָמַמְתִּי
בַּיָּמִים הָאֵלֶּה לְהֵיטִיב אֶת־יְרוּשָׁלַםִ וְאֶת־בֵּית יְהוּדָה אַל־
טז תִּירָאוּ׃ אֵלֶּה הַדְּבָרִים אֲשֶׁר תַּעֲשׂוּ דַּבְּרוּ אֱמֶת אִישׁ אֶת־רֵעֵהוּ
יז אֱמֶת וּמִשְׁפַּט שָׁלוֹם שִׁפְטוּ בְּשַׁעֲרֵיכֶם׃ וְאִישׁ ׀ אֶת־רָעַת רֵעֵהוּ
אַל־תַּחְשְׁבוּ בִּלְבַבְכֶם וּשְׁבֻעַת שֶׁקֶר אַל־תֶּאֱהָבוּ כִּי אֶת־כָּל־
אֵלֶּה אֲשֶׁר שָׂנֵאתִי נְאֻם־יְהוָה׃

הֲפִיכַת הַצּוֹמוֹת לְשִׂמְחָה:

יח יט וַיְהִי דְּבַר־יְהוָה צְבָאוֹת אֵלַי לֵאמֹר: כֹּה־אָמַר יְהוָה צְבָאוֹת צוֹם
הָרְבִיעִי וְצוֹם הַחֲמִישִׁי וְצוֹם הַשְּׁבִיעִי וְצוֹם הָעֲשִׂירִי יִהְיֶה
לְבֵית־יְהוּדָה לְשָׂשׂוֹן וּלְשִׂמְחָה וּלְמֹעֲדִים טוֹבִים וְהָאֱמֶת
וְהַשָּׁלוֹם אֱהָבוּ:

בַּקָּשַׁת הָעַמִּים אֶת פְּנֵי ה':

כ כֹּה אָמַר יְהוָה צְבָאוֹת עֹד אֲשֶׁר יָבֹאוּ עַמִּים וְיֹשְׁבֵי עָרִים רַבּוֹת:
כא וְהָלְכוּ יוֹשְׁבֵי אַחַת אֶל־אַחַת לֵאמֹר נֵלְכָה הָלוֹךְ לְחַלּוֹת
כב אֶת־פְּנֵי יְהוָה וּלְבַקֵּשׁ אֶת־יְהוָה צְבָאוֹת אֵלְכָה גַּם־אָנִי: וּבָאוּ
עַמִּים רַבִּים וְגוֹיִם עֲצוּמִים לְבַקֵּשׁ אֶת־יְהוָה צְבָאוֹת בִּירוּשָׁלָם
כג וּלְחַלּוֹת אֶת־פְּנֵי יְהוָה: כֹּה־אָמַר יְהוָה צְבָאוֹת בַּיָּמִים
הָהֵמָּה אֲשֶׁר יַחֲזִיקוּ עֲשָׂרָה אֲנָשִׁים מִכֹּל לְשֹׁנוֹת הַגּוֹיִם וְהֶחֱזִיקוּ
בִּכְנַף אִישׁ יְהוּדִי לֵאמֹר נֵלְכָה עִמָּכֶם כִּי שָׁמַעְנוּ אֱלֹהִים
עִמָּכֶם:

הִתְפַּשְּׁטוּת מַמְלֶכֶת יִשְׂרָאֵל:

ט א מַשָּׂא דְבַר־יְהוָה בְּאֶרֶץ חַדְרָךְ וְדַמֶּשֶׂק מְנֻחָתוֹ כִּי לַיהוָה עֵין
ב אָדָם וְכֹל שִׁבְטֵי יִשְׂרָאֵל: וְגַם־חֲמָת תִּגְבָּל־בָּהּ צֹר וְצִידוֹן כִּי
ג חָכְמָה מְאֹד: וַתִּבֶן צֹר מָצוֹר לָהּ וַתִּצְבָּר־כֶּסֶף כֶּעָפָר וְחָרוּץ
ד כְּטִיט חוּצוֹת: הִנֵּה אֲדֹנָי יוֹרִשֶׁנָּה וְהִכָּה בַיָּם חֵילָהּ וְהִיא בָּאֵשׁ
ה תֵּאָכֵל: תֵּרֶא אַשְׁקְלוֹן וְתִירָא וְעַזָּה וְתָחִיל מְאֹד וְעֶקְרוֹן
ו כִּי־הֹבִישׁ מֶבָּטָהּ וְאָבַד מֶלֶךְ מֵעַזָּה וְאַשְׁקְלוֹן לֹא תֵשֵׁב: וְיָשַׁב
ז מַמְזֵר בְּאַשְׁדּוֹד וְהִכְרַתִּי גְּאוֹן פְּלִשְׁתִּים: וַהֲסִרֹתִי דָמָיו מִפִּיו
וְשִׁקֻּצָיו מִבֵּין שִׁנָּיו וְנִשְׁאַר גַּם־הוּא לֵאלֹהֵינוּ וְהָיָה כְּאַלֻּף בִּיהוּדָה
ח וְעֶקְרוֹן כִּיבוּסִי: וְחָנִיתִי לְבֵיתִי מִצָּבָה מֵעֹבֵר וּמִשָּׁב וְלֹא־יַעֲבֹר
ט עֲלֵיהֶם עוֹד נֹגֵשׂ כִּי עַתָּה רָאִיתִי בְעֵינָי: גִּילִי מְאֹד

הִתְגַּלּוּת הַמֶּלֶךְ הַמָּשִׁיחַ:

בַּת־צִיּוֹן הָרִיעִי בַּת יְרוּשָׁלַם הִנֵּה מַלְכֵּךְ יָבוֹא לָךְ צַדִּיק וְנוֹשָׁע
י הוּא עָנִי וְרֹכֵב עַל־חֲמוֹר וְעַל־עַיִר בֶּן־אֲתֹנוֹת: וְהִכְרַתִּי־רֶכֶב
מֵאֶפְרַיִם וְסוּס מִירוּשָׁלַם וְנִכְרְתָה קֶשֶׁת מִלְחָמָה וְדִבֶּר שָׁלוֹם

יא לַגּוֹיִם וּמָשְׁלוֹ מִיָּם עַד־יָם וּמִנָּהָר עַד־אַפְסֵי־אָרֶץ: גַּם־אַתְּ
יב בְּדַם־בְּרִיתֵךְ שִׁלַּחְתִּי אֲסִירַיִךְ מִבּוֹר אֵין מַיִם בּוֹ: שׁוּבוּ לְבִצָּרוֹן
יג אֲסִירֵי הַתִּקְוָה גַּם־הַיּוֹם מַגִּיד מִשְׁנֶה אָשִׁיב לָךְ: כִּי־דָרַכְתִּי לִי
יְהוּדָה קֶשֶׁת מִלֵּאתִי אֶפְרַיִם וְעוֹרַרְתִּי בָנַיִךְ צִיּוֹן עַל־בָּנַיִךְ יָוָן
יד וְשַׂמְתִּיךְ כְּחֶרֶב גִּבּוֹר: וַיהוָה עֲלֵיהֶם יֵרָאֶה וְיָצָא כַבָּרָק חִצּוֹ
טו וַאדֹנָי יְהוִה בַּשּׁוֹפָר יִתְקָע וְהָלַךְ בְּסַעֲרוֹת תֵּימָן: יְהוָה צְבָאוֹת
יָגֵן עֲלֵיהֶם וְאָכְלוּ וְכָבְשׁוּ אַבְנֵי־קֶלַע וְשָׁתוּ הָמוּ כְּמוֹ־יָיִן וּמָלְאוּ
טז כַּמִּזְרָק כְּזָוִיּוֹת מִזְבֵּחַ: וְהוֹשִׁיעָם יְהוָה אֱלֹהֵיהֶם בַּיּוֹם הַהוּא
יז כְּצֹאן עַמּוֹ כִּי אַבְנֵי־נֵזֶר מִתְנוֹסְסוֹת עַל־אַדְמָתוֹ: כִּי מַה־טּוּבוֹ
י א וּמַה־יָּפְיוֹ דָּגָן בַּחוּרִים וְתִירוֹשׁ יְנוֹבֵב בְּתֻלוֹת: שַׁאֲלוּ מֵיְהוָה
מָטָר בְּעֵת מַלְקוֹשׁ יְהוָה עֹשֶׂה חֲזִיזִים וּמְטַר־גֶּשֶׁם יִתֵּן לָהֶם
ב לְאִישׁ עֵשֶׂב בַּשָּׂדֶה: כִּי הַתְּרָפִים דִּבְּרוּ־אָוֶן וְהַקּוֹסְמִים חָזוּ
שֶׁקֶר וַחֲלֹמוֹת הַשָּׁוְא יְדַבֵּרוּ הֶבֶל יְנַחֵמוּן עַל־כֵּן נָסְעוּ כְמוֹ־צֹאן
יַעֲנוּ כִּי־אֵין רֹעֶה:
ג עַל־הָרֹעִים חָרָה אַפִּי וְעַל־הָעַתּוּדִים אֶפְקוֹד כִּי־פָקַד יְהוָה
צְבָאוֹת אֶת־עֶדְרוֹ אֶת־בֵּית יְהוּדָה וְשָׂם אוֹתָם כְּסוּס הוֹדוֹ
ד בַּמִּלְחָמָה: מִמֶּנּוּ פִנָּה מִמֶּנּוּ יָתֵד מִמֶּנּוּ קֶשֶׁת מִלְחָמָה מִמֶּנּוּ יֵצֵא
ה כָל־נוֹגֵשׂ יַחְדָּו: וְהָיוּ כְגִבֹּרִים בּוֹסִים בְּטִיט חוּצוֹת בַּמִּלְחָמָה
ו וְנִלְחֲמוּ כִּי יְהוָה עִמָּם וְהֹבִישׁוּ רֹכְבֵי סוּסִים: וְגִבַּרְתִּי | אֶת־בֵּית
יְהוּדָה וְאֶת־בֵּית יוֹסֵף אוֹשִׁיעַ וְהוֹשְׁבוֹתִים כִּי רִחַמְתִּים וְהָיוּ
ז כַּאֲשֶׁר לֹא־זְנַחְתִּים כִּי אֲנִי יְהוָה אֱלֹהֵיהֶם וְאֶעֱנֵם: וְהָיוּ כְגִבּוֹר
אֶפְרַיִם וְשָׂמַח לִבָּם כְּמוֹ־יָיִן וּבְנֵיהֶם יִרְאוּ וְשָׂמֵחוּ יָגֵל לִבָּם
ח בַּיהוָה: אֶשְׁרְקָה לָהֶם וַאֲקַבְּצֵם כִּי פְדִיתִים וְרָבוּ כְּמוֹ רָבוּ:
ט וְאֶזְרָעֵם בָּעַמִּים וּבַמֶּרְחַקִּים יִזְכְּרוּנִי וְחָיוּ אֶת־בְּנֵיהֶם וָשָׁבוּ:
י וַהֲשִׁיבוֹתִים מֵאֶרֶץ מִצְרַיִם וּמֵאַשּׁוּר אֲקַבְּצֵם וְאֶל־אֶרֶץ גִּלְעָד

הַשִּׁיבָה מֵהַגָּלוּת בִּזְכוּת הַמִּילָה:

פְּאַר עַם יִשְׂרָאֵל בֶּעָתִיד:

בַּקָּשָׁה מֵהָעָם לִפְנוֹת לַה' לְבַדּוֹ:

נְבוּאָה עַל הַמַּנְהִיגִים מַתְעֵי הָעָם:

קִבּוּץ גָּלוּת יְהוּדָה וְיוֹסֵף:

יא וּלְבָנוֹן אֲבִיאֵם וְלֹא יִמָּצֵא לָהֶם: וְעָבַר בַּיָּם צָרָה וְהִכָּה בַיָּם
גַּלִּים וְהֹבִישׁוּ כֹּל מְצוּלוֹת יְאֹר וְהוּרַד גְּאוֹן אַשּׁוּר וְשֵׁבֶט מִצְרַיִם
יב יָסוּר: וְגִבַּרְתִּים בַּיהוָה וּבִשְׁמוֹ יִתְהַלָּכוּ נְאֻם יְהוָה:

נְבוּאָה עַל שְׂרֵפַת הַמִּקְדָּשׁ:

יא א פְּתַח לְבָנוֹן דְּלָתֶיךָ וְתֹאכַל אֵשׁ בַּאֲרָזֶיךָ: הֵילֵל בְּרוֹשׁ כִּי־נָפַל
ב אֶרֶז אֲשֶׁר אַדִּרִים שֻׁדָּדוּ הֵילִילוּ אַלּוֹנֵי בָשָׁן כִּי יָרַד יַעַר הבצור
ג הַבָּצִיר: קוֹל יִלְלַת הָרֹעִים כִּי שֻׁדְּדָה אַדַּרְתָּם קוֹל שַׁאֲגַת כְּפִירִים
כִּי שֻׁדַּד גְּאוֹן הַיַּרְדֵּן:

מַנְהִיגֵי הָעָם בְּבַיִת שֵׁנִי:

ד כֹּה אָמַר יְהוָה אֱלֹהָי רְעֵה אֶת־צֹאן הַהֲרֵגָה: אֲשֶׁר קֹנֵיהֶן יַהַרְגֻן
ה וְלֹא יֶאְשָׁמוּ וּמֹכְרֵיהֶן יֹאמַר בָּרוּךְ יְהוָה וַאעְשִׁר וְרֹעֵיהֶם לֹא
ו יַחְמוֹל עֲלֵיהֶן: כִּי לֹא אֶחְמוֹל עוֹד עַל־יֹשְׁבֵי הָאָרֶץ נְאֻם־יְהוָה
וְהִנֵּה אָנֹכִי מַמְצִיא אֶת־הָאָדָם אִישׁ בְּיַד־רֵעֵהוּ וּבְיַד מַלְכּוֹ
ז וְכִתְּתוּ אֶת־הָאָרֶץ וְלֹא אַצִּיל מִיָּדָם: וָאֶרְעֶה אֶת־צֹאן הַהֲרֵגָה

הַמַּקְלוֹת, סֵמֶל לְהַנְהָגַת ה׳ בָּעֵת הַהִיא:

לָכֵן עֲנִיֵּי הַצֹּאן וָאֶקַּח־לִי שְׁנֵי מַקְלוֹת לְאַחַד קָרָאתִי נֹעַם
ח וּלְאַחַד קָרָאתִי חֹבְלִים וָאֶרְעֶה אֶת־הַצֹּאן: וָאַכְחִד אֶת־שְׁלֹשֶׁת
הָרֹעִים בְּיֶרַח אֶחָד וַתִּקְצַר נַפְשִׁי בָּהֶם וְגַם־נַפְשָׁם בָּחֲלָה בִי:
ט וָאֹמַר לֹא אֶרְעֶה אֶתְכֶם הַמֵּתָה תָמוּת וְהַנִּכְחֶדֶת תִּכָּחֵד
י וְהַנִּשְׁאָרוֹת תֹּאכַלְנָה אִשָּׁה אֶת־בְּשַׂר רְעוּתָהּ: וָאֶקַּח אֶת־מַקְלִי
אֶת־נֹעַם וָאֶגְדַּע אֹתוֹ לְהָפֵיר אֶת־בְּרִיתִי אֲשֶׁר כָּרַתִּי אֶת־כָּל־
יא הָעַמִּים: וַתֻּפַר בַּיּוֹם הַהוּא וַיֵּדְעוּ כֵן עֲנִיֵּי הַצֹּאן הַשֹּׁמְרִים אֹתִי

הַכֶּסֶף כְּמָשָׁל לַצַּדִּיקִים:

יב כִּי דְבַר־יְהוָה הוּא: וָאֹמַר אֲלֵיהֶם אִם־טוֹב בְּעֵינֵיכֶם
הָבוּ שְׂכָרִי וְאִם־לֹא ׀ חֲדָלוּ וַיִּשְׁקְלוּ אֶת־שְׂכָרִי שְׁלֹשִׁים כָּסֶף:
יג וַיֹּאמֶר יְהוָה אֵלַי הַשְׁלִיכֵהוּ אֶל־הַיּוֹצֵר אֶדֶר הַיְקָר אֲשֶׁר יָקַרְתִּי
מֵעֲלֵיהֶם וָאֶקְחָה שְׁלֹשִׁים הַכֶּסֶף וָאַשְׁלִיךְ אֹתוֹ בֵּית יְהוָה
יד אֶל־הַיּוֹצֵר: וָאֶגְדַּע אֶת־מַקְלִי הַשֵּׁנִי אֵת הַחֹבְלִים לְהָפֵר אֶת־
הָאַחֲוָה בֵּין יְהוּדָה וּבֵין יִשְׂרָאֵל:

טו וַיֹּאמֶר יְהוָה אֵלָי עוֹד קַח־לְךָ כְּלִי רֹעֶה אֱוִלִי: טז כִּי הִנֵּה־אָנֹכִי
מֵקִים רֹעֶה בָּאָרֶץ הַנִּכְחָדוֹת לֹא־יִפְקֹד הַנַּעַר לֹא־יְבַקֵּשׁ
וְהַנִּשְׁבֶּרֶת לֹא יְרַפֵּא הַנִּצָּבָה לֹא יְכַלְכֵּל וּבְשַׂר הַבְּרִיאָה יֹאכַל
יז וּפַרְסֵיהֶן יְפָרֵק: הוֹי רֹעִי הָאֱלִיל עֹזְבִי הַצֹּאן חֶרֶב עַל־זְרוֹעוֹ
וְעַל־עֵין יְמִינוֹ זְרֹעוֹ יָבוֹשׁ תִּיבָשׁ וְעֵין יְמִינוֹ כָּהֹה תִכְהֶה:
יב א מַשָּׂא דְבַר־יְהוָה עַל־יִשְׂרָאֵל נְאֻם־יְהוָה נֹטֶה שָׁמַיִם וְיֹסֵד אָרֶץ
ב וְיֹצֵר רוּחַ־אָדָם בְּקִרְבּוֹ: הִנֵּה אָנֹכִי שָׂם אֶת־יְרוּשָׁלִַם סַף־רַעַל
לְכָל־הָעַמִּים סָבִיב וְגַם עַל־יְהוּדָה יִהְיֶה בַמָּצוֹר עַל־יְרוּשָׁלִָם:
ג וְהָיָה בַיּוֹם־הַהוּא אָשִׂים אֶת־יְרוּשָׁלִַם אֶבֶן מַעֲמָסָה לְכָל־
הָעַמִּים כָּל־עֹמְסֶיהָ שָׂרוֹט יִשָּׂרֵטוּ וְנֶאֶסְפוּ עָלֶיהָ כֹּל גּוֹיֵי הָאָרֶץ:
ד בַּיּוֹם הַהוּא נְאֻם־יְהוָה אַכֶּה כָל־סוּס בַּתִּמָּהוֹן וְרֹכְבוֹ בַּשִּׁגָּעוֹן
וְעַל־בֵּית יְהוּדָה אֶפְקַח אֶת־עֵינַי וְכֹל סוּס הָעַמִּים אַכֶּה
ה בַּעִוָּרוֹן: וְאָמְרוּ אַלֻּפֵי יְהוּדָה בְּלִבָּם אַמְצָה לִי יֹשְׁבֵי יְרוּשָׁלִַם
ו בַּיהוָה צְבָאוֹת אֱלֹהֵיהֶם: בַּיּוֹם הַהוּא אָשִׂים אֶת־אַלֻּפֵי יְהוּדָה
כְּכִיּוֹר אֵשׁ בְּעֵצִים וּכְלַפִּיד אֵשׁ בְּעָמִיר וְאָכְלוּ עַל־יָמִין
וְעַל־שְׂמֹאול אֶת־כָּל־הָעַמִּים סָבִיב וְיָשְׁבָה יְרוּשָׁלִַם עוֹד
ז תַּחְתֶּיהָ בִּירוּשָׁלִָם: וְהוֹשִׁיעַ יְהוָה אֶת־אָהֳלֵי יְהוּדָה בָּרִאשֹׁנָה
לְמַעַן לֹא־תִגְדַּל תִּפְאֶרֶת בֵּית־דָּוִיד וְתִפְאֶרֶת יֹשֵׁב יְרוּשָׁלִָם
ח עַל־יְהוּדָה: בַּיּוֹם הַהוּא יָגֵן יְהוָה בְּעַד יוֹשֵׁב יְרוּשָׁלִַם וְהָיָה
הַנִּכְשָׁל בָּהֶם בַּיּוֹם הַהוּא כְּדָוִיד וּבֵית דָּוִיד כֵּאלֹהִים כְּמַלְאַךְ
ט יְהוָה לִפְנֵיהֶם: וְהָיָה בַּיּוֹם הַהוּא אֲבַקֵּשׁ לְהַשְׁמִיד אֶת־כָּל־הַגּוֹיִם
י הַבָּאִים עַל־יְרוּשָׁלִָם: וְשָׁפַכְתִּי עַל־בֵּית דָּוִיד וְעַל ׀ יוֹשֵׁב
יְרוּשָׁלִַם רוּחַ חֵן וְתַחֲנוּנִים וְהִבִּיטוּ אֵלַי אֵת אֲשֶׁר־דָּקָרוּ
וְסָפְדוּ עָלָיו כְּמִסְפֵּד עַל־הַיָּחִיד וְהָמֵר עָלָיו כְּהָמֵר עַל־הַבְּכוֹר:
יא בַּיּוֹם הַהוּא יִגְדַּל הַמִּסְפֵּד בִּירוּשָׁלִַם כְּמִסְפַּד הֲדַדְרִמּוֹן בְּבִקְעַת

הַמָּצוֹר עַל יְהוּדָה וִירוּשָׁלִָם:

תְּשׁוּעַת יְרוּשָׁלִַם וְהַדִּין בַּגּוֹיִם:

פְּנִיַּת הָעָם אֶל ה', וְהַמִּסְפֵּד:

יב מְגִדּוֹן: וְסָפְדָה הָאָרֶץ מִשְׁפָּחוֹת מִשְׁפָּחוֹת לְבָד מִשְׁפַּחַת בֵּית־
דָּוִיד לְבָד וּנְשֵׁיהֶם לְבָד מִשְׁפַּחַת בֵּית־נָתָן לְבָד וּנְשֵׁיהֶם לְבָד:
יג מִשְׁפַּחַת בֵּית־לֵוִי לְבָד וּנְשֵׁיהֶם לְבָד מִשְׁפַּחַת הַשִּׁמְעִי לְבָד
יד וּנְשֵׁיהֶם לְבָד: כֹּל הַמִּשְׁפָּחוֹת הַנִּשְׁאָרוֹת מִשְׁפָּחֹת מִשְׁפָּחֹת לְבָד
יג א וּנְשֵׁיהֶם לְבָד: בַּיּוֹם הַהוּא יִהְיֶה מָקוֹר נִפְתָּח לְבֵית דָּוִיד בִּעוּר עוֹבְדֵי הָאֱלִילִים וּנְבִיאֵיהֶם:
ב וּלְיֹשְׁבֵי יְרוּשָׁלָ͏ִם לְחַטָּאת וּלְנִדָּה: וְהָיָה בַיּוֹם הַהוּא נְאֻם ׀ יְהוָה
צְבָאוֹת אַכְרִית אֶת־שְׁמוֹת הָעֲצַבִּים מִן־הָאָרֶץ וְלֹא יִזָּכְרוּ עוֹד
ג וְגַם אֶת־הַנְּבִיאִים וְאֶת־רוּחַ הַטֻּמְאָה אַעֲבִיר מִן־הָאָרֶץ: וְהָיָה
כִּי־יִנָּבֵא אִישׁ עוֹד וְאָמְרוּ אֵלָיו אָבִיו וְאִמּוֹ יֹלְדָיו לֹא תִחְיֶה כִּי
שֶׁקֶר דִּבַּרְתָּ בְּשֵׁם יְהוָה וּדְקָרֻהוּ אָבִיהוּ וְאִמּוֹ יֹלְדָיו בְּהִנָּבְאוֹ:
ד וְהָיָה ׀ בַּיּוֹם הַהוּא יֵבֹשׁוּ הַנְּבִיאִים אִישׁ מֵחֶזְיֹנוֹ בְּהִנָּבְאֹתוֹ וְלֹא
ה יִלְבְּשׁוּ אַדֶּרֶת שֵׂעָר לְמַעַן כַּחֵשׁ: וְאָמַר לֹא נָבִיא אָנֹכִי אִישׁ־עֹבֵד
ו אֲדָמָה אָנֹכִי כִּי אָדָם הִקְנַנִי מִנְּעוּרָי: וְאָמַר אֵלָיו מָה הַמַּכּוֹת
הָאֵלֶּה בֵּין יָדֶיךָ וְאָמַר אֲשֶׁר הֻכֵּיתִי בֵּית מְאַהֲבָי:
ז חֶרֶב עוּרִי עַל־רֹעִי וְעַל־גֶּבֶר עֲמִיתִי נְאֻם יְהוָה צְבָאוֹת הַךְ עֹנֶשׁ הָאֻמּוֹת וּמִבְחַן הַנִּשְׁאָרִים:
ח אֶת־הָרֹעֶה וּתְפוּצֶיןָ הַצֹּאן וַהֲשִׁבֹתִי יָדִי עַל־הַצֹּעֲרִים: וְהָיָה
בְכָל־הָאָרֶץ נְאֻם־יְהוָה פִּי־שְׁנַיִם בָּהּ יִכָּרְתוּ יִגְוָעוּ וְהַשְּׁלִשִׁית
ט יִוָּתֶר בָּהּ: וְהֵבֵאתִי אֶת־הַשְּׁלִשִׁית בָּאֵשׁ וּצְרַפְתִּים כִּצְרֹף
אֶת־הַכֶּסֶף וּבְחַנְתִּים כִּבְחֹן אֶת־הַזָּהָב הוּא ׀ יִקְרָא בִשְׁמִי וַאֲנִי
אֶעֱנֶה אֹתוֹ אָמַרְתִּי עַמִּי הוּא וְהוּא יֹאמַר יְהוָה אֱלֹהָי:
יד א ב הִנֵּה יוֹם־בָּא לַיהוָה וְחֻלַּק שְׁלָלֵךְ בְּקִרְבֵּךְ: וְאָסַפְתִּי אֶת־כָּל־ מִלְחֶמֶת גּוֹג עַל יְרוּשָׁלָ͏ִם:
הַגּוֹיִם ׀ אֶל־יְרוּשָׁלַ͏ִם לַמִּלְחָמָה וְנִלְכְּדָה הָעִיר וְנָשַׁסּוּ הַבָּתִּים
וְהַנָּשִׁים תשגלנה תִּשָּׁכַבְנָה וְיָצָא חֲצִי הָעִיר בַּגּוֹלָה וְיֶתֶר הָעָם לֹא
ג יִכָּרֵת מִן־הָעִיר: וְיָצָא יְהוָה וְנִלְחַם בַּגּוֹיִם הָהֵם כְּיוֹם הִלָּחֲמוֹ נִפְלְאוֹת הֶעָתִיד, וְהִתְגַּלּוּת כְּבוֹד ה':
ד בְּיוֹם קְרָב: וְעָמְדוּ רַגְלָיו בַּיּוֹם־הַהוּא עַל־הַר הַזֵּיתִים אֲשֶׁר

עַל־פְּנֵי יְרוּשָׁלִַם מִקֶּדֶם וְנִבְקַע הַר הַזֵּיתִים מֵחֶצְיוֹ מִזְרָחָה
ה וָיָמָּה גֵּיא גְּדוֹלָה מְאֹד וּמָשׁ חֲצִי הָהָר צָפוֹנָה וְחֶצְיוֹ־נֶגְבָּה: וְנַסְתֶּם
גֵּיא־הָרַי כִּי־יַגִּיעַ גֵּי־הָרִים אֶל־אָצַל וְנַסְתֶּם כַּאֲשֶׁר נַסְתֶּם
מִפְּנֵי הָרַעַשׁ בִּימֵי עֻזִּיָּה מֶלֶךְ־יְהוּדָה וּבָא יְהוָה אֱלֹהַי כָּל־
ו קְדֹשִׁים עִמָּךְ: וְהָיָה בַּיּוֹם הַהוּא לֹא־יִהְיֶה אוֹר יְקָרוֹת יקפאון
ז וְקִפָּאוֹן: וְהָיָה יוֹם־אֶחָד הוּא יִוָּדַע לַיהוָה לֹא־יוֹם וְלֹא־לָיְלָה וְהָיָה
ח לְעֶת־עֶרֶב יִהְיֶה־אוֹר: וְהָיָה | בַּיּוֹם הַהוּא יֵצְאוּ מַיִם־חַיִּים
מִירוּשָׁלִַם חֶצְיָם אֶל־הַיָּם הַקַּדְמוֹנִי וְחֶצְיָם אֶל־הַיָּם הָאַחֲרוֹן
ט בַּקַּיִץ וּבָחֹרֶף יִהְיֶה: וְהָיָה יְהוָה לְמֶלֶךְ עַל־כָּל־הָאָרֶץ בַּיּוֹם
י הַהוּא יִהְיֶה יְהוָה אֶחָד וּשְׁמוֹ אֶחָד: יִסּוֹב כָּל־הָאָרֶץ כָּעֲרָבָה
מִגֶּבַע לְרִמּוֹן נֶגֶב יְרוּשָׁלִָם וְרָאֲמָה וְיָשְׁבָה תַחְתֶּיהָ לְמִשַּׁעַר
בִּנְיָמִן עַד־מְקוֹם שַׁעַר הָרִאשׁוֹן עַד־שַׁעַר הַפִּנִּים וּמִגְדַּל חֲנַנְאֵל
יא עַד יִקְבֵי הַמֶּלֶךְ: וְיָשְׁבוּ בָהּ וְחֵרֶם לֹא יִהְיֶה־עוֹד וְיָשְׁבָה
יב יְרוּשָׁלִַם לָבֶטַח: וְזֹאת | תִּהְיֶה

הַמַּגֵּפָה בְּצָרִים עַל יְרוּשָׁלָיִם:

הַמַּגֵּפָה אֲשֶׁר יִגֹּף יְהוָה אֶת־כָּל־הָעַמִּים אֲשֶׁר צָבְאוּ עַל־
יְרוּשָׁלִָם הָמֵק | בְּשָׂרוֹ וְהוּא עֹמֵד עַל־רַגְלָיו וְעֵינָיו תִּמַּקְנָה
יג בְחֹרֵיהֶן וּלְשׁוֹנוֹ תִּמַּק בְּפִיהֶם: וְהָיָה בַּיּוֹם הַהוּא תִּהְיֶה
מְהוּמַת־יְהוָה רַבָּה בָּהֶם וְהֶחֱזִיקוּ אִישׁ יַד רֵעֵהוּ וְעָלְתָה יָדוֹ
יד עַל־יַד רֵעֵהוּ: וְגַם־יְהוּדָה תִּלָּחֵם בִּירוּשָׁלִָם וְאֻסַּף חֵיל כָּל־
טו הַגּוֹיִם סָבִיב זָהָב וָכֶסֶף וּבְגָדִים לָרֹב מְאֹד: וְכֵן תִּהְיֶה מַגֵּפַת
הַסּוּס הַפֶּרֶד הַגָּמָל וְהַחֲמוֹר וְכָל־הַבְּהֵמָה אֲשֶׁר יִהְיֶה בַּמַּחֲנוֹת
טז הָהֵמָּה כַּמַּגֵּפָה הַזֹּאת: וְהָיָה כָּל־הַנּוֹתָר מִכָּל־הַגּוֹיִם הַבָּאִים

הַכָּרַת הָעַמִּים בְּמַלְכוּת ה':

עַל־יְרוּשָׁלִָם וְעָלוּ מִדֵּי שָׁנָה בְשָׁנָה לְהִשְׁתַּחֲוֹת לְמֶלֶךְ יְהוָה
יז צְבָאוֹת וְלָחֹג אֶת־חַג הַסֻּכּוֹת: וְהָיָה אֲשֶׁר לֹא־יַעֲלֶה מֵאֵת
מִשְׁפְּחוֹת הָאָרֶץ אֶל־יְרוּשָׁלִַם לְהִשְׁתַּחֲוֹת לְמֶלֶךְ יְהוָה צְבָאוֹת

יח וְלֹ֥א עֲלֵיהֶ֖ם יִהְיֶ֣ה הַגָּ֑שֶׁם וְאִם־מִשְׁפַּ֨חַת מִצְרַ֧יִם לֹֽא־תַעֲלֶ֛ה
וְלֹ֥א בָאָ֖ה וְלֹ֣א עֲלֵיהֶ֑ם תִּֽהְיֶ֣ה הַמַּגֵּפָ֗ה אֲשֶׁ֨ר יִגֹּ֤ף יְהוָה֙ אֶת־הַגּוֹיִ֔ם
יט אֲשֶׁר֙ לֹ֣א יַעֲל֔וּ לָחֹ֖ג אֶת־חַ֥ג הַסֻּכּֽוֹת׃ זֹ֥את תִּהְיֶ֖ה חַטַּ֣את מִצְרָ֑יִם
כ וְחַטַּאת֙ כָּל־הַגּוֹיִ֔ם אֲשֶׁר֙ לֹ֣א יַעֲל֔וּ לָחֹ֖ג אֶת־חַ֥ג הַסֻּכּֽוֹת׃ בַּיּ֣וֹם
הַה֗וּא יִֽהְיֶה֙ עַל־מְצִלּ֣וֹת הַסּ֔וּס קֹ֖דֶשׁ לַֽיהוָ֑ה וְהָיָ֤ה הַסִּירוֹת֙
כא בְּבֵ֣ית יְהוָ֔ה כַּמִּזְרָקִ֖ים לִפְנֵ֥י הַמִּזְבֵּֽחַ׃ וְֽהָיָה֩ כָּל־סִ֨יר בִּירוּשָׁלַ֜͏ִם
וּבִֽיהוּדָ֗ה קֹ֚דֶשׁ לַיהוָ֣ה צְבָא֔וֹת וּבָ֙אוּ֙ כָּל־הַזֹּ֣בְחִ֔ים וְלָקְח֥וּ מֵהֶ֖ם
וּבִשְּׁל֣וּ בָהֶ֑ם וְלֹא־יִהְיֶ֨ה כְנַעֲנִ֥י ע֛וֹד בְּבֵית־יְהוָ֥ה צְבָא֖וֹת בַּיּ֥וֹם
הַהֽוּא׃

קְדֻשַּׁת יְרוּשָׁלַיִם בְּאַחֲרִית הַיָּמִים:

מלאכי

אַהֲבַת ה׳ לְיִשְׂרָאֵל וְהַשִּׂנְאָה לְעֵשָׂו:

א א ב מַשָּׂ֥א דְבַר־יְהוָ֖ה אֶל־יִשְׂרָאֵ֑ל בְּיַ֖ד מַלְאָכִֽי׃ אָהַ֤בְתִּי אֶתְכֶם֙ אָמַ֣ר
יְהוָ֔ה וַאֲמַרְתֶּ֖ם בַּמָּ֣ה אֲהַבְתָּ֑נוּ הֲלוֹא־אָ֨ח עֵשָׂ֤ו לְיַעֲקֹב֙ נְאֻם־יְהוָ֔ה
ג וָאֹהַ֖ב אֶֽת־יַעֲקֹֽב׃ וְאֶת־עֵשָׂ֖ו שָׂנֵ֑אתִי וָאָשִׂ֤ים אֶת־הָרָיו֙ שְׁמָמָ֔ה
ד וְאֶת־נַחֲלָת֖וֹ לְתַנּ֥וֹת מִדְבָּֽר׃ כִּֽי־תֹאמַ֨ר אֱד֜וֹם רֻשַּׁ֗שְׁנוּ וְנָשׁוּב֙
וְנִבְנֶ֣ה חֳרָב֔וֹת כֹּ֤ה אָמַר֙ יְהוָ֣ה צְבָא֔וֹת הֵ֥מָּה יִבְנ֖וּ וַאֲנִ֣י אֶהֱר֑וֹס
וְקָרְא֤וּ לָהֶם֙ גְּב֣וּל רִשְׁעָ֔ה וְהָעָ֥ם אֲשֶׁר־זָעַ֛ם יְהוָ֖ה עַד־עוֹלָֽם׃
ה וְעֵינֵיכֶ֖ם תִּרְאֶ֑ינָה וְאַתֶּ֤ם תֹּֽאמְרוּ֙ יִגְדַּ֣ל יְהוָ֔ה מֵעַ֖ל לִגְב֥וּל יִשְׂרָאֵֽל׃
ו בֵּ֛ן יְכַבֵּ֥ד אָ֖ב וְעֶ֣בֶד אֲדֹנָ֑יו וְאִם־אָ֣ב אָ֣נִי אַיֵּ֣ה כְבוֹדִ֡י וְאִם־אֲדוֹנִ֣ים
אָ֡נִי אַיֵּ֣ה מוֹרָאִ֡י אָמַ֣ר ׀ יְהוָ֣ה צְבָא֗וֹת לָכֶם֙ הַכֹּהֲנִים֙ בּוֹזֵ֣י שְׁמִ֔י
ז וַאֲמַרְתֶּ֕ם בַּמֶּ֥ה בָזִ֖ינוּ אֶת־שְׁמֶֽךָ׃ מַגִּישִׁ֤ים עַֽל־מִזְבְּחִי֙ לֶ֣חֶם מְגֹאָ֔ל
וַאֲמַרְתֶּ֖ם בַּמֶּ֣ה גֵֽאַלְנ֑וּךָ בֶּאֱמָרְכֶ֕ם שֻׁלְחַ֥ן יְהוָ֖ה נִבְזֶ֥ה הֽוּא׃
ח וְכִֽי־תַגִּשׁ֨וּן עִוֵּ֤ר לִזְבֹּ֙חַ֙ אֵ֣ין רָ֔ע וְכִ֥י תַגִּ֛ישׁוּ פִּסֵּ֥חַ וְחֹלֶ֖ה אֵ֣ין
רָ֑ע הַקְרִיבֵ֨הוּ נָ֜א לְפֶחָתֶ֗ךָ הֲיִרְצְךָ֙ א֚וֹ הֲיִשָּׂ֣א פָנֶ֔יךָ אָמַ֖ר יְהוָ֥ה

תּוֹכָחָה לַכֹּהֲנִים עַל בִּזְיוֹן הָעֲבוֹדָה:

ט צְבָאוֹת׃ וְעַתָּה חַלּוּ־נָא פְנֵי־אֵל וִיחָנֵנוּ מִיֶּדְכֶם הָיְתָה זֹּאת הֲיִשָּׂא
י מִכֶּם פָּנִים אָמַר יְהוָה צְבָאוֹת׃ מִי גַם־בָּכֶם וְיִסְגֹּר דְּלָתַיִם
וְלֹא־תָאִירוּ מִזְבְּחִי חִנָּם אֵין־לִי חֵפֶץ בָּכֶם אָמַר יְהוָה צְבָאוֹת
יא וּמִנְחָה לֹא־אֶרְצֶה מִיֶּדְכֶם׃ כִּי מִמִּזְרַח־שֶׁמֶשׁ וְעַד־מְבוֹאוֹ גָּדוֹל
שְׁמִי בַּגּוֹיִם וּבְכָל־מָקוֹם מֻקְטָר מֻגָּשׁ לִשְׁמִי וּמִנְחָה טְהוֹרָה
יב כִּי־גָדוֹל שְׁמִי בַּגּוֹיִם אָמַר יְהוָה צְבָאוֹת׃ וְאַתֶּם מְחַלְּלִים אוֹתוֹ [הַזִּלְזוּל]
יג בֶּאֱמָרְכֶם שֻׁלְחַן אֲדֹנָי מְגֹאָל הוּא וְנִיבוֹ נִבְזֶה אָכְלוֹ׃ וַאֲמַרְתֶּם [שֶׁבְּהַקְרָבַת בַּעַל מוּם:]
הִנֵּה מַתְּלָאָה וְהִפַּחְתֶּם אוֹתוֹ אָמַר יְהוָה צְבָאוֹת וַהֲבֵאתֶם גָּזוּל
וְאֶת־הַפִּסֵּחַ וְאֶת־הַחוֹלֶה וַהֲבֵאתֶם אֶת־הַמִּנְחָה הַאֶרְצֶה אוֹתָהּ
יד מִיֶּדְכֶם אָמַר יְהוָה׃ וְאָרוּר נוֹכֵל
וְיֵשׁ בְּעֶדְרוֹ זָכָר וְנֹדֵר וְזֹבֵחַ מָשְׁחָת לַאדֹנָי כִּי מֶלֶךְ גָּדוֹל אָנִי
ב א אָמַר יְהוָה צְבָאוֹת וּשְׁמִי נוֹרָא בַגּוֹיִם׃ וְעַתָּה אֲלֵיכֶם הַמִּצְוָה [הַקְּלָלָה בְּעִקְּבוֹת]
ב הַזֹּאת הַכֹּהֲנִים׃ אִם־לֹא תִשְׁמְעוּ וְאִם־לֹא תָשִׂימוּ עַל־לֵב לָתֵת [בִּזָּיוֹן בֵּית ה':]
כָּבוֹד לִשְׁמִי אָמַר יְהוָה צְבָאוֹת וְשִׁלַּחְתִּי בָכֶם אֶת־הַמְּאֵרָה
וְאָרוֹתִי אֶת־בִּרְכוֹתֵיכֶם וְגַם אָרוֹתִיהָ כִּי אֵינְכֶם שָׂמִים עַל־לֵב׃
ג הִנְנִי גֹעֵר לָכֶם אֶת־הַזֶּרַע וְזֵרִיתִי פֶרֶשׁ עַל־פְּנֵיכֶם פֶּרֶשׁ חַגֵּיכֶם
ד וְנָשָׂא אֶתְכֶם אֵלָיו׃ וִידַעְתֶּם כִּי שִׁלַּחְתִּי אֲלֵיכֶם אֵת הַמִּצְוָה [תַּפְקִיד הַכֹּהֲנִים,]
ה הַזֹּאת לִהְיוֹת בְּרִיתִי אֶת־לֵוִי אָמַר יְהוָה צְבָאוֹת׃ בְּרִיתִי ׀ [וּמְעִילָתָם בּוֹ:]
הָיְתָה אִתּוֹ הַחַיִּים וְהַשָּׁלוֹם וָאֶתְּנֵם־לוֹ מוֹרָא וַיִּירָאֵנִי וּמִפְּנֵי
ו שְׁמִי נִחַת הוּא׃ תּוֹרַת אֱמֶת הָיְתָה בְּפִיהוּ וְעַוְלָה לֹא־נִמְצָא
בִשְׂפָתָיו בְּשָׁלוֹם וּבְמִישׁוֹר הָלַךְ אִתִּי וְרַבִּים הֵשִׁיב מֵעָוֹן׃
ז כִּי־שִׂפְתֵי כֹהֵן יִשְׁמְרוּ־דַעַת וְתוֹרָה יְבַקְשׁוּ מִפִּיהוּ כִּי מַלְאַךְ
ח יְהוָה־צְבָאוֹת הוּא׃ וְאַתֶּם סַרְתֶּם מִן־הַדֶּרֶךְ הִכְשַׁלְתֶּם רַבִּים
ט בַּתּוֹרָה שִׁחַתֶּם בְּרִית הַלֵּוִי אָמַר יְהוָה צְבָאוֹת׃ וְגַם־אֲנִי נָתַתִּי
אֶתְכֶם נִבְזִים וּשְׁפָלִים לְכָל־הָעָם כְּפִי אֲשֶׁר אֵינְכֶם שֹׁמְרִים

אֶת־דְּרָכַ֔י וְנֹשְׂאִ֥ים פָּנִ֖ים בַּתּוֹרָֽה׃

תּוֹכָחָה עַל נְשִׂיאַת נָכְרִיּוֹת:

י הֲל֨וֹא אָ֤ב אֶחָד֙ לְכֻלָּ֔נוּ הֲל֛וֹא אֵ֥ל אֶחָ֖ד בְּרָאָ֑נוּ מַדּ֗וּעַ נִבְגַּד֙ אִ֣ישׁ
יא בְּאָחִ֔יו לְחַלֵּ֖ל בְּרִ֥ית אֲבֹתֵֽינוּ׃ בָּגְדָ֣ה יְהוּדָ֔ה וְתוֹעֵבָ֛ה נֶעֶשְׂתָ֥ה
בְיִשְׂרָאֵ֖ל וּבִירוּשָׁלִָ֑ם כִּ֣י ׀ חִלֵּ֣ל יְהוּדָ֗ה קֹ֤דֶשׁ יְהוָה֙ אֲשֶׁ֣ר אָהֵ֔ב
יב וּבָעַ֖ל בַּת־אֵ֥ל נֵכָֽר׃ יַכְרֵ֨ת יְהוָ֜ה לָאִ֨ישׁ אֲשֶׁ֤ר יַעֲשֶׂ֙נָּה֙ עֵ֣ר וְעֹנֶ֔ה
מֵאָהֳלֵ֖י יַעֲקֹ֑ב וּמַגִּ֣ישׁ מִנְחָ֔ה לַיהוָ֖ה צְבָאֽוֹת׃

תּוֹכָחָה עַל הַבְּגִידָה בִּנְשׁוֹתֵיהֶם:

יג וְזֹאת֙ שֵׁנִ֣ית תַּעֲשׂ֔וּ כַּסּ֤וֹת דִּמְעָה֙ אֶת־מִזְבַּ֣ח יְהוָ֔ה בְּכִ֖י וַאֲנָקָ֑ה
יד מֵאֵ֣ין ע֗וֹד פְּנוֹת֙ אֶל־הַמִּנְחָ֔ה וְלָקַ֥חַת רָצ֖וֹן מִיֶּדְכֶֽם׃ וַאֲמַרְתֶּ֖ם
עַל־מָ֑ה עַ֡ל כִּֽי־יְהוָה֩ הֵעִ֨יד בֵּינְךָ֜ וּבֵ֣ין ׀ אֵ֣שֶׁת נְעוּרֶ֗יךָ אֲשֶׁ֤ר
טו אַתָּה֙ בָּגַ֣דְתָּה בָּ֔הּ וְהִ֥יא חֲבֶרְתְּךָ֖ וְאֵ֥שֶׁת בְּרִיתֶֽךָ׃ וְלֹא־אֶחָ֣ד עָשָׂ֗ה
וּשְׁאָ֥ר ר֙וּחַ֙ ל֔וֹ וּמָה֙ הָֽאֶחָ֔ד מְבַקֵּ֖שׁ זֶ֣רַע אֱלֹהִ֑ים וְנִשְׁמַרְתֶּם֙
טז בְּר֣וּחֲכֶ֔ם וּבְאֵ֥שֶׁת נְעוּרֶ֖יךָ אַל־יִבְגֹּֽד׃ כִּֽי־שָׂנֵ֣א שַׁלַּ֗ח אָמַ֤ר יְהוָה֙
אֱלֹהֵ֣י יִשְׂרָאֵ֔ל וְכִסָּ֤ה חָמָס֙ עַל־לְבוּשׁ֔וֹ אָמַ֖ר יְהוָ֣ה צְבָא֑וֹת
וְנִשְׁמַרְתֶּ֥ם בְּרוּחֲכֶ֖ם וְלֹ֥א תִבְגֹּֽדוּ׃

יז הוֹגַעְתֶּ֤ם יְהוָה֙ בְּדִבְרֵיכֶ֔ם וַאֲמַרְתֶּ֖ם בַּמָּ֣ה הוֹגָ֑עְנוּ בֶּאֱמָרְכֶ֗ם
כָּל־עֹ֨שֵׂה רָ֜ע ט֣וֹב ׀ בְּעֵינֵ֣י יְהוָ֗ה וּבָהֶם֙ ה֣וּא חָפֵ֔ץ א֥וֹ אַיֵּ֖ה אֱלֹהֵ֥י

מִשְׁפַּט ה׳ פִּתְאֹם:

ג א הַמִּשְׁפָּֽט׃ הִנְנִ֤י שֹׁלֵחַ֙ מַלְאָכִ֔י וּפִנָּה־דֶ֖רֶךְ לְפָנָ֑י וּפִתְאֹם֩ יָב֨וֹא
אֶל־הֵיכָל֜וֹ הָאָד֣וֹן ׀ אֲשֶׁר־אַתֶּ֣ם מְבַקְשִׁ֗ים וּמַלְאַ֨ךְ הַבְּרִ֜ית אֲשֶׁר־
ב אַתֶּ֤ם חֲפֵצִים֙ הִנֵּה־בָ֔א אָמַ֖ר יְהוָ֥ה צְבָאֽוֹת׃ וּמִ֤י מְכַלְכֵּל֙ אֶת־י֣וֹם
בּוֹא֔וֹ וּמִ֥י הָעֹמֵ֖ד בְּהֵרָֽאוֹת֑וֹ כִּֽי־הוּא֙ כְּאֵ֣שׁ מְצָרֵ֔ף וּכְבֹרִ֖ית
ג מְכַבְּסִֽים׃ וְיָשַׁ֨ב מְצָרֵ֤ף וּמְטַהֵר֙ כֶּ֔סֶף וְטִהַ֨ר אֶת־בְּנֵֽי־לֵוִ֜י וְזִקַּ֣ק
ד אֹתָ֔ם כַּזָּהָ֖ב וְכַכָּ֑סֶף וְהָיוּ֙ לַֽיהוָ֔ה מַגִּישֵׁ֥י מִנְחָ֖ה בִּצְדָקָֽה׃ וְעָֽרְבָה֙
לַֽיהוָ֔ה מִנְחַ֥ת יְהוּדָ֖ה וִירוּשָׁלִָ֑ם כִּימֵ֣י עוֹלָ֔ם וּכְשָׁנִ֖ים קַדְמֹנִיֹּֽת׃

דִּין בָּרְשָׁעִים:

ה וְקָרַבְתִּ֣י אֲלֵיכֶם֮ לַמִּשְׁפָּט֒ וְהָיִ֣יתִי ׀ עֵ֣ד מְמַהֵ֗ר בַּֽמְכַשְּׁפִים֙
וּבַֽמְנָאֲפִ֔ים וּבַנִּשְׁבָּעִ֖ים לַשָּׁ֑קֶר וּבְעֹשְׁקֵ֣י שְׂכַר־שָׂ֠כִיר אַלְמָנָ֤ה

ו וְיָת֥וֹם וּמַטֵּי־גֵר֙ וְלֹ֣א יְרֵא֔וּנִי אָמַ֖ר יְהוָ֥ה צְבָאֽוֹת׃ כִּ֛י אֲנִ֥י יְהוָ֖ה
ז לֹ֣א שָׁנִ֑יתִי וְאַתֶּ֥ם בְּנֵֽי־יַעֲקֹ֖ב לֹ֥א כְלִיתֶֽם׃ לְמִימֵ֨י אֲבֹתֵיכֶ֜ם סַרְתֶּ֤ם
מֵֽחֻקַּי֙ וְלֹ֣א שְׁמַרְתֶּ֔ם שׁ֤וּבוּ אֵלַי֙ וְאָשׁ֣וּבָה אֲלֵיכֶ֔ם אָמַ֖ר יְהוָ֣ה
ח צְבָא֑וֹת וַאֲמַרְתֶּ֖ם בַּמֶּ֥ה נָשֽׁוּב׃ הֲיִקְבַּ֨ע אָדָ֜ם אֱלֹהִ֗ים כִּ֤י אַתֶּם֙
קֹבְעִ֣ים אֹתִ֔י וַאֲמַרְתֶּ֖ם בַּמֶּ֣ה קְבַעֲנ֑וּךָ הַֽמַּעֲשֵׂ֖ר וְהַתְּרוּמָֽה׃

זֵרוּז לְהַפְרָשַׁת תְּרוּמוֹת וּמַעַשְׂרוֹת:

ט בַּמְּאֵרָה֙ אַתֶּ֣ם נֵֽאָרִ֔ים וְאֹתִ֖י אַתֶּ֣ם קֹבְעִ֑ים הַגּ֖וֹי כֻּלּֽוֹ׃ הָבִ֨יאוּ
אֶת־כָּל־הַֽמַּעֲשֵׂ֜ר אֶל־בֵּ֣ית הָאוֹצָ֗ר וִיהִ֥י טֶ֙רֶף֙ בְּבֵיתִ֔י וּבְחָנ֤וּנִי נָא֙
בָּזֹּ֔את אָמַ֖ר יְהוָ֣ה צְבָא֑וֹת אִם־לֹ֧א אֶפְתַּ֣ח לָכֶ֗ם אֵ֚ת אֲרֻבּ֣וֹת
יא הַשָּׁמַ֔יִם וַהֲרִיקֹתִ֥י לָכֶ֛ם בְּרָכָ֖ה עַד־בְּלִי־דָֽי׃ וְגָעַרְתִּ֤י לָכֶם֙ בָּֽאֹכֵ֔ל
וְלֹֽא־יַשְׁחִ֥ת לָכֶ֖ם אֶת־פְּרִ֣י הָאֲדָמָ֑ה וְלֹא־תְשַׁכֵּ֨ל לָכֶ֤ם הַגֶּ֙פֶן֙
יב בַּשָּׂדֶ֔ה אָמַ֖ר יְהוָ֥ה צְבָאֽוֹת׃ וְאִשְּׁר֥וּ אֶתְכֶ֖ם כָּל־הַגּוֹיִ֑ם כִּֽי־תִהְי֤וּ
אַתֶּם֙ אֶ֣רֶץ חֵ֔פֶץ אָמַ֖ר יְהוָ֥ה צְבָאֽוֹת׃

יג חָזְק֥וּ עָלַ֛י דִּבְרֵיכֶ֖ם אָמַ֣ר יְהוָ֑ה וַאֲמַרְתֶּ֕ם מַה־נִּדְבַּ֖רְנוּ עָלֶֽיךָ׃

עִנְיַן שָׂכָר וָעֹנֶשׁ:

יד אֲמַרְתֶּ֕ם שָׁ֖וְא עֲבֹ֣ד אֱלֹהִ֑ים וּמַה־בֶּ֗צַע כִּ֤י שָׁמַ֙רְנוּ֙ מִשְׁמַרְתּ֔וֹ וְכִ֤י
טו הָלַ֙כְנוּ֙ קְדֹ֣רַנִּ֔ית מִפְּנֵ֖י יְהוָ֥ה צְבָאֽוֹת׃ וְעַתָּ֕ה אֲנַ֖חְנוּ מְאַשְּׁרִ֣ים זֵדִ֑ים
טז גַּם־נִבְנוּ֙ עֹשֵׂ֣י רִשְׁעָ֔ה גַּ֧ם בָּחֲנ֛וּ אֱלֹהִ֖ים וַיִּמָּלֵֽטוּ׃ אָ֧ז נִדְבְּר֛וּ יִרְאֵ֥י
יְהוָ֖ה אִ֣ישׁ אֶל־רֵעֵ֑הוּ וַיַּקְשֵׁ֤ב יְהוָה֙ וַיִּשְׁמָ֔ע וַ֠יִּכָּתֵב סֵ֙פֶר זִכָּר֤וֹן
יז לְפָנָיו֙ לְיִרְאֵ֣י יְהוָ֔ה וּלְחֹשְׁבֵ֖י שְׁמֽוֹ׃ וְהָ֣יוּ לִ֗י אָמַר֙ יְהוָ֣ה צְבָא֔וֹת
לַיּ֕וֹם אֲשֶׁ֥ר אֲנִ֖י עֹשֶׂ֣ה סְגֻלָּ֑ה וְחָמַלְתִּ֣י עֲלֵיהֶ֔ם כַּאֲשֶׁר֙ יַחְמֹ֣ל אִ֔ישׁ
יח עַל־בְּנ֖וֹ הָעֹבֵ֥ד אֹתֽוֹ׃ וְשַׁבְתֶּם֙ וּרְאִיתֶ֔ם בֵּ֥ין צַדִּ֖יק לְרָשָׁ֑ע בֵּ֚ין
עֹבֵ֣ד אֱלֹהִ֔ים לַאֲשֶׁ֖ר לֹ֥א עֲבָדֽוֹ׃

יט כִּֽי־הִנֵּ֤ה הַיּוֹם֙ בָּ֔א בֹּעֵ֖ר כַּתַּנּ֑וּר וְהָי֨וּ כָל־זֵדִ֜ים וְכָל־עֹשֵׂ֤ה רִשְׁעָה֙
קַ֔שׁ וְלִהַ֨ט אֹתָ֜ם הַיּ֣וֹם הַבָּ֗א אָמַר֙ יְהוָ֣ה צְבָא֔וֹת אֲשֶׁ֛ר לֹא־יַעֲזֹ֥ב
כ לָהֶ֖ם שֹׁ֥רֶשׁ וְעָנָֽף׃ וְזָרְחָ֨ה לָכֶ֜ם יִרְאֵ֤י שְׁמִי֙ שֶׁ֣מֶשׁ צְדָקָ֔ה וּמַרְפֵּ֖א
כא בִּכְנָפֶ֑יהָ וִיצָאתֶ֥ם וּפִשְׁתֶּ֖ם כְּעֶגְלֵ֥י מַרְבֵּֽק׃ וְעַסּוֹתֶ֣ם רְשָׁעִ֔ים

הַדִּין הַנּוֹרָא בָּרְשָׁעִים:

כִּֽי־יִהְי֣וּ אֵ֔פֶר תַּ֖חַת כַּפּ֣וֹת רַגְלֵיכֶ֑ם בַּיּוֹם֙ אֲשֶׁ֣ר אֲנִ֣י עֹשֶׂ֔ה אָמַ֖ר
יְהוָ֥ה צְבָאֽוֹת׃
כב זִכְר֕וּ תּוֹרַ֖ת מֹשֶׁ֣ה עַבְדִּ֑י אֲשֶׁר֩ צִוִּ֨יתִי אוֹת֤וֹ בְחֹרֵב֙ עַל־כָּל־ חֲתִימַת הַנְּבוּאָה:
כג יִשְׂרָאֵ֔ל חֻקִּ֖ים וּמִשְׁפָּטִֽים׃ הִנֵּ֤ה אָנֹכִי֙ שֹׁלֵ֣חַ לָכֶ֔ם אֵ֖ת אֵלִיָּ֣ה
כד הַנָּבִ֑יא לִפְנֵ֗י בּ֚וֹא י֣וֹם יְהוָ֔ה הַגָּד֖וֹל וְהַנּוֹרָֽא׃ וְהֵשִׁ֤יב לֵב־אָבוֹת֙
עַל־בָּנִ֔ים וְלֵ֥ב בָּנִ֖ים עַל־אֲבוֹתָ֑ם פֶּן־אָב֕וֹא וְהִכֵּיתִ֥י אֶת־הָאָ֖רֶץ
חֵֽרֶם׃

כתובים

בין השנים*: 2783-3438

תהלים

ספר ראשון

דֶּרֶךְ הַצַּדִּיקִים וְהַצְלָחָתָם, לְעֻמַּת דֶּרֶךְ הָרְשָׁעִים וּגְמוּלָם:

א א אַשְׁרֵי הָאִישׁ   אֲשֶׁר ׀ לֹא הָלַךְ בַּעֲצַת רְשָׁעִים
וּבְדֶרֶךְ חַטָּאִים לֹא עָמָד   וּבְמוֹשַׁב לֵצִים לֹא יָשָׁב:
ב כִּי אִם בְּתוֹרַת יְהוָה חֶפְצוֹ   וּבְתוֹרָתוֹ יֶהְגֶּה יוֹמָם וָלָיְלָה:
ג וְהָיָה כְּעֵץ שָׁתוּל עַל־פַּלְגֵי מָיִם   אֲשֶׁר פִּרְיוֹ ׀ יִתֵּן בְּעִתּוֹ
וְעָלֵהוּ לֹא־יִבּוֹל   וְכֹל אֲשֶׁר־יַעֲשֶׂה יַצְלִיחַ:
ד לֹא־כֵן הָרְשָׁעִים   כִּי אִם־כַּמֹּץ אֲשֶׁר־תִּדְּפֶנּוּ רוּחַ:
ה עַל־כֵּן ׀   לֹא־יָקֻמוּ רְשָׁעִים בַּמִּשְׁפָּט
וְחַטָּאִים בַּעֲדַת צַדִּיקִים: ו כִּי־יוֹדֵעַ יְהוָה דֶּרֶךְ צַדִּיקִים
וְדֶרֶךְ רְשָׁעִים   תֹּאבֵד:

מֶרֶד הָעַמִּים בַּה׳, וְעָנְשָׁם:

ב א לָמָּה רָגְשׁוּ גוֹיִם   וּלְאֻמִּים יֶהְגּוּ־רִיק:
ב יִתְיַצְּבוּ ׀ מַלְכֵי־אֶרֶץ   וְרוֹזְנִים נוֹסְדוּ־יָחַד
עַל־יְהוָה וְעַל־מְשִׁיחוֹ:   ג נְנַתְּקָה אֶת־מוֹסְרוֹתֵימוֹ
וְנַשְׁלִיכָה מִמֶּנּוּ עֲבֹתֵימוֹ:   ד יוֹשֵׁב בַּשָּׁמַיִם יִשְׂחָק
אֲדֹנָי יִלְעַג־לָמוֹ:   ה אָז יְדַבֵּר אֵלֵימוֹ בְאַפּוֹ וּבַחֲרוֹנוֹ יְבַהֲלֵמוֹ:
ו וַאֲנִי נָסַכְתִּי מַלְכִּי   עַל־צִיּוֹן הַר־קָדְשִׁי:
ז אֲסַפְּרָה אֶל חֹק   יְהוָה אָמַר אֵלַי בְּנִי אַתָּה
אֲנִי הַיּוֹם יְלִדְתִּיךָ:   ח שְׁאַל מִמֶּנִּי וְאֶתְּנָה גוֹיִם נַחֲלָתֶךָ
וַאֲחֻזָּתְךָ אַפְסֵי־אָרֶץ: ט תְּרֹעֵם בְּשֵׁבֶט בַּרְזֶל
כִּכְלִי יוֹצֵר תְּנַפְּצֵם: י וְעַתָּה מְלָכִים הַשְׂכִּילוּ
הִוָּסְרוּ שֹׁפְטֵי אָרֶץ: יא עִבְדוּ אֶת־יְהוָה בְּיִרְאָה
וְגִילוּ בִּרְעָדָה: יב נַשְּׁקוּ־בַר פֶּן־יֶאֱנַף ׀
וְתֹאבְדוּ דֶרֶךְ כִּי־יִבְעַר כִּמְעַט אַפּוֹ   אַשְׁרֵי כָּל־חוֹסֵי בוֹ:

[2920] תְּפִלָּה לְהַצָּלָה מֵרְדִיפַת שׂוֹנְאוֹ:

ג א מִזְמ֥וֹר לְדָוִ֑ד בְּ֝בָרְח֗וֹ מִפְּנֵ֤י ׀ אַבְשָׁל֬וֹם בְּנֽוֹ׃
ב יְ֭הֹוָה מָֽה־רַבּ֣וּ צָרָ֑י רַ֝בִּ֗ים קָמִ֥ים עָלָֽי׃
ג רַבִּים֮ אֹמְרִ֪ים לְנַ֫פְשִׁ֥י אֵ֤ין יְֽשׁוּעָ֓תָה לּ֬וֹ בֵֽאלֹהִ֬ים סֶֽלָה׃
ד וְאַתָּ֣ה יְ֭הֹוָה מָגֵ֣ן בַּעֲדִ֑י כְּ֝בוֹדִ֗י וּמֵרִ֥ים רֹאשִֽׁי׃
ה ק֭וֹלִי אֶל־יְהֹוָ֣ה אֶקְרָ֑א וַיַּעֲנֵ֨נִי מֵהַ֖ר קָדְשׁ֣וֹ סֶֽלָה׃
ו אֲנִ֥י שָׁכַ֗בְתִּי וָֽאִ֫ישָׁ֥נָה הֱקִיצ֑וֹתִי כִּ֖י יְהֹוָ֣ה יִסְמְכֵֽנִי׃
ז לֹֽא־אִ֭ירָא מֵרִבְב֥וֹת עָ֑ם אֲשֶׁ֥ר סָ֝בִ֗יב שָׁ֣תוּ עָלָֽי׃
ח ק֘וּמָ֤ה יְהֹוָ֨ה ׀ הוֹשִׁ֘יעֵ֤נִי אֱלֹהַ֗י כִּֽי־הִכִּ֣יתָ אֶת־כָּל־אֹיְבַ֣י לֶ֑חִי
שִׁנֵּ֖י רְשָׁעִ֣ים שִׁבַּֽרְתָּ׃
ט לַיהֹוָ֥ה הַיְשׁוּעָ֑ה עַֽל־עַמְּךָ֖ בִרְכָתֶ֣ךָ סֶּֽלָה׃

בַּקָּשָׁה לַה' שֶׁתִּכּוֹן מַלְכוּת הַמֶּלֶךְ:

ד א לַמְנַצֵּ֥חַ בִּנְגִינ֗וֹת מִזְמ֥וֹר לְדָוִֽד׃
ב בְּקָרְאִ֡י עֲנֵ֤נִי ׀ אֱלֹ֘הֵ֤י צִדְקִ֗י בַּ֭צָּר הִרְחַ֣בְתָּ לִּ֑י
חָ֝נֵּ֗נִי וּשְׁמַ֥ע תְּפִלָּתִֽי׃
ג בְּנֵי־אִ֡ישׁ עַד־מֶ֬ה כְבוֹדִ֣י לִ֭כְלִמָּה תֶּאֱהָב֣וּן רִ֑יק
תְּבַקְשׁ֖וּ כָזָ֣ב סֶֽלָה׃
ד וּדְע֗וּ כִּֽי־הִפְלָ֣ה יְ֭הֹוָה חָסִ֣יד ל֑וֹ יְהֹוָ֥ה יִ֝שְׁמַ֗ע בְּקָרְאִ֥י אֵלָֽיו׃
ה רִגְז֗וּ וְֽאַל־תֶּ֫חֱטָ֥אוּ אִמְר֣וּ בִ֭לְבַבְכֶם עַל־מִשְׁכַּבְכֶ֗ם
וְדֹ֣מּוּ סֶֽלָה׃
ו זִבְח֥וּ זִבְחֵי־צֶ֑דֶק וּ֝בִטְח֗וּ אֶל־יְהֹוָֽה׃
ז רַבִּ֥ים אֹמְרִים֮ מִֽי־יַרְאֵ֪נ֫וּ ט֥וֹב נְֽסָה־עָ֭לֵינוּ א֨וֹר פָּנֶ֬יךָ יְהֹוָֽה׃
ח נָתַ֣תָּה שִׂמְחָ֣ה בְלִבִּ֑י מֵעֵ֬ת דְּגָנָ֖ם וְתִירוֹשָׁ֣ם רָֽבּוּ׃
ט בְּשָׁל֣וֹם יַחְדָּו֮ אֶשְׁכְּבָ֪ה וְאִ֫ישָׁ֥ן כִּֽי־אַתָּ֣ה יְהֹוָ֣ה
לְבָדָ֑ד לָ֝בֶ֗טַח תּוֹשִׁיבֵֽנִי׃

ה א לַמְנַצֵּחַ אֶל־הַנְּחִילוֹת   מִזְמוֹר לְדָוִד:

ב אֲמָרַי הַאֲזִינָה ׀ יְהוָה   בִּינָה הֲגִיגִי:

ג הַקְשִׁיבָה ׀ לְקוֹל שַׁוְעִי מַלְכִּי וֵאלֹהָי   כִּי־אֵלֶיךָ אֶתְפַּלָּל:

ד יְהוָה בֹּקֶר תִּשְׁמַע קוֹלִי   בֹּקֶר אֶעֱרָךְ־לְךָ וַאֲצַפֶּה:

ה כִּי ׀ לֹא אֵל־חָפֵץ רֶשַׁע ׀ אָתָּה   לֹא יְגֻרְךָ רָע:

ו לֹא־יִתְיַצְּבוּ הוֹלְלִים לְנֶגֶד עֵינֶיךָ   שָׂנֵאתָ כָּל־פֹּעֲלֵי אָוֶן:

ז תְּאַבֵּד דֹּבְרֵי כָזָב   אִישׁ־דָּמִים וּמִרְמָה יְתָעֵב ׀ יְהוָה:

ח וַאֲנִי בְּרֹב חַסְדְּךָ   אָבוֹא בֵיתֶךָ

אֶשְׁתַּחֲוֶה אֶל־הֵיכַל־קָדְשְׁךָ   בְּיִרְאָתֶךָ:

ט יְהוָה ׀ נְחֵנִי בְצִדְקָתֶךָ   לְמַעַן שׁוֹרְרָי

י הושר הַיְשַׁר לְפָנַי דַּרְכֶּךָ:   כִּי אֵין בְּפִיהוּ נְכוֹנָה

קִרְבָּם הַוּוֹת קֶבֶר־פָּתוּחַ גְּרוֹנָם   לְשׁוֹנָם יַחֲלִיקוּן:

יא הַאֲשִׁימֵם ׀ אֱלֹהִים   יִפְּלוּ מִמֹּעֲצוֹתֵיהֶם

בְּרֹב פִּשְׁעֵיהֶם הַדִּיחֵמוֹ   כִּי־מָרוּ בָךְ:

יב וְיִשְׂמְחוּ כָל־חוֹסֵי בָךְ   לְעוֹלָם יְרַנֵּנוּ

וְתָסֵךְ עָלֵימוֹ   וְיַעְלְצוּ בְךָ אֹהֲבֵי שְׁמֶךָ:

יג כִּי־אַתָּה תְּבָרֵךְ צַדִּיק יְהוָה   כַּצִּנָּה רָצוֹן תַּעְטְרֶנּוּ:

תְּחִנָּה לַה׳ לְהַצִּילוֹ מֵהַחֲנֵפִים וּמֵאַנְשֵׁי דָמִים:

ו א ב לַמְנַצֵּחַ בִּנְגִינוֹת עַל־הַשְּׁמִינִית   מִזְמוֹר לְדָוִד: יְהוָה

אַל־בְּאַפְּךָ תוֹכִיחֵנִי   וְאַל־בַּחֲמָתְךָ תְיַסְּרֵנִי:

ג חָנֵּנִי יְהוָה כִּי אֻמְלַל אָנִי   רְפָאֵנִי יְהוָה כִּי נִבְהֲלוּ עֲצָמָי:

ד וְנַפְשִׁי נִבְהֲלָה מְאֹד   ואת וְאַתָּה יְהוָה עַד־מָתָי:

ה שׁוּבָה יְהוָה חַלְּצָה נַפְשִׁי   הוֹשִׁיעֵנִי לְמַעַן חַסְדֶּךָ:

ו כִּי אֵין בַּמָּוֶת זִכְרֶךָ   בִּשְׁאוֹל מִי יוֹדֶה־לָּךְ:

ז יָגַעְתִּי ׀ בְּאַנְחָתִי   אַשְׂחֶה בְכָל־לַיְלָה מִטָּתִי

תְּפִלָּה לְהוֹשִׁיעוֹ מֵחֳלָאִים רָעִים:

ח בְּדִמְעָתִ֗י עַרְשִׂ֥י אַמְסֶֽה׃ עָֽשְׁשָׁ֣ה מִכַּ֣עַס עֵינִ֑י
ט עָ֝תְקָ֗ה בְּכׇל־צוֹרְרָֽי׃ ס֣וּרוּ מִ֭מֶּנִּי כׇּל־פֹּ֣עֲלֵי אָ֑וֶן
י כִּֽי־שָׁמַ֥ע יְ֝הֹוָ֗ה ק֣וֹל בִּכְיִֽי׃ שָׁמַ֣ע יְ֭הֹוָה תְּחִנָּתִ֑י
יא יְ֝הֹוָ֗ה תְּֽפִלָּתִ֥י יִקָּֽח׃ יֵבֹ֤שׁוּ ׀ וְיִבָּהֲל֣וּ מְ֭אֹד כׇּל־אֹיְבָ֑י
יָ֝שֻׁ֗בוּ יֵבֹ֥שׁוּ רָֽגַע׃

תְּפִלָּה לְהַצִּילוֹ מֵאוֹיְבֵי נַפְשׁוֹ כְּפוּיֵי הַטּוֹבָה:

ז א שִׁגָּי֗וֹן לְדָ֫וִ֥ד אֲשֶׁר־שָׁ֥ר לַיהֹוָ֑ה עַל־דִּבְרֵי־כ֝֗וּשׁ בֶּן־יְמִינִֽי׃
ב יְהֹוָ֣ה אֱ֭לֹהַי בְּךָ֣ חָסִ֑יתִי
ג הוֹשִׁיעֵ֥נִי מִכׇּל־רֹ֝דְפַ֗י וְהַצִּילֵֽנִי׃ פֶּן־יִטְרֹ֣ף כְּאַרְיֵ֣ה נַפְשִׁ֑י
ד פֹּ֝רֵ֗ק וְאֵ֣ין מַצִּֽיל׃ יְהֹוָ֣ה אֱ֭לֹהַי אִם־עָשִׂ֣יתִי זֹ֑את
ה אִֽם־יֶשׁ־עָ֥וֶל בְּכַפָּֽי׃ אִם־גָּ֭מַלְתִּי שֽׁוֹלְמִ֥י רָ֑ע
ו וָאֲחַלְּצָ֖ה צוֹרְרִ֣י רֵיקָֽם׃ יִֽרַדֹּ֥ף אוֹיֵ֨ב ׀ נַפְשִׁ֡י וְיַשֵּׂ֗ג
וְיִרְמֹ֣ס לָאָ֣רֶץ חַיָּ֑י וּכְבוֹדִ֓י ׀ לֶעָפָ֖ר יַשְׁכֵּ֣ן סֶֽלָה׃
ז ק֤וּמָה יְהֹוָ֨ה ׀ בְּאַפֶּ֗ךָ הִ֭נָּשֵׂא בְּעַבְר֣וֹת צוֹרְרָ֑י
ח וְע֥וּרָה אֵ֝לַ֗י מִשְׁפָּ֥ט צִוִּֽיתָ׃ וַעֲדַ֣ת לְ֭אֻמִּים תְּסוֹבְבֶ֑ךָּ
ט וְ֝עָלֶ֗יהָ לַמָּר֥וֹם שֽׁוּבָה׃ יְהֹוָה֮ יָדִ֪ין עַ֫מִּ֥ים שׇׁפְטֵ֥נִי יְהֹוָ֑ה
י כְּצִדְקִ֖י וּכְתֻמִּ֣י עָלָֽי׃ יִגְמׇר־נָ֬א רַ֨ע ׀ רְשָׁעִים֮
וּתְכוֹנֵ֪ן צַ֫דִּ֥יק וּבֹחֵ֣ן לִ֭בּוֹת וּכְלָי֗וֹת אֱלֹהִ֥ים צַדִּֽיק׃
יא מָֽגִנִּ֥י עַל־אֱלֹהִ֑ים מ֝וֹשִׁ֗יעַ יִשְׁרֵי־לֵֽב׃
יב אֱ֭לֹהִים שׁוֹפֵ֣ט צַדִּ֑יק וְ֝אֵ֗ל זֹעֵ֥ם בְּכׇל־יֽוֹם׃
יג אִם־לֹ֣א יָ֭שׁוּב חַרְבּ֣וֹ יִלְט֑וֹשׁ קַשְׁתּ֥וֹ דָ֝רַ֗ךְ וַֽיְכוֹנְנֶֽהָ׃
יד וְ֭לוֹ הֵכִ֣ין כְּלֵי־מָ֑וֶת חִ֝צָּ֗יו לְֽדֹלְקִ֥ים יִפְעָֽל׃
טו הִנֵּ֥ה יְחַבֶּל־אָ֑וֶן וְהָרָ֥ה עָ֝מָ֗ל וְיָ֣לַד שָֽׁקֶר׃
טז בּ֣וֹר כָּ֭רָֽה וַֽיַּחְפְּרֵ֑הוּ וַ֝יִּפֹּ֗ל בְּשַׁ֣חַת יִפְעָֽל׃
יז יָשׁ֣וּב עֲמָל֣וֹ בְרֹאשׁ֑וֹ וְעַ֥ל קׇ֝דְקֳד֗וֹ חֲמָס֥וֹ יֵרֵֽד׃

יח אוֹדֶה יְהוָה כְּצִדְקוֹ וַאֲזַמְּרָה שֵׁם־יְהוָה עֶלְיוֹן:

ח א לַמְנַצֵּחַ עַל־הַגִּתִּית מִזְמוֹר לְדָוִד:

ב יְהוָה אֲדֹנֵינוּ מָה־אַדִּיר שִׁמְךָ בְּכָל־הָאָרֶץ

ג אֲשֶׁר תְּנָה הוֹדְךָ עַל־הַשָּׁמָיִם: מִפִּי עוֹלְלִים ׀ וְיֹנְקִים

יִסַּדְתָּ עֹז לְמַעַן צוֹרְרֶיךָ לְהַשְׁבִּית אוֹיֵב וּמִתְנַקֵּם:

ד כִּי־אֶרְאֶה שָׁמֶיךָ מַעֲשֵׂה אֶצְבְּעֹתֶיךָ יָרֵחַ וְכוֹכָבִים

ה אֲשֶׁר כּוֹנָנְתָּה: מָה־אֱנוֹשׁ כִּי־תִזְכְּרֶנּוּ

ו וּבֶן־אָדָם כִּי תִפְקְדֶנּוּ: וַתְּחַסְּרֵהוּ מְּעַט מֵאֱלֹהִים

ז וְכָבוֹד וְהָדָר תְּעַטְּרֵהוּ: תַּמְשִׁילֵהוּ בְּמַעֲשֵׂי יָדֶיךָ

כֹּל שַׁתָּה תַחַת־רַגְלָיו:

ח צֹנֶה וַאֲלָפִים כֻּלָּם וְגַם בַּהֲמוֹת שָׂדָי:

ט צִפּוֹר שָׁמַיִם וּדְגֵי הַיָּם עֹבֵר אָרְחוֹת יַמִּים:

י יְהוָה אֲדֹנֵינוּ מָה־אַדִּיר שִׁמְךָ בְּכָל־הָאָרֶץ:

הַלֵּל וְשֶׁבַח עַל גְּבוּרוֹת ה' וַהֲטָבָתוֹ לִבְנֵי הָאָדָם:

ט א לַמְנַצֵּחַ עַל־מוּת לַבֵּן מִזְמוֹר לְדָוִד:

ב אוֹדֶה יְהוָה בְּכָל־לִבִּי אֲסַפְּרָה כָּל־נִפְלְאוֹתֶיךָ:

ג אֶשְׂמְחָה וְאֶעֶלְצָה בָךְ אֲזַמְּרָה שִׁמְךָ עֶלְיוֹן:

ד בְּשׁוּב־אוֹיְבַי אָחוֹר יִכָּשְׁלוּ וְיֹאבְדוּ מִפָּנֶיךָ:

ה כִּי־עָשִׂיתָ מִשְׁפָּטִי וְדִינִי יָשַׁבְתָּ לְכִסֵּא שׁוֹפֵט צֶדֶק:

ו גָּעַרְתָּ גוֹיִם אִבַּדְתָּ רָשָׁע שְׁמָם מָחִיתָ לְעוֹלָם וָעֶד:

ז הָאוֹיֵב ׀ תַּמּוּ חֳרָבוֹת לָנֶצַח וְעָרִים נָתַשְׁתָּ

ח אָבַד זִכְרָם הֵמָּה: וַיהוָה לְעוֹלָם יֵשֵׁב כּוֹנֵן לַמִּשְׁפָּט כִּסְאוֹ:

ט וְהוּא יִשְׁפֹּט־תֵּבֵל בְּצֶדֶק יָדִין לְאֻמִּים בְּמֵישָׁרִים:

י וִיהִי יְהוָה מִשְׂגָּב לַדָּךְ מִשְׂגָּב לְעִתּוֹת בַּצָּרָה:

הוֹדָיָה עַל צִדְקוֹ בְּהַעֲנָשַׁת הָרְשָׁעִים:

וְיִבְטְחוּ בְךָ יוֹדְעֵי שְׁמֶךָ   כִּי לֹא־עָזַבְתָּ דֹרְשֶׁיךָ יְהוָה׃ יא
זַמְּרוּ לַיהוָה יֹשֵׁב צִיּוֹן   הַגִּידוּ בָעַמִּים עֲלִילוֹתָיו׃ יב
כִּי־דֹרֵשׁ דָּמִים אוֹתָם זָכָר   לֹא־שָׁכַח צַעֲקַת עניים עֲנָוִים׃ יג
חָנְנֵנִי יְהוָה רְאֵה עָנְיִי מִשֹּׂנְאָי   מְרוֹמְמִי מִשַּׁעֲרֵי מָוֶת׃ יד
לְמַעַן אֲסַפְּרָה כָּל־תְּהִלָּתֶיךָ   בְּשַׁעֲרֵי בַת־צִיּוֹן טו
אָגִילָה בִּישׁוּעָתֶךָ׃   טָבְעוּ גוֹיִם בְּשַׁחַת עָשׂוּ טז
בְּרֶשֶׁת־זוּ טָמָנוּ   נִלְכְּדָה רַגְלָם׃
נוֹדַע ׀ יְהוָה מִשְׁפָּט עָשָׂה   בְּפֹעַל כַּפָּיו נוֹקֵשׁ רָשָׁע יז
הִגָּיוֹן סֶלָה׃   יָשׁוּבוּ רְשָׁעִים לִשְׁאוֹלָה יח
כָּל־גּוֹיִם שְׁכֵחֵי אֱלֹהִים׃   כִּי לֹא לָנֶצַח יִשָּׁכַח אֶבְיוֹן יט
תִּקְוַת ענוים עֲנִיִּים   תֹּאבַד לָעַד׃
קוּמָה יְהוָה אַל־יָעֹז אֱנוֹשׁ   יִשָּׁפְטוּ גוֹיִם עַל־פָּנֶיךָ׃ כ
שִׁיתָה יְהוָה ׀ מוֹרָה לָהֶם   יֵדְעוּ גוֹיִם אֱנוֹשׁ הֵמָּה סֶּלָה׃ כא

תְּפִלָּה לַה׳ לְהוֹשִׁיעַ הַדַּל מֵעֹשֶׁק הָרְשָׁעִים׃

לָמָה יְהוָה תַּעֲמֹד בְּרָחוֹק   תַּעְלִים לְעִתּוֹת בַּצָּרָה׃ א י
בְּגַאֲוַת רָשָׁע יִדְלַק עָנִי   יִתָּפְשׂוּ ׀ בִּמְזִמּוֹת זוּ חָשָׁבוּ׃ ב
כִּי־הִלֵּל רָשָׁע עַל־תַּאֲוַת נַפְשׁוֹ   וּבֹצֵעַ בֵּרֵךְ נִאֵץ ׀ יְהוָה׃ ג
רָשָׁע כְּגֹבַהּ אַפּוֹ בַּל־יִדְרֹשׁ   אֵין אֱלֹהִים כָּל־מְזִמּוֹתָיו׃ ד
יָחִילוּ דְרָכָו ׀ בְּכָל־עֵת   מָרוֹם מִשְׁפָּטֶיךָ מִנֶּגְדּוֹ ה
כָּל־צוֹרְרָיו יָפִיחַ בָּהֶם׃   אָמַר בְּלִבּוֹ בַּל־אֶמּוֹט ו
לְדֹר וָדֹר אֲשֶׁר לֹא־בְרָע׃   אָלָה ׀ פִּיהוּ מָלֵא וּמִרְמוֹת וָתֹךְ ז
תַּחַת לְשׁוֹנוֹ עָמָל וָאָוֶן׃   יֵשֵׁב ׀ בְּמַאְרַב חֲצֵרִים ח
בַּמִּסְתָּרִים יַהֲרֹג נָקִי   עֵינָיו לְחֵלְכָה יִצְפֹּנוּ׃
יֶאֱרֹב בַּמִּסְתָּר ׀ כְּאַרְיֵה בְסֻכֹּה   יֶאֱרֹב לַחֲטוֹף עָנִי ט
יַחְטֹף עָנִי בְּמָשְׁכוֹ בְרִשְׁתּוֹ׃   ודכה יִדְכֶּה יָשֹׁחַ י

יא וְנָפַל בַּעֲצוּמָיו חלכאים חֵל כָּאִים: אָמַר בְּלִבּוֹ שָׁכַח אֵל
יב הִסְתִּיר פָּנָיו בַּל־רָאָה לָנֶצַח: קוּמָה יְהוָה אֵל נְשָׂא יָדֶךָ
יג אַל־תִּשְׁכַּח עניים עֲנָוִים: עַל־מֶה ׀ נִאֵץ רָשָׁע ׀
אֱלֹהִים אָמַר בְּלִבּוֹ לֹא תִדְרֹשׁ:
יד רָאִתָה כִּי־אַתָּה ׀ עָמָל וָכַעַס ׀ תַּבִּיט לָתֵת בְּיָדֶךָ
עָלֶיךָ יַעֲזֹב חֵלְכָה יָתוֹם אַתָּה ׀ הָיִיתָ עוֹזֵר:
טו שְׁבֹר זְרוֹעַ רָשָׁע וָרָע תִּדְרוֹשׁ־רִשְׁעוֹ בַל־תִּמְצָא:
טז יְהוָה מֶלֶךְ עוֹלָם וָעֶד אָבְדוּ גוֹיִם מֵאַרְצוֹ:
יז תַּאֲוַת עֲנָוִים שָׁמַעְתָּ יְהוָה תָּכִין לִבָּם תַּקְשִׁיב אָזְנֶךָ:
יח לִשְׁפֹּט יָתוֹם וָדָךְ בַּל־יוֹסִיף עוֹד
לַעֲרֹץ אֱנוֹשׁ מִן־הָאָרֶץ:

יא א לַמְנַצֵּחַ לְדָוִד (תְּפִלָּה לְהַצִּילוֹ מְשֹׂנְאָיו מוֹצִיאֵי הַדִּבָּה רָעָה:)
בַּיהוָה ׀ חָסִיתִי אֵיךְ תֹּאמְרוּ לְנַפְשִׁי נודו נוּדִי הַרְכֶם צִפּוֹר:
ב כִּי הִנֵּה הָרְשָׁעִים יִדְרְכוּן קֶשֶׁת כּוֹנְנוּ חִצָּם עַל־יֶתֶר
ג לִירוֹת בְּמוֹ־אֹפֶל לְיִשְׁרֵי־לֵב: כִּי הַשָּׁתוֹת יֵהָרֵסוּן
ד צַדִּיק מַה־פָּעָל: יְהוָה ׀ בְּהֵיכַל קָדְשׁוֹ
יְהוָה בַּשָּׁמַיִם כִּסְאוֹ עֵינָיו יֶחֱזוּ עַפְעַפָּיו יִבְחֲנוּ בְּנֵי אָדָם:
ה יְהוָה צַדִּיק יִבְחָן וְרָשָׁע וְאֹהֵב חָמָס שָׂנְאָה נַפְשׁוֹ:
ו יַמְטֵר עַל־רְשָׁעִים פַּחִים אֵשׁ וְגָפְרִית וְרוּחַ זִלְעָפוֹת
ז מְנָת כּוֹסָם: כִּי־צַדִּיק יְהוָה צְדָקוֹת אָהֵב
יָשָׁר יֶחֱזוּ פָנֵימוֹ:

יב א לַמְנַצֵּחַ עַל־הַשְּׁמִינִית מִזְמוֹר לְדָוִד: (תְּפִלָּה לְהַצָּלַת הַנִּדְכָּאִים מִיַּד עוֹשְׁקֵיהֶם:)
ב הוֹשִׁיעָה יְהוָה כִּי־גָמַר חָסִיד כִּי־פַסּוּ אֱמוּנִים

מִבְּנֵי אָדָם: שָׁוְא। יְדַבְּרוּ אִישׁ אֶת־רֵעֵהוּ ג

שְׂפַת חֲלָקוֹת בְּלֵב וָלֵב יְדַבֵּרוּ:

יַכְרֵת יְהֹוָה כָּל־שִׂפְתֵי חֲלָקוֹת לָשׁוֹן מְדַבֶּרֶת גְּדֹלוֹת: ד

אֲשֶׁר אָמְרוּ। לִלְשֹׁנֵנוּ נַגְבִּיר שְׂפָתֵינוּ אִתָּנוּ מִי אָדוֹן לָנוּ: ה

מִשֹּׁד עֲנִיִּים מֵאַנְקַת אֶבְיוֹנִים עַתָּה אָקוּם יֹאמַר יְהֹוָה ו

אָשִׁית בְּיֵשַׁע יָפִיחַ לוֹ: אִמְרוֹת יְהֹוָה אֲמָרוֹת טְהֹרוֹת ז

כֶּסֶף צָרוּף בַּעֲלִיל לָאָרֶץ מְזֻקָּק שִׁבְעָתָיִם:

אַתָּה־יְהֹוָה תִּשְׁמְרֵם תִּצְּרֶנּוּ। מִן־הַדּוֹר זוּ לְעוֹלָם: ח

סָבִיב רְשָׁעִים יִתְהַלָּכוּן כְּרֻם זֻלּוּת לִבְנֵי אָדָם: ט

תְּפִלָּה לה'
שֶׁיַּצִּילֵהוּ
בַּגָּלוּת
מֵאוֹיְבָיו

יג א לַמְנַצֵּחַ מִזְמוֹר לְדָוִד:

עַד־אָנָה יְהֹוָה תִּשְׁכָּחֵנִי נֶצַח ב

עַד־אָנָה। תַּסְתִּיר אֶת־פָּנֶיךָ מִמֶּנִּי:

עַד־אָנָה אָשִׁית עֵצוֹת בְּנַפְשִׁי יָגוֹן בִּלְבָבִי יוֹמָם ג

עַד־אָנָה। יָרוּם אֹיְבִי עָלָי:

הַבִּיטָה עֲנֵנִי יְהֹוָה אֱלֹהָי הָאִירָה עֵינַי פֶּן־אִישַׁן הַמָּוֶת: ד

פֶּן־יֹאמַר אֹיְבִי יְכָלְתִּיו צָרַי יָגִילוּ כִּי אֶמּוֹט: ה

וַאֲנִי। בְּחַסְדְּךָ בָטַחְתִּי יָגֵל לִבִּי בִּישׁוּעָתֶךָ ו

אָשִׁירָה לַיהֹוָה כִּי גָמַל עָלָי:

תְּפִלָּה לה'
לְהוֹכִיחַ
הָאוֹיֵב
שֶׁיֵּשׁ שׁוֹפֵט
בָּאָרֶץ

יד א לַמְנַצֵּחַ לְדָוִד

אָמַר נָבָל בְּלִבּוֹ אֵין אֱלֹהִים הִשְׁחִיתוּ הִתְעִיבוּ עֲלִילָה

אֵין עֹשֵׂה־טוֹב: יְהֹוָה מִשָּׁמַיִם הִשְׁקִיף עַל־בְּנֵי־אָדָם ב

לִרְאוֹת הֲיֵשׁ מַשְׂכִּיל דֹּרֵשׁ אֶת־אֱלֹהִים:

הַכֹּל סָר יַחְדָּו נֶאֱלָחוּ אֵין עֹשֵׂה־טוֹב אֵין גַּם־אֶחָד: ג

ד הֲלֹא יָדְעוּ כָּל־פֹּעֲלֵי אָוֶן אֹכְלֵי עַמִּי אָכְלוּ לֶחֶם
ה יְהֹוָה לֹא קָרָאוּ: שָׁם | פָּחֲדוּ פָחַד
ו כִּי־אֱלֹהִים בְּדוֹר צַדִּיק: עֲצַת־עָנִי תָבִישׁוּ כִּי יְהֹוָה מַחְסֵהוּ:
ז מִי יִתֵּן מִצִּיּוֹן יְשׁוּעַת יִשְׂרָאֵל בְּשׁוּב יְהֹוָה שְׁבוּת עַמּוֹ
יָגֵל יַעֲקֹב יִשְׂמַח יִשְׂרָאֵל:

טו א מִזְמוֹר לְדָוִד יְהֹוָה מִי־יָגוּר בְּאָהֳלֶךָ
ב מִי־יִשְׁכֹּן בְּהַר קָדְשֶׁךָ: הוֹלֵךְ תָּמִים וּפֹעֵל צֶדֶק
ג וְדֹבֵר אֱמֶת בִּלְבָבוֹ: לֹא־רָגַל | עַל־לְשֹׁנוֹ
לֹא־עָשָׂה לְרֵעֵהוּ רָעָה וְחֶרְפָּה לֹא־נָשָׂא עַל־קְרֹבוֹ:
ד נִבְזֶה | בְּעֵינָיו נִמְאָס וְאֶת־יִרְאֵי יְהֹוָה יְכַבֵּד
ה נִשְׁבַּע לְהָרַע וְלֹא יָמִר: כַּסְפּוֹ | לֹא־נָתַן בְּנֶשֶׁךְ
וְשֹׁחַד עַל־נָקִי לֹא־לָקָח עֹשֵׂה־אֵלֶּה לֹא יִמּוֹט לְעוֹלָם:

בַּקָּשָׁה לְקָרֵב הָרְאוּיִם לְהַר ה׳:

טז א מִכְתָּם לְדָוִד
ב שָׁמְרֵנִי אֵל כִּי־חָסִיתִי בָךְ: אָמַרְתְּ לַיהֹוָה אֲדֹנָי אָתָּה
ג טוֹבָתִי בַּל־עָלֶיךָ: לִקְדוֹשִׁים אֲשֶׁר־בָּאָרֶץ הֵמָּה
ד וְאַדִּירֵי כָּל־חֶפְצִי־בָם: יִרְבּוּ עַצְּבוֹתָם אַחֵר מָהָרוּ
בַּל־אַסִּיךְ נִסְכֵּיהֶם מִדָּם וּבַל־אֶשָּׂא אֶת־שְׁמוֹתָם
ה עַל־שְׂפָתָי: יְהֹוָה מְנָת־חֶלְקִי וְכוֹסִי
ו אַתָּה תּוֹמִיךְ גּוֹרָלִי: חֲבָלִים נָפְלוּ־לִי בַּנְּעִמִים
ז אַף־נַחֲלָת שָׁפְרָה עָלָי: אֲבָרֵךְ אֶת־יְהֹוָה אֲשֶׁר יְעָצָנִי
ח אַף־לֵילוֹת יִסְּרוּנִי כִלְיוֹתָי: שִׁוִּיתִי יְהֹוָה לְנֶגְדִּי תָמִיד
ט כִּי מִימִינִי בַּל־אֶמּוֹט: לָכֵן | שָׂמַח לִבִּי וַיָּגֶל כְּבוֹדִי
י אַף־בְּשָׂרִי יִשְׁכֹּן לָבֶטַח: כִּי | לֹא־תַעֲזֹב נַפְשִׁי לִשְׁאוֹל

הוֹדָיָה לַה׳ עַל חֶלְקוֹ, שֶׁה׳ יוֹעֲצוֹ לָלֶכֶת בְּדֶרֶךְ טוֹבִים:

לֹֽא־תִתֵּ֥ן חֲ֝סִידְךָ֗ לִרְא֥וֹת שָֽׁחַת׃   תּֽוֹדִיעֵנִי֮ אֹ֤רַח חַ֫יִּ֥ים יא
שֹׂ֣בַע שְׂ֭מָחוֹת אֶת־פָּנֶ֑יךָ   נְעִמ֖וֹת בִּימִינְךָ֣ נֶֽצַח׃

תְּפִלָּ֗ה לַה' לְדוֹנוֹ בְּמֵישָׁרִים, לִזְכּוֹת לְחַיֵּי הָעוֹלָם הַבָּא:

תְּפִלָּ֗ה לְדָ֫וִ֥ד א יז
שִׁמְעָ֤ה יְהֹוָ֨ה ׀ צֶ֗דֶק   הַקְשִׁ֥יבָה רִנָּתִ֗י הַאֲזִ֥ינָה תְפִלָּתִ֑י
בְּ֝לֹ֗א שִׂפְתֵ֥י מִרְמָֽה׃   מִ֭לְּפָנֶיךָ מִשְׁפָּטִ֣י יֵצֵ֑א ב
עֵ֝ינֶ֗יךָ תֶּחֱזֶ֥ינָה מֵישָׁרִֽים׃   בָּ֘חַ֤נְתָּ לִבִּ֨י ׀ פָּ֘קַ֤דְתָּ לַּ֗יְלָה ג
צְרַפְתַּ֥נִי בַל־תִּמְצָ֑א   זַ֝מֹּתִ֗י בַּל־יַעֲבָר־פִּֽי׃
לִפְעֻלּ֣וֹת אָ֭דָם בִּדְבַ֣ר שְׂפָתֶ֑יךָ   אֲנִ֥י שָׁ֝מַ֗רְתִּי אָרְח֥וֹת פָּרִֽיץ׃ ד
תָּמֹ֣ךְ אֲ֭שֻׁרַי בְּמַעְגְּלוֹתֶ֑יךָ   בַּל־נָמ֥וֹטּוּ פְעָמָֽי׃ ה
אֲֽנִי־קְרָאתִ֣יךָ כִֽי־תַעֲנֵ֣נִי אֵ֑ל   הַֽט־אָזְנְךָ֥ לִ֝֗י שְׁמַ֣ע אִמְרָתִֽי׃ ו
הַפְלֵ֣ה חֲ֭סָדֶיךָ מוֹשִׁ֣יעַ חוֹסִ֑ים   מִ֝מִּתְקוֹמְמִ֗ים בִּימִינֶֽךָ׃ ז
שָׁ֭מְרֵנִי כְּאִישׁ֣וֹן בַּת־עָ֑יִן   בְּצֵ֥ל כְּ֝נָפֶ֗יךָ תַּסְתִּירֵֽנִי׃ ח
מִפְּנֵ֣י רְ֭שָׁעִים ז֣וּ שַׁדּ֑וּנִי   אֹ֥יְבַ֥י בְּ֝נֶ֗פֶשׁ יַקִּ֥יפוּ עָלָֽי׃ ט
חֶלְבָּ֥מוֹ סָּגְר֑וּ   פִּ֝֗ימוֹ דִּבְּר֥וּ בְגֵאֽוּת׃ י
אַ֭שֻּׁרֵינוּ עַתָּ֣ה סבבוני סְבָב֑וּנוּ   עֵינֵיהֶ֥ם יָ֝שִׁ֗יתוּ לִנְט֥וֹת בָּאָֽרֶץ׃ יא
דִּמְיֹנוֹ֗ כְּ֭אַרְיֵה יִכְס֣וֹף לִטְר֑וֹף   וְ֝כִכְפִ֗יר יֹשֵׁ֥ב בְּמִסְתָּרִֽים׃ יב
ק֤וּמָה יְהֹוָ֗ה   קַדְּמָ֣ה פָ֭נָיו הַכְרִיעֵ֑הוּ יג
פַּלְּטָ֥ה נַ֝פְשִׁ֗י מֵרָשָׁ֥ע חַרְבֶּֽךָ׃   מִֽמְתִ֥ים יָדְךָ֨ ׀ יְהֹוָ֡ה יד
מִֽמְתִ֬ים מֵחֶ֗לֶד חֶלְקָ֣ם בַּֽחַיִּים֮   וצפינך וּֽצְפוּנְךָ֮ תְּמַלֵּ֪א בִ֫טְנָ֥ם
יִשְׂבְּע֥וּ בָנִ֑ים   וְהִנִּ֥יחוּ יִ֝תְרָ֗ם לְעוֹלְלֵיהֶֽם׃
אֲנִ֗י בְּ֭צֶדֶק אֶחֱזֶ֣ה פָנֶ֑יךָ   אֶשְׂבְּעָ֥ה בְ֝הָקִ֗יץ תְּמוּנָתֶֽךָ׃ טו

שִׁירָה עַל הַצָּלָתוֹ מִכַּף אוֹיְבָיו:

לַמְנַצֵּ֤חַ ׀ לְעֶ֥בֶד יְהֹוָ֗ה לְדָ֫וִ֥ד א יח
אֲשֶׁ֤ר דִּבֶּ֨ר ׀ לַיהֹוָ֗ה   אֶת־דִּ֭בְרֵי הַשִּׁירָ֣ה הַזֹּ֑את

בְּיוֹם הִצִּיל־יְהוָה אוֹתוֹ מִכַּף כָּל־אֹיְבָיו וּמִיַּד שָׁאוּל׃
ב וַיֹּאמַר אֶרְחָמְךָ יְהוָה חִזְקִי׃
ג יְהוָה׀ סַלְעִי וּמְצוּדָתִי וּמְפַלְטִי אֵלִי צוּרִי אֶחֱסֶה־בּוֹ
ד מָגִנִּי וְקֶרֶן־יִשְׁעִי מִשְׂגַּבִּי׃ מְהֻלָּל אֶקְרָא יְהוָה
ה וּמִן־אֹיְבַי אִוָּשֵׁעַ׃ אֲפָפוּנִי חֶבְלֵי־מָוֶת
ו וְנַחֲלֵי בְלִיַּעַל יְבַעֲתוּנִי׃ חֶבְלֵי שְׁאוֹל סְבָבוּנִי
ז קִדְּמוּנִי מוֹקְשֵׁי מָוֶת׃ בַּצַּר־לִי׀ אֶקְרָא יְהוָה
וְאֶל־אֱלֹהַי אֲשַׁוֵּעַ יִשְׁמַע מֵהֵיכָלוֹ קוֹלִי
ח וְשַׁוְעָתִי לְפָנָיו׀ תָּבוֹא בְאָזְנָיו׃ וַתִּגְעַשׁ וַתִּרְעַשׁ׀ הָאָרֶץ
וּמוֹסְדֵי הָרִים יִרְגָּזוּ וַיִּתְגָּעֲשׁוּ כִּי־חָרָה לוֹ׃
ט עָלָה עָשָׁן׀ בְּאַפּוֹ וְאֵשׁ־מִפִּיו תֹּאכֵל גֶּחָלִים בָּעֲרוּ מִמֶּנּוּ׃
י וַיֵּט שָׁמַיִם וַיֵּרַד וַעֲרָפֶל תַּחַת רַגְלָיו׃
יא וַיִּרְכַּב עַל־כְּרוּב וַיָּעֹף וַיֵּדֶא עַל־כַּנְפֵי־רוּחַ׃
יב יָשֶׁת חֹשֶׁךְ׀ סִתְרוֹ סְבִיבוֹתָיו סֻכָּתוֹ
יג חֶשְׁכַת־מַיִם עָבֵי שְׁחָקִים׃ מִנֹּגַהּ נֶגְדּוֹ עָבָיו עָבְרוּ
יד בָּרָד וְגַחֲלֵי־אֵשׁ׃ וַיַּרְעֵם בַּשָּׁמַיִם׀ יְהוָה
וְעֶלְיוֹן יִתֵּן קֹלוֹ בָּרָד וְגַחֲלֵי־אֵשׁ׃
טו וַיִּשְׁלַח חִצָּיו וַיְפִיצֵם וּבְרָקִים רָב וַיְהֻמֵּם׃
טז וַיֵּרָאוּ׀ אֲפִיקֵי מַיִם וַיִּגָּלוּ מוֹסְדוֹת תֵּבֵל
מִגַּעֲרָתְךָ יְהוָה מִנִּשְׁמַת רוּחַ אַפֶּךָ׃
יז יִשְׁלַח מִמָּרוֹם יִקָּחֵנִי יַמְשֵׁנִי מִמַּיִם רַבִּים׃
יח יַצִּילֵנִי מֵאֹיְבִי עָז וּמִשֹּׂנְאַי כִּי־אָמְצוּ מִמֶּנִּי׃
יט יְקַדְּמוּנִי בְיוֹם־אֵידִי וַיְהִי־יְהוָה לְמִשְׁעָן לִי׃
כ וַיּוֹצִיאֵנִי לַמֶּרְחָב יְחַלְּצֵנִי כִּי חָפֵץ בִּי׃
כא יִגְמְלֵנִי יְהוָה כְּצִדְקִי כְּבֹר יָדַי יָשִׁיב לִי׃

כִּֽי־שָׁמַרְתִּי דַּרְכֵי יְהֹוָה וְלֹא־רָשַׁעְתִּי מֵאֱלֹהָי: כב

כִּי כָל־מִשְׁפָּטָיו לְנֶגְדִּי וְחֻקֹּתָיו לֹא־אָסִיר מֶנִּי: כג

וָאֱהִי תָמִים עִמּוֹ וָאֶשְׁתַּמֵּר מֵעֲוֺנִי: כד

וַיָּשֶׁב־יְהֹוָה לִי כְצִדְקִי כְּבֹר יָדַי לְנֶגֶד עֵינָיו: כה

עִם־חָסִיד תִּתְחַסָּד עִם־גְּבַר תָּמִים תִּתַּמָּם: כו

עִם־נָבָר תִּתְבָּרָר וְעִם־עִקֵּשׁ תִּתְפַּתָּל: כז

כִּֽי־אַתָּה עַם־עָנִי תוֹשִׁיעַ וְעֵינַיִם רָמוֹת תַּשְׁפִּיל: כח

כִּֽי־אַתָּה תָּאִיר נֵרִי יְהֹוָה אֱלֹהַי יַגִּיהַּ חָשְׁכִּי: כט

כִּֽי־בְךָ אָרֻץ גְּדוּד וּבֵאלֹהַי אֲדַלֶּג־שׁוּר: ל

הָאֵל תָּמִים דַּרְכּוֹ אִמְרַת־יְהֹוָה צְרוּפָה לא

מָגֵן הוּא לְכֹל ׀ הַחֹסִים בּוֹ: כִּי מִי אֱלוֹהַּ מִבַּלְעֲדֵי יְהֹוָה לב

וּמִי צוּר זוּלָתִי אֱלֹהֵינוּ:

הָאֵל הַמְאַזְּרֵנִי חָיִל וַיִּתֵּן תָּמִים דַּרְכִּי: לג

מְשַׁוֶּה רַגְלַי כָּאַיָּלוֹת וְעַל בָּמֹתַי יַעֲמִידֵנִי: לד

מְלַמֵּד יָדַי לַמִּלְחָמָה וְנִחֲתָה קֶשֶׁת־נְחוּשָׁה זְרוֹעֹתָי: לה

וַתִּתֶּן־לִי מָגֵן יִשְׁעֶךָ וִימִינְךָ תִסְעָדֵנִי וְעַנְוַתְךָ תַרְבֵּנִי: לו

תַּרְחִיב צַעֲדִי תַחְתָּי וְלֹא מָעֲדוּ קַרְסֻלָּי: לז

אֶרְדּוֹף אוֹיְבַי וְאַשִּׂיגֵם וְלֹא־אָשׁוּב עַד־כַּלּוֹתָם: לח

אֶמְחָצֵם וְלֹא־יֻכְלוּ קוּם יִפְּלוּ תַּחַת רַגְלָי: לט

וַתְּאַזְּרֵנִי חַיִל לַמִּלְחָמָה תַּכְרִיעַ קָמַי תַּחְתָּי: מ

וְאֹיְבַי נָתַתָּה לִּי עֹרֶף וּמְשַׂנְאַי אַצְמִיתֵם: מא

יְשַׁוְּעוּ וְאֵין־מוֹשִׁיעַ עַל־יְהֹוָה וְלֹא עָנָם: מב

וְאֶשְׁחָקֵם כְּעָפָר עַל־פְּנֵי־רוּחַ כְּטִיט חוּצוֹת אֲרִיקֵם: מג

תְּפַלְּטֵנִי מֵרִיבֵי עָם תְּשִׂימֵנִי לְרֹאשׁ גּוֹיִם מד

עַם לֹא־יָדַעְתִּי יַעַבְדוּנִי: לְשֵׁמַע אֹזֶן יִשָּׁמְעוּ לִי מה

מו בְּנֵי־נֵכָר יְכַחֲשׁוּ־לִי׃ בְּנֵי־נֵכָר יִבֹּלוּ
מז וְיַחְרְגוּ מִמִּסְגְּרוֹתֵיהֶם׃ חַי־יְהוָה וּבָרוּךְ צוּרִי
מח וְיָרוּם אֱלוֹהֵי יִשְׁעִי׃ הָאֵל הַנּוֹתֵן נְקָמוֹת לִי
מט וַיַּדְבֵּר עַמִּים תַּחְתָּי׃ מְפַלְּטִי מֵאֹיְבָי
אַף מִן־קָמַי תְּרוֹמְמֵנִי מֵאִישׁ חָמָס תַּצִּילֵנִי׃
נ עַל־כֵּן ׀ אוֹדְךָ בַגּוֹיִם ׀ יְהוָה
נא וּלְשִׁמְךָ אֲזַמֵּרָה׃ מַגְדִּל יְשׁוּעוֹת מַלְכּוֹ
וְעֹשֶׂה חֶסֶד ׀ לִמְשִׁיחוֹ לְדָוִד וּלְזַרְעוֹ עַד־עוֹלָם׃

יט א לַמְנַצֵּחַ מִזְמוֹר לְדָוִד׃

כְּבוֹד ה׳ נִכָּר בַּבְּרִיאָה, וְחָכְמָתוֹ נִכֶּרֶת בַּתּוֹרָה׃

ב הַשָּׁמַיִם מְסַפְּרִים כְּבוֹד־אֵל וּמַעֲשֵׂה יָדָיו מַגִּיד הָרָקִיעַ׃
ג יוֹם לְיוֹם יַבִּיעַ אֹמֶר וְלַיְלָה לְּלַיְלָה יְחַוֶּה־דָּעַת׃
ד אֵין־אֹמֶר וְאֵין דְּבָרִים בְּלִי נִשְׁמָע קוֹלָם׃
ה בְּכָל־הָאָרֶץ ׀ יָצָא קַוָּם וּבִקְצֵה תֵבֵל מִלֵּיהֶם
ו לַשֶּׁמֶשׁ שָׂם־אֹהֶל בָּהֶם׃ וְהוּא כְּחָתָן יֹצֵא מֵחֻפָּתוֹ
ז יָשִׂישׂ כְּגִבּוֹר לָרוּץ אֹרַח׃ מִקְצֵה הַשָּׁמַיִם ׀ מוֹצָאוֹ
וּתְקוּפָתוֹ עַל־קְצוֹתָם וְאֵין נִסְתָּר מֵחַמָּתוֹ׃
ח תּוֹרַת יְהוָה תְּמִימָה מְשִׁיבַת נָפֶשׁ
עֵדוּת יְהוָה נֶאֱמָנָה מַחְכִּימַת פֶּתִי׃
ט פִּקּוּדֵי יְהוָה יְשָׁרִים מְשַׂמְּחֵי־לֵב מִצְוַת יְהוָה בָּרָה
י מְאִירַת עֵינָיִם׃ יִרְאַת יְהוָה ׀ טְהוֹרָה
עוֹמֶדֶת לָעַד מִשְׁפְּטֵי־יְהוָה אֱמֶת צָדְקוּ יַחְדָּו׃
יא הַנֶּחֱמָדִים מִזָּהָב וּמִפַּז רָב וּמְתוּקִים מִדְּבַשׁ וְנֹפֶת צוּפִים׃
יב גַּם־עַבְדְּךָ נִזְהָר בָּהֶם בְּשָׁמְרָם עֵקֶב רָב׃
יג שְׁגִיאוֹת מִי־יָבִין מִנִּסְתָּרוֹת נַקֵּנִי׃

גַּ֤ם מִזֵּדִ֨ים ׀ חֲשֹׂ֬ךְ עַבְדֶּ֗ךָ אַֽל־יִמְשְׁלוּ־בִ֣י אָ֣ז אֵיתָ֑ם יד
וְ֝נִקֵּ֗יתִי מִפֶּ֥שַׁע רָֽב׃ יִֽהְי֥וּ לְרָצ֨וֹן ׀ אִמְרֵי־פִ֡י טו
וְהֶגְי֣וֹן לִבִּ֣י לְפָנֶ֑יךָ יְ֝הוָ֗ה צוּרִ֥י וְגֹאֲלִֽי׃

תְּפִלָּה לְהִוָּשַׁע בְּמִלְחָמָה, לֹא בְחַיִל - רַק בְּשֵׁם ה׳:

לַמְנַצֵּ֗חַ מִזְמ֥וֹר לְדָוִֽד׃ א **כ**
יַֽעַנְךָ֣ יְ֭הוָה בְּי֣וֹם צָרָ֑ה יְ֝שַׂגֶּבְךָ֗ שֵׁ֤ם ׀ אֱלֹהֵ֬י יַעֲקֹֽב׃ ב
יִשְׁלַֽח־עֶזְרְךָ֥ מִקֹּ֑דֶשׁ וּ֝מִצִּיּ֗וֹן יִסְעָדֶֽךָּ׃ ג
יִזְכֹּ֥ר כָּל־מִנְחֹתֶ֑ךָ וְעוֹלָ֖תְךָ֥ יְדַשְּׁנֶ֣ה סֶֽלָה׃ ד
יִֽתֶּן־לְךָ֥ כִלְבָבֶ֑ךָ וְֽכָל־עֲצָתְךָ֥ יְמַלֵּֽא׃ ה
נְרַנְּנָ֤ה ׀ בִּ֘ישׁ֤וּעָתֶ֗ךָ וּבְשֵֽׁם־אֱלֹהֵ֥ינוּ נִדְגֹּ֑ל ו
יְמַלֵּ֥א יְ֝הוָ֗ה כָּל־מִשְׁאֲלוֹתֶֽיךָ׃ עַתָּ֤ה יָדַ֗עְתִּי ז
כִּ֤י הוֹשִׁ֥יעַ ׀ יְהוָ֗ה מְשִׁ֫יח֥וֹ יַ֭עֲנֵהוּ מִשְּׁמֵ֣י קָדְשׁ֑וֹ
בִּ֝גְבֻר֗וֹת יֵ֣שַׁע יְמִינֽוֹ׃ אֵ֣לֶּה בָ֭רֶכֶב וְאֵ֣לֶּה בַסּוּסִ֑ים ח
וַ֝אֲנַ֗חְנוּ ׀ בְּשֵׁם־יְהוָ֖ה אֱלֹהֵ֣ינוּ נַזְכִּֽיר׃ הֵ֭מָּה כָּֽרְע֣וּ וְנָפָ֑לוּ ט
וַאֲנַ֥חְנוּ קַּ֝֗מְנוּ וַנִּתְעוֹדָֽד׃ יְהוָ֥ה הוֹשִׁ֑יעָה הַ֝מֶּ֗לֶךְ י
יַעֲנֵ֥נוּ בְיוֹם־קָרְאֵֽנוּ׃

הַלֵּל אַחַר נִצָּחוֹן הַמֶּלֶךְ עַל הָאוֹיֵב:

לַמְנַצֵּ֗חַ מִזְמ֥וֹר לְדָוִֽד׃ א **כא**
יְֽהוָ֗ה בְּעָזְּךָ֥ יִשְׂמַח־מֶ֑לֶךְ וּ֝בִישׁ֥וּעָתְךָ֗ מַה־יָּ֥גֶל יגיל מְאֹֽד׃ ב
תַּאֲוַ֣ת לִ֭בּוֹ נָתַ֣תָּה לּ֑וֹ וַאֲרֶ֥שֶׁת שְׂ֝פָתָ֗יו בַּל־מָנַ֥עְתָּ סֶּֽלָה׃ ג
כִּֽי־תְ֭קַדְּמֶנּוּ בִּרְכ֣וֹת ט֑וֹב תָּשִׁ֥ית לְ֝רֹאשׁ֗וֹ עֲטֶ֣רֶת פָּֽז׃ ד
חַיִּ֤ים ׀ שָׁאַ֣ל מִ֭מְּךָ נָתַ֣תָּה לּ֑וֹ אֹ֥רֶךְ יָ֝מִ֗ים עוֹלָ֥ם וָעֶֽד׃ ה
גָּד֣וֹל כְּ֭בוֹדוֹ בִּישׁוּעָתֶ֑ךָ ה֥וֹד וְ֝הָדָ֗ר תְּשַׁוֶּ֥ה עָלָֽיו׃ ו
כִּֽי־תְשִׁיתֵ֣הוּ בְרָכ֣וֹת לָעַ֑ד תְּחַדֵּ֥הוּ בְ֝שִׂמְחָ֗ה אֶת־פָּנֶֽיךָ׃ ז
כִּֽי־הַ֭מֶּלֶךְ בֹּטֵ֣חַ בַּיהוָ֑ה וּבְחֶ֥סֶד עֶ֝לְי֗וֹן בַּל־יִמּֽוֹט׃ ח

ט תִּמְצָא יָדְךָ לְכׇל־אֹיְבֶיךָ יְמִינְךָ תִּמְצָא שֹׂנְאֶיךָ׃
י תְּשִׁיתֵמוֹ ׀ כְּתַנּוּר אֵשׁ לְעֵת פָּנֶיךָ יְהֹוָה בְּאַפּוֹ יְבַלְּעֵם
יא וְתֹאכְלֵם אֵשׁ׃ פִּרְיָמוֹ מֵאֶרֶץ תְּאַבֵּד
יב וְזַרְעָם מִבְּנֵי אָדָם׃ כִּי־נָטוּ עָלֶיךָ רָעָה
יג חָשְׁבוּ מְזִמָּה בַּל־יוּכָלוּ׃ כִּי תְּשִׁיתֵמוֹ שֶׁכֶם
בְּמֵיתָרֶיךָ תְּכוֹנֵן עַל־פְּנֵיהֶם׃
יד רוּמָה יְהֹוָה בְעֻזֶּךָ נָשִׁירָה וּנְזַמְּרָה גְּבוּרָתֶךָ׃

כב א לַמְנַצֵּחַ עַל־אַיֶּלֶת הַשַּׁחַר מִזְמוֹר לְדָוִד׃

קְרִיאָה לְעֶזְרָה מֵה׳ לְהֵחָלֵץ מֵאוֹיֵב אַכְזָר׃

ב אֵלִי אֵלִי לָמָה עֲזַבְתָּנִי רָחוֹק מִישׁוּעָתִי דִּבְרֵי שַׁאֲגָתִי׃
ג אֱלֹהַי אֶקְרָא יוֹמָם וְלֹא תַעֲנֶה וְלַיְלָה וְלֹא־דֻמִיָּה לִי׃
ד וְאַתָּה קָדוֹשׁ יוֹשֵׁב תְּהִלּוֹת יִשְׂרָאֵל׃
ה בְּךָ בָּטְחוּ אֲבֹתֵינוּ בָּטְחוּ וַתְּפַלְּטֵמוֹ׃
ו אֵלֶיךָ זָעֲקוּ וְנִמְלָטוּ בְּךָ בָטְחוּ וְלֹא־בוֹשׁוּ׃
ז וְאָנֹכִי תוֹלַעַת וְלֹא־אִישׁ חֶרְפַּת אָדָם וּבְזוּי עָם׃
ח כׇּל־רֹאַי יַלְעִגוּ לִי יַפְטִירוּ בְשָׂפָה יָנִיעוּ רֹאשׁ׃
ט גֹּל אֶל־יְהֹוָה יְפַלְּטֵהוּ יַצִּילֵהוּ כִּי חָפֵץ בּוֹ׃
י כִּי־אַתָּה גֹחִי מִבָּטֶן מַבְטִיחִי עַל־שְׁדֵי אִמִּי׃
יא עָלֶיךָ הׇשְׁלַכְתִּי מֵרָחֶם מִבֶּטֶן אִמִּי אֵלִי אָתָּה׃
יב אַל־תִּרְחַק מִמֶּנִּי כִּי־צָרָה קְרוֹבָה כִּי־אֵין עוֹזֵר׃
יג סְבָבוּנִי פָּרִים רַבִּים אַבִּירֵי בָשָׁן כִּתְּרוּנִי׃
יד פָּצוּ עָלַי פִּיהֶם אַרְיֵה טֹרֵף וְשֹׁאֵג׃
טו כַּמַּיִם נִשְׁפַּכְתִּי וְהִתְפָּרְדוּ כׇּל־עַצְמוֹתָי הָיָה לִבִּי כַּדּוֹנָג
טז נָמֵס בְּתוֹךְ מֵעָי׃ יָבֵשׁ כַּחֶרֶשׂ ׀ כֹּחִי
וּלְשׁוֹנִי מֻדְבָּק מַלְקוֹחָי וְלַעֲפַר־מָוֶת תִּשְׁפְּתֵנִי׃

כִּי סְבָבוּנִי כְּלָבִים עֲדַת מְרֵעִים הִקִּיפוּנִי יז
כָּאֲרִי יָדַי וְרַגְלָי: אֲסַפֵּר כָּל־עַצְמוֹתָי יח
הֵמָּה יַבִּיטוּ יִרְאוּ־בִי: יְחַלְּקוּ בְגָדַי לָהֶם יט
וְעַל־לְבוּשִׁי יַפִּילוּ גוֹרָל: וְאַתָּה יְהוָה אַל־תִּרְחָק כ
אֱיָלוּתִי לְעֶזְרָתִי חוּשָׁה: הַצִּילָה מֵחֶרֶב נַפְשִׁי כא
מִיַּד־כֶּלֶב יְחִידָתִי: הוֹשִׁיעֵנִי מִפִּי אַרְיֵה כב
וּמִקַּרְנֵי רֵמִים עֲנִיתָנִי: אֲסַפְּרָה שִׁמְךָ לְאֶחָי כג
בְּתוֹךְ קָהָל אֲהַלְלֶךָּ: יִרְאֵי יְהוָה׀ הַלְלוּהוּ כד
כָּל־זֶרַע יַעֲקֹב כַּבְּדוּהוּ וְגוּרוּ מִמֶּנּוּ כָּל־זֶרַע יִשְׂרָאֵל:
כִּי לֹא־בָזָה וְלֹא שִׁקַּץ עֱנוּת עָנִי וְלֹא־הִסְתִּיר פָּנָיו מִמֶּנּוּ כה
וּבְשַׁוְּעוֹ אֵלָיו שָׁמֵעַ: מֵאִתְּךָ תְּהִלָּתִי בְּקָהָל רָב כו
נְדָרַי אֲשַׁלֵּם נֶגֶד יְרֵאָיו: יֹאכְלוּ עֲנָוִים׀ וְיִשְׂבָּעוּ כז
יְהַלְלוּ יְהוָה דֹּרְשָׁיו יְחִי לְבַבְכֶם לָעַד:
יִזְכְּרוּ׀ וְיָשֻׁבוּ אֶל־יְהוָה כָּל־אַפְסֵי־אָרֶץ וְיִשְׁתַּחֲווּ לְפָנֶיךָ כח
כָּל־מִשְׁפְּחוֹת גּוֹיִם: כִּי לַיהוָה הַמְּלוּכָה כט
וּמֹשֵׁל בַּגּוֹיִם: אָכְלוּ וַיִּשְׁתַּחֲווּ׀ כָּל־דִּשְׁנֵי־אֶרֶץ ל
לְפָנָיו יִכְרְעוּ כָּל־יוֹרְדֵי עָפָר וְנַפְשׁוֹ לֹא חִיָּה:
זֶרַע יַעַבְדֶנּוּ יְסֻפַּר לַאדֹנָי לַדּוֹר: לא
יָבֹאוּ וְיַגִּידוּ צִדְקָתוֹ לְעַם נוֹלָד כִּי עָשָׂה: לב

לַבּוֹטֵחַ בַּה׳ לֹא יֶחְסַר דָּבָר:

מִזְמוֹר לְדָוִד יְהוָה רֹעִי לֹא אֶחְסָר: א כג
בִּנְאוֹת דֶּשֶׁא יַרְבִּיצֵנִי עַל־מֵי מְנֻחוֹת יְנַהֲלֵנִי: ב
נַפְשִׁי יְשׁוֹבֵב יַנְחֵנִי בְמַעְגְּלֵי־צֶדֶק לְמַעַן שְׁמוֹ: ג
גַּם כִּי־אֵלֵךְ בְּגֵיא צַלְמָוֶת לֹא־אִירָא רָע כִּי־אַתָּה עִמָּדִי ד
שִׁבְטְךָ וּמִשְׁעַנְתֶּךָ הֵמָּה יְנַחֲמֻנִי:

ה תַּעֲרֹךְ לְפָנַי ׀ שֻׁלְחָן נֶגֶד צֹרְרָי דִּשַּׁנְתָּ בַשֶּׁמֶן רֹאשִׁי
ו כּוֹסִי רְוָיָה: אַךְ ׀ טוֹב וָחֶסֶד יִרְדְּפוּנִי כָּל־יְמֵי חַיָּי
וְשַׁבְתִּי בְּבֵית־יְהֹוָה לְאֹרֶךְ יָמִים:

כד א לְדָוִד מִזְמוֹר
לַיהֹוָה הָאָרֶץ וּמְלוֹאָהּ תֵּבֵל וְיֹשְׁבֵי בָהּ:
ב כִּי־הוּא עַל־יַמִּים יְסָדָהּ וְעַל־נְהָרוֹת יְכוֹנְנֶהָ:
ג מִי־יַעֲלֶה בְהַר־יְהֹוָה וּמִי־יָקוּם בִּמְקוֹם קָדְשׁוֹ:
ד נְקִי כַפַּיִם וּבַר־לֵבָב אֲשֶׁר ׀ לֹא־נָשָׂא לַשָּׁוְא נַפְשִׁי
ה וְלֹא נִשְׁבַּע לְמִרְמָה: יִשָּׂא בְרָכָה מֵאֵת יְהֹוָה
ו וּצְדָקָה מֵאֱלֹהֵי יִשְׁעוֹ: זֶה דּוֹר דֹּרְשָׁו
ז מְבַקְשֵׁי פָנֶיךָ יַעֲקֹב סֶלָה: שְׂאוּ שְׁעָרִים ׀ רָאשֵׁיכֶם
וְהִנָּשְׂאוּ פִּתְחֵי עוֹלָם וְיָבוֹא מֶלֶךְ הַכָּבוֹד:
ח מִי זֶה מֶלֶךְ הַכָּבוֹד יְהֹוָה עִזּוּז וְגִבּוֹר
ט יְהֹוָה גִּבּוֹר מִלְחָמָה: שְׂאוּ שְׁעָרִים ׀ רָאשֵׁיכֶם
וּשְׂאוּ פִּתְחֵי עוֹלָם וְיָבֹא מֶלֶךְ הַכָּבוֹד:
י מִי הוּא זֶה מֶלֶךְ הַכָּבוֹד יְהֹוָה צְבָאוֹת
הוּא מֶלֶךְ הַכָּבוֹד סֶלָה:

בַּקָּשָׁה לַה' לְהַשְׁרוֹת שְׁכִינָתוֹ בְּבֵית מִקְדָּשֵׁנוּ:

כה א לְדָוִד אֵלֶיךָ יְהֹוָה נַפְשִׁי אֶשָּׂא:
ב אֱלֹהַי בְּךָ בָטַחְתִּי אַל־אֵבוֹשָׁה אַל־יַעַלְצוּ אֹיְבַי לִי:
ג גַּם כָּל־קֹוֶיךָ לֹא יֵבֹשׁוּ יֵבֹשׁוּ הַבּוֹגְדִים רֵיקָם:
ד דְּרָכֶיךָ יְהֹוָה הוֹדִיעֵנִי אֹרְחוֹתֶיךָ לַמְּדֵנִי:
ה הַדְרִיכֵנִי בַאֲמִתֶּךָ ׀ וְלַמְּדֵנִי כִּי־אַתָּה אֱלֹהֵי יִשְׁעִי
ו אוֹתְךָ קִוִּיתִי כָּל־הַיּוֹם: זְכֹר־רַחֲמֶיךָ יְהֹוָה וַחֲסָדֶיךָ

תְּחִנָּה לַה' לְכַפֵּר עֲווֹנוֹתָיו וּלְהַדְרִיכוֹ בְּדֶרֶךְ טוֹבִים:

כִּ֖י מֵעוֹלָ֣ם הֵֽמָּה׃ חַטֹּ֤אות נְעוּרַ֨י ׀ וּפְשָׁעַ֬י אַל־תִּזְכֹּ֑ר ז
כְּחַסְדְּךָ֥ זְכָר־לִי־אַ֝תָּ֗ה לְמַ֖עַן טוּבְךָ֣ יְהוָֽה׃
טוֹב־וְיָשָׁ֥ר יְהוָ֑ה עַל־כֵּ֤ן יוֹרֶ֖ה חַטָּאִ֣ים בַּדָּֽרֶךְ׃ ח
יַדְרֵ֣ךְ עֲ֭נָוִים בַּמִּשְׁפָּ֑ט וִֽילַמֵּ֖ד עֲנָוִ֣ים דַּרְכּֽוֹ׃ ט
כָּל־אָרְח֣וֹת יְ֭הוָה חֶ֣סֶד וֶאֱמֶ֑ת לְנֹצְרֵ֥י בְ֝רִית֗וֹ וְעֵדֹתָֽיו׃ י
לְמַֽעַן־שִׁמְךָ֥ יְהוָ֑ה וְֽסָלַחְתָּ֥ לַ֝עֲוֺנִ֗י כִּ֣י רַב־הֽוּא׃ יא
מִי־זֶ֣ה הָ֭אִישׁ יְרֵ֣א יְהוָ֑ה י֝וֹרֶ֗נּוּ בְּדֶ֣רֶךְ יִבְחָֽר׃ יב
נַ֭פְשׁוֹ בְּט֣וֹב תָּלִ֑ין וְ֝זַרְע֗וֹ יִ֣ירַשׁ אָֽרֶץ׃ יג
ס֣וֹד יְ֭הוָה לִירֵאָ֑יו וּ֝בְרִית֗וֹ לְהוֹדִיעָֽם׃ יד
עֵינַ֣י תָּ֭מִיד אֶל־יְהוָ֑ה כִּ֤י הֽוּא־יוֹצִ֖יא מֵרֶ֣שֶׁת רַגְלָֽי׃ טו
פְּנֵה־אֵלַ֥י וְחָנֵּ֑נִי כִּֽי־יָחִ֖יד וְעָנִ֣י אָֽנִי׃ טז
צָר֣וֹת לְבָבִ֣י הִרְחִ֑יבוּ מִ֝מְּצֽוּקוֹתַ֗י הוֹצִיאֵֽנִי׃ יז
רְאֵ֣ה עָ֭נְיִי וַעֲמָלִ֑י וְ֝שָׂ֗א לְכָל־חַטֹּאותָֽי׃ יח
רְאֵֽה־אוֹיְבַ֥י כִּי־רָ֑בּוּ וְשִׂנְאַ֖ת חָמָ֣ס שְׂנֵאֽוּנִי׃ יט
שָׁמְרָ֣ה נַ֭פְשִׁי וְהַצִּילֵ֑נִי אַל־אֵ֝ב֗וֹשׁ כִּֽי־חָסִ֥יתִי בָֽךְ׃ כ
תֹּם־וָיֹ֥שֶׁר יִצְּר֑וּנִי כִּ֝֗י קִוִּיתִֽיךָ׃ כא
פְּדֵ֣ה אֱ֭לֹהִים אֶת־יִשְׂרָאֵ֑ל מִ֝כֹּ֗ל צָרוֹתָֽיו׃ כב

בְּקָשָׁה לְזַכּוּתוֹ בַּאֲשֶׁר הוּא סָר מֵרָע, לְעֻמַּת רִשְׁעוּת אוֹיְבָיו:

לְדָוִ֨ד ׀ שָׁפְטֵ֤נִי יְהוָ֗ה כִּֽי־אֲ֭נִי בְּתֻמִּ֣י הָלַ֑כְתִּי א **כו**
וּבַיהוָ֥ה בָּ֝טַ֗חְתִּי לֹ֣א אֶמְעָֽד׃ בְּחָנֵ֣נִי יְהוָ֣ה וְנַסֵּ֑נִי ב
צרופה צָרְפָ֖ה כִלְיוֹתַ֣י וְלִבִּֽי׃ כִּֽי־חַ֭סְדְּךָ לְנֶ֣גֶד עֵינָ֑י ג
וְ֝הִתְהַלַּ֗כְתִּי בַּאֲמִתֶּֽךָ׃ לֹא־יָ֭שַׁבְתִּי עִם־מְתֵי־שָׁ֑וְא ד
וְעִ֥ם נַ֝עֲלָמִ֗ים לֹ֣א אָבֽוֹא׃ שָׂ֭נֵאתִי קְהַ֣ל מְרֵעִ֑ים ה
וְעִם־רְ֝שָׁעִ֗ים לֹ֣א אֵשֵֽׁב׃ אֶרְחַ֣ץ בְּנִקָּי֣וֹן כַּפָּ֑י ו
וַאֲסֹבְבָ֖ה אֶת־מִזְבַּחֲךָ֣ יְהוָֽה׃ לַ֭שְׁמִעַ בְּק֣וֹל תּוֹדָ֑ה ז

ח וּלְסַפֵּר כָּל־נִפְלְאוֹתֶיךָ: יְהוָה אָהַבְתִּי מְעוֹן בֵּיתֶךָ
ט וּמְקוֹם מִשְׁכַּן כְּבוֹדֶךָ: אַל־תֶּאֱסֹף עִם־חַטָּאִים נַפְשִׁי
י וְעִם־אַנְשֵׁי דָמִים חַיָּי: אֲשֶׁר־בִּידֵיהֶם זִמָּה
יא וִימִינָם מָלְאָה שֹּׁחַד: וַאֲנִי בְּתֻמִּי אֵלֵךְ
יב פְּדֵנִי וְחָנֵּנִי: רַגְלִי עָמְדָה בְמִישׁוֹר
בְּמַקְהֵלִים אֲבָרֵךְ יְהוָה:

כז א לְדָוִד ׀ יְהוָה ׀ אוֹרִי וְיִשְׁעִי מִמִּי אִירָא
ב יְהוָה מָעוֹז־חַיַּי מִמִּי אֶפְחָד: בִּקְרֹב עָלַי ׀ מְרֵעִים
לֶאֱכֹל אֶת־בְּשָׂרִי צָרַי וְאֹיְבַי לִי הֵמָּה כָשְׁלוּ וְנָפָלוּ:
ג אִם־תַּחֲנֶה עָלַי ׀ מַחֲנֶה לֹא־יִירָא לִבִּי
אִם־תָּקוּם עָלַי מִלְחָמָה בְּזֹאת אֲנִי בוֹטֵחַ:
ד אַחַת ׀ שָׁאַלְתִּי מֵאֵת־יְהוָה אוֹתָהּ אֲבַקֵּשׁ
שִׁבְתִּי בְּבֵית־יְהוָה כָּל־יְמֵי חַיַּי לַחֲזוֹת בְּנֹעַם־יְהוָה
ה וּלְבַקֵּר בְּהֵיכָלוֹ: כִּי יִצְפְּנֵנִי ׀ בְּסֻכֹּה בְּיוֹם רָעָה
יַסְתִּרֵנִי בְּסֵתֶר אָהֳלוֹ בְּצוּר יְרוֹמְמֵנִי:
ו וְעַתָּה יָרוּם רֹאשִׁי עַל אֹיְבַי סְבִיבוֹתַי וְאֶזְבְּחָה בְאָהֳלוֹ
זִבְחֵי תְרוּעָה אָשִׁירָה וַאֲזַמְּרָה לַיהוָה:
ז שְׁמַע־יְהוָה קוֹלִי אֶקְרָא וְחָנֵּנִי וַעֲנֵנִי:
ח לְךָ ׀ אָמַר לִבִּי בַּקְּשׁוּ פָנָי אֶת־פָּנֶיךָ יְהוָה אֲבַקֵּשׁ:
ט אַל־תַּסְתֵּר פָּנֶיךָ ׀ מִמֶּנִּי אַל תַּט־בְּאַף עַבְדֶּךָ
עֶזְרָתִי הָיִיתָ אַל־תִּטְּשֵׁנִי וְאַל־תַּעַזְבֵנִי אֱלֹהֵי יִשְׁעִי:
י כִּי־אָבִי וְאִמִּי עֲזָבוּנִי וַיהוָה יַאַסְפֵנִי:
יא הוֹרֵנִי יְהוָה דַּרְכֶּךָ וּנְחֵנִי בְּאֹרַח מִישׁוֹר לְמַעַן שׁוֹרְרָי:
יב אַל־תִּתְּנֵנִי בְּנֶפֶשׁ צָרָי כִּי קָמוּ־בִי עֵדֵי־שֶׁקֶר וִיפֵחַ חָמָס:

תְּפִלָּה לַה' הַמֵּאִיר חֶשְׁכַת מְצוּקוֹתָיו לְהִתְפַּנּוֹת לַעֲבוֹדָה בְּבֵית ה':

לוּלֵא הֶאֱמַנְתִּי לִרְאוֹת בְּטוּב־יְהֹוָה בְּאֶרֶץ חַיִּים׃ יג
קַוֵּה אֶל־יְהֹוָה חֲזַק וְיַאֲמֵץ לִבֶּךָ וְקַוֵּה אֶל־יְהֹוָה׃ יד

לולא נקוד למעלה ולמטה:

תְּפִלָּה לְהַצָּלָה מִבּוֹגְדִים וּמֵחֲנֵפִים:

לְדָוִד אֵלֶיךָ יְהֹוָה | אֶקְרָא צוּרִי אַל־תֶּחֱרַשׁ מִמֶּנִּי א כח
פֶּן־תֶּחֱשֶׁה מִמֶּנִּי וְנִמְשַׁלְתִּי עִם־יוֹרְדֵי בוֹר׃
שְׁמַע קוֹל תַּחֲנוּנַי בְּשַׁוְּעִי אֵלֶיךָ בְּנָשְׂאִי יָדַי ב
אֶל־דְּבִיר קָדְשֶׁךָ׃ אַל־תִּמְשְׁכֵנִי עִם־רְשָׁעִים וְעִם־פֹּעֲלֵי אָוֶן ג
דֹּבְרֵי שָׁלוֹם עִם־רֵעֵיהֶם וְרָעָה בִּלְבָבָם׃
תֶּן־לָהֶם כְּפָעֳלָם וּכְרֹעַ מַעַלְלֵיהֶם ד
כְּמַעֲשֵׂה יְדֵיהֶם תֵּן לָהֶם הָשֵׁב גְּמוּלָם לָהֶם׃
כִּי לֹא יָבִינוּ אֶל־פְּעֻלֹּת יְהֹוָה וְאֶל־מַעֲשֵׂה יָדָיו ה
יֶהֶרְסֵם וְלֹא יִבְנֵם׃ בָּרוּךְ יְהֹוָה כִּי־שָׁמַע קוֹל תַּחֲנוּנָי׃ ו
יְהֹוָה | עֻזִּי וּמָגִנִּי בּוֹ בָטַח לִבִּי וְנֶעֱזָרְתִּי ז
וַיַּעֲלֹז לִבִּי וּמִשִּׁירִי אֲהוֹדֶנּוּ׃ יְהֹוָה עֹז־לָמוֹ ח
וּמָעוֹז יְשׁוּעוֹת מְשִׁיחוֹ הוּא׃ הוֹשִׁיעָה | אֶת־עַמֶּךָ ט
וּבָרֵךְ אֶת־נַחֲלָתֶךָ וּרְעֵם וְנַשְּׂאֵם עַד־הָעוֹלָם׃

בְּהַכְנָעַת הָעַמִּים הַנִּמְשָׁלִים לְאֵיתָנֵי הַטֶּבַע, יֵדְעוּ כִּי לַה' הַמְּלוּכָה:

מִזְמוֹר לְדָוִד הָבוּ לַיהֹוָה בְּנֵי אֵלִים א כט
הָבוּ לַיהֹוָה כָּבוֹד וָעֹז׃ הָבוּ לַיהֹוָה כְּבוֹד שְׁמוֹ ב
הִשְׁתַּחֲווּ לַיהֹוָה בְּהַדְרַת־קֹדֶשׁ׃ קוֹל יְהֹוָה עַל־הַמָּיִם ג
אֵל־הַכָּבוֹד הִרְעִים יְהֹוָה עַל־מַיִם רַבִּים׃
קוֹל־יְהֹוָה בַּכֹּחַ קוֹל יְהֹוָה בֶּהָדָר׃ ד
קוֹל יְהֹוָה שֹׁבֵר אֲרָזִים וַיְשַׁבֵּר יְהֹוָה אֶת־אַרְזֵי הַלְּבָנוֹן׃ ה
וַיַּרְקִידֵם כְּמוֹ־עֵגֶל לְבָנוֹן וְשִׂרְיֹן כְּמוֹ בֶן־רְאֵמִים׃ ו
קוֹל־יְהֹוָה חֹצֵב לַהֲבוֹת אֵשׁ׃ קוֹל יְהֹוָה יָחִיל מִדְבָּר ז ח

ט יָחִ֥יל יְהוָ֗ה מִדְבַּ֥ר קָדֵֽשׁ׃ קוֹל יְהוָ֨ה ׀ יְחוֹלֵ֣ל אַיָּלוֹת֮
וַֽיֶּחֱשֹׂ֪ף יְעָ֫ר֥וֹת וּבְהֵיכָל֑וֹ כֻּ֝לּ֗וֹ אֹמֵ֥ר כָּבֽוֹד׃
י יְהוָ֗ה לַמַּבּ֥וּל יָשָׁ֑ב וַיֵּ֥שֶׁב יְ֝הוָ֗ה מֶ֣לֶךְ לְעוֹלָֽם׃
יא יְֽהוָ֗ה עֹ֭ז לְעַמּ֣וֹ יִתֵּ֑ן יְהוָ֓ה ׀ יְבָרֵ֖ךְ אֶת־עַמּ֣וֹ בַשָּׁלֽוֹם׃

ל א מִזְמ֡וֹר שִׁיר־חֲנֻכַּ֖ת הַבַּ֣יִת לְדָוִֽד׃

הוֹדָיָה עַל סְלִיחַת עֲווֹנוֹ הַנִּמְשָׁל כָּאן לְרִפּוּי חָלְיוֹ׃

ב אֲרוֹמִמְךָ֣ יְ֭הוָה כִּ֣י דִלִּיתָ֑נִי וְלֹֽא־שִׂמַּ֖חְתָּ אֹיְבַ֣י לִֽי׃
ג יְהוָ֥ה אֱלֹהָ֑י שִׁוַּ֥עְתִּי אֵ֝לֶ֗יךָ וַתִּרְפָּאֵֽנִי׃
ד יְֽהוָ֗ה הֶֽעֱלִ֣יתָ מִן־שְׁא֣וֹל נַפְשִׁ֑י חִ֝יִּיתַ֗נִי מיורדי מִיָּֽרְדִי־בֽוֹר׃
ה זַמְּר֣וּ לַיהוָ֣ה חֲסִידָ֑יו וְ֝הוֹד֗וּ לְזֵ֣כֶר קָדְשֽׁוֹ׃
ו כִּ֤י רֶ֨גַע ׀ בְּאַפּוֹ֮ חַיִּ֪ים בִּרְצ֫וֹנ֥וֹ בָּ֭עֶרֶב יָלִ֥ין בֶּ֗כִי וְלַבֹּ֥קֶר רִנָּֽה׃
ז וַ֭אֲנִי אָמַ֣רְתִּי בְשַׁלְוִ֑י בַּל־אֶמּ֥וֹט לְעוֹלָֽם׃
ח יְֽהוָ֗ה בִּרְצוֹנְךָ֮ הֶעֱמַ֪דְתָּה לְֽהַרְרִ֫י עֹ֥ז הִסְתַּ֥רְתָּ פָנֶ֗יךָ
ט הָיִ֥יתִי נִבְהָֽל׃ אֵלֶ֣יךָ יְהוָ֣ה אֶקְרָ֑א וְאֶל־אֲ֝דֹנָ֗י אֶתְחַנָּֽן׃
י מַה־בֶּ֥צַע בְּדָמִי֮ בְּרִדְתִּ֪י אֶ֫ל שָׁ֥חַת הֲיוֹדְךָ֥ עָפָ֑ר
יא הֲיַגִּ֥יד אֲמִתֶּֽךָ׃ שְׁמַע־יְהוָ֥ה וְחָנֵּ֑נִי
יב יְ֝הוָ֗ה הֱֽיֵה־עֹזֵ֥ר לִֽי׃ הָפַ֣כְתָּ מִסְפְּדִי֮ לְמָח֪וֹל לִ֥י
יג פִּתַּ֥חְתָּ שַׂקִּ֑י וַתְּאַזְּרֵ֥נִי שִׂמְחָֽה׃ לְמַ֤עַן ׀ יְזַמֶּרְךָ֣ כָ֭בוֹד
וְלֹ֣א יִדֹּ֑ם יְהוָ֥ה אֱ֝לֹהַ֗י לְעוֹלָ֥ם אוֹדֶֽךָּ׃

לא א לַמְנַצֵּ֗חַ מִזְמ֥וֹר לְדָוִֽד׃

תְּפִלָּה לְעֶזְרַת ה' בִּמְהֵרָה בִּזְכוּת בִּטְחוֹנוֹ בּוֹ׃

ב בְּךָ־יְהוָ֣ה חָ֭סִיתִי אַל־אֵב֣וֹשָׁה לְעוֹלָ֑ם בְּצִדְקָתְךָ֥ פַלְּטֵֽנִי׃
ג הַטֵּ֤ה אֵלַ֨י ׀ אָזְנְךָ֮ מְהֵרָ֪ה הַצִּ֫ילֵ֥נִי הֱיֵ֤ה לִ֨י ׀ לְצוּר־מָע֗וֹז
ד לְבֵ֥ית מְ֝צוּד֗וֹת לְהוֹשִׁיעֵֽנִי׃ כִּֽי־סַלְעִ֣י וּמְצוּדָתִ֣י אָ֑תָּה
ה וּלְמַ֥עַן שִׁ֝מְךָ֗ תַּנְחֵ֥נִי וּֽתְנַהֲלֵֽנִי׃ תּֽוֹצִיאֵנִי מֵרֶ֣שֶׁת ז֭וּ

טְמַנוּ לִי כִּי־אַתָּה מָעוּזִי: בְּיָדְךָ אַפְקִיד רוּחִי ו

פָּדִיתָה אוֹתִי יְהֹוָה אֵל אֱמֶת: שָׂנֵאתִי הַשֹּׁמְרִים הַבְלֵי־שָׁוְא ז

וַאֲנִי אֶל־יְהֹוָה בָּטַחְתִּי: אָגִילָה וְאֶשְׂמְחָה בְּחַסְדֶּךָ ח

אֲשֶׁר רָאִיתָ אֶת־עָנְיִי   יָדַעְתָּ בְּצָרוֹת נַפְשִׁי:

וְלֹא הִסְגַּרְתַּנִי בְּיַד־אוֹיֵב   הֶעֱמַדְתָּ בַמֶּרְחָב רַגְלָי: ט

חָנֵּנִי יְהֹוָה כִּי צַר לִי   עָשְׁשָׁה בְכַעַס עֵינִי נַפְשִׁי וּבִטְנִי: י

כִּי כָלוּ בְיָגוֹן חַיַּי וּשְׁנוֹתַי בַּאֲנָחָה   כָּשַׁל בַּעֲוֹנִי כֹחִי יא

וַעֲצָמַי עָשֵׁשׁוּ:   מִכָּל־צֹרְרַי הָיִיתִי חֶרְפָּה וְלִשְׁכֵנַי מְאֹד יב

וּפַחַד לִמְיֻדָּעָי   רֹאַי בַּחוּץ נָדְדוּ מִמֶּנִּי:

נִשְׁכַּחְתִּי כְּמֵת מִלֵּב   הָיִיתִי כִּכְלִי אֹבֵד: יג

כִּי שָׁמַעְתִּי דִּבַּת רַבִּים מָגוֹר מִסָּבִיב   בְּהִוָּסְדָם יַחַד עָלַי יד

לָקַחַת נַפְשִׁי זָמָמוּ:   וַאֲנִי עָלֶיךָ בָטַחְתִּי יְהֹוָה טו

אָמַרְתִּי אֱלֹהַי אָתָּה: בְּיָדְךָ עִתֹּתָי טז

הַצִּילֵנִי מִיַּד־אוֹיְבַי וּמֵרֹדְפָי: הָאִירָה פָנֶיךָ עַל־עַבְדֶּךָ יז

הוֹשִׁיעֵנִי בְחַסְדֶּךָ:   יְהֹוָה אַל־אֵבוֹשָׁה כִּי קְרָאתִיךָ יח

יֵבֹשׁוּ רְשָׁעִים יִדְּמוּ לִשְׁאוֹל: תֵּאָלַמְנָה שִׂפְתֵי שָׁקֶר יט

הַדֹּבְרוֹת עַל־צַדִּיק עָתָק   בְּגַאֲוָה וָבוּז:

מָה רַב־טוּבְךָ אֲשֶׁר־צָפַנְתָּ לִּירֵאֶיךָ   פָּעַלְתָּ לַחֹסִים בָּךְ כ

נֶגֶד בְּנֵי אָדָם: תַּסְתִּירֵם בְּסֵתֶר פָּנֶיךָ מֵרֻכְסֵי אִישׁ כא

תִּצְפְּנֵם בְּסֻכָּה מֵרִיב לְשֹׁנוֹת: בָּרוּךְ יְהֹוָה כב

כִּי הִפְלִיא חַסְדּוֹ לִי בְּעִיר מָצוֹר: וַאֲנִי אָמַרְתִּי בְחָפְזִי כג

נִגְרַזְתִּי מִנֶּגֶד עֵינֶיךָ   אָכֵן שָׁמַעְתָּ קוֹל תַּחֲנוּנַי

בְּשַׁוְּעִי אֵלֶיךָ:

אֶהֱבוּ אֶת־יְהֹוָה כָּל־חֲסִידָיו   כד

אֱמוּנִים נֹצֵר יְהֹוָה   וּמְשַׁלֵּם עַל־יֶתֶר עֹשֵׂה גַאֲוָה:

חִזְקוּ וְיַאֲמֵץ לְבַבְכֶם   כָּל־הַמְיַחֲלִים לַיהֹוָה: כה

לב א לְדָוִד מַשְׂכִּיל אַשְׁרֵי נְשׂוּי־פֶּשַׁע כְּסוּי חֲטָאָה:
ב אַשְׁרֵי־אָדָם לֹא יַחְשֹׁב יְהוָה לוֹ עָוֺן וְאֵין בְּרוּחוֹ רְמִיָּה:
ג כִּי־הֶחֱרַשְׁתִּי בָּלוּ עֲצָמָי בְּשַׁאֲגָתִי כָּל־הַיּוֹם:
ד כִּי ׀ יוֹמָם וָלַיְלָה תִּכְבַּד עָלַי יָדֶךָ נֶהְפַּךְ לְשַׁדִּי
ה בְּחַרְבֹנֵי קַיִץ סֶלָה: חַטָּאתִי אוֹדִיעֲךָ וַעֲוֺנִי לֹא־כִסִּיתִי
אָמַרְתִּי אוֹדֶה עֲלֵי פְשָׁעַי לַיהוָה וְאַתָּה נָשָׂאתָ עֲוֺן חַטָּאתִי
ו סֶלָה: עַל־זֹאת יִתְפַּלֵּל כָּל־חָסִיד ׀ אֵלֶיךָ לְעֵת מְצֹא
רַק לְשֵׁטֶף מַיִם רַבִּים אֵלָיו לֹא יַגִּיעוּ:
ז אַתָּה ׀ סֵתֶר לִי מִצַּר תִּצְּרֵנִי רָנֵּי פַלֵּט תְּסוֹבְבֵנִי סֶלָה:
ח אַשְׂכִּילְךָ ׀ וְאוֹרְךָ בְּדֶרֶךְ־זוּ תֵלֵךְ אִיעֲצָה עָלֶיךָ עֵינִי:
ט אַל־תִּהְיוּ ׀ כְּסוּס כְּפֶרֶד אֵין הָבִין בְּמֶתֶג־וָרֶסֶן עֶדְיוֹ לִבְלוֹם
י בַּל קְרֹב אֵלֶיךָ: רַבִּים מַכְאוֹבִים לָרָשָׁע
וְהַבּוֹטֵחַ בַּיהוָה חֶסֶד יְסוֹבְבֶנּוּ:
יא שִׂמְחוּ בַיהוָה וְגִילוּ צַדִּיקִים וְהַרְנִינוּ כָּל־יִשְׁרֵי־לֵב:

קְרִיאָה לְתוֹר אַחַר הַתְּשׁוּבָה וּדְחִיַּת הַמְּשׁוּבוֹת:

לג א רַנְּנוּ צַדִּיקִים בַּיהוָה לַיְשָׁרִים נָאוָה תְהִלָּה:
ב הוֹדוּ לַיהוָה בְּכִנּוֹר בְּנֵבֶל עָשׂוֹר זַמְּרוּ־לוֹ:
ג שִׁירוּ־לוֹ שִׁיר חָדָשׁ הֵיטִיבוּ נַגֵּן בִּתְרוּעָה:
ד כִּי־יָשָׁר דְּבַר־יְהוָה וְכָל־מַעֲשֵׂהוּ בֶּאֱמוּנָה:
ה אֹהֵב צְדָקָה וּמִשְׁפָּט חֶסֶד יְהוָה מָלְאָה הָאָרֶץ:
ו בִּדְבַר יְהוָה שָׁמַיִם נַעֲשׂוּ וּבְרוּחַ פִּיו כָּל־צְבָאָם:
ז כֹּנֵס כַּנֵּד מֵי הַיָּם נֹתֵן בְּאֹצָרוֹת תְּהוֹמוֹת:
ח יִירְאוּ מֵיְהוָה כָּל־הָאָרֶץ מִמֶּנּוּ יָגוּרוּ כָּל־יֹשְׁבֵי תֵבֵל:
ט כִּי הוּא אָמַר וַיֶּהִי הוּא־צִוָּה וַיַּעֲמֹד:

שֶׁבַח מַעֲשֵׂי ה׳, וְהַתּוֹעֶלֶת לַמְיַחֲלִים לְחַסְדּוֹ:

יְהוָה הֵפִיר עֲצַת־גּוֹיִם הֵנִיא מַחְשְׁבוֹת עַמִּים: י
עֲצַת יְהוָה לְעוֹלָם תַּעֲמֹד מַחְשְׁבוֹת לִבּוֹ לְדֹר וָדֹר: יא
אַשְׁרֵי הַגּוֹי אֲשֶׁר־יְהוָה אֱלֹהָיו הָעָם ׀ בָּחַר לְנַחֲלָה לוֹ: יב
מִשָּׁמַיִם הִבִּיט יְהוָה רָאָה אֶת־כָּל־בְּנֵי הָאָדָם: יג
מִמְּכוֹן־שִׁבְתּוֹ הִשְׁגִּיחַ אֶל כָּל־יֹשְׁבֵי הָאָרֶץ: יד
הַיֹּצֵר יַחַד לִבָּם הַמֵּבִין אֶל־כָּל־מַעֲשֵׂיהֶם: טו
אֵין־הַמֶּלֶךְ נוֹשָׁע בְּרָב־חָיִל גִּבּוֹר לֹא־יִנָּצֵל בְּרָב־כֹּחַ: טז
שֶׁקֶר הַסּוּס לִתְשׁוּעָה וּבְרֹב חֵילוֹ לֹא יְמַלֵּט: יז
הִנֵּה עֵין יְהוָה אֶל־יְרֵאָיו לַמְיַחֲלִים לְחַסְדּוֹ: יח
לְהַצִּיל מִמָּוֶת נַפְשָׁם וּלְחַיּוֹתָם בָּרָעָב: יט
נַפְשֵׁנוּ חִכְּתָה לַיהוָה עֶזְרֵנוּ וּמָגִנֵּנוּ הוּא: כ
כִּי־בוֹ יִשְׂמַח לִבֵּנוּ כִּי בְשֵׁם קָדְשׁוֹ בָטָחְנוּ: כא
יְהִי־חַסְדְּךָ יְהוָה עָלֵינוּ כַּאֲשֶׁר יִחַלְנוּ לָךְ: כב

[2883] הוֹדָיָה לַה' אַחַר הֶחָלְצוּת מִשִּׁבְיָה:

לְדָוִד בְּשַׁנּוֹתוֹ אֶת־טַעְמוֹ לִפְנֵי אֲבִימֶלֶךְ א לד
וַיְגָרְשֵׁהוּ וַיֵּלַךְ: אֲבָרְכָה אֶת־יְהוָה בְּכָל־עֵת ב
תָּמִיד תְּהִלָּתוֹ בְּפִי: בַּיהוָה תִּתְהַלֵּל נַפְשִׁי ג
יִשְׁמְעוּ עֲנָוִים וְיִשְׂמָחוּ: גַּדְּלוּ לַיהוָה אִתִּי ד
וּנְרוֹמְמָה שְׁמוֹ יַחְדָּו: דָּרַשְׁתִּי אֶת־יְהוָה וְעָנָנִי ה
וּמִכָּל־מְגוּרוֹתַי הִצִּילָנִי: הִבִּיטוּ אֵלָיו וְנָהָרוּ ו
וּפְנֵיהֶם אַל־יֶחְפָּרוּ: זֶה עָנִי קָרָא וַיהוָה שָׁמֵעַ ז
וּמִכָּל־צָרוֹתָיו הוֹשִׁיעוֹ: חֹנֶה מַלְאַךְ־יְהוָה סָבִיב ח
לִירֵאָיו וַיְחַלְּצֵם: טַעֲמוּ וּרְאוּ כִּי־טוֹב יְהוָה ט
אַשְׁרֵי הַגֶּבֶר יֶחֱסֶה־בּוֹ: יְראוּ אֶת־יְהוָה קְדֹשָׁיו י
כִּי־אֵין מַחְסוֹר לִירֵאָיו: כְּפִירִים רָשׁוּ וְרָעֵבוּ יא

יב וְֽדֹרְשֵׁ֥י יְ֜הוָ֗ה לֹא־יַחְסְר֥וּ כָל־טֽוֹב: לְֽכוּ־בָ֭נִים שִׁמְעוּ־לִ֑י
יג יִֽרְאַ֥ת יְ֜הוָ֗ה אֲלַמֶּדְכֶֽם: מִֽי־הָ֭אִישׁ הֶחָפֵ֣ץ חַיִּ֑ים
יד אֹהֵ֥ב יָ֜מִ֗ים לִרְא֥וֹת טֽוֹב: נְצֹ֣ר לְשׁוֹנְךָ֣ מֵרָ֑ע
טו וּ֜שְׂפָתֶ֗יךָ מִדַּבֵּ֥ר מִרְמָֽה: ס֣וּר מֵ֭רָע וַעֲשֵׂה־ט֑וֹב
טז בַּקֵּ֖שׁ שָׁל֣וֹם וְרָדְפֵֽהוּ: עֵינֵ֣י יְ֭הוָה אֶל־צַדִּיקִ֑ים
יז וְ֜אָזְנָ֗יו אֶל־שַׁוְעָתָֽם: פְּנֵ֣י יְ֭הוָה בְּעֹ֣שֵׂי רָ֑ע
יח לְהַכְרִ֖ית מֵאֶ֣רֶץ זִכְרָֽם: צָעֲק֣וּ וַיהוָ֣ה שָׁמֵ֑עַ
יט וּמִכָּל־צָ֜רוֹתָ֗ם הִצִּילָֽם: קָר֣וֹב יְ֭הוָה לְנִשְׁבְּרֵי־לֵ֑ב
כ וְאֶת־דַּכְּאֵי־ר֥וּחַ יוֹשִֽׁיעַ: רַ֭בּוֹת רָע֣וֹת צַדִּ֑יק
כא וּ֜מִכֻּלָּ֗ם יַצִּילֶ֥נּוּ יְהוָֽה: שֹׁמֵ֥ר כָּל־עַצְמוֹתָ֑יו
כב אַחַ֥ת מֵ֜הֵ֗נָּה לֹ֣א נִשְׁבָּֽרָה: תְּמוֹתֵ֣ת רָשָׁ֣ע רָעָ֑ה
כג וְשֹׂנְאֵ֖י צַדִּ֣יק יֶאְשָֽׁמוּ: פֹּדֶ֣ה יְ֭הוָה נֶ֣פֶשׁ עֲבָדָ֑יו
וְלֹ֥א יֶ֜אְשְׁמ֗וּ כָּל־הַחֹסִ֥ים בּֽוֹ:

לה א לְדָוִ֨ד ׀ רִיבָ֣ה יְ֭הוָה אֶת־יְרִיבַ֑י לְ֝חַ֗ם אֶת־לֹחֲמָֽי:
ב הַחֲזֵ֣ק מָגֵ֣ן וְצִנָּ֑ה וְ֝ק֗וּמָה בְּעֶזְרָתִֽי:
ג וְהָ֘רֵ֤ק חֲנִ֣ית וּ֭סְגֹר לִקְרַ֣את רֹדְפָ֑י אֱמֹ֥ר לְ֝נַפְשִׁ֗י
ד יְשֻׁעָתֵ֥ךְ אָֽנִי: יֵבֹ֥שׁוּ וְיִכָּלְמוּ֮ מְבַקְשֵׁ֪י נַ֫פְשִׁ֥י
יִסֹּ֣גוּ אָח֣וֹר וְיַחְפְּר֑וּ חֹ֝שְׁבֵ֗י רָעָתִֽי:
ה יִֽהְי֗וּ כְּמֹ֥ץ לִפְנֵי־ר֑וּחַ וּמַלְאַ֖ךְ יְהוָ֣ה דּוֹחֶֽה:
ו יְהִי־דַרְכָּ֗ם חֹ֥שֶׁךְ וַחֲלַקְלַקֹּ֑ת וּמַלְאַ֥ךְ יְ֝הוָ֗ה רֹדְפָֽם:
ז כִּֽי־חִנָּ֣ם טָֽמְנוּ־לִ֭י שַׁ֣חַת רִשְׁתָּ֑ם חִ֝נָּ֗ם חָפְר֥וּ לְנַפְשִֽׁי:
ח תְּבוֹאֵ֣הוּ שׁוֹאָה֮ לֹֽא־יֵ֫דָ֥ע וְרִשְׁתּ֣וֹ אֲשֶׁר־טָמַ֣ן תִּלְכְּד֑וֹ
ט בְּ֝שׁוֹאָ֗ה יִפָּל־בָּֽהּ: וְ֭נַפְשִׁי תָּגִ֣יל בַּיהוָ֑ה
י תָּ֝שִׂ֗ישׂ בִּישׁוּעָתֽוֹ: כָּ֥ל עַצְמוֹתַ֨י ׀ תֹּאמַ֗רְנָה

תְּפִלָּה לַה' שֶׁיַּעַזְרֵהוּ בַּמִּלְחָמָה, וְשֶׁלֹּא יִשְׂמְחוּ שׂוֹנְאָיו בִּנְפִילָתוֹ:

יְהֹוָה מִי כָמוֹךָ   מַצִּיל עָנִי מֵחָזָק מִמֶּנּוּ
וְעָנִי וְאֶבְיוֹן מִגֹּזְלוֹ׃   יְקוּמוּן עֵדֵי חָמָס יא
אֲשֶׁר לֹא־יָדַעְתִּי יִשְׁאָלוּנִי׃   יְשַׁלְּמוּנִי רָעָה תַּחַת טוֹבָה יב
שְׁכוֹל לְנַפְשִׁי׃   וַאֲנִי ׀ בַּחֲלוֹתָם לְבוּשִׁי שָׂק יג
עִנֵּיתִי בַצּוֹם נַפְשִׁי   וּתְפִלָּתִי עַל־חֵיקִי תָשׁוּב׃
כְּרֵעַ־כְּאָח לִי הִתְהַלָּכְתִּי   כַּאֲבֶל־אֵם קֹדֵר שַׁחוֹתִי׃ יד
וּבְצַלְעִי שָׂמְחוּ וְנֶאֱסָפוּ   נֶאֶסְפוּ עָלַי נֵכִים וְלֹא יָדַעְתִּי טו
קָרְעוּ וְלֹא־דָמּוּ׃   בְּחַנְפֵי לַעֲגֵי מָעוֹג חָרֹק עָלַי שִׁנֵּימוֹ׃ טז
אֲדֹנָי כַּמָּה תִּרְאֶה   הָשִׁיבָה נַפְשִׁי מִשֹּׁאֵיהֶם יז
מִכְּפִירִים יְחִידָתִי׃   אוֹדְךָ בְּקָהָל רָב יח
בְּעַם עָצוּם אֲהַלְלֶךָּ׃   אַל־יִשְׂמְחוּ־לִי אֹיְבַי שֶׁקֶר יט
שֹׂנְאַי חִנָּם יִקְרְצוּ־עָיִן׃   כִּי לֹא שָׁלוֹם יְדַבֵּרוּ כ
וְעַל רִגְעֵי־אֶרֶץ   דִּבְרֵי מִרְמוֹת יַחֲשֹׁבוּן׃
וַיַּרְחִיבוּ עָלַי פִּיהֶם   אָמְרוּ הֶאָח ׀ הֶאָח רָאֲתָה עֵינֵנוּ׃ כא
רָאִיתָה יְהֹוָה אַל־תֶּחֱרַשׁ   אֲדֹנָי אַל־תִּרְחַק מִמֶּנִּי׃ כב
הָעִירָה וְהָקִיצָה לְמִשְׁפָּטִי   אֱלֹהַי וַאדֹנָי לְרִיבִי׃ כג
שָׁפְטֵנִי כְצִדְקְךָ יְהֹוָה אֱלֹהָי   וְאַל־יִשְׂמְחוּ־לִי׃ כד
אַל־יֹאמְרוּ בְלִבָּם הֶאָח נַפְשֵׁנוּ   אַל־יֹאמְרוּ בִּלַּעֲנוּהוּ׃ כה
יֵבֹשׁוּ וְיַחְפְּרוּ ׀ יַחְדָּו שְׂמֵחֵי רָעָתִי   יִלְבְּשׁוּ־בֹשֶׁת וּכְלִמָּה כו
הַמַּגְדִּילִים עָלָי׃   יָרֹנּוּ וְיִשְׂמְחוּ חֲפֵצֵי צִדְקִי כז
וְיֹאמְרוּ תָמִיד יִגְדַּל יְהֹוָה   הֶחָפֵץ שְׁלוֹם עַבְדּוֹ׃
וּלְשׁוֹנִי תֶּהְגֶּה צִדְקֶךָ   כָּל־הַיּוֹם תְּהִלָּתֶךָ׃ כח

קְרִיאָה לְהִתְרַחֲקוּת מִפִּתּוּי הַיֵּצֶר׃

לַמְנַצֵּחַ ׀ לְעֶבֶד־יְהֹוָה לְדָוִד׃ א **לו**
נְאֻם־פֶּשַׁע לָרָשָׁע בְּקֶרֶב לִבִּי   אֵין־פַּחַד אֱלֹהִים ב

ג לְנֶגֶד עֵינָיו׃ כִּי־הֶחֱלִיק אֵלָיו בְּעֵינָיו לִמְצֹא עֲוֺנוֹ לִשְׂנֹא׃
ד דִּבְרֵי־פִיו אָוֶן וּמִרְמָה חָדַל לְהַשְׂכִּיל לְהֵיטִיב׃
ה אָוֶן ׀ יַחְשֹׁב עַל־מִשְׁכָּבוֹ יִתְיַצֵּב עַל־דֶּרֶךְ לֹא־טוֹב
ו רָע לֹא יִמְאָס׃ יְהוָה בְּהַשָּׁמַיִם חַסְדֶּךָ
ז אֱמוּנָתְךָ עַד־שְׁחָקִים׃ צִדְקָתְךָ ׀ כְּהַרְרֵי־אֵל
מִשְׁפָּטֶךָ תְּהוֹם רַבָּה אָדָם וּבְהֵמָה תוֹשִׁיעַ יְהוָה׃
ח מַה־יָּקָר חַסְדְּךָ אֱלֹהִים וּבְנֵי אָדָם בְּצֵל כְּנָפֶיךָ יֶחֱסָיוּן׃
ט יִרְוְיֻן מִדֶּשֶׁן בֵּיתֶךָ וְנַחַל עֲדָנֶיךָ תַשְׁקֵם׃
י כִּי־עִמְּךָ מְקוֹר חַיִּים בְּאוֹרְךָ נִרְאֶה־אוֹר׃
יא מְשֹׁךְ חַסְדְּךָ לְיֹדְעֶיךָ וְצִדְקָתְךָ לְיִשְׁרֵי־לֵב׃
יב אַל־תְּבוֹאֵנִי רֶגֶל גַּאֲוָה וְיַד־רְשָׁעִים אַל־תְּנִדֵנִי׃
יג שָׁם נָפְלוּ פֹּעֲלֵי אָוֶן דֹּחוּ וְלֹא־יָכְלוּ קוּם׃

קְרִיאָה לְהִמָּנוֹת עִם הַבּוֹטְחִים בַּה׳, וְלֹא לְהִתְפַּתּוֹת לְהַצְלָחַת הָרְשָׁעִים׃

לז א לְדָוִד ׀ אַל־תִּתְחַר בַּמְּרֵעִים אַל־תְּקַנֵּא בְּעֹשֵׂי עַוְלָה׃
ב כִּי כֶחָצִיר מְהֵרָה יִמָּלוּ וּכְיֶרֶק דֶּשֶׁא יִבּוֹלוּן׃
ג בְּטַח בַּיהוָה וַעֲשֵׂה־טוֹב שְׁכָן־אֶרֶץ וּרְעֵה אֱמוּנָה׃
ד וְהִתְעַנַּג עַל־יְהוָה וְיִתֶּן־לְךָ מִשְׁאֲלֹת לִבֶּךָ׃
ה גּוֹל עַל־יְהוָה דַּרְכֶּךָ וּבְטַח עָלָיו וְהוּא יַעֲשֶׂה׃
ו וְהוֹצִיא כָאוֹר צִדְקֶךָ וּמִשְׁפָּטֶךָ כַּצָּהֳרָיִם׃
ז דּוֹם ׀ לַיהוָה וְהִתְחוֹלֵל לוֹ אַל־תִּתְחַר בְּמַצְלִיחַ דַּרְכּוֹ
ח בְּאִישׁ עֹשֶׂה מְזִמּוֹת׃ הֶרֶף מֵאַף וַעֲזֹב חֵמָה
ט אַל־תִּתְחַר אַךְ־לְהָרֵעַ׃ כִּי־מְרֵעִים יִכָּרֵתוּן
י וְקֹוֵי יְהוָה הֵמָּה יִירְשׁוּ־אָרֶץ׃ וְעוֹד מְעַט וְאֵין רָשָׁע
יא וְהִתְבּוֹנַנְתָּ עַל־מְקוֹמוֹ וְאֵינֶנּוּ׃ וַעֲנָוִים יִירְשׁוּ־אָרֶץ
יב וְהִתְעַנְּגוּ עַל־רֹב שָׁלוֹם׃ זֹמֵם רָשָׁע לַצַּדִּיק

יג וְחֹרֵק עָלָיו שִׁנָּיו: אֲדֹנָי יִשְׂחַק־לוֹ כִּי־רָאָה כִּי־יָבֹא יוֹמוֹ:
יד חֶרֶב | פָּתְחוּ רְשָׁעִים וְדָרְכוּ קַשְׁתָּם לְהַפִּיל עָנִי וְאֶבְיוֹן
לִטְבוֹחַ יִשְׁרֵי־דָרֶךְ: טו חַרְבָּם תָּבוֹא בְלִבָּם
וְקַשְּׁתוֹתָם תִּשָּׁבַרְנָה: טז טוֹב־מְעַט לַצַּדִּיק
מֵהֲמוֹן רְשָׁעִים רַבִּים: יז כִּי זְרוֹעוֹת רְשָׁעִים תִּשָּׁבַרְנָה
וְסוֹמֵךְ צַדִּיקִים יְהוָה: יח יוֹדֵעַ יְהוָה יְמֵי תְמִימִם
וְנַחֲלָתָם לְעוֹלָם תִּהְיֶה: יט לֹא־יֵבֹשׁוּ בְּעֵת רָעָה
וּבִימֵי רְעָבוֹן יִשְׂבָּעוּ: כ כִּי רְשָׁעִים | יֹאבֵדוּ
וְאֹיְבֵי יְהוָה כִּיקַר כָּרִים כָּלוּ בֶעָשָׁן כָּלוּ:
כא לֹוֶה רָשָׁע וְלֹא יְשַׁלֵּם וְצַדִּיק חוֹנֵן וְנוֹתֵן:
כב כִּי מְבֹרָכָיו יִירְשׁוּ אָרֶץ וּמְקֻלָּלָיו יִכָּרֵתוּ:
כג מֵיְהוָה מִצְעֲדֵי־גֶבֶר כּוֹנָנוּ וְדַרְכּוֹ יֶחְפָּץ:
כד כִּי־יִפֹּל לֹא־יוּטָל כִּי־יְהוָה סוֹמֵךְ יָדוֹ:
כה נַעַר | הָיִיתִי גַּם־זָקַנְתִּי וְלֹא־רָאִיתִי צַדִּיק נֶעֱזָב
וְזַרְעוֹ מְבַקֶּשׁ־לָחֶם: כו כָּל־הַיּוֹם חוֹנֵן וּמַלְוֶה וְזַרְעוֹ לִבְרָכָה:
כז סוּר מֵרָע וַעֲשֵׂה־טוֹב וּשְׁכֹן לְעוֹלָם:
כח כִּי יְהוָה | אֹהֵב מִשְׁפָּט וְלֹא־יַעֲזֹב אֶת־חֲסִידָיו לְעוֹלָם נִשְׁמָרוּ
וְזֶרַע רְשָׁעִים נִכְרָת: כט צַדִּיקִים יִירְשׁוּ־אָרֶץ
וְיִשְׁכְּנוּ לָעַד עָלֶיהָ: ל פִּי־צַדִּיק יֶהְגֶּה חָכְמָה
וּלְשׁוֹנוֹ תְּדַבֵּר מִשְׁפָּט: לא תּוֹרַת אֱלֹהָיו בְּלִבּוֹ לֹא תִמְעַד אֲשֻׁרָיו:
לב צוֹפֶה רָשָׁע לַצַּדִּיק וּמְבַקֵּשׁ לַהֲמִיתוֹ:
לג יְהוָה לֹא־יַעַזְבֶנּוּ בְיָדוֹ וְלֹא יַרְשִׁיעֶנּוּ בְּהִשָּׁפְטוֹ:
לד קַוֵּה אֶל־יְהוָה | וּשְׁמֹר דַּרְכּוֹ וִירוֹמִמְךָ לָרֶשֶׁת אָרֶץ
בְּהִכָּרֵת רְשָׁעִים תִּרְאֶה: לה רָאִיתִי רָשָׁע עָרִיץ
וּמִתְעָרֶה כְּאֶזְרָח רַעֲנָן: לו וַיַּעֲבֹר וְהִנֵּה אֵינֶנּוּ

לז וָאֲבַקְשֵׁהוּ וְלֹא נִמְצָא׃ שְׁמָר־תָּם וּרְאֵה יָשָׁר

לח כִּי־אַחֲרִית לְאִישׁ שָׁלוֹם׃ וּפֹשְׁעִים נִשְׁמְדוּ יַחְדָּו

לט אַחֲרִית רְשָׁעִים נִכְרָתָה׃ וּתְשׁוּעַת צַדִּיקִים מֵיְהוָה

מ מָעוּזָּם בְּעֵת צָרָה׃ וַיַּעְזְרֵם יְהוָה וַיְפַלְּטֵם

יְפַלְּטֵם מֵרְשָׁעִים וְיוֹשִׁיעֵם כִּי־חָסוּ בוֹ׃

לח א מִזְמוֹר לְדָוִד לְהַזְכִּיר׃

תְּפִלָּה עַל הַמְּבוּכָה בְּחָלְיוֹ וּבְצָרַת נַפְשׁוֹ׃

ב יְהוָה אַל־בְּקֶצְפְּךָ תוֹכִיחֵנִי וּבַחֲמָתְךָ תְיַסְּרֵנִי׃

ג כִּי־חִצֶּיךָ נִחֲתוּ בִי וַתִּנְחַת עָלַי יָדֶךָ׃

ד אֵין־מְתֹם בִּבְשָׂרִי מִפְּנֵי זַעְמֶךָ אֵין־שָׁלוֹם בַּעֲצָמַי

ה מִפְּנֵי חַטָּאתִי׃ כִּי עֲוֺנֹתַי עָבְרוּ רֹאשִׁי

ו כְּמַשָּׂא כָבֵד יִכְבְּדוּ מִמֶּנִּי׃ הִבְאִישׁוּ נָמַקּוּ חַבּוּרֹתָי

ז מִפְּנֵי אִוַּלְתִּי׃ נַעֲוֵיתִי שַׁחֹתִי עַד־מְאֹד

ח כָּל־הַיּוֹם קֹדֵר הִלָּכְתִּי׃ כִּי־כְסָלַי מָלְאוּ נִקְלֶה

ט וְאֵין מְתֹם בִּבְשָׂרִי׃ נְפוּגוֹתִי וְנִדְכֵּיתִי עַד־מְאֹד

י שָׁאַגְתִּי מִנַּהֲמַת לִבִּי׃ אֲדֹנָי נֶגְדְּךָ כָל־תַּאֲוָתִי

יא וְאַנְחָתִי מִמְּךָ לֹא־נִסְתָּרָה׃ לִבִּי סְחַרְחַר עֲזָבַנִי כֹחִי

יב וְאוֹר־עֵינַי גַּם־הֵם אֵין אִתִּי׃ אֹהֲבַי ׀ וְרֵעַי

מִנֶּגֶד נִגְעִי יַעֲמֹדוּ וּקְרוֹבַי מֵרָחֹק עָמָדוּ׃

יג וַיְנַקְשׁוּ ׀ מְבַקְשֵׁי נַפְשִׁי וְדֹרְשֵׁי רָעָתִי דִּבְּרוּ הַוּוֹת

יד וּמִרְמוֹת כָּל־הַיּוֹם יֶהְגּוּ׃ וַאֲנִי כְחֵרֵשׁ לֹא אֶשְׁמָע

טו וּכְאִלֵּם לֹא יִפְתַּח־פִּיו׃ וָאֱהִי כְּאִישׁ אֲשֶׁר לֹא־שֹׁמֵעַ

טז וְאֵין בְּפִיו תּוֹכָחוֹת׃ כִּי־לְךָ יְהוָה הוֹחָלְתִּי

יז אַתָּה תַעֲנֶה אֲדֹנָי אֱלֹהָי׃ כִּי־אָמַרְתִּי פֶּן־יִשְׂמְחוּ־לִי

יח בְּמוֹט רַגְלִי עָלַי הִגְדִּילוּ׃ כִּי־אֲנִי לְצֶלַע נָכוֹן

יט וּמַכְאוֹבִי נֶגְדִּי תָמִיד: כִּי־עֲוֺנִי אַגִּיד אֶדְאַג מֵחַטָּאתִי:
כ וְאֹיְבַי חַיִּים עָצֵמוּ וְרַבּוּ שֹׂנְאַי שָׁקֶר:
כא וּמְשַׁלְּמֵי רָעָה תַּחַת טוֹבָה יִשְׂטְנוּנִי תַּחַת רדופי רָדְפִי־טוֹב:
כב אַל־תַּעַזְבֵנִי יְהוָה אֱלֹהַי אַל־תִּרְחַק מִמֶּנִּי:
כג חוּשָׁה לְעֶזְרָתִי אֲדֹנָי תְּשׁוּעָתִי:

לט א לַמְנַצֵּחַ לידיתון לִידוּתוּן מִזְמוֹר לְדָוִד:
ב אָמַרְתִּי אֶשְׁמְרָה דְרָכַי מֵחֲטוֹא בִלְשׁוֹנִי
אֶשְׁמְרָה לְפִי מַחְסוֹם בְּעֹד רָשָׁע לְנֶגְדִּי:
ג נֶאֱלַמְתִּי דוּמִיָּה הֶחֱשֵׁיתִי מִטּוֹב וּכְאֵבִי נֶעְכָּר:
ד חַם־לִבִּי ׀ בְּקִרְבִּי בַּהֲגִיגִי תִבְעַר־אֵשׁ דִּבַּרְתִּי בִּלְשׁוֹנִי:
ה הוֹדִיעֵנִי יְהוָה ׀ קִצִּי וּמִדַּת יָמַי מַה־הִיא
אֵדְעָה מֶה־חָדֵל אָנִי:
ו הִנֵּה טְפָחוֹת ׀ נָתַתָּה יָמַי
וְחֶלְדִּי כְאַיִן נֶגְדֶּךָ אַךְ כָּל־הֶבֶל כָּל־אָדָם נִצָּב סֶלָה:
ז אַךְ־בְּצֶלֶם ׀ יִתְהַלֶּךְ־אִישׁ אַךְ־הֶבֶל יֶהֱמָיוּן
יִצְבֹּר וְלֹא־יֵדַע מִי־אֹסְפָם:
ח וְעַתָּה מַה־קִּוִּיתִי אֲדֹנָי
תּוֹחַלְתִּי לְךָ הִיא:
ט מִכָּל־פְּשָׁעַי הַצִּילֵנִי
חֶרְפַּת נָבָל אַל־תְּשִׂימֵנִי:
י נֶאֱלַמְתִּי לֹא אֶפְתַּח־פִּי
כִּי אַתָּה עָשִׂיתָ:
יא הָסֵר מֵעָלַי נִגְעֶךָ
מִתִּגְרַת יָדְךָ אֲנִי כָלִיתִי:
יב בְּתוֹכָחוֹת עַל־עָוֺן ׀
יִסַּרְתָּ אִישׁ וַתֶּמֶס כָּעָשׁ חֲמוּדוֹ
אַךְ הֶבֶל כָּל־אָדָם סֶלָה:
יג שִׁמְעָה תְפִלָּתִי ׀ יְהוָה וְשַׁוְעָתִי ׀ הַאֲזִינָה
אֶל־דִּמְעָתִי אַל־תֶּחֱרַשׁ כִּי גֵר אָנֹכִי עִמָּךְ
תּוֹשָׁב כְּכָל־אֲבוֹתָי:

יד הָשַׁע מִמֶּנִּי וְאַבְלִיגָה בְּטֶרֶם אֵלֵךְ וְאֵינֶנִּי:

מ א לַמְנַצֵּחַ לְדָוִד מִזְמוֹר:
ב קַוֺּה קִוִּיתִי יְהוָה וַיֵּט אֵלַי וַיִּשְׁמַע שַׁוְעָתִי:
ג וַיַּעֲלֵנִי ׀ מִבּוֹר שָׁאוֹן מִטִּיט הַיָּוֵן וַיָּקֶם עַל־סֶלַע רַגְלַי
ד כּוֹנֵן אֲשֻׁרָי: וַיִּתֵּן בְּפִי ׀ שִׁיר חָדָשׁ תְּהִלָּה לֵאלֹהֵינוּ
יִרְאוּ רַבִּים וְיִירָאוּ וְיִבְטְחוּ בַּיהוָה:
ה אַשְׁרֵי הַגֶּבֶר אֲשֶׁר־שָׂם יְהוָה מִבְטַחוֹ
ו וְלֹא־פָנָה אֶל־רְהָבִים וְשָׂטֵי כָזָב: רַבּוֹת עָשִׂיתָ ׀
אַתָּה ׀ יְהוָה אֱלֹהַי נִפְלְאֹתֶיךָ וּמַחְשְׁבֹתֶיךָ אֵלֵינוּ
אֵין ׀ עֲרֹךְ אֵלֶיךָ אַגִּידָה וַאֲדַבֵּרָה עָצְמוּ מִסַּפֵּר:
ז זֶבַח וּמִנְחָה ׀ לֹא־חָפַצְתָּ אָזְנַיִם כָּרִיתָ לִּי
ח עוֹלָה וַחֲטָאָה לֹא שָׁאָלְתָּ: אָז אָמַרְתִּי הִנֵּה־בָאתִי
ט בִּמְגִלַּת־סֵפֶר כָּתוּב עָלָי: לַעֲשׂוֹת־רְצוֹנְךָ אֱלֹהַי חָפָצְתִּי
י וְתוֹרָתְךָ בְּתוֹךְ מֵעָי: בִּשַּׂרְתִּי צֶדֶק ׀ בְּקָהָל רָב
הִנֵּה שְׂפָתַי לֹא אֶכְלָא יְהוָה אַתָּה יָדָעְתָּ:
יא צִדְקָתְךָ לֹא־כִסִּיתִי ׀ בְּתוֹךְ לִבִּי אֱמוּנָתְךָ וּתְשׁוּעָתְךָ אָמָרְתִּי
לֹא־כִחַדְתִּי חַסְדְּךָ וַאֲמִתְּךָ לְקָהָל רָב:
יב אַתָּה יְהוָה לֹא־תִכְלָא רַחֲמֶיךָ מִמֶּנִּי
יג חַסְדְּךָ וַאֲמִתְּךָ תָּמִיד יִצְּרוּנִי: כִּי אָפְפוּ־עָלַי ׀ רָעוֹת
עַד־אֵין מִסְפָּר הִשִּׂיגוּנִי עֲוֺנֹתַי וְלֹא־יָכֹלְתִּי לִרְאוֹת
עָצְמוּ מִשַּׂעֲרוֹת רֹאשִׁי וְלִבִּי עֲזָבָנִי:
יד רְצֵה יְהוָה לְהַצִּילֵנִי יְהוָה לְעֶזְרָתִי חוּשָׁה:
טו יֵבֹשׁוּ וְיַחְפְּרוּ ׀ יַחַד מְבַקְשֵׁי נַפְשִׁי לִסְפּוֹתָהּ
יִסֹּגוּ אָחוֹר וְיִכָּלְמוּ חֲפֵצֵי רָעָתִי:

תְּהִלָּה עַל רְפוּאָה מֵחֳלִי, וּבַקָּשָׁה לְהַתְמִיד הַצְלָחָתוֹ בִּזְכוּת בִּטְחוֹנוֹ וּכְנִיעָתוֹ:

יָשֹׁמּוּ עַל־עֵקֶב בׇּשְׁתָּם הָאֹמְרִים לִי הֶאָח ׀ הֶאָח: טו
יָשִׂישׂוּ וְיִשְׂמְחוּ ׀ בְּךָ כׇּל־מְבַקְשֶׁיךָ יז
יֹאמְרוּ תָמִיד יִגְדַּל יְהֹוָה אֹהֲבֵי תְּשׁוּעָתֶךָ:
וַאֲנִי ׀ עָנִי וְאֶבְיוֹן אֲדֹנָי יַחֲשׇׁב לִי עֶזְרָתִי וּמְפַלְטִי אַתָּה יח
אֱלֹהַי אַל־תְּאַחַר:

גְּמוּל סוֹעֵד הַחוֹלֶה, וּתְפִלַּת הַחוֹלֶה לִנְקָמָה בְּאוֹיְבָיו:

לַמְנַצֵּחַ מִזְמוֹר לְדָוִד: א מא
אַשְׁרֵי מַשְׂכִּיל אֶל־דָּל בְּיוֹם רָעָה יְמַלְּטֵהוּ יְהֹוָה: ב
יְהֹוָה ׀ יִשְׁמְרֵהוּ וִיחַיֵּהוּ יאשר וְאֻשַּׁר בָּאָרֶץ ג
וְאַל־תִּתְּנֵהוּ בְּנֶפֶשׁ אֹיְבָיו: יְהֹוָה יִסְעָדֶנּוּ עַל־עֶרֶשׂ דְּוָי ד
כׇּל־מִשְׁכָּבוֹ הָפַכְתָּ בְחׇלְיוֹ: אֲנִי־אָמַרְתִּי יְהֹוָה חׇנֵּנִי ה
רְפָאָה נַפְשִׁי כִּי־חָטָאתִי לָךְ: אוֹיְבַי יֹאמְרוּ רַע לִי ו
מָתַי יָמוּת וְאָבַד שְׁמוֹ: וְאִם־בָּא לִרְאוֹת ׀ שָׁוְא יְדַבֵּר ז
לִבּוֹ יִקְבׇּץ־אָוֶן לוֹ יֵצֵא לַחוּץ יְדַבֵּר:
יַחַד עָלַי יִתְלַחֲשׁוּ כׇּל־שֹׂנְאָי עָלַי ׀ יַחְשְׁבוּ רָעָה לִי: ח
דְּבַר־בְּלִיַּעַל יָצוּק בּוֹ וַאֲשֶׁר שָׁכַב לֹא־יוֹסִיף לָקוּם: ט
גַּם־אִישׁ שְׁלוֹמִי ׀ אֲשֶׁר־בָּטַחְתִּי בוֹ אוֹכֵל לַחְמִי י
הִגְדִּיל עָלַי עָקֵב: וְאַתָּה יְהֹוָה חׇנֵּנִי וַהֲקִימֵנִי יא
וַאֲשַׁלְּמָה לָהֶם: בְּזֹאת יָדַעְתִּי כִּי־חָפַצְתָּ בִּי יב
כִּי לֹא־יָרִיעַ אֹיְבִי עָלָי: וַאֲנִי בְּתֻמִּי תָּמַכְתָּ בִּי יג
וַתַּצִּיבֵנִי לְפָנֶיךָ לְעוֹלָם: בָּרוּךְ יְהֹוָה ׀ אֱלֹהֵי יִשְׂרָאֵל יד
מֵהָעוֹלָם וְעַד הָעוֹלָם אָמֵן ׀ וְאָמֵן:

ספר שני

מב א לַמְנַצֵּ֗חַ מַשְׂכִּ֥יל לִבְנֵי־קֹֽרַח׃
ב כְּאַיָּל֮ תַּעֲרֹ֪ג עַל־אֲפִֽיקֵי־מָ֥יִם כֵּ֤ן נַפְשִׁ֨י תַעֲרֹ֖ג אֵלֶ֣יךָ
ג אֱלֹהִֽים׃ צָמְאָ֬ה נַפְשִׁ֨י ׀ לֵאלֹהִים֮ לְאֵ֪ל חָ֥י
מָתַ֥י אָב֑וֹא וְ֝אֵרָאֶ֗ה פְּנֵ֣י אֱלֹהִֽים׃
ד הָיְתָה־לִּ֬י דִמְעָתִ֣י לֶ֭חֶם יוֹמָ֣ם וָלָ֑יְלָה בֶּאֱמֹ֥ר אֵלַ֥י כָּל־הַ֝יּ֗וֹם
ה אַיֵּ֥ה אֱלֹהֶֽיךָ׃ אֵ֤לֶּה אֶזְכְּרָ֨ה ׀ וְאֶשְׁפְּכָ֬ה עָלַ֨י ׀ נַפְשִׁ֗י
כִּ֤י אֶֽעֱבֹר ׀ בַּסָּךְ֮ אֶדַּדֵּ֗ם עַד־בֵּ֥ית אֱלֹ֫הִ֥ים
ו בְּקוֹל־רִנָּ֥ה וְתוֹדָ֗ה הָמ֥וֹן חוֹגֵֽג׃ מַה־תִּשְׁתּ֬וֹחֲחִ֨י ׀ נַפְשִׁי֮
וַתֶּהֱמִ֪י עָ֫לָ֥י הוֹחִ֣לִי לֵ֭אלֹהִים כִּי־ע֥וֹד אוֹדֶ֗נּוּ יְשׁוּע֥וֹת פָּנָֽיו׃
ז אֱֽלֹהַ֗י עָלַ֗י נַפְשִׁ֪י תִשְׁתּ֫וֹחָ֥ח עַל־כֵּ֗ן אֶ֭זְכָּרְךָ מֵאֶ֣רֶץ יַרְדֵּ֑ן
ח וְ֝חֶרְמוֹנִ֗ים מֵהַ֥ר מִצְעָֽר׃ תְּהֽוֹם־אֶל־תְּה֣וֹם ק֭וֹרֵא
לְק֣וֹל צִנּוֹרֶ֑יךָ כָּל־מִשְׁבָּרֶ֥יךָ וְ֝גַלֶּ֗יךָ עָלַ֥י עָבָֽרוּ׃
ט יוֹמָ֤ם ׀ יְצַוֶּ֬ה יְהוָ֨ה ׀ חַסְדּ֗וֹ וּ֭בַלַּיְלָה שִׁירֹ֣ה עִמִּ֑י
י תְּ֝פִלָּ֗ה לְאֵ֣ל חַיָּֽי׃ אוֹמְרָ֤ה ׀ לְאֵ֥ל סַלְעִי֮ לָמָ֪ה שְׁכַ֫חְתָּ֥נִי
יא לָֽמָּה־קֹדֵ֥ר אֵלֵ֗ךְ בְּלַ֣חַץ אוֹיֵֽב׃ בְּרֶ֤צַח ׀ בְּֽעַצְמוֹתַ֗י
חֵרְפ֥וּנִי צוֹרְרָ֑י בְּאָמְרָ֥ם אֵלַ֥י כָּל־הַ֝יּ֗וֹם אַיֵּ֥ה אֱלֹהֶֽיךָ׃
יב מַה־תִּשְׁתּ֬וֹחֲחִ֨י ׀ נַפְשִׁי֮ וּמַה־תֶּהֱמִ֪י עָ֫לָ֥י
הוֹחִ֣ילִי לֵ֭אלֹהִים כִּי־ע֣וֹד אוֹדֶ֑נּוּ יְשׁוּעֹ֥ת פָּ֝נַ֗י וֵאלֹהָֽי׃

הַגַּעְגּוּעִים לָאָרֶץ הַקֹּדֶשׁ וְלַעֲבוֹדַת בֵּית הַמִּקְדָּשׁ:

מג א שָׁפְטֵ֤נִי אֱלֹהִ֨ים ׀ וְרִ֘יבָ֤ה רִיבִ֗י מִגּ֥וֹי לֹא־חָסִ֑יד
ב מֵ֤אִישׁ־מִרְמָ֖ה וְעַוְלָ֣ה תְפַלְּטֵֽנִי׃ כִּֽי־אַתָּ֤ה ׀ אֱלֹהֵ֣י מָעוּזִּי֮
לָמָ֪ה זְנַ֫חְתָּ֥נִי לָֽמָּה־קֹדֵ֥ר אֶתְהַלֵּ֗ךְ בְּלַ֣חַץ אוֹיֵֽב׃
ג שְׁלַח־אוֹרְךָ֣ וַ֭אֲמִתְּךָ הֵ֣מָּה יַנְח֑וּנִי יְבִיא֥וּנִי אֶל־הַֽר־קָ֝דְשְׁךָ֗
ד וְאֶל־מִשְׁכְּנוֹתֶֽיךָ׃ וְאָב֤וֹאָה ׀ אֶל־מִזְבַּ֬ח אֱלֹהִ֗ים
אֶל־אֵל֮ שִׂמְחַ֪ת גִּ֫ילִ֥י וְאוֹדְךָ֥ בְ֝כִנּ֗וֹר אֱלֹהִ֥ים אֱלֹהָֽי׃

בַּקָּשָׁה מֵה' לִרְאוֹת בְּצָעַר הַגּוֹלִים, וְלַהֲשִׁיבָם לְצִיּוֹן:

מַה־תִּשְׁתּ֬וֹחֲחִ֨י ׀ נַפְשִׁי֮ וּֽמַה־תֶּהֱמִ֪י עָ֫לָ֥י ה
הוֹחִ֣ילִי לֵ֭אלֹהִים כִּי־ע֣וֹד אוֹדֶ֑נּוּ יְשׁוּעֹ֥ת פָּ֝נַ֗י וֵאלֹהָֽי׃

מד א לַמְנַצֵּ֬חַ ׀ לִבְנֵי־קֹ֬רַח מַשְׂכִּֽיל׃

תְּפִלָּה עַל גְּאֻלַּת יִשְׂרָאֵל הַשְּׁבוּיִים הַשְּׁרוּיִים בְּדִכּוּי׃

אֱלֹהִ֤ים ׀ בְּאָזְנֵ֬ינוּ שָׁמַ֗עְנוּ אֲבוֹתֵ֥ינוּ סִפְּרוּ־לָ֑נוּ ב
פֹּ֥עַל פָּעַ֥לְתָּ בִ֝ימֵיהֶ֗ם בִּ֣ימֵי קֶֽדֶם׃
אַתָּ֤ה ׀ יָדְךָ֡ גּוֹיִ֣ם ה֭וֹרַשְׁתָּ וַתִּטָּעֵ֑ם תָּרַ֥ע לְ֝אֻמִּ֗ים וַֽתְּשַׁלְּחֵֽם׃ ג
כִּ֤י לֹ֪א בְחַרְבָּ֡ם יָ֤רְשׁוּ אָ֗רֶץ וּזְרוֹעָם֮ לֹא־הוֹשִׁ֪יעָ֫ה לָּ֥מוֹ ד
כִּֽי־יְמִינְךָ֣ וּ֭זְרוֹעֲךָ וְא֥וֹר פָּנֶ֗יךָ כִּ֣י רְצִיתָֽם׃
אַתָּה־ה֣וּא מַלְכִּ֣י אֱלֹהִ֑ים צַ֝וֵּ֗ה יְשׁוּע֥וֹת יַעֲקֹֽב׃ ה
בְּ֭ךָ צָרֵ֣ינוּ נְנַגֵּ֑חַ בְּ֝שִׁמְךָ֗ נָב֥וּס קָמֵֽינוּ׃ ו
כִּ֤י לֹ֣א בְקַשְׁתִּ֣י אֶבְטָ֑ח וְ֝חַרְבִּ֗י לֹ֣א תוֹשִׁיעֵֽנִי׃ ז
כִּ֣י ה֭וֹשַׁעְתָּנוּ מִצָּרֵ֑ינוּ וּמְשַׂנְאֵ֥ינוּ הֱבִישֽׁוֹתָ׃ ח
בֵּֽ֭אלֹהִים הִלַּ֣לְנוּ כָל־הַיּ֑וֹם וְשִׁמְךָ֓ ׀ לְעוֹלָ֖ם נוֹדֶ֣ה סֶֽלָה׃ ט
אַף־֭זָנַחְתָּ וַתַּכְלִימֵ֑נוּ וְלֹֽא־תֵ֝צֵ֗א בְּצִבְאוֹתֵֽינוּ׃ י
תְּשִׁיבֵ֣נוּ אָ֭חוֹר מִנִּי־צָ֑ר וּ֝מְשַׂנְאֵ֗ינוּ שָׁ֣סוּ לָֽמוֹ׃ יא
תִּ֭תְּנֵנוּ כְּצֹ֣אן מַאֲכָ֑ל וּ֝בַגּוֹיִ֗ם זֵרִיתָֽנוּ׃ יב
תִּמְכֹּר־עַמְּךָ֥ בְלֹא־ה֑וֹן וְלֹֽא־רִ֝בִּ֗יתָ בִּמְחִירֵיהֶֽם׃ יג
תְּשִׂימֵ֣נוּ ח֭רְפָּה לִשְׁכֵנֵ֑ינוּ לַ֥עַג וָ֝קֶ֗לֶס לִסְבִיבוֹתֵֽינוּ׃ יד
תְּשִׂימֵ֣נוּ מָ֭שָׁל בַּגּוֹיִ֑ם מְנֽוֹד־רֹ֝֗אשׁ בַּלְאֻמִּֽים׃ טו
כָּל־ה֭יּוֹם כְּלִמָּתִ֣י נֶגְדִּ֑י וּבֹ֖שֶׁת פָּנַ֣י כִּסָּֽתְנִי׃ טז
מִ֭קּוֹל מְחָרֵ֣ף וּמְגַדֵּ֑ף מִפְּנֵ֥י א֝וֹיֵ֗ב וּמִתְנַקֵּֽם׃ יז
כָּל־זֹ֣את בָ֭אַתְנוּ וְלֹ֣א שְׁכַחֲנ֑וּךָ וְלֹֽא־שִׁ֝קַּ֗רְנוּ בִּבְרִיתֶֽךָ׃ יח
לֹא־נָס֣וֹג אָח֣וֹר לִבֵּ֑נוּ וַתֵּ֥ט אֲ֝שֻׁרֵ֗ינוּ מִנִּ֥י אָרְחֶֽךָ׃ יט
כִּ֣י דִ֭כִּיתָנוּ בִּמְק֣וֹם תַּנִּ֑ים וַתְּכַ֖ס עָלֵ֣ינוּ בְצַלְמָֽוֶת׃ כ

כא אִם־שָׁכַחְנוּ שֵׁם אֱלֹהֵינוּ וַנִּפְרֹשׂ כַּפֵּינוּ לְאֵל זָר׃
כב הֲלֹא אֱלֹהִים יַחֲקָר־זֹאת כִּי־הוּא יֹדֵעַ תַּעֲלֻמוֹת לֵב׃
כג כִּי־עָלֶיךָ הֹרַגְנוּ כָל־הַיּוֹם נֶחְשַׁבְנוּ כְּצֹאן טִבְחָה׃
כד עוּרָה | לָמָּה תִישַׁן | אֲדֹנָי הָקִיצָה אַל־תִּזְנַח לָנֶצַח׃
כה לָמָּה־פָנֶיךָ תַסְתִּיר תִּשְׁכַּח עָנְיֵנוּ וְלַחֲצֵנוּ׃
כו כִּי שָׁחָה לֶעָפָר נַפְשֵׁנוּ דָּבְקָה לָאָרֶץ בִּטְנֵנוּ׃
כז קוּמָה עֶזְרָתָה לָּנוּ וּפְדֵנוּ לְמַעַן חַסְדֶּךָ׃

מה א לַמְנַצֵּחַ עַל־שֹׁשַׁנִּים לִבְנֵי־קֹרַח
ב מַשְׂכִּיל שִׁיר יְדִידֹת׃ רָחַשׁ לִבִּי | דָּבָר טוֹב
אֹמֵר אָנִי מַעֲשַׂי לְמֶלֶךְ לְשׁוֹנִי עֵט | סוֹפֵר מָהִיר׃
ג יָפְיָפִיתָ מִבְּנֵי אָדָם הוּצַק חֵן בְּשְׂפְתוֹתֶיךָ
עַל־כֵּן בֵּרַכְךָ אֱלֹהִים לְעוֹלָם׃ ד חֲגוֹר־חַרְבְּךָ עַל־יָרֵךְ גִּבּוֹר
ה הוֹדְךָ וַהֲדָרֶךָ׃ וַהֲדָרְךָ | צְלַח רְכַב
עַל־דְּבַר־אֱמֶת וְעַנְוָה־צֶדֶק וְתוֹרְךָ נוֹרָאוֹת יְמִינֶךָ׃
ו חִצֶּיךָ שְׁנוּנִים עַמִּים תַּחְתֶּיךָ יִפְּלוּ
ז בְּלֵב אוֹיְבֵי הַמֶּלֶךְ׃ כִּסְאֲךָ אֱלֹהִים עוֹלָם וָעֶד
ח שֵׁבֶט מִישֹׁר שֵׁבֶט מַלְכוּתֶךָ׃ אָהַבְתָּ צֶּדֶק וַתִּשְׂנָא רֶשַׁע
עַל־כֵּן | מְשָׁחֲךָ אֱלֹהִים אֱלֹהֶיךָ שֶׁמֶן שָׂשׂוֹן מֵחֲבֵרֶךָ׃
ט מֹר־וַאֲהָלוֹת קְצִיעוֹת כָּל־בִּגְדֹתֶיךָ
י מִן־הֵיכְלֵי שֵׁן מִנִּי שִׂמְּחוּךָ׃ בְּנוֹת מְלָכִים בְּיִקְּרוֹתֶיךָ
נִצְּבָה שֵׁגַל לִימִינְךָ בְּכֶתֶם אוֹפִיר׃
יא שִׁמְעִי־בַת וּרְאִי וְהַטִּי אָזְנֵךְ וְשִׁכְחִי עַמֵּךְ וּבֵית אָבִיךְ׃
יב וְיִתְאָו הַמֶּלֶךְ יָפְיֵךְ כִּי־הוּא אֲדֹנַיִךְ וְהִשְׁתַּחֲוִי־לוֹ׃
יג וּבַת־צֹר | בְּמִנְחָה פָּנַיִךְ יְחַלּוּ עֲשִׁירֵי עָם׃

הַמְּלָכִים הֵמָּה שָׂרֵי הַתּוֹרָה, שֶׁהֵם אוֹר לַגּוֹיִם׃

כָּל־כְּבוּדָּה בַת־מֶלֶךְ פְּנִימָה   מִמִּשְׁבְּצוֹת זָהָב לְבוּשָׁהּ׃ יד
לִרְקָמוֹת תּוּבַל לַמֶּלֶךְ   בְּתוּלוֹת אַחֲרֶיהָ רֵעוֹתֶיהָ טו
מוּבָאוֹת לָךְ׃   תּוּבַלְנָה בִּשְׂמָחֹת וָגִיל טז
תְּבֹאֶינָה בְּהֵיכַל מֶלֶךְ׃   תַּחַת אֲבֹתֶיךָ יִהְיוּ בָנֶיךָ יז
תְּשִׁיתֵמוֹ לְשָׂרִים בְּכָל־הָאָרֶץ׃   אַזְכִּירָה שִׁמְךָ יח
בְּכָל־דֹּר וָדֹר   עַל־כֵּן עַמִּים יְהוֹדוּךָ לְעֹלָם וָעֶד׃

שִׁיר עַל הַהַצָּלָה הַגְּדוֹלָה בְּאַחֲרִית הַיָּמִים:

לַמְנַצֵּחַ לִבְנֵי־קֹרַח   עַל־עֲלָמוֹת שִׁיר׃ א מו
אֱלֹהִים לָנוּ מַחֲסֶה וָעֹז   עֶזְרָה בְצָרוֹת נִמְצָא מְאֹד׃ ב
עַל־כֵּן לֹא־נִירָא בְּהָמִיר אָרֶץ   וּבְמוֹט הָרִים בְּלֵב יַמִּים׃ ג
יֶהֱמוּ יֶחְמְרוּ מֵימָיו   יִרְעֲשׁוּ הָרִים בְּגַאֲוָתוֹ סֶלָה׃ ד
נָהָר פְּלָגָיו יְשַׂמְּחוּ עִיר־אֱלֹהִים   קְדֹשׁ מִשְׁכְּנֵי עֶלְיוֹן׃ ה
אֱלֹהִים בְּקִרְבָּהּ בַּל־תִּמּוֹט   יַעְזְרֶהָ אֱלֹהִים לִפְנוֹת בֹּקֶר׃ ו
הָמוּ גוֹיִם מָטוּ מַמְלָכוֹת   נָתַן בְּקוֹלוֹ תָּמוּג אָרֶץ׃ ז
יְהוָה צְבָאוֹת עִמָּנוּ   מִשְׂגָּב־לָנוּ אֱלֹהֵי יַעֲקֹב סֶלָה׃ ח
לְכוּ־חֲזוּ מִפְעֲלוֹת יְהוָה   אֲשֶׁר־שָׂם שַׁמּוֹת בָּאָרֶץ׃ ט
מַשְׁבִּית מִלְחָמוֹת עַד־קְצֵה הָאָרֶץ   קֶשֶׁת יְשַׁבֵּר וְקִצֵּץ חֲנִית י
עֲגָלוֹת יִשְׂרֹף בָּאֵשׁ׃   הַרְפּוּ וּדְעוּ כִּי־אָנֹכִי אֱלֹהִים יא
אָרוּם בַּגּוֹיִם אָרוּם בָּאָרֶץ׃   יְהוָה צְבָאוֹת עִמָּנוּ יב
מִשְׂגָּב־לָנוּ אֱלֹהֵי יַעֲקֹב סֶלָה׃

שִׁיר בְּעֵת גִּלּוּי מַלְכוּת ה' בָּעוֹלָם:

לַמְנַצֵּחַ ׀ לִבְנֵי־קֹרַח מִזְמוֹר׃ א מז
כָּל־הָעַמִּים תִּקְעוּ־כָף   הָרִיעוּ לֵאלֹהִים בְּקוֹל רִנָּה׃ ב
כִּי־יְהוָה עֶלְיוֹן נוֹרָא   מֶלֶךְ גָּדוֹל עַל־כָּל־הָאָרֶץ׃ ג
יַדְבֵּר עַמִּים תַּחְתֵּינוּ   וּלְאֻמִּים תַּחַת רַגְלֵינוּ׃ ד

ה יִבְחַר־לָנוּ אֶת־נַחֲלָתֵנוּ אֶת גְּאוֹן יַעֲקֹב אֲשֶׁר־אָהֵב סֶלָה:
ו עָלָה אֱלֹהִים בִּתְרוּעָה יְהוָה בְּקוֹל שׁוֹפָר:
ז זַמְּרוּ אֱלֹהִים זַמֵּרוּ זַמְּרוּ לְמַלְכֵּנוּ זַמֵּרוּ:
ח כִּי מֶלֶךְ כָּל־הָאָרֶץ אֱלֹהִים זַמְּרוּ מַשְׂכִּיל:
ט מָלַךְ אֱלֹהִים עַל־גּוֹיִם אֱלֹהִים יָשַׁב ׀ עַל־כִּסֵּא קָדְשׁוֹ:
י נְדִיבֵי עַמִּים ׀ נֶאֱסָפוּ עַם אֱלֹהֵי אַבְרָהָם
כִּי לֵאלֹהִים מָגִנֵּי־אֶרֶץ מְאֹד נַעֲלָה:

מח א שִׁיר מִזְמוֹר לִבְנֵי־קֹרַח:
ב גָּדוֹל יְהוָה וּמְהֻלָּל מְאֹד בְּעִיר אֱלֹהֵינוּ הַר־קָדְשׁוֹ:
ג יְפֵה נוֹף מְשׂוֹשׂ כָּל־הָאָרֶץ הַר־צִיּוֹן יַרְכְּתֵי צָפוֹן
ד קִרְיַת מֶלֶךְ רָב: אֱלֹהִים בְּאַרְמְנוֹתֶיהָ נוֹדַע לְמִשְׂגָּב:
ה כִּי־הִנֵּה הַמְּלָכִים נוֹעֲדוּ עָבְרוּ יַחְדָּו:
ו ז הֵמָּה רָאוּ כֵּן תָּמָהוּ נִבְהֲלוּ נֶחְפָּזוּ: רְעָדָה אֲחָזָתַם שָׁם
ח חִיל כַּיּוֹלֵדָה: בְּרוּחַ קָדִים תְּשַׁבֵּר אֳנִיּוֹת תַּרְשִׁישׁ:
ט כַּאֲשֶׁר שָׁמַעְנוּ ׀ כֵּן רָאִינוּ בְּעִיר־יְהוָה צְבָאוֹת
בְּעִיר אֱלֹהֵינוּ אֱלֹהִים יְכוֹנְנֶהָ עַד־עוֹלָם סֶלָה:
י דִּמִּינוּ אֱלֹהִים חַסְדֶּךָ בְּקֶרֶב הֵיכָלֶךָ:
יא כְּשִׁמְךָ אֱלֹהִים כֵּן תְּהִלָּתְךָ עַל־קַצְוֵי־אֶרֶץ
יב צֶדֶק מָלְאָה יְמִינֶךָ: יִשְׂמַח ׀ הַר־צִיּוֹן
תָּגֵלְנָה בְּנוֹת יְהוּדָה לְמַעַן מִשְׁפָּטֶיךָ:
יג סֹבּוּ צִיּוֹן וְהַקִּיפוּהָ סִפְרוּ מִגְדָּלֶיהָ:
יד שִׁיתוּ לִבְּכֶם ׀ לְחֵילָה פַּסְּגוּ אַרְמְנוֹתֶיהָ
טו לְמַעַן תְּסַפְּרוּ לְדוֹר אַחֲרוֹן: כִּי זֶה ׀ אֱלֹהִים אֱלֹהֵינוּ
עוֹלָם וָעֶד הוּא יְנַהֲגֵנוּ עַל־מוּת:

שֶׁבַח עִיר צִיּוֹן וַהֲדָרָהּ הַמְּעִידִים עַל ה׳ הַשּׁוֹכֵן בְּתוֹכָהּ:

קְרִיאָה לְרוֹדְפֵי הַמָּמוֹן שֶׁלֹּא יוֹעִיל לְאַחֲרִיתָם:

מט א לַמְנַצֵּחַ ׀ לִבְנֵי־קֹרַח מִזְמוֹר׃

ב שִׁמְעוּ־זֹאת כָּל־הָעַמִּים הַאֲזִינוּ כָּל־יֹשְׁבֵי חָלֶד׃

ג גַּם־בְּנֵי אָדָם גַּם־בְּנֵי־אִישׁ יַחַד עָשִׁיר וְאֶבְיוֹן׃

ד פִּי יְדַבֵּר חָכְמוֹת וְהָגוּת לִבִּי תְבוּנוֹת׃

ה אַטֶּה לְמָשָׁל אָזְנִי אֶפְתַּח בְּכִנּוֹר חִידָתִי׃

ו לָמָּה אִירָא בִּימֵי רָע עֲוֺן עֲקֵבַי יְסוּבֵּנִי׃

ז הַבֹּטְחִים עַל־חֵילָם וּבְרֹב עָשְׁרָם יִתְהַלָּלוּ׃

ח אָח לֹא־פָדֹה יִפְדֶּה אִישׁ לֹא־יִתֵּן לֵאלֹהִים כָּפְרוֹ׃

ט י וְיֵקַר פִּדְיוֹן נַפְשָׁם וְחָדַל לְעוֹלָם׃ וִיחִי־עוֹד לָנֶצַח

לֹא יִרְאֶה הַשָּׁחַת׃ יא כִּי יִרְאֶה ׀ חֲכָמִים יָמוּתוּ

יַחַד כְּסִיל וָבַעַר יֹאבֵדוּ וְעָזְבוּ לַאֲחֵרִים חֵילָם׃

יב קִרְבָּם בָּתֵּימוֹ ׀ לְעוֹלָם מִשְׁכְּנֹתָם לְדֹר וָדֹר

קָרְאוּ בִשְׁמוֹתָם עֲלֵי אֲדָמוֹת׃ יג וְאָדָם בִּיקָר בַּל־יָלִין

נִמְשַׁל כַּבְּהֵמוֹת נִדְמוּ׃ יד זֶה דַרְכָּם כֵּסֶל לָמוֹ

וְאַחֲרֵיהֶם ׀ בְּפִיהֶם יִרְצוּ סֶלָה׃ טו כַּצֹּאן ׀ לִשְׁאוֹל שַׁתּוּ

מָוֶת יִרְעֵם וַיִּרְדּוּ בָם יְשָׁרִים ׀ לַבֹּקֶר

וצירם וְצוּרָם לְבַלּוֹת שְׁאוֹל מִזְּבֻל לוֹ׃ טז אַךְ־אֱלֹהִים

יִפְדֶּה נַפְשִׁי מִיַּד־שְׁאוֹל כִּי יִקָּחֵנִי סֶלָה׃

יז אַל־תִּירָא כִּי־יַעֲשִׁר אִישׁ כִּי־יִרְבֶּה כְּבוֹד בֵּיתוֹ׃

יח כִּי לֹא בְמוֹתוֹ יִקַּח הַכֹּל לֹא־יֵרֵד אַחֲרָיו כְּבוֹדוֹ׃

יט כִּי־נַפְשׁוֹ בְּחַיָּיו יְבָרֵךְ וְיוֹדֻךָ כִּי־תֵיטִיב לָךְ׃

כ תָּבוֹא עַד־דּוֹר אֲבוֹתָיו עַד־נֵצַח לֹא יִרְאוּ־אוֹר׃

כא אָדָם בִּיקָר וְלֹא יָבִין נִמְשַׁל כַּבְּהֵמוֹת נִדְמוּ׃

נ א מִזְמוֹר לְאָסָף
אֵל | אֱלֹהִים יְהוָה דִּבֶּר וַיִּקְרָא־אָרֶץ
ב מִמִּזְרַח־שֶׁמֶשׁ עַד־מְבֹאוֹ: מִצִּיּוֹן מִכְלַל־יֹפִי
ג אֱלֹהִים הוֹפִיעַ: יָבֹא אֱלֹהֵינוּ וְאַל־יֶחֱרַשׁ
אֵשׁ־לְפָנָיו תֹּאכֵל וּסְבִיבָיו נִשְׂעֲרָה מְאֹד:
ד יִקְרָא אֶל־הַשָּׁמַיִם מֵעָל וְאֶל־הָאָרֶץ לָדִין עַמּוֹ:
ה אִסְפוּ־לִי חֲסִידָי כֹּרְתֵי בְרִיתִי עֲלֵי־זָבַח:
ו וַיַּגִּידוּ שָׁמַיִם צִדְקוֹ כִּי־אֱלֹהִים | שֹׁפֵט הוּא סֶלָה:
ז שִׁמְעָה עַמִּי | וַאֲדַבֵּרָה יִשְׂרָאֵל וְאָעִידָה בָּךְ
ח אֱלֹהִים אֱלֹהֶיךָ אָנֹכִי: לֹא עַל־זְבָחֶיךָ אוֹכִיחֶךָ
ט וְעוֹלֹתֶיךָ לְנֶגְדִּי תָמִיד: לֹא־אֶקַּח מִבֵּיתְךָ פָר
י מִמִּכְלְאֹתֶיךָ עַתּוּדִים: כִּי־לִי כָל־חַיְתוֹ־יָעַר
יא בְּהֵמוֹת בְּהַרְרֵי־אָלֶף: יָדַעְתִּי כָּל־עוֹף הָרִים
יב וְזִיז שָׂדַי עִמָּדִי: אִם־אֶרְעַב לֹא־אֹמַר לָךְ
יג כִּי־לִי תֵבֵל וּמְלֹאָהּ: הַאוֹכַל בְּשַׂר אַבִּירִים
יד וְדַם עַתּוּדִים אֶשְׁתֶּה: זְבַח לֵאלֹהִים תּוֹדָה
טו וְשַׁלֵּם לְעֶלְיוֹן נְדָרֶיךָ: וּקְרָאֵנִי בְּיוֹם צָרָה
טז אֲחַלֶּצְךָ וּתְכַבְּדֵנִי: וְלָרָשָׁע | אָמַר אֱלֹהִים
מַה־לְּךָ לְסַפֵּר חֻקָּי וַתִּשָּׂא בְרִיתִי עֲלֵי־פִיךָ:
יז וְאַתָּה שָׂנֵאתָ מוּסָר וַתַּשְׁלֵךְ דְּבָרַי אַחֲרֶיךָ:
יח אִם־רָאִיתָ גַנָּב וַתִּרֶץ עִמּוֹ וְעִם מְנָאֲפִים חֶלְקֶךָ:
יט פִּיךָ שָׁלַחְתָּ בְרָעָה וּלְשׁוֹנְךָ תַּצְמִיד מִרְמָה:
כ תֵּשֵׁב בְּאָחִיךָ תְדַבֵּר בְּבֶן־אִמְּךָ תִּתֶּן־דֹּפִי:
כא אֵלֶּה עָשִׂיתָ | וְהֶחֱרַשְׁתִּי דִּמִּיתָ הֱיוֹת־אֶהְיֶה כָמוֹךָ
כב אוֹכִיחֲךָ וְאֶעֶרְכָה לְעֵינֶיךָ: בִּינוּ־נָא זֹאת שֹׁכְחֵי אֱלוֹהַּ

פֶּן־אֶטְרֹף וְאֵין מַצִּיל: זֹבֵחַ תּוֹדָה יְכַבְּדָנְנִי כג
וְשָׂם דֶּרֶךְ אַרְאֶנּוּ בְּיֵשַׁע אֱלֹהִים:

[2911] לַמְנַצֵּחַ מִזְמוֹר לְדָוִד: א נא
תְּפִלַּת הַשָּׁב וְהַמּוֹדֶה עַל פְּשָׁעָיו:
בְּבוֹא־אֵלָיו נָתָן הַנָּבִיא כַּאֲשֶׁר־בָּא אֶל־בַּת־שָׁבַע: ב
חָנֵּנִי אֱלֹהִים כְּחַסְדֶּךָ כְּרֹב רַחֲמֶיךָ מְחֵה פְשָׁעָי: ג
הרבה הֶרֶב כַּבְּסֵנִי מֵעֲוֺנִי וּמֵחַטָּאתִי טַהֲרֵנִי: ד
כִּי־פְשָׁעַי אֲנִי אֵדָע וְחַטָּאתִי נֶגְדִּי תָמִיד: ה
לְךָ לְבַדְּךָ ׀ חָטָאתִי וְהָרַע בְּעֵינֶיךָ עָשִׂיתִי ו
לְמַעַן תִּצְדַּק בְּדָבְרֶךָ תִּזְכֶּה בְשָׁפְטֶךָ: הֵן־בְּעָווֹן חוֹלָלְתִּי ז
וּבְחֵטְא יֶחֱמַתְנִי אִמִּי: הֵן־אֱמֶת חָפַצְתָּ בַטֻּחוֹת ח
וּבְסָתֻם חָכְמָה תוֹדִיעֵנִי: תְּחַטְּאֵנִי בְאֵזוֹב וְאֶטְהָר ט
תְּכַבְּסֵנִי וּמִשֶּׁלֶג אַלְבִּין: תַּשְׁמִיעֵנִי שָׂשׂוֹן וְשִׂמְחָה י
תָּגֵלְנָה עֲצָמוֹת דִּכִּיתָ: הַסְתֵּר פָּנֶיךָ מֵחֲטָאָי יא
וְכָל־עֲוֺנֹתַי מְחֵה: לֵב טָהוֹר בְּרָא־לִי אֱלֹהִים יב
וְרוּחַ נָכוֹן חַדֵּשׁ בְּקִרְבִּי: אַל־תַּשְׁלִיכֵנִי מִלְּפָנֶיךָ יג
וְרוּחַ קָדְשְׁךָ אַל־תִּקַּח מִמֶּנִּי: הָשִׁיבָה לִּי שְׂשׂוֹן יִשְׁעֶךָ יד
וְרוּחַ נְדִיבָה תִסְמְכֵנִי: אֲלַמְּדָה פֹשְׁעִים דְּרָכֶיךָ טו
וְחַטָּאִים אֵלֶיךָ יָשׁוּבוּ: הַצִּילֵנִי מִדָּמִים ׀ אֱלֹהִים טז
אֱלֹהֵי תְּשׁוּעָתִי תְּרַנֵּן לְשׁוֹנִי צִדְקָתֶךָ:
אֲדֹנָי שְׂפָתַי תִּפְתָּח וּפִי יַגִּיד תְּהִלָּתֶךָ: יז
כִּי ׀ לֹא־תַחְפֹּץ זֶבַח וְאֶתֵּנָה עוֹלָה לֹא תִרְצֶה: יח
זִבְחֵי אֱלֹהִים רוּחַ נִשְׁבָּרָה לֵב־נִשְׁבָּר וְנִדְכֶּה יט
אֱלֹהִים לֹא תִבְזֶה:
הֵיטִיבָה בִרְצוֹנְךָ אֶת־צִיּוֹן תִּבְנֶה כ

כא חוֹמוֹת יְרוּשָׁלָ͏ִם: אָז תַּחְפֹּץ זִבְחֵי־צֶדֶק
עוֹלָה וְכָלִיל אָז יַעֲלוּ עַל־מִזְבַּחֲךָ פָרִים:

[2883]

תּוֹכָחָה לְבַעֲלֵי לָשׁוֹן הָרָע, וְשֶׁבַח לַבּוֹטֵחַ בַּה׳:

נב א לַמְנַצֵּחַ מַשְׂכִּיל לְדָוִד:
ב בְּבוֹא | דּוֹאֵג הָאֲדֹמִי וַיַּגֵּד לְשָׁאוּל וַיֹּאמֶר לוֹ
ג בָּא דָוִד אֶל־בֵּית אֲחִימֶלֶךְ: מַה־תִּתְהַלֵּל בְּרָעָה הַגִּבּוֹר
ד חֶסֶד אֵל כָּל־הַיּוֹם: הַוּוֹת תַּחְשֹׁב לְשׁוֹנֶךָ כְּתַעַר מְלֻטָּשׁ
ה עֹשֵׂה רְמִיָּה: אָהַבְתָּ רָּע מִטּוֹב
ו שֶׁקֶר | מִדַּבֵּר צֶדֶק סֶלָה: אָהַבְתָּ כָל־דִּבְרֵי־בָלַע
ז לְשׁוֹן מִרְמָה: גַּם־אֵל יִתָּצְךָ לָנֶצַח
יַחְתְּךָ וְיִסָּחֲךָ מֵאֹהֶל וְשֵׁרֶשְׁךָ מֵאֶרֶץ חַיִּים סֶלָה:
ח וְיִרְאוּ צַדִּיקִים וְיִירָאוּ וְעָלָיו יִשְׂחָקוּ:
ט הִנֵּה הַגֶּבֶר לֹא יָשִׂים אֱלֹהִים מָעוּזּוֹ וַיִּבְטַח בְּרֹב עָשְׁרוֹ
י יָעֹז בְּהַוָּתוֹ: וַאֲנִי | כְּזַיִת רַעֲנָן בְּבֵית אֱלֹהִים
יא בָּטַחְתִּי בְחֶסֶד־אֱלֹהִים עוֹלָם וָעֶד: אוֹדְךָ לְעוֹלָם כִּי עָשִׂיתָ
וַאֲקַוֶּה שִׁמְךָ כִי־טוֹב נֶגֶד חֲסִידֶיךָ:

תּוֹכָחָה לַגּוֹיִם הַמְּצֵרִים עַל הַגּוֹלִים, וְכוֹפְרִים בְּהַשְׁגָּחַת ה׳ בָּאָרֶץ:

נג א לַמְנַצֵּחַ עַל־מָחֲלַת מַשְׂכִּיל לְדָוִד:
ב אָמַר נָבָל בְּלִבּוֹ אֵין אֱלֹהִים הִשְׁחִיתוּ וְהִתְעִיבוּ עָוֶל
ג אֵין עֹשֵׂה־טוֹב: אֱלֹהִים מִשָּׁמַיִם הִשְׁקִיף עַל־בְּנֵי־אָדָם
לִרְאוֹת הֲיֵשׁ מַשְׂכִּיל דֹּרֵשׁ אֶת־אֱלֹהִים:
ד כֻּלּוֹ סָג יַחְדָּו נֶאֱלָחוּ אֵין עֹשֵׂה־טוֹב אֵין גַּם־אֶחָד:
ה הֲלֹא יָדְעוּ פֹּעֲלֵי אָוֶן אֹכְלֵי עַמִּי אָכְלוּ לֶחֶם
ו אֱלֹהִים לֹא קָרָאוּ: שָׁם | פָּחֲדוּ פַחַד לֹא־הָיָה פָחַד
כִּי־אֱלֹהִים פִּזַּר עַצְמוֹת חֹנָךְ הֱבִשֹׁתָה כִּי־אֱלֹהִים מְאָסָם:

ז מִי יִתֵּן מִצִּיּוֹן יְשֻׁעוֹת יִשְׂרָאֵל בְּשׁוּב אֱלֹהִים שְׁבוּת עַמּוֹ
יָגֵל יַעֲקֹב יִשְׂמַח יִשְׂרָאֵל:

תְּחִנָּה לְהַצִּילוֹ מֵחוֹרְשֵׁי רָעָתוֹ, וְלִרְאוֹת בְּהֵעָנְשָׁם:

נד א לַמְנַצֵּחַ בִּנְגִינֹת מַשְׂכִּיל לְדָוִד:
ב בְּבֹא הַזִּיפִים וַיֹּאמְרוּ לְשָׁאוּל הֲלֹא דָוִד
ג מִסְתַּתֵּר עִמָּנוּ: אֱלֹהִים בְּשִׁמְךָ הוֹשִׁיעֵנִי
ד וּבִגְבוּרָתְךָ תְדִינֵנִי: אֱלֹהִים שְׁמַע תְּפִלָּתִי
ה הַאֲזִינָה לְאִמְרֵי־פִי: כִּי זָרִים | קָמוּ עָלַי
וְעָרִיצִים בִּקְשׁוּ נַפְשִׁי לֹא שָׂמוּ אֱלֹהִים לְנֶגְדָּם סֶלָה:
ו הִנֵּה אֱלֹהִים עֹזֵר לִי אֲדֹנָי בְּסֹמְכֵי נַפְשִׁי:
ז ישוב יָשִׁיב הָרַע לְשֹׁרְרָי בַּאֲמִתְּךָ הַצְמִיתֵם:
ח בִּנְדָבָה אֶזְבְּחָה־לָּךְ אוֹדֶה שִּׁמְךָ יְהוָה כִּי־טוֹב:
ט כִּי מִכָּל־צָרָה הִצִּילָנִי וּבְאֹיְבַי רָאֲתָה עֵינִי:

תְּפִלָּה לְהַצִּילוֹ מֵחֶבֶר רֵעָיו הַבּוֹגְדִים:

נה א לַמְנַצֵּחַ בִּנְגִינֹת מַשְׂכִּיל לְדָוִד:
ב הַאֲזִינָה אֱלֹהִים תְּפִלָּתִי וְאַל־תִּתְעַלַּם מִתְּחִנָּתִי:
ג הַקְשִׁיבָה לִּי וַעֲנֵנִי אָרִיד בְּשִׂיחִי וְאָהִימָה:
ד מִקּוֹל אוֹיֵב מִפְּנֵי עָקַת רָשָׁע כִּי־יָמִיטוּ עָלַי אָוֶן
ה וּבְאַף יִשְׂטְמוּנִי: לִבִּי יָחִיל בְּקִרְבִּי
ו וְאֵימוֹת מָוֶת נָפְלוּ עָלָי: יִרְאָה וָרַעַד יָבֹא בִי
ז וַתְּכַסֵּנִי פַּלָּצוּת: וָאֹמַר מִי־יִתֶּן־לִּי אֵבֶר כַּיּוֹנָה
ח אָעוּפָה וְאֶשְׁכֹּנָה: הִנֵּה אַרְחִיק נְדֹד אָלִין בַּמִּדְבָּר סֶלָה:
ט אָחִישָׁה מִפְלָט לִי מֵרוּחַ סֹעָה מִסָּעַר:
י בַּלַּע אֲדֹנָי פַּלַּג לְשׁוֹנָם כִּי־רָאִיתִי חָמָס וְרִיב בָּעִיר:
יא יוֹמָם וָלַיְלָה יְסוֹבְבֻהָ עַל־חוֹמֹתֶיהָ וְאָוֶן וְעָמָל בְּקִרְבָּהּ:

יב הַוּוֹת בְּקִרְבָּהּ וְלֹא־יָמִישׁ מֵרְחֹבָהּ תֹּךְ וּמִרְמָה׃
יג כִּי לֹא־אוֹיֵב יְחָרְפֵנִי וְאֶשָּׂא לֹא־מְשַׂנְאִי עָלַי הִגְדִּיל
יד וְאֶסָּתֵר מִמֶּנּוּ׃ וְאַתָּה אֱנוֹשׁ כְּעֶרְכִּי
טו אַלּוּפִי וּמְיֻדָּעִי׃ אֲשֶׁר יַחְדָּו נַמְתִּיק סוֹד
טז בְּבֵית אֱלֹהִים נְהַלֵּךְ בְּרָגֶשׁ׃ ישימות יַשִּׁי מָוֶת ׀ עָלֵימוֹ
יֵרְדוּ שְׁאוֹל חַיִּים כִּי־רָעוֹת בִּמְגוּרָם בְּקִרְבָּם׃
יז אֲנִי אֶל־אֱלֹהִים אֶקְרָא וַיהֹוָה יוֹשִׁיעֵנִי׃
יח עֶרֶב וָבֹקֶר וְצָהֳרַיִם אָשִׂיחָה וְאֶהֱמֶה וַיִּשְׁמַע קוֹלִי׃
יט פָּדָה בְשָׁלוֹם נַפְשִׁי מִקֲּרָב־לִי כִּי־בְרַבִּים הָיוּ עִמָּדִי׃
כ יִשְׁמַע ׀ אֵל ׀ וְיַעֲנֵם וְיֹשֵׁב קֶדֶם סֶלָה
אֲשֶׁר אֵין חֲלִיפוֹת לָמוֹ וְלֹא יָרְאוּ אֱלֹהִים׃
כא שָׁלַח יָדָיו בִּשְׁלֹמָיו חִלֵּל בְּרִיתוֹ׃
כב חָלְקוּ ׀ מַחְמָאֹת פִּיו וּקֲרָב־לִבּוֹ רַכּוּ דְבָרָיו מִשֶּׁמֶן
כג וְהֵמָּה פְתִחוֹת׃ הַשְׁלֵךְ עַל־יְהֹוָה ׀ יְהָבְךָ וְהוּא יְכַלְכְּלֶךָ
כד לֹא־יִתֵּן לְעוֹלָם מוֹט לַצַּדִּיק׃ וְאַתָּה אֱלֹהִים ׀
תּוֹרִדֵם ׀ לִבְאֵר שַׁחַת אַנְשֵׁי דָמִים וּמִרְמָה
לֹא־יֶחֱצוּ יְמֵיהֶם וַאֲנִי אֶבְטַח־בָּךְ׃

נו א לַמְנַצֵּחַ ׀ עַל־יוֹנַת אֵלֶם רְחֹקִים לְדָוִד מִכְתָּם [2883]

[2883] תְּפִלָּה לְהֵחָלֵץ מֵאוֹיֵב, וּבִטָּחוֹן בִּישׁוּעָה:

ב בֶּאֱחֹז אֹתוֹ פְלִשְׁתִּים בְּגַת׃ חָנֵּנִי אֱלֹהִים
כִּי־שְׁאָפַנִי אֱנוֹשׁ כָּל־הַיּוֹם לֹחֵם יִלְחָצֵנִי׃
ג שָׁאֲפוּ שׁוֹרְרַי כָּל־הַיּוֹם כִּי־רַבִּים לֹחֲמִים לִי מָרוֹם׃
ד יוֹם אִירָא אֲנִי אֵלֶיךָ אֶבְטָח׃
ה בֵּאלֹהִים אֲהַלֵּל דְּבָרוֹ בֵּאלֹהִים בָּטַחְתִּי לֹא אִירָא
ו מַה־יַּעֲשֶׂה בָשָׂר לִי׃ כָּל־הַיּוֹם דְּבָרַי יְעַצֵּבוּ

עָלַ֥י כָּל־מַחְשְׁבֹתָ֗ם לָרָֽע׃ יָג֤וּרוּ ׀ יצפינו יִצְפּ֗וֹנוּ ז
הֵ֭מָּה עֲקֵבַ֣י יִשְׁמֹ֑רוּ כַּ֝אֲשֶׁ֗ר קִוּ֥וּ נַפְשִֽׁי׃
עַל־אָ֥וֶן פַּלֶּט־לָ֑מוֹ בְּ֝אַ֗ף עַמִּ֤ים ׀ הוֹרֵ֬ד אֱלֹהִֽים׃ ח
נֹדִי֮ סָפַ֪רְתָּ֫ה אָ֥תָּה שִׂ֣ימָה דִמְעָתִ֣י בְנֹאדֶ֑ךָ ט
הֲ֝לֹ֗א בְּסִפְרָתֶֽךָ׃ אָ֨ז ׀ יָ֘שׁ֤וּבוּ אוֹיְבַ֣י אָ֭חוֹר בְּי֣וֹם אֶקְרָ֑א י
זֶה־יָ֝דַ֗עְתִּי כִּֽי־אֱלֹהִ֥ים לִֽי׃ בֵּ֣אלֹהִ֭ים אֲהַלֵּ֣ל דָּבָ֑ר יא
בַּ֝יהוָ֗ה אֲהַלֵּ֥ל דָּבָֽר׃ בֵּאלֹהִ֣ים בָּ֭טַחְתִּי לֹ֣א אִירָ֑א יב
מַה־יַּעֲשֶׂ֖ה אָדָ֣ם לִֽי׃ עָלַ֣י אֱלֹהִ֣ים נְדָרֶ֑יךָ יג
אֲשַׁלֵּ֖ם תּוֹדֹ֣ת לָֽךְ׃ כִּ֤י הִצַּ֪לְתָּ נַפְשִׁ֡י מִמָּ֗וֶת יד
הֲלֹ֥א רַגְלַ֗י מִ֫דֶּ֥חִי לְ֭הִתְהַלֵּךְ לִפְנֵ֣י אֱלֹהִ֑ים בְּ֝א֗וֹר הַחַיִּֽים׃

[2883] קְרִיאָה לִישׁוּעָה מִמְּצוֹר הָאוֹיֵב:

לַמְנַצֵּ֣חַ אַל־תַּשְׁחֵת֮ לְדָוִ֪ד מִ֫כְתָּ֥ם בְּבָרְח֥וֹ מִפְּנֵי־שָׁ֝א֗וּל א נז
בַּמְּעָרָֽה׃ חָנֵּ֤נִי אֱלֹהִ֨ים ׀ חָנֵּ֗נִי ב
כִּ֥י בְךָ֮ חָסָ֪יָה נַ֫פְשִׁ֥י וּבְצֵל־כְּנָפֶ֥יךָ אֶחְסֶ֑ה עַ֝֗ד יַעֲבֹ֥ר הַוּֽוֹת׃
אֶ֭קְרָא לֵאלֹהִ֣ים עֶלְי֑וֹן לָ֝אֵ֗ל גֹּמֵ֥ר עָלָֽי׃ ג
יִשְׁלַ֤ח מִשָּׁמַ֨יִם ׀ וְֽיוֹשִׁיעֵ֗נִי חֵרֵ֣ף שֹׁאֲפִ֣י סֶ֑לָה ד
יִשְׁלַ֥ח אֱ֝לֹהִ֗ים חַסְדּ֥וֹ וַאֲמִתּֽוֹ׃ נַפְשִׁ֤י ׀ בְּת֬וֹךְ לְבָאִ֗ם ה
אֶשְׁכְּבָ֥ה לֹ֫הֲטִ֥ים בְּֽנֵי־אָדָ֗ם שִׁ֭נֵּיהֶם חֲנִ֣ית וְחִצִּ֑ים
וּ֝לְשׁוֹנָ֗ם חֶ֣רֶב חַדָּֽה׃ ר֣וּמָה עַל־הַשָּׁמַ֣יִם אֱלֹהִ֑ים ו
עַ֖ל כָּל־הָאָ֣רֶץ כְּבוֹדֶֽךָ׃ רֶ֤שֶׁת ׀ הֵכִ֬ינוּ לִפְעָמַ֗י כָּ֘פַ֤ף נַפְשִׁ֗י ז
כָּר֣וּ לְפָנַ֣י שִׁיחָ֑ה נָפְל֖וּ בְתוֹכָ֣הּ סֶֽלָה׃
נָכ֤וֹן לִבִּ֣י אֱ֭לֹהִים נָכ֣וֹן לִבִּ֑י אָ֝שִׁ֗ירָה וַאֲזַמֵּֽרָה׃ ח
ע֤וּרָה כְבוֹדִ֗י ע֭וּרָה הַנֵּ֥בֶל וְכִנּ֗וֹר ט
אָעִ֥ירָה שָּֽׁחַר׃ אוֹדְךָ֖ בָעַמִּ֥ים ׀ י
אֲדֹנָ֑י אֲ֝זַמֶּרְךָ֗ בַּלְאֻמִּֽים׃

יא כִּֽי־גָדֹ֣ל עַד־שָׁמַ֣יִם חַסְדֶּ֑ךָ וְֽעַד־שְׁחָקִ֥ים אֲמִתֶּֽךָ׃
יב ר֣וּמָה עַל־שָׁמַ֣יִם אֱלֹהִ֑ים עַ֖ל כָּל־הָאָ֣רֶץ כְּבוֹדֶֽךָ׃

נח א לַמְנַצֵּ֥חַ אַל־תַּשְׁחֵ֗ת לְדָוִ֥ד מִכְתָּֽם׃ בַּקָּשָׁה לְנָקָם מִמְּחַרְחֲרֵי רִיב׃
ב הַֽאֻמְנָ֗ם אֵ֣לֶם צֶ֣דֶק תְּדַבֵּר֑וּן מֵישָׁרִ֥ים תִּ֝שְׁפְּט֗וּ
ג בְּנֵ֥י אָדָֽם׃ אַף־בְּלֵב֮ עוֹלֹ֪ת תִּפְעָ֫ל֥וּן
ד בָּאָ֗רֶץ חֲמַ֥ס יְ֝דֵיכֶ֗ם תְּפַלֵּֽסוּן׃ זֹ֣רוּ רְ֭שָׁעִים מֵרָ֑חֶם
ה תָּע֥וּ מִ֝בֶּ֗טֶן דֹּבְרֵ֥י כָזָֽב׃ חֲמַת־לָ֗מוֹ כִּדְמ֥וּת חֲמַת־נָחָ֑שׁ
ו כְּמוֹ־פֶ֥תֶן חֵ֝רֵ֗שׁ יַאְטֵ֥ם אָזְנֽוֹ׃ אֲשֶׁ֤ר לֹֽא־יִ֭שְׁמַע
לְק֣וֹל מְלַחֲשִׁ֑ים חוֹבֵ֖ר חֲבָרִ֣ים מְחֻכָּֽם׃
ז אֱֽלֹהִ֗ים הֲרָס־שִׁנֵּ֥ימוֹ בְּפִ֑ימוֹ מַלְתְּע֥וֹת כְּ֝פִירִ֗ים נְתֹ֣ץ ׀
ח יְהוָֽה׃ יִמָּאֲס֣וּ כְמוֹ־מַ֭יִם יִתְהַלְּכוּ־לָ֑מוֹ
ט יִדְרֹ֥ךְ חִ֝צָּ֗ו כְּמ֣וֹ יִתְמֹלָֽלוּ׃ כְּמ֣וֹ שַׁ֭בְּלוּל תֶּ֣מֶס יַהֲלֹ֑ךְ
י נֵ֥פֶל אֵ֝֗שֶׁת בַּל־חָ֥זוּ שָֽׁמֶשׁ׃ בְּטֶ֤רֶם יָבִ֣ינוּ סִּירֹתֵיכֶ֣ם אָטָ֑ד
יא כְּמוֹ־חַ֥י כְּמוֹ־חָ֝ר֗וֹן יִשְׂעָרֶֽנּוּ׃ יִשְׂמַ֣ח צַ֭דִּיק כִּֽי־חָזָ֣ה נָקָ֑ם
יב פְּעָמָ֥יו יִ֝רְחַ֗ץ בְּדַ֣ם הָרָשָֽׁע׃ וְיֹאמַ֥ר אָדָ֗ם
אַךְ־פְּרִ֥י לַצַּדִּ֑יק אַ֥ךְ יֵשׁ־אֱ֝לֹהִ֗ים שֹׁפְטִ֥ים בָּאָֽרֶץ׃

נט א לַמְנַצֵּ֣חַ אַל־תַּשְׁחֵת֮ לְדָוִ֪ד מִ֫כְתָּ֥ם בִּשְׁלֹ֥חַ שָׁא֑וּל [2883] בַּקָּשָׁה לְהַצָּלָה מֵאוֹיְבָיו הָאַכְזָרִים׃
ב וַיִּשְׁמְר֥וּ אֶת־הַ֝בַּ֗יִת לַהֲמִיתֽוֹ׃ הַצִּילֵ֣נִי מֵאֹיְבַ֣י ׀ אֱלֹהָ֑י
ג מִּמִּתְקוֹמְמַ֥י תְּשַׂגְּבֵֽנִי׃ הַ֭צִּילֵנִי מִפֹּ֣עֲלֵי אָ֑וֶן
ד וּֽמֵאַנְשֵׁ֥י דָ֝מִ֗ים הוֹשִׁיעֵֽנִי׃ כִּ֤י הִנֵּ֪ה אָֽרְב֡וּ לְנַפְשִׁ֗י
יָג֣וּרוּ עָלַ֣י עַזִּ֑ים לֹֽא־פִשְׁעִ֖י וְֽלֹא־חַטָּאתִ֣י יְהוָֽה׃
ה בְּֽלִי־עָ֭וֺן יְרוּצ֣וּן וְיִכּוֹנָ֑נוּ ע֖וּרָה לִקְרָאתִ֣י וּרְאֵֽה׃
ו וְאַתָּ֤ה יְהוָֽה־אֱלֹהִ֣ים ׀ צְבָאוֹת֮ אֱלֹהֵ֪י יִשְׂרָ֫אֵ֥ל

הָקִיצָה לִפְקֹד כָּל־הַגּוֹיִם אַל־תָּחֹן כָּל־בֹּגְדֵי אָוֶן סֶלָה׃
יָשׁוּבוּ לָעֶרֶב יֶהֱמוּ כַכָּלֶב וִיסוֹבְבוּ עִיר׃ ז
הִנֵּה ׀ יַבִּיעוּן בְּפִיהֶם חֲרָבוֹת בְּשִׂפְתוֹתֵיהֶם ח
כִּי־מִי שֹׁמֵעַ׃ וְאַתָּה יְהוָה תִּשְׂחַק־לָמוֹ ט
תִּלְעַג לְכָל־גּוֹיִם׃ עֻזּוֹ אֵלֶיךָ אֶשְׁמֹרָה י
כִּי־אֱלֹהִים מִשְׂגַּבִּי׃ אֱלֹהֵי חסדו חַסְדִּי יְקַדְּמֵנִי יא
אֱלֹהִים יַרְאֵנִי בְשֹׁרְרָי׃ אַל־תַּהַרְגֵם ׀ פֶּן־יִשְׁכְּחוּ עַמִּי יב
הֲנִיעֵמוֹ בְחֵילְךָ וְהוֹרִידֵמוֹ מָגִנֵּנוּ אֲדֹנָי׃
חַטַּאת־פִּימוֹ דְּבַר־שְׂפָתֵימוֹ וְיִלָּכְדוּ בִגְאוֹנָם יג
וּמֵאָלָה וּמִכַּחַשׁ יְסַפֵּרוּ׃ כַּלֵּה בְחֵמָה כַּלֵּה וְאֵינֵמוֹ יד
וְיֵדְעוּ כִּי־אֱלֹהִים מֹשֵׁל בְּיַעֲקֹב לְאַפְסֵי הָאָרֶץ סֶלָה׃
וְיָשֻׁבוּ לָעֶרֶב יֶהֱמוּ כַכָּלֶב וִיסוֹבְבוּ עִיר׃ טו
הֵמָּה ינועון יְנִיעוּן לֶאֱכֹל אִם־לֹא יִשְׂבְּעוּ וַיָּלִינוּ׃ טז
וַאֲנִי ׀ אָשִׁיר עֻזֶּךָ וַאֲרַנֵּן לַבֹּקֶר חַסְדֶּךָ יז
כִּי־הָיִיתָ מִשְׂגָּב לִי וּמָנוֹס בְּיוֹם צַר־לִי׃
עֻזִּי אֵלֶיךָ אֲזַמֵּרָה כִּי־אֱלֹהִים מִשְׂגַּבִּי אֱלֹהֵי חַסְדִּי׃ יח

[2900'] קְרִיאָה לִישׁוּעָה בְּעֵת מִלְחָמָה׃

לַמְנַצֵּחַ עַל־שׁוּשַׁן עֵדוּת מִכְתָּם לְדָוִד לְלַמֵּד׃ א ס
בְּהַצּוֹתוֹ ׀ אֶת אֲרַם נַהֲרַיִם וְאֶת־אֲרַם צוֹבָה ב
וַיָּשָׁב יוֹאָב וַיַּךְ אֶת־אֱדוֹם בְּגֵיא־מֶלַח שְׁנֵים עָשָׂר אָלֶף׃
אֱלֹהִים זְנַחְתָּנוּ פְרַצְתָּנוּ אָנַפְתָּ תְּשׁוֹבֵב לָנוּ׃ ג
הִרְעַשְׁתָּה אֶרֶץ פְּצַמְתָּהּ רְפָה שְׁבָרֶיהָ כִי־מָטָה׃ ד
הִרְאִיתָה עַמְּךָ קָשָׁה הִשְׁקִיתָנוּ יַיִן תַּרְעֵלָה׃ ה
נָתַתָּה לִּירֵאֶיךָ נֵּס לְהִתְנוֹסֵס מִפְּנֵי קֹשֶׁט סֶלָה׃ ו
לְמַעַן יֵחָלְצוּן יְדִידֶיךָ הוֹשִׁיעָה יְמִינְךָ ועננו וַעֲנֵנִי׃ ז

ח אֱלֹהִים ׀ דִּבֶּר בְּקׇדְשׁוֹ אֶעְלֹזָה אֲחַלְּקָה שְׁכֶם
ט וְעֵמֶק סֻכּוֹת אֲמַדֵּד׃ לִי גִלְעָד ׀ וְלִי מְנַשֶּׁה
וְאֶפְרַיִם מָעוֹז רֹאשִׁי יְהוּדָה מְחֹקְקִי׃
י מוֹאָב ׀ סִיר רַחְצִי עַל־אֱדוֹם אַשְׁלִיךְ נַעֲלִי
יא עָלַי פְּלֶשֶׁת הִתְרוֹעָעִי׃ מִי יֹבִלֵנִי עִיר מָצוֹר
יב מִי נָחַנִי עַד־אֱדוֹם׃ הֲלֹא־אַתָּה אֱלֹהִים זְנַחְתָּנוּ
יג וְלֹא־תֵצֵא אֱלֹהִים בְּצִבְאוֹתֵינוּ׃ הָבָה־לָּנוּ עֶזְרָת מִצָּר
יד וְשָׁוְא תְּשׁוּעַת אָדָם׃ בֵּאלֹהִים נַעֲשֶׂה־חָיִל
וְהוּא יָבוּס צָרֵינוּ׃

סא א לַמְנַצֵּחַ ׀ עַל־נְגִינַת לְדָוִד׃

תְּפִלָּה לְהַצְלָחָה בַּמִּלְחָמָה, וּלְהַאֲרִיךְ יָמִים:

ב שִׁמְעָה אֱלֹהִים רִנָּתִי הַקְשִׁיבָה תְּפִלָּתִי׃
ג מִקְצֵה הָאָרֶץ ׀ אֵלֶיךָ אֶקְרָא בַּעֲטֹף לִבִּי
ד בְּצוּר־יָרוּם מִמֶּנִּי תַנְחֵנִי׃ כִּי־הָיִיתָ מַחְסֶה לִי
ה מִגְדַּל־עֹז מִפְּנֵי אוֹיֵב׃ אָגוּרָה בְאׇהָלְךָ עוֹלָמִים
ו אֶחֱסֶה בְסֵתֶר כְּנָפֶיךָ סֶּלָה׃ כִּי־אַתָּה אֱלֹהִים שָׁמַעְתָּ לִנְדָרָי
ז נָתַתָּ יְרֻשַּׁת יִרְאֵי שְׁמֶךָ׃ יָמִים עַל־יְמֵי־מֶלֶךְ תּוֹסִיף
ח שְׁנוֹתָיו כְּמוֹ־דֹר וָדֹר׃ יֵשֵׁב עוֹלָם לִפְנֵי אֱלֹהִים
ט חֶסֶד וֶאֱמֶת מַן יִנְצְרֻהוּ׃ כֵּן אֲזַמְּרָה שִׁמְךָ לָעַד
לְשַׁלְּמִי נְדָרַי יוֹם ׀ יוֹם׃

סב א לַמְנַצֵּחַ עַל־יְדוּתוּן מִזְמוֹר לְדָוִד׃

קְרִיאָה לִבְטֹחַ בַּה׳ לְבַדּוֹ וְלֹא בָּאָדָם:

ב אַךְ אֶל־אֱלֹהִים דּוּמִיָּה נַפְשִׁי מִמֶּנּוּ יְשׁוּעָתִי׃
ג אַךְ־הוּא צוּרִי וִישׁוּעָתִי מִשְׂגַּבִּי לֹא־אֶמּוֹט רַבָּה׃
ד עַד־אָנָה ׀ תְּהוֹתְתוּ עַל־אִישׁ תְּרָצְּחוּ כֻלְּכֶם

כְּקִיר נָטוּי גָּדֵר הַדְּחוּיָה׃ אַךְ מִשְּׂאֵתוֹ ׀ יָעֲצוּ לְהַדִּיחַ ה
יִרְצוּ כָזָב בְּפִיו יְבָרֵכוּ וּבְקִרְבָּם יְקַלְלוּ־סֶלָה׃
אַךְ לֵאלֹהִים דּוֹמִּי נַפְשִׁי כִּי־מִמֶּנּוּ תִּקְוָתִי׃ ו
אַךְ־הוּא צוּרִי וִישׁוּעָתִי מִשְׂגַּבִּי לֹא אֶמּוֹט׃ ז
עַל־אֱלֹהִים יִשְׁעִי וּכְבוֹדִי צוּר־עֻזִּי מַחְסִי בֵּאלֹהִים׃ ח
בִּטְחוּ בוֹ בְכָל־עֵת ׀ עָם שִׁפְכוּ־לְפָנָיו לְבַבְכֶם ט
אֱלֹהִים מַחֲסֶה־לָּנוּ סֶלָה׃ אַךְ ׀ הֶבֶל בְּנֵי־אָדָם י
כָּזָב בְּנֵי אִישׁ בְּמֹאזְנַיִם לַעֲלוֹת הֵמָּה מֵהֶבֶל יָחַד׃
אַל־תִּבְטְחוּ בְעֹשֶׁק וּבְגָזֵל אַל־תֶּהְבָּלוּ חַיִל ׀ כִּי־יָנוּב יא
אַל־תָּשִׁיתוּ לֵב׃ אַחַת ׀ דִּבֶּר אֱלֹהִים יב
שְׁתַּיִם־זוּ שָׁמָעְתִּי כִּי עֹז לֵאלֹהִים׃
וּלְךָ־אֲדֹנָי חָסֶד כִּי־אַתָּה תְשַׁלֵּם לְאִישׁ כְּמַעֲשֵׂהוּ׃ יג

[2883] עֶרְגָּה לִדְבֵקוּת בֵּאלֹקִים בִּהְיוֹתוֹ בַּגָּלוּת׃

סג
מִזְמוֹר לְדָוִד בִּהְיוֹתוֹ בְּמִדְבַּר יְהוּדָה׃ א
אֱלֹהִים ׀ אֵלִי אַתָּה אֲשַׁחֲרֶךָּ צָמְאָה לְךָ ׀ נַפְשִׁי ב
כָּמַהּ לְךָ בְשָׂרִי בְּאֶרֶץ־צִיָּה וְעָיֵף בְּלִי־מָיִם׃
כֵּן בַּקֹּדֶשׁ חֲזִיתִךָ לִרְאוֹת עֻזְּךָ וּכְבוֹדֶךָ׃ ג
כִּי־טוֹב חַסְדְּךָ מֵחַיִּים שְׂפָתַי יְשַׁבְּחוּנְךָ׃ ד
כֵּן אֲבָרֶכְךָ בְחַיָּי בְּשִׁמְךָ אֶשָּׂא כַפָּי׃ ה
כְּמוֹ חֵלֶב וָדֶשֶׁן תִּשְׂבַּע נַפְשִׁי וְשִׂפְתֵי רְנָנוֹת יְהַלֶּל־פִּי׃ ו
אִם־זְכַרְתִּיךָ עַל־יְצוּעָי בְּאַשְׁמֻרוֹת אֶהְגֶּה־בָּךְ׃ ז
כִּי־הָיִיתָ עֶזְרָתָה לִּי וּבְצֵל כְּנָפֶיךָ אֲרַנֵּן׃ ח
דָּבְקָה נַפְשִׁי אַחֲרֶיךָ בִּי תָּמְכָה יְמִינֶךָ׃ ט
וְהֵמָּה לְשׁוֹאָה יְבַקְשׁוּ נַפְשִׁי יָבֹאוּ בְּתַחְתִּיּוֹת הָאָרֶץ׃ י
יַגִּירֻהוּ עַל־יְדֵי־חָרֶב מְנָת שֻׁעָלִים יִהְיוּ׃ יא

יב וְהַמֶּלֶךְ֮ יִשְׂמַ֪ח בֵּאלֹ֫הִ֥ים יִ֭תְהַלֵּל כׇּל־הַנִּשְׁבָּ֣ע בּ֑וֹ
כִּ֥י יִ֝סָּכֵ֗ר פִּ֣י דֽוֹבְרֵי־שָֽׁקֶר׃

סד א לַמְנַצֵּ֗חַ מִזְמ֥וֹר לְדָוִֽד׃
ב שְׁמַע־אֱלֹהִ֣ים קוֹלִ֣י בְשִׂיחִ֑י מִפַּ֥חַד א֝וֹיֵ֗ב תִּצֹּ֥ר חַיָּֽי׃
ג תַּ֭סְתִּירֵנִי מִסּ֣וֹד מְרֵעִ֑ים מֵ֝רִגְשַׁ֗ת פֹּ֣עֲלֵי אָֽוֶן׃
ד אֲשֶׁ֤ר שָֽׁנְנ֣וּ כַחֶ֣רֶב לְשׁוֹנָ֑ם דָּֽרְכ֥וּ חִ֝צָּ֗ם דָּבָ֥ר מָֽר׃
ה לִירֹ֣ת בַּמִּסְתָּרִ֣ים תָּ֑ם פִּתְאֹ֥ם י֝רֻ֗הוּ וְלֹ֣א יִירָֽאוּ׃
ו יְחַזְּקוּ־לָ֨מוֹ ׀ דָּ֬בָר רָ֗ע יְֽ֭סַפְּרוּ לִטְמ֣וֹן מוֹקְשִׁ֑ים
ז אָ֝מְר֗וּ מִ֣י יִרְאֶה־לָּֽמוֹ׃ יַֽחְפְּשׂוּ־עוֹלֹ֗ת תַּ֭מְנוּ חֵ֣פֶשׂ מְחֻפָּ֑שׂ
ח וְקֶ֥רֶב אִ֝֗ישׁ וְלֵ֣ב עָמֹֽק׃ וַיֹּרֵ֗ם אֱלֹ֫הִ֥ים
ט חֵ֥ץ פִּתְא֑וֹם הָ֝י֗וּ מַכּוֹתָֽם׃ וַיַּכְשִׁיל֣וּהוּ עָלֵ֣ימוֹ לְשׁוֹנָ֑ם
י יִ֝תְנֹדְד֗וּ כׇּל־רֹ֥אֵה בָֽם׃ וַיִּֽירְא֗וּ כׇּל־אָ֫דָ֥ם
וַ֭יַּגִּידוּ פֹּ֣עַל אֱלֹהִ֑ים וּֽמַעֲשֵׂ֥הוּ הִשְׂכִּֽילוּ׃
יא יִשְׂמַ֬ח צַדִּ֣יק בַּ֭יהֹוָה וְחָ֣סָה ב֑וֹ וְ֝יִתְהַלְל֗וּ כׇּל־יִשְׁרֵי־לֵֽב׃

תְּפִלָּה לְהַצָּלַת הַתָּם מֵעֲצַת אוֹיְבוֹ:

סה א לַמְנַצֵּ֗חַ מִזְמ֥וֹר לְדָוִ֣ד שִֽׁיר׃
ב לְךָ֤ דֻמִיָּ֬ה תְהִלָּ֣ה אֱלֹהִ֣ים בְּצִיּ֑וֹן וּ֝לְךָ֗ יְשֻׁלַּם־נֶֽדֶר׃
ג שֹׁמֵ֥עַ תְּפִלָּ֑ה עָ֝דֶ֗יךָ כׇּל־בָּשָׂ֥ר יָבֹֽאוּ׃
ד דִּבְרֵ֣י עֲ֭וֺנֹת גָּ֣בְרוּ מֶ֑נִּי פְּ֝שָׁעֵ֗ינוּ אַתָּ֥ה תְכַפְּרֵֽם׃
ה אַשְׁרֵ֤י ׀ תִּֽבְחַ֣ר וּתְקָרֵב֮ יִשְׁכֹּ֪ן חֲצֵ֫רֶ֥יךָ
נִ֭שְׂבְּעָה בְּט֣וּב בֵּיתֶ֑ךָ קְ֝דֹ֗שׁ הֵיכָלֶֽךָ׃
ו נ֤וֹרָא֨וֹת ׀ בְּצֶ֣דֶק תַּ֭עֲנֵנוּ אֱלֹהֵ֣י יִשְׁעֵ֑נוּ
ז מִבְטָ֥ח כׇּל־קַצְוֵי־אֶ֝֗רֶץ וְיָ֣ם רְחֹקִֽים׃ מֵכִ֣ין הָרִ֣ים בְּכֹח֑וֹ
ח נֶ֝אְזָ֗ר בִּגְבוּרָֽה׃ מַשְׁבִּ֤יחַ ׀ שְׁא֣וֹן יַ֭מִּים שְׁא֣וֹן גַּלֵּיהֶ֑ם

הוֹדָיָה עַל פְּקִידַת הָאָרֶץ בְּמָטָר, כְּשֶׁהָיוּ בְּמָצוֹר:

וַהֲמוֹן לְאֻמִּים: וַיִּירְאוּ ׀ יֹשְׁבֵי קְצָוֺת מֵאוֹתֹתֶיךָ ט

פָּקַדְתָּ הָאָרֶץ וַתְּשֹׁקְקֶהָ מוֹצָאֵי בֹקֶר וָעֶרֶב תַּרְנִין: י

פֶּלֶג אֱלֹהִים מָלֵא מָיִם רַבַּת תַּעְשְׁרֶנָּה

תְּלָמֶיהָ רַוֵּה נַחֵת גְּדוּדֶהָ תָּכִין דְּגָנָם כִּי־כֵן תְּכִינֶהָ: יא

צִמְחָהּ תְּבָרֵךְ: בִּרְבִיבִים תְּמֹגְגֶנָּה

וּמַעְגָּלֶיךָ יִרְעֲפוּן דָּשֶׁן: עִטַּרְתָּ שְׁנַת טוֹבָתֶךָ יב

וְגִיל גְּבָעוֹת תַּחְגֹּרְנָה: יִרְעֲפוּ נְאוֹת מִדְבָּר יג

וַעֲמָקִים יַעַטְפוּ־בָר לָבְשׁוּ כָרִים ׀ הַצֹּאן יד

אַף־יָשִׁירוּ: יִתְרוֹעֲעוּ

לַמְנַצֵּחַ שִׁיר מִזְמוֹר הָרִיעוּ לֵאלֹהִים כָּל־הָאָרֶץ: א

הוֹדָיָה עַל הַגְאֻלָּה הָאַחֲרוֹנָה

זַמְּרוּ כְבוֹד־שְׁמוֹ שִׂימוּ כָבוֹד תְּהִלָּתוֹ: ב

אִמְרוּ לֵאלֹהִים מַה־נּוֹרָא מַעֲשֶׂיךָ ג

בְּרֹב עֻזְּךָ יְכַחֲשׁוּ־לְךָ אֹיְבֶיךָ: כָּל־הָאָרֶץ ׀ יִשְׁתַּחֲווּ לְךָ ד

וִיזַמְּרוּ־לָךְ יְזַמְּרוּ שִׁמְךָ סֶלָה:

לְכוּ וּרְאוּ מִפְעֲלוֹת אֱלֹהִים נוֹרָא עֲלִילָה עַל־בְּנֵי אָדָם: ה

הָפַךְ יָם ׀ לְיַבָּשָׁה בַּנָּהָר יַעַבְרוּ בְרָגֶל שָׁם נִשְׂמְחָה־בּוֹ: ו

מֹשֵׁל בִּגְבוּרָתוֹ ׀ עוֹלָם עֵינָיו בַּגּוֹיִם תִּצְפֶּינָה ז

הַסּוֹרְרִים ׀ אַל־יָרוּמוּ יָרִימוּ לָמוֹ סֶלָה:

בָּרְכוּ עַמִּים ׀ אֱלֹהֵינוּ וְהַשְׁמִיעוּ קוֹל תְּהִלָּתוֹ: ח

הַשָּׂם נַפְשֵׁנוּ בַּחַיִּים וְלֹא־נָתַן לַמּוֹט רַגְלֵנוּ: ט

כִּי־בְחַנְתָּנוּ אֱלֹהִים צְרַפְתָּנוּ כִּצְרָף־כָּסֶף: י

הֲבֵאתָנוּ בַמְּצוּדָה שַׂמְתָּ מוּעָקָה בְמָתְנֵינוּ: יא

הִרְכַּבְתָּ אֱנוֹשׁ לְרֹאשֵׁנוּ בָּאנוּ־בָאֵשׁ וּבַמַּיִם יב

וַתּוֹצִיאֵנוּ לָרְוָיָה: אָבוֹא בֵיתְךָ בְעוֹלוֹת אֲשַׁלֵּם לְךָ נְדָרָי: יג

יד אֲשֶׁר־פָּצוּ שְׂפָתָי וְדִבֶּר־פִּי בַּצַּר־לִי׃
טו עֹלוֹת מֵיחִים אַעֲלֶה־לָּךְ עִם־קְטֹרֶת אֵילִים
טז אֶעֱשֶׂה בָקָר עִם־עַתּוּדִים סֶלָה׃ לְכוּ־שִׁמְעוּ וַאֲסַפְּרָה
כָּל־יִרְאֵי אֱלֹהִים אֲשֶׁר עָשָׂה לְנַפְשִׁי׃
יז אֵלָיו פִּי־קָרָאתִי וְרוֹמַם תַּחַת לְשׁוֹנִי׃
יח אָוֶן אִם־רָאִיתִי בְלִבִּי לֹא יִשְׁמַע ׀ אֲדֹנָי׃
יט אָכֵן שָׁמַע אֱלֹהִים הִקְשִׁיב בְּקוֹל תְּפִלָּתִי׃
כ בָּרוּךְ אֱלֹהִים אֲשֶׁר לֹא־הֵסִיר תְּפִלָּתִי וְחַסְדּוֹ מֵאִתִּי׃

סז א לַמְנַצֵּחַ בִּנְגִינֹת מִזְמוֹר שִׁיר׃

תְּפִלָּה לִגְאֻלָּה וּלְבִרְכַּת הָאָרֶץ׃

ב אֱלֹהִים יְחָנֵּנוּ וִיבָרְכֵנוּ יָאֵר פָּנָיו אִתָּנוּ סֶלָה׃
ג לָדַעַת בָּאָרֶץ דַּרְכֶּךָ בְּכָל־גּוֹיִם יְשׁוּעָתֶךָ׃
ד יוֹדוּךָ עַמִּים ׀ אֱלֹהִים יוֹדוּךָ עַמִּים כֻּלָּם׃
ה יִשְׂמְחוּ וִירַנְּנוּ לְאֻמִּים כִּי־תִשְׁפֹּט עַמִּים מִישֹׁר
ו וּלְאֻמִּים ׀ בָּאָרֶץ תַּנְחֵם סֶלָה׃ יוֹדוּךָ עַמִּים ׀ אֱלֹהִים
ז יוֹדוּךָ עַמִּים כֻּלָּם׃ אֶרֶץ נָתְנָה יְבוּלָהּ
ח יְבָרְכֵנוּ אֱלֹהִים אֱלֹהֵינוּ׃ יְבָרְכֵנוּ אֱלֹהִים
וְיִירְאוּ אוֹתוֹ כָּל־אַפְסֵי־אָרֶץ׃

סח א לַמְנַצֵּחַ לְדָוִד מִזְמוֹר שִׁיר׃

תְּפִלָּה לִישׁוּעָה וּנְקָמָה מֵאוֹיְבֵי יִשְׂרָאֵל׃

ב יָקוּם אֱלֹהִים יָפוּצוּ אוֹיְבָיו וְיָנוּסוּ מְשַׂנְאָיו מִפָּנָיו׃
ג כְּהִנְדֹּף עָשָׁן תִּנְדֹּף כְּהִמֵּס דּוֹנַג מִפְּנֵי־אֵשׁ
ד יֹאבְדוּ רְשָׁעִים מִפְּנֵי אֱלֹהִים׃ וְצַדִּיקִים יִשְׂמְחוּ יַעַלְצוּ
ה לִפְנֵי אֱלֹהִים וְיָשִׂישׂוּ בְשִׂמְחָה׃ שִׁירוּ ׀ לֵאלֹהִים זַמְּרוּ שְׁמוֹ
סֹלּוּ לָרֹכֵב בָּעֲרָבוֹת בְּיָהּ שְׁמוֹ וְעִלְזוּ לְפָנָיו׃

ו אֲבִי יְתוֹמִים וְדַיַּן אַלְמָנוֹת אֱלֹהִים בִּמְעוֹן קָדְשׁוֹ:
ז אֱלֹהִים ׀ מוֹשִׁיב יְחִידִים ׀ בַּיְתָה מוֹצִיא אֲסִירִים בַּכּוֹשָׁרוֹת
ח אַךְ סוֹרְרִים שָׁכְנוּ צְחִיחָה: אֱלֹהִים בְּצֵאתְךָ לִפְנֵי עַמֶּךָ
ט בְּצַעְדְּךָ בִישִׁימוֹן סֶלָה: אֶרֶץ רָעָשָׁה ׀ אַף־שָׁמַיִם נָטְפוּ
מִפְּנֵי אֱלֹהִים זֶה סִינַי מִפְּנֵי אֱלֹהִים אֱלֹהֵי יִשְׂרָאֵל:
י גֶּשֶׁם נְדָבוֹת תָּנִיף אֱלֹהִים נַחֲלָתְךָ וְנִלְאָה
יא אַתָּה כוֹנַנְתָּהּ: חַיָּתְךָ יָשְׁבוּ־בָהּ
יב תָּכִין בְּטוֹבָתְךָ לֶעָנִי אֱלֹהִים: אֲדֹנָי יִתֶּן־אֹמֶר
יג הַמְבַשְּׂרוֹת צָבָא רָב: מַלְכֵי צְבָאוֹת יִדֹּדוּן יִדֹּדוּן
יד וּנְוַת־בַּיִת תְּחַלֵּק שָׁלָל: אִם־תִּשְׁכְּבוּן בֵּין שְׁפַתָּיִם
כַּנְפֵי יוֹנָה נֶחְפָּה בַכֶּסֶף וְאֶבְרוֹתֶיהָ בִּירַקְרַק חָרוּץ:
טו בְּפָרֵשׂ שַׁדַּי מְלָכִים בָּהּ תַּשְׁלֵג בְּצַלְמוֹן:
טז הַר־אֱלֹהִים הַר־בָּשָׁן הַר גַּבְנֻנִּים הַר־בָּשָׁן:
יז לָמָּה ׀ תְּרַצְּדוּן הָרִים גַּבְנֻנִּים הָהָר חָמַד אֱלֹהִים לְשִׁבְתּוֹ
יח אַף־יְהוָה יִשְׁכֹּן לָנֶצַח: רֶכֶב אֱלֹהִים רִבֹּתַיִם אַלְפֵי שִׁנְאָן
יט אֲדֹנָי בָם סִינַי בַּקֹּדֶשׁ: עָלִיתָ לַמָּרוֹם ׀ שָׁבִיתָ שֶּׁבִי
לָקַחְתָּ מַתָּנוֹת בָּאָדָם וְאַף סוֹרְרִים לִשְׁכֹּן ׀ יָהּ אֱלֹהִים:
כ בָּרוּךְ אֲדֹנָי יוֹם ׀ יוֹם יַעֲמָס־לָנוּ הָאֵל יְשׁוּעָתֵנוּ סֶלָה:
כא הָאֵל ׀ לָנוּ אֵל לְמוֹשָׁעוֹת וְלֵיהוִה אֲדֹנָי לַמָּוֶת תּוֹצָאוֹת:
כב אַךְ־אֱלֹהִים יִמְחַץ רֹאשׁ אֹיְבָיו קָדְקֹד שֵׂעָר
כג מִתְהַלֵּךְ בַּאֲשָׁמָיו: אָמַר אֲדֹנָי מִבָּשָׁן אָשִׁיב
כד אָשִׁיב מִמְּצֻלוֹת יָם: לְמַעַן ׀ תִּמְחַץ רַגְלְךָ בְּדָם
כה לְשׁוֹן כְּלָבֶיךָ מֵאֹיְבִים מִנֵּהוּ: רָאוּ הֲלִיכוֹתֶיךָ אֱלֹהִים
כו הֲלִיכוֹת אֵלִי מַלְכִּי בַקֹּדֶשׁ: קִדְּמוּ שָׁרִים אַחַר נֹגְנִים
כז בְּתוֹךְ עֲלָמוֹת תּוֹפֵפוֹת: בְּמַקְהֵלוֹת בָּרְכוּ אֱלֹהִים

כח אֲדֹנָי מִמְּקוֹר יִשְׂרָאֵל: שָׁם בִּנְיָמִן ׀ צָעִיר רֹדֵם
שָׂרֵי יְהוּדָה רִגְמָתָם שָׂרֵי זְבֻלוּן שָׂרֵי נַפְתָּלִי:
כט צִוָּה אֱלֹהֶיךָ עֻזֶּךָ עוּזָּה אֱלֹהִים זוּ פָּעַלְתָּ לָּנוּ:
ל מֵהֵיכָלֶךָ עַל־יְרוּשָׁלָםִ לְךָ יוֹבִילוּ מְלָכִים שָׁי:
לא גְּעַר חַיַּת קָנֶה עֲדַת אַבִּירִים ׀ בְּעֶגְלֵי עַמִּים
מִתְרַפֵּס בְּרַצֵּי־כָסֶף בִּזַּר עַמִּים קְרָבוֹת יֶחְפָּצוּ:
לב יֶאֱתָיוּ חַשְׁמַנִּים מִנִּי מִצְרָיִם כּוּשׁ תָּרִיץ יָדָיו לֵאלֹהִים:
לג מַמְלְכוֹת הָאָרֶץ שִׁירוּ לֵאלֹהִים זַמְּרוּ אֲדֹנָי סֶלָה:
לד לָרֹכֵב בִּשְׁמֵי שְׁמֵי־קֶדֶם הֵן יִתֵּן בְּקוֹלוֹ קוֹל עֹז:
לה תְּנוּ עֹז לֵאלֹהִים עַל־יִשְׂרָאֵל גַּאֲוָתוֹ וְעֻזּוֹ בַּשְּׁחָקִים:
לו נוֹרָא אֱלֹהִים ׀ מִמִּקְדָּשֶׁיךָ אֵל יִשְׂרָאֵל
הוּא נֹתֵן ׀ עֹז וְתַעֲצֻמוֹת לָעָם בָּרוּךְ אֱלֹהִים:

סט א לַמְנַצֵּחַ ׀ עַל־שׁוֹשַׁנִּים לְדָוִד:

תְּפִלָּה לְהַצָּלָה מִצָּרָה אוֹפֶפֶת וּקְרוֹבָה:

ב הוֹשִׁיעֵנִי אֱלֹהִים כִּי בָאוּ מַיִם עַד־נָפֶשׁ:
ג טָבַעְתִּי ׀ בִּיוֵן מְצוּלָה וְאֵין מָעֳמָד בָּאתִי בְמַעֲמַקֵּי־מַיִם
ד וְשִׁבֹּלֶת שְׁטָפָתְנִי: יָגַעְתִּי בְקָרְאִי נִחַר גְּרוֹנִי
ה כָּלוּ עֵינַי מְיַחֵל לֵאלֹהָי: רַבּוּ ׀ מִשַּׂעֲרוֹת רֹאשִׁי
שֹׂנְאַי חִנָּם עָצְמוּ מַצְמִיתַי אֹיְבַי שֶׁקֶר
ו אֲשֶׁר לֹא־גָזַלְתִּי אָז אָשִׁיב: אֱלֹהִים אַתָּה יָדַעְתָּ לְאִוַּלְתִּי
ז וְאַשְׁמוֹתַי מִמְּךָ לֹא־נִכְחָדוּ: אַל־יֵבֹשׁוּ בִי ׀ קֹוֶיךָ
אֲדֹנָי יֱהוִה צְבָאוֹת אַל־יִכָּלְמוּ בִי מְבַקְשֶׁיךָ
ח אֱלֹהֵי יִשְׂרָאֵל: כִּי־עָלֶיךָ נָשָׂאתִי חֶרְפָּה
ט כִּסְּתָה כְלִמָּה פָנָי: מוּזָר הָיִיתִי לְאֶחָי וְנָכְרִי לִבְנֵי אִמִּי:
י כִּי־קִנְאַת בֵּיתְךָ אֲכָלָתְנִי וְחֶרְפּוֹת חוֹרְפֶיךָ נָפְלוּ עָלָי:

יא וָאֶבְכֶּה בַצּוֹם נַפְשִׁי וַתְּהִי לַחֲרָפוֹת לִי׃
יב וָאֶתְּנָה לְבוּשִׁי שָׂק וָאֱהִי לָהֶם לְמָשָׁל׃
יג יָשִׂיחוּ בִי יֹשְׁבֵי שָׁעַר וּנְגִינוֹת שׁוֹתֵי שֵׁכָר׃
יד וַאֲנִי תְפִלָּתִי־לְךָ ׀ יְהוָה עֵת רָצוֹן אֱלֹהִים בְּרָב־חַסְדֶּךָ
עֲנֵנִי בֶּאֱמֶת יִשְׁעֶךָ׃
טו הַצִּילֵנִי מִטִּיט וְאַל־אֶטְבָּעָה אִנָּצְלָה מִשֹּׂנְאַי וּמִמַּעֲמַקֵּי מָיִם׃
טז אַל־תִּשְׁטְפֵנִי ׀ שִׁבֹּלֶת מַיִם וְאַל־תִּבְלָעֵנִי מְצוּלָה
וְאַל־תֶּאְטַר־עָלַי בְּאֵר פִּיהָ׃
יז עֲנֵנִי יְהוָה כִּי־טוֹב חַסְדֶּךָ כְּרֹב רַחֲמֶיךָ פְּנֵה אֵלָי׃
יח וְאַל־תַּסְתֵּר פָּנֶיךָ מֵעַבְדֶּךָ כִּי־צַר־לִי מַהֵר עֲנֵנִי׃
יט קָרְבָה אֶל־נַפְשִׁי גְאָלָהּ לְמַעַן אֹיְבַי פְּדֵנִי׃
כ אַתָּה יָדַעְתָּ חֶרְפָּתִי וּבָשְׁתִּי וּכְלִמָּתִי נֶגְדְּךָ כָּל־צוֹרְרָי׃
כא חֶרְפָּה ׀ שָׁבְרָה לִבִּי וָאָנוּשָׁה וָאֲקַוֶּה לָנוּד וָאַיִן
וְלַמְנַחֲמִים וְלֹא מָצָאתִי׃
כב וַיִּתְּנוּ בְּבָרוּתִי רֹאשׁ וְלִצְמָאִי יַשְׁקוּנִי חֹמֶץ׃
כג יְהִי־שֻׁלְחָנָם לִפְנֵיהֶם לְפָח וְלִשְׁלוֹמִים לְמוֹקֵשׁ׃
כד תֶּחְשַׁכְנָה עֵינֵיהֶם מֵרְאוֹת וּמָתְנֵיהֶם תָּמִיד הַמְעַד׃
כה שְׁפָךְ־עֲלֵיהֶם זַעְמֶךָ וַחֲרוֹן אַפְּךָ יַשִּׂיגֵם׃
כו תְּהִי־טִירָתָם נְשַׁמָּה בְּאָהֳלֵיהֶם אַל־יְהִי יֹשֵׁב׃
כז כִּי־אַתָּה אֲשֶׁר־הִכִּיתָ רָדָפוּ וְאֶל־מַכְאוֹב חֲלָלֶיךָ יְסַפֵּרוּ׃
כח תְּנָה־עָוֹן עַל־עֲוֺנָם וְאַל־יָבֹאוּ בְּצִדְקָתֶךָ׃
כט יִמָּחוּ מִסֵּפֶר חַיִּים וְעִם צַדִּיקִים אַל־יִכָּתֵבוּ׃
ל וַאֲנִי עָנִי וְכוֹאֵב יְשׁוּעָתְךָ אֱלֹהִים תְּשַׂגְּבֵנִי׃
לא אֲהַלְלָה שֵׁם־אֱלֹהִים בְּשִׁיר וַאֲגַדְּלֶנּוּ בְתוֹדָה׃
לב וְתִיטַב לַיהוָה מִשּׁוֹר פָּר מַקְרִן מַפְרִיס׃
לג רָאוּ עֲנָוִים יִשְׂמָחוּ דֹּרְשֵׁי אֱלֹהִים וִיחִי לְבַבְכֶם׃

לד כִּי־שֹׁמֵעַ אֶל־אֶבְיוֹנִים יְהֹוָה וְאֶת־אֲסִירָיו לֹא בָזָה:
לה יְהַלְלוּהוּ שָׁמַיִם וָאָרֶץ יַמִּים וְכׇל־רֹמֵשׂ בָּם:
לו כִּי אֱלֹהִים ׀ יוֹשִׁיעַ צִיּוֹן וְיִבְנֶה עָרֵי יְהוּדָה
לז וְיָשְׁבוּ שָׁם וִירֵשׁוּהָ: וְזֶרַע עֲבָדָיו יִנְחָלוּהָ
וְאֹהֲבֵי שְׁמוֹ יִשְׁכְּנוּ־בָהּ:

ע א לַמְנַצֵּחַ לְדָוִד לְהַזְכִּיר: ב אֱלֹהִים לְהַצִּילֵנִי
ג יְהֹוָה לְעֶזְרָתִי חוּשָׁה: יֵבֹשׁוּ וְיַחְפְּרוּ מְבַקְשֵׁי נַפְשִׁי
יִסֹּגוּ אָחוֹר וְיִכָּלְמוּ חֲפֵצֵי רָעָתִי:
ד יָשׁוּבוּ עַל־עֵקֶב בׇּשְׁתָּם הָאֹמְרִים הֶאָח ׀ הֶאָח:
ה יָשִׂישׂוּ וְיִשְׂמְחוּ ׀ בְּךָ כׇּל־מְבַקְשֶׁיךָ וְיֹאמְרוּ תָמִיד
יִגְדַּל אֱלֹהִים אֹהֲבֵי יְשׁוּעָתֶךָ:
ו וַאֲנִי ׀ עָנִי וְאֶבְיוֹן אֱלֹהִים חוּשָׁה־לִּי עֶזְרִי וּמְפַלְטִי אַתָּה
יְהֹוָה אַל־תְּאַחַר:

תְּפִלָּה לְהָחִישׁ הַהַצָּלָה מֵהָאוֹיֵב:

עא א בְּךָ־יְהֹוָה חָסִיתִי אַל־אֵבוֹשָׁה לְעוֹלָם:
ב בְּצִדְקָתְךָ תַּצִּילֵנִי וּתְפַלְּטֵנִי הַטֵּה־אֵלַי אׇזְנְךָ וְהוֹשִׁיעֵנִי:
ג הֱיֵה לִי ׀ לְצוּר מָעוֹן לָבוֹא תָּמִיד צִוִּיתָ לְהוֹשִׁיעֵנִי
ד כִּי־סַלְעִי וּמְצוּדָתִי אָתָּה: אֱלֹהַי פַּלְּטֵנִי מִיַּד רָשָׁע
ה מִכַּף מְעַוֵּל וְחוֹמֵץ: כִּי־אַתָּה תִקְוָתִי
ו אֲדֹנָי יֱהֹוִה מִבְטַחִי מִנְּעוּרָי: עָלֶיךָ ׀ נִסְמַכְתִּי מִבֶּטֶן
מִמְּעֵי אִמִּי אַתָּה גוֹזִי בְּךָ תְהִלָּתִי תָמִיד:
ז כְּמוֹפֵת הָיִיתִי לְרַבִּים וְאַתָּה מַחֲסִי־עֹז:
ח יִמָּלֵא פִי תְּהִלָּתֶךָ כׇּל־הַיּוֹם תִּפְאַרְתֶּךָ:
ט אַל־תַּשְׁלִיכֵנִי לְעֵת זִקְנָה כִּכְלוֹת כֹּחִי אַל־תַּעַזְבֵנִי:

בַּקָּשָׁה לְהַצָּלָה בִּימֵי הַזִּקְנָה, כְּרֹב הַצָּלָתוֹ מִנְּעוּרָיו:

כִּֽי־אָמְרוּ אוֹיְבַי לִי | וְשֹׁמְרֵי נַפְשִׁי נוֹעֲצוּ יַחְדָּו׃ י
לֵאמֹר אֱלֹהִים עֲזָבוֹ | רִדְפוּ וְתִפְשׂוּהוּ כִּי־אֵין מַצִּיל׃ יא
אֱלֹהִים אַל־תִּרְחַק מִמֶּנִּי | אֱלֹהַי לְעֶזְרָתִי חישה חוּשָׁה׃ יב
יֵבֹשׁוּ יִכְלוּ שֹׂטְנֵי נַפְשִׁי | יַעֲטוּ חֶרְפָּה וּכְלִמָּה יג
מְבַקְשֵׁי רָעָתִי׃ | וַאֲנִי תָּמִיד אֲיַחֵל וְהוֹסַפְתִּי יד
עַל־כָּל־תְּהִלָּתֶךָ׃ | פִּי ׀ יְסַפֵּר צִדְקָתֶךָ כָּל־הַיּוֹם תְּשׁוּעָתֶךָ טו
כִּי לֹא יָדַעְתִּי סְפֹרוֹת׃ | אָבוֹא בִּגְבֻרוֹת אֲדֹנָי יְהוִה טז
אַזְכִּיר צִדְקָתְךָ לְבַדֶּךָ׃ | אֱלֹהִים לִמַּדְתַּנִי מִנְּעוּרָי יז
וְעַד־הֵנָּה אַגִּיד נִפְלְאוֹתֶיךָ׃ | וְגַם עַד־זִקְנָה ׀ וְשֵׂיבָה יח
אֱלֹהִים אַל־תַּעַזְבֵנִי | עַד־אַגִּיד זְרוֹעֲךָ לְדוֹר
לְכָל־יָבוֹא גְּבוּרָתֶךָ׃ | וְצִדְקָתְךָ אֱלֹהִים עַד־מָרוֹם יט
אֲשֶׁר־עָשִׂיתָ גְדֹלוֹת | אֱלֹהִים מִי כָמוֹךָ׃
אֲשֶׁר הראיתנו הִרְאִיתַנִי ׀ | צָרוֹת רַבּוֹת וְרָעוֹת כ
תָּשׁוּב תחינו תְּחַיֵּנִי | וּמִתְּהֹמוֹת הָאָרֶץ תָּשׁוּב תַּעֲלֵנִי׃
תֶּרֶב ׀ גְּדֻלָּתִי | וְתִסֹּב תְּנַחֲמֵנִי׃ כא
גַּם־אֲנִי ׀ אוֹדְךָ בִכְלִי־נֶבֶל | אֲמִתְּךָ אֱלֹהָי כב
אֲזַמְּרָה לְךָ בְכִנּוֹר | קְדוֹשׁ יִשְׂרָאֵל׃
תְּרַנֵּנָּה שְׂפָתַי כִּי אֲזַמְּרָה־לָּךְ | וְנַפְשִׁי אֲשֶׁר פָּדִיתָ׃ כג
גַּם־לְשׁוֹנִי | כָּל־הַיּוֹם תֶּהְגֶּה צִדְקָתֶךָ כד
כִּי־בֹשׁוּ כִי־חָפְרוּ | מְבַקְשֵׁי רָעָתִי׃

תְּפִלַּת דָּוִד הַמֶּלֶךְ ע"ה לְהַצְלָחַת מַלְכוּת שְׁלֹמֹה וּבֵית דָּוִד:

עב
לִשְׁלֹמֹה ׀ | אֱלֹהִים מִשְׁפָּטֶיךָ לְמֶלֶךְ תֵּן א
וְצִדְקָתְךָ לְבֶן־מֶלֶךְ׃ | יָדִין עַמְּךָ בְצֶדֶק וַעֲנִיֶּיךָ בְמִשְׁפָּט׃ ב
יִשְׂאוּ הָרִים שָׁלוֹם לָעָם | וּגְבָעוֹת בִּצְדָקָה׃ ג
יִשְׁפֹּט ׀ עֲנִיֵּי־עָם יוֹשִׁיעַ לִבְנֵי אֶבְיוֹן | וִידַכֵּא עוֹשֵׁק׃ ד

ה יִירָאוּךָ עִם־שָׁמֶשׁ   וְלִפְנֵי יָרֵחַ דּוֹר דּוֹרִים:
ו יֵרֵד כְּמָטָר עַל־גֵּז   כִּרְבִיבִים זַרְזִיף אָרֶץ:
ז יִפְרַח־בְּיָמָיו צַדִּיק   וְרֹב שָׁלוֹם עַד־בְּלִי יָרֵחַ:
ח וְיֵרְדְּ מִיָּם עַד־יָם   וּמִנָּהָר עַד־אַפְסֵי־אָרֶץ:
ט לְפָנָיו יִכְרְעוּ צִיִּים   וְאֹיְבָיו עָפָר יְלַחֵכוּ:
י מַלְכֵי תַרְשִׁישׁ וְאִיִּים   מִנְחָה יָשִׁיבוּ
מַלְכֵי שְׁבָא וּסְבָא   אֶשְׁכָּר יַקְרִיבוּ:
יא וְיִשְׁתַּחֲווּ־לוֹ כָל־מְלָכִים   כָּל־גּוֹיִם יַעַבְדוּהוּ:
יב כִּי־יַצִּיל אֶבְיוֹן מְשַׁוֵּעַ   וְעָנִי וְאֵין־עֹזֵר לוֹ:
יג יָחֹס עַל־דַּל וְאֶבְיוֹן   וְנַפְשׁוֹת אֶבְיוֹנִים יוֹשִׁיעַ:
יד מִתּוֹךְ וּמֵחָמָס יִגְאַל נַפְשָׁם   וְיֵיקַר דָּמָם בְּעֵינָיו:
טו וִיחִי וְיִתֶּן־לוֹ מִזְּהַב שְׁבָא   וְיִתְפַּלֵּל בַּעֲדוֹ תָמִיד
טז כָּל־הַיּוֹם יְבָרֲכֶנְהוּ:   יְהִי פִסַּת־בַּר | בָּאָרֶץ בְּרֹאשׁ הָרִים
יִרְעַשׁ כַּלְּבָנוֹן פִּרְיוֹ   וְיָצִיצוּ מֵעִיר כְּעֵשֶׂב הָאָרֶץ:
יז יְהִי שְׁמוֹ | לְעוֹלָם   לִפְנֵי־שֶׁמֶשׁ ינין יִנּוֹן שְׁמוֹ
יח וְיִתְבָּרְכוּ בוֹ כָּל־גּוֹיִם יְאַשְּׁרוּהוּ:   בָּרוּךְ | יְהוָה אֱלֹהִים
אֱלֹהֵי יִשְׂרָאֵל   עֹשֵׂה נִפְלָאוֹת לְבַדּוֹ:
יט וּבָרוּךְ | שֵׁם כְּבוֹדוֹ לְעוֹלָם   וְיִמָּלֵא כְבוֹדוֹ
אֶת־כֹּל הָאָרֶץ   אָמֵן | וְאָמֵן:
כ כָּלּוּ תְפִלּוֹת דָּוִד בֶּן־יִשָׁי:

———

———

ספר שלישי

בַּקָּשָׁה לְחִזּוּק הָאֱמוּנָה בִּרְאוֹת הַצְלָחַת הָרְשָׁעִים:

עג א מִזְמוֹר לְאָסָף
אַךְ טוֹב לְיִשְׂרָאֵל אֱלֹהִים   לְבָרֵי לֵבָב:
ב וַאֲנִי כִּמְעַט נטוי נָטָיוּ רַגְלָי   כְּאַיִן שפכה שֻׁפְּכוּ אֲשֻׁרָי:

כִּֽי־קִנֵּאתִי בַּהוֹלְלִים שְׁלוֹם רְשָׁעִים אֶרְאֶה׃ ג
כִּי אֵין חַרְצֻבּוֹת לְמוֹתָם וּבָרִיא אוּלָם׃ ד
בַּעֲמַל אֱנוֹשׁ אֵינֵמוֹ וְעִם־אָדָם לֹא יְנֻגָּעוּ׃ ה
לָכֵן עֲנָקַתְמוֹ גַאֲוָה יַעֲטָף־שִׁית חָמָס לָמוֹ׃ ו
יָצָא מֵחֵלֶב עֵינֵמוֹ עָבְרוּ מַשְׂכִּיּוֹת לֵבָב׃ ז
יָמִיקוּ ׀ וִידַבְּרוּ בְרָע עֹשֶׁק מִמָּרוֹם יְדַבֵּרוּ׃ ח
שַׁתּוּ בַשָּׁמַיִם פִּיהֶם וּלְשׁוֹנָם תִּהֲלַךְ בָּאָרֶץ׃ ט
לָכֵן ׀ ישיב יָשׁוּב עַמּוֹ הֲלֹם וּמֵי מָלֵא יִמָּצוּ לָמוֹ׃ י
וְאָמְרוּ אֵיכָה יָדַע־אֵל וְיֵשׁ דֵּעָה בְעֶלְיוֹן׃ יא
הִנֵּה־אֵלֶּה רְשָׁעִים וְשַׁלְוֵי עוֹלָם הִשְׂגּוּ־חָיִל׃ יב
אַךְ־רִיק זִכִּיתִי לְבָבִי וָאֶרְחַץ בְּנִקָּיוֹן כַּפָּי׃ יג
וָאֱהִי נָגוּעַ כָּל־הַיּוֹם וְתוֹכַחְתִּי לַבְּקָרִים׃ יד
אִם־אָמַרְתִּי אֲסַפְּרָה כְמוֹ הִנֵּה דוֹר בָּנֶיךָ בָגָדְתִּי׃ טו
וָאֲחַשְּׁבָה לָדַעַת זֹאת עָמָל היא הוּא בְעֵינָי׃ טז
עַד־אָבוֹא אֶל־מִקְדְּשֵׁי־אֵל אָבִינָה לְאַחֲרִיתָם׃ יז
אַךְ בַּחֲלָקוֹת תָּשִׁית לָמוֹ הִפַּלְתָּם לְמַשּׁוּאוֹת׃ יח
אֵיךְ הָיוּ לְשַׁמָּה כְרָגַע סָפוּ תַמּוּ מִן־בַּלָּהוֹת׃ יט
כַּחֲלוֹם מֵהָקִיץ אֲדֹנָי בָּעִיר ׀ צַלְמָם תִּבְזֶה׃ כ
כִּי יִתְחַמֵּץ לְבָבִי וְכִלְיוֹתַי אֶשְׁתּוֹנָן׃ כא
וַאֲנִי־בַעַר וְלֹא אֵדָע בְּהֵמוֹת הָיִיתִי עִמָּךְ׃ כב
וַאֲנִי תָמִיד עִמָּךְ אָחַזְתָּ בְּיַד־יְמִינִי׃ כג
בַּעֲצָתְךָ תַנְחֵנִי וְאַחַר כָּבוֹד תִּקָּחֵנִי׃ כד
מִי־לִי בַשָּׁמָיִם וְעִמְּךָ לֹא־חָפַצְתִּי בָאָרֶץ׃ כה
כָּלָה שְׁאֵרִי וּלְבָבִי צוּר־לְבָבִי וְחֶלְקִי אֱלֹהִים לְעוֹלָם׃ כו
כִּי־הִנֵּה רְחֵקֶיךָ יֹאבֵדוּ הִצְמַתָּה כָּל־זוֹנֶה מִמֶּךָּ׃ כז

כח וַאֲנִי ׀ קִרֲבַת אֱלֹהִים לִי טוֹב שַׁתִּי ׀ בַּאדֹנָי יֱהוִה מַחְסִי
לְסַפֵּר כָּל־מַלְאֲכוֹתֶיךָ׃

עד א מַשְׂכִּיל לְאָסָף
לָמָה אֱלֹהִים זָנַחְתָּ לָנֶצַח יֶעְשַׁן אַפְּךָ בְּצֹאן מַרְעִיתֶךָ׃
ב זְכֹר עֲדָתְךָ ׀ קָּנִיתָ קֶּדֶם גָּאַלְתָּ שֵׁבֶט נַחֲלָתֶךָ
ג הַר־צִיּוֹן זֶה ׀ שָׁכַנְתָּ בּוֹ׃ הָרִימָה פְעָמֶיךָ לְמַשֻּׁאוֹת נֶצַח
ד כָּל־הֵרַע אוֹיֵב בַּקֹּדֶשׁ׃ שָׁאֲגוּ צֹרְרֶיךָ בְּקֶרֶב מוֹעֲדֶךָ
ה שָׂמוּ אוֹתֹתָם אֹתוֹת׃ יִוָּדַע כְּמֵבִיא לְמָעְלָה
ו בִּסְבָךְ־עֵץ קַרְדֻּמּוֹת׃ ועת וְעַתָּה פִּתּוּחֶיהָ יָּחַד
ז בְּכַשִּׁיל וְכֵילַפֹּת יַהֲלֹמוּן׃ שִׁלְחוּ בָאֵשׁ מִקְדָּשֶׁךָ
ח לָאָרֶץ חִלְּלוּ מִשְׁכַּן־שְׁמֶךָ׃ אָמְרוּ בְלִבָּם נִינָם יָחַד
ט שָׂרְפוּ כָל־מוֹעֲדֵי־אֵל בָּאָרֶץ׃ אוֹתֹתֵינוּ לֹא רָאִינוּ
אֵין־עוֹד נָבִיא וְלֹא־אִתָּנוּ יֹדֵעַ עַד־מָה׃
י עַד־מָתַי אֱלֹהִים יְחָרֶף צָר יְנָאֵץ אוֹיֵב שִׁמְךָ לָנֶצַח׃
יא לָמָּה תָשִׁיב יָדְךָ וִימִינֶךָ מִקֶּרֶב חוקך חֵיקְךָ כַלֵּה׃
יב וֵאלֹהִים מַלְכִּי מִקֶּדֶם פֹּעֵל יְשׁוּעוֹת בְּקֶרֶב הָאָרֶץ׃
יג אַתָּה פוֹרַרְתָּ בְעָזְּךָ יָם שִׁבַּרְתָּ רָאשֵׁי תַנִּינִים
יד עַל־הַמָּיִם׃ אַתָּה רִצַּצְתָּ רָאשֵׁי לִוְיָתָן
טו תִּתְּנֶנּוּ מַאֲכָל לְעָם לְצִיִּים׃ אַתָּה בָקַעְתָּ מַעְיָן וָנָחַל
טז אַתָּה הוֹבַשְׁתָּ נַהֲרוֹת אֵיתָן׃ לְךָ יוֹם אַף־לְךָ לָיְלָה
יז אַתָּה הֲכִינוֹתָ מָאוֹר וָשָׁמֶשׁ׃ אַתָּה הִצַּבְתָּ כָּל־גְּבוּלוֹת אָרֶץ
יח קַיִץ וָחֹרֶף אַתָּה יְצַרְתָּם׃ זְכָר־זֹאת אוֹיֵב חֵרֵף ׀ יְהוָה
יט וְעַם נָבָל נִאֲצוּ שְׁמֶךָ׃ אַל־תִּתֵּן לְחַיַּת נֶפֶשׁ תּוֹרֶךָ
כ חַיַּת עֲנִיֶּיךָ אַל־תִּשְׁכַּח לָנֶצַח׃ הַבֵּט לַבְּרִית

תְּפִלָּה לַה׳ לִנְקֹם עַל שְׁמוֹ הַמְחֻלָּל בַּגָּלוּת׃

כִּי מָלְאוּ מַחֲשַׁכֵּי־אֶרֶץ נְאוֹת חָמָס׃ אַל־יָשֹׁב דַּךְ נִכְלָם כא
עָנִי וְאֶבְיוֹן יְהַלְלוּ שְׁמֶךָ׃ קוּמָה אֱלֹהִים רִיבָה רִיבֶךָ כב
זְכֹר חֶרְפָּתְךָ מִנִּי־נָבָל כָּל־הַיּוֹם׃
אַל־תִּשְׁכַּח קוֹל צֹרְרֶיךָ שְׁאוֹן קָמֶיךָ עֹלֶה תָמִיד׃ כג

תְּפִלָּה לְהַצָּלַת הָעָם בְּסוֹף הַגָּלוּת׃

לַמְנַצֵּחַ אַל־תַּשְׁחֵת מִזְמוֹר לְאָסָף שִׁיר׃ א **עה**
הוֹדִינוּ לְּךָ ׀ אֱלֹהִים הוֹדִינוּ וְקָרוֹב שְׁמֶךָ ב
סִפְּרוּ נִפְלְאוֹתֶיךָ׃ כִּי אֶקַּח מוֹעֵד אֲנִי מֵישָׁרִים אֶשְׁפֹּט׃ ג
נְמֹגִים אֶרֶץ וְכָל־יֹשְׁבֶיהָ אָנֹכִי תִכַּנְתִּי עַמּוּדֶיהָ סֶּלָה׃ ד
אָמַרְתִּי לַהוֹלְלִים אַל־תָּהֹלּוּ וְלָרְשָׁעִים אַל־תָּרִימוּ קָרֶן׃ ה
אַל־תָּרִימוּ לַמָּרוֹם קַרְנְכֶם תְּדַבְּרוּ בְצַוָּאר עָתָק׃ ו
כִּי לֹא מִמּוֹצָא וּמִמַּעֲרָב וְלֹא מִמִּדְבַּר הָרִים׃ ז
כִּי־אֱלֹהִים שֹׁפֵט זֶה יַשְׁפִּיל וְזֶה יָרִים׃ ח
כִּי כוֹס בְּיַד־יְהוָה וְיַיִן חָמַר ׀ מָלֵא מֶסֶךְ וַיַּגֵּר מִזֶּה ט
אַךְ־שְׁמָרֶיהָ יִמְצוּ יִשְׁתּוּ כֹּל רִשְׁעֵי־אָרֶץ׃
וַאֲנִי אַגִּיד לְעֹלָם אֲזַמְּרָה לֵאלֹהֵי יַעֲקֹב׃ י
וְכָל־קַרְנֵי רְשָׁעִים אֲגַדֵּעַ תְּרוֹמַמְנָה קַרְנוֹת צַדִּיק׃ יא

פִּרְסוּם ה' בִּתְשׁוּעַת אַחֲרִית הַיָּמִים, וְהוֹדָיָה׃

לַמְנַצֵּחַ בִּנְגִינֹת מִזְמוֹר לְאָסָף שִׁיר׃ א **עו**
נוֹדָע בִּיהוּדָה אֱלֹהִים בְּיִשְׂרָאֵל גָּדוֹל שְׁמוֹ׃ ב
וַיְהִי בְשָׁלֵם סֻכּוֹ וּמְעוֹנָתוֹ בְצִיּוֹן׃ ג
שָׁמָּה שִׁבַּר רִשְׁפֵי־קָשֶׁת מָגֵן וְחֶרֶב וּמִלְחָמָה סֶלָה׃ ד
נָאוֹר אַתָּה אַדִּיר מֵהַרְרֵי־טָרֶף׃ ה
אֶשְׁתּוֹלְלוּ ׀ אַבִּירֵי לֵב נָמוּ שְׁנָתָם ו
וְלֹא־מָצְאוּ כָל־אַנְשֵׁי־חַיִל יְדֵיהֶם׃ מִגַּעֲרָתְךָ אֱלֹהֵי יַעֲקֹב ז

ח נִרְדָּם וְרֶכֶב וָסוּס: אַתָּה ׀ נוֹרָא אַתָּה
ט וּמִי־יַעֲמֹד לְפָנֶיךָ מֵאָז אַפֶּךָ: מִשָּׁמַיִם הִשְׁמַעְתָּ דִּין
י אֶרֶץ יָרְאָה וְשָׁקָטָה: בְּקוּם־לַמִּשְׁפָּט אֱלֹהִים
יא לְהוֹשִׁיעַ כָּל־עַנְוֵי־אֶרֶץ סֶלָה: כִּי־חֲמַת אָדָם תּוֹדֶךָּ,
יב שְׁאֵרִית חֵמֹת תַּחְגֹּר: נִדְרוּ וְשַׁלְּמוּ לַיהוָה אֱלֹהֵיכֶם
כָּל־סְבִיבָיו יֹבִילוּ שַׁי לַמּוֹרָא:
יג יִבְצֹר רוּחַ נְגִידִים נוֹרָא לְמַלְכֵי־אָרֶץ:

תְּפִלָּה לִיצִיאָה מֵהַגָּלוּת - כִּיצִיאַת מִצְרָיִם:

עז א לַמְנַצֵּחַ עַל־יְדוּתוּן ידיתון לְאָסָף מִזְמוֹר:
ב קוֹלִי אֶל־אֱלֹהִים וְאֶצְעָקָה קוֹלִי אֶל־אֱלֹהִים וְהַאֲזִין אֵלָי:
ג בְּיוֹם צָרָתִי אֲדֹנָי דָּרָשְׁתִּי יָדִי ׀ לַיְלָה נִגְּרָה וְלֹא תָפוּג
ד מֵאֲנָה הִנָּחֵם נַפְשִׁי: אֶזְכְּרָה אֱלֹהִים וְאֶהֱמָיָה
ה אָשִׂיחָה ׀ וְתִתְעַטֵּף רוּחִי סֶלָה: אָחַזְתָּ שְׁמֻרוֹת עֵינָי
ו נִפְעַמְתִּי וְלֹא אֲדַבֵּר: חִשַּׁבְתִּי יָמִים מִקֶּדֶם
ז שְׁנוֹת עוֹלָמִים: אֶזְכְּרָה נְגִינָתִי בַּלָּיְלָה עִם־לְבָבִי אָשִׂיחָה
ח וַיְחַפֵּשׂ רוּחִי: הַלְעוֹלָמִים יִזְנַח ׀ אֲדֹנָי
ט וְלֹא־יֹסִיף לִרְצוֹת עוֹד: הֶאָפֵס לָנֶצַח חַסְדּוֹ
י גָּמַר אֹמֶר לְדֹר וָדֹר: הֲשָׁכַח חַנּוֹת אֵל
יא אִם־קָפַץ בְּאַף רַחֲמָיו סֶלָה: וָאֹמַר חַלּוֹתִי הִיא
יב שְׁנוֹת יְמִין עֶלְיוֹן: אזכיר אֶזְכּוֹר מַעַלְלֵי־יָהּ
יג כִּי־אֶזְכְּרָה מִקֶּדֶם פִּלְאֶךָ: וְהָגִיתִי בְכָל־פָּעֳלֶךָ
יד וּבַעֲלִילוֹתֶיךָ אָשִׂיחָה: אֱלֹהִים בַּקֹּדֶשׁ דַּרְכֶּךָ
טו מִי־אֵל גָּדוֹל כֵּאלֹהִים: אַתָּה הָאֵל עֹשֵׂה פֶלֶא
טז הוֹדַעְתָּ בָעַמִּים עֻזֶּךָ: גָּאַלְתָּ בִּזְרוֹעַ עַמֶּךָ
יז בְּנֵי־יַעֲקֹב וְיוֹסֵף סֶלָה: רָאוּךָ מַּיִם ׀ אֱלֹהִים

רָאוּךָ מַּיִם יָחִילוּ   אַף יִרְגְּזוּ תְהֹמוֹת׃
יח זֹרְמוּ מַיִם ׀ עָבוֹת קוֹל נָתְנוּ שְׁחָקִים   אַף־חֲצָצֶיךָ יִתְהַלָּכוּ׃
יט קוֹל רַעַמְךָ ׀ בַּגַּלְגַּל   הֵאִירוּ בְרָקִים תֵּבֵל
כ רָגְזָה וַתִּרְעַשׁ הָאָרֶץ׃   בַּיָּם דַּרְכֶּךָ
ושביליך וּשְׁבִילְךָ בְּמַיִם רַבִּים   וְעִקְּבוֹתֶיךָ לֹא נֹדָעוּ׃
כא נָחִיתָ כַצֹּאן עַמֶּךָ   בְּיַד־מֹשֶׁה וְאַהֲרֹן׃

עח א מַשְׂכִּיל לְאָסָף

הַתּוֹכָחָה, וְהַלֶּקַח הַנִּלְמָד מֵחֲטָאֵי הָעָם׃

הַאֲזִינָה עַמִּי תּוֹרָתִי   הַטּוּ אָזְנְכֶם לְאִמְרֵי־פִי׃
ב אֶפְתְּחָה בְמָשָׁל פִּי   אַבִּיעָה חִידוֹת מִנִּי־קֶדֶם׃
ג אֲשֶׁר שָׁמַעְנוּ וַנֵּדָעֵם   וַאֲבוֹתֵינוּ סִפְּרוּ־לָנוּ׃
ד לֹא נְכַחֵד ׀ מִבְּנֵיהֶם לְדוֹר אַחֲרוֹן   מְסַפְּרִים תְּהִלּוֹת יְהוָה
ה וֶעֱזוּזוֹ וְנִפְלְאוֹתָיו אֲשֶׁר עָשָׂה׃   וַיָּקֶם עֵדוּת ׀ בְּיַעֲקֹב
וְתוֹרָה שָׂם בְּיִשְׂרָאֵל   אֲשֶׁר צִוָּה אֶת־אֲבוֹתֵינוּ
ו לְהוֹדִיעָם לִבְנֵיהֶם׃   לְמַעַן יֵדְעוּ ׀ דּוֹר אַחֲרוֹן בָּנִים יִוָּלֵדוּ
ז יָקֻמוּ וִיסַפְּרוּ לִבְנֵיהֶם׃   וְיָשִׂימוּ בֵאלֹהִים כִּסְלָם
וְלֹא יִשְׁכְּחוּ מַעַלְלֵי־אֵל   וּמִצְוֹתָיו יִנְצֹרוּ׃
ח וְלֹא יִהְיוּ ׀ כַּאֲבוֹתָם   דּוֹר סוֹרֵר וּמֹרֶה
דּוֹר לֹא־הֵכִין לִבּוֹ   וְלֹא־נֶאֶמְנָה אֶת־אֵל רוּחוֹ׃
ט בְּנֵי־אֶפְרַיִם נוֹשְׁקֵי רוֹמֵי־קָשֶׁת   הָפְכוּ בְּיוֹם קְרָב׃
י לֹא שָׁמְרוּ בְּרִית אֱלֹהִים   וּבְתוֹרָתוֹ מֵאֲנוּ לָלֶכֶת׃
יא וַיִּשְׁכְּחוּ עֲלִילוֹתָיו   וְנִפְלְאוֹתָיו אֲשֶׁר הֶרְאָם׃
יב נֶגֶד אֲבוֹתָם עָשָׂה פֶלֶא   בְּאֶרֶץ מִצְרַיִם שְׂדֵה־צֹעַן׃
יג בָּקַע יָם וַיַּעֲבִירֵם   וַיַּצֶּב־מַיִם כְּמוֹ־נֵד׃
יד וַיַּנְחֵם בֶּעָנָן יוֹמָם   וְכָל־הַלַּיְלָה בְּאוֹר אֵשׁ׃

טו יְבַקַּע צֻרִים בַּמִּדְבָּר וַיַּשְׁקְ כִּתְהֹמוֹת רַבָּה:
טז וַיּוֹצִא נוֹזְלִים מִסָּלַע וַיּוֹרֶד כַּנְּהָרוֹת מָיִם:
יז וַיּוֹסִיפוּ עוֹד לַחֲטֹא־לוֹ לַמְרוֹת עֶלְיוֹן בַּצִּיָּה:
יח וַיְנַסּוּ־אֵל בִּלְבָבָם לִשְׁאָל־אֹכֶל לְנַפְשָׁם:
יט וַיְדַבְּרוּ בֵּאלֹהִים אָמְרוּ הֲיוּכַל אֵל
כ לַעֲרֹךְ שֻׁלְחָן בַּמִּדְבָּר: הֵן הִכָּה־צוּר ׀ וַיָּזוּבוּ מַיִם
וּנְחָלִים יִשְׁטֹפוּ הֲגַם־לֶחֶם יוּכַל תֵּת אִם־יָכִין שְׁאֵר לְעַמּוֹ:
כא לָכֵן ׀ שָׁמַע יְהוָה וַיִּתְעַבָּר וְאֵשׁ נִשְּׂקָה בְיַעֲקֹב
כב וְגַם־אַף עָלָה בְיִשְׂרָאֵל: כִּי לֹא הֶאֱמִינוּ בֵּאלֹהִים
כג וְלֹא בָטְחוּ בִּישׁוּעָתוֹ: וַיְצַו שְׁחָקִים מִמָּעַל
כד וְדַלְתֵי שָׁמַיִם פָּתָח: וַיַּמְטֵר עֲלֵיהֶם מָן לֶאֱכֹל
כה וּדְגַן־שָׁמַיִם נָתַן לָמוֹ: לֶחֶם אַבִּירִים אָכַל אִישׁ
כו צֵידָה שָׁלַח לָהֶם לָשֹׂבַע: יַסַּע קָדִים בַּשָּׁמָיִם
כז וַיְנַהֵג בְּעֻזּוֹ תֵימָן: וַיַּמְטֵר עֲלֵיהֶם כֶּעָפָר שְׁאֵר
כח וּכְחוֹל יַמִּים עוֹף כָּנָף: וַיַּפֵּל בְּקֶרֶב מַחֲנֵהוּ
כט סָבִיב לְמִשְׁכְּנֹתָיו: וַיֹּאכְלוּ וַיִּשְׂבְּעוּ מְאֹד
ל וְתַאֲוָתָם יָבִא לָהֶם: לֹא־זָרוּ מִתַּאֲוָתָם
לא עוֹד אָכְלָם בְּפִיהֶם: וְאַף אֱלֹהִים ׀ עָלָה בָהֶם
וַיַּהֲרֹג בְּמִשְׁמַנֵּיהֶם וּבַחוּרֵי יִשְׂרָאֵל הִכְרִיעַ:
לב בְּכָל־זֹאת חָטְאוּ־עוֹד וְלֹא־הֶאֱמִינוּ בְּנִפְלְאוֹתָיו:
לג וַיְכַל־בַּהֶבֶל יְמֵיהֶם וּשְׁנוֹתָם בַּבֶּהָלָה:
לד אִם־הֲרָגָם וּדְרָשׁוּהוּ וְשָׁבוּ וְשִׁחֲרוּ־אֵל:
לה וַיִּזְכְּרוּ כִּי־אֱלֹהִים צוּרָם וְאֵל עֶלְיוֹן גֹּאֲלָם:
לו וַיְפַתּוּהוּ בְּפִיהֶם וּבִלְשׁוֹנָם יְכַזְּבוּ־לוֹ:
לז וְלִבָּם לֹא־נָכוֹן עִמּוֹ וְלֹא נֶאֶמְנוּ בִּבְרִיתוֹ:

וְהוּא רַחוּם ׀ יְכַפֵּר עָוֺן וְלֹא־יַשְׁחִית וְהִרְבָּה לְהָשִׁיב אַפּוֹ לח
וְלֹא־יָעִיר כָּל־חֲמָתוֹ׃ וַיִּזְכֹּר כִּי־בָשָׂר הֵמָּה לט
רוּחַ הוֹלֵךְ וְלֹא יָשׁוּב׃ כַּמָּה יַמְרוּהוּ בַמִּדְבָּר מ
יַעֲצִיבוּהוּ בִּישִׁימוֹן׃ וַיָּשׁוּבוּ וַיְנַסּוּ אֵל מא
וּקְדוֹשׁ יִשְׂרָאֵל הִתְווּ׃ לֹא־זָכְרוּ אֶת־יָדוֹ מב
יוֹם אֲשֶׁר־פָּדָם מִנִּי־צָר׃ אֲשֶׁר־שָׂם בְּמִצְרַיִם אֹתוֹתָיו מג
וּמוֹפְתָיו בִּשְׂדֵה־צֹעַן׃ וַיַּהֲפֹךְ לְדָם יְאֹרֵיהֶם מד
וְנֹזְלֵיהֶם בַּל־יִשְׁתָּיוּן׃ יְשַׁלַּח בָּהֶם עָרֹב וַיֹּאכְלֵם מה
וּצְפַרְדֵּעַ וַתַּשְׁחִיתֵם׃ וַיִּתֵּן לֶחָסִיל יְבוּלָם מו
וִיגִיעָם לָאַרְבֶּה׃ יַהֲרֹג בַּבָּרָד גַּפְנָם מז
וְשִׁקְמוֹתָם בַּחֲנָמַל׃ וַיַּסְגֵּר לַבָּרָד בְּעִירָם מח
וּמִקְנֵיהֶם לָרְשָׁפִים׃ יְשַׁלַּח־בָּם ׀ חֲרוֹן אַפּוֹ מט
עֶבְרָה וָזַעַם וְצָרָה מִשְׁלַחַת מַלְאֲכֵי רָעִים׃
יְפַלֵּס נָתִיב לְאַפּוֹ לֹא־חָשַׂךְ מִמָּוֶת נַפְשָׁם נ
וְחַיָּתָם לַדֶּבֶר הִסְגִּיר׃ וַיַּךְ כָּל־בְּכוֹר בְּמִצְרָיִם נא
רֵאשִׁית אוֹנִים בְּאָהֳלֵי־חָם׃ וַיַּסַּע כַּצֹּאן עַמּוֹ נב
וַיְנַהֲגֵם כַּעֵדֶר בַּמִּדְבָּר׃ וַיַּנְחֵם לָבֶטַח וְלֹא פָחָדוּ נג
וְאֶת־אוֹיְבֵיהֶם כִּסָּה הַיָּם׃ וַיְבִיאֵם אֶל־גְּבוּל קָדְשׁוֹ נד
הַר־זֶה קָנְתָה יְמִינוֹ׃ וַיְגָרֶשׁ מִפְּנֵיהֶם ׀ גּוֹיִם נה
וַיַּפִּילֵם בְּחֶבֶל נַחֲלָה וַיַּשְׁכֵּן בְּאָהֳלֵיהֶם שִׁבְטֵי יִשְׂרָאֵל׃
וַיְנַסּוּ וַיַּמְרוּ אֶת־אֱלֹהִים עֶלְיוֹן וְעֵדוֹתָיו לֹא שָׁמָרוּ׃ נו
וַיִּסֹּגוּ וַיִּבְגְּדוּ כַּאֲבוֹתָם נֶהְפְּכוּ כְּקֶשֶׁת רְמִיָּה׃ נז
וַיַּכְעִיסוּהוּ בְּבָמוֹתָם וּבִפְסִילֵיהֶם יַקְנִיאוּהוּ׃ נח
שָׁמַע אֱלֹהִים וַיִּתְעַבָּר וַיִּמְאַס מְאֹד בְּיִשְׂרָאֵל׃ נט
וַיִּטֹּשׁ מִשְׁכַּן שִׁלוֹ אֹהֶל שִׁכֵּן בָּאָדָם׃ ס

סא וַיִּתֵּן לַשְּׁבִי עֻזּוֹ וְתִפְאַרְתּוֹ בְיַד־צָר׃
סב וַיַּסְגֵּר לַחֶרֶב עַמּוֹ וּבְנַחֲלָתוֹ הִתְעַבָּר׃
סג בַּחוּרָיו אָכְלָה־אֵשׁ וּבְתוּלֹתָיו לֹא הוּלָּלוּ׃
סד כֹּהֲנָיו בַּחֶרֶב נָפָלוּ וְאַלְמְנֹתָיו לֹא תִבְכֶּינָה׃
סה וַיִּקַץ כְּיָשֵׁן ׀ אֲדֹנָי כְּגִבּוֹר מִתְרוֹנֵן מִיָּיִן׃
סו וַיַּךְ־צָרָיו אָחוֹר חֶרְפַּת עוֹלָם נָתַן לָמוֹ׃
סז וַיִּמְאַס בְּאֹהֶל יוֹסֵף וּבְשֵׁבֶט אֶפְרַיִם לֹא בָחָר׃
סח וַיִּבְחַר אֶת־שֵׁבֶט יְהוּדָה אֶת־הַר צִיּוֹן אֲשֶׁר אָהֵב׃
סט וַיִּבֶן כְּמוֹ־רָמִים מִקְדָּשׁוֹ כְּאֶרֶץ יְסָדָהּ לְעוֹלָם׃
ע וַיִּבְחַר בְּדָוִד עַבְדּוֹ וַיִּקָּחֵהוּ מִמִּכְלְאֹת צֹאן׃
עא מֵאַחַר עָלוֹת הֱבִיאוֹ לִרְעוֹת בְּיַעֲקֹב עַמּוֹ
עב וּבְיִשְׂרָאֵל נַחֲלָתוֹ׃ וַיִּרְעֵם כְּתֹם לְבָבוֹ
וּבִתְבוּנוֹת כַּפָּיו יַנְחֵם׃

קִינָה עַל הַחֻרְבָּן, וּתְפִלָּה לְהַעֲנָשַׁת הָאוֹיְבִים׃

עט א מִזְמוֹר לְאָסָף
אֱלֹהִים בָּאוּ גוֹיִם ׀ בְּנַחֲלָתֶךָ טִמְּאוּ אֶת־הֵיכַל קָדְשֶׁךָ
ב שָׂמוּ אֶת־יְרוּשָׁלַםִ לְעִיִּים׃ נָתְנוּ אֶת־נִבְלַת עֲבָדֶיךָ
מַאֲכָל לְעוֹף הַשָּׁמָיִם בְּשַׂר חֲסִידֶיךָ לְחַיְתוֹ־אָרֶץ׃
ג שָׁפְכוּ דָמָם ׀ כַּמַּיִם סְבִיבוֹת יְרוּשָׁלָםִ וְאֵין קוֹבֵר׃
ד הָיִינוּ חֶרְפָּה לִשְׁכֵנֵינוּ לַעַג וָקֶלֶס לִסְבִיבוֹתֵינוּ׃
ה עַד־מָה יְהוָה תֶּאֱנַף לָנֶצַח תִּבְעַר כְּמוֹ־אֵשׁ קִנְאָתֶךָ׃
ו שְׁפֹךְ חֲמָתְךָ ׀ אֶל־הַגּוֹיִם אֲשֶׁר לֹא־יְדָעוּךָ וְעַל מַמְלָכוֹת
ז אֲשֶׁר בְּשִׁמְךָ לֹא קָרָאוּ׃ כִּי אָכַל אֶת־יַעֲקֹב
ח וְאֶת־נָוֵהוּ הֵשַׁמּוּ׃ אַל־תִּזְכָּר־לָנוּ עֲוֺנֹת רִאשֹׁנִים
מַהֵר יְקַדְּמוּנוּ רַחֲמֶיךָ כִּי דַלּוֹנוּ מְאֹד׃

ט עָזְרֵנוּ ׀ אֱלֹהֵי יִשְׁעֵנוּ עַל־דְּבַר כְּבוֹד־שְׁמֶךָ
וְהַצִּילֵנוּ וְכַפֵּר עַל־חַטֹּאתֵינוּ לְמַעַן שְׁמֶךָ׃
י לָמָּה ׀ יֹאמְרוּ הַגּוֹיִם אַיֵּה אֱלֹהֵיהֶם
יִוָּדַע בגיים בַּגּוֹיִם לְעֵינֵינוּ נִקְמַת דַּם־עֲבָדֶיךָ הַשָּׁפוּךְ׃
יא תָּבוֹא לְפָנֶיךָ אֶנְקַת אָסִיר כְּגֹדֶל זְרוֹעֲךָ
יב הוֹתֵר בְּנֵי תְמוּתָה׃ וְהָשֵׁב לִשְׁכֵנֵינוּ שִׁבְעָתַיִם
אֶל־חֵיקָם חֶרְפָּתָם אֲשֶׁר חֵרְפוּךָ אֲדֹנָי׃
יג וַאֲנַחְנוּ עַמְּךָ ׀ וְצֹאן מַרְעִיתֶךָ נוֹדֶה לְּךָ
לְעוֹלָם לְדֹר וָדֹר נְסַפֵּר תְּהִלָּתֶךָ׃

תְּפִלָּה לְהוֹשִׁיעַ שְׂרִידֵי הָעָם מֵהַגָּלוּת׃

פ א לַמְנַצֵּחַ אֶל־שֹׁשַׁנִּים עֵדוּת לְאָסָף מִזְמוֹר׃
ב רֹעֵה יִשְׂרָאֵל ׀ הַאֲזִינָה נֹהֵג כַּצֹּאן יוֹסֵף
ג יֹשֵׁב הַכְּרוּבִים הוֹפִיעָה׃ לִפְנֵי אֶפְרַיִם ׀ וּבִנְיָמִן וּמְנַשֶּׁה
עוֹרְרָה אֶת־גְּבוּרָתֶךָ וּלְכָה לִישֻׁעָתָה לָּנוּ׃
ד אֱלֹהִים הֲשִׁיבֵנוּ וְהָאֵר פָּנֶיךָ וְנִוָּשֵׁעָה׃
ה יְהוָה אֱלֹהִים צְבָאוֹת עַד־מָתַי עָשַׁנְתָּ בִּתְפִלַּת עַמֶּךָ׃
ו הֶאֱכַלְתָּם לֶחֶם דִּמְעָה וַתַּשְׁקֵמוֹ בִּדְמָעוֹת שָׁלִישׁ׃
ז תְּשִׂימֵנוּ מָדוֹן לִשְׁכֵנֵינוּ וְאֹיְבֵינוּ יִלְעֲגוּ־לָמוֹ׃
ח אֱלֹהִים צְבָאוֹת הֲשִׁיבֵנוּ וְהָאֵר פָּנֶיךָ וְנִוָּשֵׁעָה׃
ט גֶּפֶן מִמִּצְרַיִם תַּסִּיעַ תְּגָרֵשׁ גּוֹיִם וַתִּטָּעֶהָ׃
י פִּנִּיתָ לְפָנֶיהָ וַתַּשְׁרֵשׁ שָׁרָשֶׁיהָ וַתְּמַלֵּא־אָרֶץ׃
יא כָּסּוּ הָרִים צִלָּהּ וַעֲנָפֶיהָ אַרְזֵי־אֵל׃
יב תְּשַׁלַּח קְצִירֶהָ עַד־יָם וְאֶל־נָהָר יוֹנְקוֹתֶיהָ׃
יג לָמָּה פָּרַצְתָּ גְדֵרֶיהָ וְאָרוּהָ כָּל־עֹבְרֵי דָרֶךְ׃
יד יְכַרְסְמֶנָּה חֲזִיר מִיָּעַר וְזִיז שָׂדַי יִרְעֶנָּה׃

טו אֱלֹהִים צְבָאוֹת שׁוּב נָא הַבֵּט מִשָּׁמַיִם וּרְאֵה
טז וּפְקֹד גֶּפֶן זֹאת: וְכַנָּה אֲשֶׁר־נָטְעָה יְמִינֶךָ
יז וְעַל־בֵּן אִמַּצְתָּה לָּךְ: שְׂרֻפָה בָאֵשׁ כְּסוּחָה
יח מִגַּעֲרַת פָּנֶיךָ יֹאבֵדוּ: תְּהִי־יָדְךָ עַל־אִישׁ יְמִינֶךָ
יט עַל־בֶּן־אָדָם אִמַּצְתָּ לָּךְ: וְלֹא־נָסוֹג מִמֶּךָּ
כ תְּחַיֵּנוּ וּבְשִׁמְךָ נִקְרָא: יְהוָה אֱלֹהִים צְבָאוֹת הֲשִׁיבֵנוּ
הָאֵר פָּנֶיךָ וְנִוָּשֵׁעָה:

פא א לַמְנַצֵּחַ ׀ עַל־הַגִּתִּית לְאָסָף:
ב הַרְנִינוּ לֵאלֹהִים עוּזֵּנוּ הָרִיעוּ לֵאלֹהֵי יַעֲקֹב:
ג שְׂאוּ־זִמְרָה וּתְנוּ־תֹף כִּנּוֹר נָעִים עִם־נָבֶל:
ד תִּקְעוּ בַחֹדֶשׁ שׁוֹפָר בַּכֵּסֶה לְיוֹם חַגֵּנוּ:
ה כִּי חֹק לְיִשְׂרָאֵל הוּא מִשְׁפָּט לֵאלֹהֵי יַעֲקֹב:
ו עֵדוּת ׀ בִּיהוֹסֵף שָׂמוֹ בְּצֵאתוֹ עַל־אֶרֶץ מִצְרָיִם
ז שְׂפַת לֹא־יָדַעְתִּי אֶשְׁמָע: הֲסִירוֹתִי מִסֵּבֶל שִׁכְמוֹ
ח כַּפָּיו מִדּוּד תַּעֲבֹרְנָה: בַּצָּרָה קָרָאתָ וָאֲחַלְּצֶךָּ
אֶעֶנְךָ בְּסֵתֶר רַעַם אֶבְחָנְךָ עַל־מֵי מְרִיבָה סֶלָה:
ט שְׁמַע עַמִּי וְאָעִידָה בָּךְ יִשְׂרָאֵל אִם־תִּשְׁמַע־לִי:
י לֹא־יִהְיֶה בְךָ אֵל זָר וְלֹא תִשְׁתַּחֲוֶה לְאֵל נֵכָר:
יא אָנֹכִי ׀ יְהוָה אֱלֹהֶיךָ הַמַּעַלְךָ מֵאֶרֶץ מִצְרָיִם
יב הַרְחֶב־פִּיךָ וַאֲמַלְאֵהוּ: וְלֹא־שָׁמַע עַמִּי לְקוֹלִי
יג וְיִשְׂרָאֵל לֹא־אָבָה לִי: וָאֲשַׁלְּחֵהוּ בִּשְׁרִירוּת לִבָּם
יד יֵלְכוּ בְּמוֹעֲצוֹתֵיהֶם: לוּ עַמִּי שֹׁמֵעַ לִי
טו יִשְׂרָאֵל בִּדְרָכַי יְהַלֵּכוּ: כִּמְעַט אוֹיְבֵיהֶם אַכְנִיעַ
טז וְעַל צָרֵיהֶם אָשִׁיב יָדִי: מְשַׂנְאֵי יְהוָה יְכַחֲשׁוּ־לוֹ

הוֹדָיָה עַל גְּאֻלַּת מִצְרַיִם, וְתוֹכָחָה לִשְׁמֹעַ לְקוֹל ה׳:

וִיהִי עִתָּם לְעוֹלָם׃ וַיַּאֲכִילֵהוּ מֵחֵלֶב חִטָּה יז
וּמִצּוּר דְּבַשׁ אַשְׂבִּיעֶךָ׃

פב

תּוֹכָחָה לַדַּיָּנִים, עוֹשֵׂי הָעַוְלָה בְּמִשְׁפָּט:

מִזְמוֹר לְאָסָף א
אֱלֹהִים נִצָּב בַּעֲדַת־אֵל בְּקֶרֶב אֱלֹהִים יִשְׁפֹּט׃
עַד־מָתַי תִּשְׁפְּטוּ־עָוֶל וּפְנֵי רְשָׁעִים תִּשְׂאוּ־סֶלָה׃ ב
שִׁפְטוּ־דַל וְיָתוֹם עָנִי וָרָשׁ הַצְדִּיקוּ׃ ג
פַּלְּטוּ־דַל וְאֶבְיוֹן מִיַּד רְשָׁעִים הַצִּילוּ׃ ד
לֹא יָדְעוּ ׀ וְלֹא יָבִינוּ בַּחֲשֵׁכָה יִתְהַלָּכוּ ה
יִמּוֹטוּ כָּל־מוֹסְדֵי אָרֶץ׃ אֲנִי־אָמַרְתִּי אֱלֹהִים אַתֶּם ו
וּבְנֵי עֶלְיוֹן כֻּלְּכֶם׃ אָכֵן כְּאָדָם תְּמוּתוּן ז
וּכְאַחַד הַשָּׂרִים תִּפֹּלוּ׃ קוּמָה אֱלֹהִים שָׁפְטָה הָאָרֶץ ח
כִּי־אַתָּה תִנְחַל בְּכָל־הַגּוֹיִם׃

פג

תְּפִלָּה לְהַצָּלָה בְּהִתְכַּנְּסוּת הָאֻמּוֹת עַל יִשְׂרָאֵל:

שִׁיר מִזְמוֹר לְאָסָף׃ א
אֱלֹהִים אַל־דֳּמִי־לָךְ אַל־תֶּחֱרַשׁ וְאַל־תִּשְׁקֹט אֵל׃ ב
כִּי־הִנֵּה אוֹיְבֶיךָ יֶהֱמָיוּן וּמְשַׂנְאֶיךָ נָשְׂאוּ רֹאשׁ׃ ג
עַל־עַמְּךָ יַעֲרִימוּ סוֹד וְיִתְיָעֲצוּ עַל־צְפוּנֶיךָ׃ ד
אָמְרוּ לְכוּ וְנַכְחִידֵם מִגּוֹי וְלֹא־יִזָּכֵר שֵׁם־יִשְׂרָאֵל עוֹד׃ ה
כִּי נוֹעֲצוּ לֵב יַחְדָּו עָלֶיךָ בְּרִית יִכְרֹתוּ׃ ו
אָהֳלֵי אֱדוֹם וְיִשְׁמְעֵאלִים מוֹאָב וְהַגְרִים׃ ז
גְּבָל וְעַמּוֹן וַעֲמָלֵק פְּלֶשֶׁת עִם־יֹשְׁבֵי צוֹר׃ ח
גַּם־אַשּׁוּר נִלְוָה עִמָּם הָיוּ זְרוֹעַ לִבְנֵי־לוֹט סֶלָה׃ ט
עֲשֵׂה־לָהֶם כְּמִדְיָן כְּסִיסְרָא כְיָבִין בְּנַחַל קִישׁוֹן׃ י
נִשְׁמְדוּ בְעֵין־דֹּאר הָיוּ דֹּמֶן לָאֲדָמָה׃ יא

יב שִׁיתֵמוֹ נְדִיבֵימוֹ כְּעֹרֵב וְכִזְאֵב   וּכְזֶבַח וּכְצַלְמֻנָּע
יג כָּל־נְסִיכֵמוֹ׃   אֲשֶׁר אָמְרוּ נִירְשָׁה לָּנוּ
יד אֵת נְאוֹת אֱלֹהִים׃   אֱלֹהַי שִׁיתֵמוֹ כַגַּלְגַּל
טו כְּקַשׁ לִפְנֵי־רוּחַ׃   כְּאֵשׁ תִּבְעַר־יָעַר
טז וּכְלֶהָבָה תְּלַהֵט הָרִים׃   כֵּן תִּרְדְּפֵם בְּסַעֲרֶךָ
יז וּבְסוּפָתְךָ תְבַהֲלֵם׃   מַלֵּא פְנֵיהֶם קָלוֹן
יח וִיבַקְשׁוּ שִׁמְךָ יְהוָה׃   יֵבֹשׁוּ וְיִבָּהֲלוּ עֲדֵי־עַד
יט וְיַחְפְּרוּ וְיֹאבֵדוּ׃   וְיֵדְעוּ כִּי־אַתָּה שִׁמְךָ יְהוָה לְבַדֶּךָ
עֶלְיוֹן   עַל־כָּל־הָאָרֶץ׃

פד א לַמְנַצֵּחַ עַל־הַגִּתִּית לִבְנֵי־קֹרַח מִזְמוֹר׃   עֶרְגַּת הַגּוֹלִים לְחַצְרוֹת בֵּית ה׳׃
ב מַה־יְּדִידוֹת מִשְׁכְּנוֹתֶיךָ   יְהוָה צְבָאוֹת׃
ג נִכְסְפָה וְגַם־כָּלְתָה | נַפְשִׁי   לְחַצְרוֹת יְהוָה
ד לִבִּי וּבְשָׂרִי יְרַנְּנוּ אֶל אֵל־חָי׃   גַּם־צִפּוֹר | מָצְאָה בַיִת
וּדְרוֹר | קֵן לָהּ   אֲשֶׁר־שָׁתָה אֶפְרֹחֶיהָ
אֶת־מִזְבְּחוֹתֶיךָ יְהוָה צְבָאוֹת   מַלְכִּי וֵאלֹהָי׃
ה אַשְׁרֵי יוֹשְׁבֵי בֵיתֶךָ   עוֹד יְהַלְלוּךָ סֶּלָה׃
ו אַשְׁרֵי אָדָם עוֹז־לוֹ בָךְ   מְסִלּוֹת בִּלְבָבָם׃
ז עֹבְרֵי | בְּעֵמֶק הַבָּכָא   מַעְיָן יְשִׁיתוּהוּ
ח גַּם־בְּרָכוֹת יַעְטֶה מוֹרֶה׃   יֵלְכוּ מֵחַיִל אֶל־חָיִל
ט יֵרָאֶה אֶל־אֱלֹהִים בְּצִיּוֹן׃   יְהוָה אֱלֹהִים צְבָאוֹת
שִׁמְעָה תְפִלָּתִי   הַאֲזִינָה אֱלֹהֵי יַעֲקֹב סֶלָה׃
י מָגִנֵּנוּ רְאֵה אֱלֹהִים   וְהַבֵּט פְּנֵי מְשִׁיחֶךָ׃
יא כִּי טוֹב־יוֹם בַּחֲצֵרֶיךָ מֵאָלֶף   בָּחַרְתִּי הִסְתּוֹפֵף
בְּבֵית אֱלֹהַי   מִדּוּר בְּאָהֳלֵי־רֶשַׁע׃

כִּי שֶׁמֶשׁ ׀ וּמָגֵן יְהוָה אֱלֹהִים חֵן וְכָבוֹד יִתֵּן יְהוָה יב
לֹא יִמְנַע־טוֹב לַהֹלְכִים בְּתָמִים:
יְהוָה צְבָאוֹת אַשְׁרֵי אָדָם בֹּטֵחַ בָּךְ: יג

תְּפִלָּה לִמְחִילַת פִּשְׁעֵי הָעָם, וְלִישׁוּעָה מֵהַגָּלוּת:

לַמְנַצֵּחַ ׀ לִבְנֵי־קֹרַח מִזְמוֹר: פה א
רָצִיתָ יְהוָה אַרְצֶךָ שַׁבְתָּ שבות שְׁבִית יַעֲקֹב: ב
נָשָׂאתָ עֲוֺן עַמֶּךָ כִּסִּיתָ כָל־חַטָּאתָם סֶלָה: ג
אָסַפְתָּ כָל־עֶבְרָתֶךָ הֱשִׁיבוֹתָ מֵחֲרוֹן אַפֶּךָ: ד
שׁוּבֵנוּ אֱלֹהֵי יִשְׁעֵנוּ וְהָפֵר כַּעַסְךָ עִמָּנוּ: ה
הַלְעוֹלָם תֶּאֱנַף־בָּנוּ תִּמְשֹׁךְ אַפְּךָ לְדֹר וָדֹר: ו
הֲלֹא־אַתָּה תָּשׁוּב תְּחַיֵּנוּ וְעַמְּךָ יִשְׂמְחוּ־בָךְ: ז
הַרְאֵנוּ יְהוָה חַסְדֶּךָ וְיֶשְׁעֲךָ תִּתֶּן־לָנוּ: ח
אֶשְׁמְעָה מַה־יְדַבֵּר הָאֵל ׀ יְהוָה כִּי ׀ יְדַבֵּר שָׁלוֹם ט
אֶל־עַמּוֹ וְאֶל־חֲסִידָיו וְאַל־יָשׁוּבוּ לְכִסְלָה:
אַךְ ׀ קָרוֹב לִירֵאָיו יִשְׁעוֹ לִשְׁכֹּן כָּבוֹד בְּאַרְצֵנוּ: י
חֶסֶד־וֶאֱמֶת נִפְגָּשׁוּ צֶדֶק וְשָׁלוֹם נָשָׁקוּ: יא
אֱמֶת מֵאֶרֶץ תִּצְמָח וְצֶדֶק מִשָּׁמַיִם נִשְׁקָף: יב
גַּם־יְהוָה יִתֵּן הַטּוֹב וְאַרְצֵנוּ תִּתֵּן יְבוּלָהּ: יג
צֶדֶק לְפָנָיו יְהַלֵּךְ וְיָשֵׂם לְדֶרֶךְ פְּעָמָיו: יד

תְּחִנָּה לְהוֹשִׁיעַ הַנִּרְדָּף מֵרוֹדֵף עָרִיץ:

תְּפִלָּה לְדָוִד פו א
הַטֵּה־יְהוָה אָזְנְךָ עֲנֵנִי כִּי־עָנִי וְאֶבְיוֹן אָנִי:
שָׁמְרָה נַפְשִׁי כִּי־חָסִיד אָנִי הוֹשַׁע עַבְדְּךָ אַתָּה אֱלֹהַי ב
הַבּוֹטֵחַ אֵלֶיךָ: חָנֵּנִי אֲדֹנָי כִּי אֵלֶיךָ אֶקְרָא כָּל־הַיּוֹם: ג
שַׂמֵּחַ נֶפֶשׁ עַבְדֶּךָ כִּי אֵלֶיךָ אֲדֹנָי נַפְשִׁי אֶשָּׂא: ד

ה כִּֽי־אַתָּ֣ה אֲ֭דֹנָי ט֣וֹב וְסַלָּ֑ח וְרַב־חֶ֝֗סֶד לְכׇל־קֹרְאֶֽיךָ׃
ו הַאֲזִ֣ינָה יְ֭הֹוָה תְּפִלָּתִ֑י וְ֝הַקְשִׁ֗יבָה בְּק֣וֹל תַּחֲנוּנוֹתָֽי׃
ז בְּי֣וֹם צָ֭רָתִי אֶקְרָאֶ֑ךָּ כִּ֣י תַעֲנֵֽנִי׃
ח אֵין־כָּמ֖וֹךָ בָאֱלֹהִ֥ים ׀ אֲדֹנָ֗י וְאֵ֣ין כְּֽמַעֲשֶֽׂיךָ׃
ט כׇּל־גּוֹיִ֤ם ׀ אֲשֶׁ֣ר עָשִׂ֗יתָ יָב֤וֹאוּ ׀ וְיִשְׁתַּחֲו֣וּ לְפָנֶ֣יךָ אֲדֹנָ֑י
י וִֽיכַבְּד֥וּ לִשְׁמֶֽךָ׃ כִּֽי־גָד֣וֹל אַ֭תָּה וְעֹשֵׂ֣ה נִפְלָא֑וֹת
יא אַתָּ֖ה אֱלֹהִ֣ים לְבַדֶּֽךָ׃ ה֘וֹרֵ֤נִי יְהֹוָ֨ה ׀ דַּרְכֶּ֗ךָ
אֲהַלֵּ֥ךְ בַּאֲמִתֶּ֑ךָ יַחֵ֥ד לְ֝בָבִ֗י לְיִרְאָ֥ה שְׁמֶֽךָ׃
יב אוֹדְךָ֤ ׀ אֲדֹנָ֣י אֱ֭לֹהַי בְּכׇל־לְבָבִ֑י וַאֲכַבְּדָ֖ה שִׁמְךָ֣ לְעוֹלָֽם׃
יג כִּֽי־חַ֭סְדְּךָ גָּד֣וֹל עָלָ֑י וְהִצַּ֥לְתָּ נַ֝פְשִׁ֗י מִשְּׁא֥וֹל תַּחְתִּיָּֽה׃
יד אֱלֹהִ֤ים ׀ זֵ֘דִ֤ים קָֽמוּ־עָלַ֗י וַעֲדַ֣ת עָ֭רִיצִים בִּקְשׁ֣וּ נַפְשִׁ֑י
טו וְלֹ֖א שָׂמ֣וּךָ לְנֶגְדָּֽם׃ וְאַתָּ֣ה אֲ֭דֹנָי אֵל־רַח֣וּם וְחַנּ֑וּן
טז אֶ֥רֶךְ אַ֝פַּ֗יִם וְרַב־חֶ֥סֶד וֶאֱמֶֽת׃ פְּנֵ֥ה אֵלַ֗י וְחׇ֫נֵּ֥נִי
תְּנָֽה־עֻזְּךָ֥ לְעַבְדֶּ֑ךָ וְ֝הוֹשִׁ֗יעָה לְבֶן־אֲמָתֶֽךָ׃
יז עֲשֵֽׂה־עִמִּ֥י א֗וֹת לְט֫וֹבָ֥ה וְיִרְא֣וּ שֹׂ֭נְאַי וְיֵבֹ֑שׁוּ
כִּֽי־אַתָּ֥ה יְ֝הֹוָ֗ה עֲזַרְתַּ֥נִי וְנִחַמְתָּֽנִי׃

פז א לִבְנֵי־קֹ֭רַח מִזְמ֣וֹר שִׁ֑יר יְ֝סוּדָת֗וֹ בְּהַרְרֵי־קֹֽדֶשׁ׃ הוֹדָיָה עַל שִׁיבַת צִיּוֹן:
ב אֹהֵ֣ב יְ֭הֹוָה שַׁעֲרֵ֣י צִיּ֑וֹן מִ֝כֹּ֗ל מִשְׁכְּנ֥וֹת יַעֲקֹֽב׃
ג נִ֭כְבָּדוֹת מְדֻבָּ֣ר בָּ֑ךְ עִ֖יר הָאֱלֹהִ֣ים סֶֽלָה׃
ד אַזְכִּ֤יר ׀ רַ֥הַב וּבָבֶ֗ל לְֽיֹ֫דְעָ֥י הִנֵּ֤ה פְלֶ֣שֶׁת וְצ֣וֹר עִם־כּ֑וּשׁ
ה זֶ֝֗ה יֻלַּד־שָֽׁם׃ וּֽלְצִיּ֨וֹן ׀ יֵאָמַ֗ר אִ֣ישׁ וְ֭אִישׁ יֻלַּד־בָּ֑הּ
ו וְה֖וּא יְכוֹנְנֶ֣הָ עֶלְיֽוֹן׃ יְֽהֹוָ֗ה יִ֭סְפֹּר בִּכְת֣וֹב עַמִּ֑ים
ז זֶ֖ה יֻלַּד־שָׁ֣ם סֶֽלָה׃ וְשָׁרִ֥ים כְּחֹלְלִ֑ים כׇּֽל־מַעְיָנַ֥י בָּֽךְ׃

תְּפִלָּה לְהַצָּלָתוֹ מִמִּיתָה וּלְחַלְּצוֹ מִבְּדִידוּתוֹ׃

פח

שִׁיר מִזְמוֹר לִבְנֵי קֹרַח א
לַמְנַצֵּחַ עַל־מָחֲלַת לְעַנּוֹת מַשְׂכִּיל לְהֵימָן הָאֶזְרָחִי׃
יְהֹוָה אֱלֹהֵי יְשׁוּעָתִי יוֹם־צָעַקְתִּי בַלַּיְלָה נֶגְדֶּךָ׃ ב
תָּבוֹא לְפָנֶיךָ תְּפִלָּתִי הַטֵּה אָזְנְךָ לְרִנָּתִי׃ ג
כִּי־שָׂבְעָה בְרָעוֹת נַפְשִׁי וְחַיַּי לִשְׁאוֹל הִגִּיעוּ׃ ד
נֶחְשַׁבְתִּי עִם־יוֹרְדֵי בוֹר הָיִיתִי כְּגֶבֶר אֵין־אֱיָל׃ ה
בַּמֵּתִים חָפְשִׁי כְּמוֹ חֲלָלִים | שֹׁכְבֵי קֶבֶר ו
אֲשֶׁר לֹא זְכַרְתָּם עוֹד וְהֵמָּה מִיָּדְךָ נִגְזָרוּ׃
שַׁתַּנִי בְּבוֹר תַּחְתִּיּוֹת בְּמַחֲשַׁכִּים בִּמְצֹלוֹת׃ ז
עָלַי סָמְכָה חֲמָתֶךָ וְכָל־מִשְׁבָּרֶיךָ עִנִּיתָ סֶּלָה׃ ח
הִרְחַקְתָּ מְיֻדָּעַי מִמֶּנִּי שַׁתַּנִי תוֹעֵבוֹת לָמוֹ ט
כָּלֻא וְלֹא אֵצֵא׃ עֵינִי דָאֲבָה מִנִּי עֹנִי י
קְרָאתִיךָ יְהֹוָה בְּכָל־יוֹם שִׁטַּחְתִּי אֵלֶיךָ כַפָּי׃
הֲלַמֵּתִים תַּעֲשֶׂה־פֶּלֶא אִם־רְפָאִים יא
יָקוּמוּ | יוֹדוּךָ סֶּלָה׃ הַיְסֻפַּר בַּקֶּבֶר חַסְדֶּךָ יב
אֱמוּנָתְךָ בָּאֲבַדּוֹן׃ הֲיִוָּדַע בַּחֹשֶׁךְ פִּלְאֶךָ יג
וְצִדְקָתְךָ בְּאֶרֶץ נְשִׁיָּה׃ וַאֲנִי | אֵלֶיךָ יְהֹוָה שִׁוַּעְתִּי יד
וּבַבֹּקֶר תְּפִלָּתִי תְקַדְּמֶךָּ׃ לָמָה יְהֹוָה תִּזְנַח נַפְשִׁי טו
תַּסְתִּיר פָּנֶיךָ מִמֶּנִּי׃ עָנִי אֲנִי וְגֹוֵעַ מִנֹּעַר טז
נָשָׂאתִי אֵמֶיךָ אָפוּנָה׃ עָלַי עָבְרוּ חֲרוֹנֶיךָ יז
בִּעוּתֶיךָ צִמְּתוּתֻנִי׃ סַבּוּנִי כַמַּיִם כָּל־הַיּוֹם יח
הִקִּיפוּ עָלַי יָחַד׃ הִרְחַקְתָּ מִמֶּנִּי אֹהֵב וָרֵעַ מְיֻדָּעַי מַחְשָׁךְ׃ יט

———

צִפִּיָּה לְקִיּוּם הַבְטָחַת הַמַּלְכוּת לְבֵית דָּוִד׃

פט

מַשְׂכִּיל לְאֵיתָן הָאֶזְרָחִי׃ א
חַסְדֵי יְהֹוָה עוֹלָם אָשִׁירָה לְדֹר וָדֹר | ב

ג אוֹדִיעַ אֱמוּנָתְךָ בְּפִי: כִּי־אָמַרְתִּי עוֹלָם חֶסֶד יִבָּנֶה
ד שָׁמַיִם ׀ תָּכִן אֱמוּנָתְךָ בָהֶם: כָּרַתִּי בְרִית לִבְחִירִי
ה נִשְׁבַּעְתִּי לְדָוִד עַבְדִּי: עַד־עוֹלָם אָכִין זַרְעֶךָ
ו וּבָנִיתִי לְדֹר־וָדוֹר כִּסְאֲךָ סֶלָה: וְיוֹדוּ שָׁמַיִם פִּלְאֲךָ יְהוָה
ז אַף־אֱמוּנָתְךָ בִּקְהַל קְדֹשִׁים: כִּי מִי בַשַּׁחַק יַעֲרֹךְ לַיהוָה
ח יִדְמֶה לַיהוָה בִּבְנֵי אֵלִים: אֵל נַעֲרָץ
בְּסוֹד־קְדֹשִׁים רַבָּה   וְנוֹרָא עַל־כָּל־סְבִיבָיו:
ט יְהוָה ׀ אֱלֹהֵי צְבָאוֹת   מִי־כָמוֹךָ חֲסִין ׀ יָהּ
י וֶאֱמוּנָתְךָ סְבִיבוֹתֶיךָ:   אַתָּה מוֹשֵׁל בְּגֵאוּת הַיָּם
יא בְּשׂוֹא גַלָּיו אַתָּה תְשַׁבְּחֵם: אַתָּה דִכִּאתָ כֶחָלָל רָהַב
יב בִּזְרוֹעַ עֻזְּךָ פִּזַּרְתָּ אוֹיְבֶיךָ:   לְךָ שָׁמַיִם אַף־לְךָ אָרֶץ
יג תֵּבֵל וּמְלֹאָהּ אַתָּה יְסַדְתָּם: צָפוֹן וְיָמִין אַתָּה בְרָאתָם
יד תָּבוֹר וְחֶרְמוֹן בְּשִׁמְךָ יְרַנֵּנוּ:   לְךָ זְרוֹעַ עִם־גְּבוּרָה
טו תָּעֹז יָדְךָ תָּרוּם יְמִינֶךָ:   צֶדֶק וּמִשְׁפָּט מְכוֹן כִּסְאֶךָ
טז חֶסֶד וֶאֱמֶת יְקַדְּמוּ פָנֶיךָ:   אַשְׁרֵי הָעָם יֹדְעֵי תְרוּעָה
יז יְהוָה בְּאוֹר־פָּנֶיךָ יְהַלֵּכוּן: בְּשִׁמְךָ יְגִילוּן כָּל־הַיּוֹם
יח וּבְצִדְקָתְךָ יָרוּמוּ:   כִּי־תִפְאֶרֶת עֻזָּמוֹ אָתָּה
יט וּבִרְצוֹנְךָ תרים תָּרוּם קַרְנֵנוּ:   כִּי לַיהוָה מָגִנֵּנוּ
כ וְלִקְדוֹשׁ יִשְׂרָאֵל מַלְכֵּנוּ:   אָז דִּבַּרְתָּ בְחָזוֹן לַחֲסִידֶיךָ
וַתֹּאמֶר שִׁוִּיתִי עֵזֶר עַל־גִּבּוֹר   הֲרִימוֹתִי בָחוּר מֵעָם:
כא מָצָאתִי דָּוִד עַבְדִּי   בְּשֶׁמֶן קָדְשִׁי מְשַׁחְתִּיו:
כב אֲשֶׁר יָדִי תִּכּוֹן עִמּוֹ   אַף־זְרוֹעִי תְאַמְּצֶנּוּ:
כג לֹא־יַשִּׁא אוֹיֵב בּוֹ   וּבֶן־עַוְלָה לֹא יְעַנֶּנּוּ:
כד וְכַתּוֹתִי מִפָּנָיו צָרָיו   וּמְשַׂנְאָיו אֶגּוֹף:
כה וֶאֱמוּנָתִי וְחַסְדִּי עִמּוֹ   וּבִשְׁמִי תָּרוּם קַרְנוֹ:

וְשַׂמְתִּי בַיָּם יָדוֹ וּבַנְּהָרוֹת יְמִינוֹ׃ כו
הוּא יִקְרָאֵנִי אָבִי אָתָּה אֵלִי וְצוּר יְשׁוּעָתִי׃ כז
אַף־אָנִי בְּכוֹר אֶתְּנֵהוּ עֶלְיוֹן לְמַלְכֵי־אָרֶץ׃ כח
לְעוֹלָם אשמור אֶשְׁמָר־לוֹ חַסְדִּי וּבְרִיתִי נֶאֱמֶנֶת לוֹ׃ כט
וְשַׂמְתִּי לָעַד זַרְעוֹ וְכִסְאוֹ כִּימֵי שָׁמָיִם׃ ל
אִם־יַעַזְבוּ בָנָיו תּוֹרָתִי וּבְמִשְׁפָּטַי לֹא יֵלֵכוּן׃ לא
אִם־חֻקֹּתַי יְחַלֵּלוּ וּמִצְוֺתַי לֹא יִשְׁמֹרוּ׃ לב
וּפָקַדְתִּי בְשֵׁבֶט פִּשְׁעָם וּבִנְגָעִים עֲוֺנָם׃ לג
וְחַסְדִּי לֹא־אָפִיר מֵעִמּוֹ וְלֹא־אֲשַׁקֵּר בֶּאֱמוּנָתִי׃ לד
לֹא־אֲחַלֵּל בְּרִיתִי וּמוֹצָא שְׂפָתַי לֹא אֲשַׁנֶּה׃ לה
אַחַת נִשְׁבַּעְתִּי בְקָדְשִׁי אִם־לְדָוִד אֲכַזֵּב׃ לו
זַרְעוֹ לְעוֹלָם יִהְיֶה וְכִסְאוֹ כַשֶּׁמֶשׁ נֶגְדִּי׃ לז
כְּיָרֵחַ יִכּוֹן עוֹלָם וְעֵד בַּשַּׁחַק נֶאֱמָן סֶלָה׃ לח
וְאַתָּה זָנַחְתָּ וַתִּמְאָס הִתְעַבַּרְתָּ עִם־מְשִׁיחֶךָ׃ לט
נֵאַרְתָּה בְּרִית עַבְדֶּךָ חִלַּלְתָּ לָאָרֶץ נִזְרוֹ׃ מ
פָּרַצְתָּ כָל־גְּדֵרֹתָיו שַׂמְתָּ מִבְצָרָיו מְחִתָּה׃ מא
שַׁסֻּהוּ כָּל־עֹבְרֵי דָרֶךְ הָיָה חֶרְפָּה לִשְׁכֵנָיו׃ מב
הֲרִימוֹתָ יְמִין צָרָיו הִשְׂמַחְתָּ כָּל־אוֹיְבָיו׃ מג
אַף־תָּשִׁיב צוּר חַרְבּוֹ וְלֹא הֲקֵימֹתוֹ בַּמִּלְחָמָה׃ מד
הִשְׁבַּתָּ מִטְּהָרוֹ וְכִסְאוֹ לָאָרֶץ מִגַּרְתָּה׃ מה
הִקְצַרְתָּ יְמֵי עֲלוּמָיו הֶעֱטִיתָ עָלָיו בּוּשָׁה סֶלָה׃ מו
עַד־מָה יְהֹוָה תִּסָּתֵר לָנֶצַח תִּבְעַר כְּמוֹ־אֵשׁ חֲמָתֶךָ׃ מז
זְכָר־אֲנִי מֶה־חָלֶד עַל־מַה־שָּׁוְא בָּרָאתָ כָל־בְּנֵי־אָדָם׃ מח
מִי גֶבֶר יִחְיֶה וְלֹא יִרְאֶה־מָּוֶת מט
יְמַלֵּט נַפְשׁוֹ מִיַּד־שְׁאוֹל סֶלָה׃ אַיֵּה ׀ חֲסָדֶיךָ הָרִאשֹׁנִים ׀ נ

אֲדֹנָי נִשְׁבַּעְתָּ לְדָוִד בֶּאֱמוּנָתֶךָ׃

נא זְכֹר אֲדֹנָי חֶרְפַּת עֲבָדֶיךָ שְׂאֵתִי בְחֵיקִי

נב כָּל־רַבִּים עַמִּים׃ אֲשֶׁר חֵרְפוּ אוֹיְבֶיךָ ׀ יְהוָה

אֲשֶׁר חֵרְפוּ עִקְּבוֹת מְשִׁיחֶךָ׃

נג בָּרוּךְ יְהוָה לְעוֹלָם אָמֵן ׀ וְאָמֵן׃

ספר רביעי

תְּפִלָּה עַל חֶלְשַׁת הָאָדָם בְּמִעוּט יְמֵי שְׁנוֹתָיו, וּבַקָּשָׁה לִישׁוּעָה:

צ א תְּפִלָּה לְמֹשֶׁה אִישׁ־הָאֱלֹהִים

אֲדֹנָי מָעוֹן אַתָּה הָיִיתָ לָּנוּ בְּדֹר וָדֹר׃

ב בְּטֶרֶם ׀ הָרִים יֻלָּדוּ וַתְּחוֹלֵל אֶרֶץ וְתֵבֵל

ג וּמֵעוֹלָם עַד־עוֹלָם אַתָּה אֵל׃ תָּשֵׁב אֱנוֹשׁ עַד־דַּכָּא

ד וַתֹּאמֶר שׁוּבוּ בְנֵי־אָדָם׃ כִּי אֶלֶף שָׁנִים בְּעֵינֶיךָ

כְּיוֹם אֶתְמוֹל כִּי יַעֲבֹר וְאַשְׁמוּרָה בַלָּיְלָה׃

ה זְרַמְתָּם שֵׁנָה יִהְיוּ בַּבֹּקֶר כֶּחָצִיר יַחֲלֹף׃

ו בַּבֹּקֶר יָצִיץ וְחָלָף לָעֶרֶב יְמוֹלֵל וְיָבֵשׁ׃

ז כִּי־כָלִינוּ בְאַפֶּךָ וּבַחֲמָתְךָ נִבְהָלְנוּ׃

ח שת שַׁתָּה עֲוֺנֹתֵינוּ לְנֶגְדֶּךָ עֲלֻמֵנוּ לִמְאוֹר פָּנֶיךָ׃

ט כִּי כָל־יָמֵינוּ פָּנוּ בְעֶבְרָתֶךָ כִּלִּינוּ שָׁנֵינוּ כְמוֹ־הֶגֶה׃

י יְמֵי־שְׁנוֹתֵינוּ בָהֶם שִׁבְעִים שָׁנָה וְאִם בִּגְבוּרֹת ׀ שְׁמוֹנִים שָׁנָה

וְרָהְבָּם עָמָל וָאָוֶן כִּי־גָז חִישׁ וַנָּעֻפָה׃

יא מִי־יוֹדֵעַ עֹז אַפֶּךָ וּכְיִרְאָתְךָ עֶבְרָתֶךָ׃

יב לִמְנוֹת יָמֵינוּ כֵּן הוֹדַע וְנָבִא לְבַב חָכְמָה׃

יג שׁוּבָה יְהוָה עַד־מָתָי וְהִנָּחֵם עַל־עֲבָדֶיךָ׃

יד שַׂבְּעֵנוּ בַבֹּקֶר חַסְדֶּךָ וּנְרַנְּנָה וְנִשְׂמְחָה בְּכָל־יָמֵינוּ׃

טו שַׂמְּחֵנוּ כִּימוֹת עִנִּיתָנוּ שְׁנוֹת רָאִינוּ רָעָה׃

יֵרָאֶה אֶל־עֲבָדֶיךָ פָעֳלֶךָ וַהֲדָרְךָ עַל־בְּנֵיהֶם: טז
וִיהִי ׀ נֹעַם אֲדֹנָי אֱלֹהֵינוּ עָלֵינוּ יז
וּמַעֲשֵׂה יָדֵינוּ כּוֹנְנָה עָלֵינוּ וּמַעֲשֵׂה יָדֵינוּ כּוֹנְנֵהוּ:

מַעֲלוֹת הַחוֹסֶה בַּה׳, וְרֹב שְׂכָרוֹ:

צא

יֹשֵׁב בְּסֵתֶר עֶלְיוֹן בְּצֵל שַׁדַּי יִתְלוֹנָן: א
אֹמַר לַיהוָה מַחְסִי וּמְצוּדָתִי אֱלֹהַי אֶבְטַח־בּוֹ: ב
כִּי הוּא יַצִּילְךָ מִפַּח יָקוּשׁ מִדֶּבֶר הַוּוֹת: ג
בְּאֶבְרָתוֹ ׀ יָסֶךְ לָךְ וְתַחַת־כְּנָפָיו תֶּחְסֶה ד
צִנָּה וְסֹחֵרָה אֲמִתּוֹ: לֹא־תִירָא מִפַּחַד לָיְלָה ה
מֵחֵץ יָעוּף יוֹמָם: מִדֶּבֶר בָּאֹפֶל יַהֲלֹךְ ו
מִקֶּטֶב יָשׁוּד צָהֳרָיִם: יִפֹּל מִצִּדְּךָ ׀ אֶלֶף וּרְבָבָה מִימִינֶךָ ז
אֵלֶיךָ לֹא יִגָּשׁ: רַק בְּעֵינֶיךָ תַבִּיט ח
וְשִׁלֻּמַת רְשָׁעִים תִּרְאֶה: כִּי־אַתָּה יְהוָה מַחְסִי ט
עֶלְיוֹן שַׂמְתָּ מְעוֹנֶךָ: לֹא־תְאֻנֶּה אֵלֶיךָ רָעָה י
וְנֶגַע לֹא־יִקְרַב בְּאָהֳלֶךָ: כִּי מַלְאָכָיו יְצַוֶּה־לָּךְ יא
לִשְׁמָרְךָ בְּכָל־דְּרָכֶיךָ: עַל־כַּפַּיִם יִשָּׂאוּנְךָ יב
פֶּן־תִּגֹּף בָּאֶבֶן רַגְלֶךָ: עַל־שַׁחַל וָפֶתֶן תִּדְרֹךְ יג
תִּרְמֹס כְּפִיר וְתַנִּין: כִּי בִי חָשַׁק וַאֲפַלְּטֵהוּ יד
אֲשַׂגְּבֵהוּ כִּי־יָדַע שְׁמִי: יִקְרָאֵנִי ׀ וְאֶעֱנֵהוּ טו
עִמּוֹ־אָנֹכִי בְצָרָה אֲחַלְּצֵהוּ וַאֲכַבְּדֵהוּ:
אֹרֶךְ יָמִים אַשְׂבִּיעֵהוּ וְאַרְאֵהוּ בִּישׁוּעָתִי: טז

שֶׁבַח וְהַלֵּל עַל מַתְּנַת יוֹם הַשַּׁבָּת:

צב

מִזְמוֹר שִׁיר לְיוֹם הַשַּׁבָּת: א
טוֹב לְהֹדוֹת לַיהוָה וּלְזַמֵּר לְשִׁמְךָ עֶלְיוֹן: ב
לְהַגִּיד בַּבֹּקֶר חַסְדֶּךָ וֶאֱמוּנָתְךָ בַּלֵּילוֹת: ג

ד עֲלֵי־עָשׂוֹר וַעֲלֵי־נָבֶל עֲלֵי הִגָּיוֹן בְּכִנּוֹר׃
ה כִּי שִׂמַּחְתַּנִי יְהֹוָה בְּפָעֳלֶךָ בְּמַעֲשֵׂי יָדֶיךָ אֲרַנֵּן׃
ו מַה־גָּדְלוּ מַעֲשֶׂיךָ יְהֹוָה מְאֹד עָמְקוּ מַחְשְׁבֹתֶיךָ׃
ז אִישׁ־בַּעַר לֹא יֵדָע וּכְסִיל לֹא־יָבִין אֶת־זֹאת׃
ח בִּפְרֹחַ רְשָׁעִים ׀ כְּמוֹ עֵשֶׂב וַיָּצִיצוּ כָּל־פֹּעֲלֵי אָוֶן
ט לְהִשָּׁמְדָם עֲדֵי־עַד׃ וְאַתָּה מָרוֹם לְעֹלָם יְהֹוָה׃
י כִּי הִנֵּה אֹיְבֶיךָ ׀ יְהֹוָה כִּי־הִנֵּה אֹיְבֶיךָ יֹאבֵדוּ
יא יִתְפָּרְדוּ כָּל־פֹּעֲלֵי אָוֶן׃ וַתָּרֶם כִּרְאֵים קַרְנִי
יב בַּלֹּתִי בְּשֶׁמֶן רַעֲנָן׃ וַתַּבֵּט עֵינִי בְּשׁוּרָי
בַּקָּמִים עָלַי מְרֵעִים תִּשְׁמַעְנָה אָזְנָי׃
יג צַדִּיק כַּתָּמָר יִפְרָח כְּאֶרֶז בַּלְּבָנוֹן יִשְׂגֶּה׃
יד שְׁתוּלִים בְּבֵית יְהֹוָה בְּחַצְרוֹת אֱלֹהֵינוּ יַפְרִיחוּ׃
טו עוֹד יְנוּבוּן בְּשֵׂיבָה דְּשֵׁנִים וְרַעֲנַנִּים יִהְיוּ׃
טז לְהַגִּיד כִּי־יָשָׁר יְהֹוָה צוּרִי וְלֹא־עלתה עַוְלָתָה בּוֹ׃

צג א יְהֹוָה מָלָךְ גֵּאוּת לָבֵשׁ לָבֵשׁ יְהֹוָה עֹז הִתְאַזָּר
ב אַף־תִּכּוֹן תֵּבֵל בַּל־תִּמּוֹט׃ נָכוֹן כִּסְאֲךָ מֵאָז
ג מֵעוֹלָם אָתָּה׃ נָשְׂאוּ נְהָרוֹת ׀ יְהֹוָה נָשְׂאוּ נְהָרוֹת קוֹלָם
ד יִשְׂאוּ נְהָרוֹת דָּכְיָם׃ מִקֹּלוֹת ׀ מַיִם רַבִּים
אַדִּירִים מִשְׁבְּרֵי־יָם אַדִּיר בַּמָּרוֹם יְהֹוָה׃
ה עֵדֹתֶיךָ ׀ נֶאֶמְנוּ מְאֹד לְבֵיתְךָ נַאֲוָה־קֹדֶשׁ
יְהֹוָה לְאֹרֶךְ יָמִים׃

הַשִּׂמְחָה בְּגִלּוּי מַלְכוּת ה׳, וּבְהִכָּנְעַת הַגּוֹיִם הַנִּמְשָׁלִים כָּאן לְמַיִם רַבִּים׃

תְּפִלָּה לַה׳ שֶׁיִּקֹּם בָּרְשָׁעִים מְדַכְּאֵי הַנֶּחֱלָשִׁים׃

צד א אֵל־נְקָמוֹת יְהֹוָה אֵל נְקָמוֹת הוֹפִיעַ׃
ב הִנָּשֵׂא שֹׁפֵט הָאָרֶץ הָשֵׁב גְּמוּל עַל־גֵּאִים׃

עַד־מָתַי רְשָׁעִים ׀ יְהֹוָה   עַד־מָתַי רְשָׁעִים יַעֲלֹזוּ׃ ג

יַבִּיעוּ יְדַבְּרוּ עָתָק   יִתְאַמְּרוּ כָּל־פֹּעֲלֵי אָוֶן׃ ד

עַמְּךָ יְהֹוָה יְדַכְּאוּ   וְנַחֲלָתְךָ יְעַנּוּ׃ ה

אַלְמָנָה וְגֵר יַהֲרֹגוּ   וִיתוֹמִים יְרַצֵּחוּ׃ ו

וַיֹּאמְרוּ לֹא יִרְאֶה־יָּהּ   וְלֹא־יָבִין אֱלֹהֵי יַעֲקֹב׃ ז

בִּינוּ בֹּעֲרִים בָּעָם   וּכְסִילִים מָתַי תַּשְׂכִּילוּ׃ ח

הֲנֹטַע אֹזֶן הֲלֹא יִשְׁמָע   אִם־יֹצֵר עַיִן הֲלֹא יַבִּיט׃ ט

הֲיֹסֵר גּוֹיִם הֲלֹא יוֹכִיחַ   הַמְלַמֵּד אָדָם דָּעַת׃ י

יְהֹוָה יֹדֵעַ מַחְשְׁבוֹת אָדָם   כִּי־הֵמָּה הָבֶל׃ יא

אַשְׁרֵי ׀ הַגֶּבֶר אֲשֶׁר־תְּיַסְּרֶנּוּ יָּהּ   וּמִתּוֹרָתְךָ תְלַמְּדֶנּוּ׃ יב

לְהַשְׁקִיט לוֹ מִימֵי רָע   עַד יִכָּרֶה לָרָשָׁע שָׁחַת׃ יג

כִּי ׀ לֹא־יִטֹּשׁ יְהֹוָה עַמּוֹ   וְנַחֲלָתוֹ לֹא יַעֲזֹב׃ יד

כִּי־עַד־צֶדֶק יָשׁוּב מִשְׁפָּט   וְאַחֲרָיו כָּל־יִשְׁרֵי־לֵב׃ טו

מִי־יָקוּם לִי עִם־מְרֵעִים   מִי־יִתְיַצֵּב לִי עִם־פֹּעֲלֵי אָוֶן׃ טז

לוּלֵי יְהֹוָה עֶזְרָתָה לִּי   כִּמְעַט ׀ שָׁכְנָה דוּמָה נַפְשִׁי׃ יז

אִם־אָמַרְתִּי מָטָה רַגְלִי   חַסְדְּךָ יְהֹוָה יִסְעָדֵנִי׃ יח

בְּרֹב שַׂרְעַפַּי בְּקִרְבִּי   תַּנְחוּמֶיךָ יְשַׁעַשְׁעוּ נַפְשִׁי׃ יט

הַיְחָבְרְךָ כִּסֵּא הַוּוֹת   יֹצֵר עָמָל עֲלֵי־חֹק׃ כ

יָגוֹדּוּ עַל־נֶפֶשׁ צַדִּיק   וְדָם נָקִי יַרְשִׁיעוּ׃ כא

וַיְהִי יְהֹוָה לִי לְמִשְׂגָּב   וֵאלֹהַי לְצוּר מַחְסִי׃ כב

וַיָּשֶׁב עֲלֵיהֶם ׀ אֶת־אוֹנָם   וּבְרָעָתָם יַצְמִיתֵם

יַצְמִיתֵם   יְהֹוָה אֱלֹהֵינוּ׃ כג

———

הוֹדָיָה עַל
הַיְשׁוּעָה
לֶעָתִיד,
וּמוּסָר
לְהַשְׂכִּיל:

לְכוּ נְרַנְּנָה לַיהֹוָה   נָרִיעָה לְצוּר יִשְׁעֵנוּ׃ א **צה**

נְקַדְּמָה פָנָיו בְּתוֹדָה   בִּזְמִרוֹת נָרִיעַ לוֹ׃ ב

ג כִּי אֵל גָּדוֹל יְהוָה וּמֶלֶךְ גָּדוֹל עַל־כָּל־אֱלֹהִים:
ד אֲשֶׁר בְּיָדוֹ מֶחְקְרֵי־אָרֶץ וְתוֹעֲפוֹת הָרִים לוֹ:
ה אֲשֶׁר־לוֹ הַיָּם וְהוּא עָשָׂהוּ וְיַבֶּשֶׁת יָדָיו יָצָרוּ:
ו בֹּאוּ נִשְׁתַּחֲוֶה וְנִכְרָעָה נִבְרְכָה לִפְנֵי־יְהוָה עֹשֵׂנוּ:
ז כִּי הוּא אֱלֹהֵינוּ וַאֲנַחְנוּ עַם מַרְעִיתוֹ וְצֹאן יָדוֹ
ח הַיּוֹם אִם־בְּקֹלוֹ תִשְׁמָעוּ: אַל־תַּקְשׁוּ לְבַבְכֶם כִּמְרִיבָה
ט כְּיוֹם מַסָּה בַּמִּדְבָּר: אֲשֶׁר נִסּוּנִי אֲבוֹתֵיכֶם
י בְּחָנוּנִי גַּם־רָאוּ פָעֳלִי: אַרְבָּעִים שָׁנָה | אָקוּט בְּדוֹר
וָאֹמַר עַם תֹּעֵי לֵבָב הֵם וְהֵם לֹא־יָדְעוּ דְרָכָי:
יא אֲשֶׁר־נִשְׁבַּעְתִּי בְאַפִּי אִם־יְבֹאוּן אֶל־מְנוּחָתִי:

צו א שִׁירוּ לַיהוָה שִׁיר חָדָשׁ שִׁירוּ לַיהוָה כָּל־הָאָרֶץ:

הַהוֹדָיָה עַל בֹּא ה׳ לִשְׁפֹּט תֵּבֵל בְּצֶדֶק:

ב שִׁירוּ לַיהוָה בָּרְכוּ שְׁמוֹ בַּשְּׂרוּ מִיּוֹם־לְיוֹם יְשׁוּעָתוֹ:
ג סַפְּרוּ בַגּוֹיִם כְּבוֹדוֹ בְּכָל־הָעַמִּים נִפְלְאוֹתָיו:
ד כִּי גָדוֹל יְהוָה וּמְהֻלָּל מְאֹד נוֹרָא הוּא עַל־כָּל־אֱלֹהִים:
ה כִּי | כָּל־אֱלֹהֵי הָעַמִּים אֱלִילִים וַיהוָה שָׁמַיִם עָשָׂה:
ו הוֹד־וְהָדָר לְפָנָיו עֹז וְתִפְאֶרֶת בְּמִקְדָּשׁוֹ:
ז הָבוּ לַיהוָה מִשְׁפְּחוֹת עַמִּים הָבוּ לַיהוָה כָּבוֹד וָעֹז:
ח הָבוּ לַיהוָה כְּבוֹד שְׁמוֹ שְׂאוּ־מִנְחָה וּבֹאוּ לְחַצְרוֹתָיו:
ט הִשְׁתַּחֲווּ לַיהוָה בְּהַדְרַת־קֹדֶשׁ חִילוּ מִפָּנָיו כָּל־הָאָרֶץ:
י אִמְרוּ בַגּוֹיִם | יְהוָה מָלָךְ אַף־תִּכּוֹן תֵּבֵל בַּל־תִּמּוֹט
יא יָדִין עַמִּים בְּמֵישָׁרִים: יִשְׂמְחוּ הַשָּׁמַיִם וְתָגֵל הָאָרֶץ
יב יִרְעַם הַיָּם וּמְלֹאוֹ: יַעֲלֹז שָׂדַי וְכָל־אֲשֶׁר־בּוֹ
יג אָז יְרַנְּנוּ כָּל־עֲצֵי־יָעַר: לִפְנֵי יְהוָה | כִּי בָא
כִּי בָא לִשְׁפֹּט הָאָרֶץ יִשְׁפֹּט־תֵּבֵל בְּצֶדֶק

וְעַמִּים בֶּאֱמוּנָתוֹ:

―――

עדוד
לְנֹאָשִׁים
מִן הַגְּאֻלָּה
בָּאָרֶץ
הַגָּלוּת:

צז א יְהֹוָה מָלָךְ תָּגֵל הָאָרֶץ ׀ יִשְׂמְחוּ אִיִּים רַבִּים:
ב עָנָן וַעֲרָפֶל סְבִיבָיו צֶדֶק וּמִשְׁפָּט מְכוֹן כִּסְאוֹ:
ג אֵשׁ לְפָנָיו תֵּלֵךְ וּתְלַהֵט סָבִיב צָרָיו:
ד הֵאִירוּ בְרָקָיו תֵּבֵל רָאֲתָה וַתָּחֵל הָאָרֶץ:
ה הָרִים כַּדּוֹנַג נָמַסּוּ מִלִּפְנֵי יְהֹוָה
ו מִלִּפְנֵי אֲדוֹן כָּל־הָאָרֶץ: הִגִּידוּ הַשָּׁמַיִם צִדְקוֹ
ז וְרָאוּ כָל־הָעַמִּים כְּבוֹדוֹ: יֵבֹשׁוּ ׀ כָּל־עֹבְדֵי פֶסֶל
הַמִּתְהַלְלִים בָּאֱלִילִים הִשְׁתַּחֲווּ־לוֹ כָּל־אֱלֹהִים:
ח שָׁמְעָה וַתִּשְׂמַח ׀ צִיּוֹן וַתָּגֵלְנָה בְּנוֹת יְהוּדָה
ט לְמַעַן מִשְׁפָּטֶיךָ יְהֹוָה: כִּי־אַתָּה יְהֹוָה
עֶלְיוֹן עַל־כָּל־הָאָרֶץ מְאֹד נַעֲלֵיתָ עַל־כָּל־אֱלֹהִים:
י אֹהֲבֵי יְהֹוָה שִׂנְאוּ רָע שֹׁמֵר נַפְשׁוֹת חֲסִידָיו
יא מִיַּד רְשָׁעִים יַצִּילֵם: אוֹר זָרֻעַ לַצַּדִּיק וּלְיִשְׁרֵי־לֵב שִׂמְחָה:
יב שִׂמְחוּ צַדִּיקִים בַּיהֹוָה וְהוֹדוּ לְזֵכֶר קָדְשׁוֹ:

―――

קְרִיאָה
לְשׁוֹרֵר עַל
מַלְכוּת ה׳
לַמִּשְׁפָּט:

צח א מִזְמוֹר שִׁירוּ לַיהֹוָה ׀ שִׁיר חָדָשׁ כִּי־נִפְלָאוֹת עָשָׂה
ב הוֹשִׁיעָה־לּוֹ יְמִינוֹ וּזְרוֹעַ קָדְשׁוֹ: הוֹדִיעַ יְהֹוָה יְשׁוּעָתוֹ
ג לְעֵינֵי הַגּוֹיִם גִּלָּה צִדְקָתוֹ: זָכַר חַסְדּוֹ ׀ וֶאֱמוּנָתוֹ
לְבֵית יִשְׂרָאֵל רָאוּ כָל־אַפְסֵי־אָרֶץ אֵת יְשׁוּעַת אֱלֹהֵינוּ:
ד הָרִיעוּ לַיהֹוָה כָּל־הָאָרֶץ פִּצְחוּ וְרַנְּנוּ וְזַמֵּרוּ:
ה זַמְּרוּ לַיהֹוָה בְּכִנּוֹר בְּכִנּוֹר וְקוֹל זִמְרָה:
ו בַּחֲצֹצְרוֹת וְקוֹל שׁוֹפָר הָרִיעוּ לִפְנֵי ׀ הַמֶּלֶךְ יְהֹוָה:
ז יִרְעַם הַיָּם וּמְלֹאוֹ תֵּבֵל וְיֹשְׁבֵי בָהּ:

ח נְהָרוֹת יִמְחֲאוּ־כָף יַחַד הָרִים יְרַנֵּנוּ:
ט לִפְנֵי־יְהוָה כִּי בָא לִשְׁפֹּט הָאָרֶץ
יִשְׁפֹּט־תֵּבֵל בְּצֶדֶק וְעַמִּים בְּמֵישָׁרִים:

צט א יְהוָה מָלָךְ יִרְגְּזוּ עַמִּים יֹשֵׁב כְּרוּבִים
ב תָּנוּט הָאָרֶץ: יְהוָה בְּצִיּוֹן גָּדוֹל
ג וְרָם הוּא עַל־כָּל־הָעַמִּים: יוֹדוּ שִׁמְךָ גָּדוֹל וְנוֹרָא
ד קָדוֹשׁ הוּא: וְעֹז מֶלֶךְ מִשְׁפָּט אָהֵב
אַתָּה כּוֹנַנְתָּ מֵישָׁרִים מִשְׁפָּט וּצְדָקָה
ה בְּיַעֲקֹב ׀ אַתָּה עָשִׂיתָ: רוֹמְמוּ יְהוָה אֱלֹהֵינוּ
וְהִשְׁתַּחֲווּ לַהֲדֹם רַגְלָיו קָדוֹשׁ הוּא:
ו מֹשֶׁה וְאַהֲרֹן ׀ בְּכֹהֲנָיו וּשְׁמוּאֵל בְּקֹרְאֵי שְׁמוֹ
ז קֹרְאִים אֶל־יְהוָה וְהוּא יַעֲנֵם: בְּעַמּוּד עָנָן יְדַבֵּר אֲלֵיהֶם
ח שָׁמְרוּ עֵדֹתָיו וְחֹק נָתַן־לָמוֹ: יְהוָה אֱלֹהֵינוּ אַתָּה עֲנִיתָם
אֵל נֹשֵׂא הָיִיתָ לָהֶם וְנֹקֵם עַל־עֲלִילוֹתָם:
ט רוֹמְמוּ יְהוָה אֱלֹהֵינוּ וְהִשְׁתַּחֲווּ לְהַר קָדְשׁוֹ
כִּי־קָדוֹשׁ יְהוָה אֱלֹהֵינוּ:

שֶׁבַח עַל גִּלּוּי ה׳, וּמִשְׁפָּטָיו בְּאוֹיְבֵי עַמּוֹ:

ק א מִזְמוֹר לְתוֹדָה הָרִיעוּ לַיהוָה כָּל־הָאָרֶץ:
ב עִבְדוּ אֶת־יְהוָה בְּשִׂמְחָה בֹּאוּ לְפָנָיו בִּרְנָנָה:
ג דְּעוּ כִּי־יְהוָה הוּא אֱלֹהִים הוּא־עָשָׂנוּ ולא וְלוֹ אֲנַחְנוּ
ד עַמּוֹ וְצֹאן מַרְעִיתוֹ: בֹּאוּ שְׁעָרָיו ׀ בְּתוֹדָה
חֲצֵרֹתָיו בִּתְהִלָּה הוֹדוּ־לוֹ בָּרְכוּ שְׁמוֹ:
ה כִּי־טוֹב יְהוָה לְעוֹלָם חַסְדּוֹ וְעַד־דֹּר וָדֹר אֱמוּנָתוֹ:

קְרִיאָה לְהוֹדוֹת לַה׳ עַל הַנִּסִּים לֶעָתִיד לָבֹא:

קא

השִׂמְחָה בַּהֲכָנַת הַלֵּב לַעֲבוֹדַת ה' בִּתְמִימוּת:

א לְדָוִד מִזְמוֹר חֶסֶד־וּמִשְׁפָּט אָשִׁירָה
ב לְךָ יְהוָה אֲזַמֵּרָה: אַשְׂכִּילָה | בְּדֶרֶךְ תָּמִים
מָתַי תָּבוֹא אֵלָי אֶתְהַלֵּךְ בְּתָם־לְבָבִי בְּקֶרֶב בֵּיתִי:
ג לֹא־אָשִׁית | לְנֶגֶד עֵינַי דְּבַר־בְּלִיָּעַל עֲשֹׂה־סֵטִים שָׂנֵאתִי
ד לֹא יִדְבַּק בִּי: לֵבָב עִקֵּשׁ יָסוּר מִמֶּנִּי
ה רָע לֹא אֵדָע: מלושני מְלָשְׁנִי בַסֵּתֶר | רֵעֵהוּ
אוֹתוֹ אַצְמִית גְּבַה־עֵינַיִם וּרְחַב לֵבָב
ו אֹתוֹ לֹא אוּכָל: עֵינַי | בְּנֶאֶמְנֵי־אֶרֶץ לָשֶׁבֶת עִמָּדִי
הֹלֵךְ בְּדֶרֶךְ תָּמִים הוּא יְשָׁרְתֵנִי:
ז לֹא־יֵשֵׁב | בְּקֶרֶב בֵּיתִי עֹשֵׂה רְמִיָּה דֹּבֵר שְׁקָרִים
ח לֹא־יִכּוֹן לְנֶגֶד עֵינָי: לַבְּקָרִים אַצְמִית כָּל־רִשְׁעֵי־אָרֶץ
לְהַכְרִית מֵעִיר־יְהוָה כָּל־פֹּעֲלֵי אָוֶן:

קב

תְּחִנָּה לִגְאֻלָּה מִתּוֹךְ צַעַר הַגָּלוּת:

א תְּפִלָּה לְעָנִי כִי־יַעֲטֹף וְלִפְנֵי יְהוָה יִשְׁפֹּךְ שִׂיחוֹ:
ב יְהוָה שִׁמְעָה תְפִלָּתִי וְשַׁוְעָתִי אֵלֶיךָ תָבוֹא:
ג אַל־תַּסְתֵּר פָּנֶיךָ | מִמֶּנִּי בְּיוֹם צַר לִי הַטֵּה־אֵלַי אָזְנֶךָ
ד בְּיוֹם אֶקְרָא מַהֵר עֲנֵנִי: כִּי־כָלוּ בְעָשָׁן יָמָי
ה וְעַצְמוֹתַי כְּמוֹקֵד נִחָרוּ: הוּכָּה־כָעֵשֶׂב וַיִּבַשׁ לִבִּי
ו כִּי־שָׁכַחְתִּי מֵאֲכֹל לַחְמִי: מִקּוֹל אַנְחָתִי
ז דָּבְקָה עַצְמִי לִבְשָׂרִי: דָּמִיתִי לִקְאַת מִדְבָּר
ח הָיִיתִי כְּכוֹס חֳרָבוֹת: שָׁקַדְתִּי וָאֶהְיֶה
ט כְּצִפּוֹר בּוֹדֵד עַל־גָּג: כָּל־הַיּוֹם חֵרְפוּנִי אוֹיְבָי
י מְהוֹלָלַי בִּי נִשְׁבָּעוּ: כִּי־אֵפֶר כַּלֶּחֶם אָכָלְתִּי
יא וְשִׁקֻּוַי בִּבְכִי מָסָכְתִּי: מִפְּנֵי־זַעַמְךָ וְקִצְפֶּךָ
יב כִּי נְשָׂאתַנִי וַתַּשְׁלִיכֵנִי: יָמַי כְּצֵל נָטוּי

יג וַאֲנִי כָּעֵשֶׂב אִיבָשׁ: וְאַתָּה יְהוָה לְעוֹלָם תֵּשֵׁב

יד וְזִכְרְךָ לְדֹר וָדֹר: אַתָּה תָקוּם תְּרַחֵם צִיּוֹן

כִּי־עֵת לְחֶנְנָהּ כִּי־בָא מוֹעֵד:

טו כִּי־רָצוּ עֲבָדֶיךָ אֶת־אֲבָנֶיהָ וְאֶת־עֲפָרָהּ יְחֹנֵנוּ:

טז וְיִירְאוּ גוֹיִם אֶת־שֵׁם יְהוָה וְכָל־מַלְכֵי הָאָרֶץ אֶת־כְּבוֹדֶךָ:

יז כִּי־בָנָה יְהוָה צִיּוֹן נִרְאָה בִּכְבוֹדוֹ:

יח פָּנָה אֶל־תְּפִלַּת הָעַרְעָר וְלֹא־בָזָה אֶת־תְּפִלָּתָם:

יט תִּכָּתֶב זֹאת לְדוֹר אַחֲרוֹן וְעַם נִבְרָא יְהַלֶּל־יָהּ:

כ כִּי־הִשְׁקִיף מִמְּרוֹם קָדְשׁוֹ יְהוָה

כא מִשָּׁמַיִם | אֶל־אֶרֶץ הִבִּיט: לִשְׁמֹעַ אֶנְקַת אָסִיר

כב לְפַתֵּחַ בְּנֵי תְמוּתָה: לְסַפֵּר בְּצִיּוֹן שֵׁם יְהוָה

כג וּתְהִלָּתוֹ בִּירוּשָׁלָםִ: בְּהִקָּבֵץ עַמִּים יַחְדָּו

כד וּמַמְלָכוֹת לַעֲבֹד אֶת־יְהוָה: עִנָּה בַדֶּרֶךְ כחו כֹּחִי

כה קִצַּר יָמָי: אֹמַר אֵלִי אַל־תַּעֲלֵנִי בַּחֲצִי יָמָי

כו בְּדוֹר דּוֹרִים שְׁנוֹתֶיךָ: לְפָנִים הָאָרֶץ יָסַדְתָּ

כז וּמַעֲשֵׂה יָדֶיךָ שָׁמָיִם: הֵמָּה | יֹאבֵדוּ וְאַתָּה תַעֲמֹד

וְכֻלָּם כַּבֶּגֶד יִבְלוּ כַּלְּבוּשׁ תַּחֲלִיפֵם וְיַחֲלֹפוּ:

כח כט וְאַתָּה־הוּא וּשְׁנוֹתֶיךָ לֹא יִתָּמּוּ: בְּנֵי־עֲבָדֶיךָ יִשְׁכּוֹנוּ

וְזַרְעָם לְפָנֶיךָ יִכּוֹן:

קג א לְדָוִד | בָּרְכִי נַפְשִׁי אֶת־יְהוָה וְכָל־קְרָבַי

ב אֶת־שֵׁם קָדְשׁוֹ: בָּרְכִי נַפְשִׁי אֶת־יְהוָה

ג וְאַל־תִּשְׁכְּחִי כָּל־גְּמוּלָיו: הַסֹּלֵחַ לְכָל־עֲוֺנֵכִי

ד הָרֹפֵא לְכָל־תַּחֲלֻאָיְכִי: הַגּוֹאֵל מִשַּׁחַת חַיָּיְכִי

ה הַמְעַטְּרֵכִי חֶסֶד וְרַחֲמִים: הַמַּשְׂבִּיעַ בַּטּוֹב עֶדְיֵךְ

תִּתְחַדֵּשׁ כַּנֶּשֶׁר נְעוּרָיְכִי׃ ו עֹשֵׂה צְדָקוֹת יְהוָה
וּמִשְׁפָּטִים לְכָל־עֲשׁוּקִים׃ ז יוֹדִיעַ דְּרָכָיו לְמֹשֶׁה
לִבְנֵי יִשְׂרָאֵל עֲלִילוֹתָיו׃ ח רַחוּם וְחַנּוּן יְהוָה
אֶרֶךְ אַפַּיִם וְרַב־חָסֶד׃ ט לֹא־לָנֶצַח יָרִיב
וְלֹא לְעוֹלָם יִטּוֹר׃ י לֹא כַחֲטָאֵינוּ עָשָׂה לָנוּ
וְלֹא כַעֲוֺנֹתֵינוּ גָּמַל עָלֵינוּ׃ יא כִּי כִגְבֹהַּ שָׁמַיִם עַל־הָאָרֶץ
גָּבַר חַסְדּוֹ עַל־יְרֵאָיו׃
כִּרְחֹק מִזְרָח מִמַּעֲרָב יב הִרְחִיק מִמֶּנּוּ אֶת־פְּשָׁעֵינוּ׃
כְּרַחֵם אָב עַל־בָּנִים יג רִחַם יְהוָה עַל־יְרֵאָיו׃
כִּי־הוּא יָדַע יִצְרֵנוּ יד זָכוּר כִּי־עָפָר אֲנָחְנוּ׃
אֱנוֹשׁ כֶּחָצִיר יָמָיו טו כְּצִיץ הַשָּׂדֶה כֵּן יָצִיץ׃
כִּי רוּחַ עָבְרָה־בּוֹ וְאֵינֶנּוּ טז וְלֹא־יַכִּירֶנּוּ עוֹד מְקוֹמוֹ׃
וְחֶסֶד יְהוָה ׀ יז מֵעוֹלָם וְעַד־עוֹלָם עַל־יְרֵאָיו
וְצִדְקָתוֹ לִבְנֵי בָנִים׃ יח לְשֹׁמְרֵי בְרִיתוֹ
וּלְזֹכְרֵי פִקֻּדָיו לַעֲשׂוֹתָם׃ יט יְהוָה בַּשָּׁמַיִם הֵכִין כִּסְאוֹ
וּמַלְכוּתוֹ בַּכֹּל מָשָׁלָה׃ כ בָּרְכוּ יְהוָה מַלְאָכָיו
גִּבֹּרֵי כֹחַ עֹשֵׂי דְבָרוֹ לִשְׁמֹעַ בְּקוֹל דְּבָרוֹ׃
בָּרְכוּ יְהוָה כָּל־צְבָאָיו כא מְשָׁרְתָיו עֹשֵׂי רְצוֹנוֹ׃
בָּרְכוּ יְהוָה ׀ כָּל־מַעֲשָׂיו כב בְּכָל־מְקֹמוֹת מֶמְשַׁלְתּוֹ
בָּרְכִי נַפְשִׁי אֶת־יְהוָה׃

שַׁבַּח לַה׳ בְּפִלְאֵי הַבְּרִיאָה בְּמַעֲשֵׂי בְרֵאשִׁית:

קד
בָּרְכִי נַפְשִׁי אֶת־יְהוָה א יְהוָה אֱלֹהַי גָּדַלְתָּ מְּאֹד
הוֹד וְהָדָר לָבָשְׁתָּ׃ ב עֹטֶה־אוֹר כַּשַּׂלְמָה
נוֹטֶה שָׁמַיִם כַּיְרִיעָה׃ ג הַמְקָרֶה בַמַּיִם עֲלִיּוֹתָיו
הַשָּׂם־עָבִים רְכוּבוֹ הַמְהַלֵּךְ עַל־כַּנְפֵי־רוּחַ׃

ד עֹשֶׂה מַלְאָכָיו רוּחוֹת   מְשָׁרְתָיו אֵשׁ לֹהֵט:
ה יָסַד־אֶרֶץ עַל־מְכוֹנֶיהָ   בַּל־תִּמּוֹט עוֹלָם וָעֶד:
ו תְּהוֹם כַּלְּבוּשׁ כִּסִּיתוֹ   עַל־הָרִים יַעַמְדוּ מָיִם:
ז מִן־גַּעֲרָתְךָ יְנוּסוּן   מִן־קוֹל רַעַמְךָ יֵחָפֵזוּן:
ח יַעֲלוּ הָרִים יֵרְדוּ בְקָעוֹת   אֶל־מְקוֹם זֶה ׀ יָסַדְתָּ לָהֶם:
ט גְּבוּל־שַׂמְתָּ בַּל־יַעֲבֹרוּן   בַּל־יְשׁוּבוּן לְכַסּוֹת הָאָרֶץ:
י הַמְשַׁלֵּחַ מַעְיָנִים בַּנְּחָלִים   בֵּין הָרִים יְהַלֵּכוּן:
יא יַשְׁקוּ כָּל־חַיְתוֹ שָׂדָי   יִשְׁבְּרוּ פְרָאִים צְמָאָם:
יב עֲלֵיהֶם עוֹף־הַשָּׁמַיִם יִשְׁכּוֹן   מִבֵּין עֳפָאיִם יִתְּנוּ־קוֹל:
יג מַשְׁקֶה הָרִים מֵעֲלִיּוֹתָיו   מִפְּרִי מַעֲשֶׂיךָ תִּשְׂבַּע הָאָרֶץ:
יד מַצְמִיחַ חָצִיר ׀ לַבְּהֵמָה   וְעֵשֶׂב לַעֲבֹדַת הָאָדָם
טו לְהוֹצִיא לֶחֶם מִן־הָאָרֶץ: וְיַיִן ׀ יְשַׂמַּח לְבַב־אֱנוֹשׁ
לְהַצְהִיל פָּנִים מִשָּׁמֶן   וְלֶחֶם לְבַב־אֱנוֹשׁ יִסְעָד:
טז יִשְׂבְּעוּ עֲצֵי יְהוָה   אַרְזֵי לְבָנוֹן אֲשֶׁר נָטָע:
יז אֲשֶׁר־שָׁם צִפֳּרִים יְקַנֵּנוּ   חֲסִידָה בְּרוֹשִׁים בֵּיתָהּ:
יח הָרִים הַגְּבֹהִים לַיְּעֵלִים   סְלָעִים מַחְסֶה לַשְׁפַנִּים:
יט עָשָׂה יָרֵחַ לְמוֹעֲדִים   שֶׁמֶשׁ יָדַע מְבוֹאוֹ:
כ תָּשֶׁת־חֹשֶׁךְ וִיהִי לָיְלָה   בּוֹ־תִרְמֹשׂ כָּל־חַיְתוֹ־יָעַר:
כא הַכְּפִירִים שֹׁאֲגִים לַטָּרֶף   וּלְבַקֵּשׁ מֵאֵל אָכְלָם:
כב תִּזְרַח הַשֶּׁמֶשׁ יֵאָסֵפוּן   וְאֶל־מְעוֹנֹתָם יִרְבָּצוּן:
כג יֵצֵא אָדָם לְפָעֳלוֹ   וְלַעֲבֹדָתוֹ עֲדֵי־עָרֶב:
כד מָה־רַבּוּ מַעֲשֶׂיךָ ׀ יְהוָה   כֻּלָּם בְּחָכְמָה עָשִׂיתָ
כה מָלְאָה הָאָרֶץ קִנְיָנֶךָ:   זֶה ׀ הַיָּם גָּדוֹל וּרְחַב יָדָיִם
שָׁם־רֶמֶשׂ וְאֵין מִסְפָּר   חַיּוֹת קְטַנּוֹת עִם־גְּדֹלוֹת:
כו שָׁם אֳנִיּוֹת יְהַלֵּכוּן   לִוְיָתָן זֶה־יָצַרְתָּ לְשַׂחֶק־בּוֹ:

כֻּלָּם אֵלֶיךָ יְשַׂבֵּרוּן לָתֵת אָכְלָם בְּעִתּוֹ: כז
תִּתֵּן לָהֶם יִלְקֹטוּן תִּפְתַּח יָדְךָ יִשְׂבְּעוּן טוֹב: כח
תַּסְתִּיר פָּנֶיךָ יִבָּהֵלוּן תֹּסֵף רוּחָם יִגְוָעוּן כט
וְאֶל־עֲפָרָם יְשׁוּבוּן: תְּשַׁלַּח רוּחֲךָ יִבָּרֵאוּן ל
וּתְחַדֵּשׁ פְּנֵי אֲדָמָה: יְהִי כְבוֹד יְהוָה לְעוֹלָם לא
יִשְׂמַח יְהוָה בְּמַעֲשָׂיו: הַמַּבִּיט לָאָרֶץ וַתִּרְעָד לב
יִגַּע בֶּהָרִים וְיֶעֱשָׁנוּ: אָשִׁירָה לַיהוָה בְּחַיָּי לג
אֲזַמְּרָה לֵאלֹהַי בְּעוֹדִי: יֶעֱרַב עָלָיו שִׂיחִי לד
אָנֹכִי אֶשְׂמַח בַּיהוָה: יִתַּמּוּ חַטָּאִים ׀ מִן־הָאָרֶץ לה
וּרְשָׁעִים ׀ עוֹד אֵינָם בָּרְכִי נַפְשִׁי אֶת־יְהוָה
הַלְלוּ־יָהּ:

הוֹדָיָה עַל קִיּוּם הַבְטָחַת בֵּין הַבְּתָרִים:

הוֹדוּ לַיהוָה קִרְאוּ בִּשְׁמוֹ הוֹדִיעוּ בָעַמִּים עֲלִילוֹתָיו: א קה
שִׁירוּ־לוֹ זַמְּרוּ־לוֹ שִׂיחוּ בְּכָל־נִפְלְאוֹתָיו: ב
הִתְהַלְלוּ בְּשֵׁם קָדְשׁוֹ יִשְׂמַח לֵב ׀ מְבַקְשֵׁי יְהוָה: ג
דִּרְשׁוּ יְהוָה וְעֻזּוֹ בַּקְּשׁוּ פָנָיו תָּמִיד: ד
זִכְרוּ נִפְלְאוֹתָיו אֲשֶׁר־עָשָׂה מֹפְתָיו וּמִשְׁפְּטֵי־פִיו: ה
זֶרַע אַבְרָהָם עַבְדּוֹ בְּנֵי יַעֲקֹב בְּחִירָיו: ו
הוּא יְהוָה אֱלֹהֵינוּ בְּכָל־הָאָרֶץ מִשְׁפָּטָיו: ז
זָכַר לְעוֹלָם בְּרִיתוֹ דָּבָר צִוָּה לְאֶלֶף דּוֹר: ח
אֲשֶׁר כָּרַת אֶת־אַבְרָהָם וּשְׁבוּעָתוֹ לְיִשְׂחָק: ט
וַיַּעֲמִידֶהָ לְיַעֲקֹב לְחֹק לְיִשְׂרָאֵל בְּרִית עוֹלָם: י
לֵאמֹר לְךָ אֶתֵּן אֶת־אֶרֶץ־כְּנָעַן חֶבֶל נַחֲלַתְכֶם: יא
בִּהְיוֹתָם מְתֵי מִסְפָּר כִּמְעַט וְגָרִים בָּהּ: יב
וַיִּתְהַלְּכוּ מִגּוֹי אֶל־גּוֹי מִמַּמְלָכָה אֶל־עַם אַחֵר: יג

יד לֹא־הִנִּיחַ אָדָם לְעָשְׁקָם וַיּוֹכַח עֲלֵיהֶם מְלָכִים׃

טו אַל־תִּגְּעוּ בִמְשִׁיחָי וְלִנְבִיאַי אַל־תָּרֵעוּ׃

טז וַיִּקְרָא רָעָב עַל־הָאָרֶץ כָּל־מַטֵּה־לֶחֶם שָׁבָר׃

יז שָׁלַח לִפְנֵיהֶם אִישׁ לְעֶבֶד נִמְכַּר יוֹסֵף׃

יח עִנּוּ בַכֶּבֶל רגליו רַגְלוֹ בַּרְזֶל בָּאָה נַפְשׁוֹ׃

יט עַד־עֵת בֹּא־דְבָרוֹ אִמְרַת יְהוָה צְרָפָתְהוּ׃

כ שָׁלַח מֶלֶךְ וַיַּתִּירֵהוּ מֹשֵׁל עַמִּים וַיְפַתְּחֵהוּ׃

כא שָׂמוֹ אָדוֹן לְבֵיתוֹ וּמֹשֵׁל בְּכָל־קִנְיָנוֹ׃

כב לֶאְסֹר שָׂרָיו בְּנַפְשׁוֹ וּזְקֵנָיו יְחַכֵּם׃

כג וַיָּבֹא יִשְׂרָאֵל מִצְרָיִם וְיַעֲקֹב גָּר בְּאֶרֶץ־חָם׃

כד וַיֶּפֶר אֶת־עַמּוֹ מְאֹד וַיַּעֲצִמֵהוּ מִצָּרָיו׃

כה הָפַךְ לִבָּם לִשְׂנֹא עַמּוֹ לְהִתְנַכֵּל בַּעֲבָדָיו׃

כו שָׁלַח מֹשֶׁה עַבְדּוֹ אַהֲרֹן אֲשֶׁר בָּחַר־בּוֹ׃

כז שָׂמוּ־בָם דִּבְרֵי אֹתוֹתָיו וּמֹפְתִים בְּאֶרֶץ חָם׃

כח שָׁלַח חֹשֶׁךְ וַיַּחְשִׁךְ וְלֹא־מָרוּ אֶת־דברו דְּבָרוֹ׃

כט הָפַךְ אֶת־מֵימֵיהֶם לְדָם וַיָּמֶת אֶת־דְּגָתָם׃

ל שָׁרַץ אַרְצָם צְפַרְדְּעִים בְּחַדְרֵי מַלְכֵיהֶם׃

לא אָמַר וַיָּבֹא עָרֹב כִּנִּים בְּכָל־גְּבוּלָם׃

לב נָתַן גִּשְׁמֵיהֶם בָּרָד אֵשׁ לֶהָבוֹת בְּאַרְצָם׃

לג וַיַּךְ גַּפְנָם וּתְאֵנָתָם וַיְשַׁבֵּר עֵץ גְּבוּלָם׃

לד אָמַר וַיָּבֹא אַרְבֶּה וְיֶלֶק וְאֵין מִסְפָּר׃

לה וַיֹּאכַל כָּל־עֵשֶׂב בְּאַרְצָם וַיֹּאכַל פְּרִי אַדְמָתָם׃

לו וַיַּךְ כָּל־בְּכוֹר בְּאַרְצָם רֵאשִׁית לְכָל־אוֹנָם׃

לז וַיּוֹצִיאֵם בְּכֶסֶף וְזָהָב וְאֵין בִּשְׁבָטָיו כּוֹשֵׁל׃

לח שָׂמַח מִצְרַיִם בְּצֵאתָם כִּי־נָפַל פַּחְדָּם עֲלֵיהֶם׃

פָּרַשׂ עָנָן לְמָסָךְ וְאֵשׁ לְהָאִיר לָיְלָה׃ לט
שָׁאַל וַיָּבֵא שְׂלָו וְלֶחֶם שָׁמַיִם יַשְׂבִּיעֵם׃ מ
פָּתַח צוּר וַיָּזוּבוּ מָיִם הָלְכוּ בַּצִּיּוֹת נָהָר׃ מא
כִּי־זָכַר אֶת־דְּבַר קָדְשׁוֹ אֶת־אַבְרָהָם עַבְדּוֹ׃ מב
וַיּוֹצִא עַמּוֹ בְשָׂשׂוֹן בְּרִנָּה אֶת־בְּחִירָיו׃ מג
וַיִּתֵּן לָהֶם אַרְצוֹת גּוֹיִם וַעֲמַל לְאֻמִּים יִירָשׁוּ׃ מד
בַּעֲבוּר ׀ יִשְׁמְרוּ חֻקָּיו וְתוֹרֹתָיו יִנְצֹרוּ מה
הַלְלוּ־יָהּ׃

הוֹדָיָה עַל חַסְדֵי ה׳ לְעַמּוֹ עַל אַף סוּרָם הָרָע׃

קו א הַלְלוּ יָהּ ׀
הוֹדוּ לַיהוָה כִּי־טוֹב כִּי לְעוֹלָם חַסְדּוֹ׃
מִי יְמַלֵּל גְּבוּרוֹת יְהוָה יַשְׁמִיעַ כָּל־תְּהִלָּתוֹ׃ ב
אַשְׁרֵי שֹׁמְרֵי מִשְׁפָּט עֹשֵׂה צְדָקָה בְכָל־עֵת׃ ג
זָכְרֵנִי יְהוָה בִּרְצוֹן עַמֶּךָ פָּקְדֵנִי בִּישׁוּעָתֶךָ׃ ד
לִרְאוֹת ׀ בְּטוֹבַת בְּחִירֶיךָ לִשְׂמֹחַ בְּשִׂמְחַת גּוֹיֶךָ ה
לְהִתְהַלֵּל עִם־נַחֲלָתֶךָ׃ חָטָאנוּ עִם־אֲבוֹתֵינוּ ו
הֶעֱוִינוּ הִרְשָׁעְנוּ׃ אֲבוֹתֵינוּ בְמִצְרַיִם ׀ לֹא־הִשְׂכִּילוּ נִפְלְאוֹתֶיךָ ז
לֹא זָכְרוּ אֶת־רֹב חֲסָדֶיךָ וַיַּמְרוּ עַל־יָם בְּיַם־סוּף׃
וַיּוֹשִׁיעֵם לְמַעַן שְׁמוֹ לְהוֹדִיעַ אֶת־גְּבוּרָתוֹ׃ ח
וַיִּגְעַר בְּיַם־סוּף וַיֶּחֱרָב וַיּוֹלִיכֵם בַּתְּהֹמוֹת כַּמִּדְבָּר׃ ט
וַיּוֹשִׁיעֵם מִיַּד שׂוֹנֵא וַיִּגְאָלֵם מִיַּד אוֹיֵב׃ י
וַיְכַסּוּ־מַיִם צָרֵיהֶם אֶחָד מֵהֶם לֹא נוֹתָר׃ יא
וַיַּאֲמִינוּ בִדְבָרָיו יָשִׁירוּ תְּהִלָּתוֹ׃ יב
מִהֲרוּ שָׁכְחוּ מַעֲשָׂיו לֹא־חִכּוּ לַעֲצָתוֹ׃ יג
וַיִּתְאַוּוּ תַאֲוָה בַּמִּדְבָּר וַיְנַסּוּ־אֵל בִּישִׁימוֹן׃ יד

טו וַיִּתֵּן לָהֶם שֶׁאֱלָתָם   וַיְשַׁלַּח רָזוֹן בְּנַפְשָׁם׃

טז וַיְקַנְאוּ לְמֹשֶׁה בַּמַּחֲנֶה   לְאַהֲרֹן קְדוֹשׁ יְהוָה׃

יז תִּפְתַּח־אֶרֶץ וַתִּבְלַע דָּתָן   וַתְּכַס עַל־עֲדַת אֲבִירָם׃

יח וַתִּבְעַר־אֵשׁ בַּעֲדָתָם   לֶהָבָה תְּלַהֵט רְשָׁעִים׃

יט יַעֲשׂוּ־עֵגֶל בְּחֹרֵב   וַיִּשְׁתַּחֲווּ לְמַסֵּכָה׃

כ וַיָּמִירוּ אֶת־כְּבוֹדָם   בְּתַבְנִית שׁוֹר אֹכֵל עֵשֶׂב׃

כא שָׁכְחוּ אֵל מוֹשִׁיעָם   עֹשֶׂה גְדֹלוֹת בְּמִצְרָיִם׃

כב נִפְלָאוֹת בְּאֶרֶץ חָם   נוֹרָאוֹת עַל־יַם־סוּף׃

כג וַיֹּאמֶר לְהַשְׁמִידָם   לוּלֵי מֹשֶׁה בְחִירוֹ עָמַד בַּפֶּרֶץ לְפָנָיו
לְהָשִׁיב חֲמָתוֹ מֵהַשְׁחִית׃

כד וַיִּמְאֲסוּ בְּאֶרֶץ חֶמְדָּה   לֹא־הֶאֱמִינוּ לִדְבָרוֹ׃

כה וַיֵּרָגְנוּ בְאָהֳלֵיהֶם   לֹא שָׁמְעוּ בְּקוֹל יְהוָה׃

כו וַיִּשָּׂא יָדוֹ לָהֶם   לְהַפִּיל אוֹתָם בַּמִּדְבָּר׃

כז וּלְהַפִּיל זַרְעָם בַּגּוֹיִם   וּלְזָרוֹתָם בָּאֲרָצוֹת׃

כח וַיִּצָּמְדוּ לְבַעַל פְּעוֹר   וַיֹּאכְלוּ זִבְחֵי מֵתִים׃

כט וַיַּכְעִיסוּ בְּמַעַלְלֵיהֶם   וַתִּפְרָץ־בָּם מַגֵּפָה׃

ל וַיַּעֲמֹד פִּינְחָס וַיְפַלֵּל   וַתֵּעָצַר הַמַּגֵּפָה׃

לא וַתֵּחָשֶׁב לוֹ לִצְדָקָה   לְדֹר וָדֹר עַד־עוֹלָם׃

לב וַיַּקְצִיפוּ עַל־מֵי מְרִיבָה   וַיֵּרַע לְמֹשֶׁה בַּעֲבוּרָם׃

לג כִּי־הִמְרוּ אֶת־רוּחוֹ   וַיְבַטֵּא בִּשְׂפָתָיו׃

לד לֹא־הִשְׁמִידוּ אֶת־הָעַמִּים   אֲשֶׁר אָמַר יְהוָה לָהֶם׃

לה וַיִּתְעָרְבוּ בַגּוֹיִם   וַיִּלְמְדוּ מַעֲשֵׂיהֶם׃

לו וַיַּעַבְדוּ אֶת־עֲצַבֵּיהֶם   וַיִּהְיוּ לָהֶם לְמוֹקֵשׁ׃

לז וַיִּזְבְּחוּ אֶת־בְּנֵיהֶם וְאֶת־בְּנוֹתֵיהֶם   לַשֵּׁדִים׃

לח וַיִּשְׁפְּכוּ דָם נָקִי דַּם־בְּנֵיהֶם וּבְנוֹתֵיהֶם   אֲשֶׁר זִבְּחוּ לַעֲצַבֵּי כְנָעַן וַתֶּחֱנַף הָאָרֶץ בַּדָּמִים׃

וַיִּטְמְאוּ בְמַעֲשֵׂיהֶם וַיִּזְנוּ בְּמַעַלְלֵיהֶם: לט
וַיִּחַר־אַף יְהוָה בְּעַמּוֹ וַיְתָעֵב אֶת־נַחֲלָתוֹ: מ
וַיִּתְּנֵם בְּיַד־גּוֹיִם וַיִּמְשְׁלוּ בָהֶם שֹׂנְאֵיהֶם: מא
וַיִּלְחָצוּם אוֹיְבֵיהֶם וַיִּכָּנְעוּ תַּחַת יָדָם: מב
פְּעָמִים רַבּוֹת יַצִּילֵם וְהֵמָּה יַמְרוּ בַעֲצָתָם מג
וַיָּמֹכּוּ בַּעֲוֺנָם: וַיַּרְא בַּצַּר לָהֶם מד
בְּשָׁמְעוֹ אֶת־רִנָּתָם: וַיִּזְכֹּר לָהֶם בְּרִיתוֹ מה
וַיִּנָּחֵם כְּרֹב חֲסָדָו: וַיִּתֵּן אוֹתָם לְרַחֲמִים מו
לִפְנֵי כָּל־שׁוֹבֵיהֶם: הוֹשִׁיעֵנוּ ׀ יְהוָה אֱלֹהֵינוּ מז
וְקַבְּצֵנוּ מִן־הַגּוֹיִם לְהֹדוֹת לְשֵׁם קָדְשֶׁךָ
לְהִשְׁתַּבֵּחַ בִּתְהִלָּתֶךָ: בָּרוּךְ יְהוָה אֱלֹהֵי יִשְׂרָאֵל מח
מִן־הָעוֹלָם ׀ וְעַד הָעוֹלָם וְאָמַר כָּל־הָעָם אָמֵן
הַלְלוּיָהּ:

ספר חמישי

קְרִיאָה לְהוֹדוֹת וּלְהִתְבּוֹנֵן בְּחַסְדֵי ה׳ בְּהַצָּלָתוֹ מִצָּרָה:

הֹדוּ לַיהוָה כִּי־טוֹב כִּי לְעוֹלָם חַסְדּוֹ: א קז
יֹאמְרוּ גְּאוּלֵי יְהוָה אֲשֶׁר גְּאָלָם מִיַּד־צָר: ב
וּמֵאֲרָצוֹת קִבְּצָם מִמִּזְרָח וּמִמַּעֲרָב מִצָּפוֹן וּמִיָּם: ג
תָּעוּ בַמִּדְבָּר בִּישִׁימוֹן דָּרֶךְ עִיר מוֹשָׁב לֹא מָצָאוּ: ד
רְעֵבִים גַּם־צְמֵאִים נַפְשָׁם בָּהֶם תִּתְעַטָּף: ה
וַיִּצְעֲקוּ אֶל־יְהוָה בַּצַּר לָהֶם מִמְּצוּקוֹתֵיהֶם יַצִּילֵם: ו
וַיַּדְרִיכֵם בְּדֶרֶךְ יְשָׁרָה לָלֶכֶת אֶל־עִיר מוֹשָׁב: ז
יוֹדוּ לַיהוָה חַסְדּוֹ וְנִפְלְאוֹתָיו לִבְנֵי אָדָם: ח
כִּי־הִשְׂבִּיעַ נֶפֶשׁ שֹׁקֵקָה וְנֶפֶשׁ רְעֵבָה מִלֵּא־טוֹב: ט
יֹשְׁבֵי חֹשֶׁךְ וְצַלְמָוֶת אֲסִירֵי עֳנִי וּבַרְזֶל: י

יא כִּֽי־הִמְרוּ אִמְרֵי־אֵל וַעֲצַת עֶלְיוֹן נָאָצוּ:
יב וַיַּכְנַע בֶּעָמָל לִבָּם כָּשְׁלוּ וְאֵין עֹזֵר:
יג וַיִּזְעֲקוּ אֶל־יְהוָה בַּצַּר לָהֶם מִמְּצֻקוֹתֵיהֶם יוֹשִׁיעֵם:
יד יוֹצִיאֵם מֵחֹשֶׁךְ וְצַלְמָוֶת וּמוֹסְרוֹתֵיהֶם יְנַתֵּק:
טו יוֹדוּ לַיהוָה חַסְדּוֹ וְנִפְלְאוֹתָיו לִבְנֵי אָדָם:
טז כִּֽי־שִׁבַּר דַּלְתוֹת נְחֹשֶׁת וּבְרִיחֵי בַרְזֶל גִּדֵּעַ:
יז אֱוִלִים מִדֶּרֶךְ פִּשְׁעָם וּמֵעֲוֺנֹתֵיהֶם יִתְעַנּוּ:
יח כָּל־אֹכֶל תְּתַעֵב נַפְשָׁם וַיַּגִּיעוּ עַד־שַׁעֲרֵי מָוֶת:
יט וַיִּזְעֲקוּ אֶל־יְהוָה בַּצַּר לָהֶם מִמְּצֻקוֹתֵיהֶם יוֹשִׁיעֵם:
כ יִשְׁלַח דְּבָרוֹ וְיִרְפָּאֵם וִימַלֵּט מִשְּׁחִיתוֹתָם:
כא יוֹדוּ לַיהוָה חַסְדּוֹ וְנִפְלְאוֹתָיו לִבְנֵי אָדָם:
כב וְיִזְבְּחוּ זִבְחֵי תוֹדָה וִיסַפְּרוּ מַעֲשָׂיו בְּרִנָּה:
כג ׆ יוֹרְדֵי הַיָּם בָּאֳנִיּוֹת עֹשֵׂי מְלָאכָה בְּמַיִם רַבִּים:
כד ׆ הֵמָּה רָאוּ מַעֲשֵׂי יְהוָה וְנִפְלְאוֹתָיו בִּמְצוּלָה:
כה ׆ וַיֹּאמֶר וַיַּעֲמֵד רוּחַ סְעָרָה וַתְּרוֹמֵם גַּלָּיו:
כו ׆ יַעֲלוּ שָׁמַיִם יֵרְדוּ תְהוֹמוֹת נַפְשָׁם בְּרָעָה תִתְמוֹגָג:
כז ׆ יָחוֹגּוּ וְיָנוּעוּ כַּשִּׁכּוֹר וְכָל־חָכְמָתָם תִּתְבַּלָּע:
כח ׆ וַיִּצְעֲקוּ אֶל־יְהוָה בַּצַּר לָהֶם וּמִמְּצוּקֹתֵיהֶם יוֹצִיאֵם:
כט יָקֵם סְעָרָה לִדְמָמָה וַיֶּחֱשׁוּ גַּלֵּיהֶם:
ל וַיִּשְׂמְחוּ כִי־יִשְׁתֹּקוּ וַיַּנְחֵם אֶל־מְחוֹז חֶפְצָם:
לא יוֹדוּ לַיהוָה חַסְדּוֹ וְנִפְלְאוֹתָיו לִבְנֵי אָדָם:
לב וִירוֹמְמוּהוּ בִּקְהַל־עָם וּבְמוֹשַׁב זְקֵנִים יְהַלְלוּהוּ:
לג יָשֵׂם נְהָרוֹת לְמִדְבָּר וּמֹצָאֵי מַיִם לְצִמָּאוֹן:
לד אֶרֶץ פְּרִי לִמְלֵחָה מֵרָעַת יֹשְׁבֵי בָהּ:
לה יָשֵׂם מִדְבָּר לַאֲגַם־מַיִם וְאֶרֶץ צִיָּה לְמֹצָאֵי מָיִם:

לו וַיּ֣וֹשֶׁב שָׁ֣ם רְעֵבִ֑ים וַ֝יְכוֹנְנ֗וּ עִ֣יר מוֹשָֽׁב׃
לז וַיִּזְרְע֣וּ שָׂ֭דוֹת וַיִּטְּע֣וּ כְרָמִ֑ים וַ֝יַּעֲשׂ֗וּ פְּרִ֣י תְבֽוּאָה׃
לח וַיְבָרְכֵ֣ם וַיִּרְבּ֣וּ מְאֹ֑ד וּ֝בְהֶמְתָּ֗ם לֹ֣א יַמְעִֽיט׃
לט וַיִּמְעֲט֥וּ וַיָּשֹׁ֑חוּ מֵעֹ֖צֶר רָעָ֣ה וְיָגֽוֹן׃
מ ₂ שֹׁפֵ֣ךְ ב֭וּז עַל־נְדִיבִ֑ים וַ֝יַּתְעֵ֗ם בְּתֹ֣הוּ לֹא־דָֽרֶךְ׃
מא וַיְשַׂגֵּ֣ב אֶבְי֣וֹן מֵע֑וֹנִי וַיָּ֥שֶׂם כַּ֝צֹּ֗אן מִשְׁפָּחֽוֹת׃
מב יִרְא֣וּ יְשָׁרִ֣ים וְיִשְׂמָ֑חוּ וְכָל־עַ֝וְלָ֗ה קָ֣פְצָה פִּֽיהָ׃
מג מִי־חָכָ֥ם וְיִשְׁמָר־אֵ֑לֶּה וְ֝יִתְבּוֹנְנ֗וּ
חַֽסְדֵ֥י יְהוָֽה׃

קח א שִׁ֖יר מִזְמ֣וֹר לְדָוִֽד׃ ב נָכ֣וֹן לִבִּ֣י אֱלֹהִ֑ים
ג אָשִׁ֥ירָה וַ֝אֲזַמְּרָ֗ה אַף־כְּבוֹדִֽי׃ ע֭וּרָה הַנֵּ֥בֶל וְכִנּ֗וֹר
ד אָעִ֥ירָה שָּֽׁחַר׃ אוֹדְךָ֖ בָעַמִּ֥ים ׀ יְהוָ֑ה
ה וַ֝אֲזַמֶּרְךָ֗ בַּלְאֻמִּֽים׃ כִּֽי־גָד֣וֹל מֵעַל־שָׁמַ֣יִם חַסְדֶּ֑ךָ
ו וְֽעַד־שְׁחָקִ֥ים אֲמִתֶּֽךָ׃ ר֣וּמָה עַל־שָׁמַ֣יִם אֱלֹהִ֑ים
ז וְעַ֖ל כָּל־הָאָ֣רֶץ כְּבוֹדֶֽךָ׃ לְ֭מַעַן יֵחָלְצ֣וּן יְדִידֶ֑יךָ
ח הוֹשִׁ֖יעָה יְמִֽינְךָ֣ וַעֲנֵֽנִי׃ אֱלֹהִ֤ים ׀ דִּבֶּ֣ר בְּקָדְשׁ֗וֹ אֶ֫עְלֹ֥זָה
אֲחַלְּקָ֥ה שְׁכֶ֑ם וְעֵ֖מֶק סֻכּ֣וֹת אֲמַדֵּֽד׃
ט לִ֤י גִלְעָ֨ד ׀ לִ֬י מְנַשֶּׁ֗ה וְ֭אֶפְרַיִם מָע֣וֹז רֹאשִׁ֑י
י יְ֝הוּדָ֗ה מְחֹקְקִֽי׃ מוֹאָ֤ב ׀ סִ֬יר רַחְצִ֗י
עַל־אֱ֭דוֹם אַשְׁלִ֣יךְ נַעֲלִ֑י עֲלֵֽי־פְ֝לֶ֗שֶׁת אֶתְרוֹעָֽע׃
יא מִ֣י יֹ֭בִלֵנִי עִ֣יר מִבְצָ֑ר מִ֖י נָחַ֣נִי עַד־אֱדֽוֹם׃
יב הֲלֹֽא־אֱלֹהִ֥ים זְנַחְתָּ֑נוּ וְֽלֹא־תֵצֵ֥א אֱ֝לֹהִ֗ים בְּצִבְאֹתֵֽינוּ׃
יג הָֽבָה־לָּ֣נוּ עֶזְרָ֣ת מִצָּ֑ר וְ֝שָׁ֗וְא תְּשׁוּעַ֥ת אָדָֽם׃
יד בֵּֽאלֹהִ֥ים נַעֲשֶׂה־חָ֑יִל וְ֝ה֗וּא יָב֥וּס צָרֵֽינוּ׃

צִפִּיָּה לִישׁוּעָה בְּכִנּוּן מַלְכוּת בֵּית דָּוִד׃

קט א לַמְנַצֵּחַ לְדָוִד מִזְמוֹר

ב אֱלֹהֵי תְהִלָּתִי אַל־תֶּחֱרַשׁ׃ כִּי פִי רָשָׁע

וּפִי־מִרְמָה עָלַי פָּתָחוּ דִּבְּרוּ אִתִּי לְשׁוֹן שָׁקֶר׃

ג וְדִבְרֵי שִׂנְאָה סְבָבוּנִי וַיִּלָּחֲמוּנִי חִנָּם׃

ד תַּחַת־אַהֲבָתִי יִשְׂטְנוּנִי וַאֲנִי תְפִלָּה׃

ה וַיָּשִׂימוּ עָלַי רָעָה תַּחַת טוֹבָה וְשִׂנְאָה תַּחַת אַהֲבָתִי׃

ו הַפְקֵד עָלָיו רָשָׁע וְשָׂטָן יַעֲמֹד עַל־יְמִינוֹ׃

ז בְּהִשָּׁפְטוֹ יֵצֵא רָשָׁע וּתְפִלָּתוֹ תִּהְיֶה לַחֲטָאָה׃

ח יִהְיוּ־יָמָיו מְעַטִּים פְּקֻדָּתוֹ יִקַּח אַחֵר׃

ט יִהְיוּ־בָנָיו יְתוֹמִים וְאִשְׁתּוֹ אַלְמָנָה׃

י וְנוֹעַ יָנוּעוּ בָנָיו וְשִׁאֵלוּ וְדָרְשׁוּ מֵחָרְבוֹתֵיהֶם׃

יא יְנַקֵּשׁ נוֹשֶׁה לְכָל־אֲשֶׁר־לוֹ וְיָבֹזּוּ זָרִים יְגִיעוֹ׃

יב אַל־יְהִי־לוֹ מֹשֵׁךְ חָסֶד וְאַל־יְהִי חוֹנֵן לִיתוֹמָיו׃

יג יְהִי־אַחֲרִיתוֹ לְהַכְרִית בְּדוֹר אַחֵר יִמַּח שְׁמָם׃

יד יִזָּכֵר ׀ עֲוֺן אֲבֹתָיו אֶל־יְהוָה וְחַטַּאת אִמּוֹ אַל־תִּמָּח׃

טו יִהְיוּ נֶגֶד־יְהוָה תָּמִיד וְיַכְרֵת מֵאֶרֶץ זִכְרָם׃

טז יַעַן אֲשֶׁר ׀ לֹא זָכַר עֲשׂוֹת חָסֶד

וַיִּרְדֹּף אִישׁ־עָנִי וְאֶבְיוֹן וְנִכְאֵה לֵבָב לְמוֹתֵת׃

יז וַיֶּאֱהַב קְלָלָה וַתְּבוֹאֵהוּ וְלֹא־חָפֵץ בִּבְרָכָה

יח וַתִּרְחַק מִמֶּנּוּ׃ וַיִּלְבַּשׁ קְלָלָה כְּמַדּוֹ

וַתָּבֹא כַמַּיִם בְּקִרְבּוֹ וְכַשֶּׁמֶן בְּעַצְמוֹתָיו׃

יט תְּהִי־לוֹ כְּבֶגֶד יַעְטֶה וּלְמֵזַח תָּמִיד יַחְגְּרֶהָ׃

כ זֹאת ׀ פְּעֻלַּת שֹׂטְנַי מֵאֵת יְהוָה וְהַדֹּבְרִים רָע

כא עַל־נַפְשִׁי׃ וְאַתָּה ׀ יְהוִה אֲדֹנָי עֲשֵׂה־אִתִּי לְמַעַן שְׁמֶךָ

תְּפִלָּה לְהַצִּילוֹ מִשּׂוֹנְאָיו כְּפוּיֵי הַטּוֹבָה:

כִּי־טוֹב חַסְדְּךָ הַצִּילֵנִי׃ כִּי־עָנִי וְאֶבְיוֹן אָנֹכִי כב
וְלִבִּי חָלַל בְּקִרְבִּי׃ כְּצֵל־כִּנְטוֹתוֹ נֶהֱלָכְתִּי כג
נִנְעַרְתִּי כָּאַרְבֶּה׃ בִּרְכַּי כָּשְׁלוּ מִצּוֹם כד
וּבְשָׂרִי כָּחַשׁ מִשָּׁמֶן׃ וַאֲנִי ׀ הָיִיתִי חֶרְפָּה לָהֶם כה
יִרְאוּנִי יְנִיעוּן רֹאשָׁם׃ עָזְרֵנִי יְהוָה אֱלֹהָי כו
הוֹשִׁיעֵנִי כְחַסְדֶּךָ׃ וְיֵדְעוּ כִּי־יָדְךָ זֹּאת כז
אַתָּה יְהוָה עֲשִׂיתָהּ׃ יְקַלְלוּ־הֵמָּה וְאַתָּה תְבָרֵךְ כח
קָמוּ ׀ וַיֵּבֹשׁוּ וְעַבְדְּךָ יִשְׂמָח׃ יִלְבְּשׁוּ שׂוֹטְנַי כְּלִמָּה כט
וְיַעֲטוּ כַמְעִיל בָּשְׁתָּם׃ אוֹדֶה יְהוָה מְאֹד בְּפִי ל
וּבְתוֹךְ רַבִּים אֲהַלְלֶנּוּ׃ כִּי־יַעֲמֹד לִימִין אֶבְיוֹן לא
לְהוֹשִׁיעַ מִשֹּׁפְטֵי נַפְשׁוֹ׃

הַבְטָחָה לְהַצְלָחַת מַלְכוּת דָּוִד - בְּהַכְנָעַת אוֹיְבָיו׃

לְדָוִד מִזְמוֹר א **קי**
נְאֻם יְהוָה ׀ לַאדֹנִי שֵׁב לִימִינִי עַד־אָשִׁית אֹיְבֶיךָ
הֲדֹם לְרַגְלֶיךָ׃ מַטֵּה־עֻזְּךָ יִשְׁלַח יְהוָה מִצִּיּוֹן ב
רְדֵה בְּקֶרֶב אֹיְבֶיךָ׃ עַמְּךָ נְדָבֹת בְּיוֹם חֵילֶךָ ג
בְּהַדְרֵי־קֹדֶשׁ מֵרֶחֶם מִשְׁחָר לְךָ טַל יַלְדֻתֶיךָ׃
נִשְׁבַּע יְהוָה ׀ וְלֹא יִנָּחֵם אַתָּה־כֹהֵן לְעוֹלָם ד
עַל־דִּבְרָתִי מַלְכִּי־צֶדֶק׃ אֲדֹנָי עַל־יְמִינְךָ ה
מָחַץ בְּיוֹם־אַפּוֹ מְלָכִים׃ יָדִין בַּגּוֹיִם מָלֵא גְוִיּוֹת ו
מָחַץ רֹאשׁ עַל־אֶרֶץ רַבָּה׃ מִנַּחַל בַּדֶּרֶךְ יִשְׁתֶּה ז
עַל־כֵּן יָרִים רֹאשׁ׃

קְרִיאָה לְהִתְבּוֹנֵן וּלְהוֹדוֹת עַל נִפְלְאוֹת ה׳׃

הַלְלוּ יָהּ ׀ א **קיא**
אוֹדֶה יְהוָה בְּכָל־לֵבָב בְּסוֹד יְשָׁרִים וְעֵדָה׃

ב גְּדֹלִים מַעֲשֵׂי יְהוָה דְּרוּשִׁים לְכָל־חֶפְצֵיהֶם:
ג הוֹד־וְהָדָר פָּעֳלוֹ וְצִדְקָתוֹ עֹמֶדֶת לָעַד:
ד זֵכֶר עָשָׂה לְנִפְלְאֹתָיו חַנּוּן וְרַחוּם יְהוָה:
ה טֶרֶף נָתַן לִירֵאָיו יִזְכֹּר לְעוֹלָם בְּרִיתוֹ:
ו כֹּחַ מַעֲשָׂיו הִגִּיד לְעַמּוֹ לָתֵת לָהֶם נַחֲלַת גּוֹיִם:
ז מַעֲשֵׂי יָדָיו אֱמֶת וּמִשְׁפָּט נֶאֱמָנִים כָּל־פִּקּוּדָיו:
ח סְמוּכִים לָעַד לְעוֹלָם עֲשׂוּיִם בֶּאֱמֶת וְיָשָׁר:
ט פְּדוּת | שָׁלַח לְעַמּוֹ צִוָּה־לְעוֹלָם בְּרִיתוֹ
י קָדוֹשׁ וְנוֹרָא שְׁמוֹ: רֵאשִׁית חָכְמָה | יִרְאַת יְהוָה
שֵׂכֶל טוֹב לְכָל־עֹשֵׂיהֶם תְּהִלָּתוֹ עֹמֶדֶת לָעַד:

קיב א הַלְלוּ יָהּ |
אַשְׁרֵי־אִישׁ יָרֵא אֶת־יְהוָה בְּמִצְוֹתָיו חָפֵץ מְאֹד:
ב גִּבּוֹר בָּאָרֶץ יִהְיֶה זַרְעוֹ דּוֹר יְשָׁרִים יְבֹרָךְ:
ג הוֹן־וָעֹשֶׁר בְּבֵיתוֹ וְצִדְקָתוֹ עֹמֶדֶת לָעַד:
ד זָרַח בַּחֹשֶׁךְ אוֹר לַיְשָׁרִים חַנּוּן וְרַחוּם וְצַדִּיק:
ה טוֹב־אִישׁ חוֹנֵן וּמַלְוֶה יְכַלְכֵּל דְּבָרָיו בְּמִשְׁפָּט:
ו כִּי־לְעוֹלָם לֹא־יִמּוֹט לְזֵכֶר עוֹלָם יִהְיֶה צַדִּיק:
ז מִשְּׁמוּעָה רָעָה לֹא יִירָא נָכוֹן לִבּוֹ בָּטֻחַ בַּיהוָה:
ח סָמוּךְ לִבּוֹ לֹא יִירָא עַד אֲשֶׁר־יִרְאֶה בְצָרָיו:
ט פִּזַּר | נָתַן לָאֶבְיוֹנִים צִדְקָתוֹ עֹמֶדֶת לָעַד
י קַרְנוֹ תָּרוּם בְּכָבוֹד: רָשָׁע יִרְאֶה | וְכָעָס
שִׁנָּיו יַחֲרֹק וְנָמָס תַּאֲוַת רְשָׁעִים תֹּאבֵד:

שֶׁבַח יִרְאַת ה' וּגְמוּלָהּ, מִדַּת הַחֶסֶד וּגְמוּלָהּ:

קְרִיאָה לְהַלֵּל אֶת ה' הָרָם וּמְרוֹמֵם חֲסִידָיו:

הַלְלוּ יָהּ ׀ א קיג
הַלְלוּ עַבְדֵי יְהוָה הַלְלוּ אֶת־שֵׁם יְהוָה:
יְהִי שֵׁם יְהוָה מְבֹרָךְ מֵעַתָּה וְעַד־עוֹלָם: ב
מִמִּזְרַח־שֶׁמֶשׁ עַד־מְבוֹאוֹ מְהֻלָּל שֵׁם יְהוָה: ג
רָם עַל־כָּל־גּוֹיִם ׀ יְהוָה עַל הַשָּׁמַיִם כְּבוֹדוֹ: ד
מִי כַּיהוָה אֱלֹהֵינוּ הַמַּגְבִּיהִי לָשָׁבֶת: ה
הַמַּשְׁפִּילִי לִרְאוֹת בַּשָּׁמַיִם וּבָאָרֶץ: ו
מְקִימִי מֵעָפָר דָּל מֵאַשְׁפֹּת יָרִים אֶבְיוֹן: ז
לְהוֹשִׁיבִי עִם־נְדִיבִים עִם נְדִיבֵי עַמּוֹ: ח
מוֹשִׁיבִי ׀ עֲקֶרֶת הַבַּיִת אֵם־הַבָּנִים שְׂמֵחָה ט
הַלְלוּ־יָהּ:

בִּיצִיאָה מִמִּצְרַיִם נִתְקַדַּשְׁנוּ לִהְיוֹת עַם ה':

בְּצֵאת יִשְׂרָאֵל מִמִּצְרָיִם בֵּית יַעֲקֹב מֵעַם לֹעֵז: א קיד
הָיְתָה יְהוּדָה לְקָדְשׁוֹ יִשְׂרָאֵל מַמְשְׁלוֹתָיו: ב
הַיָּם רָאָה וַיָּנֹס הַיַּרְדֵּן יִסֹּב לְאָחוֹר: ג
הֶהָרִים רָקְדוּ כְאֵילִים גְּבָעוֹת כִּבְנֵי־צֹאן: ד
מַה־לְּךָ הַיָּם כִּי תָנוּס הַיַּרְדֵּן תִּסֹּב לְאָחוֹר: ה
הֶהָרִים תִּרְקְדוּ כְאֵילִים גְּבָעוֹת כִּבְנֵי־צֹאן: ו
מִלִּפְנֵי אָדוֹן חוּלִי אָרֶץ מִלִּפְנֵי אֱלוֹהַּ יַעֲקֹב: ז
הַהֹפְכִי הַצּוּר אֲגַם־מָיִם חַלָּמִישׁ לְמַעְיְנוֹ־מָיִם: ח
לֹא לָנוּ יְהוָה לֹא לָנוּ כִּי־לְשִׁמְךָ תֵּן כָּבוֹד א קטו
עַל־חַסְדְּךָ עַל־אֲמִתֶּךָ: לָמָּה יֹאמְרוּ הַגּוֹיִם ב
אַיֵּה־נָא אֱלֹהֵיהֶם: וֵאלֹהֵינוּ בַשָּׁמָיִם ג
כֹּל אֲשֶׁר־חָפֵץ עָשָׂה: עֲצַבֵּיהֶם כֶּסֶף וְזָהָב ד
מַעֲשֵׂה יְדֵי אָדָם: פֶּה־לָהֶם וְלֹא יְדַבֵּרוּ ה

ו עֵינַיִם לָהֶם וְלֹא יִרְאוּ: אָזְנַיִם לָהֶם וְלֹא יִשְׁמָעוּ
ז אַף לָהֶם וְלֹא יְרִיחוּן: יְדֵיהֶם ׀ וְלֹא יְמִישׁוּן
רַגְלֵיהֶם וְלֹא יְהַלֵּכוּ לֹא־יֶהְגּוּ בִּגְרוֹנָם:
ח כְּמוֹהֶם יִהְיוּ עֹשֵׂיהֶם כֹּל אֲשֶׁר־בֹּטֵחַ בָּהֶם:
ט יִשְׂרָאֵל בְּטַח בַּיהוָה עֶזְרָם וּמָגִנָּם הוּא:
י בֵּית אַהֲרֹן בִּטְחוּ בַיהוָה עֶזְרָם וּמָגִנָּם הוּא:
יא יִרְאֵי יְהוָה בִּטְחוּ בַיהוָה עֶזְרָם וּמָגִנָּם הוּא:
יב יְהוָה זְכָרָנוּ יְבָרֵךְ יְבָרֵךְ אֶת־בֵּית יִשְׂרָאֵל
יג יְבָרֵךְ אֶת־בֵּית אַהֲרֹן: יְבָרֵךְ יִרְאֵי יְהוָה
יד הַקְּטַנִּים עִם־הַגְּדֹלִים: יֹסֵף יְהוָה עֲלֵיכֶם
טו עֲלֵיכֶם וְעַל־בְּנֵיכֶם: בְּרוּכִים אַתֶּם לַיהוָה
טז עֹשֵׂה שָׁמַיִם וָאָרֶץ: הַשָּׁמַיִם שָׁמַיִם לַיהוָה
וְהָאָרֶץ נָתַן לִבְנֵי־אָדָם:
יז לֹא הַמֵּתִים יְהַלְלוּ־יָהּ וְלֹא כָּל־יֹרְדֵי דוּמָה:
יח וַאֲנַחְנוּ ׀ נְבָרֵךְ יָהּ מֵעַתָּה וְעַד־עוֹלָם
הַלְלוּ־יָהּ:

קטז א אָהַבְתִּי כִּי־יִשְׁמַע ׀ יְהוָה אֶת־קוֹלִי תַּחֲנוּנָי: הוֹדָיָה וְשָׁלוֹם נְדָרִים בַּעֲבוּר הַצָּלָה גְדוֹלָה:
ב כִּי־הִטָּה אָזְנוֹ לִי וּבְיָמַי אֶקְרָא:
ג אֲפָפוּנִי ׀ חֶבְלֵי־מָוֶת וּמְצָרֵי שְׁאוֹל מְצָאוּנִי
ד צָרָה וְיָגוֹן אֶמְצָא: וּבְשֵׁם־יְהוָה אֶקְרָא
ה אָנָּה יְהוָה מַלְּטָה נַפְשִׁי: חַנּוּן יְהוָה וְצַדִּיק
ו וֵאלֹהֵינוּ מְרַחֵם: שֹׁמֵר פְּתָאיִם יְהוָה
ז דַּלּוֹתִי וְלִי יְהוֹשִׁיעַ: שׁוּבִי נַפְשִׁי לִמְנוּחָיְכִי
ח כִּי־יְהוָה גָּמַל עָלָיְכִי: כִּי חִלַּצְתָּ נַפְשִׁי מִמָּוֶת

אֶת־עֵינִי מִן־דִּמְעָה אֶת־רַגְלִי מִדֶּחִי׃
אֶתְהַלֵּךְ לִפְנֵי יְהוָה בְּאַרְצוֹת הַחַיִּים׃ ט
הֶאֱמַנְתִּי כִּי אֲדַבֵּר אֲנִי עָנִיתִי מְאֹד׃ י
אֲנִי אָמַרְתִּי בְחָפְזִי כָּל־הָאָדָם כֹּזֵב׃ יא
מָה־אָשִׁיב לַיהוָה כָּל־תַּגְמוּלוֹהִי עָלָי׃ יב
כּוֹס־יְשׁוּעוֹת אֶשָּׂא וּבְשֵׁם יְהוָה אֶקְרָא׃ יג
נְדָרַי לַיהוָה אֲשַׁלֵּם נֶגְדָה־נָּא לְכָל־עַמּוֹ׃ יד
יָקָר בְּעֵינֵי יְהוָה הַמָּוְתָה לַחֲסִידָיו׃ טו
אָנָּה יְהוָה כִּי־אֲנִי עַבְדֶּךָ אֲנִי־עַבְדְּךָ בֶּן־אֲמָתֶךָ טז
פִּתַּחְתָּ לְמוֹסֵרָי׃ לְךָ־אֶזְבַּח זֶבַח תּוֹדָה יז
וּבְשֵׁם יְהוָה אֶקְרָא׃ נְדָרַי לַיהוָה אֲשַׁלֵּם יח
נֶגְדָה־נָּא לְכָל־עַמּוֹ׃ בְּחַצְרוֹת ׀ בֵּית יְהוָה בְּתוֹכֵכִי יְרוּשָׁלִָם יט
הַלְלוּ־יָהּ׃

קְרִיאָה לַגּוֹיִם לְהוֹדוֹת וּלְהַלֵּל עַל גְּאֻלַּת יִשְׂרָאֵל׃

הַלְלוּ אֶת־יְהוָה כָּל־גּוֹיִם שַׁבְּחוּהוּ כָּל־הָאֻמִּים׃ א קיז
כִּי גָבַר עָלֵינוּ ׀ חַסְדּוֹ וֶאֱמֶת־יְהוָה לְעוֹלָם ב
הַלְלוּ־יָהּ׃

הַלֵּל וְהוֹדָיָה עַל רֹב חַסְדֵי ה׳ בִּישׁוּעָה׃

הוֹדוּ לַיהוָה כִּי־טוֹב כִּי לְעוֹלָם חַסְדּוֹ׃ א קיח
יֹאמַר־נָא יִשְׂרָאֵל כִּי לְעוֹלָם חַסְדּוֹ׃ ב
יֹאמְרוּ־נָא בֵית־אַהֲרֹן כִּי לְעוֹלָם חַסְדּוֹ׃ ג
יֹאמְרוּ־נָא יִרְאֵי יְהוָה כִּי לְעוֹלָם חַסְדּוֹ׃ ד
מִן־הַמֵּצַר קָרָאתִי יָּהּ עָנָנִי בַמֶּרְחָב יָהּ׃ ה
יְהוָה לִי לֹא אִירָא מַה־יַּעֲשֶׂה לִי אָדָם׃ ו
יְהוָה לִי בְּעֹזְרָי וַאֲנִי אֶרְאֶה בְשֹׂנְאָי׃ ז

ח טוֹב לַחֲסוֹת בַּיהוָה מִבְּטֹחַ בָּאָדָם:
ט טוֹב לַחֲסוֹת בַּיהוָה מִבְּטֹחַ בִּנְדִיבִים:
י כָּל־גּוֹיִם סְבָבוּנִי בְּשֵׁם יְהוָה כִּי אֲמִילַם:
יא סַבּוּנִי גַם־סְבָבוּנִי בְּשֵׁם יְהוָה כִּי אֲמִילַם:
יב סַבּוּנִי כִדְבוֹרִים דֹּעֲכוּ כְּאֵשׁ קוֹצִים בְּשֵׁם יְהוָה כִּי אֲמִילַם:
יג דַּחֹה דְחִיתַנִי לִנְפֹּל וַיהוָה עֲזָרָנִי:
יד עָזִּי וְזִמְרָת יָהּ וַיְהִי־לִי לִישׁוּעָה:
טו קוֹל ׀ רִנָּה וִישׁוּעָה בְּאָהֳלֵי צַדִּיקִים
טז יְמִין יְהוָה עֹשָׂה חָיִל: יְמִין יְהוָה רוֹמֵמָה
יז יְמִין יְהוָה עֹשָׂה חָיִל: לֹא־אָמוּת כִּי־אֶחְיֶה
יח וַאֲסַפֵּר מַעֲשֵׂי יָהּ: יַסֹּר יִסְּרַנִּי יָּהּ
יט וְלַמָּוֶת לֹא נְתָנָנִי: פִּתְחוּ־לִי שַׁעֲרֵי־צֶדֶק
כ אָבֹא־בָם אוֹדֶה יָהּ: זֶה־הַשַּׁעַר לַיהוָה
כא צַדִּיקִים יָבֹאוּ בוֹ: אוֹדְךָ כִּי עֲנִיתָנִי
כב וַתְּהִי־לִי לִישׁוּעָה: אֶבֶן מָאֲסוּ הַבּוֹנִים
כג הָיְתָה לְרֹאשׁ פִּנָּה: מֵאֵת יְהוָה הָיְתָה זֹּאת
כד הִיא נִפְלָאת בְּעֵינֵינוּ: זֶה־הַיּוֹם עָשָׂה יְהוָה
כה נָגִילָה וְנִשְׂמְחָה בוֹ: אָנָּא יְהוָה הוֹשִׁיעָה נָּא
כו אָנָּא יְהוָה הַצְלִיחָה נָּא: בָּרוּךְ הַבָּא בְּשֵׁם יְהוָה
כז בֵּרַכְנוּכֶם מִבֵּית יְהוָה: אֵל ׀ יְהוָה וַיָּאֶר לָנוּ
אִסְרוּ־חַג בַּעֲבֹתִים עַד־קַרְנוֹת הַמִּזְבֵּחַ:
כח אֵלִי אַתָּה וְאוֹדֶךָּ אֱלֹהַי אֲרוֹמְמֶךָּ:
כט הוֹדוּ לַיהוָה כִּי־טוֹב כִּי לְעוֹלָם חַסְדּוֹ:

אֹשֶׁר לוֹמְדֵי הַתּוֹרָה וְשׁוֹמְרֵי מִצְווֹתֶיהָ:

קיט א אַשְׁרֵי תְמִימֵי־דָרֶךְ הַהֹלְכִים בְּתוֹרַת יְהוָה׃
ב אַשְׁרֵי נֹצְרֵי עֵדֹתָיו בְּכָל־לֵב יִדְרְשׁוּהוּ׃
ג אַף לֹא־פָעֲלוּ עַוְלָה בִּדְרָכָיו הָלָכוּ׃
ד אַתָּה צִוִּיתָה פִקֻּדֶיךָ לִשְׁמֹר מְאֹד׃
ה אַחֲלַי יִכֹּנוּ דְרָכָי לִשְׁמֹר חֻקֶּיךָ׃
ו אָז לֹא־אֵבוֹשׁ בְּהַבִּיטִי אֶל־כָּל־מִצְוֺתֶיךָ׃
ז אוֹדְךָ בְּיֹשֶׁר לֵבָב בְּלָמְדִי מִשְׁפְּטֵי צִדְקֶךָ׃
ח אֶת־חֻקֶּיךָ אֶשְׁמֹר אַל־תַּעַזְבֵנִי עַד־מְאֹד׃

הַתְּשׁוּקָה וְהַשִּׂמְחָה בְּלִמּוּד הַתּוֹרָה:

ט בַּמֶּה יְזַכֶּה־נַּעַר אֶת־אָרְחוֹ לִשְׁמֹר כִּדְבָרֶךָ׃
י בְּכָל־לִבִּי דְרַשְׁתִּיךָ אַל־תַּשְׁגֵּנִי מִמִּצְוֺתֶיךָ׃
יא בְּלִבִּי צָפַנְתִּי אִמְרָתֶךָ לְמַעַן לֹא אֶחֱטָא־לָךְ׃
יב בָּרוּךְ אַתָּה יְהוָה לַמְּדֵנִי חֻקֶּיךָ׃
יג בִּשְׂפָתַי סִפַּרְתִּי כֹּל מִשְׁפְּטֵי־פִיךָ׃
יד בְּדֶרֶךְ עֵדְוֺתֶיךָ שַׂשְׂתִּי כְּעַל כָּל־הוֹן׃
טו בְּפִקֻּדֶיךָ אָשִׂיחָה וְאַבִּיטָה אֹרְחֹתֶיךָ׃
טז בְּחֻקֹּתֶיךָ אֶשְׁתַּעֲשָׁע לֹא אֶשְׁכַּח דְּבָרֶךָ׃

לִזְכּוֹת לַעֲמִקּוּת הַתּוֹרָה עַל אַף הַמַּלְעִיגִים:

יז גְּמֹל עַל־עַבְדְּךָ אֶחְיֶה וְאֶשְׁמְרָה דְבָרֶךָ׃
יח גַּל־עֵינַי וְאַבִּיטָה נִפְלָאוֹת מִתּוֹרָתֶךָ׃
יט גֵּר אָנֹכִי בָאָרֶץ אַל־תַּסְתֵּר מִמֶּנִּי מִצְוֺתֶיךָ׃
כ גָּרְסָה נַפְשִׁי לְתַאֲבָה אֶל־מִשְׁפָּטֶיךָ בְכָל־עֵת׃
כא גָּעַרְתָּ זֵדִים אֲרוּרִים הַשֹּׁגִים מִמִּצְוֺתֶיךָ׃
כב גַּל מֵעָלַי חֶרְפָּה וָבוּז כִּי עֵדֹתֶיךָ נָצָרְתִּי׃
כג גַּם יָשְׁבוּ שָׂרִים בִּי נִדְבָּרוּ עַבְדְּךָ יָשִׂיחַ בְּחֻקֶּיךָ׃

כד גַּם־עֵדֹתֶיךָ שַׁעֲשֻׁעָי אַנְשֵׁי עֲצָתִי:

כה דָּבְקָה לֶעָפָר נַפְשִׁי חַיֵּנִי כִּדְבָרֶךָ: | בַּקָּשָׁה לְהוֹצִיאוֹ

כו דְּרָכַי סִפַּרְתִּי וַתַּעֲנֵנִי לַמְּדֵנִי חֻקֶּיךָ: | מִצָּרָה לְמַעַן

כז דֶּרֶךְ־פִּקּוּדֶיךָ הֲבִינֵנִי וְאָשִׂיחָה בְּנִפְלְאוֹתֶיךָ: | לִמּוּד הַתּוֹרָה:

כח דָּלְפָה נַפְשִׁי מִתּוּגָה קַיְּמֵנִי כִּדְבָרֶךָ:

כט דֶּרֶךְ־שֶׁקֶר הָסֵר מִמֶּנִּי וְתוֹרָתְךָ חָנֵּנִי:

ל דֶּרֶךְ־אֱמוּנָה בָחָרְתִּי מִשְׁפָּטֶיךָ שִׁוִּיתִי:

לא דָּבַקְתִּי בְעֵדְוֺתֶיךָ יְהוָה אַל־תְּבִישֵׁנִי:

לב דֶּרֶךְ־מִצְוֺתֶיךָ אָרוּץ כִּי תַרְחִיב לִבִּי:

לג הוֹרֵנִי יְהוָה דֶּרֶךְ חֻקֶּיךָ וְאֶצְּרֶנָּה עֵקֶב: | בַּקָּשָׁה לַהֲבִינוֹ

לד הֲבִינֵנִי וְאֶצְּרָה תוֹרָתֶךָ וְאֶשְׁמְרֶנָּה בְכָל־לֵב: | בַּתּוֹרָה, וּלְהַרְחִיקוֹ

לה הַדְרִיכֵנִי בִּנְתִיב מִצְוֺתֶיךָ כִּי־בוֹ חָפָצְתִּי: | מִדֶּרֶךְ רָעָה:

לו הַט־לִבִּי אֶל־עֵדְוֺתֶיךָ וְאַל אֶל־בָּצַע:

לז הַעֲבֵר עֵינַי מֵרְאוֹת שָׁוְא בִּדְרָכֶךָ חַיֵּנִי:

לח הָקֵם לְעַבְדְּךָ אִמְרָתֶךָ אֲשֶׁר לְיִרְאָתֶךָ:

לט הַעֲבֵר חֶרְפָּתִי אֲשֶׁר יָגֹרְתִּי כִּי מִשְׁפָּטֶיךָ טוֹבִים:

מ הִנֵּה תָּאַבְתִּי לְפִקֻּדֶיךָ בְּצִדְקָתְךָ חַיֵּנִי:

מא וִיבֹאֻנִי חֲסָדֶךָ יְהוָה תְּשׁוּעָתְךָ כְּאִמְרָתֶךָ: | בַּקָּשָׁה לְהַרְחִיב

מב וְאֶעֱנֶה חֹרְפִי דָבָר כִּי־בָטַחְתִּי בִּדְבָרֶךָ: | דַּרְכּוֹ בַּתּוֹרָה,

מג וְאַל־תַּצֵּל מִפִּי דְבַר־אֱמֶת עַד־מְאֹד כִּי לְמִשְׁפָּטֶךָ יִחָלְתִּי: | שֶׁיּוּכַל לְפַרְסְמָהּ:

מד וְאֶשְׁמְרָה תוֹרָתְךָ תָמִיד לְעוֹלָם וָעֶד:

מה וְאֶתְהַלְּכָה בָרְחָבָה כִּי פִקֻּדֶיךָ דָרָשְׁתִּי:

מו וַאֲדַבְּרָה בְעֵדֹתֶיךָ נֶגֶד מְלָכִים וְלֹא אֵבוֹשׁ:
מז וְאֶשְׁתַּעֲשַׁע בְּמִצְוֺתֶיךָ אֲשֶׁר אָהָבְתִּי:
מח וְאֶשָּׂא־כַפַּי אֶל־מִצְוֺתֶיךָ אֲשֶׁר אָהָבְתִּי וְאָשִׂיחָה בְחֻקֶּיךָ:

עֲמִידָה בִּפְנֵי הַלֵּצִים - בְּכֹחַ הַתְמָדַת הַתּוֹרָה:

מט זְכֹר־דָּבָר לְעַבְדֶּךָ עַל אֲשֶׁר יִחַלְתָּנִי:
נ זֹאת נֶחָמָתִי בְעָנְיִי כִּי אִמְרָתְךָ חִיָּתְנִי:
נא זֵדִים הֱלִיצֻנִי עַד־מְאֹד מִתּוֹרָתְךָ לֹא נָטִיתִי:
נב זָכַרְתִּי מִשְׁפָּטֶיךָ מֵעוֹלָם ׀ יְהוָה וָאֶתְנֶחָם:
נג זַלְעָפָה אֲחָזַתְנִי מֵרְשָׁעִים עֹזְבֵי תּוֹרָתֶךָ:
נד זְמִרוֹת הָיוּ־לִי חֻקֶּיךָ בְּבֵית מְגוּרָי:
נה זָכַרְתִּי בַלַּיְלָה שִׁמְךָ יְהוָה וָאֶשְׁמְרָה תּוֹרָתֶךָ:
נו זֹאת הָיְתָה־לִּי כִּי פִקֻּדֶיךָ נָצָרְתִּי:

דְּבֵקוּת וּזְרִיזוּת בְּלִמּוּד הַתּוֹרָה:

נז חֶלְקִי יְהוָה אָמַרְתִּי לִשְׁמֹר דְּבָרֶיךָ:
נח חִלִּיתִי פָנֶיךָ בְכָל־לֵב חָנֵּנִי כְּאִמְרָתֶךָ:
נט חִשַּׁבְתִּי דְרָכָי וָאָשִׁיבָה רַגְלַי אֶל־עֵדֹתֶיךָ:
ס חַשְׁתִּי וְלֹא הִתְמַהְמָהְתִּי לִשְׁמֹר מִצְוֺתֶיךָ:
סא חֶבְלֵי רְשָׁעִים עִוְּדֻנִי תּוֹרָתְךָ לֹא שָׁכָחְתִּי:
סב חֲצוֹת־לַיְלָה אָקוּם לְהוֹדוֹת לָךְ עַל מִשְׁפְּטֵי צִדְקֶךָ:
סג חָבֵר אָנִי לְכָל־אֲשֶׁר יְרֵאוּךָ וּלְשֹׁמְרֵי פִּקּוּדֶיךָ:
סד חַסְדְּךָ יְהוָה מָלְאָה הָאָרֶץ חֻקֶּיךָ לַמְּדֵנִי:

הוֹדָיָה עַל הַתּוֹרָה - הַטּוֹבָה הַגְּדוֹלָה מֵאֵת ה':

סה טוֹב עָשִׂיתָ עִם־עַבְדְּךָ יְהוָה כִּדְבָרֶךָ:
סו טוּב טַעַם וָדַעַת לַמְּדֵנִי כִּי בְמִצְוֺתֶיךָ הֶאֱמָנְתִּי:
סז טֶרֶם אֶעֱנֶה אֲנִי שֹׁגֵג וְעַתָּה אִמְרָתְךָ שָׁמָרְתִּי:

סח טוֹב־אַתָּה וּמֵטִיב לַמְּדֵנִי חֻקֶּיךָ׃
סט טָפְלוּ עָלַי שֶׁקֶר זֵדִים אֲנִי בְּכָל־לֵב ׀ אֶצֹּר פִּקּוּדֶיךָ׃
ע טָפַשׁ כַּחֵלֶב לִבָּם אֲנִי תּוֹרָתְךָ שִׁעֲשָׁעְתִּי׃
עא טוֹב־לִי כִי־עֻנֵּיתִי לְמַעַן אֶלְמַד חֻקֶּיךָ׃
עב טוֹב־לִי תוֹרַת־פִּיךָ מֵאַלְפֵי זָהָב וָכָסֶף׃

עג יָדֶיךָ עָשׂוּנִי וַיְכוֹנְנוּנִי הֲבִינֵנִי וְאֶלְמְדָה מִצְוֺתֶיךָ׃
עד יְרֵאֶיךָ יִרְאוּנִי וְיִשְׂמָחוּ כִּי לִדְבָרְךָ יִחָלְתִּי׃
עה יָדַעְתִּי יְהֹוָה כִּי־צֶדֶק מִשְׁפָּטֶיךָ וֶאֱמוּנָה עִנִּיתָנִי׃
עו יְהִי־נָא חַסְדְּךָ לְנַחֲמֵנִי כְּאִמְרָתְךָ לְעַבְדֶּךָ׃
עז יְבֹאוּנִי רַחֲמֶיךָ וְאֶחְיֶה כִּי־תוֹרָתְךָ שַׁעֲשֻׁעָי׃
עח יֵבֹשׁוּ זֵדִים כִּי־שֶׁקֶר עִוְּתוּנִי אֲנִי אָשִׂיחַ בְּפִקּוּדֶיךָ׃
עט יָשׁוּבוּ לִי יְרֵאֶיךָ וידעו וְיֹדְעֵי עֵדֹתֶיךָ׃
פ יְהִי־לִבִּי תָמִים בְּחֻקֶּיךָ לְמַעַן לֹא אֵבוֹשׁ׃

בַּקָּשָׁה לְהָסִיר מִמֶּנּוּ מַפְרִיעֵי עֵסֶק הַתּוֹרָה׃

פא כָּלְתָה לִתְשׁוּעָתְךָ נַפְשִׁי לִדְבָרְךָ יִחָלְתִּי׃
פב כָּלוּ עֵינַי לְאִמְרָתֶךָ לֵאמֹר מָתַי תְּנַחֲמֵנִי׃
פג כִּי־הָיִיתִי כְּנֹאד בְּקִיטוֹר חֻקֶּיךָ לֹא שָׁכָחְתִּי׃
פד כַּמָּה יְמֵי־עַבְדֶּךָ מָתַי תַּעֲשֶׂה בְרֹדְפַי מִשְׁפָּט׃
פה כָּרוּ־לִי זֵדִים שִׁיחוֹת אֲשֶׁר לֹא כְתוֹרָתֶךָ׃
פו כָּל־מִצְוֺתֶיךָ אֱמוּנָה שֶׁקֶר רְדָפוּנִי עָזְרֵנִי׃
פז כִּמְעַט כִּלּוּנִי בָאָרֶץ וַאֲנִי לֹא־עָזַבְתִּי פִקֻּדֶיךָ׃
פח כְּחַסְדְּךָ חַיֵּנִי וְאֶשְׁמְרָה עֵדוּת פִּיךָ׃

הָגוּת בַּתּוֹרָה גַּם בִּשְׁעַת סַכָּנָה׃

בִּדְבַר ה' וּבִזְכוּת הַתּוֹרָה יֵשׁ קִיּוּם לַבְּרִיאָה:

לְעוֹלָם יְהוָה דְּבָרְךָ נִצָּב בַּשָּׁמָיִם: פט
לְדֹר וָדֹר אֱמוּנָתֶךָ כּוֹנַנְתָּ אֶרֶץ וַתַּעֲמֹד: צ
לְמִשְׁפָּטֶיךָ עָמְדוּ הַיּוֹם כִּי הַכֹּל עֲבָדֶיךָ: צא
לוּלֵי תוֹרָתְךָ שַׁעֲשֻׁעָי אָז אָבַדְתִּי בְעָנְיִי: צב
לְעוֹלָם לֹא־אֶשְׁכַּח פִּקּוּדֶיךָ כִּי־בָם חִיִּיתָנִי: צג
לְךָ־אֲנִי הוֹשִׁיעֵנִי כִּי פִקּוּדֶיךָ דָרָשְׁתִּי: צד
לִי קִוּוּ רְשָׁעִים לְאַבְּדֵנִי עֵדֹתֶיךָ אֶתְבּוֹנָן: צה
לְכָל־תִּכְלָה רָאִיתִי קֵץ רְחָבָה מִצְוָתְךָ מְאֹד: צו

מְתִיקוּת הַתּוֹרָה וְעֹמֶק חָכְמָתָהּ:

מָה־אָהַבְתִּי תוֹרָתֶךָ כָּל־הַיּוֹם הִיא שִׂיחָתִי: צז
מֵאֹיְבַי תְּחַכְּמֵנִי מִצְוֺתֶךָ כִּי לְעוֹלָם הִיא־לִי: צח
מִכָּל־מְלַמְּדַי הִשְׂכַּלְתִּי כִּי עֵדְוֺתֶיךָ שִׂיחָה לִי: צט
מִזְּקֵנִים אֶתְבּוֹנָן כִּי פִקּוּדֶיךָ נָצָרְתִּי: ק
מִכָּל־אֹרַח רָע כָּלִאתִי רַגְלָי לְמַעַן אֶשְׁמֹר דְּבָרֶךָ: קא
מִמִּשְׁפָּטֶיךָ לֹא־סָרְתִּי כִּי־אַתָּה הוֹרֵתָנִי: קב
מַה־נִּמְלְצוּ לְחִכִּי אִמְרָתֶךָ מִדְּבַשׁ לְפִי: קג
מִפִּקּוּדֶיךָ אֶתְבּוֹנָן עַל־כֵּן שָׂנֵאתִי ׀ כָּל־אֹרַח שָׁקֶר: קד

תְּפִלָּה וְזֵרוּז לִשְׁמֹר הַתּוֹרָה:

נֵר־לְרַגְלִי דְבָרֶךָ וְאוֹר לִנְתִיבָתִי: קה
נִשְׁבַּעְתִּי וָאֲקַיֵּמָה לִשְׁמֹר מִשְׁפְּטֵי צִדְקֶךָ: קו
נַעֲנֵיתִי עַד־מְאֹד יְהוָה חַיֵּנִי כִדְבָרֶךָ: קז
נִדְבוֹת פִּי רְצֵה־נָא יְהוָה וּמִשְׁפָּטֶיךָ לַמְּדֵנִי: קח
נַפְשִׁי בְכַפִּי תָמִיד וְתוֹרָתְךָ לֹא שָׁכָחְתִּי: קט
נָתְנוּ רְשָׁעִים פַּח לִי וּמִפִּקּוּדֶיךָ לֹא תָעִיתִי: קי
נָחַלְתִּי עֵדְוֺתֶיךָ לְעוֹלָם כִּי־שְׂשׂוֹן לִבִּי הֵמָּה: קיא

קיב נָטִיתִי לִבִּי לַעֲשׂוֹת חֻקֶּיךָ לְעוֹלָם עֵקֶב:

קיג סֵעֲפִים שָׂנֵאתִי וְתוֹרָתְךָ אָהָבְתִּי:
קיד סִתְרִי וּמָגִנִּי אָתָּה לִדְבָרְךָ יִחָלְתִּי:
קטו סוּרוּ מִמֶּנִּי מְרֵעִים וְאֶצְּרָה מִצְוֹת אֱלֹהָי:
קטז סָמְכֵנִי כְאִמְרָתְךָ וְאֶחְיֶה וְאַל־תְּבִישֵׁנִי מִשִּׂבְרִי:
קיז סְעָדֵנִי וְאִוָּשֵׁעָה וְאֶשְׁעָה בְחֻקֶּיךָ תָמִיד:
קיח סָלִיתָ כָּל־שׁוֹגִים מֵחֻקֶּיךָ כִּי־שֶׁקֶר תַּרְמִיתָם:
קיט סִגִים הִשְׁבַּתָּ כָל־רִשְׁעֵי־אָרֶץ לָכֵן אָהַבְתִּי עֵדֹתֶיךָ:
קכ סָמַר מִפַּחְדְּךָ בְשָׂרִי וּמִמִּשְׁפָּטֶיךָ יָרֵאתִי:

בְּאַבְדַן הָרְשָׁעִים מִתְעוֹרֶרֶת יִרְאַת ה׳:

קכא עָשִׂיתִי מִשְׁפָּט וָצֶדֶק בַּל־תַּנִּיחֵנִי לְעֹשְׁקָי:
קכב עֲרֹב עַבְדְּךָ לְטוֹב אַל־יַעַשְׁקֻנִי זֵדִים:
קכג עֵינַי כָּלוּ לִישׁוּעָתֶךָ וּלְאִמְרַת צִדְקֶךָ:
קכד עֲשֵׂה עִם־עַבְדְּךָ כְחַסְדֶּךָ וְחֻקֶּיךָ לַמְּדֵנִי:
קכה עַבְדְּךָ־אָנִי הֲבִינֵנִי וְאֵדְעָה עֵדֹתֶיךָ:
קכו עֵת לַעֲשׂוֹת לַיהוָה הֵפֵרוּ תּוֹרָתֶךָ:
קכז עַל־כֵּן אָהַבְתִּי מִצְוֹתֶיךָ מִזָּהָב וּמִפָּז:
קכח עַל־כֵּן ׀ כָּל־פִּקּוּדֵי כֹל יִשָּׁרְתִּי כָּל־אֹרַח שֶׁקֶר שָׂנֵאתִי:

בַּקָּשָׁה לְהַצִּילוֹ מֵעוֹשְׁקָיו מוֹנְעֵי הַתּוֹרָה:

קכט פְּלָאוֹת עֵדְוֹתֶיךָ עַל־כֵּן נְצָרָתַם נַפְשִׁי:
קל פֵּתַח דְּבָרֶיךָ יָאִיר מֵבִין פְּתָיִים:
קלא פִּי־פָעַרְתִּי וָאֶשְׁאָפָה כִּי לְמִצְוֹתֶיךָ יָאָבְתִּי:
קלב פְּנֵה־אֵלַי וְחָנֵּנִי כְּמִשְׁפָּט לְאֹהֲבֵי שְׁמֶךָ:
קלג פְּעָמַי הָכֵן בְּאִמְרָתֶךָ וְאַל־תַּשְׁלֶט־בִּי כָל־אָוֶן:

תְּשׁוּקָה לִלְמוֹד הַתּוֹרָה, וְהַצָּלָה מֵחֲטָאִים:

פְּדֵנִי מֵעֹשֶׁק אָדָם וְאֶשְׁמְרָה פִּקּוּדֶיךָ: קלד
פָּנֶיךָ הָאֵר בְּעַבְדֶּךָ וְלַמְּדֵנִי אֶת־חֻקֶּיךָ: קלה
פַּלְגֵי־מַיִם יָרְדוּ עֵינָי עַל לֹא־שָׁמְרוּ תוֹרָתֶךָ: קלו

———

מַעֲלַת יְשָׁרוּת הַתּוֹרָה, וְהַנֶּחָמָה בָּהּ לַשְּׁרוּיִ בְּצָעַר:

צַדִּיק אַתָּה יְהוָה וְיָשָׁר מִשְׁפָּטֶיךָ: קלז
צִוִּיתָ צֶדֶק עֵדֹתֶיךָ וֶאֱמוּנָה מְאֹד: קלח
צִמְּתַתְנִי קִנְאָתִי כִּי־שָׁכְחוּ דְבָרֶיךָ צָרָי: קלט
צְרוּפָה אִמְרָתְךָ מְאֹד וְעַבְדְּךָ אֲהֵבָהּ: קמ
צָעִיר אָנֹכִי וְנִבְזֶה פִּקֻּדֶיךָ לֹא שָׁכָחְתִּי: קמא
צִדְקָתְךָ צֶדֶק לְעוֹלָם וְתוֹרָתְךָ אֱמֶת: קמב
צַר־וּמָצוֹק מְצָאוּנִי מִצְוֹתֶיךָ שַׁעֲשֻׁעָי: קמג
צֶדֶק עֵדְוֹתֶיךָ לְעוֹלָם הֲבִינֵנִי וְאֶחְיֶה: קמד

———

תְּפִלּוֹת לִזְכּוֹת לַהֲגוֹת בַּתּוֹרָה:

קָרָאתִי בְכָל־לֵב עֲנֵנִי יְהוָה חֻקֶּיךָ אֶצֹּרָה: קמה
קְרָאתִיךָ הוֹשִׁיעֵנִי וְאֶשְׁמְרָה עֵדֹתֶיךָ: קמו
קִדַּמְתִּי בַנֶּשֶׁף וָאֲשַׁוֵּעָה לדבריך לִדְבָרְךָ יִחָלְתִּי: קמז
קִדְּמוּ עֵינַי אַשְׁמֻרוֹת לָשִׂיחַ בְּאִמְרָתֶךָ: קמח
קוֹלִי שִׁמְעָה כְחַסְדֶּךָ יְהוָה כְּמִשְׁפָּטֶךָ חַיֵּנִי: קמט
קָרְבוּ רֹדְפֵי זִמָּה מִתּוֹרָתְךָ רָחָקוּ: קנ
קָרוֹב אַתָּה יְהוָה וְכָל־מִצְוֹתֶיךָ אֱמֶת: קנא
קֶדֶם יָדַעְתִּי מֵעֵדֹתֶיךָ כִּי לְעוֹלָם יְסַדְתָּם: קנב

———

תְּפִלָּה לְהַצָּלָה מֵרוֹדְפִים בִּזְכוּת לִמּוּד הַתּוֹרָה:

רְאֵה־עָנְיִי וְחַלְּצֵנִי כִּי־תוֹרָתְךָ לֹא שָׁכָחְתִּי: קנג
רִיבָה רִיבִי וּגְאָלֵנִי לְאִמְרָתְךָ חַיֵּנִי: קנד
רָחוֹק מֵרְשָׁעִים יְשׁוּעָה כִּי־חֻקֶּיךָ לֹא דָרָשׁוּ: קנה

קנו רַחֲמֶיךָ רַבִּים ׀ יְהֹוָה כְּמִשְׁפָּטֶיךָ חַיֵּנִי:
קנז רַבִּים רֹדְפַי וְצָרָי מֵעֵדְוֹתֶיךָ לֹא נָטִיתִי:
קנח רָאִיתִי בֹגְדִים וָאֶתְקוֹטָטָה אֲשֶׁר אִמְרָתְךָ לֹא שָׁמָרוּ:
קנט רְאֵה כִּי־פִקּוּדֶיךָ אָהָבְתִּי יְהֹוָה כְּחַסְדְּךָ חַיֵּנִי:
קס רֹאשׁ־דְּבָרְךָ אֱמֶת וּלְעוֹלָם כָּל־מִשְׁפַּט צִדְקֶךָ:

קסא שָׂרִים רְדָפוּנִי חִנָּם ומדבריך וּמִדְּבָרְךָ פָּחַד לִבִּי:
קסב שָׂשׂ אָנֹכִי עַל־אִמְרָתֶךָ כְּמוֹצֵא שָׁלָל רָב:
קסג שֶׁקֶר שָׂנֵאתִי וַאֲתַעֵבָה תּוֹרָתְךָ אָהָבְתִּי:
קסד שֶׁבַע בַּיּוֹם הִלַּלְתִּיךָ עַל מִשְׁפְּטֵי צִדְקֶךָ:
קסה שָׁלוֹם רָב לְאֹהֲבֵי תוֹרָתֶךָ וְאֵין־לָמוֹ מִכְשׁוֹל:
קסו שִׂבַּרְתִּי לִישׁוּעָתְךָ יְהֹוָה וּמִצְוֹתֶיךָ עָשִׂיתִי:
קסז שָׁמְרָה נַפְשִׁי עֵדֹתֶיךָ וָאֹהֲבֵם מְאֹד:
קסח שָׁמַרְתִּי פִקּוּדֶיךָ וְעֵדֹתֶיךָ כִּי כָל־דְּרָכַי נֶגְדֶּךָ:

בַּקָּשָׁה לִישׁוּעָה בִּזְכוּת שְׁמִירַת הַתּוֹרָה:

קסט תִּקְרַב רִנָּתִי לְפָנֶיךָ יְהֹוָה כִּדְבָרְךָ הֲבִינֵנִי:
קע תָּבוֹא תְּחִנָּתִי לְפָנֶיךָ כְּאִמְרָתְךָ הַצִּילֵנִי:
קעא תַּבַּעְנָה שְׂפָתַי תְּהִלָּה כִּי תְלַמְּדֵנִי חֻקֶּיךָ:
קעב תַּעַן לְשׁוֹנִי אִמְרָתֶךָ כִּי כָל־מִצְוֹתֶיךָ צֶּדֶק:
קעג תְּהִי־יָדְךָ לְעָזְרֵנִי כִּי פִקּוּדֶיךָ בָחָרְתִּי:
קעד תָּאַבְתִּי לִישׁוּעָתְךָ יְהֹוָה וְתוֹרָתְךָ שַׁעֲשֻׁעָי:
קעה תְּחִי־נַפְשִׁי וּתְהַלְלֶךָּ וּמִשְׁפָּטֶךָ יַעְזְרֻנִי:
קעו תָּעִיתִי כְּשֶׂה אֹבֵד בַּקֵּשׁ עַבְדֶּךָ כִּי מִצְוֹתֶיךָ לֹא שָׁכָחְתִּי:

בַּקָּשָׁה שֶׁתְּקֻבַּל תְּפִלָּתוֹ לִידִיעַת הַתּוֹרָה:

תְּפִלָּה לְהִנָּצֵל מִלָּשׁוֹן רְמִיָּה, וּמִשּׂוֹנְאֵי הַשָּׁלוֹם:

קכ א שִׁיר הַמַּעֲלוֹת
אֶל־יְהֹוָה בַּצָּרָתָה לִּי קָרָאתִי וַיַּעֲנֵנִי:
ב יְהֹוָה הַצִּילָה נַפְשִׁי מִשְּׂפַת־שֶׁקֶר מִלָּשׁוֹן רְמִיָּה:
ג מַה־יִּתֵּן לְךָ וּמַה־יֹּסִיף לָךְ לָשׁוֹן רְמִיָּה:
ד חִצֵּי גִבּוֹר שְׁנוּנִים עִם גַּחֲלֵי רְתָמִים:
ה אוֹיָה־לִי כִּי־גַרְתִּי מֶשֶׁךְ שָׁכַנְתִּי עִם־אָהֳלֵי קֵדָר:
ו רַבַּת שָׁכְנָה־לָּהּ נַפְשִׁי עִם שׂוֹנֵא שָׁלוֹם:
ז אֲנִי־שָׁלוֹם וְכִי אֲדַבֵּר הֵמָּה לַמִּלְחָמָה:

תְּפִלָּה לִשְׁמִירָה בְּצֵאתוֹ לַדֶּרֶךְ:

קכא א שִׁיר לַמַּעֲלוֹת
אֶשָּׂא עֵינַי אֶל־הֶהָרִים מֵאַיִן יָבֹא עֶזְרִי:
ב עֶזְרִי מֵעִם יְהֹוָה עֹשֵׂה שָׁמַיִם וָאָרֶץ:
ג אַל־יִתֵּן לַמּוֹט רַגְלֶךָ אַל־יָנוּם שֹׁמְרֶךָ:
ד הִנֵּה לֹא־יָנוּם וְלֹא יִישָׁן שׁוֹמֵר יִשְׂרָאֵל:
ה יְהֹוָה שֹׁמְרֶךָ יְהֹוָה צִלְּךָ עַל־יַד יְמִינֶךָ:
ו יוֹמָם הַשֶּׁמֶשׁ לֹא־יַכֶּכָּה וְיָרֵחַ בַּלָּיְלָה:
ז יְהֹוָה יִשְׁמָרְךָ מִכָּל־רָע יִשְׁמֹר אֶת־נַפְשֶׁךָ:
ח יְהֹוָה יִשְׁמָר־צֵאתְךָ וּבוֹאֶךָ מֵעַתָּה וְעַד־עוֹלָם:

תְּפִלַּת בְּנֵי הַגָּלוּת לַעֲלִיָּה לִירוּשָׁלָיִם:

קכב א שִׁיר הַמַּעֲלוֹת לְדָוִד
שָׂמַחְתִּי בְּאֹמְרִים לִי בֵּית יְהֹוָה נֵלֵךְ:
ב עֹמְדוֹת הָיוּ רַגְלֵינוּ בִּשְׁעָרַיִךְ יְרוּשָׁלָם:
ג יְרוּשָׁלַם הַבְּנוּיָה כְּעִיר שֶׁחֻבְּרָה־לָּהּ יַחְדָּו:
ד שֶׁשָּׁם עָלוּ שְׁבָטִים שִׁבְטֵי־יָהּ עֵדוּת לְיִשְׂרָאֵל
לְהֹדוֹת לְשֵׁם יְהֹוָה:
ה כִּי שָׁמָּה ׀ יָשְׁבוּ כִסְאוֹת לְמִשְׁפָּט

ו כִּסְאוֹת לְבֵית דָּוִד: שַׁאֲלוּ שְׁלוֹם יְרוּשָׁלָ‍ִם
ז יִשְׁלָיוּ אֹהֲבָיִךְ: יְהִי־שָׁלוֹם בְּחֵילֵךְ
ח שַׁלְוָה בְּאַרְמְנוֹתָיִךְ: לְמַעַן אַחַי וְרֵעָי
ט אֲדַבְּרָה־נָּא שָׁלוֹם בָּךְ: לְמַעַן בֵּית־יְהוָה אֱלֹהֵינוּ
אֲבַקְשָׁה טוֹב לָךְ:

קכג א שִׁיר הַמַּעֲלוֹת
אֵלֶיךָ נָשָׂאתִי אֶת־עֵינַי הַיֹּשְׁבִי בַּשָּׁמָיִם:
ב הִנֵּה כְעֵינֵי עֲבָדִים אֶל־יַד אֲדוֹנֵיהֶם
כְּעֵינֵי שִׁפְחָה אֶל־יַד גְּבִרְתָּהּ כֵּן עֵינֵינוּ אֶל־יְהוָה אֱלֹהֵינוּ
ג עַד שֶׁיְּחָנֵּנוּ: חָנֵּנוּ יְהוָה חָנֵּנוּ
ד כִּי־רַב שָׂבַעְנוּ בוּז: רַבַּת שָׂבְעָה־לָּהּ נַפְשֵׁנוּ
הַלַּעַג הַשַּׁאֲנַנִּים הַבּוּז לגאיונים לִגְאֵי יוֹנִים:

תְּפִלָּה לִגְאֻלָּה בְּעֵת קֹשִׁי הַגָּלוּת:

קכד א שִׁיר הַמַּעֲלוֹת לְדָוִד
לוּלֵי יְהוָה שֶׁהָיָה לָנוּ יֹאמַר־נָא יִשְׂרָאֵל:
ב לוּלֵי יְהוָה שֶׁהָיָה לָנוּ בְּקוּם עָלֵינוּ אָדָם:
ג אֲזַי חַיִּים בְּלָעוּנוּ בַּחֲרוֹת אַפָּם בָּנוּ:
ד אֲזַי הַמַּיִם שְׁטָפוּנוּ נַחְלָה עָבַר עַל־נַפְשֵׁנוּ:
ה אֲזַי עָבַר עַל־נַפְשֵׁנוּ הַמַּיִם הַזֵּידוֹנִים:
ו בָּרוּךְ יְהוָה שֶׁלֹּא נְתָנָנוּ טֶרֶף לְשִׁנֵּיהֶם:
ז נַפְשֵׁנוּ כְּצִפּוֹר נִמְלְטָה מִפַּח יוֹקְשִׁים הַפַּח נִשְׁבָּר
ח וַאֲנַחְנוּ נִמְלָטְנוּ: עֶזְרֵנוּ בְּשֵׁם יְהוָה עֹשֵׂה שָׁמַיִם וָאָרֶץ:

הוֹדָיָה עַל הַצָּלָה בַּגָּלוּת מֵאוֹיֵב אַכְזָר:

הַבִּטָּחוֹן בַּה' - סִבָּה לְהַצָּלָה בַּגָּלוּת:

א קכה שִׁיר הַֽמַּעֲלוֹת
הַבֹּטְחִים בַּיהוָה   כְּהַר־צִיּוֹן לֹא־יִמּוֹט לְעוֹלָם יֵשֵׁב:
ב יְרוּשָׁלִַם הָרִים סָבִיב לָהּ   וַיהוָה סָבִיב לְעַמּוֹ
ג מֵעַתָּה וְעַד־עוֹלָם: כִּי לֹא יָנוּחַ שֵׁבֶט הָרֶשַׁע
עַל גּוֹרַל הַצַּדִּיקִים   לְמַעַן לֹא־יִשְׁלְחוּ הַצַּדִּיקִים בְּעַוְלָתָה
ד יְדֵיהֶם: הֵיטִיבָה יְהוָה לַטּוֹבִים
ה וְלִישָׁרִים בְּלִבּוֹתָם: וְהַמַּטִּים עֲקַלְקַלּוֹתָם
יוֹלִיכֵם יְהוָה אֶת־פֹּעֲלֵי הָאָוֶן   שָׁלוֹם עַל־יִשְׂרָאֵל:

הַגָּלוּת כְּעָמָל הַזְּרִיעָה - וְהַגְּאֻלָּה כְּשִׂמְחַת הַקּוֹצְרִים:

א קכו שִׁיר הַמַּעֲלוֹת
בְּשׁוּב יְהוָה אֶת־שִׁיבַת צִיּוֹן   הָיִינוּ כְּחֹלְמִים:
ב אָז יִמָּלֵא שְׂחוֹק פִּינוּ וּלְשׁוֹנֵנוּ רִנָּה   אָז יֹאמְרוּ בַגּוֹיִם
הִגְדִּיל יְהוָה   לַעֲשׂוֹת עִם־אֵלֶּה:
ג הִגְדִּיל יְהוָה לַעֲשׂוֹת עִמָּנוּ   הָיִינוּ שְׂמֵחִים:
ד שׁוּבָה יְהוָה אֶת־שְׁבִיתֵנוּ שבותנו   כַּאֲפִיקִים בַּנֶּגֶב:
ה הַזֹּרְעִים בְּדִמְעָה   בְּרִנָּה יִקְצֹרוּ:
ו הָלוֹךְ יֵלֵךְ ׀ וּבָכֹה   נֹשֵׂא מֶשֶׁךְ־הַזָּרַע
בֹּא־יָבֹא בְרִנָּה   נֹשֵׂא אֲלֻמֹּתָיו:

עֶזְרַת ה' - הַשְׁלָמָה לְהַצְלָחַת הָאָדָם:

א קכז שִׁיר הַמַּעֲלוֹת לִשְׁלֹמֹה
אִם־יְהוָה ׀ לֹא־יִבְנֶה בַיִת   שָׁוְא עָמְלוּ בוֹנָיו בּוֹ
אִם־יְהוָה לֹא־יִשְׁמָר־עִיר   שָׁוְא ׀ שָׁקַד שׁוֹמֵר:
ב שָׁוְא לָכֶם ׀ מַשְׁכִּימֵי קוּם   מְאַחֲרֵי־שֶׁבֶת
אֹכְלֵי לֶחֶם הָעֲצָבִים   כֵּן יִתֵּן לִידִידוֹ שֵׁנָא:
ג הִנֵּה נַחֲלַת יְהוָה בָּנִים   שָׂכָר פְּרִי הַבָּטֶן:

ד כְּחִצִּ֥ים בְּיַד־גִּבּ֑וֹר כֵּ֝֗ן בְּנֵ֣י הַנְּעוּרִֽים׃
ה אַשְׁרֵ֤י הַגֶּ֗בֶר אֲשֶׁ֤ר מִלֵּ֥א אֶת־אַשְׁפָּת֗וֹ מֵ֫הֶ֥ם
לֹֽא־יֵבֹ֑שׁוּ כִּֽי־יְדַבְּר֖וּ אֶת־אוֹיְבִ֣ים בַּשָּֽׁעַר׃

קכח א שִׁ֗יר הַֽמַּ֫עֲל֥וֹת
אַ֭שְׁרֵי כָּל־יְרֵ֣א יְהוָ֑ה הַ֝הֹלֵ֗ךְ בִּדְרָכָֽיו׃
ב יְגִ֣יעַ כַּ֭פֶּיךָ כִּ֣י תֹאכֵ֑ל אַ֝שְׁרֶ֗יךָ וְט֣וֹב לָֽךְ׃
ג אֶשְׁתְּךָ֨ ׀ כְּגֶ֥פֶן פֹּרִיָּה֮ בְּיַרְכְּתֵ֪י בֵ֫יתֶ֥ךָ בָּ֭נֶיךָ כִּשְׁתִלֵ֣י זֵיתִ֑ים
ד סָ֝בִ֗יב לְשֻׁלְחָנֶֽךָ׃ הִנֵּ֣ה כִי־כֵ֭ן יְבֹ֣רַךְ גָּ֑בֶר יְרֵ֣א יְהוָֽה׃
ה יְבָרֶכְךָ֥ יְהוָ֗ה מִצִּ֫יּ֥וֹן וּ֭רְאֵה בְּט֣וּב יְרוּשָׁלִָ֑ם
ו כֹּ֝֗ל יְמֵ֣י חַיֶּֽיךָ׃ וּרְאֵֽה־בָנִ֥ים לְבָנֶ֑יךָ שָׁ֝ל֗וֹם עַל־יִשְׂרָאֵֽל׃

שֶׁבַח לִירֵא ה׳, וּגְמוּלוֹ הַטּוֹב:

קכט א שִׁ֗יר הַֽמַּ֫עֲל֥וֹת
רַ֭בַּת צְרָר֥וּנִי מִנְּעוּרָ֗י יֹֽאמַר־נָ֝א יִשְׂרָאֵֽל׃
ב רַ֭בַּת צְרָר֣וּנִי מִנְּעוּרָ֑י גַּ֝֗ם לֹא־יָ֥כְלוּ לִֽי׃
ג עַל־גַּ֭בִּי חָרְשׁ֣וּ חֹרְשִׁ֑ים הֶ֝אֱרִ֗יכוּ למעונותם לְמַעֲנִיתָֽם׃
ד יְהוָ֥ה צַדִּ֑יק קִ֝צֵּ֗ץ עֲב֣וֹת רְשָׁעִֽים׃
ה יֵ֭בֹשׁוּ וְיִסֹּ֣גוּ אָח֑וֹר כֹּ֝֗ל שֹׂנְאֵ֥י צִיּֽוֹן׃
ו יִ֭הְיוּ כַּחֲצִ֣יר גַּגּ֑וֹת שֶׁקַּדְמַ֖ת שָׁלַ֣ף יָבֵֽשׁ׃
ז שֶׁ֤לֹּא מִלֵּ֖א כַפּ֥וֹ קוֹצֵ֗ר וְחִצְנ֥וֹ מְעַמֵּֽר׃
ח וְלֹ֤א אָֽמְר֨וּ ׀ הָעֹבְרִ֗ים בִּרְכַּֽת־יְהוָ֥ה אֲלֵיכֶ֑ם
בֵּרַ֥כְנוּ אֶ֝תְכֶ֗ם בְּשֵׁ֣ם יְהוָֽה׃

סֵבֶל יִשְׂרָאֵל בַּגָּלוּת, וּבַקָּשָׁה לְמַהֵר כִּלּוּי הָאוֹיְבִים:

קל א שִׁ֥יר הַֽמַּעֲל֑וֹת
ב מִמַּעֲמַקִּ֖ים קְרָאתִ֣יךָ יְהוָֽה׃ אֲדֹנָי֮ שִׁמְעָ֪ה בְק֫וֹלִ֥י

קְרִיאָה מִמַּעֲמַקֵּי הַגָּלוּת לִישׁוּעָה, וְלִמְחִילַת הַחֵטְא:

תִּהְיֶינָה אָזְנֶיךָ קַשֻּׁבוֹת לְקוֹל תַּחֲנוּנָי׃
אִם־עֲוֺנוֹת תִּשְׁמָר־יָהּ אֲדֹנָי מִי יַעֲמֹד׃ ג
כִּי־עִמְּךָ הַסְּלִיחָה לְמַעַן תִּוָּרֵא׃ ד
קִוִּיתִי יְהֹוָה קִוְּתָה נַפְשִׁי וְלִדְבָרוֹ הוֹחָלְתִּי׃ ה
נַפְשִׁי לַאדֹנָי מִשֹּׁמְרִים לַבֹּקֶר ו
שֹׁמְרִים לַבֹּקֶר׃ יַחֵל יִשְׂרָאֵל אֶל־יְהֹוָה ז
כִּי־עִם־יְהֹוָה הַחֶסֶד וְהַרְבֵּה עִמּוֹ פְדוּת׃
וְהוּא יִפְדֶּה אֶת־יִשְׂרָאֵל מִכֹּל עֲוֺנֹתָיו׃ ח

קלא א

קְרִיאָה לְהִתְפַּלֵּל לַה' מִתּוֹךְ עֲנָוָה וְהַכְנָעָה׃

שִׁיר הַמַּעֲלוֹת לְדָוִד
יְהֹוָה ׀ לֹא־גָבַהּ לִבִּי וְלֹא־רָמוּ עֵינַי
וְלֹא־הִלַּכְתִּי ׀ בִּגְדֹלוֹת וּבְנִפְלָאוֹת מִמֶּנִּי׃
אִם־לֹא שִׁוִּיתִי ׀ וְדוֹמַמְתִּי נַפְשִׁי כְּגָמֻל עֲלֵי אִמּוֹ ב
כַּגָּמֻל עָלַי נַפְשִׁי׃ יַחֵל יִשְׂרָאֵל אֶל־יְהֹוָה ג
מֵעַתָּה וְעַד־עוֹלָם׃

קלב א

הִשְׁתַּדְּלוּת דָּוִד לִמְצֹא מִשְׁכָּן לְבֵית ה', וּגְמוּלוֹ הַטּוֹב׃

שִׁיר הַמַּעֲלוֹת
זְכוֹר־יְהֹוָה לְדָוִד אֵת כָּל־עֻנּוֹתוֹ׃
אֲשֶׁר נִשְׁבַּע לַיהֹוָה נָדַר לַאֲבִיר יַעֲקֹב׃ ב
אִם־אָבֹא בְּאֹהֶל בֵּיתִי אִם־אֶעֱלֶה עַל־עֶרֶשׂ יְצוּעָי׃ ג
אִם־אֶתֵּן שְׁנָת לְעֵינָי לְעַפְעַפַּי תְּנוּמָה׃ ד
עַד־אֶמְצָא מָקוֹם לַיהֹוָה מִשְׁכָּנוֹת לַאֲבִיר יַעֲקֹב׃ ה
הִנֵּה־שְׁמַעֲנוּהָ בְאֶפְרָתָה מְצָאנוּהָ בִּשְׂדֵי־יָעַר׃ ו
נָבוֹאָה לְמִשְׁכְּנוֹתָיו נִשְׁתַּחֲוֶה לַהֲדֹם רַגְלָיו׃ ז
קוּמָה יְהֹוָה לִמְנוּחָתֶךָ אַתָּה וַאֲרוֹן עֻזֶּךָ׃ ח

ט כֹּהֲנֶיךָ יִלְבְּשׁוּ־צֶדֶק וַחֲסִידֶיךָ יְרַנֵּנוּ׃
י בַּעֲבוּר דָּוִד עַבְדֶּךָ אַל־תָּשֵׁב פְּנֵי מְשִׁיחֶךָ׃
יא נִשְׁבַּע־יְהוָה ׀ לְדָוִד אֱמֶת לֹא־יָשׁוּב מִמֶּנָּה
מִפְּרִי בִטְנְךָ אָשִׁית לְכִסֵּא־לָךְ׃
יב אִם־יִשְׁמְרוּ בָנֶיךָ ׀ בְּרִיתִי וְעֵדֹתִי זוֹ אֲלַמְּדֵם
גַּם־בְּנֵיהֶם עֲדֵי־עַד יֵשְׁבוּ לְכִסֵּא־לָךְ׃
יג כִּי־בָחַר יְהוָה בְּצִיּוֹן אִוָּהּ לְמוֹשָׁב לוֹ׃
יד זֹאת־מְנוּחָתִי עֲדֵי־עַד פֹּה־אֵשֵׁב כִּי אִוִּתִיהָ׃
טו צֵידָהּ בָּרֵךְ אֲבָרֵךְ אֶבְיוֹנֶיהָ אַשְׂבִּיעַ לָחֶם׃
טז וְכֹהֲנֶיהָ אַלְבִּישׁ יֶשַׁע וַחֲסִידֶיהָ רַנֵּן יְרַנֵּנוּ׃
יז שָׁם אַצְמִיחַ קֶרֶן לְדָוִד עָרַכְתִּי נֵר לִמְשִׁיחִי׃
יח אוֹיְבָיו אַלְבִּישׁ בֹּשֶׁת וְעָלָיו יָצִיץ נִזְרוֹ׃

קלג א שִׁיר הַמַּעֲלוֹת לְדָוִד
הִנֵּה מַה־טּוֹב וּמַה־נָּעִים שֶׁבֶת אַחִים גַּם־יָחַד׃
ב כַּשֶּׁמֶן הַטּוֹב ׀ עַל־הָרֹאשׁ יֹרֵד עַל־הַזָּקָן
זְקַן־אַהֲרֹן שֶׁיֹּרֵד עַל־פִּי מִדּוֹתָיו׃
ג כְּטַל־חֶרְמוֹן שֶׁיֹּרֵד עַל־הַרְרֵי צִיּוֹן
כִּי שָׁם ׀ צִוָּה יְהוָה אֶת־הַבְּרָכָה חַיִּים עַד־הָעוֹלָם׃

שֶׁבַח בִּשְׁלֵמוּת הָאַחֲוָה, וְתוֹצְאוֹתֶיהָ:

קלד א שִׁיר הַמַּעֲלוֹת
הִנֵּה ׀ בָּרְכוּ אֶת־יְהוָה כָּל־עַבְדֵי יְהוָה
ב הָעֹמְדִים בְּבֵית־יְהוָה בַּלֵּילוֹת׃ שְׂאוּ־יְדֵכֶם קֹדֶשׁ
ג וּבָרְכוּ אֶת־יְהוָה׃ יְבָרֶכְךָ יְהוָה מִצִּיּוֹן
עֹשֵׂה שָׁמַיִם וָאָרֶץ׃

קְרִיאָה לְבָרֵךְ וּלְהוֹדוֹת לַה׳ בְּצִיּוֹן:

קלה א הַֽלְלוּ יָ֨הּ ׀

שִׁיר הַלֵּל וְהוֹדָיָה לַה׳ עַל חֲסָדָיו עִמָּנוּ:

הַֽ֭לְלוּ אֶת־שֵׁ֣ם יְהֹוָ֑ה הַֽ֝לְל֗וּ עַבְדֵ֥י יְהֹוָֽה:

שֶׁ֣֭עֹמְדִים בְּבֵ֣ית יְהֹוָ֑ה בְּ֝חַצְר֗וֹת בֵּ֣ית אֱלֹהֵֽינוּ: ב

הַֽ֭לְלוּ־יָהּ כִּי־ט֣וֹב יְהֹוָ֑ה זַמְּר֥וּ לִ֝שְׁמ֗וֹ כִּ֣י נָעִֽים: ג

כִּֽי־יַעֲקֹ֗ב בָּחַ֣ר ל֣וֹ יָ֑הּ יִ֝שְׂרָאֵ֗ל לִסְגֻלָּתֽוֹ: ד

כִּ֤י אֲנִ֣י יָ֭דַעְתִּי כִּֽי־גָד֣וֹל יְהֹוָ֑ה וַ֝אֲדֹנֵ֗ינוּ מִכָּל־אֱלֹהִֽים: ה

כֹּ֤ל אֲשֶׁר־חָפֵ֥ץ יְהֹוָ֗ה עָשָׂ֗ה בַּשָּׁמַ֥יִם וּבָאָ֑רֶץ ו

בַּ֝יַּמִּ֗ים וְכָל־תְּהֹמֽוֹת:

מַעֲלֶ֣ה נְשִׂאִים֮ מִקְצֵ֪ה הָ֫אָ֥רֶץ ז

בְּרָקִ֣ים לַמָּטָ֣ר עָשָׂ֑ה מֽוֹצֵא־ר֝֗וּחַ מֵאֽוֹצְרוֹתָֽיו:

שֶׁ֭הִכָּה בְּכוֹרֵ֣י מִצְרָ֑יִם מֵ֝אָדָ֗ם עַד־בְּהֵמָֽה: ח

שָׁלַ֤ח ׀ אוֹתֹ֣ת וּ֭מֹפְתִים בְּתוֹכֵ֣כִי מִצְרָ֑יִם ט

בְּ֝פַרְעֹ֗ה וּבְכָל־עֲבָדָֽיו:

שֶׁ֭הִכָּה גּוֹיִ֣ם רַבִּ֑ים י

וְ֝הָרַ֗ג מְלָכִ֥ים עֲצוּמִֽים:

לְֽסִיח֨וֹן ׀ מֶ֤לֶךְ הָאֱמֹרִ֗י יא

וּ֭לְעוֹג מֶ֣לֶךְ הַבָּשָׁ֑ן וּ֝לְכֹ֗ל מַמְלְכ֥וֹת כְּנָֽעַן:

וְנָתַ֣ן אַרְצָ֣ם נַחֲלָ֑ה נַ֝חֲלָ֗ה לְיִשְׂרָאֵ֥ל עַמּֽוֹ: יב

יְ֭הֹוָה שִׁמְךָ֣ לְעוֹלָ֑ם יְ֝הֹוָ֗ה זִכְרְךָ֥ לְדֹר־וָדֹֽר: יג

כִּֽי־יָדִ֣ין יְהֹוָ֣ה עַמּ֑וֹ וְעַל־עֲ֝בָדָ֗יו יִתְנֶחָֽם: יד

עֲצַבֵּ֣י הַ֭גּוֹיִם כֶּ֣סֶף וְזָהָ֑ב מַ֝עֲשֵׂ֗ה יְדֵ֣י אָדָֽם: טו

פֶּֽה־לָ֭הֶם וְלֹ֣א יְדַבֵּ֑רוּ עֵינַ֥יִם לָ֝הֶ֗ם וְלֹ֣א יִרְאֽוּ: טז

אָזְנַ֣יִם לָ֭הֶם וְלֹ֣א יַאֲזִ֑ינוּ אַ֝֗ף אֵין־יֶשׁ־ר֥וּחַ בְּפִיהֶֽם: יז

כְּ֭מוֹהֶם יִהְי֣וּ עֹשֵׂיהֶ֑ם כֹּ֖ל אֲשֶׁר־בֹּטֵ֣חַ בָּהֶֽם: יח

בֵּ֣ית יִ֭שְׂרָאֵל בָּרְכ֣וּ אֶת־יְהֹוָ֑ה בֵּ֥ית אַ֝הֲרֹ֗ן בָּרְכ֥וּ אֶת־יְהֹוָֽה: יט

בֵּ֣ית הַ֭לֵּוִי בָּרְכ֣וּ אֶת־יְהֹוָ֑ה יִֽרְאֵ֥י יְ֝הֹוָ֗ה בָּרְכ֥וּ אֶת־יְהֹוָֽה: כ

בָּ֤ר֪וּךְ יְהֹוָ֨ה ׀ מִצִּיּ֗וֹן שֹׁ֘כֵ֤ן יְֽרוּשָׁלִָ֗ם הַֽלְלוּ־יָֽהּ: כא

קלו א הוֹדוּ לַיהוָה כִּי־טוֹב כִּי לְעוֹלָם חַסְדּוֹ:
ב הוֹדוּ לֵאלֹהֵי הָאֱלֹהִים כִּי לְעוֹלָם חַסְדּוֹ:
ג הוֹדוּ לַאֲדֹנֵי הָאֲדֹנִים כִּי לְעוֹלָם חַסְדּוֹ:
ד לְעֹשֵׂה נִפְלָאוֹת גְּדֹלוֹת לְבַדּוֹ כִּי לְעוֹלָם חַסְדּוֹ:
ה לְעֹשֵׂה הַשָּׁמַיִם בִּתְבוּנָה כִּי לְעוֹלָם חַסְדּוֹ:
ו לְרֹקַע הָאָרֶץ עַל־הַמָּיִם כִּי לְעוֹלָם חַסְדּוֹ:
ז לְעֹשֵׂה אוֹרִים גְּדֹלִים כִּי לְעוֹלָם חַסְדּוֹ:
ח אֶת־הַשֶּׁמֶשׁ לְמֶמְשֶׁלֶת בַּיּוֹם כִּי לְעוֹלָם חַסְדּוֹ:
ט אֶת־הַיָּרֵחַ וְכוֹכָבִים לְמֶמְשְׁלוֹת בַּלָּיְלָה כִּי לְעוֹלָם חַסְדּוֹ:
י לְמַכֵּה מִצְרַיִם בִּבְכוֹרֵיהֶם כִּי לְעוֹלָם חַסְדּוֹ:
יא וַיּוֹצֵא יִשְׂרָאֵל מִתּוֹכָם כִּי לְעוֹלָם חַסְדּוֹ:
יב בְּיָד חֲזָקָה וּבִזְרוֹעַ נְטוּיָה כִּי לְעוֹלָם חַסְדּוֹ:
יג לְגֹזֵר יַם־סוּף לִגְזָרִים כִּי לְעוֹלָם חַסְדּוֹ:
יד וְהֶעֱבִיר יִשְׂרָאֵל בְּתוֹכוֹ כִּי לְעוֹלָם חַסְדּוֹ:
טו וְנִעֵר פַּרְעֹה וְחֵילוֹ בְיַם־סוּף כִּי לְעוֹלָם חַסְדּוֹ:
טז לְמוֹלִיךְ עַמּוֹ בַּמִּדְבָּר כִּי לְעוֹלָם חַסְדּוֹ:
יז לְמַכֵּה מְלָכִים גְּדֹלִים כִּי לְעוֹלָם חַסְדּוֹ:
יח וַיַּהֲרֹג מְלָכִים אַדִּירִים כִּי לְעוֹלָם חַסְדּוֹ:
יט לְסִיחוֹן מֶלֶךְ הָאֱמֹרִי כִּי לְעוֹלָם חַסְדּוֹ:
כ וּלְעוֹג מֶלֶךְ הַבָּשָׁן כִּי לְעוֹלָם חַסְדּוֹ:
כא וְנָתַן אַרְצָם לְנַחֲלָה כִּי לְעוֹלָם חַסְדּוֹ:
כב נַחֲלָה לְיִשְׂרָאֵל עַבְדּוֹ כִּי לְעוֹלָם חַסְדּוֹ:
כג שֶׁבְּשִׁפְלֵנוּ זָכַר לָנוּ כִּי לְעוֹלָם חַסְדּוֹ:
כד וַיִּפְרְקֵנוּ מִצָּרֵינוּ כִּי לְעוֹלָם חַסְדּוֹ:

״הַלֵּל הַגָּדוֹל״ - הוֹדָיָה עַל חַסְדֵי ה׳ עִמָּנוּ מִקֶּדֶם וַעֲדֶנָּה:

נֹתֵ֣ן לֶ֭חֶם לְכָל־בָּשָׂ֑ר כִּ֖י לְעוֹלָ֣ם חַסְדּֽוֹ׃ כה
ה֭וֹדוּ לְאֵ֣ל הַשָּׁמָ֑יִם כִּ֖י לְעוֹלָ֣ם חַסְדּֽוֹ׃ כו

קלז

קִינַת הַגּוֹלִים עַל חֻרְבַּן יְרוּשָׁלָיִם:

עַ֥ל נַהֲר֨וֹת׀ בָּבֶ֗ל שָׁ֣ם יָ֭שַׁבְנוּ גַּם־בָּכִ֑ינוּ א
בְּ֝זָכְרֵ֗נוּ אֶת־צִיּֽוֹן׃ עַֽל־עֲרָבִ֥ים בְּתוֹכָ֑הּ ב
תָּ֝לִ֗ינוּ כִּנֹּרוֹתֵֽינוּ׃ כִּ֤י שָׁ֨ם שְֽׁאֵל֪וּנוּ שׁוֹבֵ֡ינוּ ג
דִּבְרֵי־שִׁ֭יר וְתוֹלָלֵ֣ינוּ שִׂמְחָ֑ה שִׁ֥ירוּ לָ֝֗נוּ מִשִּׁ֥יר צִיּֽוֹן׃
אֵ֗יךְ נָשִׁ֥יר אֶת־שִׁיר־יְהֹוָ֑ה עַ֝֗ל אַדְמַ֥ת נֵכָֽר׃ ד
אִם־אֶשְׁכָּחֵ֥ךְ יְרוּשָׁלִָ֗ם תִּשְׁכַּ֥ח יְמִינִֽי׃ ה
תִּדְבַּֽק־לְשׁוֹנִ֨י׀ לְחִכִּי֮ אִם־לֹ֪א אֶ֫זְכְּרֵ֥כִי ו
אִם־לֹ֣א אַ֭עֲלֶה אֶת־יְרוּשָׁלִַ֑ם עַ֝֗ל רֹ֣אשׁ שִׂמְחָתִֽי׃
זְכֹ֤ר יְהֹוָ֨ה׀ לִבְנֵ֬י אֱד֗וֹם אֵת֮ י֤וֹם יְֽרוּשָׁ֫לִָ֥ם ז
הָ֭אֹמְרִים עָ֥רוּ׀ עָ֑רוּ עַ֝֗ד הַיְס֥וֹד בָּֽהּ׃
בַּת־בָּבֶ֗ל הַשְּׁד֫וּדָ֥ה אַשְׁרֵ֥י שֶׁיְשַׁלֶּם־לָ֑ךְ ח
אֶת־גְּ֝מוּלֵ֗ךְ שֶׁגָּמַ֥לְתְּ לָֽנוּ׃ אַשְׁרֵ֤י׀ שֶׁיֹּאחֵ֓ז ט
וְנִפֵּ֬ץ אֶֽת־עֹ֝לָלַ֗יִךְ אֶל־הַסָּֽלַע׃

קלח

הוֹדָיָה עַל קִיּוּם הַבְטָחָתוֹ לִירֵאָיו:

לְדָוִ֨ד׀ אוֹדְךָ֥ בְכָל־לִבִּ֑י נֶ֖גֶד אֱלֹהִ֣ים אֲזַמְּרֶֽךָּ׃ א
אֶשְׁתַּחֲוֶ֨ה אֶל־הֵיכַ֪ל קָדְשְׁךָ֡ וְא֘וֹדֶ֤ה אֶת־שְׁמֶ֗ךָ ב
עַל־חַסְדְּךָ֥ וְעַל־אֲמִתֶּ֑ךָ כִּֽי־הִגְדַּ֥לְתָּ עַל־כָּל־שִׁ֝מְךָ֗ אִמְרָתֶֽךָ׃
בְּי֣וֹם קָ֭רָאתִי וַֽתַּעֲנֵ֑נִי תַּרְהִבֵ֖נִי בְנַפְשִׁ֣י עֹֽז׃ ג
יוֹד֣וּךָ יְ֭הֹוָה כָּל־מַלְכֵי־אָ֑רֶץ כִּ֥י שָׁ֝מְע֗וּ אִמְרֵי־פִֽיךָ׃ ד
וְ֭יָשִׁירוּ בְּדַרְכֵ֣י יְהֹוָ֑ה כִּ֥י גָ֝ד֗וֹל כְּב֣וֹד יְהֹוָֽה׃ ה
כִּי־רָ֣ם יְ֭הֹוָה וְשָׁפָ֣ל יִרְאֶ֑ה וְ֝גָבֹ֗הַּ מִמֶּרְחָ֥ק יְיֵדָֽע׃ ו
אִם־אֵלֵ֤ךְ׀ בְּקֶ֥רֶב צָרָ֗ה תְּחַ֫יֵּ֥נִי עַ֤ל אַ֣ף אֹ֭יְבַי תִּשְׁלַ֣ח יָדֶ֑ךָ ז

ח וְתוֹשִׁיעֵנִי יְמִינֶךָ׃ יְהוָה יִגְמֹר בַּעֲדִי
יְהוָה חַסְדְּךָ לְעוֹלָם מַעֲשֵׂי יָדֶיךָ אַל־תֶּרֶף׃

קלט א לַמְנַצֵּחַ לְדָוִד מִזְמוֹר

שֶׁבַח וְהִתְפַּעֲלוּת עַל עֹצֶם הַשְׁגָּחַת ה׳ עַל הָאָדָם׃

ב יְהוָה חֲקַרְתַּנִי וַתֵּדָע׃ אַתָּה יָדַעְתָּ שִׁבְתִּי וְקוּמִי
ג בַּנְתָּה לְרֵעִי מֵרָחוֹק׃ אָרְחִי וְרִבְעִי זֵרִיתָ
ד וְכָל־דְּרָכַי הִסְכַּנְתָּה׃ כִּי אֵין מִלָּה בִּלְשׁוֹנִי
ה הֵן יְהוָה יָדַעְתָּ כֻלָּהּ׃ אָחוֹר וָקֶדֶם צַרְתָּנִי
ו וַתָּשֶׁת עָלַי כַּפֶּכָה׃ פלאיה פְּלִיאָה דַעַת מִמֶּנִּי
ז נִשְׂגְּבָה לֹא־אוּכַל לָהּ׃ אָנָה אֵלֵךְ מֵרוּחֶךָ
ח וְאָנָה מִפָּנֶיךָ אֶבְרָח׃ אִם־אֶסַּק שָׁמַיִם שָׁם אָתָּה
ט וְאַצִּיעָה שְּׁאוֹל הִנֶּךָּ׃ אֶשָּׂא כַנְפֵי־שָׁחַר
י אֶשְׁכְּנָה בְּאַחֲרִית יָם׃ גַּם־שָׁם יָדְךָ תַנְחֵנִי
יא וְתֹאחֲזֵנִי יְמִינֶךָ׃ וָאֹמַר אַךְ־חֹשֶׁךְ יְשׁוּפֵנִי
יב וְלַיְלָה אוֹר בַּעֲדֵנִי׃ גַּם־חֹשֶׁךְ לֹא־יַחְשִׁיךְ מִמֶּךָ
וְלַיְלָה כַּיּוֹם יָאִיר כַּחֲשֵׁיכָה כָּאוֹרָה׃
יג כִּי־אַתָּה קָנִיתָ כִלְיֹתָי תְּסֻכֵּנִי בְּבֶטֶן אִמִּי׃
יד אוֹדְךָ עַל כִּי נוֹרָאוֹת נִפְלֵיתִי נִפְלָאִים מַעֲשֶׂיךָ
טו וְנַפְשִׁי יֹדַעַת מְאֹד׃ לֹא־נִכְחַד עָצְמִי מִמֶּךָּ
אֲשֶׁר־עֻשֵּׂיתִי בַסֵּתֶר רֻקַּמְתִּי בְּתַחְתִּיּוֹת אָרֶץ׃
טז גָּלְמִי ׀ רָאוּ עֵינֶיךָ וְעַל־סִפְרְךָ כֻּלָּם יִכָּתֵבוּ
יז יָמִים יֻצָּרוּ ולא וְלוֹ אֶחָד בָּהֶם׃ וְלִי מַה־יָּקְרוּ רֵעֶיךָ אֵל
יח מֶה עָצְמוּ רָאשֵׁיהֶם׃ אֶסְפְּרֵם מֵחוֹל יִרְבּוּן
יט הֱקִיצֹתִי וְעוֹדִי עִמָּךְ׃ אִם־תִּקְטֹל אֱלוֹהַּ ׀ רָשָׁע
כ וְאַנְשֵׁי דָמִים סוּרוּ מֶנִּי׃ אֲשֶׁר יֹמְרֻךָ לִמְזִמָּה

כא הֲלוֹא־מְשַׂנְאֶ֖יךָ יְהֹוָ֥ה׀ אֶשְׂנָ֑א וּ֝בִתְקוֹמְמֶ֗יךָ אֶתְקוֹטָֽט׃
כב תַּכְלִ֣ית שִׂנְאָ֣ה שְׂנֵאתִ֑ים לְ֝אוֹיְבִ֗ים הָ֣יוּ לִֽי׃
כג חָקְרֵ֣נִי אֵ֭ל וְדַ֣ע לְבָבִ֑י בְּ֝חָנֵ֗נִי וְדַ֣ע שַׂרְעַפָּֽי׃
כד וּרְאֵ֗ה אִם־דֶּֽרֶךְ־עֹ֥צֶב בִּ֑י וּ֝נְחֵ֗נִי בְּדֶ֣רֶךְ עוֹלָֽם׃

תְּפִלָּה לְהִנָּצֵל מֵאוֹיְבָיו דּוֹבְרֵי הָרָע עַל נַפְשׁוֹ:

קמ א לַמְנַצֵּ֗חַ מִזְמ֥וֹר לְדָוִֽד׃
ב חַלְּצֵ֣נִי יְ֭הֹוָה מֵאָדָ֣ם רָ֑ע מֵאִ֖ישׁ חֲמָסִ֣ים תִּנְצְרֵֽנִי׃
ג אֲשֶׁ֤ר חָשְׁב֣וּ רָע֣וֹת בְּלֵ֑ב כָּל־י֝֗וֹם יָג֥וּרוּ מִלְחָמֽוֹת׃
ד שָֽׁנְנ֣וּ לְשׁוֹנָם֮ כְּֽמוֹ־נָ֫חָ֥שׁ חֲמַ֥ת עַכְשׁ֑וּב
תַּ֖חַת שְׂפָתֵ֣ימוֹ סֶֽלָה׃
ה שָׁמְרֵ֤נִי יְהֹוָ֨ה׀ מִ֤ידֵ֬י רָשָׁ֗ע מֵאִ֣ישׁ חֲמָסִ֣ים תִּנְצְרֵ֑נִי
אֲשֶׁ֥ר חָ֝שְׁב֗וּ לִדְח֥וֹת פְּעָמָֽי׃
ו טָֽמְנֽוּ־גֵ֨אִ֤ים׀ פַּ֡ח לִ֗י וַחֲבָלִ֗ים פָּ֣רְשׂוּ רֶ֭שֶׁת לְיַד־מַעְגָּ֑ל
מֹקְשִׁ֖ים שָֽׁתוּ־לִ֣י סֶֽלָה׃
ז אָמַ֣רְתִּי לַ֭יהֹוָה אֵ֣לִי אָ֑תָּה הַאֲזִ֥ינָה יְ֝הֹוָ֗ה ק֣וֹל תַּחֲנוּנָֽי׃
ח יֱהֹוִ֣ה אֲ֭דֹנָי עֹ֣ז יְשׁוּעָתִ֑י סַכֹּ֥תָה לְ֝רֹאשִׁ֗י בְּי֣וֹם נָֽשֶׁק׃
ט אַל־תִּתֵּ֣ן יְ֭הֹוָה מַאֲוַיֵּ֣י רָשָׁ֑ע זְמָמ֥וֹ אַל־תָּ֝פֵ֗ק יָר֥וּמוּ סֶֽלָה׃
י רֹ֥אשׁ מְסִבָּ֑י עֲמַ֖ל שְׂפָתֵ֣ימוֹ יכסומו יְכַסֵּֽימוֹ׃
יא ימיטו יִמּ֥וֹטוּ עֲלֵיהֶ֗ם גֶּֽחָ֫לִ֥ים בָּאֵ֥שׁ יַפִּלֵ֑ם
בְּ֝מַהֲמֹר֗וֹת בַּל־יָקֽוּמוּ׃
יב אִ֥ישׁ לָשׁ֨וֹן׀ בַּל־יִכּ֬וֹן בָּאָ֗רֶץ אִישׁ־חָמָ֥ס רָ֑ע
יְ֝צוּדֶ֗נּוּ לְמַדְחֵפֹֽת׃
יג ידעת יָ֭דַעְתִּי כִּֽי־יַעֲשֶׂ֣ה יְ֭הֹוָה דִּ֣ין עָנִ֑י מִ֝שְׁפַּ֗ט אֶבְיֹנִֽים׃
יד אַ֣ךְ צַ֭דִּיקִים יוֹד֣וּ לִשְׁמֶ֑ךָ יֵשְׁב֥וּ יְ֝שָׁרִ֗ים אֶת־פָּנֶֽיךָ׃

קמא א מִזְמ֗וֹר לְדָ֫וִ֥ד

יְהֹוָ֣ה קְ֭רָאתִיךָ ח֣וּשָׁה לִּ֑י הַאֲזִ֥ינָה ק֝וֹלִ֗י בְּקָרְאִי־לָֽךְ׃

ב תִּכּ֤וֹן תְּפִלָּתִ֣י קְטֹ֣רֶת לְפָנֶ֑יךָ מַֽשְׂאַ֥ת כַּ֝פַּ֗י מִנְחַת־עָֽרֶב׃

ג שִׁיתָ֣ה יְ֭הֹוָה שָׁמְרָ֣ה לְפִ֑י נִ֝צְּרָ֗ה עַל־דַּ֥ל שְׂפָתָֽי׃

ד אַל־תַּט־לִבִּ֨י ׀ לְדָ֘בָ֤ר ׀ רָ֗ע לְהִתְע֘וֹלֵ֤ל עֲלִל֨וֹת ׀ בְּרֶ֗שַׁע

אֶת־אִ֥ישִׁים פֹּֽעֲלֵי־אָ֑וֶן וּבַל־אֶ֝לְחַ֗ם בְּמַנְעַמֵּיהֶֽם׃

ה יֶהֶלְמֵ֤נִי צַדִּ֨יק ׀ חֶ֡סֶד וְֽיוֹכִיחֵ֗נִי שֶׁ֣מֶן רֹ֭אשׁ אַל־יָנִ֣י רֹאשִׁ֑י

כִּי־ע֥וֹד וּ֝תְפִלָּתִ֗י בְּרָעֽוֹתֵיהֶֽם׃

ו נִשְׁמְט֣וּ בִֽידֵי־סֶ֭לַע שֹׁפְטֵיהֶ֑ם וְשָׁמְע֥וּ אֲ֝מָרַ֗י כִּ֣י נָעֵֽמוּ׃

ז כְּמ֤וֹ פֹלֵ֣חַ וּבֹקֵ֣עַ בָּאָ֑רֶץ נִפְזְר֥וּ עֲ֝צָמֵ֗ינוּ לְפִ֣י שְׁאֽוֹל׃

ח כִּ֤י אֵלֶ֨יךָ ׀ יֱהֹוִ֣ה אֲדֹנָ֣י עֵינָ֑י בְּכָ֥ה חָ֝סִ֗יתִי אַל־תְּעַ֥ר נַפְשִֽׁי׃

ט שָׁמְרֵ֗נִי מִ֣ידֵי פַ֭ח יָ֣קְשׁוּ לִ֑י וּ֝מֹקְשׁ֗וֹת פֹּ֣עֲלֵי אָֽוֶן׃

י יִפְּל֣וּ בְמַכְמֹרָ֣יו רְשָׁעִ֑ים יַ֥חַד אָ֝נֹכִ֗י עַד־אֶעֱבֽוֹר׃

קמב א מַשְׂכִּ֥יל לְדָוִ֑ד

ב בִּֽהְיוֹת֖וֹ בַמְּעָרָ֣ה תְפִלָּֽה׃ ק֭וֹלִי אֶל־יְהֹוָ֣ה אֶזְעָ֑ק

ג ק֝וֹלִ֗י אֶל־יְהֹוָ֥ה אֶתְחַנָּֽן׃ אֶשְׁפֹּ֣ךְ לְפָנָ֣יו שִׂיחִ֑י

ד צָ֝רָתִ֗י לְפָנָ֥יו אַגִּֽיד׃ בְּהִתְעַטֵּ֬ף עָלַ֨י ׀ ר֘וּחִ֤י

וְאַתָּה֮ יָדַ֪עְתָּ נְתִֽיבָ֫תִ֥י בְּאֹֽרַח־ז֥וּ אֲהַלֵּ֑ךְ טָמְנ֖וּ פַ֣ח לִֽי׃

ה הַבֵּ֤יט יָמִ֨ין ׀ וּרְאֵה֮ וְֽאֵין־לִ֢י מַ֫כִּ֥יר אָבַ֣ד מָנ֣וֹס מִמֶּ֑נִּי

ו אֵ֖ין דּוֹרֵ֣שׁ לְנַפְשִֽׁי׃ זָעַ֥קְתִּי אֵלֶ֗יךָ יְהֹ֫וָ֥ה

אָ֭מַרְתִּי אַתָּ֣ה מַחְסִ֑י ח֝לְקִ֗י בְּאֶ֣רֶץ הַֽחַיִּֽים׃

ז הַקְשִׁ֤יבָה ׀ אֶֽל־רִנָּתִי֮ כִּֽי־דַלּ֪וֹתִ֫י מְאֹ֥ד

הַצִּילֵ֣נִי מֵרֹדְפַ֑י כִּ֖י אָמְצ֣וּ מִמֶּֽנִּי׃

ח ה֘וֹצִ֤יאָה מִמַּסְגֵּ֨ר ׀ נַפְשִׁי֮ לְהוֹד֪וֹת אֶֽת־שְׁ֫מֶ֥ךָ

בִּי יַכְתִּרוּ צַדִּיקִים כִּי תִגְמֹל עָלָי׃

זְעָקָה לְהוֹשִׁיעוֹ בְּסַכָּנַת אָבְדָן׃

מִזְמוֹר לְדָוִד א קמג
יְהוָה | שְׁמַע תְּפִלָּתִי הַאֲזִינָה אֶל־תַּחֲנוּנַי
בֶּאֱמֻנָתְךָ עֲנֵנִי בְּצִדְקָתֶךָ׃ וְאַל־תָּבוֹא בְמִשְׁפָּט אֶת־עַבְדֶּךָ ב
כִּי לֹא־יִצְדַּק לְפָנֶיךָ כָל־חָי׃ כִּי רָדַף אוֹיֵב | נַפְשִׁי ג
דִּכָּא לָאָרֶץ חַיָּתִי הוֹשִׁיבַנִי בְמַחֲשַׁכִּים כְּמֵתֵי עוֹלָם׃
וַתִּתְעַטֵּף עָלַי רוּחִי בְּתוֹכִי יִשְׁתּוֹמֵם לִבִּי׃ ד
זָכַרְתִּי יָמִים | מִקֶּדֶם הָגִיתִי בְכָל־פָּעֳלֶךָ ה
בְּמַעֲשֵׂה יָדֶיךָ אֲשׂוֹחֵחַ׃ פֵּרַשְׂתִּי יָדַי אֵלֶיךָ ו
נַפְשִׁי | כְּאֶרֶץ־עֲיֵפָה לְךָ סֶלָה׃
מַהֵר עֲנֵנִי | יְהוָה כָּלְתָה רוּחִי אַל־תַּסְתֵּר פָּנֶיךָ מִמֶּנִּי ז
וְנִמְשַׁלְתִּי עִם־יֹרְדֵי בוֹר׃ הַשְׁמִיעֵנִי בַבֹּקֶר | חַסְדֶּךָ ח
כִּי־בְךָ בָטָחְתִּי הוֹדִיעֵנִי דֶּרֶךְ־זוּ אֵלֵךְ
כִּי־אֵלֶיךָ נָשָׂאתִי נַפְשִׁי׃ הַצִּילֵנִי מֵאֹיְבַי | יְהוָה ט
אֵלֶיךָ כִסִּתִי׃ לַמְּדֵנִי | לַעֲשׂוֹת רְצוֹנֶךָ כִּי־אַתָּה אֱלוֹהָי י
רוּחֲךָ טוֹבָה תַּנְחֵנִי בְּאֶרֶץ מִישׁוֹר׃
לְמַעַן־שִׁמְךָ יְהוָה תְּחַיֵּנִי בְּצִדְקָתְךָ | תּוֹצִיא מִצָּרָה נַפְשִׁי׃ יא
וּבְחַסְדְּךָ תַּצְמִית אֹיְבָי וְהַאֲבַדְתָּ כָּל־צֹרְרֵי נַפְשִׁי יב
כִּי אֲנִי עַבְדֶּךָ׃

הוֹדָיָה עַל הַצָּלָתוֹ מֵאוֹיְבָיו וְהַצְלָחָתוֹ בַּמִּלְחָמָה׃

לְדָוִד | בָּרוּךְ יְהוָה | צוּרִי הַמְלַמֵּד יָדַי לַקְרָב א קמד
אֶצְבְּעוֹתַי לַמִּלְחָמָה׃ חַסְדִּי וּמְצוּדָתִי מִשְׂגַּבִּי וּמְפַלְטִי לִי ב
מָגִנִּי וּבוֹ חָסִיתִי הָרוֹדֵד עַמִּי תַחְתָּי׃
יְהוָה מָה־אָדָם וַתֵּדָעֵהוּ בֶּן־אֱנוֹשׁ וַתְּחַשְּׁבֵהוּ׃ ג

ד אָדָם לַהֶבֶל דָּמָה יָמָיו כְּצֵל עוֹבֵר:
ה יְהוָה הַט־שָׁמֶיךָ וְתֵרֵד גַּע בֶּהָרִים וְיֶעֱשָׁנוּ:
ו בְּרוֹק בָּרָק וּתְפִיצֵם שְׁלַח חִצֶּיךָ וּתְהֻמֵּם:
ז שְׁלַח יָדֶיךָ מִמָּרוֹם פְּצֵנִי וְהַצִּילֵנִי מִמַּיִם רַבִּים
ח מִיַּד בְּנֵי נֵכָר: אֲשֶׁר פִּיהֶם דִּבֶּר־שָׁוְא
ט וִימִינָם יְמִין שָׁקֶר: אֱלֹהִים שִׁיר חָדָשׁ אָשִׁירָה לָּךְ
י בְּנֵבֶל עָשׂוֹר אֲזַמְּרָה־לָּךְ: הַנּוֹתֵן תְּשׁוּעָה לַמְּלָכִים
הַפּוֹצֶה אֶת־דָּוִד עַבְדּוֹ מֵחֶרֶב רָעָה:
יא פְּצֵנִי וְהַצִּילֵנִי מִיַּד בְּנֵי־נֵכָר אֲשֶׁר פִּיהֶם דִּבֶּר־שָׁוְא
יב וִימִינָם יְמִין שָׁקֶר: אֲשֶׁר בָּנֵינוּ | כִּנְטִעִים
מְגֻדָּלִים בִּנְעוּרֵיהֶם בְּנוֹתֵינוּ כְזָוִיֹּת מְחֻטָּבוֹת תַּבְנִית הֵיכָל:
יג מְזָוֵינוּ מְלֵאִים מְפִיקִים מִזַּן אֶל זַן
צֹאונֵנוּ מַאֲלִיפוֹת מְרֻבָּבוֹת בְּחוּצוֹתֵינוּ:
יד אַלּוּפֵינוּ מְסֻבָּלִים אֵין־פֶּרֶץ וְאֵין יוֹצֵאת
טו וְאֵין צְוָחָה בִּרְחֹבֹתֵינוּ: אַשְׁרֵי הָעָם שֶׁכָּכָה לּוֹ
אַשְׁרֵי הָעָם שֶׁיְהוָה אֱלֹהָיו:

קמה א תְּהִלָּה לְדָוִד
אֲרוֹמִמְךָ אֱלוֹהַי הַמֶּלֶךְ וַאֲבָרְכָה שִׁמְךָ לְעוֹלָם וָעֶד:
ב בְּכָל־יוֹם אֲבָרְכֶךָּ וַאֲהַלְלָה שִׁמְךָ לְעוֹלָם וָעֶד:
ג גָּדוֹל יְהוָה וּמְהֻלָּל מְאֹד וְלִגְדֻלָּתוֹ אֵין חֵקֶר:
ד דּוֹר לְדוֹר יְשַׁבַּח מַעֲשֶׂיךָ וּגְבוּרֹתֶיךָ יַגִּידוּ:
ה הֲדַר כְּבוֹד הוֹדֶךָ וְדִבְרֵי נִפְלְאֹתֶיךָ אָשִׂיחָה:
ו וֶעֱזוּז נוֹרְאֹתֶיךָ יֹאמֵרוּ וגדלותיך וּגְדֻלָּתְךָ אֲסַפְּרֶנָּה:
ז זֵכֶר רַב־טוּבְךָ יַבִּיעוּ וְצִדְקָתְךָ יְרַנֵּנוּ:

חַנּוּן וְרַחוּם יְהוָה אֶרֶךְ אַפַּיִם וּגְדָל־חָסֶד: ח
טוֹב־יְהוָה לַכֹּל וְרַחֲמָיו עַל־כָּל־מַעֲשָׂיו: ט
יוֹדוּךָ יְהוָה כָּל־מַעֲשֶׂיךָ וַחֲסִידֶיךָ יְבָרְכוּכָה: י
כְּבוֹד מַלְכוּתְךָ יֹאמֵרוּ וּגְבוּרָתְךָ יְדַבֵּרוּ: יא
לְהוֹדִיעַ ׀ לִבְנֵי הָאָדָם גְּבוּרֹתָיו וּכְבוֹד הֲדַר מַלְכוּתוֹ: יב
מַלְכוּתְךָ מַלְכוּת כָּל־עֹלָמִים וּמֶמְשַׁלְתְּךָ בְּכָל־דּוֹר וָדֹר: יג
סוֹמֵךְ יְהוָה לְכָל־הַנֹּפְלִים וְזוֹקֵף לְכָל־הַכְּפוּפִים: יד
עֵינֵי־כֹל אֵלֶיךָ יְשַׂבֵּרוּ וְאַתָּה נוֹתֵן־לָהֶם אֶת־אָכְלָם בְּעִתּוֹ: טו
פּוֹתֵחַ אֶת־יָדֶךָ וּמַשְׂבִּיעַ לְכָל־חַי רָצוֹן: טז
צַדִּיק יְהוָה בְּכָל־דְּרָכָיו וְחָסִיד בְּכָל־מַעֲשָׂיו: יז
קָרוֹב יְהוָה לְכָל־קֹרְאָיו לְכֹל אֲשֶׁר יִקְרָאֻהוּ בֶאֱמֶת: יח
רְצוֹן־יְרֵאָיו יַעֲשֶׂה וְאֶת־שַׁוְעָתָם יִשְׁמַע וְיוֹשִׁיעֵם: יט
שׁוֹמֵר יְהוָה אֶת־כָּל־אֹהֲבָיו וְאֵת כָּל־הָרְשָׁעִים יַשְׁמִיד: כ
תְּהִלַּת יְהוָה יְדַבֶּר פִּי וִיבָרֵךְ כָּל־בָּשָׂר שֵׁם קָדְשׁוֹ לְעוֹלָם וָעֶד: כא

תְּהִלָּה לַה׳, וְשֶׁבַח לַבּוֹטְחִים בּוֹ לְבַדּוֹ:

קמו

הַלְלוּ־יָהּ א
הַלְלִי נַפְשִׁי אֶת־יְהוָה: אֲהַלְלָה יְהוָה בְּחַיָּי ב
אֲזַמְּרָה לֵאלֹהַי בְּעוֹדִי: אַל־תִּבְטְחוּ בִנְדִיבִים ג
בְּבֶן־אָדָם ׀ שֶׁאֵין לוֹ תְשׁוּעָה: תֵּצֵא רוּחוֹ יָשֻׁב לְאַדְמָתוֹ ד
בַּיּוֹם הַהוּא אָבְדוּ עֶשְׁתֹּנֹתָיו: אַשְׁרֵי ה
שֶׁאֵל יַעֲקֹב בְּעֶזְרוֹ שִׂבְרוֹ
עַל־יְהוָה אֱלֹהָיו: עֹשֶׂה ׀ שָׁמַיִם וָאָרֶץ ו
אֶת־הַיָּם וְאֶת־כָּל־אֲשֶׁר־בָּם הַשֹּׁמֵר אֱמֶת לְעוֹלָם:
עֹשֶׂה מִשְׁפָּט ׀ לָעֲשׁוּקִים נֹתֵן לֶחֶם לָרְעֵבִים ז
יְהוָה מַתִּיר אֲסוּרִים: יְהוָה ׀ פֹּקֵחַ עִוְרִים ח

יְהוָה זֹקֵף כְּפוּפִים   יְהוָה אֹהֵב צַדִּיקִים׃
ט יְהוָה ׀ שֹׁמֵר אֶת־גֵּרִים   יָתוֹם וְאַלְמָנָה יְעוֹדֵד
י וְדֶרֶךְ רְשָׁעִים יְעַוֵּת׃   יִמְלֹךְ יְהוָה ׀ לְעוֹלָם
אֱלֹהַיִךְ צִיּוֹן לְדֹר וָדֹר   הַלְלוּ־יָהּ׃

קמז א הַלְלוּ יָהּ ׀

הַלֵּל לִגְבוּרוֹת ה׳, וַחֲסָדָיו לִירוּשָׁלַיִם וּלְעַמּוֹ׃

כִּי־טוֹב זַמְּרָה אֱלֹהֵינוּ   כִּי־נָעִים נָאוָה תְהִלָּה׃
ב בּוֹנֵה יְרוּשָׁלַםִ יְהוָה   נִדְחֵי יִשְׂרָאֵל יְכַנֵּס׃
ג הָרֹפֵא לִשְׁבוּרֵי לֵב   וּמְחַבֵּשׁ לְעַצְּבוֹתָם׃
ד מוֹנֶה מִסְפָּר לַכּוֹכָבִים   לְכֻלָּם שֵׁמוֹת יִקְרָא׃
ה גָּדוֹל אֲדוֹנֵינוּ וְרַב־כֹּחַ   לִתְבוּנָתוֹ אֵין מִסְפָּר׃
ו מְעוֹדֵד עֲנָוִים יְהוָה   מַשְׁפִּיל רְשָׁעִים עֲדֵי־אָרֶץ׃
ז עֱנוּ לַיהוָה בְּתוֹדָה   זַמְּרוּ לֵאלֹהֵינוּ בְכִנּוֹר׃
ח הַמְכַסֶּה שָׁמַיִם ׀ בְּעָבִים   הַמֵּכִין לָאָרֶץ מָטָר
ט הַמַּצְמִיחַ הָרִים חָצִיר׃   נוֹתֵן לִבְהֵמָה לַחְמָהּ
י לִבְנֵי עֹרֵב אֲשֶׁר יִקְרָאוּ׃   לֹא בִגְבוּרַת הַסּוּס יֶחְפָּץ
יא לֹא־בְשׁוֹקֵי הָאִישׁ יִרְצֶה׃   רוֹצֶה יְהוָה אֶת־יְרֵאָיו
יב אֶת־הַמְיַחֲלִים לְחַסְדּוֹ׃   שַׁבְּחִי יְרוּשָׁלַםִ אֶת־יְהוָה
יג הַלְלִי אֱלֹהַיִךְ צִיּוֹן׃   כִּי־חִזַּק בְּרִיחֵי שְׁעָרָיִךְ
יד בֵּרַךְ בָּנַיִךְ בְּקִרְבֵּךְ׃   הַשָּׂם־גְּבוּלֵךְ שָׁלוֹם
טו חֵלֶב חִטִּים יַשְׂבִּיעֵךְ׃   הַשֹּׁלֵחַ אִמְרָתוֹ אָרֶץ
טז עַד־מְהֵרָה יָרוּץ דְּבָרוֹ׃   הַנֹּתֵן שֶׁלֶג כַּצָּמֶר
יז כְּפוֹר כָּאֵפֶר יְפַזֵּר׃   מַשְׁלִיךְ קַרְחוֹ כְפִתִּים
יח לִפְנֵי קָרָתוֹ מִי יַעֲמֹד׃   יִשְׁלַח דְּבָרוֹ וְיַמְסֵם
יט יַשֵּׁב רוּחוֹ יִזְּלוּ־מָיִם׃   מַגִּיד דְּבָרָו לְיַעֲקֹב

כ חֻקָּיו וּמִשְׁפָּטָיו לְיִשְׂרָאֵל: לֹא עָשָׂה כֵן ׀ לְכָל־גּוֹי
וּמִשְׁפָּטִים בַּל־יְדָעוּם הַלְלוּ־יָהּ:

א קמח הַלְלוּ יָהּ ׀

קְרִיאָה לַבְּרִיאָה כֻּלָּהּ לְהַלֵּל לַה׳:

הַלְלוּ אֶת־יְהוָה מִן־הַשָּׁמַיִם הַלְלוּהוּ בַּמְּרוֹמִים:
ב הַלְלוּהוּ כָל־מַלְאָכָיו הַלְלוּהוּ כָּל־צְבָאָו:
ג הַלְלוּהוּ שֶׁמֶשׁ וְיָרֵחַ הַלְלוּהוּ כָּל־כּוֹכְבֵי אוֹר:
ד הַלְלוּהוּ שְׁמֵי הַשָּׁמָיִם וְהַמַּיִם אֲשֶׁר ׀ מֵעַל הַשָּׁמָיִם:
ה יְהַלְלוּ אֶת־שֵׁם יְהוָה כִּי הוּא צִוָּה וְנִבְרָאוּ:
ו וַיַּעֲמִידֵם לָעַד לְעוֹלָם חָק־נָתַן וְלֹא יַעֲבוֹר:
ז הַלְלוּ אֶת־יְהוָה מִן־הָאָרֶץ תַּנִּינִים וְכָל־תְּהֹמוֹת:
ח אֵשׁ וּבָרָד שֶׁלֶג וְקִיטוֹר רוּחַ סְעָרָה עֹשָׂה דְבָרוֹ:
ט הֶהָרִים וְכָל־גְּבָעוֹת עֵץ פְּרִי וְכָל־אֲרָזִים:
י הַחַיָּה וְכָל־בְּהֵמָה רֶמֶשׂ וְצִפּוֹר כָּנָף:
יא מַלְכֵי־אֶרֶץ וְכָל־לְאֻמִּים שָׂרִים וְכָל־שֹׁפְטֵי אָרֶץ:
יב בַּחוּרִים וְגַם־בְּתוּלוֹת זְקֵנִים עִם־נְעָרִים:
יג יְהַלְלוּ ׀ אֶת־שֵׁם יְהוָה כִּי־נִשְׂגָּב שְׁמוֹ לְבַדּוֹ
הוֹדוֹ עַל־אֶרֶץ וְשָׁמָיִם: יד וַיָּרֶם קֶרֶן ׀ לְעַמּוֹ
תְּהִלָּה לְכָל־חֲסִידָיו לִבְנֵי יִשְׂרָאֵל עַם קְרֹבוֹ הַלְלוּ־יָהּ:

א קמט הַלְלוּ יָהּ ׀

קְרִיאָה לְהוֹדָיָה עַל הַגְּאֻלָּה בְּכֹחַ הַתְּפִלָּה:

שִׁירוּ לַיהוָה שִׁיר חָדָשׁ תְּהִלָּתוֹ בִּקְהַל חֲסִידִים:
ב יִשְׂמַח יִשְׂרָאֵל בְּעֹשָׂיו בְּנֵי־צִיּוֹן יָגִילוּ בְמַלְכָּם:
ג יְהַלְלוּ שְׁמוֹ בְמָחוֹל בְּתֹף וְכִנּוֹר יְזַמְּרוּ־לוֹ:
ד כִּי־רוֹצֶה יְהוָה בְּעַמּוֹ יְפָאֵר עֲנָוִים בִּישׁוּעָה:

ה יַעְלְזוּ חֲסִידִים בְּכָבוֹד יְרַנְּנוּ עַל־מִשְׁכְּבוֹתָם:
ו רוֹמְמוֹת אֵל בִּגְרוֹנָם וְחֶרֶב פִּיפִיּוֹת בְּיָדָם:
ז לַעֲשׂוֹת נְקָמָה בַּגּוֹיִם תּוֹכֵחוֹת בַּלְאֻמִּים:
ח לֶאְסֹר מַלְכֵיהֶם בְּזִקִּים וְנִכְבְּדֵיהֶם
ט בְּכַבְלֵי בַרְזֶל: לַעֲשׂוֹת בָּהֶם ׀ מִשְׁפָּט כָּתוּב
הָדָר הוּא לְכָל־חֲסִידָיו הַלְלוּ־יָהּ:

קנ א הַלְלוּ יָהּ ׀
הַלְלוּ־אֵל בְּקָדְשׁוֹ הַלְלוּהוּ בִּרְקִיעַ עֻזּוֹ:
ב הַלְלוּהוּ בִגְבוּרֹתָיו הַלְלוּהוּ כְּרֹב גֻּדְלוֹ:
ג הַלְלוּהוּ בְּתֵקַע שׁוֹפָר הַלְלוּהוּ בְּנֵבֶל וְכִנּוֹר:
ד הַלְלוּהוּ בְתֹף וּמָחוֹל הַלְלוּהוּ בְּמִנִּים וְעוּגָב:
ה הַלְלוּהוּ בְצִלְצְלֵי־שָׁמַע הַלְלוּהוּ בְּצִלְצְלֵי תְרוּעָה:
ו כֹּל הַנְּשָׁמָה תְּהַלֵּל יָהּ הַלְלוּ־יָהּ:

קְרִיאָה לַכֹּל לְהַלֵּל לַה׳ בְּכָל מִינֵי זֶמֶר:

מִשְׁלֵי

א א מִשְׁלֵי שְׁלֹמֹה בֶן־דָּוִד מֶלֶךְ יִשְׂרָאֵל: תַּכְלִית הַסֵּפֶר, וְתוֹעַלְתּוֹ:
ב לָדַעַת חָכְמָה וּמוּסָר לְהָבִין אִמְרֵי בִינָה:
ג לָקַחַת מוּסַר הַשְׂכֵּל צֶדֶק וּמִשְׁפָּט וּמֵשָׁרִים:
ד לָתֵת לִפְתָאיִם עָרְמָה לְנַעַר דַּעַת וּמְזִמָּה:
ה יִשְׁמַע חָכָם וְיוֹסֶף לֶקַח וְנָבוֹן תַּחְבֻּלוֹת יִקְנֶה:
ו לְהָבִין מָשָׁל וּמְלִיצָה דִּבְרֵי חֲכָמִים וְחִידֹתָם:
ז יִרְאַת יְהוָה רֵאשִׁית דָּעַת חָכְמָה וּמוּסָר אֱוִילִים בָּזוּ:

ח שְׁמַע בְּנִי מוּסַר אָבִיךָ וְאַל־תִּטֹּשׁ תּוֹרַת אִמֶּךָ: חֲשִׁיבוּת הַמּוּסָר, וְהַהִתְרַחֲקוּת מֵהָרְשָׁעִים:
ט כִּי ׀ לִוְיַת חֵן הֵם לְרֹאשֶׁךָ וַעֲנָקִים לְגַרְגְּרֹתֶךָ:
י בְּנִי אִם־יְפַתּוּךָ חַטָּאִים אַל־תֹּבֵא:
יא אִם־יֹאמְרוּ לְכָה אִתָּנוּ נֶאֶרְבָה לְדָם נִצְפְּנָה לְנָקִי חִנָּם:
יב נִבְלָעֵם כִּשְׁאוֹל חַיִּים וּתְמִימִים כְּיוֹרְדֵי בוֹר:
יג כָּל־הוֹן יָקָר נִמְצָא נְמַלֵּא בָתֵּינוּ שָׁלָל:
יד גּוֹרָלְךָ תַּפִּיל בְּתוֹכֵנוּ כִּיס אֶחָד יִהְיֶה לְכֻלָּנוּ:
טו בְּנִי אַל־תֵּלֵךְ בְּדֶרֶךְ אִתָּם מְנַע רַגְלְךָ מִנְּתִיבָתָם:
טז כִּי רַגְלֵיהֶם לָרַע יָרוּצוּ וִימַהֲרוּ לִשְׁפָּךְ־דָּם:
יז כִּי־חִנָּם מְזֹרָה הָרָשֶׁת בְּעֵינֵי כָּל־בַּעַל כָּנָף:
יח וְהֵם לְדָמָם יֶאֱרֹבוּ יִצְפְּנוּ לְנַפְשֹׁתָם:
יט כֵּן אָרְחוֹת כָּל־בֹּצֵעַ בָּצַע אֶת־נֶפֶשׁ בְּעָלָיו יִקָּח:

כ חָכְמוֹת בַּחוּץ תָּרֹנָּה בָּרְחֹבוֹת תִּתֵּן קוֹלָהּ: קְרִיאָה לַפְּתָיִים לְהַאֲזִין לַתּוֹכָחָה:
כא בְּרֹאשׁ הֹמִיּוֹת תִּקְרָא בְּפִתְחֵי שְׁעָרִים בָּעִיר

אֲמָרֶיהָ תֹאמֵר׃ עַד־מָתַי ׀ פְּתָיִם תְּאֵהֲבוּ פֶתִי כב
וְלֵצִים לָצוֹן חָמְדוּ לָהֶם וּכְסִילִים יִשְׂנְאוּ־דָעַת׃
תָּשׁוּבוּ לְתוֹכַחְתִּי הִנֵּה אַבִּיעָה לָכֶם רוּחִי כג
אַזְהָרָה לַבּוֹרְחִים מֵהַתּוֹכָחָה:
אוֹדִיעָה דְבָרַי אֶתְכֶם׃ יַעַן קָרָאתִי וַתְּמָאֵנוּ כד
נָטִיתִי יָדִי וְאֵין מַקְשִׁיב׃ וַתִּפְרְעוּ כָל־עֲצָתִי כה
וְתוֹכַחְתִּי לֹא אֲבִיתֶם׃
גַּם־אֲנִי בְּאֵידְכֶם אֶשְׂחָק אֶלְעַג בְּבֹא פַחְדְּכֶם׃ כו
בְּבֹא כשאוה כְשׁוֹאָה ׀ פַּחְדְּכֶם וְאֵידְכֶם כְּסוּפָה יֶאֱתֶה כז
בְּבֹא עֲלֵיכֶם צָרָה וְצוּקָה׃
אָז יִקְרָאֻנְנִי וְלֹא אֶעֱנֶה יְשַׁחֲרֻנְנִי וְלֹא יִמְצָאֻנְנִי׃ כח
תַּחַת כִּי־שָׂנְאוּ דָעַת וְיִרְאַת יְהוָה לֹא בָחָרוּ׃ כט
לֹא־אָבוּ לַעֲצָתִי נָאֲצוּ כָּל־תּוֹכַחְתִּי׃ ל
וְיֹאכְלוּ מִפְּרִי דַרְכָּם וּמִמֹּעֲצֹתֵיהֶם יִשְׂבָּעוּ׃ לא
כִּי מְשׁוּבַת פְּתָיִם תַּהַרְגֵם וְשַׁלְוַת כְּסִילִים תְּאַבְּדֵם׃ לב
וְשֹׁמֵעַ לִי יִשְׁכָּן־בֶּטַח וְשַׁאֲנַן מִפַּחַד רָעָה׃ לג

קְרִיאָה לַבֵּן לְהַקְשִׁיב לַחָכְמָה:
ב בְּנִי אִם־תִּקַּח אֲמָרָי וּמִצְוֹתַי תִּצְפֹּן אִתָּךְ׃ א
לְהַקְשִׁיב לַחָכְמָה אָזְנֶךָ תַּטֶּה לִבְּךָ לַתְּבוּנָה׃ ב
כִּי אִם לַבִּינָה תִקְרָא לַתְּבוּנָה תִּתֵּן קוֹלֶךָ׃ ג
אִם־תְּבַקְשֶׁנָּה כַכָּסֶף וְכַמַּטְמוֹנִים תַּחְפְּשֶׂנָּה׃ ד
תּוֹעֶלֶת הַחָכְמָה, יִרְאַת ה׳ וּשְׁמִירָה מֵרַע:
אָז תָּבִין יִרְאַת יְהוָה וְדַעַת אֱלֹהִים תִּמְצָא׃ ה
כִּי־יְהוָה יִתֵּן חָכְמָה מִפִּיו דַּעַת וּתְבוּנָה׃ ו
וצפן יִצְפֹּן לַיְשָׁרִים תּוּשִׁיָּה מָגֵן לְהֹלְכֵי תֹם׃ ז
לִנְצֹר אָרְחוֹת מִשְׁפָּט וְדֶרֶךְ חֲסִידָו יִשְׁמֹר׃ ח
אָז תָּבִין צֶדֶק וּמִשְׁפָּט וּמֵישָׁרִים כָּל־מַעְגַּל־טוֹב׃ ט

י כִּי־תָבוֹא חָכְמָה בְלִבֶּךָ וְדַעַת לְנַפְשְׁךָ יִנְעָם:
יא מְזִמָּה תִּשְׁמֹר עָלֶיךָ תְּבוּנָה תִנְצְרֶכָּה:
יב לְהַצִּילְךָ מִדֶּרֶךְ רָע מֵאִישׁ מְדַבֵּר תַּהְפֻּכוֹת:
יג הַעֹזְבִים אָרְחוֹת יֹשֶׁר לָלֶכֶת בְּדַרְכֵי־חֹשֶׁךְ:
יד הַשְּׂמֵחִים לַעֲשׂוֹת רָע יָגִילוּ בְּתַהְפֻּכוֹת רָע:
טו אֲשֶׁר אָרְחֹתֵיהֶם עִקְּשִׁים וּנְלוֹזִים בְּמַעְגְּלוֹתָם:

הַחָכְמָה - שְׁמִירָה מֵאַנְשֵׁי רָע:

טז לְהַצִּילְךָ מֵאִשָּׁה זָרָה מִנָּכְרִיָּה אֲמָרֶיהָ הֶחֱלִיקָה:
יז הַעֹזֶבֶת אַלּוּף נְעוּרֶיהָ וְאֶת־בְּרִית אֱלֹהֶיהָ שָׁכֵחָה:
יח כִּי שָׁחָה אֶל־מָוֶת בֵּיתָהּ וְאֶל־רְפָאִים מַעְגְּלֹתֶיהָ:
יט כָּל־בָּאֶיהָ לֹא יְשׁוּבוּן וְלֹא־יַשִּׂיגוּ אָרְחוֹת חַיִּים:

הַצָּלָה מֵאִשָּׁה רָעָה:

כ לְמַעַן תֵּלֵךְ בְּדֶרֶךְ טוֹבִים וְאָרְחוֹת צַדִּיקִים תִּשְׁמֹר:
כא כִּי־יְשָׁרִים יִשְׁכְּנוּ־אָרֶץ וּתְמִימִים יִוָּתְרוּ בָהּ:
כב וּרְשָׁעִים מֵאֶרֶץ יִכָּרֵתוּ וּבוֹגְדִים יִסְּחוּ מִמֶּנָּה:

תַּכְלִית הַחָכְמָה:

ג א בְּנִי תּוֹרָתִי אַל־תִּשְׁכָּח וּמִצְוֹתַי יִצֹּר לִבֶּךָ:
ב כִּי אֹרֶךְ יָמִים וּשְׁנוֹת חַיִּים וְשָׁלוֹם יוֹסִיפוּ לָךְ:
ג חֶסֶד וֶאֱמֶת אַל־יַעַזְבֻךָ קָשְׁרֵם עַל־גַּרְגְּרוֹתֶיךָ
כָּתְבֵם עַל־לוּחַ לִבֶּךָ:
ד וּמְצָא־חֵן וְשֵׂכֶל־טוֹב בְּעֵינֵי אֱלֹהִים וְאָדָם:

הַבְּרָכָה בִּשְׁמִירַת הַתּוֹרָה וּמִצְוֹתֶיהָ:

ה בְּטַח אֶל־יְהוָה בְּכָל־לִבֶּךָ וְאֶל־בִּינָתְךָ אַל־תִּשָּׁעֵן:
ו בְּכָל־דְּרָכֶיךָ דָעֵהוּ וְהוּא יְיַשֵּׁר אֹרְחֹתֶיךָ:
ז אַל־תְּהִי חָכָם בְּעֵינֶיךָ יְרָא אֶת־יְהוָה וְסוּר מֵרָע:
ח רִפְאוּת תְּהִי לְשָׁרֶּךָ וְשִׁקּוּי לְעַצְמוֹתֶיךָ:
ט כַּבֵּד אֶת־יְהוָה מֵהוֹנֶךָ וּמֵרֵאשִׁית כָּל־תְּבוּאָתֶךָ:
י וְיִמָּלְאוּ אֲסָמֶיךָ שָׂבָע וְתִירוֹשׁ יְקָבֶיךָ יִפְרֹצוּ:

בִּטָּחוֹן בַּה׳ וּכְבוֹדוֹ:

שֶׁבַח הַחָכְמָה וְהַתְּבוּנָה וְתוֹעַלְתָּם:

מוּסַר יְהוָה בְּנִי אַל־תִּמְאָס וְאַל־תָּקֹץ בְּתוֹכַחְתּוֹ: יא

כִּי אֶת אֲשֶׁר יֶאֱהַב יְהוָה יוֹכִיחַ וּכְאָב אֶת־בֵּן יִרְצֶה: יב

אַשְׁרֵי אָדָם מָצָא חָכְמָה וְאָדָם יָפִיק תְּבוּנָה: יג

כִּי טוֹב סַחְרָהּ מִסְּחַר־כָּסֶף וּמֵחָרוּץ תְּבוּאָתָהּ: יד

יְקָרָה הִיא מפניים מִפְּנִינִים וְכָל־חֲפָצֶיךָ לֹא יִשְׁווּ־בָהּ: טו

אֹרֶךְ יָמִים בִּימִינָהּ בִּשְׂמֹאולָהּ עֹשֶׁר וְכָבוֹד: טז

דְּרָכֶיהָ דַרְכֵי־נֹעַם וְכָל־נְתִיבוֹתֶיהָ שָׁלוֹם: יז

עֵץ־חַיִּים הִיא לַמַּחֲזִיקִים בָּהּ וְתֹמְכֶיהָ מְאֻשָּׁר: יח

מַעֲלַת הַחָכְמָה וְהַגְּמוּל לַמַּחֲזִיקִים בָּהּ:

יְהוָה בְּחָכְמָה יָסַד־אָרֶץ כּוֹנֵן שָׁמַיִם בִּתְבוּנָה: יט

בְּדַעְתּוֹ תְּהוֹמוֹת נִבְקָעוּ וּשְׁחָקִים יִרְעֲפוּ־טָל: כ

בְּנִי אַל־יָלֻזוּ מֵעֵינֶיךָ נְצֹר תֻּשִׁיָּה וּמְזִמָּה: כא

וְיִהְיוּ חַיִּים לְנַפְשֶׁךָ וְחֵן לְגַרְגְּרֹתֶיךָ: כב

אָז תֵּלֵךְ לָבֶטַח דַּרְכֶּךָ וְרַגְלְךָ לֹא תִגּוֹף: כג

אִם־תִּשְׁכַּב לֹא־תִפְחָד וְשָׁכַבְתָּ וְעָרְבָה שְׁנָתֶךָ: כד

אַל־תִּירָא מִפַּחַד פִּתְאֹם וּמִשֹּׁאַת רְשָׁעִים כִּי תָבֹא: כה

כִּי־יְהוָה יִהְיֶה בְכִסְלֶךָ וְשָׁמַר רַגְלְךָ מִלָּכֶד: כו

אַזְהָרוֹת בְּעִנְיָנִים שֶׁבֵּין אָדָם לַחֲבֵרוֹ:

אַל־תִּמְנַע־טוֹב מִבְּעָלָיו בִּהְיוֹת לְאֵל ידיך יָדְךָ לַעֲשׂוֹת: כז

אַל־תֹּאמַר לרעיך לְרֵעֲךָ ׀ לֵךְ וָשׁוּב וּמָחָר אֶתֵּן וְיֵשׁ אִתָּךְ: כח

אַל־תַּחֲרֹשׁ עַל־רֵעֲךָ רָעָה וְהוּא־יוֹשֵׁב לָבֶטַח אִתָּךְ: כט

אַל־תָּרִיב תרוב עִם־אָדָם חִנָּם אִם־לֹא גְמָלְךָ רָעָה: ל

גְּמוּל הָרְשָׁעִים וּשְׂכַר הַצַּדִּיקִים:

אַל־תְּקַנֵּא בְּאִישׁ חָמָס וְאַל־תִּבְחַר בְּכָל־דְּרָכָיו: לא

כִּי תוֹעֲבַת יְהוָה נָלוֹז וְאֶת־יְשָׁרִים סוֹדוֹ: לב

מְאֵרַת יְהוָה בְּבֵית רָשָׁע וּנְוֵה צַדִּיקִים יְבָרֵךְ: לג

לד אִם־לַלֵּצִים הוּא־יָלִיץ ולעניים וְלַעֲנָוִים יִתֶּן־חֵן:
לה כָּבוֹד חֲכָמִים יִנְחָלוּ וּכְסִילִים מֵרִים קָלוֹן:

ד א שִׁמְעוּ בָנִים מוּסַר אָב וְהַקְשִׁיבוּ לָדַעַת בִּינָה: זֵרוּז לִלְמוֹד הַתּוֹרָה:
ב כִּי לֶקַח טוֹב נָתַתִּי לָכֶם תּוֹרָתִי אַל־תַּעֲזֹבוּ:
ג כִּי־בֵן הָיִיתִי לְאָבִי רַךְ וְיָחִיד לִפְנֵי אִמִּי:
ד וַיֹּרֵנִי וַיֹּאמֶר לִי יִתְמָךְ־דְּבָרַי לִבֶּךָ שְׁמֹר מִצְוֺתַי וֶחְיֵה:
ה קְנֵה חָכְמָה קְנֵה בִינָה אַל־תִּשְׁכַּח וְאַל־תֵּט מֵאִמְרֵי־פִי:
ו אַל־תַּעַזְבֶהָ וְתִשְׁמְרֶךָּ אֱהָבֶהָ וְתִצְּרֶךָּ:
ז רֵאשִׁית חָכְמָה קְנֵה חָכְמָה וּבְכָל־קִנְיָנְךָ קְנֵה בִינָה:
ח סַלְסְלֶהָ וּתְרוֹמְמֶךָּ תְּכַבֵּדְךָ כִּי תְחַבְּקֶנָּה:
ט תִּתֵּן לְרֹאשְׁךָ לִוְיַת־חֵן עֲטֶרֶת תִּפְאֶרֶת תְּמַגְּנֶךָּ:
י שְׁמַע בְּנִי וְקַח אֲמָרָי וְיִרְבּוּ לְךָ שְׁנוֹת חַיִּים: גְּמוּל הַחָכְמָה לִמְבַקְשֶׁיהָ:
יא בְּדֶרֶךְ חָכְמָה הֹרֵתִיךָ הִדְרַכְתִּיךָ בְּמַעְגְּלֵי־יֹשֶׁר:
יב בְּלֶכְתְּךָ לֹא־יֵצַר צַעֲדֶךָ וְאִם־תָּרוּץ לֹא תִכָּשֵׁל:
יג הַחֲזֵק בַּמּוּסָר אַל־תֶּרֶף נִצְּרֶהָ כִּי־הִיא חַיֶּיךָ:
יד בְּאֹרַח רְשָׁעִים אַל־תָּבֹא וְאַל־תְּאַשֵּׁר בְּדֶרֶךְ רָעִים: דֶּרֶךְ הָרְשָׁעִים מוּל דֶּרֶךְ הַצַּדִּיקִים:
טו פְּרָעֵהוּ אַל־תַּעֲבָר־בּוֹ שְׂטֵה מֵעָלָיו וַעֲבֹר:
טז כִּי לֹא יִשְׁנוּ אִם־לֹא יָרֵעוּ וְנִגְזְלָה שְׁנָתָם
יז אִם־לֹא יכשולו יַכְשִׁילוּ: כִּי לָחֲמוּ לֶחֶם רֶשַׁע
יח וְיֵין חֲמָסִים יִשְׁתּוּ: וְאֹרַח צַדִּיקִים כְּאוֹר נֹגַהּ
הוֹלֵךְ וָאוֹר עַד־נְכוֹן הַיּוֹם:
יט דֶּרֶךְ רְשָׁעִים כָּאֲפֵלָה לֹא יָדְעוּ בַּמֶּה יִכָּשֵׁלוּ:

כ בְּנִי לִדְבָרַי הַקְשִׁיבָה לַאֲמָרַי הַט־אָזְנֶךָ: צִוּוּי לִשְׁמִירַת הַמּוּסָר:

אַל־יַלִּיזוּ מֵעֵינֶיךָ שָׁמְרֵם בְּתוֹךְ לְבָבֶךָ׃ כא
כִּי־חַיִּים הֵם לְמֹצְאֵיהֶם וּלְכָל־בְּשָׂרוֹ מַרְפֵּא׃ כב
מִכָּל־מִשְׁמָר נְצֹר לִבֶּךָ כִּי־מִמֶּנּוּ תּוֹצְאוֹת חַיִּים׃ כג
הָסֵר מִמְּךָ עִקְּשׁוּת פֶּה וּלְזוּת שְׂפָתַיִם הַרְחֵק מִמֶּךָּ׃ כד
עֵינֶיךָ לְנֹכַח יַבִּיטוּ וְעַפְעַפֶּיךָ יַיְשִׁרוּ נֶגְדֶּךָ׃ כה
פַּלֵּס מַעְגַּל רַגְלֶךָ וְכָל־דְּרָכֶיךָ יִכֹּנוּ׃ כו
אַל־תֵּט־יָמִין וּשְׂמֹאול הָסֵר רַגְלְךָ מֵרָע׃ כז

שְׁמִירַת הַחָכְמָה, וְאַזְהָרָה מֵאִשָּׁה זָרָה׃

ה בְּנִי לְחָכְמָתִי הַקְשִׁיבָה לִתְבוּנָתִי הַט־אָזְנֶךָ׃ א
לִשְׁמֹר מְזִמּוֹת וְדַעַת שְׂפָתֶיךָ יִנְצֹרוּ׃ ב
כִּי נֹפֶת תִּטֹּפְנָה שִׂפְתֵי זָרָה וְחָלָק מִשֶּׁמֶן חִכָּהּ׃ ג
וְאַחֲרִיתָהּ מָרָה כַלַּעֲנָה חַדָּה כְּחֶרֶב פִּיּוֹת׃ ד
רַגְלֶיהָ יֹרְדוֹת מָוֶת שְׁאוֹל צְעָדֶיהָ יִתְמֹכוּ׃ ה
אֹרַח חַיִּים פֶּן־תְּפַלֵּס נָעוּ מַעְגְּלֹתֶיהָ לֹא תֵדָע׃ ו

הַסַּכָּנָה לַמִּתְפַּתָּה׃

וְעַתָּה בָנִים שִׁמְעוּ־לִי וְאַל־תָּסוּרוּ מֵאִמְרֵי־פִי׃ ז
הַרְחֵק מֵעָלֶיהָ דַרְכֶּךָ וְאַל־תִּקְרַב אֶל־פֶּתַח בֵּיתָהּ׃ ח
פֶּן־תִּתֵּן לַאֲחֵרִים הוֹדֶךָ וּשְׁנֹתֶיךָ לְאַכְזָרִי׃ ט
פֶּן־יִשְׂבְּעוּ זָרִים כֹּחֶךָ וַעֲצָבֶיךָ בְּבֵית נָכְרִי׃ י
וְנָהַמְתָּ בְאַחֲרִיתֶךָ בִּכְלוֹת בְּשָׂרְךָ וּשְׁאֵרֶךָ׃ יא
וְאָמַרְתָּ אֵיךְ שָׂנֵאתִי מוּסָר וְתוֹכַחַת נָאַץ לִבִּי׃ יב
וְלֹא־שָׁמַעְתִּי בְּקוֹל מוֹרָי וְלִמְלַמְּדַי לֹא־הִטִּיתִי אָזְנִי׃ יג
כִּמְעַט הָיִיתִי בְכָל־רָע בְּתוֹךְ קָהָל וְעֵדָה׃ יד

שְׂכַר הַנֶּאֱמָן לְבֵיתוֹ׃

שְׁתֵה־מַיִם מִבּוֹרֶךָ וְנֹזְלִים מִתּוֹךְ בְּאֵרֶךָ׃ טו
יָפוּצוּ מַעְיְנֹתֶיךָ חוּצָה בָּרְחֹבוֹת פַּלְגֵי־מָיִם׃ טז

יז יִהְיוּ־לְךָ לְבַדֶּךָ וְאֵין לְזָרִים אִתָּךְ׃
יח יְהִי־מְקוֹרְךָ בָרוּךְ וּשְׂמַח מֵאֵשֶׁת נְעוּרֶךָ׃
יט אַיֶּלֶת אֲהָבִים וְיַעֲלַת חֵן דַּדֶּיהָ יְרַוֻּךָ בְכָל־עֵת
בְּאַהֲבָתָהּ תִּשְׁגֶּה תָמִיד׃
כ וְלָמָּה תִשְׁגֶּה בְנִי בְזָרָה וּתְחַבֵּק חֵק נָכְרִיָּה׃
כא כִּי נֹכַח ׀ עֵינֵי יְהוָה דַּרְכֵי־אִישׁ וְכָל־מַעְגְּלֹתָיו מְפַלֵּס׃ ענשו של החוטא:
כב עֲווֹנֹתָיו יִלְכְּדֻנוֹ אֶת־הָרָשָׁע וּבְחַבְלֵי חַטָּאתוֹ יִתָּמֵךְ׃
כג הוּא יָמוּת בְּאֵין מוּסָר וּבְרֹב אִוַּלְתּוֹ יִשְׁגֶּה׃

ו א בְּנִי אִם־עָרַבְתָּ לְרֵעֶךָ תָּקַעְתָּ לַזָּר כַּפֶּיךָ׃ אזהרה מפני הערבות:
ב נוֹקַשְׁתָּ בְאִמְרֵי־פִיךָ נִלְכַּדְתָּ בְּאִמְרֵי־פִיךָ׃
ג עֲשֵׂה זֹאת אֵפוֹא ׀ בְּנִי וְהִנָּצֵל כִּי בָאתָ בְכַף־רֵעֶךָ
לֵךְ הִתְרַפֵּס וּרְהַב רֵעֶיךָ׃
ד אַל־תִּתֵּן שֵׁנָה לְעֵינֶיךָ וּתְנוּמָה לְעַפְעַפֶּיךָ׃
ה הִנָּצֵל כִּצְבִי מִיָּד וּכְצִפּוֹר מִיַּד יָקוּשׁ׃

ו לֵךְ־אֶל־נְמָלָה עָצֵל רְאֵה דְרָכֶיהָ וַחֲכָם׃ גנות העצלות:
ז אֲשֶׁר אֵין־לָהּ קָצִין שֹׁטֵר וּמֹשֵׁל׃
ח תָּכִין בַּקַּיִץ לַחְמָהּ אָגְרָה בַקָּצִיר מַאֲכָלָהּ׃
ט עַד־מָתַי עָצֵל ׀ תִּשְׁכָּב מָתַי תָּקוּם מִשְּׁנָתֶךָ׃
י מְעַט שֵׁנוֹת מְעַט תְּנוּמוֹת מְעַט ׀ חִבֻּק יָדַיִם לִשְׁכָּב׃
יא וּבָא־כִמְהַלֵּךְ רֵאשֶׁךָ וּמַחְסֹרְךָ כְּאִישׁ מָגֵן׃

יב אָדָם בְּלִיַּעַל אִישׁ אָוֶן הוֹלֵךְ עִקְּשׁוּת פֶּה׃ גנות הבליעל
יג קֹרֵץ בְּעֵינָו מֹלֵל בְּרַגְלָו מֹרֶה בְּאֶצְבְּעֹתָיו׃ וענשו:

יד תַּהְפֻּכוֹת ׀ בְּלִבּוֹ חֹרֵשׁ רָע בְּכָל־עֵת מדנים מִדְיָנִים יְשַׁלֵּחַ:
טו עַל־כֵּן פִּתְאֹם יָבוֹא אֵידוֹ פֶּתַע יִשָּׁבֵר וְאֵין מַרְפֵּא:

שִׂנְאַת ה' לְאַנְשֵׁי עָוֶל:

טז שֶׁשׁ־הֵנָּה שָׂנֵא יְהוָה וְשֶׁבַע תועבות תּוֹעֲבַת נַפְשׁוֹ:
יז עֵינַיִם רָמוֹת לְשׁוֹן שָׁקֶר וְיָדַיִם שֹׁפְכוֹת דָּם־נָקִי:
יח לֵב חֹרֵשׁ מַחְשְׁבוֹת אָוֶן רַגְלַיִם מְמַהֲרוֹת לָרוּץ לָרָעָה:
יט יָפִיחַ כְּזָבִים עֵד שָׁקֶר וּמְשַׁלֵּחַ מְדָנִים בֵּין אַחִים:

דְּבֵקוּת בַּתּוֹרָה - הַגָּנָה מֵאִשָּׁה זָרָה:

כ נְצֹר בְּנִי מִצְוַת אָבִיךָ וְאַל־תִּטֹּשׁ תּוֹרַת אִמֶּךָ:
כא קָשְׁרֵם עַל־לִבְּךָ תָמִיד עָנְדֵם עַל־גַּרְגְּרֹתֶךָ:
כב בְּהִתְהַלֶּכְךָ ׀ תַּנְחֶה אֹתָךְ בְּשָׁכְבְּךָ תִּשְׁמֹר עָלֶיךָ
וַהֲקִיצוֹתָ הִיא תְשִׂיחֶךָ:
כג כִּי נֵר מִצְוָה וְתוֹרָה אוֹר וְדֶרֶךְ חַיִּים תּוֹכְחוֹת מוּסָר:
כד לִשְׁמָרְךָ מֵאֵשֶׁת רָע מֵחֶלְקַת לָשׁוֹן נָכְרִיָּה:
כה אַל־תַּחְמֹד יָפְיָהּ בִּלְבָבֶךָ וְאַל־תִּקָּחֲךָ בְּעַפְעַפֶּיהָ:
כו כִּי בְעַד־אִשָּׁה זוֹנָה עַד־כִּכַּר לָחֶם וְאֵשֶׁת אִישׁ
נֶפֶשׁ יְקָרָה תָצוּד:

סַכָּנַת הָאִשָּׁה הַזָּרָה:

כז הֲיַחְתֶּה אִישׁ אֵשׁ בְּחֵיקוֹ וּבְגָדָיו לֹא תִשָּׂרַפְנָה:
כח אִם־יְהַלֵּךְ אִישׁ עַל־הַגֶּחָלִים וְרַגְלָיו לֹא תִכָּוֶינָה:
כט כֵּן הַבָּא אֶל־אֵשֶׁת רֵעֵהוּ לֹא יִנָּקֶה כָּל־הַנֹּגֵעַ בָּהּ:
ל לֹא־יָבוּזוּ לַגַּנָּב כִּי יִגְנוֹב לְמַלֵּא נַפְשׁוֹ כִּי יִרְעָב:
לא וְנִמְצָא יְשַׁלֵּם שִׁבְעָתָיִם אֶת־כָּל־הוֹן בֵּיתוֹ יִתֵּן:
לב נֹאֵף אִשָּׁה חֲסַר־לֵב מַשְׁחִית נַפְשׁוֹ הוּא יַעֲשֶׂנָּה:
לג נֶגַע־וְקָלוֹן יִמְצָא וְחֶרְפָּתוֹ לֹא תִמָּחֶה:

לד כִּֽי־קִנְאָה חֲמַת־גָּבֶר וְלֹֽא־יַחְמוֹל בְּיוֹם נָקָם׃
לה לֹֽא־יִשָּׂא פְּנֵי כָל־כֹּפֶר וְלֹֽא־יֹאבֶה כִּי תַרְבֶּה־שֹּׁחַד׃

ז א בְּנִי שְׁמֹר אֲמָרָי וּמִצְוֺתַי תִּצְפֹּן אִתָּךְ׃
שְׁמִירַת הַחָכְמָה מֵהָאִשָּׁה הַזָּרָה:
ב שְׁמֹר מִצְוֺתַי וֶחְיֵה וְתוֹרָתִי כְּאִישׁוֹן עֵינֶיךָ׃
ג קָשְׁרֵם עַל־אֶצְבְּעֹתֶיךָ כָּתְבֵם עַל־לוּחַ לִבֶּךָ׃
ד אֱמֹר לַחָכְמָה אֲחֹתִי אָתְּ וּמֹדָע לַבִּינָה תִקְרָא׃
ה לִשְׁמָרְךָ מֵאִשָּׁה זָרָה מִנָּכְרִיָּה אֲמָרֶיהָ הֶחֱלִיקָה׃
ו כִּי בְּחַלּוֹן בֵּיתִי בְּעַד אֶשְׁנַבִּי נִשְׁקָפְתִּי׃
הַפֶּתִי הַמִּתְקָרֵב לָאִשָּׁה הַזָּרָה:
ז וָאֵרֶא בַפְּתָאיִם אָבִינָה בַבָּנִים נַעַר חֲסַר־לֵב׃
ח עֹבֵר בַּשּׁוּק אֵצֶל פִּנָּהּ וְדֶרֶךְ בֵּיתָהּ יִצְעָד׃
ט בְּנֶשֶׁף־בְּעֶרֶב יוֹם בְּאִישׁוֹן לַיְלָה וַאֲפֵלָה׃
י וְהִנֵּה אִשָּׁה לִקְרָאתוֹ שִׁית זוֹנָה וּנְצֻרַת לֵב׃
יא הֹמִיָּה הִיא וְסֹרָרֶת בְּבֵיתָהּ לֹא־יִשְׁכְּנוּ רַגְלֶיהָ׃
יב פַּעַם ׀ בַּחוּץ פַּעַם בָּרְחֹבוֹת וְאֵצֶל כָּל־פִּנָּה תֶאֱרֹב׃
יג וְהֶחֱזִיקָה בּוֹ וְנָשְׁקָה לּוֹ הֵעֵזָה פָנֶיהָ וַתֹּאמַר לוֹ׃
פִּתּוּיֵי הָאִשָּׁה הַזָּרָה:
יד זִבְחֵי שְׁלָמִים עָלָי הַיּוֹם שִׁלַּמְתִּי נְדָרָי׃
טו עַל־כֵּן יָצָאתִי לִקְרָאתֶךָ לְשַׁחֵר פָּנֶיךָ וָאֶמְצָאֶךָּ׃
טז מַרְבַדִּים רָבַדְתִּי עַרְשִׂי חֲטֻבוֹת אֵטוּן מִצְרָיִם׃
יז נַפְתִּי מִשְׁכָּבִי מֹר אֲהָלִים וְקִנָּמוֹן׃
יח לְכָה נִרְוֶה דֹדִים עַד־הַבֹּקֶר נִתְעַלְּסָה בָּאֳהָבִים׃
יט כִּי אֵין הָאִישׁ בְּבֵיתוֹ הָלַךְ בְּדֶרֶךְ מֵרָחוֹק׃
כ צְרוֹר־הַכֶּסֶף לָקַח בְּיָדוֹ לְיוֹם הַכֵּסֶא יָבֹא בֵיתוֹ׃
כא הִטַּתּוּ בְּרֹב לִקְחָהּ בְּחֵלֶק שְׂפָתֶיהָ תַּדִּיחֶנּוּ׃
לְכִידָתוֹ וְסוֹפוֹ שֶׁל הַפֶּתִי:
כב הוֹלֵךְ אַחֲרֶיהָ פִּתְאֹם כְּשׁוֹר אֶל־טָבַח יָבֹא

וּכְעֶכֶס   אֶל־מוּסַר אֱוִיל׃
עַד יְפַלַּח חֵץ כְּבֵדוֹ   כְּמַהֵר צִפּוֹר אֶל־פָּח כג
וְלֹא־יָדַע   כִּי־בְנַפְשׁוֹ הוּא׃
סכום האזהרה מפניה:
וְעַתָּה בָנִים שִׁמְעוּ־לִי   וְהַקְשִׁיבוּ לְאִמְרֵי־פִי׃ כד
אַל־יֵשְׂטְ אֶל־דְּרָכֶיהָ לִבֶּךָ   אַל־תֵּתַע בִּנְתִיבוֹתֶיהָ׃ כה
כִּי־רַבִּים חֲלָלִים הִפִּילָה   וַעֲצֻמִים כָּל־הֲרֻגֶיהָ׃ כו
דַּרְכֵי שְׁאוֹל בֵּיתָהּ   יֹרְדוֹת אֶל־חַדְרֵי־מָוֶת׃ כז

שבח החכמה:
הֲלֹא־חָכְמָה תִקְרָא   וּתְבוּנָה תִּתֵּן קוֹלָהּ׃ א ח
בְּרֹאשׁ־מְרֹמִים עֲלֵי־דָרֶךְ   בֵּית נְתִיבוֹת נִצָּבָה׃ ב
לְיַד־שְׁעָרִים לְפִי־קָרֶת   מְבוֹא פְתָחִים תָּרֹנָּה׃ ג
אֲלֵיכֶם אִישִׁים אֶקְרָא   וְקוֹלִי אֶל־בְּנֵי אָדָם׃ ד
הָבִינוּ פְתָאיִם עָרְמָה   וּכְסִילִים הָבִינוּ לֵב׃ ה
שִׁמְעוּ כִּי־נְגִידִים אֲדַבֵּר   וּמִפְתַּח שְׂפָתַי מֵישָׁרִים׃ ו
כִּי־אֱמֶת יֶהְגֶּה חִכִּי   וְתוֹעֲבַת שְׂפָתַי רֶשַׁע׃ ז
בְּצֶדֶק כָּל־אִמְרֵי־פִי   אֵין בָּהֶם נִפְתָּל וְעִקֵּשׁ׃ ח
כֻּלָּם נְכֹחִים לַמֵּבִין   וִישָׁרִים לְמֹצְאֵי דָעַת׃ ט
קריאה לקנות חכמה:
קְחוּ־מוּסָרִי וְאַל־כָּסֶף   וְדַעַת מֵחָרוּץ נִבְחָר׃ י
כִּי־טוֹבָה חָכְמָה מִפְּנִינִים   וְכָל־חֲפָצִים לֹא יִשְׁווּ־בָהּ׃ יא
אֲנִי־חָכְמָה שָׁכַנְתִּי עָרְמָה   וְדַעַת מְזִמּוֹת אֶמְצָא׃ יב
יִרְאַת יְהוָה שְׂנֹאת רָע   גֵּאָה וְגָאוֹן ׀ וְדֶרֶךְ רָע יג
וּפִי תַהְפֻּכוֹת   שָׂנֵאתִי׃
לִי־עֵצָה וְתוּשִׁיָּה   אֲנִי בִינָה לִי גְבוּרָה׃ יד
בִּי מְלָכִים יִמְלֹכוּ   וְרֹזְנִים יְחֹקְקוּ צֶדֶק׃ טו
בִּי שָׂרִים יָשֹׂרוּ   וּנְדִיבִים כָּל־שֹׁפְטֵי צֶדֶק׃ טז

יז אֲנִי אהביה אֹהֲבַי אֵהָב וּמְשַׁחֲרַי יִמְצָאֻנְנִי׃
יח עֹשֶׁר־וְכָבוֹד אִתִּי הוֹן עָתֵק וּצְדָקָה׃
יט טוֹב פִּרְיִי מֵחָרוּץ וּמִפָּז וּתְבוּאָתִי מִכֶּסֶף נִבְחָר׃
כ בְּאֹרַח־צְדָקָה אֲהַלֵּךְ בְּתוֹךְ נְתִיבוֹת מִשְׁפָּט׃
כא לְהַנְחִיל אֹהֲבַי ׀ יֵשׁ וְאֹצְרֹתֵיהֶם אֲמַלֵּא׃
כב יְהוָה קָנָנִי רֵאשִׁית דַּרְכּוֹ קֶדֶם מִפְעָלָיו מֵאָז׃
כג מֵעוֹלָם נִסַּכְתִּי מֵרֹאשׁ מִקַּדְמֵי־אָרֶץ׃
כד בְּאֵין־תְּהֹמוֹת חוֹלָלְתִּי בְּאֵין מַעְיָנוֹת נִכְבַּדֵּי־מָיִם׃
כה בְּטֶרֶם הָרִים הָטְבָּעוּ לִפְנֵי גְבָעוֹת חוֹלָלְתִּי׃
כו עַד־לֹא עָשָׂה אֶרֶץ וְחוּצוֹת וְרֹאשׁ עַפְרוֹת תֵּבֵל׃
כז בַּהֲכִינוֹ שָׁמַיִם שָׁם אָנִי בְּחוּקוֹ חוּג עַל־פְּנֵי תְהוֹם׃
כח בְּאַמְּצוֹ שְׁחָקִים מִמָּעַל בַּעֲזוֹז עִינוֹת תְּהוֹם׃
כט בְּשׂוּמוֹ לַיָּם ׀ חֻקּוֹ וּמַיִם לֹא יַעַבְרוּ־פִיו
בְּחוּקוֹ מוֹסְדֵי אָרֶץ׃
ל וָאֶהְיֶה אֶצְלוֹ אָמוֹן וָאֶהְיֶה שַׁעֲשֻׁעִים יוֹם ׀ יוֹם
לא מְשַׂחֶקֶת לְפָנָיו בְּכָל־עֵת׃ מְשַׂחֶקֶת בְּתֵבֵל אַרְצוֹ
וְשַׁעֲשֻׁעַי אֶת־בְּנֵי אָדָם׃

קַדְמוּת הַחָכְמָה לִבְרִיאַת הָעוֹלָם׃

לב וְעַתָּה בָנִים שִׁמְעוּ־לִי וְאַשְׁרֵי דְּרָכַי יִשְׁמֹרוּ׃
לג שִׁמְעוּ מוּסָר וַחֲכָמוּ וְאַל־תִּפְרָעוּ׃
לד אַשְׁרֵי אָדָם שֹׁמֵעַ לִי לִשְׁקֹד עַל־דַּלְתֹתַי יוֹם ׀ יוֹם
לִשְׁמֹר מְזוּזֹת פְּתָחָי׃
לה כִּי מֹצְאִי מצאי מָצָא חַיִּים וַיָּפֶק רָצוֹן מֵיְהוָה׃
לו וְחֹטְאִי חֹמֵס נַפְשׁוֹ כָּל־מְשַׂנְאַי אָהֲבוּ מָוֶת׃

אַשְׁרֵי הַשּׁוֹמֵר דַּרְכָּהּ הַחָכְמָה׃

ט א חָכְמוֹת בָּנְתָה בֵיתָהּ חָצְבָה עַמּוּדֶיהָ שִׁבְעָה׃

הַזְמָנַת הַחָכְמָה לְשׁוֹמְעֶיהָ׃

טָבְחָה טִבְחָהּ מָסְכָה יֵינָהּ אַף עָרְכָה שֻׁלְחָנָהּ: ב
שָׁלְחָה נַעֲרֹתֶיהָ תִקְרָא עַל־גַּפֵּי מְרֹמֵי קָרֶת: ג
מִי־פֶתִי יָסֻר הֵנָּה חֲסַר־לֵב אָמְרָה לּוֹ: ד
לְכוּ לַחֲמוּ בְלַחֲמִי וּשְׁתוּ בְּיַיִן מָסָכְתִּי: ה
עִזְבוּ פְתָאיִם וִחְיוּ וְאִשְׁרוּ בְּדֶרֶךְ בִּינָה: ו
יֹסֵר ׀ לֵץ לֹקֵחַ לוֹ קָלוֹן וּמוֹכִיחַ לְרָשָׁע מוּמוֹ: ז
אַל־תּוֹכַח לֵץ פֶּן־יִשְׂנָאֶךָּ הוֹכַח לְחָכָם וְיֶאֱהָבֶךָּ: ח
תֵּן לְחָכָם וְיֶחְכַּם־עוֹד הוֹדַע לְצַדִּיק וְיוֹסֶף לֶקַח: ט
הַחָכְמָה וּשְׂכָרָהּ מול הַכְּסִילוּת: תְּחִלַּת חָכְמָה יִרְאַת יְהוָה וְדַעַת קְדֹשִׁים בִּינָה: י
כִּי־בִי יִרְבּוּ יָמֶיךָ וְיוֹסִיפוּ לְּךָ שְׁנוֹת חַיִּים: יא
אִם־חָכַמְתָּ חָכַמְתָּ לָּךְ וְלַצְתָּ לְבַדְּךָ תִשָּׂא: יב
אֵשֶׁת כְּסִילוּת הֹמִיָּה פְּתַיּוּת וּבַל־יָדְעָה מָּה: יג
וְיָשְׁבָה לְפֶתַח בֵּיתָהּ עַל־כִּסֵּא מְרֹמֵי קָרֶת: יד
לִקְרֹא לְעֹבְרֵי־דָרֶךְ הַמְיַשְּׁרִים אֹרְחוֹתָם: טו
מִי־פֶתִי יָסֻר הֵנָּה וַחֲסַר־לֵב וְאָמְרָה לּוֹ: טז
מַיִם־גְּנוּבִים יִמְתָּקוּ וְלֶחֶם סְתָרִים יִנְעָם: יז
וְלֹא־יָדַע כִּי־רְפָאִים שָׁם בְּעִמְקֵי שְׁאוֹל קְרֻאֶיהָ: יח

מִשְׁלֵי שְׁלֹמֹה א י

[עיין במבוא "מעלה ג"ו] בֵּן חָכָם יְשַׂמַּח־אָב וּבֵן כְּסִיל תּוּגַת אִמּוֹ:
לֹא־יוֹעִילוּ אוֹצְרוֹת רֶשַׁע וּצְדָקָה תַּצִּיל מִמָּוֶת: ב
לֹא־יַרְעִיב יְהוָה נֶפֶשׁ צַדִּיק וְהַוַּת רְשָׁעִים יֶהְדֹּף: ג
רָאשׁ עֹשֶׂה כַף־רְמִיָּה וְיַד חָרוּצִים תַּעֲשִׁיר: ד
אֹגֵר בַּקַּיִץ בֵּן מַשְׂכִּיל נִרְדָּם בַּקָּצִיר בֵּן מֵבִישׁ: ה
בְּרָכוֹת לְרֹאשׁ צַדִּיק וּפִי רְשָׁעִים יְכַסֶּה חָמָס: ו
זֵכֶר צַדִּיק לִבְרָכָה וְשֵׁם רְשָׁעִים יִרְקָב: ז

ח חֲכַם־לֵב יִקַּח מִצְוֹת וֶאֱוִיל שְׂפָתַיִם יִלָּבֵט׃
ט הוֹלֵךְ בַּתֹּם יֵלֶךְ בֶּטַח וּמְעַקֵּשׁ דְּרָכָיו יִוָּדֵעַ׃
י קֹרֵץ עַיִן יִתֵּן עַצָּבֶת וֶאֱוִיל שְׂפָתַיִם יִלָּבֵט׃
יא מְקוֹר חַיִּים פִּי צַדִּיק וּפִי רְשָׁעִים יְכַסֶּה חָמָס׃
יב שִׂנְאָה תְּעֹרֵר מְדָנִים וְעַל כָּל־פְּשָׁעִים תְּכַסֶּה אַהֲבָה׃
יג בְּשִׂפְתֵי נָבוֹן תִּמָּצֵא חָכְמָה וְשֵׁבֶט לְגֵו חֲסַר־לֵב׃
יד חֲכָמִים יִצְפְּנוּ־דָעַת וּפִי־אֱוִיל מְחִתָּה קְרֹבָה׃
טו הוֹן עָשִׁיר קִרְיַת עֻזּוֹ מְחִתַּת דַּלִּים רֵישָׁם׃
טז פְּעֻלַּת צַדִּיק לְחַיִּים תְּבוּאַת רָשָׁע לְחַטָּאת׃
יז אֹרַח לְחַיִּים שׁוֹמֵר מוּסָר וְעוֹזֵב תּוֹכַחַת מַתְעֶה׃
יח מְכַסֶּה שִׂנְאָה שִׂפְתֵי־שָׁקֶר וּמוֹצִא דִבָּה הוּא כְסִיל׃
יט בְּרֹב דְּבָרִים לֹא יֶחְדַּל־פָּשַׁע וְחוֹשֵׂךְ שְׂפָתָיו מַשְׂכִּיל׃
כ כֶּסֶף נִבְחָר לְשׁוֹן צַדִּיק לֵב רְשָׁעִים כִּמְעָט׃
כא שִׂפְתֵי צַדִּיק יִרְעוּ רַבִּים וֶאֱוִילִים בַּחֲסַר־לֵב יָמוּתוּ׃
כב בִּרְכַּת יְהוָה הִיא תַעֲשִׁיר וְלֹא־יוֹסִף עֶצֶב עִמָּהּ׃
כג כִּשְׂחוֹק לִכְסִיל עֲשׂוֹת זִמָּה וְחָכְמָה לְאִישׁ תְּבוּנָה׃
כד מְגוֹרַת רָשָׁע הִיא תְבוֹאֶנּוּ וְתַאֲוַת צַדִּיקִים יִתֵּן׃
כה כַּעֲבוֹר סוּפָה וְאֵין רָשָׁע וְצַדִּיק יְסוֹד עוֹלָם׃
כו כַּחֹמֶץ ׀ לַשִּׁנַּיִם וְכֶעָשָׁן לָעֵינָיִם כֵּן הֶעָצֵל לְשֹׁלְחָיו׃
כז יִרְאַת יְהוָה תּוֹסִיף יָמִים וּשְׁנוֹת רְשָׁעִים תִּקְצֹרְנָה׃
כח תּוֹחֶלֶת צַדִּיקִים שִׂמְחָה וְתִקְוַת רְשָׁעִים תֹּאבֵד׃
כט מָעוֹז לַתֹּם דֶּרֶךְ יְהוָה וּמְחִתָּה לְפֹעֲלֵי אָוֶן׃
ל צַדִּיק לְעוֹלָם בַּל־יִמּוֹט וּרְשָׁעִים לֹא יִשְׁכְּנוּ־אָרֶץ׃
לא פִּי־צַדִּיק יָנוּב חָכְמָה וּלְשׁוֹן תַּהְפֻּכוֹת תִּכָּרֵת׃
לב שִׂפְתֵי צַדִּיק יֵדְעוּן רָצוֹן וּפִי רְשָׁעִים תַּהְפֻּכוֹת׃

מֹאזְנֵי מִרְמָה תּוֹעֲבַת יְהוָה וְאֶבֶן שְׁלֵמָה רְצוֹנוֹ׃ יא א

בָּא־זָדוֹן וַיָּבֹא קָלוֹן וְאֶת־צְנוּעִים חָכְמָה׃ ב

תֻּמַּת יְשָׁרִים תַּנְחֵם וְסֶלֶף בֹּגְדִים ושדם יְשָׁדֵּם׃ ג

לֹא־יוֹעִיל הוֹן בְּיוֹם עֶבְרָה וּצְדָקָה תַּצִּיל מִמָּוֶת׃ ד

צִדְקַת תָּמִים תְּיַשֵּׁר דַּרְכּוֹ וּבְרִשְׁעָתוֹ יִפֹּל רָשָׁע׃ ה

צִדְקַת יְשָׁרִים תַּצִּילֵם וּבְהַוַּת בֹּגְדִים יִלָּכֵדוּ׃ ו

בְּמוֹת אָדָם רָשָׁע תֹּאבַד תִּקְוָה וְתוֹחֶלֶת אוֹנִים אָבָדָה׃ ז

צַדִּיק מִצָּרָה נֶחֱלָץ וַיָּבֹא רָשָׁע תַּחְתָּיו׃ ח

בְּפֶה חָנֵף יַשְׁחִת רֵעֵהוּ וּבְדַעַת צַדִּיקִים יֵחָלֵצוּ׃ ט

בְּטוּב צַדִּיקִים תַּעֲלֹץ קִרְיָה וּבַאֲבֹד רְשָׁעִים רִנָּה׃ י

בְּבִרְכַּת יְשָׁרִים תָּרוּם קָרֶת וּבְפִי רְשָׁעִים תֵּהָרֵס׃ יא

בָּז־לְרֵעֵהוּ חֲסַר־לֵב וְאִישׁ תְּבוּנוֹת יַחֲרִישׁ׃ יב

הוֹלֵךְ רָכִיל מְגַלֶּה־סּוֹד וְנֶאֱמַן־רוּחַ מְכַסֶּה דָבָר׃ יג

בְּאֵין תַּחְבֻּלוֹת יִפָּל־עָם וּתְשׁוּעָה בְּרֹב יוֹעֵץ׃ יד

רַע־יֵרוֹעַ כִּי־עָרַב זָר וְשֹׂנֵא תֹקְעִים בּוֹטֵחַ׃ טו

אֵשֶׁת־חֵן תִּתְמֹךְ כָּבוֹד וְעָרִיצִים יִתְמְכוּ־עֹשֶׁר׃ טז

גֹּמֵל נַפְשׁוֹ אִישׁ חָסֶד וְעֹכֵר שְׁאֵרוֹ אַכְזָרִי׃ יז

רָשָׁע עֹשֶׂה פְעֻלַּת־שָׁקֶר וְזֹרֵעַ צְדָקָה שֶׂכֶר אֱמֶת׃ יח

כֵּן־צְדָקָה לְחַיִּים וּמְרַדֵּף רָעָה לְמוֹתוֹ׃ יט

תּוֹעֲבַת יְהוָה עִקְּשֵׁי־לֵב וּרְצוֹנוֹ תְּמִימֵי דָרֶךְ׃ כ

יָד לְיָד לֹא־יִנָּקֶה רָּע וְזֶרַע צַדִּיקִים נִמְלָט׃ כא

נֶזֶם זָהָב בְּאַף חֲזִיר אִשָּׁה יָפָה וְסָרַת טָעַם׃ כב

תַּאֲוַת צַדִּיקִים אַךְ־טוֹב תִּקְוַת רְשָׁעִים עֶבְרָה׃ כג

יֵשׁ מְפַזֵּר וְנוֹסָף עוֹד וְחוֹשֵׂךְ מִיֹּשֶׁר אַךְ־לְמַחְסוֹר׃ כד

נֶפֶשׁ־בְּרָכָה תְדֻשָּׁן וּמַרְוֶה גַּם־הוּא יוֹרֶא׃ כה

כו מֹנֵעַ בָּר יִקְּבֻהוּ לְאוֹם וּבְרָכָה לְרֹאשׁ מַשְׁבִּיר:
כז שֹׁחֵר טוֹב יְבַקֵּשׁ רָצוֹן וְדֹרֵשׁ רָעָה תְבוֹאֶנּוּ:
כח בּוֹטֵחַ בְּעָשְׁרוֹ הוּא יִפֹּל וְכֶעָלֶה צַדִּיקִים יִפְרָחוּ:
כט עוֹכֵר בֵּיתוֹ יִנְחַל־רוּחַ וְעֶבֶד אֱוִיל לַחֲכַם־לֵב:
ל פְּרִי־צַדִּיק עֵץ חַיִּים וְלֹקֵחַ נְפָשׁוֹת חָכָם:
לא הֵן צַדִּיק בָּאָרֶץ יְשֻׁלָּם אַף כִּי־רָשָׁע וְחוֹטֵא:
יב א אֹהֵב מוּסָר אֹהֵב דָּעַת וְשׂוֹנֵא תוֹכַחַת בָּעַר:
ב טוֹב יָפִיק רָצוֹן מֵיְהוָה וְאִישׁ מְזִמּוֹת יַרְשִׁיעַ:
ג לֹא־יִכּוֹן אָדָם בְּרֶשַׁע וְשֹׁרֶשׁ צַדִּיקִים בַּל־יִמּוֹט:
ד אֵשֶׁת־חַיִל עֲטֶרֶת בַּעְלָהּ וּכְרָקָב בְּעַצְמוֹתָיו מְבִישָׁה:
ה מַחְשְׁבוֹת צַדִּיקִים מִשְׁפָּט תַּחְבֻּלוֹת רְשָׁעִים מִרְמָה:
ו דִּבְרֵי רְשָׁעִים אֱרָב־דָּם וּפִי יְשָׁרִים יַצִּילֵם:
ז הָפוֹךְ רְשָׁעִים וְאֵינָם וּבֵית צַדִּיקִים יַעֲמֹד:
ח לְפִי־שִׂכְלוֹ יְהֻלַּל־אִישׁ וְנַעֲוֵה־לֵב יִהְיֶה לָבוּז:
ט טוֹב נִקְלֶה וְעֶבֶד לוֹ מִמִּתְכַּבֵּד וַחֲסַר־לָחֶם:
י יוֹדֵעַ צַדִּיק נֶפֶשׁ בְּהֶמְתּוֹ וְרַחֲמֵי רְשָׁעִים אַכְזָרִי:
יא עֹבֵד אַדְמָתוֹ יִשְׂבַּע־לָחֶם וּמְרַדֵּף רֵיקִים חֲסַר־לֵב:
יב חָמַד רָשָׁע מְצוֹד רָעִים וְשֹׁרֶשׁ צַדִּיקִים יִתֵּן:
יג בְּפֶשַׁע שְׂפָתַיִם מוֹקֵשׁ רָע וַיֵּצֵא מִצָּרָה צַדִּיק:
יד מִפְּרִי פִי־אִישׁ יִשְׂבַּע־טוֹב וּגְמוּל יְדֵי־אָדָם יָשׁוּב יָשִׁיב לוֹ:
טו דֶּרֶךְ אֱוִיל יָשָׁר בְּעֵינָיו וְשֹׁמֵעַ לְעֵצָה חָכָם:
טז אֱוִיל בַּיּוֹם יִוָּדַע כַּעְסוֹ וְכֹסֶה קָלוֹן עָרוּם:
יז יָפִיחַ אֱמוּנָה יַגִּיד צֶדֶק וְעֵד שְׁקָרִים מִרְמָה:
יח יֵשׁ בּוֹטֶה כְּמַדְקְרוֹת חָרֶב וּלְשׁוֹן חֲכָמִים מַרְפֵּא:
יט שְׂפַת־אֱמֶת תִּכּוֹן לָעַד וְעַד־אַרְגִּיעָה לְשׁוֹן שָׁקֶר:

כ מִרְמָה בְּלֶב־חֹרְשֵׁי רָע | וּלְיֹעֲצֵי שָׁלוֹם שִׂמְחָה׃
כא לֹא־יְאֻנֶּה לַצַּדִּיק כָּל־אָוֶן | וּרְשָׁעִים מָלְאוּ רָע׃
כב תּוֹעֲבַת יְהוָה שִׂפְתֵי־שָׁקֶר | וְעֹשֵׂי אֱמוּנָה רְצוֹנוֹ׃
כג אָדָם עָרוּם כֹּסֶה דָּעַת | וְלֵב כְּסִילִים יִקְרָא אִוֶּלֶת׃
כד יַד־חָרוּצִים תִּמְשׁוֹל | וּרְמִיָּה תִּהְיֶה לָמַס׃
כה דְּאָגָה בְלֶב־אִישׁ יַשְׁחֶנָּה | וְדָבָר טוֹב יְשַׂמְּחֶנָּה׃
כו יָתֵר מֵרֵעֵהוּ צַדִּיק | וְדֶרֶךְ רְשָׁעִים תַּתְעֵם׃
כז לֹא־יַחֲרֹךְ רְמִיָּה צֵידוֹ | וְהוֹן־אָדָם יָקָר חָרוּץ׃
כח בְּאֹרַח־צְדָקָה חַיִּים | וְדֶרֶךְ נְתִיבָה אַל־מָוֶת׃
יג א בֵּן חָכָם מוּסַר אָב | וְלֵץ לֹא־שָׁמַע גְּעָרָה׃
ב מִפְּרִי פִי־אִישׁ יֹאכַל טוֹב | וְנֶפֶשׁ בֹּגְדִים חָמָס׃
ג נֹצֵר פִּיו שֹׁמֵר נַפְשׁוֹ | פֹּשֵׂק שְׂפָתָיו מְחִתָּה־לוֹ׃
ד מִתְאַוָּה וָאַיִן נַפְשׁוֹ עָצֵל | וְנֶפֶשׁ חָרֻצִים תְּדֻשָּׁן׃
ה דְּבַר־שֶׁקֶר יִשְׂנָא צַדִּיק | וְרָשָׁע יַבְאִישׁ וְיַחְפִּיר׃
ו צְדָקָה תִּצֹּר תָּם־דָּרֶךְ | וְרִשְׁעָה תְּסַלֵּף חַטָּאת׃
ז יֵשׁ מִתְעַשֵּׁר וְאֵין כֹּל | מִתְרוֹשֵׁשׁ וְהוֹן רָב׃
ח כֹּפֶר נֶפֶשׁ־אִישׁ עָשְׁרוֹ | וְרָשׁ לֹא־שָׁמַע גְּעָרָה׃
ט אוֹר־צַדִּיקִים יִשְׂמָח | וְנֵר רְשָׁעִים יִדְעָךְ׃
י רַק־בְּזָדוֹן יִתֵּן מַצָּה | וְאֶת־נוֹעָצִים חָכְמָה׃
יא הוֹן מֵהֶבֶל יִמְעָט | וְקֹבֵץ עַל־יָד יַרְבֶּה׃
יב תּוֹחֶלֶת מְמֻשָּׁכָה מַחֲלָה־לֵב | וְעֵץ חַיִּים תַּאֲוָה בָאָה׃
יג בָּז לְדָבָר יֵחָבֶל לוֹ | וִירֵא מִצְוָה הוּא יְשֻׁלָּם׃
יד תּוֹרַת חָכָם מְקוֹר חַיִּים | לָסוּר מִמֹּקְשֵׁי מָוֶת׃
טו שֵׂכֶל־טוֹב יִתֶּן־חֵן | וְדֶרֶךְ בֹּגְדִים אֵיתָן׃
טז כָּל־עָרוּם יַעֲשֶׂה בְדָעַת | וּכְסִיל יִפְרֹשׂ אִוֶּלֶת׃

יז מַלְאָךְ רָשָׁע יִפֹּל בְּרָע וְצִיר אֱמוּנִים מַרְפֵּא:
יח רֵישׁ וְקָלוֹן פּוֹרֵעַ מוּסָר וְשׁוֹמֵר תּוֹכַחַת יְכֻבָּד:
יט תַּאֲוָה נִהְיָה תֶּעֱרַב לְנָפֶשׁ וְתוֹעֲבַת כְּסִילִים סוּר מֵרָע:
כ הלוך הוֹלֵךְ אֶת־חֲכָמִים וחכם יֶחְכָּם וְרֹעֶה כְסִילִים יֵרוֹעַ:
כא חַטָּאִים תְּרַדֵּף רָעָה וְאֶת־צַדִּיקִים יְשַׁלֶּם־טוֹב:
כב טוֹב יַנְחִיל בְּנֵי־בָנִים וְצָפוּן לַצַּדִּיק חֵיל חוֹטֵא:
כג רָב־אֹכֶל נִיר רָאשִׁים וְיֵשׁ נִסְפֶּה בְּלֹא מִשְׁפָּט:
כד חוֹשֵׂךְ שִׁבְטוֹ שׂוֹנֵא בְנוֹ וְאֹהֲבוֹ שִׁחֲרוֹ מוּסָר:
כה צַדִּיק אֹכֵל לְשֹׂבַע נַפְשׁוֹ וּבֶטֶן רְשָׁעִים תֶּחְסָר:
יד א חַכְמוֹת נָשִׁים בָּנְתָה בֵיתָהּ וְאִוֶּלֶת בְּיָדֶיהָ תֶהֶרְסֶנּוּ:
ב הוֹלֵךְ בְּיָשְׁרוֹ יְרֵא יְהוָה וּנְלוֹז דְּרָכָיו בּוֹזֵהוּ:
ג בְּפִי־אֱוִיל חֹטֶר גַּאֲוָה וְשִׂפְתֵי חֲכָמִים תִּשְׁמוּרֵם:
ד בְּאֵין אֲלָפִים אֵבוּס בָּר וְרָב־תְּבוּאוֹת בְּכֹחַ שׁוֹר:
ה עֵד אֱמוּנִים לֹא יְכַזֵּב וְיָפִיחַ כְּזָבִים עֵד שָׁקֶר:
ו בִּקֶּשׁ־לֵץ חָכְמָה וָאָיִן וְדַעַת לְנָבוֹן נָקָל:
ז לֵךְ מִנֶּגֶד לְאִישׁ כְּסִיל וּבַל־יָדַעְתָּ שִׂפְתֵי־דָעַת:
ח חָכְמַת עָרוּם הָבִין דַּרְכּוֹ וְאִוֶּלֶת כְּסִילִים מִרְמָה:
ט אֱוִלִים יָלִיץ אָשָׁם וּבֵין יְשָׁרִים רָצוֹן:
י לֵב יוֹדֵעַ מָרַּת נַפְשׁוֹ וּבְשִׂמְחָתוֹ לֹא־יִתְעָרַב זָר:
יא בֵּית רְשָׁעִים יִשָּׁמֵד וְאֹהֶל יְשָׁרִים יַפְרִיחַ:
יב יֵשׁ דֶּרֶךְ יָשָׁר לִפְנֵי־אִישׁ וְאַחֲרִיתָהּ דַּרְכֵי־מָוֶת:
יג גַּם־בִּשְׂחוֹק יִכְאַב־לֵב וְאַחֲרִיתָהּ שִׂמְחָה תוּגָה:
יד מִדְּרָכָיו יִשְׂבַּע סוּג לֵב וּמֵעָלָיו אִישׁ טוֹב:
טו פֶּתִי יַאֲמִין לְכָל־דָּבָר וְעָרוּם יָבִין לַאֲשֻׁרוֹ:
טז חָכָם יָרֵא וְסָר מֵרָע וּכְסִיל מִתְעַבֵּר וּבוֹטֵחַ:

קְצַר־אַפַּיִם יַעֲשֶׂה אִוֶּלֶת וְאִישׁ מְזִמּוֹת יִשָּׂנֵא: יז
נָחֲלוּ פְתָאיִם אִוֶּלֶת וַעֲרוּמִים יַכְתִּרוּ דָעַת: יח
שַׁחוּ רָעִים לִפְנֵי טוֹבִים וּרְשָׁעִים עַל־שַׁעֲרֵי צַדִּיק: יט
גַּם־לְרֵעֵהוּ יִשָּׂנֵא רָשׁ וְאֹהֲבֵי עָשִׁיר רַבִּים: כ
בָּז־לְרֵעֵהוּ חוֹטֵא וּמְחוֹנֵן עניים עֲנָוִים אַשְׁרָיו: כא
הֲלוֹא־יִתְעוּ חֹרְשֵׁי רָע וְחֶסֶד וֶאֱמֶת חֹרְשֵׁי טוֹב: כב
בְּכָל־עֶצֶב יִהְיֶה מוֹתָר וּדְבַר־שְׂפָתַיִם אַךְ־לְמַחְסוֹר: כג
עֲטֶרֶת חֲכָמִים עָשְׁרָם אִוֶּלֶת כְּסִילִים אִוֶּלֶת: כד
מַצִּיל נְפָשׁוֹת עֵד אֱמֶת וְיָפִחַ כְּזָבִים מִרְמָה: כה
בְּיִרְאַת יְהוָה מִבְטַח־עֹז וּלְבָנָיו יִהְיֶה מַחְסֶה: כו
יִרְאַת יְהוָה מְקוֹר חַיִּים לָסוּר מִמֹּקְשֵׁי מָוֶת: כז
בְּרָב־עָם הַדְרַת־מֶלֶךְ וּבְאֶפֶס לְאֹם מְחִתַּת רָזוֹן: כח
אֶרֶךְ אַפַּיִם רַב־תְּבוּנָה וּקְצַר־רוּחַ מֵרִים אִוֶּלֶת: כט
חַיֵּי בְשָׂרִים לֵב מַרְפֵּא וּרְקַב עֲצָמוֹת קִנְאָה: ל
עֹשֵׁק דָּל חֵרֵף עֹשֵׂהוּ וּמְכַבְּדוֹ חֹנֵן אֶבְיוֹן: לא
בְּרָעָתוֹ יִדָּחֶה רָשָׁע וְחֹסֶה בְמוֹתוֹ צַדִּיק: לב
בְּלֵב נָבוֹן תָּנוּחַ חָכְמָה וּבְקֶרֶב כְּסִילִים תִּוָּדֵעַ: לג
צְדָקָה תְרוֹמֵם־גּוֹי וְחֶסֶד לְאֻמִּים חַטָּאת: לד
רְצוֹן־מֶלֶךְ לְעֶבֶד מַשְׂכִּיל וְעֶבְרָתוֹ תִּהְיֶה מֵבִישׁ: לה
מַעֲנֶה־רַּךְ יָשִׁיב חֵמָה וּדְבַר־עֶצֶב יַעֲלֶה־אָף: א טו
לְשׁוֹן חֲכָמִים תֵּיטִיב דָּעַת וּפִי כְסִילִים יַבִּיעַ אִוֶּלֶת: ב
בְּכָל־מָקוֹם עֵינֵי יְהוָה צֹפוֹת רָעִים וְטוֹבִים: ג
מַרְפֵּא לָשׁוֹן עֵץ חַיִּים וְסֶלֶף בָּהּ שֶׁבֶר בְּרוּחַ: ד
אֱוִיל יִנְאַץ מוּסַר אָבִיו וְשֹׁמֵר תּוֹכַחַת יַעְרִם: ה
בֵּית צַדִּיק חֹסֶן רָב וּבִתְבוּאַת רָשָׁע נֶעְכָּרֶת: ו

ז שִׂפְתֵי חֲכָמִים יְזָרוּ דָעַת וְלֵב כְּסִילִים לֹא־כֵן׃

ח זֶבַח רְשָׁעִים תּוֹעֲבַת יְהוָה וּתְפִלַּת יְשָׁרִים רְצוֹנוֹ׃

ט תּוֹעֲבַת יְהוָה דֶּרֶךְ רָשָׁע וּמְרַדֵּף צְדָקָה יֶאֱהָב׃

י מוּסָר רָע לְעֹזֵב אֹרַח שׂוֹנֵא תוֹכַחַת יָמוּת׃

יא שְׁאוֹל וַאֲבַדּוֹן נֶגֶד יְהוָה אַף כִּי־לִבּוֹת בְּנֵי־אָדָם׃

יב לֹא יֶאֱהַב־לֵץ הוֹכֵחַ לוֹ אֶל־חֲכָמִים לֹא יֵלֵךְ׃

יג לֵב שָׂמֵחַ יֵיטִב פָּנִים וּבְעַצְּבַת־לֵב רוּחַ נְכֵאָה׃

יד לֵב נָבוֹן יְבַקֶּשׁ־דָּעַת ופני וּפִי כְסִילִים יִרְעֶה אִוֶּלֶת׃

טו כָּל־יְמֵי עָנִי רָעִים וְטוֹב־לֵב מִשְׁתֶּה תָמִיד׃

טז טוֹב־מְעַט בְּיִרְאַת יְהוָה מֵאוֹצָר רָב וּמְהוּמָה בוֹ׃

יז טוֹב אֲרֻחַת יָרָק וְאַהֲבָה־שָׁם מִשּׁוֹר אָבוּס וְשִׂנְאָה־בוֹ׃

יח אִישׁ חֵמָה יְגָרֶה מָדוֹן וְאֶרֶךְ אַפַּיִם יַשְׁקִיט רִיב׃

יט דֶּרֶךְ עָצֵל כִּמְשֻׂכַת חָדֶק וְאֹרַח יְשָׁרִים סְלֻלָה׃

כ בֵּן חָכָם יְשַׂמַּח־אָב וּכְסִיל אָדָם בּוֹזֶה אִמּוֹ׃

כא אִוֶּלֶת שִׂמְחָה לַחֲסַר־לֵב וְאִישׁ תְּבוּנָה יְיַשֶּׁר־לָכֶת׃

כב הָפֵר מַחֲשָׁבוֹת בְּאֵין סוֹד וּבְרֹב יוֹעֲצִים תָּקוּם׃

כג שִׂמְחָה לָאִישׁ בְּמַעֲנֵה־פִיו וְדָבָר בְּעִתּוֹ מַה־טּוֹב׃

כד אֹרַח חַיִּים לְמַעְלָה לְמַשְׂכִּיל לְמַעַן סוּר מִשְּׁאוֹל מָטָּה׃

כה בֵּית גֵּאִים יִסַּח ׀ יְהוָה וְיַצֵּב גְּבוּל אַלְמָנָה׃

כו תּוֹעֲבַת יְהוָה מַחְשְׁבוֹת רָע וּטְהֹרִים אִמְרֵי־נֹעַם׃

כז עֹכֵר בֵּיתוֹ בּוֹצֵעַ בָּצַע וְשׂוֹנֵא מַתָּנֹת יִחְיֶה׃

כח לֵב צַדִּיק יֶהְגֶּה לַעֲנוֹת וּפִי רְשָׁעִים יַבִּיעַ רָעוֹת׃

כט רָחוֹק יְהוָה מֵרְשָׁעִים וּתְפִלַּת צַדִּיקִים יִשְׁמָע׃

ל מְאוֹר־עֵינַיִם יְשַׂמַּח־לֵב שְׁמוּעָה טוֹבָה תְּדַשֶּׁן־עָצֶם׃

לא אֹזֶן שֹׁמַעַת תּוֹכַחַת חַיִּים בְּקֶרֶב חֲכָמִים תָּלִין׃

פּוֹרֵעַ מוּסָר מוֹאֵס נַפְשׁוֹ וְשׁוֹמֵעַ תּוֹכַחַת קוֹנֶה לֵּב: לב
יִרְאַת יְהוָה מוּסַר חָכְמָה וְלִפְנֵי כָבוֹד עֲנָוָה: לג
טז לְאָדָם מַעַרְכֵי־לֵב וּמֵיְהוָה מַעֲנֵה לָשׁוֹן: א
כָּל־דַּרְכֵי־אִישׁ זַךְ בְּעֵינָיו וְתֹכֵן רוּחוֹת יְהוָה: ב
גֹּל אֶל־יְהוָה מַעֲשֶׂיךָ וְיִכֹּנוּ מַחְשְׁבֹתֶיךָ: ג
כֹּל פָּעַל יְהוָה לַמַּעֲנֵהוּ וְגַם־רָשָׁע לְיוֹם רָעָה: ד
תּוֹעֲבַת יְהוָה כָּל־גְּבַהּ־לֵב יָד לְיָד לֹא יִנָּקֶה: ה
בְּחֶסֶד וֶאֱמֶת יְכֻפַּר עָוֹן וּבְיִרְאַת יְהוָה סוּר מֵרָע: ו
בִּרְצוֹת יְהוָה דַּרְכֵי־אִישׁ גַּם־אוֹיְבָיו יַשְׁלִם אִתּוֹ: ז
טוֹב־מְעַט בִּצְדָקָה מֵרֹב תְּבוּאוֹת בְּלֹא מִשְׁפָּט: ח
לֵב אָדָם יְחַשֵּׁב דַּרְכּוֹ וַיהוָה יָכִין צַעֲדוֹ: ט
קֶסֶם ׀ עַל־שִׂפְתֵי־מֶלֶךְ בְּמִשְׁפָּט לֹא יִמְעַל־פִּיו: י
פֶּלֶס ׀ וּמֹאזְנֵי מִשְׁפָּט לַיהוָה מַעֲשֵׂהוּ כָּל־אַבְנֵי־כִיס: יא
תּוֹעֲבַת מְלָכִים עֲשׂוֹת רֶשַׁע כִּי בִצְדָקָה יִכּוֹן כִּסֵּא: יב
רְצוֹן מְלָכִים שִׂפְתֵי־צֶדֶק וְדֹבֵר יְשָׁרִים יֶאֱהָב: יג
חֲמַת־מֶלֶךְ מַלְאֲכֵי־מָוֶת וְאִישׁ חָכָם יְכַפְּרֶנָּה: יד
בְּאוֹר־פְּנֵי־מֶלֶךְ חַיִּים וּרְצוֹנוֹ כְּעָב מַלְקוֹשׁ: טו
קְנֹה־חָכְמָה מַה־טּוֹב מֵחָרוּץ וּקְנוֹת בִּינָה נִבְחָר מִכָּסֶף: טז
מְסִלַּת יְשָׁרִים סוּר מֵרָע שֹׁמֵר נַפְשׁוֹ נֹצֵר דַּרְכּוֹ: יז
לִפְנֵי־שֶׁבֶר גָּאוֹן וְלִפְנֵי כִשָּׁלוֹן גֹּבַהּ רוּחַ: יח
טוֹב שְׁפַל־רוּחַ אֶת־עֲנָוִים עניים מֵחַלֵּק שָׁלָל אֶת־גֵּאִים: יט
מַשְׂכִּיל עַל־דָּבָר יִמְצָא־טוֹב וּבוֹטֵחַ בַּיהוָה אַשְׁרָיו: כ
לַחֲכַם־לֵב יִקָּרֵא נָבוֹן וּמֶתֶק שְׂפָתַיִם יֹסִיף לֶקַח: כא
מְקוֹר חַיִּים שֵׂכֶל בְּעָלָיו וּמוּסַר אֱוִלִים אִוֶּלֶת: כב
לֵב חָכָם יַשְׂכִּיל פִּיהוּ וְעַל־שְׂפָתָיו יֹסִיף לֶקַח: כג

כד צוּף־דְּבַשׁ אִמְרֵי־נֹעַם   מָתוֹק לַנֶּפֶשׁ וּמַרְפֵּא לָעָצֶם׃
כה יֵשׁ דֶּרֶךְ יָשָׁר לִפְנֵי־אִישׁ   וְאַחֲרִיתָהּ דַּרְכֵי־מָוֶת׃
כו נֶפֶשׁ עָמֵל עָמְלָה לּוֹ   כִּי־אָכַף עָלָיו פִּיהוּ׃
כז אִישׁ בְּלִיַּעַל כֹּרֶה רָעָה   וְעַל־שְׂפָתוֹ שפתיו כְּאֵשׁ צָרָבֶת׃
כח אִישׁ תַּהְפֻּכוֹת יְשַׁלַּח מָדוֹן   וְנִרְגָּן מַפְרִיד אַלּוּף׃
כט אִישׁ חָמָס יְפַתֶּה רֵעֵהוּ   וְהוֹלִיכוֹ בְּדֶרֶךְ לֹא־טוֹב׃
ל עֹצֶה עֵינָיו לַחְשֹׁב תַּהְפֻּכוֹת   קֹרֵץ שְׂפָתָיו כִּלָּה רָעָה׃
לא עֲטֶרֶת תִּפְאֶרֶת שֵׂיבָה   בְּדֶרֶךְ צְדָקָה תִּמָּצֵא׃
לב טוֹב אֶרֶךְ אַפַּיִם מִגִּבּוֹר   וּמֹשֵׁל בְּרוּחוֹ מִלֹּכֵד עִיר׃
לג בַּחֵיק יוּטַל אֶת־הַגּוֹרָל   וּמֵיְהוָה כָּל־מִשְׁפָּטוֹ׃
יז א טוֹב פַּת חֲרֵבָה וְשַׁלְוָה־בָהּ   מִבַּיִת מָלֵא זִבְחֵי־רִיב׃
ב עֶבֶד־מַשְׂכִּיל יִמְשֹׁל בְּבֵן מֵבִישׁ   וּבְתוֹךְ אַחִים יַחֲלֹק נַחֲלָה׃
ג מַצְרֵף לַכֶּסֶף וְכוּר לַזָּהָב   וּבֹחֵן לִבּוֹת יְהוָה׃
ד מֵרַע מַקְשִׁיב עַל־שְׂפַת־אָוֶן   שֶׁקֶר מֵזִין עַל־לְשׁוֹן הַוֹּת׃
ה לֹעֵג לָרָשׁ חֵרֵף עֹשֵׂהוּ   שָׂמֵחַ לְאֵיד לֹא יִנָּקֶה׃
ו עֲטֶרֶת זְקֵנִים בְּנֵי בָנִים   וְתִפְאֶרֶת בָּנִים אֲבוֹתָם׃
ז לֹא־נָאוָה לְנָבָל שְׂפַת־יֶתֶר   אַף כִּי־לְנָדִיב שְׂפַת־שָׁקֶר׃
ח אֶבֶן־חֵן הַשֹּׁחַד בְּעֵינֵי בְעָלָיו   אֶל־כָּל־אֲשֶׁר יִפְנֶה יַשְׂכִּיל׃
ט מְכַסֶּה־פֶּשַׁע מְבַקֵּשׁ אַהֲבָה   וְשֹׁנֶה בְדָבָר מַפְרִיד אַלּוּף׃
י תֵּחַת גְּעָרָה בְמֵבִין   מֵהַכּוֹת כְּסִיל מֵאָה׃
יא אַךְ־מְרִי יְבַקֶּשׁ־רָע   וּמַלְאָךְ אַכְזָרִי יְשֻׁלַּח־בּוֹ׃
יב פָּגוֹשׁ דֹּב שַׁכּוּל בְּאִישׁ   וְאַל־כְּסִיל בְּאִוַּלְתּוֹ׃
יג מֵשִׁיב רָעָה תַּחַת טוֹבָה   לֹא־תָמוּשׁ תמיש רָעָה מִבֵּיתוֹ׃
יד פּוֹטֵר מַיִם רֵאשִׁית מָדוֹן   וְלִפְנֵי הִתְגַּלַּע הָרִיב נְטוֹשׁ׃
טו מַצְדִּיק רָשָׁע וּמַרְשִׁיעַ צַדִּיק   תּוֹעֲבַת יְהוָה גַּם־שְׁנֵיהֶם׃

לָמָּה־זֶּה מְחִיר בְּיַד־כְּסִיל לִקְנוֹת חָכְמָה וְלֶב־אָיִן׃ טז
בְּכָל־עֵת אֹהֵב הָרֵעַ וְאָח לְצָרָה יִוָּלֵד׃ יז
אָדָם חֲסַר־לֵב תּוֹקֵעַ כָּף עֹרֵב עֲרֻבָּה לִפְנֵי רֵעֵהוּ׃ יח
אֹהֵב פֶּשַׁע אֹהֵב מַצָּה מַגְבִּיהַּ פִּתְחוֹ מְבַקֶּשׁ־שָׁבֶר׃ יט
עִקֶּשׁ־לֵב לֹא יִמְצָא־טוֹב וְנֶהְפָּךְ בִּלְשׁוֹנוֹ יִפּוֹל בְּרָעָה׃ כ
יֹלֵד כְּסִיל לְתוּגָה לוֹ וְלֹא־יִשְׂמַח אֲבִי נָבָל׃ כא
לֵב שָׂמֵחַ יֵיטִב גֵּהָה וְרוּחַ נְכֵאָה תְּיַבֶּשׁ־גָּרֶם׃ כב
שֹׁחַד מֵחֵק רָשָׁע יִקָּח לְהַטּוֹת אָרְחוֹת מִשְׁפָּט׃ כג
אֶת־פְּנֵי מֵבִין חָכְמָה וְעֵינֵי כְסִיל בִּקְצֵה־אָרֶץ׃ כד
כַּעַס לְאָבִיו בֵּן כְּסִיל וּמֶמֶר לְיוֹלַדְתּוֹ׃ כה
גַּם עֲנוֹשׁ לַצַּדִּיק לֹא־טוֹב לְהַכּוֹת נְדִיבִים עַל־יֹשֶׁר׃ כו
חוֹשֵׂךְ אֲמָרָיו יוֹדֵעַ דָּעַת וקר יְקַר־רוּחַ אִישׁ תְּבוּנָה׃ כז
גַּם אֱוִיל מַחֲרִישׁ חָכָם יֵחָשֵׁב אֹטֵם שְׂפָתָיו נָבוֹן׃ כח
לְתַאֲוָה יְבַקֵּשׁ נִפְרָד בְּכָל־תּוּשִׁיָּה יִתְגַּלָּע׃ א יח
לֹא־יַחְפֹּץ כְּסִיל בִּתְבוּנָה כִּי אִם־בְּהִתְגַּלּוֹת לִבּוֹ׃ ב
בְּבוֹא־רָשָׁע בָּא גַם־בּוּז וְעִם־קָלוֹן חֶרְפָּה׃ ג
מַיִם עֲמֻקִּים דִּבְרֵי פִי־אִישׁ נַחַל נֹבֵעַ מְקוֹר חָכְמָה׃ ד
שְׂאֵת פְּנֵי־רָשָׁע לֹא־טוֹב לְהַטּוֹת צַדִּיק בַּמִּשְׁפָּט׃ ה
שִׂפְתֵי כְסִיל יָבֹאוּ בְרִיב וּפִיו לְמַהֲלֻמוֹת יִקְרָא׃ ו
פִּי־כְסִיל מְחִתָּה־לוֹ וּשְׂפָתָיו מוֹקֵשׁ נַפְשׁוֹ׃ ז
דִּבְרֵי נִרְגָּן כְּמִתְלַהֲמִים וְהֵם יָרְדוּ חַדְרֵי־בָטֶן׃ ח
גַּם מִתְרַפֶּה בִמְלַאכְתּוֹ אָח הוּא לְבַעַל מַשְׁחִית׃ ט
מִגְדַּל־עֹז שֵׁם יְהוָה בּוֹ־יָרוּץ צַדִּיק וְנִשְׂגָּב׃ י
הוֹן עָשִׁיר קִרְיַת עֻזּוֹ וּכְחוֹמָה נִשְׂגָּבָה בְּמַשְׂכִּיתוֹ׃ יא
לִפְנֵי־שֶׁבֶר יִגְבַּהּ לֵב־אִישׁ וְלִפְנֵי כָבוֹד עֲנָוָה׃ יב

יג מֵשִׁיב דָּבָר בְּטֶרֶם יִשְׁמָע אִוֶּלֶת הִיא־לוֹ וּכְלִמָּה:
יד רֽוּחַ־אִישׁ יְכַלְכֵּל מַחֲלֵהוּ וְרוּחַ נְכֵאָה מִי יִשָּׂאֶנָּה:
טו לֵב נָבוֹן יִקְנֶה־דָּעַת וְאֹזֶן חֲכָמִים תְּבַקֶּשׁ־דָּעַת:
טז מַתָּן אָדָם יַרְחִיב לוֹ וְלִפְנֵי גְדֹלִים יַנְחֶנּוּ:
יז צַדִּיק הָרִאשׁוֹן בְּרִיבוֹ יבא וּבָא־רֵעֵהוּ וַחֲקָרוֹ:
יח מִדְיָנִים יַשְׁבִּית הַגּוֹרָל וּבֵין עֲצוּמִים יַפְרִיד:
יט אָח נִפְשָׁע מִקִּרְיַת־עֹז ומדונים וּמִדְיָנִים כִּבְרִיחַ אַרְמוֹן:
כ מִפְּרִי פִי־אִישׁ תִּשְׂבַּע בִּטְנוֹ תְּבוּאַת שְׂפָתָיו יִשְׂבָּע:
כא מָוֶת וְחַיִּים בְּיַד־לָשׁוֹן וְאֹהֲבֶיהָ יֹאכַל פִּרְיָהּ:
כב מָצָא אִשָּׁה מָצָא טוֹב וַיָּפֶק רָצוֹן מֵיְהוָה:
כג תַּחֲנוּנִים יְדַבֶּר־רָשׁ וְעָשִׁיר יַעֲנֶה עַזּוֹת:
כד אִישׁ רֵעִים לְהִתְרֹעֵעַ וְיֵשׁ אֹהֵב דָּבֵק מֵאָח:
יט א טוֹב־רָשׁ הוֹלֵךְ בְּתֻמּוֹ מֵעִקֵּשׁ שְׂפָתָיו וְהוּא כְסִיל:
ב גַּם בְּלֹא־דַעַת נֶפֶשׁ לֹא־טוֹב וְאָץ בְּרַגְלַיִם חוֹטֵא:
ג אִוֶּלֶת אָדָם תְּסַלֵּף דַּרְכּוֹ וְעַל־יְהוָה יִזְעַף לִבּוֹ:
ד הוֹן יֹסִיף רֵעִים רַבִּים וְדָל מֵרֵעֵהוּ יִפָּרֵד:
ה עֵד שְׁקָרִים לֹא יִנָּקֶה וְיָפִיחַ כְּזָבִים לֹא יִמָּלֵט:
ו רַבִּים יְחַלּוּ פְנֵי־נָדִיב וְכָל־הָרֵעַ לְאִישׁ מַתָּן:
ז כָּל אֲחֵי־רָשׁ ׀ שְׂנֵאֻהוּ אַף כִּי מְרֵעֵהוּ רָחֲקוּ מִמֶּנּוּ
מְרַדֵּף אֲמָרִים לא לוֹ־הֵמָּה:
ח קֹנֶה־לֵּב אֹהֵב נַפְשׁוֹ שֹׁמֵר תְּבוּנָה לִמְצֹא־טוֹב:
ט עֵד שְׁקָרִים לֹא יִנָּקֶה וְיָפִיחַ כְּזָבִים יֹאבֵד:

י לֹא־נָאוֶה לִכְסִיל תַּעֲנוּג אַף כִּי־לְעֶבֶד ׀ מְשֹׁל בְּשָׂרִים:
יא שֵׂכֶל אָדָם הֶאֱרִיךְ אַפּוֹ וְתִפְאַרְתּוֹ עֲבֹר עַל־פָּשַׁע:

נַהַם כַּכְּפִיר זַעַף מֶלֶךְ וּכְטַל עַל־עֵשֶׂב רְצוֹנוֹ׃ יב
הַוֺּת לְאָבִיו בֵּן כְּסִיל וְדֶלֶף טֹרֵד מִדְיְנֵי אִשָּׁה׃ יג
בַּיִת וָהוֹן נַחֲלַת אָבוֹת וּמֵיְהֹוָה אִשָּׁה מַשְׂכָּלֶת׃ יד
עַצְלָה תַּפִּיל תַּרְדֵּמָה וְנֶפֶשׁ רְמִיָּה תִרְעָב׃ טו
שֹׁמֵר מִצְוָה שֹׁמֵר נַפְשׁוֹ בּוֹזֵה דְרָכָיו יומת יָמוּת׃ טז
מַלְוֵה יְהֹוָה חוֹנֵן דָּל וּגְמֻלוֹ יְשַׁלֶּם־לוֹ׃ יז
יַסֵּר בִּנְךָ כִּי־יֵשׁ תִּקְוָה וְאֶל־הֲמִיתוֹ אַל־תִּשָּׂא נַפְשֶׁךָ׃ יח
גרל גְּדָל־חֵמָה נֹשֵׂא עֹנֶשׁ כִּי אִם־תַּצִּיל וְעוֹד תּוֹסִף׃ יט
שְׁמַע עֵצָה וְקַבֵּל מוּסָר לְמַעַן תֶּחְכַּם בְּאַחֲרִיתֶךָ׃ כ
רַבּוֹת מַחֲשָׁבוֹת בְּלֶב־אִישׁ וַעֲצַת יְהֹוָה הִיא תָקוּם׃ כא
תַּאֲוַת אָדָם חַסְדּוֹ וְטוֹב־רָשׁ מֵאִישׁ כָּזָב׃ כב
יִרְאַת יְהֹוָה לְחַיִּים וְשָׂבֵעַ יָלִין בַּל־יִפָּקֶד רָע׃ כג
טָמַן עָצֵל יָדוֹ בַּצַּלָּחַת גַּם־אֶל־פִּיהוּ לֹא יְשִׁיבֶנָּה׃ כד
לֵץ תַּכֶּה וּפֶתִי יַעְרִם וְהוֹכִיחַ לְנָבוֹן יָבִין דָּעַת׃ כה
מְשַׁדֶּד־אָב יַבְרִיחַ אֵם בֵּן מֵבִישׁ וּמַחְפִּיר׃ כו
חֲדַל־בְּנִי לִשְׁמֹעַ מוּסָר לִשְׁגוֹת מֵאִמְרֵי־דָעַת׃ כז
עֵד בְּלִיַּעַל יָלִיץ מִשְׁפָּט וּפִי רְשָׁעִים יְבַלַּע־אָוֶן׃ כח
נָכוֹנוּ לַלֵּצִים שְׁפָטִים וּמַהֲלֻמוֹת לְגֵו כְּסִילִים׃ כט
כ לֵץ הַיַּיִן הֹמֶה שֵׁכָר וְכָל־שֹׁגֶה בּוֹ לֹא יֶחְכָּם׃ א
נַהַם כַּכְּפִיר אֵימַת מֶלֶךְ מִתְעַבְּרוֹ חוֹטֵא נַפְשׁוֹ׃ ב
כָּבוֹד לָאִישׁ שֶׁבֶת מֵרִיב וְכָל־אֱוִיל יִתְגַּלָּע׃ ג
מֵחֹרֶף עָצֵל לֹא־יַחֲרֹשׁ ישאל וְשָׁאַל בַּקָּצִיר וָאָיִן׃ ד
מַיִם עֲמֻקִּים עֵצָה בְלֶב־אִישׁ וְאִישׁ תְּבוּנָה יִדְלֶנָּה׃ ה
רָב־אָדָם יִקְרָא אִישׁ חַסְדּוֹ וְאִישׁ אֱמוּנִים מִי יִמְצָא׃ ו
מִתְהַלֵּךְ בְּתֻמּוֹ צַדִּיק אַשְׁרֵי בָנָיו אַחֲרָיו׃ ז

ח מֶלֶךְ יוֹשֵׁב עַל־כִּסֵּא־דִין מְזָרֶה בְעֵינָיו כָּל־רָע׃

ט מִי־יֹאמַר זִכִּיתִי לִבִּי טָהַרְתִּי מֵחַטָּאתִי׃

י אֶבֶן וָאֶבֶן אֵיפָה וְאֵיפָה תּוֹעֲבַת יְהוָה גַּם־שְׁנֵיהֶם׃

יא גַּם בְּמַעֲלָלָיו יִתְנַכֶּר־נָעַר אִם־זַךְ וְאִם־יָשָׁר פָּעֳלוֹ׃

יב אֹזֶן שֹׁמַעַת וְעַיִן רֹאָה יְהוָה עָשָׂה גַם־שְׁנֵיהֶם׃

יג אַל־תֶּאֱהַב שֵׁנָה פֶּן־תִּוָּרֵשׁ פְּקַח עֵינֶיךָ שְׂבַע־לָחֶם׃

יד רַע רַע יֹאמַר הַקּוֹנֶה וְאֹזֵל לוֹ אָז יִתְהַלָּל׃

טו יֵשׁ זָהָב וְרָב־פְּנִינִים וּכְלִי יְקָר שִׂפְתֵי־דָעַת׃

טז לְקַח־בִּגְדוֹ כִּי־עָרַב זָר וּבְעַד נכרים נָכְרִיָּה חַבְלֵהוּ׃

יז עָרֵב לָאִישׁ לֶחֶם שָׁקֶר וְאַחַר יִמָּלֵא־פִיהוּ חָצָץ׃

יח מַחֲשָׁבוֹת בְּעֵצָה תִכּוֹן וּבְתַחְבֻּלוֹת עֲשֵׂה מִלְחָמָה׃

יט גּוֹלֶה־סּוֹד הוֹלֵךְ רָכִיל וּלְפֹתֶה שְׂפָתָיו לֹא תִתְעָרָב׃

כ מְקַלֵּל אָבִיו וְאִמּוֹ יִדְעַךְ נֵרוֹ באישון בֶּאֱשׁוּן חֹשֶׁךְ׃

כא נַחֲלָה מבחלת מְבֹהֶלֶת בָּרִאשׁוֹנָה וְאַחֲרִיתָהּ לֹא תְבֹרָךְ׃

כב אַל־תֹּאמַר אֲשַׁלְּמָה־רָע קַוֵּה לַיהוָה וְיֹשַׁע לָךְ׃

כג תּוֹעֲבַת יְהוָה אֶבֶן וָאָבֶן וּמֹאזְנֵי מִרְמָה לֹא־טוֹב׃

כד מֵיְהוָה מִצְעֲדֵי־גָבֶר וְאָדָם מַה־יָּבִין דַּרְכּוֹ׃

כה מוֹקֵשׁ אָדָם יָלַע קֹדֶשׁ וְאַחַר נְדָרִים לְבַקֵּר׃

כו מְזָרֶה רְשָׁעִים מֶלֶךְ חָכָם וַיָּשֶׁב עֲלֵיהֶם אוֹפָן׃

כז נֵר יְהוָה נִשְׁמַת אָדָם חֹפֵשׂ כָּל־חַדְרֵי־בָטֶן׃

כח חֶסֶד וֶאֱמֶת יִצְּרוּ־מֶלֶךְ וְסָעַד בַּחֶסֶד כִּסְאוֹ׃

כט תִּפְאֶרֶת בַּחוּרִים כֹּחָם וַהֲדַר זְקֵנִים שֵׂיבָה׃

ל חַבֻּרוֹת פֶּצַע תמריק תַּמְרוּק בְּרָע וּמַכּוֹת חַדְרֵי־בָטֶן׃

כא א פַּלְגֵי־מַיִם לֶב־מֶלֶךְ בְּיַד־יְהוָה עַל־כָּל־אֲשֶׁר יַחְפֹּץ יַטֶּנּוּ׃

ב כָּל־דֶּרֶךְ־אִישׁ יָשָׁר בְּעֵינָיו וְתֹכֵן לִבּוֹת יְהוָה׃

ג עֲשֹׂה צְדָקָה וּמִשְׁפָּט נִבְחָר לַיהוָה מִזָּבַח׃
ד רוּם־עֵינַיִם וּרְחַב־לֵב נִר רְשָׁעִים חַטָּאת׃
ה מַחְשְׁבוֹת חָרוּץ אַךְ־לְמוֹתָר וְכָל־אָץ אַךְ־לְמַחְסוֹר׃
ו פֹּעַל אֹצָרוֹת בִּלְשׁוֹן שָׁקֶר הֶבֶל נִדָּף מְבַקְשֵׁי־מָוֶת׃
ז שֹׁד־רְשָׁעִים יְגוֹרֵם כִּי מֵאֲנוּ לַעֲשׂוֹת מִשְׁפָּט׃
ח הֲפַכְפַּךְ דֶּרֶךְ אִישׁ וָזָר וְזַךְ יָשָׁר פָּעֳלוֹ׃
ט טוֹב לָשֶׁבֶת עַל־פִּנַּת־גָּג מֵאֵשֶׁת מִדְיָנִים וּבֵית חָבֶר׃
י נֶפֶשׁ רָשָׁע אִוְּתָה־רָע לֹא־יֻחַן בְּעֵינָיו רֵעֵהוּ׃
יא בַּעְנָשׁ־לֵץ יֶחְכַּם־פֶּתִי וּבְהַשְׂכִּיל לְחָכָם יִקַּח־דָּעַת׃
יב מַשְׂכִּיל צַדִּיק לְבֵית רָשָׁע מְסַלֵּף רְשָׁעִים לָרָע׃
יג אֹטֵם אָזְנוֹ מִזַּעֲקַת־דָּל גַּם־הוּא יִקְרָא וְלֹא יֵעָנֶה׃
יד מַתָּן בַּסֵּתֶר יִכְפֶּה־אָף וְשֹׁחַד בַּחֵק חֵמָה עַזָּה׃
טו שִׂמְחָה לַצַּדִּיק עֲשׂוֹת מִשְׁפָּט וּמְחִתָּה לְפֹעֲלֵי אָוֶן׃
טז אָדָם תּוֹעֶה מִדֶּרֶךְ הַשְׂכֵּל בִּקְהַל רְפָאִים יָנוּחַ׃
יז אִישׁ מַחְסוֹר אֹהֵב שִׂמְחָה אֹהֵב יַיִן־וָשֶׁמֶן לֹא יַעֲשִׁיר׃
יח כֹּפֶר לַצַּדִּיק רָשָׁע וְתַחַת יְשָׁרִים בּוֹגֵד׃
יט טוֹב שֶׁבֶת בְּאֶרֶץ־מִדְבָּר מֵאֵשֶׁת מדונים מִדְיָנִים וָכָעַס׃
כ אוֹצָר ׀ נֶחְמָד וָשֶׁמֶן בִּנְוֵה חָכָם וּכְסִיל אָדָם יְבַלְּעֶנּוּ׃
כא רֹדֵף צְדָקָה וָחָסֶד יִמְצָא חַיִּים צְדָקָה וְכָבוֹד׃
כב עִיר גִּבֹּרִים עָלָה חָכָם וַיֹּרֶד עֹז מִבְטֶחָה׃
כג שֹׁמֵר פִּיו וּלְשׁוֹנוֹ שֹׁמֵר מִצָּרוֹת נַפְשׁוֹ׃
כד זֵד יָהִיר לֵץ שְׁמוֹ עוֹשֶׂה בְּעֶבְרַת זָדוֹן׃
כה תַּאֲוַת עָצֵל תְּמִיתֶנּוּ כִּי־מֵאֲנוּ יָדָיו לַעֲשׂוֹת׃
כו כָּל־הַיּוֹם הִתְאַוָּה תַאֲוָה וְצַדִּיק יִתֵּן וְלֹא יַחְשֹׂךְ׃
כז זֶבַח רְשָׁעִים תּוֹעֵבָה אַף כִּי־בְזִמָּה יְבִיאֶנּוּ׃

כח עֵד־כְּזָבִים יֹאבֵד וְאִישׁ שׁוֹמֵעַ לָנֶצַח יְדַבֵּר׃
כט הֵעֵז אִישׁ רָשָׁע בְּפָנָיו וְיָשָׁר הוּא ׀ יכין דרכיו יָבִין דַּרְכּוֹ׃
ל אֵין חָכְמָה וְאֵין תְּבוּנָה וְאֵין עֵצָה לְנֶגֶד יְהוָה׃

לא סוּס מוּכָן לְיוֹם מִלְחָמָה וְלַיהוָה הַתְּשׁוּעָה׃
כב א נִבְחָר שֵׁם מֵעֹשֶׁר רָב מִכֶּסֶף וּמִזָּהָב חֵן טוֹב׃
ב עָשִׁיר וָרָשׁ נִפְגָּשׁוּ עֹשֵׂה כֻלָּם יְהוָה׃
ג עָרוּם ׀ רָאָה רָעָה ויסתר וְנִסְתָּר וּפְתָיִים עָבְרוּ וְנֶעֱנָשׁוּ׃
ד עֵקֶב עֲנָוָה יִרְאַת יְהוָה עֹשֶׁר וְכָבוֹד וְחַיִּים׃
ה צִנִּים פַּחִים בְּדֶרֶךְ עִקֵּשׁ שׁוֹמֵר נַפְשׁוֹ יִרְחַק מֵהֶם׃
ו חֲנֹךְ לַנַּעַר עַל־פִּי דַרְכּוֹ גַּם כִּי־יַזְקִין לֹא־יָסוּר מִמֶּנָּה׃
ז עָשִׁיר בְּרָשִׁים יִמְשׁוֹל וְעֶבֶד לֹוֶה לְאִישׁ מַלְוֶה׃
ח זוֹרֵעַ עַוְלָה יקצור יִקְצָר־אָוֶן וְשֵׁבֶט עֶבְרָתוֹ יִכְלֶה׃
ט טוֹב־עַיִן הוּא יְבֹרָךְ כִּי־נָתַן מִלַּחְמוֹ לַדָּל׃
י גָּרֵשׁ לֵץ וְיֵצֵא מָדוֹן וְיִשְׁבֹּת דִּין וְקָלוֹן׃
יא אֹהֵב טהור טְהָר־לֵב חֵן שְׂפָתָיו רֵעֵהוּ מֶלֶךְ׃
יב עֵינֵי יְהוָה נָצְרוּ דָעַת וַיְסַלֵּף דִּבְרֵי בֹגֵד׃
יג אָמַר עָצֵל אֲרִי בַחוּץ בְּתוֹךְ רְחֹבוֹת אֵרָצֵחַ׃
יד שׁוּחָה עֲמֻקָּה פִּי זָרוֹת זְעוּם יְהוָה יפול יִפָּל־שָׁם׃
טו אִוֶּלֶת קְשׁוּרָה בְלֶב־נָעַר שֵׁבֶט מוּסָר יַרְחִיקֶנָּה מִמֶּנּוּ׃
טז עֹשֵׁק דָּל לְהַרְבּוֹת לוֹ נֹתֵן לְעָשִׁיר אַךְ־לְמַחְסוֹר׃
יז הַט אָזְנְךָ וּשְׁמַע דִּבְרֵי חֲכָמִים וְלִבְּךָ תָּשִׁית לְדַעְתִּי׃
יח כִּי־נָעִים כִּי־תִשְׁמְרֵם בְּבִטְנֶךָ יִכֹּנוּ יַחְדָּו עַל־שְׂפָתֶיךָ׃
יט לִהְיוֹת בַּיהוָה מִבְטַחֶךָ הוֹדַעְתִּיךָ הַיּוֹם אַף־אָתָּה׃
כ הֲלֹא כָתַבְתִּי לְךָ שלשום שָׁלִשִׁים בְּמֹעֵצוֹת וָדָעַת׃

כא לְהוֹדִיעֲךָ קֹשְׁטְ אִמְרֵי אֱמֶת לְהָשִׁיב אֲמָרִים אֱמֶת לְשֹׁלְחֶיךָ׃
כב אַל־תִּגְזָל־דָּל כִּי דַל־הוּא וְאַל־תְּדַכֵּא עָנִי בַשָּׁעַר׃
כג כִּי־יְהוָה יָרִיב רִיבָם וְקָבַע אֶת־קֹבְעֵיהֶם נָפֶשׁ׃
כד אַל־תִּתְרַע אֶת־בַּעַל אָף וְאֶת־אִישׁ חֵמוֹת לֹא תָבוֹא׃
כה פֶּן־תֶּאֱלַף אֹרְחֹתָו וְלָקַחְתָּ מוֹקֵשׁ לְנַפְשֶׁךָ׃
כו אַל־תְּהִי בְתֹקְעֵי־כָף בַּעֹרְבִים מַשָּׁאוֹת׃
כז אִם־אֵין־לְךָ לְשַׁלֵּם לָמָּה יִקַּח מִשְׁכָּבְךָ מִתַּחְתֶּיךָ׃
כח אַל־תַּסֵּג גְּבוּל עוֹלָם אֲשֶׁר עָשׂוּ אֲבוֹתֶיךָ׃
כט חָזִיתָ אִישׁ ׀ מָהִיר בִּמְלַאכְתּוֹ לִפְנֵי־מְלָכִים יִתְיַצָּב
בַּל־יִתְיַצֵּב לִפְנֵי חֲשֻׁכִּים׃

כג א כִּי־תֵשֵׁב לִלְחוֹם אֶת־מוֹשֵׁל בִּין תָּבִין אֶת־אֲשֶׁר לְפָנֶיךָ׃
ב וְשַׂמְתָּ שַׂכִּין בְּלֹעֶךָ אִם־בַּעַל נֶפֶשׁ אָתָּה׃
ג אַל־תִּתְאָו לְמַטְעַמּוֹתָיו וְהוּא לֶחֶם כְּזָבִים׃
ד אַל־תִּיגַע לְהַעֲשִׁיר מִבִּינָתְךָ חֲדָל׃
ה התעוף הֲתָעִיף עֵינֶיךָ בּוֹ וְאֵינֶנּוּ כִּי עָשֹׂה יַעֲשֶׂה־לּוֹ כְנָפַיִם
כְּנֶשֶׁר ועיף יָעוּף הַשָּׁמָיִם׃

ו אַל־תִּלְחַם אֶת־לֶחֶם רַע עָיִן וְאַל־תִּתְאָו לְמַטְעַמֹּתָיו׃
ז כִּי ׀ כְּמוֹ שָׁעַר בְּנַפְשׁוֹ כֵּן הוּא
אֱכוֹל וּשְׁתֵה יֹאמַר לָךְ וְלִבּוֹ בַּל־עִמָּךְ׃
ח פִּתְּךָ־אָכַלְתָּ תְקִיאֶנָּה וְשִׁחַתָּ דְּבָרֶיךָ הַנְּעִימִים׃
ט בְּאָזְנֵי כְסִיל אַל־תְּדַבֵּר כִּי־יָבוּז לְשֵׂכֶל מִלֶּיךָ׃
י אַל־תַּסֵּג גְּבוּל עוֹלָם וּבִשְׂדֵי יְתוֹמִים אַל־תָּבֹא׃
יא כִּי־גֹאֲלָם חָזָק הוּא־יָרִיב אֶת־רִיבָם אִתָּךְ׃

יב הָבִיאָה לַמּוּסָר לִבֶּךָ וְאָזְנֶךָ לְאִמְרֵי־דָעַת:
יג אַל־תִּמְנַע מִנַּעַר מוּסָר כִּי־תַכֶּנּוּ בַשֵּׁבֶט לֹא יָמוּת:
יד אַתָּה בַּשֵּׁבֶט תַּכֶּנּוּ וְנַפְשׁוֹ מִשְּׁאוֹל תַּצִּיל:
טו בְּנִי אִם־חָכַם לִבֶּךָ יִשְׂמַח לִבִּי גַם־אָנִי:
טז וְתַעְלֹזְנָה כִלְיוֹתָי בְּדַבֵּר שְׂפָתֶיךָ מֵישָׁרִים:
יז אַל־יְקַנֵּא לִבְּךָ בַּחַטָּאִים כִּי אִם־בְּיִרְאַת־יְהוָה כָּל־הַיּוֹם:
יח כִּי אִם־יֵשׁ אַחֲרִית וְתִקְוָתְךָ לֹא תִכָּרֵת:
יט שְׁמַע־אַתָּה בְנִי וַחֲכָם וְאַשֵּׁר בַּדֶּרֶךְ לִבֶּךָ: זְהִירוּת מִזֹּלְלָה
כ אַל־תְּהִי בְסֹבְאֵי־יָיִן בְּזֹלְלֵי בָשָׂר לָמוֹ: וּסְבִיאָה:
כא כִּי־סֹבֵא וְזוֹלֵל יִוָּרֵשׁ וּקְרָעִים תַּלְבִּישׁ נוּמָה:
כב שְׁמַע לְאָבִיךָ זֶה יְלָדֶךָ וְאַל־תָּבוּז כִּי־זָקְנָה אִמֶּךָ: לִשְׁמֹעַ מוּסַר
כג אֱמֶת קְנֵה וְאַל־תִּמְכֹּר חָכְמָה וּמוּסָר וּבִינָה: הַהוֹרִים:
כד גול גִּיל יָגִיל אֲבִי צַדִּיק יולד וְיוֹלֵד חָכָם וישמח יִשְׂמַח־בּוֹ:
כה יִשְׂמַח־אָבִיךָ וְאִמֶּךָ וְתָגֵל יוֹלַדְתֶּךָ:
כו תְּנָה־בְנִי לִבְּךָ לִי וְעֵינֶיךָ דְּרָכַי תרצנה תִּצֹּרְנָה: אַזְהָרָה מֵהַזְּנוּת:
כז כִּי־שׁוּחָה עֲמֻקָּה זוֹנָה וּבְאֵר צָרָה נָכְרִיָּה:
כח אַף־הִיא כְּחֶתֶף תֶּאֱרֹב וּבוֹגְדִים בְּאָדָם תּוֹסִף:
כט לְמִי אוֹי לְמִי אֲבוֹי לְמִי מדונים מִדְיָנִים ׀ לְמִי שִׂיחַ אַזְהָרָה מִשִּׁכְרוּת
לְמִי פְּצָעִים חִנָּם לְמִי חַכְלִלוּת עֵינָיִם: וְתוֹצְאוֹתֶיהָ:
ל לַמְאַחֲרִים עַל־הַיָּיִן לַבָּאִים לַחְקֹר מִמְסָךְ:
לא אַל־תֵּרֶא יַיִן כִּי יִתְאַדָּם כִּי־יִתֵּן בכיס בַּכּוֹס עֵינוֹ
לב יִתְהַלֵּךְ בְּמֵישָׁרִים: אַחֲרִיתוֹ כְּנָחָשׁ יִשָּׁךְ
לג וּכְצִפְעֹנִי יַפְרִשׁ: עֵינֶיךָ יִרְאוּ זָרוֹת
וְלִבְּךָ יְדַבֵּר תַּהְפֻּכוֹת:
לד וְהָיִיתָ כְּשֹׁכֵב בְּלֶב־יָם וּכְשֹׁכֵב בְּרֹאשׁ חִבֵּל:

הִכּוּנִי בַל־חָלִיתִי הֲלָמוּנִי בַּל־יָדָעְתִּי לה
מָתַי אָקִיץ אוֹסִיף אֲבַקְשֶׁנּוּ עוֹד׃

אֵין לְקַנֵּא בָּרְשָׁעִים׃
אַל־תְּקַנֵּא בְּאַנְשֵׁי רָעָה וְאַל־תִּתְאָו לִהְיוֹת אִתָּם׃ א כד
כִּי־שֹׁד יֶהְגֶּה לִבָּם וְעָמָל שִׂפְתֵיהֶם תְּדַבֵּרְנָה׃ ב

תּוֹצְאוֹת הַחָכְמָה וְהַדַּעַת׃
בְּחָכְמָה יִבָּנֶה בָּיִת וּבִתְבוּנָה יִתְכּוֹנָן׃ ג
וּבְדַעַת חֲדָרִים יִמָּלְאוּ כָּל־הוֹן יָקָר וְנָעִים׃ ד
גֶּבֶר־חָכָם בַּעוֹז וְאִישׁ־דַּעַת מְאַמֶּץ־כֹּחַ׃ ה
כִּי בְתַחְבֻּלוֹת תַּעֲשֶׂה־לְּךָ מִלְחָמָה וּתְשׁוּעָה בְּרֹב יוֹעֵץ׃ ו

תְּכוּנוֹת הָאֱוִיל׃
רָאמוֹת לֶאֱוִיל חָכְמוֹת בַּשַּׁעַר לֹא יִפְתַּח־פִּיהוּ׃ ז
מְחַשֵּׁב לְהָרֵעַ לוֹ בַּעַל־מְזִמּוֹת יִקְרָאוּ׃ ח
זִמַּת אִוֶּלֶת חַטָּאת וְתוֹעֲבַת לְאָדָם לֵץ׃ ט

אַזְהָרָה לְהַצִּיל הַנִּרְדָּף׃
הִתְרַפִּיתָ בְּיוֹם צָרָה צַר כֹּחֶכָה׃ י
הַצֵּל לְקֻחִים לַמָּוֶת וּמָטִים לַהֶרֶג אִם־תַּחְשׂוֹךְ׃ יא
כִּי־תֹאמַר הֵן לֹא־יָדַעְנוּ זֶה הֲלֹא־תֹכֵן לִבּוֹת ׀ הוּא־יָבִין יב
וְנֹצֵר נַפְשְׁךָ הוּא יֵדָע וְהֵשִׁיב לְאָדָם כְּפָעֳלוֹ׃

מְתִיקוּת הַחָכְמָה׃
אֱכָל־בְּנִי דְבַשׁ כִּי־טוֹב וְנֹפֶת מָתוֹק עַל־חִכֶּךָ׃ יג
כֵּן ׀ דְּעֶה חָכְמָה לְנַפְשֶׁךָ אִם־מָצָאתָ וְיֵשׁ אַחֲרִית יד
וְתִקְוָתְךָ לֹא תִכָּרֵת׃

לְהִמָּנַע מִפְּגִיעָה בְּצַדִּיק׃
אַל־תֶּאֱרֹב רָשָׁע לִנְוֵה צַדִּיק אַל־תְּשַׁדֵּד רִבְצוֹ׃ טו
כִּי שֶׁבַע ׀ יִפּוֹל צַדִּיק וָקָם וּרְשָׁעִים יִכָּשְׁלוּ בְרָעָה׃ טז

אֵין לִשְׂמֹחַ בְּמַפֶּלֶת אוֹיֵב׃
בִּנְפֹל אויביך אוֹיִבְךָ אַל־תִּשְׂמָח וּבִכָּשְׁלוֹ אַל־יָגֵל לִבֶּךָ׃ יז
פֶּן־יִרְאֶה יְהוָה וְרַע בְּעֵינָיו וְהֵשִׁיב מֵעָלָיו אַפּוֹ׃ יח

אֵין לְקַנֵּא בְּהַצְלָחַת הָרָשָׁע׃
אַל־תִּתְחַר בַּמְּרֵעִים אַל־תְּקַנֵּא בָּרְשָׁעִים׃ יט

כ כִּי ׀ לֹא־תִהְיֶה אַחֲרִית לָרָע נֵר רְשָׁעִים יִדְעָךְ׃

כא יְרָא־אֶת־יְהֹוָה בְּנִי וָמֶלֶךְ עִם־שׁוֹנִים אַל־תִּתְעָרָב׃

יִרְאָה מֵה' וּמִמֶּלֶךְ:

כב כִּי־פִתְאֹם יָקוּם אֵידָם וּפִיד שְׁנֵיהֶם מִי יוֹדֵעַ׃

כג גַּם־אֵלֶּה לַחֲכָמִים הַכֵּר־פָּנִים בְּמִשְׁפָּט בַּל־טוֹב׃

גנות הַחֲנֻפָּה, וְחוֹבַת הַהוֹכָחָה:

כד אֹמֵר ׀ לְרָשָׁע צַדִּיק אָתָּה יִקְּבֻהוּ עַמִּים יִזְעָמוּהוּ לְאֻמִּים׃

כה וְלַמּוֹכִיחִים יִנְעָם וַעֲלֵיהֶם תָּבוֹא בִרְכַּת־טוֹב׃

כו שְׂפָתַיִם יִשָּׁק מֵשִׁיב דְּבָרִים נְכֹחִים׃

כז הָכֵן בַּחוּץ ׀ מְלַאכְתֶּךָ וְעַתְּדָהּ בַּשָּׂדֶה לָךְ

אַחַר וּבָנִיתָ בֵיתֶךָ׃

כח אַל־תְּהִי עֵד־חִנָּם בְּרֵעֶךָ וַהֲפִתִּיתָ בִּשְׂפָתֶיךָ׃

אַזְהָרָה מֵעֵדוּת שֶׁקֶר וּנְקָמָה:

כט אַל־תֹּאמַר כַּאֲשֶׁר עָשָׂה־לִי כֵּן אֶעֱשֶׂה־לּוֹ

אָשִׁיב לָאִישׁ כְּפָעֳלוֹ׃

ל עַל־שְׂדֵה אִישׁ־עָצֵל עָבַרְתִּי וְעַל־כֶּרֶם אָדָם חֲסַר־לֵב׃

בִּגְנוּת הֶעָצֵל:

לא וְהִנֵּה עָלָה כֻלּוֹ ׀ קִמְּשֹׂנִים כָּסּוּ פָנָיו חֲרֻלִּים

וְגֶדֶר אֲבָנָיו נֶהֱרָסָה׃

לב וָאֶחֱזֶה אָנֹכִי אָשִׁית לִבִּי רָאִיתִי לָקַחְתִּי מוּסָר׃

לג מְעַט שֵׁנוֹת מְעַט תְּנוּמוֹת מְעַט ׀ חִבֻּק יָדַיִם לִשְׁכָּב׃

לד וּבָא־מִתְהַלֵּךְ רֵישֶׁךָ וּמַחְסֹרֶיךָ כְּאִישׁ מָגֵן׃

כה א גַּם־אֵלֶּה מִשְׁלֵי שְׁלֹמֹה

אֲשֶׁר הֶעְתִּיקוּ אַנְשֵׁי ׀ חִזְקִיָּה מֶלֶךְ־יְהוּדָה׃

כְּבוֹד ה' וּכְבוֹד הַמֶּלֶךְ:

ב כְּבֹד אֱלֹהִים הַסְתֵּר דָּבָר וּכְבֹד מְלָכִים חֲקֹר דָּבָר׃

שָׁמַ֣יִם לָ֭רוּם וָאָ֣רֶץ לָעֹ֑מֶק וְלֵ֥ב מְ֝לָכִ֗ים אֵ֣ין חֵֽקֶר׃ ג

הָג֣וֹ סִיגִ֣ים מִכָּ֑סֶף וַיֵּצֵ֖א לַצֹּרֵ֣ף כֶּֽלִי׃ ד

הָג֣וֹ רָ֭שָׁע לִפְנֵי־מֶ֑לֶךְ וְיִכּ֖וֹן בַּצֶּ֣דֶק כִּסְאֽוֹ׃ ה

בִּגְנוּת רְדִיפַת הַכָּבוֹד:

אַל־תִּתְהַדַּ֥ר לִפְנֵי־מֶ֑לֶךְ וּבִמְק֥וֹם גְּ֝דֹלִ֗ים אַֽל־תַּעֲמֹֽד׃ ו

כִּ֤י ט֥וֹב אֲמָר־לְךָ֗ עֲלֵ֫ה הֵ֥נָּה מֵֽ֭הַשְׁפִּ֣ילְךָ לִפְנֵ֣י נָדִ֑יב ז

הַקְּנָעוּת מִמְּרִיבָה וּמִגִּלּוּי סוֹד:

אֲשֶׁ֖ר רָא֣וּ עֵינֶֽיךָ׃ אַל־תֵּצֵ֥א לָרִ֗ב מַ֫הֵ֥ר ח

פֶּ֣ן מַה־תַּ֭עֲשֶׂה בְּאַחֲרִיתָ֑הּ בְּהַכְלִ֖ים אֹתְךָ֣ רֵעֶֽךָ׃

רִֽ֭יבְךָ רִ֣יב אֶת־רֵעֶ֑ךָ וְס֖וֹד אַחֵ֣ר אַל־תְּגָֽל׃ ט

פֶּֽן־יְחַסֶּדְךָ֥ שֹׁמֵ֑עַ וְ֝דִבָּתְךָ֗ לֹ֣א תָשֽׁוּב׃ י

דִּמְיוֹן הַדִּבּוּרִים הַנְּאִים:

תַּפּוּחֵ֣י זָ֭הָב בְּמַשְׂכִּיּ֣וֹת כָּ֑סֶף דָּ֝בָ֗ר דָּבֻ֥ר עַל־אָפְנָֽיו׃ יא

נֶ֣זֶם זָ֭הָב וַחֲלִי־כָ֑תֶם מוֹכִ֥יחַ חָ֝כָ֗ם עַל־אֹ֥זֶן שֹׁמָֽעַת׃ יב

כְּצִנַּת־שֶׁ֨לֶג ׀ בְּי֬וֹם קָצִ֗יר צִ֣יר נֶ֭אֱמָן לְשֹׁלְחָ֑יו יג

וְנֶ֖פֶשׁ אֲדֹנָ֣יו יָשִֽׁיב׃

דַּרְכֵי הִתְנַהֲגוּת נְאוֹתִים:

נְשִׂיאִ֣ים וְ֭רוּחַ וְגֶ֣שֶׁם אָ֑יִן אִ֥ישׁ מִ֝תְהַלֵּ֗ל בְּמַתַּת־שָֽׁקֶר׃ יד

בְּאֹ֣רֶךְ אַ֭פַּיִם יְפֻתֶּ֣ה קָצִ֑ין וְלָשׁ֥וֹן רַ֝כָּ֗ה תִּשְׁבָּר־גָּֽרֶם׃ טו

דְּבַ֣שׁ מָ֭צָאתָ אֱכֹ֣ל דַּיֶּ֑ךָּ פֶּן־תִּ֝שְׂבָּעֶ֗נּוּ וַהֲקֵאתֽוֹ׃ טז

הֹקַ֣ר רַ֭גְלְךָ מִבֵּ֣ית רֵעֶ֑ךָ פֶּן־יִ֝שְׂבָּעֲךָ֗ וּשְׂנֵאֶֽךָ׃ יז

מֵפִ֣יץ וְ֭חֶרֶב וְחֵ֣ץ שָׁנ֑וּן אִ֥ישׁ עֹנֶ֥ה בְ֝רֵעֵ֗הוּ עֵ֣ד שָֽׁקֶר׃ יח

שֵׁ֣ן רֹ֭עָה וְרֶ֣גֶל מוּעָ֑דֶת מִבְטָ֥ח בּ֝וֹגֵ֗ד בְּי֣וֹם צָרָֽה׃ יט

מַ֥עֲדֶה בֶּ֨גֶד ׀ בְּי֢וֹם קָ֗רָה חֹ֥מֶץ עַל־נָ֑תֶר כ

וְשָׁ֥ר בַּ֝שִּׁרִ֗ים עַ֣ל לֶב־רָֽע׃

נְדִיבוּת תַּחַת נְטִירָה:

אִם־רָעֵ֣ב שֹׂ֭נַאֲךָ הַאֲכִלֵ֣הוּ לָ֑חֶם וְאִם־צָ֝מֵ֗א הַשְׁקֵ֥הוּ מָֽיִם׃ כא

כִּ֤י גֶֽחָלִ֗ים אַ֭תָּה חֹתֶ֣ה עַל־רֹאשׁ֑וֹ וַ֝יהֹוָ֗ה יְשַׁלֶּם־לָֽךְ׃ כב

כג רוּחַ צָפוֹן תְּחוֹלֵל גָּשֶׁם   וּפָנִים נִזְעָמִים לְשׁוֹן סָתֶר:
כד טוֹב שֶׁבֶת עַל־פִּנַּת־גָּג   מֵאֵשֶׁת מדונים מִדְיָנִים וּבֵית חָבֶר:
כה מַיִם קָרִים עַל־נֶפֶשׁ עֲיֵפָה   וּשְׁמוּעָה טוֹבָה מֵאֶרֶץ מֶרְחָק:
כו מַעְיָן נִרְפָּשׂ וּמָקוֹר מָשְׁחָת   צַדִּיק מָט לִפְנֵי־רָשָׁע:
כז אָכֹל דְּבַשׁ הַרְבּוֹת לֹא־טוֹב   וְחֵקֶר כְּבֹדָם כָּבוֹד:
כח עִיר פְּרוּצָה אֵין חוֹמָה   אִישׁ אֲשֶׁר אֵין מַעְצָר לְרוּחוֹ:
כו א כַּשֶּׁלֶג ׀ בַּקַּיִץ   וְכַמָּטָר בַּקָּצִיר   בִּגְנוּת הַכְּסִילוּת:
כֵּן לֹא־נָאוֶה לִכְסִיל   כָּבוֹד:
ב כַּצִּפּוֹר לָנוּד כַּדְּרוֹר לָעוּף   כֵּן קִלְלַת חִנָּם לא לוֹ תָבֹא:
ג שׁוֹט לַסּוּס מֶתֶג לַחֲמוֹר   וְשֵׁבֶט לְגֵו כְּסִילִים:
ד אַל־תַּעַן כְּסִיל כְּאִוַּלְתּוֹ   פֶּן־תִּשְׁוֶה־לּוֹ גַם־אָתָּה:
ה עֲנֵה כְסִיל כְּאִוַּלְתּוֹ   פֶּן־יִהְיֶה חָכָם בְּעֵינָיו:
ו מְקַצֶּה רַגְלַיִם חָמָס שֹׁתֶה   שֹׁלֵחַ דְּבָרִים בְּיַד־כְּסִיל:
ז דַּלְיוּ שֹׁקַיִם מִפִּסֵּחַ   וּמָשָׁל בְּפִי כְסִילִים:
ח כִּצְרוֹר אֶבֶן בְּמַרְגֵּמָה   כֵּן־נוֹתֵן לִכְסִיל כָּבוֹד:
ט חוֹחַ עָלָה בְיַד־שִׁכּוֹר   וּמָשָׁל בְּפִי כְסִילִים:
י רַב מְחוֹלֵל־כֹּל   וְשֹׂכֵר כְּסִיל וְשֹׂכֵר עֹבְרִים:
יא כְּכֶלֶב שָׁב עַל־קֵאוֹ   כְּסִיל שׁוֹנֶה בְאִוַּלְתּוֹ:
יב רָאִיתָ אִישׁ חָכָם בְּעֵינָיו   תִּקְוָה לִכְסִיל מִמֶּנּוּ:
יג אָמַר עָצֵל שַׁחַל בַּדָּרֶךְ   אֲרִי בֵּין הָרְחֹבוֹת: בִּגְנוּת הֶעָצֵל:
יד הַדֶּלֶת תִּסּוֹב עַל־צִירָהּ   וְעָצֵל עַל־מִטָּתוֹ:
טו טָמַן עָצֵל יָדוֹ בַּצַּלָּחַת   נִלְאָה לַהֲשִׁיבָהּ אֶל־פִּיו:
טז חָכָם עָצֵל בְּעֵינָיו   מִשִּׁבְעָה מְשִׁיבֵי טָעַם:
יז מַחֲזִיק בְּאָזְנֵי־כָלֶב   עֹבֵר מִתְעַבֵּר עַל־רִיב לֹּא־לוֹ:   בִּגְנוּת אַנְשֵׁי רִיב:
יח כְּמִתְלַהְלֵהַּ הַיֹּרֶה זִקִּים   חִצִּים וָמָוֶת:

כֵּֽן־אִישׁ רִמָּה אֶת־רֵעֵהוּ וְאָמַר הֲלֹא־מְשַׂחֵק אָֽנִי׃ יט
בְּאֶפֶס עֵצִים תִּכְבֶּה־אֵשׁ וּבְאֵין נִרְגָּן יִשְׁתֹּק מָדֽוֹן׃ כ
פֶּחָם לְגֶחָלִים וְעֵצִים לְאֵשׁ כא
וְאִישׁ מדונים מִדְיָנִים לְחַרְחַר־רִֽיב׃

על בַּעֲלֵי הַלָּשׁוֹן: דִּבְרֵי נִרְגָּן כְּמִתְלַהֲמִים וְהֵם יָרְדוּ חַדְרֵי־בָֽטֶן׃ כב
כֶּסֶף סִיגִים מְצֻפֶּה עַל־חָרֶשׂ שְׂפָתַיִם דֹּלְקִים וְלֶב־רָֽע׃ כג
בִּשְׂפָתָו יִנָּכֵר שׂוֹנֵא וּבְקִרְבּוֹ יָשִׁית מִרְמָֽה׃ כד
כִּֽי־יְחַנֵּן קוֹלוֹ אַל־תַּאֲמֶן־בּוֹ כִּי שֶׁבַע תּוֹעֵבוֹת בְּלִבּֽוֹ׃ כה
תִּכַּסֶּה שִׂנְאָה בְּמַשָּׁאוֹן תִּגָּלֶה רָעָתוֹ בְקָהָֽל׃ כו
כֹּֽרֶה־שַּׁחַת בָּהּ יִפֹּל וְגֹלֵל אֶבֶן אֵלָיו תָּשֽׁוּב׃ כז
לְשׁוֹן־שֶׁקֶר יִשְׂנָא דַכָּיו וּפֶה חָלָק יַעֲשֶׂה מִדְחֶֽה׃ כח

בִּגְנוּת הַגַּאֲוָה: אַל־תִּתְהַלֵּל בְּיוֹם מָחָר כִּי לֹא־תֵדַע מַה־יֵּלֶד יֽוֹם׃ **כז** א
יְהַלֶּלְךָ זָר וְלֹא־פִיךָ נָכְרִי וְאַל־שְׂפָתֶֽיךָ׃ ב
בִּגְנוּת הַכַּעַס וְהַקִּנְאָה: כֹּֽבֶד־אֶבֶן וְנֵטֶל הַחוֹל וְכַעַס אֱוִיל כָּבֵד מִשְּׁנֵיהֶֽם׃ ג
אַכְזְרִיּוּת חֵמָה וְשֶׁטֶף אָף וּמִי יַעֲמֹד לִפְנֵי קִנְאָֽה׃ ד
בְּשֶׁבַח הַתּוֹכָחָה: טוֹבָה תּוֹכַחַת מְגֻלָּה מֵאַהֲבָה מְסֻתָּֽרֶת׃ ה
נֶאֱמָנִים פִּצְעֵי אוֹהֵב וְנַעְתָּרוֹת נְשִׁיקוֹת שׂוֹנֵֽא׃ ו
[עיין במבוא "מעלה ג"ו] נֶפֶשׁ שְׂבֵעָה תָּבוּס נֹפֶת וְנֶפֶשׁ רְעֵבָה כָּל־מַר מָתֽוֹק׃ ז
כְּצִפּוֹר נוֹדֶדֶת מִן־קִנָּהּ כֵּן־אִישׁ נוֹדֵד מִמְּקוֹמֽוֹ׃ ח
שֶׁמֶן וּקְטֹרֶת יְשַׂמַּח־לֵב וּמֶתֶק רֵעֵהוּ מֵעֲצַת־נָֽפֶשׁ׃ ט
רֵֽעֲךָ ורעה וְרֵעַ אָבִיךָ אַל־תַּעֲזֹב וּבֵית אָחִיךָ אַל־תָּבוֹא י
בְּיוֹם אֵידֶךָ טוֹב שָׁכֵן קָרוֹב מֵאָח רָחֽוֹק׃
חֲכַם בְּנִי וְשַׂמַּח לִבִּי וְאָשִׁיבָה חֹרְפִי דָבָֽר׃ יא
עָרוּם ׀ רָאָה רָעָה נִסְתָּר פְּתָאיִם עָבְרוּ נֶעֱנָֽשׁוּ׃ יב

יג קַח־בִּ֭גְדוֹ כִּי־עָ֣רַב זָ֑ר וּבְעַ֖ד נָכְרִיָּ֣ה חַבְלֵֽהוּ׃
יד מְבָ֘רֵ֤ךְ רֵעֵ֨הוּ ׀ בְּק֣וֹל גָּ֭דוֹל בַּבֹּ֣קֶר הַשְׁכֵּ֑ים
קְ֝לָלָ֗ה תֵּחָ֥שֶׁב לֽוֹ׃
טו דֶּ֣לֶף ט֭וֹרֵד בְּי֣וֹם סַגְרִ֑יר וְאֵ֥שֶׁת מדונים ‌מִ֝דְיָנִ֗ים נִשְׁתָּוָֽה׃
טז צֹפְנֶ֥יהָ צָֽפַן־ר֑וּחַ וְשֶׁ֖מֶן יְמִינ֣וֹ יִקְרָֽא׃
יז בַּרְזֶ֣ל בְּבַרְזֶ֣ל יָ֑חַד וְ֝אִ֗ישׁ יַ֣חַד פְּנֵי־רֵעֵֽהוּ׃
יח נֹצֵ֣ר תְּ֭אֵנָה יֹאכַ֣ל פִּרְיָ֑הּ וְשֹׁמֵ֖ר אֲדֹנָ֣יו יְכֻבָּֽד׃
יט כַּ֭מַּיִם הַפָּנִ֣ים לַפָּנִ֑ים כֵּ֥ן לֵֽב־הָ֝אָדָ֗ם לָאָדָֽם׃
כ שְׁא֣וֹל וַ֭אֲבַדֹּה לֹ֣א תִשְׂבַּ֑עְנָה וְעֵינֵ֥י הָ֝אָדָ֗ם לֹ֣א תִשְׂבַּֽעְנָה׃
כא מַצְרֵ֣ף לַ֭כֶּסֶף וְכ֣וּר לַזָּהָ֑ב וְ֝אִ֗ישׁ לְפִ֣י מַהֲלָלֽוֹ׃
כב אִ֤ם תִּכְתּֽוֹשׁ־אֶת־הָאֱוִ֨יל ׀ בַּמַּכְתֵּ֡שׁ בְּת֣וֹךְ הָ֭רִיפוֹת בַּעֱלִ֑י
לֹא־תָס֥וּר מֵ֝עָלָ֗יו אִוַּלְתּֽוֹ׃

כג יָדֹ֣עַ תֵּ֭דַע פְּנֵ֣י צֹאנֶ֑ךָ שִׁ֥ית לִ֝בְּךָ֗ לַעֲדָרִֽים׃ הַבְּרָכָה בְּגִדּוּל הַצֹּאן׃
כד כִּ֤י לֹ֣א לְעוֹלָ֣ם חֹ֑סֶן וְאִם־נֵ֝֗זֶר לְד֣וֹר דור וָדֽוֹר׃
כה גָּלָ֣ה חָ֭צִיר וְנִרְאָה־דֶ֑שֶׁא וְ֝נֶאֶסְפ֗וּ עִשְּׂב֥וֹת הָרִֽים׃
כו כְּבָשִׂ֥ים לִלְבוּשֶׁ֑ךָ וּמְחִ֥יר שָׂ֝דֶ֗ה עַתּוּדִֽים׃
כז וְדֵ֤י ׀ חֲלֵ֬ב עִזִּ֗ים לְֽ֭לַחְמְךָ לְלֶ֣חֶם בֵּיתֶ֑ךָ וְ֝חַיִּ֗ים לְנַעֲרוֹתֶֽיךָ׃
כח א נָ֣סוּ וְאֵין־רֹדֵ֣ף רָשָׁ֑ע וְ֝צַדִּיקִ֗ים כִּכְפִ֥יר יִבְטָֽח׃ [עיין במבוא "מעלה ג"!]
ב בְּפֶ֣שַׁע אֶ֭רֶץ רַבִּ֣ים שָׂרֶ֑יהָ וּבְאָדָ֥ם מֵ֝בִ֗ין יֹדֵ֗עַ כֵּ֣ן יַאֲרִֽיךְ׃
ג גֶּ֣בֶר רָ֭שׁ וְעֹשֵׁ֣ק דַּלִּ֑ים מָטָ֥ר סֹ֝חֵ֗ף וְאֵ֣ין לָֽחֶם׃
ד עֹזְבֵ֣י ת֭וֹרָה יְהַֽלְל֣וּ רָשָׁ֑ע וְשֹׁמְרֵ֥י ת֝וֹרָ֗ה יִתְגָּ֥רוּ בָֽם׃

ה אַנְשֵׁי־רָ֭ע לֹא־יָבִ֣ינוּ מִשְׁפָּ֑ט וּמְבַקְשֵׁ֥י יְ֝הוָ֗ה יָבִ֥ינוּ כֹֽל׃
ו טֽוֹב־רָ֭שׁ הוֹלֵ֣ךְ בְּתֻמּ֑וֹ מֵעִקֵּ֥שׁ דְּ֝רָכַ֗יִם וְה֣וּא עָשִֽׁיר׃

ז נוֹצֵר תּוֹרָה בֵּן מֵבִין וְרֹעֶה זוֹלְלִים יַכְלִים אָבִיו׃
ח מַרְבֶּה הוֹנוֹ בְּנֶשֶׁךְ ובתרבית וְתַרְבִּית לְחוֹנֵן דַּלִּים יִקְבְּצֶנּוּ׃
ט מֵסִיר אָזְנוֹ מִשְּׁמֹעַ תּוֹרָה גַּם תְּפִלָּתוֹ תּוֹעֵבָה׃
י מַשְׁגֶּה יְשָׁרִים ׀ בְּדֶרֶךְ רָע בִּשְׁחוּתוֹ הוּא־יִפּוֹל
וּתְמִימִים יִנְחֲלוּ־טוֹב׃

יא חָכָם בְּעֵינָיו אִישׁ עָשִׁיר וְדַל מֵבִין יַחְקְרֶנּוּ׃
יב בַּעֲלֹץ צַדִּיקִים רַבָּה תִפְאָרֶת וּבְקוּם רְשָׁעִים יְחֻפַּשׂ אָדָם׃
יג מְכַסֶּה פְשָׁעָיו לֹא יַצְלִיחַ וּמוֹדֶה וְעֹזֵב יְרֻחָם׃
יד אַשְׁרֵי אָדָם מְפַחֵד תָּמִיד וּמַקְשֶׁה לִבּוֹ יִפּוֹל בְּרָעָה׃
טו אֲרִי־נֹהֵם וְדֹב שׁוֹקֵק מוֹשֵׁל רָשָׁע עַל עַם־דָּל׃
טז נָגִיד חֲסַר תְּבוּנוֹת וְרַב מַעֲשַׁקּוֹת
שנאי שֹׂנֵא בֶצַע יַאֲרִיךְ יָמִים׃

יז אָדָם עָשֻׁק בְּדַם־נָפֶשׁ עַד־בּוֹר יָנוּס אַל־יִתְמְכוּ־בוֹ׃
יח הוֹלֵךְ תָּמִים יִוָּשֵׁעַ וְנֶעְקַשׁ דְּרָכַיִם יִפּוֹל בְּאֶחָת׃
יט עֹבֵד אַדְמָתוֹ יִשְׂבַּע־לָחֶם וּמְרַדֵּף רֵיקִים יִשְׂבַּע־רִישׁ׃
כ אִישׁ אֱמוּנוֹת רַב־בְּרָכוֹת וְאָץ לְהַעֲשִׁיר לֹא יִנָּקֶה׃
כא הַכֵּר־פָּנִים לֹא־טוֹב וְעַל־פַּת־לֶחֶם יִפְשַׁע־גָּבֶר׃
כב נִבְהָל לַהוֹן אִישׁ רַע עָיִן וְלֹא־יֵדַע כִּי־חֶסֶר יְבֹאֶנּוּ׃
כג מוֹכִיחַ אָדָם אַחֲרַי חֵן יִמְצָא מִמַּחֲלִיק לָשׁוֹן׃
כד גּוֹזֵל ׀ אָבִיו וְאִמּוֹ וְאֹמֵר אֵין־פָּשַׁע
חָבֵר הוּא לְאִישׁ מַשְׁחִית׃
כה רְחַב־נֶפֶשׁ יְגָרֶה מָדוֹן וּבֹטֵחַ עַל־יְהוָה יְדֻשָּׁן׃
כו בּוֹטֵחַ בְּלִבּוֹ הוּא כְסִיל וְהוֹלֵךְ בְּחָכְמָה הוּא יִמָּלֵט׃

כז נוֹתֵ֣ן לָ֭רָשׁ אֵ֣ין מַחְס֑וֹר וּמַעְלִ֥ים עֵ֝ינָ֗יו רַב־מְאֵרֽוֹת׃
כח בְּק֣וּם רְ֭שָׁעִים יִסָּתֵ֣ר אָדָ֑ם וּ֝בְאָבְדָ֗ם יִרְבּ֥וּ צַדִּיקִֽים׃
כט א אִ֣ישׁ תּ֭וֹכָחוֹת מַקְשֶׁה־עֹ֑רֶף פֶּ֥תַע יִ֝שָּׁבֵ֗ר וְאֵ֣ין מַרְפֵּֽא׃
ב בִּרְב֣וֹת צַ֭דִּיקִים יִשְׂמַ֣ח הָעָ֑ם וּבִמְשֹׁ֥ל רָ֝שָׁ֗ע יֵאָ֥נַֽח עָֽם׃
ג אִֽישׁ־אֹהֵ֣ב חָ֭כְמָה יְשַׂמַּ֣ח אָבִ֑יו וְרֹעֶ֥ה ז֝וֹנ֗וֹת יְאַבֶּד־הֽוֹן׃
ד מֶ֗לֶךְ בְּ֭מִשְׁפָּט יַעֲמִ֣יד אָ֑רֶץ וְאִ֖ישׁ תְּרוּמ֣וֹת יֶהֶרְסֶֽנָּה׃
ה גֶּ֭בֶר מַחֲלִ֣יק עַל־רֵעֵ֑הוּ רֶ֝֗שֶׁת פּוֹרֵ֥שׂ עַל־פְּעָמָֽיו׃
ו בְּפֶ֤שַׁע אִ֣ישׁ רָ֣ע מוֹקֵ֑שׁ וְ֝צַדִּ֗יק יָר֥וּן וְשָׂמֵֽחַ׃
ז יֹדֵ֣עַ צַ֭דִּיק דִּ֣ין דַּלִּ֑ים רָ֝שָׁ֗ע לֹא־יָבִ֥ין דָּֽעַת׃
ח אַנְשֵׁ֣י לָ֭צוֹן יָפִ֣יחוּ קִרְיָ֑ה וַ֝חֲכָמִ֗ים יָשִׁ֥יבוּ אָֽף׃
ט אִֽישׁ־חָכָ֗ם נִ֭שְׁפָּט אֶת־אִ֣ישׁ אֱוִ֑יל וְרָגַ֥ז וְ֝שָׂחַ֗ק וְאֵ֣ין נָֽחַת׃
י אַנְשֵׁ֣י דָ֭מִים יִשְׂנְאוּ־תָ֑ם וִ֝ישָׁרִ֗ים יְבַקְשׁ֥וּ נַפְשֽׁוֹ׃
יא כָּל־ר֭וּחוֹ יוֹצִ֣יא כְסִ֑יל וְ֝חָכָ֗ם בְּאָח֥וֹר יְשַׁבְּחֶֽנָּה׃
יב מֹ֭שֵׁל מַקְשִׁ֣יב עַל־דְּבַר־שָׁ֑קֶר כָּֽל־מְשָׁרְתָ֥יו רְשָׁעִֽים׃
יג רָ֤שׁ וְאִ֣ישׁ תְּכָכִ֣ים נִפְגָּ֑שׁוּ מֵ֤אִֽיר עֵינֵ֖י שְׁנֵיהֶ֣ם יְהוָֽה׃
יד מֶ֤לֶךְ שׁוֹפֵ֣ט בֶּאֱמֶ֣ת דַּלִּ֑ים כִּ֝סְא֗וֹ לָעַ֥ד יִכּֽוֹן׃
טו שֵׁ֣בֶט וְ֭תוֹכַחַת יִתֵּ֣ן חָכְמָ֑ה וְנַ֥עַר מְ֝שֻׁלָּ֗ח מֵבִ֥ישׁ אִמּֽוֹ׃
טז בִּרְב֣וֹת רְ֭שָׁעִים יִרְבֶּה־פָּ֑שַׁע וְ֝צַדִּיקִ֗ים בְּמַפַּלְתָּ֥ם יִרְאֽוּ׃
יז יַסֵּ֣ר בִּ֭נְךָ וִינִיחֶ֑ךָ וְיִתֵּ֖ן מַעֲדַנִּ֣ים לְנַפְשֶֽׁךָ׃

יח בְּאֵ֣ין חָ֭זוֹן יִפָּ֣רַֽע עָ֑ם וְשֹׁמֵ֖ר תּוֹרָ֣ה אַשְׁרֵֽהוּ׃
יט בִּ֭דְבָרִים לֹא־יִוָּ֣סֶר עָ֑בֶד כִּֽי־יָ֝בִ֗ין וְאֵ֣ין מַעֲנֶֽה׃
כ חָזִ֗יתָ אִ֭ישׁ אָ֣ץ בִּדְבָרָ֑יו תִּקְוָ֖ה לִכְסִ֣יל מִמֶּֽנּוּ׃
כא מְפַנֵּ֣ק מִנֹּ֣עַר עַבְדּ֑וֹ וְ֝אַחֲרִית֗וֹ יִהְיֶ֥ה מָנֽוֹן׃
כב אִֽישׁ־אַ֭ף יְגָרֶ֣ה מָד֑וֹן וּבַ֖עַל חֵמָ֣ה רַב־פָּֽשַׁע׃

כג גַּאֲוַת אָדָם תַּשְׁפִּילֶנּוּ וּשְׁפַל־ר֝֗וּחַ יִתְמֹ֥ךְ כָּבֽוֹד׃
כד חוֹלֵ֣ק עִם־גַּ֭נָּב שׂוֹנֵ֣א נַפְשׁ֑וֹ אָלָ֥ה יִ֝שְׁמַ֗ע וְלֹ֣א יַגִּֽיד׃
כה חֶרְדַּ֣ת אָ֭דָם יִתֵּ֣ן מוֹקֵ֑שׁ וּבוֹטֵ֖חַ בַּיהוָ֣ה יְשֻׂגָּֽב׃
כו רַ֭בִּים מְבַקְשִׁ֣ים פְּנֵי־מוֹשֵׁ֑ל וּ֝מֵיְהוָ֗ה מִשְׁפַּט־אִֽישׁ׃
כז תּוֹעֲבַ֣ת צַ֭דִּיקִים אִ֣ישׁ עָ֑וֶל וְתוֹעֲבַ֖ת רָשָׁ֣ע יְשַׁר־דָּֽרֶךְ׃

ל

דִּבְרֵי פְּתִיחָה לְחָכְמַת אָגוּר:

א דִּבְרֵ֤י ׀ אָג֣וּר בִּן־יָקֶ֗ה הַמַּ֫שָּׂ֥א
נְאֻ֣ם הַ֭גֶּבֶר לְאִֽיתִיאֵ֑ל לְאִֽיתִיאֵ֥ל וְאֻכָֽל׃
ב כִּ֤י בַ֣עַר אָנֹכִ֣י מֵאִ֑ישׁ וְלֹֽא־בִינַ֖ת אָדָ֣ם לִֽי׃
ג וְֽלֹא־לָמַ֥דְתִּי חָכְמָ֑ה וְדַ֖עַת קְדֹשִׁ֣ים אֵדָֽע׃

מַחְלְטוּת חָכְמַת הַבּוֹרֵא:

ד מִ֤י עָלָֽה־שָׁמַ֨יִם ׀ וַיֵּרַ֗ד מִ֤י אָֽסַף־ר֨וּחַ ׀ בְּחָפְנָ֡יו
מִ֤י צָֽרַר־מַ֨יִם ׀ בַּשִּׂמְלָ֗ה מִ֭י הֵקִ֣ים כָּל־אַפְסֵי־אָ֑רֶץ
מַה־שְּׁמ֥וֹ וּמַֽה־שֶּׁם־בְּ֝נ֗וֹ כִּ֣י תֵדָֽע׃
ה כָּל־אִמְרַ֣ת אֱל֣וֹהַּ צְרוּפָ֑ה מָגֵ֥ן ה֝֗וּא לַֽחֹסִ֥ים בּֽוֹ׃
ו אַל־תּ֥וֹסְףְּ עַל־דְּבָרָ֑יו פֶּן־יוֹכִ֖יחַ בְּךָ֣ וְנִכְזָֽבְתָּ׃

מִשְׁאֲלוֹתָיו שֶׁל אָגוּר:

ז שְׁ֭תַּיִם שָׁאַ֣לְתִּי מֵאִתָּ֑ךְ אַל־תִּמְנַ֥ע מִ֝מֶּ֗נִּי בְּטֶ֣רֶם אָמֽוּת׃
ח שָׁ֤וְא ׀ וּֽדְבַר־כָּזָ֡ב הַרְחֵ֬ק מִמֶּ֗נִּי רֵ֣אשׁ וָ֭עֹשֶׁר אַל־תִּֽתֶּן־לִ֑י
הַ֝טְרִיפֵ֗נִי לֶ֣חֶם חֻקִּֽי׃
ט פֶּ֤ן אֶשְׂבַּ֨ע ׀ וְכִחַ֗שְׁתִּי וְאָמַ֫רְתִּי מִ֥י יְהוָ֑ה
וּפֶֽן־אִוָּרֵ֥שׁ וְגָנַ֑בְתִּי וְ֝תָפַ֗שְׂתִּי שֵׁ֣ם אֱלֹהָֽי׃

זְהִירוּת מִלָּשׁוֹן הָרָע:

י אַל־תַּלְשֵׁ֣ן עֶ֭בֶד אֶל־אֲדֹנָ֑ו פֶּֽן־יְקַלֶּלְךָ֥ וְאָשָֽׁמְתָּ׃
יא דּ֭וֹר אָבִ֣יו יְקַלֵּ֑ל וְאֶת־אִ֝מּ֗וֹ לֹ֣א יְבָרֵֽךְ׃
יב דּ֭וֹר טָה֣וֹר בְּעֵינָ֑יו וּ֝מִצֹּאָת֗וֹ לֹ֣א רֻחָֽץ׃

יג דּוֹר מָה־רָמוּ עֵינָיו | וְעַפְעַפָּיו יִנָּשֵׂאוּ׃
יד דּוֹר׀ חֲרָבוֹת שִׁנָּיו | וּמַאֲכָלוֹת מְתַלְּעֹתָיו
לֶאֱכֹל עֲנִיִּים מֵאֶרֶץ | וְאֶבְיוֹנִים מֵאָדָם׃

טו לַעֲלוּקָה׀ שְׁתֵּי בָנוֹת הַב׀ הַב | שָׁלוֹשׁ הֵנָּה לֹא תִשְׂבַּעְנָה
אַרְבַּע | לֹא־אָמְרוּ הוֹן׃
טז שְׁאוֹל וְעֹצֶר רָחַם | אֶרֶץ לֹא־שָׂבְעָה מַּיִם
יז וְאֵשׁ לֹא־אָמְרָה הוֹן׃ | עַיִן׀ תִּלְעַג לְאָב וְתָבוּז לִיקֲּהַת אֵם
יִקְּרוּהָ עֹרְבֵי־נַחַל | וְיֹאכְלוּהָ בְנֵי־נָשֶׁר׃

דִּמְיוֹן הַשְּׁאוֹל לַעֲלוּקָה וּלְאֵשׁ׃

עֹנֶשׁ הַבָּז לְהוֹרָיו׃

יח שְׁלֹשָׁה הֵמָּה נִפְלְאוּ מִמֶּנִּי | וארבע וְאַרְבָּעָה לֹא יְדַעְתִּים׃
יט דֶּרֶךְ הַנֶּשֶׁר׀ בַּשָּׁמַיִם | דֶּרֶךְ נָחָשׁ עֲלֵי צוּר
דֶּרֶךְ־אֳנִיָּה בְלֶב־יָם | וְדֶרֶךְ גֶּבֶר בְּעַלְמָה׃
כ כֵּן׀ דֶּרֶךְ אִשָּׁה מְנָאָפֶת | אָכְלָה וּמָחֲתָה פִיהָ
וְאָמְרָה | לֹא־פָעַלְתִּי אָוֶן׃

דְּבָרִים נִפְלָאִים חַסְרֵי עֲקֵבוֹת׃

כא תַּחַת שָׁלוֹשׁ רָגְזָה אֶרֶץ | וְתַחַת אַרְבַּע לֹא־תוּכַל שְׂאֵת׃
כב תַּחַת־עֶבֶד כִּי יִמְלוֹךְ | וְנָבָל כִּי יִשְׂבַּע־לָחֶם׃
כג תַּחַת שְׂנוּאָה כִּי תִבָּעֵל | וְשִׁפְחָה כִּי־תִירַשׁ גְּבִרְתָּהּ׃

דְּבָרִים בִּלְתִּי נִסְבָּלִים׃

כד אַרְבָּעָה הֵם קְטַנֵּי־אָרֶץ | וְהֵמָּה חֲכָמִים מְחֻכָּמִים׃
כה הַנְּמָלִים עַם לֹא־עָז | וַיָּכִינוּ בַקַּיִץ לַחְמָם׃
כו שְׁפַנִּים עַם לֹא־עָצוּם | וַיָּשִׂימוּ בַסֶּלַע בֵּיתָם׃
כז מֶלֶךְ אֵין לָאַרְבֶּה | וַיֵּצֵא חֹצֵץ כֻּלּוֹ׃
כח שְׂמָמִית בְּיָדַיִם תְּתַפֵּשׂ | וְהִיא בְּהֵיכְלֵי מֶלֶךְ׃

הַחֲכָמִים שֶׁבְּבַעֲלֵי הַחַיִּים הַקְּטַנִּים׃

חָכְמַת הַשִּׁלְטוֹן שֶׁבְּבַעֲלֵי הַחַיִּים׃

כט שְׁלֹשָׁה הֵמָּה מֵיטִיבֵי צָעַד וְאַרְבָּעָה מֵיטִבֵי לָכֶת׃
ל לַיִשׁ גִּבּוֹר בַּבְּהֵמָה וְלֹא־יָשׁוּב מִפְּנֵי־כֹל׃
לא זַרְזִיר מָתְנַיִם אוֹ־תָיִשׁ וּמֶלֶךְ אַלְקוּם עִמּוֹ׃

בְּמַעֲלַת הַהַבְלָגָה׃

לב אִם־נָבַלְתָּ בְהִתְנַשֵּׂא וְאִם־זַמּוֹתָ יָד לְפֶה׃
לג כִּי מִיץ חָלָב יוֹצִיא חֶמְאָה
וּמִיץ־אַף יוֹצִיא דָם וּמִיץ אַפַּיִם יוֹצִיא רִיב׃

[2935]

תּוֹכַחַת הָאֵם לְהִתְרַחֵק מִנָּשִׁים וּמִיַּיִן׃

לא א דִּבְרֵי לְמוּאֵל מֶלֶךְ מַשָּׂא אֲשֶׁר־יִסְּרַתּוּ אִמּוֹ׃
ב מַה־בְּרִי וּמַה־בַּר־בִּטְנִי וּמֶה בַּר־נְדָרָי׃
ג אַל־תִּתֵּן לַנָּשִׁים חֵילֶךָ וּדְרָכֶיךָ לַמְחוֹת מְלָכִין׃
ד אַל לַמְלָכִים ׀ לְמוֹאֵל אַל לַמְלָכִים שְׁתוֹ־יָיִן
וּלְרוֹזְנִים או אֵי שֵׁכָר׃
ה פֶּן־יִשְׁתֶּה וְיִשְׁכַּח מְחֻקָּק וִישַׁנֶּה דִּין כָּל־בְּנֵי־עֹנִי׃
ו תְּנוּ־שֵׁכָר לְאוֹבֵד וְיַיִן לְמָרֵי נָפֶשׁ׃
ז יִשְׁתֶּה וְיִשְׁכַּח רִישׁוֹ וַעֲמָלוֹ לֹא יִזְכָּר־עוֹד׃

תּוֹכָחָה לַמֶּלֶךְ לְהִתְנַהֵג בְּצֶדֶק׃

ח פְּתַח־פִּיךָ לְאִלֵּם אֶל־דִּין כָּל־בְּנֵי חֲלוֹף׃
ט פְּתַח־פִּיךָ שְׁפָט־צֶדֶק וְדִין עָנִי וְאֶבְיוֹן׃

מַעֲלַת אֵשֶׁת חַיִל וְשֶׁבַח מַעֲשֶׂיהָ׃

י אֵשֶׁת־חַיִל מִי יִמְצָא וְרָחֹק מִפְּנִינִים מִכְרָהּ׃
יא בָּטַח בָּהּ לֵב בַּעְלָהּ וְשָׁלָל לֹא יֶחְסָר׃
יב גְּמָלַתְהוּ טוֹב וְלֹא־רָע כֹּל יְמֵי חַיֶּיהָ׃
יג דָּרְשָׁה צֶמֶר וּפִשְׁתִּים וַתַּעַשׂ בְּחֵפֶץ כַּפֶּיהָ׃
יד הָיְתָה כָּאֳנִיּוֹת סוֹחֵר מִמֶּרְחָק תָּבִיא לַחְמָהּ׃

טו וַתָּקָם ׀ בְּעוֹד לַיְלָה וַתִּתֵּן טֶרֶף לְבֵיתָהּ וְחֹק לְנַעֲרֹתֶיהָ:
טז זָמְמָה שָׂדֶה וַתִּקָּחֵהוּ מִפְּרִי כַפֶּיהָ נָטְעָ כָּרֶם:
יז חָגְרָה בְעוֹז מָתְנֶיהָ וַתְּאַמֵּץ זְרוֹעֹתֶיהָ:
יח טָעֲמָה כִּי־טוֹב סַחְרָהּ לֹא־יִכְבֶּה בַלַּיְלָ נֵרָהּ:
יט יָדֶיהָ שִׁלְּחָה בַכִּישׁוֹר וְכַפֶּיהָ תָּמְכוּ פָלֶךְ:
כ כַּפָּהּ פָּרְשָׂה לֶעָנִי וְיָדֶיהָ שִׁלְּחָה לָאֶבְיוֹן:
כא לֹא־תִירָא לְבֵיתָהּ מִשָּׁלֶג כִּי כָל־בֵּיתָהּ לָבֻשׁ שָׁנִים:
כב מַרְבַדִּים עָשְׂתָה־לָּהּ שֵׁשׁ וְאַרְגָּמָן לְבוּשָׁהּ:
כג נוֹדָע בַּשְּׁעָרִים בַּעְלָהּ בְּשִׁבְתּוֹ עִם־זִקְנֵי־אָרֶץ:
כד סָדִין עָשְׂתָה וַתִּמְכֹּר וַחֲגוֹר נָתְנָה לַכְּנַעֲנִי:
כה עֹז־וְהָדָר לְבוּשָׁהּ וַתִּשְׂחַק לְיוֹם אַחֲרוֹן:
כו פִּיהָ פָּתְחָה בְחָכְמָה וְתוֹרַת חֶסֶד עַל־לְשׁוֹנָהּ:
כז צוֹפִיָּה הילכות הֲלִיכוֹת בֵּיתָהּ וְלֶחֶם עַצְלוּת לֹא תֹאכֵל:
כח קָמוּ בָנֶיהָ וַיְאַשְּׁרוּהָ בַּעְלָהּ וַיְהַלְלָהּ:
כט רַבּוֹת בָּנוֹת עָשׂוּ חָיִל וְאַתְּ עָלִית עַל־כֻּלָּנָה:
ל שֶׁקֶר הַחֵן וְהֶבֶל הַיֹּפִי אִשָּׁה יִרְאַת־יְהוָה הִיא תִתְהַלָּל:
לא תְּנוּ־לָהּ מִפְּרִי יָדֶיהָ וִיהַלְלוּהָ בַשְּׁעָרִים מַעֲשֶׂיהָ:

איוב

א א אִישׁ הָיָה בְאֶרֶץ־עוּץ אִיּוֹב שְׁמוֹ וְהָיָה ׀ הָאִישׁ הַהוּא תָּם וְיָשָׁר אִיּוֹב, צִדְקָתוֹ וְעָשְׁרוֹ:
ב וִירֵא אֱלֹהִים וְסָר מֵרָע: וַיִּוָּלְדוּ לוֹ שִׁבְעָה בָנִים וְשָׁלוֹשׁ בָּנוֹת:
ג וַיְהִי מִקְנֵהוּ שִׁבְעַת אַלְפֵי־צֹאן וּשְׁלֹשֶׁת אַלְפֵי גְמַלִּים וַחֲמֵשׁ
מֵאוֹת צֶמֶד־בָּקָר וַחֲמֵשׁ מֵאוֹת אֲתוֹנוֹת וַעֲבֻדָּה רַבָּה מְאֹד וַיְהִי
ד הָאִישׁ הַהוּא גָּדוֹל מִכָּל־בְּנֵי־קֶדֶם: וְהָלְכוּ בָנָיו וְעָשׂוּ מִשְׁתֶּה
בֵּית אִישׁ יוֹמוֹ וְשָׁלְחוּ וְקָרְאוּ לִשְׁלֹשֶׁת אַחְיֹתֵיהֶם לֶאֱכֹל
ה וְלִשְׁתּוֹת עִמָּהֶם: וַיְהִי כִּי הִקִּיפוּ יְמֵי הַמִּשְׁתֶּה וַיִּשְׁלַח אִיּוֹב
וַיְקַדְּשֵׁם וְהִשְׁכִּים בַּבֹּקֶר וְהֶעֱלָה עֹלוֹת מִסְפַּר כֻּלָּם כִּי אָמַר
אִיּוֹב אוּלַי חָטְאוּ בָנַי וּבֵרְכוּ אֱלֹהִים בִּלְבָבָם כָּכָה יַעֲשֶׂה אִיּוֹב
כָּל־הַיָּמִים:
ו וַיְהִי הַיּוֹם וַיָּבֹאוּ בְּנֵי הָאֱלֹהִים לְהִתְיַצֵּב עַל־יְהוָה וַיָּבוֹא קִטְרוּג הַשָּׂטָן עַל אִיּוֹב:
ז גַם־הַשָּׂטָן בְּתוֹכָם: וַיֹּאמֶר יְהוָה אֶל־הַשָּׂטָן מֵאַיִן תָּבֹא וַיַּעַן
ח הַשָּׂטָן אֶת־יְהוָה וַיֹּאמַר מִשּׁוּט בָּאָרֶץ וּמֵהִתְהַלֵּךְ בָּהּ: וַיֹּאמֶר
יְהוָה אֶל־הַשָּׂטָן הֲשַׂמְתָּ לִבְּךָ עַל־עַבְדִּי אִיּוֹב כִּי אֵין כָּמֹהוּ
ט בָּאָרֶץ אִישׁ תָּם וְיָשָׁר יְרֵא אֱלֹהִים וְסָר מֵרָע: וַיַּעַן הַשָּׂטָן
י אֶת־יְהוָה וַיֹּאמַר הַחִנָּם יָרֵא אִיּוֹב אֱלֹהִים: הֲלֹא־אַתָּה את שַׂכְתָּ
בַעֲדוֹ וּבְעַד־בֵּיתוֹ וּבְעַד כָּל־אֲשֶׁר־לוֹ מִסָּבִיב מַעֲשֵׂה יָדָיו
יא בֵּרַכְתָּ וּמִקְנֵהוּ פָּרַץ בָּאָרֶץ: וְאוּלָם שְׁלַח־נָא יָדְךָ וְגַע בְּכָל־
יב אֲשֶׁר־לוֹ אִם־לֹא עַל־פָּנֶיךָ יְבָרְכֶךָּ: וַיֹּאמֶר יְהוָה אֶל־הַשָּׂטָן הִנֵּה
כָל־אֲשֶׁר־לוֹ בְּיָדֶךָ רַק אֵלָיו אַל־תִּשְׁלַח יָדֶךָ וַיֵּצֵא הַשָּׂטָן מֵעִם
יג פְּנֵי יְהוָה: וַיְהִי הַיּוֹם וּבָנָיו וּבְנֹתָיו אֹכְלִים וְשֹׁתִים יַיִן בְּבֵית בְּשׂוֹרַת אִיּוֹב עַל אָבְדַן מָמוֹנוֹ וּבָנָיו:
יד אֲחִיהֶם הַבְּכוֹר: וּמַלְאָךְ בָּא אֶל־אִיּוֹב וַיֹּאמַר הַבָּקָר הָיוּ חֹרְשׁוֹת
טו וְהָאֲתֹנוֹת רֹעוֹת עַל־יְדֵיהֶם: וַתִּפֹּל שְׁבָא וַתִּקָּחֵם וְאֶת־הַנְּעָרִים

טו הִכּוּ לְפִי־חָרֶב וָאִמָּלְטָה רַק־אֲנִי לְבַדִּי לְהַגִּיד לָךְ׃ עוֹד ׀ זֶה
מְדַבֵּר וְזֶה בָּא וַיֹּאמַר אֵשׁ אֱלֹהִים נָפְלָה מִן־הַשָּׁמַיִם וַתִּבְעַר
בַּצֹּאן וּבַנְּעָרִים וַתֹּאכְלֵם וָאִמָּלְטָה רַק־אֲנִי לְבַדִּי לְהַגִּיד לָךְ׃
יז עוֹד ׀ זֶה מְדַבֵּר וְזֶה בָּא וַיֹּאמַר כַּשְׂדִּים שָׂמוּ ׀ שְׁלֹשָׁה רָאשִׁים
וַיִּפְשְׁטוּ עַל־הַגְּמַלִּים וַיִּקָּחוּם וְאֶת־הַנְּעָרִים הִכּוּ לְפִי־חָרֶב
יח וָאִמָּלְטָה רַק־אֲנִי לְבַדִּי לְהַגִּיד לָךְ׃ עַד זֶה מְדַבֵּר וְזֶה בָּא וַיֹּאמַר
יט בָּנֶיךָ וּבְנוֹתֶיךָ אֹכְלִים וְשֹׁתִים יַיִן בְּבֵית אֲחִיהֶם הַבְּכוֹר׃ וְהִנֵּה
רוּחַ גְּדוֹלָה בָּאָה ׀ מֵעֵבֶר הַמִּדְבָּר וַיִּגַּע בְּאַרְבַּע פִּנּוֹת הַבַּיִת
וַיִּפֹּל עַל־הַנְּעָרִים וַיָּמוּתוּ וָאִמָּלְטָה רַק־אֲנִי לְבַדִּי לְהַגִּיד לָךְ׃
כ וַיָּקָם אִיּוֹב וַיִּקְרַע אֶת־מְעִלוֹ וַיָּגָז אֶת־רֹאשׁוֹ וַיִּפֹּל אַרְצָה
כא וַיִּשְׁתָּחוּ׃ וַיֹּאמֶר עָרֹם יָצָתִי מִבֶּטֶן אִמִּי וְעָרֹם אָשׁוּב שָׁמָה יְהוָה (עֲמִידַת אִיּוֹב בְּנִסָּיוֹן:)
כב נָתַן וַיהוָה לָקָח יְהִי שֵׁם יְהוָה מְבֹרָךְ׃ בְּכָל־זֹאת לֹא־חָטָא אִיּוֹב
וְלֹא־נָתַן תִּפְלָה לֵאלֹהִים׃

ב א וַיְהִי הַיּוֹם וַיָּבֹאוּ בְּנֵי הָאֱלֹהִים לְהִתְיַצֵּב עַל־יְהוָה וַיָּבוֹא (עֲמִידַת אִיּוֹב בְּנִסְיוֹן יִסּוּרֵי גוּפוֹ:)
ב גַם־הַשָּׂטָן בְּתֹכָם לְהִתְיַצֵּב עַל־יְהוָה׃ וַיֹּאמֶר יְהוָה אֶל־הַשָּׂטָן
אֵי מִזֶּה תָּבֹא וַיַּעַן הַשָּׂטָן אֶת־יְהוָה וַיֹּאמַר מִשֻּׁט בָּאָרֶץ
ג וּמֵהִתְהַלֵּךְ בָּהּ׃ וַיֹּאמֶר יְהוָה אֶל־הַשָּׂטָן הֲשַׂמְתָּ לִבְּךָ אֶל־עַבְדִּי
אִיּוֹב כִּי אֵין כָּמֹהוּ בָּאָרֶץ אִישׁ תָּם וְיָשָׁר יְרֵא אֱלֹהִים וְסָר מֵרָע
ד וְעֹדֶנּוּ מַחֲזִיק בְּתֻמָּתוֹ וַתְּסִיתֵנִי בוֹ לְבַלְּעוֹ חִנָּם׃ וַיַּעַן הַשָּׂטָן
אֶת־יְהוָה וַיֹּאמַר עוֹר בְּעַד־עוֹר וְכֹל אֲשֶׁר לָאִישׁ יִתֵּן בְּעַד
ה נַפְשׁוֹ׃ אוּלָם שְׁלַח־נָא יָדְךָ וְגַע אֶל־עַצְמוֹ וְאֶל־בְּשָׂרוֹ אִם־לֹא
ו אֶל־פָּנֶיךָ יְבָרְכֶךָּ׃ וַיֹּאמֶר יְהוָה אֶל־הַשָּׂטָן הִנּוֹ בְיָדֶךָ אַךְ אֶת־
ז נַפְשׁוֹ שְׁמֹר׃ וַיֵּצֵא הַשָּׂטָן מֵאֵת פְּנֵי יְהוָה וַיַּךְ אֶת־אִיּוֹב בִּשְׁחִין
ח רָע מִכַּף רַגְלוֹ עד וְעַד קָדְקֳדוֹ׃ וַיִּקַּח־לוֹ חֶרֶשׂ לְהִתְגָּרֵד בּוֹ וְהוּא
ט יֹשֵׁב בְּתוֹךְ־הָאֵפֶר׃ וַתֹּאמֶר לוֹ אִשְׁתּוֹ עֹדְךָ מַחֲזִיק בְּתֻמָּתֶךָ בָּרֵךְ

י אֱלֹהִ֖ים וָמֻֽת׃ וַיֹּ֣אמֶר אֵלֶ֗יהָ כְּדַבֵּ֞ר אַחַ֤ת הַנְּבָלוֹת֙ תְּדַבֵּ֔רִי גַּ֣ם
אֶת־הַטּ֗וֹב נְקַבֵּל֙ מֵאֵ֣ת הָאֱלֹהִ֔ים וְאֶת־הָרָ֖ע לֹ֣א נְקַבֵּ֑ל בְּכָל־זֹ֕את
לֹא־חָטָ֥א אִיּ֖וֹב בִּשְׂפָתָֽיו׃
יא וַֽיִּשְׁמְע֞וּ שְׁלֹ֣שֶׁת ׀ רֵעֵ֣י אִיּ֗וֹב אֵ֣ת כָּל־הָרָעָ֣ה הַזֹּאת֮ הַבָּ֣אָה עָלָיו֒ בִּיאַת חַבְרֵי אִיּוֹב
וַיָּבֹ֙אוּ֙ אִ֣ישׁ מִמְּקֹמ֔וֹ אֱלִיפַ֣ז הַתֵּֽימָנִ֗י וּבִלְדַּד֙ הַשּׁוּחִ֔י וְצוֹפַ֖ר לְנַחֲמוֹ:
יב הַנַּעֲמָתִ֑י וַיִּוָּעֲד֣וּ יַחְדָּ֔ו לָב֥וֹא לָנֽוּד־ל֖וֹ וּֽלְנַחֲמֽוֹ׃ וַיִּשְׂא֨וּ אֶת־
עֵינֵיהֶ֤ם מֵֽרָחוֹק֙ וְלֹ֣א הִכִּיר֔וּהוּ וַיִּשְׂא֥וּ קוֹלָ֖ם וַיִּבְכּ֑וּ וַֽיִּקְרְעוּ֙ אִ֣ישׁ
יג מְעִל֔וֹ וַיִּזְרְק֥וּ עָפָ֛ר עַל־רָאשֵׁיהֶ֖ם הַשָּׁמָֽיְמָה׃ וַיֵּשְׁב֤וּ אִתּוֹ֙ לָאָ֔רֶץ
שִׁבְעַ֥ת יָמִ֖ים וְשִׁבְעַ֣ת לֵיל֑וֹת וְאֵין־דֹּבֵ֤ר אֵלָיו֙ דָּבָ֔ר כִּ֣י רָא֔וּ
יד כִּֽי־גָדַ֥ל הַכְּאֵ֖ב מְאֹֽד׃ אַחֲרֵי־כֵ֗ן פָּתַ֤ח אִיּוֹב֙ אֶת־פִּ֔יהוּ וַיְקַלֵּ֖ל
אֶת־יוֹמֽוֹ׃

ג א וַיַּ֥עַן אִיּ֗וֹב וַיֹּאמַֽר׃

ב יֹ֣אבַד י֭וֹם אִוָּ֣לֶד בּ֑וֹ   וְהַלַּ֥יְלָה אָ֝מַ֗ר הֹ֣רָה גָֽבֶר׃ קְלָלָה לִימֵי לֵדָתוֹ
ג הַיּ֥וֹם הַה֗וּא יְֽהִ֫י חֹ֥שֶׁךְ   אַֽל־יִדְרְשֵׁ֣הוּ אֱל֣וֹהַּ מִמָּ֑עַל וְעִבּוּרוֹ:
ד וְאַל־תּוֹפַ֖ע עָלָ֣יו נְהָרָֽה׃   יִגְאָלֻ֬הוּ חֹ֣שֶׁךְ וְ֭צַלְמָוֶת
תִּשְׁכָּן־עָלָ֣יו עֲנָנָ֑ה   יְ֝בַעֲתֻ֗הוּ כִּֽמְרִ֥ירֵי יֽוֹם׃
ה הַלַּ֥יְלָה הַהוּא֮ יִקָּחֵ֪הוּ אֹ֥פֶל   אַל־יִ֭חַדְּ בִּימֵ֣י שָׁנָ֑ה
ו בְּמִסְפַּ֥ר יְ֝רָחִ֗ים אַל־יָבֹֽא׃   הִנֵּ֤ה הַלַּ֣יְלָה הַ֭הוּא יְהִ֣י גַלְמ֑וּד
ז אַל־תָּ֖בֹא רְנָנָ֣ה בֽוֹ׃   יִקְּבֻ֥הוּ אֹרְרֵי־י֑וֹם
ח הָ֝עֲתִידִ֗ים עֹרֵ֥ר לִוְיָתָֽן׃   יֶחְשְׁכוּ֮ כּוֹכְבֵ֪י נִ֫שְׁפּ֥וֹ
יְקַו־לְא֥וֹר וָאַ֑יִן   וְאַל־יִ֝רְאֶ֗ה בְּעַפְעַפֵּי־שָֽׁחַר׃
ט כִּ֤י לֹ֣א סָ֭גַר דַּלְתֵ֣י בִטְנִ֑י   וַיַּסְתֵּ֥ר עָ֝מָ֗ל מֵעֵינָֽי׃ הִתְרַעֲמוּת וְהַעְדָּפַת
י לָ֤מָּה לֹּ֣א מֵרֶ֣חֶם אָמ֑וּת   מִבֶּ֖טֶן יָצָ֣אתִי וְאֶגְוָֽע׃ הַמָּוֶת:
יא מַ֭דּוּעַ קִדְּמ֣וּנִי בִרְכָּ֑יִם   וּמַה־שָּׁ֝דַ֗יִם כִּ֣י אִינָֽק׃
יב כִּֽי־עַ֭תָּה שָׁכַ֣בְתִּי וְאֶשְׁק֑וֹט   יָ֝שַׁ֗נְתִּי אָ֤ז ׀ יָנ֬וּחַֽ לִֽי׃

עִם־מְלָכִים וְיֹעֲצֵי אָרֶץ   הַבֹּנִים חֳרָבוֹת לָמוֹ: יג
אוֹ עִם־שָׂרִים זָהָב לָהֶם   הַמְמַלְאִים בָּתֵּיהֶם כָּסֶף: יד
אוֹ כְנֵפֶל טָמוּן לֹא אֶהְיֶה   כְּעֹלְלִים לֹא־רָאוּ אוֹר: טו
שָׁם רְשָׁעִים חָדְלוּ רֹגֶז   וְשָׁם יָנוּחוּ יְגִיעֵי כֹחַ: טז
יַחַד אֲסִירִים שַׁאֲנָנוּ   לֹא שָׁמְעוּ קוֹל נֹגֵשׂ: יז
קָטֹן וְגָדוֹל שָׁם הוּא   וְעֶבֶד חָפְשִׁי מֵאֲדֹנָיו: יח

מְאִיסָה בְּחַיֵּי יִסּוּרִים:

לָמָּה יִתֵּן לְעָמֵל אוֹר   וְחַיִּים לְמָרֵי נָפֶשׁ: יט
הַמְחַכִּים לַמָּוֶת וְאֵינֶנּוּ   וַיַּחְפְּרֻהוּ מִמַּטְמוֹנִים: כ
הַשְּׂמֵחִים אֱלֵי־גִיל   יָשִׂישׂוּ כִּי יִמְצְאוּ־קָבֶר: כא
לְגֶבֶר אֲשֶׁר־דַּרְכּוֹ נִסְתָּרָה   וַיָּסֶךְ אֱלוֹהַּ בַּעֲדוֹ: כב
כִּי־לִפְנֵי לַחְמִי אַנְחָתִי תָבֹא   וַיִּתְּכוּ כַמַּיִם שַׁאֲגֹתָי: כג
כִּי פַחַד פָּחַדְתִּי וַיֶּאֱתָיֵנִי   וַאֲשֶׁר יָגֹרְתִּי יָבֹא לִי: כד
לֹא שָׁלַוְתִּי ׀ וְלֹא שָׁקַטְתִּי וְלֹא־נָחְתִּי   וַיָּבֹא רֹגֶז: כה

וַיַּעַן אֱלִיפַז הַתֵּימָנִי וַיֹּאמַר: א ד

תּוֹכָחָה עַל חֻלְשָׁתוֹ בְּעֵת צָרָה:

הֲנִסָּה דָבָר אֵלֶיךָ תִּלְאֶה   וַעְצֹר בְּמִלִּין מִי יוּכָל: ב
הִנֵּה יִסַּרְתָּ רַבִּים   וְיָדַיִם רָפוֹת תְּחַזֵּק: ג
כּוֹשֵׁל יְקִימוּן מִלֶּיךָ   וּבִרְכַּיִם כֹּרְעוֹת תְּאַמֵּץ: ד
כִּי עַתָּה ׀ תָּבוֹא אֵלֶיךָ וַתֵּלֶא   תִּגַּע עָדֶיךָ וַתִּבָּהֵל: ה
הֲלֹא יִרְאָתְךָ כִּסְלָתֶךָ   תִּקְוָתְךָ וְתֹם דְּרָכֶיךָ: ו

אֵין עֹנֶשׁ בְּלֹא חֵטְא:

זְכָר־נָא מִי הוּא נָקִי אָבָד   וְאֵיפֹה יְשָׁרִים נִכְחָדוּ: ז
כַּאֲשֶׁר רָאִיתִי חֹרְשֵׁי אָוֶן   וְזֹרְעֵי עָמָל יִקְצְרֻהוּ: ח
מִנִּשְׁמַת אֱלוֹהַּ יֹאבֵדוּ   וּמֵרוּחַ אַפּוֹ יִכְלוּ: ט
שַׁאֲגַת אַרְיֵה וְקוֹל שָׁחַל   וְשִׁנֵּי כְפִירִים נִתָּעוּ: י
לַיִשׁ אֹבֵד מִבְּלִי־טָרֶף   וּבְנֵי לָבִיא יִתְפָּרָדוּ: יא
וְאֵלַי דָּבָר יְגֻנָּב   וַתִּקַּח אָזְנִי שֵׁמֶץ מֶנְהוּ: יב

יג בִּשְׂעִפִּים מֵחֶזְיֹנוֹת לָיְלָה | בִּנְפֹל תַּרְדֵּמָה עַל־אֲנָשִׁים׃ — חָזוֹן אֱלִיפַז׃
יד פַּחַד קְרָאַנִי וּרְעָדָה | וְרֹב עַצְמוֹתַי הִפְחִיד׃
טו וְרוּחַ עַל־פָּנַי יַחֲלֹף | תְּסַמֵּר שַׂעֲרַת בְּשָׂרִי׃
טז יַעֲמֹד | וְלֹא־אַכִּיר מַרְאֵהוּ | תְּמוּנָה לְנֶגֶד עֵינָי
יז דְּמָמָה וָקוֹל אֶשְׁמָע׃ | הַאֱנוֹשׁ מֵאֱלוֹהַּ יִצְדָּק — אָדָם לֹא יִטְעַן לַה׳׃
יח אִם מֵעֹשֵׂהוּ יִטְהַר־גָּבֶר׃ | הֵן בַּעֲבָדָיו לֹא יַאֲמִין
יט וּבְמַלְאָכָיו יָשִׂים תָּהֳלָה׃ | אַף | שֹׁכְנֵי בָתֵּי־חֹמֶר
אֲשֶׁר־בֶּעָפָר יְסוֹדָם | יְדַכְּאוּם לִפְנֵי־עָשׁ׃
כ מִבֹּקֶר לָעֶרֶב יֻכַּתּוּ | מִבְּלִי מֵשִׂים לָנֶצַח יֹאבֵדוּ׃
כא הֲלֹא־נִסַּע יִתְרָם בָּם | יָמוּתוּ וְלֹא בְחָכְמָה׃
ה א קְרָא־נָא הֲיֵשׁ עוֹנֶךָּ | וְאֶל־מִי מִקְּדֹשִׁים תִּפְנֶה׃
ב כִּי־לֶאֱוִיל יַהֲרָג־כָּעַשׂ | וּפֹתֶה תָּמִית קִנְאָה׃
ג אֲנִי־רָאִיתִי אֱוִיל מַשְׁרִישׁ | וָאֶקּוֹב נָוֵהוּ פִתְאֹם׃
ד יִרְחֲקוּ בָנָיו מִיֶּשַׁע | וְיִדַּכְּאוּ בַשַּׁעַר וְאֵין מַצִּיל׃
ה אֲשֶׁר קְצִירוֹ | רָעֵב יֹאכֵל | וְאֶל־מִצִּנִּים יִקָּחֵהוּ
ו וְשָׁאַף צַמִּים חֵילָם׃ | כִּי | לֹא־יֵצֵא מֵעָפָר אָוֶן
וּמֵאֲדָמָה | לֹא־יִצְמַח עָמָל׃
ז כִּי־אָדָם לְעָמָל יוּלָּד | וּבְנֵי־רֶשֶׁף יַגְבִּיהוּ עוּף׃
ח אוּלָם אֲנִי אֶדְרֹשׁ אֶל־אֵל | וְאֶל־אֱלֹהִים אָשִׂים דִּבְרָתִי׃ — הַנִּשְׁעָן בֵּאלֹהָיו
ט עֹשֶׂה גְדֹלוֹת וְאֵין חֵקֶר | נִפְלָאוֹת עַד־אֵין מִסְפָּר׃ — יֵעָזֵר בּוֹ׃
י הַנֹּתֵן מָטָר עַל־פְּנֵי־אָרֶץ | וְשֹׁלֵחַ מַיִם עַל־פְּנֵי חוּצוֹת׃
יא לָשׂוּם שְׁפָלִים לְמָרוֹם | וְקֹדְרִים שָׂגְבוּ יֶשַׁע׃
יב מֵפֵר מַחְשְׁבוֹת עֲרוּמִים | וְלֹא־תַעֲשֶׂנָה יְדֵיהֶם תּוּשִׁיָּה׃
יג לֹכֵד חֲכָמִים בְּעָרְמָם | וַעֲצַת נִפְתָּלִים נִמְהָרָה׃
יד יוֹמָם יְפַגְּשׁוּ־חֹשֶׁךְ | וְכַלַּיְלָה יְמַשְׁשׁוּ בַצָּהֳרָיִם׃

וַיֹּשַׁע מֵחֶרֶב מִפִּיהֶם   וּמִיַּד חָזָק אֶבְיוֹן׃ טו
וַתְּהִי לַדַּל תִּקְוָה   וְעֹלָתָה קָפְצָה פִּיהָ׃ טז
הִנֵּה אַשְׁרֵי אֱנוֹשׁ יוֹכִחֶנּוּ אֱלוֹהַ   וּמוּסַר שַׁדַּי אַל־תִּמְאָס׃ יז
התּוֹעֶלֶת בְּמוּסַר ה׳:
כִּי הוּא יַכְאִיב וְיֶחְבָּשׁ   יִמְחַץ וְיָדָו תִּרְפֶּינָה׃ יח
בְּשֵׁשׁ צָרוֹת יַצִּילֶךָּ   וּבְשֶׁבַע ׀ לֹא־יִגַּע בְּךָ רָע׃ יט
בְּרָעָב פָּדְךָ מִמָּוֶת   וּבְמִלְחָמָה מִידֵי חָרֶב׃ כ
בְּשׁוֹט לָשׁוֹן תֵּחָבֵא   וְלֹא־תִירָא מִשֹּׁד כִּי יָבוֹא׃ כא
לְשֹׁד וּלְכָפָן תִּשְׂחָק   וּמֵחַיַּת הָאָרֶץ אַל־תִּירָא׃ כב
כִּי עִם־אַבְנֵי הַשָּׂדֶה בְרִיתֶךָ   וְחַיַּת הַשָּׂדֶה הָשְׁלְמָה־לָךְ׃ כג
וְיָדַעְתָּ כִּי־שָׁלוֹם אָהֳלֶךָ   וּפָקַדְתָּ נָוְךָ וְלֹא תֶחֱטָא׃ כד
וְיָדַעְתָּ כִּי־רַב זַרְעֶךָ   וְצֶאֱצָאֶיךָ כְּעֵשֶׂב הָאָרֶץ׃ כה
תָּבוֹא בְכֶלַח אֱלֵי־קָבֶר   כַּעֲלוֹת גָּדִישׁ בְּעִתּוֹ׃ כו
הִנֵּה־זֹאת חֲקַרְנוּהָ כֶּן־הִיא   שְׁמָעֶנָּה וְאַתָּה דַע־לָךְ׃ כז

וַיַּעַן אִיּוֹב וַיֹּאמַר׃ ו א

לוּ שָׁקוֹל יִשָּׁקֵל כַּעְשִׂי   והיתי וְהַוָּתִי בְּמֹאזְנַיִם יִשְׂאוּ־יָחַד׃ ב
תֵּאוּר גֹּדֶל יִסּוּרָיו:
כִּי־עַתָּה מֵחוֹל יַמִּים יִכְבָּד   עַל־כֵּן דְּבָרַי לָעוּ׃ ג
כִּי חִצֵּי שַׁדַּי עִמָּדִי   אֲשֶׁר חֲמָתָם שֹׁתָה רוּחִי ד
בִּעוּתֵי אֱלוֹהַ יַעַרְכוּנִי׃   הֲיִנְהַק־פֶּרֶא עֲלֵי־דֶשֶׁא ה
אִם יִגְעֶה־שּׁוֹר   עַל־בְּלִילוֹ׃
הֲיֵאָכֵל תָּפֵל מִבְּלִי־מֶלַח   אִם־יֶשׁ־טַעַם בְּרִיר חַלָּמוּת׃ ו
מֵאֲנָה לִנְגּוֹעַ נַפְשִׁי   הֵמָּה כִּדְוֵי לַחְמִי׃ ז
מִי־יִתֵּן תָּבוֹא שֶׁאֱלָתִי   וְתִקְוָתִי יִתֵּן אֱלוֹהַ׃ ח
מִשְׁאַלְתּוֹ מֵה׳ לִטֹּל חַיָּיו מִמֶּנּוּ:
וְיֹאֵל אֱלוֹהַ וִידַכְּאֵנִי   יַתֵּר יָדוֹ וִיבַצְּעֵנִי׃ ט
וּתְהִי־עוֹד ׀ נֶחָמָתִי   וַאֲסַלְּדָה בְחִילָה לֹא יַחְמוֹל י
כִּי־לֹא כִחַדְתִּי   אִמְרֵי קָדוֹשׁ׃

יא מַה־כֹּחִי כִי־אֲיַחֵל וּמַה־קִּצִּי כִּי־אַאֲרִיךְ נַפְשִׁי׃
יב אִם־כֹּחַ אֲבָנִים כֹּחִי אִם־בְּשָׂרִי נָחוּשׁ׃
יג הַאִם אֵין עֶזְרָתִי בִי וְתֻשִׁיָּה נִדְּחָה מִמֶּנִּי׃
יד לַמָּס מֵרֵעֵהוּ חָסֶד וְיִרְאַת שַׁדַּי יַעֲזוֹב׃
טו אַחַי בָּגְדוּ כְמוֹ־נָחַל כַּאֲפִיק נְחָלִים יַעֲבֹרוּ׃ אַכְזָבָתוֹ מֵחֲבֵרָיו׃
טז הַקֹּדְרִים מִנִּי־קָרַח עָלֵימוֹ יִתְעַלֶּם־שָׁלֶג׃
יז בְּעֵת יְזֹרְבוּ נִצְמָתוּ בְּחֻמּוֹ נִדְעֲכוּ מִמְּקוֹמָם׃
יח יִלָּפְתוּ אָרְחוֹת דַּרְכָּם יַעֲלוּ בַתֹּהוּ וְיֹאבֵדוּ׃
יט הִבִּיטוּ אָרְחוֹת תֵּמָא הֲלִיכֹת שְׁבָא קִוּוּ־לָמוֹ׃
כ בֹּשׁוּ כִּי־בָטָח בָּאוּ עָדֶיהָ וַיֶּחְפָּרוּ׃
כא כִּי־עַתָּה הֱיִיתֶם לֹא תִּרְאוּ חֲתַת וַתִּירָאוּ׃ תְּלוּנָתוֹ עַל סִגְנוֹן
כב הֲכִי־אָמַרְתִּי הָבוּ לִי וּמִכֹּחֲכֶם שִׁחֲדוּ בַעֲדִי׃ תּוֹכַחַת חֲבֵרָיו׃
כג וּמַלְּטוּנִי מִיַּד־צָר וּמִיַּד עָרִיצִים תִּפְדּוּנִי׃
כד הוֹרוּנִי וַאֲנִי אַחֲרִישׁ וּמַה־שָּׁגִיתִי הָבִינוּ לִי׃
כה מַה־נִּמְרְצוּ אִמְרֵי־יֹשֶׁר וּמַה־יּוֹכִיחַ הוֹכֵחַ מִכֶּם׃
כו הַלְהוֹכַח מִלִּים תַּחְשֹׁבוּ וּלְרוּחַ אִמְרֵי נֹאָשׁ׃
כז אַף־עַל־יָתוֹם תַּפִּילוּ וְתִכְרוּ עַל־רֵיעֲכֶם׃
כח וְעַתָּה הוֹאִילוּ פְנוּ־בִי וְעַל־פְּנֵיכֶם אִם־אֲכַזֵּב׃
כט שֻׁבוּ־נָא אַל־תְּהִי עַוְלָה ושבי וְשֻׁבוּ עוֹד צִדְקִי־בָהּ׃
ל הֲיֵשׁ־בִּלְשׁוֹנִי עַוְלָה אִם־חִכִּי לֹא־יָבִין הַוּוֹת׃
ז א הֲלֹא־צָבָא לֶאֱנוֹשׁ על עֲלֵי־אָרֶץ וְכִימֵי שָׂכִיר יָמָיו׃ סֵבֶל הָאָדָם
ב כְּעֶבֶד יִשְׁאַף־צֵל וּכְשָׂכִיר יְקַוֶּה פָעֳלוֹ׃ בָּעוֹלָם׃
ג כֵּן הָנְחַלְתִּי לִי יַרְחֵי־שָׁוְא וְלֵילוֹת עָמָל מִנּוּ־לִי׃
ד אִם־שָׁכַבְתִּי וְאָמַרְתִּי מָתַי אָקוּם וּמִדַּד־עָרֶב
ה וְשָׂבַעְתִּי נְדֻדִים עֲדֵי־נָשֶׁף׃ לָבַשׁ בְּשָׂרִי רִמָּה

וגיש וְגוּשׁ עָפָר עוֹרִי רָגַע וַיִּמָּאֵס:

יָמַי קַלּוּ מִנִּי־אָרֶג וַיִּכְלוּ בְּאֶפֶס תִּקְוָה: ו

אַפְסוּת הָאָדָם:

זְכֹר כִּי־רוּחַ חַיָּי לֹא־תָשׁוּב עֵינִי לִרְאוֹת טוֹב: ז

לֹא־תְשׁוּרֵנִי עֵין רֹאִי עֵינֶיךָ בִּי וְאֵינֶנִּי: ח

כָּלָה עָנָן וַיֵּלַךְ כֵּן יוֹרֵד שְׁאוֹל לֹא יַעֲלֶה: ט

לֹא־יָשׁוּב עוֹד לְבֵיתוֹ וְלֹא־יַכִּירֶנּוּ עוֹד מְקֹמוֹ: י

טַעֲנוֹת אִיּוֹב עַל הַקְפָּדַת ה':

גַּם־אֲנִי לֹא אֶחֱשָׂךְ פִּי אֲדַבְּרָה בְּצַר רוּחִי יא

אָשִׂיחָה בְּמַר נַפְשִׁי:

הֲיָם־אָנִי אִם־תַּנִּין כִּי־תָשִׂים עָלַי מִשְׁמָר: יב

כִּי־אָמַרְתִּי תְּנַחֲמֵנִי עַרְשִׂי יִשָּׂא בְשִׂיחִי מִשְׁכָּבִי: יג

וְחִתַּתַּנִי בַחֲלֹמוֹת וּמֵחֶזְיֹנוֹת תְּבַעֲתַנִּי: יד

וַתִּבְחַר מַחֲנָק נַפְשִׁי מָוֶת מֵעַצְמוֹתָי: טו

מָאַסְתִּי לֹא־לְעֹלָם אֶחְיֶה חֲדַל מִמֶּנִּי כִּי־הֶבֶל יָמָי: טז

מָה־אֱנוֹשׁ כִּי תְגַדְּלֶנּוּ וְכִי־תָשִׁית אֵלָיו לִבֶּךָ: יז

וַתִּפְקְדֶנּוּ לִבְקָרִים לִרְגָעִים תִּבְחָנֶנּוּ: יח

כַּמָּה לֹא־תִשְׁעֶה מִמֶּנִּי לֹא־תַרְפֵּנִי עַד־בִּלְעִי רֻקִּי: יט

חָטָאתִי מָה אֶפְעַל ׀ לָךְ נֹצֵר הָאָדָם כ

לָמָה שַׂמְתַּנִי לְמִפְגָּע לָךְ וָאֶהְיֶה עָלַי לְמַשָּׂא:

וּמֶה ׀ לֹא־תִשָּׂא פִשְׁעִי וְתַעֲבִיר אֶת־עֲוֺנִי כא

כִּי־עַתָּה לֶעָפָר אֶשְׁכָּב וְשִׁחַרְתַּנִי וְאֵינֶנִּי:

ח א וַיַּעַן בִּלְדַּד הַשֻּׁחִי וַיֹּאמַר:

מַעֲנֶה לְטַעֲנוֹת אִיּוֹב כְּלַפֵּי ה':

עַד־אָן תְּמַלֶּל־אֵלֶּה וְרוּחַ כַּבִּיר אִמְרֵי־פִיךָ: ב

הַאֵל יְעַוֵּת מִשְׁפָּט וְאִם־שַׁדַּי יְעַוֵּת־צֶדֶק: ג

אִם־בָּנֶיךָ חָטְאוּ־לוֹ וַיְשַׁלְּחֵם בְּיַד־פִּשְׁעָם: ד

אִם־אַתָּה תְּשַׁחֵר אֶל־אֵל וְאֶל־שַׁדַּי תִּתְחַנָּן: ה

ו אִם־זַךְ וְיָשָׁר אָתָּה כִּי־עַתָּה יָעִיר עָלֶיךָ וְשִׁלַּם נְוַת צִדְקֶךָ:

ז וְהָיָה רֵאשִׁיתְךָ מִצְעָר וְאַחֲרִיתְךָ יִשְׂגֶּה מְאֹד:

ח כִּי־שְׁאַל־נָא לְדֹר רִישׁוֹן וְכוֹנֵן לְחֵקֶר אֲבוֹתָם: יֵשׁ לִלְמֹד מִדּוֹרוֹת רִאשׁוֹנִים:

ט כִּי־תְמוֹל אֲנַחְנוּ וְלֹא נֵדָע כִּי צֵל יָמֵינוּ עֲלֵי־אָרֶץ:

י הֲלֹא־הֵם יוֹרוּךָ יֹאמְרוּ לָךְ וּמִלִּבָּם יוֹצִאוּ מִלִּים:

יא הֲיִגְאֶה־גֹּמֶא בְּלֹא בִצָּה יִשְׂגֶּה־אָחוּ בְלִי־מָיִם: עַל הָרְשָׁעִים וּגְמוּלָם:

יב עֹדֶנּוּ בְאִבּוֹ לֹא יִקָּטֵף וְלִפְנֵי כָל־חָצִיר יִיבָשׁ:

יג כֵּן אָרְחוֹת כָּל־שֹׁכְחֵי אֵל וְתִקְוַת חָנֵף תֹּאבֵד:

יד אֲשֶׁר־יָקוֹט כִּסְלוֹ וּבֵית עַכָּבִישׁ מִבְטַחוֹ:

טו יִשָּׁעֵן עַל־בֵּיתוֹ וְלֹא יַעֲמֹד יַחֲזִיק בּוֹ וְלֹא יָקוּם:

טז רָטֹב הוּא לִפְנֵי־שָׁמֶשׁ וְעַל־גַּנָּתוֹ יֹנַקְתּוֹ תֵצֵא: עַל הַצַּדִּיקִים וּשְׂכָרָם:

יז עַל־גַּל שָׁרָשָׁיו יְסֻבָּכוּ בֵּית אֲבָנִים יֶחֱזֶה:

יח אִם־יְבַלְּעֶנּוּ מִמְּקֹמוֹ וְכִחֶשׁ בּוֹ לֹא רְאִיתִיךָ:

יט הֶן־הוּא מְשׂוֹשׂ דַּרְכּוֹ וּמֵעָפָר אַחֵר יִצְמָחוּ:

כ הֶן־אֵל לֹא יִמְאַס־תָּם וְלֹא־יַחֲזִיק בְּיַד־מְרֵעִים: דְּבַר עִדּוּד וְנֶחָמָה:

כא עַד־יְמַלֵּה שְׂחוֹק פִּיךָ וּשְׂפָתֶיךָ תְרוּעָה:

כב שֹׂנְאֶיךָ יִלְבְּשׁוּ־בֹשֶׁת וְאֹהֶל רְשָׁעִים אֵינֶנּוּ:

ט א וַיַּעַן אִיּוֹב וַיֹּאמַר:

ב אָמְנָם יָדַעְתִּי כִי־כֵן וּמַה־יִּצְדַּק אֱנוֹשׁ עִם־אֵל: תֵּאוּר גְּבוּרוֹת ה׳:

ג אִם־יַחְפֹּץ לָרִיב עִמּוֹ לֹא־יַעֲנֶנּוּ אַחַת מִנִּי־אָלֶף:

ד חֲכַם לֵבָב וְאַמִּיץ כֹּחַ מִי־הִקְשָׁה אֵלָיו וַיִּשְׁלָם:

ה הַמַּעְתִּיק הָרִים וְלֹא יָדָעוּ אֲשֶׁר הֲפָכָם בְּאַפּוֹ:

ו הַמַּרְגִּיז אֶרֶץ מִמְּקוֹמָהּ וְעַמּוּדֶיהָ יִתְפַּלָּצוּן:

ז הָאֹמֵר לַחֶרֶס וְלֹא יִזְרָח וּבְעַד כּוֹכָבִים יַחְתֹּם:

ח נֹטֶה שָׁמַיִם לְבַדּוֹ וְדוֹרֵךְ עַל־בָּמֳתֵי יָם:

עֹֽשֶׂה־עָשׁ כְּסִיל וְכִימָה   וְחַדְרֵי תֵמָן: ט
עֹשֶׂה גְדֹלוֹת עַד־אֵין חֵקֶר   וְנִפְלָאוֹת עַד־אֵין מִסְפָּר: י
הֵן יַעֲבֹר עָלַי וְלֹא אֶרְאֶה   וְיַחֲלֹף וְלֹא־אָבִין לוֹ: יא
הֵן יַחְתֹּף מִי יְשִׁיבֶנּוּ   מִי־יֹאמַר אֵלָיו מַה־תַּעֲשֶׂה: יב
אֱלוֹהַּ לֹא־יָשִׁיב אַפּוֹ   תַּחְתָּו שָׁחֲחוּ עֹזְרֵי רָהַב: יג

הַרְגָּשַׁת אַפְסוּתוֹ מוּל ה׳:

אַף כִּי־אָנֹכִי אֶעֱנֶנּוּ   אֶבְחֲרָה דְבָרַי עִמּוֹ: יד
אֲשֶׁר אִם־צָדַקְתִּי לֹא אֶעֱנֶה   לִמְשֹׁפְטִי אֶתְחַנָּן: טו
אִם־קָרָאתִי וַיַּעֲנֵנִי   לֹא־אַאֲמִין כִּי־יַאֲזִין קוֹלִי: טז
אֲשֶׁר־בִּשְׂעָרָה יְשׁוּפֵנִי   וְהִרְבָּה פְצָעַי חִנָּם: יז
לֹא־יִתְּנֵנִי הָשֵׁב רוּחִי   כִּי יַשְׂבִּעַנִי מַמְּרֹרִים: יח
אִם־לְכֹחַ אַמִּיץ הִנֵּה   וְאִם־לְמִשְׁפָּט מִי יוֹעִידֵנִי: יט
אִם־אֶצְדָּק פִּי יַרְשִׁיעֵנִי   תָּם־אָנִי וַיַּעְקְשֵׁנִי: כ
תָּם־אָנִי לֹא־אֵדַע נַפְשִׁי   אֶמְאַס חַיָּי: כא

תְּמִיהָה עַל הַצְלָחַת הָרְשָׁעִים:

אַחַת הִיא עַל־כֵּן אָמַרְתִּי   תָּם וְרָשָׁע הוּא מְכַלֶּה: כב
אִם־שׁוֹט יָמִית פִּתְאֹם   לְמַסַּת נְקִיִּם יִלְעָג: כג
אֶרֶץ ׀ נִתְּנָה בְיַד־רָשָׁע   פְּנֵי־שֹׁפְטֶיהָ יְכַסֶּה כד
אִם־לֹא אֵפוֹא מִי־הוּא: וְיָמַי קַלּוּ מִנִּי־רָץ כה
בָּרְחוּ   לֹא־רָאוּ טוֹבָה:
חָלְפוּ עִם־אֳנִיּוֹת אֵבֶה   כְּנֶשֶׁר יָטוּשׂ עֲלֵי־אֹכֶל: כו
אִם־אָמְרִי אֶשְׁכְּחָה שִׂיחִי   אֶעֶזְבָה פָנַי וְאַבְלִיגָה: כז
יָגֹרְתִּי כָל־עַצְּבֹתָי   יָדַעְתִּי כִּי־לֹא תְנַקֵּנִי: כח
אָנֹכִי אֶרְשָׁע   לָמָּה־זֶּה הֶבֶל אִיגָע: כט
אִם־הִתְרָחַצְתִּי במו בְמֵי־שָׁלֶג   וַהֲזִכּוֹתִי בְּבֹר כַּפָּי: ל
אָז בַּשַּׁחַת תִּטְבְּלֵנִי   וְתִעֲבוּנִי שַׂלְמוֹתָי: לא

אִי יְכֹלֶת לָדוּן עִם ה׳:

כִּי־לֹא־אִישׁ כָּמֹנִי אֶעֱנֶנּוּ   נָבוֹא יַחְדָּו בַּמִּשְׁפָּט: לב

לג לֹ֣א יֵשׁ־בֵּינֵ֣ינוּ מוֹכִ֑יחַ יָשֵׁ֖ת יָד֣וֹ עַל־שְׁנֵֽינוּ׃
לד יָסֵ֣ר מֵעָלַ֣י שִׁבְט֑וֹ וְ֝אֵמָת֗וֹ אַל־תְּבַעֲתַֽנִּי׃
לה אֲ֭דַבְּרָה וְלֹ֣א אִירָאֶ֑נּוּ כִּ֤י לֹא־כֵ֖ן אָנֹכִ֣י עִמָּדִֽי׃
י א נָ֘קְטָ֤ה נַפְשִׁ֗י בְּֽחַ֫יָּ֥י אֶֽעֶזְבָ֣ה עָלַ֣י שִׂיחִ֑י
ב אֲ֝דַבְּרָ֗ה בְּמַ֣ר נַפְשִֽׁי׃ אֹמַ֣ר אֶל־אֱ֭לוֹהַּ
אַל־תַּרְשִׁיעֵ֑נִי ה֝וֹדִיעֵ֗נִי עַ֣ל מַה־תְּרִיבֵֽנִי׃
ג הֲט֤וֹב לְךָ֨ ׀ כִּֽי־תַעֲשֹׁ֗ק כִּֽי־תִ֭מְאַס יְגִ֣יעַ כַּפֶּ֑יךָ
ד וְעַל־עֲצַ֖ת רְשָׁעִ֣ים הוֹפָֽעְתָּ׃ הַעֵינֵ֣י בָשָׂ֣ר לָ֑ךְ
ה אִם־כִּרְא֖וֹת אֱנ֣וֹשׁ תִּרְאֶֽה׃ הֲ֭כִימֵי אֱנ֣וֹשׁ יָמֶ֑יךָ
ו אִם־֝שְׁנוֹתֶ֗יךָ כִּ֣ימֵי גָֽבֶר׃ כִּֽי־תְבַקֵּ֥שׁ לַעֲוֺנִ֑י
ז וּֽלְחַטָּאתִ֥י תִדְרֽוֹשׁ׃ עַֽל־דַּ֭עְתְּךָ כִּי־לֹ֣א אֶרְשָׁ֑ע
ח וְאֵ֖ין מִיָּדְךָ֣ מַצִּֽיל׃ יָדֶ֣יךָ ֭עִצְּבוּנִי וַֽיַּעֲשׂ֑וּנִי
ט יַ֥חַד ׀ סָ֝בִ֗יב וַתְּבַלְּעֵֽנִי׃ זְכָר־נָ֭א כִּֽי־כַחֹ֣מֶר עֲשִׂיתָ֑נִי
י וְאֶל־עָפָ֥ר תְּשִׁיבֵֽנִי׃ הֲלֹ֣א ֭כֶחָלָב תַּתִּיכֵ֑נִי
יא וְ֝כַגְּבִנָּ֗ה תַּקְפִּיאֵֽנִי׃ ע֣וֹר ֭וּבָשָׂר תַּלְבִּישֵׁ֑נִי
יב וּֽבַעֲצָמ֥וֹת ו֝גִידִ֗ים תְּשֹׂכְכֵֽנִי׃ חַיִּ֣ים ֭וָחֶסֶד עָשִׂ֣יתָ עִמָּדִ֑י
יג וּ֝פְקֻדָּתְךָ֗ שָֽׁמְרָ֥ה רוּחִֽי׃ וְ֭אֵלֶּה צָפַ֣נְתָּ בִלְבָבֶ֑ךָ
יד יָ֝דַ֗עְתִּי כִּי־זֹ֥את עִמָּֽךְ׃ אִם־חָ֭טָאתִי וּשְׁמַרְתָּ֑נִי
טו וּ֝מֵעֲוֺנִ֗י לֹ֣א תְנַקֵּֽנִי׃ אִם־רָשַׁ֡עְתִּי אַֽלְלַ֬י לִ֗י
וְ֭צָדַקְתִּי לֹא־אֶשָּׂ֣א רֹאשִׁ֑י שְׂבַ֥ע קָ֝ל֗וֹן וּרְאֵ֥ה עָנְיִֽי׃
טז וְיִגְאֶ֗ה כַּשַּׁ֥חַל תְּצוּדֵ֑נִי וְ֝תָשֹׁ֗ב תִּֽתְפַּלָּא־בִֽי׃
יז תְּחַדֵּ֪שׁ עֵדֶ֡יךָ ׀ נֶגְדִּ֗י וְתֶ֣רֶב ֭כַּעַשְׂךָ עִמָּדִ֑י
יח חֲלִיפ֖וֹת וְצָבָ֣א עִמִּֽי׃ וְלָ֣מָּה ֭מֵרֶחֶם הֹצֵאתָ֑נִי
אֶ֝גְוַ֗ע וְעַ֣יִן לֹא־תִרְאֵֽנִי׃
יט כַּאֲשֶׁ֣ר לֹא־הָ֭יִיתִי אֶהְיֶ֑ה מִ֝בֶּ֗טֶן לַקֶּ֥בֶר אוּבָֽל׃

תְּלוּנָה עַל מִשְׁפְּטֵי ה׳:

-עַל בְּרִיאָתוֹ לְמָרוֹת חֲטָאָיו בֶּעָתִיד:

דִּקְדּוּק הַדִּין:

טוֹב לְאָדָם אִם לֹא נִבְרָא:

כ הֲלֹא־מְעַט יָמַי יחדל וַחֲדָל ישית וְשִׁית מִמֶּנִּי וְאַבְלִיגָה מְּעָט׃
כא בְּטֶרֶם אֵלֵךְ וְלֹא אָשׁוּב אֶל־אֶרֶץ חֹשֶׁךְ וְצַלְמָוֶת׃
כב אֶרֶץ עֵיפָתָה׀ כְּמוֹ אֹפֶל צַלְמָוֶת וְלֹא סְדָרִים וַתֹּפַע כְּמוֹ־אֹפֶל׃

יא א וַיַּעַן צֹפַר הַנַּעֲמָתִי וַיֹּאמַר׃

ב הֲרֹב דְּבָרִים לֹא יֵעָנֶה וְאִם־אִישׁ שְׂפָתַיִם יִצְדָּק׃ תּוֹכָחָה לְאִיּוֹב עַל דְּבָרָיו:
ג בַּדֶּיךָ מְתִים יַחֲרִישׁוּ וַתִּלְעַג וְאֵין מַכְלִם׃
ד וַתֹּאמֶר זַךְ לִקְחִי וּבַר הָיִיתִי בְעֵינֶיךָ׃
ה וְאוּלָם מִי־יִתֵּן אֱלוֹהַּ דַּבֵּר וְיִפְתַּח שְׂפָתָיו עִמָּךְ׃
ו וְיַגֶּד־לְךָ׀ תַּעֲלֻמוֹת חָכְמָה כִּי־כִפְלַיִם לְתוּשִׁיָּה
וְדַע כִּי־יַשֶּׁה לְךָ אֱלוֹהַּ מֵעֲוֺנֶךָ׃
ז הַחֵקֶר אֱלוֹהַּ תִּמְצָא אִם עַד־תַּכְלִית שַׁדַּי תִּמְצָא׃ אֵין חֵקֶר לִגְדֻלַּת ה':
ח גָּבְהֵי שָׁמַיִם מַה־תִּפְעָל עֲמֻקָּה מִשְּׁאוֹל מַה־תֵּדָע׃
ט אֲרֻכָּה מֵאֶרֶץ מִדָּהּ וּרְחָבָה מִנִּי־יָם׃
י אִם־יַחֲלֹף וְיַסְגִּיר וְיַקְהִיל וּמִי יְשִׁיבֶנּוּ׃
יא כִּי־הוּא יָדַע מְתֵי־שָׁוְא וַיַּרְא־אָוֶן וְלֹא יִתְבּוֹנָן׃
יב וְאִישׁ נָבוּב יִלָּבֵב וְעַיִר פֶּרֶא אָדָם יִוָּלֵד׃
יג אִם־אַתָּה הֲכִינוֹתָ לִבֶּךָ וּפָרַשְׂתָּ אֵלָיו כַּפֶּךָ׃ תּוֹעֶלֶת הַתְּשׁוּבָה:
יד אִם־אָוֶן בְּיָדְךָ הַרְחִיקֵהוּ וְאַל־תַּשְׁכֵּן בְּאֹהָלֶיךָ עַוְלָה׃
טו כִּי־אָז׀ תִּשָּׂא פָנֶיךָ מִמּוּם וְהָיִיתָ מֻצָק וְלֹא תִירָא׃
טז כִּי־אַתָּה עָמָל תִּשְׁכָּח כְּמַיִם עָבְרוּ תִזְכֹּר׃
יז וּמִצָּהֳרַיִם יָקוּם חָלֶד תָּעֻפָה כַּבֹּקֶר תִּהְיֶה׃
יח וּבָטַחְתָּ כִּי־יֵשׁ תִּקְוָה וְחָפַרְתָּ לָבֶטַח תִּשְׁכָּב׃
יט וְרָבַצְתָּ וְאֵין מַחֲרִיד וְחִלּוּ פָנֶיךָ רַבִּים׃
כ וְעֵינֵי רְשָׁעִים תִּכְלֶינָה וּמָנוֹס אָבַד מִנְהֶם
וְתִקְוָתָם מַפַּח־נָפֶשׁ׃

יב א וַיַּעַן אִיּוֹב וַיֹּאמַר:

ב אָמְנָם כִּי אַתֶּם־עָם וְעִמָּכֶם תָּמוּת חָכְמָה: חֲשִׁיבוּת אִיּוֹב מוּל רֵעָיו:

ג גַּם־לִי לֵבָב | כְּמוֹכֶם לֹא־נֹפֵל אָנֹכִי מִכֶּם

ד וְאֶת־מִי־אֵין כְּמוֹ־אֵלֶּה: שְׂחֹק לְרֵעֵהוּ | אֶהְיֶה

קֹרֵא לֶאֱלוֹהַּ וַיַּעֲנֵהוּ שְׂחוֹק צַדִּיק תָּמִים:

ה לַפִּיד בּוּז לְעַשְׁתּוּת שַׁאֲנָן נָכוֹן לְמוֹעֲדֵי רָגֶל:

ו יִשְׁלָיוּ אֹהָלִים | לְשֹׁדְדִים וּבַטֻּחוֹת לְמַרְגִּיזֵי אֵל

ז לַאֲשֶׁר הֵבִיא אֱלוֹהַּ בְּיָדוֹ: וְאוּלָם שְׁאַל־נָא בְהֵמוֹת וְתֹרֶךָּ אֵין דָּבָר נֶעְלָם מֵעֵינֵי ה':

וְעוֹף הַשָּׁמַיִם וְיַגֶּד־לָךְ:

ח אוֹ שִׂיחַ לָאָרֶץ וְתֹרֶךָּ וִיסַפְּרוּ לְךָ דְּגֵי הַיָּם:

ט מִי לֹא־יָדַע בְּכָל־אֵלֶּה כִּי יַד־יְהֹוָה עָשְׂתָה זֹּאת:

י אֲשֶׁר בְּיָדוֹ נֶפֶשׁ כָּל־חָי וְרוּחַ כָּל־בְּשַׂר־אִישׁ:

יא הֲלֹא־אֹזֶן מִלִּין תִּבְחָן וְחֵךְ אֹכֶל יִטְעַם־לוֹ:

יב בִּישִׁישִׁים חָכְמָה וְאֹרֶךְ יָמִים תְּבוּנָה:

יג עִמּוֹ חָכְמָה וּגְבוּרָה לוֹ עֵצָה וּתְבוּנָה:

יד הֵן יַהֲרוֹס וְלֹא יִבָּנֶה יִסְגֹּר עַל־אִישׁ וְלֹא יִפָּתֵחַ: הַהַשְׁגָּחָה הַפְּרָטִית:

טו הֵן יַעְצֹר בַּמַּיִם וְיִבָשׁוּ וִישַׁלְּחֵם וְיַהַפְכוּ אָרֶץ:

טז עִמּוֹ עֹז וְתוּשִׁיָּה לוֹ שֹׁגֵג וּמַשְׁגֶּה:

יז מוֹלִיךְ יוֹעֲצִים שׁוֹלָל וְשֹׁפְטִים יְהוֹלֵל:

יח מוּסַר מְלָכִים פִּתֵּחַ וַיֶּאְסֹר אֵזוֹר בְּמָתְנֵיהֶם:

יט מוֹלִיךְ כֹּהֲנִים שׁוֹלָל וְאֵתָנִים יְסַלֵּף:

כ מֵסִיר שָׂפָה לְנֶאֱמָנִים וְטַעַם זְקֵנִים יִקָּח:

כא שׁוֹפֵךְ בּוּז עַל־נְדִיבִים וּמְזִיחַ אֲפִיקִים רִפָּה:

כב מְגַלֶּה עֲמֻקוֹת מִנִּי־חֹשֶׁךְ וַיֹּצֵא לָאוֹר צַלְמָוֶת:

כג מַשְׂגִּיא לַגּוֹיִם וַיְאַבְּדֵם שֹׁטֵחַ לַגּוֹיִם וַיַּנְחֵם:

מֵסִיר לֵב רָאשֵׁי עַם־הָאָרֶץ וַיַּתְעֵם בְּתֹהוּ לֹא־דָרֶךְ׃ כד
יְמַשְׁשׁוּ־חֹשֶׁךְ וְלֹא־אוֹר וַיַּתְעֵם כַּשִּׁכּוֹר׃ כה
תּוֹכַחַת אִיּוֹב לְרֵעָיו׃
הֶן־כֹּל רָאֲתָה עֵינִי שָׁמְעָה אָזְנִי וַתָּבֶן לָהּ׃ א יג
כְּדַעְתְּכֶם יָדַעְתִּי גַם־אָנִי לֹא־נֹפֵל אָנֹכִי מִכֶּם׃ ב
אוּלָם אֲנִי אֶל־שַׁדַּי אֲדַבֵּר וְהוֹכֵחַ אֶל־אֵל אֶחְפָּץ׃ ג
וְאוּלָם אַתֶּם טֹפְלֵי־שָׁקֶר רֹפְאֵי אֱלִל כֻּלְּכֶם׃ ד
מִי־יִתֵּן הַחֲרֵשׁ תַּחֲרִישׁוּן וּתְהִי לָכֶם לְחָכְמָה׃ ה
שִׁמְעוּ־נָא תוֹכַחְתִּי וְרִבוֹת שְׂפָתַי הַקְשִׁיבוּ׃ ו
הַלְאֵל תְּדַבְּרוּ עַוְלָה וְלוֹ תְּדַבְּרוּ רְמִיָּה׃ ז
הֲפָנָיו תִּשָּׂאוּן אִם־לָאֵל תְּרִיבוּן׃ ח
הֲטוֹב כִּי־יַחְקֹר אֶתְכֶם אִם־כְּהָתֵל בֶּאֱנוֹשׁ תְּהָתֵלּוּ בוֹ׃ ט
הוֹכֵחַ יוֹכִיחַ אֶתְכֶם אִם־בַּסֵּתֶר פָּנִים תִּשָּׂאוּן׃ י
הֲלֹא שְׂאֵתוֹ תְּבַעֵת אֶתְכֶם וּפַחְדּוֹ יִפֹּל עֲלֵיכֶם׃ יא
זִכְרֹנֵיכֶם מִשְׁלֵי־אֵפֶר לְגַבֵּי־חֹמֶר גַּבֵּיכֶם׃ יב
הַחֲרִישׁוּ מִמֶּנִּי וַאֲדַבְּרָה־אָנִי וְיַעֲבֹר עָלַי מָה׃ יג
עַל־מָה ׀ אֶשָּׂא בְשָׂרִי בְשִׁנָּי וְנַפְשִׁי אָשִׂים בְּכַפִּי׃ יד
צִדְקַת דִּבְרֵי אִיּוֹב בְּעֵינֵי עַצְמוֹ׃
הֵן יִקְטְלֵנִי לא לוֹ אֲיַחֵל אַךְ־דְּרָכַי אֶל־פָּנָיו אוֹכִיחַ׃ טו
גַּם־הוּא־לִי לִישׁוּעָה כִּי־לֹא לְפָנָיו חָנֵף יָבוֹא׃ טז
שִׁמְעוּ שָׁמוֹעַ מִלָּתִי וְאַחֲוָתִי בְּאָזְנֵיכֶם׃ יז
הִנֵּה־נָא עָרַכְתִּי מִשְׁפָּט יָדַעְתִּי כִּי־אֲנִי אֶצְדָּק׃ יח
מִי־הוּא יָרִיב עִמָּדִי כִּי־עַתָּה אַחֲרִישׁ וְאֶגְוָע׃ יט
בַּקָּשַׁת אִיּוֹב לְהַפְסִיק יִסּוּרָיו׃
אַךְ־שְׁתַּיִם אַל־תַּעַשׂ עִמָּדִי אָז מִפָּנֶיךָ לֹא אֶסָּתֵר׃ כ
כַּפְּךָ מֵעָלַי הַרְחַק וְאֵמָתְךָ אַל־תְּבַעֲתַנִּי׃ כא
וּקְרָא וְאָנֹכִי אֶעֱנֶה אוֹ־אֲדַבֵּר וַהֲשִׁיבֵנִי׃ כב
כַּמָּה לִי עֲוֺנוֹת וְחַטָּאוֹת פִּשְׁעִי וְחַטָּאתִי הֹדִיעֵנִי׃ כג

כד לָֽמָּה־פָנֶיךָ תַסְתִּיר וְתַחְשְׁבֵנִי לְאוֹיֵב לָךְ:
כה הֶעָלֶה נִדָּף תַּעֲרוֹץ וְאֶת־קַשׁ יָבֵשׁ תִּרְדֹּף:
כו כִּֽי־תִכְתֹּב עָלַי מְרֹרוֹת וְתוֹרִישֵׁנִי עֲוֺנוֹת נְעוּרָי:
כז וְתָשֵׂם בַּסַּד ׀ רַגְלַי וְתִשְׁמוֹר כָּל־אָרְחוֹתָי
עַל־שָׁרְשֵׁי רַגְלַי תִּתְחַקֶּה:
כח וְהוּא כְּרָקָב יִבְלֶה כְּבֶגֶד אֲכָלוֹ עָשׁ:

יד א אָדָם יְלוּד אִשָּׁה קְצַר יָמִים וּשְׂבַע־רֹגֶז: אַפְסוּת הָאָדָם:
ב כְּצִיץ יָצָא וַיִּמָּל וַיִּבְרַח כַּצֵּל וְלֹא יַעֲמוֹד:
ג אַף־עַל־זֶה פָּקַחְתָּ עֵינֶךָ וְאֹתִי תָבִיא בְמִשְׁפָּט עִמָּךְ:
ד מִֽי־יִתֵּן טָהוֹר מִטָּמֵא לֹא אֶחָד:
ה אִם חֲרוּצִים ׀ יָמָיו מִֽסְפַּר־חֳדָשָׁיו אִתָּךְ
ו חֻקָּו עָשִׂיתָ וְלֹא יַעֲבֹר: שְׁעֵה מֵעָלָיו וְיֶחְדָּל
ז עַד־יִרְצֶה כְּשָׂכִיר יוֹמוֹ: כִּי יֵשׁ לָעֵץ תִּקְוָה עֲדִיפוּת הָעֵץ וְהַנָּהָר עַל הָאָדָם:
אִם־יִכָּרֵת וְעוֹד יַחֲלִיף וְיֹנַקְתּוֹ לֹא תֶחְדָּל:
ח אִם־יַזְקִין בָּאָרֶץ שָׁרְשׁוֹ וּבֶעָפָר יָמוּת גִּזְעוֹ:
ט מֵרֵיחַ מַיִם יַפְרִחַ וְעָשָׂה קָצִיר כְּמוֹ־נָטַע:
י וְגֶבֶר יָמוּת וַיֶּחֱלָשׁ וַיִּגְוַע אָדָם וְאַיּוֹ:
יא אָֽזְלוּ־מַיִם מִנִּי־יָם וְנָהָר יֶחֱרַב וְיָבֵשׁ:
יב וְאִישׁ שָׁכַב וְלֹא־יָקוּם עַד־בִּלְתִּי שָׁמַיִם לֹא יָקִיצוּ
יג וְלֹא־יֵעֹרוּ מִשְּׁנָתָם: מִי יִתֵּן ׀ בִּשְׁאוֹל תַּצְפִּנֵנִי
תַּסְתִּירֵנִי עַד־שׁוּב אַפֶּךָ תָּשִׁית לִי חֹק וְתִזְכְּרֵנִי:
יד אִם־יָמוּת גֶּבֶר הֲיִחְיֶה כָּל־יְמֵי צְבָאִי אֲיַחֵל
טו עַד־בּוֹא חֲלִיפָתִי: תִּקְרָא וְאָנֹכִי אֶעֱנֶךָּ הִשְׁתּוֹקְקוּת אִיּוֹב לְחִבַּת ה':
טז לְמַעֲשֵׂה יָדֶיךָ תִכְסֹף: כִּֽי־עַתָּה צְעָדַי תִּסְפּוֹר
יז לֹא־תִשְׁמֹר עַל־חַטָּאתִי: חָתֻם בִּצְרוֹר פִּשְׁעִי

סוֹפוֹ הַמַּר שֶׁל הָאָדָם:

וַתִּטְפֹּל עַל־עֲוֺנִי׃
יח וְאוּלָם הַר־נוֹפֵל יִבּוֹל
וְצוּר יֶעְתַּק מִמְּקֹמוֹ׃
יט אֲבָנִים ׀ שָׁחֲקוּ מַיִם
תִּשְׁטֹף־סְפִיחֶיהָ עֲפַר־אָרֶץ
וְתִקְוַת אֱנוֹשׁ הֶאֱבַדְתָּ׃
כ תִּתְקְפֵהוּ לָנֶצַח וַיַּהֲלֹךְ
מְשַׁנֶּה פָנָיו וַתְּשַׁלְּחֵהוּ׃
כא יִכְבְּדוּ בָנָיו וְלֹא יֵדָע
וְיִצְעֲרוּ וְלֹא־יָבִין לָמוֹ׃
כב אַךְ־בְּשָׂרוֹ עָלָיו יִכְאָב
וְנַפְשׁוֹ עָלָיו תֶּאֱבָל׃

טו א וַיַּעַן אֱלִיפַז הַתֵּימָנִי וַיֹּאמַר׃

תּוֹכָחָה עַל רִבּוּי דִּבְרֵי אִיּוֹב:

ב הֶחָכָם יַעֲנֶה דַעַת־רוּחַ
וִימַלֵּא קָדִים בִּטְנוֹ׃
ג הוֹכֵחַ בְּדָבָר לֹא יִסְכּוֹן
וּמִלִּים לֹא־יוֹעִיל בָּם׃
ד אַף־אַתָּה תָּפֵר יִרְאָה
וְתִגְרַע שִׂיחָה לִפְנֵי־אֵל׃
ה כִּי יְאַלֵּף עֲוֺנְךָ פִיךָ
וְתִבְחַר לְשׁוֹן עֲרוּמִים׃
ו יַרְשִׁיעֲךָ פִיךָ וְלֹא־אָנִי
וּשְׂפָתֶיךָ יַעֲנוּ־בָךְ׃

אִיּוֹב אֵינוֹ חָכָם מִכֻּלָּם:

ז הֲרִאישׁוֹן אָדָם תִּוָּלֵד
וְלִפְנֵי גְבָעוֹת חוֹלָלְתָּ׃
ח הַבְסוֹד אֱלוֹהַּ תִּשְׁמָע
וְתִגְרַע אֵלֶיךָ חָכְמָה׃
ט מַה־יָּדַעְתָּ וְלֹא נֵדָע
תָּבִין וְלֹא־עִמָּנוּ הוּא׃
י גַּם־שָׂב גַּם־יָשִׁישׁ בָּנוּ
כַּבִּיר מֵאָבִיךָ יָמִים׃

תּוֹכָחָה עַל שֶׁאֵינוֹ מִתְנַחֵם:

יא הַמְעַט מִמְּךָ תַּנְחוּמוֹת אֵל
וְדָבָר לָאַט עִמָּךְ׃
יב מַה־יִּקָּחֲךָ לִבֶּךָ
וּמַה־יִּרְזְמוּן עֵינֶיךָ׃
יג כִּי־תָשִׁיב אֶל־אֵל רוּחֶךָ
וְהֹצֵאתָ מִפִּיךָ מִלִּין׃

אֵין צַדִּיק לִפְנֵי ה׳:

יד מָה־אֱנוֹשׁ כִּי־יִזְכֶּה
וְכִי־יִצְדַּק יְלוּד אִשָּׁה׃
טו הֵן בִּקְדֹשָׁו לֹא יַאֲמִין
וְשָׁמַיִם לֹא־זַכּוּ בְעֵינָיו׃
טז אַף כִּי־נִתְעָב וְנֶאֱלָח
אִישׁ־שֹׁתֶה כַמַּיִם עַוְלָה׃

רָאוּי לִשְׁמֹעַ לְדִבְרֵי הַחֲכָמִים:

יז אֲחַוְּךָ שְׁמַע־לִי
וְזֶה־חָזִיתִי וַאֲסַפֵּרָה׃
יח אֲשֶׁר־חֲכָמִים יַגִּידוּ
וְלֹא כִחֲדוּ מֵאֲבוֹתָם׃
יט לָהֶם לְבַדָּם נִתְּנָה הָאָרֶץ
וְלֹא־עָבַר זָר בְּתוֹכָם׃

כ כָּל־יְמֵי רָשָׁע הוּא מִתְחוֹלֵל וּמִסְפַּר שָׁנִים נִצְפְּנוּ לֶעָרִיץ׃

הָרְשָׁעִים חַסְרֵי שַׁלְוָה׃

כא קוֹל־פְּחָדִים בְּאָזְנָיו בַּשָּׁלוֹם שׁוֹדֵד יְבוֹאֶנּוּ׃
כב לֹא־יַאֲמִין שׁוּב מִנִּי־חֹשֶׁךְ וצפו וְצָפוּי הוּא אֱלֵי־חָרֶב׃
כג נֹדֵד הוּא לַלֶּחֶם אַיֵּה יָדַע ׀ כִּי־נָכוֹן בְּיָדוֹ יוֹם־חֹשֶׁךְ׃
כד יְבַעֲתֻהוּ צַר וּמְצוּקָה תִּתְקְפֵהוּ כְּמֶלֶךְ ׀ עָתִיד לַכִּידוֹר׃
כה כִּי־נָטָה אֶל־אֵל יָדוֹ וְאֶל־שַׁדַּי יִתְגַּבָּר׃

תַּעֲלוּלֵי הָרָשָׁע וְעָנְשׁוֹ׃

כו יָרוּץ אֵלָיו בְּצַוָּאר בַּעֲבִי גַּבֵּי מָגִנָּיו׃
כז כִּי־כִסָּה פָנָיו בְּחֶלְבּוֹ וַיַּעַשׂ פִּימָה עֲלֵי־כָסֶל׃
כח וַיִּשְׁכּוֹן ׀ עָרִים נִכְחָדוֹת בָּתִּים לֹא־יֵשְׁבוּ לָמוֹ
כט אֲשֶׁר הִתְעַתְּדוּ לְגַלִּים׃ לֹא־יֶעְשַׁר וְלֹא־יָקוּם חֵילוֹ
ל וְלֹא־יִטֶּה לָאָרֶץ מִנְלָם׃ לֹא־יָסוּר ׀ מִנִּי־חֹשֶׁךְ
יֹנַקְתּוֹ תְּיַבֵּשׁ שַׁלְהָבֶת וְיָסוּר בְּרוּחַ פִּיו׃
לא אַל־יַאֲמֵן בַּשָּׁו נִתְעָה כִּי־שָׁוְא תִּהְיֶה תְמוּרָתוֹ׃
לב בְּלֹא־יוֹמוֹ תִּמָּלֵא וְכִפָּתוֹ לֹא רַעֲנָנָה׃
לג יַחְמֹס כַּגֶּפֶן בִּסְרוֹ וְיַשְׁלֵךְ כַּזַּיִת נִצָּתוֹ׃
לד כִּי־עֲדַת חָנֵף גַּלְמוּד וְאֵשׁ אָכְלָה אָהֳלֵי־שֹׁחַד׃
לה הָרֹה עָמָל וְיָלֹד אָוֶן וּבִטְנָם תָּכִין מִרְמָה׃

טז א וַיַּעַן אִיּוֹב וַיֹּאמַר׃

ב שָׁמַעְתִּי כְאֵלֶּה רַבּוֹת מְנַחֲמֵי עָמָל כֻּלְּכֶם׃

דִּבְרֵי הָרֵעִים תַּנְחוּמֵי הֶבֶל׃

ג הֲקֵץ לְדִבְרֵי־רוּחַ אוֹ מַה־יַּמְרִיצְךָ כִּי תַעֲנֶה׃
ד גַּם ׀ אָנֹכִי כָּכֶם אֲדַבֵּרָה לוּ־יֵשׁ נַפְשְׁכֶם תַּחַת נַפְשִׁי
אַחְבִּירָה עֲלֵיכֶם בְּמִלִּים וְאָנִיעָה עֲלֵיכֶם בְּמוֹ רֹאשִׁי׃
ה אֲאַמִּצְכֶם בְּמוֹ־פִי וְנִיד שְׂפָתַי יַחְשֹׂךְ׃
ו אִם־אֲדַבְּרָה לֹא־יֵחָשֵׂךְ כְּאֵבִי וְאַחְדְּלָה מַה־מִּנִּי יַהֲלֹךְ׃
ז אַךְ־עַתָּה הֶלְאָנִי הֲשִׁמּוֹתָ כָּל־עֲדָתִי׃

תְּלוּנָה עַל הַיִּסּוּרִים׃

ח וַֽתִּקְמְטֵנִי לְעֵד הָיָה וַיָּקָם בִּי כַחֲשִׁי בְּפָנַי יַעֲנֶה׃
ט אַפּוֹ טָרַף ׀ וַֽיִּשְׂטְמֵנִי חָרַק עָלַי בְּשִׁנָּיו
צָרִי ׀ יִלְטֹשׁ עֵינָיו לִי׃
י פָּעֲרוּ עָלַי ׀ בְּפִיהֶם בְּחֶרְפָּה הִכּוּ לְחָיָי יַחַד עָלַי יִתְמַלָּאוּן׃
יא יַסְגִּירֵנִי אֵל אֶל עֲוִיל וְעַל־יְדֵי רְשָׁעִים יִרְטֵנִי׃

שִׁנּוּי יַחַס ה׳ אֵלָיו:

יב שָׁלֵו הָיִיתִי ׀ וַֽיְפַרְפְּרֵנִי וְאָחַז בְּעָרְפִּי וַיְפַצְפְּצֵנִי
וַיְקִימֵנִי לוֹ לְמַטָּרָה׃
יג יָסֹבּוּ עָלַי ׀ רַבָּיו יְפַלַּח כִּלְיוֹתַי וְלֹא יַחְמֹל
יִשְׁפֹּךְ לָאָרֶץ מְרֵרָתִי׃
יד יִפְרְצֵנִי פֶרֶץ עַל־פְּנֵי־פָרֶץ יָרֻץ עָלַי כְּגִבּוֹר׃
טו שַׂק תָּפַרְתִּי עֲלֵי גִלְדִּי וְעֹלַלְתִּי בֶעָפָר קַרְנִי׃
טז פָּנַי חמרמרה חֳמַרְמְרוּ מִנִּי־בֶכִי וְעַל עַפְעַפַּי צַלְמָוֶת׃
יז עַל לֹא־חָמָס בְּכַפָּי וּתְפִלָּתִי זַכָּה׃

בַּקָּשַׁת אִיּוֹב מֵה׳ לִשְׁמֹעַ צַעֲקָתוֹ:

יח אֶרֶץ אַל־תְּכַסִּי דָמִי וְאַל־יְהִי מָקוֹם לְזַעֲקָתִי׃
יט גַּם־עַתָּה הִנֵּה־בַשָּׁמַיִם עֵדִי וְשָׂהֲדִי בַּמְּרוֹמִים׃
כ מְלִיצַי רֵעָי אֶל־אֱלוֹהַּ דָּלְפָה עֵינִי׃
כא וְיוֹכַח לְגֶבֶר עִם־אֱלוֹהַּ וּבֶן־אָדָם לְרֵעֵהוּ׃
כב כִּי־שְׁנוֹת מִסְפָּר יֶאֱתָיוּ וְאֹרַח לֹא־אָשׁוּב אֶהֱלֹךְ׃
יז א רוּחִי חֻבָּלָה יָמַי נִזְעָכוּ קְבָרִים לִי׃

טַעֲנוֹת אִיּוֹב עַל רֵעָיו וְדִבְרֵיהֶם:

ב אִם־לֹא הֲתֻלִים עִמָּדִי וּבְהַמְּרוֹתָם תָּלַן עֵינִי׃
ג שִׂימָה־נָּא עָרְבֵנִי עִמָּךְ מִי הוּא לְיָדִי יִתָּקֵעַ׃
ד כִּי־לִבָּם צָפַנְתָּ מִּשָּׂכֶל עַל־כֵּן לֹא תְרֹמֵם׃
ה לְחֵלֶק יַגִּיד רֵעִים וְעֵינֵי בָנָיו תִּכְלֶנָה׃
ו וְהִצִּגַנִי לִמְשֹׁל עַמִּים וְתֹפֶת לְפָנִים אֶהְיֶה׃
ז וַתֵּכַהּ מִכַּעַשׂ עֵינִי וִיצֻרַי כַּצֵּל כֻּלָּם׃

ח יָשֹׁמּוּ יְשָׁרִים עַל־זֹאת וְנָקִי עַל־חָנֵף יִתְעֹרָר׃
ט וְיֹאחֵז צַדִּיק דַּרְכּוֹ וּטְהָר־יָדַיִם יֹסִיף אֹמֶץ׃
י וְאוּלָם כֻּלָּם תָּשֻׁבוּ וּבֹאוּ נָא וְלֹא־אֶמְצָא בָכֶם חָכָם׃
יא יָמַי עָבְרוּ זִמֹּתַי נִתְּקוּ מוֹרָשֵׁי לְבָבִי׃ תֵּאוּר
יב לַיְלָה לְיוֹם יָשִׂימוּ אוֹר קָרוֹב מִפְּנֵי־חֹשֶׁךְ׃ מַצָּבוֹ הָרָע
יג אִם־אֲקַוֶּה שְׁאוֹל בֵּיתִי בַּחֹשֶׁךְ רִפַּדְתִּי יְצוּעָי׃ וְחֹסֶר הַתִּקְוָה׃
יד לַשַּׁחַת קָרָאתִי אָבִי אָתָּה אִמִּי וַאֲחֹתִי לָרִמָּה׃
טו וְאַיֵּה אֵפוֹ תִקְוָתִי וְתִקְוָתִי מִי יְשׁוּרֶנָּה׃
טז בַּדֵּי שְׁאֹל תֵּרַדְנָה אִם־יַחַד עַל־עָפָר נָחַת׃

יח א וַיַּעַן בִּלְדַּד הַשֻּׁחִי וַיֹּאמַר׃
ב עַד־אָנָה ׀ תְּשִׂימוּן קִנְצֵי לְמִלִּין תָּבִינוּ וְאַחַר נְדַבֵּר׃ גְּעָרָה
ג מַדּוּעַ נֶחְשַׁבְנוּ כַבְּהֵמָה נִטְמִינוּ בְּעֵינֵיכֶם׃ לְאִיּוֹב עַל דְּבָרָיו׃
ד טֹרֵף נַפְשׁוֹ בְּאַפּוֹ הַלְמַעַנְךָ תֵּעָזַב אָרֶץ
ה וְיֶעְתַּק־צוּר מִמְּקֹמוֹ׃ גַּם אוֹר רְשָׁעִים יִדְעָךְ מַפֶּלֶת
וְלֹא־יִגַּהּ שְׁבִיב אִשּׁוֹ׃ הָרָשָׁע עַד הַגִּיעוֹ לַקֶּבֶר׃
ו אוֹר חָשַׁךְ בְּאָהֳלוֹ וְנֵרוֹ עָלָיו יִדְעָךְ׃
ז יֵצְרוּ צַעֲדֵי אוֹנוֹ וְתַשְׁלִיכֵהוּ עֲצָתוֹ׃
ח כִּי־שֻׁלַּח בְּרֶשֶׁת בְּרַגְלָיו וְעַל־שְׂבָכָה יִתְהַלָּךְ׃
ט יֹאחֵז בְּעָקֵב פָּח יַחֲזֵק עָלָיו צַמִּים׃
י טָמוּן בָּאָרֶץ חַבְלוֹ וּמַלְכֻּדְתּוֹ עֲלֵי נָתִיב׃
יא סָבִיב בִּעֲתֻהוּ בַלָּהוֹת וֶהֱפִיצֻהוּ לְרַגְלָיו׃
יב יְהִי־רָעֵב אֹנוֹ וְאֵיד נָכוֹן לְצַלְעוֹ׃
יג יֹאכַל בַּדֵּי עוֹרוֹ יֹאכַל בַּדָּיו בְּכוֹר מָוֶת׃
יד יִנָּתֵק מֵאָהֳלוֹ מִבְטַחוֹ וְתַצְעִדֵהוּ לְמֶלֶךְ בַּלָּהוֹת׃
טו תִּשְׁכּוֹן בְּאָהֳלוֹ מִבְּלִילוֹ יְזֹרֶה עַל־נָוֵהוּ גָפְרִית׃

מִתַּחַת שָׁרָשָׁיו יִבָשׁוּ   וּמִמַּעַל יִמַּל קְצִירוֹ:   טז

זִכְרוֹ־אָבַד מִנִּי־אָרֶץ   וְלֹא־שֵׁם לוֹ עַל־פְּנֵי־חוּץ: יז

יֶהְדְּפֻהוּ מֵאוֹר אֶל־חֹשֶׁךְ   וּמִתֵּבֵל יְנִדֻּהוּ:   יח

לֹא נִין לוֹ וְלֹא־נֶכֶד בְּעַמּוֹ   וְאֵין שָׂרִיד בִּמְגוּרָיו: יט

עַל־יוֹמוֹ נָשַׁמּוּ אַחֲרֹנִים   וְקַדְמֹנִים אָחֲזוּ שָׂעַר: כ

אַךְ־אֵלֶּה מִשְׁכְּנוֹת עַוָּל   וְזֶה מְקוֹם לֹא־יָדַע־אֵל: כא

וַיַּעַן אִיּוֹב וַיֹּאמַר: יט א

עַד־אָנָה תּוֹגְיוּן נַפְשִׁי   וּתְדַכְּאוּנַנִי בְמִלִּים: ב

תּוֹכֵחָה עַל דִּבְרֵי רֵעָיו:

זֶה עֶשֶׂר פְּעָמִים תַּכְלִימוּנִי   לֹא־תֵבֹשׁוּ תַּהְכְּרוּ־לִי: ג

וְאַף־אָמְנָם שָׁגִיתִי   אִתִּי תָּלִין מְשׁוּגָתִי: ד

אִם־אָמְנָם עָלַי תַּגְדִּילוּ   וְתוֹכִיחוּ עָלַי חֶרְפָּתִי: ה

דְּעוּ־אֵפוֹ כִּי־אֱלוֹהַּ עִוְּתָנִי   וּמְצוּדוֹ עָלַי הִקִּיף: ו

עִוּוּת הַדִּין בְּעֵינָיו:

הֵן אֶצְעַק חָמָס וְלֹא אֵעָנֶה   אֲשַׁוַּע וְאֵין מִשְׁפָּט: ז

אָרְחִי גָדַר וְלֹא אֶעֱבוֹר   וְעַל נְתִיבוֹתַי חֹשֶׁךְ יָשִׂים: ח

כְּבוֹדִי מֵעָלַי הִפְשִׁיט   וַיָּסַר עֲטֶרֶת רֹאשִׁי: ט

יִתְּצֵנִי סָבִיב וָאֵלַךְ   וַיַּסַּע כָּעֵץ תִּקְוָתִי: י

וַיַּחַר עָלַי אַפּוֹ   וַיַּחְשְׁבֵנִי לוֹ כְצָרָיו: יא

יַחַד יָבֹאוּ גְדוּדָיו וַיָּסֹלּוּ עָלַי דַּרְכָּם   וַיַּחֲנוּ סָבִיב לְאָהֳלִי: יב

אַחַי מֵעָלַי הִרְחִיק   וְיֹדְעַי אַךְ־זָרוּ מִמֶּנִּי: יג

בְּדִידוּתוֹ שֶׁל אִיּוֹב:

חָדְלוּ קְרוֹבָי   וּמְיֻדָּעַי שְׁכֵחוּנִי: יד

גָּרֵי בֵיתִי וְאַמְהֹתַי לְזָר תַּחְשְׁבֻנִי   נָכְרִי הָיִיתִי בְעֵינֵיהֶם: טו

לְעַבְדִּי קָרָאתִי וְלֹא יַעֲנֶה   בְּמוֹ־פִי אֶתְחַנֶּן־לוֹ:   טז

רוּחִי זָרָה לְאִשְׁתִּי   וְחַנֹּתִי לִבְנֵי בִטְנִי: יז

גַּם־עֲוִילִים מָאֲסוּ בִי   אָקוּמָה וַיְדַבְּרוּ־בִי: יח

תִּעֲבוּנִי כָּל־מְתֵי סוֹדִי   וְזֶה־אָהַבְתִּי נֶהְפְּכוּ־בִי: יט

כ בְּעוֹרִי וּבִבְשָׂרִי דָּבְקָה עַצְמִי וָאֶתְמַלְּטָה בְּעוֹר שִׁנָּי׃

כא חָנֻּנִי חָנֻּנִי אַתֶּם רֵעָי כִּי יַד־אֱלוֹהַּ נָגְעָה בִּי׃ בַּקָּשׁוֹת אִיּוֹב

כב לָמָּה תִּרְדְּפֻנִי כְמוֹ־אֵל וּמִבְּשָׂרִי לֹא תִשְׂבָּעוּ׃ וְתִקְוָתוֹ:

כג מִי־יִתֵּן אֵפוֹ וְיִכָּתְבוּן מִלָּי מִי־יִתֵּן בַּסֵּפֶר וְיֻחָקוּ׃

כד בְּעֵט־בַּרְזֶל וְעֹפָרֶת לָעַד בַּצּוּר יֵחָצְבוּן׃

כה וַאֲנִי יָדַעְתִּי גֹּאֲלִי חָי וְאַחֲרוֹן עַל־עָפָר יָקוּם׃

כו וְאַחַר עוֹרִי נִקְּפוּ־זֹאת וּמִבְּשָׂרִי אֶחֱזֶה אֱלוֹהַּ׃

כז אֲשֶׁר אֲנִי ׀ אֶחֱזֶה־לִּי וְעֵינַי רָאוּ וְלֹא־זָר כָּלוּ כִלְיֹתַי בְּחֵקִי׃

כח כִּי תֹאמְרוּ מַה־נִּרְדָּף־לוֹ וְשֹׁרֶשׁ דָּבָר נִמְצָא־בִי׃ אַזְהָרָה לָרֵעִים

כט גּוּרוּ לָכֶם ׀ מִפְּנֵי־חֶרֶב כִּי־חֵמָה עֲוֺנוֹת חָרֶב מֵעֹנֶשׁ:

לְמַעַן תֵּדְעוּן שדין שַׁדּוּן׃

כ א וַיַּעַן צֹפַר הַנַּעֲמָתִי וַיֹּאמַר׃

ב לָכֵן שְׂעִפַּי יְשִׁיבוּנִי וּבַעֲבוּר חוּשִׁי בִי׃ הַקְדָּמָה:

ג מוּסַר כְּלִמָּתִי אֶשְׁמָע וְרוּחַ מִבִּינָתִי יַעֲנֵנִי׃

ד הֲזֹאת יָדַעְתָּ מִנִּי־עַד מִנִּי שִׂים אָדָם עֲלֵי־אָרֶץ׃

ה כִּי רִנְנַת רְשָׁעִים מִקָּרוֹב וְשִׂמְחַת חָנֵף עֲדֵי־רָגַע׃ הַצְלָחַת הָרָשָׁע

ו אִם־יַעֲלֶה לַשָּׁמַיִם שִׂיאוֹ וְרֹאשׁוֹ לָעָב יַגִּיעַ׃ זְמַנִּית:

ז כְּגֶלֲלוֹ לָנֶצַח יֹאבֵד רֹאָיו יֹאמְרוּ אַיּוֹ׃

ח כַּחֲלוֹם יָעוּף וְלֹא יִמְצָאֻהוּ וְיֻדַּד כְּחֶזְיוֹן לָיְלָה׃

ט עַיִן שְׁזָפַתּוּ וְלֹא תוֹסִיף וְלֹא־עוֹד תְּשׁוּרֶנּוּ מְקוֹמוֹ׃

י בָּנָיו יְרַצּוּ דַלִּים וְיָדָיו תָּשֵׁבְנָה אוֹנוֹ׃ סוֹפוֹ שֶׁל עֹשֶׁר

יא עַצְמוֹתָיו מָלְאוּ עֲלוּמָו וְעִמּוֹ עַל־עָפָר תִּשְׁכָּב׃ הָרָשָׁע:

יב אִם־תַּמְתִּיק בְּפִיו רָעָה יַכְחִידֶנָּה תַּחַת לְשׁוֹנוֹ׃

יג יַחְמֹל עָלֶיהָ וְלֹא יַעַזְבֶנָּה וְיִמְנָעֶנָּה בְּתוֹךְ חִכּוֹ׃

יד לַחְמוֹ בְּמֵעָיו נֶהְפָּךְ מְרוֹרַת פְּתָנִים בְּקִרְבּוֹ׃

טו חַיִל בָּלַע וַיְקִאֶנּוּ מִבִּטְנוֹ יֹרִשֶׁנּוּ אֵל׃
טז רֹאשׁ־פְּתָנִים יִינָק תַּהַרְגֵהוּ לְשׁוֹן אֶפְעֶה׃
יז אַל־יֵרֶא בִפְלַגּוֹת נַהֲרֵי נַחֲלֵי דְּבַשׁ וְחֶמְאָה׃
יח מֵשִׁיב יָגָע וְלֹא יִבְלָע כְּחֵיל תְּמוּרָתוֹ וְלֹא יַעֲלֹס׃
יט כִּי־רִצַּץ עָזַב דַּלִּים בַּיִת גָּזַל וְלֹא יִבְנֵהוּ׃
כ כִּי ׀ לֹא־יָדַע שָׁלֵו בְּבִטְנוֹ בַּחֲמוּדוֹ לֹא יְמַלֵּט׃
כא אֵין־שָׂרִיד לְאָכְלוֹ עַל־כֵּן לֹא־יָחִיל טוּבוֹ׃
כב בִּמְלֹאות שִׂפְקוֹ יֵצֶר לוֹ כָּל־יַד עָמֵל תְּבֹאֶנּוּ׃
כג יְהִי ׀ לְמַלֵּא בִטְנוֹ יְשַׁלַּח־בּוֹ חֲרוֹן אַפּוֹ
וְיַמְטֵר עָלֵימוֹ בִּלְחוּמוֹ׃ כד יִבְרַח מִנֶּשֶׁק בַּרְזֶל
תַּחְלְפֵהוּ קֶשֶׁת נְחוּשָׁה׃
כה שָׁלַף וַיֵּצֵא מִגֵּוָה וּבָרָק מִמְּרֹרָתוֹ יַהֲלֹךְ עָלָיו אֵמִים׃
כו כָּל־חֹשֶׁךְ טָמוּן לִצְפּוּנָיו תְּאָכְלֵהוּ אֵשׁ לֹא־נֻפָּח
יֵרַע שָׂרִיד בְּאָהֳלוֹ׃ כז יְגַלּוּ שָׁמַיִם עֲוֹנוֹ
וְאֶרֶץ מִתְקוֹמָמָה לוֹ׃
כח יִגֶל יְבוּל בֵּיתוֹ נִגָּרוֹת בְּיוֹם אַפּוֹ׃
כט זֶה ׀ חֵלֶק־אָדָם רָשָׁע מֵאֱלֹהִים וְנַחֲלַת אִמְרוֹ מֵאֵל׃

כא

א וַיַּעַן אִיּוֹב וַיֹּאמַר׃

בַּקָּשָׁה מֵהָרֵעִים שֶׁיַּקְשִׁיבוּ לִדְבָרָיו:

ב שִׁמְעוּ שָׁמוֹעַ מִלָּתִי וּתְהִי־זֹאת תַּנְחוּמֹתֵיכֶם׃
ג שָׂאוּנִי וְאָנֹכִי אֲדַבֵּר וְאַחַר דַּבְּרִי תַלְעִיג׃
ד הֶאָנֹכִי לְאָדָם שִׂיחִי וְאִם־מַדּוּעַ לֹא־תִקְצַר רוּחִי׃
ה פְּנוּ־אֵלַי וְהָשַׁמּוּ וְשִׂימוּ יָד עַל־פֶּה׃
ו וְאִם־זָכַרְתִּי וְנִבְהָלְתִּי וְאָחַז בְּשָׂרִי פַּלָּצוּת׃

שַׁלְוַת הָרְשָׁעִים בָּעוֹלָם:

ז מַדּוּעַ רְשָׁעִים יִחְיוּ עָתְקוּ גַּם־גָּבְרוּ חָיִל׃
ח זַרְעָם נָכוֹן לִפְנֵיהֶם עִמָּם וְצֶאֱצָאֵיהֶם לְעֵינֵיהֶם׃

ט בָּתֵּיהֶם שָׁלוֹם מִפָּחַד וְלֹא שֵׁבֶט אֱלוֹהַּ עֲלֵיהֶם:
י שׁוֹרוֹ עִבַּר וְלֹא יַגְעִל תְּפַלֵּט פָּרָתוֹ וְלֹא תְשַׁכֵּל:
יא יְשַׁלְּחוּ כַצֹּאן עֲוִילֵיהֶם וְיַלְדֵיהֶם יְרַקֵּדוּן:
יב יִשְׂאוּ כְּתֹף וְכִנּוֹר וְיִשְׂמְחוּ לְקוֹל עוּגָב:
יג יבלו יְכַלּוּ בַטּוֹב יְמֵיהֶם וּבְרֶגַע שְׁאוֹל יֵחָתּוּ:
יד וַיֹּאמְרוּ לָאֵל סוּר מִמֶּנּוּ וְדַעַת דְּרָכֶיךָ לֹא חָפָצְנוּ:
טו מַה־שַּׁדַּי כִּי־נַעַבְדֶנּוּ וּמַה־נּוֹעִיל כִּי נִפְגַּע־בּוֹ:
טז הֵן לֹא בְיָדָם טוּבָם עֲצַת רְשָׁעִים רָחֲקָה מֶנִּי:
יז כַּמָּה ׀ נֵר־רְשָׁעִים יִדְעָךְ וְיָבֹא עָלֵימוֹ אֵידָם
חֲבָלִים יְחַלֵּק בְּאַפּוֹ:
יח יִהְיוּ כְּתֶבֶן לִפְנֵי־רוּחַ וּכְמֹץ גְּנָבַתּוּ סוּפָה:
יט אֱלוֹהַּ יִצְפֹּן־לְבָנָיו אוֹנוֹ יְשַׁלֵּם אֵלָיו וְיֵדָע:
כ יִרְאוּ עֵינָו כִּידוֹ וּמֵחֲמַת שַׁדַּי יִשְׁתֶּה:
כא כִּי מַה־חֶפְצוֹ בְּבֵיתוֹ אַחֲרָיו וּמִסְפַּר חֳדָשָׁיו חֻצָּצוּ:
כב הַלְאֵל יְלַמֶּד־דָּעַת וְהוּא רָמִים יִשְׁפּוֹט:
כג זֶה יָמוּת בְּעֶצֶם תֻּמּוֹ כֻּלּוֹ שַׁלְאֲנַן וְשָׁלֵיו:
כד עֲטִינָיו מָלְאוּ חָלָב וּמֹחַ עַצְמוֹתָיו יְשֻׁקֶּה:
כה וְזֶה יָמוּת בְּנֶפֶשׁ מָרָה וְלֹא־אָכַל בַּטּוֹבָה:
כו יַחַד עַל־עָפָר יִשְׁכָּבוּ וְרִמָּה תְּכַסֶּה עֲלֵיהֶם:
כז הֵן יָדַעְתִּי מַחְשְׁבוֹתֵיכֶם וּמְזִמּוֹת עָלַי תַּחְמֹסוּ:
כח כִּי תֹאמְרוּ אַיֵּה בֵית־נָדִיב וְאַיֵּה אֹהֶל ׀ מִשְׁכְּנוֹת רְשָׁעִים:
כט הֲלֹא שְׁאֶלְתֶּם עוֹבְרֵי דָרֶךְ וְאֹתֹתָם לֹא תְנַכֵּרוּ:
ל כִּי לְיוֹם אֵיד יֵחָשֶׂךְ רָע לְיוֹם עֲבָרוֹת יוּבָלוּ:
לא מִי־יַגִּיד עַל־פָּנָיו דַּרְכּוֹ וְהוּא־עָשָׂה מִי יְשַׁלֶּם־לוֹ:
לב וְהוּא לִקְבָרוֹת יוּבָל וְעַל־גָּדִישׁ יִשְׁקוֹד:

מֶרֶד הָרְשָׁעִים וְעָנְשָׁם:

תְּמִיהָה עַל שַׁלְוַת הָרְשָׁעִים:

סִפּוּר עַל הַצְלָחַת הָרְשָׁעִים:

מָֽתְקוּ־ל֗וֹ רִגְבֵ֫י נָ֥חַל וְֽ֭אַחֲרָיו כׇּל־אָדָ֣ם יִמְשׁ֑וֹךְ לג
וּ֝לְפָנָ֗יו אֵ֣ין מִסְפָּֽר׃
תַּנְחוּמֵי הָרֵעִים הֶבֶל: וְ֭אֵיךְ תְּנַחֲמ֣וּנִי הָ֑בֶל וּ֝תְשׁוּבֹֽתֵיכֶ֗ם נִשְׁאַר־מָֽעַל׃ לד

וַ֭יַּעַן אֱלִיפַ֥ז הַֽתֵּמָנִ֗י וַיֹּאמַֽר׃ א כב

צִדְקַת הָאָדָם אֵינָהּ לְתוֹעֶלֶת ה׳: הַלְאֵ֥ל יִסְכׇּן־גָּ֑בֶר כִּֽי־יִסְכֹּ֖ן עָלֵ֣ימוֹ מַשְׂכִּֽיל׃ ב
הַחֵ֣פֶץ לְ֭שַׁדַּי כִּ֣י תִצְדָּ֑ק וְאִם־בֶּ֝֗צַע כִּֽי־תַתֵּ֥ם דְּרָכֶֽיךָ׃ ג
הֲֽמִיִּרְאָ֣תְךָ יֹכִיחֶ֑ךָ יָב֥וֹא עִ֝מְּךָ֗ בַּמִּשְׁפָּֽט׃ ד
פֵּרוּט חֲטָאֵי אִיּוֹב: הֲלֹ֣א רָֽעָתְךָ֣ רַבָּ֑ה וְאֵֽין־קֵ֝֗ץ לַעֲוֺנֹתֶֽיךָ׃ ה
כִּֽי־תַחְבֹּ֣ל אַחֶ֣יךָ חִנָּ֑ם וּבִגְדֵ֖י עֲרוּמִּ֣ים תַּפְשִֽׁיט׃ ו
לֹא־מַ֣יִם עָיֵ֣ף תַּשְׁקֶ֑ה וּ֝מֵרָעֵ֗ב תִּֽמְנַֽע־לָֽחֶם׃ ז
וְאִ֣ישׁ זְ֭רוֹעַ ל֣וֹ הָאָ֑רֶץ וּנְשׂ֥וּא פָ֝נִ֗ים יֵ֣שֶׁב בָּֽהּ׃ ח
אַ֭לְמָנוֹת שִׁלַּ֣חְתָּ רֵיקָ֑ם וּזְרֹע֖וֹת יְתֹמִ֣ים יְדֻכָּֽא׃ ט
עַל־כֵּ֭ן סְבִיבוֹתֶ֣יךָ פַחִ֑ים וִֽ֝יבַהֶלְךָ֗ פַּ֣חַד פִּתְאֹֽם׃ י
אוֹ־חֹ֥שֶׁךְ לֹֽא־תִרְאֶ֑ה וְֽשִׁפְעַת־מַ֥יִם תְּכַסֶּֽךָּ׃ יא
הֲֽלֹא־אֱ֭לוֹהַּ גֹּ֣בַהּ שָׁמָ֑יִם וּרְאֵ֤ה רֹ֖אשׁ כּוֹכָבִ֣ים כִּי־רָֽמּוּ׃ יב
וְֽאָמַ֭רְתָּ מַה־יָּ֣דַֽע אֵ֑ל הַבְעַ֖ד עֲרָפֶ֣ל יִשְׁפּֽוֹט׃ יג
עָבִ֣ים סֵֽתֶר־ל֭וֹ וְלֹ֣א יִרְאֶ֑ה וְח֥וּג שָׁ֝מַ֗יִם יִתְהַלָּֽךְ׃ יד
חֲטָאֵי הַקַּדְמוֹנִים וְעָנְשָׁם: הַאֹ֣רַח עוֹלָ֣ם תִּשְׁמֹ֑ר אֲשֶׁ֖ר דָּרְכ֣וּ מְתֵי־אָֽוֶן׃ טו
אֲשֶׁר־קֻמְּט֥וּ וְלֹא־עֵ֑ת נָ֝הָ֗ר יוּצַ֥ק יְסוֹדָֽם׃ טז
הָאֹמְרִ֣ים לָ֭אֵל ס֣וּר מִמֶּ֑נּוּ וּמַה־יִּפְעַ֖ל שַׁדַּ֣י לָֽמוֹ׃ יז
וְה֤וּא מִלֵּ֣א בָתֵּיהֶ֣ם ט֑וֹב וַעֲצַ֥ת רְ֝שָׁעִ֗ים רָ֣חֲקָה מֶֽנִּי׃ יח
יִרְא֣וּ צַדִּיקִ֣ים וְיִשְׂמָ֑חוּ וְ֝נָקִ֗י יִלְעַג־לָֽמוֹ׃ יט
אִם־לֹ֣א נִכְחַ֣ד קִימָ֑נוּ וְ֝יִתְרָ֗ם אָ֣כְלָה אֵֽשׁ׃ כ
נֶחָמָה וּמוּסָר עַל הַתְּשׁוּבָה: הַסְכֶּן־נָ֣א עִמּ֣וֹ וּשְׁלָ֑ם בָּ֝הֶ֗ם תְּֽבוֹאַתְךָ֥ טוֹבָֽה׃ כא
קַח־נָ֣א מִפִּ֣יו תּוֹרָ֑ה וְשִׂ֥ים אֲ֝מָרָ֗יו בִּלְבָבֶֽךָ׃ כב

כג אִם־תָּשׁוּב עַד־שַׁדַּי תִּבָּנֶה תַּרְחִיק עַוְלָה מֵאָהֳלֶךָ:
כד וְשִׁית־עַל־עָפָר בָּצֶר וּבְצוּר נְחָלִים אוֹפִיר:
כה וְהָיָה שַׁדַּי בְּצָרֶיךָ וְכֶסֶף תּוֹעָפוֹת לָךְ:
כו כִּי־אָז עַל־שַׁדַּי תִּתְעַנָּג וְתִשָּׂא אֶל־אֱלוֹהַּ פָּנֶיךָ:
כז תַּעְתִּיר אֵלָיו וְיִשְׁמָעֶךָּ וּנְדָרֶיךָ תְשַׁלֵּם:
כח וְתִגְזַר־אֹמֶר וְיָקָם לָךְ וְעַל־דְּרָכֶיךָ נָגַהּ אוֹר:
כט כִּי־הִשְׁפִּילוּ וַתֹּאמֶר גֵּוָה וְשַׁח עֵינַיִם יוֹשִׁעַ:
ל יְמַלֵּט אִי־נָקִי וְנִמְלַט בְּבֹר כַּפֶּיךָ:

כג א וַיַּעַן אִיּוֹב וַיֹּאמַר:

ב גַּם־הַיּוֹם מְרִי שִׂחִי יָדִי כָּבְדָה עַל־אַנְחָתִי: רְצוֹן אִיּוֹב לִמְצֹא אֶת
ג מִי־יִתֵּן יָדַעְתִּי וְאֶמְצָאֵהוּ אָבוֹא עַד־תְּכוּנָתוֹ: ה׳:
ד אֶעֶרְכָה לְפָנָיו מִשְׁפָּט וּפִי אֲמַלֵּא תוֹכָחוֹת:
ה אֵדְעָה מִלִּים יַעֲנֵנִי וְאָבִינָה מַה־יֹּאמַר לִי:
ו הַבְּרָב־כֹּחַ יָרִיב עִמָּדִי לֹא אַךְ־הוּא יָשִׂם בִּי:
ז שָׁם יָשָׁר נוֹכָח עִמּוֹ וַאֲפַלְּטָה לָנֶצַח מִשֹּׁפְטִי: פֵּרוּט צִדְקַת
ח הֵן קֶדֶם אֶהֱלֹךְ וְאֵינֶנּוּ וְאָחוֹר וְלֹא־אָבִין לוֹ: אִיּוֹב:
ט שְׂמֹאול בַּעֲשֹׂתוֹ וְלֹא־אָחַז יַעְטֹף יָמִין וְלֹא אֶרְאֶה:
י כִּי־יָדַע דֶּרֶךְ עִמָּדִי בְּחָנַנִי כַּזָּהָב אֵצֵא:
יא בַּאֲשֻׁרוֹ אָחֲזָה רַגְלִי דַּרְכּוֹ שָׁמַרְתִּי וְלֹא־אָט:
יב מִצְוַת שְׂפָתָיו וְלֹא אָמִישׁ מֵחֻקִּי צָפַנְתִּי אִמְרֵי־פִיו:
יג וְהוּא בְאֶחָד וּמִי יְשִׁיבֶנּוּ וְנַפְשׁוֹ אִוְּתָה וַיָּעַשׂ: ה׳ מַפְחִיד
יד כִּי יַשְׁלִים חֻקִּי וְכָהֵנָּה רַבּוֹת עִמּוֹ: אֶת אִיּוֹב וּמְנַסֵּהוּ:
טו עַל־כֵּן מִפָּנָיו אֶבָּהֵל אֶתְבּוֹנֵן וְאֶפְחַד מִמֶּנּוּ:
טז וְאֵל הֵרַךְ לִבִּי וְשַׁדַּי הִבְהִילָנִי:
יז כִּי־לֹא נִצְמַתִּי מִפְּנֵי־חֹשֶׁךְ וּמִפָּנַי כִּסָּה־אֹפֶל:

תְּלוּנָה עַל חֹסֶר הַדִּין בָּרְשָׁעִים:

מַדּוּעַ מִשַּׁדַּי לֹא־נִצְפְּנוּ עִתִּים וְיֹדְעָו לֹא־חָזוּ יָמָיו: א כד
גְּבֻלוֹת יַשִּׂיגוּ עֵדֶר גָּזְלוּ וַיִּרְעוּ: ב
חֲמוֹר יְתוֹמִים יִנְהָגוּ יַחְבְּלוּ שׁוֹר אַלְמָנָה: ג
יַטּוּ אֶבְיֹנִים מִדָּרֶךְ יַחַד חֻבְּאוּ עֲנִיֵּי־אָרֶץ: ד
הֵן פְּרָאִים ׀ בַּמִּדְבָּר יָצְאוּ בְּפָעֳלָם מְשַׁחֲרֵי לַטָּרֶף ה
עֲרָבָה לוֹ לֶחֶם לַנְּעָרִים:
בַּשָּׂדֶה בְּלִילוֹ יקצירו יִקְצוֹרוּ וְכֶרֶם רָשָׁע יְלַקֵּשׁוּ: ו
עָרוֹם יָלִינוּ מִבְּלִי לְבוּשׁ וְאֵין כְּסוּת בַּקָּרָה: ז
מִזֶּרֶם הָרִים יִרְטָבוּ וּמִבְּלִי מַחְסֶה חִבְּקוּ־צוּר: ח
יִגְזְלוּ מִשֹּׁד יָתוֹם וְעַל־עָנִי יַחְבֹּלוּ: ט
עָרוֹם הִלְּכוּ בְּלִי לְבוּשׁ וּרְעֵבִים נָשְׂאוּ עֹמֶר: י
בֵּין־שׁוּרֹתָם יַצְהִירוּ יְקָבִים דָּרְכוּ וַיִּצְמָאוּ: יא
מֵעִיר מְתִים ׀ יִנְאָקוּ וְנֶפֶשׁ־חֲלָלִים תְּשַׁוֵּעַ יב
וֶאֱלוֹהַּ לֹא־יָשִׂים תִּפְלָה:
הֵמָּה ׀ הָיוּ בְּמֹרְדֵי אוֹר לֹא־הִכִּירוּ דְרָכָיו יג
וְלֹא יָשְׁבוּ בִּנְתִיבֹתָיו:
לָאוֹר יָקוּם רוֹצֵחַ יִקְטָל־עָנִי וְאֶבְיוֹן וּבַלַּיְלָה יְהִי כַגַּנָּב: יד
וְעֵין נֹאֵף ׀ שָׁמְרָה נֶשֶׁף לֵאמֹר לֹא־תְשׁוּרֵנִי עָיִן טו
וְסֵתֶר פָּנִים יָשִׂים: חָתַר בַּחֹשֶׁךְ בָּתִּים טז
יוֹמָם חִתְּמוּ־לָמוֹ לֹא־יָדְעוּ אוֹר:
כִּי יַחְדָּו ׀ בֹּקֶר לָמוֹ צַלְמָוֶת כִּי־יַכִּיר בַּלְהוֹת צַלְמָוֶת: יז

דֶּרֶךְ רְשָׁעִים צְלֵחָה:

קַל־הוּא ׀ עַל־פְּנֵי־מַיִם תְּקֻלַּל חֶלְקָתָם בָּאָרֶץ יח
לֹא־יִפְנֶה דֶּרֶךְ כְּרָמִים:
צִיָּה גַם־חֹם יִגְזְלוּ מֵימֵי־שֶׁלֶג שְׁאוֹל חָטָאוּ: יט
יִשְׁכָּחֵהוּ רֶחֶם ׀ מְתָקוֹ רִמָּה עוֹד לֹא־יִזָּכֵר כ

כא וַתִּשָּׁבֵר כָּעֵץ עַוְלָה׃ רֹעֶה עֲקָרָה לֹא תֵלֵד
וְאַלְמָנָה לֹא יְיֵטִיב׃
כב וּמָשַׁךְ אַבִּירִים בְּכֹחוֹ יָקוּם וְלֹא־יַאֲמִין בַּחַיִּין׃
כג יִתֶּן־לוֹ לָבֶטַח וְיִשָּׁעֵן וְעֵינֵיהוּ עַל־דַּרְכֵיהֶם׃
כד רוֹמּוּ מְּעַט | וְאֵינֶנּוּ וְהֻמְּכוּ כַּכֹּל יִקָּפְצוּן
כה וּכְרֹאשׁ שִׁבֹּלֶת יִמָּלוּ׃ וְאִם־לֹא אֵפוֹ מִי יַכְזִיבֵנִי
וְיָשֵׂם לְאַל מִלָּתִי׃

כה א וַיַּעַן בִּלְדַּד הַשֻּׁחִי וַיֹּאמַר׃
ב הַמְשֵׁל וָפַחַד עִמּוֹ עֹשֶׂה שָׁלוֹם בִּמְרוֹמָיו׃ אֵין זַכַּאי לִפְנֵי ה׳׃
ג הֲיֵשׁ מִסְפָּר לִגְדוּדָיו וְעַל־מִי לֹא־יָקוּם אוֹרֵהוּ׃
ד וּמַה־יִּצְדַּק אֱנוֹשׁ עִם־אֵל וּמַה־יִּזְכֶּה יְלוּד אִשָּׁה׃
ה הֵן עַד־יָרֵחַ וְלֹא יַאֲהִיל וְכוֹכָבִים לֹא־זַכּוּ בְעֵינָיו׃
ו אַף כִּי־אֱנוֹשׁ רִמָּה וּבֶן־אָדָם תּוֹלֵעָה׃

כו א וַיַּעַן אִיּוֹב וַיֹּאמַר׃
ב מֶה־עָזַרְתָּ לְלֹא־כֹחַ הוֹשַׁעְתָּ זְרוֹעַ לֹא־עֹז׃ לַעַג לְדִבְרֵי בִלְדַּד׃
ג מַה־יָּעַצְתָּ לְלֹא חָכְמָה וְתֻשִׁיָּה לָרֹב הוֹדָעְתָּ׃
ד אֶת־מִי הִגַּדְתָּ מִלִּין וְנִשְׁמַת־מִי יָצְאָה מִמֶּךָּ׃
ה הָרְפָאִים יְחוֹלָלוּ מִתַּחַת מַיִם וְשֹׁכְנֵיהֶם׃ אֵימַת ה׳ נִכֶּרֶת בְּכָל הַבְּרִיאָה׃
ו עָרוֹם שְׁאוֹל נֶגְדּוֹ וְאֵין כְּסוּת לָאֲבַדּוֹן׃
ז נֹטֶה צָפוֹן עַל־תֹּהוּ תֹּלֶה אֶרֶץ עַל־בְּלִי־מָה׃
ח צֹרֵר־מַיִם בְּעָבָיו וְלֹא־נִבְקַע עָנָן תַּחְתָּם׃ גְּבוּרַת ה׳ בַּשָּׁמַיִם וּבָאָרֶץ׃
ט מְאַחֵז פְּנֵי־כִסֵּה פַּרְשֵׁז עָלָיו עֲנָנוֹ׃
י חֹק־חָג עַל־פְּנֵי־מָיִם עַד־תַּכְלִית אוֹר עִם־חֹשֶׁךְ׃
יא עַמּוּדֵי שָׁמַיִם יְרוֹפָפוּ וְיִתְמְהוּ מִגַּעֲרָתוֹ׃
יב בְּכֹחוֹ רָגַע הַיָּם ובתובנתו וּבִתְבוּנָתוֹ מָחַץ רָהַב׃

יג בְּ֭רוּחוֹ שָׁמַ֣יִם שִׁפְרָ֑ה חֹלְלָ֥ה יָ֝ד֗וֹ נָחָ֥שׁ בָּרִֽיחַ׃
יד הֶן־אֵ֨לֶּה׀ קְצ֬וֹת דְּרָכָ֗ו וּמַה־שֵּׁ֣מֶץ דָּ֭בָר נִשְׁמַע־בּ֑וֹ
וְרַ֥עַם גְּ֝בוּרֹתָ֗ו מִ֣י יִתְבּוֹנָֽן׃

כז א וַיֹּ֣סֶף אִ֭יּוֹב שְׂאֵ֥ת מְשָׁל֗וֹ וַיֹּאמַֽר׃

שְׁבוּעָה שֶׁדְּבָרָיו אֱמֶת:
ב חַי־אֵ֭ל הֵסִ֣יר מִשְׁפָּטִ֑י וְ֝שַׁדַּ֗י הֵמַ֥ר נַפְשִֽׁי׃
ג כִּֽי־כָל־ע֣וֹד נִשְׁמָתִ֣י בִ֑י וְר֖וּחַ אֱל֣וֹהַ בְּאַפִּֽי׃
ד אִם־תְּדַבֵּ֣רְנָה שְׂפָתַ֣י עַוְלָ֑ה וּ֝לְשׁוֹנִ֗י אִם־יֶהְגֶּ֥ה רְמִיָּֽה׃
בָּטוּחַ בְּצִדְקָתוֹ:
ה חָלִ֣ילָה לִּי֮ אִם־אַצְדִּ֪יק אֶ֫תְכֶ֥ם עַד־אֶגְוָ֑ע
לֹא־אָסִ֖יר תֻּמָּתִ֣י מִמֶּֽנִּי׃
ו בְּצִדְקָתִ֣י הֶ֭חֱזַקְתִּי וְלֹ֣א אַרְפֶּ֑הָ
לֹא־יֶחֱרַ֥ף לְ֝בָבִ֗י מִיָּמָֽי׃
ז יְהִ֣י כְ֭רָשָׁע אֹיְבִ֑י וּמִתְקוֹמְמִ֥י כְעַוָּֽל׃
קְלָלָה לְרֵעָיו הַחֲנֵפִים:
ח כִּ֤י מַה־תִּקְוַ֣ת חָ֭נֵף כִּ֣י יִבְצָ֑ע כִּ֤י יֵ֖שֶׁל אֱל֣וֹהַ נַפְשֽׁוֹ׃
ט הֲֽ֭צַעֲקָתוֹ יִשְׁמַ֥ע׀ אֵ֑ל כִּֽי־תָב֖וֹא עָלָ֣יו צָרָֽה׃
י אִם־עַל־שַׁדַּ֥י יִתְעַנָּ֑ג יִקְרָ֖א אֱל֣וֹהַ בְּכָל־עֵֽת׃
יא אוֹרֶ֣ה אֶתְכֶ֣ם בְּיַד־אֵ֑ל אֲשֶׁ֥ר עִם־שַׁ֝דַּ֗י לֹ֣א אֲכַחֵֽד׃
יב הֵ֣ן אַתֶּ֣ם כֻּלְּכֶ֣ם חֲזִיתֶ֑ם וְלָמָּה־זֶּ֝ה הֶ֣בֶל תֶּהְבָּֽלוּ׃
הָאֲסוֹנוֹת שֶׁיָּבֹאוּ עַל הָרְשָׁעִים:
יג זֶ֤ה׀ חֵֽלֶק־אָדָ֥ם רָשָׁ֗ע׀ עִם־אֵ֥֫ל וְֽנַחֲלַ֥ת עָ֝רִיצִ֗ים מִשַּׁדַּ֥י יִקָּֽחוּ׃
יד אִם־יִרְבּ֣וּ בָנָ֣יו לְמוֹ־חָ֑רֶב וְ֝צֶאֱצָאָ֗יו לֹ֣א יִשְׂבְּעוּ־לָֽחֶם׃
טו שְׂרִידָו בַּמָּ֣וֶת יִקָּבֵ֑רוּ וְ֝אַלְמְנֹתָ֗יו לֹ֣א תִבְכֶּֽינָה׃
טז אִם־יִצְבֹּ֣ר כֶּעָפָ֣ר כָּ֑סֶף וְ֝כַחֹ֗מֶר יָכִ֥ין מַלְבּֽוּשׁ׃
יז יָ֭כִין וְצַדִּ֣יק יִלְבָּ֑שׁ וְ֝כֶ֗סֶף נָקִ֥י יַחֲלֹֽק׃
יח בָּנָ֣ה כָעָ֣שׁ בֵּית֑וֹ וּ֝כְסֻכָּ֗ה עָשָׂ֥ה נֹצֵֽר׃
יט עָשִׁ֣יר יִ֭שְׁכַּב וְלֹ֣א יֵאָסֵ֑ף עֵינָ֖יו פָּקַ֣ח וְאֵינֶֽנּוּ׃
כ תַּשִּׂיגֵ֣הוּ כַ֭מַּיִם בַּלָּה֑וֹת לַ֝֗יְלָה גְּנָבַ֥תּוּ סוּפָֽה׃
כא יִשָּׂאֵ֣הוּ קָדִ֣ים וְיֵלַ֑ךְ וִֽ֝ישָׂעֲרֵ֗הוּ מִמְּקֹמֽוֹ׃

כב וְיַשְׁלֵךְ עָלָיו וְלֹא יַחְמֹל מִיָּדוֹ בָּרוֹחַ יִבְרָח:
כג יִשְׂפֹּק עָלֵימוֹ כַפֵּימוֹ וְיִשְׁרֹק עָלָיו מִמְּקֹמוֹ:
כח א כִּי יֵשׁ לַכֶּסֶף מוֹצָא וּמָקוֹם לַזָּהָב יָזֹקּוּ:
ב בַּרְזֶל מֵעָפָר יֻקָּח וְאֶבֶן יָצוּק נְחוּשָׁה:
ג קֵץ | שָׂם לַחֹשֶׁךְ וּלְכָל־תַּכְלִית הוּא חוֹקֵר
ד אֶבֶן אֹפֶל וְצַלְמָוֶת: פָּרַץ נַחַל | מֵעִם־גָּר
הַנִּשְׁכָּחִים מִנִּי־רָגֶל דַּלּוּ מֵאֱנוֹשׁ נָעוּ:
ה אֶרֶץ מִמֶּנָּה יֵצֵא־לָחֶם וְתַחְתֶּיהָ נֶהְפַּךְ כְּמוֹ־אֵשׁ:
ו מְקוֹם־סַפִּיר אֲבָנֶיהָ וְעַפְרֹת זָהָב לוֹ:
ז נָתִיב לֹא־יְדָעוֹ עָיִט וְלֹא שְׁזָפַתּוּ עֵין אַיָּה:
ח לֹא־הִדְרִיכֻהוּ בְנֵי־שָׁחַץ לֹא־עָדָה עָלָיו שָׁחַל:
ט בַּחַלָּמִישׁ שָׁלַח יָדוֹ הָפַךְ מִשֹּׁרֶשׁ הָרִים:
י בַּצּוּרוֹת יְאֹרִים בִּקֵּעַ וְכָל־יְקָר רָאֲתָה עֵינוֹ:
יא מִבְּכִי נְהָרוֹת חִבֵּשׁ וְתַעֲלֻמָהּ יֹצִא אוֹר:

תְּבוּנַת הָאָדָם לְהוֹצִיא מַטְמוֹנוֹת הָאֲדָמָה:

יב וְהַחָכְמָה מֵאַיִן תִּמָּצֵא וְאֵי זֶה מְקוֹם בִּינָה:
יג לֹא־יָדַע אֱנוֹשׁ עֶרְכָּהּ וְלֹא תִמָּצֵא בְּאֶרֶץ הַחַיִּים:
יד תְּהוֹם אָמַר לֹא בִי־הִיא וְיָם אָמַר אֵין עִמָּדִי:
טו לֹא־יֻתַּן סְגוֹר תַּחְתֶּיהָ וְלֹא יִשָּׁקֵל כֶּסֶף מְחִירָהּ:
טז לֹא־תְסֻלֶּה בְּכֶתֶם אוֹפִיר בְּשֹׁהַם יָקָר וְסַפִּיר:
יז לֹא־יַעַרְכֶנָּה זָהָב וּזְכוֹכִית וּתְמוּרָתָהּ כְּלִי־פָז:
יח רָאמוֹת וְגָבִישׁ לֹא יִזָּכֵר וּמֶשֶׁךְ חָכְמָה מִפְּנִינִים:
יט לֹא־יַעַרְכֶנָּה פִּטְדַת־כּוּשׁ בְּכֶתֶם טָהוֹר לֹא תְסֻלֶּה:
כ וְהַחָכְמָה מֵאַיִן תָּבוֹא וְאֵי זֶה מְקוֹם בִּינָה:
כא וְנֶעֶלְמָה מֵעֵינֵי כָל־חָי וּמֵעוֹף הַשָּׁמַיִם נִסְתָּרָה:

הַקֹּשִׁי לִמְצֹא אֶת הַחָכְמָה:

אֲבַדּוֹן וָמָוֶת אָמְרוּ   בְּאָזְנֵינוּ שָׁמַעְנוּ שִׁמְעָהּ׃ כב

רַק ה' יוֹדֵעַ מְקוֹם הַחָכְמָה׃

אֱלֹהִים הֵבִין דַּרְכָּהּ   וְהוּא יָדַע אֶת־מְקוֹמָהּ׃ כג
כִּי־הוּא לִקְצוֹת־הָאָרֶץ יַבִּיט   תַּחַת כָּל־הַשָּׁמַיִם יִרְאֶה׃ כד
לַעֲשׂוֹת לָרוּחַ מִשְׁקָל   וּמַיִם תִּכֵּן בְּמִדָּה׃ כה
בַּעֲשֹׂתוֹ לַמָּטָר חֹק   וְדֶרֶךְ לַחֲזִיז קֹלוֹת׃ כו
אָז רָאָהּ וַיְסַפְּרָהּ   הֱכִינָהּ וְגַם־חֲקָרָהּ׃ כז
וַיֹּאמֶר ׀ לָאָדָם   הֵן יִרְאַת אֲדֹנָי הִיא חָכְמָה כח
וְסוּר מֵרָע   בִּינָה׃

כט וַיֹּסֶף אִיּוֹב שְׂאֵת מְשָׁלוֹ וַיֹּאמַר׃ א

גַּעְגּוּעֵי אִיּוֹב לְיָמָיו הָרִאשׁוֹנִים׃

מִי־יִתְּנֵנִי כְיַרְחֵי־קֶדֶם   כִּימֵי אֱלוֹהַּ יִשְׁמְרֵנִי׃ ב
בְּהִלּוֹ נֵרוֹ עֲלֵי רֹאשִׁי   לְאוֹרוֹ אֵלֶךְ חֹשֶׁךְ׃ ג
כַּאֲשֶׁר הָיִיתִי בִּימֵי חָרְפִּי   בְּסוֹד אֱלוֹהַּ עֲלֵי אָהֳלִי׃ ד
בְּעוֹד שַׁדַּי עִמָּדִי   סְבִיבוֹתַי נְעָרָי׃ ה
בִּרְחֹץ הֲלִיכַי בְּחֵמָה   וְצוּר יָצוּק עִמָּדִי פַּלְגֵי־שָׁמֶן׃ ו

כְּבוֹדוֹ שֶׁל אִיּוֹב׃

בְּצֵאתִי שַׁעַר עֲלֵי־קָרֶת   בָּרְחוֹב אָכִין מוֹשָׁבִי׃ ז
רָאוּנִי נְעָרִים וְנֶחְבָּאוּ   וִישִׁישִׁים קָמוּ עָמָדוּ׃ ח
שָׂרִים עָצְרוּ בְמִלִּים   וְכַף יָשִׂימוּ לְפִיהֶם׃ ט
קוֹל־נְגִידִים נֶחְבָּאוּ   וּלְשׁוֹנָם לְחִכָּם דָּבֵקָה׃ י
כִּי אֹזֶן שָׁמְעָה וַתְּאַשְּׁרֵנִי   וְעַיִן רָאֲתָה וַתְּעִידֵנִי׃ יא
כִּי־אֲמַלֵּט עָנִי מְשַׁוֵּעַ   וְיָתוֹם וְלֹא־עֹזֵר לוֹ׃ יב

הִתְנַהֲגוּת אִיּוֹב כְּשׁוֹפֵט צֶדֶק׃

בִּרְכַּת אֹבֵד עָלַי תָּבֹא   וְלֵב אַלְמָנָה אַרְנִן׃ יג
צֶדֶק לָבַשְׁתִּי וַיִּלְבָּשֵׁנִי   כִּמְעִיל וְצָנִיף מִשְׁפָּטִי׃ יד
עֵינַיִם הָיִיתִי לַעִוֵּר   וְרַגְלַיִם לַפִּסֵּחַ אָנִי׃ טו
אָב אָנֹכִי לָאֶבְיוֹנִים   וְרִב לֹא־יָדַעְתִּי אֶחְקְרֵהוּ׃ טז
וָאֲשַׁבְּרָה מְתַלְּעוֹת עַוָּל   וּמִשִּׁנָּיו אַשְׁלִיךְ טָרֶף׃ יז

יח וָאֹמַר עִם־קִנִּי אֶגְוָע וְכַחוֹל אַרְבֶּה יָמִים: בִּטְחוֹנוֹ, וּכְבוֹדוֹ
יט שָׁרְשִׁי פָתוּחַ אֱלֵי־מָיִם וְטַל יָלִין בִּקְצִירִי: בְּעֵינֵי הָעָם:
כ כְּבוֹדִי חָדָשׁ עִמָּדִי וְקַשְׁתִּי בְּיָדִי תַחֲלִיף:
כא לִי־שָׁמְעוּ וְיִחֵלּוּ וְיִדְּמוּ לְמוֹ עֲצָתִי:
כב אַחֲרֵי דְבָרִי לֹא יִשְׁנוּ וְעָלֵימוֹ תִּטֹּף מִלָּתִי:
כג וְיִחֲלוּ כַמָּטָר לִי וּפִיהֶם פָּעֲרוּ לְמַלְקוֹשׁ:
כד אֶשְׂחַק אֲלֵהֶם לֹא יַאֲמִינוּ וְאוֹר פָּנַי לֹא יַפִּילוּן:
כה אֶבְחַר דַּרְכָּם וְאֵשֵׁב רֹאשׁ וְאֶשְׁכּוֹן כְּמֶלֶךְ בַּגְּדוּד
כַּאֲשֶׁר אֲבֵלִים יְנַחֵם:

ל א וְעַתָּה ׀ שָׂחֲקוּ עָלַי צְעִירִים מִמֶּנִּי לְיָמִים תֵּאוּר
אֲשֶׁר־מָאַסְתִּי אֲבוֹתָם לָשִׁית עִם־כַּלְבֵי צֹאנִי: עָבְרָם שֶׁל מְרֵעָיו:
ב גַּם־כֹּחַ יְדֵיהֶם לָמָּה לִּי עָלֵימוֹ אָבַד כָּלַח:
ג בְּחֶסֶר וּבְכָפָן גַּלְמוּד הַעֹרְקִים צִיָּה אֶמֶשׁ שׁוֹאָה וּמְשֹׁאָה:
ד הַקֹּטְפִים מַלּוּחַ עֲלֵי־שִׂיחַ וְשֹׁרֶשׁ רְתָמִים לַחְמָם:
ה מִן־גֵּו יְגֹרָשׁוּ יָרִיעוּ עָלֵימוֹ כַּגַּנָּב:
ו בַּעֲרוּץ נְחָלִים לִשְׁכֹּן חֹרֵי עָפָר וְכֵפִים:
ז בֵּין־שִׂיחִים יִנְהָקוּ תַּחַת חָרוּל יְסֻפָּחוּ:
ח בְּנֵי־נָבָל גַּם־בְּנֵי בְלִי־שֵׁם נִכְּאוּ מִן־הָאָרֶץ:
ט וְעַתָּה נְגִינָתָם הָיִיתִי וָאֱהִי לָהֶם לְמִלָּה: תֵּאוּר מְעַלְלֵיהֶם
י תִּעֲבוּנִי רָחֲקוּ מֶנִּי וּמִפָּנַי לֹא־חָשְׂכוּ רֹק: מוּל סִבְלוֹ:
יא כִּי־יִתְרִי יתרו פִּתַּח וַיְעַנֵּנִי וְרֶסֶן מִפָּנַי שִׁלֵּחוּ:
יב עַל־יָמִין פִּרְחַח יָקוּמוּ רַגְלַי שִׁלֵּחוּ
וַיָּסֹלּוּ עָלַי אָרְחוֹת אֵידָם:
יג נָתְסוּ נְתִיבָתִי לְהַוָּתִי יֹעִילוּ לֹא עֹזֵר לָמוֹ:
יד כְּפֶרֶץ רָחָב יֶאֱתָיוּ תַּחַת שֹׁאָה הִתְגַּלְגָּלוּ:

טו הָהְפַּךְ עָלַי בַּלָּהוֹת תִּרְדֹּף כָּרוּחַ נְדִבָתִי
וּכְעָב עָבְרָה יְשֻׁעָתִי:

יִסּוּרֵי אִיּוֹב בָּחֳלָאִים וְצָרוֹת:

טז וְעַתָּה עָלַי תִּשְׁתַּפֵּךְ נַפְשִׁי יֹאחֲזוּנִי יְמֵי־עֹנִי:
יז לַיְלָה עֲצָמַי נִקַּר מֵעָלָי וְעֹרְקַי לֹא יִשְׁכָּבוּן:
יח בְּרָב־כֹּחַ יִתְחַפֵּשׂ לְבוּשִׁי כְּפִי כֻתָּנְתִּי יַאַזְרֵנִי:

הֶסְתֵּר פָּנִים מֵה' וְחֹסֶר הַתִּקְוָה:

יט הֹרָנִי לַחֹמֶר וָאֶתְמַשֵּׁל כֶּעָפָר וָאֵפֶר:
כ אֲשַׁוַּע אֵלֶיךָ וְלֹא תַעֲנֵנִי עָמַדְתִּי וַתִּתְבֹּנֶן בִּי:
כא תֵּהָפֵךְ לְאַכְזָר לִי בְּעֹצֶם יָדְךָ תִשְׂטְמֵנִי:
כב תִּשָּׂאֵנִי אֶל־רוּחַ תַּרְכִּיבֵנִי וּתְמֹגְגֵנִי תשוה תֻּשִׁיָּה:
כג כִּי־יָדַעְתִּי מָוֶת תְּשִׁיבֵנִי וּבֵית מוֹעֵד לְכָל־חָי:
כד אַךְ לֹא־בְעִי יִשְׁלַח־יָד אִם־בְּפִידוֹ לָהֶן שׁוּעַ:

תְּלוּנוֹת אִיּוֹב עַל סִבְלוֹ שֶׁלֹּא בְּצֶדֶק:

כה אִם־לֹא בָכִיתִי לִקְשֵׁה־יוֹם עָגְמָה נַפְשִׁי לָאֶבְיוֹן:
כו כִּי טוֹב קִוִּיתִי וַיָּבֹא רָע וַאֲיַחֲלָה לְאוֹר וַיָּבֹא אֹפֶל:
כז מֵעַי רֻתְּחוּ וְלֹא־דָמּוּ קִדְּמֻנִי יְמֵי־עֹנִי:
כח קֹדֵר הִלַּכְתִּי בְּלֹא חַמָּה קַמְתִּי בַקָּהָל אֲשַׁוֵּעַ:
כט אָח הָיִיתִי לְתַנִּים וְרֵעַ לִבְנוֹת יַעֲנָה:
ל עוֹרִי שָׁחַר מֵעָלָי וְעַצְמִי־חָרָה מִנִּי־חֹרֶב:
לא וַיְהִי לְאֵבֶל כִּנֹּרִי וְעֻגָבִי לְקוֹל בֹּכִים:

תֵּאוּר צִדְקוֹ וְטֹהַר מִדּוֹתָיו:

לא

א בְּרִית כָּרַתִּי לְעֵינָי וּמָה אֶתְבּוֹנֵן עַל־בְּתוּלָה:
ב וּמֶה ׀ חֵלֶק אֱלוֹהַּ מִמָּעַל וְנַחֲלַת שַׁדַּי מִמְּרֹמִים:
ג הֲלֹא־אֵיד לְעַוָּל וְנֵכֶר לְפֹעֲלֵי אָוֶן:
ד הֲלֹא־הוּא יִרְאֶה דְרָכָי וְכָל־צְעָדַי יִסְפּוֹר:
ה אִם־הָלַכְתִּי עִם־שָׁוְא וַתַּחַשׁ עַל־מִרְמָה רַגְלִי:
ו יִשְׁקְלֵנִי בְמֹאזְנֵי־צֶדֶק וְיֵדַע אֱלוֹהַּ תֻּמָּתִי:

זְהִירוּתוֹ מִגָּזֵל וּמִנִּאוּף:

ז אִם תִּטֶּה אַשֻּׁרִי מִנִּי הַדָּרֶךְ וְאַחַר עֵינַי הָלַךְ לִבִּי

וּבְכַפַּי דָּבַק מְאוּם:

ח אֶזְרְעָה וְאַחֵר יֹאכֵל וְצֶאֱצָאַי יְשֹׁרָשׁוּ:

ט אִם־נִפְתָּה לִבִּי עַל־אִשָּׁה וְעַל־פֶּתַח רֵעִי אָרָבְתִּי:

י תִּטְחַן לְאַחֵר אִשְׁתִּי וְעָלֶיהָ יִכְרְעוּן אֲחֵרִין:

יא כִּי־הִיא הוא זִמָּה והיא וְהוּא עָוֺן פְּלִילִים:

יב כִּי אֵשׁ הִיא עַד־אֲבַדּוֹן תֹּאכֵל וּבְכָל־תְּבוּאָתִי תְשָׁרֵשׁ:

יג אִם־אֶמְאַס מִשְׁפַּט עַבְדִּי וַאֲמָתִי בְּרִבָם עִמָּדִי: יַחֲסוֹ הַטּוֹב לַעֲבָדָיו:

יד וּמָה אֶעֱשֶׂה כִּי־יָקוּם אֵל וְכִי־יִפְקֹד מָה אֲשִׁיבֶנּוּ:

טו הֲלֹא־בַבֶּטֶן עֹשֵׂנִי עָשָׂהוּ וַיְכֻנֶנּוּ בָּרֶחֶם אֶחָד:

טז אִם־אֶמְנַע מֵחֵפֶץ דַּלִּים וְעֵינֵי אַלְמָנָה אֲכַלֶּה: יַחֲסוֹ לָאֻמְלָלִים:

יז וְאֹכַל פִּתִּי לְבַדִּי וְלֹא־אָכַל יָתוֹם מִמֶּנָּה:

יח כִּי מִנְּעוּרַי גְּדֵלַנִי כְאָב וּמִבֶּטֶן אִמִּי אַנְחֶנָּה:

יט אִם־אֶרְאֶה אוֹבֵד מִבְּלִי לְבוּשׁ וְאֵין כְּסוּת לָאֶבְיוֹן:

כ אִם־לֹא בֵרְכוּנִי חֲלָצָו וּמִגֵּז כְּבָשַׂי יִתְחַמָּם:

כא אִם־הֲנִיפוֹתִי עַל־יָתוֹם יָדִי כִּי־אֶרְאֶה בַשַּׁעַר עֶזְרָתִי:

כב כְּתֵפִי מִשִּׁכְמָה תִפּוֹל וְאֶזְרֹעִי מִקָּנָה תִשָּׁבֵר:

כג כִּי פַחַד אֵלַי אֵיד אֵל וּמִשְּׂאֵתוֹ לֹא אוּכָל:

כד אִם־שַׂמְתִּי זָהָב כִּסְלִי וְלַכֶּתֶם אָמַרְתִּי מִבְטַחִי: לֹא עָבַד עֲבוֹדָה זָרָה:

כה אִם־אֶשְׂמַח כִּי־רַב חֵילִי וְכִי־כַבִּיר מָצְאָה יָדִי:

כו אִם־אֶרְאֶה אוֹר כִּי יָהֵל וְיָרֵחַ יָקָר הֹלֵךְ:

כז וַיִּפְתְּ בַּסֵּתֶר לִבִּי וַתִּשַּׁק יָדִי לְפִי:

כח גַּם־הוּא עָוֺן פְּלִילִי כִּי־כִחַשְׁתִּי לָאֵל מִמָּעַל:

כט אִם־אֶשְׂמַח בְּפִיד מְשַׂנְאִי וְהִתְעֹרַרְתִּי כִּי־מְצָאוֹ רָע: לֹא שָׁמַר טִינָה לְשׂוֹנְאָיו:

ל וְלֹא־נָתַתִּי לַחֲטֹא חִכִּי לִשְׁאֹל בְּאָלָה נַפְשׁוֹ:

לא אִם־לֹא אָמְרוּ מְתֵי אָהֳלִי מִי־יִתֵּן מִבְּשָׂרוֹ לֹא נִשְׂבָּע: הִכְנִיס אוֹרְחִים:

בַּחוּץ לֹא־יָלִין גֵּר   דְּלָתַי לָאֹרַח אֶפְתָּח: לב

לֹא כִסָּה פְשָׁעָיו: אִם־כִּסִּיתִי כְאָדָם פְּשָׁעָי   לִטְמוֹן בְּחֻבִּי עֲוֺנִי: לג

כִּי אֶעֱרוֹץ | הָמוֹן רַבָּה   וּבוּז־מִשְׁפָּחוֹת יְחִתֵּנִי לד

וָאֶדֹּם   לֹא־אֵצֵא פָתַח:

מִשְׁאַלְתּוֹ שֶׁיִּשְׁמְעוּ דְּבָרָיו: מִי יִתֶּן־לִי | שֹׁמֵעַ לִי   הֶן־תָּוִי שַׁדַּי יַעֲנֵנִי לה

וְסֵפֶר כָּתַב   אִישׁ רִיבִי:

אִם־לֹא עַל־שִׁכְמִי אֶשָּׂאֶנּוּ   אֶעֶנְדֶנּוּ עֲטָרוֹת לִי: לו

מִסְפַּר צְעָדַי אַגִּידֶנּוּ   כְּמוֹ־נָגִיד אֲקָרְבֶנּוּ: לז

שְׁבוּעָה שֶׁכָּל פְּעָלָיו בְּצֶדֶק: אִם־עָלַי אַדְמָתִי תִזְעָק   וְיַחַד תְּלָמֶיהָ יִבְכָּיוּן: לח

אִם־כֹּחָהּ אָכַלְתִּי בְלִי־כָסֶף   וְנֶפֶשׁ בְּעָלֶיהָ הִפָּחְתִּי: לט

תַּחַת חִטָּה | יֵצֵא חֹוחַ   וְתַחַת־שְׂעֹרָה בָאְשָׁה מ

תַּמּוּ   דִּבְרֵי אִיּוֹב:

הִשְׁתַּתְּקוּת רֵעֵי אִיּוֹב, וְהִצְטָרְפוּת אֱלִיהוּא: וַיִּשְׁבְּתוּ   שְׁלֹשֶׁת הָאֲנָשִׁים הָאֵלֶּה א לב

מֵעֲנוֹת אֶת־אִיּוֹב   כִּי הוּא צַדִּיק בְּעֵינָיו:

וַיִּחַר אַף | אֱלִיהוּא בֶן־בַּרַכְאֵל הַבּוּזִי   מִמִּשְׁפַּחַת רָם ב

בְּאִיּוֹב חָרָה אַפּוֹ   עַל־צַדְּקוֹ נַפְשׁוֹ מֵאֱלֹהִים:

וּבִשְׁלֹשֶׁת רֵעָיו חָרָה אַפּוֹ   עַל אֲשֶׁר לֹא־מָצְאוּ מַעֲנֶה ג

וַיַּרְשִׁיעוּ אֶת־אִיּוֹב: וֶאֱלִיהוּ חִכָּה אֶת־אִיּוֹב בִּדְבָרִים ד

כִּי זְקֵנִים־הֵמָּה מִמֶּנּוּ לְיָמִים: וַיַּרְא אֱלִיהוּא כִּי אֵין מַעֲנֶה ה

בְּפִי שְׁלֹשֶׁת הָאֲנָשִׁים   וַיִּחַר אַפּוֹ:

הִתְנַצְּלוּת עַל הִתְעָרְבוּתוֹ בַּשִּׂיחָה: וַיַּעַן | אֱלִיהוּא בֶן־בַּרַכְאֵל הַבּוּזִי וַיֹּאמַר   צָעִיר אֲנִי לְיָמִים ו

וְאַתֶּם יְשִׁישִׁים   עַל־כֵּן זָחַלְתִּי וָאִירָא | מֵחַוֺּת דֵּעִי אֶתְכֶם:

ז אָמַרְתִּי יָמִים יְדַבֵּרוּ וְרֹב שָׁנִים יֹדִיעוּ חָכְמָה׃

ח אָכֵן רוּחַ־הִיא בֶאֱנוֹשׁ וְנִשְׁמַת שַׁדַּי תְּבִינֵם׃

ט לֹא־רַבִּים יֶחְכָּמוּ וּזְקֵנִים יָבִינוּ מִשְׁפָּט׃

י לָכֵן אָמַרְתִּי שִׁמְעָה־לִּי אֲחַוֶּה דֵעִי אַף־אָנִי׃ (סִבַּת דְּבָרָיו, כִּי אֵין מוֹכִיחַ לְאִיּוֹב׃)

יא הֵן הוֹחַלְתִּי ׀ לְדִבְרֵיכֶם אָזִין עַד־תְּבוּנֹתֵיכֶם

יב עַד־תַּחְקְרוּן מִלִּין׃ וְעָדֵיכֶם אֶתְבּוֹנָן

וְהִנֵּה אֵין לְאִיּוֹב מוֹכִיחַ עוֹנֶה אֲמָרָיו מִכֶּם׃

יג פֶּן־תֹּאמְרוּ מָצָאנוּ חָכְמָה אֵל יִדְּפֶנּוּ לֹא־אִישׁ׃

יד וְלֹא־עָרַךְ אֵלַי מִלִּין וּבְאִמְרֵיכֶם לֹא אֲשִׁיבֶנּוּ׃

טו חַתּוּ לֹא־עָנוּ עוֹד הֶעְתִּיקוּ מֵהֶם מִלִּים׃

טז וְהוֹחַלְתִּי כִּי־לֹא יְדַבֵּרוּ כִּי עָמְדוּ לֹא־עָנוּ עוֹד׃

יז אַעֲנֶה אַף־אֲנִי חֶלְקִי אֲחַוֶּה דֵעִי אַף־אָנִי׃

יח כִּי מָלֵתִי מִלִּים הֱצִיקַתְנִי רוּחַ בִּטְנִי׃

יט הִנֵּה־בִטְנִי כְּיַיִן לֹא־יִפָּתֵחַ כְּאֹבוֹת חֲדָשִׁים יִבָּקֵעַ׃

כ אֲדַבְּרָה וְיִרְוַח־לִי אֶפְתַּח שְׂפָתַי וְאֶעֱנֶה׃

כא אַל־נָא אֶשָּׂא פְנֵי־אִישׁ וְאֶל־אָדָם לֹא אֲכַנֶּה׃

כב כִּי לֹא יָדַעְתִּי אֲכַנֶּה כִּמְעַט יִשָּׂאֵנִי עֹשֵׂנִי׃

לג א וְאוּלָם שְׁמַע־נָא אִיּוֹב מִלָּי וְכָל־דְּבָרַי הַאֲזִינָה׃ (קְרִיאָה לְאִיּוֹב לְהַאֲזִין לִדְבָרָיו לְהִתְוַכֵּחַ עִמּוֹ׃)

ב הִנֵּה־נָא פָּתַחְתִּי פִי דִּבְּרָה לְשׁוֹנִי בְחִכִּי׃

ג יֹשֶׁר־לִבִּי אֲמָרָי וְדַעַת שְׂפָתַי בָּרוּר מִלֵּלוּ׃

ד רוּחַ־אֵל עָשָׂתְנִי וְנִשְׁמַת שַׁדַּי תְּחַיֵּנִי׃

ה אִם־תּוּכַל הֲשִׁיבֵנִי עֶרְכָה לְפָנַי הִתְיַצָּבָה׃

ו הֵן־אֲנִי כְפִיךָ לָאֵל מֵחֹמֶר קֹרַצְתִּי גַם־אָנִי׃

ז הִנֵּה אֵמָתִי לֹא תְבַעֲתֶךָּ וְאַכְפִּי עָלֶיךָ לֹא־יִכְבָּד׃ (חֲזָרָה עַל טַעֲנַת אִיּוֹב׃)

ח אַךְ אָמַרְתָּ בְאָזְנָי וְקוֹל מִלִּין אֶשְׁמָע׃

ט זַךְ אֲנִי בְּלִי פָשַׁע חַף אָנֹכִי וְלֹא עָוֺן לִי׃
י הֵן תְּנוּאוֹת עָלַי יִמְצָא יַחְשְׁבֵנִי לְאוֹיֵב לוֹ׃
יא יָשֵׂם בַּסַּד רַגְלָי יִשְׁמֹר כָּל־אָרְחֹתָי׃
יב הֶן־זֹאת לֹא־צָדַקְתָּ אֶעֱנֶךָּ כִּי־יִרְבֶּה אֱלוֹהַּ מֵאֱנוֹשׁ׃
יג מַדּוּעַ אֵלָיו רִיבוֹתָ כִּי כָל־דְּבָרָיו לֹא יַעֲנֶה׃
יד כִּי־בְאַחַת יְדַבֶּר־אֵל וּבִשְׁתַּיִם לֹא יְשׁוּרֶנָּה׃
טו בַּחֲלוֹם ׀ חֶזְיוֹן לַיְלָה בִּנְפֹל תַּרְדֵּמָה עַל־אֲנָשִׁים
בִּתְנוּמוֹת עֲלֵי מִשְׁכָּב׃

תְּשׁוּבַת ה׳ בְּאֶמְצָעוּת חֲלוֹם:

טז אָז יִגְלֶה אֹזֶן אֲנָשִׁים וּבְמֹסָרָם יַחְתֹּם׃
יז לְהָסִיר אָדָם מַעֲשֶׂה וְגֵוָה מִגֶּבֶר יְכַסֶּה׃
יח יַחְשֹׂךְ נַפְשׁוֹ מִנִּי־שָׁחַת וְחַיָּתוֹ מֵעֲבֹר בַּשָּׁלַח׃
יט וְהוּכַח בְּמַכְאוֹב עַל־מִשְׁכָּבוֹ וריב וְרוֹב עֲצָמָיו אֵתָן׃
כ וְזִהֲמַתּוּ חַיָּתוֹ לָחֶם וְנַפְשׁוֹ מַאֲכַל תַּאֲוָה׃
כא יִכֶל בְּשָׂרוֹ מֵרֹאִי ושפי וְשֻׁפּוּ עַצְמֹתָיו לֹא רֻאּוּ׃

מַכְאוֹבֵי הָאָדָם וְהַצָּלָתוֹ בְּמַעֲשֶׂה טוֹב:

כב וַתִּקְרַב לַשַּׁחַת נַפְשׁוֹ וְחַיָּתוֹ לַמְמִתִים׃
כג אִם־יֵשׁ עָלָיו ׀ מַלְאָךְ מֵלִיץ אֶחָד מִנִּי־אָלֶף
כד לְהַגִּיד לְאָדָם יָשְׁרוֹ׃ וַיְחֻנֶּנּוּ וַיֹּאמֶר פְּדָעֵהוּ מֵרֶדֶת שָׁחַת
מָצָאתִי כֹפֶר׃
כה רֻטֲפַשׁ בְּשָׂרוֹ מִנֹּעַר
כו יָשׁוּב לִימֵי עֲלוּמָיו׃ יֶעְתַּר אֶל־אֱלוֹהַּ ׀ וַיִּרְצֵהוּ
וַיַּרְא פָּנָיו בִּתְרוּעָה וַיָּשֶׁב לֶאֱנוֹשׁ צִדְקָתוֹ׃
כז יָשֹׁר ׀ עַל־אֲנָשִׁים וַיֹּאמֶר חָטָאתִי וְיָשָׁר הֶעֱוֵיתִי
כח וְלֹא־שָׁוָה לִי׃ פָּדָה נפשי נַפְשׁוֹ מֵעֲבֹר בַּשָּׁחַת
וחיתי וְחַיָּתוֹ בָּאוֹר תִּרְאֶה׃
כט הֶן־כָּל־אֵלֶּה יִפְעַל־אֵל פַּעֲמַיִם שָׁלוֹשׁ עִם־גָּבֶר׃
ל לְהָשִׁיב נַפְשׁוֹ מִנִּי־שָׁחַת לֵאוֹר בְּאוֹר הַחַיִּים׃

לא הַקְשֵׁב אִיּוֹב שְׁמַע־לִי הַחֲרֵשׁ וְאָנֹכִי אֲדַבֵּר:

לב אִם־יֵשׁ־מִלִּין הֲשִׁיבֵנִי דַּבֵּר כִּי־חָפַצְתִּי צַדְּקֶךָּ:

לג אִם־אַיִן אַתָּה שְׁמַע־לִי הַחֲרֵשׁ וַאֲאַלֶּפְךָ חָכְמָה:

בַּקָּשָׁה לִשְׁמִיעַת דְּבָרָיו:

לד א וַיַּעַן אֱלִיהוּא וַיֹּאמַר:

ב שִׁמְעוּ חֲכָמִים מִלָּי וְיֹדְעִים הַאֲזִינוּ לִי:

ג כִּי־אֹזֶן מִלִּין תִּבְחָן וְחֵךְ יִטְעַם לֶאֱכֹל:

ד מִשְׁפָּט נִבְחֲרָה־לָּנוּ נֵדְעָה בֵינֵינוּ מַה־טּוֹב:

ה כִּי־אָמַר אִיּוֹב צָדַקְתִּי וְאֵל הֵסִיר מִשְׁפָּטִי:

ו עַל־מִשְׁפָּטִי אֲכַזֵּב אָנוּשׁ חִצִּי בְלִי־פָשַׁע:

ז מִי־גֶבֶר כְּאִיּוֹב יִשְׁתֶּה־לַּעַג כַּמָּיִם:

ח וְאָרַח לְחֶבְרָה עִם־פֹּעֲלֵי אָוֶן וְלָלֶכֶת עִם־אַנְשֵׁי־רֶשַׁע:

ט כִּי־אָמַר לֹא יִסְכָּן־גָּבֶר בִּרְצֹתוֹ עִם־אֱלֹהִים:

הַזְמָנַת אִיּוֹב לְמִשְׁפָּט וַחֲזָרָה עַל טַעֲנוֹתָיו:

י לָכֵן | אַנְשֵׁי לֵבָב שִׁמְעוּ לִי חָלִלָה לָאֵל מֵרֶשַׁע וְשַׁדַּי מֵעָוֶל:

יא כִּי פֹעַל אָדָם יְשַׁלֶּם־לוֹ וּכְאֹרַח אִישׁ יַמְצִאֶנּוּ:

יב אַף־אָמְנָם אֵל לֹא־יַרְשִׁיעַ וְשַׁדַּי לֹא־יְעַוֵּת מִשְׁפָּט:

יג מִי־פָקַד עָלָיו אָרְצָה וּמִי שָׂם תֵּבֵל כֻּלָּהּ:

יד אִם־יָשִׂים אֵלָיו לִבּוֹ רוּחוֹ וְנִשְׁמָתוֹ אֵלָיו יֶאֱסֹף:

טו יִגְוַע כָּל־בָּשָׂר יָחַד וְאָדָם עַל־עָפָר יָשׁוּב:

ה' דַּיָּן אֱמֶת וַאֲדוֹן כֹּל:

טז וְאִם־בִּינָה שִׁמְעָה־זֹּאת הַאֲזִינָה לְקוֹל מִלָּי:

יז הַאַף שׂוֹנֵא מִשְׁפָּט יַחֲבוֹשׁ וְאִם־צַדִּיק כַּבִּיר תַּרְשִׁיעַ:

יח הַאֹמַר לְמֶלֶךְ בְּלִיָּעַל רָשָׁע אֶל־נְדִיבִים:

יט אֲשֶׁר לֹא־נָשָׂא | פְּנֵי שָׂרִים וְלֹא נִכַּר־שׁוֹעַ לִפְנֵי־דָל
כִּי־מַעֲשֵׂה יָדָיו כֻּלָּם:

כ רֶגַע | יָמֻתוּ וַחֲצוֹת לָיְלָה יְגֹעֲשׁוּ עָם וְיַעֲבֹרוּ
וְיָסִירוּ אַבִּיר לֹא בְיָד:

הַשְׁגָּחַת ה' בָּעוֹלָם בְּצֶדֶק וּבְיֹשֶׁר:

ה׳ בּוֹחֵן כֹּל:

כא כִּֽי־עֵ֭ינָיו עַל־דַּרְכֵי־אִ֑ישׁ וְֽכָל־צְעָדָ֥יו יִרְאֶֽה׃
כב אֵין־חֹ֭שֶׁךְ וְאֵ֣ין צַלְמָ֑וֶת לְהִסָּ֥תֶר שָׁ֝֗ם פֹּ֣עֲלֵי אָֽוֶן׃
כג כִּ֤י לֹ֣א עַל־אִ֭ישׁ יָשִׂ֣ים ע֑וֹד לַֽהֲלֹ֥ךְ אֶל־אֵ֝֗ל בַּמִּשְׁפָּֽט׃
כד יָרֹ֣עַ כַּבִּירִ֣ים לֹא־חֵ֑קֶר וַיַּעֲמֵ֖ד אֲחֵרִ֣ים תַּחְתָּֽם׃
כה לָ֭כֵן יַכִּ֣יר מַעְבָּֽדֵיהֶ֑ם וְהָ֥פַךְ לַ֝֗יְלָה וְיִדַּכָּֽאוּ׃
כו תַּֽחַת־רְשָׁעִ֥ים סְפָקָ֗ם בִּמְק֥וֹם רֹאִֽים׃
כז אֲשֶׁ֣ר עַל־כֵּ֭ן סָ֣רוּ מֵאַחֲרָ֑יו וְֽכָל־דְּ֝רָכָ֗יו לֹ֣א הִשְׂכִּֽילוּ׃

שׁוֹמֵעַ זַעֲקַת הַדַּל וְהַמַּכִּיר בַּחֲטָאָיו:

כח לְהָבִ֣יא עָ֭לָיו צַעֲקַת־דָּ֑ל וְֽצַעֲקַ֖ת עֲנִיִּ֣ים יִשְׁמָֽע׃
כט וְה֤וּא יַשְׁקִ֨ט ׀ וּמִ֬י יַרְשִׁ֗עַ וְיַסְתֵּ֣ר פָּ֭נִים וּמִ֣י יְשׁוּרֶ֑נּוּ
וְעַל־גּ֖וֹי וְעַל־אָדָ֣ם יָֽחַד׃
ל מִ֭מְּלֹךְ אָדָ֥ם חָנֵ֗ף מִמֹּ֥קְשֵׁי עָֽם׃
לא כִּֽי־אֶל־אֵ֭ל הֶאָמַ֥ר נָשָׂ֗אתִי לֹ֣א אֶחְבֹּֽל׃
לב בִּלְעֲדֵ֣י אֶ֭חֱזֶה אַתָּ֣ה הֹרֵ֑נִי אִם־עָ֥וֶל פָּ֝עַ֗לְתִּי לֹ֣א אֹסִֽיף׃
לג הֲֽמֵעִמְּךָ֣ יְשַׁלְּמֶ֨נָּה ׀ כִּֽי־מָאַ֗סְתָּ כִּֽי־אַתָּ֣ה תִבְחַ֣ר וְלֹא־אָ֑נִי
וּמַה־יָּדַ֥עְתָּ דַבֵּֽר׃

פּוֹנֶה אֶל הַחֲכָמִים:

לד אַנְשֵׁ֣י לֵ֭בָב יֹ֣אמְרוּ לִ֑י
וְגֶ֥בֶר חָ֝כָ֗ם שֹׁמֵ֥עַֽ לִֽי׃
לה אִיּוֹב לֹא־בְדַ֣עַת יְדַבֵּ֑ר וּ֝דְבָרָ֗יו לֹ֣א בְהַשְׂכֵּֽיל׃
לו אָבִ֗י יִבָּחֵ֣ן אִיּ֣וֹב עַד־נֶ֑צַח עַֽל־תְּ֝שֻׁבֹ֗ת בְּֽאַנְשֵׁי־אָֽוֶן׃
לז כִּ֤י יֹ֘סִ֤יף עַל־חַטָּאתוֹ֮ פֶּ֥שַׁע בֵּינֵ֥ינוּ יִסְפּ֑וֹק וְיֶ֖רֶב אֲמָרָ֣יו לָאֵֽל׃

לה

א וַיַּ֥עַן אֱלִיה֗וּ וַיֹּאמַֽר׃

חֲזָרָה עַל טַעֲנוֹת אִיּוֹב:

ב הֲ֭זֹאת חָשַׁ֣בְתָּ לְמִשְׁפָּ֑ט אָ֝מַ֗רְתָּ צִדְקִ֥י מֵאֵֽל׃
ג כִּֽי־תֹ֭אמַר מַה־יִּסְכָּן־לָ֑ךְ מָֽה־אֹ֝עִ֗יל מֵֽחַטָּאתִֽי׃
ד אֲנִ֭י אֲשִׁיבְךָ֣ מִלִּ֑ין וְאֶת־רֵעֶ֣יךָ עִמָּֽךְ׃

הָרֶשַׁע וְהַצֶּדֶק עוֹשִׂים רֹשֶׁם בָּאָדָם:

ה הַבֵּ֣ט שָׁמַ֣יִם וּרְאֵ֑ה וְשׁ֥וּר שְׁ֝חָקִ֗ים גָּבְה֥וּ מִמֶּֽךָּ׃
ו אִם־חָ֭טָאתָ מַה־תִּפְעָל־בּ֑וֹ וְרַבּ֥וּ פְ֝שָׁעֶ֗יךָ מַֽה־תַּעֲשֶׂה־לּֽוֹ׃
ז אִם־צָ֭דַקְתָּ מַה־תִּתֶּן־ל֑וֹ א֥וֹ מַה־מִיָּדְךָ֥ יִקָּֽח׃

ח לְאִישׁ־כָּמוֹךָ רִשְׁעֶךָ   וּלְבֶן־אָדָם צִדְקָתֶךָ:
ט מֵרֹב עֲשׁוּקִים יַזְעִיקוּ   יְשַׁוְּעוּ מִזְּרוֹעַ רַבִּים:
י וְלֹא־אָמַר אַיֵּה אֱלוֹהַ עֹשָׂי   נֹתֵן זְמִרוֹת בַּלָּיְלָה:
יא מַלְּפֵנוּ מִבַּהֲמוֹת אָרֶץ   וּמֵעוֹף הַשָּׁמַיִם יְחַכְּמֵנוּ:
יב שָׁם יִצְעֲקוּ וְלֹא יַעֲנֶה   מִפְּנֵי גְּאוֹן רָעִים:
יג אַךְ־שָׁוְא לֹא־יִשְׁמַע ׀ אֵל   וְשַׁדַּי לֹא יְשׁוּרֶנָּה: יֵשׁ לְקַוּוֹת לַה':
יד אַף כִּי־תֹאמַר לֹא תְשׁוּרֶנּוּ   דִּין לְפָנָיו וּתְחוֹלֵל לוֹ:
טו וְעַתָּה כִּי־אַיִן פָּקַד אַפּוֹ   וְלֹא־יָדַע בַּפַּשׁ מְאֹד:
טז וְאִיּוֹב הֶבֶל יִפְצֶה־פִּיהוּ   בִּבְלִי־דַעַת מִלִּין יַכְבִּר:

לו א וַיֹּסֶף אֱלִיהוּא וַיֹּאמַר:

ב כַּתַּר־לִי זְעֵיר וַאֲחַוֶּךָּ   כִּי עוֹד לֶאֱלוֹהַּ מִלִּים: לֹא תַמּוּ דְּבָרַי, וְכֻלָּם אֱמֶת:
ג אֶשָּׂא דֵעִי לְמֵרָחוֹק   וּלְפֹעֲלִי אֶתֵּן־צֶדֶק:
ד כִּי־אָמְנָם לֹא־שֶׁקֶר מִלָּי   תְּמִים דֵּעוֹת עִמָּךְ:
ה הֶן־אֵל כַּבִּיר וְלֹא יִמְאָס   כַּבִּיר כֹּחַ לֵב: הַכֹּל יָכוֹל שׁוֹפֵט צֶדֶק:
ו לֹא־יְחַיֶּה רָשָׁע   וּמִשְׁפַּט עֲנִיִּים יִתֵּן:
ז לֹא־יִגְרַע מִצַּדִּיק עֵינָיו   וְאֶת־מְלָכִים לַכִּסֵּא
וַיֹּשִׁיבֵם לָנֶצַח   וַיִּגְבָּהוּ:
ח וְאִם־אֲסוּרִים בַּזִּקִּים   יִלָּכְדוּן בְּחַבְלֵי־עֹנִי:
ט וַיַּגֵּד לָהֶם פָּעֳלָם   וּפִשְׁעֵיהֶם כִּי יִתְגַּבָּרוּ:
י וַיִּגֶל אָזְנָם לַמּוּסָר   וַיֹּאמֶר כִּי־יְשׁוּבוּן מֵאָוֶן: מִיסַּר הָרְשָׁעִים לְמַעַן יָשׁוּבוּ:
יא אִם־יִשְׁמְעוּ וְיַעֲבֹדוּ   יְכַלּוּ יְמֵיהֶם בַּטּוֹב
יב וּשְׁנֵיהֶם בַּנְּעִימִים: וְאִם־לֹא יִשְׁמְעוּ בְּשֶׁלַח יַעֲבֹרוּ
יג וְיִגְוְעוּ בִּבְלִי־דָעַת: וְחַנְפֵי־לֵב יָשִׂימוּ אָף
לֹא יְשַׁוְּעוּ   כִּי אֲסָרָם:
יד תָּמֹת בַּנֹּעַר נַפְשָׁם   וְחַיָּתָם בַּקְּדֵשִׁים:

טו יְחַלֵּץ עָנִי בְעָנְיוֹ וְיִגֶל בַּלַּחַץ אָזְנָם:
התּוֹלַעַת שֶׁבַּיִּסּוּרִים:
טז וְאַף הֲסִיתְךָ ׀ מִפִּי־צָר רַחַב לֹא־מוּצָק תַּחְתֶּיהָ
וְנַחַת שֻׁלְחָנְךָ מָלֵא דָשֶׁן:
יז וְדִין־רָשָׁע מָלֵאתָ דִּין וּמִשְׁפָּט יִתְמֹכוּ:
יח כִּי־חֵמָה פֶּן־יְסִיתְךָ בְסָפֶק וְרָב־כֹּפֶר אַל־יַטֶּךָּ:
יט הֲיַעֲרֹךְ שׁוּעֲךָ לֹא בְצָר וְכֹל מַאֲמַצֵּי־כֹחַ:
כ אַל־תִּשְׁאַף הַלָּיְלָה לַעֲלוֹת עַמִּים תַּחְתָּם:
כא הִשָּׁמֶר אַל־תֵּפֶן אֶל־אָוֶן כִּי עַל־זֶה בָּחַרְתָּ מֵעֹנִי:
הִתְבּוֹנְנוּת בִּגְבוּרַת ה׳:
כב הֶן־אֵל יַשְׂגִּיב בְּכֹחוֹ מִי כָמֹהוּ מוֹרֶה:
כג מִי־פָקַד עָלָיו דַּרְכּוֹ וּמִי־אָמַר פָּעַלְתָּ עַוְלָה:
כד זְכֹר כִּי־תַשְׂגִּיא פָעֳלוֹ אֲשֶׁר שֹׁרְרוּ אֲנָשִׁים:
כה כָּל־אָדָם חָזוּ־בוֹ אֱנוֹשׁ יַבִּיט מֵרָחוֹק:
כו הֶן־אֵל שַׂגִּיא וְלֹא נֵדָע מִסְפַּר שָׁנָיו וְלֹא־חֵקֶר:
נִפְלְאוֹת ה׳ בִּירִידַת הַגְּשָׁמִים:
כז כִּי יְגָרַע נִטְפֵי־מָיִם יָזֹקּוּ מָטָר לְאֵדוֹ:
כח אֲשֶׁר־יִזְּלוּ שְׁחָקִים יִרְעֲפוּ עֲלֵי ׀ אָדָם רָב:
כט אַף אִם־יָבִין מִפְרְשֵׂי־עָב תְּשֻׁאוֹת סֻכָּתוֹ:
ל הֵן־פָּרַשׂ עָלָיו אוֹרוֹ וְשָׁרְשֵׁי הַיָּם כִּסָּה:
לא כִּי־בָם יָדִין עַמִּים יִתֶּן־אֹכֶל לְמַכְבִּיר:
לב עַל־כַּפַּיִם כִּסָּה־אוֹר וַיְצַו עָלֶיהָ בְמַפְגִּיעַ:
לג יַגִּיד עָלָיו רֵעוֹ מִקְנֶה אַף עַל־עוֹלֶה:
לז א אַף־לְזֹאת יֶחֱרַד לִבִּי וְיִתַּר מִמְּקוֹמוֹ:
ב שִׁמְעוּ שָׁמוֹעַ בְּרֹגֶז קֹלוֹ וְהֶגֶה מִפִּיו יֵצֵא:
ג תַּחַת־כָּל־הַשָּׁמַיִם יִשְׁרֵהוּ וְאוֹרוֹ עַל־כַּנְפוֹת הָאָרֶץ:
ד אַחֲרָיו ׀ יִשְׁאַג־קוֹל יַרְעֵם בְּקוֹל גְּאוֹנוֹ
וְלֹא יְעַקְּבֵם כִּי־יִשָּׁמַע קוֹלוֹ:

ה יַרְעֵם אֵל בְּקוֹלוֹ נִפְלָאוֹת | עֹשֶׂה גְדֹלוֹת וְלֹא נֵדָע:
ו כִּי לַשֶּׁלֶג ׀ יֹאמַר הֱוֵא אָרֶץ | וְגֶשֶׁם מָטָר וְגֶשֶׁם מִטְרוֹת עֻזּוֹ:
ז בְּיַד־כָּל־אָדָם יַחְתּוֹם | לָדַעַת כָּל־אַנְשֵׁי מַעֲשֵׂהוּ:
ח וַתָּבוֹא חַיָּה בְמוֹ־אָרֶב | וּבִמְעוֹנֹתֶיהָ תִשְׁכֹּן:
ט מִן־הַחֶדֶר תָּבוֹא סוּפָה | וּמִמְּזָרִים קָרָה:
י מִנִּשְׁמַת־אֵל יִתֶּן־קָרַח | וְרֹחַב מַיִם בְּמוּצָק:
יא אַף־בְּרִי יַטְרִיחַ עָב | יָפִיץ עֲנַן אוֹרוֹ:
יב וְהוּא מְסִבּוֹת ׀ מִתְהַפֵּךְ בְּתַחְבּוּלֹתָו לְפָעֳלָם
כֹּל אֲשֶׁר יְצַוֵּם ׀ עַל־פְּנֵי תֵבֵל אָרְצָה:
יג אִם־לְשֵׁבֶט אִם־לְאַרְצוֹ | אִם־לְחֶסֶד יַמְצִאֵהוּ:
יד הַאֲזִינָה זֹּאת אִיּוֹב | עֲמֹד וְהִתְבּוֹנֵן ׀ נִפְלְאוֹת אֵל: — מְעוֹרֵר לָשִׂים לֵב לְנִפְלְאוֹת הַבּוֹרֵא:
טו הֲתֵדַע בְּשׂוּם־אֱלוֹהַּ עֲלֵיהֶם | וְהוֹפִיעַ אוֹר עֲנָנוֹ:
טז הֲתֵדַע עַל־מִפְלְשֵׂי־עָב | מִפְלְאוֹת תְּמִים דֵּעִים:
יז אֲשֶׁר־בְּגָדֶיךָ חַמִּים | בְּהַשְׁקִט אֶרֶץ מִדָּרוֹם:
יח תַּרְקִיעַ עִמּוֹ לִשְׁחָקִים | חֲזָקִים כִּרְאִי מוּצָק:
יט הוֹדִיעֵנוּ מַה־נֹּאמַר לוֹ | לֹא־נַעֲרֹךְ מִפְּנֵי־חֹשֶׁךְ:
כ הַיְסֻפַּר־לוֹ כִּי אֲדַבֵּר | אִם־אָמַר אִישׁ כִּי יְבֻלָּע:
כא וְעַתָּה ׀ לֹא רָאוּ אוֹר | בָּהִיר הוּא בַּשְּׁחָקִים
וְרוּחַ עָבְרָה | וַתְּטַהֲרֵם:
כב מִצָּפוֹן זָהָב יֶאֱתֶה | עַל־אֱלוֹהַּ נוֹרָא הוֹד:
כג שַׁדַּי לֹא־מְצָאנֻהוּ שַׂגִּיא־כֹחַ | וּמִשְׁפָּט וְרֹב־צְדָקָה לֹא יְעַנֶּה: — גֹּדֶל גְּבוּרַת ה׳ אֵין לְהַשִּׂיגוֹ:
כד לָכֵן יְרֵאוּהוּ אֲנָשִׁים | לֹא־יִרְאֶה כָּל־חַכְמֵי־לֵב:

לח א וַיַּעַן־יְהוָה אֶת־אִיּוֹב מנהסערה מִן ׀ הַסְּעָרָה | וַיֹּאמַר: — קְרִיאָה לְאִיּוֹב לַעֲנוֹת עַל שְׁאֵלוֹתָיו:
ב מִי זֶה ׀ מַחְשִׁיךְ עֵצָה בְמִלִּין | בְּלִי־דָעַת:

אֱזָר־נָא כְגֶבֶר חֲלָצֶיךָ וְאֶשְׁאָלְךָ וְהוֹדִיעֵנִי: ג
אֵיפֹה הָיִיתָ בְּיָסְדִי־אָרֶץ הַגֵּד אִם־יָדַעְתָּ בִינָה: ד
מִי־שָׂם מְמַדֶּיהָ כִּי תֵדָע אוֹ מִי־נָטָה עָלֶיהָ קָּו: ה
עַל־מָה אֲדָנֶיהָ הָטְבָּעוּ אוֹ מִי־יָרָה אֶבֶן פִּנָּתָהּ: ו
בְּרָן־יַחַד כּוֹכְבֵי בֹקֶר וַיָּרִיעוּ כָּל־בְּנֵי אֱלֹהִים: ז
נִפְלְאוֹת ה' בַּיָּם: וַיָּסֶךְ בִּדְלָתַיִם יָם בְּגִיחוֹ מֵרֶחֶם יֵצֵא: ח
בְּשׂוּמִי עָנָן לְבֻשׁוֹ וַעֲרָפֶל חֲתֻלָּתוֹ: ט
וָאֶשְׁבֹּר עָלָיו חֻקִּי וָאָשִׂים בְּרִיחַ וּדְלָתָיִם: י
וָאֹמַר עַד־פֹּה תָבוֹא וְלֹא תֹסִיף וּפֹא־יָשִׁית בִּגְאוֹן גַּלֶּיךָ: יא
ה' מְשַׁנֶּה הַזְּמַנִּים: הֲמִיָּמֶיךָ צִוִּיתָ בֹּקֶר ידעתה שחר יִדַּעְתָּ הַשַּׁחַר מְקֹמוֹ: יב
לֶאֱחֹז בְּכַנְפוֹת הָאָרֶץ וְיִנָּעֲרוּ רְשָׁעִים מִמֶּנָּה: יג
תִּתְהַפֵּךְ כְּחֹמֶר חוֹתָם וְיִתְיַצְּבוּ כְּמוֹ לְבוּשׁ: יד
וְיִמָּנַע מֵרְשָׁעִים אוֹרָם וּזְרוֹעַ רָמָה תִּשָּׁבֵר: טו
פִּלְאֵי הָאָרֶץ וּמַעֲמַקֶּיהָ: הֲבָאתָ עַד־נִבְכֵי־יָם וּבְחֵקֶר תְּהוֹם הִתְהַלָּכְתָּ: טז
הֲנִגְלוּ לְךָ שַׁעֲרֵי־מָוֶת וְשַׁעֲרֵי צַלְמָוֶת תִּרְאֶה: יז
הִתְבֹּנַנְתָּ עַד־רַחֲבֵי־אָרֶץ הַגֵּד אִם־יָדַעְתָּ כֻלָּהּ: יח
אֵי־זֶה הַדֶּרֶךְ יִשְׁכָּן־אוֹר וְחֹשֶׁךְ אֵי־זֶה מְקֹמוֹ: יט
כִּי תִקָּחֶנּוּ אֶל־גְּבוּלוֹ וְכִי־תָבִין נְתִיבוֹת בֵּיתוֹ: כ
יָדַעְתָּ כִּי־אָז תִּוָּלֵד וּמִסְפַּר יָמֶיךָ רַבִּים: כא
נִפְלְאוֹת הַשֶּׁלֶג וְהַגֶּשֶׁם: הֲבָאתָ אֶל־אֹצְרוֹת שָׁלֶג וְאוֹצְרוֹת בָּרָד תִּרְאֶה: כב
אֲשֶׁר־חָשַׂכְתִּי לְעֶת־צָר לְיוֹם קְרָב וּמִלְחָמָה: כג
אֵי־זֶה הַדֶּרֶךְ יֵחָלֶק אוֹר יָפֵץ קָדִים עֲלֵי־אָרֶץ: כד
מִי־פִלַּג לַשֶּׁטֶף תְּעָלָה וְדֶרֶךְ לַחֲזִיז קֹלוֹת: כה
לְהַמְטִיר עַל־אֶרֶץ לֹא־אִישׁ מִדְבָּר לֹא־אָדָם בּוֹ: כו
לְהַשְׂבִּיעַ שֹׁאָה וּמְשֹׁאָה וּלְהַצְמִיחַ מֹצָא דֶשֶׁא: כז

כח הֲיֵשׁ־לַמָּטָר אָב אוֹ מִי־הוֹלִיד אֶגְלֵי־טָל׃
כט מִבֶּטֶן מִי יָצָא הַקָּרַח וּכְפֹר שָׁמַיִם מִי יְלָדוֹ׃
ל כָּאֶבֶן מַיִם יִתְחַבָּאוּ וּפְנֵי תְהוֹם יִתְלַכָּדוּ׃
לא הַתְקַשֵּׁר מַעֲדַנּוֹת כִּימָה אוֹ־מֹשְׁכוֹת כְּסִיל תְּפַתֵּחַ׃ הִתְבּוֹנְנוּת בְּגַרְמֵי הַשָּׁמַיִם׃
לב הֲתֹצִיא מַזָּרוֹת בְּעִתּוֹ וְעַיִשׁ עַל־בָּנֶיהָ תַנְחֵם׃
לג הֲיָדַעְתָּ חֻקּוֹת שָׁמָיִם אִם־תָּשִׂים מִשְׁטָרוֹ בָאָרֶץ׃
לד הֲתָרִים לָעָב קוֹלֶךָ וְשִׁפְעַת־מַיִם תְּכַסֶּךָּ׃
לה הַתְשַׁלַּח בְּרָקִים וְיֵלֵכוּ וְיֹאמְרוּ לְךָ הִנֵּנוּ׃
לו מִי־שָׁת בַּטֻּחוֹת חָכְמָה אוֹ מִי־נָתַן לַשֶּׂכְוִי בִינָה׃ בְּחָכְמַת הָאָדָם וְהַתַּרְנְגוֹל׃
לז מִי־יְסַפֵּר שְׁחָקִים בְּחָכְמָה וְנִבְלֵי שָׁמַיִם מִי יַשְׁכִּיב׃
לח בְּצֶקֶת עָפָר לַמּוּצָק וּרְגָבִים יְדֻבָּקוּ׃
לט הֲתָצוּד לְלָבִיא טָרֶף וְחַיַּת כְּפִירִים תְּמַלֵּא׃ הַנִּפְלָאוֹת בְּפַרְנָסַת הָאֲרִי וְהָעוֹרֵב׃
מ כִּי־יָשֹׁחוּ בַמְּעוֹנוֹת יֵשְׁבוּ בַסֻּכָּה לְמוֹ־אָרֶב׃
מא מִי יָכִין לָעֹרֵב צֵידוֹ כִּי־יְלָדָו אֶל־אֵל יְשַׁוֵּעוּ
יִתְעוּ לִבְלִי־אֹכֶל׃

לט א הֲיָדַעְתָּ עֵת לֶדֶת יַעֲלֵי־סָלַע חֹלֵל אַיָּלוֹת תִּשְׁמֹר׃ נִפְלְאוֹת ה׳ בַּיְּעֵלִים וּבָאַיָּלוֹת׃
ב תִּסְפֹּר יְרָחִים תְּמַלֶּאנָה וְיָדַעְתָּ עֵת לִדְתָּנָה׃
ג תִּכְרַעְנָה יַלְדֵיהֶן תְּפַלַּחְנָה חֶבְלֵיהֶם תְּשַׁלַּחְנָה׃
ד יַחְלְמוּ בְנֵיהֶם יִרְבּוּ בַבָּר יָצְאוּ וְלֹא־שָׁבוּ לָמוֹ׃
ה מִי־שִׁלַּח פֶּרֶא חָפְשִׁי וּמֹסְרוֹת עָרוֹד מִי פִתֵּחַ׃ נִפְלְאוֹת ה׳ בַּפֶּרֶא וּבֶעָרוֹד׃
ו אֲשֶׁר־שַׂמְתִּי עֲרָבָה בֵיתוֹ וּמִשְׁכְּנוֹתָיו מְלֵחָה׃
ז יִשְׂחַק לַהֲמוֹן קִרְיָה תְּשֻׁאוֹת נוֹגֵשׂ לֹא יִשְׁמָע׃
ח יְתוּר הָרִים מִרְעֵהוּ וְאַחַר כָּל־יָרוֹק יִדְרוֹשׁ׃
ט הֲיֹאבֶה רֵּים עָבְדֶךָ אִם־יָלִין עַל־אֲבוּסֶךָ׃ נִפְלְאוֹת ה׳ בָּרְאֵם׃
י הֲתִקְשָׁר־רֵים בְּתֶלֶם עֲבֹתוֹ אִם־יְשַׂדֵּד עֲמָקִים אַחֲרֶיךָ׃

יא הֲתִבְטַח־בּוֹ כִּי־רַב כֹּחוֹ וְתַעֲזֹב אֵלָיו יְגִיעֶךָ׃
יב הֲתַאֲמִין בּוֹ כִּי־ישיב ישוב זַרְעֶךָ וְגָרְנְךָ יֶאֱסֹף׃

התבוננות בְּעוֹפוֹת הַנִּפְלָאִים׃

יג כְּנַף־רְנָנִים נֶעֱלָסָה אִם־אֶבְרָה חֲסִידָה וְנֹצָה׃
יד כִּי־תַעֲזֹב לָאָרֶץ בֵּצֶיהָ וְעַל־עָפָר תְּחַמֵּם׃
טו וַתִּשְׁכַּח כִּי־רֶגֶל תְּזוּרֶהָ וְחַיַּת הַשָּׂדֶה תְּדוּשֶׁהָ׃
טז הִקְשִׁיחַ בָּנֶיהָ לְּלֹא־לָהּ לְרִיק יְגִיעָהּ בְּלִי־פָחַד׃
יז כִּי־הִשָּׁהּ אֱלוֹהַּ חָכְמָה וְלֹא־חָלַק לָהּ בַּבִּינָה׃
יח כָּעֵת בַּמָּרוֹם תַּמְרִיא תִּשְׂחַק לַסּוּס וּלְרֹכְבוֹ׃

התבוננות בַּסּוּס וּבְהִתְנַהֲגוּתוֹ׃

יט הֲתִתֵּן לַסּוּס גְּבוּרָה הֲתַלְבִּישׁ צַוָּארוֹ רַעְמָה׃
כ הֲתַרְעִישֶׁנּוּ כָּאַרְבֶּה הוֹד נַחְרוֹ אֵימָה׃
כא יַחְפְּרוּ בָעֵמֶק וְיָשִׂישׂ בְּכֹחַ יֵצֵא לִקְרַאת־נָשֶׁק׃
כב יִשְׂחַק לְפַחַד וְלֹא יֵחָת וְלֹא־יָשׁוּב מִפְּנֵי־חָרֶב׃
כג עָלָיו תִּרְנֶה אַשְׁפָּה לַהַב חֲנִית וְכִידוֹן׃
כד בְּרַעַשׁ וְרֹגֶז יְגַמֶּא־אָרֶץ וְלֹא־יַאֲמִין כִּי־קוֹל שׁוֹפָר׃
כה בְּדֵי שֹׁפָר ׀ יֹאמַר הֶאָח וּמֵרָחוֹק יָרִיחַ מִלְחָמָה
רַעַם שָׂרִים וּתְרוּעָה׃

התבוננות בַּנֵּץ וּבַנֶּשֶׁר׃

כו הֲמִבִּינָתְךָ יַאֲבֶר־נֵץ יִפְרֹשׂ כְּנָפָו לְתֵימָן׃
כז אִם־עַל־פִּיךָ יַגְבִּיהַּ נָשֶׁר וְכִי יָרִים קִנּוֹ׃
כח סֶלַע יִשְׁכֹּן וְיִתְלֹנָן עַל שֶׁן־סֶלַע וּמְצוּדָה׃
כט מִשָּׁם חָפַר־אֹכֶל לְמֵרָחוֹק עֵינָיו יַבִּיטוּ׃
ל וְאֶפְרֹחָו יְעַלְעוּ־דָם וּבַאֲשֶׁר חֲלָלִים שָׁם הוּא׃

דְּרִישָׁה מֵאִיּוֹב לַעֲנוֹת׃

מ א וַיַּעַן יְהוָה אֶת־אִיּוֹב וַיֹּאמַר׃
ב הֲרֹב עִם־שַׁדַּי יִסּוֹר מוֹכִיחַ אֱלוֹהַּ יַעֲנֶנָּה׃

ג וַיַּעַן אִיּוֹב אֶת־יְהוָה וַיֹּאמַר:

ד הֵן קַלֹּתִי מָה אֲשִׁיבֶךָּ   יָדִי שַׂמְתִּי לְמוֹ־פִי: כְּנִיעַת אִיּוֹב לַה׳:

ה אַחַת דִּבַּרְתִּי וְלֹא אֶעֱנֶה   וּשְׁתַּיִם וְלֹא אוֹסִיף:

ו וַיַּעַן־יְהוָה אֶת־אִיּוֹב מנסערה מִן ׀ סְעָרָה   וַיֹּאמַר: דִּבְרֵי עִדּוּד:

ז אֱזָר־נָא כְגֶבֶר חֲלָצֶיךָ   אֶשְׁאָלְךָ וְהוֹדִיעֵנִי:

ח הַאַף תָּפֵר מִשְׁפָּטִי   תַּרְשִׁיעֵנִי לְמַעַן תִּצְדָּק:

ט וְאִם־זְרוֹעַ כָּאֵל ׀ לָךְ   וּבְקוֹל כָּמֹהוּ תַרְעֵם: לַעַג לְאִיּוֹב עַל טַעֲנוֹתָיו:

י עֲדֵה נָא גָאוֹן וָגֹבַהּ   וְהוֹד וְהָדָר תִּלְבָּשׁ:

יא הָפֵץ עֶבְרוֹת אַפֶּךָ   וּרְאֵה כָל־גֵּאֶה וְהַשְׁפִּילֵהוּ:

יב רְאֵה כָל־גֵּאֶה הַכְנִיעֵהוּ   וַהֲדֹךְ רְשָׁעִים תַּחְתָּם:

יג טָמְנֵם בֶּעָפָר יָחַד   פְּנֵיהֶם חֲבֹשׁ בַּטָּמוּן:

יד וְגַם־אֲנִי אוֹדֶךָּ   כִּי־תוֹשִׁעַ לְךָ יְמִינֶךָ:

טו הִנֵּה־נָא בְהֵמוֹת אֲשֶׁר־עָשִׂיתִי עִמָּךְ   חָצִיר כַּבָּקָר יֹאכֵל: הַבְּהֵמוֹת וּפְלָאֵי הִתְנַהֲגוּתוֹ:

טז הִנֵּה־נָא כֹחוֹ בְמָתְנָיו   וְאוֹנוֹ בִּשְׁרִירֵי בִטְנוֹ:

יז יַחְפֹּץ זְנָבוֹ כְמוֹ־אָרֶז   גִּידֵי פַחֲדוֹ יְשֹׂרָגוּ:

יח עֲצָמָיו אֲפִיקֵי נְחֻשָׁה   גְּרָמָיו כִּמְטִיל בַּרְזֶל:

יט הוּא רֵאשִׁית דַּרְכֵי־אֵל   הָעֹשׂוֹ יַגֵּשׁ חַרְבּוֹ:

כ כִּי־בוּל הָרִים יִשְׂאוּ־לוֹ   וְכָל־חַיַּת הַשָּׂדֶה יְשַׂחֲקוּ־שָׁם:

כא תַּחַת־צֶאֱלִים יִשְׁכָּב   בְּסֵתֶר קָנֶה וּבִצָּה:

כב יְסֻכֻּהוּ צֶאֱלִים צִלֲלוֹ   יְסֻבּוּהוּ עַרְבֵי־נָחַל:

כג הֵן יַעֲשֹׁק נָהָר לֹא יַחְפּוֹז   יִבְטַח ׀ כִּי־יָגִיחַ יַרְדֵּן אֶל־פִּיהוּ:

כד בְּעֵינָיו יִקָּחֶנּוּ   בְּמֹקְשִׁים יִנְקָב־אָף: תֵּאוּר הַלִּוְיָתָן וְכֹחוֹ:

כה תִּמְשֹׁךְ לִוְיָתָן בְּחַכָּה   וּבְחֶבֶל תַּשְׁקִיעַ לְשֹׁנוֹ:

הֲתָשִׂים אַגְמֹן בְּאַפּוֹ וּבְחוֹחַ תִּקֹּב לֶחֱיוֹ: כו

הֲיַרְבֶּה אֵלֶיךָ תַּחֲנוּנִים אִם־יְדַבֵּר אֵלֶיךָ רַכּוֹת: כז

הֲיִכְרֹת בְּרִית עִמָּךְ תִּקָּחֶנּוּ לְעֶבֶד עוֹלָם: כח

הַתְשַׂחֶק־בּוֹ כַּצִּפּוֹר וְתִקְשְׁרֶנּוּ לְנַעֲרוֹתֶיךָ: כט

יִכְרוּ עָלָיו חַבָּרִים יֶחֱצוּהוּ בֵּין כְּנַעֲנִים: ל

הַתְמַלֵּא בְשֻׂכּוֹת עוֹרוֹ וּבְצִלְצַל דָּגִים רֹאשׁוֹ: לא

שִׂים־עָלָיו כַּפֶּךָ זְכֹר מִלְחָמָה אַל־תּוֹסַף: לב

הֵן־תֹּחַלְתּוֹ נִכְזָבָה הֲגַם אֶל־מַרְאָיו יֻטָל: א **מא**

לֹא־אַכְזָר כִּי יְעוּרֶנּוּ וּמִי הוּא לְפָנַי יִתְיַצָּב: ב

מִי הִקְדִּימַנִי וַאֲשַׁלֵּם תַּחַת כָּל־הַשָּׁמַיִם לִי־הוּא: ג

לא לוֹ־אַחֲרִישׁ בַּדָּיו וּדְבַר־גְּבוּרוֹת וְחִין עֶרְכּוֹ: ד

גְּבוּרַת ה' בִּיצִירַת גּוּף הַלִּוְיָתָן:

מִי־גִלָּה פְּנֵי לְבוּשׁוֹ בְּכֶפֶל רִסְנוֹ מִי יָבוֹא: ה

דַּלְתֵי פָנָיו מִי פִתֵּחַ סְבִיבוֹת שִׁנָּיו אֵימָה: ו

גַּאֲוָה אֲפִיקֵי מָגִנִּים סָגוּר חוֹתָם צָר: ז

אֶחָד בְּאֶחָד יִגַּשׁוּ וְרוּחַ לֹא־יָבוֹא בֵינֵיהֶם: ח

אִישׁ־בְּאָחִיהוּ יְדֻבָּקוּ יִתְלַכְּדוּ וְלֹא יִתְפָּרָדוּ: ט

הִתְנַהֲגוּתוֹ וְכֹחוֹתָיו:

עֲטִישֹׁתָיו תָּהֶל אוֹר וְעֵינָיו כְּעַפְעַפֵּי־שָׁחַר: י

מִפִּיו לַפִּידִים יַהֲלֹכוּ כִּידוֹדֵי אֵשׁ יִתְמַלָּטוּ: יא

מִנְּחִירָיו יֵצֵא עָשָׁן כְּדוּד נָפוּחַ וְאַגְמֹן: יב

נַפְשׁוֹ גֶּחָלִים תְּלַהֵט וְלַהַב מִפִּיו יֵצֵא: יג

בְּצַוָּארוֹ יָלִין עֹז וּלְפָנָיו תָּדוּץ דְּאָבָה: יד

מַפְּלֵי בְשָׂרוֹ דָבֵקוּ יָצוּק עָלָיו בַּל־יִמּוֹט: טו

לִבּוֹ יָצוּק כְּמוֹ־אָבֶן וְיָצוּק כְּפֶלַח תַּחְתִּית: טז

מִשֵּׂתוֹ יָגוּרוּ אֵלִים מִשְּׁבָרִים יִתְחַטָּאוּ: יז

מַשִּׂיגֵהוּ חֶרֶב בְּלִי תָקוּם חֲנִית מַסָּע וְשִׁרְיָה: יח

יט יַחְשֹׁב לְתֶבֶן בַּרְזֶל לְעֵץ רִקָּבוֹן נְחוּשָׁה:
כ לֹא־יַבְרִיחֶנּוּ בֶן־קָשֶׁת לְקַשׁ נֶהְפְּכוּ־לוֹ אַבְנֵי־קָלַע:
כא כְּקַשׁ נֶחְשְׁבוּ תוֹתָח וְיִשְׂחַק לְרַעַשׁ כִּידוֹן:
כב תַּחְתָּיו חַדּוּדֵי חָרֶשׂ יִרְפַּד חָרוּץ עֲלֵי־טִיט:
כג יַרְתִּיחַ כַּסִּיר מְצוּלָה יָם יָשִׂים כַּמֶּרְקָחָה:
כד אַחֲרָיו יָאִיר נָתִיב יַחְשֹׁב תְּהוֹם לְשֵׂיבָה:
כה אֵין־עַל־עָפָר מָשְׁלוֹ הֶעָשׂוּ לִבְלִי־חָת:
כו אֵת־כָּל־גָּבֹהַּ יִרְאֶה הוּא מֶלֶךְ עַל־כָּל־בְּנֵי־שָׁחַץ:

מב א וַיַּעַן אִיּוֹב אֶת־יְהוָה וַיֹּאמַר:
ב ידעת יָדַעְתִּי כִּי־כֹל תּוּכָל וְלֹא־יִבָּצֵר מִמְּךָ מְזִמָּה: כְּנִיעָה וְוִדּוּי לִפְנֵי ה':
ג מִי זֶה ׀ מַעְלִים עֵצָה בְּלִי דָעַת לָכֵן הִגַּדְתִּי וְלֹא אָבִין
נִפְלָאוֹת מִמֶּנִּי וְלֹא אֵדָע:
ד שְׁמַע־נָא וְאָנֹכִי אֲדַבֵּר אֶשְׁאָלְךָ וְהוֹדִיעֵנִי:
ה לְשֵׁמַע־אֹזֶן שְׁמַעְתִּיךָ וְעַתָּה עֵינִי רָאָתְךָ:
ו עַל־כֵּן אֶמְאַס וְנִחַמְתִּי עַל־עָפָר וָאֵפֶר:

ז וַיְהִי אַחַר דִּבֶּר יְהוָה אֶת־הַדְּבָרִים הָאֵלֶּה אֶל־אִיּוֹב וַיֹּאמֶר יְהוָה נְזִיפַת ה' בְּרֵעֵי אִיּוֹב:
אֶל־אֱלִיפַז הַתֵּימָנִי חָרָה אַפִּי בְךָ וּבִשְׁנֵי רֵעֶיךָ כִּי לֹא דִבַּרְתֶּם
אֵלַי נְכוֹנָה כְּעַבְדִּי אִיּוֹב:
ח וְעַתָּה קְחוּ־לָכֶם שִׁבְעָה־פָרִים וְשִׁבְעָה אֵילִים וּלְכוּ ׀ צִוּוּי ה' לְפַיֵּס אֶת אִיּוֹב:
אֶל־עַבְדִּי אִיּוֹב וְהַעֲלִיתֶם עוֹלָה בַּעַדְכֶם וְאִיּוֹב עַבְדִּי יִתְפַּלֵּל
עֲלֵיכֶם כִּי אִם־פָּנָיו אֶשָּׂא לְבִלְתִּי עֲשׂוֹת עִמָּכֶם נְבָלָה כִּי לֹא
ט דִבַּרְתֶּם אֵלַי נְכוֹנָה כְּעַבְדִּי אִיּוֹב: וַיֵּלְכוּ אֱלִיפַז הַתֵּימָנִי וּבִלְדַּד
הַשּׁוּחִי צֹפַר הַנַּעֲמָתִי וַיַּעֲשׂוּ כַּאֲשֶׁר דִּבֶּר אֲלֵיהֶם יְהוָה וַיִּשָּׂא

אַחֲרִיתוֹ הַטּוֹבָה שֶׁל אִיּוֹב:

י יְהוָ֖ה אֶת־פְּנֵ֥י אִיּֽוֹב׃ וַֽיהוָ֗ה שָׁ֚ב אֶת־שְׁב֣וּת שבית אִיּ֔וֹב בְּהִֽתְפַּלְל֖וֹ
יא בְּעַ֣ד רֵעֵ֑הוּ וַיֹּ֧סֶף יְהוָ֛ה אֶת־כָּל־אֲשֶׁ֥ר לְאִיּ֖וֹב לְמִשְׁנֶֽה׃ וַיָּבֹ֣אוּ
אֵ֠לָיו כָּל־אֶחָ֨יו וְכָל־אַחְיֹתָ֜יו וְכָל־יֹדְעָ֣יו לְפָנִ֗ים וַיֹּ֨אכְל֤וּ עִמּוֹ֙ לֶ֙חֶם֙
בְּבֵית֔וֹ וַיָּנֻ֤דוּ לוֹ֙ וַיְנַחֲמ֣וּ אֹת֔וֹ עַ֚ל כָּל־הָ֣רָעָ֔ה אֲשֶׁר־הֵבִ֥יא יְהוָ֖ה
יב עָלָ֑יו וַיִּתְּנוּ־ל֗וֹ אִ֚ישׁ קְשִׂיטָ֣ה אֶחָ֔ת וְאִ֕ישׁ נֶ֥זֶם זָהָ֖ב אֶחָֽד׃ וַֽיהוָ֗ה
בֵּרַ֛ךְ אֶת־אַחֲרִ֥ית אִיּ֖וֹב מֵרֵאשִׁת֑וֹ וַֽיְהִי־ל֡וֹ אַרְבָּעָה֩ עָשָׂ֨ר אֶ֜לֶף
צֹ֗אן וְשֵׁ֤שֶׁת אֲלָפִים֙ גְּמַלִּ֔ים וְאֶֽלֶף־צֶ֥מֶד בָּקָ֖ר וְאֶ֥לֶף אֲתוֹנֽוֹת׃
יג יד וַֽיְהִי־ל֛וֹ שִׁבְעָ֥נָה בָנִ֖ים וְשָׁל֥וֹשׁ בָּנֽוֹת׃ וַיִּקְרָ֤א שֵׁם־הָֽאַחַת֙ יְמִימָ֔ה
טו וְשֵׁ֥ם הַשֵּׁנִ֖ית קְצִיעָ֑ה וְשֵׁ֥ם הַשְּׁלִישִׁ֖ית קֶ֥רֶן הַפּֽוּךְ׃ וְלֹ֨א נִמְצָ֜א
נָשִׁ֥ים יָפ֛וֹת כִּבְנ֥וֹת אִיּ֖וֹב בְּכָל־הָאָ֑רֶץ וַיִּתֵּ֨ן לָהֶ֧ם אֲבִיהֶ֛ם נַחֲלָ֖ה
טז בְּת֥וֹךְ אֲחֵיהֶֽם׃ וַיְחִ֤י אִיּוֹב֙ אַחֲרֵי־זֹ֔את מֵאָ֥ה וְאַרְבָּעִ֖ים שָׁנָ֑ה וירא
יז וַיִּרְאֶה֙ אֶת־בָּנָ֔יו וְאֶת־בְּנֵ֣י בָנָ֔יו אַרְבָּעָ֖ה דֹּרֽוֹת׃ וַיָּ֣מָת אִיּ֔וֹב זָקֵ֖ן
וּשְׂבַ֥ע יָמִֽים׃

שִׁיר הַשִּׁירִים

א א ב שִׁיר הַשִּׁירִים אֲשֶׁר לִשְׁלֹמֹה: יִשָּׁקֵנִי מִנְּשִׁיקוֹת פִּיהוּ כִּי־טוֹבִים
שִׁיר מְלִיצִי הַמְּעֻלֶּה שֶׁבַּשִּׁירִים:
ג דֹדֶיךָ מִיָּיִן: לְרֵיחַ שְׁמָנֶיךָ טוֹבִים שֶׁמֶן תּוּרַק שְׁמֶךָ עַל־כֵּן
ד עֲלָמוֹת אֲהֵבוּךָ: מָשְׁכֵנִי אַחֲרֶיךָ נָּרוּצָה הֱבִיאַנִי הַמֶּלֶךְ חֲדָרָיו
בַּקָּשַׁת כְּנֶסֶת יִשְׂרָאֵל לְהִתְקָרֵב לַה':
נָגִילָה וְנִשְׂמְחָה בָּךְ נַזְכִּירָה דֹדֶיךָ מִיַּיִן מֵישָׁרִים אֲהֵבוּךָ:
ה שְׁחוֹרָה אֲנִי וְנָאוָה בְּנוֹת יְרוּשָׁלִָם כְּאָהֳלֵי קֵדָר כִּירִיעוֹת שְׁלֹמֹה:
ו אַל־תִּרְאוּנִי שֶׁאֲנִי שְׁחַרְחֹרֶת שֶׁשְּׁזָפַתְנִי הַשָּׁמֶשׁ בְּנֵי אִמִּי
כנס"י חֲפֵצָה בְּדַרְכֵי אָבוֹת:
נִחֲרוּ־בִי שָׂמֻנִי נֹטֵרָה אֶת־הַכְּרָמִים כַּרְמִי שֶׁלִּי לֹא נָטָרְתִּי:
ז הַגִּידָה לִּי שֶׁאָהֲבָה נַפְשִׁי אֵיכָה תִרְעֶה אֵיכָה תַּרְבִּיץ בַּצָּהֳרָיִם
ח שַׁלָּמָה אֶהְיֶה כְּעֹטְיָה עַל עֶדְרֵי חֲבֵרֶיךָ: אִם־לֹא תֵדְעִי לָךְ
הַיָּפָה בַּנָּשִׁים צְאִי־לָךְ בְּעִקְבֵי הַצֹּאן וּרְעִי אֶת־גְּדִיֹּתַיִךְ עַל
מִשְׁכְּנוֹת הָרֹעִים:
ט לְסֻסָתִי בְּרִכְבֵי פַרְעֹה דִּמִּיתִיךְ רַעְיָתִי: נָאווּ לְחָיַיִךְ בַּתֹּרִים
אַהֲבַת ה' לִכְנֶסֶת יִשְׂרָאֵל:
יא יב צַוָּארֵךְ בַּחֲרוּזִים: תּוֹרֵי זָהָב נַעֲשֶׂה־לָּךְ עִם נְקֻדּוֹת הַכָּסֶף: עַד־
יג שֶׁהַמֶּלֶךְ בִּמְסִבּוֹ נִרְדִּי נָתַן רֵיחוֹ: צְרוֹר הַמֹּר ׀ דּוֹדִי לִי בֵּין שָׁדַי
ה' מוֹחֵל לַעֲוֹנוֹת כנס"י:
יד טו יָלִין: אֶשְׁכֹּל הַכֹּפֶר ׀ דּוֹדִי לִי בְּכַרְמֵי עֵין גֶּדִי: הִנָּךְ
טז יָפָה רַעְיָתִי הִנָּךְ יָפָה עֵינַיִךְ יוֹנִים: הִנְּךָ יָפֶה דוֹדִי אַף נָעִים
יז אַף־עַרְשֵׂנוּ רַעֲנָנָה: קֹרוֹת בָּתֵּינוּ אֲרָזִים רחיטנו רַהִיטֵנוּ בְּרוֹתִים:
ב א ב אֲנִי חֲבַצֶּלֶת הַשָּׁרוֹן שׁוֹשַׁנַּת הָעֲמָקִים: כְּשׁוֹשַׁנָּה בֵּין הַחוֹחִים
כנס"י שׁוֹמֶרֶת עַל יִחוּדָהּ:
ג כֵּן רַעְיָתִי בֵּין הַבָּנוֹת: כְּתַפּוּחַ בַּעֲצֵי הַיַּעַר כֵּן דּוֹדִי בֵּין הַבָּנִים
ד בְּצִלּוֹ חִמַּדְתִּי וְיָשַׁבְתִּי וּפִרְיוֹ מָתוֹק לְחִכִּי: הֱבִיאַנִי אֶל־בֵּית הַיָּיִן
ה' יַחֲזֹר לְהֵיטִיב לִכנס"י:
ה וְדִגְלוֹ עָלַי אַהֲבָה: סַמְּכוּנִי בָּאֲשִׁישׁוֹת רַפְּדוּנִי בַּתַּפּוּחִים כִּי־חוֹלַת
ו ז אַהֲבָה אָנִי: שְׂמֹאלוֹ תַּחַת לְרֹאשִׁי וִימִינוֹ תְּחַבְּקֵנִי: הִשְׁבַּעְתִּי
אֶתְכֶם בְּנוֹת יְרוּשָׁלִַם בִּצְבָאוֹת אוֹ בְּאַיְלוֹת הַשָּׂדֶה אִם־תָּעִירוּ ׀

וְאִם־תְּעוֹרְרוּ אֶת־הָאַהֲבָה עַד שֶׁתֶּחְפָּץ׃ ח קוֹל דּוֹדִי
ט הִנֵּה־זֶה בָּא מְדַלֵּג עַל־הֶהָרִים מְקַפֵּץ עַל־הַגְּבָעוֹת׃ דּוֹמֶה דוֹדִי
לִצְבִי אוֹ לְעֹפֶר הָאַיָּלִים הִנֵּה־זֶה עוֹמֵד אַחַר כָּתְלֵנוּ מַשְׁגִּיחַ
י מִן־הַחַלֹּנוֹת מֵצִיץ מִן־הַחֲרַכִּים׃ עָנָה דוֹדִי וְאָמַר לִי קוּמִי לָךְ
יא רַעְיָתִי יָפָתִי וּלְכִי־לָךְ׃ כִּי־הִנֵּה הַסְּתָו עָבָר הַגֶּשֶׁם חָלַף הָלַךְ
יב לוֹ׃ הַנִּצָּנִים נִרְאוּ בָאָרֶץ עֵת הַזָּמִיר הִגִּיעַ וְקוֹל הַתּוֹר נִשְׁמַע
יג בְּאַרְצֵנוּ׃ הַתְּאֵנָה חָנְטָה פַגֶּיהָ וְהַגְּפָנִים ׀ סְמָדַר נָתְנוּ רֵיחַ
יד קוּמִי לכי לָךְ רַעְיָתִי יָפָתִי וּלְכִי־לָךְ׃ יוֹנָתִי בְּחַגְוֵי הַסֶּלַע
בְּסֵתֶר הַמַּדְרֵגָה הַרְאִינִי אֶת־מַרְאַיִךְ הַשְׁמִיעִנִי אֶת־קוֹלֵךְ
טו כִּי־קוֹלֵךְ עָרֵב וּמַרְאֵיךְ נָאוֶה׃ אֶחֱזוּ־
לָנוּ שׁוּעָלִים שֻׁעָלִים קְטַנִּים מְחַבְּלִים כְּרָמִים וּכְרָמֵינוּ סְמָדַר׃
טז יז דּוֹדִי לִי וַאֲנִי לוֹ הָרֹעֶה בַּשּׁוֹשַׁנִּים׃ עַד שֶׁיָּפוּחַ הַיּוֹם וְנָסוּ
הַצְּלָלִים סֹב דְּמֵה־לְךָ דוֹדִי לִצְבִי אוֹ לְעֹפֶר הָאַיָּלִים עַל־הָרֵי
ג א בָתֶר׃ עַל־מִשְׁכָּבִי בַּלֵּילוֹת
בִּקַּשְׁתִּי אֵת שֶׁאָהֲבָה נַפְשִׁי בִּקַּשְׁתִּיו וְלֹא מְצָאתִיו׃ אָקוּמָה נָּא
ב וַאֲסוֹבְבָה בָעִיר בַּשְּׁוָקִים וּבָרְחֹבוֹת אֲבַקְשָׁה אֵת שֶׁאָהֲבָה נַפְשִׁי
ג בִּקַּשְׁתִּיו וְלֹא מְצָאתִיו׃ מְצָאוּנִי הַשֹּׁמְרִים הַסֹּבְבִים בָּעִיר אֵת
ד שֶׁאָהֲבָה נַפְשִׁי רְאִיתֶם׃ כִּמְעַט שֶׁעָבַרְתִּי מֵהֶם עַד שֶׁמָּצָאתִי
אֵת שֶׁאָהֲבָה נַפְשִׁי אֲחַזְתִּיו וְלֹא אַרְפֶּנּוּ עַד־שֶׁהֲבֵיאתִיו אֶל־
ה בֵּית אִמִּי וְאֶל־חֶדֶר הוֹרָתִי׃ הִשְׁבַּעְתִּי אֶתְכֶם בְּנוֹת יְרוּשָׁלַםִ
בִּצְבָאוֹת אוֹ בְּאַיְלוֹת הַשָּׂדֶה אִם־תָּעִירוּ ׀ וְאִם־תְּעוֹרְרוּ אֶת־
ו הָאַהֲבָה עַד שֶׁתֶּחְפָּץ׃ מִי זֹאת עֹלָה מִן־הַמִּדְבָּר
ז כְּתִימְרוֹת עָשָׁן מְקֻטֶּרֶת מוֹר וּלְבוֹנָה מִכֹּל אַבְקַת רוֹכֵל׃ הִנֵּה
מִטָּתוֹ שֶׁלִּשְׁלֹמֹה שִׁשִּׁים גִּבֹּרִים סָבִיב לָהּ מִגִּבֹּרֵי יִשְׂרָאֵל׃
ח כֻּלָּם אֲחֻזֵי חֶרֶב מְלֻמְּדֵי מִלְחָמָה אִישׁ חַרְבּוֹ עַל־יְרֵכוֹ מִפַּחַד

ה׳ יָחִישׁ אֶת גְּאֻלַּת יִשְׂרָאֵל:

כנס״י נֶאֱמֶנֶת עַל אַף הַצָּרוֹת:

ה׳ לֹא עָזַב אֶת כנס״י בַּגָּלוּת:

בִּטָּחוֹן כנס״י הַנִּמְצֵאת בְּבֵית ה׳:

הֲגַנַּת הַתּוֹרָה מִיֵּצֶר הָרָע:

ט בַּלֵּילוֹת: אַפִּרְיוֹן עָשָׂה לוֹ הַמֶּלֶךְ שְׁלֹמֹה מֵעֲצֵי
י הַלְּבָנוֹן: עַמּוּדָיו עָשָׂה כֶסֶף רְפִידָתוֹ זָהָב מֶרְכָּבוֹ אַרְגָּמָן תּוֹכוֹ
יא רָצוּף אַהֲבָה מִבְּנוֹת יְרוּשָׁלָםִ: צְאֶנָה | וּרְאֶינָה בְּנוֹת צִיּוֹן בַּמֶּלֶךְ
שְׁלֹמֹה בָּעֲטָרָה שֶׁעִטְּרָה־לּוֹ אִמּוֹ בְּיוֹם חֲתֻנָּתוֹ וּבְיוֹם שִׂמְחַת
ד א לִבּוֹ: הִנָּךְ יָפָה רַעְיָתִי הִנָּךְ יָפָה עֵינַיִךְ יוֹנִים מִבַּעַד — כנס״י נְקִיָּה מִכָּל רְבָב:
ב לְצַמָּתֵךְ שַׂעְרֵךְ כְּעֵדֶר הָעִזִּים שֶׁגָּלְשׁוּ מֵהַר גִּלְעָד: שִׁנַּיִךְ כְּעֵדֶר
הַקְּצוּבוֹת שֶׁעָלוּ מִן־הָרַחְצָה שֶׁכֻּלָּם מַתְאִימוֹת וְשַׁכֻּלָה אֵין
ג בָּהֶם: כְּחוּט הַשָּׁנִי שִׂפְתוֹתַיִךְ וּמִדְבָּרֵיךְ נָאוֶה כְּפֶלַח הָרִמּוֹן
ד רַקָּתֵךְ מִבַּעַד לְצַמָּתֵךְ: כְּמִגְדַּל דָּוִיד צַוָּארֵךְ בָּנוּי לְתַלְפִּיּוֹת
ה אֶלֶף הַמָּגֵן תָּלוּי עָלָיו כֹּל שִׁלְטֵי הַגִּבֹּרִים: שְׁנֵי שָׁדַיִךְ כִּשְׁנֵי
ו עֳפָרִים תְּאוֹמֵי צְבִיָּה הָרוֹעִים בַּשּׁוֹשַׁנִּים: עַד שֶׁיָּפוּחַ הַיּוֹם — גְּאֻלַּת כנס״י
ז וְנָסוּ הַצְּלָלִים אֵלֶךְ לִי אֶל־הַר הַמּוֹר וְאֶל־גִּבְעַת הַלְּבוֹנָה: כֻּלָּךְ — בִּזְכוּת
ח יָפָה רַעְיָתִי וּמוּם אֵין בָּךְ: אִתִּי מִלְּבָנוֹן כַּלָּה אִתִּי — אֱמוּנָתָהּ בַּה׳:
מִלְּבָנוֹן תָּבוֹאִי תָּשׁוּרִי | מֵרֹאשׁ אֲמָנָה מֵרֹאשׁ שְׂנִיר וְחֶרְמוֹן
ט מִמְּעֹנוֹת אֲרָיוֹת מֵהַרְרֵי נְמֵרִים: לִבַּבְתִּנִי אֲחֹתִי כַלָּה לִבַּבְתִּנִי
י באחד בְּאַחַת מֵעֵינַיִךְ בְּאַחַד עֲנָק מִצַּוְּרֹנָיִךְ: מַה־יָּפוּ דֹדַיִךְ אֲחֹתִי — חֲבִיבוּת מִצְווֹת
יא כַּלָּה מַה־טֹּבוּ דֹדַיִךְ מִיַּיִן וְרֵיחַ שְׁמָנַיִךְ מִכָּל־בְּשָׂמִים: נֹפֶת — יִשְׂרָאֵל עַל ה׳:
תִּטֹּפְנָה שִׂפְתוֹתַיִךְ כַּלָּה דְּבַשׁ וְחָלָב תַּחַת לְשׁוֹנֵךְ וְרֵיחַ
יב שַׂלְמֹתַיִךְ כְּרֵיחַ לְבָנוֹן: גַּן | נָעוּל אֲחֹתִי כַלָּה גַּל נָעוּל מַעְיָן
יג חָתוּם: שְׁלָחַיִךְ פַּרְדֵּס רִמּוֹנִים עִם פְּרִי מְגָדִים כְּפָרִים עִם־
יד נְרָדִים: נֵרְדְּ | וְכַרְכֹּם קָנֶה וְקִנָּמוֹן עִם כָּל־עֲצֵי לְבוֹנָה מֹר
טו וַאֲהָלוֹת עִם כָּל־רָאשֵׁי בְשָׂמִים: מַעְיַן גַּנִּים בְּאֵר מַיִם חַיִּים
טז וְנֹזְלִים מִן־לְבָנוֹן: עוּרִי צָפוֹן וּבוֹאִי תֵימָן הָפִיחִי גַנִּי יִזְּלוּ בְשָׂמָיו
ה א יָבֹא דוֹדִי לְגַנּוֹ וְיֹאכַל פְּרִי מְגָדָיו: בָּאתִי לְגַנִּי אֲחֹתִי כַלָּה אָרִיתִי — הָרִחוּק מֵה׳ בְּהִתְרַשְּׁלוּת מֵהַמִּצְווֹת:
מוֹרִי עִם־בְּשָׂמִי אָכַלְתִּי יַעְרִי עִם־דִּבְשִׁי שָׁתִיתִי יֵינִי עִם־

ב חֲלָבִי אִכְלוּ רֵעִים שְׁתוּ וְשִׁכְרוּ דּוֹדִים: אֲנִי יְשֵׁנָה וְלִבִּי
עֵר קוֹל ׀ דּוֹדִי דוֹפֵק פִּתְחִי־לִי אֲחֹתִי רַעְיָתִי יוֹנָתִי תַמָּתִי
ג שֶׁרֹּאשִׁי נִמְלָא־טָל קְוֻצּוֹתַי רְסִיסֵי לָיְלָה: פָּשַׁטְתִּי אֶת־כֻּתָּנְתִּי
ד אֵיכָכָה אֶלְבָּשֶׁנָּה רָחַצְתִּי אֶת־רַגְלַי אֵיכָכָה אֲטַנְּפֵם: דּוֹדִי שָׁלַח
ה יָדוֹ מִן־הַחֹר וּמֵעַי הָמוּ עָלָיו: קַמְתִּי אֲנִי לִפְתֹּחַ לְדוֹדִי וְיָדַי
ו נָטְפוּ־מוֹר וְאֶצְבְּעֹתַי מוֹר עֹבֵר עַל כַּפּוֹת הַמַּנְעוּל: פָּתַחְתִּי אֲנִי
לְדוֹדִי וְדוֹדִי חָמַק עָבָר נַפְשִׁי יָצְאָה בְדַבְּרוֹ בִּקַּשְׁתִּיהוּ וְלֹא
ז מְצָאתִיהוּ קְרָאתִיו וְלֹא עָנָנִי: מְצָאֻנִי הַשֹּׁמְרִים הַסֹּבְבִים בָּעִיר
ח הִכּוּנִי פְצָעוּנִי נָשְׂאוּ אֶת־רְדִידִי מֵעָלַי שֹׁמְרֵי הַחֹמוֹת: הִשְׁבַּעְתִּי
אֶתְכֶם בְּנוֹת יְרוּשָׁלָםִ אִם־תִּמְצְאוּ אֶת־דּוֹדִי מַה־תַּגִּידוּ לוֹ
ט שֶׁחוֹלַת אַהֲבָה אָנִי: מַה־דּוֹדֵךְ מִדּוֹד הַיָּפָה בַּנָּשִׁים מַה־דּוֹדֵךְ
י יא מִדּוֹד שֶׁכָּכָה הִשְׁבַּעְתָּנוּ: דּוֹדִי צַח וְאָדוֹם דָּגוּל מֵרְבָבָה: רֹאשׁוֹ
יב כֶּתֶם פָּז קְוֻצּוֹתָיו תַּלְתַּלִּים שְׁחֹרוֹת כָּעוֹרֵב: עֵינָיו כְּיוֹנִים
יג עַל־אֲפִיקֵי מָיִם רֹחֲצוֹת בֶּחָלָב יֹשְׁבוֹת עַל־מִלֵּאת: לְחָיָו
כַּעֲרוּגַת הַבֹּשֶׂם מִגְדְּלוֹת מֶרְקָחִים שִׂפְתוֹתָיו שׁוֹשַׁנִּים נֹטְפוֹת
יד מוֹר עֹבֵר: יָדָיו גְּלִילֵי זָהָב מְמֻלָּאִים בַּתַּרְשִׁישׁ מֵעָיו עֶשֶׁת שֵׁן
טו מְעֻלֶּפֶת סַפִּירִים: שׁוֹקָיו עַמּוּדֵי שֵׁשׁ מְיֻסָּדִים עַל־אַדְנֵי־פָז
טז מַרְאֵהוּ כַּלְּבָנוֹן בָּחוּר כָּאֲרָזִים: חִכּוֹ מַמְתַקִּים וְכֻלּוֹ מַחֲמַדִּים
ו א זֶה דוֹדִי וְזֶה רֵעִי בְּנוֹת יְרוּשָׁלָםִ: אָנָה הָלַךְ דּוֹדֵךְ הַיָּפָה בַּנָּשִׁים
ב אָנָה פָּנָה דוֹדֵךְ וּנְבַקְשֶׁנּוּ עִמָּךְ: דּוֹדִי יָרַד לְגַנּוֹ לַעֲרֻגוֹת הַבֹּשֶׂם
ג לִרְעוֹת בַּגַּנִּים וְלִלְקֹט שׁוֹשַׁנִּים: אֲנִי לְדוֹדִי וְדוֹדִי לִי הָרֹעֶה
ד בַּשּׁוֹשַׁנִּים: יָפָה אַתְּ רַעְיָתִי כְּתִרְצָה נָאוָה כִּירוּשָׁלָםִ
ה אֲיֻמָּה כַּנִּדְגָּלוֹת: הָסֵבִּי עֵינַיִךְ מִנֶּגְדִּי שֶׁהֵם הִרְהִיבֻנִי שַׂעְרֵךְ
ו כְּעֵדֶר הָעִזִּים שֶׁגָּלְשׁוּ מִן־הַגִּלְעָד: שִׁנַּיִךְ כְּעֵדֶר הָרְחֵלִים שֶׁעָלוּ
ז מִן־הָרַחְצָה שֶׁכֻּלָּם מַתְאִימוֹת וְשַׁכֻּלָה אֵין בָּהֶם: כְּפֶלַח הָרִמּוֹן

ח רַקָּתֵךְ מִבַּעַד לְצַמָּתֵךְ: שִׁשִּׁים הֵמָּה מְלָכוֹת וּשְׁמֹנִים פִּילַגְשִׁים
ט וַעֲלָמוֹת אֵין מִסְפָּר: אַחַת הִיא יוֹנָתִי תַמָּתִי אַחַת הִיא לְאִמָּהּ
בָּרָה הִיא לְיוֹלַדְתָּהּ רָאוּהָ בָנוֹת וַיְאַשְּׁרוּהָ מְלָכוֹת וּפִילַגְשִׁים
י וַיְהַלְלוּהָ: מִי־זֹאת הַנִּשְׁקָפָה כְּמוֹ־שָׁחַר יָפָה כַלְּבָנָה
יא בָּרָה כַּחַמָּה אֲיֻמָּה כַּנִּדְגָּלוֹת: אֶל־גִּנַּת אֱגוֹז יָרַדְתִּי
יב לִרְאוֹת בְּאִבֵּי הַנָּחַל לִרְאוֹת הֲפָרְחָה הַגֶּפֶן הֵנֵצוּ הָרִמֹּנִים: לֹא

כנס״י נִבְחֶרֶת עַל תְּמִימוּת לִבָּהּ:

ז א יָדַעְתִּי נַפְשִׁי שָׂמַתְנִי מַרְכְּבוֹת עַמִּי נָדִיב: שׁוּבִי שׁוּבִי
הַשּׁוּלַמִּית שׁוּבִי שׁוּבִי וְנֶחֱזֶה־בָּךְ מַה־תֶּחֱזוּ בַּשּׁוּלַמִּית כִּמְחֹלַת
ב הַמַּחֲנָיִם: מַה־יָּפוּ פְעָמַיִךְ בַּנְּעָלִים בַּת־נָדִיב חַמּוּקֵי יְרֵכַיִךְ כְּמוֹ
ג חֲלָאִים מַעֲשֵׂה יְדֵי אָמָּן: שָׁרְרֵךְ אַגַּן הַסַּהַר אַל־יֶחְסַר הַמָּזֶג

יִשְׂרָאֵל נִקְרָאִים לְבֵית הַמִּקְדָּשׁ:

ד בִּטְנֵךְ עֲרֵמַת חִטִּים סוּגָה בַּשּׁוֹשַׁנִּים: שְׁנֵי שָׁדַיִךְ כִּשְׁנֵי עֳפָרִים
ה תָּאֳמֵי צְבִיָּה: צַוָּארֵךְ כְּמִגְדַּל הַשֵּׁן עֵינַיִךְ בְּרֵכוֹת בְּחֶשְׁבּוֹן

יְפִי עֲבוֹדַת בֵּית הַמִּקְדָּשׁ:

עַל־שַׁעַר בַּת־רַבִּים אַפֵּךְ כְּמִגְדַּל הַלְּבָנוֹן צוֹפֶה פְּנֵי דַמָּשֶׂק:
ו רֹאשֵׁךְ עָלַיִךְ כַּכַּרְמֶל וְדַלַּת רֹאשֵׁךְ כָּאַרְגָּמָן מֶלֶךְ אָסוּר
ז ח בָּרְהָטִים: מַה־יָּפִית וּמַה־נָּעַמְתְּ אַהֲבָה בַּתַּעֲנוּגִים: זֹאת קוֹמָתֵךְ
ט דָּמְתָה לְתָמָר וְשָׁדַיִךְ לְאַשְׁכֹּלוֹת: אָמַרְתִּי אֶעֱלֶה בְתָמָר אֹחֲזָה
בְּסַנְסִנָּיו וְיִהְיוּ־נָא שָׁדַיִךְ כְּאֶשְׁכְּלוֹת הַגֶּפֶן וְרֵיחַ אַפֵּךְ
י כַּתַּפּוּחִים: וְחִכֵּךְ כְּיֵין הַטּוֹב הוֹלֵךְ לְדוֹדִי לְמֵישָׁרִים דּוֹבֵב שִׂפְתֵי
יא יב יְשֵׁנִים: אֲנִי לְדוֹדִי וְעָלַי תְּשׁוּקָתוֹ: לְכָה דוֹדִי נֵצֵא
יג הַשָּׂדֶה נָלִינָה בַּכְּפָרִים: נַשְׁכִּימָה לַכְּרָמִים נִרְאֶה אִם־פָּרְחָה
הַגֶּפֶן פִּתַּח הַסְּמָדַר הֵנֵצוּ הָרִמּוֹנִים שָׁם אֶתֵּן אֶת־דֹּדַי לָךְ:
יד הַדּוּדָאִים נָתְנוּ־רֵיחַ וְעַל־פְּתָחֵינוּ כָּל־מְגָדִים חֲדָשִׁים גַּם־

הִשְׁתּוֹקְקוּת לָבֹא אֶל בֵּית הַמֶּלֶךְ:

ח א יְשָׁנִים דּוֹדִי צָפַנְתִּי לָךְ: מִי יִתֶּנְךָ כְּאָח לִי יוֹנֵק שְׁדֵי אִמִּי
ב אֶמְצָאֲךָ בַחוּץ אֶשָּׁקְךָ גַּם לֹא־יָבֻזוּ לִי: אֶנְהָגֲךָ אֲבִיאֲךָ אֶל־בֵּית
ג אִמִּי תְּלַמְּדֵנִי אַשְׁקְךָ מִיַּיִן הָרֶקַח מֵעֲסִיס רִמֹּנִי: שְׂמֹאלוֹ תַּחַת

אַהֲבַת ה׳ בְּאֶמְצָעוּת הַתּוֹרָה:

ד רֹאשִׁ֔י וִימִינ֖וֹ תְּחַבְּקֵֽנִי׃ הִשְׁבַּ֥עְתִּי אֶתְכֶ֖ם בְּנ֣וֹת יְרוּשָׁלִָ֑ם מַה־
ה תָּעִ֧ירוּ ׀ וּֽמַה־תְּעֹרְר֛וּ אֶת־הָאַהֲבָ֖ה עַ֥ד שֶׁתֶּחְפָּֽץ׃ מִ֣י
זֹ֗את עֹלָה֙ מִן־הַמִּדְבָּ֔ר מִתְרַפֶּ֖קֶת עַל־דּוֹדָ֑הּ תַּ֤חַת הַתַּפּ֙וּחַ֙
ו עֽוֹרַרְתִּ֔יךָ שָׁ֚מָּה חִבְּלַ֣תְךָ אִמֶּ֔ךָ שָׁ֖מָּה חִבְּלָ֥ה יְלָדַֽתְךָ׃ שִׂימֵ֨נִי
כַֽחוֹתָ֜ם עַל־לִבֶּ֗ךָ כַּֽחוֹתָם֙ עַל־זְרוֹעֶ֔ךָ כִּֽי־עַזָּ֤ה כַמָּ֙וֶת֙ אַהֲבָ֔ה
ז קָשָׁ֥ה כִשְׁא֖וֹל קִנְאָ֑ה רְשָׁפֶ֕יהָ רִשְׁפֵּ֕י אֵ֖שׁ שַׁלְהֶבֶתְיָֽה׃ מַ֣יִם רַבִּ֗ים
לֹ֤א יֽוּכְלוּ֙ לְכַבּ֣וֹת אֶת־הָאַהֲבָ֔ה וּנְהָר֖וֹת לֹ֣א יִשְׁטְפ֑וּהָ אִם־יִתֵּ֨ן
ח אִ֜ישׁ אֶת־כָּל־ה֤וֹן בֵּיתוֹ֙ בָּאַהֲבָ֔ה בּ֖וֹז יָב֥וּזוּ לֽוֹ׃ אָח֥וֹת
לָ֙נוּ֙ קְטַנָּ֔ה וְשָׁדַ֖יִם אֵ֣ין לָ֑הּ מַֽה־נַּעֲשֶׂה֙ לַאֲחֹתֵ֔נוּ בַּיּ֖וֹם שֶׁיְּדֻבַּר־
ט בָּֽהּ׃ אִם־חוֹמָ֣ה הִ֔יא נִבְנֶ֥ה עָלֶ֖יהָ טִ֣ירַת כָּ֑סֶף וְאִם־דֶּ֣לֶת הִ֔יא
י נָצ֥וּר עָלֶ֖יהָ ל֥וּחַ אָֽרֶז׃ אֲנִ֣י חוֹמָ֔ה וְשָׁדַ֖י כַּמִּגְדָּל֑וֹת אָ֛ז הָיִ֥יתִי
בְעֵינָ֖יו כְּמוֹצְאֵ֥ת שָׁלֽוֹם׃

יא כֶּ֣רֶם הָיָ֤ה לִשְׁלֹמֹה֙ בְּבַ֣עַל הָמ֔וֹן נָתַ֥ן אֶת־
יב הַכֶּ֖רֶם לַנֹּטְרִ֑ים אִ֛ישׁ יָבִ֥א בְּפִרְי֖וֹ אֶ֥לֶף כָּֽסֶף׃ כַּרְמִ֥י שֶׁלִּ֖י לְפָנָ֑י
יג הָאֶ֤לֶף לְךָ֙ שְׁלֹמֹ֔ה וּמָאתַ֖יִם לְנֹטְרִ֥ים אֶת־פִּרְיֽוֹ׃ הַיּוֹשֶׁ֣בֶת בַּגַּנִּ֗ים
יד חֲבֵרִ֛ים מַקְשִׁיבִ֥ים לְקוֹלֵ֖ךְ הַשְׁמִיעִֽנִי׃ בְּרַ֣ח ׀ דּוֹדִ֗י וּֽדְמֵה־לְךָ֤
לִצְבִי֙ א֚וֹ לְעֹ֣פֶר הָֽאַיָּלִ֔ים עַ֖ל הָרֵ֥י בְשָׂמִֽים׃

הַהִתְקָרְבוּת לַה' בְּמַתַּן תּוֹרָה׃

גְּאֻלָּתֵנוּ בִּזְכוּת בִּטְחוֹנֵנוּ בַּה'׃

בְּהִשָּׁמְרוּת מֵעָוֹן בָּאָה תְּשׁוּעַת עוֹלָמִים׃

רות

[2783]

א **א** וַיְהִ֗י בִּימֵי֙ שְׁפֹ֣ט הַשֹּׁפְטִ֔ים וַיְהִ֥י רָעָ֖ב בָּאָ֑רֶץ וַיֵּ֨לֶךְ֙ אִ֜ישׁ מִבֵּ֧ית

יְצִיאַת
אֱלִימֶ֫לֶךְ
וּמִשְׁפַּחְתּ֫וֹ
מֵאַרְצ֫וֹ:

ב לֶ֣חֶם יְהוּדָ֗ה לָגוּר֙ בִּשְׂדֵ֣י מוֹאָ֔ב ה֥וּא וְאִשְׁתּ֖וֹ וּשְׁנֵ֥י בָנָֽיו: וְשֵׁ֣ם
הָאִ֣ישׁ אֱ‍ֽלִימֶ֗לֶךְ וְשֵׁם֩ אִשְׁתּ֨וֹ נָעֳמִ֜י וְשֵׁ֥ם שְׁנֵֽי־בָנָ֣יו ׀ מַחְל֤וֹן
וְכִלְיוֹן֙ אֶפְרָתִ֔ים מִבֵּ֥ית לֶ֖חֶם יְהוּדָ֑ה וַיָּבֹ֥אוּ שְׂדֵי־מוֹאָ֖ב וַיִּֽהְיוּ־

ג שָֽׁם: וַיָּ֥מָת אֱלִימֶ֖לֶךְ אִ֣ישׁ נָעֳמִ֑י וַתִּשָּׁאֵ֥ר הִ֖יא וּשְׁנֵ֥י בָנֶֽיהָ: וַיִּשְׂא֣וּ

מוֹת
אֱלִימֶ֫לֶךְ
וּבָנָֽיו:

ד לָהֶ֗ם נָשִׁים֙ מֹֽאֲבִיּ֔וֹת שֵׁ֤ם הָֽאַחַת֙ עָרְפָּ֔ה וְשֵׁ֥ם הַשֵּׁנִ֖ית ר֑וּת וַיֵּ֥שְׁבוּ

[2793]

ה שָׁ֖ם כְּעֶ֥שֶׂר שָׁנִֽים: וַיָּמֻ֥תוּ גַם־שְׁנֵיהֶ֖ם מַחְל֣וֹן וְכִלְי֑וֹן וַתִּשָּׁאֵר֙

ו הָֽאִשָּׁ֔ה מִשְּׁנֵ֥י יְלָדֶ֖יהָ וּמֵֽאִישָֽׁהּ: וַתָּ֤קָם הִיא֙ וְכַלֹּתֶ֔יהָ וַתָּ֖שָׁב

שִׁיבַת
נָעֳמִ֫י
וְכַלּוֹתֶ֫יהָ
לִיהוּדָֽה:

ז מִשְּׂדֵ֣י מוֹאָ֑ב כִּ֤י שָֽׁמְעָה֙ בִּשְׂדֵ֣ה מוֹאָ֔ב כִּֽי־פָקַ֤ד יְהוָֹה֙ אֶת־עַמּ֔וֹ
לָתֵ֥ת לָהֶ֖ם לָֽחֶם: וַתֵּצֵ֗א מִן־הַמָּקוֹם֙ אֲשֶׁ֣ר הָֽיְתָה־שָּׁ֔מָּה וּשְׁתֵּ֥י

ח כַלּוֹתֶ֖יהָ עִמָּ֑הּ וַתֵּלַ֣כְנָה בַדֶּ֔רֶךְ לָשׁ֖וּב אֶל־אֶ֥רֶץ יְהוּדָֽה: וַתֹּ֤אמֶר

שִׁדּ֫וּל
כַּלּוֹתֶ֫יהָ
לָשׁ֫וּב
לְבֵיתָֽן:

ט נָֽעֳמִי֙ לִשְׁתֵּ֣י כַלֹּתֶ֔יהָ לֵ֣כְנָה שֹּׁ֔בְנָה אִשָּׁ֖ה לְבֵ֣ית אִמָּ֑הּ יַ֣עַשׂ יַעֲשֶׂ֩ה
יְהֹוָ֨ה עִמָּכֶ֜ם חֶ֗סֶד כַּֽאֲשֶׁ֧ר עֲשִׂיתֶ֛ם עִם־הַמֵּתִ֖ים וְעִמָּדִֽי: יִתֵּ֤ן יְהֹוָה֙
לָכֶ֔ם וּמְצֶ֣אןָ מְנוּחָ֔ה אִשָּׁ֖ה בֵּ֣ית אִישָׁ֑הּ וַתִּשַּׁ֣ק לָהֶ֔ן וַתִּשֶּׂ֥אנָה קוֹלָ֖ן

י וַתִּבְכֶּֽינָה: וַתֹּאמַ֖רְנָה־לָּ֑הּ כִּֽי־אִתָּ֥ךְ נָשׁ֖וּב לְעַמֵּֽךְ: וַתֹּ֤אמֶר נָֽעֳמִי֙

יא שֹׁ֣בְנָה בְנֹתַ֔י לָ֥מָּה תֵלַ֖כְנָה עִמִּ֑י הַֽעֽוֹד־לִ֤י בָנִים֙ בְּמֵעַ֔י וְהָי֥וּ לָכֶ֖ם

יב לַֽאֲנָשִֽׁים: שֹׁ֤בְנָה בְנֹתַי֙ לֵ֔כְןָ כִּ֥י זָקַ֖נְתִּי מִֽהְי֣וֹת לְאִ֑ישׁ כִּ֤י אָמַ֨רְתִּי֙

יג יֶשׁ־לִ֣י תִקְוָ֗ה גַּ֣ם הָיִ֤יתִי הַלַּ֨יְלָה֙ לְאִ֔ישׁ וְגַ֖ם יָלַ֥דְתִּי בָנִֽים: הֲלָהֵ֣ן ׀
תְּשַׂבֵּ֗רְנָה עַ֚ד אֲשֶׁ֣ר יִגְדָּ֔לוּ הֲלָהֵן֙ תֵּֽעָגֵ֔נָה לְבִלְתִּ֖י הֱי֣וֹת לְאִ֑ישׁ אַ֣ל

פְּרֵדַ֫ת
עָרְפָּ֫ה
וּדְבֵקַ֫ת
רֽוּת:

יד בְּנֹתַ֗י כִּֽי־מַר־לִ֤י מְאֹד֙ מִכֶּ֔ם כִּֽי־יָֽצְאָ֥ה בִ֖י יַד־יְהֹוָֽה: וַתִּשֶּׂ֣נָה קוֹלָ֔ן
וַתִּבְכֶּ֖ינָה ע֑וֹד וַתִּשַּׁ֤ק עָרְפָּה֙ לַֽחֲמוֹתָ֔הּ וְר֖וּת דָּ֥בְקָה בָּֽהּ:

טו וַתֹּ֗אמֶר הִנֵּה֙ שָׁ֣בָה יְבִמְתֵּ֔ךְ אֶל־עַמָּ֖הּ וְאֶל־אֱלֹהֶ֑יהָ שׁ֖וּבִי אַֽחֲרֵ֥י

טז יְבִמְתֵּֽךְ: וַתֹּ֤אמֶר רוּת֙ אַל־תִּפְגְּעִי־בִ֔י לְעָזְבֵ֖ךְ לָשׁ֣וּב מֵאַֽחֲרָ֑יִךְ

כִּי אֶל־אֲשֶׁר תֵּלְכִי אֵלֵךְ וּבַאֲשֶׁר תָּלִינִי אָלִין עַמֵּךְ עַמִּי וֵאלֹהַיִךְ

אֱלֹהָי: בַּאֲשֶׁר תָּמוּתִי אָמוּת וְשָׁם אֶקָּבֵר כֹּה יַעֲשֶׂה יְהוָה לִי זי

וְכֹה יוֹסִיף כִּי הַמָּוֶת יַפְרִיד בֵּינִי וּבֵינֵךְ: וַתֵּרֶא כִּי־מִתְאַמֶּצֶת יח

הִיא לָלֶכֶת אִתָּהּ וַתֶּחְדַּל לְדַבֵּר אֵלֶיהָ: וַתֵּלַכְנָה שְׁתֵּיהֶם יט

פְּנִישַׁת
נַעֲמִי
בְּאַנְשֵׁי
בֵּית לֶחֶם:

עַד־בּוֹאָנָה בֵּית לֶחֶם וַיְהִי כְּבוֹאָנָה בֵּית לֶחֶם וַתֵּהֹם כָּל־הָעִיר

עֲלֵיהֶן וַתֹּאמַרְנָה הֲזֹאת נָעֳמִי: וַתֹּאמֶר אֲלֵיהֶן אַל־תִּקְרֶאנָה לִי כ

נָעֳמִי קְרֶאןָ לִי מָרָא כִּי־הֵמַר שַׁדַּי לִי מְאֹד: אֲנִי מְלֵאָה הָלַכְתִּי כא

וְרֵיקָם הֱשִׁיבַנִי יְהוָה לָמָּה תִקְרֶאנָה לִי נָעֳמִי וַיהוָה עָנָה בִי

וְשַׁדַּי הֵרַע לִי: וַתָּשָׁב נָעֳמִי וְרוּת הַמּוֹאֲבִיָּה כַלָּתָהּ עִמָּהּ כב

הַשָּׁבָה מִשְּׂדֵי מוֹאָב וְהֵמָּה בָּאוּ בֵּית לֶחֶם בִּתְחִלַּת קְצִיר שְׂעֹרִים:

רוּת בִּשְׂדֵה
בֹעַז:

וּלְנָעֳמִי מידע מוֹדַע לְאִישָׁהּ אִישׁ גִּבּוֹר חַיִל מִמִּשְׁפַּחַת אֱלִימֶלֶךְ ב

וּשְׁמוֹ בֹּעַז: וַתֹּאמֶר רוּת הַמּוֹאֲבִיָּה אֶל־נָעֳמִי אֵלְכָה־נָּא הַשָּׂדֶה ב

וַאֲלַקֳטָה בַשִּׁבֳּלִים אַחַר אֲשֶׁר אֶמְצָא־חֵן בְּעֵינָיו וַתֹּאמֶר לָהּ

לְכִי בִתִּי: וַתֵּלֶךְ וַתָּבוֹא וַתְּלַקֵּט בַּשָּׂדֶה אַחֲרֵי הַקֹּצְרִים וַיִּקֶר ג

מִקְרֶהָ חֶלְקַת הַשָּׂדֶה לְבֹעַז אֲשֶׁר מִמִּשְׁפַּחַת אֱלִימֶלֶךְ: וְהִנֵּה־ ד

בֹעַז בָּא מִבֵּית לֶחֶם וַיֹּאמֶר לַקּוֹצְרִים יְהוָה עִמָּכֶם וַיֹּאמְרוּ לוֹ

הִתְעַנְיְנוּת
בֹּעַז
בְּרוּת:

יְבָרֶכְךָ יְהוָה: וַיֹּאמֶר בֹּעַז לְנַעֲרוֹ הַנִּצָּב עַל־הַקּוֹצְרִים לְמִי ה

הַנַּעֲרָה הַזֹּאת: וַיַּעַן הַנַּעַר הַנִּצָּב עַל־הַקּוֹצְרִים וַיֹּאמַר נַעֲרָה ו

מוֹאֲבִיָּה הִיא הַשָּׁבָה עִם־נָעֳמִי מִשְּׂדֵי מוֹאָב: וַתֹּאמֶר אֲלַקֳטָה־ ז

נָּא וְאָסַפְתִּי בָעֳמָרִים אַחֲרֵי הַקּוֹצְרִים וַתָּבוֹא וַתַּעֲמוֹד מֵאָז

בַּקָּשַׁת בֹּעַז
מֵרוּת
לְלַקֵּט
מִשָּׂדֵהוּ:

הַבֹּקֶר וְעַד־עַתָּה זֶה שִׁבְתָּהּ הַבַּיִת מְעָט: וַיֹּאמֶר בֹּעַז אֶל־רוּת ח

הֲלוֹא שָׁמַעַתְּ בִּתִּי אַל־תֵּלְכִי לִלְקֹט בְּשָׂדֶה אַחֵר וְגַם לֹא

תַעֲבוּרִי מִזֶּה וְכֹה תִדְבָּקִין עִם־נַעֲרֹתָי: עֵינַיִךְ בַּשָּׂדֶה אֲשֶׁר־ ט

יִקְצֹרוּן וְהָלַכְתְּ אַחֲרֵיהֶן הֲלוֹא צִוִּיתִי אֶת־הַנְּעָרִים לְבִלְתִּי נָגְעֵךְ

וְצָמִת וְהָלַכְתְּ אֶל־הַכֵּלִים וְשָׁתִית מֵאֲשֶׁר יִשְׁאֲבוּן הַנְּעָרִים:

י וַתִּפֹּל עַל־פָּנֶיהָ וַתִּשְׁתַּחוּ אָרְצָה וַתֹּאמֶר אֵלָיו מַדּוּעַ מָצָאתִי
יא חֵן בְּעֵינֶיךָ לְהַכִּירֵנִי וְאָנֹכִי נָכְרִיָּה: וַיַּעַן בֹּעַז וַיֹּאמֶר לָהּ הֻגֵּד
הֻגַּד לִי כֹּל אֲשֶׁר־עָשִׂית אֶת־חֲמוֹתֵךְ אַחֲרֵי מוֹת אִישֵׁךְ וַתַּעַזְבִי
אָבִיךְ וְאִמֵּךְ וְאֶרֶץ מוֹלַדְתֵּךְ וַתֵּלְכִי אֶל־עַם אֲשֶׁר לֹא־יָדַעַתְּ
יב תְּמוֹל שִׁלְשׁוֹם: יְשַׁלֵּם יְהוָה פָּעֳלֵךְ וּתְהִי מַשְׂכֻּרְתֵּךְ שְׁלֵמָה מֵעִם
יג יְהוָה אֱלֹהֵי יִשְׂרָאֵל אֲשֶׁר־בָּאת לַחֲסוֹת תַּחַת־כְּנָפָיו: וַתֹּאמֶר
אֶמְצָא־חֵן בְּעֵינֶיךָ אֲדֹנִי כִּי נִחַמְתָּנִי וְכִי דִבַּרְתָּ עַל־לֵב שִׁפְחָתֶךָ
יד וְאָנֹכִי לֹא אֶהְיֶה כְּאַחַת שִׁפְחֹתֶיךָ: וַיֹּאמֶר לָה בֹעַז לְעֵת הָאֹכֶל
גֹּשִׁי הֲלֹם וְאָכַלְתְּ מִן־הַלֶּחֶם וְטָבַלְתְּ פִּתֵּךְ בַּחֹמֶץ וַתֵּשֶׁב מִצַּד
טו הַקֹּצְרִים וַיִּצְבָּט־לָהּ קָלִי וַתֹּאכַל וַתִּשְׂבַּע וַתֹּתַר: וַתָּקָם לְלַקֵּט
וַיְצַו בֹּעַז אֶת־נְעָרָיו לֵאמֹר גַּם בֵּין הָעֳמָרִים תְּלַקֵּט וְלֹא
טז תַכְלִימוּהָ: וְגַם שֹׁל־תָּשֹׁלּוּ לָהּ מִן־הַצְּבָתִים וַעֲזַבְתֶּם וְלִקְּטָה
יז וְלֹא תִגְעֲרוּ־בָהּ: וַתְּלַקֵּט בַּשָּׂדֶה עַד־הָעָרֶב וַתַּחְבֹּט אֵת
יח אֲשֶׁר־לִקֵּטָה וַיְהִי כְּאֵיפָה שְׂעֹרִים: וַתִּשָּׂא וַתָּבוֹא הָעִיר וַתֵּרֶא
חֲמוֹתָהּ אֵת אֲשֶׁר־לִקֵּטָה וַתּוֹצֵא וַתִּתֶּן־לָהּ אֵת אֲשֶׁר־הוֹתִרָה
יט מִשָּׂבְעָהּ: וַתֹּאמֶר לָהּ חֲמוֹתָהּ אֵיפֹה לִקַּטְתְּ הַיּוֹם וְאָנָה
עָשִׂית יְהִי מַכִּירֵךְ בָּרוּךְ וַתַּגֵּד לַחֲמוֹתָהּ אֵת אֲשֶׁר־עָשְׂתָה עִמּוֹ
כ וַתֹּאמֶר שֵׁם הָאִישׁ אֲשֶׁר עָשִׂיתִי עִמּוֹ הַיּוֹם בֹּעַז: וַתֹּאמֶר נָעֳמִי
לְכַלָּתָהּ בָּרוּךְ הוּא לַיהוָה אֲשֶׁר לֹא־עָזַב חַסְדּוֹ אֶת־הַחַיִּים
וְאֶת־הַמֵּתִים וַתֹּאמֶר לָהּ נָעֳמִי קָרוֹב לָנוּ הָאִישׁ מִגֹּאֲלֵנוּ הוּא:
כא וַתֹּאמֶר רוּת הַמּוֹאֲבִיָּה גַּם | כִּי־אָמַר אֵלַי עִם־הַנְּעָרִים אֲשֶׁר־לִי
כב תִּדְבָּקִין עַד אִם־כִּלּוּ אֵת כָּל־הַקָּצִיר אֲשֶׁר־לִי: וַתֹּאמֶר נָעֳמִי
אֶל־רוּת כַּלָּתָהּ טוֹב בִּתִּי כִּי תֵצְאִי עִם־נַעֲרוֹתָיו וְלֹא יִפְגְּעוּ־בָךְ
כג בְּשָׂדֶה אַחֵר: וַתִּדְבַּק בְּנַעֲרוֹת בֹּעַז לְלַקֵּט עַד־כְּלוֹת קְצִיר־
ג א הַשְּׂעֹרִים וּקְצִיר הַחִטִּים וַתֵּשֶׁב אֶת־חֲמוֹתָהּ: וַתֹּאמֶר לָהּ

גִּלּוּי סִבַּת הִתְיַחֲסוּתוֹ לְרוּת:

יַחַס בֹּעַז אֶל רוּת:

תְּגוּבַת נָעֳמִי לִפְגִישַׁת רוּת וּבֹעַז:

עֲצַת נָעֳמִי לְרוּת לְהִפָּגֵשׁ עִם בֹּעַז:
נָעֳמִי חֲמוֹתָהּ בִּתִּי הֲלֹא אֲבַקֶּשׁ־לָךְ מָנוֹחַ אֲשֶׁר יִיטַב־לָךְ׃
וְעַתָּה הֲלֹא בֹעַז מֹדַעְתָּנוּ אֲשֶׁר הָיִית אֶת־נַעֲרוֹתָיו הִנֵּה־הוּא ב
זֹרֶה אֶת־גֹּרֶן הַשְּׂעֹרִים הַלָּיְלָה׃ וְרָחַצְתְּ ׀ וָסַכְתְּ וְשַׂמְתְּ שמלתך ג
שִׂמְלֹתַיִךְ עָלַיִךְ וירדתי וְיָרַדְתְּ הַגֹּרֶן אַל־תִּוָּדְעִי לָאִישׁ עַד כַּלֹּתוֹ
לֶאֱכֹל וְלִשְׁתּוֹת׃ וִיהִי בְשָׁכְבוֹ וְיָדַעַתְּ אֶת־הַמָּקוֹם אֲשֶׁר יִשְׁכַּב־ ד
שָׁם וּבָאת וְגִלִּית מַרְגְּלֹתָיו ושכבתי וְשָׁכָבְתְּ וְהוּא יַגִּיד לָךְ אֵת
קרי ולא כתיב:
אֲשֶׁר תַּעֲשִׂין׃ וַתֹּאמֶר אֵלֶיהָ כֹּל אֲשֶׁר־תֹּאמְרִי אֵלַי אֶעֱשֶׂה׃ וַתֵּרֶד ה ו
פְּגִישַׁת רוּת:
הַגֹּרֶן וַתַּעַשׂ כְּכֹל אֲשֶׁר־צִוַּתָּה חֲמוֹתָהּ׃ וַיֹּאכַל בֹּעַז וַיֵּשְׁתְּ וַיִּיטַב ז
לִבּוֹ וַיָּבֹא לִשְׁכַּב בִּקְצֵה הָעֲרֵמָה וַתָּבֹא בַלָּט וַתְּגַל מַרְגְּלֹתָיו
וַתִּשְׁכָּב׃ וַיְהִי בַּחֲצִי הַלַּיְלָה וַיֶּחֱרַד הָאִישׁ וַיִּלָּפֵת וְהִנֵּה אִשָּׁה ח
שֹׁכֶבֶת מַרְגְּלֹתָיו׃ וַיֹּאמֶר מִי־אָתְּ וַתֹּאמֶר אָנֹכִי רוּת אֲמָתֶךָ ט
הַבְטָחַת בֹּעַז עַל הַגְּאֻלָּה:
וּפָרַשְׂתָּ כְנָפֶךָ עַל־אֲמָתְךָ כִּי גֹאֵל אָתָּה׃ וַיֹּאמֶר בְּרוּכָה אַתְּ י
לַיהוָה בִּתִּי הֵיטַבְתְּ חַסְדֵּךְ הָאַחֲרוֹן מִן־הָרִאשׁוֹן לְבִלְתִּי־לֶכֶת
אַחֲרֵי הַבַּחוּרִים אִם־דַּל וְאִם־עָשִׁיר׃ וְעַתָּה בִּתִּי אַל־תִּירְאִי יא
כֹּל אֲשֶׁר־תֹּאמְרִי אֶעֱשֶׂה־לָּךְ כִּי יוֹדֵעַ כָּל־שַׁעַר עַמִּי כִּי אֵשֶׁת
כתיב ולא קרי:
חַיִל אָתְּ׃ וְעַתָּה כִּי אָמְנָם כִּי אם גֹאֵל אָנֹכִי וְגַם יֵשׁ גֹּאֵל קָרוֹב יב
מִמֶּנִּי׃ לִינִי ׀ הַלַּיְלָה וְהָיָה בַבֹּקֶר אִם־יִגְאָלֵךְ טוֹב יִגְאָל וְאִם־לֹא יג
שִׁלּוּחַ רוּת מֵהַגֹּרֶן:
יַחְפֹּץ לְגָאֳלֵךְ וּגְאַלְתִּיךְ אָנֹכִי חַי־יְהוָה שִׁכְבִי עַד־הַבֹּקֶר׃ וַתִּשְׁכַּב יד
מַרְגְּלוֹתָו עַד־הַבֹּקֶר וַתָּקָם בטרום בְּטֶרֶם יַכִּיר אִישׁ אֶת־רֵעֵהוּ
וַיֹּאמֶר אַל־יִוָּדַע כִּי־בָאָה הָאִשָּׁה הַגֹּרֶן׃ וַיֹּאמֶר הָבִי הַמִּטְפַּחַת טו
אֲשֶׁר־עָלַיִךְ וְאֶחֳזִי־בָהּ וַתֹּאחֶז בָּהּ וַיָּמָד שֵׁשׁ־שְׂעֹרִים וַיָּשֶׁת
תְּגוּבַת נָעֳמִי לְמַעֲשֵׂה בֹּעַז:
עָלֶיהָ וַיָּבֹא הָעִיר׃ וַתָּבוֹא אֶל־חֲמוֹתָהּ וַתֹּאמֶר מִי־אַתְּ בִּתִּי טז
וַתַּגֶּד־לָהּ אֵת כָּל־אֲשֶׁר עָשָׂה־לָהּ הָאִישׁ׃ וַתֹּאמֶר שֵׁשׁ־ יז
קרי ולא כתיב:
הַשְּׂעֹרִים הָאֵלֶּה נָתַן לִי כִּי אָמַר אֵלַי אַל־תָּבוֹאִי רֵיקָם אֶל־
חֲמוֹתֵךְ׃ וַתֹּאמֶר שְׁבִי בִתִּי עַד אֲשֶׁר תֵּדְעִין אֵיךְ יִפֹּל דָּבָר כִּי יח

מַעֲשֵׂי בֹעַז לִגְאֻלַּת רוּת׃

ד א לֹא יִשְׁקֹט הָאִישׁ כִּי־אִם־כִּלָּה הַדָּבָר הַיּוֹם׃ וּבֹעַז עָלָה הַשַּׁעַר
וַיֵּשֶׁב שָׁם וְהִנֵּה הַגֹּאֵל עֹבֵר אֲשֶׁר דִּבֶּר־בֹּעַז וַיֹּאמֶר סוּרָה
ב שְׁבָה־פֹּה פְּלֹנִי אַלְמֹנִי וַיָּסַר וַיֵּשֵׁב׃ וַיִּקַּח עֲשָׂרָה אֲנָשִׁים מִזִּקְנֵי
ג הָעִיר וַיֹּאמֶר שְׁבוּ־פֹה וַיֵּשֵׁבוּ׃ וַיֹּאמֶר לַגֹּאֵל חֶלְקַת הַשָּׂדֶה אֲשֶׁר
ד לְאָחִינוּ לֶאֱלִימֶלֶךְ מָכְרָה נָעֳמִי הַשָּׁבָה מִשְּׂדֵה מוֹאָב׃ וַאֲנִי
אָמַרְתִּי אֶגְלֶה אָזְנְךָ לֵאמֹר קְנֵה נֶגֶד הַיֹּשְׁבִים וְנֶגֶד זִקְנֵי עַמִּי
אִם־תִּגְאַל גְּאָל וְאִם־לֹא יִגְאַל הַגִּידָה לִּי ואדע וְאֵדְעָה כִּי אֵין
ה זוּלָתְךָ לִגְאוֹל וְאָנֹכִי אַחֲרֶיךָ וַיֹּאמֶר אָנֹכִי אֶגְאָל׃ וַיֹּאמֶר בֹּעַז
בְּיוֹם־קְנוֹתְךָ הַשָּׂדֶה מִיַּד נָעֳמִי וּמֵאֵת רוּת הַמּוֹאֲבִיָּה אֵשֶׁת־
ו הַמֵּת קניתי קָנִיתָ לְהָקִים שֵׁם־הַמֵּת עַל־נַחֲלָתוֹ׃ וַיֹּאמֶר הַגֹּאֵל

סֵרוּב הַגּוֹאֵל לִגְאֹל׃

לֹא אוּכַל לגאול לִגְאָל־לִי פֶּן־אַשְׁחִית אֶת־נַחֲלָתִי גְּאַל־לְךָ אַתָּה
ז אֶת־גְּאֻלָּתִי כִּי לֹא־אוּכַל לִגְאֹל׃ וְזֹאת לְפָנִים בְּיִשְׂרָאֵל עַל־
הַגְּאוּלָּה וְעַל־הַתְּמוּרָה לְקַיֵּם כָּל־דָּבָר שָׁלַף אִישׁ נַעֲלוֹ וְנָתַן
ח לְרֵעֵהוּ וְזֹאת הַתְּעוּדָה בְּיִשְׂרָאֵל׃ וַיֹּאמֶר הַגֹּאֵל לְבֹעַז קְנֵה־לָךְ

גְּאֻלַּת רוּת ע״י בֹעַז׃

ט וַיִּשְׁלֹף נַעֲלוֹ׃ וַיֹּאמֶר בֹּעַז לַזְּקֵנִים וְכָל־הָעָם עֵדִים אַתֶּם הַיּוֹם
כִּי קָנִיתִי אֶת־כָּל־אֲשֶׁר לֶאֱלִימֶלֶךְ וְאֵת כָּל־אֲשֶׁר לְכִלְיוֹן
י וּמַחְלוֹן מִיַּד נָעֳמִי׃ וְגַם אֶת־רוּת הַמֹּאֲבִיָּה אֵשֶׁת מַחְלוֹן קָנִיתִי
לִי לְאִשָּׁה לְהָקִים שֵׁם־הַמֵּת עַל־נַחֲלָתוֹ וְלֹא־יִכָּרֵת שֵׁם־הַמֵּת
יא מֵעִם אֶחָיו וּמִשַּׁעַר מְקוֹמוֹ עֵדִים אַתֶּם הַיּוֹם׃ וַיֹּאמְרוּ כָּל־הָעָם
אֲשֶׁר־בַּשַּׁעַר וְהַזְּקֵנִים עֵדִים יִתֵּן יְהוָה אֶת־הָאִשָּׁה הַבָּאָה
אֶל־בֵּיתֶךָ כְּרָחֵל ׀ וּכְלֵאָה אֲשֶׁר בָּנוּ שְׁתֵּיהֶם אֶת־בֵּית יִשְׂרָאֵל
יב וַעֲשֵׂה־חַיִל בְּאֶפְרָתָה וּקְרָא־שֵׁם בְּבֵית לָחֶם׃ וִיהִי בֵיתְךָ כְּבֵית

נִשּׂוּאֵי רוּת לְבֹעַז׃

פֶּרֶץ אֲשֶׁר־יָלְדָה תָמָר לִיהוּדָה מִן־הַזֶּרַע אֲשֶׁר יִתֵּן יְהוָה לְךָ
יג מִן־הַנַּעֲרָה הַזֹּאת׃ וַיִּקַּח בֹּעַז אֶת־רוּת וַתְּהִי־לוֹ לְאִשָּׁה וַיָּבֹא

יד אֵלֶיהָ וַיִּתֵּן יְהוָה לָהּ הֵרָיוֹן וַתֵּלֶד בֵּן׃ וַתֹּאמַרְנָה הַנָּשִׁים

אֶל־נָעֳמִי בָּרוּךְ יְהוָה אֲשֶׁר לֹא הִשְׁבִּית לָךְ גֹּאֵל הַיּוֹם וְיִקָּרֵא
שְׁמוֹ בְּיִשְׂרָאֵל׃ וְהָיָה לָךְ לְמֵשִׁיב נֶפֶשׁ וּלְכַלְכֵּל אֶת־שֵׂיבָתֵךְ כִּי טו
כַלָּתֵךְ אֲשֶׁר־אֲהֵבַתֶךְ יְלָדַתּוּ אֲשֶׁר־הִיא טוֹבָה לָךְ מִשִּׁבְעָה
בָּנִים׃ וַתִּקַּח נָעֳמִי אֶת־הַיֶּלֶד וַתְּשִׁתֵהוּ בְחֵיקָהּ וַתְּהִי־לוֹ טז
לְאֹמֶנֶת׃ וַתִּקְרֶאנָה לוֹ הַשְּׁכֵנוֹת שֵׁם לֵאמֹר יֻלַּד־בֵּן לְנָעֳמִי יז
וַתִּקְרֶאנָה שְׁמוֹ עוֹבֵד הוּא אֲבִי־יִשַׁי אֲבִי דָוִד׃
וְאֵלֶּה תּוֹלְדוֹת פָּרֶץ פֶּרֶץ הוֹלִיד אֶת־חֶצְרוֹן׃ וְחֶצְרוֹן הוֹלִיד יח יט
אֶת־רָם וְרָם הוֹלִיד אֶת־עַמִּינָדָב׃ וְעַמִּינָדָב הוֹלִיד אֶת־נַחְשׁוֹן כ
וְנַחְשׁוֹן הוֹלִיד אֶת־שַׂלְמָה׃ וְשַׂלְמוֹן הוֹלִיד אֶת־בֹּעַז וּבֹעַז הוֹלִיד כא
אֶת־עוֹבֵד׃ וְעֹבֵד הוֹלִיד אֶת־יִשָׁי וְיִשַׁי הוֹלִיד אֶת־דָּוִד׃ כב

יחוס דָּוִד לְפֶרֶץ בֶּן יְהוּדָה׃

נכתב בשנת
3338

איכה

א

א אֵיכָה ׀ יָשְׁבָה בָדָד הָעִיר רַבָּתִי עָם הָיְתָה כְּאַלְמָנָה רַבָּתִי בַגּוֹיִם שָׂרָתִי בַּמְּדִינוֹת הָיְתָה לָמַס׃ בְּדִידוּת יְרוּשָׁלַיִם וּבְכִיתָהּ׃

ב בָּכוֹ תִבְכֶּה בַּלַּיְלָה וְדִמְעָתָהּ עַל לֶחֱיָהּ אֵין־לָהּ מְנַחֵם מִכָּל־אֹהֲבֶיהָ כָּל־רֵעֶיהָ בָּגְדוּ בָהּ הָיוּ לָהּ לְאֹיְבִים׃

ג גָּלְתָה יְהוּדָה מֵעֹנִי וּמֵרֹב עֲבֹדָה הִיא יָשְׁבָה בַגּוֹיִם לֹא מָצְאָה מָנוֹחַ כָּל־רֹדְפֶיהָ הִשִּׂיגוּהָ בֵּין הַמְּצָרִים׃ תָּאוּר גָּלוּת יְהוּדָה׃

ד דַּרְכֵי צִיּוֹן אֲבֵלוֹת מִבְּלִי בָּאֵי מוֹעֵד כָּל־שְׁעָרֶיהָ שׁוֹמֵמִין כֹּהֲנֶיהָ נֶאֱנָחִים בְּתוּלֹתֶיהָ נּוּגוֹת וְהִיא מַר־לָהּ׃

ה הָיוּ צָרֶיהָ לְרֹאשׁ אֹיְבֶיהָ שָׁלוּ כִּי־יְהֹוָה הוֹגָהּ עַל רֹב־פְּשָׁעֶיהָ עוֹלָלֶיהָ הָלְכוּ שְׁבִי לִפְנֵי־צָר׃

ו וַיֵּצֵא מִן בַּת־צִיּוֹן כָּל־הֲדָרָהּ הָיוּ שָׂרֶיהָ כְּאַיָּלִים לֹא־מָצְאוּ מִרְעֶה וַיֵּלְכוּ בְלֹא־כֹחַ לִפְנֵי רוֹדֵף׃ שְׁפְלוּתָהּ שֶׁל יְרוּשָׁלַיִם מוּל הַדָּרָהּ בֶּעָבָר׃

ז זָכְרָה יְרוּשָׁלַ͏ִם יְמֵי עָנְיָהּ וּמְרוּדֶיהָ כֹּל מַחֲמֻדֶיהָ אֲשֶׁר הָיוּ מִימֵי קֶדֶם בִּנְפֹל עַמָּהּ בְּיַד־צָר וְאֵין עוֹזֵר לָהּ רָאוּהָ צָרִים שָׂחֲקוּ עַל מִשְׁבַּתֶּהָ׃ חֵטְא חֲטָאָה׃

ח חֵטְא חָטְאָה יְרוּשָׁלַ͏ִם עַל־כֵּן לְנִידָה הָיָתָה כָּל־מְכַבְּדֶיהָ הִזִּילוּהָ כִּי־רָאוּ עֶרְוָתָהּ גַּם־הִיא נֶאֶנְחָה וַתָּשָׁב אָחוֹר׃ טֻמְאָתָהּ׃

ט טֻמְאָתָהּ בְּשׁוּלֶיהָ לֹא זָכְרָה אַחֲרִיתָהּ וַתֵּרֶד פְּלָאִים אֵין מְנַחֵם לָהּ רְאֵה יְהֹוָה אֶת־עָנְיִי כִּי הִגְדִּיל אוֹיֵב׃

י יָדוֹ פָּרַשׂ צָר עַל כָּל־מַחֲמַדֶּיהָ כִּי־רָאֲתָה גוֹיִם בָּאוּ מִקְדָּשָׁהּ אֲשֶׁר צִוִּיתָה לֹא־יָבֹאוּ בַקָּהָל לָךְ׃

יא כָּל־עַמָּהּ נֶאֱנָחִים מְבַקְשִׁים לֶחֶם נָתְנוּ מַחֲמוֹדֵּיהֶם מַחֲמַדֵּיהֶם בְּאֹכֶל לְהָשִׁיב נָפֶשׁ רְאֵה יְהֹוָה וְהַבִּיטָה כִּי הָיִיתִי זוֹלֵלָה׃ יְרוּשָׁלַיִם מְבַכָּה עַל מַצָּבָהּ׃

יב לוֹא אֲלֵיכֶם כָּל־עֹבְרֵי דֶרֶךְ הַבִּיטוּ וּרְאוּ אִם־יֵשׁ מַכְאוֹב כְּמַכְאֹבִי אֲשֶׁר עוֹלַל לִי אֲשֶׁר הוֹגָה

יְהוָה בְּיוֹם חֲרוֹן אַפּוֹ: יג מִמָּרוֹם שָׁלַח־אֵשׁ בְּעַצְמֹתַי
וַיִּרְדֶּנָּה פָּרַשׂ רֶשֶׁת לְרַגְלַי הֱשִׁיבַנִי אָחוֹר נְתָנַנִי שֹׁמֵמָה
כָּל־הַיּוֹם דָּוָה: יד נִשְׂקַד עֹל פְּשָׁעַי
בְּיָדוֹ יִשְׂתָּרְגוּ עָלוּ עַל־צַוָּארִי הִכְשִׁיל כֹּחִי נְתָנַנִי אֲדֹנָי בִּידֵי
לֹא־אוּכַל קוּם: טו סִלָּה כָל־אַבִּירַי ׀
אֲדֹנָי בְּקִרְבִּי קָרָא עָלַי מוֹעֵד לִשְׁבֹּר בַּחוּרָי גַּת דָּרַךְ אֲדֹנָי
לִבְתוּלַת בַּת־יְהוּדָה: טז עַל־אֵלֶּה ׀ אֲנִי בוֹכִיָּה עֵינִי ׀
עֵינִי יֹרְדָה מַּיִם כִּי־רָחַק מִמֶּנִּי מְנַחֵם מֵשִׁיב נַפְשִׁי הָיוּ בָנַי

הִתְיַחֲסוּת הָעַמִּים אֶל צִיּוֹן:

שׁוֹמֵמִים כִּי גָבַר אוֹיֵב: יז פֵּרְשָׂה צִיּוֹן בְּיָדֶיהָ אֵין מְנַחֵם
לָהּ צִוָּה יְהוָה לְיַעֲקֹב סְבִיבָיו צָרָיו הָיְתָה יְרוּשָׁלִַם לְנִדָּה

צִדּוּק הַדִּין:

בֵּינֵיהֶם: יח צַדִּיק הוּא יְהוָה כִּי
פִיהוּ מָרִיתִי שִׁמְעוּ־נָא כָל־הָעַמִּים עמים וּרְאוּ מַכְאֹבִי בְּתוּלֹתַי
וּבַחוּרַי הָלְכוּ בַשֶּׁבִי: יט קָרָאתִי לַמְאַהֲבַי הֵמָּה רִמּוּנִי
כֹּהֲנַי וּזְקֵנַי בָּעִיר גָּוָעוּ כִּי־בִקְשׁוּ אֹכֶל לָמוֹ וְיָשִׁיבוּ אֶת־

צִיּוֹן פּוֹנָה לַה' עַל מַצָּבָהּ הָעָגוּם:

נַפְשָׁם: כ רְאֵה יְהוָה כִּי־צַר־לִי
מֵעַי חֳמַרְמָרוּ נֶהְפַּךְ לִבִּי בְּקִרְבִּי כִּי מָרוֹ מָרִיתִי מִחוּץ
שִׁכְּלָה־חֶרֶב בַּבַּיִת כַּמָּוֶת: כא שָׁמְעוּ כִּי נֶאֱנָחָה אָנִי אֵין
מְנַחֵם לִי כָּל־אֹיְבַי שָׁמְעוּ רָעָתִי שָׂשׂוּ כִּי אַתָּה עָשִׂיתָ הֵבֵאתָ

תְּפִלָּה לִגְמֹל לְשׂוֹנְאִים:

יוֹם־קָרָאתָ וְיִהְיוּ כָמֹנִי: כב תָּבֹא כָל־רָעָתָם לְפָנֶיךָ
וְעוֹלֵל לָמוֹ כַּאֲשֶׁר עוֹלַלְתָּ לִי עַל כָּל־פְּשָׁעָי כִּי־רַבּוֹת אַנְחֹתַי
וְלִבִּי דַוָּי:

הָעֳנָשִׁים לִירוּשָׁלַיִם בְּיוֹם חֲרוֹן ה':

ב א אֵיכָה יָעִיב בְּאַפּוֹ ׀ אֲדֹנָי אֶת־בַּת־צִיּוֹן הִשְׁלִיךְ מִשָּׁמַיִם אֶרֶץ
תִּפְאֶרֶת יִשְׂרָאֵל וְלֹא־זָכַר הֲדֹם־רַגְלָיו בְּיוֹם אַפּוֹ: ב בִּלַּע
אֲדֹנָי לא וְלֹא חָמַל אֵת כָּל־נְאוֹת יַעֲקֹב הָרַס בְּעֶבְרָתוֹ מִבְצְרֵי
בַת־יְהוּדָה הִגִּיעַ לָאָרֶץ חִלֵּל מַמְלָכָה וְשָׂרֶיהָ: ג גָּדַע

בָּחֳרִי־אַף כֹּל קֶרֶן יִשְׂרָאֵל הֵשִׁיב אָחוֹר יְמִינוֹ מִפְּנֵי אוֹיֵב וַיִּבְעַר
ד בְיַעֲקֹב כְּאֵשׁ לֶהָבָה אָכְלָה סָבִיב׃ דָּרַךְ קַשְׁתּוֹ כְּאוֹיֵב
נִצָּב יְמִינוֹ כְּצָר וַיַּהֲרֹג כֹּל מַחֲמַדֵּי־עָיִן בְּאֹהֶל בַּת־צִיּוֹן שָׁפַךְ
ה כָּאֵשׁ חֲמָתוֹ׃ הָיָה אֲדֹנָי ׀
כְּאוֹיֵב בִּלַּע יִשְׂרָאֵל בִּלַּע כָּל־אַרְמְנוֹתֶיהָ שִׁחֵת מִבְצָרָיו וַיֶּרֶב
ו בְּבַת־יְהוּדָה תַּאֲנִיָּה וַאֲנִיָּה׃ וַיַּחְמֹס כַּגַּן שֻׂכּוֹ שִׁחֵת
מוֹעֲדוֹ שִׁכַּח יְהוָה ׀ בְּצִיּוֹן מוֹעֵד וְשַׁבָּת וַיִּנְאַץ בְּזַעַם־אַפּוֹ מֶלֶךְ
ז וְכֹהֵן׃ זָנַח אֲדֹנָי ׀ מִזְבְּחוֹ נִאֵר מִקְדָּשׁוֹ כִּלּוּי הַחֵמָה גַּם בַּמִּקְדָּשׁ:
הִסְגִּיר בְּיַד־אוֹיֵב חוֹמֹת אַרְמְנוֹתֶיהָ קוֹל נָתְנוּ בְּבֵית־יְהוָה כְּיוֹם
ח מוֹעֵד׃ חָשַׁב יְהוָה ׀ לְהַשְׁחִית חוֹמַת
בַּת־צִיּוֹן נָטָה קָו לֹא־הֵשִׁיב יָדוֹ מִבַּלֵּעַ וַיַּאֲבֶל־חֵל וְחוֹמָה יַחְדָּו
ט אֻמְלָלוּ׃ טָבְעוּ בָאָרֶץ שְׁעָרֶיהָ אִבַּד וְשִׁבַּר בְּרִיחֶיהָ
מַלְכָּהּ וְשָׂרֶיהָ בַגּוֹיִם אֵין תּוֹרָה גַּם־נְבִיאֶיהָ לֹא־מָצְאוּ חָזוֹן
י מֵיְהוָה׃ יֵשְׁבוּ לָאָרֶץ יִדְּמוּ זִקְנֵי הָאֲבֵלוּת וְהַצַּעַר עַל הַחֻרְבָּן:
בַת־צִיּוֹן הֶעֱלוּ עָפָר עַל־רֹאשָׁם חָגְרוּ שַׂקִּים הוֹרִידוּ לָאָרֶץ
יא רֹאשָׁן בְּתוּלֹת יְרוּשָׁלָםִ׃ כָּלוּ בַדְּמָעוֹת עֵינַי חֳמַרְמְרוּ
מֵעַי נִשְׁפַּךְ לָאָרֶץ כְּבֵדִי עַל־שֶׁבֶר בַּת־עַמִּי בֵּעָטֵף עוֹלֵל וְיוֹנֵק
יב בִּרְחֹבוֹת קִרְיָה׃ לְאִמֹּתָם יֹאמְרוּ אַיֵּה דָּגָן וָיָיִן
בְּהִתְעַטְּפָם כֶּחָלָל בִּרְחֹבוֹת עִיר בְּהִשְׁתַּפֵּךְ נַפְשָׁם אֶל־חֵיק
יג אִמֹּתָם׃ מָה־אֲעִידֵךְ מָה אֲדַמֶּה־לָּךְ הַבַּת יְרוּשָׁלַםִ מָה אֵין דִּמְיוֹן וְנִחוּמִים לַמַּצָּבָה:
אַשְׁוֶה־לָּךְ וַאֲנַחֲמֵךְ בְּתוּלַת בַּת־צִיּוֹן כִּי־גָדוֹל כַּיָּם שִׁבְרֵךְ מִי
יד יִרְפָּא־לָךְ׃ נְבִיאַיִךְ חָזוּ לָךְ שָׁוְא
וְתָפֵל וְלֹא־גִלּוּ עַל־עֲוֺנֵךְ לְהָשִׁיב שביתך שְׁבוּתֵךְ וַיֶּחֱזוּ לָךְ מַשְׂאוֹת
טו שָׁוְא וּמַדּוּחִים׃ סָפְקוּ עָלַיִךְ כַּפַּיִם כָּל־עֹבְרֵי דֶרֶךְ הִתְנַהֲגוּת הָאוֹיְבִים בְּחֻרְבַּן יְרוּשָׁלַיִם:
שָׁרְקוּ וַיָּנִעוּ רֹאשָׁם עַל־בַּת יְרוּשָׁלָםִ הֲזֹאת הָעִיר שֶׁיֹּאמְרוּ

טז כְּלִילַת יֹפִי מָשׂוֹשׂ לְכָל־הָאָרֶץ: פָּצוּ עָלַיִךְ פִּיהֶם
כָּל־אֹיְבַיִךְ שָׁרְקוּ וַיַּחַרְקוּ־שֵׁן אָמְרוּ בִּלָּעְנוּ אַךְ זֶה הַיּוֹם
יז שֶׁקִּוִּינֻהוּ מָצָאנוּ רָאִינוּ: עָשָׂה יְהוָה אֲשֶׁר זָמָם בִּצַּע
אֶמְרָתוֹ אֲשֶׁר צִוָּה מִימֵי־קֶדֶם הָרַס וְלֹא חָמָל וַיְשַׂמַּח עָלַיִךְ
יח אוֹיֵב הֵרִים קֶרֶן צָרָיִךְ: צָעַק לִבָּם אֶל־אֲדֹנָי חוֹמַת
בַּת־צִיּוֹן הוֹרִידִי כַנַּחַל דִּמְעָה יוֹמָם וָלַיְלָה אַל־תִּתְּנִי פוּגַת לָךְ
יט אַל־תִּדֹּם בַּת־עֵינֵךְ: קוּמִי ׀
רֹנִּי בַלַּיְלָה לְרֹאשׁ אַשְׁמֻרוֹת שִׁפְכִי כַמַּיִם לִבֵּךְ נֹכַח פְּנֵי אֲדֹנָי
שְׂאִי אֵלָיו כַּפַּיִךְ עַל־נֶפֶשׁ עוֹלָלַיִךְ הָעֲטוּפִים בְּרָעָב בְּרֹאשׁ
כ כָּל־חוּצוֹת: רְאֵה יְהוָה וְהַבִּיטָה לְמִי עוֹלַלְתָּ כֹּה אִם־
תֹּאכַלְנָה נָשִׁים פִּרְיָם עֹלֲלֵי טִפֻּחִים אִם־יֵהָרֵג בְּמִקְדַּשׁ אֲדֹנָי
כא כֹּהֵן וְנָבִיא: שָׁכְבוּ לָאָרֶץ חוּצוֹת
נַעַר וְזָקֵן בְּתוּלֹתַי וּבַחוּרַי נָפְלוּ בֶחָרֶב הָרַגְתָּ בְּיוֹם אַפֶּךָ טָבַחְתָּ
כב לֹא חָמָלְתָּ: תִּקְרָא כְיוֹם מוֹעֵד מְגוּרַי מִסָּבִיב וְלֹא
הָיָה בְּיוֹם אַף־יְהוָה פָּלִיט וְשָׂרִיד אֲשֶׁר־טִפַּחְתִּי וְרִבִּיתִי אֹיְבִי
כִלָּם:

פְּנִיָּה לְצִיּוֹן לְהִתְפַּלֵּל לַה׳:

פְּנִיָּה לַה׳ לִרְאוֹת אֶת גֹּדֶל הַחֻרְבָּן:

ג א ב אֲנִי הַגֶּבֶר רָאָה עֳנִי בְּשֵׁבֶט עֶבְרָתוֹ: אוֹתִי נָהַג וַיֹּלַךְ
ג חֹשֶׁךְ וְלֹא־אוֹר: אַךְ בִּי יָשֻׁב יַהֲפֹךְ יָדוֹ כָּל־
ד הַיּוֹם: בִּלָּה בְשָׂרִי וְעוֹרִי שִׁבַּר
ה עַצְמוֹתָי: בָּנָה עָלַי וַיַּקַּף רֹאשׁ
ו וּתְלָאָה: בְּמַחֲשַׁכִּים הוֹשִׁיבַנִי כְּמֵתֵי
ז עוֹלָם: גָּדַר בַּעֲדִי וְלֹא אֵצֵא הִכְבִּיד
ח נְחָשְׁתִּי: גַּם כִּי אֶזְעַק וַאֲשַׁוֵּעַ שָׂתַם
ט י תְּפִלָּתִי: גָּדַר דְּרָכַי בְּגָזִית נְתִיבֹתַי עִוָּה: דֹּב
יא אֹרֵב הוּא לִי אריה אֲרִי בְּמִסְתָּרִים: דְּרָכַי סוֹרֵר

הַמְקוֹנֵן מְתָאֵר אֶת צָרוֹתָיו:

יב וַיְפַשְּׁחֵנִי שָׂמַנִי שֹׁמֵם׃ דָּרַךְ קַשְׁתּוֹ וַיַּצִּיבֵנִי כַּמַּטָּרָא
יג יד לַחֵץ׃ הֵבִיא בְּכִלְיוֹתָי בְּנֵי אַשְׁפָּתוֹ׃ הָיִיתִי
טו שְׂחֹק לְכָל־עַמִּי נְגִינָתָם כָּל־הַיּוֹם׃ הִשְׂבִּיעַנִי
טז בַמְּרוֹרִים הִרְוַנִי לַעֲנָה׃ וַיַּגְרֵס בֶּחָצָץ שִׁנָּי הִכְפִּישַׁנִי
יז בָּאֵפֶר׃ וַתִּזְנַח מִשָּׁלוֹם נַפְשִׁי נָשִׁיתִי
יח טוֹבָה׃ וָאֹמַר אָבַד נִצְחִי וְתוֹחַלְתִּי
יט מֵיְהוָה׃ זְכָר־עָנְיִי וּמְרוּדִי לַעֲנָה
כ וָרֹאשׁ׃ זָכוֹר תִּזְכּוֹר ותשיח וְתָשׁוֹחַ עָלַי
כא נַפְשִׁי׃ זֹאת אָשִׁיב אֶל־לִבִּי עַל־כֵּן
כב אוֹחִיל׃ חַסְדֵי יְהוָה כִּי לֹא־תָמְנוּ כִּי לֹא־כָלוּ
כג רַחֲמָיו׃ חֲדָשִׁים לַבְּקָרִים רַבָּה
כד אֱמוּנָתֶךָ׃ חֶלְקִי יְהוָה אָמְרָה נַפְשִׁי עַל־כֵּן אוֹחִיל
כה כו לוֹ׃ טוֹב יְהוָה לְקֹוָו לְנֶפֶשׁ תִּדְרְשֶׁנּוּ׃ טוֹב
כז וְיָחִיל וְדוּמָם לִתְשׁוּעַת יְהוָה׃ טוֹב לַגֶּבֶר כִּי־יִשָּׂא עֹל
כח כט בִּנְעוּרָיו׃ יֵשֵׁב בָּדָד וְיִדֹּם כִּי נָטַל עָלָיו׃ יִתֵּן
ל בֶּעָפָר פִּיהוּ אוּלַי יֵשׁ תִּקְוָה׃ יִתֵּן לְמַכֵּהוּ לֶחִי יִשְׂבַּע
לא לב בְּחֶרְפָּה׃ כִּי לֹא יִזְנַח לְעוֹלָם אֲדֹנָי׃ כִּי אִם־
הוֹגָה וְרִחַם כְּרֹב חֲסָדָיו׃ כִּי לֹא עִנָּה מִלִּבּוֹ וַיַּגֶּה
לד בְּנֵי־אִישׁ׃ לְדַכֵּא תַּחַת רַגְלָיו כֹּל אֲסִירֵי
לה אָרֶץ׃ לְהַטּוֹת מִשְׁפַּט־גָּבֶר נֶגֶד פְּנֵי
לו עֶלְיוֹן׃ לְעַוֵּת אָדָם בְּרִיבוֹ אֲדֹנָי לֹא
לז לח רָאָה׃ מִי זֶה אָמַר וַתֶּהִי אֲדֹנָי לֹא צִוָּה׃ מִפִּי
לט עֶלְיוֹן לֹא תֵצֵא הָרָעוֹת וְהַטּוֹב׃ מַה־יִּתְאוֹנֵן אָדָם חָי
מ גֶּבֶר עַל־חֲטָאָו׃ נַחְפְּשָׂה דְרָכֵינוּ וְנַחְקֹרָה וְנָשׁוּבָה
מא עַד־יְהוָה׃ נִשָּׂא לְבָבֵנוּ אֶל־כַּפָּיִם אֶל־אֵל

יַחַס הָאֻמּוֹת לְצָרָתֵנוּ׃

הַמְקוֹנֵן מְחַזֵּק לִבּוֹ בְּבִטָּחוֹן בַּה׳׃

פְּסוּקֵי בִטָּחוֹן וְהִתְחַזְּקוּת בַּה׳׃

לְפַשְׁפֵּשׁ בְּמַעֲשִׂים וְלַחֲזֹר בִּתְשׁוּבָה׃

בַּשָּׁמָֽיִם: נַחְנוּ פָשַׁעְנוּ וּמָרִינוּ אַתָּה לֹא   מב

פְּנֵה לַהֹּ עַל כַּעֲסוֹ עָלֵינוּ

סָלָֽחְתָּ: סַכּוֹתָה בָאַף וַתִּרְדְּפֵנוּ הָרַגְתָּ לֹא   מג

חָמָֽלְתָּ: סַכּוֹתָה בֶעָנָן לָךְ מֵעֲבוֹר   מד

תְּפִלָּֽה: סְחִי וּמָאוֹס תְּשִׂימֵנוּ בְּקֶרֶב   מה

הָעַמִּֽים: פָּצוּ עָלֵינוּ פִּיהֶם כָּל־אֹיְבֵֽינוּ:   פֶּחַד   מו

וָפַחַת הָיָה לָנוּ הַשֵּׁאת וְהַשָּׁבֶר: פַּלְגֵי־מַיִם תֵּרַד עֵינִי   מז מח

עַל־שֶׁבֶר בַּת־עַמִּי: עֵינִי נִגְּרָה וְלֹא תִדְמֶה מֵאֵין   מט

הַכֵּנִי עַל הַשֶּׁבֶר

הֲפֻגֽוֹת: עַד־יַשְׁקִיף וְיֵרֶא יְהוָֹה   נ

מִשָּׁמָֽיִם: עֵינִי עוֹלְלָה לְנַפְשִׁי מִכֹּל בְּנוֹת   נא

בַּקָּשָׁה מַה לְרָאוֹת

עִירִֽי: צוֹד צָדוּנִי כַּצִּפּוֹר אֹיְבַי חִנָּם: צָמְתוּ   נב

בַבּוֹר חַיָּי וַיַּדּוּ־אֶבֶן בִּי: צָפוּ־מַיִם עַל־רֹאשִׁי אָמַרְתִּי   נג נד

יַחַס הָאוֹיֵב לְעַמּוֹ

נִגְזָֽרְתִּי: קָרָאתִי שִׁמְךָ יְהוָֹה מִבּוֹר   נה

תַּחְתִּיּֽוֹת: קוֹלִי שָׁמָעְתָּ אַל־תַּעְלֵם אָזְנְךָ לְרַוְחָתִי   נו

לְשַׁוְעָתִֽי: קָרַבְתָּ בְּיוֹם אֶקְרָאֶךָּ אָמַרְתָּ אַל־   נז

תִּירָֽא: רַבְתָּ אֲדֹנָי רִיבֵי נַפְשִׁי גָּאַלְתָּ   נח

חַיָּֽי: רָאִיתָה יְהוָֹה עַוָּתָתִי שָׁפְטָה   נט

מִשְׁפָּטִֽי: רָאִיתָה כָּל־נִקְמָתָם כָּל־מַחְשְׁבֹתָם   ס

לִֽי: שָׁמַעְתָּ חֶרְפָּתָם יְהוָֹה כָּל־מַחְשְׁבֹתָם   סא

עָלָֽי: שִׂפְתֵי קָמַי וְהֶגְיוֹנָם עָלַי כָּל־   סב

הַיּֽוֹם: שִׁבְתָּם וְקִימָתָם הַבִּיטָה אֲנִי   סג

מַנְגִּינָתָֽם: תָּשִׁיב לָהֶם גְּמוּל יְהוָֹה כְּמַעֲשֵׂה   סד

יְדֵיהֶֽם: תִּתֵּן לָהֶם מְגִנַּת־לֵב תַּאֲלָתְךָ   סה

לָהֶֽם: תִּרְדֹּף בְּאַף וְתַשְׁמִידֵם מִתַּחַת שְׁמֵי   סו

יְהוָֹה:

סְבָלָם שֶׁל בְּנֵי יְרוּשָׁלַֽיִם

אֵיכָה יוּעַם זָהָב יִשְׁנֶא הַכֶּתֶם הַטּוֹב תִּשְׁתַּפֵּכְנָה אַבְנֵי־קֹדֶשׁ   ד א

ב בְּרֹאשׁ כָּל־חוּצוֹת׃ בְּנֵי צִיּוֹן הַיְקָרִים הַמְסֻלָּאִים בַּפָּז
ג אֵיכָה נֶחְשְׁבוּ לְנִבְלֵי־חֶרֶשׂ מַעֲשֵׂה יְדֵי יוֹצֵר׃ גַּם־תַּנִּים
תנין חָלְצוּ שַׁד הֵינִיקוּ גּוּרֵיהֶן בַּת־עַמִּי לְאַכְזָר כי ענים כַּיְעֵנִים
ד בַּמִּדְבָּר׃ דָּבַק לְשׁוֹן יוֹנֵק אֶל־חִכּוֹ בַּצָּמָא עוֹלָלִים
ה שָׁאֲלוּ לֶחֶם פֹּרֵשׂ אֵין לָהֶם׃ הָאֹכְלִים לְמַעֲדַנִּים נָשַׁמּוּ
ו בַּחוּצוֹת הָאֱמֻנִים עֲלֵי תוֹלָע חִבְּקוּ אַשְׁפַּתּוֹת׃ וַיִּגְדַּל
עֲוֺן בַּת־עַמִּי מֵחַטַּאת סְדֹם הַהֲפוּכָה כְמוֹ־רָגַע וְלֹא־חָלוּ בָהּ
ז יָדָיִם׃ זַכּוּ נְזִירֶיהָ מִשֶּׁלֶג צַחוּ מֵחָלָב אָדְמוּ עֶצֶם
ח מִפְּנִינִים סַפִּיר גִּזְרָתָם׃ חָשַׁךְ מִשְּׁחוֹר
תָּאֳרָם לֹא נִכְּרוּ בַּחוּצוֹת צָפַד עוֹרָם עַל־עַצְמָם יָבֵשׁ הָיָה
ט כָעֵץ׃ טוֹבִים הָיוּ חַלְלֵי־חֶרֶב מֵחַלְלֵי רָעָב שֶׁהֵם יָזוּבוּ
תֵּאוּר מְזַעֲזֵעַ בְּעִקְּבוֹת הָרָעָב׃
י מְדֻקָּרִים מִתְּנוּבֹת שָׂדָי׃ יְדֵי
נָשִׁים רַחֲמָנִיּוֹת בִּשְּׁלוּ יַלְדֵיהֶן הָיוּ לְבָרוֹת לָמוֹ בְּשֶׁבֶר בַּת־
יא עַמִּי׃ כִּלָּה יְהוָה אֶת־חֲמָתוֹ שָׁפַךְ חֲרוֹן אַפּוֹ וַיַּצֶּת־אֵשׁ
שִׁפְלוּת יְרוּשָׁלַיִם מִגֹּדֶל עֲווֹנוֹתֶיהָ׃
יב בְּצִיּוֹן וַתֹּאכַל יְסוֹדֹתֶיהָ׃ לֹא הֶאֱמִינוּ
מַלְכֵי־אֶרֶץ וכל כֹּל יֹשְׁבֵי תֵבֵל כִּי יָבֹא צַר וְאוֹיֵב בְּשַׁעֲרֵי
יג יְרוּשָׁלָםִ׃ מֵחַטֹּאת נְבִיאֶיהָ עֲוֺנוֹת כֹּהֲנֶיהָ הַשֹּׁפְכִים
יד בְּקִרְבָּהּ דַּם צַדִּיקִים׃ נָעוּ עִוְרִים בַּחוּצוֹת נְגֹאֲלוּ
טו בַּדָּם בְּלֹא יוּכְלוּ יִגְּעוּ בִּלְבֻשֵׁיהֶם׃ סוּרוּ טָמֵא קָרְאוּ
לָמוֹ סוּרוּ סוּרוּ אַל־תִּגָּעוּ כִּי נָצוּ גַּם־נָעוּ אָמְרוּ בַּגּוֹיִם לֹא יוֹסִפוּ
טז לָגוּר׃ פְּנֵי יְהוָה חִלְּקָם לֹא יוֹסִיף לְהַבִּיטָם פְּנֵי כֹהֲנִים
הִתְנַהֲגוּת הָאוֹיְבִים בְּאַנְשֵׁי יְרוּשָׁלַיִם׃
יז לֹא נָשָׂאוּ זקנים וּזְקֵנִים לֹא חָנָנוּ׃ עודינה עוֹדֵינוּ
תִּכְלֶינָה עֵינֵינוּ אֶל־עֶזְרָתֵנוּ הָבֶל בְּצַפִּיָּתֵנוּ צִפִּינוּ אֶל־גּוֹי לֹא
יח יוֹשִׁעַ׃ צָדוּ צְעָדֵינוּ מִלֶּכֶת בִּרְחֹבֹתֵינוּ קָרַב קִצֵּנוּ מָלְאוּ
יט יָמֵינוּ כִּי־בָא קִצֵּנוּ׃ קַלִּים הָיוּ רֹדְפֵינוּ מִנִּשְׁרֵי שָׁמָיִם

עַל־הֶהָרִים דְּלָקֻנוּ בַּמִּדְבָּר אָרְבוּ לָנוּ׃ רוּחַ אַפֵּינוּ כ
מְשִׁיחַ יְהוָה נִלְכַּד בִּשְׁחִיתוֹתָם אֲשֶׁר אָמַרְנוּ בְּצִלּוֹ נִחְיֶה
הַקְּלָלָה לֶאֱדוֹם׃ בַגּוֹיִם׃ שִׂישִׂי וְשִׂמְחִי בַּת־אֱדוֹם יושבתי יוֹשֶׁבֶת בְּאֶרֶץ כא
עוּץ גַּם־עָלַיִךְ תַּעֲבָר־כּוֹס תִּשְׁכְּרִי וְתִתְעָרִי׃ תַּם־ כב
עֲוֺנֵךְ בַּת־צִיּוֹן לֹא יוֹסִיף לְהַגְלוֹתֵךְ פָּקַד עֲוֺנֵךְ בַּת־אֱדוֹם גִּלָּה
עַל־חַטֹּאתָיִךְ׃

תְּפִלָּה לַה׳ נֹכַח רִבּוּי הַצָּרוֹת׃ זְכֹר יְהוָה מֶה־הָיָה לָנוּ הַבִּיטָה וּרְאֵה אֶת־חֶרְפָּתֵנוּ׃ נַחֲלָתֵנוּ ה א ב
נֶהֶפְכָה לְזָרִים בָּתֵּינוּ לְנָכְרִים׃ יְתוֹמִים הָיִינוּ אין וְאֵין אָב אִמֹּתֵינוּ ג
כְּאַלְמָנוֹת׃ מֵימֵינוּ בְּכֶסֶף שָׁתִינוּ עֵצֵינוּ בִּמְחִיר יָבֹאוּ׃ עַל ד ה
צַוָּארֵנוּ נִרְדָּפְנוּ יָגַעְנוּ לא וְלֹא הוּנַח־לָנוּ׃ מִצְרַיִם נָתַנּוּ יָד אַשּׁוּר ו
לִשְׂבֹּעַ לָחֶם׃ אֲבֹתֵינוּ חָטְאוּ אינם אנחנו וְאֵינָם וַאֲנַחְנוּ עֲוֺנֹתֵיהֶם ז
סָבָלְנוּ׃ עֲבָדִים מָשְׁלוּ בָנוּ פֹּרֵק אֵין מִיָּדָם׃ בְּנַפְשֵׁנוּ נָבִיא ח ט
לַחְמֵנוּ מִפְּנֵי חֶרֶב הַמִּדְבָּר׃ עוֹרֵנוּ כְּתַנּוּר נִכְמָרוּ מִפְּנֵי זַלְעֲפוֹת י
רָעָב׃ נָשִׁים בְּצִיּוֹן עִנּוּ בְּתֻלֹת בְּעָרֵי יְהוּדָה׃ שָׂרִים בְּיָדָם נִתְלוּ יא יב
פְּנֵי זְקֵנִים לֹא נֶהְדָּרוּ׃ בַּחוּרִים טְחוֹן נָשָׂאוּ וּנְעָרִים בָּעֵץ יג
הָאֵבֶל עַל הַחֻרְבָּן הַנּוֹרָא׃ כָּשָׁלוּ׃ זְקֵנִים מִשַּׁעַר שָׁבָתוּ בַּחוּרִים מִנְּגִינָתָם׃ שָׁבַת מְשׂוֹשׂ יד טו
לִבֵּנוּ נֶהְפַּךְ לְאֵבֶל מְחֹלֵנוּ׃ נָפְלָה עֲטֶרֶת רֹאשֵׁנוּ אוֹי־נָא לָנוּ טז
כִּי חָטָאנוּ׃ עַל־זֶה הָיָה דָוֶה לִבֵּנוּ עַל־אֵלֶּה חָשְׁכוּ עֵינֵינוּ׃ עַל יז יח
הַר־צִיּוֹן שֶׁשָּׁמֵם שׁוּעָלִים הִלְּכוּ־בוֹ׃

פְּנִיָּה לַה׳ לְחִדּוּשׁ יָמֵינוּ כְּקֶדֶם׃ אַתָּה יְהוָה לְעוֹלָם תֵּשֵׁב כִּסְאֲךָ לְדֹר וָדוֹר׃ לָמָּה לָנֶצַח יט כ
תִּשְׁכָּחֵנוּ תַּעַזְבֵנוּ לְאֹרֶךְ יָמִים׃ הֲשִׁיבֵנוּ יְהוָה ׀ אֵלֶיךָ וְנָשׁוּבָ כא
חַדֵּשׁ יָמֵינוּ כְּקֶדֶם׃ כִּי אִם־מָאֹס מְאַסְתָּנוּ קָצַפְתָּ עָלֵינוּ עַד־ כב
מְאֹד׃

קהלת

א א ב דִּבְרֵי קֹהֶלֶת בֶּן־דָּוִד מֶלֶךְ בִּירוּשָׁלָֽ͏ִם: הֲבֵל הֲבָלִים אָמַר קֹהֶלֶת הֶבֶל עֲמַל הָאָדָם:
ג הֲבֵל הֲבָלִים הַכֹּל הָֽבֶל: מַה־יִּתְרוֹן לָאָדָם בְּכָל־עֲמָלוֹ שֶׁיַּעֲמֹל
ד ה תַּחַת הַשָּֽׁמֶשׁ: דּוֹר הֹלֵךְ וְדוֹר בָּא וְהָאָרֶץ לְעוֹלָם עֹמָֽדֶת: וְזָרַח מַהַלְכֵי הָעוֹלָם קְבוּעִים:
ו הַשֶּׁמֶשׁ וּבָא הַשָּׁמֶשׁ וְאֶל־מְקוֹמוֹ שׁוֹאֵף זוֹרֵחַ הוּא שָֽׁם: הוֹלֵךְ
אֶל־דָּרוֹם וְסוֹבֵב אֶל־צָפוֹן סוֹבֵב ׀ סֹבֵב הוֹלֵךְ הָרוּחַ וְעַל־
ז סְבִיבֹתָיו שָׁב הָרֽוּחַ: כָּל־הַנְּחָלִים הֹלְכִים אֶל־הַיָּם וְהַיָּם אֵינֶנּוּ
מָלֵא אֶל־מְקוֹם שֶׁהַנְּחָלִים הֹלְכִים שָׁם הֵם שָׁבִים לָלָֽכֶת:
ח כָּל־הַדְּבָרִים יְגֵעִים לֹא־יוּכַל אִישׁ לְדַבֵּר לֹא־תִשְׂבַּע עַיִן
ט לִרְאוֹת וְלֹא־תִמָּלֵא אֹזֶן מִשְּׁמֹֽעַ: מַה־שֶּׁהָיָה הוּא שֶׁיִּהְיֶה
י וּמַה־שֶּׁנַּעֲשָׂה הוּא שֶׁיֵּעָשֶׂה וְאֵין כָּל־חָדָשׁ תַּחַת הַשָּֽׁמֶשׁ: יֵשׁ
דָּבָר שֶׁיֹּאמַר רְאֵה־זֶה חָדָשׁ הוּא כְּבָר הָיָה לְעֹלָמִים אֲשֶׁר הָיָה
יא מִלְּפָנֵֽנוּ: אֵין זִכְרוֹן לָרִאשֹׁנִים וְגַם לָאַחֲרֹנִים שֶׁיִּהְיוּ לֹא־יִהְיֶה
לָהֶם זִכָּרוֹן עִם שֶׁיִּהְיוּ לָאַחֲרֹנָֽה:
יב יג אֲנִי קֹהֶלֶת הָיִיתִי מֶלֶךְ עַל־יִשְׂרָאֵל בִּירוּשָׁלָֽ͏ִם: וְנָתַתִּי אֶת־לִבִּי הִתְבּוֹנְנוּת קֹהֶלֶת כִּי הַכֹּל הָבֶל:
לִדְרוֹשׁ וְלָתוּר בַּֽחָכְמָה עַל כָּל־אֲשֶׁר נַעֲשָׂה תַּחַת הַשָּׁמָיִם הוּא ׀
יד עִנְיַן רָע נָתַן אֱלֹהִים לִבְנֵי הָאָדָם לַעֲנוֹת בּֽוֹ: רָאִיתִי אֶת־כָּל־
הַֽמַּעֲשִׂים שֶׁנַּעֲשׂוּ תַּחַת הַשָּׁמֶשׁ וְהִנֵּה הַכֹּל הֶבֶל וּרְעוּת רֽוּחַ:
טו טז מְעֻוָּת לֹא־יוּכַל לִתְקֹן וְחֶסְרוֹן לֹא־יוּכַל לְהִמָּנֽוֹת: דִּבַּרְתִּי אֲנִי הָאַכְזָבָה מֵרִבּוּי הַחָכְמָה:
עִם־לִבִּי לֵאמֹר אֲנִי הִנֵּה הִגְדַּלְתִּי וְהוֹסַפְתִּי חָכְמָה עַל כָּל־
אֲשֶׁר־הָיָה לְפָנַי עַל־יְרוּשָׁלָ͏ִם וְלִבִּי רָאָה הַרְבֵּה חָכְמָה וָדָֽעַת:
יז וָאֶתְּנָה לִבִּי לָדַעַת חָכְמָה וְדַעַת הוֹלֵלֹת וְשִׂכְלוּת יָדַעְתִּי
יח שֶׁגַּם־זֶה הוּא רַעְיוֹן רֽוּחַ: כִּי בְּרֹב חָכְמָה רָב־כָּעַס וְיוֹסִיף
ב א דַּעַת יוֹסִיף מַכְאֽוֹב: אָמַרְתִּי אֲנִי בְּלִבִּי לְכָה־נָּא אֲנַסְּכָה בְשִׂמְחָה

נִסָּיוֹן קֹהֶלֶת בְּשִׂמְחָה וּשְׂחוֹק:

וּרְאֵה בְטוֹב וְהִנֵּה גַם־הוּא הָבֶל: לִשְׂחוֹק אָמַרְתִּי מְהוֹלָל ב
וּלְשִׂמְחָה מַה־זֹּה עֹשָׂה: תַּרְתִּי בְלִבִּי לִמְשׁוֹךְ בַּיַּיִן אֶת־בְּשָׂרִי ג
וְלִבִּי נֹהֵג בַּחָכְמָה וְלֶאֱחֹז בְּסִכְלוּת עַד אֲשֶׁר־אֶרְאֶה אֵי־זֶה טוֹב
לִבְנֵי הָאָדָם אֲשֶׁר יַעֲשׂוּ תַּחַת הַשָּׁמַיִם מִסְפַּר יְמֵי חַיֵּיהֶם:

נִסְיוֹנוֹ בְּרִבּוּי קִנְיָנִים וְתַעֲנוּגוֹת:

הִגְדַּלְתִּי מַעֲשָׂי בָּנִיתִי לִי בָּתִּים נָטַעְתִּי לִי כְּרָמִים: עָשִׂיתִי לִי ד ה
גַּנּוֹת וּפַרְדֵּסִים וְנָטַעְתִּי בָהֶם עֵץ כָּל־פֶּרִי: עָשִׂיתִי לִי בְּרֵכוֹת ו
מָיִם לְהַשְׁקוֹת מֵהֶם יַעַר צוֹמֵחַ עֵצִים: קָנִיתִי עֲבָדִים וּשְׁפָחוֹת ז
וּבְנֵי־בַיִת הָיָה לִי גַּם מִקְנֶה בָקָר וָצֹאן הַרְבֵּה הָיָה לִי מִכֹּל שֶׁהָיוּ
לְפָנַי בִּירוּשָׁלִָם: כָּנַסְתִּי לִי גַּם־כֶּסֶף וְזָהָב וּסְגֻלַּת מְלָכִים ח
וְהַמְּדִינוֹת עָשִׂיתִי לִי שָׁרִים וְשָׁרוֹת וְתַעֲנֻגוֹת בְּנֵי הָאָדָם שִׁדָּה
וְשִׁדּוֹת: וְגָדַלְתִּי וְהוֹסַפְתִּי מִכֹּל שֶׁהָיָה לְפָנַי בִּירוּשָׁלִָם אַף חָכְמָתִי ט
עָמְדָה לִּי: וְכֹל אֲשֶׁר שָׁאֲלוּ עֵינַי לֹא אָצַלְתִּי מֵהֶם לֹא־מָנַעְתִּי י
אֶת־לִבִּי מִכָּל־שִׂמְחָה כִּי־לִבִּי שָׂמֵחַ מִכָּל־עֲמָלִי וְזֶה־הָיָה
חֶלְקִי מִכָּל־עֲמָלִי: וּפָנִיתִי אֲנִי בְּכָל־מַעֲשַׂי שֶׁעָשׂוּ יָדַי וּבֶעָמָל יא
שֶׁעָמַלְתִּי לַעֲשׂוֹת וְהִנֵּה הַכֹּל הֶבֶל וּרְעוּת רוּחַ וְאֵין יִתְרוֹן

יִתְרוֹן הַחָכְמָה מִן הַסִּכְלוּת:

תַּחַת הַשָּׁמֶשׁ: וּפָנִיתִי אֲנִי לִרְאוֹת חָכְמָה וְהוֹלֵלוֹת וְסִכְלוּת כִּי | יב
מֶה הָאָדָם שֶׁיָּבוֹא אַחֲרֵי הַמֶּלֶךְ אֵת אֲשֶׁר־כְּבָר עָשׂוּהוּ: וְרָאִיתִי יג
אָנִי שֶׁיֵּשׁ יִתְרוֹן לַחָכְמָה מִן־הַסִּכְלוּת כִּיתְרוֹן הָאוֹר מִן־הַחֹשֶׁךְ:
הֶחָכָם עֵינָיו בְּרֹאשׁוֹ וְהַכְּסִיל בַּחֹשֶׁךְ הוֹלֵךְ וְיָדַעְתִּי גַם־אָנִי יד
שֶׁמִּקְרֶה אֶחָד יִקְרֶה אֶת־כֻּלָּם: וְאָמַרְתִּי אֲנִי בְּלִבִּי כְּמִקְרֵה טו
הַכְּסִיל גַּם־אֲנִי יִקְרֵנִי וְלָמָּה חָכַמְתִּי אֲנִי אָז יֹתֵר וְדִבַּרְתִּי בְלִבִּי
שֶׁגַּם־זֶה הָבֶל: כִּי אֵין זִכְרוֹן לֶחָכָם עִם־הַכְּסִיל לְעוֹלָם בְּשֶׁכְּבָר טז
הַיָּמִים הַבָּאִים הַכֹּל נִשְׁכָּח וְאֵיךְ יָמוּת הֶחָכָם עִם־הַכְּסִיל:

הִתְבּוֹנְנוּת הֱבִיאַתּוּ לְשִׂנְאַת הַחַיִּים:

וְשָׂנֵאתִי אֶת־הַחַיִּים כִּי רַע עָלַי הַמַּעֲשֶׂה שֶׁנַּעֲשָׂה תַּחַת הַשָּׁמֶשׁ יז
כִּי־הַכֹּל הֶבֶל וּרְעוּת רוּחַ: וְשָׂנֵאתִי אֲנִי אֶת־כָּל־עֲמָלִי שֶׁאֲנִי יח

יט עָמָל תַּחַת הַשֶּׁמֶשׁ שֶׁאֲנִיחֶנּוּ לָאָדָם שֶׁיִּהְיֶה אַחֲרָי: וּמִי יוֹדֵעַ

הֶחָכָם יִהְיֶה אוֹ סָכָל וְיִשְׁלַט בְּכָל־עֲמָלִי שֶׁעָמַלְתִּי וְשֶׁחָכַמְתִּי

כ תַּחַת הַשֶּׁמֶשׁ גַּם־זֶה הָבֶל: וְסַבּוֹתִי אֲנִי לְיַאֵשׁ אֶת־לִבִּי עַל   הַהֶבֶל
שֶׁבַּצְּבִירַת
הוֹן:

כא כָּל־הֶעָמָל שֶׁעָמַלְתִּי תַּחַת הַשֶּׁמֶשׁ: כִּי־יֵשׁ אָדָם שֶׁעֲמָלוֹ בְּחָכְמָה

וּבְדַעַת וּבְכִשְׁרוֹן וּלְאָדָם שֶׁלֹּא עָמַל־בּוֹ יִתְּנֶנּוּ חֶלְקוֹ גַּם־זֶה

כב הֶבֶל וְרָעָה רַבָּה: כִּי מֶה־הֹוֶה לָאָדָם בְּכָל־עֲמָלוֹ וּבְרַעְיוֹן לִבּוֹ

כג שֶׁהוּא עָמֵל תַּחַת הַשָּׁמֶשׁ: כִּי כָל־יָמָיו מַכְאֹבִים וָכַעַס עִנְיָנוֹ

כד גַּם־בַּלַּיְלָה לֹא־שָׁכַב לִבּוֹ גַּם־זֶה הֶבֶל הוּא: אֵין־טוֹב בָּאָדָם   יְשַׂמַּח
הָאָדָם
בְּחֶלְקוֹ
וּבַעֲמָלוֹ:

שֶׁיֹּאכַל וְשָׁתָה וְהֶרְאָה אֶת־נַפְשׁוֹ טוֹב בַּעֲמָלוֹ גַּם־זֹה רָאִיתִי

כה אָנִי כִּי מִיַּד הָאֱלֹהִים הִיא: כִּי מִי יֹאכַל וּמִי יָחוּשׁ חוּץ מִמֶּנִּי:

כו כִּי לְאָדָם שֶׁטּוֹב לְפָנָיו נָתַן חָכְמָה וְדַעַת וְשִׂמְחָה וְלַחוֹטֶא נָתַן עִנְיָן לֶאֱסֹף

ג א וְלִכְנוֹס לָתֵת לְטוֹב לִפְנֵי הָאֱלֹהִים גַּם־זֶה הֶבֶל וּרְעוּת רוּחַ: לַכֹּל זְמָן   כָּל דָּבָר
וְעִתּוֹ:
עֵת

ב וְעֵת לְכָל־חֵפֶץ תַּחַת הַשָּׁמָיִם:

לָלֶדֶת   וְעֵת

לָמוּת   עֵת

לָטַעַת   וְעֵת

ג לַעֲקוֹר נָטוּעַ:   עֵת

לַהֲרוֹג   וְעֵת

לִרְפּוֹא   עֵת

לִפְרוֹץ   וְעֵת

ד לִבְנוֹת: עֵת

לִבְכּוֹת   וְעֵת

לִשְׂחוֹק   עֵת

סְפוֹד   וְעֵת

ה רְקוֹד: עֵת

וְעֵת לְהַשְׁלִיךְ אֲבָנִים

עֵת כְּנוֹס אֲבָנִים

וְעֵת לַחֲבוֹק

עֵת לִרְחֹק מֵחַבֵּק׃

וְעֵת לְבַקֵּשׁ

עֵת לְאַבֵּד

וְעֵת לִשְׁמוֹר

עֵת לְהַשְׁלִיךְ׃

וְעֵת לִקְרוֹעַ

עֵת לִתְפּוֹר

וְעֵת לַחֲשׁוֹת

עֵת לְדַבֵּר׃

וְעֵת לֶאֱהֹב

עֵת לִשְׂנֹא

וְעֵת מִלְחָמָה

שָׁלוֹם׃ מַה־

אִי הַיְכֹלֶת
לְשַׁנּוֹת אֶת
מַעֲשֵׂי
הָאֱלֹקִים׃

⁹ יִתְרוֹן הָעוֹשֶׂה בַּאֲשֶׁר הוּא עָמֵל׃ רָאִיתִי אֶת־הָעִנְיָן אֲשֶׁר נָתַן
¹⁰ אֱלֹהִים לִבְנֵי הָאָדָם לַעֲנוֹת בּוֹ׃ אֶת־הַכֹּל עָשָׂה יָפֶה בְעִתּוֹ גַּם
¹¹ אֶת־הָעֹלָם נָתַן בְּלִבָּם מִבְּלִי אֲשֶׁר לֹא־יִמְצָא הָאָדָם אֶת־
הַמַּעֲשֶׂה אֲשֶׁר־עָשָׂה הָאֱלֹהִים מֵרֹאשׁ וְעַד־סוֹף׃ יָדַעְתִּי כִּי אֵין

הַשִּׂמְחָה -
מַתַּת ה'׃

¹² טוֹב בָּם כִּי אִם־לִשְׂמוֹחַ וְלַעֲשׂוֹת טוֹב בְּחַיָּיו׃ וְגַם כָּל־הָאָדָם
¹³ שֶׁיֹּאכַל וְשָׁתָה וְרָאָה טוֹב בְּכָל־עֲמָלוֹ מַתַּת אֱלֹהִים הִיא׃ יָדַעְתִּי
¹⁴ כִּי כָּל־אֲשֶׁר יַעֲשֶׂה הָאֱלֹהִים הוּא יִהְיֶה לְעוֹלָם עָלָיו אֵין
לְהוֹסִיף וּמִמֶּנּוּ אֵין לִגְרֹעַ וְהָאֱלֹהִים עָשָׂה שֶׁיִּרְאוּ מִלְּפָנָיו׃
¹⁵ מַה־שֶׁהָיָה כְּבָר הוּא וַאֲשֶׁר לִהְיוֹת כְּבָר הָיָה וְהָאֱלֹהִים יְבַקֵּשׁ

טז אֶת־נִרְדָּף׃ וְעוֹד רָאִיתִי תַּחַת הַשָּׁמֶשׁ מְקוֹם הַמִּשְׁפָּט שָׁמָּה
יז הָרֶשַׁע וּמְקוֹם הַצֶּדֶק שָׁמָּה הָרָשַׁע׃ אָמַרְתִּי אֲנִי בְּלִבִּי אֶת־
הַצַּדִּיק וְאֶת־הָרָשָׁע יִשְׁפֹּט הָאֱלֹהִים כִּי־עֵת לְכָל־חֵפֶץ וְעַל

מִשְׁפַּט אֱלֹקִים צֶדֶק:

יח כָּל־הַמַּעֲשֶׂה שָׁם׃ אָמַרְתִּי אֲנִי בְּלִבִּי עַל־דִּבְרַת בְּנֵי הָאָדָם
יט לְבָרָם הָאֱלֹהִים וְלִרְאוֹת שְׁהֶם־בְּהֵמָה הֵמָּה לָהֶם׃ כִּי מִקְרֶה
בְנֵי־הָאָדָם וּמִקְרֶה הַבְּהֵמָה וּמִקְרֶה אֶחָד לָהֶם כְּמוֹת זֶה כֵּן
מוֹת זֶה וְרוּחַ אֶחָד לַכֹּל וּמוֹתַר הָאָדָם מִן־הַבְּהֵמָה אָיִן כִּי

שִׁוְיוֹן מִקְרֵי הָאָדָם וְהַבְּהֵמָה:

כ הַכֹּל הָבֶל׃ הַכֹּל הוֹלֵךְ אֶל־מָקוֹם אֶחָד הַכֹּל הָיָה מִן־הֶעָפָר וְהַכֹּל
כא שָׁב אֶל־הֶעָפָר׃ מִי יוֹדֵעַ רוּחַ בְּנֵי הָאָדָם הָעֹלָה הִיא לְמָעְלָה
כב וְרוּחַ הַבְּהֵמָה הַיֹּרֶדֶת הִיא לְמַטָּה לָאָרֶץ׃ וְרָאִיתִי כִּי אֵין טוֹב
מֵאֲשֶׁר יִשְׂמַח הָאָדָם בְּמַעֲשָׂיו כִּי־הוּא חֶלְקוֹ כִּי מִי יְבִיאֶנּוּ
ד א לִרְאוֹת בְּמֶה שֶׁיִּהְיֶה אַחֲרָיו׃ וְשַׁבְתִּי אֲנִי וָאֶרְאֶה אֶת־כָּל־
הָעֲשֻׁקִים אֲשֶׁר נַעֲשִׂים תַּחַת הַשָּׁמֶשׁ וְהִנֵּה ׀ דִּמְעַת הָעֲשֻׁקִים

הָעֹשֶׁק שֶׁבָּעוֹלָם:

ב וְאֵין לָהֶם מְנַחֵם וּמִיַּד עֹשְׁקֵיהֶם כֹּחַ וְאֵין לָהֶם מְנַחֵם׃ וְשַׁבֵּחַ
אֲנִי אֶת־הַמֵּתִים שֶׁכְּבָר מֵתוּ מִן־הַחַיִּים אֲשֶׁר הֵמָּה חַיִּים עֲדֶנָה׃
ג וְטוֹב מִשְּׁנֵיהֶם אֵת אֲשֶׁר־עֲדֶן לֹא הָיָה אֲשֶׁר לֹא־רָאָה אֶת־
ד הַמַּעֲשֶׂה הָרָע אֲשֶׁר נַעֲשָׂה תַּחַת הַשָּׁמֶשׁ׃ וְרָאִיתִי אֲנִי אֶת־כָּל־
עָמָל וְאֵת כָּל־כִּשְׁרוֹן הַמַּעֲשֶׂה כִּי הִיא קִנְאַת־אִישׁ מֵרֵעֵהוּ

עֲמַל הָאָדָם מֵחֶמְדַּת קִנְאָה:

ה גַּם־זֶה הֶבֶל וּרְעוּת רוּחַ׃ הַכְּסִיל חֹבֵק אֶת־יָדָיו וְאֹכֵל אֶת־
ו בְּשָׂרוֹ׃ טוֹב מְלֹא כַף נָחַת מִמְּלֹא חָפְנַיִם עָמָל וּרְעוּת רוּחַ׃
ז ח וָשַׁבְתִּי אֲנִי וָאֶרְאֶה הֶבֶל תַּחַת הַשָּׁמֶשׁ׃ יֵשׁ אֶחָד וְאֵין שֵׁנִי גַּם
בֵּן וָאָח אֵין־לוֹ וְאֵין קֵץ לְכָל־עֲמָלוֹ גַּם־עֵינוֹ עיניו לֹא־תִשְׂבַּע
עֹשֶׁר וּלְמִי ׀ אֲנִי עָמֵל וּמְחַסֵּר אֶת־נַפְשִׁי מִטּוֹבָה גַּם־זֶה הֶבֶל

תַּאֲוַת הָעֹשֶׁר:

ט וְעִנְיַן רָע הוּא׃ טוֹבִים הַשְּׁנַיִם מִן־הָאֶחָד אֲשֶׁר יֵשׁ־לָהֶם שָׂכָר
י טוֹב בַּעֲמָלָם׃ כִּי אִם־יִפֹּלוּ הָאֶחָד יָקִים אֶת־חֲבֵרוֹ וְאִילוֹ הָאֶחָד

חֲשִׁיבוּת הָעֶזְרָה לַזּוּלַת:

יא שֶׁיִּפּוֹל וְאֵין שֵׁנִי לַהֲקִימוֹ: גַּם אִם־יִשְׁכְּבוּ שְׁנַיִם וְחַם לָהֶם וּלְאֶחָד
יב אֵיךְ יֵחָם: וְאִם־יִתְקְפוֹ הָאֶחָד הַשְּׁנַיִם יַעַמְדוּ נֶגְדּוֹ וְהַחוּט
יג הַמְשֻׁלָּשׁ לֹא בִמְהֵרָה יִנָּתֵק: טוֹב יֶלֶד מִסְכֵּן וְחָכָם מִמֶּלֶךְ זָקֵן
יד וּכְסִיל אֲשֶׁר לֹא־יָדַע לְהִזָּהֵר עוֹד: כִּי־מִבֵּית הָסוּרִים יָצָא לִמְלֹךְ
טו כִּי גַּם בְּמַלְכוּתוֹ נוֹלַד רָשׁ: רָאִיתִי אֶת־כָּל־הַחַיִּים הַמְהַלְּכִים
טז תַּחַת הַשָּׁמֶשׁ עִם הַיֶּלֶד הַשֵּׁנִי אֲשֶׁר יַעֲמֹד תַּחְתָּיו: אֵין־קֵץ
לְכָל־הָעָם לְכֹל אֲשֶׁר־הָיָה לִפְנֵיהֶם גַּם הָאַחֲרוֹנִים לֹא יִשְׂמְחוּ־
יז בוֹ כִּי־גַם־זֶה הֶבֶל וְרַעְיוֹן רוּחַ: שְׁמֹר רגליך רַגְלְךָ כַּאֲשֶׁר תֵּלֵךְ
אֶל־בֵּית הָאֱלֹהִים וְקָרוֹב לִשְׁמֹעַ מִתֵּת הַכְּסִילִים זָבַח כִּי־אֵינָם
ה א יוֹדְעִים לַעֲשׂוֹת רָע: אַל־תְּבַהֵל עַל־פִּיךָ וְלִבְּךָ אַל־יְמַהֵר
לְהוֹצִיא דָבָר לִפְנֵי הָאֱלֹהִים כִּי הָאֱלֹהִים בַּשָּׁמַיִם וְאַתָּה
ב עַל־הָאָרֶץ עַל־כֵּן יִהְיוּ דְבָרֶיךָ מְעַטִּים: כִּי בָּא הַחֲלוֹם בְּרֹב
ג עִנְיָן וְקוֹל כְּסִיל בְּרֹב דְּבָרִים: כַּאֲשֶׁר תִּדֹּר נֶדֶר לֵאלֹהִים
אַל־תְּאַחֵר לְשַׁלְּמוֹ כִּי אֵין חֵפֶץ בַּכְּסִילִים אֵת אֲשֶׁר־תִּדֹּר שַׁלֵּם:
ד ה טוֹב אֲשֶׁר לֹא־תִדֹּר מִשֶּׁתִּדּוֹר וְלֹא תְשַׁלֵּם: אַל־תִּתֵּן אֶת־פִּיךָ
לַחֲטִיא אֶת־בְּשָׂרֶךָ וְאַל־תֹּאמַר לִפְנֵי הַמַּלְאָךְ כִּי שְׁגָגָה הִיא
ו לָמָּה יִקְצֹף הָאֱלֹהִים עַל־קוֹלֶךָ וְחִבֵּל אֶת־מַעֲשֵׂה יָדֶיךָ: כִּי בְרֹב
ז חֲלֹמוֹת וַהֲבָלִים וּדְבָרִים הַרְבֵּה כִּי אֶת־הָאֱלֹהִים יְרָא: אִם־עֹשֶׁק
רָשׁ וְגֵזֶל מִשְׁפָּט וָצֶדֶק תִּרְאֶה בַמְּדִינָה אַל־תִּתְמַהּ עַל־הַחֵפֶץ
ח כִּי גָבֹהַּ מֵעַל גָּבֹהַּ שֹׁמֵר וּגְבֹהִים עֲלֵיהֶם: וְיִתְרוֹן אֶרֶץ בַּכֹּל
ט היא הוּא מֶלֶךְ לְשָׂדֶה נֶעֱבָד: אֹהֵב כֶּסֶף לֹא־יִשְׂבַּע כֶּסֶף וּמִי־אֹהֵב
י בֶּהָמוֹן לֹא תְבוּאָה גַּם־זֶה הָבֶל: בִּרְבוֹת הַטּוֹבָה רַבּוּ אוֹכְלֶיהָ
יא וּמַה־כִּשְׁרוֹן לִבְעָלֶיהָ כִּי אִם־ראִית ראות עֵינָיו: מְתוּקָה שְׁנַת
הָעֹבֵד אִם־מְעַט וְאִם־הַרְבֵּה יֹאכֵל וְהַשָּׂבָע לֶעָשִׁיר אֵינֶנּוּ
יב מַנִּיחַ לוֹ לִישׁוֹן: יֵשׁ רָעָה חוֹלָה רָאִיתִי תַּחַת הַשָּׁמֶשׁ עֹשֶׁר

תִּקְוָה לְשֵׁנִי לְטוֹבָה, הֶבֶל:

הִתְנַהֲגוּת בְּבֵית הָאֱלֹקִים:

זְהִירוּת בְּדִבּוּרוֹ אֶל ה':

לִירֹא מֵהָאֱלֹקִים וּלְהַאֲמִין בְּהַשְׁגָּחָתוֹ:

גְּנוּת הָרְדִיפָה אַחַר הָעֹשֶׁר:

יג שָׁמוּר לִבְעָלָיו לְרָעָתוֹ: וְאָבַד הָעֹשֶׁר הַהוּא בְּעִנְיַן רָע וְהוֹלִיד
יד בֵּן וְאֵין בְּיָדוֹ מְאוּמָה: כַּאֲשֶׁר יָצָא מִבֶּטֶן אִמּוֹ עָרוֹם יָשׁוּב
טו לָלֶכֶת כְּשֶׁבָּא וּמְאוּמָה לֹא־יִשָּׂא בַעֲמָלוֹ שֶׁיֹּלֵךְ בְּיָדוֹ: וְגַם־זֹה
רָעָה חוֹלָה כָּל־עֻמַּת שֶׁבָּא כֵּן יֵלֵךְ וּמַה־יִּתְרוֹן לוֹ שֶׁיַּעֲמֹל
טז לָרוּחַ: גַּם כָּל־יָמָיו בַּחֹשֶׁךְ יֹאכֵל וְכָעַס הַרְבֵּה וְחָלְיוֹ וָקָצֶף:
יז הִנֵּה אֲשֶׁר־רָאִיתִי אָנִי טוֹב אֲשֶׁר־יָפֶה לֶאֱכוֹל־וְלִשְׁתּוֹת וְלִרְאוֹת
טוֹבָה בְּכָל־עֲמָלוֹ ׀ שֶׁיַּעֲמֹל תַּחַת־הַשֶּׁמֶשׁ מִסְפַּר יְמֵי־חַיָּו אֲשֶׁר־
יח נָתַן־לוֹ הָאֱלֹהִים כִּי־הוּא חֶלְקוֹ: גַּם כָּל־הָאָדָם אֲשֶׁר נָתַן־לוֹ
הָאֱלֹהִים עֹשֶׁר וּנְכָסִים וְהִשְׁלִיטוֹ לֶאֱכֹל מִמֶּנּוּ וְלָשֵׂאת אֶת־
יט חֶלְקוֹ וְלִשְׂמֹחַ בַּעֲמָלוֹ זֹה מַתַּת אֱלֹהִים הִיא: כִּי לֹא הַרְבֵּה
ו א יִזְכֹּר אֶת־יְמֵי חַיָּיו כִּי הָאֱלֹהִים מַעֲנֶה בְּשִׂמְחַת לִבּוֹ: יֵשׁ רָעָה
ב אֲשֶׁר רָאִיתִי תַּחַת הַשָּׁמֶשׁ וְרַבָּה הִיא עַל־הָאָדָם: אִישׁ אֲשֶׁר
יִתֶּן־לוֹ הָאֱלֹהִים עֹשֶׁר וּנְכָסִים וְכָבוֹד וְאֵינֶנּוּ חָסֵר לְנַפְשׁוֹ ׀ מִכֹּל
אֲשֶׁר־יִתְאַוֶּה וְלֹא־יַשְׁלִיטֶנּוּ הָאֱלֹהִים לֶאֱכֹל מִמֶּנּוּ כִּי אִישׁ נָכְרִי
ג יֹאכְלֶנּוּ זֶה הֶבֶל וָחֳלִי רָע הוּא: אִם־יוֹלִיד אִישׁ מֵאָה וְשָׁנִים
רַבּוֹת יִחְיֶה וְרַב ׀ שֶׁיִּהְיוּ יְמֵי־שָׁנָיו וְנַפְשׁוֹ לֹא־תִשְׂבַּע מִן־
הַטּוֹבָה וְגַם־קְבוּרָה לֹא־הָיְתָה לּוֹ אָמַרְתִּי טוֹב מִמֶּנּוּ הַנָּפֶל:
ד ה כִּי־בַהֶבֶל בָּא וּבַחֹשֶׁךְ יֵלֵךְ וּבַחֹשֶׁךְ שְׁמוֹ יְכֻסֶּה: גַּם־שֶׁמֶשׁ
ו לֹא־רָאָה וְלֹא יָדָע נַחַת לָזֶה מִזֶּה: וְאִלּוּ חָיָה אֶלֶף שָׁנִים פַּעֲמַיִם
ז וְטוֹבָה לֹא רָאָה הֲלֹא אֶל־מָקוֹם אֶחָד הַכֹּל הוֹלֵךְ: כָּל־עֲמַל
ח הָאָדָם לְפִיהוּ וְגַם־הַנֶּפֶשׁ לֹא תִמָּלֵא: כִּי מַה־יּוֹתֵר לֶחָכָם
ט מִן־הַכְּסִיל מַה־לֶּעָנִי יוֹדֵעַ לַהֲלֹךְ נֶגֶד הַחַיִּים: טוֹב מַרְאֵה עֵינַיִם
י מֵהֲלָךְ־נָפֶשׁ גַּם־זֶה הֶבֶל וּרְעוּת רוּחַ: מַה־שֶּׁהָיָה כְּבָר נִקְרָא
שְׁמוֹ וְנוֹדָע אֲשֶׁר־הוּא אָדָם וְלֹא־יוּכַל לָדִין עִם שהתקיף שֶׁתַּקִּיף
יא יב מִמֶּנּוּ: כִּי יֶשׁ־דְּבָרִים הַרְבֵּה מַרְבִּים הָבֶל מַה־יֹּתֵר לָאָדָם: כִּי

עֹשֶׁר הַשָּׁמוּר לִבְעָלָיו לְרָעָתוֹ:

הַשָּׂמֵחַ בְּחֶלְקוֹ מַתַּת אֱלֹקִים:

הֶעָשִׁיר שֶׁאֵינוֹ נֶהֱנֶה מִנְּכָסָיו:

תַּאֲוַת הָאָדָם לֹא תִמָּלֵא:

נְחִיתוּת הָאָדָם וְחֹסֶר יְדִיעָתוֹ:

מִי־יוֹדֵעַ מַה־טּוֹב לָאָדָם בַּחַיִּים מִסְפַּר יְמֵי־חַיֵּי הֶבְלוֹ וְיַעֲשֵׂם
כַּצֵּל אֲשֶׁר מִי־יַגִּיד לָאָדָם מַה־יִּהְיֶה אַחֲרָיו תַּחַת הַשָּׁמֶשׁ׃

הַמּוּסָר שֶׁבְּבֵית אֵבֶל׃

ז א ב טוֹב שֵׁם מִשֶּׁמֶן טוֹב וְיוֹם הַמָּוֶת מִיּוֹם הִוָּלְדוֹ׃ טוֹב לָלֶכֶת
אֶל־בֵּית־אֵבֶל מִלֶּכֶת אֶל־בֵּית מִשְׁתֶּה בַּאֲשֶׁר הוּא סוֹף כָּל־
ג הָאָדָם וְהַחַי יִתֵּן אֶל־לִבּוֹ׃ טוֹב כַּעַס מִשְּׂחֹק כִּי־בְרֹעַ פָּנִים
ד יִיטַב לֵב׃ לֵב חֲכָמִים בְּבֵית אֵבֶל וְלֵב כְּסִילִים בְּבֵית שִׂמְחָה׃

הֶחָכָם וְהַכְּסִיל׃

ה ו טוֹב לִשְׁמֹעַ גַּעֲרַת חָכָם מֵאִישׁ שֹׁמֵעַ שִׁיר כְּסִילִים׃ כִּי כְקוֹל
ז הַסִּירִים תַּחַת הַסִּיר כֵּן שְׂחֹק הַכְּסִיל וְגַם־זֶה הָבֶל׃ כִּי הָעֹשֶׁק

שֶׁבַח אֹרֶךְ הָרוּחַ וְהַמְּתִינוּת׃

ח יְהוֹלֵל חָכָם וִיאַבֵּד אֶת־לֵב מַתָּנָה׃ טוֹב אַחֲרִית דָּבָר מֵרֵאשִׁיתוֹ
ט טוֹב אֶרֶךְ־רוּחַ מִגְּבַהּ־רוּחַ׃ אַל־תְּבַהֵל בְּרוּחֲךָ לִכְעוֹס כִּי
י כַעַס בְּחֵיק כְּסִילִים יָנוּחַ׃ אַל־תֹּאמַר מֶה הָיָה שֶׁהַיָּמִים
הָרִאשֹׁנִים הָיוּ טוֹבִים מֵאֵלֶּה כִּי לֹא מֵחָכְמָה שָׁאַלְתָּ עַל־זֶה׃

עֶרְכָּהּ שֶׁל הַחָכְמָה׃ מַעֲשֵׂה ה׳ זֶה לְעֻמַּת זֶה׃

יא יב טוֹבָה חָכְמָה עִם־נַחֲלָה וְיֹתֵר לְרֹאֵי הַשָּׁמֶשׁ׃ כִּי בְּצֵל הַחָכְמָה
יג בְּצֵל הַכָּסֶף וְיִתְרוֹן דַּעַת הַחָכְמָה תְּחַיֶּה בְעָלֶיהָ׃ רְאֵה אֶת־מַעֲשֵׂה
יד הָאֱלֹהִים כִּי מִי יוּכַל לְתַקֵּן אֵת אֲשֶׁר עִוְּתוֹ׃ בְּיוֹם טוֹבָה הֱיֵה
בְטוֹב וּבְיוֹם רָעָה רְאֵה גַּם אֶת־זֶה לְעֻמַּת־זֶה עָשָׂה הָאֱלֹהִים

לְהִתְרַחֵק מִקְּצָווֹת, הַצֶּדֶק וְהָרֶשַׁע׃

טו עַל־דִּבְרַת שֶׁלֹּא יִמְצָא הָאָדָם אַחֲרָיו מְאוּמָה׃ אֶת־הַכֹּל רָאִיתִי
בִּימֵי הֶבְלִי יֵשׁ צַדִּיק אֹבֵד בְּצִדְקוֹ וְיֵשׁ רָשָׁע מַאֲרִיךְ בְּרָעָתוֹ׃
טז יז אַל־תְּהִי צַדִּיק הַרְבֵּה וְאַל־תִּתְחַכַּם יוֹתֵר לָמָּה תִּשּׁוֹמֵם׃ אַל־
יח תִּרְשַׁע הַרְבֵּה וְאַל־תְּהִי סָכָל לָמָּה תָמוּת בְּלֹא עִתֶּךָ׃ טוֹב אֲשֶׁר
תֶּאֱחֹז בָּזֶה וְגַם־מִזֶּה אַל־תַּנַּח אֶת־יָדֶךָ כִּי־יְרֵא אֱלֹהִים יֵצֵא

הַחָכְמָה נוֹתֶנֶת עֹז׃

יט אֶת־כֻּלָּם׃ הַחָכְמָה תָּעֹז לֶחָכָם מֵעֲשָׂרָה שַׁלִּיטִים אֲשֶׁר הָיוּ
כ בָּעִיר׃ כִּי אָדָם אֵין צַדִּיק בָּאָרֶץ אֲשֶׁר יַעֲשֶׂה־טּוֹב וְלֹא יֶחֱטָא׃

שֶׁלֹּא יַטֶּה אָזְנוֹ לָרֶשַׁע׃

כא גַּם לְכָל־הַדְּבָרִים אֲשֶׁר יְדַבֵּרוּ אַל־תִּתֵּן לִבֶּךָ אֲשֶׁר לֹא־תִשְׁמַע
כב אֶת־עַבְדְּךָ מְקַלְלֶךָ׃ כִּי גַּם־פְּעָמִים רַבּוֹת יָדַע לִבֶּךָ אֲשֶׁר גַּם־אַתָּ

כג קִלַּלְתָּ אֲחֵרִים: כָּל־זֹה נִסִּיתִי בַחָכְמָה אָמַרְתִּי אֶחְכָּמָה וְהִיא — אָמַרְתִּי אֶחְכָּמָה וְהִיא רְחוֹקָה:
כד כה רְחוֹקָה מִמֶּנִּי: רָחוֹק מַה־שֶּׁהָיָה וְעָמֹק ׀ עָמֹק מִי יִמְצָאֶנּוּ: סַבּוֹתִי
אֲנִי וְלִבִּי לָדַעַת וְלָתוּר וּבַקֵּשׁ חָכְמָה וְחֶשְׁבּוֹן וְלָדַעַת רֶשַׁע
כו כֶּסֶל וְהַסִּכְלוּת הוֹלֵלוֹת: וּמוֹצֶא אֲנִי מַר מִמָּוֶת אֶת־הָאִשָּׁה — גְּנוּת הָאִשָּׁה הָרָעָה:
אֲשֶׁר־הִיא מְצוֹדִים וַחֲרָמִים לִבָּהּ אֲסוּרִים יָדֶיהָ טוֹב לִפְנֵי
כז הָאֱלֹהִים יִמָּלֵט מִמֶּנָּה וְחוֹטֵא יִלָּכֶד בָּהּ: רְאֵה זֶה מָצָאתִי
כח אָמְרָה קֹהֶלֶת אַחַת לְאַחַת לִמְצֹא חֶשְׁבּוֹן: אֲשֶׁר עוֹד־בִּקְשָׁה
נַפְשִׁי וְלֹא מָצָאתִי אָדָם אֶחָד מֵאֶלֶף מָצָאתִי וְאִשָּׁה בְכָל־אֵלֶּה
כט לֹא מָצָאתִי: לְבַד רְאֵה־זֶה מָצָאתִי אֲשֶׁר עָשָׂה הָאֱלֹהִים
ח א אֶת־הָאָדָם יָשָׁר וְהֵמָּה בִקְשׁוּ חִשְּׁבֹנוֹת רַבִּים: מִי כְּהֶחָכָם וּמִי — מַעֲלַת הַחָכְמָה, וְהַזְּהִירוּת מֵהַמֶּלֶךְ:
ב יוֹדֵעַ פֵּשֶׁר דָּבָר חָכְמַת אָדָם תָּאִיר פָּנָיו וְעֹז פָּנָיו יְשֻׁנֶּא: אֲנִי
ג פִּי־מֶלֶךְ שְׁמֹר וְעַל דִּבְרַת שְׁבוּעַת אֱלֹהִים: אַל־תִּבָּהֵל מִפָּנָיו
ד תֵּלֵךְ אַל־תַּעֲמֹד בְּדָבָר רָע כִּי כָּל־אֲשֶׁר יַחְפֹּץ יַעֲשֶׂה: בַּאֲשֶׁר
ה דְּבַר־מֶלֶךְ שִׁלְטוֹן וּמִי יֹאמַר־לוֹ מַה־תַּעֲשֶׂה: שׁוֹמֵר מִצְוָה לֹא — יְדִיעַת הֶחָכָם:
ו יֵדַע דָּבָר רָע וְעֵת וּמִשְׁפָּט יֵדַע לֵב חָכָם: כִּי לְכָל־חֵפֶץ יֵשׁ עֵת
ז וּמִשְׁפָּט כִּי־רָעַת הָאָדָם רַבָּה עָלָיו: כִּי־אֵינֶנּוּ יֹדֵעַ מַה־שֶּׁיִּהְיֶה
ח כִּי כַּאֲשֶׁר יִהְיֶה מִי יַגִּיד לוֹ: אֵין אָדָם שַׁלִּיט בָּרוּחַ לִכְלוֹא
אֶת־הָרוּחַ וְאֵין שִׁלְטוֹן בְּיוֹם הַמָּוֶת וְאֵין מִשְׁלַחַת בַּמִּלְחָמָה
ט וְלֹא־יְמַלֵּט רֶשַׁע אֶת־בְּעָלָיו: אֶת־כָּל־זֶה רָאִיתִי וְנָתוֹן אֶת־לִבִּי
לְכָל־מַעֲשֶׂה אֲשֶׁר נַעֲשָׂה תַּחַת הַשָּׁמֶשׁ עֵת אֲשֶׁר שָׁלַט הָאָדָם
י בְּאָדָם לְרַע לוֹ: וּבְכֵן רָאִיתִי רְשָׁעִים קְבֻרִים וָבָאוּ וּמִמְּקוֹם — סוּגֵי הָעֹנֶשׁ לָרְשָׁעִים:
יא קָדוֹשׁ יְהַלֵּכוּ וְיִשְׁתַּכְּחוּ בָעִיר אֲשֶׁר כֵּן־עָשׂוּ גַּם־זֶה הָבֶל: אֲשֶׁר
אֵין־נַעֲשָׂה פִתְגָם מַעֲשֵׂה הָרָעָה מְהֵרָה עַל־כֵּן מָלֵא לֵב בְּנֵי־
יב הָאָדָם בָּהֶם לַעֲשׂוֹת רָע: אֲשֶׁר חֹטֶא עֹשֶׂה רָע מְאַת וּמַאֲרִיךְ
לוֹ כִּי גַּם־יוֹדֵעַ אָנִי אֲשֶׁר יִהְיֶה־טּוֹב לְיִרְאֵי הָאֱלֹהִים אֲשֶׁר

יִירְא֖וּ מִלְּפָנָ֑יו וְטוֹב֙ לֹֽא־יִהְיֶ֣ה לָֽרָשָׁ֔ע וְלֹֽא־יַאֲרִ֥יךְ יָמִ֖ים כַּצֵּ֑ל יג

אֲשֶׁ֛ר אֵינֶ֥נּוּ יָרֵ֖א מִלִּפְנֵ֥י אֱלֹהִֽים: יֶשׁ־הֶ֨בֶל֙ אֲשֶׁ֣ר נַעֲשָׂ֣ה עַל־הָאָ֔רֶץ יד

אֲשֶׁ֣ר ׀ יֵ֣שׁ צַדִּיקִ֗ים אֲשֶׁ֨ר מַגִּ֤יעַ אֲלֵהֶם֙ כְּמַעֲשֵׂ֣ה הָרְשָׁעִ֔ים וְיֵ֣שׁ

רְשָׁעִ֔ים שֶׁמַּגִּ֥יעַ אֲלֵהֶ֖ם כְּמַעֲשֵׂ֣ה הַצַּדִּיקִ֑ים אָמַ֕רְתִּי שֶׁגַּם־זֶ֖ה

הֶֽבֶל: וְשִׁבַּ֤חְתִּֽי אֲנִי֙ אֶת־הַשִּׂמְחָ֔ה אֲשֶׁ֨ר אֵֽין־ט֤וֹב לָֽאָדָם֙ תַּ֣חַת טו

הַשֶּׁ֔מֶשׁ כִּ֛י אִם־לֶֽאֱכֹ֥ל וְלִשְׁתּ֖וֹת וְלִשְׂמ֑וֹחַ וְה֞וּא יִלְוֶ֣נּוּ בַעֲמָל֗וֹ

יְמֵ֥י חַיָּ֛יו אֲשֶׁר־נָֽתַן־ל֥וֹ הָאֱלֹהִ֖ים תַּ֥חַת הַשָּֽׁמֶשׁ: כַּאֲשֶׁ֤ר נָתַ֨תִּי֙ טז

אֶת־לִבִּ֜י לָדַ֣עַת חָכְמָ֗ה וְלִרְאוֹת֙ אֶת־הָ֣עִנְיָ֔ן אֲשֶׁ֥ר נַעֲשָׂ֖ה עַל־

הָאָ֑רֶץ כִּ֣י גַ֤ם בַּיּוֹם֙ וּבַלַּ֔יְלָה שֵׁנָ֕ה בְּעֵינָ֖יו אֵינֶ֥נּוּ רֹאֶֽה: וְרָאִ֨יתִי֙ יז

אֶת־כָּל־מַעֲשֵׂ֣ה הָאֱלֹהִ֔ים כִּי֩ לֹ֨א יוּכַ֜ל הָאָדָ֗ם לִמְצוֹא֙ אֶת־

הַֽמַּעֲשֶׂה֙ אֲשֶׁ֣ר נַעֲשָׂ֣ה תַֽחַת־הַשֶּׁ֔מֶשׁ בְּ֠שֶׁל אֲשֶׁ֨ר יַעֲמֹ֤ל הָֽאָדָם֙

לְבַקֵּ֔שׁ וְלֹ֣א יִמְצָ֑א וְגַ֨ם אִם־יֹאמַ֤ר הֶֽחָכָם֙ לָדַ֔עַת לֹ֥א יוּכַ֖ל לִמְצֹֽא:

כִּ֣י אֶת־כָּל־זֶ֞ה נָתַ֤תִּי אֶל־לִבִּי֙ וְלָב֣וּר אֶת־כָּל־זֶ֔ה אֲשֶׁ֨ר הַצַּדִּיקִ֜ים ט א

וְהַחֲכָמִ֧ים וַעֲבָדֵיהֶ֛ם בְּיַ֥ד הָאֱלֹהִ֖ים גַּֽם־אַהֲבָ֣ה גַם־שִׂנְאָ֑ה אֵ֣ין

יוֹדֵ֤עַ הָֽאָדָם֙ הַכֹּ֣ל לִפְנֵיהֶ֔ם: הַכֹּ֞ל כַּאֲשֶׁ֣ר לַכֹּ֗ל מִקְרֶ֨ה אֶחָ֜ד לַצַּדִּ֣יק ב

וְלָרָשָׁ֗ע לַטּוֹב֙ וְלַטָּה֣וֹר וְלַטָּמֵ֔א וְלַ֨זֹּבֵ֔חַ וְלַאֲשֶׁ֖ר אֵינֶ֣נּוּ זֹבֵ֑חַ

כַּטּוֹב֙ כַּֽחֹטֶ֔א הַנִּשְׁבָּ֕ע כַּאֲשֶׁ֖ר שְׁבוּעָ֥ה יָרֵֽא: זֶ֣ה ׀ רָ֗ע בְּכֹ֤ל ג

אֲשֶֽׁר־נַעֲשָׂה֙ תַּ֣חַת הַשֶּׁ֔מֶשׁ כִּֽי־מִקְרֶ֥ה אֶחָ֖ד לַכֹּ֑ל וְגַ֣ם לֵ֣ב

בְּֽנֵי־הָ֠אָדָם מָֽלֵא־רָ֨ע וְהוֹלֵל֤וֹת בִּלְבָבָם֙ בְּחַיֵּיהֶ֔ם וְאַחֲרָ֖יו אֶל־

הַמֵּתִֽים: כִּי־מִי֙ אֲשֶׁ֣ר יבחר יְחֻבַּ֔ר אֶ֥ל כָּל־הַחַיִּ֖ים יֵ֣שׁ בִּטָּח֑וֹן ד

כִּֽי־לְכֶ֤לֶב חַי֙ ה֣וּא ט֔וֹב מִן־הָאַרְיֵ֖ה הַמֵּֽת: כִּ֧י הַֽחַיִּ֣ים יוֹדְעִ֗ים ה

שֶׁיָּמֻ֒תוּ֒ וְהַמֵּתִ֞ים אֵינָ֤ם יוֹדְעִים֙ מְא֔וּמָה וְאֵֽין־ע֤וֹד לָהֶם֙ שָׂכָ֔ר כִּ֥י

נִשְׁכַּ֖ח זִכְרָֽם: גַּ֣ם אַהֲבָתָ֤ם גַּם־שִׂנְאָתָם֙ גַּם־קִנְאָתָ֔ם כְּבָ֖ר אָבָ֑דָה ו

וְחֵ֨לֶק אֵֽין־לָהֶ֥ם עוֹד֙ לְעוֹלָ֔ם בְּכֹ֥ל אֲשֶֽׁר־נַעֲשָׂ֖ה תַּ֥חַת הַשָּֽׁמֶשׁ:

לֵ֣ךְ אֱכֹ֤ל בְּשִׂמְחָה֙ לַחְמֶ֔ךָ וּֽשֲׁתֵ֥ה בְלֶב־ט֖וֹב יֵינֶ֑ךָ כִּ֣י כְבָ֔ר רָצָ֥ה ז

[marginal notes, right side]

הַשִּׂמְחָ֫ה
הִ֣יא הַטּ֖וֹב
לָאָדָ֑ם

אֵ֣י יֵכֹ֫לֶת
לָדַ֥עַת כָּל־
מַעֲשֵׂ֥ה ה'

הַכֹּ֣ל בְּיַ֥ד
ה'

חֲשִׁיב֫וּת
הַחַ֥י עַ֖ל
הַמֵּֽת:

ח הָאֱלֹהִים אֶת־מַעֲשֶׂיךָ׃ בְּכָל־עֵת יִהְיוּ בְגָדֶיךָ לְבָנִים וְשֶׁמֶן לְהִשְׁתַּדֵּל
ט עַל־רֹאשְׁךָ אַל־יֶחְסָר׃ רְאֵה חַיִּים עִם־אִשָּׁה אֲשֶׁר־אָהַבְתָּ כָּל־ לִשְׂמֹחַ מֵעֲמָלוֹ׃
יְמֵי חַיֵּי הֶבְלֶךָ אֲשֶׁר נָתַן־לְךָ תַּחַת הַשֶּׁמֶשׁ כֹּל יְמֵי הֶבְלֶךָ כִּי
י הוּא חֶלְקְךָ בַּחַיִּים וּבַעֲמָלְךָ אֲשֶׁר־אַתָּה עָמֵל תַּחַת הַשָּׁמֶשׁ׃ כֹּל
אֲשֶׁר תִּמְצָא יָדְךָ לַעֲשׂוֹת בְּכֹחֲךָ עֲשֵׂה כִּי אֵין מַעֲשֶׂה וְחֶשְׁבּוֹן
יא וְדַעַת וְחָכְמָה בִּשְׁאוֹל אֲשֶׁר אַתָּה הֹלֵךְ שָׁמָּה׃ שַׁבְתִּי וְרָאֹה הַצְלָחוֹת הָאָדָם אֵינָם בְּיָדוֹ׃
תַחַת־הַשֶּׁמֶשׁ כִּי לֹא לַקַּלִּים הַמֵּרוֹץ וְלֹא לַגִּבּוֹרִים הַמִּלְחָמָה
וְגַם לֹא לַחֲכָמִים לֶחֶם וְגַם לֹא לַנְּבֹנִים עֹשֶׁר וְגַם לֹא לַיֹּדְעִים
יב חֵן כִּי־עֵת וָפֶגַע יִקְרֶה אֶת־כֻּלָּם׃ כִּי גַּם לֹא־יֵדַע הָאָדָם אֶת־עִתּוֹ
כַּדָּגִים שֶׁנֶּאֱחָזִים בִּמְצוֹדָה רָעָה וְכַצִּפֳּרִים הָאֲחֻזוֹת בַּפָּח כָּהֵם
יג יוּקָשִׁים בְּנֵי הָאָדָם לְעֵת רָעָה כְּשֶׁתִּפּוֹל עֲלֵיהֶם פִּתְאֹם׃ גַּם־זֹה חָכְמַת הַמִּסְכֵּן׃
יד רָאִיתִי חָכְמָה תַּחַת הַשָּׁמֶשׁ וּגְדוֹלָה הִיא אֵלָי׃ עִיר קְטַנָּה וַאֲנָשִׁים
בָּהּ מְעָט וּבָא־אֵלֶיהָ מֶלֶךְ גָּדוֹל וְסָבַב אֹתָהּ וּבָנָה עָלֶיהָ
טו מְצוֹדִים גְּדֹלִים׃ וּמָצָא בָהּ אִישׁ מִסְכֵּן חָכָם וּמִלַּט־הוּא
אֶת־הָעִיר בְּחָכְמָתוֹ וְאָדָם לֹא זָכַר אֶת־הָאִישׁ הַמִּסְכֵּן הַהוּא׃
טז וְאָמַרְתִּי אָנִי טוֹבָה חָכְמָה מִגְּבוּרָה וְחָכְמַת הַמִּסְכֵּן בְּזוּיָה
יז וּדְבָרָיו אֵינָם נִשְׁמָעִים׃ דִּבְרֵי חֲכָמִים בְּנַחַת נִשְׁמָעִים מִזַּעֲקַת הַחָכְמָה טוֹבָה מִגְּבוּרָה׃
יח מוֹשֵׁל בַּכְּסִילִים׃ טוֹבָה חָכְמָה מִכְּלֵי קְרָב וְחוֹטֶא אֶחָד יְאַבֵּד
י א טוֹבָה הַרְבֵּה׃ זְבוּבֵי מָוֶת יַבְאִישׁ יַבִּיעַ שֶׁמֶן רוֹקֵחַ יָקָר גְּנוּת הַסִּכְלוּת׃
ב מֵחָכְמָה מִכָּבוֹד סִכְלוּת מְעָט׃ לֵב חָכָם לִימִינוֹ וְלֵב כְּסִיל
ג לִשְׂמֹאלוֹ׃ וְגַם־בַּדֶּרֶךְ כשהסכל כְּשֶׁסָּכָל הֹלֵךְ לִבּוֹ חָסֵר וְאָמַר
ד לַכֹּל סָכָל הוּא׃ אִם־רוּחַ הַמּוֹשֵׁל תַּעֲלֶה עָלֶיךָ מְקוֹמְךָ הִתְנַהֲגוּת לִפְנֵי הַמּוֹשֵׁל׃
ה אַל־תַּנַּח כִּי מַרְפֵּא יַנִּיחַ חֲטָאִים גְּדוֹלִים׃ יֵשׁ רָעָה רָאִיתִי
ו תַּחַת הַשָּׁמֶשׁ כִּשְׁגָגָה שֶׁיֹּצָא מִלִּפְנֵי הַשַּׁלִּיט׃ נִתַּן הַסֶּכֶל
ז בַּמְּרוֹמִים רַבִּים וַעֲשִׁירִים בַּשֵּׁפֶל יֵשֵׁבוּ׃ רָאִיתִי עֲבָדִים עַל־

הַזְּהִירוּת מֵהַסִּכְלוּת בְּכָל פְּעֻלָּה:

סוּסִים וְשָׂרִים הֹלְכִים כַּעֲבָדִים עַל־הָאָרֶץ: חֹפֵר גּוּמָּץ בּוֹ יִפּוֹל ח
וּפֹרֵץ גָּדֵר יִשְּׁכֶנּוּ נָחָשׁ: מַסִּיעַ אֲבָנִים יֵעָצֵב בָּהֶם בּוֹקֵעַ עֵצִים ט
יִסָּכֶן בָּם: אִם־קֵהָה הַבַּרְזֶל וְהוּא לֹא־פָנִים קִלְקַל וַחֲיָלִים יְגַבֵּר י

הַהֶבְדֵּל בֵּין דִּבְרֵי הֶחָכָם וְהַכְּסִיל:

וְיִתְרוֹן הַכְשֵׁיר חָכְמָה: אִם־יִשֹּׁךְ הַנָּחָשׁ בְּלוֹא־לָחַשׁ וְאֵין יִתְרוֹן יא
לְבַעַל הַלָּשׁוֹן: דִּבְרֵי פִי־חָכָם חֵן וְשִׂפְתוֹת כְּסִיל תְּבַלְּעֶנּוּ: תְּחִלַּת יב יג
דִּבְרֵי־פִיהוּ סִכְלוּת וְאַחֲרִית פִּיהוּ הוֹלֵלוּת רָעָה: וְהַסָּכָל יַרְבֶּה יד
דְבָרִים לֹא־יֵדַע הָאָדָם מַה־שֶּׁיִּהְיֶה וַאֲשֶׁר יִהְיֶה מֵאַחֲרָיו מִי
יַגִּיד לוֹ: עֲמַל הַכְּסִילִים תְּיַגְּעֶנּוּ אֲשֶׁר לֹא־יָדַע לָלֶכֶת אֶל־עִיר: טו

הֶבְדֵּל בֵּין מֶלֶךְ נַעַר לְבֶן חוֹרִים:

אִי־לָךְ אֶרֶץ שֶׁמַּלְכֵּךְ נָעַר וְשָׂרַיִךְ בַּבֹּקֶר יֹאכֵלוּ: אַשְׁרֵיךְ אֶרֶץ טז יז
שֶׁמַּלְכֵּךְ בֶּן־חוֹרִים וְשָׂרַיִךְ בָּעֵת יֹאכֵלוּ בִּגְבוּרָה וְלֹא בַשְּׁתִי:

תּוֹצְאוֹת הָעַצְלוּת:

בַּעֲצַלְתַּיִם יִמַּךְ הַמְּקָרֶה וּבְשִׁפְלוּת יָדַיִם יִדְלֹף הַבָּיִת: לִשְׂחוֹק יח יט

הַזְּהִירוּת מִלְּקַלֵּל בַּסֵּתֶר:

עֹשִׂים לֶחֶם וְיַיִן יְשַׂמַּח חַיִּים וְהַכֶּסֶף יַעֲנֶה אֶת־הַכֹּל: גַּם בְּמַדָּעֲךָ כ
מֶלֶךְ אַל־תְּקַלֵּל וּבְחַדְרֵי מִשְׁכָּבְךָ אַל־תְּקַלֵּל עָשִׁיר כִּי עוֹף

עֵזֶר לַזּוּלַת וְיוּטַב לְךָ בֶּעָתִיד:

הַשָּׁמַיִם יוֹלִיךְ אֶת־הַקּוֹל וּבַעַל הכנפים כְּנָפַיִם יַגֵּיד דָּבָר: שַׁלַּח יא א
לַחְמְךָ עַל־פְּנֵי הַמָּיִם כִּי־בְרֹב הַיָּמִים תִּמְצָאֶנּוּ: תֶּן־חֵלֶק לְשִׁבְעָה ב

אִי יְדִיעַת הָאָדָם מַעֲשֵׂי ה׳:

וְגַם לִשְׁמוֹנָה כִּי לֹא תֵדַע מַה־יִּהְיֶה רָעָה עַל־הָאָרֶץ: אִם־ ג
יִמָּלְאוּ הֶעָבִים גֶּשֶׁם עַל־הָאָרֶץ יָרִיקוּ וְאִם־יִפּוֹל עֵץ בַּדָּרוֹם
וְאִם בַּצָּפוֹן מְקוֹם שֶׁיִּפּוֹל הָעֵץ שָׁם יְהוּא: שֹׁמֵר רוּחַ לֹא יִזְרָע ד
וְרֹאֶה בֶעָבִים לֹא יִקְצוֹר: כַּאֲשֶׁר אֵינְךָ יוֹדֵעַ מַה־דֶּרֶךְ הָרוּחַ ה
כַּעֲצָמִים בְּבֶטֶן הַמְּלֵאָה כָּכָה לֹא תֵדַע אֶת־מַעֲשֵׂה הָאֱלֹהִים
אֲשֶׁר יַעֲשֶׂה אֶת־הַכֹּל: בַּבֹּקֶר זְרַע אֶת־זַרְעֶךָ וְלָעֶרֶב אַל־תַּנַּח ו
יָדֶךָ כִּי אֵינְךָ יוֹדֵעַ אֵי זֶה יִכְשַׁר הֲזֶה אוֹ־זֶה וְאִם־שְׁנֵיהֶם כְּאֶחָד

לָדַעַת כִּי הַכֹּל יָבֹא בְּמִשְׁפָּט:

טוֹבִים: וּמָתוֹק הָאוֹר וְטוֹב לַעֵינַיִם לִרְאוֹת אֶת־הַשָּׁמֶשׁ: כִּי ז ח
אִם־שָׁנִים הַרְבֵּה יִחְיֶה הָאָדָם בְּכֻלָּם יִשְׂמָח וְיִזְכֹּר אֶת־יְמֵי
הַחֹשֶׁךְ כִּי־הַרְבֵּה יִהְיוּ כָּל־שֶׁבָּא הָבֶל: שְׂמַח בָּחוּר בְּיַלְדוּתֶיךָ ט

וִֽיטִֽיבְךָ֤ לִבְּךָ֙ בִּימֵ֣י בְחוּרוֹתֶ֔ךָ וְהַלֵּךְ֙ בְּדַרְכֵ֣י לִבְּךָ֔ וּבְמַרְאֵ֖י עֵינֶ֑יךָ
י וְדָ֕ע כִּ֛י עַל־כָּל־אֵ֖לֶּה יְבִיאֲךָ֥ הָאֱלֹהִ֖ים בַּמִּשְׁפָּֽט׃ וְהָסֵ֤ר כַּ֙עַס֙
יב א מִלִּבֶּ֔ךָ וְהַעֲבֵ֥ר רָעָ֖ה מִבְּשָׂרֶ֑ךָ כִּֽי־הַיַּלְד֥וּת וְהַשַּׁחֲר֖וּת הָֽבֶל׃ וּזְכֹר֙ הִזְדַּקְּנוּת הָאָדָם עַד יוֹם מוֹתוֹ:
אֶת־בּ֣וֹרְאֶ֔יךָ בִּימֵ֖י בְּחוּרֹתֶ֑יךָ עַ֣ד אֲשֶׁ֤ר לֹא־יָבֹ֙אוּ֙ יְמֵ֣י הָֽרָעָ֔ה
ב וְהִגִּ֣יעוּ שָׁנִ֔ים אֲשֶׁ֣ר תֹּאמַ֔ר אֵֽין־לִ֥י בָהֶ֖ם חֵֽפֶץ׃ עַ֣ד אֲשֶׁ֤ר
לֹֽא־תֶחְשַׁךְ֙ הַשֶּׁ֙מֶשׁ֙ וְהָא֔וֹר וְהַיָּרֵ֖חַ וְהַכּוֹכָבִ֑ים וְשָׁ֥בוּ הֶעָבִ֖ים
ג אַחַ֥ר הַגָּֽשֶׁם׃ בַּיּ֗וֹם שֶׁיָּזֻ֙עוּ֙ שֹׁמְרֵ֣י הַבַּ֔יִת וְהִֽתְעַוְּת֖וּ אַנְשֵׁ֣י הֶחָ֑יִל
ד וּבָטְל֤וּ הַטֹּֽחֲנוֹת֙ כִּ֣י מִעֵ֔טוּ וְחָשְׁכ֥וּ הָרֹא֖וֹת בָּאֲרֻבּֽוֹת׃ וְסֻגְּר֤וּ
דְלָתַ֙יִם֙ בַּשּׁ֔וּק בִּשְׁפַ֖ל ק֣וֹל הַטַּחֲנָ֑ה וְיָקוּם֙ לְק֣וֹל הַצִּפּ֔וֹר וְיִשַּׁ֖חוּ
ה כָּל־בְּנ֥וֹת הַשִּֽׁיר׃ גַּ֣ם מִגָּבֹ֣הַּ יִרָ֘אוּ֮ וְחַתְחַתִּ֣ים בַּדֶּ֒רֶךְ֒ וְיָנֵ֤אץ
הַשָּׁקֵד֙ וְיִסְתַּבֵּ֣ל הֶֽחָגָ֔ב וְתָפֵ֖ר הָאֲבִיּוֹנָ֑ה כִּֽי־הֹלֵ֤ךְ הָאָדָם֙ אֶל־בֵּ֣ית
ו עוֹלָמ֔וֹ וְסָבְב֥וּ בַשּׁ֖וּק הַסֹּפְדִֽים׃ עַ֣ד אֲשֶׁ֤ר לֹֽא־יֵרָתֵק֙ ירחק חֶ֣בֶל
הַכֶּ֔סֶף וְתָרֻ֖ץ גֻּלַּ֣ת הַזָּהָ֑ב וְתִשָּׁ֤בֶר כַּד֙ עַל־הַמַּבּ֔וּעַ וְנָרֹ֥ץ הַגַּלְגַּ֖ל
ז אֶל־הַבּֽוֹר׃ וְיָשֹׁ֥ב הֶעָפָ֛ר עַל־הָאָ֖רֶץ כְּשֶׁהָיָ֑ה וְהָר֣וּחַ תָּשׁ֔וּב
ח אֶל־הָאֱלֹהִ֖ים אֲשֶׁ֥ר נְתָנָֽהּ׃ הֲבֵ֥ל הֲבָלִ֛ים אָמַ֥ר הַקּוֹהֶ֖לֶת הַכֹּ֥ל
ט הָֽבֶל׃ וְיֹתֵ֕ר שֶׁהָיָ֥ה קֹהֶ֖לֶת חָכָ֑ם ע֗וֹד לִמַּד־דַּ֙עַת֙ אֶת־הָעָ֔ם וְאִזֵּ֣ן מַעֲשָׂיו וְחָכְמָתוֹ שֶׁל קֹהֶלֶת:
י וְחִקֵּ֔ר תִּקֵּ֖ן מְשָׁלִ֥ים הַרְבֵּֽה׃ בִּקֵּ֣שׁ קֹהֶ֔לֶת לִמְצֹ֖א דִּבְרֵי־חֵ֑פֶץ וְכָת֥וּב
יא יֹ֖שֶׁר דִּבְרֵ֥י אֱמֶֽת׃ דִּבְרֵ֤י חֲכָמִים֙ כַּדָּ֣רְבֹנ֔וֹת וּֽכְמַשְׂמְר֥וֹת נְטוּעִ֖ים לִשְׁמֹעַ לְדִבְרֵי חֲכָמִים וְלִירָא מֵה':
יב בַּעֲלֵ֣י אֲסֻפּ֑וֹת נִתְּנ֖וּ מֵרֹעֶ֥ה אֶחָֽד׃ וְיֹתֵ֥ר מֵהֵ֖מָּה בְּנִ֣י הִזָּהֵ֑ר עֲשׂ֨וֹת
יג סְפָרִ֤ים הַרְבֵּה֙ אֵ֣ין קֵ֔ץ וְלַ֥הַג הַרְבֵּ֖ה יְגִעַ֥ת בָּשָֽׂר׃ ס֥וֹף דָּבָ֖ר הַכֹּ֣ל
נִשְׁמָ֑ע אֶת־הָאֱלֹהִ֤ים יְרָא֙ וְאֶת־מִצְוֺתָ֣יו שְׁמ֔וֹר כִּי־זֶ֖ה כָּל־הָאָדָֽם׃
יד כִּ֤י אֶת־כָּל־מַעֲשֶׂ֔ה הָאֱלֹהִ֛ים יָבִ֥א בְמִשְׁפָּ֖ט עַ֣ל כָּל־נֶעְלָ֑ם אִם־
ט֖וֹב וְאִם־רָֽע׃

בין השנים
3395-3406

אסתר

א וַיְהִי בִּימֵי אֲחַשְׁוֵרוֹשׁ הוּא אֲחַשְׁוֵרוֹשׁ הַמֹּלֵךְ מֵהֹדּוּ וְעַד־כּוּשׁ
ב שֶׁבַע וְעֶשְׂרִים וּמֵאָה מְדִינָה: בַּיָּמִים הָהֵם כְּשֶׁבֶת ׀ הַמֶּלֶךְ
ג אֲחַשְׁוֵרוֹשׁ עַל כִּסֵּא מַלְכוּתוֹ אֲשֶׁר בְּשׁוּשַׁן הַבִּירָה: בִּשְׁנַת שָׁלוֹשׁ
לְמָלְכוֹ עָשָׂה מִשְׁתֶּה לְכָל־שָׂרָיו וַעֲבָדָיו חֵיל ׀ פָּרַס וּמָדַי
ד הַפַּרְתְּמִים וְשָׂרֵי הַמְּדִינוֹת לְפָנָיו: בְּהַרְאֹתוֹ אֶת־עֹשֶׁר כְּבוֹד
מַלְכוּתוֹ וְאֶת־יְקָר תִּפְאֶרֶת גְּדוּלָּתוֹ יָמִים רַבִּים שְׁמוֹנִים וּמְאַת
ה יוֹם: וּבִמְלוֹאת ׀ הַיָּמִים הָאֵלֶּה עָשָׂה הַמֶּלֶךְ לְכָל־הָעָם
הַנִּמְצְאִים בְּשׁוּשַׁן הַבִּירָה לְמִגָּדוֹל וְעַד־קָטָן מִשְׁתֶּה שִׁבְעַת
ו יָמִים בַּחֲצַר גִּנַּת בִּיתַן הַמֶּלֶךְ: חוּר ׀ כַּרְפַּס וּתְכֵלֶת אָחוּז
בְּחַבְלֵי־בוּץ וְאַרְגָּמָן עַל־גְּלִילֵי כֶסֶף וְעַמּוּדֵי שֵׁשׁ מִטּוֹת ׀ זָהָב
ז וָכֶסֶף עַל רִצְפַת בַּהַט־וָשֵׁשׁ וְדַר וְסֹחָרֶת: וְהַשְׁקוֹת בִּכְלֵי זָהָב
ח וְכֵלִים מִכֵּלִים שׁוֹנִים וְיֵין מַלְכוּת רָב כְּיַד הַמֶּלֶךְ: וְהַשְּׁתִיָּה כַדָּת
אֵין אֹנֵס כִּי־כֵן ׀ יִסַּד הַמֶּלֶךְ עַל כָּל־רַב בֵּיתוֹ לַעֲשׂוֹת כִּרְצוֹן
ט אִישׁ־וָאִישׁ: גַּם וַשְׁתִּי הַמַּלְכָּה עָשְׂתָה
י מִשְׁתֵּה נָשִׁים בֵּית הַמַּלְכוּת אֲשֶׁר לַמֶּלֶךְ אֲחַשְׁוֵרוֹשׁ: בַּיּוֹם
הַשְּׁבִיעִי כְּטוֹב לֵב־הַמֶּלֶךְ בַּיָּיִן אָמַר לִמְהוּמָן בִּזְּתָא חַרְבוֹנָא
בִּגְתָא וַאֲבַגְתָא זֵתַר וְכַרְכַּס שִׁבְעַת הַסָּרִיסִים הַמְשָׁרְתִים
יא אֶת־פְּנֵי הַמֶּלֶךְ אֲחַשְׁוֵרוֹשׁ: לְהָבִיא אֶת־וַשְׁתִּי הַמַּלְכָּה לִפְנֵי הַמֶּלֶךְ
בְּכֶתֶר מַלְכוּת לְהַרְאוֹת הָעַמִּים וְהַשָּׂרִים אֶת־יָפְיָהּ כִּי־טוֹבַת
יב מַרְאֶה הִיא: וַתְּמָאֵן הַמַּלְכָּה וַשְׁתִּי לָבוֹא בִּדְבַר הַמֶּלֶךְ אֲשֶׁר בְּיַד
יג הַסָּרִיסִים וַיִּקְצֹף הַמֶּלֶךְ מְאֹד וַחֲמָתוֹ בָּעֲרָה בוֹ: וַיֹּאמֶר
הַמֶּלֶךְ לַחֲכָמִים יֹדְעֵי הָעִתִּים כִּי־כֵן דְּבַר הַמֶּלֶךְ לִפְנֵי כָּל־יֹדְעֵי
יד דָּת וָדִין: וְהַקָּרֹב אֵלָיו כַּרְשְׁנָא שֵׁתָר אַדְמָתָא תַרְשִׁישׁ מֶרֶס

גְּדֻלַּת
אֲחַשְׁוֵרוֹשׁ:

[3395]

הַמִּשְׁתֶּה
לְעָם,
וְעֹשֶׁר
הַמֶּלֶךְ:

מִשְׁתֵּה
לַנָּשִׁים:

הַצִּוּוּי
לְהָבִיא אֶת
וַשְׁתִּי:

הִתְיָעֲצוּת
מַה לַעֲשׂוֹת
לְוַשְׁתִּי:

מַרְסְנָא מְמוּכָן שִׁבְעַת שָׂרֵי | פָּרַס וּמָדַי רֹאֵי פְּנֵי הַמֶּלֶךְ
טו הַיֹּשְׁבִים רִאשֹׁנָה בַּמַּלְכוּת: כְּדָת מַה־לַּעֲשׂוֹת בַּמַּלְכָּה וַשְׁתִּי
עַל | אֲשֶׁר לֹא־עָשְׂתָה אֶת־מַאֲמַר הַמֶּלֶךְ אֲחַשְׁוֵרוֹשׁ בְּיַד
טז הַסָּרִיסִים: וַיֹּאמֶר מומכן מְמוּכָן לִפְנֵי
הַמֶּלֶךְ וְהַשָּׂרִים לֹא עַל־הַמֶּלֶךְ לְבַדּוֹ עָוְתָה וַשְׁתִּי הַמַּלְכָּה כִּי
עַל־כָּל־הַשָּׂרִים וְעַל־כָּל־הָעַמִּים אֲשֶׁר בְּכָל־מְדִינוֹת הַמֶּלֶךְ
יז אֲחַשְׁוֵרוֹשׁ: כִּי־יֵצֵא דְבַר־הַמַּלְכָּה עַל־כָּל־הַנָּשִׁים לְהַבְזוֹת
בַּעְלֵיהֶן בְּעֵינֵיהֶן בְּאָמְרָם הַמֶּלֶךְ אֲחַשְׁוֵרוֹשׁ אָמַר לְהָבִיא
יח אֶת־וַשְׁתִּי הַמַּלְכָּה לְפָנָיו וְלֹא־בָאָה: וְהַיּוֹם הַזֶּה תֹּאמַרְנָה |
שָׂרוֹת פָּרַס־וּמָדַי אֲשֶׁר שָׁמְעוּ אֶת־דְּבַר הַמַּלְכָּה לְכֹל שָׂרֵי
יט הַמֶּלֶךְ וּכְדַי בִּזָּיוֹן וָקָצֶף: אִם־עַל־הַמֶּלֶךְ טוֹב יֵצֵא דְבַר־מַלְכוּת
מִלְּפָנָיו וְיִכָּתֵב בְּדָתֵי פָרַס־וּמָדַי וְלֹא יַעֲבוֹר אֲשֶׁר לֹא־תָבוֹא
וַשְׁתִּי לִפְנֵי הַמֶּלֶךְ אֲחַשְׁוֵרוֹשׁ וּמַלְכוּתָהּ יִתֵּן הַמֶּלֶךְ לִרְעוּתָהּ
כ הַטּוֹבָה מִמֶּנָּה: וְנִשְׁמַע פִּתְגָם הַמֶּלֶךְ אֲשֶׁר־יַעֲשֶׂה בְּכָל־
מַלְכוּתוֹ כִּי רַבָּה הִיא וְכָל־הַנָּשִׁים יִתְּנוּ יְקָר לְבַעְלֵיהֶן לְמִגָּדוֹל
כא וְעַד־קָטָן: וַיִּיטַב הַדָּבָר בְּעֵינֵי הַמֶּלֶךְ וְהַשָּׂרִים וַיַּעַשׂ הַמֶּלֶךְ
כב כִּדְבַר מְמוּכָן: וַיִּשְׁלַח סְפָרִים אֶל־כָּל־מְדִינוֹת הַמֶּלֶךְ אֶל־
מְדִינָה וּמְדִינָה כִּכְתָבָהּ וְאֶל־עַם וָעָם כִּלְשׁוֹנוֹ לִהְיוֹת כָּל־
ב א אִישׁ שֹׂרֵר בְּבֵיתוֹ וּמְדַבֵּר כִּלְשׁוֹן עַמּוֹ: אַחַר הַדְּבָרִים
הָאֵלֶּה כְּשֹׁךְ חֲמַת הַמֶּלֶךְ אֲחַשְׁוֵרוֹשׁ זָכַר אֶת־וַשְׁתִּי וְאֵת
ב אֲשֶׁר־עָשָׂתָה וְאֵת אֲשֶׁר־נִגְזַר עָלֶיהָ: וַיֹּאמְרוּ נַעֲרֵי־הַמֶּלֶךְ
ג מְשָׁרְתָיו יְבַקְשׁוּ לַמֶּלֶךְ נְעָרוֹת בְּתוּלוֹת טוֹבוֹת מַרְאֶה: וְיַפְקֵד
הַמֶּלֶךְ פְּקִידִים בְּכָל־מְדִינוֹת מַלְכוּתוֹ וְיִקְבְּצוּ אֶת־כָּל־נַעֲרָה־
בְתוּלָה טוֹבַת מַרְאֶה אֶל־שׁוּשַׁן הַבִּירָה אֶל־בֵּית הַנָּשִׁים אֶל־יַד
ד הֵגֶא סְרִיס הַמֶּלֶךְ שֹׁמֵר הַנָּשִׁים וְנָתוֹן תַּמְרוּקֵיהֶן: וְהַנַּעֲרָה אֲשֶׁר

עֲצַת מְמוּכָן לַהֲרֹג אֶת וַשְׁתִּי:

הֲרִיגַת וַשְׁתִּי כַּעֲצַת מְמוּכָן:

זְכִירַת וַשְׁתִּי, וַעֲצַת עֲבָדָיו:

תִּיטַב בְּעֵינֵי הַמֶּלֶךְ תִּמְלֹךְ תַּחַת וַשְׁתִּי וַיִּיטַב הַדָּבָר בְּעֵינֵי
ה הַמֶּלֶךְ וַיַּעַשׂ כֵּן: אִישׁ יְהוּדִי הָיָה בְּשׁוּשַׁן הַבִּירָה וּשְׁמוֹ
יחוס מָרְדֳּכַי הַיְּהוּדִי וְאֶסְתֵּר:
ו מָרְדֳּכַי בֶּן יָאִיר בֶּן־שִׁמְעִי בֶּן־קִישׁ אִישׁ יְמִינִי: אֲשֶׁר הָגְלָה
מִירוּשָׁלַיִם עִם־הַגֹּלָה אֲשֶׁר הָגְלְתָה עִם יְכָנְיָה מֶלֶךְ־יְהוּדָה
ז אֲשֶׁר הֶגְלָה נְבוּכַדְנֶצַּר מֶלֶךְ בָּבֶל: וַיְהִי אֹמֵן אֶת־הֲדַסָּה הִיא
אֶסְתֵּר בַּת־דֹּדוֹ כִּי אֵין לָהּ אָב וָאֵם וְהַנַּעֲרָה יְפַת־תֹּאַר וְטוֹבַת
לְקִיחַת אֶסְתֵּר אֶל הַמֶּלֶךְ:
ח מַרְאֶה וּבְמוֹת אָבִיהָ וְאִמָּהּ לְקָחָהּ מָרְדֳּכַי לוֹ לְבַת: וַיְהִי
בְּהִשָּׁמַע דְּבַר־הַמֶּלֶךְ וְדָתוֹ וּבְהִקָּבֵץ נְעָרוֹת רַבּוֹת אֶל־שׁוּשַׁן
הַבִּירָה אֶל־יַד הֵגָי וַתִּלָּקַח אֶסְתֵּר אֶל־בֵּית הַמֶּלֶךְ אֶל־יַד הֵגַי
ט שֹׁמֵר הַנָּשִׁים: וַתִּיטַב הַנַּעֲרָה בְעֵינָיו וַתִּשָּׂא חֶסֶד לְפָנָיו וַיְבַהֵל
אֶת־תַּמְרוּקֶיהָ וְאֶת־מָנוֹתֶהָ לָתֵת לָהּ וְאֵת שֶׁבַע הַנְּעָרוֹת
הָרְאֻיוֹת לָתֶת־לָהּ מִבֵּית הַמֶּלֶךְ וַיְשַׁנֶּהָ וְאֶת־נַעֲרוֹתֶיהָ לְטוֹב
אֶסְתֵּר וּמָרְדֳּכַי בְּבֵית הַמֶּלֶךְ:
י בֵּית הַנָּשִׁים: לֹא־הִגִּידָה אֶסְתֵּר אֶת־עַמָּהּ וְאֶת־מוֹלַדְתָּהּ כִּי
יא מָרְדֳּכַי צִוָּה עָלֶיהָ אֲשֶׁר לֹא־תַגִּיד: וּבְכָל־יוֹם וָיוֹם מָרְדֳּכַי
מִתְהַלֵּךְ לִפְנֵי חֲצַר בֵּית־הַנָּשִׁים לָדַעַת אֶת־שְׁלוֹם אֶסְתֵּר
סֵדֶר בּוֹאָן שֶׁל נְעָרוֹת הַמֶּלֶךְ:
יב וּמַה־יֵּעָשֶׂה בָּהּ: וּבְהַגִּיעַ תֹּר נַעֲרָה וְנַעֲרָה לָבוֹא | אֶל־הַמֶּלֶךְ
אֲחַשְׁוֵרוֹשׁ מִקֵּץ הֱיוֹת לָהּ כְּדָת הַנָּשִׁים שְׁנֵים עָשָׂר חֹדֶשׁ כִּי
כֵּן יִמְלְאוּ יְמֵי מְרוּקֵיהֶן שִׁשָּׁה חֳדָשִׁים בְּשֶׁמֶן הַמֹּר וְשִׁשָּׁה
יג חֳדָשִׁים בַּבְּשָׂמִים וּבְתַמְרוּקֵי הַנָּשִׁים: וּבָזֶה הַנַּעֲרָה בָּאָה אֶל־
הַמֶּלֶךְ אֵת כָּל־אֲשֶׁר תֹּאמַר יִנָּתֵן לָהּ לָבוֹא עִמָּהּ מִבֵּית
יד הַנָּשִׁים עַד־בֵּית הַמֶּלֶךְ: בָּעֶרֶב | הִיא בָאָה וּבַבֹּקֶר הִיא שָׁבָה
אֶל־בֵּית הַנָּשִׁים שֵׁנִי אֶל־יַד שַׁעַשְׁגַז סְרִיס הַמֶּלֶךְ שֹׁמֵר
הַפִּילַגְשִׁים לֹא־תָבוֹא עוֹד אֶל־הַמֶּלֶךְ כִּי אִם־חָפֵץ בָּהּ הַמֶּלֶךְ
בְּחִירַת אֶסְתֵּר וְהַמִּשְׁתֶּה לִכְבוֹדָהּ:
טו וְנִקְרְאָה בְשֵׁם: וּבְהַגִּיעַ תֹּר־אֶסְתֵּר בַּת־אֲבִיחַיִל דֹּד מָרְדֳּכַי
אֲשֶׁר לָקַח־לוֹ לְבַת לָבוֹא אֶל־הַמֶּלֶךְ לֹא בִקְשָׁה דָּבָר כִּי אִם

אֶת־אֲשֶׁר יֹאמַר הֵגַי סְרִיס־הַמֶּלֶךְ שֹׁמֵר הַנָּשִׁים וַתְּהִי אֶסְתֵּר
טז נֹשֵׂאת חֵן בְּעֵינֵי כָּל־רֹאֶיהָ: וַתִּלָּקַח אֶסְתֵּר אֶל־הַמֶּלֶךְ אֲחַשְׁוֵרוֹשׁ
[3399] אֶל־בֵּית מַלְכוּתוֹ בַּחֹדֶשׁ הָעֲשִׂירִי הוּא־חֹדֶשׁ טֵבֵת בִּשְׁנַת־שֶׁבַע
יז לְמַלְכוּתוֹ: וַיֶּאֱהַב הַמֶּלֶךְ אֶת־אֶסְתֵּר מִכָּל־הַנָּשִׁים וַתִּשָּׂא־חֵן
וָחֶסֶד לְפָנָיו מִכָּל־הַבְּתוּלֹת וַיָּשֶׂם כֶּתֶר־מַלְכוּת בְּרֹאשָׁהּ
יח וַיַּמְלִיכֶהָ תַּחַת וַשְׁתִּי: וַיַּעַשׂ הַמֶּלֶךְ מִשְׁתֶּה גָדוֹל לְכָל־שָׂרָיו
וַעֲבָדָיו אֵת מִשְׁתֵּה אֶסְתֵּר וַהֲנָחָה לַמְּדִינוֹת עָשָׂה וַיִּתֵּן מַשְׂאֵת

קִבּוּץ בְּתוּלוֹת שֵׁנִית:

יט כְּיַד הַמֶּלֶךְ: וּבְהִקָּבֵץ בְּתוּלוֹת שֵׁנִית וּמָרְדֳּכַי יֹשֵׁב בְּשַׁעַר־
כ הַמֶּלֶךְ: אֵין אֶסְתֵּר מַגֶּדֶת מוֹלַדְתָּהּ וְאֶת־עַמָּהּ כַּאֲשֶׁר צִוָּה
עָלֶיהָ מָרְדֳּכָי וְאֶת־מַאֲמַר מָרְדֳּכַי אֶסְתֵּר עֹשָׂה כַּאֲשֶׁר הָיְתָה

מְזִמַּת סָרִיסֵי הַמֶּלֶךְ:

כא בְאָמְנָה אִתּוֹ: בַּיָּמִים הָהֵם וּמָרְדֳּכַי יֹשֵׁב בְּשַׁעַר־
הַמֶּלֶךְ קָצַף בִּגְתָן וָתֶרֶשׁ שְׁנֵי־סָרִיסֵי הַמֶּלֶךְ מִשֹּׁמְרֵי הַסַּף
כב וַיְבַקְשׁוּ לִשְׁלֹחַ יָד בַּמֶּלֶךְ אֲחַשְׁוֵרֹשׁ: וַיִּוָּדַע הַדָּבָר לְמָרְדֳּכַי
וַיַּגֵּד לְאֶסְתֵּר הַמַּלְכָּה וַתֹּאמֶר אֶסְתֵּר לַמֶּלֶךְ בְּשֵׁם מָרְדֳּכָי:
כג וַיְבֻקַּשׁ הַדָּבָר וַיִּמָּצֵא וַיִּתָּלוּ שְׁנֵיהֶם עַל־עֵץ וַיִּכָּתֵב בְּסֵפֶר דִּבְרֵי

גְּדֻלַּת הָמָן, וְסֵרוּב מָרְדֳּכַי לְהִשְׁתַּחֲווֹת:

ג א הַיָּמִים לִפְנֵי הַמֶּלֶךְ: אַחַר ׀ הַדְּבָרִים הָאֵלֶּה גִּדַּל
הַמֶּלֶךְ אֲחַשְׁוֵרוֹשׁ אֶת־הָמָן בֶּן־הַמְּדָתָא הָאֲגָגִי וַיְנַשְּׂאֵהוּ וַיָּשֶׂם
ב אֶת־כִּסְאוֹ מֵעַל כָּל־הַשָּׂרִים אֲשֶׁר אִתּוֹ: וְכָל־עַבְדֵי הַמֶּלֶךְ
אֲשֶׁר־בְּשַׁעַר הַמֶּלֶךְ כֹּרְעִים וּמִשְׁתַּחֲוִים לְהָמָן כִּי־כֵן צִוָּה־לוֹ
ג הַמֶּלֶךְ וּמָרְדֳּכַי לֹא יִכְרַע וְלֹא יִשְׁתַּחֲוֶה: וַיֹּאמְרוּ עַבְדֵי הַמֶּלֶךְ
אֲשֶׁר־בְּשַׁעַר הַמֶּלֶךְ לְמָרְדֳּכָי מַדּוּעַ אַתָּה עוֹבֵר אֵת מִצְוַת
ד הַמֶּלֶךְ: וַיְהִי באמרם כְּאָמְרָם אֵלָיו יוֹם וָיוֹם וְלֹא שָׁמַע אֲלֵיהֶם
וַיַּגִּידוּ לְהָמָן לִרְאוֹת הֲיַעַמְדוּ דִּבְרֵי מָרְדֳּכַי כִּי־הִגִּיד לָהֶם

מַחֲשֶׁבֶת הָמָן הָרָעָה:

ה אֲשֶׁר־הוּא יְהוּדִי: וַיַּרְא הָמָן כִּי־אֵין מָרְדֳּכַי כֹּרֵעַ וּמִשְׁתַּחֲוֶה לוֹ
ו וַיִּמָּלֵא הָמָן חֵמָה: וַיִּבֶז בְּעֵינָיו לִשְׁלֹחַ יָד בְּמָרְדֳּכַי לְבַדּוֹ

כִּי־הִגִּידוּ לוֹ אֶת־עַם מָרְדֳּכָי וַיְבַקֵּשׁ הָמָן לְהַשְׁמִיד אֶת־כָּל־
ז הַיְּהוּדִים אֲשֶׁר בְּכָל־מַלְכוּת אֲחַשְׁוֵרוֹשׁ עַם מָרְדֳּכָי׃ בַּחֹדֶשׁ [3404]
הָרִאשׁוֹן הוּא־חֹדֶשׁ נִיסָן בִּשְׁנַת שְׁתֵּים עֶשְׂרֵה לַמֶּלֶךְ
אֲחַשְׁוֵרוֹשׁ הִפִּיל פּוּר הוּא הַגּוֹרָל לִפְנֵי הָמָן מִיּוֹם ׀ לְיוֹם וּמֵחֹדֶשׁ
ח לְחֹדֶשׁ שְׁנֵים־עָשָׂר הוּא־חֹדֶשׁ אֲדָר׃ וַיֹּאמֶר הָמָן בַּקָּשַׁת הָמָן לְאַבֵּד אֶת הַיְּהוּדִים׃
לַמֶּלֶךְ אֲחַשְׁוֵרוֹשׁ יֶשְׁנוֹ עַם־אֶחָד מְפֻזָּר וּמְפֹרָד בֵּין הָעַמִּים
בְּכָל מְדִינוֹת מַלְכוּתֶךָ וְדָתֵיהֶם שֹׁנוֹת מִכָּל־עָם וְאֶת־דָּתֵי הַמֶּלֶךְ
ט אֵינָם עֹשִׂים וְלַמֶּלֶךְ אֵין־שֹׁוֶה לְהַנִּיחָם׃ אִם־עַל־הַמֶּלֶךְ טוֹב
יִכָּתֵב לְאַבְּדָם וַעֲשֶׂרֶת אֲלָפִים כִּכַּר־כֶּסֶף אֶשְׁקוֹל עַל־יְדֵי עֹשֵׂי
י הַמְּלָאכָה לְהָבִיא אֶל־גִּנְזֵי הַמֶּלֶךְ׃ וַיָּסַר הַמֶּלֶךְ אֶת־טַבַּעְתּוֹ מֵעַל
יא יָדוֹ וַיִּתְּנָהּ לְהָמָן בֶּן־הַמְּדָתָא הָאֲגָגִי צֹרֵר הַיְּהוּדִים׃ וַיֹּאמֶר
הַמֶּלֶךְ לְהָמָן הַכֶּסֶף נָתוּן לָךְ וְהָעָם לַעֲשׂוֹת בּוֹ כַּטּוֹב בְּעֵינֶיךָ׃
יב וַיִּקָּרְאוּ סֹפְרֵי הַמֶּלֶךְ בַּחֹדֶשׁ הָרִאשׁוֹן בִּשְׁלוֹשָׁה עָשָׂר יוֹם בּוֹ כְּתִיבַת הָאִגְּרוֹת וְשִׁלּוּחָן׃
וַיִּכָּתֵב כְּכָל־אֲשֶׁר־צִוָּה הָמָן אֶל אֲחַשְׁדַּרְפְּנֵי־הַמֶּלֶךְ וְאֶל־הַפַּחוֹת [3404]
אֲשֶׁר ׀ עַל־מְדִינָה וּמְדִינָה וְאֶל־שָׂרֵי עַם וָעָם מְדִינָה וּמְדִינָה
כִּכְתָבָהּ וְעַם וָעָם כִּלְשׁוֹנוֹ בְּשֵׁם הַמֶּלֶךְ אֲחַשְׁוֵרֹשׁ נִכְתָּב וְנֶחְתָּם
יג בְּטַבַּעַת הַמֶּלֶךְ׃ וְנִשְׁלוֹחַ סְפָרִים בְּיַד הָרָצִים אֶל־כָּל־מְדִינוֹת
הַמֶּלֶךְ לְהַשְׁמִיד לַהֲרֹג וּלְאַבֵּד אֶת־כָּל־הַיְּהוּדִים מִנַּעַר וְעַד־זָקֵן
טַף וְנָשִׁים בְּיוֹם אֶחָד בִּשְׁלוֹשָׁה עָשָׂר לְחֹדֶשׁ שְׁנֵים־עָשָׂר הוּא־
יד חֹדֶשׁ אֲדָר וּשְׁלָלָם לָבוֹז׃ פַּתְשֶׁגֶן הַכְּתָב לְהִנָּתֵן דָּת בְּכָל־מְדִינָה
טו וּמְדִינָה גָּלוּי לְכָל־הָעַמִּים לִהְיוֹת עֲתִדִים לַיּוֹם הַזֶּה׃ הָרָצִים
יָצְאוּ דְחוּפִים בִּדְבַר הַמֶּלֶךְ וְהַדָּת נִתְּנָה בְּשׁוּשַׁן הַבִּירָה וְהַמֶּלֶךְ
ד א וְהָמָן יָשְׁבוּ לִשְׁתּוֹת וְהָעִיר שׁוּשַׁן נָבוֹכָה׃ וּמָרְדֳּכַי יָדַע הָאֵבֶל וְהַבְּכִי בְּקֶרֶב הַיְּהוּדִים׃
אֶת־כָּל־אֲשֶׁר נַעֲשָׂה וַיִּקְרַע מָרְדֳּכַי אֶת־בְּגָדָיו וַיִּלְבַּשׁ שַׂק וָאֵפֶר
ב וַיֵּצֵא בְּתוֹךְ הָעִיר וַיִּזְעַק זְעָקָה גְדֹלָה וּמָרָה׃ וַיָּבוֹא עַד לִפְנֵי

שַׁעַר הַמֶּלֶךְ כִּי אֵין לָבוֹא אֶל־שַׁעַר הַמֶּלֶךְ בִּלְבוּשׁ שָׂק׃
ג וּבְכָל־מְדִינָה וּמְדִינָה מְקוֹם אֲשֶׁר דְּבַר־הַמֶּלֶךְ וְדָתוֹ מַגִּיעַ
אֵבֶל גָּדוֹל לַיְּהוּדִים וְצוֹם וּבְכִי וּמִסְפֵּד שַׂק וָאֵפֶר יֻצַּע לָרַבִּים׃
ד ותבואינה וַתָּבוֹאנָה נַעֲרוֹת אֶסְתֵּר וְסָרִיסֶיהָ וַיַּגִּידוּ לָהּ וַתִּתְחַלְחַל

תְּגוּבַת אֶסְתֵּר לְהִתְנַהֲגוּת מָרְדֳּכַי:

הַמַּלְכָּה מְאֹד וַתִּשְׁלַח בְּגָדִים לְהַלְבִּישׁ אֶת־מָרְדֳּכַי וּלְהָסִיר שַׂקּוֹ
ה מֵעָלָיו וְלֹא קִבֵּל׃ וַתִּקְרָא אֶסְתֵּר לַהֲתָךְ מִסָּרִיסֵי הַמֶּלֶךְ אֲשֶׁר
הֶעֱמִיד לְפָנֶיהָ וַתְּצַוֵּהוּ עַל־מָרְדֳּכָי לָדַעַת מַה־זֶּה וְעַל־מַה־זֶּה׃
ו וַיֵּצֵא הֲתָךְ אֶל־מָרְדֳּכָי אֶל־רְחוֹב הָעִיר אֲשֶׁר לִפְנֵי שַׁעַר־הַמֶּלֶךְ׃
ז וַיַּגֶּד־לוֹ מָרְדֳּכַי אֵת כָּל־אֲשֶׁר קָרָהוּ וְאֵת ׀ פָּרָשַׁת הַכֶּסֶף אֲשֶׁר

צִוּוּי מָרְדֳּכַי לְאֶסְתֵּר לְבַטֵּל הַגְּזֵרָה:

אָמַר הָמָן לִשְׁקוֹל עַל־גִּנְזֵי הַמֶּלֶךְ ביהודיים בַּיְּהוּדִים לְאַבְּדָם׃
ח וְאֶת־פַּתְשֶׁגֶן כְּתָב־הַדָּת אֲשֶׁר־נִתַּן בְּשׁוּשָׁן לְהַשְׁמִידָם נָתַן לוֹ
לְהַרְאוֹת אֶת־אֶסְתֵּר וּלְהַגִּיד לָהּ וּלְצַוּוֹת עָלֶיהָ לָבוֹא אֶל־הַמֶּלֶךְ
ט לְהִתְחַנֶּן־לוֹ וּלְבַקֵּשׁ מִלְּפָנָיו עַל־עַמָּהּ׃ וַיָּבוֹא הֲתָךְ וַיַּגֵּד

סֵרוּב אֶסְתֵּר:

י לְאֶסְתֵּר אֵת דִּבְרֵי מָרְדֳּכָי׃ וַתֹּאמֶר אֶסְתֵּר לַהֲתָךְ וַתְּצַוֵּהוּ
יא אֶל־מָרְדֳּכָי׃ כָּל־עַבְדֵי הַמֶּלֶךְ וְעַם־מְדִינוֹת הַמֶּלֶךְ יֹדְעִים אֲשֶׁר
כָּל־אִישׁ וְאִשָּׁה אֲשֶׁר יָבוֹא־אֶל־הַמֶּלֶךְ אֶל־הֶחָצֵר הַפְּנִימִית
אֲשֶׁר לֹא־יִקָּרֵא אַחַת דָּתוֹ לְהָמִית לְבַד מֵאֲשֶׁר יוֹשִׁיט־לוֹ
הַמֶּלֶךְ אֶת־שַׁרְבִיט הַזָּהָב וְחָיָה וַאֲנִי לֹא נִקְרֵאתִי לָבוֹא
יב אֶל־הַמֶּלֶךְ זֶה שְׁלוֹשִׁים יוֹם׃ וַיַּגִּידוּ לְמָרְדֳּכָי אֵת דִּבְרֵי אֶסְתֵּר׃
יג וַיֹּאמֶר מָרְדֳּכַי לְהָשִׁיב אֶל־אֶסְתֵּר אַל־תְּדַמִּי בְנַפְשֵׁךְ לְהִמָּלֵט

תְּשׁוּבַת מָרְדֳּכַי לְאֶסְתֵּר:

יד בֵּית־הַמֶּלֶךְ מִכָּל־הַיְּהוּדִים׃ כִּי אִם־הַחֲרֵשׁ תַּחֲרִישִׁי בָּעֵת הַזֹּאת
רֶוַח וְהַצָּלָה יַעֲמוֹד לַיְּהוּדִים מִמָּקוֹם אַחֵר וְאַתְּ וּבֵית־אָבִיךְ
טו תֹּאבֵדוּ וּמִי יוֹדֵעַ אִם־לְעֵת כָּזֹאת הִגַּעַתְּ לַמַּלְכוּת׃ וַתֹּאמֶר

הַצּוֹם וְהַתְּפִלָּה:

טז אֶסְתֵּר לְהָשִׁיב אֶל־מָרְדֳּכָי׃ לֵךְ כְּנוֹס אֶת־כָּל־הַיְּהוּדִים
הַנִּמְצְאִים בְּשׁוּשָׁן וְצוּמוּ עָלַי וְאַל־תֹּאכְלוּ וְאַל־תִּשְׁתּוּ שְׁלֹשֶׁת

יָמִים לַיְלָה וָיוֹם גַּם־אֲנִי וְנַעֲרֹתַי אָצוּם כֵּן וּבְכֵן אָבוֹא אֶל־הַמֶּלֶךְ
יז אֲשֶׁר לֹא־כַדָּת וְכַאֲשֶׁר אָבַדְתִּי אָבָדְתִּי׃ וַיַּעֲבֹר מָרְדֳּכָי וַיַּעַשׂ
ה א כְּכֹל אֲשֶׁר־צִוְּתָה עָלָיו אֶסְתֵּר׃ וַיְהִי ׀ בַּיּוֹם הַשְּׁלִישִׁי וַתִּלְבַּשׁ מִשְׁתֵּה אֶסְתֵּר הָרִאשׁוֹן׃
אֶסְתֵּר מַלְכוּת וַתַּעֲמֹד בַּחֲצַר בֵּית־הַמֶּלֶךְ הַפְּנִימִית נֹכַח בֵּית
הַמֶּלֶךְ וְהַמֶּלֶךְ יוֹשֵׁב עַל־כִּסֵּא מַלְכוּתוֹ בְּבֵית הַמַּלְכוּת נֹכַח
ב פֶּתַח הַבָּיִת׃ וַיְהִי כִרְאוֹת הַמֶּלֶךְ אֶת־אֶסְתֵּר הַמַּלְכָּה עֹמֶדֶת
בֶּחָצֵר נָשְׂאָה חֵן בְּעֵינָיו וַיּוֹשֶׁט הַמֶּלֶךְ לְאֶסְתֵּר אֶת־שַׁרְבִיט
ג הַזָּהָב אֲשֶׁר בְּיָדוֹ וַתִּקְרַב אֶסְתֵּר וַתִּגַּע בְּרֹאשׁ הַשַּׁרְבִיט׃ וַיֹּאמֶר
לָהּ הַמֶּלֶךְ מַה־לָּךְ אֶסְתֵּר הַמַּלְכָּה וּמַה־בַּקָּשָׁתֵךְ עַד־חֲצִי
ד הַמַּלְכוּת וְיִנָּתֵן לָךְ׃ וַתֹּאמֶר אֶסְתֵּר אִם־עַל־הַמֶּלֶךְ טוֹב יָבוֹא
ה הַמֶּלֶךְ וְהָמָן הַיּוֹם אֶל־הַמִּשְׁתֶּה אֲשֶׁר־עָשִׂיתִי לוֹ׃ וַיֹּאמֶר הַמֶּלֶךְ
מַהֲרוּ אֶת־הָמָן לַעֲשׂוֹת אֶת־דְּבַר אֶסְתֵּר וַיָּבֹא הַמֶּלֶךְ וְהָמָן
ו אֶל־הַמִּשְׁתֶּה אֲשֶׁר־עָשְׂתָה אֶסְתֵּר׃ וַיֹּאמֶר הַמֶּלֶךְ לְאֶסְתֵּר
בְּמִשְׁתֵּה הַיַּיִן מַה־שְּׁאֵלָתֵךְ וְיִנָּתֵן לָךְ וּמַה־בַּקָּשָׁתֵךְ עַד־חֲצִי
ז ח הַמַּלְכוּת וְתֵעָשׂ׃ וַתַּעַן אֶסְתֵּר וַתֹּאמַר שְׁאֵלָתִי וּבַקָּשָׁתִי׃ אִם־
מָצָאתִי חֵן בְּעֵינֵי הַמֶּלֶךְ וְאִם־עַל־הַמֶּלֶךְ טוֹב לָתֵת אֶת־
שְׁאֵלָתִי וְלַעֲשׂוֹת אֶת־בַּקָּשָׁתִי יָבוֹא הַמֶּלֶךְ וְהָמָן אֶל־הַמִּשְׁתֶּה
ט אֲשֶׁר אֶעֱשֶׂה לָהֶם וּמָחָר אֶעֱשֶׂה כִּדְבַר הַמֶּלֶךְ׃ וַיֵּצֵא הָמָן בַּיּוֹם כַּעַס הָמָן וַעֲצַת זֶרֶשׁ׃
הַהוּא שָׂמֵחַ וְטוֹב לֵב וְכִרְאוֹת הָמָן אֶת־מָרְדֳּכַי בְּשַׁעַר הַמֶּלֶךְ
י וְלֹא־קָם וְלֹא־זָע מִמֶּנּוּ וַיִּמָּלֵא הָמָן עַל־מָרְדֳּכַי חֵמָה׃ וַיִּתְאַפַּק
הָמָן וַיָּבוֹא אֶל־בֵּיתוֹ וַיִּשְׁלַח וַיָּבֵא אֶת־אֹהֲבָיו וְאֶת־זֶרֶשׁ אִשְׁתּוֹ׃
יא וַיְסַפֵּר לָהֶם הָמָן אֶת־כְּבוֹד עָשְׁרוֹ וְרֹב בָּנָיו וְאֵת כָּל־אֲשֶׁר גִּדְּלוֹ
יב הַמֶּלֶךְ וְאֵת אֲשֶׁר נִשְּׂאוֹ עַל־הַשָּׂרִים וְעַבְדֵי הַמֶּלֶךְ׃ וַיֹּאמֶר הָמָן
אַף לֹא־הֵבִיאָה אֶסְתֵּר הַמַּלְכָּה עִם־הַמֶּלֶךְ אֶל־הַמִּשְׁתֶּה אֲשֶׁר־
עָשָׂתָה כִּי אִם־אוֹתִי וְגַם־לְמָחָר אֲנִי קָרוּא־לָהּ עִם־הַמֶּלֶךְ׃

וְכָל־זֶה אֵינֶנּוּ שֹׁוֶה לִי בְּכָל־עֵת אֲשֶׁר אֲנִי רֹאֶה אֶת־מָרְדֳּכַי יג
הַיְּהוּדִי יוֹשֵׁב בְּשַׁעַר הַמֶּלֶךְ: וַתֹּאמֶר לוֹ זֶרֶשׁ אִשְׁתּוֹ וְכָל־אֹהֲבָיו יד
יַעֲשׂוּ־עֵץ גָּבֹהַּ חֲמִשִּׁים אַמָּה וּבַבֹּקֶר ׀ אֱמֹר לַמֶּלֶךְ וְיִתְלוּ
אֶת־מָרְדֳּכַי עָלָיו וּבֹא־עִם־הַמֶּלֶךְ אֶל־הַמִּשְׁתֶּה שָׂמֵחַ וַיִּיטַב
נְדִידַת שְׁנַת הַמֶּלֶךְ: הַדָּבָר לִפְנֵי הָמָן וַיַּעַשׂ הָעֵץ: בַּלַּיְלָה הַהוּא נָדְדָה שְׁנַת ו א
הַמֶּלֶךְ וַיֹּאמֶר לְהָבִיא אֶת־סֵפֶר הַזִּכְרֹנוֹת דִּבְרֵי הַיָּמִים וַיִּהְיוּ
נִקְרָאִים לִפְנֵי הַמֶּלֶךְ: וַיִּמָּצֵא כָתוּב אֲשֶׁר הִגִּיד מָרְדֳּכַי עַל־ ב
בִּגְתָנָא וָתֶרֶשׁ שְׁנֵי סָרִיסֵי הַמֶּלֶךְ מִשֹּׁמְרֵי הַסַּף אֲשֶׁר בִּקְשׁוּ
לִשְׁלֹחַ יָד בַּמֶּלֶךְ אֲחַשְׁוֵרוֹשׁ: וַיֹּאמֶר הַמֶּלֶךְ מַה־נַּעֲשָׂה יְקָר ג
וּגְדוּלָּה לְמָרְדֳּכַי עַל־זֶה וַיֹּאמְרוּ נַעֲרֵי הַמֶּלֶךְ מְשָׁרְתָיו לֹא־
מַה לַּעֲשׂוֹת בָּאִישׁ הָרָצוּי לַמֶּלֶךְ: נַעֲשָׂה עִמּוֹ דָּבָר: וַיֹּאמֶר הַמֶּלֶךְ מִי בֶחָצֵר וְהָמָן בָּא לַחֲצַר ד
בֵּית־הַמֶּלֶךְ הַחִיצוֹנָה לֵאמֹר לַמֶּלֶךְ לִתְלוֹת אֶת־מָרְדֳּכַי עַל־
הָעֵץ אֲשֶׁר־הֵכִין לוֹ: וַיֹּאמְרוּ נַעֲרֵי הַמֶּלֶךְ אֵלָיו הִנֵּה הָמָן עֹמֵד ה
בֶּחָצֵר וַיֹּאמֶר הַמֶּלֶךְ יָבוֹא: וַיָּבוֹא הָמָן וַיֹּאמֶר לוֹ הַמֶּלֶךְ ו
מַה־לַּעֲשׂוֹת בָּאִישׁ אֲשֶׁר הַמֶּלֶךְ חָפֵץ בִּיקָרוֹ וַיֹּאמֶר הָמָן בְּלִבּוֹ
לְמִי יַחְפֹּץ הַמֶּלֶךְ לַעֲשׂוֹת יְקָר יוֹתֵר מִמֶּנִּי: וַיֹּאמֶר הָמָן ז
אֶל־הַמֶּלֶךְ אִישׁ אֲשֶׁר הַמֶּלֶךְ חָפֵץ בִּיקָרוֹ: יָבִיאוּ לְבוּשׁ מַלְכוּת ח
אֲשֶׁר לָבַשׁ־בּוֹ הַמֶּלֶךְ וְסוּס אֲשֶׁר רָכַב עָלָיו הַמֶּלֶךְ וַאֲשֶׁר נִתַּן
כֶּתֶר מַלְכוּת בְּרֹאשׁוֹ: וְנָתוֹן הַלְּבוּשׁ וְהַסּוּס עַל־יַד־אִישׁ מִשָּׂרֵי ט
הַמֶּלֶךְ הַפַּרְתְּמִים וְהִלְבִּישׁוּ אֶת־הָאִישׁ אֲשֶׁר הַמֶּלֶךְ חָפֵץ בִּיקָרוֹ
וְהִרְכִּיבֻהוּ עַל־הַסּוּס בִּרְחוֹב הָעִיר וְקָרְאוּ לְפָנָיו כָּכָה יֵעָשֶׂה
הַרְכָּבַת מָרְדֳּכַי עַל הַסּוּס: לָאִישׁ אֲשֶׁר הַמֶּלֶךְ חָפֵץ בִּיקָרוֹ: וַיֹּאמֶר הַמֶּלֶךְ לְהָמָן מַהֵר קַח י
אֶת־הַלְּבוּשׁ וְאֶת־הַסּוּס כַּאֲשֶׁר דִּבַּרְתָּ וַעֲשֵׂה־כֵן לְמָרְדֳּכַי
הַיְּהוּדִי הַיּוֹשֵׁב בְּשַׁעַר הַמֶּלֶךְ אַל־תַּפֵּל דָּבָר מִכֹּל אֲשֶׁר דִּבַּרְתָּ:
וַיִּקַּח הָמָן אֶת־הַלְּבוּשׁ וְאֶת־הַסּוּס וַיַּלְבֵּשׁ אֶת־מָרְדֳּכָי וַיַּרְכִּיבֵהוּ יא

בִּרְחוֹב הָעִיר וַיִּקְרָא לְפָנָיו כָּכָה יֵעָשֶׂה לָאִישׁ אֲשֶׁר הַמֶּלֶךְ חָפֵץ
יב בִּיקָרוֹ: וַיָּשָׁב מָרְדֳּכַי אֶל־שַׁעַר הַמֶּלֶךְ וְהָמָן נִדְחַף אֶל־בֵּיתוֹ
יג אָבֵל וַחֲפוּי רֹאשׁ: וַיְסַפֵּר הָמָן לְזֶרֶשׁ אִשְׁתּוֹ וּלְכָל־אֹהֲבָיו אֵת
כָּל־אֲשֶׁר קָרָהוּ וַיֹּאמְרוּ לוֹ חֲכָמָיו וְזֶרֶשׁ אִשְׁתּוֹ אִם מִזֶּרַע
הַיְּהוּדִים מָרְדֳּכַי אֲשֶׁר הַחִלּוֹתָ לִנְפֹּל לְפָנָיו לֹא־תוּכַל לוֹ
יד כִּי־נָפוֹל תִּפּוֹל לְפָנָיו: עוֹדָם מְדַבְּרִים עִמּוֹ וְסָרִיסֵי הַמֶּלֶךְ הִגִּיעוּ
וַיַּבְהִלוּ לְהָבִיא אֶת־הָמָן אֶל־הַמִּשְׁתֶּה אֲשֶׁר־עָשְׂתָה אֶסְתֵּר:
ז א ב וַיָּבֹא הַמֶּלֶךְ וְהָמָן לִשְׁתּוֹת עִם־אֶסְתֵּר הַמַּלְכָּה: וַיֹּאמֶר הַמֶּלֶךְ
לְאֶסְתֵּר גַּם בַּיּוֹם הַשֵּׁנִי בְּמִשְׁתֵּה הַיַּיִן מַה־שְּׁאֵלָתֵךְ אֶסְתֵּר
ג הַמַּלְכָּה וְתִנָּתֵן לָךְ וּמַה־בַּקָּשָׁתֵךְ עַד־חֲצִי הַמַּלְכוּת וְתֵעָשׂ: וַתַּעַן
אֶסְתֵּר הַמַּלְכָּה וַתֹּאמַר אִם־מָצָאתִי חֵן בְּעֵינֶיךָ הַמֶּלֶךְ וְאִם־עַל־
ד הַמֶּלֶךְ טוֹב תִּנָּתֶן־לִי נַפְשִׁי בִּשְׁאֵלָתִי וְעַמִּי בְּבַקָּשָׁתִי: כִּי נִמְכַּרְנוּ
אֲנִי וְעַמִּי לְהַשְׁמִיד לַהֲרוֹג וּלְאַבֵּד וְאִלּוּ לַעֲבָדִים וְלִשְׁפָחוֹת
ה נִמְכַּרְנוּ הֶחֱרַשְׁתִּי כִּי אֵין הַצָּר שֹׁוֶה בְּנֵזֶק הַמֶּלֶךְ: וַיֹּאמֶר
הַמֶּלֶךְ אֲחַשְׁוֵרוֹשׁ וַיֹּאמֶר לְאֶסְתֵּר הַמַּלְכָּה מִי הוּא זֶה וְאֵי־זֶה
ו הוּא אֲשֶׁר־מְלָאוֹ לִבּוֹ לַעֲשׂוֹת כֵּן: וַתֹּאמֶר אֶסְתֵּר אִישׁ צַר וְאוֹיֵב
ז הָמָן הָרָע הַזֶּה וְהָמָן נִבְעַת מִלִּפְנֵי הַמֶּלֶךְ וְהַמַּלְכָּה: וְהַמֶּלֶךְ קָם
בַּחֲמָתוֹ מִמִּשְׁתֵּה הַיַּיִן אֶל־גִּנַּת הַבִּיתָן וְהָמָן עָמַד לְבַקֵּשׁ
עַל־נַפְשׁוֹ מֵאֶסְתֵּר הַמַּלְכָּה כִּי רָאָה כִּי־כָלְתָה אֵלָיו הָרָעָה מֵאֵת
ח הַמֶּלֶךְ: וְהַמֶּלֶךְ שָׁב מִגִּנַּת הַבִּיתָן אֶל־בֵּית ׀ מִשְׁתֵּה הַיַּיִן וְהָמָן
נֹפֵל עַל־הַמִּטָּה אֲשֶׁר אֶסְתֵּר עָלֶיהָ וַיֹּאמֶר הַמֶּלֶךְ הֲגַם לִכְבּוֹשׁ
אֶת־הַמַּלְכָּה עִמִּי בַּבָּיִת הַדָּבָר יָצָא מִפִּי הַמֶּלֶךְ וּפְנֵי הָמָן חָפוּ:
ט וַיֹּאמֶר חַרְבוֹנָה אֶחָד מִן־הַסָּרִיסִים לִפְנֵי הַמֶּלֶךְ גַּם הִנֵּה־הָעֵץ
אֲשֶׁר־עָשָׂה הָמָן לְמָרְדֳּכַי אֲשֶׁר דִּבֶּר־טוֹב עַל־הַמֶּלֶךְ עֹמֵד
בְּבֵית הָמָן גָּבֹהַּ חֲמִשִּׁים אַמָּה וַיֹּאמֶר הַמֶּלֶךְ תְּלֻהוּ עָלָיו:

מִשְׁתֵּה אֶסְתֵּר הַשֵּׁנִי:

חֲמַת הַמֶּלֶךְ עַל הָמָן:

עֲצַת חַרְבוֹנָה וּתְלִיַּת הָמָן:

י וַיִּתְלוּ אֶת־הָמָן עַל־הָעֵץ אֲשֶׁר־הֵכִין לְמָרְדֳּכָי וַחֲמַת הַמֶּלֶךְ
ח א שָׁכָכָה׃ בַּיּוֹם הַהוּא נָתַן הַמֶּלֶךְ אֲחַשְׁוֵרוֹשׁ לְאֶסְתֵּר
הַמַּלְכָּה אֶת־בֵּית הָמָן צֹרֵר היהודיים הַיְּהוּדִים וּמָרְדֳּכַי בָּא לִפְנֵי
ב הַמֶּלֶךְ כִּי־הִגִּידָה אֶסְתֵּר מַה הוּא־לָהּ׃ וַיָּסַר הַמֶּלֶךְ אֶת־טַבַּעְתּוֹ
אֲשֶׁר הֶעֱבִיר מֵהָמָן וַיִּתְּנָהּ לְמָרְדֳּכָי וַתָּשֶׂם אֶסְתֵּר אֶת־מָרְדֳּכַי
ג עַל־בֵּית הָמָן׃ וַתּוֹסֶף אֶסְתֵּר וַתְּדַבֵּר לִפְנֵי הַמֶּלֶךְ
וַתִּפֹּל לִפְנֵי רַגְלָיו וַתֵּבְךְּ וַתִּתְחַנֶּן־לוֹ לְהַעֲבִיר אֶת־רָעַת הָמָן
ד הָאֲגָגִי וְאֵת מַחֲשַׁבְתּוֹ אֲשֶׁר חָשַׁב עַל־הַיְּהוּדִים׃ וַיּוֹשֶׁט הַמֶּלֶךְ
לְאֶסְתֵּר אֵת שַׁרְבִט הַזָּהָב וַתָּקָם אֶסְתֵּר וַתַּעֲמֹד לִפְנֵי הַמֶּלֶךְ׃
ה וַתֹּאמֶר אִם־עַל־הַמֶּלֶךְ טוֹב וְאִם־מָצָאתִי חֵן לְפָנָיו וְכָשֵׁר הַדָּבָר
לִפְנֵי הַמֶּלֶךְ וְטוֹבָה אֲנִי בְּעֵינָיו יִכָּתֵב לְהָשִׁיב אֶת־הַסְּפָרִים
מַחֲשֶׁבֶת הָמָן בֶּן־הַמְּדָתָא הָאֲגָגִי אֲשֶׁר כָּתַב לְאַבֵּד אֶת־
ו הַיְּהוּדִים אֲשֶׁר בְּכָל־מְדִינוֹת הַמֶּלֶךְ׃ כִּי אֵיכָכָה אוּכַל וְרָאִיתִי
בָּרָעָה אֲשֶׁר־יִמְצָא אֶת־עַמִּי וְאֵיכָכָה אוּכַל וְרָאִיתִי בְּאָבְדַן
ז מוֹלַדְתִּי׃ וַיֹּאמֶר
הַמֶּלֶךְ אֲחַשְׁוֵרֹשׁ לְאֶסְתֵּר הַמַּלְכָּה וּלְמָרְדֳּכַי הַיְּהוּדִי הִנֵּה
בֵית־הָמָן נָתַתִּי לְאֶסְתֵּר וְאֹתוֹ תָּלוּ עַל־הָעֵץ עַל אֲשֶׁר־שָׁלַח
ח יָדוֹ ביהודיים בַּיְּהוּדִים׃ וְאַתֶּם כִּתְבוּ עַל־הַיְּהוּדִים כַּטּוֹב בְּעֵינֵיכֶם
בְּשֵׁם הַמֶּלֶךְ וְחִתְמוּ בְּטַבַּעַת הַמֶּלֶךְ כִּי־כְתָב אֲשֶׁר־נִכְתָּב
ט בְּשֵׁם־הַמֶּלֶךְ וְנַחְתּוֹם בְּטַבַּעַת הַמֶּלֶךְ אֵין לְהָשִׁיב׃ וַיִּקָּרְאוּ
סֹפְרֵי־הַמֶּלֶךְ בָּעֵת־הַהִיא בַּחֹדֶשׁ הַשְּׁלִישִׁי הוּא־חֹדֶשׁ סִיוָן
בִּשְׁלוֹשָׁה וְעֶשְׂרִים בּוֹ וַיִּכָּתֵב כְּכָל־אֲשֶׁר־צִוָּה מָרְדֳּכַי אֶל־
הַיְּהוּדִים וְאֶל הָאֲחַשְׁדַּרְפְּנִים־וְהַפַּחוֹת וְשָׂרֵי הַמְּדִינוֹת אֲשֶׁר ׀
מֵהֹדּוּ וְעַד־כּוּשׁ שֶׁבַע וְעֶשְׂרִים וּמֵאָה מְדִינָה מְדִינָה וּמְדִינָה
כִּכְתָבָהּ וְעַם וָעָם כִּלְשֹׁנוֹ וְאֶל־הַיְּהוּדִים כִּכְתָבָם וְכִלְשׁוֹנָם׃

הַעֲבָרַת הַטַּבַּעַת לְמָרְדֳּכָי:

בַּקָּשַׁת אֶסְתֵּר לְהָשִׁיב הָאִגְּרוֹת:

הַעֲבָרַת הַטַּבַּעַת לְמָרְדֳּכַי וְאֶסְתֵּר:

שִׁלּוּחַ הָאִגְּרוֹת הַחֲדָשׁוֹת:

י וַיִּכְתֹּב בְּשֵׁם הַמֶּלֶךְ אֲחַשְׁוֵרֹשׁ וַיַּחְתֹּם בְּטַבַּעַת הַמֶּלֶךְ וַיִּשְׁלַח
סְפָרִים בְּיַד הָרָצִים בַּסּוּסִים רֹכְבֵי הָרֶכֶשׁ הָאֲחַשְׁתְּרָנִים בְּנֵי
יא הָרַמָּכִים: אֲשֶׁר נָתַן הַמֶּלֶךְ לַיְּהוּדִים ׀ אֲשֶׁר בְּכָל־עִיר־וָעִיר
לְהִקָּהֵל וְלַעֲמֹד עַל־נַפְשָׁם לְהַשְׁמִיד וְלַהֲרֹג וּלְאַבֵּד אֶת־כָּל־חֵיל
יב עַם וּמְדִינָה הַצָּרִים אֹתָם טַף וְנָשִׁים וּשְׁלָלָם לָבוֹז: בְּיוֹם אֶחָד
בְּכָל־מְדִינוֹת הַמֶּלֶךְ אֲחַשְׁוֵרוֹשׁ בִּשְׁלוֹשָׁה עָשָׂר לְחֹדֶשׁ שְׁנֵים־
יג עָשָׂר הוּא־חֹדֶשׁ אֲדָר: פַּתְשֶׁגֶן הַכְּתָב לְהִנָּתֵן דָּת בְּכָל־מְדִינָה
וּמְדִינָה גָּלוּי לְכָל־הָעַמִּים וְלִהְיוֹת היהודיים עתודים הַיְּהוּדִים
יד עֲתִידִים לַיּוֹם הַזֶּה לְהִנָּקֵם מֵאֹיְבֵיהֶם: הָרָצִים רֹכְבֵי הָרֶכֶשׁ
הָאֲחַשְׁתְּרָנִים יָצְאוּ מְבֹהָלִים וּדְחוּפִים בִּדְבַר הַמֶּלֶךְ וְהַדָּת נִתְּנָה
טו בְּשׁוּשַׁן הַבִּירָה: וּמָרְדֳּכַי
גְּדֻלַּת מָרְדֳּכַי וְשִׂמְחַת הַיְּהוּדִים:
יָצָא ׀ מִלִּפְנֵי הַמֶּלֶךְ בִּלְבוּשׁ מַלְכוּת תְּכֵלֶת וָחוּר וַעֲטֶרֶת זָהָב
גְּדוֹלָה וְתַכְרִיךְ בּוּץ וְאַרְגָּמָן וְהָעִיר שׁוּשָׁן צָהֲלָה וְשָׂמֵחָה:
טז יז לַיְּהוּדִים הָיְתָה אוֹרָה וְשִׂמְחָה וְשָׂשֹׂן וִיקָר: וּבְכָל־מְדִינָה וּמְדִינָה
וּבְכָל־עִיר וָעִיר מְקוֹם אֲשֶׁר דְּבַר־הַמֶּלֶךְ וְדָתוֹ מַגִּיעַ שִׂמְחָה
וְשָׂשׂוֹן לַיְּהוּדִים מִשְׁתֶּה וְיוֹם טוֹב וְרַבִּים מֵעַמֵּי הָאָרֶץ
ט א מִתְיַהֲדִים כִּי־נָפַל פַּחַד־הַיְּהוּדִים עֲלֵיהֶם: וּבִשְׁנֵים עָשָׂר חֹדֶשׁ
הַקְהָלוֹת הַיְּהוּדִים לַעֲמֹד עַל נַפְשָׁם: [3405]
הוּא־חֹדֶשׁ אֲדָר בִּשְׁלוֹשָׁה עָשָׂר יוֹם בּוֹ אֲשֶׁר הִגִּיעַ דְּבַר־הַמֶּלֶךְ
וְדָתוֹ לְהֵעָשׂוֹת בַּיּוֹם אֲשֶׁר שִׂבְּרוּ אֹיְבֵי הַיְּהוּדִים לִשְׁלוֹט בָּהֶם
ב וְנַהֲפוֹךְ הוּא אֲשֶׁר יִשְׁלְטוּ הַיְּהוּדִים הֵמָּה בְּשֹׂנְאֵיהֶם: נִקְהֲלוּ
הַיְּהוּדִים בְּעָרֵיהֶם בְּכָל־מְדִינוֹת הַמֶּלֶךְ אֲחַשְׁוֵרוֹשׁ לִשְׁלֹחַ יָד
בִּמְבַקְשֵׁי רָעָתָם וְאִישׁ לֹא־עָמַד לִפְנֵיהֶם כִּי־נָפַל פַּחְדָּם
ג עַל־כָּל־הָעַמִּים: וְכָל־שָׂרֵי הַמְּדִינוֹת וְהָאֲחַשְׁדַּרְפְּנִים וְהַפַּחוֹת
גְּדֻלַּת מָרְדֳּכַי בָּעוֹלָם:
וְעֹשֵׂי הַמְּלָאכָה אֲשֶׁר לַמֶּלֶךְ מְנַשְּׂאִים אֶת־הַיְּהוּדִים כִּי־נָפַל
ד פַּחַד־מָרְדֳּכַי עֲלֵיהֶם: כִּי־גָדוֹל מָרְדֳּכַי בְּבֵית הַמֶּלֶךְ וְשָׁמְעוֹ

הַכָּאַת הַיְּהוּדִים בְּשֹׂנְאֵיהֶם:

הוֹלֵ֖ךְ בְּכׇל־הַמְּדִינ֑וֹת כִּֽי־הָאִ֥ישׁ מׇרְדֳּכַ֖י הוֹלֵ֥ךְ וְגָדֽוֹל׃ ה וַיַּכּ֤וּ
הַיְּהוּדִים֙ בְּכׇל־אֹ֣יְבֵיהֶ֔ם מַכַּת־חֶ֖רֶב וְהֶ֣רֶג וְאַבְדָ֑ן וַיַּעֲשׂ֥וּ בְשֹׂנְאֵיהֶ֖ם
כִּרְצוֹנָֽם׃ ו וּבְשׁוּשַׁ֣ן הַבִּירָ֗ה הָרְג֤וּ הַיְּהוּדִים֙ וְאַבֵּ֔ד חֲמֵ֥שׁ מֵא֖וֹת
אִֽישׁ׃ ז וְאֵ֧ת ׀
פַּרְשַׁנְדָּ֛תָא וְאֵ֥ת ׀
דַּלְפ֖וֹן וְאֵ֣ת ׀
אַסְפָּֽתָא׃ ח וְאֵ֧ת ׀
פּוֹרָ֛תָא וְאֵ֥ת ׀
אֲדַלְיָ֖א וְאֵ֥ת ׀
אֲרִידָֽתָא׃ ט וְאֵ֧ת ׀
פַּרְמַ֛שְׁתָּא וְאֵ֥ת ׀
אֲרִיסַ֖י וְאֵ֣ת ׀
אֲרִדַ֑י וְאֵ֖ת ׀
וַיְזָֽתָא׃ י עֲ֠שֶׂ֠רֶת
בְּנֵ֨י הָמָ֧ן בֶּֽן־הַמְּדָ֛תָא צֹרֵ֥ר הַיְּהוּדִ֖ים הָרָ֑גוּ וּבַ֨בִּזָּ֔ה לֹ֥א שָׁלְח֖וּ
אֶת־יָדָֽם׃ יא בַּיּ֣וֹם הַה֗וּא בָּ֣א מִסְפַּ֧ר הַהֲרוּגִ֛ים בְּשׁוּשַׁ֥ן הַבִּירָ֖ה לִפְנֵ֥י
הַמֶּֽלֶךְ׃ יב וַיֹּ֨אמֶר הַמֶּ֜לֶךְ לְאֶסְתֵּ֣ר הַמַּלְכָּ֗ה בְּשׁוּשַׁ֨ן הַבִּירָ֜ה הָרְג֨וּ
הַיְּהוּדִ֜ים וְאַבֵּ֗ד חֲמֵ֨שׁ מֵא֥וֹת אִישׁ֙ וְאֵת֙ עֲשֶׂ֣רֶת בְּנֵי־הָמָ֔ן בִּשְׁאָ֛ר
מְדִינ֥וֹת הַמֶּ֖לֶךְ מֶ֣ה עָשׂ֑וּ וּמַה־שְּׁאֵלָתֵךְ֙ וְיִנָּ֣תֵֽן לָ֔ךְ וּמַה־בַּקָּשָׁתֵ֥ךְ
ע֖וֹד וְתֵעָֽשׂ׃ יג וַתֹּ֤אמֶר אֶסְתֵּר֙ אִם־עַל־הַמֶּ֣לֶךְ ט֔וֹב יִנָּתֵ֣ן גַּם־מָחָ֗ר
לַיְּהוּדִים֙ אֲשֶׁ֣ר בְּשׁוּשָׁ֔ן לַעֲשׂ֖וֹת כְּדָ֣ת הַיּ֑וֹם וְאֵ֛ת עֲשֶׂ֥רֶת בְּנֵֽי־הָמָ֖ן
יִתְל֥וּ עַל־הָעֵֽץ׃ יד וַיֹּ֤אמֶר הַמֶּ֙לֶךְ֙ לְהֵעָשׂ֣וֹת כֵּ֔ן וַתִּנָּתֵ֥ן דָּ֖ת בְּשׁוּשָׁ֑ן
וְאֵ֛ת עֲשֶׂ֥רֶת בְּֽנֵי־הָמָ֖ן תָּלֽוּ׃ טו וַיִּקָּ֣הֲל֗וּ היהודיים הַיְּהוּדִ֣ים אֲשֶׁר־
בְּשׁוּשָׁ֔ן גַּ֠ם בְּי֣וֹם אַרְבָּעָ֤ה עָשָׂר֙ לְחֹ֣דֶשׁ אֲדָ֔ר וַיַּֽהַרְגוּ֙ בְשׁוּשָׁ֔ן
שְׁל֥שׁ מֵא֖וֹת אִ֑ישׁ וּבַ֨בִּזָּ֔ה לֹ֥א שָׁלְח֖וּ אֶת־יָדָֽם׃ טז וּשְׁאָ֣ר הַיְּהוּדִ֡ים

הֶמְשֵׁךְ הַמִּלְחָמָה בְּשׁוּשָׁן:

אֲשֶׁר בִּמְדִינוֹת הַמֶּלֶךְ נִקְהֲלוּ ׀ וְעָמֹד עַל־נַפְשָׁם וְנוֹחַ
מֵאֹיְבֵיהֶם וְהָרוֹג בְּשֹׂנְאֵיהֶם חֲמִשָּׁה וְשִׁבְעִים אָלֶף וּבַבִּזָּה לֹא
יז שָׁלְחוּ אֶת־יָדָם׃ בְּיוֹם־שְׁלוֹשָׁה עָשָׂר לְחֹדֶשׁ אֲדָר וְנוֹחַ הַזְּמַנִּים לְשִׂמְחָה
יח בְּאַרְבָּעָה עָשָׂר בּוֹ וְעָשֹׂה אֹתוֹ יוֹם מִשְׁתֶּה וְשִׂמְחָה׃ והיהודיים וְיוֹם טוֹב:
וְהַיְּהוּדִים אֲשֶׁר־בְּשׁוּשָׁן נִקְהֲלוּ בִּשְׁלוֹשָׁה עָשָׂר בּוֹ וּבְאַרְבָּעָה
עָשָׂר בּוֹ וְנוֹחַ בַּחֲמִשָּׁה עָשָׂר בּוֹ וְעָשֹׂה אֹתוֹ יוֹם מִשְׁתֶּה
יט וְשִׂמְחָה׃ עַל־כֵּן הַיְּהוּדִים הפרוזים הַפְּרָזִים הַיֹּשְׁבִים בְּעָרֵי
הַפְּרָזוֹת עֹשִׂים אֵת יוֹם אַרְבָּעָה עָשָׂר לְחֹדֶשׁ אֲדָר שִׂמְחָה
כ וּמִשְׁתֶּה וְיוֹם טוֹב וּמִשְׁלוֹחַ מָנוֹת אִישׁ לְרֵעֵהוּ׃ וַיִּכְתֹּב מָרְדֳּכַי קְבִיעַת יְמֵי הַפּוּרִים:
אֶת־הַדְּבָרִים הָאֵלֶּה וַיִּשְׁלַח סְפָרִים אֶל־כָּל־הַיְּהוּדִים אֲשֶׁר
כא בְּכָל־מְדִינוֹת הַמֶּלֶךְ אֲחַשְׁוֵרוֹשׁ הַקְּרוֹבִים וְהָרְחוֹקִים׃ לְקַיֵּם
עֲלֵיהֶם לִהְיוֹת עֹשִׂים אֵת יוֹם אַרְבָּעָה עָשָׂר לְחֹדֶשׁ אֲדָר וְאֵת
כב יוֹם־חֲמִשָּׁה עָשָׂר בּוֹ בְּכָל־שָׁנָה וְשָׁנָה׃ כַּיָּמִים אֲשֶׁר־נָחוּ בָהֶם
הַיְּהוּדִים מֵאֹיְבֵיהֶם וְהַחֹדֶשׁ אֲשֶׁר נֶהְפַּךְ לָהֶם מִיָּגוֹן לְשִׂמְחָה
וּמֵאֵבֶל לְיוֹם טוֹב לַעֲשׂוֹת אוֹתָם יְמֵי מִשְׁתֶּה וְשִׂמְחָה וּמִשְׁלוֹחַ
כג מָנוֹת אִישׁ לְרֵעֵהוּ וּמַתָּנוֹת לָאֶבְיֹנִים׃ וְקִבֵּל הַיְּהוּדִים אֵת קַבָּלַת דִּבְרֵי
כד אֲשֶׁר־הֵחֵלּוּ לַעֲשׂוֹת וְאֵת אֲשֶׁר־כָּתַב מָרְדֳּכַי אֲלֵיהֶם׃ כִּי הָמָן מָרְדֳּכָי:
בֶּן־הַמְּדָתָא הָאֲגָגִי צֹרֵר כָּל־הַיְּהוּדִים חָשַׁב עַל־הַיְּהוּדִים
כה לְאַבְּדָם וְהִפִּל פּוּר הוּא הַגּוֹרָל לְהֻמָּם וּלְאַבְּדָם׃ וּבְבֹאָהּ לִפְנֵי
הַמֶּלֶךְ אָמַר עִם־הַסֵּפֶר יָשׁוּב מַחֲשַׁבְתּוֹ הָרָעָה אֲשֶׁר־חָשַׁב
כו עַל־הַיְּהוּדִים עַל־רֹאשׁוֹ וְתָלוּ אֹתוֹ וְאֶת־בָּנָיו עַל־הָעֵץ׃ עַל־כֵּן
קָרְאוּ לַיָּמִים הָאֵלֶּה פוּרִים עַל־שֵׁם הַפּוּר עַל־כֵּן עַל־כָּל־דִּבְרֵי
כז הָאִגֶּרֶת הַזֹּאת וּמָה־רָאוּ עַל־כָּכָה וּמָה הִגִּיעַ אֲלֵיהֶם׃ קִיְּמוּ וקבל
וְקִבְּלוּ הַיְּהוּדִים ׀ עֲלֵיהֶם ׀ וְעַל־זַרְעָם וְעַל כָּל־הַנִּלְוִים עֲלֵיהֶם
וְלֹא יַעֲבוֹר לִהְיוֹת עֹשִׂים אֵת שְׁנֵי הַיָּמִים הָאֵלֶּה כִּכְתָבָם

כח וְכִזְמַנָּ֑ם בְּכׇל־שָׁנָ֖ה וְשָׁנָֽה׃ וְהַיָּמִ֣ים הָ֠אֵ֠לֶּה נִזְכָּרִ֨ים וְנַעֲשִׂ֜ים
בְּכׇל־דּ֣וֹר וָד֗וֹר מִשְׁפָּחָה֙ וּמִשְׁפָּחָ֔ה מְדִינָ֥ה וּמְדִינָ֖ה וְעִ֣יר וָעִ֑יר
וִימֵ֞י הַפּוּרִ֣ים הָאֵ֗לֶּה לֹ֤א יַֽעַבְרוּ֙ מִתּ֣וֹךְ הַיְּהוּדִ֔ים וְזִכְרָ֖ם לֹא־יָס֥וּף
כט מִזַּרְעָֽם׃ וַ֠תִּכְתֹּ֠ב אֶסְתֵּ֨ר הַמַּלְכָּ֧ה בַת־אֲבִיחַ֛יִל
וּמׇרְדֳּכַ֥י הַיְּהוּדִ֖י אֶת־כׇּל־תֹּ֑קֶף לְקַיֵּ֗ם אֵ֣ת אִגֶּ֧רֶת הַפֻּרִ֛ים הַזֹּ֖את
ל הַשֵּׁנִֽית׃ וַיִּשְׁלַ֨ח סְפָרִ֜ים אֶל־כׇּל־הַיְּהוּדִ֗ים אֶל־שֶׁ֨בַע וְעֶשְׂרִ֤ים
לא וּמֵאָה֙ מְדִינָ֔ה מַלְכ֖וּת אֲחַשְׁוֵר֑וֹשׁ דִּבְרֵ֥י שָׁל֖וֹם וֶאֱמֶֽת׃ לְקַיֵּ֡ם
אֶת־יְמֵי֩ הַפֻּרִ֨ים הָאֵ֜לֶּה בִּזְמַנֵּיהֶ֗ם כַּאֲשֶׁר֩ קִיַּ֨ם עֲלֵיהֶ֜ם מׇרְדֳּכַ֤י
הַיְּהוּדִי֙ וְאֶסְתֵּ֣ר הַמַּלְכָּ֔ה וְכַאֲשֶׁ֛ר קִיְּמ֥וּ עַל־נַפְשָׁ֖ם וְעַל־זַרְעָ֑ם
לב דִּבְרֵ֥י הַצּוֹמ֖וֹת וְזַעֲקָתָֽם׃ וּמַאֲמַ֣ר אֶסְתֵּ֔ר קִיַּ֕ם דִּבְרֵ֥י הַפֻּרִ֖ים הָאֵ֑לֶּה
י א וְנִכְתָּ֖ב בַּסֵּֽפֶר׃ וַיָּשֶׂם֩ הַמֶּ֨לֶךְ אחשרש אֲחַשְׁוֵ֧רֹשׁ ׀ מַ֛ס
ב עַל־הָאָ֖רֶץ וְאִיֵּ֥י הַיָּֽם׃ וְכׇל־מַעֲשֵׂ֤ה תׇקְפּוֹ֙ וּגְב֣וּרָת֔וֹ וּפָרָשַׁת֙ גְּדֻלַּ֣ת
מׇרְדֳּכַ֔י אֲשֶׁ֥ר גִּדְּל֖וֹ הַמֶּ֑לֶךְ הֲלוֹא־הֵ֣ם כְּתוּבִ֗ים עַל־סֵ֙פֶר֙ דִּבְרֵ֣י
ג הַיָּמִ֔ים לְמַלְכֵ֖י מָדַ֥י וּפָרָֽס׃ כִּ֣י ׀ מׇרְדֳּכַ֣י הַיְּהוּדִ֗י מִשְׁנֶה֙ לַמֶּ֣לֶךְ
אֲחַשְׁוֵר֔וֹשׁ וְגָדוֹל֙ לַיְּהוּדִ֔ים וְרָצ֖וּי לְרֹ֣ב אֶחָ֑יו דֹּרֵ֥שׁ טוֹב֙ לְעַמּ֔וֹ
וְדֹבֵ֥ר שָׁל֖וֹם לְכׇל־זַרְעֽוֹ׃

כְּתִיבַת אִגֶּרֶת הַפּוּרִים הַשֵּׁנִית:

תָּקְפּוֹ שֶׁל אֲחַשְׁוֵרוֹשׁ וּגְדֻלַּת מָרְדֳּכַי:

בין השנים
3327-3392

יד טו וַיִּשְׁמַע לָהֶם לַדָּבָר הַזֶּה וַיְנַסֵּם יָמִים עֲשָׂרָה: וּמִקְצָת יָמִים
עֲשָׂרָה נִרְאָה מַרְאֵיהֶם טוֹב וּבְרִיאֵי בָּשָׂר מִן־כָּל־הַיְלָדִים
טז הָאֹכְלִים אֵת פַּת־בַּג הַמֶּלֶךְ: וַיְהִי הַמֶּלְצַר נֹשֵׂא אֶת־פַּת־בָּגָם
יז וְיֵין מִשְׁתֵּיהֶם וְנֹתֵן לָהֶם זֵרְעֹנִים: וְהַיְלָדִים הָאֵלֶּה אַרְבַּעְתָּם — חָכְמַת דָּנִיֵּאל וַחֲבֵרָיו:
נָתַן לָהֶם הָאֱלֹהִים מַדָּע וְהַשְׂכֵּל בְּכָל־סֵפֶר וְחָכְמָה וְדָנִיֵּאל הֵבִין
יח בְּכָל־חָזוֹן וַחֲלֹמוֹת: וּלְמִקְצָת הַיָּמִים אֲשֶׁר־אָמַר הַמֶּלֶךְ לַהֲבִיאָם
יט וַיְבִיאֵם שַׂר הַסָּרִיסִים לִפְנֵי נְבֻכַדְנֶצַּר: וַיְדַבֵּר אִתָּם הַמֶּלֶךְ וְלֹא
נִמְצָא מִכֻּלָּם כְּדָנִיֵּאל חֲנַנְיָה מִישָׁאֵל וַעֲזַרְיָה וַיַּעַמְדוּ לִפְנֵי הַמֶּלֶךְ:
כ וְכֹל דְּבַר חָכְמַת בִּינָה אֲשֶׁר־בִּקֵּשׁ מֵהֶם הַמֶּלֶךְ וַיִּמְצָאֵם עֶשֶׂר
כא יָדוֹת עַל כָּל־הַחַרְטֻמִּים הָאַשָּׁפִים אֲשֶׁר בְּכָל־מַלְכוּתוֹ: וַיְהִי [3390]
ב א דָּנִיֵּאל עַד־שְׁנַת אַחַת לְכוֹרֶשׁ הַמֶּלֶךְ: וּבִשְׁנַת — בַּקָּשַׁת נְבוּכַדְנֶצַּר לִפְתֹּר חֲלוֹמוֹ:
שְׁתַּיִם לְמַלְכוּת נְבֻכַדְנֶצַּר חָלַם נְבֻכַדְנֶצַּר חֲלֹמוֹת וַתִּתְפָּעֶם
ב רוּחוֹ וּשְׁנָתוֹ נִהְיְתָה עָלָיו: וַיֹּאמֶר הַמֶּלֶךְ לִקְרֹא לַחַרְטֻמִּים [3340]
וְלָאַשָּׁפִים וְלַמְכַשְּׁפִים וְלַכַּשְׂדִּים לְהַגִּיד לַמֶּלֶךְ חֲלֹמֹתָיו וַיָּבֹאוּ
ג וַיַּעַמְדוּ לִפְנֵי הַמֶּלֶךְ: וַיֹּאמֶר לָהֶם הַמֶּלֶךְ חֲלוֹם חָלָמְתִּי וַתִּפָּעֶם
ד רוּחִי לָדַעַת אֶת־הַחֲלוֹם: וַיְדַבְּרוּ הַכַּשְׂדִּים לַמֶּלֶךְ אֲרָמִית מַלְכָּא — בַּקָּשָׁתָם לִשְׁמֹעַ הַחֲלוֹם: אִיּוּמֵי הַמֶּלֶךְ וְהַבְטָחוֹתָיו:
ה לְעָלְמִין חֱיִי אֱמַר חֶלְמָא לעבדיך לְעַבְדָךְ וּפִשְׁרָא נְחַוֵּא: עָנֵה
מַלְכָּא וְאָמַר לכשדיא לְכַשְׂדָּאֵי מִלְּתָה מִנִּי אַזְדָּא הֵן לָא
תְהוֹדְעוּנַּנִי חֶלְמָא וּפִשְׁרֵהּ הַדָּמִין תִּתְעַבְדוּן וּבָתֵּיכוֹן נְוָלִי
ו יִתְּשָׂמוּן: וְהֵן חֶלְמָא וּפִשְׁרֵהּ תְּהַחֲוֹן מַתְּנָן וּנְבִזְבָּה וִיקָר שַׂגִּיא
ז תְּקַבְּלוּן מִן־קֳדָמָי לָהֵן חֶלְמָא וּפִשְׁרֵהּ הַחֲוֹנִי: עֲנוֹ תִנְיָנוּת — אֵין פּוֹתֵר לַחֲלוֹם: תּוֹכַחַת הַמֶּלֶךְ לַחֲכָמִים:
ח וְאָמְרִין מַלְכָּא חֶלְמָא יֵאמַר לְעַבְדוֹהִי וּפִשְׁרָה נְהַחֲוֵה: עָנֵה
מַלְכָּא וְאָמַר מִן־יַצִּיב יָדַע אֲנָה דִּי עִדָּנָא אַנְתּוּן זָבְנִין כָּל־קֳבֵל
ט דִּי חֲזֵיתוֹן דִּי אַזְדָּא מִנִּי מִלְּתָא: דִּי הֵן־חֶלְמָא לָא תְהוֹדְעֻנַּנִי
חֲדָה־הִיא דָתְכוֹן וּמִלָּה כִדְבָה וּשְׁחִיתָה הזמנתון הִזְדְּמִנְתּוּן

דניאל

[3327] כִּבּוּשׁ יְרוּשָׁלַיִם, וְהוֹבָלַת הַכֵּלִים בָּבֶלָה:

א א בִּשְׁנַת שָׁלוֹשׁ לְמַלְכוּת יְהוֹיָקִים מֶלֶךְ־יְהוּדָה בָּא נְבוּכַדְנֶאצַּר
ב מֶלֶךְ־בָּבֶל יְרוּשָׁלַםִ וַיָּצַר עָלֶיהָ: וַיִּתֵּן אֲדֹנָי בְּיָדוֹ אֶת־יְהוֹיָקִים
מֶלֶךְ־יְהוּדָה וּמִקְצָת כְּלֵי בֵית־הָאֱלֹהִים וַיְבִיאֵם אֶרֶץ־שִׁנְעָר
ג בֵּית אֱלֹהָיו וְאֶת־הַכֵּלִים הֵבִיא בֵּית אוֹצַר אֱלֹהָיו: וַיֹּאמֶר הַמֶּלֶךְ
לְאַשְׁפְּנַז רַב סָרִיסָיו לְהָבִיא מִבְּנֵי יִשְׂרָאֵל וּמִזֶּרַע הַמְּלוּכָה
ד וּמִן־הַפַּרְתְּמִים: יְלָדִים אֲשֶׁר אֵין־בָּהֶם כָּל־מאוּם וְטוֹבֵי מַרְאֶה
וּמַשְׂכִּילִים בְּכָל־חָכְמָה וְיֹדְעֵי דַעַת וּמְבִינֵי מַדָּע וַאֲשֶׁר כֹּחַ
ה בָּהֶם לַעֲמֹד בְּהֵיכַל הַמֶּלֶךְ וּלְלַמְּדָם סֵפֶר וּלְשׁוֹן כַּשְׂדִּים: וַיְמַן
לָהֶם הַמֶּלֶךְ דְּבַר־יוֹם בְּיוֹמוֹ מִפַּת־בַּג הַמֶּלֶךְ וּמִיֵּין מִשְׁתָּיו
ו וּלְגַדְּלָם שָׁנִים שָׁלוֹשׁ וּמִקְצָתָם יַעַמְדוּ לִפְנֵי הַמֶּלֶךְ: וַיְהִי בָהֶם
ז מִבְּנֵי יְהוּדָה דָּנִיֵּאל חֲנַנְיָה מִישָׁאֵל וַעֲזַרְיָה: וַיָּשֶׂם לָהֶם שַׂר
הַסָּרִיסִים שֵׁמוֹת וַיָּשֶׂם לְדָנִיֵּאל בֵּלְטְשַׁאצַּר וְלַחֲנַנְיָה שַׁדְרַךְ
ח וּלְמִישָׁאֵל מֵישַׁךְ וְלַעֲזַרְיָה עֲבֵד נְגוֹ: וַיָּשֶׂם דָּנִיֵּאל עַל־לִבּוֹ אֲשֶׁר
לֹא־יִתְגָּאַל בְּפַת־בַּג הַמֶּלֶךְ וּבְיֵין מִשְׁתָּיו וַיְבַקֵּשׁ מִשַּׂר
ט הַסָּרִיסִים אֲשֶׁר לֹא יִתְגָּאָל: וַיִּתֵּן הָאֱלֹהִים אֶת־דָּנִיֵּאל לְחֶסֶד
י וּלְרַחֲמִים לִפְנֵי שַׂר הַסָּרִיסִים: וַיֹּאמֶר שַׂר הַסָּרִיסִים לְדָנִיֵּאל
יָרֵא אֲנִי אֶת־אֲדֹנִי הַמֶּלֶךְ אֲשֶׁר מִנָּה אֶת־מַאֲכַלְכֶם וְאֶת־
מִשְׁתֵּיכֶם אֲשֶׁר לָמָּה יִרְאֶה אֶת־פְּנֵיכֶם זֹעֲפִים מִן־הַיְלָדִים
יא אֲשֶׁר כְּגִילְכֶם וְחִיַּבְתֶּם אֶת־רֹאשִׁי לַמֶּלֶךְ: וַיֹּאמֶר דָּנִיֵּאל אֶל־
הַמֶּלְצַר אֲשֶׁר מִנָּה שַׂר הַסָּרִיסִים עַל־דָּנִיֵּאל חֲנַנְיָה מִישָׁאֵל
יב וַעֲזַרְיָה: נַס־נָא אֶת־עֲבָדֶיךָ יָמִים עֲשָׂרָה וְיִתְּנוּ־לָנוּ מִן־הַזֵּרֹעִים
יג וְנֹאכְלָה וּמַיִם וְנִשְׁתֶּה: וְיֵרָאוּ לְפָנֶיךָ מַרְאֵינוּ וּמַרְאֵה הַיְלָדִים
הָאֹכְלִים אֵת פַּת־בַּג הַמֶּלֶךְ וְכַאֲשֶׁר תִּרְאֵה עֲשֵׂה עִם־עֲבָדֶיךָ:

הַכְשָׁרַת הַיְלָדִים לְשָׁרֵת לִפְנֵי הַמֶּלֶךְ:

שִׁנּוּי שְׁמוֹת דָּנִיֵּאל וַחֲבֵרָיו:

הִמָּנְעוּת הַיְלָדִים מִמַּאֲכָלוֹת אֲסוּרוֹת:

לְמֵאמַר קֳדָמַי עַד דִּי עִדָּנָא יִשְׁתַּנֵּא לָהֵן חֶלְמָא אֱמַרוּ לִי וְאִנְדַּע
י דִּי פִשְׁרֵהּ תְּהַחֲוֻנַּנִי: עֲנוֹ כשדיא כַשְׂדָּאֵי קֳדָם־מַלְכָּא וְאָמְרִין
לָא־אִיתַי אֱנָשׁ עַל־יַבֶּשְׁתָּא דִּי מִלַּת מַלְכָּא יוּכַל לְהַחֲוָיָה
כָּל־קֳבֵל דִּי כָּל־מֶלֶךְ רַב וְשַׁלִּיט מִלָּה כִדְנָה לָא שְׁאֵל
יא לְכָל־חַרְטֹּם וְאָשַׁף וְכַשְׂדָּי: וּמִלְּתָא דִי־מַלְכָּה שָׁאֵל יַקִּירָה
וְאָחֳרָן לָא אִיתַי דִּי יְחַוִּנַּהּ קֳדָם מַלְכָּא לָהֵן אֱלָהִין דִּי מְדָרְהוֹן
יב עִם־בִּשְׂרָא לָא אִיתוֹהִי: כָּל־קֳבֵל דְּנָה מַלְכָּא בְּנַס וּקְצַף שַׂגִּיא
יג וַאֲמַר לְהוֹבָדָה לְכֹל חַכִּימֵי בָבֶל: וְדָתָא נֶפְקַת וְחַכִּימַיָּא
יד מִתְקַטְּלִין וּבְעוֹ דָּנִיֵּאל וְחַבְרוֹהִי לְהִתְקְטָלָה: בֵּאדַיִן
דָּנִיֵּאל הֲתִיב עֵטָא וּטְעֵם לְאַרְיוֹךְ רַב־טַבָּחַיָּא דִּי מַלְכָּא דִּי
טו נְפַק לְקַטָּלָה לְחַכִּימֵי בָּבֶל: עָנֵה וְאָמַר לְאַרְיוֹךְ שַׁלִּיטָא
דִי־מַלְכָּא עַל־מָה דָתָא מְהַחְצְפָה מִן־קֳדָם מַלְכָּא אֱדַיִן מִלְּתָא
טז הוֹדַע אַרְיוֹךְ לְדָנִיֵּאל: וְדָנִיֵּאל עַל וּבְעָא מִן־מַלְכָּא דִּי זְמָן
יז יִנְתֵּן־לֵהּ וּפִשְׁרָא לְהַחֲוָיָה לְמַלְכָּא: אֱדַיִן דָּנִיֵּאל
לְבַיְתֵהּ אֲזַל וְלַחֲנַנְיָה מִישָׁאֵל וַעֲזַרְיָה חַבְרוֹהִי מִלְּתָא הוֹדַע:
יח וְרַחֲמִין לְמִבְעֵא מִן־קֳדָם אֱלָהּ שְׁמַיָּא עַל־רָזָא דְּנָה דִּי לָא
יט יְהֹבְדוּן דָּנִיֵּאל וְחַבְרוֹהִי עִם־שְׁאָר חַכִּימֵי בָבֶל: אֱדַיִן לְדָנִיֵּאל
בְּחֶזְוָא דִי־לֵילְיָא רָזָא גֲלִי אֱדַיִן דָּנִיֵּאל בָּרִךְ לֶאֱלָהּ שְׁמַיָּא:
כ עָנֵה דָנִיֵּאל וְאָמַר לֶהֱוֵא שְׁמֵהּ דִּי־אֱלָהָא מְבָרַךְ מִן־עָלְמָא
כא וְעַד־עָלְמָא דִּי חָכְמְתָא וּגְבוּרְתָא דִּי לֵהּ־הִיא: וְהוּא מְהַשְׁנֵא
עִדָּנַיָּא וְזִמְנַיָּא מְהַעְדֵּה מַלְכִין וּמְהָקֵים מַלְכִין יָהֵב חָכְמְתָא
כב לְחַכִּימִין וּמַנְדְּעָא לְיָדְעֵי בִינָה: הוּא גָּלֵא עַמִּיקָתָא וּמְסַתְּרָתָא
כג יָדַע מָה בַחֲשׁוֹכָא ונהירא וּנְהוֹרָא עִמֵּהּ שְׁרֵא: לָךְ ׀ אֱלָהּ
אֲבָהָתִי מְהוֹדֵא וּמְשַׁבַּח אֲנָה דִּי חָכְמְתָא וּגְבוּרְתָא יְהַבְתְּ לִי
וּכְעַן הוֹדַעְתַּנִי דִּי־בְעֵינָא מִנָּךְ דִּי־מִלַּת מַלְכָּא הוֹדַעְתֶּנָא:

נִסָּיוֹן הַחֲכָמִים לְשַׁכְנֵעַ אֶת הַמֶּלֶךְ:

צִוּוּי הַמֶּלֶךְ לְהָמִית הַחֲכָמִים:

בַּקָּשַׁת דָּנִיֵּאל לְהַמְתִּין:

תְּפִלַּת דָּנִיֵּאל, וְגִלּוּי הַחֲלוֹם:

הוֹדָאַת דָּנִיֵּאל לַה':

בִּיאַת דָּנִיֵּאל אֶל הַמֶּלֶךְ:

כד כָּל־קֳבֵל דְּנָה דָּנִיֵּאל עַל עַל־אַרְיוֹךְ דִּי מַנִּי מַלְכָּא לְהוֹבָדָה
לְחַכִּימֵי בָבֶל אֲזַל ׀ וְכֵן אֲמַר־לֵהּ לְחַכִּימֵי בָבֶל אַל־תְּהוֹבֵד
כה הַעֵלְנִי קֳדָם מַלְכָּא וּפִשְׁרָא לְמַלְכָּא אֲחַוֵּא׃ אֱדַיִן
אַרְיוֹךְ בְּהִתְבְּהָלָה הַנְעֵל לְדָנִיֵּאל קֳדָם מַלְכָּא וְכֵן אֲמַר־לֵהּ
דִּי־הַשְׁכַּחַת גְּבַר מִן־בְּנֵי גָלוּתָא דִּי יְהוּד דִּי פִשְׁרָא לְמַלְכָּא
כו יְהוֹדַע׃ עָנֵה מַלְכָּא וְאָמַר לְדָנִיֵּאל דִּי שְׁמֵהּ בֵּלְטְשַׁאצַּר האיתיך
כז הַאִיתָךְ כָּהֵל לְהוֹדָעֻתַנִי חֶלְמָא דִּי־חֲזֵית וּפִשְׁרֵהּ׃ עָנֵה דָנִיֵּאל
קֳדָם מַלְכָּא וְאָמַר רָזָא דִּי־מַלְכָּא שָׁאֵל לָא חַכִּימִין אָשְׁפִין
כח חַרְטֻמִּין גָּזְרִין יָכְלִין לְהַחֲוָיָה לְמַלְכָּא׃ בְּרַם אִיתַי אֱלָהּ בִּשְׁמַיָּא
גָּלֵא רָזִין וְהוֹדַע לְמַלְכָּא נְבוּכַדְנֶצַּר מָה דִּי לֶהֱוֵא בְּאַחֲרִית יוֹמַיָּא
כט חֶלְמָךְ וְחֶזְוֵי רֵאשָׁךְ עַל־מִשְׁכְּבָךְ דְּנָה הוּא׃ אנתה אַנְתְּ
מַלְכָּא רַעְיוֹנָךְ עַל־מִשְׁכְּבָךְ סְלִקוּ מָה דִּי לֶהֱוֵא אַחֲרֵי דְנָה
ל וְגָלֵא רָזַיָּא הוֹדְעָךְ מָה־דִי לֶהֱוֵא׃ וַאֲנָה לָא בְחָכְמָה דִּי־אִיתַי
בִּי מִן־כָּל־חַיַּיָּא רָזָא דְנָה גֱּלִי לִי לָהֵן עַל־דִּבְרַת דִּי פִשְׁרָא
לא לְמַלְכָּא יְהוֹדְעוּן וְרַעְיוֹנֵי לִבְבָךְ תִּנְדַּע׃ אנתה אַנְתְּ

תֵּאוּר הַחֲלוֹם:

מַלְכָּא חָזֵה הֲוַיְתָ וַאֲלוּ צְלֵם חַד שַׂגִּיא צַלְמָא דִּכֵּן רַב וְזִיוֵהּ
לב יַתִּיר קָאֵם לְקָבְלָךְ וְרֵוֵהּ דְּחִיל׃ הוּא צַלְמָא רֵאשֵׁהּ דִּי־דְהַב
לג טָב חֲדוֹהִי וּדְרָעוֹהִי דִּי כְסַף מְעוֹהִי וְיַרְכָתֵהּ דִּי נְחָשׁ׃ שָׁקוֹהִי
לד דִּי פַרְזֶל רַגְלוֹהִי מנהון מִנְּהֵין דִּי פַרְזֶל ומנהון וּמִנְּהֵין דִּי חֲסַף׃ חָזֵה
הֲוַיְתָ עַד דִּי הִתְגְּזֶרֶת אֶבֶן דִּי־לָא בִידַיִן וּמְחָת לְצַלְמָא
לה עַל־רַגְלוֹהִי דִּי פַרְזְלָא וְחַסְפָּא וְהַדֵּקֶת הִמּוֹן׃ בֵּאדַיִן דָּקוּ כַחֲדָה
פַּרְזְלָא חַסְפָּא נְחָשָׁא כַּסְפָּא וְדַהֲבָא וַהֲווֹ כְּעוּר מִן־אִדְּרֵי־קַיִט
וּנְשָׂא הִמּוֹן רוּחָא וְכָל־אֲתַר לָא־הִשְׁתְּכַח לְהוֹן וְאַבְנָא ׀ דִּי־
לו מְחָת לְצַלְמָא הֲוָת לְטוּר רַב וּמְלָאת כָּל־אַרְעָא׃ דְּנָה חֶלְמָא
לז וּפִשְׁרֵהּ נֵאמַר קֳדָם־מַלְכָּא׃ אנתה אַנְתְּ מַלְכָּא מֶלֶךְ מַלְכַיָּא דִּי

לח אֱלָהּ שְׁמַיָּא מַלְכוּתָא חִסְנָא וְתָקְפָּא וִיקָרָא יְהַב־לָךְ׃ וּבְכָל־דִּי
דארין דָּיְרִין בְּנֵי־אֲנָשָׁא חֵיוַת בָּרָא וְעוֹף־שְׁמַיָּא יְהַב בִּידָךְ
לט וְהַשְׁלְטָךְ בְּכָלְּהוֹן אנתה אַנְתְּ־הוּא רֵאשָׁה דִּי דַהֲבָא׃ וּבָתְרָךְ
תְּקוּם מַלְכוּ אָחֳרִי ארעא אֲרַע מִנָּךְ וּמַלְכוּ תליתיא תְלִיתָאָה אָחֳרִי
מ דִּי נְחָשָׁא דִּי תִשְׁלַט בְּכָל־אַרְעָא׃ וּמַלְכוּ רביעיה רְבִיעָאָה תֶּהֱוֵא
תַקִּיפָה כְּפַרְזְלָא כָּל־קֳבֵל דִּי פַרְזְלָא מְהַדֵּק וְחָשֵׁל כֹּלָּא
מא וּכְפַרְזְלָא דִּי־מְרָעַע כָּל־אִלֵּין תַּדִּק וְתֵרֹעַ׃ וְדִי־חֲזַיְתָה רַגְלַיָּא
וְאֶצְבְּעָתָא מנהון מִנְּהֵן חֲסַף דִּי־פֶחָר ומנהון וּמִנְּהֵן פַּרְזֶל מַלְכוּ
פְלִיגָה תֶּהֱוֵה וּמִן־נִצְבְּתָא דִּי־פַרְזְלָא לֶהֱוֵא־בַהּ כָּל־קֳבֵל דִּי
מב חֲזַיְתָה פַּרְזְלָא מְעָרַב בַּחֲסַף טִינָא׃ וְאֶצְבְּעָת רַגְלַיָּא מנהון מִנְּהֵן
פַּרְזֶל ומנהון וּמִנְּהֵן חֲסַף מִן־קְצָת מַלְכוּתָא תֶּהֱוֵה תַקִּיפָה וּמִנַּהּ
מג תֶּהֱוֵא תְבִירָה׃ די וְדִי חֲזַיְתָ פַּרְזְלָא מְעָרַב בַּחֲסַף טִינָא מִתְעָרְבִין
לֶהֱוֺן בִּזְרַע אֲנָשָׁא וְלָא־לֶהֱוֺן דָּבְקִין דְּנָה עִם־דְּנָה הֵא־כְדִי
מד פַרְזְלָא לָא מִתְעָרַב עִם־חַסְפָּא׃ וּבְיוֹמֵיהוֹן דִּי מַלְכַיָּא אִנּוּן יְקִים
אֱלָהּ שְׁמַיָּא מַלְכוּ דִּי לְעָלְמִין לָא תִתְחַבַּל וּמַלְכוּתָה לְעַם
אָחֳרָן לָא תִשְׁתְּבִק תַּדִּק וְתָסֵיף כָּל־אִלֵּין מַלְכְוָתָא וְהִיא תְּקוּם
מה לְעָלְמַיָּא׃ כָּל־קֳבֵל דִּי־חֲזַיְתָ דִּי מִטּוּרָא אִתְגְּזֶרֶת אֶבֶן דִּי־לָא
בִידַיִן וְהַדֶּקֶת פַּרְזְלָא נְחָשָׁא חַסְפָּא כַּסְפָּא וְדַהֲבָא אֱלָהּ רַב
הוֹדַע לְמַלְכָּא מָה דִּי לֶהֱוֵא אַחֲרֵי דְנָה וְיַצִּיב חֶלְמָא וּמְהֵימַן
מו פִּשְׁרֵהּ׃ בֵּאדַיִן מַלְכָּא נְבוּכַדְנֶצַּר נְפַל עַל־אַנְפּוֹהִי
מז וּלְדָנִיֵּאל סְגִד וּמִנְחָה וְנִיחֹחִין אֲמַר לְנַסָּכָה לֵהּ׃ עָנֵה מַלְכָּא
לְדָנִיֵּאל וְאָמַר מִן־קְשֹׁט דִּי אֱלָהֲכוֹן הוּא אֱלָהּ אֱלָהִין וּמָרֵא
מח מַלְכִין וְגָלֵה רָזִין דִּי יְכֵלְתָּ לְמִגְלֵא רָזָא דְנָה׃ אֱדַיִן מַלְכָּא לְדָנִיֵּאל
רַבִּי וּמַתְּנָן רַבְרְבָן שַׂגִּיאָן יְהַב־לֵהּ וְהַשְׁלְטֵהּ עַל כָּל־מְדִינַת
מט בָּבֶל וְרַב־סִגְנִין עַל כָּל־חַכִּימֵי בָבֶל׃ וְדָנִיֵּאל בְּעָא מִן־מַלְכָּא

הִתְפַּעֲלוּת הַמֶּלֶךְ מִדָּנִיֵּאל, וּשְׂכָרוֹ׃

וּמַנִּי עַל עֲבִידְתָּא דִּי מְדִינַת בָּבֶל לְשַׁדְרַךְ מֵישַׁךְ וַעֲבֵד נְגוֹ
וְדָנִיֵּאל בִּתְרַע מַלְכָּא:

צֶלֶם נְבוּכַדְנֶצַּר: ג א נְבוּכַדְנֶצַּר מַלְכָּא עֲבַד צְלֵם דִּי־דְהַב רוּמֵהּ אַמִּין שִׁתִּין
פְּתָיֵהּ אַמִּין שִׁת אֲקִימֵהּ בְּבִקְעַת דּוּרָא בִּמְדִינַת בָּבֶל:
ב וּנְבוּכַדְנֶצַּר מַלְכָּא שְׁלַח לְמִכְנַשׁ ׀ לַאֲחַשְׁדַּרְפְּנַיָּא סִגְנַיָּא
וּפַחֲוָתָא אֲדַרְגָּזְרַיָּא גְדָבְרַיָּא דְּתָבְרַיָּא תִּפְתָּיֵא וְכֹל שִׁלְטֹנֵי
מְדִינָתָא לְמֵתֵא לַחֲנֻכַּת צַלְמָא דִּי הֲקֵים נְבוּכַדְנֶצַּר מַלְכָּא:
ג בֵּאדַיִן מִתְכַּנְּשִׁין אֲחַשְׁדַּרְפְּנַיָּא סִגְנַיָּא וּפַחֲוָתָא אֲדַרְגָּזְרַיָּא
גְדָבְרַיָּא דְתָבְרַיָּא תִּפְתָּיֵא וְכֹל שִׁלְטֹנֵי מְדִינָתָא לַחֲנֻכַּת צַלְמָא
דִּי הֲקֵים נְבוּכַדְנֶצַּר מַלְכָּא וקאמין וְקָיְמִין לָקֳבֵל צַלְמָא דִּי הֲקֵים
צִוּוּי הַמֶּלֶךְ לְהִשְׁתַּחֲווֹת לְצֶלֶם הַזָּהָב וְעֹנֶשׁ הַמְּסָרֵב: ד נְבוּכַדְנֶצַּר: וְכָרוֹזָא קָרֵא בְחָיִל לְכוֹן אָמְרִין עַמְמַיָּא אֻמַיָּא
ה וְלִשָּׁנַיָּא: בְּעִדָּנָא דִּי־תִשְׁמְעוּן קָל קַרְנָא מַשְׁרוֹקִיתָא קיתרס
קַתְרֹס שַׂבְּכָא פְּסַנְתֵּרִין סוּמְפֹּנְיָה וְכֹל זְנֵי זְמָרָא תִּפְּלוּן וְתִסְגְּדוּן
לְצֶלֶם דַּהֲבָא דִּי הֲקֵים נְבוּכַדְנֶצַּר מַלְכָּא: ו וּמַן־דִּי־לָא יִפֵּל וְיִסְגֻּד
ז בַּהּ־שַׁעֲתָא יִתְרְמֵא לְגוֹא־אַתּוּן נוּרָא יָקִדְתָּא: כָּל־קֳבֵל דְּנָה
בֵּהּ־זִמְנָא כְּדִי שָׁמְעִין כָּל־עַמְמַיָּא קָל קַרְנָא מַשְׁרוֹקִיתָא
קיתרס קַתְרֹס שַׂבְּכָא פְּסַנְטֵרִין וְכֹל זְנֵי זְמָרָא נָפְלִין כָּל־עַמְמַיָּא
אֻמַיָּא וְלִשָּׁנַיָּא סָגְדִין לְצֶלֶם דַּהֲבָא דִּי הֲקֵים נְבוּכַדְנֶצַּר מַלְכָּא:
הַהַלְשָׁנָה עַל חֲנַנְיָה מִישָׁאֵל וַעֲזַרְיָה: ח כָּל־קֳבֵל דְּנָה בֵּהּ־זִמְנָא קְרִבוּ גֻּבְרִין כַּשְׂדָּאִין וַאֲכַלוּ קַרְצֵיהוֹן
ט דִּי יְהוּדָיֵא: עֲנוֹ וְאָמְרִין לִנְבוּכַדְנֶצַּר מַלְכָּא מַלְכָּא לְעָלְמִין חֱיִי:
י אנתה אַנְתְּ מַלְכָּא שָׂמְתָּ טְּעֵם דִּי כָל־אֱנָשׁ דִּי־יִשְׁמַע קָל קַרְנָא
מַשְׁרֹקִיתָא קיתרס קַתְרֹס שַׂבְּכָא פְּסַנְתֵּרִין וסיפניה וְסוּפֹּנְיָה וְכֹל
יא זְנֵי זְמָרָא יִפֵּל וְיִסְגֻּד לְצֶלֶם דַּהֲבָא: וּמַן־דִּי־לָא יִפֵּל וְיִסְגֻּד
יב יִתְרְמֵא לְגוֹא־אַתּוּן נוּרָא יָקִדְתָּא: אִיתַי גֻּבְרִין יְהוּדָאיִן דִּי־מַנִּיתָ
יָתְהוֹן עַל־עֲבִידַת מְדִינַת בָּבֶל שַׁדְרַךְ מֵישַׁךְ וַעֲבֵד נְגוֹ גֻּבְרַיָּא

אִלֵּךְ לָא־שָׂמוּ עליך עֲלָךְ מַלְכָּא טְעֵם לאלהיך לֵֽאלָהָךְ לָא פָלְחִין
יג וּלְצֶלֶם דַּהֲבָא דִּי הֲקֵימְתְּ לָא סָגְדִין׃ בֵּאדַיִן נְבוּכַדְנֶצַּר בִּרְגַז הָאִיּוּם
וַחֲמָה אֲמַר לְהַיְתָיָה לְשַׁדְרַךְ מֵישַׁךְ וַעֲבֵד נְגוֹ בֵּאדַיִן גֻּבְרַיָּא לְהַשְׁלִיכָם לְכִבְשַׁן הָאֵשׁ,
יד אִלֵּךְ הֵיתָיוּ קֳדָם מַלְכָּא׃ עָנֵה נְבוּכַדְנֶצַּר וְאָמַר לְהוֹן הַצְדָּא וּתְגוּבָתָם:
שַׁדְרַךְ מֵישַׁךְ וַעֲבֵד נְגוֹ לֵאלָהַי לָא אִיתֵיכוֹן פָּלְחִין וּלְצֶלֶם
טו דַּהֲבָא דִּי הֲקֵימֶת לָא סָגְדִין׃ כְּעַן הֵן אִיתֵיכוֹן עֲתִידִין
דִּי בְעִדָּנָא דִּי־תִשְׁמְעוּן קָל קַרְנָא מַשְׁרוֹקִיתָא קיתרס קַתְרֹס
שַׂבְּכָא פְּסַנְתֵּרִין וְסוּמְפֹּנְיָה וְכֹל ׀ זְנֵי זְמָרָא תִּפְּלוּן וְתִסְגְּדוּן
לְצַלְמָא דִּי־עַבְדֵת וְהֵן לָא תִסְגְּדוּן בַּהּ־שַׁעֲתָה תִתְרְמוֹן
לְגוֹא־אַתּוּן נוּרָא יָקִדְתָּא וּמַן־הוּא אֱלָהּ דִּי יְשֵׁיזְבִנְכוֹן מִן־יְדָי׃
טז עֲנוֹ שַׁדְרַךְ מֵישַׁךְ וַעֲבֵד נְגוֹ וְאָמְרִין לְמַלְכָּא נְבוּכַדְנֶצַּר תְּשׁוּבָתָם שֶׁל חֲנַנְיָה,
יז לָא־חַשְׁחִין אֲנַחְנָא עַל־דְּנָה פִּתְגָם לַהֲתָבוּתָךְ׃ הֵן אִיתַי אֱלָהַנָא מִישָׁאֵל וַעֲזַרְיָה:
דִּי־אֲנַחְנָא פָלְחִין יָכִל לְשֵׁיזָבוּתַנָא מִן־אַתּוּן נוּרָא יָקִדְתָּא
יח וּמִן־יְדָךְ מַלְכָּא יְשֵׁיזִב׃ וְהֵן לָא יְדִיעַ לֶהֱוֵא־לָךְ מַלְכָּא דִּי לאלהיך
לֵֽאלָהָךְ לָא־אִיתַנָא איתינא פָלְחִין וּלְצֶלֶם דַּהֲבָא דִּי הֲקֵימְתָּ לָא
נִסְגֻּד׃
יט בֵּאדַיִן נְבוּכַדְנֶצַּר הִתְמְלִי חֱמָא וּצְלֵם אַנְפּוֹהִי אשתנו אֶשְׁתַּנִּי הַהַשְׁלָכָה לְכִבְשַׁן
עַל־שַׁדְרַךְ מֵישַׁךְ וַעֲבֵד נְגוֹ עָנֵה וְאָמַר לְמֵזֵא לְאַתּוּנָא חַד־ הָאֵשׁ:
כ שִׁבְעָה עַל דִּי חֲזֵה לְמֵזְיֵהּ׃ וּלְגֻבְרִין גִּבָּרֵי־חַיִל דִּי בְחַיְלֵהּ
אֲמַר לְכַפָּתָה לְשַׁדְרַךְ מֵישַׁךְ וַעֲבֵד נְגוֹ לְמִרְמֵא לְאַתּוּן נוּרָא
כא יָקִדְתָּא׃ בֵּאדַיִן גֻּבְרַיָּא אִלֵּךְ כְּפִתוּ בְּסַרְבָּלֵיהוֹן פטישיהון
פַּטְּשֵׁיהוֹן וְכַרְבְּלָתְהוֹן וּלְבֻשֵׁיהוֹן וּרְמִיו לְגוֹא־אַתּוּן נוּרָא יָקִדְתָּא׃
כב כָּל־קֳבֵל דְּנָה מִן־דִּי מִלַּת מַלְכָּא מַחְצְפָה וְאַתּוּנָא אֵזֵה יַתִּירָה
גֻּבְרַיָּא אִלֵּךְ דִּי הַסִּקוּ לְשַׁדְרַךְ מֵישַׁךְ וַעֲבֵד נְגוֹ קַטִּל הִמּוֹן
כג שְׁבִיבָא דִּי נוּרָא׃ וְגֻבְרַיָּא אִלֵּךְ תְּלָתֵּהוֹן שַׁדְרַךְ מֵישַׁךְ וַעֲבֵד

נְגוֹ נְפַלוּ לְגוֹא־אַתּוּן־נוּרָא יָקִדְתָּא מְכַפְּתִין׃
כד אֱדַיִן נְבוּכַדְנֶצַּר מַלְכָּא תְּוַהּ וְקָם בְּהִתְבְּהָלָה עָנֵה וְאָמַר
לְהַדָּבְרוֹהִי הֲלָא גֻבְרִין תְּלָתָה רְמֵינָא לְגוֹא־נוּרָא מְכַפְּתִין עָנַיִן בְּהָלַת נְבוּכַדְנֶצַּר
כה וְאָמְרִין לְמַלְכָּא יַצִּיבָא מַלְכָּא׃ עָנֵה וְאָמַר הָא־אֲנָה חָזֵה גֻּבְרִין מְנֵס הַכִּבְשָׁן׃
אַרְבְּעָה שְׁרַיִן מַהְלְכִין בְּגוֹא־נוּרָא וַחֲבָל לָא־אִיתַי בְּהוֹן וְרֵוֵהּ
כו דִּי רביעיא רְבִיעָאָה דָּמֵה לְבַר־אֱלָהִין׃ בֵּאדַיִן קְרֵב נְבוּכַדְנֶצַּר קְרִיאַת נְבוּכַדְנֶצַּר
לִתְרַע אַתּוּן נוּרָא יָקִדְתָּא עָנֵה וְאָמַר שַׁדְרַךְ מֵישַׁךְ וַעֲבֵד־נְגוֹ לָצֵאת
עַבְדוֹהִי דִּי־אֱלָהָא עליא עִלָּאָה פֻּקוּ וֶאֱתוֹ בֵּאדַיִן נָפְקִין שַׁדְרַךְ מֵהַכִּבְשָׁן׃
כז מֵישַׁךְ וַעֲבֵד נְגוֹ מִן־גּוֹא נוּרָא׃ וּמִתְכַּנְּשִׁין אֲחַשְׁדַּרְפְּנַיָּא סִגְנַיָּא
וּפַחֲוָתָא וְהַדָּבְרֵי מַלְכָּא חָזַיִן לְגֻבְרַיָּא אִלֵּךְ דִּי לָא־שְׁלֵט נוּרָא
בגשמיהון בְּגֶשְׁמְהוֹן וּשְׂעַר רֵאשְׁהוֹן לָא הִתְחָרַךְ וְסָרְבָּלֵיהוֹן לָא
כח שְׁנוֹ וְרֵיחַ נוּר לָא עֲדָת בְּהוֹן׃ עָנֵה נְבוּכַדְנֶצַּר וְאָמַר בְּרִיךְ בִּרְכַּת נְבוּכַדְנֶצַּר
אֱלָהֲהוֹן דִּי־שַׁדְרַךְ מֵישַׁךְ וַעֲבֵד נְגוֹ דִּי־שְׁלַח מַלְאֲכֵהּ וְשֵׁיזִב לַה׳׃
לְעַבְדוֹהִי דִּי הִתְרְחִצוּ עֲלוֹהִי וּמִלַּת מַלְכָּא שַׁנִּיו וִיהַבוּ גשמיהון
גֶשְׁמְהוֹן דִּי לָא־יִפְלְחוּן וְלָא־יִסְגְּדוּן לְכָל־אֱלָהּ לָהֵן לֵאלָהֲהוֹן׃
כט וּמִנִּי שִׂים טְעֵם דִּי כָל־עַם אֻמָּה וְלִשָּׁן דִּי־יֵאמַר שלה שָׁלוּ עַל
אֱלָהֲהוֹן דִּי־שַׁדְרַךְ מֵישַׁךְ וַעֲבֵד נְגוֹא הַדָּמִין יִתְעֲבֵד וּבַיְתֵהּ
נְוָלִי יִשְׁתַּוֵּה כָּל־קֳבֵל דִּי לָא אִיתַי אֱלָהּ אָחֳרָן דִּי־יִכֻּל לְהַצָּלָה
ל כִּדְנָה׃ בֵּאדַיִן מַלְכָּא הַצְלַח לְשַׁדְרַךְ מֵישַׁךְ וַעֲבֵד נְגוֹ בִּמְדִינַת
בָּבֶל׃
לא נְבוּכַדְנֶצַּר מַלְכָּא לְכָל־עַמְמַיָּא אֻמַיָּא וְלִשָּׁנַיָּא דִּי־דָיְרִין דארין אִגֶּרֶת הַמֶּלֶךְ
לב בְּכָל־אַרְעָא שְׁלָמְכוֹן יִשְׂגֵּא׃ אָתַיָּא וְתִמְהַיָּא דִּי עֲבַד עִמִּי אֱלָהָא בְּהַכָּרַת
לג עליא עִלָּאָה שְׁפַר קָדָמַי לְהַחֲוָיָה׃ אָתוֹהִי כְּמָה רַבְרְבִין וְתִמְהוֹהִי מַלְכוּת ה׳׃
כְּמָה תַקִּיפִין מַלְכוּתֵהּ מַלְכוּת עָלַם וְשָׁלְטָנֵהּ עִם־דָּר וְדָר׃
ד א-ב אֲנָה נְבוּכַדְנֶצַּר שְׁלֵה הֲוֵית בְּבַיְתִי וְרַעְנַן בְּהֵיכְלִי׃ חֵלֶם חֲזֵית

ג וִֽידַחֲלִנַּ֑נִי וְהַרְהֹרִין֙ עַֽל־מִשְׁכְּבִ֔י וְחֶזְוֵ֥י רֵאשִׁ֖י יְבַהֲלֻנַּֽנִי׃ וּמִנִּי֙ שִׂ֣ים שֶׁבַח דָּנִיֵּאל מִשְּׁאָר הַחֲכָמִים:
טְעֵ֔ם לְהַנְעָלָ֣ה קֳדָמַ֔י לְכֹ֖ל חַכִּימֵ֣י בָבֶ֑ל דִּֽי־פְשַׁ֥ר חֶלְמָ֖א
ד יְהוֹדְעֻנַּֽנִי׃ בֵּאדַ֣יִן עללין עָלִּ֗ין חַרְטֻמַיָּא֙ אָֽשְׁפַיָּ֔א כשדיא כַּשְׂדָּאֵ֖י
וְגָזְרַיָּ֑א וְחֶלְמָ֗א אָמַ֤ר אֲנָה֙ קֳדָ֣מֵיה֔וֹן וּפִשְׁרֵ֖הּ לָֽא־מְהוֹדְעִ֥ין לִֽי׃
ה וְעַ֣ד אָחֳרֵ֡ין עַל֩ קֳדָמַ֨י דָּנִיֵּ֜אל דִּֽי־שְׁמֵ֤הּ בֵּלְטְשַׁאצַּר֙ כְּשֻׁ֣ם
אֱלָהִ֔י וְדִ֛י רֽוּחַ־אֱלָהִ֥ין קַדִּישִׁ֖ין בֵּ֑הּ וְחֶלְמָ֖א קֳדָמ֥וֹהִי אַמְרֵֽת׃
ו בֵּלְטְשַׁאצַּר֮ רַ֣ב חַרְטֻמַיָּא֒ דִּ֣י ׀ אֲנָ֣ה יִדְעֵ֗ת דִּ֠י ר֣וּחַ אֱלָהִ֤ין
קַדִּישִׁין֙ בָּ֔ךְ וְכָל־רָ֖ז לָא־אָנֵ֣ס לָ֑ךְ חֶזְוֵ֨י חֶלְמִ֧י דִֽי־חֲזֵ֛ית וּפִשְׁרֵ֖הּ
ז אֱמַֽר׃ וְחֶזְוֵ֥י רֵאשִׁ֖י עַֽל־מִשְׁכְּבִ֑י חָזֵ֣ה הֲוֵ֔ית וַאֲל֥וּ אִילָ֛ן בְּג֥וֹ אַרְעָ֖א חֲלוֹם נְבוּכַדְנֶצַּר:
ח וְרוּמֵ֥הּ שַׂגִּֽיא׃ רְבָ֥ה אִֽילָנָ֖א וּתְקִ֑ף וְרוּמֵהּ֙ יִמְטֵ֣א לִשְׁמַיָּ֔א
ט וַחֲזוֹתֵ֖הּ לְס֥וֹף כָּל־אַרְעָֽא׃ עָפְיֵ֨הּ שַׁפִּ֜יר וְאִנְבֵּ֣הּ שַׂגִּ֗יא וּמָז֤וֹן
לְכֹ֨לָּא־בֵ֔הּ תְּחֹת֜וֹהִי תַּטְלֵ֣ל ׀ חֵיוַ֣ת בָּרָ֗א וּבְעַנְפ֙וֹהִי֙ ידרון יְדוּרָן֙
י צִפְּרֵ֣י שְׁמַיָּ֔א וּמִנֵּ֖הּ יִתְּזִ֥ין כָּל־בִּשְׂרָֽא׃ חָזֵ֥ה הֲוֵ֛ית בְּחֶזְוֵ֥י רֵאשִׁ֖י
יא עַל־מִשְׁכְּבִ֑י וַאֲל֨וּ עִ֧יר וְקַדִּ֛ישׁ מִן־שְׁמַיָּ֖א נָחִֽת׃ קָרֵ֨א בְחַ֜יִל וְכֵ֣ן
אָמַ֗ר גֹּ֤דּוּ אִֽילָנָא֙ וְקַצִּ֣צוּ עַנְפ֔וֹהִי אַתַּ֥רוּ עָפְיֵ֖הּ וּבַדַּ֣רוּ אִנְבֵּ֑הּ
יב תְּנֻ֤ד חֵֽיוְתָא֙ מִן־תַּחְתּ֔וֹהִי וְצִפְּרַיָּ֖א מִן־עַנְפֽוֹהִי׃ בְּרַ֗ם עִקַּ֤ר
שָׁרְשׁ֙וֹהִי֙ בְּאַרְעָ֣א שְׁבֻ֔קוּ וּבֶאֱס֗וּר דִּֽי־פַרְזֶ֤ל וּנְחָשׁ֙ בְּדִתְאָ֣א דִּ֣י
בָרָ֔א וּבְטַ֧ל שְׁמַיָּ֛א יִצְטַבַּ֖ע וְעִם־חֵיוְתָ֥א חֲלָקֵ֖הּ בַּעֲשַׂ֥ב אַרְעָֽא׃
יג לִבְבֵהּ֙ מִן־אֲנָשָׁ֣א אנושא יְשַׁנּ֔וֹן וּלְבַ֥ב חֵיוָ֖א יִתְיְהִ֣ב לֵ֑הּ וְשִׁבְעָ֥ה
יד עִדָּנִ֖ין יַחְלְפ֥וּן עֲלֽוֹהִי׃ בִּגְזֵרַ֤ת עִירִין֙ פִּתְגָמָ֔א וּמֵאמַ֥ר קַדִּישִׁ֖ין
שְׁאֵֽלְתָ֑א עַד־דִּבְרַ֡ת דִּ֣י יִנְדְּע֣וּן חַ֠יַּיָּא דִּֽי־שַׁלִּ֨יט עליא עִלָּאָ֜ה
בְּמַלְכ֣וּת אנושא אֲנָשָׁ֗א וּלְמַן־דִּ֤י יִצְבֵּא֙ יִתְּנִנַּ֔הּ וּשְׁפַ֥ל אֲנָשִׁ֖ים
טו יְקִ֥ים עליה עֲלַֽהּ׃ דְּנָה֙ חֶלְמָ֣א חֲזֵ֔ית אֲנָ֖ה מַלְכָּ֣א נְבוּכַדְנֶצַּ֑ר ואנתה
וְאַ֨נְתְּ בֵּלְטְשַׁאצַּ֜ר פִּשְׁרֵ֣א ׀ אֱמַ֗ר כָּל־קֳבֵל֙ דִּ֣י ׀ כָּל־חַכִּימֵ֣י
מַלְכוּתִ֗י לָא־יָכְלִ֤ין פִּשְׁרָא֙ לְהוֹדָ֣עוּתַ֔נִי ואנתה וְאַ֣נְתְּ כָּהֵ֔ל דִּ֛י

פִּתְרוֹן הַחֲלוֹם עַל יְדֵי דָנִיֵּאל:

טז רוּחַ־אֱלָהִין קַדִּישִׁין בָּךְ: אֱדַיִן דָּנִיֵּאל דִּי־שְׁמֵהּ בֵּלְטְשַׁאצַּר
אֶשְׁתּוֹמַם כְּשָׁעָה חֲדָה וְרַעְיֹנֹהִי יְבַהֲלֻנֵּהּ עָנֵה מַלְכָּא וְאָמַר
בֵּלְטְשַׁאצַּר חֶלְמָא וּפִשְׁרֵא אַל־יְבַהֲלָךְ עָנֵה בֵלְטְשַׁאצַּר וְאָמַר
יז מָרִאי חֶלְמָא לשנאיך לְשָׂנְאָךְ וּפִשְׁרֵהּ לעריך לְעָרָךְ: אִילָנָא
דִּי חֲזַיְתָ דִּי רְבָה וּתְקִף וְרוּמֵהּ יִמְטֵא לִשְׁמַיָּא וַחֲזוֹתֵהּ
יח לְכָל־אַרְעָא: וְעָפְיֵהּ שַׁפִּיר וְאִנְבֵּהּ שַׂגִּיא וּמָזוֹן לְכֹלָּא־בֵהּ
תְּחֹתוֹהִי תְּדוּר חֵיוַת בָּרָא וּבְעַנְפוֹהִי יִשְׁכְּנָן צִפְּרֵי שְׁמַיָּא:
יט אנתה אַנְתְּ־הוּא מַלְכָּא דִּי רבית רְבַת וּתְקֵפְתְּ וּרְבוּתָךְ רְבָת
כ וּמְטָת לִשְׁמַיָּא וְשָׁלְטָנָךְ לְסוֹף אַרְעָא: וְדִי חֲזָה מַלְכָּא עִיר
וְקַדִּישׁ נָחִת ׀ מִן־שְׁמַיָּא וְאָמַר גֹּדּוּ אִילָנָא וְחַבְּלוּהִי בְּרַם עִקַּר
שָׁרְשׁוֹהִי בְּאַרְעָא שְׁבֻקוּ וּבֶאֱסוּר דִּי־פַרְזֶל וּנְחָשׁ בְּדִתְאָא דִּי
בָרָא וּבְטַל שְׁמַיָּא יִצְטַבַּע וְעִם־חֵיוַת בָּרָא חֲלָקֵהּ עַד
כא דִּי־שִׁבְעָה עִדָּנִין יַחְלְפוּן עֲלוֹהִי: דְּנָה פִשְׁרָא מַלְכָּא וּגְזֵרַת
כב עליא עִלָּאָה הִיא דִּי מְטָת עַל־מָרִאי מַלְכָּא: וְלָךְ טָרְדִין
מִן־אֲנָשָׁא וְעִם־חֵיוַת בָּרָא לֶהֱוֵה מְדֹרָךְ וְעִשְׂבָּא כְתוֹרִין ׀ לָךְ
יְטַעֲמוּן וּמִטַּל שְׁמַיָּא לָךְ מְצַבְּעִין וְשִׁבְעָה עִדָּנִין יַחְלְפוּן עליך
עֲלָךְ עַד דִּי־תִנְדַּע דִּי־שַׁלִּיט עליא עִלָּאָה בְּמַלְכוּת אֲנָשָׁא
כג וּלְמַן־דִּי יִצְבֵּא יִתְּנִנַּהּ: וְדִי אֲמַרוּ לְמִשְׁבַּק עִקַּר שָׁרְשׁוֹהִי
דִּי אִילָנָא מַלְכוּתָךְ לָךְ קַיָּמָא מִן־דִּי תִנְדַּע דִּי שַׁלִּטִן שְׁמַיָּא:

עֲצַת דָּנִיֵּאל לְהַרְבּוֹת בִּצְדָקָה:

כד לָהֵן מַלְכָּא מִלְכִּי יִשְׁפַּר עליך עֲלָךְ וחטיך וַחֲטָאָךְ בְּצִדְקָה פְרֻק
כה וַעֲוָיָתָךְ בְּמִחַן עֲנָיִן הֵן תֶּהֱוֵא אַרְכָה לִשְׁלֵוְתָךְ: כֹּלָּא מְטָא
עַל־נְבוּכַדְנֶצַּר מַלְכָּא:

מִמּוּשׁ פִּתְרוֹן הַחֲלוֹם:

כו לִקְצָת יַרְחִין תְּרֵי־עֲשַׂר עַל־הֵיכַל מַלְכוּתָא דִּי בָבֶל מְהַלֵּךְ הֲוָה:
כז עָנֵה מַלְכָּא וְאָמַר הֲלָא דָא־הִיא בָּבֶל רַבְּתָא דִּי־אֲנָה בֱנַיְתַהּ
כח לְבֵית מַלְכוּ בִּתְקַף חִסְנִי וְלִיקָר הַדְרִי: עוֹד מִלְּתָא בְּפֻם מַלְכָּא

קָל מִן־שְׁמַיָּא נְפַל לָךְ אָמְרִין נְבוּכַדְנֶצַּר מַלְכָּא מַלְכוּתָא עֲדָת
כט מִנָּךְ: וּמִן־אֲנָשָׁא לָךְ טָרְדִין וְעִם־חֵיוַת בָּרָא מְדֹרָךְ עִשְׂבָּא
כְתוֹרִין לָךְ יְטַעֲמוּן וְשִׁבְעָה עִדָּנִין יַחְלְפוּן עליך עֲלָךְ עַד
דִּי־תִנְדַּע דִּי־שַׁלִּיט עליא עִלָּאָה בְּמַלְכוּת אֲנָשָׁא וּלְמַן־דִּי יִצְבֵּא
ל יִתְּנִנַּהּ: בַּהּ־שַׁעֲתָא מִלְּתָא סָפַת עַל־נְבוּכַדְנֶצַּר וּמִן־אֲנָשָׁא
טְרִיד וְעִשְׂבָּא כְתוֹרִין יֵאכֻל וּמִטַּל שְׁמַיָּא גִּשְׁמֵהּ יִצְטַבַּע עַד
לא דִּי שַׂעְרֵהּ כְּנִשְׁרִין רְבָה וְטִפְרוֹהִי כְצִפְּרִין: וְלִקְצָת יוֹמַיָּא אֲנָה
נְבוּכַדְנֶצַּר עַיְנַי ׀ לִשְׁמַיָּא נִטְלֵת וּמַנְדְּעִי עֲלַי יְתוּב ולעליא
וּלְעִלָּאָה בָּרְכֵת וּלְחַי עָלְמָא שַׁבְּחֵת וְהַדְּרֵת דִּי שָׁלְטָנֵהּ שָׁלְטָן
לב עָלַם וּמַלְכוּתֵהּ עִם־דָּר וְדָר: וְכָל־דָּיְרֵי דארי אַרְעָא כְּלָה
חֲשִׁיבִין וּכְמִצְבְּיֵהּ עָבֵד בְּחֵיל שְׁמַיָּא ודארי וְדָיְרֵי אַרְעָא וְלָא
לג אִיתַי דִּי־יְמַחֵא בִידֵהּ וְיֵאמַר לֵהּ מָה עֲבַדְתְּ: בֵּהּ־זִמְנָא
מַנְדְּעִי ׀ יְתוּב עֲלַי וְלִיקַר מַלְכוּתִי הַדְרִי וְזִיוִי יְתוּב עֲלַי וְלִי
הַדָּבְרַי וְרַבְרְבָנַי יְבַעוֹן וְעַל־מַלְכוּתִי הָתְקְנַת וּרְבוּ יַתִּירָה
לד הוּסְפַת לִי: כְּעַן אֲנָה נְבֻכַדְנֶצַּר מְשַׁבַּח וּמְרוֹמֵם וּמְהַדַּר לְמֶלֶךְ
שְׁמַיָּא דִּי כָל־מַעֲבָדוֹהִי קְשֹׁט וְאֹרְחָתֵהּ דִּין וְדִי מַהְלְכִין
בְּגֵוָה יָכִל לְהַשְׁפָּלָה:

חֲזָרַת נְבוּכַדְנֶצַּר לְמַלְכוּתוֹ:

ה א בֵּלְשַׁאצַּר מַלְכָּא עֲבַד לְחֶם רַב לְרַבְרְבָנוֹהִי אֲלַף וְלָקֳבֵל אַלְפָּא
ב חַמְרָא שָׁתֵה: בֵּלְשַׁאצַּר אֲמַר ׀ בִּטְעֵם חַמְרָא לְהַיְתָיָה לְמָאנֵי
דַּהֲבָא וְכַסְפָּא דִּי הַנְפֵּק נְבוּכַדְנֶצַּר אֲבוּהִי מִן־הֵיכְלָא דִּי
בִירוּשְׁלֶם וְיִשְׁתּוֹן בְּהוֹן מַלְכָּא וְרַבְרְבָנוֹהִי שֵׁגְלָתֵהּ וּלְחֵנָתֵהּ:
ג בֵּאדַיִן הַיְתִיו מָאנֵי דַהֲבָא דִּי הַנְפִּקוּ מִן־הֵיכְלָא דִּי־בֵית אֱלָהָא
דִּי בִירוּשְׁלֶם וְאִשְׁתִּיו בְּהוֹן מַלְכָּא וְרַבְרְבָנוֹהִי שֵׁגְלָתֵהּ
ד וּלְחֵנָתֵהּ: אִשְׁתִּיו חַמְרָא וְשַׁבַּחוּ לֵאלָהֵי דַּהֲבָא וְכַסְפָּא נְחָשָׁא
ה פַּרְזְלָא אָעָא וְאַבְנָא: בַּהּ־שַׁעֲתָה נפקו נְפַקָה אֶצְבְּעָן דִּי יַד־אֱנָשׁ

מִשְׁתֵּה בֵּלְשַׁאצַּר, וְהַשִּׁמּוּשׁ בִּכְלֵי הַמִּקְדָּשׁ: [3389]

כַּף יָד כְּתָבָה עַל הַקִּיר:

וְכָתְבָן לָקֳבֵל נֶבְרַשְׁתָּא עַל־גִּירָא דִּי־כְתַל הֵיכְלָא דִּי מַלְכָּא
ו וּמַלְכָּא חָזֵה פַּס יְדָה דִּי כָתְבָה: אֱדַיִן מַלְכָּא זִיוֺהִי שְׁנוֹהִי
וְרַעְיֹנֹהִי יְבַהֲלוּנֵּהּ וְקִטְרֵי חַרְצֵהּ מִשְׁתָּרַיִן וְאַרְכֻבָּתֵהּ דָּא
ז לְדָא נָקְשָׁן: קָרֵא מַלְכָּא בְּחַיִל לְהֶעָלָה לְאָשְׁפַיָּא כשדיא כַּשְׂדָּאֵי

זִמּוּן הַחֲכָמִים לַמֶּלֶךְ:

וְגָזְרַיָּא עָנֵה מַלְכָּא וְאָמַר ׀ לְחַכִּימֵי בָבֶל דִּי כָל־אֱנָשׁ דִּי־יִקְרֵה
כְּתָבָה דְנָה וּפִשְׁרֵהּ יְחַוִּנַּנִי אַרְגְּוָנָא יִלְבַּשׁ והמנוכא וְהַמְנִיכָא
ח דִּי־דַהֲבָא עַל־צַוְּארֵהּ וְתַלְתִּי בְמַלְכוּתָא יִשְׁלַט: אֱדַיִן
עללין עָלִּין כֹּל חַכִּימֵי מַלְכָּא וְלָא־כָהֲלִין כְּתָבָא לְמִקְרֵא ופשרא
ט וּפִשְׁרֵהּ לְהוֹדָעָה לְמַלְכָּא: אֱדַיִן מַלְכָּא בֵלְשַׁאצַּר שַׂגִּיא

הַצָּעַת הַמַּלְכָּה לִקְרֹא לְדָנִיֵּאל:

י מִתְבָּהַל וְזִיוֺהִי שָׁנַיִן עֲלוֹהִי וְרַבְרְבָנוֹהִי מִשְׁתַּבְּשִׁין: מַלְכְּתָא
לָקֳבֵל מִלֵּי מַלְכָּא וְרַבְרְבָנוֹהִי לְבֵית מִשְׁתְּיָא עללת עַלַּת עֲנָת
מַלְכְּתָא וַאֲמֶרֶת מַלְכָּא לְעָלְמִין חֱיִי אַל־יְבַהֲלוּךְ רַעְיוֹנָךְ וזייך
יא וְזִיוָךְ אַל־יִשְׁתַּנּוֹ: אִיתַי גְּבַר בְּמַלְכוּתָךְ דִּי רוּחַ אֱלָהִין קַדִּישִׁין
בֵּהּ וּבְיוֹמֵי אֲבוּךְ נַהִירוּ וְשָׂכְלְתָנוּ וְחָכְמָה כְּחָכְמַת־אֱלָהִין
הִשְׁתְּכַחַת בֵּהּ וּמַלְכָּא נְבֻכַדְנֶצַּר אֲבוּךְ רַב חַרְטֻמִּין אָשְׁפִין
יב כַּשְׂדָּאִין גָּזְרִין הֲקִימֵהּ אֲבוּךְ מַלְכָּא: כָּל־קֳבֵל דִּי רוּחַ ׀
יַתִּירָה וּמַנְדַּע וְשָׂכְלְתָנוּ מְפַשַּׁר חֶלְמִין וַאַחֲוָיַת אֲחִידָן וּמְשָׁרֵא
קִטְרִין הִשְׁתְּכַחַת בֵּהּ בְּדָנִיֵּאל דִּי־מַלְכָּא שָׂם־שְׁמֵהּ
בֵּלְטְשַׁאצַּר כְּעַן דָּנִיֵּאל יִתְקְרֵי וּפִשְׁרָה יְהַחֲוֵה:

בַּקָּשַׁת הַמֶּלֶךְ לִפְתֹּר אֶת הַכְּתָב:

יג בֵּאדַיִן דָּנִיֵּאל הֻעַל קֳדָם מַלְכָּא עָנֵה מַלְכָּא וְאָמַר לְדָנִיֵּאל אנתה
אַנְתְּ־הוּא דָנִיֵּאל דִּי־מִן־בְּנֵי גָלוּתָא דִּי יְהוּד דִּי הַיְתִי מַלְכָּא
יד אַבִי מִן־יְהוּד: וְשִׁמְעֵת עליך עֲלָךְ דִּי רוּחַ אֱלָהִין בָּךְ וְנַהִירוּ
טו וְשָׂכְלְתָנוּ וְחָכְמָה יַתִּירָה הִשְׁתְּכַחַת בָּךְ: וּכְעַן הֻעַלּוּ קָדָמַי
חַכִּימַיָּא אָשְׁפַיָּא דִּי־כְתָבָה דְנָה יִקְרוֹן וּפִשְׁרֵהּ לְהוֹדָעֻתַנִי
טז וְלָא־כָהֲלִין פְּשַׁר־מִלְּתָא לְהַחֲוָיָה: וַאֲנָה שִׁמְעֵת עליך עֲלָךְ דִּי־תִכּוּל

תוכל פִּשְׁרִין לְמִפְשַׁר וְקִטְרִין לְמִשְׁרֵא כְּעַן הֵן תוכל תִּכֻּל כְּתָבָא
לְמִקְרֵא וּפִשְׁרֵהּ לְהוֹדָעֻתַנִי אַרְגְּוָנָא תִלְבַּשׁ והמונכא וְהַמְנִיכָא
דִי־דַהֲבָא עַל־צַוְּארָךְ וְתַלְתָּא בְמַלְכוּתָא תִּשְׁלַט:

סִפּוּר דָּנִיֵּאל עַל גַּאֲוַת נְבוּכַדְנֶצַּר וְהַשְׁפָּלָתוֹ:

יז בֵּאדַיִן עָנֵה דָנִיֵּאל וְאָמַר קֳדָם מַלְכָּא מַתְּנָתָךְ לָךְ לֶהֶוְיָן
וּנְבַזְבְּיָתָךְ לְאָחֳרָן הַב בְּרַם כְּתָבָא אֶקְרֵא לְמַלְכָּא וּפִשְׁרָא
יח אֲהוֹדְעִנֵּהּ: אנתה אַנְתְּ מַלְכָּא אֱלָהָא עליא עִלָּאָה מַלְכוּתָא
יט וּרְבוּתָא וִיקָרָא וְהַדְרָא יְהַב לִנְבֻכַדְנֶצַּר אֲבוּךְ: וּמִן־רְבוּתָא דִּי
יְהַב־לֵהּ כֹּל עַמְמַיָּא אֻמַיָּא וְלִשָּׁנַיָּא הֲווֹ זאעין זָיְעִין וְדָחֲלִין
מִן־קֳדָמוֹהִי דִּי־הֲוָא צָבֵא הֲוָה קָטֵל וְדִי־הֲוָה צָבֵא הֲוָה מַחֵא
כ וְדִי־הֲוָה צָבֵא הֲוָה מָרִים וְדִי־הֲוָא צָבֵא הֲוָא מַשְׁפִּל: וּכְדִי רִם
לִבְבֵהּ וְרוּחֵהּ תִּקְפַת לַהֲזָדָה הָנְחַת מִן־כָּרְסֵא מַלְכוּתֵהּ
כא וִיקָרָה הֶעְדִּיו מִנֵּהּ: וּמִן־בְּנֵי אֲנָשָׁא טְרִיד וְלִבְבֵהּ ׀ עִם־
חֵיוְתָא שוי שַׁוִּיו וְעִם־עֲרָדַיָּא מְדֹרֵהּ עִשְׂבָּא כְתוֹרִין
יְטַעֲמוּנֵּהּ וּמִטַּל שְׁמַיָּא גִּשְׁמֵהּ יִצְטַבַּע עַד דִּי־יְדַע דִּי־שַׁלִּיט
אֱלָהָא עליא עִלָּאָה בְּמַלְכוּת אֲנָשָׁא וּלְמַן־דִּי יִצְבֵּא יְהָקֵים עליה

חֵטְא הַמֶּלֶךְ בְּחִלּוּל הַקֹּדֶשׁ:

כב עֲלַהּ: ואנתה וְאַנְתְּ בְּרֵהּ בֵּלְשַׁאצַּר לָא הַשְׁפֵּלְתְּ לִבְבָךְ כָּל־קֳבֵל
כג דִּי כָל־דְּנָה יְדַעְתָּ: וְעַל מָרֵא־שְׁמַיָּא ׀ הִתְרוֹמַמְתָּ וּלְמָאנַיָּא
דִי־בַיְתֵהּ הַיְתִיו קדמיך קָדָמָךְ ואנתה ורברבניך וְאַנְתְּ וְרַבְרְבָנָךְ
שֵׁגְלָתָךְ וּלְחֵנָתָךְ חַמְרָא שָׁתַיִן בְּהוֹן וְלֵאלָהֵי כַסְפָּא־וְדַהֲבָא
נְחָשָׁא פַרְזְלָא אָעָא וְאַבְנָא דִּי לָא־חָזַיִן וְלָא־שָׁמְעִין וְלָא יָדְעִין
שַׁבַּחְתָּ וְלֵאלָהָא דִּי־נִשְׁמְתָךְ בִּידֵהּ וְכָל־אֹרְחָתָךְ לֵהּ לָא

קְרִיאַת הַכְּתָב, וּפִתְרוֹנוֹ:

כד הַדַּרְתָּ: בֵּאדַיִן מִן־קֳדָמוֹהִי שְׁלִיחַ פַּסָּא דִי־יְדָא וּכְתָבָא דְנָה
כה כו רְשִׁים: וּדְנָה כְתָבָא דִּי רְשִׁים מְנֵא מְנֵא תְּקֵל וּפַרְסִין: דְּנָה
כז פְּשַׁר־מִלְּתָא מְנֵא מְנָה־אֱלָהָא מַלְכוּתָךְ וְהַשְׁלְמַהּ: תְּקֵל תְּקִילְתָּה
כח בְמֹאזַנְיָא וְהִשְׁתְּכַחַתְּ חַסִּיר: פְּרֵס פְּרִיסַת מַלְכוּתָךְ וִיהִיבַת

שְׂכַר דָּנִיֵּאל:

כט לְמָדַי וּפָרָס׃ בֵּאדַיִן ׀ אֲמַר בֵּלְשַׁאצַּר וְהַלְבִּשׁוּ לְדָנִיֵּאל אַרְגְּוָנָא
והמנוכא וְהַמְנִיכָא דִּי־דַהֲבָא עַל־צַוְּארֵהּ וְהַכְרִזוּ עֲלוֹהִי דִּי־לֶהֱוֵא

מוֹת בֵּלְשַׁאצַּר:

ל שַׁלִּיט תַּלְתָּא בְּמַלְכוּתָא׃ בֵּהּ בְּלֵילְיָא קְטִיל בֵּלְאשַׁצַּר מַלְכָּא
כשדיא כַּשְׂדָּאָה׃

דָּרְיָוֶשׁ מְכוֹנֵן מַלְכוּתוֹ:

א ו וְדָרְיָוֶשׁ מדיא מְדָאָה קַבֵּל מַלְכוּתָא כְּבַר שְׁנִין שִׁתִּין וְתַרְתֵּין׃
ב שְׁפַר קֳדָם דָּרְיָוֶשׁ וַהֲקִים עַל־מַלְכוּתָא לַאֲחַשְׁדַּרְפְּנַיָּא מְאָה

[3389]

ג וְעֶשְׂרִין דִּי לֶהֱוֺן בְּכָל־מַלְכוּתָא׃ וְעֵלָּא מִנְּהוֹן סָרְכִין תְּלָתָה דִּי
דָנִיֵּאל חַד־מִנְּהוֹן דִּי־לֶהֱוֺן אֲחַשְׁדַּרְפְּנַיָּא אִלֵּין יָהֲבִין לְהוֹן
ד טַעְמָא וּמַלְכָּא לָא־לֶהֱוֵא נָזִק׃ אֱדַיִן דָּנִיֵּאל דְּנָה הֲוָא מִתְנַצַּח
עַל־סָרְכַיָּא וַאֲחַשְׁדַּרְפְּנַיָּא כָּל־קֳבֵל דִּי רוּחַ יַתִּירָא בֵּהּ

קִנְאַת הַשָּׂרִים בְּדָנִיֵּאל:

ה וּמַלְכָּא עֲשִׁית לַהֲקָמוּתֵהּ עַל־כָּל־מַלְכוּתָא׃ אֱדַיִן סָרְכַיָּא
וַאֲחַשְׁדַּרְפְּנַיָּא הֲווֹ בָעַיִן עִלָּה לְהַשְׁכָּחָה לְדָנִיֵּאל מִצַּד מַלְכוּתָא
וְכָל־עִלָּה וּשְׁחִיתָה לָא־יָכְלִין לְהַשְׁכָּחָה כָּל־קֳבֵל דִּי־מְהֵימַן
ו הוּא וְכָל־שָׁלוּ וּשְׁחִיתָה לָא הִשְׁתְּכַחַת עֲלוֹהִי׃ אֱדַיִן גֻּבְרַיָּא אִלֵּךְ
אָמְרִין דִּי לָא נְהַשְׁכַּח לְדָנִיֵּאל דְּנָה כָּל־עִלָּא לָהֵן הַשְׁכַּחְנָא

עֲצַת הַשָּׂרִים:

ז עֲלוֹהִי בְּדָת אֱלָהֵהּ׃ אֱדַיִן סָרְכַיָּא
וַאֲחַשְׁדַּרְפְּנַיָּא אִלֵּן הַרְגִּשׁוּ עַל־מַלְכָּא וְכֵן אָמְרִין לֵהּ דָּרְיָוֶשׁ
ח מַלְכָּא לְעָלְמִין חֱיִי׃ אִתְיָעַטוּ כֹּל ׀ סָרְכֵי מַלְכוּתָא סִגְנַיָּא
וַאֲחַשְׁדַּרְפְּנַיָּא הַדָּבְרַיָּא וּפַחֲוָתָא לְקַיָּמָה קְיָם מַלְכָּא וּלְתַקָּפָה
אֱסָר דִּי כָל־דִּי־יִבְעֵא בָעוּ מִן־כָּל־אֱלָהּ וֶאֱנָשׁ עַד־יוֹמִין
ט תְּלָתִין לָהֵן מִנָּךְ מַלְכָּא יִתְרְמֵא לְגֹב אַרְיָוָתָא׃ כְּעַן מַלְכָּא תְּקִים
אֱסָרָא וְתִרְשֻׁם כְּתָבָא דִּי לָא לְהַשְׁנָיָה כְּדָת־מָדַי וּפָרַס דִּי־לָא
י תֶעְדֵּא׃ כָּל־קֳבֵל דְּנָה מַלְכָּא דָּרְיָוֶשׁ רְשַׁם כְּתָבָא וֶאֱסָרָא׃

דָּנִיֵּאל מַמְשִׁיךְ לְקַיֵּם הַתְּפִלָּה:

יא וְדָנִיֵּאל כְּדִי יְדַע דִּי־רְשִׁים כְּתָבָא עַל לְבַיְתֵהּ וְכַוִּין פְּתִיחָן
לֵהּ בְּעִלִּיתֵהּ נֶגֶד יְרוּשְׁלֶם וְזִמְנִין תְּלָתָה בְּיוֹמָא הוּא ׀ בָּרֵךְ

עַל־בִּרְכ֗וֹהִי וּמְצַלֵּא֙ וּמוֹדֵ֣א קֳדָ֣ם אֱלָהֵ֔הּ כָּל־קֳבֵל֙ דִּֽי־הֲוָ֣א
יב עָבֵ֔ד מִן־קַדְמַ֖ת דְּנָֽה׃ אֱדַ֙יִן֙ גֻּבְרַיָּ֣א אִלֵּ֔ךְ הַרְגִּ֕שׁוּ הַלְשָׁנַת הַשָּׂרִים עַל דָּנִיֵּאל:
יג וְהַשְׁכַּ֖חוּ לְדָנִיֵּ֑אל בָּעֵ֥א וּמִתְחַנַּ֖ן קֳדָ֥ם אֱלָהֵֽהּ׃ בֵּאדַ֨יִן קְרִ֜בוּ
וְאָמְרִ֣ין קֳדָם־מַלְכָּא֮ עַל־אֱסָ֣ר מַלְכָּא֒ הֲלָ֧א אֱסָ֣ר רְשַׁ֗מְתָּ דִּ֣י
כָל־אֱנָ֡שׁ דִּֽי־יִבְעֵ֣א מִן־כָּל־אֱלָ֣הּ וֶ֠אֱנָשׁ עַד־יוֹמִ֤ין תְּלָתִין֙ לָהֵ֔ן
מִנָּ֣ךְ מַלְכָּ֔א יִתְרְמֵ֕א לְג֖וֹב אַרְיָוָתָ֑א עָנֵ֨ה מַלְכָּ֜א וְאָמַ֗ר יַצִּיבָ֤א
יד מִלְּתָא֙ כְּדָת־מָדַ֣י וּפָרַ֔ס דִּי־לָ֖א תֶעְדֵּֽא׃ בֵּאדַ֗יִן עֲנ֣וֹ וְאָמְרִין֮ קֳדָ֣ם
מַלְכָּא֒ דִּ֣י דָנִיֵּ֡אל דִּי֩ מִן־בְּנֵ֨י גָלוּתָ֜א דִּ֣י יְה֗וּד לָא־שָׂ֨ם עליך עֲלָ֤ךְ
מַלְכָּא֙ טְעֵ֔ם וְעַל־אֱסָרָ֖א דִּ֣י רְשַׁ֑מְתָּ וְזִמְנִין֙ תְּלָתָ֣ה בְּיוֹמָ֔א בָּעֵ֖א
בָּעוּתֵֽהּ׃
טו אֱדַ֨יִן מַלְכָּ֜א כְּדִ֣י מִלְּתָ֗א שְׁמַע֙ שַׂגִּיא֙ בְּאֵ֣שׁ עֲל֔וֹהִי וְעַ֣ל הַשְׁלָכַת דָּנִיֵּאל לְגוֹב הָאֲרָיוֹת:
דָּנִיֵּ֔אל שָׂ֥ם בָּ֖ל לְשֵֽׁיזָבוּתֵ֑הּ וְעַד֙ מֶֽעָלֵ֣י שִׁמְשָׁ֔א הֲוָ֥א מִשְׁתַּדַּ֖ר
טז לְהַצָּלוּתֵֽהּ׃ בֵּאדַ֙יִן֙ גֻּבְרַיָּ֣א אִלֵּ֔ךְ הַרְגִּ֖שׁוּ עַל־מַלְכָּ֑א
וְאָמְרִ֣ין לְמַלְכָּ֗א דַּ֤ע מַלְכָּא֙ דִּֽי־דָת֙ לְמָדַ֣י וּפָרַ֔ס דִּֽי־כָל־אֱסָ֥ר
יז וּקְיָ֛ם דִּֽי־מַלְכָּ֥א יְהָקֵ֖ים לָ֥א לְהַשְׁנָיָֽה׃ בֵּאדַ֨יִן מַלְכָּ֤א אֲמַר֙ וְהַיְתִיו֙
לְדָ֣נִיֵּ֔אל וּרְמ֖וֹ לְגֻבָּ֣א דִּ֣י אַרְיָוָתָ֑א עָנֵ֨ה מַלְכָּ֜א וְאָמַ֣ר לְדָֽנִיֵּ֗אל
יח אֱלָהָ֗ךְ דִּ֣י אנתה אַ֤נְתְּ פָּֽלַֽח־לֵהּ֙ בִּתְדִירָ֔א ה֖וּא יְשֵׁיזְבִנָּֽךְ׃ וְהֵיתָ֙יִת֙
אֶ֣בֶן חֲדָ֔ה וְשֻׂמַ֖ת עַל־פֻּ֣ם גֻּבָּ֑א וְחַתְמַ֨הּ מַלְכָּ֜א בְּעִזְקְתֵ֗הּ
יט וּבְעִזְקָת֙ רַבְרְבָנ֔וֹהִי דִּ֛י לָא־תִשְׁנֵ֥א צְב֖וּ בְּדָנִיֵּֽאל׃ אֱדַ֨יִן אֲזַ֤ל צַעֲרוֹ שֶׁל הַמֶּלֶךְ עַל דָּנִיֵּאל:
מַלְכָּא֙ לְהֵיכְלֵ֔הּ וּבָ֣ת טְוָ֔ת וְדַחֲוָ֖ן לָא־הַנְעֵ֣ל קֳדָמ֑וֹהִי וְשִׁנְתֵּ֖הּ
כ נַדַּ֥ת עֲלֽוֹהִי׃ בֵּאדַ֣יִן מַלְכָּ֔א בִּשְׁפַּרְפָּרָ֖א יְק֣וּם בְּנָגְהָ֑א וּבְהִתְבְּהָלָ֔ה
כא לְגֻבָּ֥א דִֽי־אַרְיָוָתָ֖א אֲזַֽל׃ וּֽכְמִקְרְבֵ֣הּ לְגֻבָּ֗א לְדָֽנִיֵּאל֙ בְּקָ֣ל עֲצִ֔יב
זְעִ֑ק עָנֵ֨ה מַלְכָּ֜א וְאָמַ֣ר לְדָֽנִיֵּ֗אל דָּֽנִיֵּאל֙ עֲבֵד֙ אֱלָהָ֣א חַיָּ֔א אֱלָהָ֗ךְ
דִּ֣י אנתה אַֽנְתְּ פָּֽלַֽח־לֵהּ֙ בִּתְדִירָ֔א הֲיִכִ֥ל לְשֵׁיזָבוּתָ֖ךְ מִן־אַרְיָוָתָֽא׃
כב כג אֱדַ֙יִן֙ דָּנִיֵּ֔אל עִם־מַלְכָּ֖א מַלִּ֑ל מַלְכָּ֖א לְעָלְמִ֥ין חֱיִֽי׃ אֱלָהִ֞י שְׁלַ֣ח

מַלְאֲכֵהּ וּסְגַר פֻּם אַרְיָוָתָא וְלָא חַבְּלוּנִי כָּל־קֳבֵל דִּי קֳדָמוֹהִי
זָכוּ הִשְׁתְּכַחַת לִי וְאַף קדמיך קֳדָמָךְ מַלְכָּא חֲבוּלָה לָא עַבְדֵת׃

הַצִּוּוּי לְהַעֲלוֹת אֶת דָּנִיֵּאל׃

כד בֵּאדַיִן מַלְכָּא שַׂגִּיא טְאֵב עֲלוֹהִי וּלְדָנִיֵּאל אֲמַר לְהַנְסָקָה
מִן־גֻּבָּא וְהֻסַּק דָּנִיֵּאל מִן־גֻּבָּא וְכָל־חֲבָל לָא־הִשְׁתְּכַח בֵּהּ דִּי

הַמַּלְשִׁינִים מֻשְׁלָכִים לְגוֹב הָאֲרָיוֹת׃

כה הֵימִן בֵּאלָהֵהּ׃ וַאֲמַר מַלְכָּא וְהַיְתִיו גֻּבְרַיָּא אִלֵּךְ דִּי־אֲכַלוּ
קַרְצוֹהִי דִּי דָנִיֵּאל וּלְגֹב אַרְיָוָתָא רְמוֹ אִנּוּן בְּנֵיהוֹן וּנְשֵׁיהוֹן
וְלָא־מְטוֹ לְאַרְעִית גֻּבָּא עַד דִּי־שְׁלִטוּ בְהוֹן אַרְיָוָתָא וְכָל־

הַמֶּלֶךְ מְפַרְסֵם גְּדֻלַּת אֱלֹהֵי דָּנִיֵּאל׃

כו גַּרְמֵיהוֹן הַדִּקוּ׃ בֵּאדַיִן דָּרְיָוֶשׁ מַלְכָּא כְּתַב לְכָל־עַמְמַיָּא אֻמַיָּא
כז וְלִשָּׁנַיָּא דִּי־דירין דָּאְרִין בְּכָל־אַרְעָא שְׁלָמְכוֹן יִשְׂגֵּא׃ מִן־קֳדָמַי
שִׂים טְעֵם דִּי ׀ בְּכָל־שָׁלְטָן מַלְכוּתִי לֶהֱוֺן זאעין זָיְעִין וְדָחֲלִין
מִן־קֳדָם אֱלָהֵהּ דִּי־דָנִיֵּאל דִּי־הוּא ׀ אֱלָהָא חַיָּא וְקַיָּם לְעָלְמִין
כח וּמַלְכוּתֵהּ דִּי־לָא תִתְחַבַּל וְשָׁלְטָנֵהּ עַד־סוֹפָא׃ מְשֵׁיזִב וּמַצִּל
וְעָבֵד אָתִין וְתִמְהִין בִּשְׁמַיָּא וּבְאַרְעָא דִּי שֵׁיזִיב לְדָנִיֵּאל מִן־יַד
כט אַרְיָוָתָא׃ וְדָנִיֵּאל דְּנָה הַצְלַח בְּמַלְכוּת דָּרְיָוֶשׁ וּבְמַלְכוּת כּוֹרֶשׁ
פרסיא פָּרְסָאָה׃

חֲלוֹם דָּנִיֵּאל עַל אַרְבַּע הַחַיּוֹת׃
[3386]

ז א בִּשְׁנַת חֲדָה לְבֵלְאשַׁצַּר מֶלֶךְ בָּבֶל דָּנִיֵּאל חֵלֶם חֲזָה וְחֶזְוֵי
רֵאשֵׁהּ עַל־מִשְׁכְּבֵהּ בֵּאדַיִן חֶלְמָא כְתַב רֵאשׁ מִלִּין אֲמַר׃
ב עָנֵה דָנִיֵּאל וְאָמַר חָזֵה הֲוֵית בְּחֶזְוִי עִם־לֵילְיָא וַאֲרוּ אַרְבַּע
ג רוּחֵי שְׁמַיָּא מְגִיחָן לְיַמָּא רַבָּא׃ וְאַרְבַּע חֵיוָן רַבְרְבָן סָלְקָן
ד מִן־יַמָּא שָׁנְיָן דָּא מִן־דָּא׃ קַדְמָיְתָא כְאַרְיֵה וְגַפִּין דִּי־נְשַׁר לַהּ
חָזֵה הֲוֵית עַד דִּי־מְּרִיטוּ גפיה גַּפַּהּ וּנְטִילַת מִן־אַרְעָא וְעַל־
ה רַגְלַיִן כֶּאֱנָשׁ הֳקִימַת וּלְבַב אֱנָשׁ יְהִיב לַהּ׃ וַאֲרוּ חֵיוָה אָחֳרִי
תִנְיָנָה דָּמְיָה לְדֹב וְלִשְׂטַר־חַד הֳקִמַת וּתְלָת עִלְעִין בְּפֻמַּהּ
ו בֵּין שניה שִׁנַּהּ וְכֵן אָמְרִין לַהּ קוּמִי אֲכֻלִי בְּשַׂר שַׂגִּיא׃ בָּאתַר
דְּנָה חָזֵה הֲוֵית וַאֲרוּ אָחֳרִי כִּנְמַר וְלַהּ גַּפִּין אַרְבַּע דִּי־עוֹף

עַל־גַּבַּ֔הּ גביה וְאַרְבְּעָ֤ה רֵאשִׁין֙ לְחֵ֣יוְתָ֔א וְשָׁלְטָ֖ן יְהִ֥יב לַ־הּ׃
ז בָּאתַ֣ר דְּנָה֩ חָזֵ֨ה הֲוֵ֜ית בְּחֶזְוֵ֣י לֵֽילְיָ֗א וַאֲר֣וּ חֵיוָ֣ה רביעיא רְֽבִיעָאָ֡ה
דְּחִילָה֩ וְאֵֽימְתָנִ֨י וְתַקִּיפָ֜א יַתִּ֗ירָה וְשִׁנַּ֨יִן דִּֽי־פַרְזֶ֥ל לַ־הּ֙ רַבְרְבָ֔ן
אָֽכְלָ֣ה וּמַדֱּקָ֔ה וּשְׁאָרָ֖א ברגליה בְּרַגְלַ֣־הּ רָֽפְסָ֑ה וְהִ֣יא מְשַׁנְּיָ֗ה
ח מִן־כָּל־חֵֽיוָתָא֙ דִּ֣י קדמיה קָֽדָמַ֔־הּ וְקַרְנַ֥יִן עֲשַׂ֖ר לַ־הּ׃ מִשְׂתַּכַּ֨ל
הֲוֵ֜ית בְּקַרְנַיָּ֗א וַ֠אֲלוּ קֶ֣רֶן אָחֳרִ֤י זְעֵירָה֙ סִֽלְקָ֣ת ביניהון בֵּֽינֵיהֵ֔ן
וּתְלָ֗ת מִן־קַרְנַיָּא֙ קַדְמָ֣יָתָ֔א אתעקרו אֶתְעֲקַ֖רָה מִן־קֳדָמַ֑־הּ קדמיה
ט וַאֲל֨וּ עַיְנִ֜ין כְּעַיְנֵ֤י אֲנָשָׁא֙ בְּקַרְנָא־דָ֔א וּפֻ֖ם מְמַלִּ֥ל רַבְרְבָֽן׃ חָזֵ֣ה
הֲוֵ֗ית עַ֣ד דִּ֤י כָרְסָוָן֙ רְמִ֔יו וְעַתִּ֥יק יוֹמִ֖ין יְתִ֑ב לְבוּשֵׁ֣־הּ ׀ כִּתְלַ֣ג
חִוָּ֗ר וּשְׂעַ֤ר רֵאשֵׁ־הּ֙ כַּעֲמַ֣ר נְקֵ֔א כָּרְסְיֵ־הּ֙ שְׁבִיבִ֣ין דִּי־נ֔וּר
י גַּלְגִּלּ֖וֹהִי נ֥וּר דָּלִֽק׃ נְהַ֣ר דִּי־נ֗וּר נָגֵ֤ד וְנָפֵק֙ מִן־קֳדָמ֔וֹהִי אֶ֤לֶף
אלפים אַלְפִין֙ יְשַׁמְּשׁוּנֵּ֔־הּ וְרִבּ֥וֹ רבון רִבְבָ֖ן קֳדָמ֣וֹהִי יְקוּמ֑וּן דִּינָ֥א
יא יְתִ֖ב וְסִפְרִ֥ין פְּתִֽיחוּ׃ חָזֵ֣ה הֲוֵ֔ית בֵּאדַ֗יִן מִן־קָל֙ מִלַּיָּ֣א רַבְרְבָתָ֔א
דִּ֥י קַרְנָ֖א מְמַלֱּלָ֑ה חָזֵ֣ה הֲוֵ֡ית עַד֩ דִּ֨י קְטִילַ֤ת חֵֽיוְתָא֙ וְהוּבַ֣ד
יב גֶּשְׁמַ֔־הּ וִיהִיבַ֖ת לִיקֵדַ֥ת אֶשָּֽׁא׃ וּשְׁאָר֙ חֵֽיוָתָ֔א הֶעְדִּ֖יו שָׁלְטָנְה֑וֹן
יג וְאַרְכָ֥ה בְחַיִּ֛ין יְהִ֥יבַת לְה֖וֹן עַד־זְמַ֥ן וְעִדָּֽן׃ חָזֵ֤ה הֲוֵית֙ בְּחֶזְוֵ֣י
לֵֽילְיָ֔א וַאֲרוּ֙ עִם־עֲנָנֵ֣י שְׁמַיָּ֔א כְּבַ֥ר אֱנָ֖שׁ אָתֵ֣ה הֲוָ֑א וְעַד־עַתִּ֤יק
יד יֽוֹמַיָּא֙ מְטָ֔ה וּקְדָמ֖וֹהִי הַקְרְבֽוּהִי׃ וְלֵ֨־הּ יְהִ֤ב שָׁלְטָן֙ וִיקָ֣ר וּמַלְכ֔וּ
וְכֹ֣ל עַֽמְמַיָּ֔א אֻמַיָּ֥א וְלִשָּׁנַיָּ֖א לֵ֣־הּ יִפְלְח֑וּן שָׁלְטָנֵ֞־הּ שָׁלְטָ֤ן עָלַם֙
דִּֽי־לָ֣א יֶעְדֵּ֔ה וּמַלְכוּתֵ֖־הּ דִּי־לָ֥א תִתְחַבַּֽל׃
טו אֶתְכְּרִיַּ֥ת רוּחִ֛י אֲנָ֥ה דָנִיֵּ֖אל בְּג֣וֹ נִדְנֶ֑ה וְחֶזְוֵ֥י רֵאשִׁ֖י יְבַהֲלֻנַּֽנִי׃
טז קִרְבֵ֗ת עַל־חַד֙ מִן־קָ֣אֲמַיָּ֔א וְיַצִּיבָ֥א אֶבְעֵֽא־מִנֵּ֖־הּ עַל־כָּל־דְּנָ֑ה
יז וַאֲמַר־לִ֕י וּפְשַׁ֥ר מִלַּיָּ֖א יְהֽוֹדְעִנַּֽנִי׃ אִלֵּין֙ חֵֽיוָתָ֣א רַבְרְבָתָ֔א דִּ֥י
יח אִנִּ֖ין אַרְבַּ֑ע אַרְבְּעָ֣ה מַלְכִ֔ין יְקוּמ֖וּן מִן־אַרְעָֽא׃ וִֽיקַבְּלוּן֙ מַלְכוּתָ֔א
קַדִּישֵׁ֖י עֶלְיוֹנִ֑ין וְיַחְסְנ֤וּן מַלְכוּתָא֙ עַד־עָ֣לְמָ֔א וְעַ֖ד עָלַ֥ם עָלְמַיָּֽא׃

מַרְאֵה הַזָּקֵן הַיּוֹשֵׁב עַל כִּסֵּא:

סוֹף הַחַיּוֹת, הַשְׁמָדָתָן:

חֶזְיוֹן דְּמוּת אָדָם:

דָּנִיֵּאל מְבַקֵּשׁ פִּתְרוֹן לֶחָזוֹן: הַחַיּוֹת הֵן הַמַּלְכֻיּוֹת:

אַבְדָנָהּ שֶׁל הַחַיָּה הָרְבִיעִית:

יט אֱדַיִן צְבִית לְיַצָּבָא עַל־חֵיוְתָא רְבִיעָיְתָא דִּי־הֲוָת שָׁנְיָה
מִן־כָּלְּהֵן כלהון דְּחִילָה יַתִּירָה שניה שִׁנַּהּ דִּי־פַרְזֶל וטפריה
וְטִפְרַהּ דִּי־נְחָשׁ אָכְלָה מַדֱּקָה וּשְׁאָרָא ברגליה בְּרַגְלַהּ רָפְסָה:
כ וְעַל־קַרְנַיָּא עֲשַׂר דִּי בְרֵאשַׁהּ וְאָחֳרִי דִּי סִלְקַת ונפלו וּנְפַלָה
מִן־קֳדָמַהּ קדמיה תְּלָת וְקַרְנָא דִכֵּן וְעַיְנִין לַהּ וּפֻם מְמַלִּל
כא רַבְרְבָן וְחֶזְוַהּ רַב מִן־חַבְרָתַהּ: חָזֵה הֲוֵית וְקַרְנָא דִכֵּן עָבְדָה
כב קְרָב עִם־קַדִּישִׁין וְיָכְלָה לְהוֹן: עַד דִּי־אֲתָה עַתִּיק יוֹמַיָּא וְדִינָא
יְהִב לְקַדִּישֵׁי עֶלְיוֹנִין וְזִמְנָא מְטָה וּמַלְכוּתָא הֶחֱסִנוּ קַדִּישִׁין:
כג כֵּן אֲמַר חֵיוְתָא רְבִיעָיְתָא מַלְכוּ רביעיה רְבִיעָאָה תֶּהֱוֵא בְאַרְעָא
דִּי תִשְׁנֵא מִן־כָּל־מַלְכְוָתָא וְתֵאכֻל כָּל־אַרְעָא וּתְדוּשִׁנַּהּ
כד וְתַדְּקִנַּהּ: וְקַרְנַיָּא עֲשַׂר מִנַּהּ מַלְכוּתָה עַשְׂרָה מַלְכִין יְקֻמוּן
וְאָחֳרָן יְקוּם אַחֲרֵיהוֹן וְהוּא יִשְׁנֵא מִן־קַדְמָיֵא וּתְלָתָה מַלְכִין
כה יְהַשְׁפִּל: וּמִלִּין לְצַד עליא עִלָּאָה יְמַלִּל וּלְקַדִּישֵׁי עֶלְיוֹנִין יְבַלֵּא
וְיִסְבַּר לְהַשְׁנָיָה זִמְנִין וְדָת וְיִתְיַהֲבוּן בִּידֵהּ עַד־עִדָּן וְעִדָּנִין
כו וּפְלַג עִדָּן: וְדִינָא יִתִּב וְשָׁלְטָנֵהּ יְהַעְדּוֹן לְהַשְׁמָדָה וּלְהוֹבָדָה
כז עַד־סוֹפָא: וּמַלְכוּתָה וְשָׁלְטָנָא וּרְבוּתָא דִּי מַלְכְוָת תְּחוֹת כָּל־
שְׁמַיָּא יְהִיבַת לְעַם קַדִּישֵׁי עֶלְיוֹנִין מַלְכוּתֵהּ מַלְכוּת עָלַם וְכֹל
כח שָׁלְטָנַיָּא לֵהּ יִפְלְחוּן וְיִשְׁתַּמְּעוּן: עַד־כָּה סוֹפָא דִי־מִלְּתָא אֲנָה
דָנִיֵּאל שַׂגִּיא ׀ רַעְיוֹנַי יְבַהֲלֻנַּנִי וְזִיוַי יִשְׁתַּנּוֹן עֲלַי וּמִלְּתָא בְּלִבִּי
נִטְרֵת:

הַמַּלְכוּת שֶׁתִּהְיֶה לְעַם הַקֹּדֶשׁ:

חֲזוֹן דָּנִיֵּאל בְּשׁוּשַׁן הַבִּירָה:

ח א בִּשְׁנַת שָׁלוֹשׁ לְמַלְכוּת בֵּלְאשַׁצַּר הַמֶּלֶךְ חָזוֹן נִרְאָה אֵלַי אֲנִי
ב דָנִיֵּאל אַחֲרֵי הַנִּרְאָה אֵלַי בַּתְּחִלָּה: וָאֶרְאֶה בֶּחָזוֹן וַיְהִי בִּרְאֹתִי
[3389] וַאֲנִי בְּשׁוּשַׁן הַבִּירָה אֲשֶׁר בְּעֵילָם הַמְּדִינָה וָאֶרְאֶה בֶּחָזוֹן וַאֲנִי
ג הָיִיתִי עַל־אוּבַל אוּלָי: וָאֶשָּׂא עֵינַי וָאֶרְאֶה וְהִנֵּה ׀ אַיִל אֶחָד
עֹמֵד לִפְנֵי הָאֻבָל וְלוֹ קְרָנַיִם וְהַקְּרָנַיִם גְּבֹהוֹת וְהָאַחַת גְּבֹהָה

תֵּאוּר הֶחָזוֹן:

ד מִן־הַשֵּׁנִית וְהַגְּבֹהָה עֹלָה בָּאַחֲרֹנָה׃ רָאִיתִי אֶת־הָאַיִל מְנַגֵּחַ
יָמָּה וְצָפוֹנָה וָנֶגְבָּה וְכָל־חַיּוֹת לֹא־יַעַמְדוּ לְפָנָיו וְאֵין מַצִּיל מִיָּדוֹ
ה וְעָשָׂה כִרְצֹנוֹ וְהִגְדִּיל׃ וַאֲנִי ׀ הָיִיתִי מֵבִין וְהִנֵּה צְפִיר־הָעִזִּים
בָּא מִן־הַמַּעֲרָב עַל־פְּנֵי כָל־הָאָרֶץ וְאֵין נוֹגֵעַ בָּאָרֶץ וְהַצָּפִיר
ו קֶרֶן חָזוּת בֵּין עֵינָיו׃ וַיָּבֹא עַד־הָאַיִל בַּעַל הַקְּרָנַיִם אֲשֶׁר רָאִיתִי
ז עֹמֵד לִפְנֵי הָאֻבָל וַיָּרָץ אֵלָיו בַּחֲמַת כֹּחוֹ׃ וּרְאִיתִיו מַגִּיעַ ׀ אֵצֶל
הָאַיִל וַיִּתְמַרְמַר אֵלָיו וַיַּךְ אֶת־הָאַיִל וַיְשַׁבֵּר אֶת־שְׁתֵּי קְרָנָיו
וְלֹא־הָיָה כֹחַ בָּאַיִל לַעֲמֹד לְפָנָיו וַיַּשְׁלִיכֵהוּ אַרְצָה וַיִּרְמְסֵהוּ
ח וְלֹא־הָיָה מַצִּיל לָאַיִל מִיָּדוֹ׃ וּצְפִיר הָעִזִּים הִגְדִּיל עַד־מְאֹד
וּכְעָצְמוֹ נִשְׁבְּרָה הַקֶּרֶן הַגְּדֹלָה וַתַּעֲלֶנָה חָזוּת אַרְבַּע תַּחְתֶּיהָ
ט לְאַרְבַּע רוּחוֹת הַשָּׁמָיִם׃ וּמִן־הָאַחַת מֵהֶם יָצָא קֶרֶן־אַחַת
י מִצְּעִירָה וַתִּגְדַּל־יֶתֶר אֶל־הַנֶּגֶב וְאֶל־הַמִּזְרָח וְאֶל־הַצֶּבִי׃ וַתִּגְדַּל
עַד־צְבָא הַשָּׁמָיִם וַתַּפֵּל אַרְצָה מִן־הַצָּבָא וּמִן־הַכּוֹכָבִים
יא וַתִּרְמְסֵם׃ וְעַד שַׂר־הַצָּבָא הִגְדִּיל וּמִמֶּנּוּ הרים הוּרַם הַתָּמִיד
יב וְהֻשְׁלַךְ מְכוֹן מִקְדָּשׁוֹ׃ וְצָבָא תִּנָּתֵן עַל־הַתָּמִיד בְּפָשַׁע וְתַשְׁלֵךְ
יג אֱמֶת אַרְצָה וְעָשְׂתָה וְהִצְלִיחָה׃ וָאֶשְׁמְעָה אֶחָד־קָדוֹשׁ מְדַבֵּר
וַיֹּאמֶר אֶחָד קָדוֹשׁ לַפַּלְמוֹנִי הַמְדַבֵּר עַד־מָתַי הֶחָזוֹן הַתָּמִיד
יד וְהַפֶּשַׁע שֹׁמֵם תֵּת וְקֹדֶשׁ וְצָבָא מִרְמָס׃ וַיֹּאמֶר אֵלַי עַד עֶרֶב
טו בֹּקֶר אַלְפַּיִם וּשְׁלֹשׁ מֵאוֹת וְנִצְדַּק קֹדֶשׁ׃ וַיְהִי בִּרְאֹתִי אֲנִי דָנִיֵּאל
אֶת־הֶחָזוֹן וָאֲבַקְשָׁה בִינָה וְהִנֵּה עֹמֵד לְנֶגְדִּי כְּמַרְאֵה־גָבֶר׃
טז וָאֶשְׁמַע קוֹל־אָדָם בֵּין אוּלָי וַיִּקְרָא וַיֹּאמַר גַּבְרִיאֵל הָבֵן לְהַלָּז
יז אֶת־הַמַּרְאֶה׃ וַיָּבֹא אֵצֶל עָמְדִי וּבְבֹאוֹ נִבְעַתִּי וָאֶפְּלָה עַל־פָּנָי
יח וַיֹּאמֶר אֵלַי הָבֵן בֶּן־אָדָם כִּי לְעֶת־קֵץ הֶחָזוֹן׃ וּבְדַבְּרוֹ עִמִּי
יט נִרְדַּמְתִּי עַל־פָּנַי אָרְצָה וַיִּגַּע־בִּי וַיַּעֲמִידֵנִי עַל־עָמְדִי׃ וַיֹּאמֶר
הִנְנִי מוֹדִיעֲךָ אֵת אֲשֶׁר־יִהְיֶה בְּאַחֲרִית הַזָּעַם כִּי לְמוֹעֵד קֵץ׃

צְפִיר הָעִזִּים שֶׁנִּלְחַם בָּאַיִל׃

גְּדֻלַּת הָאַיִל׃

תַּאֲרִיךְ סִיּוּם הֲסָרַת הַתָּמִיד׃

בַּקָּשַׁת הַפִּתְרוֹן׃

פִּתְרוֹן הֶחָזוֹן עַל מַלְכוּת יָוָן׃

כ כא הָאַיִל אֲשֶׁר־רָאִיתָ בַּעַל הַקְּרָנָיִם מַלְכֵי מָדַי וּפָרָס׃ וְהַצָּפִיר
הַשָּׂעִיר מֶלֶךְ יָוָן וְהַקֶּרֶן הַגְּדוֹלָה אֲשֶׁר בֵּין־עֵינָיו הוּא הַמֶּלֶךְ
כב הָרִאשׁוֹן׃ וְהַנִּשְׁבֶּרֶת וַתַּעֲמֹדְנָה אַרְבַּע תַּחְתֶּיהָ אַרְבַּע מַלְכֻיוֹת
כג מִגּוֹי יַעֲמֹדְנָה וְלֹא בְכֹחוֹ׃ וּבְאַחֲרִית מַלְכוּתָם כְּהָתֵם הַפֹּשְׁעִים
כד יַעֲמֹד מֶלֶךְ עַז־פָּנִים וּמֵבִין חִידוֹת׃ וְעָצַם כֹּחוֹ וְלֹא בְכֹחוֹ
וְנִפְלָאוֹת יַשְׁחִית וְהִצְלִיחַ וְעָשָׂה וְהִשְׁחִית עֲצוּמִים וְעַם־
כה קְדֹשִׁים׃ וְעַל־שִׂכְלוֹ וְהִצְלִיחַ מִרְמָה בְּיָדוֹ וּבִלְבָבוֹ יַגְדִּיל
וּבְשַׁלְוָה יַשְׁחִית רַבִּים וְעַל שַׂר־שָׂרִים יַעֲמֹד וּבְאֶפֶס יָד יִשָּׁבֵר׃
כו וּמַרְאֵה הָעֶרֶב וְהַבֹּקֶר אֲשֶׁר נֶאֱמַר אֱמֶת הוּא וְאַתָּה סְתֹם הֶחָזוֹן
כז כִּי לְיָמִים רַבִּים׃ וַאֲנִי דָנִיֵּאל נִהְיֵיתִי וְנֶחֱלֵיתִי יָמִים
וָאָקוּם וָאֶעֱשֶׂה אֶת־מְלֶאכֶת הַמֶּלֶךְ וָאֶשְׁתּוֹמֵם עַל־הַמַּרְאֶה וְאֵין
מֵבִין׃

ט א בִּשְׁנַת אַחַת לְדָרְיָוֶשׁ בֶּן־אֲחַשְׁוֵרוֹשׁ מִזֶּרַע מָדָי אֲשֶׁר הָמְלַךְ
ב עַל מַלְכוּת כַּשְׂדִּים׃ בִּשְׁנַת אַחַת לְמָלְכוֹ אֲנִי דָּנִיֵּאל בִּינֹתִי
בַּסְּפָרִים מִסְפַּר הַשָּׁנִים אֲשֶׁר הָיָה דְבַר־יְהוָה אֶל־יִרְמִיָה הַנָּבִיא
ג לְמַלֹּאות לְחָרְבוֹת יְרוּשָׁלִַם שִׁבְעִים שָׁנָה׃ וָאֶתְּנָה אֶת־פָּנַי
אֶל־אֲדֹנָי הָאֱלֹהִים לְבַקֵּשׁ תְּפִלָּה וְתַחֲנוּנִים בְּצוֹם וְשַׂק וָאֵפֶר׃
ד וָאֶתְפַּלְלָה לַיהוָה אֱלֹהַי וָאֶתְוַדֶּה וָאֹמְרָה אָנָּא אֲדֹנָי הָאֵל הַגָּדוֹל
ה וְהַנּוֹרָא שֹׁמֵר הַבְּרִית וְהַחֶסֶד לְאֹהֲבָיו וּלְשֹׁמְרֵי מִצְוֺתָיו׃ חָטָאנוּ
וְעָוִינוּ והרשענו הִרְשַׁעְנוּ וּמָרָדְנוּ וְסוֹר מִמִּצְוֺתֶךָ וּמִמִּשְׁפָּטֶיךָ׃
ו וְלֹא שָׁמַעְנוּ אֶל־עֲבָדֶיךָ הַנְּבִיאִים אֲשֶׁר דִּבְּרוּ בְּשִׁמְךָ אֶל־
ז מְלָכֵינוּ שָׂרֵינוּ וַאֲבֹתֵינוּ וְאֶל כָּל־עַם הָאָרֶץ׃ לְךָ אֲדֹנָי הַצְּדָקָה
וְלָנוּ בֹּשֶׁת הַפָּנִים כַּיּוֹם הַזֶּה לְאִישׁ יְהוּדָה וּלְיוֹשְׁבֵי יְרוּשָׁלִַם
וּלְכָל־יִשְׂרָאֵל הַקְּרֹבִים וְהָרְחֹקִים בְּכָל־הָאֲרָצוֹת אֲשֶׁר הִדַּחְתָּם
ח שָׁם בְּמַעֲלָם אֲשֶׁר מָעֲלוּ־בָךְ׃ יְהוָה לָנוּ בֹּשֶׁת הַפָּנִים לִמְלָכֵינוּ

- עַל אֲלֶכְּסַנְדֶּר מֶלֶךְ יָוָן:
- עַל טִיטוּס:
הַשְׁפָּעַת הֶחָזוֹן עַל דָּנִיֵּאל:
הִתְבּוֹנְנוּת דָּנִיֵּאל בִּנְבוּאַת יִרְמְיָה:
[3389]
תְּפִלַּת דָּנִיֵּאל לַה':

ט לְשָׂרֵינוּ וְלַאֲבֹתֵינוּ אֲשֶׁר חָטָאנוּ לָךְ: לַאדֹנָי אֱלֹהֵינוּ הָרַחֲמִים
י וְהַסְּלִחוֹת כִּי מָרַדְנוּ בּוֹ: וְלֹא שָׁמַעְנוּ בְּקוֹל יְהוָה אֱלֹהֵינוּ לָלֶכֶת
יא בְּתוֹרֹתָיו אֲשֶׁר נָתַן לְפָנֵינוּ בְּיַד עֲבָדָיו הַנְּבִיאִים: וְכָל־יִשְׂרָאֵל
עָבְרוּ אֶת־תּוֹרָתֶךָ וְסוֹר לְבִלְתִּי שְׁמוֹעַ בְּקֹלֶךָ וַתִּתַּךְ עָלֵינוּ
הָאָלָה וְהַשְּׁבֻעָה אֲשֶׁר כְּתוּבָה בְּתוֹרַת מֹשֶׁה עֶבֶד־הָאֱלֹהִים כִּי
יב חָטָאנוּ לוֹ: וַיָּקֶם אֶת־דְּבָרוֹ | דבריו אֲשֶׁר־דִּבֶּר עָלֵינוּ וְעַל שֹׁפְטֵינוּ הַצְדָּקַת הַדִּין:
אֲשֶׁר שְׁפָטוּנוּ לְהָבִיא עָלֵינוּ רָעָה גְדֹלָה אֲשֶׁר לֹא־נֶעֶשְׂתָה תַּחַת
יג כָּל־הַשָּׁמַיִם כַּאֲשֶׁר נֶעֶשְׂתָה בִּירוּשָׁלִָם: כַּאֲשֶׁר כָּתוּב בְּתוֹרַת
מֹשֶׁה אֵת כָּל־הָרָעָה הַזֹּאת בָּאָה עָלֵינוּ וְלֹא־חִלִּינוּ אֶת־פְּנֵי |
יד יְהוָה אֱלֹהֵינוּ לָשׁוּב מֵעֲוֺנֵנוּ וּלְהַשְׂכִּיל בַּאֲמִתֶּךָ: וַיִּשְׁקֹד יְהוָה
עַל־הָרָעָה וַיְבִיאֶהָ עָלֵינוּ כִּי־צַדִּיק יְהוָה אֱלֹהֵינוּ עַל־כָּל־מַעֲשָׂיו
טו אֲשֶׁר עָשָׂה וְלֹא שָׁמַעְנוּ בְּקֹלוֹ: וְעַתָּה | אֲדֹנָי אֱלֹהֵינוּ אֲשֶׁר
הוֹצֵאתָ אֶת־עַמְּךָ מֵאֶרֶץ מִצְרַיִם בְּיָד חֲזָקָה וַתַּעַשׂ־לְךָ שֵׁם
טז כַּיּוֹם הַזֶּה חָטָאנוּ רָשָׁעְנוּ: אֲדֹנָי כְּכָל־צִדְקֹתֶךָ יָשָׁב־נָא אַפְּךָ בַּקָּשַׁת רַחֲמִים:
וַחֲמָתְךָ מֵעִירְךָ יְרוּשָׁלִַם הַר־קָדְשֶׁךָ כִּי בַחֲטָאֵינוּ וּבַעֲוֺנוֹת
יז אֲבֹתֵינוּ יְרוּשָׁלִַם וְעַמְּךָ לְחֶרְפָּה לְכָל־סְבִיבֹתֵינוּ: וְעַתָּה | שְׁמַע
אֱלֹהֵינוּ אֶל־תְּפִלַּת עַבְדְּךָ וְאֶל־תַּחֲנוּנָיו וְהָאֵר פָּנֶיךָ עַל־מִקְדָּשְׁךָ
יח הַשָּׁמֵם לְמַעַן אֲדֹנָי: הַטֵּה אֱלֹהַי | אָזְנְךָ וּשְׁמָע פקחה פְּקַח עֵינֶיךָ
וּרְאֵה שֹׁמְמֹתֵינוּ וְהָעִיר אֲשֶׁר־נִקְרָא שִׁמְךָ עָלֶיהָ כִּי | לֹא
עַל־צִדְקֹתֵינוּ אֲנַחְנוּ מַפִּילִים תַּחֲנוּנֵינוּ לְפָנֶיךָ כִּי עַל־רַחֲמֶיךָ
יט הָרַבִּים: אֲדֹנָי | שְׁמָעָה אֲדֹנָי | סְלָחָה אֲדֹנָי הַקְשִׁיבָה וַעֲשֵׂה
אַל־תְּאַחַר לְמַעַנְךָ אֱלֹהַי כִּי־שִׁמְךָ נִקְרָא עַל־עִירְךָ וְעַל־עַמֶּךָ:
כ וְעוֹד אֲנִי מְדַבֵּר וּמִתְפַּלֵּל וּמִתְוַדֶּה חַטָּאתִי וְחַטַּאת עַמִּי יִשְׂרָאֵל גִּלּוּי הַסּוֹד עַל יְדֵי
כא וּמַפִּיל תְּחִנָּתִי לִפְנֵי יְהוָה אֱלֹהַי עַל הַר־קֹדֶשׁ אֱלֹהָי: וְעוֹד אֲנִי גַּבְרִיאֵל:
מְדַבֵּר בַּתְּפִלָּה וְהָאִישׁ גַּבְרִיאֵל אֲשֶׁר רָאִיתִי בֶחָזוֹן בַּתְּחִלָּה

מֵעָף בִּיעָף נֹגֵעַ אֵלַי כְּעֵת מִנְחַת־עָרֶב: וַיָּבֶן וַיְדַבֵּר עִמִּי וַיֹּאמַר כב

דָּנִיֵּאל עַתָּה יָצָאתִי לְהַשְׂכִּילְךָ בִינָה: בִּתְחִלַּת תַּחֲנוּנֶיךָ יָצָא כג

דָבָר וַאֲנִי בָּאתִי לְהַגִּיד כִּי חֲמוּדוֹת אָתָּה וּבִין בַּדָּבָר וְהָבֵן

בַּמַּרְאֶה: שָׁבֻעִים שִׁבְעִים נֶחְתַּךְ עַל־עַמְּךָ ׀ וְעַל־עִיר קָדְשֶׁךָ כד

לְכַלֵּא הַפֶּשַׁע ולחתם חטאות וּלְהָתֵם חַטָּאת וּלְכַפֵּר עָוֺן וּלְהָבִיא

צֶדֶק עֹלָמִים וְלַחְתֹּם חָזוֹן וְנָבִיא וְלִמְשֹׁחַ קֹדֶשׁ קָדָשִׁים: וְתֵדַע כה

וְתַשְׂכֵּל מִן־מֹצָא דָבָר לְהָשִׁיב וְלִבְנוֹת יְרוּשָׁלַ͏ִם עַד־מָשִׁיחַ

נָגִיד שָׁבֻעִים שִׁבְעָה וְשָׁבֻעִים שִׁשִּׁים וּשְׁנַיִם תָּשׁוּב וְנִבְנְתָה

רְחוֹב וְחָרוּץ וּבְצוֹק הָעִתִּים: וְאַחֲרֵי הַשָּׁבֻעִים שִׁשִּׁים וּשְׁנַיִם כו

יִכָּרֵת מָשִׁיחַ וְאֵין לוֹ וְהָעִיר וְהַקֹּדֶשׁ יַשְׁחִית עַם נָגִיד הַבָּא וְקִצּוֹ

בַשֶּׁטֶף וְעַד קֵץ מִלְחָמָה נֶחֱרֶצֶת שֹׁמֵמוֹת: וְהִגְבִּיר בְּרִית לָרַבִּים כז

שָׁבוּעַ אֶחָד וַחֲצִי הַשָּׁבוּעַ יַשְׁבִּית ׀ זֶבַח וּמִנְחָה וְעַל כְּנַף שִׁקּוּצִים

מְשֹׁמֵם וְעַד־כָּלָה וְנֶחֱרָצָה תִּתַּךְ עַל־שֹׁמֵם: בִּשְׁנַת י

אֲבֵל דָּנִיֵּאל עַל יְרוּשָׁלַ͏ִם:

שָׁלוֹשׁ לְכוֹרֶשׁ מֶלֶךְ פָּרַס דָּבָר נִגְלָה לְדָנִיֵּאל אֲשֶׁר־נִקְרָא שְׁמוֹ

בֵּלְטְשַׁאצַּר וֶאֱמֶת הַדָּבָר וְצָבָא גָדוֹל וּבִין אֶת־הַדָּבָר וּבִינָה לוֹ

[3392]

בַּמַּרְאֶה: בַּיָּמִים הָהֵם אֲנִי דָנִיֵּאל הָיִיתִי מִתְאַבֵּל שְׁלֹשָׁה שָׁבֻעִים ב

יָמִים: לֶחֶם חֲמֻדוֹת לֹא אָכַלְתִּי וּבָשָׂר וָיַיִן לֹא־בָא אֶל־פִּי וְסוֹךְ ג

לֹא־סָכְתִּי עַד־מְלֹאת שְׁלֹשֶׁת שָׁבֻעִים יָמִים:

הִתְגַּלּוּת אִישׁ הַבַּדִּים:

וּבְיוֹם עֶשְׂרִים וְאַרְבָּעָה לַחֹדֶשׁ הָרִאשׁוֹן וַאֲנִי הָיִיתִי עַל יַד הַנָּהָר ד

הַגָּדוֹל הוּא חִדָּקֶל: וָאֶשָּׂא אֶת־עֵינַי וָאֵרֶא וְהִנֵּה אִישׁ־אֶחָד לָבוּשׁ ה

בַּדִּים וּמָתְנָיו חֲגֻרִים בְּכֶתֶם אוּפָז: וּגְוִיָּתוֹ כְתַרְשִׁישׁ וּפָנָיו ו

כְּמַרְאֵה בָרָק וְעֵינָיו כְּלַפִּידֵי אֵשׁ וּזְרֹעֹתָיו וּמַרְגְּלֹתָיו כְּעֵין

נְחֹשֶׁת קָלָל וְקוֹל דְּבָרָיו כְּקוֹל הָמוֹן: וְרָאִיתִי אֲנִי דָנִיֵּאל לְבַדִּי ז

אֶת־הַמַּרְאָה וְהָאֲנָשִׁים אֲשֶׁר הָיוּ עִמִּי לֹא רָאוּ אֶת־הַמַּרְאָה אֲבָל

חֲרָדָה גְדֹלָה נָפְלָה עֲלֵיהֶם וַיִּבְרְחוּ בְּהֵחָבֵא: וַאֲנִי נִשְׁאַרְתִּי ח

לְבַדִּי וָאֶרְאֶה אֶת־הַמַּרְאָה הַגְּדֹלָה הַזֹּאת וְלֹא נִשְׁאַר־בִּי כֹּחַ
ט וְהוֹדִי נֶהְפַּךְ עָלַי לְמַשְׁחִית וְלֹא עָצַרְתִּי כֹּחַ׃ וָאֶשְׁמַע אֶת־קוֹל בֵּאוּר הֶחָזוֹן:
דְּבָרָיו וּכְשָׁמְעִי אֶת־קוֹל דְּבָרָיו וַאֲנִי הָיִיתִי נִרְדָּם עַל־פָּנַי וּפָנַי
י יא אָרְצָה׃ וְהִנֵּה־יָד נָגְעָה בִּי וַתְּנִיעֵנִי עַל־בִּרְכַּי וְכַפּוֹת יָדָי׃ וַיֹּאמֶר
אֵלַי דָּנִיֵּאל אִישׁ־חֲמֻדוֹת הָבֵן בַּדְּבָרִים אֲשֶׁר אָנֹכִי דֹּבֵר אֵלֶיךָ
וַעֲמֹד עַל־עָמְדֶךָ כִּי עַתָּה שֻׁלַּחְתִּי אֵלֶיךָ וּבְדַבְּרוֹ עִמִּי אֶת־הַדָּבָר
יב הַזֶּה עָמַדְתִּי מַרְעִיד׃ וַיֹּאמֶר אֵלַי אַל־תִּירָא דָנִיֵּאל כִּי ׀ מִן־הַיּוֹם
הָרִאשׁוֹן אֲשֶׁר נָתַתָּ אֶת־לִבְּךָ לְהָבִין וּלְהִתְעַנּוֹת לִפְנֵי אֱלֹהֶיךָ
יג נִשְׁמְעוּ דְבָרֶיךָ וַאֲנִי־בָאתִי בִּדְבָרֶיךָ׃ וְשַׂר ׀ מַלְכוּת פָּרַס עֹמֵד
לְנֶגְדִּי עֶשְׂרִים וְאֶחָד יוֹם וְהִנֵּה מִיכָאֵל אַחַד הַשָּׂרִים הָרִאשֹׁנִים
יד בָּא לְעָזְרֵנִי וַאֲנִי נוֹתַרְתִּי שָׁם אֵצֶל מַלְכֵי פָרָס׃ וּבָאתִי לַהֲבִינְךָ
אֵת אֲשֶׁר־יִקְרָה לְעַמְּךָ בְּאַחֲרִית הַיָּמִים כִּי־עוֹד חָזוֹן לַיָּמִים׃
טו טז וּבְדַבְּרוֹ עִמִּי כַּדְּבָרִים הָאֵלֶּה נָתַתִּי פָנַי אַרְצָה וְנֶאֱלָמְתִּי׃ וְהִנֵּה פַּחַד דָּנִיֵּאל:
כִּדְמוּת בְּנֵי אָדָם נֹגֵעַ עַל־שְׂפָתָי וָאֶפְתַּח־פִּי וָאֲדַבְּרָה וָאֹמְרָה
אֶל־הָעֹמֵד לְנֶגְדִּי אֲדֹנִי בַּמַּרְאָה נֶהֶפְכוּ צִירַי עָלַי וְלֹא עָצַרְתִּי
יז כֹּחַ׃ וְהֵיךְ יוּכַל עֶבֶד אֲדֹנִי זֶה לְדַבֵּר עִם־אֲדֹנִי זֶה וַאֲנִי מֵעַתָּה
יח לֹא־יַעֲמָד־בִּי כֹחַ וּנְשָׁמָה לֹא נִשְׁאֲרָה־בִי׃ וַיֹּסֶף וַיִּגַּע־בִּי חִזּוּק לְדָנִיֵּאל:
יט כְּמַרְאֵה אָדָם וַיְחַזְּקֵנִי׃ וַיֹּאמֶר אַל־תִּירָא אִישׁ־חֲמֻדוֹת שָׁלוֹם
לָךְ חֲזַק וַחֲזָק וּכְדַבְּרוֹ עִמִּי הִתְחַזַּקְתִּי וָאֹמְרָה יְדַבֵּר אֲדֹנִי כִּי
כ חִזַּקְתָּנִי׃ וַיֹּאמֶר הֲיָדַעְתָּ לָמָּה־בָּאתִי אֵלֶיךָ וְעַתָּה אָשׁוּב לְהִלָּחֵם
כא עִם־שַׂר פָּרָס וַאֲנִי יוֹצֵא וְהִנֵּה שַׂר־יָוָן בָּא׃ אֲבָל אַגִּיד לְךָ
אֶת־הָרָשׁוּם בִּכְתָב אֱמֶת וְאֵין אֶחָד מִתְחַזֵּק עִמִּי עַל־אֵלֶּה כִּי
אִם־מִיכָאֵל שַׂרְכֶם׃

יא א וַאֲנִי בִּשְׁנַת אַחַת לְדָרְיָוֶשׁ הַמָּדִי עָמְדִי לְמַחֲזִיק וּלְמָעוֹז לוֹ׃ נְבוּאָה עַל מַלְכוּת יָוָן:
ב וְעַתָּה אֱמֶת אַגִּיד לָךְ הִנֵּה־עוֹד שְׁלֹשָׁה מְלָכִים עֹמְדִים לְפָרַס

וְהָרְבִיעִי יַעֲשִׁיר עֹשֶׁר־גָּדוֹל מִכֹּל וּכְחֶזְקָתוֹ בְעָשְׁרוֹ יָעִיר הַכֹּל
ג אֵת מַלְכוּת יָוָן׃ וְעָמַד מֶלֶךְ גִּבּוֹר וּמָשַׁל מִמְשָׁל רַב וְעָשָׂה
ד כִּרְצוֹנוֹ׃ וּכְעָמְדוֹ תִּשָּׁבֵר מַלְכוּתוֹ וְתֵחָץ לְאַרְבַּע רוּחוֹת הַשָּׁמָיִם
וְלֹא לְאַחֲרִיתוֹ וְלֹא כְמָשְׁלוֹ אֲשֶׁר מָשָׁל כִּי תִנָּתֵשׁ מַלְכוּתוֹ
ה וְלַאֲחֵרִים מִלְּבַד־אֵלֶּה׃ וְיֶחֱזַק מֶלֶךְ־הַנֶּגֶב וּמִן־שָׂרָיו וְיֶחֱזַק עָלָיו
ו וּמָשַׁל מִמְשָׁל רַב מֶמְשַׁלְתּוֹ׃ וּלְקֵץ שָׁנִים יִתְחַבָּרוּ וּבַת מֶלֶךְ־
הַנֶּגֶב תָּבוֹא אֶל־מֶלֶךְ הַצָּפוֹן לַעֲשׂוֹת מֵישָׁרִים וְלֹא־תַעְצֹר כּוֹחַ
הַזְּרוֹעַ וְלֹא יַעֲמֹד וּזְרֹעוֹ וְתִנָּתֵן הִיא וּמְבִיאֶיהָ וְהַיֹּלְדָהּ
ז וּמַחֲזִקָהּ בָּעִתִּים׃ וְעָמַד מִנֵּצֶר שָׁרָשֶׁיהָ כַּנּוֹ וְיָבֹא אֶל־הַחַיִל
ח וְיָבֹא בְּמָעוֹז מֶלֶךְ הַצָּפוֹן וְעָשָׂה בָהֶם וְהֶחֱזִיק׃ וְגַם אֱלֹהֵיהֶם
עִם־נְסִכֵיהֶם עִם־כְּלֵי חֶמְדָּתָם כֶּסֶף וְזָהָב בַּשְּׁבִי יָבִא מִצְרָיִם
ט וְהוּא שָׁנִים יַעֲמֹד מִמֶּלֶךְ הַצָּפוֹן׃ וּבָא בְּמַלְכוּת מֶלֶךְ הַנֶּגֶב וְשָׁב
י אֶל־אַדְמָתוֹ׃ וּבָנָו יִתְגָּרוּ וְאָסְפוּ הֲמוֹן חֲיָלִים רַבִּים וּבָא בוֹא
יא וְשָׁטַף וְעָבָר וְיָשֹׁב ויתגרו וְיִתְגָּרֶה עַד־מָעֻזֹּה׃ וְיִתְמַרְמַר מֶלֶךְ
הַנֶּגֶב וְיָצָא וְנִלְחַם עִמּוֹ עִם־מֶלֶךְ הַצָּפוֹן וְהֶעֱמִיד הָמוֹן רָב וְנִתַּן
יב הֶהָמוֹן בְּיָדוֹ׃ וְנִשָּׂא הֶהָמוֹן ירום וְרָם לְבָבוֹ וְהִפִּיל רִבֹּאוֹת וְלֹא
יג יָעוֹז׃ וְשָׁב מֶלֶךְ הַצָּפוֹן וְהֶעֱמִיד הָמוֹן רַב מִן־הָרִאשׁוֹן וּלְקֵץ
יד הָעִתִּים שָׁנִים יָבוֹא בוֹא בְּחַיִל גָּדוֹל וּבִרְכוּשׁ רָב׃ וּבָעִתִּים הָהֵם
רַבִּים יַעַמְדוּ עַל־מֶלֶךְ הַנֶּגֶב וּבְנֵי ׀ פָּרִיצֵי עַמְּךָ יִנַּשְּׂאוּ לְהַעֲמִיד
טו חָזוֹן וְנִכְשָׁלוּ׃ וְיָבֹא מֶלֶךְ הַצָּפוֹן וְיִשְׁפֹּךְ סוֹלְלָה וְלָכַד עִיר
מִבְצָרוֹת וּזְרֹעוֹת הַנֶּגֶב לֹא יַעֲמֹדוּ וְעַם מִבְחָרָיו וְאֵין כֹּחַ
טז לַעֲמֹד׃ וְיַעַשׂ הַבָּא אֵלָיו כִּרְצוֹנוֹ וְאֵין עוֹמֵד לְפָנָיו וְיַעֲמֹד
יז בְּאֶרֶץ־הַצְּבִי וְכָלָה בְיָדוֹ׃ וְיָשֵׂם ׀ פָּנָיו לָבוֹא בְּתֹקֶף כָּל־מַלְכוּתוֹ
וִישָׁרִים עִמּוֹ וְעָשָׂה וּבַת הַנָּשִׁים יִתֶּן־לוֹ לְהַשְׁחִיתָהּ וְלֹא תַעֲמֹד
יח וְלֹא־לוֹ תִהְיֶה׃ וישב וְיָשֵׂם ׀ פָּנָיו לְאִיִּים וְלָכַד רַבִּים וְהִשְׁבִּית

גִּלּוּי עַל מַלְכוּת יָוָן:

הִתְחַזְּקוּת מֶלֶךְ הַנֶּגֶב וּמִלְחֲמוֹתָיו:

יט קָצִין חֶרְפָּתוֹ לּוֹ בִּלְתִּי חֶרְפָּתוֹ יָשִׁיב לוֹ: וְיָשֵׁב פָּנָיו לְמָעוּזֵּי

נבואה על
בני
חשמונאי:

כ אַרְצוֹ וְנִכְשַׁל וְנָפַל וְלֹא יִמָּצֵא: וְעָמַד עַל־כַּנּוֹ מַעֲבִיר נוֹגֵשׂ הֶדֶר

כא מַלְכוּת וּבְיָמִים אֲחָדִים יִשָּׁבֵר וְלֹא בְאַפַּיִם וְלֹא בְמִלְחָמָה: וְעָמַד עַל־כַּנּוֹ נִבְזֶה וְלֹא־נָתְנוּ עָלָיו הוֹד מַלְכוּת וּבָא בְשַׁלְוָה וְהֶחֱזִיק

כב מַלְכוּת בַּחֲלַקְלַקּוֹת: וּזְרֹעוֹת הַשֶּׁטֶף יִשָּׁטְפוּ מִלְּפָנָיו וְיִשָּׁבֵרוּ וְגַם

כג נְגִיד בְּרִית: וּמִן־הִתְחַבְּרוּת אֵלָיו יַעֲשֶׂה מִרְמָה וְעָלָה וְעָצַם

כד בִּמְעַט־גּוֹי: בְּשַׁלְוָה וּבְמִשְׁמַנֵּי מְדִינָה יָבוֹא וְעָשָׂה אֲשֶׁר לֹא־עָשׂוּ אֲבֹתָיו וַאֲבוֹת אֲבֹתָיו בִּזָּה וְשָׁלָל וּרְכוּשׁ לָהֶם יִבְזוֹר וְעַל

כה מִבְצָרִים יְחַשֵּׁב מַחְשְׁבֹתָיו וְעַד־עֵת: וְיָעֵר כֹּחוֹ וּלְבָבוֹ עַל־מֶלֶךְ הַנֶּגֶב בְּחַיִל גָּדוֹל וּמֶלֶךְ הַנֶּגֶב יִתְגָּרֶה לַמִּלְחָמָה בְּחַיִל־גָּדוֹל

כו וְעָצוּם עַד־מְאֹד וְלֹא יַעֲמֹד כִּי־יַחְשְׁבוּ עָלָיו מַחֲשָׁבוֹת: וְאֹכְלֵי

כז פַת־בָּגוֹ יִשְׁבְּרוּהוּ וְחֵילוֹ יִשְׁטוֹף וְנָפְלוּ חֲלָלִים רַבִּים: וּשְׁנֵיהֶם הַמְּלָכִים לְבָבָם לְמֵרָע וְעַל־שֻׁלְחָן אֶחָד כָּזָב יְדַבֵּרוּ וְלֹא תִצְלָח

כח כִּי־עוֹד קֵץ לַמּוֹעֵד: וְיָשֹׁב אַרְצוֹ בִּרְכוּשׁ גָּדוֹל וּלְבָבוֹ עַל־בְּרִית

כט קֹדֶשׁ וְעָשָׂה וְשָׁב לְאַרְצוֹ: לַמּוֹעֵד יָשׁוּב וּבָא בַנֶּגֶב וְלֹא־תִהְיֶה

ל כָרִאשֹׁנָה וְכָאַחֲרֹנָה: וּבָאוּ בוֹ צִיִּים כִּתִּים וְנִכְאָה וְשָׁב וְזָעַם

לא עַל־בְּרִית־קוֹדֶשׁ וְעָשָׂה וְשָׁב וְיָבֵן עַל־עֹזְבֵי בְּרִית קֹדֶשׁ: וּזְרֹעִים מִמֶּנּוּ יַעֲמֹדוּ וְחִלְּלוּ הַמִּקְדָּשׁ הַמָּעוֹז וְהֵסִירוּ הַתָּמִיד וְנָתְנוּ

הצלחת
שונאי
הדת וסבל
המשכילים:

לב הַשִּׁקּוּץ מְשֹׁמֵם: וּמַרְשִׁיעֵי בְרִית יַחֲנִיף בַּחֲלַקּוֹת וְעַם יֹדְעֵי

לג אֱלֹהָיו יַחֲזִקוּ וְעָשׂוּ: וּמַשְׂכִּילֵי עָם יָבִינוּ לָרַבִּים וְנִכְשְׁלוּ בְּחֶרֶב

לד וּבְלֶהָבָה בִּשְׁבִי וּבְבִזָּה יָמִים: וּבְהִכָּשְׁלָם יֵעָזְרוּ עֵזֶר מְעָט וְנִלְווּ

לה עֲלֵיהֶם רַבִּים בַּחֲלַקְלַקּוֹת: וּמִן־הַמַּשְׂכִּילִים יִכָּשְׁלוּ לִצְרוֹף בָּהֶם

לו וּלְבָרֵר וְלַלְבֵּן עַד־עֵת קֵץ כִּי־עוֹד לַמּוֹעֵד: וְעָשָׂה כִרְצֹנוֹ הַמֶּלֶךְ וְיִתְרוֹמֵם וְיִתְגַּדֵּל עַל־כָּל־אֵל וְעַל אֵל אֵלִים יְדַבֵּר נִפְלָאוֹת

התחזקות
מלך צפון:

לז וְהִצְלִיחַ עַד־כָּלָה זַעַם כִּי נֶחֱרָצָה נֶעֱשָׂתָה: וְעַל־אֱלֹהֵי אֲבֹתָיו

לֹא יָבִין וְעַל־חֶמְדַּת נָשִׁים וְעַל־כָּל־אֱלוֹהַּ לֹא יָבִין כִּי עַל־כֹּל
לח יִתְגַּדָּל׃ וְלֶאֱלֹהַּ מָעֻזִּים עַל־כַּנּוֹ יְכַבֵּד וְלֶאֱלוֹהַּ אֲשֶׁר לֹא־
לט יְדָעֻהוּ אֲבֹתָיו יְכַבֵּד בְּזָהָב וּבְכֶסֶף וּבְאֶבֶן יְקָרָה וּבַחֲמֻדוֹת׃ וְעָשָׂה
לְמִבְצְרֵי מָעֻזִּים עִם־אֱלוֹהַּ נֵכָר אֲשֶׁר הכיר יַכִּיר יַרְבֶּה כָבוֹד
מ וְהִמְשִׁילָם בָּרַבִּים וַאֲדָמָה יְחַלֵּק בִּמְחִיר׃ וּבְעֵת קֵץ יִתְנַגַּח עִמּוֹ
מֶלֶךְ הַנֶּגֶב וְיִשְׂתָּעֵר עָלָיו מֶלֶךְ הַצָּפוֹן בְּרֶכֶב וּבְפָרָשִׁים וּבָאֳנִיּוֹת
מא רַבּוֹת וּבָא בַאֲרָצוֹת וְשָׁטַף וְעָבָר׃ וּבָא בְּאֶרֶץ הַצְּבִי וְרַבּוֹת
יִכָּשֵׁלוּ וְאֵלֶּה יִמָּלְטוּ מִיָּדוֹ אֱדוֹם וּמוֹאָב וְרֵאשִׁית בְּנֵי עַמּוֹן׃
מב מג וְיִשְׁלַח יָדוֹ בַּאֲרָצוֹת וְאֶרֶץ מִצְרַיִם לֹא תִהְיֶה לִפְלֵיטָה׃ וּמָשַׁל
בְּמִכְמַנֵּי הַזָּהָב וְהַכֶּסֶף וּבְכֹל חֲמֻדוֹת מִצְרָיִם וְלֻבִים וְכֻשִׁים
מד בְּמִצְעָדָיו׃ וּשְׁמֻעוֹת יְבַהֲלֻהוּ מִמִּזְרָח וּמִצָּפוֹן וְיָצָא בְּחֵמָא גְדֹלָה
מה לְהַשְׁמִיד וּלְהַחֲרִים רַבִּים׃ וְיִטַּע אָהֳלֵי אַפַּדְנוֹ בֵּין יַמִּים
יב א לְהַר־צְבִי־קֹדֶשׁ וּבָא עַד־קִצּוֹ וְאֵין עוֹזֵר לוֹ׃ וּבָעֵת הַהִיא יַעֲמֹד
מִיכָאֵל הַשַּׂר הַגָּדוֹל הָעֹמֵד עַל־בְּנֵי עַמֶּךָ וְהָיְתָה עֵת צָרָה אֲשֶׁר
לֹא־נִהְיְתָה מִהְיוֹת גּוֹי עַד הָעֵת הַהִיא וּבָעֵת הַהִיא יִמָּלֵט
ב עַמְּךָ כָּל־הַנִּמְצָא כָּתוּב בַּסֵּפֶר׃ וְרַבִּים מִיְּשֵׁנֵי אַדְמַת־עָפָר יָקִיצוּ
ג אֵלֶּה לְחַיֵּי עוֹלָם וְאֵלֶּה לַחֲרָפוֹת לְדִרְאוֹן עוֹלָם׃ וְהַמַּשְׂכִּלִים
יַזְהִרוּ כְּזֹהַר הָרָקִיעַ וּמַצְדִּיקֵי הָרַבִּים כַּכּוֹכָבִים לְעוֹלָם
וָעֶד׃

ד וְאַתָּה דָנִיֵּאל סְתֹם הַדְּבָרִים וַחֲתֹם הַסֵּפֶר עַד־עֵת קֵץ יְשֹׁטְטוּ
ה רַבִּים וְתִרְבֶּה הַדָּעַת׃ וְרָאִיתִי אֲנִי דָנִיֵּאל וְהִנֵּה שְׁנַיִם אֲחֵרִים
ו עֹמְדִים אֶחָד הֵנָּה לִשְׂפַת הַיְאֹר וְאֶחָד הֵנָּה לִשְׂפַת הַיְאֹר׃ וַיֹּאמֶר
לָאִישׁ לְבוּשׁ הַבַּדִּים אֲשֶׁר מִמַּעַל לְמֵימֵי הַיְאֹר עַד־מָתַי קֵץ
ז הַפְּלָאוֹת׃ וָאֶשְׁמַע אֶת־הָאִישׁ ׀ לְבוּשׁ הַבַּדִּים אֲשֶׁר מִמַּעַל
לְמֵימֵי הַיְאֹר וַיָּרֶם יְמִינוֹ וּשְׂמֹאלוֹ אֶל־הַשָּׁמַיִם וַיִּשָּׁבַע בְּחֵי

מִלְחֲמוֹת מֶלֶךְ הַנֶּגֶב וְהַצָּפוֹן:

הַצָּרָה בְּעֵת הַקֵּץ, וּתְחִיַּת הַמֵּתִים:

הַשְּׁבוּעָה עַל מוֹעֵד הַקֵּץ:

הָעוֹלָם כִּי לְמוֹעֵד מוֹעֲדִים וָחֵצִי וּכְכַלּוֹת נַפֵּץ יַד־עַם־קֹדֶשׁ

ח תִּכְלֶינָה כָל־אֵלֶּה: וַאֲנִי שָׁמַעְתִּי וְלֹא אָבִין וָאֹמְרָה אֲדֹנִי מָה

סְתִימַת הַקֵּץ:

ט אַחֲרִית אֵלֶּה: וַיֹּאמֶר לֵךְ דָּנִיֵּאל כִּי־סְתֻמִים וַחֲתֻמִים הַדְּבָרִים

י עַד־עֵת קֵץ: יִתְבָּרֲרוּ וְיִתְלַבְּנוּ וְיִצָּרְפוּ רַבִּים וְהִרְשִׁיעוּ רְשָׁעִים

יא וְלֹא יָבִינוּ כָּל־רְשָׁעִים וְהַמַּשְׂכִּלִים יָבִינוּ: וּמֵעֵת הוּסַר הַתָּמִיד

יב וְלָתֵת שִׁקּוּץ שֹׁמֵם יָמִים אֶלֶף מָאתַיִם וְתִשְׁעִים: אַשְׁרֵי הַמְחַכֶּה

יג וְיַגִּיעַ לְיָמִים אֶלֶף שְׁלֹשׁ מֵאוֹת שְׁלֹשִׁים וַחֲמִשָּׁה: וְאַתָּה לֵךְ

לַקֵּץ וְתָנוּחַ וְתַעֲמֹד לְגֹרָלְךָ לְקֵץ הַיָּמִין:

עזרא

א א וּבִשְׁנַת אַחַת לְכוֹרֶשׁ מֶלֶךְ פָּרַס לִכְלוֹת דְּבַר־יְהוָה מִפִּי יִרְמְיָה [3390]
הֵעִיר יְהוָה אֶת־רוּחַ כֹּרֶשׁ מֶלֶךְ־פָּרַס וַיַּעֲבֶר־קוֹל בְּכָל־ הַכְרָזַת כּוֹרֶשׁ
ב מַלְכוּתוֹ וְגַם־בְּמִכְתָּב לֵאמֹר׃ כֹּה אָמַר כֹּרֶשׁ מֶלֶךְ פָּרַס כֹּל לִבְנִיַּת בֵּית הַמִּקְדָּשׁ:
מַמְלְכוֹת הָאָרֶץ נָתַן לִי יְהוָה אֱלֹהֵי הַשָּׁמָיִם וְהוּא־פָקַד עָלַי
ג לִבְנוֹת־לוֹ בַיִת בִּירוּשָׁלַ͏ִם אֲשֶׁר בִּיהוּדָה׃ מִי־בָכֶם מִכָּל־עַמּוֹ
יְהִי אֱלֹהָיו עִמּוֹ וְיַעַל לִירוּשָׁלַ͏ִם אֲשֶׁר בִּיהוּדָה וְיִבֶן אֶת־בֵּית
ד יְהוָה אֱלֹהֵי יִשְׂרָאֵל הוּא הָאֱלֹהִים אֲשֶׁר בִּירוּשָׁלָ͏ִם׃ וְכָל־הַנִּשְׁאָר
מִכָּל־הַמְּקֹמוֹת אֲשֶׁר הוּא גָר־שָׁם יְנַשְּׂאוּהוּ אַנְשֵׁי מְקֹמוֹ בְּכֶסֶף
וּבְזָהָב וּבִרְכוּשׁ וּבִבְהֵמָה עִם־הַנְּדָבָה לְבֵית הָאֱלֹהִים אֲשֶׁר
ה בִּירוּשָׁלָ͏ִם׃ וַיָּקוּמוּ רָאשֵׁי הָאָבוֹת לִיהוּדָה וּבִנְיָמִן וְהַכֹּהֲנִים הַהִתְעוֹרְרוּת לַעֲלוֹת
וְהַלְוִיִּם לְכֹל הֵעִיר הָאֱלֹהִים אֶת־רוּחוֹ לַעֲלוֹת לִבְנוֹת אֶת־בֵּית יְרוּשָׁלַיְמָה:
ו יְהוָה אֲשֶׁר בִּירוּשָׁלָ͏ִם׃ וְכָל־סְבִיבֹתֵיהֶם חִזְּקוּ בִידֵיהֶם בִּכְלֵי־כֶסֶף
בַּזָּהָב בָּרְכוּשׁ וּבַבְּהֵמָה וּבַמִּגְדָּנוֹת לְבַד עַל־כָּל־הִתְנַדֵּב׃
ז וְהַמֶּלֶךְ כּוֹרֶשׁ הוֹצִיא אֶת־כְּלֵי בֵית־יְהוָה אֲשֶׁר הוֹצִיא הַחְזָרַת כְּלֵי בֵּית
ח נְבוּכַדְנֶצַּר מִירוּשָׁלַ͏ִם וַיִּתְּנֵם בְּבֵית אֱלֹהָיו׃ וַיּוֹצִיאֵם כּוֹרֶשׁ מֶלֶךְ הַמִּקְדָּשׁ, וּמִנְיַן
פָּרַס עַל־יַד מִתְרְדָת הַגִּזְבָּר וַיִּסְפְּרֵם לְשֵׁשְׁבַּצַּר הַנָּשִׂיא הַכֵּלִים:
ט לִיהוּדָה׃ וְאֵלֶּה מִסְפָּרָם
אֲגַרְטְלֵי זָהָב שְׁלֹשִׁים אֲגַרְטְלֵי־כֶסֶף אָלֶף מַחֲלָפִים תִּשְׁעָה
י וְעֶשְׂרִים׃ כְּפוֹרֵי זָהָב שְׁלֹשִׁים כְּפוֹרֵי כֶסֶף מִשְׁנִים
יא אַרְבַּע מֵאוֹת וַעֲשָׂרָה כֵּלִים אֲחֵרִים אָלֶף׃ כָּל־כֵּלִים לַזָּהָב
וְלַכֶּסֶף חֲמֵשֶׁת אֲלָפִים וְאַרְבַּע מֵאוֹת הַכֹּל הֶעֱלָה שֵׁשְׁבַּצַּר עִם
הֵעָלוֹת הַגּוֹלָה מִבָּבֶל לִירוּשָׁלָ͏ִם׃
ב א וְאֵלֶּה ׀ בְּנֵי הַמְּדִינָה הָעֹלִים מִשְּׁבִי הַגּוֹלָה אֲשֶׁר הֶגְלָה נבוכדנצור

נְבוּכַדְנֶצַּר מֶלֶךְ־בָּבֶל לְבָבֶל וַיָּשׁוּבוּ לִירוּשָׁלַ͏ִם וִיהוּדָה אִישׁ — שְׁמוֹת מַנְהִיגֵי וְרָאשֵׁי הָעָם׃
ב לְעִירוֹ׃ אֲשֶׁר־בָּאוּ עִם־זְרֻבָּבֶל יֵשׁוּעַ נְחֶמְיָה שְׂרָיָה רְעֵלָיָה
מָרְדֳּכַי בִּלְשָׁן מִסְפָּר בִּגְוַי רְחוּם בַּעֲנָה מִסְפַּר אַנְשֵׁי עַם
ג יִשְׂרָאֵל׃ בְּנֵי פַרְעֹשׁ אַלְפַּיִם מֵאָה שִׁבְעִים — שְׁמוֹת בָּתֵּי אָבוֹת וּמִנְיָנָם׃
ד וּשְׁנָיִם׃ בְּנֵי שְׁפַטְיָה שְׁלֹשׁ מֵאוֹת שִׁבְעִים
ה וּשְׁנָיִם׃ בְּנֵי אָרַח שְׁבַע מֵאוֹת חֲמִשָּׁה
ו וְשִׁבְעִים׃ בְּנֵי־פַחַת מוֹאָב לִבְנֵי יֵשׁוּעַ יוֹאָב אַלְפַּיִם
ז שְׁמֹנֶה מֵאוֹת וּשְׁנֵים עָשָׂר׃ בְּנֵי עֵילָם אֶלֶף מָאתַיִם
ח חֲמִשִּׁים וְאַרְבָּעָה׃ בְּנֵי זַתּוּא תְּשַׁע מֵאוֹת וְאַרְבָּעִים
ט י וַחֲמִשָּׁה׃ בְּנֵי זַכָּי שְׁבַע מֵאוֹת וְשִׁשִּׁים׃ בְּנֵי
יא בָנִי שֵׁשׁ מֵאוֹת אַרְבָּעִים וּשְׁנָיִם׃ בְּנֵי בֵבָי שֵׁשׁ מֵאוֹת
יב עֶשְׂרִים וּשְׁלֹשָׁה׃ בְּנֵי עַזְגָּד אֶלֶף מָאתַיִם עֶשְׂרִים
יג וּשְׁנָיִם׃ בְּנֵי אֲדֹנִיקָם שֵׁשׁ מֵאוֹת שִׁשִּׁים
יד וְשִׁשָּׁה׃ בְּנֵי בִגְוָי אַלְפַּיִם חֲמִשִּׁים
טו וְשִׁשָּׁה׃ בְּנֵי עָדִין אַרְבַּע מֵאוֹת חֲמִשִּׁים
טז וְאַרְבָּעָה׃ בְּנֵי־אָטֵר לִיחִזְקִיָּה תִּשְׁעִים
יז וּשְׁמֹנָה׃ בְּנֵי בֵצָי שְׁלֹשׁ מֵאוֹת עֶשְׂרִים
יח יט וּשְׁלֹשָׁה׃ בְּנֵי יוֹרָה מֵאָה וּשְׁנֵים עָשָׂר׃ בְּנֵי
כ חָשֻׁם מָאתַיִם עֶשְׂרִים וּשְׁלֹשָׁה׃ בְּנֵי גִבָּר תִּשְׁעִים
כא וַחֲמִשָּׁה׃ בְּנֵי בֵית־לָחֶם מֵאָה עֶשְׂרִים — הַשְּׁמוֹת לְפִי מְקוֹמוֹת הַמּוֹצָא׃
כב כג וּשְׁלֹשָׁה׃ אַנְשֵׁי נְטֹפָה חֲמִשִּׁים וְשִׁשָּׁה׃ אַנְשֵׁי
כד עֲנָתוֹת מֵאָה עֶשְׂרִים וּשְׁמֹנָה׃ בְּנֵי עַזְמָוֶת אַרְבָּעִים [3391]
כה וּשְׁנָיִם׃ בְּנֵי קִרְיַת עָרִים כְּפִירָה וּבְאֵרוֹת שְׁבַע מֵאוֹת
כו וְאַרְבָּעִים וּשְׁלֹשָׁה׃ בְּנֵי הָרָמָה וָגָבַע שֵׁשׁ מֵאוֹת
כז עֶשְׂרִים וְאֶחָד׃ אַנְשֵׁי מִכְמָס מֵאָה עֶשְׂרִים

כח וּשְׁנָיִם׃ אַנְשֵׁי בֵית־אֵל וְהָעָי מָאתַיִם עֶשְׂרִים
כט ל וּשְׁלֹשָׁה׃ בְּנֵי נְבוֹ חֲמִשִּׁים וּשְׁנָיִם׃ בְּנֵי
לא מַגְבִּישׁ מֵאָה חֲמִשִּׁים וְשִׁשָּׁה׃ בְּנֵי עֵילָם אַחֵר אֶלֶף
לב מָאתַיִם חֲמִשִּׁים וְאַרְבָּעָה׃ בְּנֵי חָרִם שְׁלֹשׁ מֵאוֹת
לג וְעֶשְׂרִים׃ בְּנֵי־לֹד חָדִיד וְאוֹנוֹ שְׁבַע מֵאוֹת עֶשְׂרִים
לד וַחֲמִשָּׁה׃ בְּנֵי יְרֵחוֹ שְׁלֹשׁ מֵאוֹת אַרְבָּעִים
לה וַחֲמִשָּׁה׃ בְּנֵי סְנָאָה שְׁלֹשֶׁת אֲלָפִים וְשֵׁשׁ מֵאוֹת
לו וּשְׁלֹשִׁים׃ הַכֹּהֲנִים
שְׁמוֹת הַכֹּהֲנִים וְהַלְוִיִּם:
בְּנֵי יְדַעְיָה לְבֵית יֵשׁוּעַ תְּשַׁע מֵאוֹת שִׁבְעִים
לז לח וּשְׁלֹשָׁה׃ בְּנֵי אִמֵּר אֶלֶף חֲמִשִּׁים וּשְׁנָיִם׃ בְּנֵי
לט פַשְׁחוּר אֶלֶף מָאתַיִם אַרְבָּעִים וְשִׁבְעָה׃ בְּנֵי חָרִם אֶלֶף
מ וְשִׁבְעָה עָשָׂר׃ הַלְוִיִּם בְּנֵי־יֵשׁוּעַ וְקַדְמִיאֵל לִבְנֵי
מא הוֹדַוְיָה שִׁבְעִים וְאַרְבָּעָה׃ הַמְשֹׁרְרִים בְּנֵי אָסָף מֵאָה
מב עֶשְׂרִים וּשְׁמֹנָה׃ בְּנֵי הַשֹּׁעֲרִים בְּנֵי־שַׁלּוּם בְּנֵי־אָטֵר
בְּנֵי־טַלְמֹן בְּנֵי־עַקּוּב בְּנֵי חֲטִיטָא בְּנֵי שֹׁבָי הַכֹּל מֵאָה שְׁלֹשִׁים
מג וְתִשְׁעָה׃ הַנְּתִינִים בְּנֵי־צִיחָא בְנֵי־חֲשׂוּפָא בְּנֵי
שְׁמוֹת הַנְּתִינִים:
מד טַבָּעוֹת׃ בְּנֵי־קֵרֹס בְּנֵי־סִיעֲהָא בְּנֵי
מה מו פָדוֹן׃ בְּנֵי־לְבָנָה בְנֵי־חֲגָבָה בְּנֵי עַקּוּב׃ בְּנֵי־
מז חָגָב בְּנֵי־שַׁלְמַי שמלי בְּנֵי חָנָן׃ בְּנֵי־גִדֵּל בְּנֵי־גַחַר בְּנֵי
מח מט רְאָיָה׃ בְּנֵי־רְצִין בְּנֵי־נְקוֹדָא בְּנֵי גַזָּם׃ בְּנֵי־
נ עֻזָּא בְנֵי־פָסֵחַ בְּנֵי בֵסָי׃ בְּנֵי־אַסְנָה בְנֵי־מְעוּנִים בְּנֵי
נא נפיסים נְפוּסִים׃ בְּנֵי־בַקְבּוּק בְּנֵי־חֲקוּפָא בְּנֵי
נב חַרְחוּר׃ בְּנֵי־בַצְלוּת בְּנֵי־מְחִידָא בְּנֵי
נג חַרְשָׁא׃ בְּנֵי־בַרְקוֹס בְּנֵי־סִיסְרָא בְּנֵי־
נד נה תָמַח׃ בְּנֵי נְצִיחַ בְּנֵי חֲטִיפָא׃ בְּנֵי עַבְדֵי
עַבְדֵי שְׁלֹמֹה:

נו שְׁלֹמֹה בְּנֵי־סֹטַי בְּנֵי־הַסֹּפֶרֶת בְּנֵי פְרוּדָא׃ בְּנֵי־יַעְלָה
נז בְנֵי־דַרְקוֹן בְּנֵי גִדֵּל׃ בְּנֵי שְׁפַטְיָה בְנֵי־חַטִּיל בְּנֵי פֹּכֶרֶת
נח הַצְּבָיִים בְּנֵי אָמִי׃ כָּל־הַנְּתִינִים וּבְנֵי עַבְדֵי שְׁלֹמֹה
שְׁלֹשׁ מֵאוֹת תִּשְׁעִים וּשְׁנָיִם׃

עולים שֶׁלֹּא יָדְעוּ יחוסם:

נט וְאֵלֶּה הָעֹלִים מִתֵּל מֶלַח תֵּל חַרְשָׁא כְּרוּב אַדָּן אִמֵּר
וְלֹא יָכְלוּ לְהַגִּיד בֵּית־אֲבוֹתָם וְזַרְעָם אִם מִיִּשְׂרָאֵל
ס הֵם׃ בְּנֵי־דְלָיָה בְנֵי־טוֹבִיָּה בְּנֵי נְקוֹדָא שֵׁשׁ מֵאוֹת

כֹּהֲנִים שֶׁנִּגְאֲלוּ מֵהַכְּהֻנָּה:

סא חֲמִשִּׁים וּשְׁנָיִם׃ וּמִבְּנֵי הַכֹּהֲנִים בְּנֵי חֳבַיָּה בְּנֵי הַקּוֹץ
בְּנֵי בַרְזִלַּי אֲשֶׁר לָקַח מִבְּנוֹת בַּרְזִלַּי הַגִּלְעָדִי אִשָּׁה וַיִּקָּרֵא
סב עַל־שְׁמָם׃ אֵלֶּה בִּקְשׁוּ כְתָבָם הַמִּתְיַחְשִׂים וְלֹא נִמְצָאוּ
סג וַיְגֹאֲלוּ מִן־הַכְּהֻנָּה׃ וַיֹּאמֶר הַתִּרְשָׁתָא לָהֶם אֲשֶׁר לֹא־יֹאכְלוּ

מִנְיַן כָּל הַקָּהָל וְקִנְיְנֵיהֶם:

סד מִקֹּדֶשׁ הַקֳּדָשִׁים עַד עֲמֹד כֹּהֵן לְאוּרִים וּלְתֻמִּים׃ כָּל־הַקָּהָל
סה כְּאֶחָד אַרְבַּע רִבּוֹא אַלְפַּיִם שְׁלֹשׁ־מֵאוֹת שִׁשִּׁים׃ מִלְּבַד עַבְדֵיהֶם
וְאַמְהֹתֵיהֶם אֵלֶּה שִׁבְעַת אֲלָפִים שְׁלֹשׁ מֵאוֹת שְׁלֹשִׁים וְשִׁבְעָה
סו וְלָהֶם מְשֹׁרְרִים וּמְשֹׁרְרוֹת מָאתָיִם׃ סוּסֵיהֶם שְׁבַע מֵאוֹת שְׁלֹשִׁים
סז וְשִׁשָּׁה פִּרְדֵיהֶם מָאתַיִם אַרְבָּעִים וַחֲמִשָּׁה׃ גְּמַלֵּיהֶם
אַרְבַּע מֵאוֹת שְׁלֹשִׁים וַחֲמִשָּׁה חֲמֹרִים שֵׁשֶׁת אֲלָפִים שְׁבַע מֵאוֹת
וְעֶשְׂרִים׃

הִתְנַדְּבוּת רָאשֵׁי הָעָם לַמִּקְדָּשׁ:

סח וּמֵרָאשֵׁי הָאָבוֹת בְּבוֹאָם לְבֵית יְהוָה אֲשֶׁר בִּירוּשָׁלִָם הִתְנַדְּבוּ
סט לְבֵית הָאֱלֹהִים לְהַעֲמִידוֹ עַל־מְכוֹנוֹ׃ כְּכֹחָם נָתְנוּ לְאוֹצַר
הַמְּלָאכָה זָהָב דַּרְכְּמוֹנִים שֵׁשׁ־רִבָּאוֹת וָאֶלֶף וְכֶסֶף מָנִים
ע חֲמֵשֶׁת אֲלָפִים וְכָתְנֹת כֹּהֲנִים מֵאָה׃ וַיֵּשְׁבוּ הַכֹּהֲנִים
וְהַלְוִיִּם וּמִן־הָעָם וְהַמְשֹׁרְרִים וְהַשּׁוֹעֲרִים וְהַנְּתִינִים בְּעָרֵיהֶם

בִּנְיַן מִזְבַּח ה' עַל יְדֵי הַכֹּהֲנִים:

ג א וְכָל־יִשְׂרָאֵל בְּעָרֵיהֶם׃ וַיִּגַּע הַחֹדֶשׁ הַשְּׁבִיעִי וּבְנֵי
יִשְׂרָאֵל בֶּעָרִים וַיֵּאָסְפוּ הָעָם כְּאִישׁ אֶחָד אֶל־

ב יְרוּשָׁלָ͏ִם: וַיָּקָם יֵשׁוּעַ בֶּן־יוֹצָדָק וְאֶחָיו הַכֹּהֲנִים
וּזְרֻבָּבֶל בֶּן־שְׁאַלְתִּיאֵל וְאֶחָיו וַיִּבְנוּ אֶת־מִזְבַּח אֱלֹהֵי יִשְׂרָאֵל
לְהַעֲלוֹת עָלָיו עֹלוֹת כַּכָּתוּב בְּתוֹרַת מֹשֶׁה אִישׁ־הָאֱלֹהִים:

ג וַיָּכִינוּ הַמִּזְבֵּחַ עַל־מְכוֹנֹתָיו כִּי בְּאֵימָה עֲלֵיהֶם מֵעַמֵּי הָאֲרָצוֹת

ד וַיַּעֲלוּ עָלָיו עֹלוֹת לַיהוָה עֹלוֹת לַבֹּקֶר וְלָעָרֶב: וַיַּעֲשׂוּ אֶת־חַג
הַסֻּכּוֹת כַּכָּתוּב וְעֹלַת יוֹם בְּיוֹם בְּמִסְפָּר כְּמִשְׁפַּט דְּבַר־יוֹם

תְּחִלַּת עֲבוֹדַת הַמִּזְבֵּחַ בַּסֻּכּוֹת:

ה בְּיוֹמוֹ: וְאַחֲרֵי־כֵן עֹלַת תָּמִיד וְלֶחֳדָשִׁים וּלְכָל־מוֹעֲדֵי יְהוָה

ו הַמְקֻדָּשִׁים וּלְכֹל מִתְנַדֵּב נְדָבָה לַיהוָה: מִיּוֹם אֶחָד לַחֹדֶשׁ
הַשְּׁבִיעִי הֵחֵלּוּ לְהַעֲלוֹת עֹלוֹת לַיהוָה וְהֵיכַל יְהוָה לֹא יֻסָּד:

ז וַיִּתְּנוּ־כֶסֶף לַחֹצְבִים וְלֶחָרָשִׁים וּמַאֲכָל וּמִשְׁתֶּה וָשֶׁמֶן לַצִּדֹנִים
וְלַצֹּרִים לְהָבִיא עֲצֵי אֲרָזִים מִן־הַלְּבָנוֹן אֶל־יָם יָפוֹא כְּרִשְׁיוֹן
כּוֹרֶשׁ מֶלֶךְ־פָּרַס עֲלֵיהֶם:

הַזְמָנוֹת עֲצֵי אֲרָזִים לִבְנוֹן הַבַּיִת:

ח וּבַשָּׁנָה הַשֵּׁנִית לְבוֹאָם אֶל־בֵּית הָאֱלֹהִים לִירוּשָׁלַ͏ִם בַּחֹדֶשׁ
הַשֵּׁנִי הֵחֵלּוּ זְרֻבָּבֶל בֶּן־שְׁאַלְתִּיאֵל וְיֵשׁוּעַ בֶּן־יוֹצָדָק וּשְׁאָר
אֲחֵיהֶם׀ הַכֹּהֲנִים וְהַלְוִיִּם וְכָל־הַבָּאִים מֵהַשְּׁבִי יְרוּשָׁלַ͏ִם
וַיַּעֲמִידוּ אֶת־הַלְוִיִּם מִבֶּן עֶשְׂרִים שָׁנָה וָמַעְלָה לְנַצֵּחַ עַל־

הַלְוִיִּם הַמְקֻמָּמִים עַל בִּנְיַן בֵּית ה': [3391]

ט מְלֶאכֶת בֵּית־יְהוָה: וַיַּעֲמֹד יֵשׁוּעַ בָּנָיו וְאֶחָיו קַדְמִיאֵל וּבָנָיו
בְּנֵי־יְהוּדָה כְּאֶחָד לְנַצֵּחַ עַל־עֹשֵׂה הַמְּלָאכָה בְּבֵית

י הָאֱלֹהִים: בְּנֵי חֵנָדָד בְּנֵיהֶם וַאֲחֵיהֶם הַלְוִיִּם: וְיִסְּדוּ
הַבֹּנִים אֶת־הֵיכַל יְהוָה וַיַּעֲמִידוּ הַכֹּהֲנִים מְלֻבָּשִׁים בַּחֲצֹצְרוֹת
וְהַלְוִיִּם בְּנֵי־אָסָף בַּמְצִלְתַּיִם לְהַלֵּל אֶת־יְהוָה עַל־יְדֵי דָּוִיד

שִׂמְחַת הָעָם עִם הֻסַּד הַמִּקְדָּשׁ:

יא מֶלֶךְ־יִשְׂרָאֵל: וַיַּעֲנוּ בְּהַלֵּל וּבְהוֹדֹת לַיהוָה כִּי טוֹב כִּי־לְעוֹלָם
חַסְדּוֹ עַל־יִשְׂרָאֵל וְכָל־הָעָם הֵרִיעוּ תְרוּעָה גְדוֹלָה בְהַלֵּל

יב לַיהוָה עַל הוּסַד בֵּית־יְהוָה: וְרַבִּים מֵהַכֹּהֲנִים וְהַלְוִיִּם וְרָאשֵׁי
הָאָבוֹת הַזְּקֵנִים אֲשֶׁר רָאוּ אֶת־הַבַּיִת הָרִאשׁוֹן בְּיָסְדוֹ זֶה הַבַּיִת

בְּעֵינֵיהֶם בֹּכִים בְּקוֹל גָּדוֹל וְרַבִּים בִּתְרוּעָה בְשִׂמְחָה לְהָרִים
יג קוֹל׃ וְאֵין הָעָם מַכִּירִים קוֹל תְּרוּעַת הַשִּׂמְחָה לְקוֹל בְּכִי הָעָם
כִּי הָעָם מְרִיעִים תְּרוּעָה גְדוֹלָה וְהַקּוֹל נִשְׁמַע עַד־
לְמֵרָחוֹק׃

ד א וַיִּשְׁמְעוּ צָרֵי יְהוּדָה וּבִנְיָמִן כִּי־בְנֵי הַגּוֹלָה בּוֹנִים הֵיכָל לַיהוָה
ב אֱלֹהֵי יִשְׂרָאֵל׃ וַיִּגְּשׁוּ אֶל־זְרֻבָּבֶל וְאֶל־רָאשֵׁי הָאָבוֹת וַיֹּאמְרוּ
לָהֶם נִבְנֶה עִמָּכֶם כִּי כָכֶם נִדְרוֹשׁ לֵאלֹהֵיכֶם ולא וְלוֹ | אֲנַחְנוּ
ג זֹבְחִים מִימֵי אֵסַר חַדֹּן מֶלֶךְ אַשּׁוּר הַמַּעֲלֶה אֹתָנוּ פֹּה׃ וַיֹּאמֶר
לָהֶם זְרֻבָּבֶל וְיֵשׁוּעַ וּשְׁאָר רָאשֵׁי הָאָבוֹת לְיִשְׂרָאֵל לֹא־לָכֶם
וָלָנוּ לִבְנוֹת בַּיִת לֵאלֹהֵינוּ כִּי אֲנַחְנוּ יַחַד נִבְנֶה לַיהוָה אֱלֹהֵי
ד יִשְׂרָאֵל כַּאֲשֶׁר צִוָּנוּ הַמֶּלֶךְ כּוֹרֶשׁ מֶלֶךְ־פָּרָס׃ וַיְהִי עַם־הָאָרֶץ
ה מְרַפִּים יְדֵי עַם־יְהוּדָה ומבלהים וּמְבַהֲלִים אוֹתָם לִבְנוֹת׃ וְסֹכְרִים
עֲלֵיהֶם יוֹעֲצִים לְהָפֵר עֲצָתָם כָּל־יְמֵי כּוֹרֶשׁ מֶלֶךְ פָּרַס וְעַד־
ו מַלְכוּת דָּרְיָוֶשׁ מֶלֶךְ־פָּרָס׃ וּבְמַלְכוּת אֲחַשְׁוֵרוֹשׁ בִּתְחִלַּת מַלְכוּתוֹ
ז כָּתְבוּ שִׂטְנָה עַל־יֹשְׁבֵי יְהוּדָה וִירוּשָׁלִָם׃ וּבִימֵי
אַרְתַּחְשַׁשְׂתָּא כָּתַב בִּשְׁלָם מִתְרְדָת טָבְאֵל וּשְׁאָר כְּנָוֺתָו עַל־
אַרְתַּחְשַׁשְׂתְּא מֶלֶךְ פָּרָס וּכְתָב הַנִּשְׁתְּוָן כָּתוּב אֲרָמִית וּמְתֻרְגָּם
אֲרָמִית׃

ח רְחוּם בְּעֵל־טְעֵם וְשִׁמְשַׁי סָפְרָא כְּתַבוּ אִגְּרָה חֲדָה עַל־יְרוּשְׁלֶם
ט לְאַרְתַּחְשַׁשְׂתְּא מַלְכָּא כְּנֵמָא׃ אֱדַיִן רְחוּם בְּעֵל־טְעֵם וְשִׁמְשַׁי
סָפְרָא וּשְׁאָר כְּנָוָתְהוֹן דִּינָיֵא וַאֲפַרְסַתְכָיֵא טַרְפְּלָיֵא אֲפָרְסָיֵא
י ארכוי אַרְכְּוָיֵא בָבְלָיֵא שׁוּשַׁנְכָיֵא דהוא דֶּהָיֵא עֵלְמָיֵא׃ וּשְׁאָר אֻמַּיָּא
דִּי הַגְלִי אָסְנַפַּר רַבָּא וְיַקִּירָא וְהוֹתֵב הִמּוֹ בְּקִרְיָה דִּי שָׁמְרָיִן
יא וּשְׁאָר עֲבַר־נַהֲרָה וּכְעֶנֶת׃ דְּנָה פַּרְשֶׁגֶן אִגַּרְתָּא דִּי שְׁלַחוּ עֲלוֹהִי
עַל־אַרְתַּחְשַׁשְׂתְּא מַלְכָּא עבדיך עַבְדָךְ אֱנָשׁ עֲבַר־נַהֲרָה וּכְעֶנֶת׃

דְּחִיַּת צָרֵי יְהוּדָה מִלְּהִשְׁתַּתֵּף בַּבִּנְיָן:

הַנִּסְיוֹנוֹת לְבַטֵּל אֶת בִּנְיַן הַבַּיִת:

הַשִּׂטְנָה בִּימֵי אֲחַשְׁוֵרוֹשׁ וְאַרְתַּחְשַׁשְׂתָּא:

שְׁמוֹת כּוֹתְבֵי הָאִגֶּרֶת:

נֹסַח אִגֶּרֶת הַהַלְשָׁנָה:

יב יְדִיעַ לֶהֱוֵא לְמַלְכָּא דִּי יְהוּדָיֵא דִּי סְלִקוּ מִן־לְוָתָךְ עֲלֶינָא אֲתוֹ
לִירוּשְׁלֶם קִרְיְתָא מָרָדְתָּא וּבִאישְׁתָּא בָּנַיִן ושורי אשכללו וְשׁוּרַיָּא
יג שַׁכְלִלוּ וְאֻשַּׁיָּא יַחִיטוּ׃ כְּעַן יְדִיעַ לֶהֱוֵא לְמַלְכָּא דִּי
הֵן קִרְיְתָא דָךְ תִּתְבְּנֵא וְשׁוּרַיָּא יִשְׁתַּכְלְלוּן מִנְדָּה־בְלוֹ וַהֲלָךְ
יד לָא יִנְתְּנוּן וְאַפְּתֹם מַלְכִים תְּהַנְזִק׃ כְּעַן כָּל־קֳבֵל
דִּי־מְלַח הֵיכְלָא מְלַחְנָא וְעַרְוַת מַלְכָּא לָא אֲרִיךְ־לַנָא לְמֶחֱזֵא
טו עַל־דְּנָה שְׁלַחְנָא וְהוֹדַעְנָא לְמַלְכָּא׃ דִּי יְבַקַּר בִּסְפַר־דָּכְרָנַיָּא
דִּי אֲבָהָתָךְ וּתְהַשְׁכַּח בִּסְפַר דָּכְרָנַיָּא וְתִנְדַּע דִּי קִרְיְתָא דָךְ
קִרְיָא מָרָדָא וּמְהַנְזְקַת מַלְכִין וּמְדִנָן וְאֶשְׁתַּדּוּר עָבְדִין בְּגַוַּהּ
טז מִן־יוֹמָת עָלְמָא עַל־דְּנָה קִרְיְתָא דָךְ הָחָרְבַת׃ מְהוֹדְעִין אֲנַחְנָה
לְמַלְכָּא דִּי הֵן קִרְיְתָא דָךְ תִּתְבְּנֵא וְשׁוּרַיָּה יִשְׁתַּכְלְלוּן לָקֳבֵל
דְּנָה חֲלָק בַּעֲבַר נַהֲרָא לָא אִיתַי לָךְ׃

תְּשׁוּבַת הַמֶּלֶךְ לְכוֹתְבֵי הָאִגֶּרֶת׃

יז פִּתְגָמָא שְׁלַח מַלְכָּא עַל־רְחוּם בְּעֵל־טְעֵם וְשִׁמְשַׁי סָפְרָא וּשְׁאָר
כְּנָוָתְהוֹן דִּי יָתְבִין בְּשָׁמְרָיִן וּשְׁאָר עֲבַר־נַהֲרָה שְׁלָם וּכְעֶת׃
יח יט נִשְׁתְּוָנָא דִּי שְׁלַחְתּוּן עֲלֶינָא מְפָרַשׁ קֱרִי קָדָמָי׃ וּמִנִּי שִׂים טְעֵם
וּבַקַּרוּ וְהַשְׁכַּחוּ דִּי קִרְיְתָא דָךְ מִן־יוֹמָת עָלְמָא עַל־מַלְכִין
כ מִתְנַשְּׂאָה וּמְרַד וְאֶשְׁתַּדּוּר מִתְעֲבֶד־בַּהּ׃ וּמַלְכִין תַּקִּיפִין הֲווֹ
עַל־יְרוּשְׁלֶם וְשַׁלִּיטִין בְּכֹל עֲבַר נַהֲרָה וּמִדָּה בְלוֹ וַהֲלָךְ מִתְיְהֵב
כא לְהוֹן׃ כְּעַן שִׂימוּ טְעֵם לְבַטָּלָא גֻּבְרַיָּא אִלֵּךְ וְקִרְיְתָא דָךְ לָא
כב תִתְבְּנֵא עַד־מִנִּי טַעְמָא יִתְּשָׂם׃ וּזְהִירִין הֱווֹ שָׁלוּ לְמֶעְבַּד
כג עַל־דְּנָה לְמָה יִשְׂגֵּא חֲבָלָא לְהַנְזָקַת מַלְכִין׃ אֱדַיִן

הַשְׁבָּתַת בִּנְיַן הַבַּיִת בְּצִוּוּי הַמֶּלֶךְ׃

מִן־דִּי פַּרְשֶׁגֶן נִשְׁתְּוָנָא דִּי אַרְתַּחְשַׁשְׂתְּא מַלְכָּא קֱרִי קֳדָם־רְחוּם
וְשִׁמְשַׁי סָפְרָא וּכְנָוָתְהוֹן אֲזַלוּ בִבְהִילוּ לִירוּשְׁלֶם עַל־יְהוּדָיֵא
כד וּבַטִּלוּ הִמּוֹ בְּאֶדְרָע וְחָיִל׃ בֵּאדַיִן בְּטֵלַת עֲבִידַת
בֵּית־אֱלָהָא דִּי בִּירוּשְׁלֶם וַהֲוָת בָּטְלָא עַד שְׁנַת תַּרְתֵּין לְמַלְכוּת

דָּרְיָוֶשׁ מֶלֶךְ־פָּרָס׃

ה א וְהִתְנַבִּי חַגַּי נְבִיָּאה וּזְכַרְיָה בַר־עִדּוֹא נְבִיַּיָּא עַל־יְהוּדָיֵא דִּי
ב בִיהוּד וּבִירוּשְׁלֶם בְּשֻׁם אֱלָהּ יִשְׂרָאֵל עֲלֵיהוֹן׃ בֵּאדַיִן
קָמוּ זְרֻבָּבֶל בַּר־שְׁאַלְתִּיאֵל וְיֵשׁוּעַ בַּר־יוֹצָדָק וְשָׁרִיו לְמִבְנֵא
בֵּית אֱלָהָא דִּי בִירוּשְׁלֶם וְעִמְּהוֹן נְבִיַּיָּא דִי־אֱלָהָא מְסָעֲדִין
לְהוֹן׃

ג בֵּהּ־זִמְנָא אֲתָא עֲלֵיהוֹן תַּתְּנַי פַּחַת עֲבַר־נַהֲרָה וּשְׁתַר בּוֹזְנַי
וּכְנָוָתְהוֹן וְכֵן אָמְרִין לְהֹם מַן־שָׂם לְכֹם טְעֵם בַּיְתָא דְנָה לִבְּנֵא
ד וְאֻשַּׁרְנָא דְנָה לְשַׁכְלָלָה׃ אֱדַיִן כְּנֵמָא אֲמַרְנָא לְּהֹם מַן־אִנּוּן
ה שְׁמָהָת גֻּבְרַיָּא דִּי־דְנָה בִנְיָנָא בָּנַיִן׃ וְעֵין אֱלָהֲהֹם הֲוָת עַל־שָׂבֵי
יְהוּדָיֵא וְלָא־בַטִּלוּ הִמּוֹ עַד־טַעְמָא לְדָרְיָוֶשׁ יְהָךְ וֶאֱדַיִן יְתִיבוּן
נִשְׁתְּוָנָא עַל־דְּנָה׃

ו פַּרְשֶׁגֶן אִגַּרְתָּא דִּי־שְׁלַח תַּתְּנַי ׀ פַּחַת עֲבַר־נַהֲרָה וּשְׁתַר בּוֹזְנַי
ז וּכְנָוָתֵהּ אֲפַרְסְכָיֵא דִּי בַּעֲבַר נַהֲרָה עַל־דָּרְיָוֶשׁ מַלְכָּא׃ פִּתְגָמָא
שְׁלַחוּ עֲלוֹהִי וְכִדְנָה כְּתִיב בְּגַוֵּהּ לְדָרְיָוֶשׁ מַלְכָּא שְׁלָמָא
ח כֹלָּא׃ יְדִיעַ ׀ לֶהֱוֵא לְמַלְכָּא
דִּי־אֲזַלְנָא לִיהוּד מְדִינְתָּא לְבֵית אֱלָהָא רַבָּא וְהוּא מִתְבְּנֵא
אֶבֶן גְּלָל וְאָע מִתְּשָׂם בְּכֻתְלַיָּא וַעֲבִידְתָּא דָךְ אָסְפַּרְנָא מִתְעַבְדָא
ט וּמַצְלַח בְּיֶדְהֹם׃ אֱדַיִן שְׁאֵלְנָא לְשָׂבַיָּא אִלֵּךְ כְּנֵמָא אֲמַרְנָא לְּהֹם
מַן־שָׂם לְכֹם טְעֵם בַּיְתָא דְנָה לְמִבְנְיֵה וְאֻשַּׁרְנָא דְנָה לְשַׁכְלָלָה׃
י וְאַף שְׁמָהָתְהֹם שְׁאֵלְנָא לְהֹם לְהוֹדָעוּתָךְ דִּי נִכְתֻּב שֻׁם־גֻּבְרַיָּא
דִּי בְּרָאשֵׁיהֹם׃

האגרת שנשלחה לדריוש נגד ישראל:

יא וּכְנֵמָא פִתְגָמָא הֲתִיבוּנָא לְמֵמַר אֲנַחְנָא הִמּוֹ עַבְדוֹהִי דִּי־אֱלָהּ
שְׁמַיָּא וְאַרְעָא וּבָנַיִן בַּיְתָא דִּי־הֲוָא בְנֵה מִקַּדְמַת דְּנָה שְׁנִין
יב שַׂגִּיאָן וּמֶלֶךְ לְיִשְׂרָאֵל רַב בְּנָהִי וְשַׁכְלְלֵהּ׃ לָהֵן מִן־דִּי הַרְגִּזוּ

אֲבָהֳתַנָא לֶאֱלָהּ שְׁמַיָּא יְהַב הִמּוֹ בְּיַד נְבוּכַדְנֶצַּר מֶלֶךְ־בָּבֶל
כסדיא כַּסְדָּאָה וּבַיְתָה דְנָה סַתְרֵהּ וְעַמָּה הַגְלִי לְבָבֶל׃
יג בְּרַם בִּשְׁנַת חֲדָה לְכוֹרֶשׁ מַלְכָּא דִּי בָבֶל כּוֹרֶשׁ מַלְכָּא שָׂם
יד טְעֵם בֵּית־אֱלָהָא דְנָה לִבְּנֵא׃ וְאַף מָאנַיָּא דִֽי־בֵית־אֱלָהָא דִּי
דַהֲבָה וְכַסְפָּא דִּי נְבוּכַדְנֶצַּר הַנְפֵּק מִן־הֵיכְלָא דִּי בִירוּשְׁלֶם
וְהֵיבֵל הִמּוֹ לְהֵיכְלָא דִּי בָבֶל הַנְפֵּק הִמּוֹ כּוֹרֶשׁ מַלְכָּא מִן־הֵיכְלָא
טו דִּי בָבֶל וִיהִיבוּ לְשֵׁשְׁבַּצַּר שְׁמֵהּ דִּי פֶחָה שָׂמֵהּ׃ וַאֲמַר־לֵהּ ׀
אלה אֵל מָאנַיָּא שֵׂא אֱזֶל־אֲחֵת הִמּוֹ בְּהֵיכְלָא דִּי בִירוּשְׁלֶם וּבֵית
אֱלָהָא יִתְבְּנֵא עַל־אַתְרֵהּ׃
טז אֱדַיִן שֵׁשְׁבַּצַּר דֵּךְ אֲתָא יְהַב אֻשַּׁיָּא דִּי־בֵית אֱלָהָא דִּי בִירוּשְׁלֶם
יז וּמִן־אֱדַיִן וְעַד־כְּעַן מִתְבְּנֵא וְלָא שְׁלִם׃ וּכְעַן הֵן עַל־מַלְכָּא
טָב יִתְבַּקַּר בְּבֵית גִּנְזַיָּא דִּי־מַלְכָּא תַמָּה דִּי בְּבָבֶל הֵן
אִיתַי דִּי־מִן־כּוֹרֶשׁ מַלְכָּא שִׂים טְעֵם לְמִבְנֵא בֵּית־אֱלָהָא דֵךְ
בִּירוּשְׁלֶם וּרְעוּת מַלְכָּא עַל־דְּנָה יִשְׁלַח עֲלֶינָא׃
ו א בֵּאדַיִן דָּרְיָוֶשׁ מַלְכָּא שָׂם טְעֵם וּבַקַּרוּ ׀ בְּבֵית סִפְרַיָּא דִּי גִנְזַיָּא
ב מְהַחֲתִין תַּמָּה בְּבָבֶל׃ וְהִשְׁתְּכַח בְּאַחְמְתָא בְּבִירְתָא דִּי בְּמָדַי
מְדִינְתָּה מְגִלָּה חֲדָה וְכֵן־כְּתִיב בְּגַוַּהּ דִּכְרוֹנָה׃

מְצִיאַת הַמְּגִלָּה עַל הָרְשׁוּת לְבְנִיַּת הַמִּקְדָּשׁ:

[3390]

ג בִּשְׁנַת חֲדָה לְכוֹרֶשׁ מַלְכָּא כּוֹרֶשׁ מַלְכָּא שָׂם טְעֵם בֵּית־אֱלָהָא
בִירוּשְׁלֶם בַּיְתָא יִתְבְּנֵא אֲתַר דִּי־דָבְחִין דִּבְחִין וְאֻשּׁוֹהִי
ד מְסוֹבְלִין רוּמֵהּ אַמִּין שִׁתִּין פְּתָיֵהּ אַמִּין שִׁתִּין׃ נִדְבָּכִין
דִּי־אֶבֶן גְּלָל תְּלָתָא וְנִדְבָּךְ דִּי־אָע חֲדַת וְנִפְקְתָא מִן־בֵּית מַלְכָּא
ה תִּתְיְהִב׃ וְאַף מָאנֵי בֵית־אֱלָהָא
דִּי דַהֲבָה וְכַסְפָּא דִּי נְבוּכַדְנֶצַּר הַנְפֵּק מִן־הֵיכְלָא דִי־בִירוּשְׁלֶם
וְהֵיבֵל לְבָבֶל יַהֲתִיבוּן וִיהָךְ לְהֵיכְלָא דִי־בִירוּשְׁלֶם לְאַתְרֵהּ
ו וְתַחֵת בְּבֵית אֱלָהָא׃ כְּעַן תַּתְּנַי פַּחַת עֲבַר־נַהֲרָה שְׁתַר

הַפְסָקַת הַהַפְרָעוֹת בַּבִּנְיָן:

בּוֹזְנַי וּכְנָוָתְהוֹן אֲפַרְסְכָיֵא דִּי בַּעֲבַר נַהֲרָה רַחִיקִין הֲווֹ מִן־תַּמָּה׃
ז שְׁבֻקוּ לַעֲבִידַת בֵּית־אֱלָהָא דֵךְ פַּחַת יְהוּדָיֵא וּלְשָׂבֵי יְהוּדָיֵא
ח בֵּית־אֱלָהָא דֵךְ יִבְנוֹן עַל־אַתְרֵהּ׃ וּמִנִּי שִׂים טְעֵם לְמָא
דִּי־תַעַבְדוּן עִם־שָׂבֵי יְהוּדָיֵא אִלֵּךְ לְמִבְנֵא בֵּית־אֱלָהָא דֵךְ
וּמִנִּכְסֵי מַלְכָּא דִּי מִדַּת עֲבַר נַהֲרָה אָסְפַּרְנָא נִפְקְתָא תֶּהֱוֵא
ט מִתְיַהֲבָא לְגֻבְרַיָּא אִלֵּךְ דִּי־לָא לְבַטָּלָא׃ וּמָה חַשְׁחָן וּבְנֵי תוֹרִין
וְדִכְרִין וְאִמְּרִין ׀ לַעֲלָוָן ׀ לֶאֱלָהּ שְׁמַיָּא חִנְטִין מְלַח ׀ חֲמַר
וּמְשַׁח כְּמֵאמַר כָּהֲנַיָּא דִי־בִירוּשְׁלֶם לֶהֱוֵא מִתְיְהֵב לְהֹם יוֹם ׀
י בְּיוֹם דִּי־לָא שָׁלוּ׃ דִּי־לֶהֱוֺן מְהַקְרְבִין נִיחוֹחִין לֶאֱלָהּ שְׁמַיָּא
יא וּמְצַלַּיִן לְחַיֵּי מַלְכָּא וּבְנוֹהִי׃ וּמִנִּי שִׂים טְעֵם דִּי כָל־אֱנָשׁ דִּי
יְהַשְׁנֵא פִּתְגָמָא דְנָה יִתְנְסַח אָע מִן־בַּיְתֵהּ וּזְקִיף יִתְמְחֵא עֲלֹהִי
יב וּבַיְתֵהּ נְוָלוּ יִתְעֲבֵד עַל־דְּנָה׃ וֵאלָהָא דִּי שַׁכִּן שְׁמֵהּ תַּמָּה
יְמַגַּר כָּל־מֶלֶךְ וְעַם דִּי ׀ יִשְׁלַח יְדֵהּ לְהַשְׁנָיָה לְחַבָּלָה בֵּית־
אֱלָהָא דֵךְ דִּי בִירוּשְׁלֶם אֲנָה דָרְיָוֶשׁ שָׂמֶת טְעֵם אָסְפַּרְנָא
יִתְעֲבִד׃

הַצָּו לְסַיֵּעַ לַמִּקְדָּשׁ מֵאוֹצַר הַמֶּלֶךְ:

צִוּוּי דָּרְיָוֶשׁ לַעֲנֹשׁ אֶת הַמַּפְרִיעִים:

גְּמַר הַבַּיִת וְהַשְׁלָמָתוֹ:

יג אֱדַיִן תַּתְּנַי פַּחַת עֲבַר־נַהֲרָה שְׁתַר בּוֹזְנַי וּכְנָוָתְהוֹן לָקֳבֵל
יד דִּי־שְׁלַח דָּרְיָוֶשׁ מַלְכָּא כְּנֵמָא אָסְפַּרְנָא עֲבַדוּ׃ וְשָׂבֵי יְהוּדָיֵא
בָּנַיִן וּמַצְלְחִין בִּנְבוּאַת חַגַּי נְבִיָּאה וּזְכַרְיָה בַּר־עִדּוֹא וּבְנוֹ
וְשַׁכְלִלוּ מִן־טַעַם אֱלָהּ יִשְׂרָאֵל וּמִטְּעֵם כּוֹרֶשׁ וְדָרְיָוֶשׁ
טו וְאַרְתַּחְשַׁשְׂתְּא מֶלֶךְ פָּרָס׃ וְשֵׁיצִיא בַּיְתָה דְנָה עַד יוֹם תְּלָתָה [3412]
לִירַח אֲדָר דִּי־הִיא שְׁנַת־שֵׁת לְמַלְכוּת דָּרְיָוֶשׁ מַלְכָּא׃

הַשִּׂמְחָה בַּחֲנֻכַּת הַבַּיִת:

טז וַעֲבַדוּ בְנֵי־יִשְׂרָאֵל כָּהֲנַיָּא וְלֵוָיֵא וּשְׁאָר בְּנֵי־גָלוּתָא חֲנֻכַּת
יז בֵּית־אֱלָהָא דְנָה בְּחֶדְוָה׃ וְהַקְרִבוּ לַחֲנֻכַּת בֵּית־אֱלָהָא דְנָה תּוֹרִין
מְאָה דִּכְרִין מָאתַיִן אִמְּרִין אַרְבַּע מְאָה וּצְפִירֵי עִזִּין לחטיא
לְחַטָּאָה עַל־כָּל־יִשְׂרָאֵל תְּרֵי־עֲשַׂר לְמִנְיָן שִׁבְטֵי יִשְׂרָאֵל׃

יח וַהֲקִ֨ימוּ כָהֲנַיָּ֜א בִּפְלֻגָּתְה֗וֹן וְלֵוָיֵא֙ בְּמַחְלְקָ֣תְה֔וֹן עַל־עֲבִידַ֥ת
אֱלָהָ֖א דִּ֣י בִירֽוּשְׁלֶ֑ם כִּכְתָ֖ב סְפַ֥ר מֹשֶֽׁה׃
יט וַיַּעֲשׂ֥וּ בְנֵֽי־הַגּוֹלָ֖ה אֶת־הַפָּ֑סַח בְּאַרְבָּעָ֥ה עָשָׂ֖ר לַחֹ֥דֶשׁ הָרִאשֽׁוֹן׃ עֲשִׂיַּת חַג הַפֶּסַח בְּרֹב שִׂמְחָה:
כ כִּ֣י הִטַּהֲר֞וּ הַכֹּהֲנִ֤ים וְהַלְוִיִּם֙ כְּאֶחָ֔ד כֻּלָּ֖ם טְהוֹרִ֑ים וַיִּשְׁחֲט֤וּ הַפֶּ֙סַח֙
כא לְכָל־בְּנֵ֣י הַגּוֹלָ֔ה וְלַאֲחֵיהֶ֥ם הַכֹּהֲנִ֖ים וְלָהֶֽם׃ וַיֹּאכְל֣וּ בְנֵֽי־יִשְׂרָאֵ֗ל
הַשָּׁבִים֙ מֵהַגּוֹלָ֔ה וְכֹ֗ל הַנִּבְדָּ֛ל מִטֻּמְאַ֥ת גּוֹיֵֽ־הָאָ֖רֶץ אֲלֵהֶ֑ם לִדְרֹ֕שׁ
כב לַיהוָ֖ה אֱלֹהֵ֥י יִשְׂרָאֵֽל׃ וַיַּעֲשׂ֧וּ חַג־מַצּ֛וֹת שִׁבְעַ֥ת יָמִ֖ים בְּשִׂמְחָ֑ה
כִּ֣י ׀ שִׂמְּחָ֣ם יְהוָ֗ה וְהֵסֵ֞ב לֵ֤ב מֶֽלֶךְ־אַשּׁוּר֙ עֲלֵיהֶ֔ם לְחַזֵּ֣ק יְדֵיהֶ֔ם
בִּמְלֶ֥אכֶת בֵּית־הָאֱלֹהִ֖ים אֱלֹהֵ֥י יִשְׂרָאֵֽל׃
ז א וְאַחַר֙ הַדְּבָרִ֣ים הָאֵ֔לֶּה בְּמַלְכ֖וּת אַרְתַּחְשַׁ֣סְתְּא מֶֽלֶךְ־פָּ֑רָס עֶזְרָא֙ עֲלִיַּת עֶזְרָא הַסּוֹפֵר וְיִחוּסוֹ:
ב בֶּן־שְׂרָיָ֔ה בֶּן־עֲזַרְיָ֖ה בֶּן־חִלְקִיָּֽה׃ בֶּן־שַׁלּ֥וּם בֶּן־צָד֖וֹק בֶּן־
ג ד אֲחִיטֽוּב׃ בֶּן־אֲמַרְיָ֥ה בֶן־עֲזַרְיָ֖ה בֶּן־מְרָיֽוֹת׃ בֶּן־זְרַֽחְיָ֥ה בֶן־עֻזִּ֖י
ה בֶּן־בֻּקִּֽי׃ בֶּן־אֲבִישׁ֗וּעַ בֶּן־פִּֽינְחָס֙ בֶּן־אֶלְעָזָ֔ר בֶּן־אַהֲרֹ֥ן הַכֹּהֵ֖ן
ו הָרֹֽאשׁ׃ ה֤וּא עֶזְרָא֙ עָלָ֣ה מִבָּבֶ֔ל וְהֽוּא־סֹפֵ֤ר מָהִיר֙ בְּתוֹרַ֣ת מֹשֶׁ֔ה
אֲשֶׁר־נָתַ֖ן יְהוָ֣ה אֱלֹהֵ֣י יִשְׂרָאֵ֑ל וַיִּתֶּן־ל֣וֹ הַ֠מֶּלֶךְ כְּיַד־יְהוָ֤ה אֱלֹהָיו֙
עָלָ֔יו כֹּ֖ל בַּקָּשָׁתֽוֹ׃
ז וַיַּעֲל֣וּ מִבְּנֵֽי־יִ֠שְׂרָאֵל וּמִן־הַכֹּהֲנִ֨ים וְהַלְוִיִּ֜ם וְהַמְשֹׁרְרִ֧ים וְהַשֹּׁעֲרִ֛ים הָעוֹלִים עִם עֶזְרָא וּזְמַן עֲלִיָּתוֹ:
וְהַנְּתִינִ֖ים אֶל־יְרוּשָׁלִָ֑ם בִּשְׁנַת־שֶׁ֖בַע לְאַרְתַּחְשַׁ֥סְתְּא הַמֶּֽלֶךְ׃
ח ט וַיָּבֹ֥א יְרוּשָׁלִַ֖ם בַּחֹ֣דֶשׁ הַחֲמִישִׁ֑י הִ֛יא שְׁנַ֥ת הַשְּׁבִיעִ֖ית לַמֶּֽלֶךְ׃ כִּ֗י [3413]
בְּאֶחָד֙ לַחֹ֣דֶשׁ הָרִאשׁ֔וֹן ה֥וּא יְסֻ֖ד הַֽמַּעֲלָ֣ה מִבָּבֶ֑ל וּבְאֶחָ֞ד לַחֹ֣דֶשׁ
י הַחֲמִישִׁ֗י בָּ֚א אֶל־יְר֣וּשָׁלִַ֔ם כְּיַד־אֱלֹהָ֖יו הַטּוֹבָ֥ה עָלָֽיו׃ כִּ֤י עֶזְרָא֙
הֵכִ֣ין לְבָב֔וֹ לִדְר֛וֹשׁ אֶת־תּוֹרַ֥ת יְהוָ֖ה וְלַעֲשֹׂ֑ת וּלְלַמֵּ֥ד בְּיִשְׂרָאֵ֖ל
יא חֹ֥ק וּמִשְׁפָּֽט׃ וְזֶ֣ה ׀ פַּרְשֶׁ֣גֶן הַנִּשְׁתְּוָ֗ן אֲשֶׁ֤ר נָתַן֙ הַמֶּ֣לֶךְ הַמִּנּוּי לְעֶזְרָא הַסּוֹפֵר, וְסַמְכֻיּוֹתָיו:
אַרְתַּחְשַׁ֔סְתְּא לְעֶזְרָ֥א הַכֹּהֵ֖ן הַסֹּפֵ֑ר סֹפֵ֞ר דִּבְרֵ֧י מִצְוֺת־יְהוָ֛ה וְחֻקָּ֖יו
עַל־יִשְׂרָאֵֽל׃

יב אַרְתַּחְשַׁשְׂתְּא מֶלֶךְ מַלְכַיָּא לְעֶזְרָא כָהֲנָא סָפַר דָּתָא דִּי־אֱלָהּ
יג שְׁמַיָּא גְּמִיר וּכְעֶנֶת: מִנִּי שִׂים טְעֵם דִּי כָל־מִתְנַדַּב בְּמַלְכוּתִי
מִן־עַמָּא יִשְׂרָאֵל וְכָהֲנוֹהִי וְלֵוָיֵא לִמְהָךְ לִירוּשְׁלֶם עִמָּךְ יְהָךְ:
יד כָּל־קֳבֵל דִּי מִן־קֳדָם מַלְכָּא וְשִׁבְעַת יָעֲטֹהִי שְׁלִיחַ לְבַקָּרָא
טו עַל־יְהוּד וְלִירוּשְׁלֶם בְּדָת אֱלָהָךְ דִּי בִידָךְ: וּלְהֵיבָלָה כְּסַף וּדְהַב
דִּי־מַלְכָּא וְיָעֲטוֹהִי הִתְנַדַּבוּ לֶאֱלָהּ יִשְׂרָאֵל דִּי בִירוּשְׁלֶם
טז מִשְׁכְּנֵהּ: וְכֹל כְּסַף וּדְהַב דִּי תְהַשְׁכַּח בְּכֹל מְדִינַת בָּבֶל עִם
הִתְנַדָּבוּת עַמָּא וְכָהֲנַיָּא מִתְנַדְּבִין לְבֵית אֱלָהֲהֹם דִּי בִירוּשְׁלֶם:
יז כָּל־קֳבֵל דְּנָה אָסְפַּרְנָא תִקְנֵא בְּכַסְפָּא דְנָה תּוֹרִין ׀ דִּכְרִין
אִמְּרִין וּמִנְחָתְהוֹן וְנִסְכֵּיהוֹן וּתְקָרֵב הִמּוֹ עַל־מַדְבְּחָה דִּי בֵּית
יח אֱלָהֲכֹם דִּי בִירוּשְׁלֶם: וּמָה דִי עליך עֲלָךְ וְעַל־אֶחָךְ אחיך יֵיטַב
יט בִּשְׁאָר כַּסְפָּא וְדַהֲבָה לְמֶעְבַּד כִּרְעוּת אֱלָהֲכֹם תַּעַבְדוּן: וּמָאנַיָּא
דִּי־מִתְיַהֲבִין לָךְ לְפָלְחָן בֵּית אֱלָהָךְ הַשְׁלֵם קֳדָם אֱלָהּ יְרוּשְׁלֶם:
כ וּשְׁאָר חַשְׁחוּת בֵּית אֱלָהָךְ דִּי יִפֶּל־לָךְ לְמִנְתַּן תִּנְתֵּן מִן־בֵּית
כא גִּנְזֵי מַלְכָּא: וּמִנִּי אֲנָה אַרְתַּחְשַׁסְתְּא מַלְכָּא שִׂים טְעֵם לְכֹל
גִּזַּבְרַיָּא דִּי בַּעֲבַר נַהֲרָה דִּי כָל־דִּי יִשְׁאֲלֶנְכוֹן עֶזְרָא כָהֲנָה סָפַר
כב דָּתָא דִּי־אֱלָהּ שְׁמַיָּא אָסְפַּרְנָא יִתְעֲבִד: עַד־כְּסַף כַּכְּרִין מְאָה
וְעַד־חִנְטִין כּוֹרִין מְאָה וְעַד־חֲמַר בַּתִּין מְאָה וְעַד־בַּתִּין מְשַׁח
כג מְאָה וּמְלַח דִּי־לָא כְתָב: כָּל־דִּי מִן־טַעַם אֱלָהּ שְׁמַיָּא יִתְעֲבֵד
אַדְרַזְדָּא לְבֵית אֱלָהּ שְׁמַיָּא דִּי־לְמָה לֶהֱוֵא קְצַף עַל־מַלְכוּת
כד מַלְכָּא וּבְנוֹהִי: וּלְכֹם מְהוֹדְעִין דִּי כָל־כָּהֲנַיָּא וְלֵוָיֵא זַמָּרַיָּא
תָרָעַיָּא נְתִינַיָּא וּפָלְחֵי בֵּית אֱלָהָא דְנָה מִנְדָּה בְלוֹ וַהֲלָךְ לָא
שַׁלִּיט לְמִרְמֵא עֲלֵיהֹם:

כה וְאַנְתְּ עֶזְרָא כְּחָכְמַת אֱלָהָךְ דִּי־בִידָךְ מֶנִּי שָׁפְטִין וְדַיָּנִין דִּי־לֶהֱוֺן
דאנין דָּאְנִין לְכָל־עַמָּה דִּי בַּעֲבַר נַהֲרָה לְכָל־יָדְעֵי דָּתֵי אֱלָהָךְ

כו וְדִי לָא יָדַע תְּהוֹדְעוּן׃ וְכָל־דִּי־לָא לֶהֱוֵא עָבֵד דָּתָא דִי־אֱלָהָךְ
וְדָתָא דִּי מַלְכָּא אָסְפַּרְנָא דִּינָה לֶהֱוֵא מִתְעֲבֵד מִנֵּהּ הֵן לְמוֹת
הֵן לִשְׁרֹשׁוּ הֵן־לַעֲנָשׁ נִכְסִין וְלֶאֱסוּרִין׃
כז בָּרוּךְ יְהוָה אֱלֹהֵי אֲבוֹתֵינוּ אֲשֶׁר נָתַן כָּזֹאת בְּלֵב הַמֶּלֶךְ לְפָאֵר
כח אֶת־בֵּית יְהוָה אֲשֶׁר בִּירוּשָׁלִָם׃ וְעָלַי הִטָּה־חֶסֶד לִפְנֵי הַמֶּלֶךְ
וְיוֹעֲצָיו וּלְכָל־שָׂרֵי הַמֶּלֶךְ הַגִּבֹּרִים וַאֲנִי הִתְחַזַּקְתִּי כְּיַד־יְהוָה
אֱלֹהַי עָלַי וָאֶקְבְּצָה מִיִּשְׂרָאֵל רָאשִׁים לַעֲלוֹת עִמִּי׃

הוֹדָאַת עֶזְרָא לַה׳ עַל חַסְדּוֹ׃

ח א וְאֵלֶּה רָאשֵׁי אֲבֹתֵיהֶם וְהִתְיַחְשָׂם הָעֹלִים עִמִּי בְּמַלְכוּת
ב אַרְתַּחְשַׁסְתְּא הַמֶּלֶךְ מִבָּבֶל׃ מִבְּנֵי
פִינְחָס גֵּרְשֹׁם מִבְּנֵי אִיתָמָר דָּנִיֵּאל מִבְּנֵי
ג דָוִיד חַטּוּשׁ׃ מִבְּנֵי שְׁכַנְיָה מִבְּנֵי פַרְעֹשׁ
ד זְכַרְיָה וְעִמּוֹ הִתְיַחֵשׂ לִזְכָרִים מֵאָה וַחֲמִשִּׁים׃ מִבְּנֵי
פַּחַת מוֹאָב אֶלְיְהוֹעֵינַי בֶּן־זְרַחְיָה וְעִמּוֹ מָאתַיִם
ה הַזְּכָרִים׃ מִבְּנֵי שְׁכַנְיָה בֶּן־יַחֲזִיאֵל וְעִמּוֹ שְׁלֹשׁ מֵאוֹת
ו הַזְּכָרִים׃ וּמִבְּנֵי עָדִין עֶבֶד בֶּן־יוֹנָתָן וְעִמּוֹ חֲמִשִּׁים
ז הַזְּכָרִים׃ וּמִבְּנֵי עֵילָם יְשַׁעְיָה בֶּן־עֲתַלְיָה וְעִמּוֹ
ח שִׁבְעִים הַזְּכָרִים׃ וּמִבְּנֵי שְׁפַטְיָה זְבַדְיָה בֶּן־מִיכָאֵל
ט וְעִמּוֹ שְׁמֹנִים הַזְּכָרִים׃ מִבְּנֵי יוֹאָב עֹבַדְיָה בֶּן־יְחִיאֵל
י וְעִמּוֹ מָאתַיִם וּשְׁמֹנָה עָשָׂר הַזְּכָרִים׃ וּמִבְּנֵי שְׁלוֹמִית
יא בֶּן־יוֹסִפְיָה וְעִמּוֹ מֵאָה וְשִׁשִּׁים הַזְּכָרִים׃ וּמִבְּנֵי בֵּבָי
יב זְכַרְיָה בֶּן־בֵּבָי וְעִמּוֹ עֶשְׂרִים וּשְׁמֹנָה הַזְּכָרִים׃ וּמִבְּנֵי
יג עַזְגָּד יוֹחָנָן בֶּן־הַקָּטָן וְעִמּוֹ מֵאָה וַעֲשָׂרָה הַזְּכָרִים׃ וּמִבְּנֵי
אֲדֹנִיקָם אַחֲרֹנִים וְאֵלֶּה שְׁמוֹתָם אֱלִיפֶלֶט יְעִיאֵל וּשְׁמַעְיָה
יד וְעִמָּהֶם שִׁשִּׁים הַזְּכָרִים׃ וּמִבְּנֵי בִּגְוַי עוּתַי וזבוד וְזַכּוּר
וְעִמּוֹ שִׁבְעִים הַזְּכָרִים׃

הָעוֹלִים לִירוּשָׁלַיִם עִם עֶזְרָא׃

עֶזְרָא וְסִיעָתוֹ חוֹנִים לְיַד נְהַר אַהֲוָא:

טו וָאֶקְבְּצֵם אֶל־הַנָּהָר הַבָּא אֶל־אַהֲוָא וַנַּחֲנֶה שָׁם יָמִים שְׁלֹשָׁה
טז וָאָבִינָה בָעָם וּבַכֹּהֲנִים וּמִבְּנֵי לֵוִי לֹא־מָצָאתִי שָׁם׃ וָאֶשְׁלְחָה
לֶאֱלִיעֶזֶר לַאֲרִיאֵל לִשְׁמַעְיָה וּלְאֶלְנָתָן וּלְיָרִיב וּלְאֶלְנָתָן וּלְנָתָן
יז וְלִזְכַרְיָה וְלִמְשֻׁלָּם רָאשִׁים וּלְיוֹיָרִיב וּלְאֶלְנָתָן מְבִינִים׃ ואוצאה
וָאֲצַוֶּה אוֹתָם עַל־אִדּוֹ הָרֹאשׁ בְּכָסִפְיָא הַמָּקוֹם וָאָשִׂימָה בְּפִיהֶם
דְּבָרִים לְדַבֵּר אֶל־אִדּוֹ אָחִיו הנתונים הַנְּתִינִים בְּכָסִפְיָא הַמָּקוֹם
יח לְהָבִיא־לָנוּ מְשָׁרְתִים לְבֵית אֱלֹהֵינוּ׃ וַיָּבִיאוּ לָנוּ כְּיַד־אֱלֹהֵינוּ
הַטּוֹבָה עָלֵינוּ אִישׁ שֶׂכֶל מִבְּנֵי מַחְלִי בֶּן־לֵוִי בֶּן־
יט יִשְׂרָאֵל וְשֵׁרֵבְיָה וּבָנָיו וְאֶחָיו שְׁמֹנָה עָשָׂר׃ וְאֶת־חֲשַׁבְיָה וְאִתּוֹ
כ יְשַׁעְיָה מִבְּנֵי מְרָרִי אֶחָיו וּבְנֵיהֶם עֶשְׂרִים׃ וּמִן־
הַנְּתִינִים שֶׁנָּתַן דָּוִיד וְהַשָּׂרִים לַעֲבֹדַת הַלְוִיִּם נְתִינִים מָאתַיִם
כא וְעֶשְׂרִים כֻּלָּם נִקְּבוּ בְשֵׁמוֹת׃ וָאֶקְרָא שָׁם צוֹם עַל־הַנָּהָר אַהֲוָא
לְהִתְעַנּוֹת לִפְנֵי אֱלֹהֵינוּ לְבַקֵּשׁ מִמֶּנּוּ דֶּרֶךְ יְשָׁרָה לָנוּ וּלְטַפֵּנוּ
כב וּלְכָל־רְכוּשֵׁנוּ׃ כִּי בֹשְׁתִּי לִשְׁאוֹל מִן־הַמֶּלֶךְ חַיִל וּפָרָשִׁים
לְעָזְרֵנוּ מֵאוֹיֵב בַּדָּרֶךְ כִּי־אָמַרְנוּ לַמֶּלֶךְ לֵאמֹר יַד־אֱלֹהֵינוּ
כג עַל־כָּל־מְבַקְשָׁיו לְטוֹבָה וְעֻזּוֹ וְאַפּוֹ עַל כָּל־עֹזְבָיו׃ וַנָּצוּמָה
כד וַנְּבַקְשָׁה מֵאֱלֹהֵינוּ עַל־זֹאת וַיֵּעָתֵר לָנוּ׃ וָאַבְדִּילָה מִשָּׂרֵי הַכֹּהֲנִים
כה שְׁנֵים עָשָׂר לְשֵׁרֵבְיָה חֲשַׁבְיָה וְעִמָּהֶם מֵאֲחֵיהֶם עֲשָׂרָה׃ ואשקולה
וָאֶשְׁקְלָה לָהֶם אֶת־הַכֶּסֶף וְאֶת־הַזָּהָב וְאֶת־הַכֵּלִים תְּרוּמַת בֵּית־
אֱלֹהֵינוּ הַהֵרִימוּ הַמֶּלֶךְ וְיֹעֲצָיו וְשָׂרָיו וְכָל־יִשְׂרָאֵל הַנִּמְצָאִים׃
כו וָאֶשְׁקֲלָה עַל־יָדָם כֶּסֶף כִּכָּרִים שֵׁשׁ־מֵאוֹת וַחֲמִשִּׁים וּכְלֵי־כֶסֶף
כז מֵאָה לְכִכָּרִים זָהָב מֵאָה כִכָּר׃ וּכְפֹרֵי זָהָב עֶשְׂרִים לַאֲדַרְכֹנִים
כח אֶלֶף וּכְלֵי נְחֹשֶׁת מֻצְהָב טוֹבָה שְׁנַיִם חֲמוּדֹת כַּזָּהָב׃ וָאֹמְרָה
אֲלֵהֶם אַתֶּם קֹדֶשׁ לַיהוָה וְהַכֵּלִים קֹדֶשׁ וְהַכֶּסֶף וְהַזָּהָב נְדָבָה
כט לַיהוָה אֱלֹהֵי אֲבֹתֵיכֶם׃ שִׁקְדוּ וְשִׁמְרוּ עַד־תִּשְׁקְלוּ לִפְנֵי שָׂרֵי

צוֹם וּבַקָּשָׁה מֵה׳ לְהַצְלִיחַ דַּרְכָּם:

מְסִירַת הַזָּהָב לַכֹּהֲנִים לִשְׁמִירָה:

הַכֹּהֲנִים וְהַלְוִיִּם וְשָׂרֵי־הָאָבוֹת לְיִשְׂרָאֵל בִּירוּשָׁלָ͏ִם הַלִּשְׁכוֹת
ל בֵּית יְהוָה: וְקִבְּלוּ הַכֹּהֲנִים וְהַלְוִיִּם מִשְׁקַל הַכֶּסֶף וְהַזָּהָב וְהַכֵּלִים
לְהָבִיא לִירוּשָׁלַ͏ִם לְבֵית אֱלֹהֵינוּ:
לא וַנִּסְעָה מִנְּהַר אַהֲוָא בִּשְׁנֵים עָשָׂר לַחֹדֶשׁ הָרִאשׁוֹן לָלֶכֶת
יְרוּשָׁלָ͏ִם וְיַד־אֱלֹהֵינוּ הָיְתָה עָלֵינוּ וַיַּצִּילֵנוּ מִכַּף אוֹיֵב וְאוֹרֵב
לב לג עַל־הַדָּרֶךְ: וַנָּבוֹא יְרוּשָׁלָ͏ִם וַנֵּשֶׁב שָׁם יָמִים שְׁלֹשָׁה: וּבַיּוֹם
הָרְבִיעִי נִשְׁקַל הַכֶּסֶף וְהַזָּהָב וְהַכֵּלִים בְּבֵית אֱלֹהֵינוּ עַל
יַד־מְרֵמוֹת בֶּן־אוּרִיָּה הַכֹּהֵן וְעִמּוֹ אֶלְעָזָר בֶּן־פִּינְחָס וְעִמָּהֶם
לד יוֹזָבָד בֶּן־יֵשׁוּעַ וְנוֹעַדְיָה בֶן־בִּנּוּי הַלְוִיִּם: בְּמִסְפָּר בְּמִשְׁקָל לַכֹּל
וַיִּכָּתֵב כָּל־הַמִּשְׁקָל בָּעֵת הַהִיא:
לה הַבָּאִים מֵהַשְּׁבִי בְנֵי־הַגּוֹלָה הִקְרִיבוּ עֹלוֹת ׀ לֵאלֹהֵי יִשְׂרָאֵל
פָּרִים שְׁנֵים־עָשָׂר עַל־כָּל־יִשְׂרָאֵל אֵילִים ׀ תִּשְׁעִים וְשִׁשָּׁה
כְּבָשִׂים שִׁבְעִים וְשִׁבְעָה צְפִירֵי חַטָּאת שְׁנֵים עָשָׂר הַכֹּל עוֹלָה
לַיהוָה:
לו וַיִּתְּנוּ ׀ אֶת־דָּתֵי הַמֶּלֶךְ לַאֲחַשְׁדַּרְפְּנֵי הַמֶּלֶךְ וּפַחֲוֹת עֵבֶר הַנָּהָר
ט א וְנִשְּׂאוּ אֶת־הָעָם וְאֶת־בֵּית־הָאֱלֹהִים: וּכְכַלּוֹת אֵלֶּה
נִגְּשׁוּ אֵלַי הַשָּׂרִים לֵאמֹר לֹא־נִבְדְּלוּ הָעָם יִשְׂרָאֵל וְהַכֹּהֲנִים
וְהַלְוִיִּם מֵעַמֵּי הָאֲרָצוֹת כְּתֹעֲבֹתֵיהֶם לַכְּנַעֲנִי הַחִתִּי הַפְּרִזִּי
ב הַיְבוּסִי הָעַמֹּנִי הַמֹּאָבִי הַמִּצְרִי וְהָאֱמֹרִי: כִּי־נָשְׂאוּ מִבְּנֹתֵיהֶם
לָהֶם וְלִבְנֵיהֶם וְהִתְעָרְבוּ זֶרַע הַקֹּדֶשׁ בְּעַמֵּי הָאֲרָצוֹת וְיַד
ג הַשָּׂרִים וְהַסְּגָנִים הָיְתָה בַּמַּעַל הַזֶּה רִאשׁוֹנָה: וּכְשָׁמְעִי אֶת־
הַדָּבָר הַזֶּה קָרַעְתִּי אֶת־בִּגְדִי וּמְעִילִי וָאֶמְרְטָה מִשְּׂעַר רֹאשִׁי
ד וּזְקָנִי וָאֵשְׁבָה מְשׁוֹמֵם: וְאֵלַי יֵאָסְפוּ כֹּל חָרֵד בְּדִבְרֵי אֱלֹהֵי־
יִשְׂרָאֵל עַל מַעַל הַגּוֹלָה וַאֲנִי יֹשֵׁב מְשׁוֹמֵם עַד לְמִנְחַת הָעָרֶב:
ה וּבְמִנְחַת הָעֶרֶב קַמְתִּי מִתַּעֲנִיתִי וּבְקָרְעִי בִגְדִי וּמְעִילִי וָאֶכְרְעָה

בִּיאַת עֶזְרָא וְסִיעָתוֹ לִירוּשָׁלַיִם:

[3413]

הַקְרָבַת קָרְבָּנוֹת עֲבוּר כָּל יִשְׂרָאֵל:

מַעַל הָעָם בְּנָשְׂאָם נָכְרִיּוֹת:

ו עַל־בִּרְכַּ֔י וָאֶפְרְשָׂ֥ה כַפַּ֖י אֶל־יְהוָ֥ה אֱלֹהָֽי׃ וָאֹמְרָ֗ה אֱלֹהַי֙ בֹּ֣שְׁתִּי
וְנִכְלַ֔מְתִּי לְהָרִ֧ים אֱלֹהַ֛י פָּנַ֖י אֵלֶ֑יךָ כִּ֣י עֲוֺנֹתֵ֤ינוּ רָבוּ֙ לְמַ֣עְלָה רֹּ֔אשׁ
ז וְאַשְׁמָתֵ֥נוּ גָדְלָ֖ה עַ֥ד לַשָּׁמָֽיִם׃ מִימֵ֣י אֲבֹתֵ֗ינוּ אֲנַ֙חְנוּ֙ בְּאַשְׁמָ֣ה
גְדֹלָ֔ה עַ֖ד הַיּ֣וֹם הַזֶּ֑ה וּבַעֲוֺנֹתֵ֡ינוּ נִתַּ֡נּוּ אֲנַחְנוּ֩ מְלָכֵ֨ינוּ כֹהֲנֵ֜ינוּ בְּיַ֣ד ׀
מַלְכֵ֣י הָאֲרָצ֗וֹת בַּחֶ֜רֶב בַּשְּׁבִ֧י וּבַבִּזָּ֛ה וּבְבֹ֥שֶׁת פָּנִ֖ים כְּהַיּ֥וֹם הַזֶּֽה׃
ח וְעַתָּ֡ה כִּמְעַט־רֶ֡גַע הָיְתָה֩ תְחִנָּ֨ה מֵאֵ֤ת ׀ יְהוָ֣ה אֱלֹהֵ֗ינוּ לְהַשְׁאִ֥יר
לָ֙נוּ֙ פְּלֵיטָ֔ה וְלָתֶת־לָ֥נוּ יָתֵ֖ד בִּמְק֣וֹם קָדְשׁ֑וֹ לְהָאִ֤יר עֵינֵ֙ינוּ֙ אֱלֹהֵ֔ינוּ
ט וּלְתִתֵּ֛נוּ מִֽחְיָ֥ה מְעַ֖ט בְּעַבְדֻתֵֽנוּ׃ כִּֽי־עֲבָדִ֣ים אֲנַ֔חְנוּ וּבְעַבְדֻתֵ֔נוּ
לֹ֥א עֲזָבָ֖נוּ אֱלֹהֵ֑ינוּ וַיַּט־עָלֵ֣ינוּ חֶ֡סֶד לִפְנֵי֩ מַלְכֵ֨י פָרַ֜ס לָֽתֶת־לָ֣נוּ
מִֽחְיָ֗ה לְרוֹמֵ֞ם אֶת־בֵּ֤ית אֱלֹהֵ֙ינוּ֙ וּלְהַעֲמִ֣יד אֶת־חָרְבֹתָ֔יו וְלָֽתֶת־
י לָ֣נוּ גָדֵ֔ר בִּיהוּדָ֖ה וּבִירוּשָׁלִָֽם׃ וְעַתָּ֛ה
יא מַה־נֹּאמַ֥ר אֱלֹהֵ֖ינוּ אַֽחֲרֵי־זֹ֑את כִּ֥י עָזַ֖בְנוּ מִצְוֺתֶֽיךָ׃ אֲשֶׁ֣ר צִוִּ֗יתָ
בְּיַ֨ד עֲבָדֶ֣יךָ הַנְּבִיאִים֮ לֵאמֹר֒ הָאָ֗רֶץ אֲשֶׁ֨ר אַתֶּ֤ם בָּאִים֙ לְרִשְׁתָּ֔הּ
אֶ֤רֶץ נִדָּה֙ הִ֔יא בְּנִדַּ֖ת עַמֵּ֣י הָאֲרָצ֑וֹת בְּתוֹעֲבֹֽתֵיהֶם֙ אֲשֶׁ֣ר מִלְא֔וּהָ
יב מִפֶּ֥ה אֶל־פֶּ֖ה בְּטֻמְאָתָֽם׃ וְ֠עַתָּה בְּֽנוֹתֵיכֶ֞ם אַל־תִּתְּנ֣וּ לִבְנֵיהֶ֗ם
וּבְנֹֽתֵיהֶם֙ אַל־תִּשְׂא֣וּ לִבְנֵיכֶ֔ם וְלֹֽא־תִדְרְשׁ֥וּ שְׁלֹמָ֛ם וְטוֹבָתָ֖ם
עַד־עוֹלָ֑ם לְמַ֣עַן תֶּֽחֶזְק֗וּ וַאֲכַלְתֶּם֙ אֶת־ט֣וּב הָאָ֔רֶץ וְהוֹרַשְׁתֶּ֥ם
יג לִבְנֵיכֶ֖ם עַד־עוֹלָֽם׃ וְאַחֲרֵי֙ כָּל־הַבָּ֣א עָלֵ֔ינוּ בְּמַעֲשֵׂ֙ינוּ֙ הָרָעִ֔ים
וּבְאַשְׁמָתֵ֖נוּ הַגְּדֹלָ֑ה כִּ֣י ׀ אַתָּ֣ה אֱלֹהֵ֗ינוּ חָשַׂ֤כְתָּֽ לְמַ֙טָּה֙ מֵעֲוֺנֵ֔נוּ
יד וְנָתַ֥תָּה לָּ֛נוּ פְּלֵיטָ֖ה כָּזֹֽאת׃ הֲנָשׁוּב֙ לְהָפֵ֣ר מִצְוֺתֶ֔יךָ וּלְהִתְחַתֵּ֖ן
בְּעַמֵּ֣י הַתֹּעֵב֣וֹת הָאֵ֑לֶּה הֲל֤וֹא תֶֽאֱנַף־בָּ֙נוּ֙ עַד־כַּלֵּ֔ה לְאֵ֥ין שְׁאֵרִ֖ית
טו וּפְלֵיטָֽה׃ יְהוָ֞ה אֱלֹהֵ֤י יִשְׂרָאֵל֙ צַדִּ֣יק אַ֔תָּה כִּֽי־נִשְׁאַ֥רְנוּ
פְלֵיטָ֖ה כְּהַיּ֣וֹם הַזֶּ֑ה הִנְנ֤וּ לְפָנֶ֙יךָ֙ בְּאַשְׁמָתֵ֔ינוּ כִּ֣י אֵ֥ין לַעֲמ֛וֹד
לְפָנֶ֖יךָ עַל־זֹֽאת׃
י א וּכְהִתְפַּלֵּ֤ל עֶזְרָא֙ וּכְהִתְוַדֹּת֔וֹ בֹּכֶה֙ וּמִתְנַפֵּ֔ל לִפְנֵ֖י בֵּ֣ית הָאֱלֹהִ֑ים

נִקְבְּצוּ אֵלָיו מִיִּשְׂרָאֵל קָהָל רַב־מְאֹד אֲנָשִׁים וְנָשִׁים וִילָדִים
כִּי־בָכוּ הָעָם הַרְבֵּה־בֶכֶה׃

הִתְעוֹרְרוּת הָעָם לִתְשׁוּבָה:

ב וַיַּעַן שְׁכַנְיָה בֶן־יְחִיאֵל מִבְּנֵי עולם עֵילָם וַיֹּאמֶר לְעֶזְרָא אֲנַחְנוּ
מָעַלְנוּ בֵאלֹהֵינוּ וַנֹּשֶׁב נָשִׁים נָכְרִיּוֹת מֵעַמֵּי הָאָרֶץ וְעַתָּה
ג יֵשׁ־מִקְוֶה לְיִשְׂרָאֵל עַל־זֹאת׃ וְעַתָּה נִכְרָת־בְּרִית לֵאלֹהֵינוּ
לְהוֹצִיא כָל־נָשִׁים וְהַנּוֹלָד מֵהֶם בַּעֲצַת אֲדֹנָי וְהַחֲרֵדִים בְּמִצְוַת
אֱלֹהֵינוּ וְכַתּוֹרָה יֵעָשֶׂה׃
ד קוּם כִּי־עָלֶיךָ הַדָּבָר וַאֲנַחְנוּ עִמָּךְ חֲזַק וַעֲשֵׂה׃
ה וַיָּקָם עֶזְרָא וַיַּשְׁבַּע אֶת־שָׂרֵי הַכֹּהֲנִים הַלְוִיִּם וְכָל־יִשְׂרָאֵל
ו לַעֲשׂוֹת כַּדָּבָר הַזֶּה וַיִּשָּׁבֵעוּ׃ וַיָּקָם עֶזְרָא מִלִּפְנֵי בֵּית הָאֱלֹהִים
וַיֵּלֶךְ אֶל־לִשְׁכַּת יְהוֹחָנָן בֶּן־אֶלְיָשִׁיב וַיֵּלֶךְ שָׁם לֶחֶם לֹא־אָכַל

הַשְּׁבוּעָה לְגָרֵשׁ אֶת הַנָּכְרִיּוֹת:

ז וּמַיִם לֹא־שָׁתָה כִּי מִתְאַבֵּל עַל־מַעַל הַגּוֹלָה׃ וַיַּעֲבִירוּ קוֹל
ח בִּיהוּדָה וִירוּשָׁלַם לְכֹל בְּנֵי הַגּוֹלָה לְהִקָּבֵץ יְרוּשָׁלָם׃ וְכֹל אֲשֶׁר
לֹא־יָבוֹא לִשְׁלֹשֶׁת הַיָּמִים כַּעֲצַת הַשָּׂרִים וְהַזְּקֵנִים יָחֳרַם
כָּל־רְכוּשׁוֹ וְהוּא יִבָּדֵל מִקְּהַל הַגּוֹלָה׃

קְרִיאָה לָעָם לְהִקָּבֵץ בִּירוּשָׁלָיִם:

ט וַיִּקָּבְצוּ כָל־אַנְשֵׁי־יְהוּדָה וּבִנְיָמִן ׀ יְרוּשָׁלַם לִשְׁלֹשֶׁת הַיָּמִים
הוּא חֹדֶשׁ הַתְּשִׁיעִי בְּעֶשְׂרִים בַּחֹדֶשׁ וַיֵּשְׁבוּ כָל־הָעָם בִּרְחוֹב
בֵּית הָאֱלֹהִים מַרְעִידִים עַל־הַדָּבָר וּמֵהַגְּשָׁמִים׃

הַשִּׁדּוּל לְהוֹצָאַת הַנָּשִׁים הַנָּכְרִיּוֹת:
[3413]

י וַיָּקָם עֶזְרָא הַכֹּהֵן וַיֹּאמֶר אֲלֵהֶם אַתֶּם מְעַלְתֶּם וַתֹּשִׁיבוּ נָשִׁים
יא נָכְרִיּוֹת לְהוֹסִיף עַל־אַשְׁמַת יִשְׂרָאֵל׃ וְעַתָּה תְּנוּ תוֹדָה לַיהוָה
אֱלֹהֵי־אֲבֹתֵיכֶם וַעֲשׂוּ רְצוֹנוֹ וְהִבָּדְלוּ מֵעַמֵּי הָאָרֶץ וּמִן־הַנָּשִׁים
יב הַנָּכְרִיּוֹת׃ וַיַּעֲנוּ כָל־הַקָּהָל וַיֹּאמְרוּ קוֹל גָּדוֹל כֵּן
יג כדבריך כִּדְבָרְךָ עָלֵינוּ לַעֲשׂוֹת׃ אֲבָל הָעָם רָב וְהָעֵת גְּשָׁמִים
וְאֵין כֹּחַ לַעֲמוֹד בַּחוּץ וְהַמְּלָאכָה לֹא־לְיוֹם אֶחָד וְלֹא לִשְׁנַיִם
יד כִּי־הִרְבִּינוּ לִפְשֹׁעַ בַּדָּבָר הַזֶּה׃ יַעַמְדוּ־נָא שָׂרֵינוּ לְכָל־הַקָּהָל

הַסְכָּמַת הָעָם לְבַקָּשַׁת עֶזְרָא:

וְכֹ֣ל ׀ אֲשֶׁ֣ר בֶּעָרֵ֗ינוּ הַהֹשִׁ֞יב נָשִׁ֣ים נָכְרִיּוֹת֮ יָבֹא֮ לְעִתִּ֣ים מְזֻמָּנִ֔ים
וְעִמָּהֶ֛ם זִקְנֵי־עִ֥יר וָעִ֖יר וְשֹׁפְטֶ֑יהָ עַ֠ד לְהָשִׁ֞יב חֲר֤וֹן אַף־אֱלֹהֵ֙ינוּ֙
טו מִמֶּ֔נּוּ עַ֖ד לַדָּבָ֥ר הַזֶּֽה׃ אַ֣ךְ יוֹנָתָ֧ן בֶּן־עֲשָׂהאֵ֛ל וְיַחְזְיָ֥ה
טז בֶן־תִּקְוָ֖ה עָֽמְד֣וּ עַל־זֹ֑את וּמְשֻׁלָּ֛ם וְשַׁבְּתַ֥י הַלֵּוִ֖י עֲזָרֻֽם׃ וַיַּֽעֲשׂוּ־כֵן֮
בְּנֵ֣י הַגּוֹלָה֒ וַיִּבָּדְל֞וּ עֶזְרָ֣א הַכֹּהֵ֗ן אֲנָשִׁ֞ים רָאשֵׁ֧י הָאָב֛וֹת לְבֵ֥ית
אֲבֹתָ֖ם וְכֻלָּ֣ם בְּשֵׁמ֑וֹת וַיֵּשְׁב֗וּ בְּי֥וֹם אֶחָד֙ לַחֹ֣דֶשׁ הָעֲשִׂירִ֔י לְדַרְי֖וֹשׁ
יז הַדָּבָֽר׃ וַיְכַלּ֣וּ בַכֹּ֔ל אֲנָשִׁ֕ים הַהֹשִׁ֖יבוּ נָשִׁ֣ים נָכְרִיּ֑וֹת עַ֛ד י֥וֹם אֶחָ֖ד
לַחֹ֥דֶשׁ הָרִאשֽׁוֹן׃

הָאֲנָשִׁים שֶׁהֵשִׁיבוּ לְהוֹצִיא אֶת הַנָּשִׁים:

יח וַיִּמָּצֵא֙ מִבְּנֵ֣י הַכֹּהֲנִ֔ים אֲשֶׁ֥ר הֹשִׁ֖יבוּ נָשִׁ֣ים נָכְרִיּ֑וֹת מִבְּנֵ֞י
יֵשׁ֤וּעַ בֶּן־יֽוֹצָדָק֙ וְאֶחָ֔יו מַעֲשֵׂיָה֙ וֶאֱלִיעֶ֔זֶר וְיָרִ֖יב וּגְדַלְיָֽה׃
יט וַיִּתְּנ֥וּ יָדָ֖ם לְהוֹצִ֣יא נְשֵׁיהֶ֑ם וַאֲשֵׁמִ֥ים אֵֽיל־צֹ֖אן עַל־
כ כא אַשְׁמָתָֽם׃ וּמִבְּנֵ֣י אִמֵּ֔ר חֲנָנִ֖י וּזְבַדְיָֽה׃ וּמִבְּנֵ֖י
כב חָרִ֑ם מַעֲשֵׂיָ֤ה וְאֵֽלִיָּה֙ וּֽשְׁמַעְיָ֔ה וִיחִיאֵ֖ל וְעֻזִּיָּֽה׃ וּמִבְּנֵ֖י
פַּשְׁח֑וּר אֶלְיוֹעֵינַ֞י מַעֲשֵׂיָ֗ה יִשְׁמָעֵאל֙ נְתַנְאֵ֔ל יוֹזָבָ֖ד
כג וְאֶלְעָשָֽׂה׃ וּמִ֨ן־הַלְוִיִּ֔ם יוֹזָבָ֣ד וְשִׁמְעִ֗י וְקֵֽלָיָה֙ ה֣וּא
כד קְלִיטָ֔א פְּתַחְיָ֥ה יְהוּדָ֖ה וֶאֱלִיעֶֽזֶר׃ וּמִן־הַֽמְשֹׁרְרִ֖ים
כה אֶלְיָשִׁ֑יב וּמִן־הַ֨שֹּׁעֲרִ֔ים שַׁלֻּ֥ם וָטֶ֖לֶם וְאוּרִֽי׃ וּמִיִּשְׂרָאֵ֑ל
מִבְּנֵ֣י פַרְעֹ֡שׁ רַמְיָ֡ה וְיִזִּיָּ֡ה וּמַלְכִּיָּה֩ וּמִיָּמִ֨ן וְאֶלְעָזָ֜ר וּמַלְכִּיָּ֗ה
כו וּבְנָיָֽה׃ וּמִבְּנֵ֖י עֵילָ֑ם מַתַּנְיָ֤ה זְכַרְיָה֙ וִיחִיאֵ֣ל וְעַבְדִּ֔י
כז וִירֵמ֖וֹת וְאֵלִיָּֽה׃ וּמִבְּנֵ֖י זַתּ֑וּא אֶלְיוֹעֵנַ֤י אֶלְיָשִׁיב֙ מַתַּנְיָ֔ה
כח וִירֵמ֖וֹת וְזָבָ֥ד וַעֲזִיזָֽא׃ וּמִבְּנֵ֖י בֵּבָ֑י יְהוֹחָנָ֥ן חֲנַנְיָ֖ה זַבַּ֥י
כט עַתְלָֽי׃ וּמִבְּנֵ֖י בָּנִ֑י מְשֻׁלָּ֤ם מַלּוּךְ֙ וַעֲדָיָ֔ה יָשׁ֥וּב וּשְׁאָ֖ל
ל ירמות וְרָמֽוֹת׃ וּמִבְּנֵ֖י פַּ֣חַת מוֹאָ֑ב עַדְנָ֣א וּכְלָ֗ל בְּנָיָ֤ה
לא מַעֲשֵׂיָה֙ מַתַּנְיָ֔ה בְּצַלְאֵ֥ל וּבִנּ֖וּי וּמְנַשֶּֽׁה׃ וּבְנֵ֖י חָרִ֑ם
לב אֱלִיעֶ֣זֶר יִשִּׁיָּ֗ה מַלְכִּיָּ֛ה שְׁמַֽעְיָ֖ה שִׁמְעֽוֹן׃ בִּנְיָמִ֖ן מַלּ֑וּךְ

הַבְדָּלַת הַנָּכְרִיּוֹת עַל יְדֵי עֶזְרָא:

לג שְׁמַרְיָה: מִבְּנֵי חָשֻׁם מַתְּנַי מַתַּתָּה זָבָד אֱלִיפֶלֶט יְרֵמַי
לד מְנַשֶּׁה שִׁמְעִי: מִבְּנֵי בָנִי מַעֲדַי עַמְרָם
לה לו וְאוּאֵל: בְּנָיָה בֵדְיָה כלוהי כְּלוּהִי: וַנְיָה
לז מְרֵמוֹת אֶלְיָשִׁיב: מַתַּנְיָה מַתְּנַי ויעשו
לח לט וְיַעֲשָׂי: וּבָנִי וּבִנּוּי שִׁמְעִי: וְשֶׁלֶמְיָה וְנָתָן
מ מא וַעֲדָיָה: מכנדבי מַכְנַדְבַי שָׁשַׁי שָׁרָי: עֲזַרְאֵל
מב וְשֶׁלֶמְיָהוּ שְׁמַרְיָה: שַׁלּוּם אֲמַרְיָה
מג יוֹסֵף: מִבְּנֵי נְבוֹ יְעִיאֵל מַתִּתְיָה זָבָד זְבִינָא ידו יַדַּי
מד וְיוֹאֵל בְּנָיָה: כָּל־אֵלֶּה נשאי נָשְׂאוּ נָשִׁים נָכְרִיּוֹת וְיֵשׁ־מֵהֶם נָשִׁים
וַיָּשִׂימוּ בָּנִים:

נחמיה [3426]

א א דִּבְרֵי נְחֶמְיָה בֶּן־חֲכַלְיָה וַיְהִי בְחֹדֶשׁ־כִּסְלֵו שְׁנַת עֶשְׂרִים וַאֲנִי
ב הָיִיתִי בְּשׁוּשַׁן הַבִּירָה: וַיָּבֹא חֲנָנִי אֶחָד מֵאַחַי הוּא וַאֲנָשִׁים
מִיהוּדָה וָאֶשְׁאָלֵם עַל־הַיְּהוּדִים הַפְּלֵיטָה אֲשֶׁר־נִשְׁאֲרוּ מִן־
ג הַשֶּׁבִי וְעַל־יְרוּשָׁלִָם: וַיֹּאמְרוּ לִי הַנִּשְׁאָרִים אֲשֶׁר־נִשְׁאֲרוּ מִן־
הַשְּׁבִי שָׁם בַּמְּדִינָה בְּרָעָה גְדֹלָה וּבְחֶרְפָּה וְחוֹמַת יְרוּשָׁלִַם
ד מְפֹרֶצֶת וּשְׁעָרֶיהָ נִצְּתוּ בָאֵשׁ: וַיְהִי כְּשָׁמְעִי | אֶת־הַדְּבָרִים הָאֵלֶּה
יָשַׁבְתִּי וָאֶבְכֶּה וָאֶתְאַבְּלָה יָמִים וָאֱהִי צָם וּמִתְפַּלֵּל לִפְנֵי אֱלֹהֵי
ה הַשָּׁמָיִם: וָאֹמַר אָנָּא יְהוָה אֱלֹהֵי הַשָּׁמַיִם הָאֵל הַגָּדוֹל וְהַנּוֹרָא
ו שֹׁמֵר הַבְּרִית וָחֶסֶד לְאֹהֲבָיו וּלְשֹׁמְרֵי מִצְוֹתָיו: תְּהִי נָא אָזְנְךָ־
קַשֶּׁבֶת וְעֵינֶיךָ פְתוּחוֹת לִשְׁמֹעַ אֶל־תְּפִלַּת עַבְדְּךָ אֲשֶׁר אָנֹכִי
מִתְפַּלֵּל לְפָנֶיךָ הַיּוֹם יוֹמָם וָלַיְלָה עַל־בְּנֵי יִשְׂרָאֵל עֲבָדֶיךָ
וּמִתְוַדֶּה עַל־חַטֹּאות בְּנֵי־יִשְׂרָאֵל אֲשֶׁר חָטָאנוּ לָךְ וַאֲנִי וּבֵית־
ז אָבִי חָטָאנוּ: חֲבֹל חָבַלְנוּ לָךְ וְלֹא־שָׁמַרְנוּ אֶת־הַמִּצְוֹת וְאֶת־
ח הַחֻקִּים וְאֶת־הַמִּשְׁפָּטִים אֲשֶׁר צִוִּיתָ אֶת־מֹשֶׁה עַבְדֶּךָ: זְכָר־נָא
אֶת־הַדָּבָר אֲשֶׁר צִוִּיתָ אֶת־מֹשֶׁה עַבְדְּךָ לֵאמֹר אַתֶּם תִּמְעָלוּ

מַצַּב הַיְּהוּדִים בִּירוּשָׁלִָם:

צַעֲרוֹ שֶׁל נְחֶמְיָה וּתְפִלָּתוֹ:

ט אֲנִי אָפִיץ אֶתְכֶם בָּעַמִּים: וְשַׁבְתֶּם אֵלַי וּשְׁמַרְתֶּם מִצְוֺתַי
וַעֲשִׂיתֶם אֹתָם אִם־יִהְיֶה נִדַּחֲכֶם בִּקְצֵה הַשָּׁמַיִם מִשָּׁם אֲקַבְּצֵם
והבואתים וַהֲבִיאוֹתִים אֶל־הַמָּקוֹם אֲשֶׁר בָּחַרְתִּי לְשַׁכֵּן אֶת־שְׁמִי
י שָׁם: וְהֵם עֲבָדֶיךָ וְעַמֶּךָ אֲשֶׁר פָּדִיתָ בְּכֹחֲךָ הַגָּדוֹל וּבְיָדְךָ
יא הַחֲזָקָה: אָנָּא אֲדֹנָי תְּהִי נָא אָזְנְךָ־קַשֶּׁבֶת אֶל־תְּפִלַּת עַבְדְּךָ
וְאֶל־תְּפִלַּת עֲבָדֶיךָ הַחֲפֵצִים לְיִרְאָה אֶת־שְׁמֶךָ וְהַצְלִיחָה־נָּא
לְעַבְדְּךָ הַיּוֹם וּתְנֵהוּ לְרַחֲמִים לִפְנֵי הָאִישׁ הַזֶּה וַאֲנִי הָיִיתִי
מַשְׁקֶה לַמֶּלֶךְ:

ב א וַיְהִי ׀ בְּחֹדֶשׁ נִיסָן שְׁנַת עֶשְׂרִים לְאַרְתַּחְשַׁסְתְּא הַמֶּלֶךְ יַיִן לְפָנָיו — בַּקָּשָׁתוֹ
ב וָאֶשָּׂא אֶת־הַיַּיִן וָאֶתְּנָה לַמֶּלֶךְ וְלֹא־הָיִיתִי רַע לְפָנָיו: וַיֹּאמֶר לִי — מֵהַמֶּלֶךְ לִשְׁלְחוֹ
הַמֶּלֶךְ מַדּוּעַ ׀ פָּנֶיךָ רָעִים וְאַתָּה אֵינְךָ חוֹלֶה אֵין זֶה כִּי־אִם — יְרוּשָׁלַיְמָה: [3426]
ג רֹעַ לֵב וָאִירָא הַרְבֵּה מְאֹד: וָאֹמַר לַמֶּלֶךְ הַמֶּלֶךְ לְעוֹלָם יִחְיֶה
מַדּוּעַ לֹא־יֵרְעוּ פָנַי אֲשֶׁר הָעִיר בֵּית־קִבְרוֹת אֲבֹתַי חֲרֵבָה
ד וּשְׁעָרֶיהָ אֻכְּלוּ בָאֵשׁ: וַיֹּאמֶר לִי הַמֶּלֶךְ עַל־מַה־זֶּה אַתָּה מְבַקֵּשׁ
ה וָאֶתְפַּלֵּל אֶל־אֱלֹהֵי הַשָּׁמָיִם: וָאֹמַר לַמֶּלֶךְ אִם־עַל־הַמֶּלֶךְ טוֹב
וְאִם־יִיטַב עַבְדְּךָ לְפָנֶיךָ אֲשֶׁר תִּשְׁלָחֵנִי אֶל־יְהוּדָה אֶל־עִיר
ו קִבְרוֹת אֲבֹתַי וְאֶבְנֶנָּה: וַיֹּאמֶר לִי הַמֶּלֶךְ וְהַשֵּׁגַל ׀ יוֹשֶׁבֶת אֶצְלוֹ
עַד־מָתַי יִהְיֶה מַהֲלָכְךָ וּמָתַי תָּשׁוּב וַיִּיטַב לִפְנֵי־הַמֶּלֶךְ
ז וַיִּשְׁלָחֵנִי וָאֶתְּנָה לוֹ זְמָן: וָאוֹמַר לַמֶּלֶךְ אִם־עַל־הַמֶּלֶךְ טוֹב — נְחֶמְיָה
אִגְּרוֹת יִתְּנוּ־לִי עַל־פַּחֲווֹת עֵבֶר הַנָּהָר אֲשֶׁר יַעֲבִירוּנִי עַד — מְבַקֵּשׁ סִיּוּעַ מֵהַמֶּלֶךְ:
ח אֲשֶׁר־אָבוֹא אֶל־יְהוּדָה: וְאִגֶּרֶת אֶל־אָסָף שֹׁמֵר הַפַּרְדֵּס אֲשֶׁר
לַמֶּלֶךְ אֲשֶׁר יִתֶּן־לִי עֵצִים לְקָרוֹת אֶת־שַׁעֲרֵי הַבִּירָה אֲשֶׁר־
לַבַּיִת וּלְחוֹמַת הָעִיר וְלַבַּיִת אֲשֶׁר־אָבוֹא אֵלָיו וַיִּתֶּן־לִי הַמֶּלֶךְ
ט כְּיַד־אֱלֹהַי הַטּוֹבָה עָלָי: וָאָבוֹא אֶל־פַּחֲווֹת עֵבֶר הַנָּהָר וָאֶתְּנָה
לָהֶם אֵת אִגְּרוֹת הַמֶּלֶךְ וַיִּשְׁלַח עִמִּי הַמֶּלֶךְ שָׂרֵי חַיִל

וּפָרָשִׁים׃

נְחֶמְיָה בָּא לִירוּשָׁלָיִם׃

י וַיִּשְׁמַע סַנְבַלַּט הַחֹרֹנִי וְטוֹבִיָּה הָעֶבֶד הָעַמֹּנִי וַיֵּרַע לָהֶם רָעָה
יא גְדֹלָה אֲשֶׁר־בָּא אָדָם לְבַקֵּשׁ טוֹבָה לִבְנֵי יִשְׂרָאֵל׃ וָאָבוֹא
יב אֶל־יְרוּשָׁלָםִ וָאֱהִי־שָׁם יָמִים שְׁלֹשָׁה׃ וָאָקוּם ׀ לַיְלָה אֲנִי
וַאֲנָשִׁים ׀ מְעַט עִמִּי וְלֹא־הִגַּדְתִּי לְאָדָם מָה אֱלֹהַי נֹתֵן אֶל־לִבִּי
לַעֲשׂוֹת לִירוּשָׁלָםִ וּבְהֵמָה אֵין עִמִּי כִּי אִם־הַבְּהֵמָה אֲשֶׁר אֲנִי
יג רֹכֵב בָּהּ׃ וָאֵצְאָה בְשַׁעַר־הַגַּיְא לַיְלָה וְאֶל־פְּנֵי עֵין הַתַּנִּין
וְאֶל־שַׁעַר הָאַשְׁפֹּת וָאֱהִי שֹׂבֵר בְּחוֹמֹת יְרוּשָׁלַםִ אֲשֶׁר־הֵם ׀
יד פְּרוּצִים המפרוצים וּשְׁעָרֶיהָ אֻכְּלוּ בָאֵשׁ׃ וָאֶעֱבֹר אֶל־שַׁעַר הָעַיִן
טו וְאֶל־בְּרֵכַת הַמֶּלֶךְ וְאֵין־מָקוֹם לַבְּהֵמָה לַעֲבֹר תַּחְתָּי׃ וָאֱהִי עֹלֶה
בַנַּחַל לַיְלָה וָאֱהִי שֹׂבֵר בַּחוֹמָה וָאָשׁוּב וָאָבוֹא בְּשַׁעַר הַגַּיְא

הוֹדָעָתוֹ לַסְּגָנִים עַל בְּנִיַּת הַחוֹמָה׃

טז וָאָשׁוּב׃ וְהַסְּגָנִים לֹא יָדְעוּ אָנָה הָלַכְתִּי וּמָה אֲנִי עֹשֶׂה וְלַיְּהוּדִים
וְלַכֹּהֲנִים וְלַחֹרִים וְלַסְּגָנִים וּלְיֶתֶר עֹשֵׂה הַמְּלָאכָה עַד־כֵּן לֹא
יז הִגַּדְתִּי׃ וָאוֹמַר אֲלֵהֶם אַתֶּם רֹאִים הָרָעָה אֲשֶׁר אֲנַחְנוּ בָהּ
אֲשֶׁר יְרוּשָׁלַםִ חֲרֵבָה וּשְׁעָרֶיהָ נִצְּתוּ בָאֵשׁ לְכוּ וְנִבְנֶה אֶת־חוֹמַת
יח יְרוּשָׁלַםִ וְלֹא־נִהְיֶה עוֹד חֶרְפָּה׃ וָאַגִּיד לָהֶם אֶת־יַד אֱלֹהַי
אֲשֶׁר־הִיא טוֹבָה עָלַי וְאַף־דִּבְרֵי הַמֶּלֶךְ אֲשֶׁר אָמַר־לִי וַיֹּאמְרוּ
נָקוּם וּבָנִינוּ וַיְחַזְּקוּ יְדֵיהֶם לַטּוֹבָה׃

לַעַג שׂוֹנְאֵי יִשְׂרָאֵל וּתְשׁוּבַת נְחֶמְיָה׃

יט וַיִּשְׁמַע סַנְבַלַּט הַחֹרֹנִי וְטֹבִיָּה ׀ הָעֶבֶד הָעַמּוֹנִי וְגֶשֶׁם הָעַרְבִי
וַיַּלְעִגוּ לָנוּ וַיִּבְזוּ עָלֵינוּ וַיֹּאמְרוּ מָה־הַדָּבָר הַזֶּה אֲשֶׁר אַתֶּם
כ עֹשִׂים הַעַל הַמֶּלֶךְ אַתֶּם מֹרְדִים׃ וָאָשִׁיב אוֹתָם דָּבָר וָאוֹמַר
לָהֶם אֱלֹהֵי הַשָּׁמַיִם הוּא יַצְלִיחַ לָנוּ וַאֲנַחְנוּ עֲבָדָיו נָקוּם וּבָנִינוּ
וְלָכֶם אֵין־חֵלֶק וּצְדָקָה וְזִכָּרוֹן בִּירוּשָׁלָםִ׃

שְׁמוֹת הָעוֹזְרִים וְהַבּוֹנִים׃

ג א וַיָּקָם אֶלְיָשִׁיב הַכֹּהֵן הַגָּדוֹל וְאֶחָיו הַכֹּהֲנִים וַיִּבְנוּ אֶת־שַׁעַר
הַצֹּאן הֵמָּה קִדְּשׁוּהוּ וַיַּעֲמִידוּ דַּלְתֹתָיו וְעַד־מִגְדַּל הַמֵּאָה

ב קִדְּשׁוּהוּ עַד מִגְדַּל חֲנַנְאֵל׃ וְעַל־יָדוֹ בָנוּ אַנְשֵׁי
ג יְרֵחוֹ וְעַל־יָדוֹ בָּנָה זַכּוּר בֶּן־אִמְרִי׃ וְאֵת שַׁעַר הַדָּגִים
בָּנוּ בְּנֵי הַסְּנָאָה הֵמָּה קֵרוּהוּ וַיַּעֲמִידוּ דַּלְתֹתָיו מַנְעוּלָיו
ד וּבְרִיחָיו׃ וְעַל־יָדָם הֶחֱזִיק מְרֵמוֹת בֶּן־אוּרִיָּה בֶּן־
הַקּוֹץ וְעַל־יָדָם הֶחֱזִיק מְשֻׁלָּם בֶּן־בֶּרֶכְיָה בֶּן־
מְשֵׁיזַבְאֵל וְעַל־יָדָם הֶחֱזִיק צָדוֹק בֶּן־
ה בַּעֲנָא׃ וְעַל־יָדָם הֶחֱזִיקוּ הַתְּקוֹעִים וְאַדִּירֵיהֶם לֹא־
ו הֵבִיאוּ צַוָּרָם בַּעֲבֹדַת אֲדֹנֵיהֶם׃ וְאֵת שַׁעַר הַיְשָׁנָה
הֶחֱזִיקוּ יוֹיָדָע בֶּן־פָּסֵחַ וּמְשֻׁלָּם בֶּן־בְּסוֹדְיָה הֵמָּה קֵרוּהוּ
ז וַיַּעֲמִידוּ דַּלְתֹתָיו וּמַנְעֻלָיו וּבְרִיחָיו׃ וְעַל־יָדָם הֶחֱזִיק
מְלַטְיָה הַגִּבְעֹנִי וְיָדוֹן הַמֵּרֹנֹתִי אַנְשֵׁי גִבְעוֹן וְהַמִּצְפָּה לְכִסֵּא
ח פַּחַת עֵבֶר הַנָּהָר׃ עַל־יָדוֹ הֶחֱזִיק עֻזִּיאֵל בֶּן־חַרְהֲיָה
צוֹרְפִים וְעַל־יָדוֹ הֶחֱזִיק חֲנַנְיָה בֶּן־הָרַקָּחִים וַיַּעַזְבוּ
ט יְרוּשָׁלַ͏ִם עַד הַחוֹמָה הָרְחָבָה׃ וְעַל־יָדָם הֶחֱזִיק רְפָיָה
י בֶּן־חוּר שַׂר חֲצִי פֶּלֶךְ יְרוּשָׁלָ͏ִם׃ וְעַל־יָדָם הֶחֱזִיק
יְדָיָה בֶן־חֲרוּמַף וְנֶגֶד בֵּיתוֹ וְעַל־יָדוֹ הֶחֱזִיק חַטּוּשׁ בֶּן־
יא חֲשַׁבְנְיָה׃ מִדָּה שֵׁנִית הֶחֱזִיק מַלְכִּיָּה בֶן־חָרִם וְחַשּׁוּב
יב בֶּן־פַּחַת מוֹאָב וְאֵת מִגְדַּל הַתַּנּוּרִים׃ וְעַל־יָדוֹ הֶחֱזִיק
שַׁלּוּם בֶּן־הַלּוֹחֵשׁ שַׂר חֲצִי פֶּלֶךְ יְרוּשָׁלָ͏ִם הוּא
יג וּבְנוֹתָיו׃ אֵת שַׁעַר הַגַּיְא הֶחֱזִיק חָנוּן וְיֹשְׁבֵי זָנוֹחַ הֵמָּה
בָנוּהוּ וַיַּעֲמִידוּ דַּלְתֹתָיו מַנְעֻלָיו וּבְרִיחָיו וְאֶלֶף אַמָּה בַּחוֹמָה
יד עַד שַׁעַר הַשְׁפוֹת׃ וְאֵת ׀ שַׁעַר הָאַשְׁפּוֹת הֶחֱזִיק מַלְכִּיָּה בֶן־רֵכָב
שַׂר פֶּלֶךְ בֵּית־הַכָּרֶם הוּא יִבְנֶנּוּ וְיַעֲמִיד דַּלְתֹתָיו מַנְעֻלָיו
טו וּבְרִיחָיו׃ וְאֵת שַׁעַר הָעַיִן הֶחֱזִיק שַׁלּוּן בֶּן־כָּל־חֹזֶה שַׂר
פֶּלֶךְ הַמִּצְפָּה הוּא יִבְנֶנּוּ וִיטַלְלֶנּוּ ויעמידו וְיַעֲמִיד דַּלְתֹתָיו מַנְעֻלָיו

וּבְרִיחָיו וְאֵת חוֹמַת בְּרֵכַת הַשֶּׁלַח לְגַן־הַמֶּלֶךְ וְעַד־הַמַּעֲלוֹת
טז הַיּוֹרְדוֹת מֵעִיר דָּוִיד׃ אַחֲרָיו הֶחֱזִיק נְחֶמְיָה בֶן־
עַזְבּוּק שַׂר חֲצִי פֶּלֶךְ בֵּית־צוּר עַד־נֶגֶד קִבְרֵי דָוִיד וְעַד־הַבְּרֵכָה
יז הָעֲשׂוּיָה וְעַד בֵּית הַגִּבֹּרִים׃ אַחֲרָיו הֶחֱזִיקוּ הַלְוִיִּם
רְחוּם בֶּן־בָּנִי עַל־יָדוֹ הֶחֱזִיק חֲשַׁבְיָה שַׂר־חֲצִי־פֶלֶךְ
יח קְעִילָה לְפִלְכּוֹ׃ אַחֲרָיו הֶחֱזִיקוּ אֲחֵיהֶם בַּוַּי בֶּן־חֵנָדָד
יט שַׂר חֲצִי פֶּלֶךְ קְעִילָה׃ וַיְחַזֵּק עַל־יָדוֹ
עֵזֶר בֶּן־יֵשׁוּעַ שַׂר הַמִּצְפָּה מִדָּה שֵׁנִית מִנֶּגֶד עֲלֹת הַנֶּשֶׁק
כ הַמִּקְצֹעַ׃ אַחֲרָיו הֶחֱרָה הֶחֱזִיק בָּרוּךְ
בֶּן־זַכַּי זבי מִדָּה שֵׁנִית מִן־הַמִּקְצוֹעַ עַד־פֶּתַח בֵּית אֶלְיָשִׁיב
כא הַכֹּהֵן הַגָּדוֹל׃ אַחֲרָיו הֶחֱזִיק מְרֵמוֹת בֶּן־אוּרִיָּה בֶּן־
הַקּוֹץ מִדָּה שֵׁנִית מִפֶּתַח בֵּית אֶלְיָשִׁיב וְעַד־תַּכְלִית בֵּית
כב אֶלְיָשִׁיב׃ וְאַחֲרָיו הֶחֱזִיקוּ הַכֹּהֲנִים אַנְשֵׁי הַכִּכָּר׃
כג אַחֲרָיו הֶחֱזִיק בִּנְיָמִן וְחַשּׁוּב נֶגֶד בֵּיתָם אַחֲרָיו הֶחֱזִיק
כד עֲזַרְיָה בֶן־מַעֲשֵׂיָה בֶּן־עֲנָנְיָה אֵצֶל בֵּיתוֹ׃ אַחֲרָיו הֶחֱזִיק
בִּנּוּי בֶּן־חֵנָדָד מִדָּה שֵׁנִית מִבֵּית עֲזַרְיָה עַד־הַמִּקְצוֹעַ וְעַד־
כה הַפִּנָּה׃ פָּלָל בֶּן־אוּזַי מִנֶּגֶד הַמִּקְצוֹעַ וְהַמִּגְדָּל הַיּוֹצֵא
מִבֵּית הַמֶּלֶךְ הָעֶלְיוֹן אֲשֶׁר לַחֲצַר הַמַּטָּרָה אַחֲרָיו פְּדָיָה
כו בֶן־פַּרְעֹשׁ׃ וְהַנְּתִינִים הָיוּ יֹשְׁבִים בָּעֹפֶל עַד נֶגֶד שַׁעַר
כז הַמַּיִם לַמִּזְרָח וְהַמִּגְדָּל הַיּוֹצֵא׃ אַחֲרָיו הֶחֱזִיקוּ
הַתְּקֹעִים מִדָּה שֵׁנִית מִנֶּגֶד הַמִּגְדָּל הַגָּדוֹל הַיּוֹצֵא וְעַד חוֹמַת
כח הָעֹפֶל׃ מֵעַל׀ שַׁעַר הַסּוּסִים הֶחֱזִיקוּ הַכֹּהֲנִים אִישׁ לְנֶגֶד
כט בֵּיתוֹ׃ אַחֲרָיו הֶחֱזִיק צָדוֹק בֶּן־אִמֵּר נֶגֶד
בֵּיתוֹ וְאַחֲרָיו הֶחֱזִיק שְׁמַעְיָה בֶן־שְׁכַנְיָה שֹׁמֵר שַׁעַר
ל הַמִּזְרָח׃ אחרי אַחֲרָיו הֶחֱזִיק חֲנַנְיָה בֶן־שֶׁלֶמְיָה וְחָנוּן

בֶּן־צָלָף הַשִּׁשִּׁי מִדָּה שֵׁנִי   אַחֲרָיו הֶחֱזִיק מְשֻׁלָּם בֶּן־

בֶּרֶכְיָה נֶגֶד נִשְׁכָּתוֹ:   אחרי אַחֲרָיו הֶחֱזִיק מַלְכִּיָּה בֶן־ לא

הַצֹּרְפִי עַד־בֵּית הַנְּתִינִים וְהָרֹכְלִים נֶגֶד שַׁעַר הַמִּפְקָד וְעַד

עֲלִיַּת הַפִּנָּה: וּבֵין עֲלִיַּת הַפִּנָּה לְשַׁעַר הַצֹּאן הֶחֱזִיקוּ הַצֹּרְפִים לב

וְהָרֹכְלִים:

לעג שונאי   וַיְהִי כַּאֲשֶׁר שָׁמַע סַנְבַלַּט כִּי־אֲנַחְנוּ בוֹנִים אֶת־הַחוֹמָה וַיִּחַר לג
ישראל

לבונים   לוֹ וַיִּכְעַס הַרְבֵּה וַיַּלְעֵג עַל־הַיְּהוּדִים: וַיֹּאמֶר ׀ לִפְנֵי אֶחָיו וְחֵיל לד

שֹׁמְרוֹן וַיֹּאמֶר מָה הַיְּהוּדִים הָאֲמֵלָלִים עֹשִׂים הֲיַעַזְבוּ לָהֶם

הֲיִזְבָּחוּ הַיְכַלּוּ בַיּוֹם הַיְחַיּוּ אֶת־הָאֲבָנִים מֵעֲרֵמוֹת הֶעָפָר וְהֵמָּה

שְׂרוּפוֹת: וְטוֹבִיָּה הָעַמֹּנִי אֶצְלוֹ וַיֹּאמֶר גַּם אֲשֶׁר־הֵם בּוֹנִים לה

אִם־יַעֲלֶה שׁוּעָל וּפָרַץ חוֹמַת אַבְנֵיהֶם:

תפלת   שְׁמַע אֱלֹהֵינוּ כִּי־הָיִינוּ בוּזָה וְהָשֵׁב חֶרְפָּתָם אֶל־רֹאשָׁם וּתְנֵם לו
נחמיה על

שונאי   לְבִזָּה בְּאֶרֶץ שִׁבְיָה: וְאַל־תְּכַס עַל־עֲוֹנָם וְחַטָּאתָם מִלְּפָנֶיךָ לז
ישראל

אַל־תִּמָּחֶה כִּי הִכְעִיסוּ לְנֶגֶד הַבּוֹנִים: וַנִּבְנֶה אֶת־הַחוֹמָה לח

וַתִּקָּשֵׁר כָּל־הַחוֹמָה עַד־חֶצְיָהּ וַיְהִי לֵב לָעָם לַעֲשׂוֹת:

קשר   וַיְהִי כַאֲשֶׁר שָׁמַע סַנְבַלַּט וְטוֹבִיָּה וְהָעַרְבִים וְהָעַמֹּנִים א ד
השונאים

להלחם   וְהָאַשְׁדּוֹדִים כִּי־עָלְתָה אֲרוּכָה לְחֹמוֹת יְרוּשָׁלַ͏ִם כִּי־הֵחֵלּוּ
בירושלם

הַפְּרֻצִים לְהִסָּתֵם וַיִּחַר לָהֶם מְאֹד: וַיִּקְשְׁרוּ כֻלָּם יַחְדָּו לָבוֹא ב

השמידו   לְהִלָּחֵם בִּירוּשָׁלָ͏ִם וְלַעֲשׂוֹת לוֹ תּוֹעָה: וַנִּתְפַּלֵּל אֶל־אֱלֹהֵינוּ ג
מפני

השונאים   וַנַּעֲמִיד מִשְׁמָר עֲלֵיהֶם יוֹמָם וָלַיְלָה מִפְּנֵיהֶם: וַיֹּאמֶר יְהוּדָה ד

כָּשַׁל כֹּחַ הַסַּבָּל וְהֶעָפָר הַרְבֵּה וַאֲנַחְנוּ לֹא נוּכַל לִבְנוֹת

בַּחוֹמָה: וַיֹּאמְרוּ צָרֵינוּ לֹא יֵדְעוּ וְלֹא יִרְאוּ עַד אֲשֶׁר־נָבוֹא ה

אֶל־תּוֹכָם וַהֲרַגְנוּם וְהִשְׁבַּתְנוּ אֶת־הַמְּלָאכָה: וַיְהִי כַּאֲשֶׁר־בָּאוּ ו

הַיְּהוּדִים הַיֹּשְׁבִים אֶצְלָם וַיֹּאמְרוּ לָנוּ עֶשֶׂר פְּעָמִים מִכָּל־

הַמְּקֹמוֹת אֲשֶׁר־תָּשׁוּבוּ עָלֵינוּ: וַנַּעֲמִיד מִתַּחְתִּיּוֹת לַמָּקוֹם ז

מֵאַחֲרֵ֥י לַחוֹמָ֖ה בצחחיים בַּצְּחִיחִ֑ים וָאַעֲמִ֤יד אֶת־הָעָם֙ לְמִשְׁפָּח֔וֹת
ח עִם־חַרְבֹתֵיהֶ֖ם רָמְחֵיהֶ֥ם וְקַשְּׁתֹתֵיהֶֽם׃ וָאֵ֣רֶא וָאָק֗וּם וָֽאֹמַ֞ר אֶל־
הַחֹרִ֤ים וְאֶל־הַסְּגָנִים֙ וְאֶל־יֶ֣תֶר הָעָ֔ם אַל־תִּֽירְא֖וּ מִפְּנֵיהֶ֑ם אֶת־
אֲדֹנָ֞י הַגָּד֤וֹל וְהַנּוֹרָא֙ זְכֹ֔רוּ וְהִֽלָּחֲמ֗וּ עַל־אֲחֵיכֶם֙ בְּנֵיכֶ֣ם וּבְנֹתֵיכֶ֔ם
נְשֵׁיכֶ֖ם וּבָתֵּיכֶֽם׃
ט וַיְהִ֗י כַּאֲשֶׁר־שָֽׁמְע֤וּ אֽוֹיְבֵ֙ינוּ֙ כִּֽי־נ֣וֹדַֽע לָ֔נוּ וַיָּ֥פֶר הָאֱלֹהִ֖ים אֶת־ בְּנִיַּת
י עֲצָתָ֑ם ונשוב וַנָּ֤שָׁב כֻּלָּ֙נוּ֙ אֶל־הַ֣חוֹמָ֔ה אִ֖ישׁ אֶל־מְלַאכְתּֽוֹ׃ וַיְהִ֣י ׀ הַחוֹמָה
מִן־הַיּ֣וֹם הַה֗וּא חֲצִ֨י נְעָרַ֜י עֹשִׂ֣ים בַּמְּלָאכָ֗ה וְחֶצְיָ֙ם מַחֲזִיקִ֜ים בְּמַצַּב
וְהָרְמָחִ֤ים הַמָּֽגִנִּים֙ וְהַקְּשָׁת֔וֹת וְהַשִּׁרְיֹנִ֑ים וְהַ֨שָּׂרִ֔ים אַחֲרֵ֖י כָּל־בֵּ֥ית הִתְגּוֹנְנוּת:
יא יְהוּדָֽה׃ הַבּוֹנִ֨ים בַּֽחוֹמָ֜ה וְהַנֹּשְׂאִ֤ים בַּסֶּ֙בֶל֙ עֹמְשִׂ֔ים בְּאַחַ֤ת יָדוֹ֙
יב עֹשֶׂ֣ה בַמְּלָאכָ֔ה וְאַחַ֖ת מַחֲזֶ֥קֶת הַשָּֽׁלַח׃ וְהַ֨בּוֹנִ֔ים אִ֥ישׁ חַרְבּ֛וֹ
יג אֲסוּרִ֥ים עַל־מָתְנָ֖יו וּבוֹנִ֑ים וְהַתּוֹקֵ֥עַ בַּשּׁוֹפָ֖ר אֶצְלִֽי׃ וָאֹמַ֞ר
אֶל־הַחֹרִ֤ים וְאֶל־הַסְּגָנִים֙ וְאֶל־יֶ֣תֶר הָעָ֔ם הַמְּלָאכָ֥ה הַרְבֵּ֖ה
וּרְחָבָ֑ה וַאֲנַ֗חְנוּ נִפְרָדִים֙ עַל־הַ֣חוֹמָ֔ה רְחוֹקִ֖ים אִ֥ישׁ מֵאָחִֽיו׃
יד בִּמְק֗וֹם אֲשֶׁ֤ר תִּשְׁמְעוּ֙ אֶת־ק֣וֹל הַשּׁוֹפָ֔ר שָׁ֖מָּה תִּקָּבְצ֣וּ אֵלֵ֑ינוּ
טו אֱלֹהֵ֖ינוּ יִלָּ֥חֶם לָֽנוּ׃ וַאֲנַ֖חְנוּ עֹשִׂ֣ים בַּמְּלָאכָ֑ה וְחֶצְיָם֙ מַחֲזִיקִים֙
טז בָּֽרְמָחִ֔ים מֵעֲל֣וֹת הַשַּׁ֔חַר עַ֖ד צֵ֥את הַכּוֹכָבִֽים׃ גַּ֣ם בָּעֵ֤ת הַהִיא֙
אָמַ֣רְתִּי לָעָ֔ם אִ֤ישׁ וְנַעֲרוֹ֙ יָלִ֖ינוּ בְּת֣וֹךְ יְרוּשָׁלִָ֑ם וְהָיוּ־לָ֥נוּ הַלַּ֛יְלָה
יז מִשְׁמָ֖ר וְהַיּ֥וֹם מְלָאכָֽה׃ וְאֵ֨ין אֲנִ֜י וְאַחַ֣י וּנְעָרַ֗י וְאַנְשֵׁ֤י הַמִּשְׁמָר֙
אֲשֶׁ֣ר אַחֲרַ֔י אֵין־אֲנַ֖חְנוּ פֹשְׁטִ֣ים בְּגָדֵ֑ינוּ אִ֖ישׁ שִׁלְח֥וֹ הַמָּֽיִם׃
ה א וַתְּהִ֞י צַעֲקַ֤ת הָעָם֙ וּנְשֵׁיהֶ֔ם גְּדוֹלָ֑ה אֶל־אֲחֵיהֶ֖ם הַיְּהוּדִֽים׃ וְיֵשׁ֙ זַעֲקַת הָעָם
ב אֲשֶׁ֣ר אֹמְרִ֔ים בָּנֵ֥ינוּ וּבְנֹתֵ֖ינוּ אֲנַ֣חְנוּ רַבִּ֑ים וְנִקְחָ֥ה דָגָ֖ן וְנֹאכְלָ֥ה עַל
ג וְנִֽחְיֶֽה׃ וְיֵשׁ֙ אֲשֶׁ֣ר אֹמְרִ֔ים שְׂדֹתֵ֛ינוּ וּכְרָמֵ֥ינוּ וּבָתֵּ֖ינוּ אֲנַ֣חְנוּ נוֹשֵׁיהֶם:
ד עֹרְבִ֑ים וְנִקְחָ֥ה דָגָ֖ן בָּרָעָֽב׃ וְיֵשׁ֙ אֲשֶׁ֣ר אֹמְרִ֔ים לָוִ֥ינוּ כֶ֖סֶף לְמִדַּ֣ת
ה הַמֶּ֑לֶךְ שְׂדֹתֵ֖ינוּ וּכְרָמֵֽינוּ׃ וְעַתָּ֗ה כִּבְשַׂ֤ר אַחֵ֙ינוּ֙ בְּשָׂרֵ֔נוּ כִּבְנֵיהֶ֖ם

בָּנֵינוּ וְהִנֵּה אֲנַחְנוּ כֹבְשִׁים אֶת־בָּנֵינוּ וְאֶת־בְּנֹתֵינוּ לַעֲבָדִים וְיֵשׁ
מִבְּנֹתֵינוּ נִכְבָּשׁוֹת וְאֵין לְאֵל יָדֵנוּ וּשְׂדֹתֵינוּ וּכְרָמֵינוּ לַאֲחֵרִים:
ו וַיִּחַר לִי מְאֹד כַּאֲשֶׁר שָׁמַעְתִּי אֶת־זַעֲקָתָם וְאֵת הַדְּבָרִים הָאֵלֶּה: הַבַּקָּשָׁה מֵהַנּוֹשִׁים לְבַטֵּל חוֹבוֹתֵיהֶם:
ז וַיִּמָּלֵךְ לִבִּי עָלַי וָאָרִיבָה אֶת־הַחֹרִים וְאֶת־הַסְּגָנִים וָאֹמְרָה לָהֶם
מַשָּׁא אִישׁ־בְּאָחִיו אַתֶּם נֹשְׁאִים וָאֶתֵּן עֲלֵיהֶם קְהִלָּה גְדוֹלָה:
ח וָאֹמְרָה לָהֶם אֲנַחְנוּ קָנִינוּ אֶת־אַחֵינוּ הַיְּהוּדִים הַנִּמְכָּרִים לַגּוֹיִם
כְּדֵי בָנוּ וְגַם־אַתֶּם תִּמְכְּרוּ אֶת־אֲחֵיכֶם וְנִמְכְּרוּ־לָנוּ וַיַּחֲרִישׁוּ
וְלֹא מָצְאוּ דָּבָר:
ט ויאמר וָאֹמַר לֹא־טוֹב הַדָּבָר אֲשֶׁר־אַתֶּם עֹשִׂים הֲלוֹא בְּיִרְאַת
י אֱלֹהֵינוּ תֵּלֵכוּ מֵחֶרְפַּת הַגּוֹיִם אוֹיְבֵינוּ: וְגַם־אֲנִי אַחַי וּנְעָרַי
יא נֹשִׁים בָּהֶם כֶּסֶף וְדָגָן נַעַזְבָה־נָּא אֶת־הַמַּשָּׁא הַזֶּה: הָשִׁיבוּ נָא
לָהֶם כְּהַיּוֹם שְׂדֹתֵיהֶם כַּרְמֵיהֶם זֵיתֵיהֶם וּבָתֵּיהֶם וּמְאַת הַכֶּסֶף
יב וְהַדָּגָן הַתִּירוֹשׁ וְהַיִּצְהָר אֲשֶׁר אַתֶּם נֹשִׁים בָּהֶם: וַיֹּאמְרוּ נָשִׁיב הַסְכָּמַת הָעָם לְבַטֵּל אֶת חוֹבוֹתֵיהֶם:
וּמֵהֶם לֹא נְבַקֵּשׁ כֵּן נַעֲשֶׂה כַּאֲשֶׁר אַתָּה אוֹמֵר וָאֶקְרָא אֶת־
יג הַכֹּהֲנִים וָאַשְׁבִּיעֵם לַעֲשׂוֹת כַּדָּבָר הַזֶּה: גַּם־חָצְנִי נָעַרְתִּי וָאֹמְרָה
כָּכָה יְנַעֵר הָאֱלֹהִים אֶת־כָּל־הָאִישׁ אֲשֶׁר לֹא־יָקִים אֶת־הַדָּבָר
הַזֶּה מִבֵּיתוֹ וּמִיגִיעוֹ וְכָכָה יִהְיֶה נָעוּר וָרֵק וַיֹּאמְרוּ כָל־הַקָּהָל
יד אָמֵן וַיְהַלְלוּ אֶת־יְהוָה וַיַּעַשׂ הָעָם כַּדָּבָר הַזֶּה: גַּם מִיּוֹם | וִתּוּר נְחֶמְיָה עַל הַמַּס: [3426-38]
אֲשֶׁר־צִוָּה אֹתִי לִהְיוֹת פֶּחָם בְּאֶרֶץ יְהוּדָה מִשְּׁנַת עֶשְׂרִים
וְעַד שְׁנַת שְׁלֹשִׁים וּשְׁתַּיִם לְאַרְתַּחְשַׁסְתְּא הַמֶּלֶךְ שָׁנִים שְׁתֵּים
טו עֶשְׂרֵה אֲנִי וְאַחַי לֶחֶם הַפֶּחָה לֹא אָכַלְתִּי: וְהַפַּחוֹת הָרִאשֹׁנִים
אֲשֶׁר־לְפָנַי הִכְבִּידוּ עַל־הָעָם וַיִּקְחוּ מֵהֶם בְּלֶחֶם וָיַיִן אַחַר
כֶּסֶף־שְׁקָלִים אַרְבָּעִים גַּם נַעֲרֵיהֶם שָׁלְטוּ עַל־הָעָם וַאֲנִי לֹא־
טז עָשִׂיתִי כֵן מִפְּנֵי יִרְאַת אֱלֹהִים: וְגַם בִּמְלֶאכֶת הַחוֹמָה הַזֹּאת
הֶחֱזַקְתִּי וְשָׂדֶה לֹא קָנִינוּ וְכָל־נְעָרַי קְבוּצִים שָׁם עַל־הַמְּלָאכָה:

הַסְּמוּכִים הָרַבִּים עַל שֻׁלְחָנוֹ:

יז וְהַיְּהוּדִים וְהַסְּגָנִים מֵאָה וַחֲמִשִּׁים אִישׁ וְהַבָּאִים אֵלֵינוּ מִן־הַגּוֹיִם
יח אֲשֶׁר־סְבִיבֹתֵינוּ עַל־שֻׁלְחָנִי׃ וַאֲשֶׁר הָיָה נַעֲשֶׂה לְיוֹם אֶחָד שׁוֹר
אֶחָד צֹאן שֵׁשׁ־בְּרֻרוֹת וְצִפֳּרִים נַעֲשׂוּ־לִי וּבֵין עֲשֶׂרֶת יָמִים
בְּכָל־יַיִן לְהַרְבֵּה וְעִם־זֶה לֶחֶם הַפֶּחָה לֹא בִקַּשְׁתִּי כִּי־כָבְדָה
יט הָעֲבֹדָה עַל־הָעָם הַזֶּה׃ זָכְרָה־לִּי אֱלֹהַי לְטוֹבָה כֹּל אֲשֶׁר־עָשִׂיתִי
עַל־הָעָם הַזֶּה׃

סַנְבַלַּט וַחֲבֵרָיו זוֹמְמִים עַל נְחֶמְיָה:

ו א וַיְהִי כַאֲשֶׁר נִשְׁמַע לְסַנְבַלַּט וְטוֹבִיָּה וּלְגֶשֶׁם הָעַרְבִי וּלְיֶתֶר
אֹיְבֵינוּ כִּי בָנִיתִי אֶת־הַחוֹמָה וְלֹא־נוֹתַר בָּהּ פָּרֶץ גַּם עַד־הָעֵת
ב הַהִיא דְּלָתוֹת לֹא־הֶעֱמַדְתִּי בַשְּׁעָרִים׃ וַיִּשְׁלַח סַנְבַלַּט וְגֶשֶׁם
אֵלַי לֵאמֹר לְכָה וְנִוָּעֲדָה יַחְדָּו בַּכְּפִירִים בְּבִקְעַת אוֹנוֹ וְהֵמָּה
ג חֹשְׁבִים לַעֲשׂוֹת לִי רָעָה׃ וָאֶשְׁלְחָה עֲלֵיהֶם מַלְאָכִים לֵאמֹר
מְלָאכָה גְדוֹלָה אֲנִי עֹשֶׂה וְלֹא אוּכַל לָרֶדֶת לָמָּה תִשְׁבַּת
ד הַמְּלָאכָה כַּאֲשֶׁר אַרְפֶּהָ וְיָרַדְתִּי אֲלֵיכֶם׃ וַיִּשְׁלְחוּ אֵלַי כַּדָּבָר
הַזֶּה אַרְבַּע פְּעָמִים וָאָשִׁיב אוֹתָם כַּדָּבָר הַזֶּה׃

אִגֶּרֶת סַנְבַלַּט לִנְחֶמְיָה:

ה וַיִּשְׁלַח אֵלַי סַנְבַלַּט כַּדָּבָר הַזֶּה פַּעַם חֲמִישִׁית אֶת־נַעֲרוֹ וְאִגֶּרֶת
ו פְּתוּחָה בְּיָדוֹ׃ כָּתוּב בָּהּ בַּגּוֹיִם נִשְׁמָע וְגַשְׁמוּ אֹמֵר אַתָּה
וְהַיְּהוּדִים חֹשְׁבִים לִמְרוֹד עַל־כֵּן אַתָּה בוֹנֶה הַחוֹמָה וְאַתָּה הֹוֶה
ז לָהֶם לְמֶלֶךְ כַּדְּבָרִים הָאֵלֶּה׃ וְגַם־נְבִיאִים הֶעֱמַדְתָּ לִקְרֹא עָלֶיךָ
בִירוּשָׁלַםִ לֵאמֹר מֶלֶךְ בִּיהוּדָה וְעַתָּה יִשָּׁמַע לַמֶּלֶךְ כַּדְּבָרִים
הָאֵלֶּה וְעַתָּה לְכָה וְנִוָּעֲצָה יַחְדָּו׃

תְּשׁוּבַת נְחֶמְיָה לְסַנְבַלַּט:

ח וָאֶשְׁלְחָה אֵלָיו לֵאמֹר לֹא נִהְיָה כַּדְּבָרִים הָאֵלֶּה אֲשֶׁר אַתָּה
ט אוֹמֵר כִּי מִלִּבְּךָ אַתָּה בוֹדָאם׃ כִּי כֻלָּם מְיָרְאִים אוֹתָנוּ לֵאמֹר
יִרְפּוּ יְדֵיהֶם מִן־הַמְּלָאכָה וְלֹא תֵעָשֶׂה וְעַתָּה חַזֵּק אֶת־יָדָי׃

שְׂכִירַת נְבִיאֵי הַשֶּׁקֶר:

י וַאֲנִי־בָאתִי בֵּית שְׁמַעְיָה בֶּן־דְּלָיָה בֶן־מְהֵיטַבְאֵל וְהוּא עָצוּר
וַיֹּאמֶר נִוָּעֵד אֶל־בֵּית הָאֱלֹהִים אֶל־תּוֹךְ הַהֵיכָל וְנִסְגְּרָה דַּלְתוֹת

יא הַהֵיכָל כִּי בָאִים לְהָרְגֶךָ וְלַיְלָה בָּאִים לְהָרְגֶךָ: וָאֹמְרָה הַאִישׁ
כָּמוֹנִי יִבְרָח וּמִי כָמוֹנִי אֲשֶׁר־יָבוֹא אֶל־הַהֵיכָל וָחָי לֹא אָבוֹא:
יב וָאַכִּירָה וְהִנֵּה לֹא־אֱלֹהִים שְׁלָחוֹ כִּי הַנְּבוּאָה דִּבֶּר עָלַי וְטוֹבִיָּה
יג וְסַנְבַלַּט שְׂכָרוֹ: לְמַעַן שָׂכוּר הוּא לְמַעַן־אִירָא וְאֶעֱשֶׂה־כֵּן
וְחָטָאתִי וְהָיָה לָהֶם לְשֵׁם רָע לְמַעַן יְחָרְפוּנִי:
יד זָכְרָה אֱלֹהַי לְטוֹבִיָּה וּלְסַנְבַלַּט כְּמַעֲשָׂיו אֵלֶּה וְגַם לְנוֹעַדְיָה
טו הַנְּבִיאָה וּלְיֶתֶר הַנְּבִיאִים אֲשֶׁר הָיוּ מְיָרְאִים אוֹתִי: וַתִּשְׁלַם
הַחוֹמָה בְּעֶשְׂרִים וַחֲמִשָּׁה לֶאֱלוּל לַחֲמִשִּׁים וּשְׁנַיִם יוֹם:
טז וַיְהִי כַּאֲשֶׁר שָׁמְעוּ כָּל־אוֹיְבֵינוּ וַיִּרְאוּ כָּל־הַגּוֹיִם אֲשֶׁר סְבִיבֹתֵינוּ
וַיִּפְּלוּ מְאֹד בְּעֵינֵיהֶם וַיֵּדְעוּ כִּי מֵאֵת אֱלֹהֵינוּ נֶעֶשְׂתָה הַמְּלָאכָה
יז הַזֹּאת: גַּם | בַּיָּמִים הָהֵם מַרְבִּים חֹרֵי יְהוּדָה אִגְּרֹתֵיהֶם הוֹלְכוֹת
יח עַל־טוֹבִיָּה וַאֲשֶׁר לְטוֹבִיָּה בָּאוֹת אֲלֵיהֶם: כִּי־רַבִּים בִּיהוּדָה
בַּעֲלֵי שְׁבוּעָה לוֹ כִּי־חָתָן הוּא לִשְׁכַנְיָה בֶן־אָרַח וִיהוֹחָנָן בְּנוֹ
יט לָקַח אֶת־בַּת־מְשֻׁלָּם בֶּן בֶּרֶכְיָה: גַּם טוֹבֹתָיו הָיוּ אֹמְרִים לְפָנַי
וּדְבָרַי הָיוּ מוֹצִיאִים לוֹ אִגְּרוֹת שָׁלַח טוֹבִיָּה לְיָרְאֵנִי:
ז א וַיְהִי כַּאֲשֶׁר נִבְנְתָה הַחוֹמָה וָאַעֲמִיד הַדְּלָתוֹת וַיִּפָּקְדוּ הַשּׁוֹעֲרִים
ב וְהַמְשֹׁרְרִים וְהַלְוִיִּם: וָאֲצַוֶּה אֶת־חֲנָנִי אָחִי וְאֶת־חֲנַנְיָה שַׂר
הַבִּירָה עַל־יְרוּשָׁלָםִ כִּי־הוּא כְּאִישׁ אֱמֶת וְיָרֵא אֶת־הָאֱלֹהִים
ג מֵרַבִּים: ויאמר וָאֹמַר לָהֶם לֹא יִפָּתְחוּ שַׁעֲרֵי יְרוּשָׁלַםִ עַד־חֹם
הַשֶּׁמֶשׁ וְעַד הֵם עֹמְדִים יָגִיפוּ הַדְּלָתוֹת וֶאֱחֹזוּ וְהַעֲמֵיד מִשְׁמְרוֹת
ד יֹשְׁבֵי יְרוּשָׁלַםִ אִישׁ בְּמִשְׁמָרוֹ וְאִישׁ נֶגֶד בֵּיתוֹ: וְהָעִיר רַחֲבַת
ה יָדַיִם וּגְדֹלָה וְהָעָם מְעַט בְּתוֹכָהּ וְאֵין בָּתִּים בְּנוּיִם: וַיִּתֵּן אֱלֹהַי
אֶל־לִבִּי וָאֶקְבְּצָה אֶת־הַחֹרִים וְאֶת־הַסְּגָנִים וְאֶת־הָעָם לְהִתְיַחֵשׂ
וָאֶמְצָא סֵפֶר הַיַּחַשׂ הָעוֹלִים בָּרִאשׁוֹנָה וָאֶמְצָא כָּתוּב בּוֹ:
ו אֵלֶּה | בְּנֵי הַמְּדִינָה הָעֹלִים מִשְּׁבִי הַגּוֹלָה אֲשֶׁר הֶגְלָה נְבוּכַדְנֶצַּר

הַשְׁלָמַת הַחוֹמָה בִּמְהִירוּת:

מִנּוּי חֲנָנִי וַחֲנַנְיָה עַל שַׁעֲרֵי הַחוֹמָה:

מַחְשֶׁבֶת נְחֶמְיָה לְבַסֵּס אֶת הַיִּשּׁוּב:

רְשִׁימַת הָעוֹלִים עִם זְרֻבָּבֶל וְסִיעָתוֹ:

ז מֶלֶךְ בָּבֶל וַיָּשׁוּבוּ לִירוּשָׁלַםִ וְלִיהוּדָה אִישׁ לְעִירוֹ: הַבָּאִים עִם־
זְרֻבָּבֶל יֵשׁוּעַ נְחֶמְיָה עֲזַרְיָה רַעַמְיָה נַחֲמָנִי מָרְדֳּכַי בִּלְשָׁן מִסְפֶּרֶת
ח בִּגְוַי נְחוּם בַּעֲנָה מִסְפַּר אַנְשֵׁי עַם יִשְׂרָאֵל: בְּנֵי פַרְעֹשׁ
ט אַלְפַּיִם מֵאָה וְשִׁבְעִים וּשְׁנָיִם: בְּנֵי שְׁפַטְיָה שְׁלֹשׁ
י מֵאוֹת שִׁבְעִים וּשְׁנָיִם: בְּנֵי אָרַח שֵׁשׁ מֵאוֹת חֲמִשִּׁים
יא וּשְׁנָיִם: בְּנֵי־פַחַת מוֹאָב לִבְנֵי יֵשׁוּעַ וְיוֹאָב אַלְפַּיִם
יב וּשְׁמֹנֶה מֵאוֹת שְׁמֹנָה עָשָׂר: בְּנֵי עֵילָם אֶלֶף מָאתַיִם
יג חֲמִשִּׁים וְאַרְבָּעָה: בְּנֵי זַתּוּא שְׁמֹנֶה מֵאוֹת אַרְבָּעִים
יד
טו וַחֲמִשָּׁה: בְּנֵי זַכָּי שְׁבַע מֵאוֹת וְשִׁשִּׁים: בְּנֵי
טז בִנּוּי שֵׁשׁ מֵאוֹת אַרְבָּעִים וּשְׁמֹנָה: בְּנֵי בֵבָי שֵׁשׁ מֵאוֹת
יז עֶשְׂרִים וּשְׁמֹנָה: בְּנֵי עַזְגָּד אַלְפַּיִם שְׁלֹשׁ מֵאוֹת
יח עֶשְׂרִים וּשְׁנָיִם: בְּנֵי אֲדֹנִיקָם שֵׁשׁ מֵאוֹת שִׁשִּׁים
יט וְשִׁבְעָה: בְּנֵי בִגְוָי אַלְפַּיִם שִׁשִּׁים
כ וְשִׁבְעָה: בְּנֵי עָדִין שֵׁשׁ מֵאוֹת חֲמִשִּׁים
כא וַחֲמִשָּׁה: בְּנֵי־אָטֵר לְחִזְקִיָּה תִּשְׁעִים
כב וּשְׁמֹנָה: בְּנֵי חָשֻׁם שְׁלֹשׁ מֵאוֹת עֶשְׂרִים
כג וּשְׁמֹנָה: בְּנֵי בֵצָי שְׁלֹשׁ מֵאוֹת עֶשְׂרִים
כד
כה וְאַרְבָּעָה: בְּנֵי חָרִיף מֵאָה שְׁנֵים עָשָׂר: בְּנֵי
כו גִבְעוֹן תִּשְׁעִים וַחֲמִשָּׁה: אַנְשֵׁי בֵית־לֶחֶם וּנְטֹפָה מֵאָה
כז שְׁמֹנִים וּשְׁמֹנָה: אַנְשֵׁי עֲנָתוֹת מֵאָה עֶשְׂרִים
כח וּשְׁמֹנָה: אַנְשֵׁי בֵית־עַזְמָוֶת אַרְבָּעִים
כט וּשְׁנָיִם: אַנְשֵׁי קִרְיַת יְעָרִים כְּפִירָה וּבְאֵרוֹת שְׁבַע
ל מֵאוֹת אַרְבָּעִים וּשְׁלֹשָׁה: אַנְשֵׁי הָרָמָה וָגָבַע שֵׁשׁ
לא מֵאוֹת עֶשְׂרִים וְאֶחָד: אַנְשֵׁי מִכְמָס מֵאָה וְעֶשְׂרִים
לב וּשְׁנָיִם: אַנְשֵׁי בֵית־אֵל וְהָעָי מֵאָה עֶשְׂרִים

וּשְׁלֹשָֽׁה׃ אַנְשֵׁי נְבוֹ אַחֵר חֲמִשִּׁים לג
וּשְׁנָֽיִם׃ בְּנֵי עֵילָם אַחֵר אֶלֶף מָאתַיִם חֲמִשִּׁים לד
וְאַרְבָּעָֽה׃ בְּנֵי חָרִם שְׁלֹשׁ מֵאוֹת לה
וְעֶשְׂרִֽים׃ בְּנֵי יְרֵחוֹ שְׁלֹשׁ מֵאוֹת אַרְבָּעִים לו
וַחֲמִשָּֽׁה׃ בְּנֵי־לֹד חָדִיד וְאֹנוֹ שְׁבַע מֵאוֹת וְעֶשְׂרִים לז
וְאֶחָֽד׃ בְּנֵי סְנָאָה שְׁלֹשֶׁת אֲלָפִים תְּשַׁע מֵאוֹת לח
וּשְׁלֹשִֽׁים׃

הַכֹּהֲנִים בְּנֵי יְדַעְיָה לְבֵית יֵשׁוּעַ תְּשַׁע מֵאוֹת שִׁבְעִים לט
וּשְׁלֹשָֽׁה׃ בְּנֵי אִמֵּר אֶלֶף חֲמִשִּׁים וּשְׁנָֽיִם׃ בְּנֵי מ מא
פַשְׁחוּר אֶלֶף מָאתַיִם אַרְבָּעִים וְשִׁבְעָֽה׃ בְּנֵי חָרִם אֶלֶף מב
שִׁבְעָה עָשָֽׂר׃ הַלְוִיִּם בְּנֵי־יֵשׁוּעַ לְקַדְמִיאֵל לִבְנֵי מג
לְהוֹדְוָה שִׁבְעִים וְאַרְבָּעָֽה׃ הַֽמְשֹׁרְרִים בְּנֵי אָסָף מֵאָה מד
אַרְבָּעִים וּשְׁמֹנָֽה׃ הַשֹּׁעֲרִים בְּנֵי־שַׁלֻּם בְּנֵי־אָטֵר בְּנֵי־ מה
טַלְמֹן בְּנֵי־עַקּוּב בְּנֵי חֲטִיטָא בְּנֵי שֹׁבָי מֵאָה שְׁלֹשִׁים
וּשְׁמֹנָֽה׃

הַנְּתִינִים בְּנֵי־צִחָא בְנֵי־חֲשֻׂפָא בְּנֵי טַבָּעֽוֹת׃ בְּנֵי־קֵירֹס מו מז
בְּנֵי־סִיעָא בְּנֵי פָדֽוֹן׃ בְּנֵי־לְבָנָה בְנֵי־חֲגָבָא בְּנֵי מח
שַׁלְמָֽי׃ בְּנֵי־חָנָן בְּנֵי־גִדֵּל בְּנֵי־גָֽחַר׃ בְּנֵי־ מט נ
רְאָיָה בְנֵי־רְצִין בְּנֵי נְקוֹדָֽא׃ בְּנֵי־גַזָּם בְּנֵי־עֻזָּא בְּנֵי נא
פָסֵֽחַ׃ בְּנֵי־בֵסַי בְּנֵי־מְעוּנִים בְּנֵי נפושסים נב
נְפִישְׁסִֽים׃ בְּנֵי־בַקְבּוּק בְּנֵי־חֲקוּפָא בְּנֵי נג
חַרְחֽוּר׃ בְּנֵי־בַצְלִית בְּנֵי־מְחִידָא בְּנֵי נד
חַרְשָֽׁא׃ בְּנֵי־בַרְקוֹס בְּנֵי־סִֽיסְרָא בְּנֵי־ נה
תָֽמַח׃ בְּנֵי נְצִיחַ בְּנֵי חֲטִיפָֽא׃ בְּנֵי עַבְדֵי נו נז
שְׁלֹמֹה בְּנֵי־סוֹטַי בְּנֵי־סֹפֶרֶת בְּנֵי פְרִידָֽא׃ בְּנֵי־יַעְלָא נח

נט בְּנֵי־דַרְקוֹן בְּנֵי גִדֵּל׃ בְּנֵי שְׁפַטְיָה בְנֵי־
ס חַטִּיל בְּנֵי פֹּכֶרֶת הַצְּבָיִים בְּנֵי אָמוֹן׃ כָּל־
הַנְּתִינִים וּבְנֵי עַבְדֵי שְׁלֹמֹה שְׁלֹשׁ מֵאוֹת תִּשְׁעִים וּשְׁנָיִם׃
סא וְאֵלֶּה הָעוֹלִים מִתֵּל מֶלַח תֵּל חַרְשָׁא כְּרוּב אַדּוֹן וְאִמֵּר וְלֹא
סב יָכְלוּ לְהַגִּיד בֵּית־אֲבֹתָם וְזַרְעָם אִם מִיִּשְׂרָאֵל הֵם׃ בְּנֵי־
דְלָיָה בְנֵי־טוֹבִיָּה בְּנֵי נְקוֹדָא שֵׁשׁ מֵאוֹת וְאַרְבָּעִים
סג וּשְׁנָיִם׃ וּמִן־הַכֹּהֲנִים בְּנֵי חֳבַיָּה בְּנֵי הַקּוֹץ בְּנֵי בַרְזִלַּי
סד אֲשֶׁר לָקַח מִבְּנוֹת בַּרְזִלַּי הַגִּלְעָדִי אִשָּׁה וַיִּקָּרֵא עַל־שְׁמָם׃ אֵלֶּה
סה בִּקְשׁוּ כְתָבָם הַמִּתְיַחְשִׂים וְלֹא נִמְצָא וַיְגֹאֲלוּ מִן־הַכְּהֻנָּה׃ וַיֹּאמֶר
הַתִּרְשָׁתָא לָהֶם אֲשֶׁר לֹא־יֹאכְלוּ מִקֹּדֶשׁ הַקֳּדָשִׁים עַד עֲמֹד
סו הַכֹּהֵן לְאוּרִים וְתֻמִּים׃ כָּל־הַקָּהָל כְּאֶחָד אַרְבַּע רִבּוֹא אַלְפַּיִם
סז שְׁלֹשׁ־מֵאוֹת וְשִׁשִּׁים׃ מִלְּבַד עַבְדֵיהֶם וְאַמְהֹתֵיהֶם אֵלֶּה שִׁבְעַת
אֲלָפִים שְׁלֹשׁ מֵאוֹת שְׁלֹשִׁים וְשִׁבְעָה וְלָהֶם מְשֹׁרְרִים וּמְשֹׁרְרוֹת
סח מָאתַיִם וְאַרְבָּעִים וַחֲמִשָּׁה׃ גְּמַלִּים אַרְבַּע מֵאוֹת
שְׁלֹשִׁים וַחֲמִשָּׁה חֲמֹרִים שֵׁשֶׁת אֲלָפִים שְׁבַע מֵאוֹת וְעֶשְׂרִים׃
סט וּמִקְצָת רָאשֵׁי הָאָבוֹת נָתְנוּ לַמְּלָאכָה הַתִּרְשָׁתָא נָתַן לָאוֹצָר
זָהָב דַּרְכְּמֹנִים אֶלֶף מִזְרָקוֹת חֲמִשִּׁים כָּתְנוֹת כֹּהֲנִים שְׁלֹשִׁים
ע וַחֲמֵשׁ מֵאוֹת׃ וּמֵרָאשֵׁי הָאָבוֹת נָתְנוּ לְאוֹצַר הַמְּלָאכָה
עא זָהָב דַּרְכְּמוֹנִים שְׁתֵּי רִבּוֹת וְכֶסֶף מָנִים אַלְפַּיִם וּמָאתָיִם׃ וַאֲשֶׁר
נָתְנוּ שְׁאֵרִית הָעָם זָהָב דַּרְכְּמֹנִים שְׁתֵּי רִבּוֹא וְכֶסֶף מָנִים
עב אַלְפָּיִם וְכָתְנֹת כֹּהֲנִים שִׁשִּׁים וְשִׁבְעָה׃ וַיֵּשְׁבוּ הַכֹּהֲנִים וְהַלְוִיִּם
וְהַשּׁוֹעֲרִים וְהַמְשֹׁרְרִים וּמִן־הָעָם וְהַנְּתִינִים וְכָל־יִשְׂרָאֵל
בְּעָרֵיהֶם וַיִּגַּע הַחֹדֶשׁ הַשְּׁבִיעִי וּבְנֵי יִשְׂרָאֵל בְּעָרֵיהֶם׃
ח א וַיֵּאָסְפוּ כָל־הָעָם כְּאִישׁ אֶחָד אֶל־הָרְחוֹב אֲשֶׁר לִפְנֵי שַׁעַר־
הַמָּיִם וַיֹּאמְרוּ לְעֶזְרָא הַסֹּפֵר לְהָבִיא אֶת־סֵפֶר תּוֹרַת מֹשֶׁה

הָעֲבָדִים וְהַבְּהֵמוֹת שֶׁל הָעוֹלִים׃

הִתְנַדְּבוּת הָעָם לִמְלֶאכֶת הַבְּנִיָּה׃

קְרִיאַת הַתּוֹרָה בְּאָזְנֵי הָעָם׃

אֲשֶׁר־צִוָּה יְהוָה אֶת־יִשְׂרָאֵל׃ וַיָּבִיא עֶזְרָא הַכֹּהֵן אֶת־הַתּוֹרָה ב
לִפְנֵי הַקָּהָל מֵאִישׁ וְעַד־אִשָּׁה וְכֹל מֵבִין לִשְׁמֹעַ בְּיוֹם אֶחָד
לַחֹדֶשׁ הַשְּׁבִיעִי׃ וַיִּקְרָא־בוֹ לִפְנֵי הָרְחוֹב אֲשֶׁר ׀ לִפְנֵי שַׁעַר־ ג
הַמַּיִם מִן־הָאוֹר עַד־מַחֲצִית הַיּוֹם נֶגֶד הָאֲנָשִׁים וְהַנָּשִׁים
וְהַמְּבִינִים וְאָזְנֵי כָל־הָעָם אֶל־סֵפֶר הַתּוֹרָה׃ וַיַּעֲמֹד עֶזְרָא הַסֹּפֵר ד
עַל־מִגְדַּל־עֵץ אֲשֶׁר עָשׂוּ לַדָּבָר וַיַּעֲמֹד אֶצְלוֹ מַתִּתְיָה וְשֶׁמַע
וַעֲנָיָה וְאוּרִיָּה וְחִלְקִיָּה וּמַעֲשֵׂיָה עַל־יְמִינוֹ וּמִשְּׂמֹאלוֹ פְּדָיָה
וּמִישָׁאֵל וּמַלְכִּיָּה וְחָשֻׁם וְחַשְׁבַּדָּנָה זְכַרְיָה מְשֻׁלָּם׃
וַיִּפְתַּח עֶזְרָא הַסֵּפֶר לְעֵינֵי כָל־הָעָם כִּי־מֵעַל כָּל־הָעָם הָיָה ה
וּכְפִתְחוֹ עָמְדוּ כָל־הָעָם׃ וַיְבָרֶךְ עֶזְרָא אֶת־יְהוָה הָאֱלֹהִים הַגָּדוֹל ו
וַיַּעֲנוּ כָל־הָעָם אָמֵן ׀ אָמֵן בְּמֹעַל יְדֵיהֶם וַיִּקְּדוּ וַיִּשְׁתַּחֲוֻּ לַיהוָה
אַפַּיִם אָרְצָה׃ וְיֵשׁוּעַ וּבָנִי וְשֵׁרֵבְיָה ׀ יָמִין עַקּוּב שַׁבְּתַי ׀ הוֹדִיָּה ז
מַעֲשֵׂיָה קְלִיטָא עֲזַרְיָה יוֹזָבָד חָנָן פְּלָאיָה וְהַלְוִיִּם מְבִינִים
אֶת־הָעָם לַתּוֹרָה וְהָעָם עַל־עָמְדָם׃ וַיִּקְרְאוּ בַסֵּפֶר בְּתוֹרַת ח
הָאֱלֹהִים מְפֹרָשׁ וְשׂוֹם שֶׂכֶל וַיָּבִינוּ בַּמִּקְרָא׃

פֵּרוּשׁ הַקְּרִיאָה לִקְהַל יִשְׂרָאֵל:

וַיֹּאמֶר נְחֶמְיָה הוּא הַתִּרְשָׁתָא וְעֶזְרָא הַכֹּהֵן ׀ הַסֹּפֵר וְהַלְוִיִּם ט
הַמְּבִינִים אֶת־הָעָם לְכָל־הָעָם הַיּוֹם קָדֹשׁ־הוּא לַיהוָה אֱלֹהֵיכֶם
אַל־תִּתְאַבְּלוּ וְאַל־תִּבְכּוּ כִּי בוֹכִים כָּל־הָעָם כְּשָׁמְעָם אֶת־דִּבְרֵי
הַתּוֹרָה׃ וַיֹּאמֶר לָהֶם לְכוּ אִכְלוּ מַשְׁמַנִּים וּשְׁתוּ מַמְתַקִּים וְשִׁלְחוּ י
מָנוֹת לְאֵין נָכוֹן לוֹ כִּי־קָדוֹשׁ הַיּוֹם לַאֲדֹנֵינוּ וְאַל־תֵּעָצֵבוּ
כִּי־חֶדְוַת יְהוָה הִיא מָעֻזְּכֶם׃ וְהַלְוִיִּם מַחְשִׁים לְכָל־הָעָם לֵאמֹר יא
הַסּוּ כִּי הַיּוֹם קָדֹשׁ וְאַל־תֵּעָצֵבוּ׃ וַיֵּלְכוּ כָל־הָעָם לֶאֱכֹל וְלִשְׁתּוֹת יב
וּלְשַׁלַּח מָנוֹת וְלַעֲשׂוֹת שִׂמְחָה גְדוֹלָה כִּי הֵבִינוּ בַּדְּבָרִים אֲשֶׁר
הוֹדִיעוּ לָהֶם׃

בְּכִי הָעָם, וְהַצִּוּוּי לִשְׂמֹחַ בֶּחָג:

וּבַיּוֹם הַשֵּׁנִי נֶאֶסְפוּ רָאשֵׁי הָאָבוֹת לְכָל־הָעָם הַכֹּהֲנִים וְהַלְוִיִּם יג

יד אֶל־עֶזְרָא הַסֹּפֵר וּלְהַשְׂכִּיל אֶל־דִּבְרֵי הַתּוֹרָה: וַיִּמְצְאוּ כָּתוּב
בַּתּוֹרָה אֲשֶׁר צִוָּה יְהוָה בְּיַד־מֹשֶׁה אֲשֶׁר יֵשְׁבוּ בְנֵי־יִשְׂרָאֵל
טו בַּסֻּכּוֹת בֶּחָג בַּחֹדֶשׁ הַשְּׁבִיעִי: וַאֲשֶׁר יַשְׁמִיעוּ וְיַעֲבִירוּ קוֹל
בְּכָל־עָרֵיהֶם וּבִירוּשָׁלִַם לֵאמֹר צְאוּ הָהָר וְהָבִיאוּ עֲלֵי־זַיִת
וַעֲלֵי־עֵץ שֶׁמֶן וַעֲלֵי הֲדַס וַעֲלֵי תְמָרִים וַעֲלֵי עֵץ עָבֹת לַעֲשֹׂת
טז סֻכֹּת כַּכָּתוּב: וַיֵּצְאוּ הָעָם וַיָּבִיאוּ וַיַּעֲשׂוּ לָהֶם סֻכּוֹת
אִישׁ עַל־גַּגּוֹ וּבְחַצְרֹתֵיהֶם וּבְחַצְרוֹת בֵּית הָאֱלֹהִים וּבִרְחוֹב
יז שַׁעַר הַמַּיִם וּבִרְחוֹב שַׁעַר אֶפְרָיִם: וַיַּעֲשׂוּ כָל־הַקָּהָל
הַשָּׁבִים מִן־הַשְּׁבִי ׀ סֻכּוֹת וַיֵּשְׁבוּ בַסֻּכּוֹת כִּי לֹא־עָשׂוּ מִימֵי
יֵשׁוּעַ בִּן־נוּן כֵּן בְּנֵי יִשְׂרָאֵל עַד הַיּוֹם הַהוּא וַתְּהִי שִׂמְחָה גְּדוֹלָה
יח מְאֹד: וַיִּקְרָא בְּסֵפֶר תּוֹרַת הָאֱלֹהִים יוֹם ׀ בְּיוֹם מִן־הַיּוֹם
הָרִאשׁוֹן עַד הַיּוֹם הָאַחֲרוֹן וַיַּעֲשׂוּ־חָג שִׁבְעַת יָמִים וּבַיּוֹם
הַשְּׁמִינִי עֲצֶרֶת כַּמִּשְׁפָּט:

קְרִיאָה לָעָם לְקַיֵּם אֶת חַג הַסֻּכּוֹת:
קִיּוּם חַג הַסֻּכּוֹת בְּשִׂמְחָה גְדוֹלָה:

ט א וּבְיוֹם עֶשְׂרִים וְאַרְבָּעָה לַחֹדֶשׁ הַזֶּה נֶאֶסְפוּ בְנֵי־יִשְׂרָאֵל בְּצוֹם
ב וּבְשַׂקִּים וַאֲדָמָה עֲלֵיהֶם: וַיִּבָּדְלוּ זֶרַע יִשְׂרָאֵל מִכֹּל בְּנֵי נֵכָר
ג וַיַּעַמְדוּ וַיִּתְוַדּוּ עַל־חַטֹּאתֵיהֶם וַעֲוֹנוֹת אֲבֹתֵיהֶם: וַיָּקוּמוּ עַל־
עָמְדָם וַיִּקְרְאוּ בְּסֵפֶר תּוֹרַת יְהוָה אֱלֹהֵיהֶם רְבִעִית הַיּוֹם וּרְבִעִית
מִתְוַדִּים וּמִשְׁתַּחֲוִים לַיהוָה אֱלֹהֵיהֶם:

כִּנּוּס הָעָם לִתְשׁוּבָה וְוִדּוּי לַה':

ד וַיָּקָם עַל־מַעֲלֵה הַלְוִיִּם יֵשׁוּעַ וּבָנִי קַדְמִיאֵל שְׁבַנְיָה בֻּנִּי שֵׁרֵבְיָה
ה בָּנִי כְנָנִי וַיִּזְעֲקוּ בְּקוֹל גָּדוֹל אֶל־יְהוָה אֱלֹהֵיהֶם: וַיֹּאמְרוּ הַלְוִיִּם
יֵשׁוּעַ וְקַדְמִיאֵל בָּנִי חֲשַׁבְנְיָה שֵׁרֵבְיָה הוֹדִיָּה שְׁבַנְיָה פְתַחְיָה
קוּמוּ בָּרְכוּ אֶת־יְהוָה אֱלֹהֵיכֶם מִן־הָעוֹלָם עַד־הָעוֹלָם וִיבָרְכוּ
ו שֵׁם כְּבֹדֶךָ וּמְרוֹמַם עַל־כָּל־בְּרָכָה וּתְהִלָּה: אַתָּה־הוּא יְהוָה
לְבַדֶּךָ אַתָּ עָשִׂיתָ אֶת־הַשָּׁמַיִם שְׁמֵי הַשָּׁמַיִם וְכָל־צְבָאָם הָאָרֶץ
וְכָל־אֲשֶׁר עָלֶיהָ הַיַּמִּים וְכָל־אֲשֶׁר בָּהֶם וְאַתָּה מְחַיֶּה אֶת־כֻּלָּם

הַלְוִיִּם מְעוֹרְרֵי הָעָם לְבָרֵךְ לַה':
יִחוּד הַבּוֹרֵא, וַחֲסָדָיו עִמָּנוּ:

ז וּצְבָא הַשָּׁמַיִם לְךָ מִשְׁתַּחֲוִים׃ אַתָּה־הוּא יְהוָה הָאֱלֹהִים אֲשֶׁר
בָּחַרְתָּ בְּאַבְרָם וְהוֹצֵאתוֹ מֵאוּר כַּשְׂדִּים וְשַׂמְתָּ שְּׁמוֹ אַבְרָהָם׃
ח וּמָצָאתָ אֶת־לְבָבוֹ נֶאֱמָן לְפָנֶיךָ וְכָרוֹת עִמּוֹ הַבְּרִית לָתֵת
אֶת־אֶרֶץ הַכְּנַעֲנִי הַחִתִּי הָאֱמֹרִי וְהַפְּרִזִּי וְהַיְבוּסִי וְהַגִּרְגָּשִׁי לָתֵת
ט לְזַרְעוֹ וַתָּקֶם אֶת־דְּבָרֶיךָ כִּי צַדִּיק אָתָּה׃ וַתֵּרֶא אֶת־עֳנִי אֲבֹתֵינוּ (יְצִיאַת מִצְרַיִם וּמוֹפְתֵי ה׳:)
י בְּמִצְרָיִם וְאֶת־זַעֲקָתָם שָׁמַעְתָּ עַל־יַם־סוּף׃ וַתִּתֵּן אֹתֹת וּמֹפְתִים
בְּפַרְעֹה וּבְכָל־עֲבָדָיו וּבְכָל־עַם אַרְצוֹ כִּי יָדַעְתָּ כִּי הֵזִידוּ
יא עֲלֵיהֶם וַתַּעַשׂ־לְךָ שֵׁם כְּהַיּוֹם הַזֶּה׃ וְהַיָּם בָּקַעְתָּ לִפְנֵיהֶם
וַיַּעַבְרוּ בְתוֹךְ־הַיָּם בַּיַּבָּשָׁה וְאֶת־רֹדְפֵיהֶם הִשְׁלַכְתָּ בִמְצוֹלֹת
יב כְּמוֹ־אֶבֶן בְּמַיִם עַזִּים׃ וּבְעַמּוּד עָנָן הִנְחִיתָם יוֹמָם וּבְעַמּוּד אֵשׁ (הַנְהָגַת ה׳ עִם יִשְׂרָאֵל בַּמִּדְבָּר וּמַעֲמַד הַר סִינַי:)
יג לַיְלָה לְהָאִיר לָהֶם אֶת־הַדֶּרֶךְ אֲשֶׁר יֵלְכוּ־בָהּ׃ וְעַל הַר־סִינַי
יָרַדְתָּ וְדַבֵּר עִמָּהֶם מִשָּׁמָיִם וַתִּתֵּן לָהֶם מִשְׁפָּטִים יְשָׁרִים
יד וְתוֹרוֹת אֱמֶת חֻקִּים וּמִצְוֹת טוֹבִים׃ וְאֶת־שַׁבַּת קָדְשְׁךָ הוֹדַעְתָּ
טו לָהֶם וּמִצְווֹת וְחֻקִּים וְתוֹרָה צִוִּיתָ לָהֶם בְּיַד מֹשֶׁה עַבְדֶּךָ׃ וְלֶחֶם
מִשָּׁמַיִם נָתַתָּה לָהֶם לִרְעָבָם וּמַיִם מִסֶּלַע הוֹצֵאתָ לָהֶם לִצְמָאָם
וַתֹּאמֶר לָהֶם לָבוֹא לָרֶשֶׁת אֶת־הָאָרֶץ אֲשֶׁר־נָשָׂאתָ אֶת־יָדְךָ
טז לָתֵת לָהֶם׃ וְהֵם וַאֲבֹתֵינוּ הֵזִידוּ וַיַּקְשׁוּ אֶת־עָרְפָּם וְלֹא שָׁמְעוּ (חֲטָאֵי דּוֹר הַמִּדְבָּר:)
יז אֶל־מִצְוֹתֶיךָ׃ וַיְמָאֲנוּ לִשְׁמֹעַ וְלֹא־זָכְרוּ נִפְלְאֹתֶיךָ אֲשֶׁר עָשִׂיתָ
עִמָּהֶם וַיַּקְשׁוּ אֶת־עָרְפָּם וַיִּתְּנוּ־רֹאשׁ לָשׁוּב לְעַבְדֻתָם בְּמִרְיָם
וְאַתָּה אֱלוֹהַּ סְלִיחוֹת חַנּוּן וְרַחוּם אֶרֶךְ־אַפַּיִם וְרַב־חֶסֶד וחסד
יח וְלֹא עֲזַבְתָּם׃ אַף כִּי־עָשׂוּ לָהֶם עֵגֶל מַסֵּכָה וַיֹּאמְרוּ זֶה אֱלֹהֶיךָ
יט אֲשֶׁר הֶעֶלְךָ מִמִּצְרָיִם וַיַּעֲשׂוּ נֶאָצוֹת גְּדֹלוֹת׃ וְאַתָּה בְּרַחֲמֶיךָ
הָרַבִּים לֹא עֲזַבְתָּם בַּמִּדְבָּר אֶת־עַמּוּד הֶעָנָן לֹא־סָר מֵעֲלֵיהֶם
בְּיוֹמָם לְהַנְחֹתָם בְּהַדֶּרֶךְ וְאֶת־עַמּוּד הָאֵשׁ בְּלַיְלָה לְהָאִיר לָהֶם
כ וְאֶת־הַדֶּרֶךְ אֲשֶׁר יֵלְכוּ־בָהּ׃ וְרוּחֲךָ הַטּוֹבָה נָתַתָּ לְהַשְׂכִּילָם

כא וּמַנְךָ לֹא־מָנַעְתָּ מִפִּיהֶם וּמַיִם נָתַתָּה לָהֶם לִצְמָאָם: וְאַרְבָּעִים
שָׁנָה כִּלְכַּלְתָּם בַּמִּדְבָּר לֹא חָסֵרוּ שַׂלְמֹתֵיהֶם לֹא בָלוּ וְרַגְלֵיהֶם
כב לֹא בָצֵקוּ: וַתִּתֵּן לָהֶם מַמְלָכוֹת וַעֲמָמִים וַתַּחְלְקֵם לְפֵאָה וַיִּירְשׁוּ
אֶת־אֶרֶץ סִיחוֹן וְאֶת־אֶרֶץ מֶלֶךְ חֶשְׁבּוֹן וְאֶת־אֶרֶץ עוֹג מֶלֶךְ־
כג הַבָּשָׁן: וּבְנֵיהֶם הִרְבִּיתָ כְּכֹכְבֵי הַשָּׁמָיִם וַתְּבִיאֵם אֶל־הָאָרֶץ
כד אֲשֶׁר־אָמַרְתָּ לַאֲבֹתֵיהֶם לָבוֹא לָרָשֶׁת: וַיָּבֹאוּ הַבָּנִים וַיִּירְשׁוּ
אֶת־הָאָרֶץ וַתַּכְנַע לִפְנֵיהֶם אֶת־יֹשְׁבֵי הָאָרֶץ הַכְּנַעֲנִים וַתִּתְּנֵם
בְּיָדָם וְאֶת־מַלְכֵיהֶם וְאֶת־עַמְמֵי הָאָרֶץ לַעֲשׂוֹת בָּהֶם כִּרְצוֹנָם:
כה וַיִּלְכְּדוּ עָרִים בְּצֻרוֹת וַאֲדָמָה שְׁמֵנָה וַיִּירְשׁוּ בָּתִּים מְלֵאִים־כָּל־
טוּב בֹּרוֹת חֲצוּבִים כְּרָמִים וְזֵיתִים וְעֵץ מַאֲכָל לָרֹב וַיֹּאכְלוּ
כו וַיִּשְׂבְּעוּ וַיַּשְׁמִינוּ וַיִּתְעַדְּנוּ בְּטוּבְךָ הַגָּדוֹל: וַיַּמְרוּ וַיִּמְרְדוּ בָּךְ
וַיַּשְׁלִכוּ אֶת־תּוֹרָתְךָ אַחֲרֵי גַוָּם וְאֶת־נְבִיאֶיךָ הָרָגוּ אֲשֶׁר־הֵעִידוּ
כז בָם לַהֲשִׁיבָם אֵלֶיךָ וַיַּעֲשׂוּ נֶאָצוֹת גְּדוֹלֹת: וַתִּתְּנֵם בְּיַד צָרֵיהֶם
וַיָּצֵרוּ לָהֶם וּבְעֵת צָרָתָם יִצְעֲקוּ אֵלֶיךָ וְאַתָּה מִשָּׁמַיִם תִּשְׁמָע
וּכְרַחֲמֶיךָ הָרַבִּים תִּתֵּן לָהֶם מוֹשִׁיעִים וְיוֹשִׁיעוּם מִיַּד צָרֵיהֶם:
כח וּכְנוֹחַ לָהֶם יָשׁוּבוּ לַעֲשׂוֹת רַע לְפָנֶיךָ וַתַּעַזְבֵם בְּיַד אֹיְבֵיהֶם
וַיִּרְדּוּ בָהֶם וַיָּשׁוּבוּ וַיִּזְעָקוּךָ וְאַתָּה מִשָּׁמַיִם תִּשְׁמַע וְתַצִּילֵם
כט כְּרַחֲמֶיךָ רַבּוֹת עִתִּים: וַתָּעַד בָּהֶם לַהֲשִׁיבָם אֶל־תּוֹרָתֶךָ וְהֵמָּה
הֵזִידוּ וְלֹא־שָׁמְעוּ לְמִצְוֺתֶיךָ וּבְמִשְׁפָּטֶיךָ חָטְאוּ־בָם אֲשֶׁר־
יַעֲשֶׂה אָדָם וְחָיָה בָהֶם וַיִּתְּנוּ כָתֵף סוֹרֶרֶת וְעָרְפָּם הִקְשׁוּ וְלֹא
ל שָׁמֵעוּ: וַתִּמְשֹׁךְ עֲלֵיהֶם שָׁנִים רַבּוֹת וַתָּעַד בָּם בְּרוּחֲךָ בְּיַד־
לא נְבִיאֶיךָ וְלֹא הֶאֱזִינוּ וַתִּתְּנֵם בְּיַד עַמֵּי הָאֲרָצֹת: וּבְרַחֲמֶיךָ הָרַבִּים
לב לֹא־עֲשִׂיתָם כָּלָה וְלֹא עֲזַבְתָּם כִּי אֵל־חַנּוּן וְרַחוּם אָתָּה: וְעַתָּה
אֱלֹהֵינוּ הָאֵל הַגָּדוֹל הַגִּבּוֹר וְהַנּוֹרָא שׁוֹמֵר הַבְּרִית וְהַחֶסֶד
אַל־יִמְעַט לְפָנֶיךָ אֵת כָּל־הַתְּלָאָה אֲשֶׁר־מְצָאַתְנוּ לִמְלָכֵינוּ

וַחֲסָדָיו עִמָּנוּ בְּכִבּוּשׁ הָאָרֶץ:

כְּפִיּוּת הַטּוֹבָה, וְעָנְשָׁהּ:

צִדּוּק הַדִּין עַל הָעֳנָשִׁים:

לְשָׂרֵ֥ינוּ וּלְכֹהֲנֵ֛ינוּ וְלִנְבִיאֵ֥נוּ וְלַאֲבֹתֵ֖ינוּ וּלְכָל־עַמֶּ֑ךָ מִימֵי֙ מַלְכֵ֣י
אַשּׁ֔וּר עַ֖ד הַיּ֥וֹם הַזֶּֽה׃ וְאַתָּ֣ה צַדִּ֔יק עַ֖ל כָּל־הַבָּ֣א עָלֵ֑ינוּ כִּֽי־אֱמֶ֥ת לג
עָשִׂ֖יתָ וַאֲנַ֥חְנוּ הִרְשָֽׁעְנוּ׃ וְאֶת־מְלָכֵ֤ינוּ שָׂרֵ֙ינוּ֙ כֹּהֲנֵ֣ינוּ וַאֲבֹתֵ֔ינוּ לד
לֹ֥א עָשׂ֖וּ תּֽוֹרָתֶ֑ךָ וְלֹ֤א הִקְשִׁ֙יבוּ֙ אֶל־מִצְוֺתֶ֔יךָ וּלְעֵ֣דְוֺתֶ֔יךָ אֲשֶׁ֥ר
הַעִידֹ֖תָ בָּהֶֽם׃ וְהֵ֨ם בְּמַלְכוּתָ֜ם וּבְטוּבְךָ֨ הָרָ֜ב אֲשֶׁר־נָתַ֣תָּ לָהֶ֗ם לה
וּבְאֶ֧רֶץ הָרְחָבָ֛ה וְהַשְּׁמֵנָ֖ה אֲשֶׁר־נָתַ֣תָּ לִפְנֵיהֶ֑ם לֹ֣א עֲבָד֔וּךָ וְלֹא־
שָׁ֕בוּ מִמַּעַלְלֵיהֶ֖ם הָרָעִֽים׃ הִנֵּ֛ה אֲנַ֥חְנוּ הַיּ֖וֹם עֲבָדִ֑ים וְהָאָ֜רֶץ לו
אֲשֶׁר־נָתַ֣תָּה לַאֲבֹתֵ֗ינוּ לֶאֱכֹ֤ל אֶת־פִּרְיָהּ֙ וְאֶת־טוּבָ֔הּ הִנֵּ֛ה
אֲנַ֖חְנוּ עֲבָדִ֥ים עָלֶֽיהָ׃ וּתְבוּאָתָ֣הּ מַרְבָּ֗ה לַמְּלָכִ֛ים אֲשֶׁר־נָתַ֥תָּה לז
עָלֵ֖ינוּ בְּחַטֹּאותֵ֑ינוּ וְעַ֨ל גְּוִיֹּתֵ֜ינוּ מֹשְׁלִ֤ים וּבִבְהֶמְתֵּ֙נוּ֙ כִּרְצוֹנָ֔ם
וּבְצָרָ֥ה גְדוֹלָ֖ה אֲנָֽחְנוּ׃

וּבְכָל־זֹ֕את אֲנַ֛חְנוּ כֹּרְתִ֥ים אֲמָנָ֖ה וְכֹתְבִ֑ים וְעַל֙ הֶֽחָת֔וּם שָׂרֵ֥ינוּ י א
לְוִיֵּ֖נוּ כֹּהֲנֵֽינוּ׃ וְעַ֖ל הַחֲתוּמִ֑ים נְחֶמְיָ֧ה הַתִּרְשָׁ֛תָא בֶּן־חֲכַלְיָ֖ה ב
וְצִדְקִיָּֽה׃ שְׂרָיָ֥ה עֲזַרְיָ֖ה יִרְמְיָֽה׃ פַּשְׁח֥וּר אֲמַרְיָ֖ה מַלְכִּיָּֽה׃ חַטּ֥וּשׁ ג ד ה
שְׁבַנְיָ֖ה מַלּֽוּךְ׃ חָרִ֥ם מְרֵמ֖וֹת עֹבַדְיָֽה׃ דָּנִיֵּ֥אל גִּנְּת֖וֹן בָּרֽוּךְ׃ מְשֻׁלָּ֥ם ו ז ח
אֲבִיָּ֖ה מִיָּמִֽן׃ מַֽעַזְיָ֖ה בִלְגַּ֣י שְֽׁמַעְיָ֑ה אֵ֖לֶּה הַכֹּהֲנִֽים׃ וְהַלְוִיִּ֑ם וְיֵשׁ֙וּעַ֙ ט י
בֶּן־אֲזַנְיָ֔ה בִּנּ֕וּי מִבְּנֵ֥י חֵנָדָ֖ד קַדְמִיאֵֽל׃ וַאֲחֵיהֶ֕ם שְׁבַנְיָ֥ה הֽוֹדִיָּ֛ה יא
קְלִיטָ֥א פְּלָאיָ֖ה חָנָֽן׃ מִיכָ֥א רְח֖וֹב חֲשַׁבְיָֽה׃ זַכּ֥וּר שֵׁרֵֽבְיָ֖ה שְׁבַנְיָֽה׃ יב יג
הוֹדִיָּ֥ה בָנִ֖י בְּנִֽינוּ׃ רָאשֵׁ֖י הָעָ֑ם פַּרְעֹשׁ֙ פַּחַ֣ת מוֹאָ֔ב יד טו
עֵילָ֥ם זַתּ֖וּא בָּנִֽי׃ בֻּנִּ֥י עַזְגָּ֖ד בֵּבָֽי׃ אֲדֹנִיָּ֥ה בִגְוַ֖י עָדִֽין׃ אָטֵ֥ר חִזְקִיָּ֖ה טז יז יח
עַזּֽוּר׃ הוֹדִיָּ֥ה חָשֻׁ֖ם בֵּצָֽי׃ חָרִ֥יף עֲנָת֖וֹת נובי נֵיבָֽי׃ מַגְפִּיעָ֥שׁ מְשֻׁלָּ֖ם יט כ כא
חֵזִֽיר׃ מְשֵׁיזַבְאֵ֥ל צָד֖וֹק יַדּֽוּעַ׃ פְּלַטְיָ֥ה חָנָ֖ן עֲנָיָֽה׃ הוֹשֵׁ֥עַ חֲנַנְיָ֖ה כב כג כד
חַשּֽׁוּב׃ הַלּוֹחֵ֥שׁ פִּלְחָ֖א שׁוֹבֵֽק׃ רְח֥וּם חֲשַׁבְנָ֖ה מַעֲשֵׂיָֽה׃ וַאֲחִיָּ֥ה כה כו כז
חָנָ֖ן עָנָֽן׃ מַלּ֥וּךְ חָרִ֖ם בַּעֲנָֽה׃ וּשְׁאָ֣ר הָעָ֡ם הַכֹּהֲנִ֣ים הַ֠לְוִיִּם כח כט
הַשּׁוֹעֲרִ֨ים הַמְשֹׁרְרִ֜ים הַנְּתִינִ֗ים וְכָל־הַנִּבְדָּ֞ל מֵעַמֵּ֤י הָאֲרָצוֹת֙

אֶל־תּוֹרַת הָאֱלֹהִים נְשֵׁיהֶם בְּנֵיהֶם וּבְנֹתֵיהֶם כֹּל יוֹדֵעַ מֵבִין׃
ל מַחֲזִיקִים עַל־אֲחֵיהֶם אַדִּירֵיהֶם וּבָאִים בְּאָלָה וּבִשְׁבוּעָה לָלֶכֶת
בְּתוֹרַת הָאֱלֹהִים אֲשֶׁר נִתְּנָה בְּיַד מֹשֶׁה עֶבֶד־הָאֱלֹהִים וְלִשְׁמוֹר
לא וְלַעֲשׂוֹת אֶת־כׇּל־מִצְוֺת יְהוָה אֲדֹנֵינוּ וּמִשְׁפָּטָיו וְחֻקָּיו׃ וַאֲשֶׁר
לֹא־נִתֵּן בְּנֹתֵינוּ לְעַמֵּי הָאָרֶץ וְאֶת־בְּנֹתֵיהֶם לֹא נִקַּח לְבָנֵינוּ׃
לב וְעַמֵּי הָאָרֶץ הַמְבִיאִים אֶת־הַמַּקָּחוֹת וְכׇל־שֶׁבֶר בְּיוֹם הַשַּׁבָּת
לִמְכּוֹר לֹא־נִקַּח מֵהֶם בַּשַּׁבָּת וּבְיוֹם קֹדֶשׁ וְנִטֹּשׁ אֶת־הַשָּׁנָה
לג הַשְּׁבִיעִית וּמַשָּׁא כׇל־יָד׃ וְהֶעֱמַדְנוּ עָלֵינוּ מִצְוֺת לָתֵת עָלֵינוּ
לד שְׁלִשִׁית הַשֶּׁקֶל בַּשָּׁנָה לַעֲבֹדַת בֵּית אֱלֹהֵינוּ׃ לְלֶחֶם הַמַּעֲרֶכֶת
וּמִנְחַת הַתָּמִיד וּלְעוֹלַת הַתָּמִיד הַשַּׁבָּתוֹת הֶחֳדָשִׁים לַמּוֹעֲדִים
וְלַקֳּדָשִׁים וְלַחַטָּאוֹת לְכַפֵּר עַל־יִשְׂרָאֵל וְכֹל מְלֶאכֶת בֵּית־
לה אֱלֹהֵינוּ׃ וְהַגּוֹרָלוֹת הִפַּלְנוּ עַל־קֻרְבַּן הָעֵצִים הַכֹּהֲנִים
הַלְוִיִּם וְהָעָם לְהָבִיא לְבֵית אֱלֹהֵינוּ לְבֵית־אֲבֹתֵינוּ לְעִתִּים
מְזֻמָּנִים שָׁנָה בְשָׁנָה לְבַעֵר עַל־מִזְבַּח יְהוָה אֱלֹהֵינוּ כַּכָּתוּב
לו בַּתּוֹרָה׃ וּלְהָבִיא אֶת־בִּכּוּרֵי אַדְמָתֵנוּ וּבִכּוּרֵי כׇּל־פְּרִי כׇל־עֵץ
לז שָׁנָה בְשָׁנָה לְבֵית יְהוָה׃ וְאֶת־בְּכֹרוֹת בָּנֵינוּ וּבְהֶמְתֵּנוּ כַּכָּתוּב
בַּתּוֹרָה וְאֶת־בְּכוֹרֵי בְקָרֵינוּ וְצֹאנֵינוּ לְהָבִיא לְבֵית אֱלֹהֵינוּ
לח לַכֹּהֲנִים הַמְשָׁרְתִים בְּבֵית אֱלֹהֵינוּ׃ וְאֶת־רֵאשִׁית עֲרִיסֹתֵינוּ
וּתְרוּמֹתֵינוּ וּפְרִי כׇל־עֵץ תִּירוֹשׁ וְיִצְהָר נָבִיא לַכֹּהֲנִים אֶל־
לִשְׁכוֹת בֵּית־אֱלֹהֵינוּ וּמַעְשַׂר אַדְמָתֵנוּ לַלְוִיִּם וְהֵם הַלְוִיִּם
לט הַמְעַשְּׂרִים בְּכֹל עָרֵי עֲבֹדָתֵנוּ׃ וְהָיָה הַכֹּהֵן בֶּן־אַהֲרֹן עִם־הַלְוִיִּם
בַּעְשֵׂר הַלְוִיִּם וְהַלְוִיִּם יַעֲלוּ אֶת־מַעֲשַׂר הַמַּעֲשֵׂר לְבֵית אֱלֹהֵינוּ
מ אֶל־הַלְּשָׁכוֹת לְבֵית הָאוֹצָר׃ כִּי אֶל־הַלְּשָׁכוֹת יָבִיאוּ בְנֵי־יִשְׂרָאֵל
וּבְנֵי הַלֵּוִי אֶת־תְּרוּמַת הַדָּגָן הַתִּירוֹשׁ וְהַיִּצְהָר וְשָׁם כְּלֵי הַמִּקְדָּשׁ
וְהַכֹּהֲנִים הַמְשָׁרְתִים וְהַשּׁוֹעֲרִים וְהַמְשֹׁרְרִים וְלֹא נַעֲזֹב אֶת־

הִתְחַיְּבוּת לְקִיּוּם הַתּוֹרָה וְהַמִּצְווֹת: שְׁמִירָה עַל קְדוּשַּׁת הָעָם, וְהַשַּׁבָּת:

הִתְחַיְּבוּת לִדְאֹג לְצָרְכֵי בֵּית הַמִּקְדָּשׁ:

הִתְחַיְּבוּת לָתֵת מַתְּנוֹת כְּהֻנָּה:

הַגְדָּלַת הַיִּשּׁוּב בִּירוּשָׁלִָם:

יא א בֵּית אֱלֹהֵינוּ: וַיֵּשְׁבוּ שָׂרֵי־הָעָם בִּירוּשָׁלִָם וּשְׁאָר הָעָם הִפִּילוּ
גוֹרָלוֹת לְהָבִיא ׀ אֶחָד מִן־הָעֲשָׂרָה לָשֶׁבֶת בִּירוּשָׁלִַם עִיר
ב הַקֹּדֶשׁ וְתֵשַׁע הַיָּדוֹת בֶּעָרִים: וַיְבָרְכוּ הָעָם לְכֹל הָאֲנָשִׁים
הַמִּתְנַדְּבִים לָשֶׁבֶת בִּירוּשָׁלִָם:

הַיִּשּׁוּב מִבְּנֵי יְהוּדָה:

ג וְאֵלֶּה רָאשֵׁי הַמְּדִינָה אֲשֶׁר יָשְׁבוּ בִּירוּשָׁלִָם וּבְעָרֵי יְהוּדָה יָשְׁבוּ
אִישׁ בַּאֲחֻזָּתוֹ בְּעָרֵיהֶם יִשְׂרָאֵל הַכֹּהֲנִים וְהַלְוִיִּם וְהַנְּתִינִים וּבְנֵי
ד עַבְדֵי שְׁלֹמֹה: וּבִירוּשָׁלִַם יָשְׁבוּ מִבְּנֵי יְהוּדָה וּמִבְּנֵי בִנְיָמִן מִבְּנֵי
יְהוּדָה עֲתָיָה בֶּן־עֻזִּיָּה בֶּן־זְכַרְיָה בֶן־אֲמַרְיָה בֶן־שְׁפַטְיָה בֶן־
ה מַהֲלַלְאֵל מִבְּנֵי־פָרֶץ: וּמַעֲשֵׂיָה בֶן־בָּרוּךְ בֶּן־כָּל־חֹזֶה בֶּן־חֲזָיָה
ו בֶּן־עֲדָיָה בֶן־יוֹיָרִיב בֶּן־זְכַרְיָה בֶּן־הַשִּׁלֹנִי: כָּל־בְּנֵי־פֶרֶץ הַיֹּשְׁבִים
בִּירוּשָׁלִָם אַרְבַּע מֵאוֹת שִׁשִּׁים וּשְׁמֹנָה אַנְשֵׁי־חָיִל:

הַתּוֹשָׁבִים מִבְּנֵי בִנְיָמִן:

ז וְאֵלֶּה בְּנֵי בִנְיָמִן סַלֻּא בֶּן־מְשֻׁלָּם בֶּן־יוֹעֵד בֶּן־פְּדָיָה בֶּן־קוֹלָיָה
ח בֶּן־מַעֲשֵׂיָה בֶּן־אִיתִיאֵל בֶּן־יְשַׁעְיָה: וְאַחֲרָיו גַּבַּי סַלָּי תְּשַׁע
ט מֵאוֹת עֶשְׂרִים וּשְׁמֹנָה: וְיוֹאֵל בֶּן־זִכְרִי פָּקִיד עֲלֵיהֶם וִיהוּדָה
בֶן־הַסְּנוּאָה עַל־הָעִיר מִשְׁנֶה:

הַתּוֹשָׁבִים מֵהַכֹּהֲנִים:

י יא מִן־הַכֹּהֲנִים יְדַעְיָה בֶן־יוֹיָרִיב יָכִין: שְׂרָיָה בֶן־חִלְקִיָּה בֶּן־מְשֻׁלָּם
יב בֶּן־צָדוֹק בֶּן־מְרָיוֹת בֶּן־אֲחִיטוּב נְגִד בֵּית הָאֱלֹהִים: וַאֲחֵיהֶם
עֹשֵׂה הַמְּלָאכָה לַבַּיִת שְׁמֹנֶה מֵאוֹת עֶשְׂרִים וּשְׁנָיִם וַעֲדָיָה
בֶּן־יְרֹחָם בֶּן־פְּלַלְיָה בֶּן־אַמְצִי בֶן־זְכַרְיָה בֶּן־פַּשְׁחוּר בֶּן־
יג מַלְכִּיָּה: וְאֶחָיו רָאשִׁים לְאָבוֹת מָאתַיִם אַרְבָּעִים וּשְׁנָיִם
יד וַעֲמַשְׁסַי בֶּן־עֲזַרְאֵל בֶּן־אַחְזַי בֶּן־מְשִׁלֵּמוֹת בֶּן־אִמֵּר: וַאֲחֵיהֶם
גִּבֹּרֵי חַיִל מֵאָה עֶשְׂרִים וּשְׁמֹנָה וּפָקִיד עֲלֵיהֶם זַבְדִּיאֵל בֶּן־
טו הַגְּדוֹלִים: וּמִן־הַלְוִיִּם שְׁמַעְיָה בֶן־חַשּׁוּב בֶּן־עַזְרִיקָם

הַתּוֹשָׁבִים מֵהַלְוִיִּם וְהַשּׁוֹעֲרִים:

טז בֶּן־חֲשַׁבְיָה בֶּן־בּוּנִּי: וְשַׁבְּתַי וְיוֹזָבָד עַל־הַמְּלָאכָה הַחִיצֹנָה
יז לְבֵית הָאֱלֹהִים מֵרָאשֵׁי הַלְוִיִּם: וּמַתַּנְיָה בֶן־מִיכָא בֶּן־זַבְדִּי

בֶּן־אָסָף רֹאשׁ הַתְּחִלָּה יְהוֹדֶה לַתְּפִלָּה וּבַקְבֻּקְיָה מִשְׁנֶה מֵאֶחָיו

יח וְעֹבַדְיָה וּמְשֻׁלָּם טַלְמוֹן עַקּוּב שֹׁמְרִים שֹׁעֲרִים מִשְׁמָר בַּשְּׁעָרִים מֵאָה

יט וְהַשּׁוֹעֲרִים עַקּוּב טַלְמוֹן וַאֲחֵיהֶם הַשֹּׁמְרִים בַּשְּׁעָרִים מֵאָה

הַתּוֹשָׁבִים
מֵאֲשֶׁר
יִשְׂרָאֵל
וְהַנְּתִינִים:

כ שִׁבְעִים וּשְׁנָיִם: וּשְׁאָר יִשְׂרָאֵל הַכֹּהֲנִים הַלְוִיִּם בְּכָל־עָרֵי יְהוּדָה

כא אִישׁ בְּנַחֲלָתוֹ: וְהַנְּתִינִים יֹשְׁבִים בָּעֹפֶל וְצִיחָא וְגִשְׁפָּא עַל־הַנְּתִינִים:

הַלְוִים
הַיּוֹשְׁבִים
בִּירוּשָׁלִָם:

כב וּפְקִיד הַלְוִיִּם בִּירוּשָׁלִַם עֻזִּי בֶן־בָּנִי בֶּן־חֲשַׁבְיָה בֶּן־מַתַּנְיָה בֶּן־מִיכָא מִבְּנֵי אָסָף הַמְשֹׁרְרִים לְנֶגֶד מְלֶאכֶת בֵּית־הָאֱלֹהִים:

כג כִּי־מִצְוַת הַמֶּלֶךְ עֲלֵיהֶם וַאֲמָנָה עַל־הַמְשֹׁרְרִים דְּבַר־יוֹם בְּיוֹמוֹ:

כד וּפְתַחְיָה בֶּן־מְשֵׁיזַבְאֵל מִבְּנֵי־זֶרַח בֶּן־יְהוּדָה לְיַד הַמֶּלֶךְ לְכָל־דָּבָר לָעָם: וְאֶל־הַחֲצֵרִים בִּשְׂדֹתָם מִבְּנֵי יְהוּדָה יָשְׁבוּ בְּקִרְיַת

יֹשְׁבִים
בְּנֵי
יְהוּדָה
מִחוּץ
לִירוּשָׁלִָם:

כה הָאַרְבַּע וּבְנֹתֶיהָ וּבְדִיבֹן וּבְנֹתֶיהָ וּבִיקַבְצְאֵל וַחֲצֵרֶיהָ: וּבְיֵשׁוּעַ

כו וּבְמוֹלָדָה וּבְבֵית פָּלֶט: וּבַחֲצַר שׁוּעָל וּבִבְאֵר שֶׁבַע וּבְנֹתֶיהָ:

כז וּבְצִקְלַג וּבִמְכֹנָה וּבִבְנֹתֶיהָ: וּבְעֵין רִמּוֹן וּבְצָרְעָה וּבְיַרְמוּת: זָנֹחַ

כח עֲדֻלָּם וְחַצְרֵיהֶם לָכִישׁ וּשְׂדֹתֶיהָ עֲזֵקָה וּבְנֹתֶיהָ וַיַּחֲנוּ מִבְּאֵר־

כט שֶׁבַע עַד־גֵּיא־הִנֹּם: וּבְנֵי בִנְיָמִן מִגֶּבַע מִכְמָשׂ וְעַיָּה וּבֵית־אֵל

יֹשְׁבִים
בְּנֵי
בִנְיָמִין
מִחוּץ
לִירוּשָׁלִָם:

ל וּבְנֹתֶיהָ: עֲנָתוֹת נֹב עֲנָנְיָה: חָצוֹר רָמָה גִּתָּיִם: חָדִיד צְבֹעִים

לא נְבַלָּט: לֹד וְאוֹנוֹ גֵּי הַחֲרָשִׁים: וּמִן־הַלְוִיִּם מַחְלְקוֹת יְהוּדָה

לב לְבִנְיָמִין:

הַכֹּהֲנִים
וְהַלְוִים
שֶׁעָלוּ עִם
זְרֻבָּבֶל:

יב א וְאֵלֶּה הַכֹּהֲנִים וְהַלְוִיִּם אֲשֶׁר עָלוּ עִם־זְרֻבָּבֶל בֶּן־שְׁאַלְתִּיאֵל

ב וְיֵשׁוּעַ שְׂרָיָה יִרְמְיָה עֶזְרָא: אֲמַרְיָה מַלּוּךְ חַטּוּשׁ: שְׁכַנְיָה רְחֻם

ג מְרֵמֹת: עִדּוֹא גִנְּתוֹי אֲבִיָּה: מִיָּמִין מַעַדְיָה בִּלְגָּה: שְׁמַעְיָה

ד וְיוֹיָרִיב יְדַעְיָה: סַלּוּ עָמוֹק חִלְקִיָּה יְדַעְיָה אֵלֶּה רָאשֵׁי הַכֹּהֲנִים

ה וַאֲחֵיהֶם בִּימֵי יֵשׁוּעַ:

ח וְהַלְוִיִּם יֵשׁוּעַ בִּנּוּי קַדְמִיאֵל שֵׁרֵבְיָה יְהוּדָה מַתַּנְיָה עַל־הֻיְּדוֹת
ט הוּא וְאֶחָיו׃ וּבַקְבֻּקְיָה וענו וְעֻנִּי אֲחֵיהֶם לְנֶגְדָּם לְמִשְׁמָרוֹת׃

יִחוּס שֶׁל כֹּהֲנִים גְּדוֹלִים:

י וְיֵשׁוּעַ הוֹלִיד אֶת־יוֹיָקִים וְיוֹיָקִים הוֹלִיד אֶת־אֶלְיָשִׁיב וְאֶלְיָשִׁיב
יא אֶת־יוֹיָדָע׃ וְיוֹיָדָע הוֹלִיד אֶת־יוֹנָתָן וְיוֹנָתָן הוֹלִיד אֶת־יַדּוּעַ׃

רָאשֵׁי בֵּית אָב בִּימֵי יוֹיָקִים:

יב וּבִימֵי יוֹיָקִים הָיוּ כֹהֲנִים רָאשֵׁי הָאָבוֹת לִשְׂרָיָה מְרָיָה לְיִרְמְיָה
יג יד חֲנַנְיָה׃ לְעֶזְרָא מְשֻׁלָּם לַאֲמַרְיָה יְהוֹחָנָן׃ למלוכי לִמְלִיכוּ יוֹנָתָן
טו טז לִשְׁבַנְיָה יוֹסֵף׃ לְחָרִם עַדְנָא לִמְרָיוֹת חֶלְקָי׃ לעדיא לְעִדּוֹא זְכַרְיָה
יז יח לְגִנְּתוֹן מְשֻׁלָּם׃ לַאֲבִיָּה זִכְרִי לְמִנְיָמִין לְמוֹעַדְיָה פִּלְטָי׃ לְבִלְגָּה
יט כ שַׁמּוּעַ לִשְׁמַעְיָה יְהוֹנָתָן׃ וּלְיוֹיָרִיב מַתְּנַי לִידַעְיָה עֻזִּי׃ לְסַלַּי

הַלְוִיִּם בִּימֵי הַכֹּהֲנִים הַגְּדוֹלִים:

כא כב קַלָּי לְעָמוֹק עֵבֶר׃ לְחִלְקִיָּה חֲשַׁבְיָה לִידַעְיָה נְתַנְאֵל׃ הַלְוִיִּם
בִּימֵי אֶלְיָשִׁיב יוֹיָדָע וְיוֹחָנָן וְיַדּוּעַ כְּתוּבִים רָאשֵׁי אָבוֹת
וְהַכֹּהֲנִים עַל־מַלְכוּת דָּרְיָוֶשׁ הַפָּרְסִי׃

מִשְׁמְרוֹת הַלְוִיִּם מִיסוֹדוֹ שֶׁל דָּוִד:

כג בְּנֵי לֵוִי רָאשֵׁי הָאָבוֹת כְּתוּבִים עַל־סֵפֶר דִּבְרֵי הַיָּמִים וְעַד־יְמֵי
כד יוֹחָנָן בֶּן־אֶלְיָשִׁיב׃ וְרָאשֵׁי הַלְוִיִּם חֲשַׁבְיָה שֵׁרֵבְיָה וְיֵשׁוּעַ
בֶּן־קַדְמִיאֵל וַאֲחֵיהֶם לְנֶגְדָּם לְהַלֵּל לְהוֹדוֹת בְּמִצְוַת דָּוִיד

שְׁמוֹת הַשּׁוֹעֲרִים:

כה אִישׁ־הָאֱלֹהִים מִשְׁמָר לְעֻמַּת מִשְׁמָר׃ מַתַּנְיָה וּבַקְבֻּקְיָה עֹבַדְיָה
מְשֻׁלָּם טַלְמוֹן עַקּוּב שֹׁמְרִים שׁוֹעֲרִים מִשְׁמָר בַּאֲסֻפֵּי
כו הַשְּׁעָרִים׃ אֵלֶּה בִּימֵי יוֹיָקִים בֶּן־יֵשׁוּעַ בֶּן־יוֹצָדָק וּבִימֵי נְחֶמְיָה
הַפֶּחָה וְעֶזְרָא הַכֹּהֵן הַסּוֹפֵר׃

כִּנּוּס הַלְוִיִּם לַחֲנֻכַּת הַחוֹמָה:

כז וּבַחֲנֻכַּת חוֹמַת יְרוּשָׁלַםִ בִּקְשׁוּ אֶת־הַלְוִיִּם מִכָּל־מְקוֹמֹתָם
לַהֲבִיאָם לִירוּשָׁלָםִ לַעֲשֹׂת חֲנֻכָּה וְשִׂמְחָה וּבְתוֹדוֹת וּבְשִׁיר
כח מְצִלְתַּיִם נְבָלִים וּבְכִנֹּרוֹת׃ וַיֵּאָסְפוּ בְּנֵי הַמְשֹׁרְרִים וּמִן־הַכִּכָּר
כט סְבִיבוֹת יְרוּשָׁלַםִ וּמִן־חַצְרֵי נְטֹפָתִי׃ וּמִבֵּית הַגִּלְגָּל וּמִשְּׂדוֹת
גֶּבַע וְעַזְמָוֶת כִּי חֲצֵרִים בָּנוּ לָהֶם הַמְשֹׁרְרִים סְבִיבוֹת יְרוּשָׁלָםִ׃
ל וַיִּטַּהֲרוּ הַכֹּהֲנִים וְהַלְוִיִּם וַיְטַהֲרוּ אֶת־הָעָם וְאֶת־הַשְּׁעָרִים

לא וְאֶת־הַחוֹמָֽה׃ וָאַעֲלֶה֙ אֶת־שָׂרֵ֣י יְהוּדָ֔ה מֵעַ֖ל לַחוֹמָ֑ה וָאַעֲמִ֗ידָה
שְׁתֵּ֤י תוֹדֹת֙ גְּדוֹלֹ֔ת וְתַהֲלֻכֹ֥ת לַיָּמִ֖ין מֵעַ֣ל לַחוֹמָ֑ה לְשַׁ֖עַר
לב לג הָאַשְׁפֹּֽת׃ וַיֵּ֣לֶךְ אַחֲרֵיהֶ֗ם הוֹשַׁ֣עְיָ֔ה וַחֲצִ֖י שָׂרֵ֥י יְהוּדָֽה׃ וַעֲזַרְיָ֛ה
לד עֶזְרָ֥א וּמְשֻׁלָּֽם׃ יְהוּדָה֙ וּבִנְיָמִ֔ן וּֽשְׁמַעְיָ֖ה וְיִרְמְיָֽה׃
לה וּמִבְּנֵ֥י הַכֹּהֲנִ֖ים בַּחֲצֹצְר֑וֹת זְכַרְיָ֣ה בֶן־יוֹנָתָ֡ן בֶּן־שְׁמַעְיָ֡ה בֶּן־
לו מַתַּנְיָה֩ בֶּן־מִ֨יכָיָ֜ה בֶּן־זַכּ֗וּר בֶּן־אָסָֽף׃ וְ֠אֶחָיו שְֽׁמַעְיָ֨ה וַעֲזַרְאֵ֜ל
מִֽלֲלַ֨י גִּֽלֲלַ֜י מָעַ֗י נְתַנְאֵ֤ל וִֽיהוּדָה֙ חֲנָ֔נִי בִּכְלֵי־שִׁ֖יר דָּוִ֣יד אִ֣ישׁ
לז הָאֱלֹהִ֑ים וְעֶזְרָ֥א הַסּוֹפֵ֖ר לִפְנֵיהֶֽם׃ וְעַל֩ שַׁ֨עַר הָעַ֜יִן וְנֶגְדָּ֗ם עָל֞וּ
עַל־מַֽעֲלוֹת֙ עִ֣יר דָּוִ֔יד בַּֽמַּעֲלֶ֖ה לַחוֹמָ֑ה מֵעַל֙ לְבֵ֣ית דָּוִ֔יד וְעַ֛ד
לח שַׁ֥עַר הַמַּ֖יִם מִזְרָֽח׃ וְהַתּוֹדָ֥ה הַשֵּׁנִ֛ית הַהוֹלֶ֥כֶת לְמ֖וֹאל וַאֲנִ֣י
אַחֲרֶ֑יהָ וַחֲצִ֣י הָעָ֗ם מֵעַ֤ל לְהַֽחוֹמָה֙ מֵעַל֙ לְמִגְדַּ֣ל הַתַּנּוּרִ֔ים וְעַ֖ד
לט הַחוֹמָ֥ה הָרְחָבָֽה׃ וּמֵעַ֣ל לְשַֽׁעַר־֠אֶפְרַיִם וְעַל־֨שַׁ֤עַר הַיְשָׁנָה֙ וְעַל־
שַׁ֣עַר הַדָּגִ֗ים וּמִגְדַּ֤ל חֲנַנְאֵל֙ וּמִגְדַּ֣ל הַמֵּאָ֔ה וְעַ֖ד שַׁ֣עַר הַצֹּ֑אן
מ וְעָ֣מְד֔וּ בְּשַׁ֖עַר הַמַּטָּרָֽה׃ וַֽתַּעֲמֹ֛דְנָה שְׁתֵּ֥י הַתּוֹדֹ֖ת בְּבֵ֣ית הָאֱלֹהִ֑ים
מא וַאֲנִ֕י וַחֲצִ֥י הַסְּגָנִ֖ים עִמִּֽי׃ וְהַכֹּהֲנִ֡ים אֶלְיָקִים֩ מַעֲשֵׂיָ֨ה מִנְיָמִ֜ין
מב מִיכָיָ֨ה אֶלְיוֹעֵינַ֧י זְכַרְיָ֛ה חֲנַנְיָ֖ה בַּחֲצֹצְרֽוֹת׃ וּמַעֲשֵׂיָ֣ה וּֽשְׁמַעְיָ֗ה
וְאֶלְעָזָ֤ר וְעֻזִּי֙ וִיהוֹחָנָ֔ן וּמַלְכִּיָּ֖ה וְעֵילָ֣ם וָעָ֑זֶר וַיַּשְׁמִ֙יעוּ֙ הַמְשֹׁ֣רְרִ֔ים
מג וְיִֽזְרַחְיָ֖ה הַפָּקִֽיד׃ וַיִּזְבְּח֣וּ בַיּוֹם־֠הַהוּא זְבָחִ֨ים גְּדוֹלִ֜ים וַיִּשְׂמָ֗חוּ כִּ֣י
הָאֱלֹהִים֮ שִׂמְּחָם֮ שִׂמְחָ֣ה גְדוֹלָ֒ה וְגַ֧ם הַנָּשִׁ֛ים וְהַיְלָדִ֖ים שָׂמֵ֑חוּ
מד וַתִּשָּׁמַ֛ע שִׂמְחַ֥ת יְרוּשָׁלַ֖͏ִם מֵרָחֽוֹק׃ וַיִּפָּקְד֣וּ בַיּוֹם֩ הַה֨וּא אֲנָשִׁ֜ים
עַל־הַנְּשָׁכ֣וֹת לָאוֹצָר֗וֹת לַתְּרוּמוֹת֮ לָרֵאשִׁ֣ית וְלַֽמַּעַשְׂרוֹת֒ לִכְנ֨וֹס
בָּהֶ֜ם לִשְׂדֵ֣י הֶעָרִ֗ים מְנָא֤וֹת הַתּוֹרָה֙ לַכֹּהֲנִ֣ים וְלַלְוִיִּ֔ם כִּ֚י שִׂמְחַ֣ת
מה יְהוּדָ֔ה עַל־הַכֹּהֲנִ֥ים וְעַל־הַלְוִיִּ֖ם הָעֹמְדִֽים׃ וַיִּשְׁמְר֞וּ מִשְׁמֶ֤רֶת
אֱלֹֽהֵיהֶם֙ וּמִשְׁמֶ֣רֶת הַטָּהֳרָ֔ה וְהַמְשֹׁרְרִ֖ים וְהַשֹּׁעֲרִ֑ים כְּמִצְוַ֥ת דָּוִ֖יד
מו שְׁלֹמֹ֥ה בְנֽוֹ׃ כִּֽי־בִימֵ֥י דָוִ֛יד וְאָסָ֖ף מִקֶּ֑דֶם ראש רָאשֵׁ֣י הַמְשֹׁרְרִ֔ים

תַּהֲלוּכַת הַתּוֹדָה לְקַדֵּשׁ אֶת הָעִיר:

שְׁמוֹת הַכֹּהֲנִים וּמַעֲמָדָם בַּחֲנֻכַּת חוֹמַת יְרוּשָׁלַיִם:

הַתַּהֲלוּכָה הַהוֹלֶכֶת מִשְּׂמֹאל הַחוֹמָה:

הַתּוֹדוֹת בַּמִּקְדָּשׁ וְשִׂמְחַת הָעָם:

סִדּוּר מַתְּנוֹת כְּהֻנָּה וּלְוִיָּה:

מו וְשִׁיר־תְּהִלָּה וְהֹדוֹת לֵאלֹהִים׃ וְכָל־יִשְׂרָאֵל בִּימֵי זְרֻבָּבֶל וּבִימֵי
נְחֶמְיָה נֹתְנִים מְנָיוֹת הַמְשֹׁרְרִים וְהַשֹּׁעֲרִים דְּבַר־יוֹם בְּיוֹמוֹ
וּמַקְדִּשִׁים לַלְוִיִּם וְהַלְוִיִּם מַקְדִּשִׁים לִבְנֵי אַהֲרֹן׃

הַבְדָּלַת תַּעֲרֹבֶת הַגּוֹיִם מִיִּשְׂרָאֵל:

יג א בַּיּוֹם הַהוּא נִקְרָא בְּסֵפֶר מֹשֶׁה בְּאָזְנֵי הָעָם וְנִמְצָא כָּתוּב בּוֹ
ב אֲשֶׁר לֹא־יָבוֹא עַמֹּנִי וּמֹאָבִי בִּקְהַל הָאֱלֹהִים עַד־עוֹלָם׃ כִּי לֹא
קִדְּמוּ אֶת־בְּנֵי יִשְׂרָאֵל בַּלֶּחֶם וּבַמָּיִם וַיִּשְׂכֹּר עָלָיו אֶת־בִּלְעָם
ג לְקַלְלוֹ וַיַּהֲפֹךְ אֱלֹהֵינוּ הַקְּלָלָה לִבְרָכָה׃ וַיְהִי כְּשָׁמְעָם אֶת־הַתּוֹרָה

מַעֲשֵׂה אֶלְיָשִׁיב בְּהֶעְדֵּרוֹ שֶׁל נְחֶמְיָה:

ד וַיַּבְדִּילוּ כָל־עֵרֶב מִיִּשְׂרָאֵל׃ וְלִפְנֵי מִזֶּה אֶלְיָשִׁיב הַכֹּהֵן נָתוּן
ה בְּלִשְׁכַּת בֵּית־אֱלֹהֵינוּ קָרוֹב לְטוֹבִיָּה׃ וַיַּעַשׂ לוֹ לִשְׁכָּה גְדוֹלָה
וְשָׁם הָיוּ לְפָנִים נֹתְנִים אֶת־הַמִּנְחָה הַלְּבוֹנָה וְהַכֵּלִים וּמַעְשַׂר
הַדָּגָן הַתִּירוֹשׁ וְהַיִּצְהָר מִצְוַת הַלְוִיִּם וְהַמְשֹׁרְרִים וְהַשֹּׁעֲרִים

[3438]

ו וּתְרוּמַת הַכֹּהֲנִים׃ וּבְכָל־זֶה לֹא הָיִיתִי בִּירוּשָׁלִָם כִּי בִּשְׁנַת
שְׁלֹשִׁים וּשְׁתַּיִם לְאַרְתַּחְשַׁסְתְּא מֶלֶךְ־בָּבֶל בָּאתִי אֶל־הַמֶּלֶךְ

תְּגוּבַת נְחֶמְיָה הַשְׁלָכַת כְּלֵי טוֹבִיָּה:

ז וּלְקֵץ יָמִים נִשְׁאַלְתִּי מִן־הַמֶּלֶךְ׃ וָאָבוֹא לִירוּשָׁלִָם וָאָבִינָה בָרָעָה
אֲשֶׁר עָשָׂה אֶלְיָשִׁיב לְטוֹבִיָּה לַעֲשׂוֹת לוֹ נִשְׁכָּה בְּחַצְרֵי בֵּית
ח הָאֱלֹהִים׃ וַיֵּרַע לִי מְאֹד וָאַשְׁלִיכָה אֶת־כָּל־כְּלֵי בֵית־טוֹבִיָּה
ט הַחוּץ מִן־הַלִּשְׁכָּה׃ וָאֹמְרָה וַיְטַהֲרוּ הַלְּשָׁכוֹת וָאָשִׁיבָה שָּׁם כְּלֵי
בֵּית הָאֱלֹהִים אֶת־הַמִּנְחָה וְהַלְּבוֹנָה׃

הַחְזָרַת הַלְוִיִּם וְסִפּוּק מִחְיָתָם:

י וָאֵדְעָה כִּי־מְנָיוֹת הַלְוִיִּם לֹא נִתָּנָה וַיִּבְרְחוּ אִישׁ־לְשָׂדֵהוּ הַלְוִיִּם
יא וְהַמְשֹׁרְרִים עֹשֵׂי הַמְּלָאכָה׃ וָאָרִיבָה אֶת־הַסְּגָנִים וָאֹמְרָה מַדּוּעַ
יב נֶעֱזַב בֵּית־הָאֱלֹהִים וָאֶקְבְּצֵם וָאַעֲמִדֵם עַל־עָמְדָם׃ וְכָל־יְהוּדָה
יג הֵבִיאוּ מַעְשַׂר הַדָּגָן וְהַתִּירוֹשׁ וְהַיִּצְהָר לָאוֹצָרוֹת׃ וָאוֹצְרָה
עַל־אוֹצָרוֹת שֶׁלֶמְיָה הַכֹּהֵן וְצָדוֹק הַסּוֹפֵר וּפְדָיָה מִן־הַלְוִיִּם
וְעַל־יָדָם חָנָן בֶּן־זַכּוּר בֶּן־מַתַּנְיָה כִּי נֶאֱמָנִים נֶחְשָׁבוּ וַעֲלֵיהֶם
לַחֲלֹק לַאֲחֵיהֶם׃

יד זָכְרָה־לִּי אֱלֹהַי עַל־זֹאת וְאַל־תֶּמַח חֲסָדַי אֲשֶׁר עָשִׂיתִי בְּבֵית
טו אֱלֹהַי וּבְמִשְׁמָרָיו׃ בַּיָּמִים הָהֵמָּה רָאִיתִי בִיהוּדָה ׀ דֹּרְכִים־ חִלּוּל הַשַּׁבָּת, וּמְנִיעָתוֹ עַל יְדֵי נְחֶמְיָה׃
גִּתּוֹת ׀ בַּשַּׁבָּת וּמְבִיאִים הָעֲרֵמוֹת וְעֹמְסִים עַל־הַחֲמֹרִים וְאַף־
יַיִן עֲנָבִים וּתְאֵנִים וְכָל־מַשָּׂא וּמְבִיאִים יְרוּשָׁלִַם בְּיוֹם הַשַּׁבָּת
טז וָאָעִיד בְּיוֹם מִכְרָם צָיִד׃ וְהַצֹּרִים יָשְׁבוּ בָהּ מְבִיאִים דָּאג
יז וְכָל־מֶכֶר וּמֹכְרִים בַּשַּׁבָּת לִבְנֵי יְהוּדָה וּבִירוּשָׁלִָם׃ וָאָרִיבָה אֵת
חֹרֵי יְהוּדָה וָאֹמְרָה לָהֶם מָה־הַדָּבָר הָרָע הַזֶּה אֲשֶׁר אַתֶּם עֹשִׂים
יח וּמְחַלְּלִים אֶת־יוֹם הַשַּׁבָּת׃ הֲלוֹא כֹה עָשׂוּ אֲבֹתֵיכֶם וַיָּבֵא אֱלֹהֵינוּ
עָלֵינוּ אֵת כָּל־הָרָעָה הַזֹּאת וְעַל הָעִיר הַזֹּאת וְאַתֶּם מוֹסִיפִים
חָרוֹן עַל־יִשְׂרָאֵל לְחַלֵּל אֶת־הַשַּׁבָּת׃
יט וַיְהִי כַּאֲשֶׁר צָלֲלוּ שַׁעֲרֵי יְרוּשָׁלִַם לִפְנֵי הַשַּׁבָּת וָאֹמְרָה וַיִּסָּגְרוּ סְגִירַת שַׁעֲרֵי יְרוּשָׁלִַם בְּשַׁבָּתוֹת וְהַרְחָקַת הָרֹכְלִים׃
הַדְּלָתוֹת וָאֹמְרָה אֲשֶׁר לֹא יִפְתָּחוּם עַד אַחַר הַשַּׁבָּת וּמִנְּעָרַי
כ הֶעֱמַדְתִּי עַל־הַשְּׁעָרִים לֹא־יָבוֹא מַשָּׂא בְּיוֹם הַשַּׁבָּת׃ וַיָּלִינוּ
הָרֹכְלִים וּמֹכְרֵי כָל־מִמְכָּר מִחוּץ לִירוּשָׁלִָם פַּעַם וּשְׁתָּיִם׃
כא וָאָעִידָה בָהֶם וָאֹמְרָה אֲלֵיהֶם מַדּוּעַ אַתֶּם לֵנִים נֶגֶד הַחוֹמָה
אִם־תִּשְׁנוּ יָד אֶשְׁלַח בָּכֶם מִן־הָעֵת הַהִיא לֹא־בָאוּ בַּשַּׁבָּת׃
כב וָאֹמְרָה לַלְוִיִּם אֲשֶׁר יִהְיוּ מִטַּהֲרִים וּבָאִים שֹׁמְרִים הַשְּׁעָרִים
לְקַדֵּשׁ אֶת־יוֹם הַשַּׁבָּת גַּם־זֹאת זָכְרָה־לִּי אֱלֹהַי וְחוּסָה עָלַי
כְּרֹב חַסְדֶּךָ׃
כג גַּם ׀ בַּיָּמִים הָהֵם רָאִיתִי אֶת־הַיְּהוּדִים הֹשִׁיבוּ נָשִׁים אשדודיות פְּעֻלּוֹת נֶגֶד נִשּׂוּאֵי תַעֲרֹבֶת׃
כד עמוניות אַשְׁדֳּדִיּוֹת עַמֳּנִיּוֹת מוֹאֲבִיּוֹת׃ וּבְנֵיהֶם חֲצִי מְדַבֵּר
אַשְׁדּוֹדִית וְאֵינָם מַכִּירִים לְדַבֵּר יְהוּדִית וְכִלְשׁוֹן עַם וָעָם׃
כה וָאָרִיב עִמָּם וָאֲקַלְלֵם וָאַכֶּה מֵהֶם אֲנָשִׁים וָאֶמְרְטֵם וָאַשְׁבִּיעֵם
בֵּאלֹהִים אִם־תִּתְּנוּ בְנֹתֵיכֶם לִבְנֵיהֶם וְאִם־תִּשְׂאוּ מִבְּנֹתֵיהֶם
כו לִבְנֵיכֶם וְלָכֶם׃ הֲלוֹא עַל־אֵלֶּה חָטָא־שְׁלֹמֹה מֶלֶךְ יִשְׂרָאֵל וּבַגּוֹיִם

הָֽרַבִּ֗ים לֹא־הָיָ֨ה מֶ֤לֶךְ כָּמֹ֙הוּ֙ וְאָה֤וּב לֵֽאלֹהָיו֙ הָיָ֔ה וַֽיִּתְּנֵ֣הוּ אֱלֹהִ֔ים
מֶ֖לֶךְ עַל־כָּל־יִשְׂרָאֵ֑ל גַּם־אוֹת֣וֹ הֶחֱטִ֔יאוּ הַנָּשִׁ֖ים הַנָּכְרִיּֽוֹת׃ וְלָכֶ֣ם כז
הֲנִשְׁמַ֗ע לַעֲשֹׂ֙ת אֵ֣ת כָּל־הָרָעָ֤ה הַגְּדוֹלָה֙ הַזֹּ֔את לִמְעֹ֖ל בֵּֽאלֹהֵ֑ינוּ
לְהֹשִׁ֖יב נָשִׁ֥ים נָכְרִיּֽוֹת׃ וּמִבְּנֵ֞י יוֹיָדָ֤ע בֶּן־אֶלְיָשִׁיב֙ הַכֹּהֵ֣ן הַגָּד֔וֹל כח
חָתָ֖ן לְסַנְבַלַּ֣ט הַחֹרֹנִ֑י וָאַבְרִיחֵ֖הוּ מֵעָלָֽי׃ זָכְרָ֥ה לָהֶ֖ם אֱלֹהָ֑י עַ֚ל כט
גָּאֳלֵ֣י הַכְּהֻנָּ֔ה וּבְרִ֥ית הַכְּהֻנָּ֖ה וְהַלְוִיִּֽם׃ וְטִהַרְתִּ֖ים מִכָּל־נֵכָ֑ר ל
וָאַעֲמִ֧ידָה מִשְׁמָר֛וֹת לַכֹּהֲנִ֥ים וְלַלְוִיִּ֖ם אִ֥ישׁ בִּמְלַאכְתּֽוֹ׃ וּלְקֻרְבַּ֨ן לא
הָעֵצִ֜ים בְּעִתִּ֤ים מְזֻמָּנוֹת֙ וְלַבִּכּוּרִ֔ים זָכְרָה־לִּ֥י אֱלֹהַ֖י לְטוֹבָֽה׃

טהור הכהנים והלוים ומשמרותם:

בין השנים
0-3390

דברי הימים

א

אָדָם שֵׁת אֱנוֹשׁ: קֵינָן מַהֲלַלְאֵל יָרֶד: חֲנוֹךְ מְתוּשֶׁלַח לֶמֶךְ:   י' דֹּרוֹת מֵאָדָם וְעַד נֹחַ:

ה נֹחַ שֵׁם חָם וָיָפֶת: בְּנֵי יֶפֶת גֹּמֶר וּמָגוֹג וּמָדַי וְיָוָן וְתֻבָל   בְּנֵי יֶפֶת:

ו וּמֶשֶׁךְ וְתִירָס: וּבְנֵי גֹּמֶר אַשְׁכְּנַז וְדִיפַת

ז וְתוֹגַרְמָה: וּבְנֵי יָוָן אֱלִישָׁה וְתַרְשִׁישָׁה כִּתִּים

ח וְרוֹדָנִים: בְּנֵי חָם כּוּשׁ וּמִצְרַיִם פּוּט וּכְנָעַן: וּבְנֵי כוּשׁ   בְּנֵי חָם:

סְבָא וַחֲוִילָה וְסַבְתָּא וְרַעְמָא וְסַבְתְּכָא וּבְנֵי רַעְמָא שְׁבָא

י וּדְדָן: וְכוּשׁ יָלַד אֶת־נִמְרוֹד הוּא הֵחֵל לִהְיוֹת גִּבּוֹר

יא בָּאָרֶץ: וּמִצְרַיִם יָלַד אֶת־לוּדִים וְאֶת־עֲנָמִים

יב וְאֶת־לְהָבִים וְאֶת־נַפְתֻּחִים: וְאֶת־פַּתְרֻסִים וְאֶת־כַּסְלֻחִים אֲשֶׁר

יג יָצְאוּ מִשָּׁם פְּלִשְׁתִּים וְאֶת־כַּפְתֹּרִים: וּכְנַעַן יָלַד אֶת־

יד צִידוֹן בְּכֹרוֹ וְאֶת־חֵת: וְאֶת־הַיְבוּסִי וְאֶת־הָאֱמֹרִי וְאֵת הַגִּרְגָּשִׁי:

טו וְאֶת־הַחִוִּי וְאֶת־הָעַרְקִי וְאֶת־הַסִּינִי: וְאֶת־הָאַרְוָדִי וְאֶת־הַצְּמָרִי

טז וְאֶת־הַחֲמָתִי: בְּנֵי שֵׁם עֵילָם וְאַשּׁוּר וְאַרְפַּכְשַׁד וְלוּד   בְּנֵי שֵׁם עַד אַבְרָהָם:

יז וַאֲרָם וְעוּץ וְחוּל וְגֶתֶר וָמֶשֶׁךְ:   וְאַרְפַּכְשַׁד יָלַד אֶת־

יח שָׁלַח וְשֶׁלַח יָלַד אֶת־עֵבֶר: וּלְעֵבֶר יֻלַּד שְׁנֵי בָנִים שֵׁם הָאֶחָד פֶּלֶג

כ כִּי בְיָמָיו נִפְלְגָה הָאָרֶץ וְשֵׁם אָחִיו יָקְטָן: וְיָקְטָן יָלַד אֶת־אַלְמוֹדָד

כא וְאֶת־שָׁלֶף וְאֶת־חֲצַרְמָוֶת וְאֶת־יָרַח: וְאֶת־הֲדוֹרָם וְאֶת־אוּזָל

כב וְאֶת־דִּקְלָה: וְאֶת־עֵיבָל וְאֶת־אֲבִימָאֵל וְאֶת־שְׁבָא: וְאֶת־אוֹפִיר

כד וְאֶת־חֲוִילָה וְאֶת־יוֹבָב כָּל־אֵלֶּה בְּנֵי יָקְטָן: שֵׁם |

כה אַרְפַּכְשַׁד שָׁלַח: עֵבֶר פֶּלֶג רְעוּ: שְׂרוּג נָחוֹר תָּרַח: אַבְרָם הוּא

כו

כז אַבְרָהָם: בְּנֵי אַבְרָהָם יִצְחָק   בְּנֵי אַבְרָהָם: בְּנֵי יִשְׁמָעֵאל:

כט וְיִשְׁמָעֵאל: אֵלֶּה תֹּלְדוֹתָם בְּכוֹר יִשְׁמָעֵאל נְבָיוֹת

לא וְקֵדָר וְאַדְבְּאֵל וּמִבְשָׂם: מִשְׁמָע וְדוּמָה מַשָּׂא חֲדַד וְתֵימָא: יְטוּר

לב נָפִישׁ וָקֵדְמָה אֵלֶּה הֵם בְּנֵי יִשְׁמָעֵאל׃ וּבְנֵי קְטוּרָה בְּנֵי קְטוּרָה:
פִּילֶגֶשׁ אַבְרָהָם יָלְדָה אֶת־זִמְרָן וְיָקְשָׁן וּמְדָן וּמִדְיָן וְיִשְׁבָּק
לג וְשׁוּחַ וּבְנֵי יָקְשָׁן שְׁבָא וּדְדָן׃ וּבְנֵי מִדְיָן עֵיפָה וָעֵפֶר
לד וַחֲנוֹךְ וַאֲבִידָע וְאֶלְדָּעָה כָּל־אֵלֶּה בְּנֵי קְטוּרָה׃ וַיּוֹלֶד
לה אַבְרָהָם אֶת־יִצְחָק בְּנֵי יִצְחָק עֵשָׂו וְיִשְׂרָאֵל׃ בְּנֵי עֵשָׂו בְּנֵי עֵשָׂו:
לו אֱלִיפַז רְעוּאֵל וִיעוּשׁ וְיַעְלָם וְקֹרַח׃ בְּנֵי אֱלִיפַז תֵּימָן
לז וְאוֹמָר צְפִי וְגַעְתָּם קְנַז וְתִמְנָע וַעֲמָלֵק׃ בְּנֵי רְעוּאֵל
לח נַחַת זֶרַח שַׁמָּה וּמִזָּה׃ וּבְנֵי שֵׂעִיר לוֹטָן וְשׁוֹבָל וְצִבְעוֹן בְּנֵי שֵׂעִיר:
לט וַעֲנָה וְדִישֹׁן וְאֵצֶר וְדִישָׁן׃ וּבְנֵי לוֹטָן חֹרִי וְהוֹמָם
מ וַאֲחוֹת לוֹטָן תִּמְנָע׃ בְּנֵי שׁוֹבָל עַלְיָן וּמָנַחַת וְעֵיבָל
מא שְׁפִי וְאוֹנָם וּבְנֵי צִבְעוֹן אַיָּה וַעֲנָה׃ בְּנֵי עֲנָה דִּישׁוֹן
מב וּבְנֵי דִישׁוֹן חַמְרָן וְאֶשְׁבָּן וְיִתְרָן וּכְרָן׃ בְּנֵי־אֵצֶר בִּלְהָן וְזַעֲוָן
יַעֲקָן בְּנֵי דִישׁוֹן עוּץ וַאֲרָן׃
מג וְאֵלֶּה הַמְּלָכִים אֲשֶׁר מָלְכוּ בְּאֶרֶץ אֱדוֹם לִפְנֵי מְלָךְ־מֶלֶךְ לִבְנֵי מַלְכֵי אֱדוֹם:
מד יִשְׂרָאֵל בֶּלַע בֶּן־בְּעוֹר וְשֵׁם עִירוֹ דִּנְהָבָה׃ וַיָּמָת בָּלַע וַיִּמְלֹךְ
מה תַּחְתָּיו יוֹבָב בֶּן־זֶרַח מִבָּצְרָה׃ וַיָּמָת יוֹבָב וַיִּמְלֹךְ תַּחְתָּיו חוּשָׁם
מו מֵאֶרֶץ הַתֵּימָנִי׃ וַיָּמָת חוּשָׁם וַיִּמְלֹךְ תַּחְתָּיו הֲדַד בֶּן־בְּדַד הַמַּכֶּה
מז אֶת־מִדְיָן בִּשְׂדֵה מוֹאָב וְשֵׁם עִירוֹ עיות עֲוִית׃ וַיָּמָת הֲדָד וַיִּמְלֹךְ
מח תַּחְתָּיו שַׂמְלָה מִמַּשְׂרֵקָה׃ וַיָּמָת שַׂמְלָה וַיִּמְלֹךְ תַּחְתָּיו שָׁאוּל
מט מֵרְחֹבוֹת הַנָּהָר׃ וַיָּמָת שָׁאוּל וַיִּמְלֹךְ תַּחְתָּיו בַּעַל חָנָן בֶּן־עַכְבּוֹר׃
נ וַיָּמָת בַּעַל חָנָן וַיִּמְלֹךְ תַּחְתָּיו הֲדַד וְשֵׁם עִירוֹ פָּעִי וְשֵׁם אִשְׁתּוֹ
נא מְהֵיטַבְאֵל בַּת־מַטְרֵד בַּת מֵי זָהָב׃ וַיָּמָת הֲדָד אַלּוּפֵי אֱדוֹם:
וַיִּהְיוּ אַלּוּפֵי אֱדוֹם אַלּוּף תִּמְנָע אַלּוּף עליה עַלְוָה אַלּוּף
נב נג יְתֵת׃ אַלּוּף אָהֳלִיבָמָה אַלּוּף אֵלָה אַלּוּף פִּינֹן׃ אַלּוּף קְנַז אַלּוּף
נד תֵּימָן אַלּוּף מִבְצָר׃ אַלּוּף מַגְדִּיאֵל אַלּוּף עִירָם אֵלֶּה אַלּוּפֵי

אֱדוֹם׃

ב א אֵלֶּה בְּנֵי יִשְׂרָאֵל רְאוּבֵן שִׁמְעוֹן לֵוִי וִיהוּדָה יִשָּׂשכָר וּזְבֻלוּן׃ בְּנֵי יַעֲקֹב:
ב דָּן יוֹסֵף וּבִנְיָמִן נַפְתָּלִי גָּד וְאָשֵׁר׃
ג בְּנֵי יְהוּדָה עֵר וְאוֹנָן וְשֵׁלָה שְׁלוֹשָׁה נוֹלַד לוֹ מִבַּת־שׁוּעַ תּוֹלְדוֹת שֵׁבֶט
הַכְּנַעֲנִית וַיְהִי עֵר ׀ בְּכוֹר יְהוּדָה רַע בְּעֵינֵי יְהוָה יְהוּדָה:
ד וַיְמִיתֵהוּ׃ וְתָמָר כַּלָּתוֹ יָלְדָה לּוֹ אֶת־פֶּרֶץ וְאֶת־זָרַח
ה כָּל־בְּנֵי יְהוּדָה חֲמִשָּׁה׃ בְּנֵי־פֶרֶץ חֶצְרוֹן
ו וְחָמוּל׃ וּבְנֵי זֶרַח זִמְרִי וְאֵיתָן וְהֵימָן וְכַלְכֹּל וָדָרַע
ז כֻּלָּם חֲמִשָּׁה׃ וּבְנֵי כַּרְמִי עָכָר עוֹכֵר יִשְׂרָאֵל אֲשֶׁר
ח ט מָעַל בַּחֵרֶם׃ וּבְנֵי אֵיתָן עֲזַרְיָה׃ וּבְנֵי חֶצְרוֹן יִחוּסוֹ שֶׁל
י אֲשֶׁר נוֹלַד־לוֹ אֶת־יְרַחְמְאֵל וְאֶת־רָם וְאֶת־כְּלוּבָי׃ וְרָם הוֹלִיד דָּוִד:
אֶת־עַמִּינָדָב וְעַמִּינָדָב הוֹלִיד אֶת־נַחְשׁוֹן נְשִׂיא בְּנֵי יְהוּדָה׃
יא יב וְנַחְשׁוֹן הוֹלִיד אֶת־שַׂלְמָא וְשַׂלְמָא הוֹלִיד אֶת־בֹּעַז׃ וּבֹעַז
יג הוֹלִיד אֶת־עוֹבֵד וְעוֹבֵד הוֹלִיד אֶת־יִשָׁי׃ וְאִישַׁי הוֹלִיד אֶת בְּכֹרוֹ
יד אֶת־אֱלִיאָב וַאֲבִינָדָב הַשֵּׁנִי וְשִׁמְעָא הַשְּׁלִשִׁי׃ נְתַנְאֵל הָרְבִיעִי
טו טז רַדַּי הַחֲמִישִׁי׃ אֹצֶם הַשִּׁשִּׁי דָּוִיד הַשְּׁבִעִי׃ וְאַחְיֹתֵיהֶם צְרוּיָה
יז וַאֲבִיגָיִל וּבְנֵי צְרוּיָה אַבְשַׁי וְיוֹאָב וַעֲשָׂהאֵל שְׁלֹשָׁה׃ וַאֲבִיגַיִל
יח יָלְדָה אֶת־עֲמָשָׂא וַאֲבִי עֲמָשָׂא יֶתֶר הַיִּשְׁמְעֵאלִי׃ וְכָלֵב בֶּן־ תּוֹלְדוֹת כָּלֵב
חֶצְרוֹן הוֹלִיד אֶת־עֲזוּבָה אִשָּׁה וְאֶת־יְרִיעוֹת וְאֵלֶּה בָנֶיהָ יֵשֶׁר וּמִשְׁפַּחְתּוֹ:
יט וְשׁוֹבָב וְאַרְדּוֹן׃ וַתָּמָת עֲזוּבָה וַיִּקַּח־לוֹ כָלֵב אֶת־אֶפְרָת וַתֵּלֶד
כ לוֹ אֶת־חוּר׃ וְחוּר הוֹלִיד אֶת־אוּרִי וְאוּרִי הוֹלִיד אֶת־
כא בְּצַלְאֵל׃ וְאַחַר בָּא חֶצְרוֹן אֶל־בַּת־מָכִיר בְּנֵי
אֲבִי גִלְעָד וְהוּא לְקָחָהּ וְהוּא בֶּן־שִׁשִּׁים שָׁנָה וַתֵּלֶד לוֹ חֶצְרוֹן:
כב אֶת־שְׂגוּב׃ וּשְׂגוּב הוֹלִיד אֶת־יָאִיר וַיְהִי־לוֹ עֶשְׂרִים וְשָׁלוֹשׁ
כג עָרִים בְּאֶרֶץ הַגִּלְעָד׃ וַיִּקַּח גְּשׁוּר־וַאֲרָם אֶת־חַוֺּת

יָאִיר מֵאִתָּם אֶת־קְנָת וְאֶת־בְּנֹתֶיהָ שִׁשִּׁים עִיר כָּל־אֵלֶּה בְּנֵי
מָכִיר אֲבִי־גִלְעָד׃ וְאַחַר מוֹת־חֶצְרוֹן בְּכָלֵב אֶפְרָתָה וְאֵשֶׁת כד
חֶצְרוֹן אֲבִיָּה וַתֵּלֶד לוֹ אֶת־אַשְׁחוּר אֲבִי תְקוֹעַ׃ וַיִּהְיוּ כה
בְּנֵי יְרַחְמְאֵל בֶּן חֶצְרוֹן:
בְנֵי־יְרַחְמְאֵל בְּכוֹר חֶצְרוֹן הַבְּכוֹר ׀ רָם וּבוּנָה וָאֹרֶן וָאֹצֶם
אֲחִיָּה׃ וַתְּהִי אִשָּׁה אַחֶרֶת לִירַחְמְאֵל וּשְׁמָהּ עֲטָרָה הִיא אֵם כו
אוֹנָם׃ וַיִּהְיוּ בְנֵי־רָם בְּכוֹר יְרַחְמְאֵל מַעַץ וְיָמִין כז
וָעֵקֶר׃ וַיִּהְיוּ בְנֵי־אוֹנָם שַׁמַּי וְיָדָע וּבְנֵי שַׁמַּי נָדָב וַאֲבִישׁוּר׃ כח
וְשֵׁם אֵשֶׁת אֲבִישׁוּר אֲבִיהָיִל וַתֵּלֶד לוֹ אֶת־אַחְבָּן וְאֶת־מוֹלִיד׃ כט
וּבְנֵי נָדָב סֶלֶד וְאַפָּיִם וַיָּמָת סֶלֶד לֹא בָנִים׃ וּבְנֵי אַפַּיִם יִשְׁעִי ל לא
וּבְנֵי יִשְׁעִי שֵׁשָׁן וּבְנֵי שֵׁשָׁן אַחְלָי׃ וּבְנֵי יָדָע אֲחִי שַׁמַּי יֶתֶר לב
וְיוֹנָתָן וַיָּמָת יֶתֶר לֹא בָנִים׃ וּבְנֵי יוֹנָתָן פֶּלֶת וְזָזָא אֵלֶּה לג
הָיוּ בְּנֵי יְרַחְמְאֵל׃ וְלֹא־הָיָה לְשֵׁשָׁן בָּנִים כִּי אִם־בָּנוֹת וּלְשֵׁשָׁן לד
עֶבֶד מִצְרִי וּשְׁמוֹ יַרְחָע׃ וַיִּתֵּן שֵׁשָׁן אֶת־בִּתּוֹ לְיַרְחָע עַבְדּוֹ לה
לְאִשָּׁה וַתֵּלֶד לוֹ אֶת־עַתָּי׃ וְעַתַּי הוֹלִיד אֶת־נָתָן וְנָתָן הוֹלִיד לו
אֶת־זָבָד׃ וְזָבָד הוֹלִיד אֶת־אֶפְלָל וְאֶפְלָל הוֹלִיד אֶת־עוֹבֵד׃ לז
וְעוֹבֵד הוֹלִיד אֶת־יֵהוּא וְיֵהוּא הוֹלִיד אֶת־עֲזַרְיָה׃ וַעֲזַרְיָה הוֹלִיד לח לט
אֶת־חָלֶץ וְחֶלֶץ הוֹלִיד אֶת־אֶלְעָשָׂה׃ וְאֶלְעָשָׂה הוֹלִיד אֶת־סִסְמָי מ
וְסִסְמַי הוֹלִיד אֶת־שַׁלּוּם׃ וְשַׁלּוּם הוֹלִיד אֶת־יְקַמְיָה וִיקַמְיָה מא
הוֹלִיד אֶת־אֱלִישָׁמָע׃ וּבְנֵי כָלֵב אֲחִי יְרַחְמְאֵל מֵישָׁע מב
יֶתֶר בְּנֵי כָלֵב:
בְּכֹרוֹ הוּא אֲבִי־זִיף וּבְנֵי מָרֵשָׁה אֲבִי חֶבְרוֹן׃ וּבְנֵי חֶבְרוֹן קֹרַח מג
וְתַפֻּחַ וְרֶקֶם וָשָׁמַע׃ וְשֶׁמַע הוֹלִיד אֶת־רַחַם אֲבִי יָרְקְעָם וְרֶקֶם מד
הוֹלִיד אֶת־שַׁמָּי׃ וּבֶן־שַׁמַּי מָעוֹן וּמָעוֹן אֲבִי בֵית־צוּר׃ וְעֵיפָה מה מו
פִּילֶגֶשׁ כָּלֵב יָלְדָה אֶת־חָרָן וְאֶת־מוֹצָא וְאֶת־גָּזֵז וְחָרָן הוֹלִיד
אֶת־גָּזֵז׃ וּבְנֵי יָהְדָּי רֶגֶם וְיוֹתָם וְגֵישָׁן וָפֶלֶט וְעֵיפָה מז
וָשָׁעַף׃ פִּלֶגֶשׁ כָּלֵב מַעֲכָה יָלַד שֶׁבֶר וְאֶת־תִּרְחֲנָה׃ וַתֵּלֶד שַׁעַף מח מט

אֲבִי מַדְמַנָּה אֶת־שְׁוָא אֲבִי מַכְבֵּנָה וַאֲבִי גִבְעָא וּבַת־כָּלֵב
נ עַכְסָה: אֵלֶּה הָיוּ בְּנֵי כָלֵב בֶּן־חוּר בְּכוֹר אֶפְרָתָה נֶגְדֵּי חוּר:
נא שׁוֹבָל אֲבִי קִרְיַת יְעָרִים: שַׂלְמָא אֲבִי בֵית־לָחֶם חָרֵף אֲבִי
נב בֵית־גָּדֵר: וַיִּהְיוּ בָנִים לְשׁוֹבָל אֲבִי קִרְיַת יְעָרִים הָרֹאֶה חֲצִי
נג הַמְּנֻחוֹת: וּמִשְׁפְּחוֹת קִרְיַת יְעָרִים הַיִּתְרִי וְהַפּוּתִי וְהַשֻּׁמָתִי
נד וְהַמִּשְׁרָעִי מֵאֵלֶּה יָצְאוּ הַצָּרְעָתִי וְהָאֶשְׁתָּאֻלִי: בְּנֵי
שַׂלְמָא בֵּית לֶחֶם וּנְטוֹפָתִי עַטְרוֹת בֵּית יוֹאָב וַחֲצִי הַמָּנַחְתִּי
נה הַצָּרְעִי: וּמִשְׁפְּחוֹת סֹפְרִים ישבו יֹשְׁבֵי יַעְבֵּץ תִּרְעָתִים
שִׁמְעָתִים שׂוּכָתִים הֵמָּה הַקִּינִים הַבָּאִים מֵחַמַּת אֲבִי בֵית־
ג א רֵכָב: וְאֵלֶּה הָיוּ בְּנֵי דָוִיד אֲשֶׁר נוֹלַד־לוֹ בְּחֶבְרוֹן בְּנֵי דָוִד:
הַבְּכוֹר | אַמְנֹן לַאֲחִינֹעַם הַיִּזְרְעֵאלִית שֵׁנִי דָּנִיֵּאל לַאֲבִיגַיִל
ב הַכַּרְמְלִית: הַשְּׁלִשִׁי לְאַבְשָׁלוֹם בֶּן־מַעֲכָה בַּת־תַּלְמַי מֶלֶךְ גְּשׁוּר
ג הָרְבִיעִי אֲדֹנִיָּה בֶן־חַגִּית: הַחֲמִישִׁי שְׁפַטְיָה לַאֲבִיטָל הַשִּׁשִּׁי
ד יִתְרְעָם לְעֶגְלָה אִשְׁתּוֹ: שִׁשָּׁה נוֹלַד־לוֹ בְחֶבְרוֹן וַיִּמְלָךְ־שָׁם
שֶׁבַע שָׁנִים וְשִׁשָּׁה חֳדָשִׁים וּשְׁלֹשִׁים וְשָׁלוֹשׁ שָׁנָה מָלַךְ
ה בִּירוּשָׁלָם: וְאֵלֶּה נוּלְּדוּ־לוֹ בִּירוּשָׁלָיִם שִׁמְעָא וְשׁוֹבָב
ו וְנָתָן וּשְׁלֹמֹה אַרְבָּעָה לְבַת־שׁוּעַ בַּת־עַמִּיאֵל: וְיִבְחָר
ז ח וֶאֱלִישָׁמָע וֶאֱלִיפָלֶט: וְנֹגַהּ וְנֶפֶג וְיָפִיעַ: וֶאֱלִישָׁמָע וְאֶלְיָדָע
ט וֶאֱלִיפֶלֶט תִּשְׁעָה: כֹּל בְּנֵי דָוִיד מִלְּבַד בְּנֵי־פִילַגְשִׁים וְתָמָר
אֲחוֹתָם:
י יא וּבֶן־שְׁלֹמֹה רְחַבְעָם אֲבִיָּה בְנוֹ אָסָא בְנוֹ יְהוֹשָׁפָט בְּנוֹ: יוֹרָם בְּנוֹ שׁוֹשֶׁלֶת שְׁלֹמֹה:
יב יג אֲחַזְיָהוּ בְנוֹ יוֹאָשׁ בְּנוֹ: אֲמַצְיָהוּ בְנוֹ עֲזַרְיָה בְנוֹ יוֹתָם בְּנוֹ: אָחָז
יד טו בְּנוֹ חִזְקִיָּהוּ בְנוֹ מְנַשֶּׁה בְנוֹ: אָמוֹן בְּנוֹ יֹאשִׁיָּהוּ בְנוֹ: וּבְנֵי יֹאשִׁיָּהוּ
הַבְּכוֹר יוֹחָנָן הַשֵּׁנִי יְהוֹיָקִים הַשְּׁלִשִׁי צִדְקִיָּהוּ הָרְבִיעִי שַׁלּוּם:
טז יז וּבְנֵי יְהוֹיָקִים יְכָנְיָה בְנוֹ צִדְקִיָּה בְנוֹ: וּבְנֵי יְכָנְיָה אַסִּר שְׁאַלְתִּיאֵל

יח יט בְּנוֹ׃ וּמַלְכִּירָם וּפְדָיָה וְשֶׁנְאַצַּר יְקַמְיָה הוֹשָׁמָע וּנְדַבְיָה׃ וּבְנֵי
פְדָיָה זְרֻבָּבֶל וְשִׁמְעִי וּבֶן־זְרֻבָּבֶל מְשֻׁלָּם וַחֲנַנְיָה וּשְׁלֹמִית
כ אֲחוֹתָם׃ וַחֲשֻׁבָה וָאֹהֶל וּבֶרֶכְיָה וַחֲסַדְיָה יוּשַׁב חֶסֶד חָמֵשׁ׃
כא וּבֶן־חֲנַנְיָה פְּלַטְיָה וִישַׁעְיָה בְּנֵי רְפָיָה בְּנֵי אַרְנָן בְּנֵי עֹבַדְיָה בְּנֵי
כב שְׁכַנְיָה׃ וּבְנֵי שְׁכַנְיָה שְׁמַעְיָה וּבְנֵי שְׁמַעְיָה חַטּוּשׁ וְיִגְאָל
כג וּבָרִיחַ וּנְעַרְיָה וְשָׁפָט שִׁשָּׁה׃ וּבֶן־נְעַרְיָה אֶלְיוֹעֵינַי וְחִזְקִיָּה
כד וְעַזְרִיקָם שְׁלֹשָׁה׃ וּבְנֵי אֶלְיוֹעֵינַי
הודיוהו הוֹדַוְיָהוּ וְאֶלְיָשִׁיב וּפְלָיָה וְעַקּוּב וְיוֹחָנָן וּדְלָיָה וַעֲנָנִי
ד א שִׁבְעָה׃ בְּנֵי יְהוּדָה פֶּרֶץ חֶצְרוֹן וְכַרְמִי וְחוּר וְשׁוֹבָל׃ שׁוֹשֶׁלֶת פֶּרֶץ׃
ב וּרְאָיָה בֶן־שׁוֹבָל הֹלִיד אֶת־יַחַת וְיַחַת הֹלִיד אֶת־אֲחוּמַי וְאֶת־
ג לָהַד אֵלֶּה מִשְׁפְּחוֹת הַצָּרְעָתִי׃ וְאֵלֶּה אֲבִי עֵיטָם
ד יִזְרְעֶאל וְיִשְׁמָא וְיִדְבָּשׁ וְשֵׁם אֲחוֹתָם הַצְלֶלְפּוֹנִי׃ וּפְנוּאֵל אֲבִי
גְדֹר וְעֵזֶר אֲבִי חוּשָׁה אֵלֶּה בְנֵי־חוּר בְּכוֹר אֶפְרָתָה אֲבִי בֵּית
ה לָחֶם׃ וּלְאַשְׁחוּר אֲבִי תְקוֹעַ הָיוּ שְׁתֵּי נָשִׁים חֶלְאָה וְנַעֲרָה׃
ו וַתֵּלֶד לוֹ נַעֲרָה אֶת־אֲחֻזָּם וְאֶת־חֵפֶר וְאֶת־תֵּימְנִי וְאֶת־
ז הָאֲחַשְׁתָּרִי אֵלֶּה בְּנֵי נַעֲרָה׃ וּבְנֵי חֶלְאָה צֶרֶת יצחר וְצֹחַר וְאֶתְנָן׃
ח וְקוֹץ הוֹלִיד אֶת־עָנוּב וְאֶת־הַצֹּבֵבָה וּמִשְׁפְּחוֹת אֲחַרְחֵל בֶּן־
ט הָרוּם׃ וַיְהִי יַעְבֵּץ נִכְבָּד מֵאֶחָיו וְאִמּוֹ קָרְאָה שְׁמוֹ יַעְבֵּץ לֵאמֹר
י כִּי יָלַדְתִּי בְּעֹצֶב׃ וַיִּקְרָא יַעְבֵּץ לֵאלֹהֵי יִשְׂרָאֵל לֵאמֹר אִם־בָּרֵךְ גְּדֻלַּת יַעְבֵּץ
תְּבָרְכֵנִי וְהִרְבִּיתָ אֶת־גְּבוּלִי וְהָיְתָה יָדְךָ עִמִּי וְעָשִׂיתָ מֵּרָעָה ותְפִלָּתוֹ׃
יא לְבִלְתִּי עָצְבִּי וַיָּבֵא אֱלֹהִים אֵת אֲשֶׁר־שָׁאָל׃ וּכְלוּב יֶתֶר
יב אֲחִי־שׁוּחָה הוֹלִיד אֶת־מְחִיר הוּא אֲבִי אֶשְׁתּוֹן׃ וְאֶשְׁתּוֹן הוֹלִיד שׁוֹשֶׁלֶת יְהוּדָה׃
אֶת־בֵּית רָפָא וְאֶת־פָּסֵחַ וְאֶת־תְּחִנָּה אֲבִי עִיר נָחָשׁ אֵלֶּה
יג אַנְשֵׁי רֵכָה׃ וּבְנֵי קְנַז עָתְנִיאֵל וּשְׂרָיָה וּבְנֵי עָתְנִיאֵל
יד חֲתַת׃ וּמְעוֹנֹתַי הוֹלִיד אֶת־עָפְרָה וּשְׂרָיָה הוֹלִיד אֶת־יוֹאָב אֲבִי

גֵּיא חֲרָשִׁים כִּי חֲרָשִׁים הָיוּ׃
טו טז וּבְנֵי כָּלֵב בֶּן־יְפֻנֶּה עִירוּ אֵלָה וָנָעַם וּבְנֵי אֵלָה וּקְנַז׃ וּבְנֵי יְהַלֶּלְאֵל יֶתֶר בְּנֵי כָּלֵב׃
יז זִיף וְזִיפָה תִּירְיָא וַאֲשַׂרְאֵל׃ וּבֶן־עֶזְרָה יֶתֶר וּמֶרֶד וְעֵפֶר וְיָלוֹן
יח וַתַּהַר אֶת־מִרְיָם וְאֶת־שַׁמַּי וְאֶת־יִשְׁבָּח אֲבִי אֶשְׁתְּמֹעַ׃ וְאִשְׁתּוֹ
הַיְהֻדִיָּה יָלְדָה אֶת־יֶרֶד אֲבִי גְדוֹר וְאֶת־חֶבֶר אֲבִי שׂוֹכוֹ
וְאֶת־יְקוּתִיאֵל אֲבִי זָנוֹחַ וְאֵלֶּה בְּנֵי בִּתְיָה בַת־פַּרְעֹה אֲשֶׁר
יט לָקַח מָרֶד׃ וּבְנֵי אֵשֶׁת הוֹדִיָּה אֲחוֹת נַחַם אֲבִי קְעִילָה
כ הַגַּרְמִי וְאֶשְׁתְּמֹעַ הַמַּעֲכָתִי׃ וּבְנֵי שִׁימוֹן אַמְנוֹן וְרִנָּה בֶּן־חָנָן
כא ותולון וְתִילוֹן וּבְנֵי יִשְׁעִי זוֹחֵת וּבֶן־זוֹחֵת׃ בְּנֵי שֵׁלָה בֶן־יְהוּדָה
עֵר אֲבִי לֵכָה וְלַעְדָּה אֲבִי מָרֵשָׁה וּמִשְׁפְּחוֹת בֵּית־עֲבֹדַת הַבֻּץ
כב לְבֵית אַשְׁבֵּעַ׃ וְיוֹקִים וְאַנְשֵׁי כֹזֵבָא וְיוֹאָשׁ וְשָׂרָף אֲשֶׁר־בָּעֲלוּ
כג לְמוֹאָב וְיָשֻׁבִי לָחֶם וְהַדְּבָרִים עַתִּיקִים׃ הֵמָּה הַיּוֹצְרִים וְיֹשְׁבֵי
כד נְטָעִים וּגְדֵרָה עִם־הַמֶּלֶךְ בִּמְלַאכְתּוֹ יָשְׁבוּ שָׁם׃ בְּנֵי בְּנֵי שִׁמְעוֹן וּמְקוֹמוֹת מוֹשְׁבוֹתֵיהֶם׃
כה שִׁמְעוֹן נְמוּאֵל וְיָמִין יָרִיב זֶרַח שָׁאוּל׃ שַׁלֻּם בְּנוֹ מִבְשָׂם בְּנוֹ
כו מִשְׁמָע בְּנוֹ׃ וּבְנֵי מִשְׁמָע חַמּוּאֵל בְּנוֹ זַכּוּר בְּנוֹ שִׁמְעִי בְנוֹ׃
כז וּלְשִׁמְעִי בָּנִים שִׁשָּׁה עָשָׂר וּבָנוֹת שֵׁשׁ וּלְאֶחָיו אֵין בָּנִים רַבִּים
כח וְכֹל מִשְׁפַּחְתָּם לֹא הִרְבּוּ עַד־בְּנֵי יְהוּדָה׃ וַיֵּשְׁבוּ
כט בִּבְאֵר־שֶׁבַע וּמוֹלָדָה וַחֲצַר שׁוּעָל׃ וּבְבִלְהָה וּבְעֶצֶם וּבְתוֹלָד׃
ל לא וּבִבְתוּאֵל וּבְחָרְמָה וּבְצִיקְלָג׃ וּבְבֵית מַרְכָּבוֹת וּבַחֲצַר סוּסִים
לב וּבְבֵית בִּרְאִי וּבְשַׁעֲרָיִם אֵלֶּה עָרֵיהֶם עַד־מְלֹךְ דָּוִיד׃ וְחַצְרֵיהֶם
לג עֵיטָם וָעַיִן רִמּוֹן וְתֹכֶן וְעָשָׁן עָרִים חָמֵשׁ׃ וְכָל־חַצְרֵיהֶם אֲשֶׁר
סְבִיבוֹת הֶעָרִים הָאֵלֶּה עַד־בָּעַל זֹאת מוֹשְׁבֹתָם
לד לה וְהִתְיַחְשָׂם לָהֶם׃ וּמְשׁוֹבָב וְיַמְלֵךְ וְיוֹשָׁה בֶּן־אֲמַצְיָה׃ וְיוֹאֵל וְיֵהוּא
לו בֶּן־יוֹשִׁבְיָה בֶּן־שְׂרָיָה בֶּן־עֲשִׂיאֵל׃ וְאֶלְיוֹעֵינַי וְיַעֲקֹבָה וִישׁוֹחָיָה
לז וַעֲשָׂיָה וַעֲדִיאֵל וִישִׂימִאֵל וּבְנָיָה׃ וְזִיזָא בֶן־שִׁפְעִי בֶן־אַלּוֹן

לח בֶּן־יְדָיָה בֶּן־שִׁמְרִי בֶּן־שְׁמַעְיָה: אֵלֶּה הַבָּאִים בְּשֵׁמוֹת נְשִׂיאִים
לט בְּמִשְׁפְּחוֹתָם וּבֵית אֲבוֹתֵיהֶם פָּרְצוּ לָרוֹב: וַיֵּלְכוּ לִמְבוֹא גְדֹר
הִתְפַּשְּׁטוּת גְּבוּלוֹת בְּנֵי שִׁמְעוֹן:
מ עַד לְמִזְרַח הַגָּיְא לְבַקֵּשׁ מִרְעֶה לְצֹאנָם: וַיִּמְצְאוּ מִרְעֶה שָׁמֵן
וָטוֹב וְהָאָרֶץ רַחֲבַת יָדַיִם וְשֹׁקֶטֶת וּשְׁלֵוָה כִּי מִן־חָם הַיֹּשְׁבִים
מא שָׁם לְפָנִים: וַיָּבֹאוּ אֵלֶּה הַכְּתוּבִים בְּשֵׁמוֹת בִּימֵי ׀ יְחִזְקִיָּהוּ
מֶלֶךְ־יְהוּדָה וַיַּכּוּ אֶת־אָהֳלֵיהֶם וְאֶת־הַמְּעוּנִים המעינים אֲשֶׁר
נִמְצְאוּ־שָׁמָּה וַיַּחֲרִמֻם עַד־הַיּוֹם הַזֶּה וַיֵּשְׁבוּ תַּחְתֵּיהֶם כִּי־
מב מִרְעֶה לְצֹאנָם שָׁם: וּמֵהֶם ׀ מִן־בְּנֵי שִׁמְעוֹן הָלְכוּ לְהַר שֵׂעִיר
אֲנָשִׁים חֲמֵשׁ מֵאוֹת וּפְלַטְיָה וּנְעַרְיָה וּרְפָיָה וְעֻזִּיאֵל בְּנֵי יִשְׁעִי
מג בְּרֹאשָׁם: וַיַּכּוּ אֶת־שְׁאֵרִית הַפְּלֵטָה לַעֲמָלֵק וַיֵּשְׁבוּ שָׁם עַד
הַיּוֹם הַזֶּה:

בְּנֵי רְאוּבֵן וּמְקוֹמוֹת מוֹשְׁבוֹתֵיהֶם:
ה א וּבְנֵי רְאוּבֵן בְּכוֹר־יִשְׂרָאֵל כִּי הוּא הַבְּכוֹר וּבְחַלְּלוֹ יְצוּעֵי אָבִיו
ב נִתְּנָה בְּכֹרָתוֹ לִבְנֵי יוֹסֵף בֶּן־יִשְׂרָאֵל וְלֹא לְהִתְיַחֵשׂ לַבְּכֹרָה: כִּי
ג יְהוּדָה גָּבַר בְּאֶחָיו וּלְנָגִיד מִמֶּנּוּ וְהַבְּכֹרָה לְיוֹסֵף: בְּנֵי
ד רְאוּבֵן בְּכוֹר יִשְׂרָאֵל חֲנוֹךְ וּפַלּוּא חֶצְרוֹן וְכַרְמִי: בְּנֵי יוֹאֵל
ה שְׁמַעְיָה בְנוֹ גּוֹג בְּנוֹ שִׁמְעִי בְנוֹ: מִיכָה בְנוֹ רְאָיָה בְנוֹ בַּעַל בְּנוֹ:
ו בְּאֵרָה בְנוֹ אֲשֶׁר הֶגְלָה תִּלְּגַת פִּלְנְאֶסֶר מֶלֶךְ אַשֻּׁר הוּא נָשִׂיא
ז לָרְאוּבֵנִי: וְאֶחָיו לְמִשְׁפְּחֹתָיו בְּהִתְיַחֵשׂ לְתֹלְדוֹתָם הָרֹאשׁ
ח יְעִיאֵל וּזְכַרְיָהוּ: וּבֶלַע בֶּן־עָזָז בֶּן־שֶׁמַע בֶּן־יוֹאֵל הוּא יוֹשֵׁב
ט בַּעֲרֹעֵר וְעַד־נְבוֹ וּבַעַל מְעוֹן: וְלַמִּזְרָח יָשַׁב עַד־לְבוֹא מִדְבָּרָה
י לְמִן־הַנָּהָר פְּרָת כִּי מִקְנֵיהֶם רָבוּ בְּאֶרֶץ גִּלְעָד: וּבִימֵי שָׁאוּל
עָשׂוּ מִלְחָמָה עִם־הַהַגְרִאִים וַיִּפְּלוּ בְּיָדָם וַיֵּשְׁבוּ בְּאָהֳלֵיהֶם
בְּנֵי גָד וּמְקוֹמוֹת מוֹשְׁבוֹתֵיהֶם:
יא עַל־כָּל־פְּנֵי מִזְרָח לַגִּלְעָד: וּבְנֵי־גָד לְנֶגְדָּם יָשְׁבוּ
יב בְּאֶרֶץ הַבָּשָׁן עַד־סַלְכָה: יוֹאֵל הָרֹאשׁ וְשָׁפָם הַמִּשְׁנֶה וְיַעְנַי
יג וְשָׁפָט בַּבָּשָׁן: וַאֲחֵיהֶם לְבֵית אֲבוֹתֵיהֶם מִיכָאֵל וּמְשֻׁלָּם וְשֶׁבַע

יד וְיוֹרַי וְיַעְכָּן וְזִיעַ וָעֵבֶר שִׁבְעָה׃ אֵלֶּה ׀
בְּנֵי אֲבִיחַיִל בֶּן־חוּרִי בֶּן־יָרוֹחַ בֶּן־גִּלְעָד בֶּן־מִיכָאֵל בֶּן־יְשִׁישַׁי
טו בֶּן־יַחְדּוֹ בֶּן־בּוּז׃ אֲחִי בֶּן־עַבְדִּיאֵל בֶּן־גּוּנִי רֹאשׁ לְבֵית אֲבוֹתָם׃
טז וַיֵּשְׁבוּ בַּגִּלְעָד בַּבָּשָׁן וּבִבְנֹתֶיהָ וּבְכָל־מִגְרְשֵׁי שָׁרוֹן עַל־
יז תּוֹצְאוֹתָם׃ כֻּלָּם הִתְיַחְשׂוּ בִּימֵי יוֹתָם מֶלֶךְ־יְהוּדָה וּבִימֵי יָרָבְעָם
מֶלֶךְ־יִשְׂרָאֵל׃

מִלְחָמוֹת בְּנֵי רְאוּבֵן, וְגָד, וַחֲצִי שֵׁבֶט מְנַשֶּׁה׃

יח בְּנֵי־רְאוּבֵן וְגָדִי וַחֲצִי שֵׁבֶט־מְנַשֶּׁה מִן־בְּנֵי־חַיִל אֲנָשִׁים נֹשְׂאֵי
מָגֵן וְחֶרֶב וְדֹרְכֵי קֶשֶׁת וּלְמוּדֵי מִלְחָמָה אַרְבָּעִים וְאַרְבָּעָה אֶלֶף
יט וּשְׁבַע־מֵאוֹת וְשִׁשִּׁים יֹצְאֵי צָבָא׃ וַיַּעֲשׂוּ מִלְחָמָה עִם־הַהַגְרִיאִים
כ וִיטוּר וְנָפִישׁ וְנוֹדָב׃ וַיֵּעָזְרוּ עֲלֵיהֶם וַיִּנָּתְנוּ בְיָדָם הַהַגְרִיאִים
וְכֹל שֶׁעִמָּהֶם כִּי לֵאלֹהִים זָעֲקוּ בַּמִּלְחָמָה וְנַעְתּוֹר לָהֶם
כא כִּי־בָטְחוּ בוֹ׃ וַיִּשְׁבּוּ מִקְנֵיהֶם גְּמַלֵּיהֶם חֲמִשִּׁים אֶלֶף וְצֹאן
מָאתַיִם וַחֲמִשִּׁים אֶלֶף וַחֲמוֹרִים אַלְפָּיִם וְנֶפֶשׁ אָדָם מֵאָה אָלֶף׃
כב כִּי־חֲלָלִים רַבִּים נָפָלוּ כִּי מֵהָאֱלֹהִים הַמִּלְחָמָה וַיֵּשְׁבוּ תַחְתֵּיהֶם
עַד־הַגֹּלָה׃

בְּנֵי מְנַשֶּׁה וּמְקוֹמוֹת מוֹשְׁבוֹתֵיהֶם׃

כג וּבְנֵי חֲצִי שֵׁבֶט מְנַשֶּׁה יָשְׁבוּ בָּאָרֶץ מִבָּשָׁן עַד־בַּעַל חֶרְמוֹן
כד וּשְׂנִיר וְהַר־חֶרְמוֹן הֵמָּה רָבוּ׃ וְאֵלֶּה רָאשֵׁי בֵית־אֲבוֹתָם וְעֵפֶר
וְיִשְׁעִי וֶאֱלִיאֵל וְעַזְרִיאֵל וְיִרְמְיָה וְהוֹדַוְיָה וְיַחְדִּיאֵל אֲנָשִׁים

גָּלוּת עַל יְדֵי מֶלֶךְ אַשּׁוּר׃

כה גִּבּוֹרֵי חַיִל אַנְשֵׁי שֵׁמוֹת רָאשִׁים לְבֵית אֲבוֹתָם׃ וַיִּמְעֲלוּ בֵּאלֹהֵי
אֲבוֹתֵיהֶם וַיִּזְנוּ אַחֲרֵי אֱלֹהֵי עַמֵּי־הָאָרֶץ אֲשֶׁר־הִשְׁמִיד אֱלֹהִים
כו מִפְּנֵיהֶם׃ וַיָּעַר אֱלֹהֵי יִשְׂרָאֵל אֶת־רוּחַ ׀ פּוּל מֶלֶךְ־אַשּׁוּר
וְאֶת־רוּחַ תִּלְגַת פִּלְנֶסֶר מֶלֶךְ אַשּׁוּר וַיַּגְלֵם לָראוּבֵנִי וְלַגָּדִי
וְלַחֲצִי שֵׁבֶט מְנַשֶּׁה וַיְבִיאֵם לַחְלַח וְחָבוֹר וְהָרָא וּנְהַר גּוֹזָן עַד
הַיּוֹם הַזֶּה׃

בְּנֵי לֵוִי׃

כז כח בְּנֵי לֵוִי גֵּרְשׁוֹן קְהָת וּמְרָרִי׃ וּבְנֵי קְהָת עַמְרָם יִצְהָר וְחֶבְרוֹן

כט וְעֻזִּיאֵֽל׃ וּבְנֵי עַמְרָם אַהֲרֹן וּמֹשֶׁה
וּמִרְיָם וּבְנֵי אַהֲרֹן נָדָב וַאֲבִיהוּא (יחוס הַכֹּהֲנִים:)
ל אֶלְעָזָר וְאִיתָמָֽר׃ אֶלְעָזָר הוֹלִיד אֶת־פִּינְחָס פִּֽינְחָס הֹלִיד
לא אֶת־אֲבִישֽׁוּעַ׃ וַאֲבִישׁוּעַ הוֹלִיד אֶת־בֻּקִּי וּבֻקִּי הוֹלִיד אֶת־עֻזִּֽי׃
לב לג וְעֻזִּי הוֹלִיד אֶת־זְרַֽחְיָה וּזְרַֽחְיָה הוֹלִיד אֶת־מְרָיֽוֹת׃ מְרָיוֹת
לד הוֹלִיד אֶת־אֲמַרְיָה וַאֲמַרְיָה הוֹלִיד אֶת־אֲחִיטֽוּב׃ וַאֲחִיטוּב
לה הוֹלִיד אֶת־צָדוֹק וְצָדוֹק הוֹלִיד אֶת־אֲחִימָֽעַץ׃ וַאֲחִימַעַץ הוֹלִיד
לו אֶת־עֲזַרְיָה וַעֲזַרְיָה הוֹלִיד אֶת־יֽוֹחָנָן׃ וְיוֹחָנָן הוֹלִיד אֶת־עֲזַרְיָה
לז הוּא אֲשֶׁר כִּהֵן בַּבַּיִת אֲשֶׁר־בָּנָה שְׁלֹמֹה בִּירֽוּשָׁלִָֽם׃ וַיּוֹלֶד עֲזַרְיָה
לח אֶת־אֲמַרְיָה וַאֲמַרְיָה הוֹלִיד אֶת־אֲחִיטֽוּב׃ וַאֲחִיטוּב הוֹלִיד
לט אֶת־צָדוֹק וְצָדוֹק הוֹלִיד אֶת־שַׁלּֽוּם׃ וְשַׁלּוּם הוֹלִיד אֶת־חִלְקִיָּה
מ וְחִלְקִיָּה הוֹלִיד אֶת־עֲזַרְיָֽה׃ וַעֲזַרְיָה הוֹלִיד אֶת־שְׂרָיָה וּשְׂרָיָה
מא הוֹלִיד אֶת־יְהוֹצָדָֽק׃ וִיהוֹצָדָק הָלַךְ בְּהַגְלוֹת יְהוָה אֶת־יְהוּדָה
וִירוּשָׁלִָם בְּיַד נְבֻכַדְנֶאצַּֽר׃

ו א ב בְּנֵי לֵוִי גֵּרְשֹׁם קְהָת וּמְרָרִֽי׃ וְאֵלֶּה שְׁמוֹת בְּנֵֽי־גֵרְשׁוֹם לִבְנִי (יחוס בְּנֵי גֵרְשׁוֹם וּקְהָת בְּנֵי לֵוִי:)
ג ד וְשִׁמְעִֽי׃ וּבְנֵי קְהָת עַמְרָם וְיִצְהָר וְחֶבְרוֹן וְעֻזִּיאֵֽל׃ בְּנֵי
ה מְרָרִי מַחְלִי וּמֻשִׁי וְאֵלֶּה מִשְׁפְּחוֹת הַלֵּוִי לַאֲבֹתֵיהֶֽם׃ לְגֵרְשׁוֹם
ו לִבְנִי בְנוֹ יַחַת בְּנוֹ זִמָּה בְנֽוֹ׃ יוֹאָח בְּנוֹ עִדּוֹ בְנוֹ זֶרַח בְּנוֹ יְאָתְרַי
ז ח בְּנֽוֹ׃ בְּנֵי קְהָת עַמִּינָדָב בְּנוֹ קֹרַח בְּנוֹ אַסִּיר בְּנֽוֹ׃ אֶלְקָנָה בְנוֹ
ט וְאֶבְיָסָף בְּנוֹ וְאַסִּיר בְּנֽוֹ׃ תַּחַת בְּנוֹ אוּרִיאֵל בְּנוֹ עֻזִּיָּה בְנוֹ וְשָׁאוּל
י יא בְּנֽוֹ׃ וּבְנֵי אֶלְקָנָה עֲמָשַׂי וַאֲחִימֽוֹת׃ אֶלְקָנָה בנו בְּנֵי אֶלְקָנָה צוֹפַי
יב יג בְּנוֹ וְנַחַת בְּנֽוֹ׃ אֱלִיאָב בְּנוֹ יְרֹחָם בְּנוֹ אֶלְקָנָה בְנֽוֹ׃ וּבְנֵי שְׁמוּאֵל
יד הַבְּכֹר וַשְׁנִי וַאֲבִיָּֽה׃ בְּנֵי מְרָרִי מַחְלִי לִבְנִי בְנוֹ שִׁמְעִי
טו בְנוֹ עֻזָּה בְנֽוֹ׃ שִׁמְעָא בְנוֹ חַגִּיָּה בְנוֹ עֲשָׂיָה בְּנֽוֹ׃
טז וְאֵלֶּה אֲשֶׁר הֶעֱמִיד דָּוִיד עַל־יְדֵי־שִׁיר בֵּית יְהוָה מִמְּנוֹחַ

יז הָאָרֹן׃ וַיִּהְיוּ מְשָׁרְתִים לִפְנֵי מִשְׁכַּן אֹהֶל־מוֹעֵד בַּשִּׁיר עַד־ יחוס הַמְשֹׁרְרִים מִבְּנֵי קְהָת׃
בְּנוֹת שְׁלֹמֹה אֶת־בֵּית יְהוָה בִּירוּשָׁלִָם וַיַּעַמְדוּ כְמִשְׁפָּטָם עַל־
יח עֲבוֹדָתָם׃ וְאֵלֶּה הָעֹמְדִים וּבְנֵיהֶם מִבְּנֵי הַקְּהָתִי הֵימָן הַמְשׁוֹרֵר
יט בֶּן־יוֹאֵל בֶּן־שְׁמוּאֵל׃ בֶּן־אֶלְקָנָה בֶּן־יְרֹחָם בֶּן־אֱלִיאֵל בֶּן־
כ כא תּוֹחַ׃ בֶּן־צוּף ציף בֶּן־אֶלְקָנָה בֶּן־מַחַת בֶּן־עֲמָשָׂי׃ בֶּן־אֶלְקָנָה
כב בֶּן־יוֹאֵל בֶּן־עֲזַרְיָה בֶּן־צְפַנְיָה׃ בֶּן־תַּחַת בֶּן־אַסִּיר בֶּן־אֶבְיָסָף
כג כד בֶּן־קֹרַח׃ בֶּן־יִצְהָר בֶּן־קְהָת בֶּן־לֵוִי בֶּן־יִשְׂרָאֵל׃ וְאָחִיו
כה אָסָף הָעֹמֵד עַל־יְמִינוֹ אָסָף בֶּן־בֶּרֶכְיָהוּ בֶּן־שִׁמְעָא׃ בֶּן־מִיכָאֵל
כו כז בֶּן־בַּעֲשֵׂיָה בֶּן־מַלְכִּיָּה׃ בֶּן־אֶתְנִי בֶן־זֶרַח בֶּן־עֲדָיָה׃ בֶּן־אֵיתָן
כח כט בֶּן־זִמָּה בֶּן־שִׁמְעִי׃ בֶּן־יַחַת בֶּן־גֵּרְשֹׁם בֶּן־לֵוִי׃ וּבְנֵי יחוס בְּנֵי מְרָרִי׃
מְרָרִי אֲחֵיהֶם עַל־הַשְּׂמֹאול אֵיתָן בֶּן־קִישִׁי בֶּן־עַבְדִּי בֶּן־מַלּוּךְ׃
ל לא בֶּן־חֲשַׁבְיָה בֶן־אֲמַצְיָה בֶּן־חִלְקִיָּה׃ בֶּן־אַמְצִי בֶן־בָּנִי בֶּן־שָׁמֶר׃
לב לג בֶּן־מַחְלִי בֶּן־מוּשִׁי בֶּן־מְרָרִי בֶּן־לֵוִי׃ וַאֲחֵיהֶם
לד הַלְוִיִּם נְתוּנִים לְכָל־עֲבוֹדַת מִשְׁכַּן בֵּית הָאֱלֹהִים׃ וְאַהֲרֹן וּבָנָיו
מַקְטִירִים עַל־מִזְבַּח הָעוֹלָה וְעַל־מִזְבַּח הַקְּטֹרֶת לְכֹל מְלֶאכֶת
קֹדֶשׁ הַקֳּדָשִׁים וּלְכַפֵּר עַל־יִשְׂרָאֵל כְּכֹל אֲשֶׁר צִוָּה מֹשֶׁה עֶבֶד
הָאֱלֹהִים׃

לה לו וְאֵלֶּה בְּנֵי אַהֲרֹן אֶלְעָזָר בְּנוֹ פִּינְחָס בְּנוֹ אֲבִישׁוּעַ בְּנוֹ׃ בֻּקִּי בְנוֹ שׁוֹשֶׁלֶת אֶלְעָזָר׃
לז לח עֻזִּי בְנוֹ זְרַחְיָה בְנוֹ׃ מְרָיוֹת בְּנוֹ אֲמַרְיָה בְנוֹ אֲחִיטוּב בְּנוֹ׃ צָדוֹק
לט בְּנוֹ אֲחִימַעַץ בְּנוֹ׃ וְאֵלֶּה עָרֵי הַכֹּהֲנִים׃
מוֹשְׁבוֹתָם לְטִירוֹתָם בִּגְבוּלָם לִבְנֵי אַהֲרֹן לְמִשְׁפַּחַת הַקְּהָתִי כִּי
מ לָהֶם הָיָה הַגּוֹרָל׃ וַיִּתְּנוּ לָהֶם אֶת־חֶבְרוֹן בְּאֶרֶץ יְהוּדָה וְאֶת־
מא מִגְרָשֶׁיהָ סְבִיבֹתֶיהָ׃ וְאֶת־שְׂדֵה הָעִיר וְאֶת־חֲצֵרֶיהָ נָתְנוּ לְכָלֵב
מב בֶּן־יְפֻנֶּה׃ וְלִבְנֵי אַהֲרֹן נָתְנוּ
אֶת־עָרֵי הַמִּקְלָט אֶת־חֶבְרוֹן וְאֶת־לִבְנָה וְאֶת־מִגְרָשֶׁיהָ וְאֶת־

מג יַתִּר וְאֶת־אֶשְׁתְּמֹעַ וְאֶת־מִגְרָשֶׁיהָ׃ וְאֶת־חִילֵז וְאֶת־מִגְרָשֶׁיהָ
מד אֶת־דְּבִיר וְאֶת־מִגְרָשֶׁיהָ׃ וְאֶת־עָשָׁן וְאֶת־מִגְרָשֶׁיהָ וְאֶת־בֵּית
מה שֶׁמֶשׁ וְאֶת־מִגְרָשֶׁיהָ׃ וּמִמַּטֵּה בִנְיָמִן אֶת־גֶּבַע וְאֶת־
מִגְרָשֶׁיהָ וְאֶת־עָלֶמֶת וְאֶת־מִגְרָשֶׁיהָ וְאֶת־עֲנָתוֹת וְאֶת־מִגְרָשֶׁיהָ
מו כָּל־עָרֵיהֶם שְׁלֹשׁ־עֶשְׂרֵה עִיר בְּמִשְׁפְּחוֹתֵיהֶם׃ וְלִבְנֵי עָרֵי הַלְוִיִּם׃
קְהָת הַנּוֹתָרִים מִמִּשְׁפַּחַת הַמַּטֶּה מִמַּחֲצִית מַטֵּה חֲצִי מְנַשֶּׁה
בַּגּוֹרָל עָרִים עָשֶׂר׃

מז וְלִבְנֵי גֵרְשׁוֹם לְמִשְׁפְּחוֹתָם מִמַּטֵּה יִשָּׂשכָר וּמִמַּטֵּה אָשֵׁר
וּמִמַּטֵּה נַפְתָּלִי וּמִמַּטֵּה מְנַשֶּׁה בַּבָּשָׁן עָרִים שְׁלֹשׁ
מח עֶשְׂרֵה׃ לִבְנֵי מְרָרִי לְמִשְׁפְּחוֹתָם
מִמַּטֵּה רְאוּבֵן וּמִמַּטֵּה־גָד וּמִמַּטֵּה זְבוּלֻן בַּגּוֹרָל עָרִים שְׁתֵּים
מט עֶשְׂרֵה׃ וַיִּתְּנוּ בְנֵי־יִשְׂרָאֵל לַלְוִיִּם אֶת־הֶעָרִים וְאֶת־
נ מִגְרְשֵׁיהֶם׃ וַיִּתְּנוּ בַגּוֹרָל מִמַּטֵּה בְנֵי־יְהוּדָה וּמִמַּטֵּה בְנֵי־שִׁמְעוֹן
וּמִמַּטֵּה בְּנֵי בִנְיָמִן אֵת הֶעָרִים הָאֵלֶּה אֲשֶׁר־יִקְרְאוּ אֶתְהֶם
נא בְּשֵׁמוֹת׃ וּמִמִּשְׁפְּחוֹת בְּנֵי קְהָת וַיְהִי עָרֵי גְבוּלָם
נב מִמַּטֵּה אֶפְרָיִם׃ וַיִּתְּנוּ לָהֶם אֶת־עָרֵי הַמִּקְלָט אֶת־שְׁכֶם וְאֶת־
נג מִגְרָשֶׁיהָ בְּהַר אֶפְרָיִם וְאֶת־גֶּזֶר וְאֶת־מִגְרָשֶׁיהָ׃ וְאֶת־יָקְמְעָם
נד וְאֶת־מִגְרָשֶׁיהָ וְאֶת־בֵּית חוֹרוֹן וְאֶת־מִגְרָשֶׁיהָ׃ וְאֶת־אַיָּלוֹן וְאֶת־
נה מִגְרָשֶׁיהָ וְאֶת־גַּת־רִמּוֹן וְאֶת־מִגְרָשֶׁיהָ׃ וּמִמַּחֲצִית מַטֵּה מְנַשֶּׁה
אֶת־עָנֵר וְאֶת־מִגְרָשֶׁיהָ וְאֶת־בִּלְעָם וְאֶת־מִגְרָשֶׁיהָ לְמִשְׁפַּחַת
לִבְנֵי־קְהָת הַנּוֹתָרִים׃

נו לִבְנֵי גֵּרְשׁוֹם מִמִּשְׁפַּחַת חֲצִי מַטֵּה מְנַשֶּׁה אֶת־גּוֹלָן בַּבָּשָׁן וְאֶת־
נז מִגְרָשֶׁיהָ וְאֶת־עַשְׁתָּרוֹת וְאֶת־מִגְרָשֶׁיהָ׃ וּמִמַּטֵּה יִשָּׂשכָר אֶת־
נח קֶדֶשׁ וְאֶת־מִגְרָשֶׁיהָ אֶת־דָּבְרַת וְאֶת־מִגְרָשֶׁיהָ׃ וְאֶת־רָאמוֹת
נט וְאֶת־מִגְרָשֶׁיהָ וְאֶת־עָנֵם וְאֶת־מִגְרָשֶׁיהָ׃ וּמִמַּטֵּה אָשֵׁר

ס אֶת־מָשָׁל וְאֶת־מִגְרָשֶׁיהָ וְאֶת־עַבְדּוֹן וְאֶת־מִגְרָשֶׁיהָ׃ וְאֶת חוּקֹק
סא וְאֶת־מִגְרָשֶׁיהָ וְאֶת־רְחֹב וְאֶת־מִגְרָשֶׁיהָ׃ וּמִמַּטֵּה
נַפְתָּלִי אֶת־קֶדֶשׁ בַּגָּלִיל וְאֶת־מִגְרָשֶׁיהָ וְאֶת־חַמּוֹן וְאֶת־
סב מִגְרָשֶׁיהָ וְאֶת־קִרְיָתַיִם וְאֶת־מִגְרָשֶׁיהָ׃ לִבְנֵי
מְרָרִי הַנּוֹתָרִים מִמַּטֵּה זְבוּלֻן אֶת־רִמּוֹנוֹ וְאֶת־מִגְרָשֶׁיהָ אֶת־
סג תָּבוֹר וְאֶת־מִגְרָשֶׁיהָ׃ וּמֵעֵבֶר לְיַרְדֵּן יְרֵחוֹ לְמִזְרַח הַיַּרְדֵּן מִמַּטֵּה
רְאוּבֵן אֶת־בֶּצֶר בַּמִּדְבָּר וְאֶת־מִגְרָשֶׁיהָ וְאֶת־יַהְצָה וְאֶת־
סד מִגְרָשֶׁיהָ׃ וְאֶת־קְדֵמוֹת וְאֶת־מִגְרָשֶׁיהָ וְאֶת־מֵיפַעַת וְאֶת־
סה מִגְרָשֶׁיהָ׃ וּמִמַּטֵּה־גָד אֶת־רָאמוֹת בַּגִּלְעָד וְאֶת־מִגְרָשֶׁיהָ וְאֶת־
סו מַחֲנַיִם וְאֶת־מִגְרָשֶׁיהָ׃ וְאֶת־חֶשְׁבּוֹן וְאֶת־מִגְרָשֶׁיהָ וְאֶת־יַעְזֵיר
ז א וְאֶת־מִגְרָשֶׁיהָ׃ וְלִבְנֵי יִשָּׂשכָר תּוֹלָע וּפוּאָה ישיב יָשׁוּב — בְּנֵי יִשָּׂשכָר׃
ב וְשִׁמְרוֹן אַרְבָּעָה׃ וּבְנֵי תוֹלָע עֻזִּי וּרְפָיָה וִירִיאֵל וְיַחְמַי
וְיִבְשָׂם וּשְׁמוּאֵל רָאשִׁים לְבֵית־אֲבוֹתָם לְתוֹלָע גִּבּוֹרֵי חַיִל
לְתֹלְדוֹתָם מִסְפָּרָם בִּימֵי דָוִיד עֶשְׂרִים־וּשְׁנַיִם אֶלֶף וְשֵׁשׁ
ג מֵאוֹת׃ וּבְנֵי עֻזִּי יִזְרַחְיָה וּבְנֵי יִזְרַחְיָה מִיכָאֵל וְעֹבַדְיָה
ד וְיוֹאֵל יִשִּׁיָּה חֲמִשָּׁה רָאשִׁים כֻּלָּם׃ וַעֲלֵיהֶם לְתֹלְדוֹתָם לְבֵית
אֲבוֹתָם גְּדוּדֵי צְבָא מִלְחָמָה שְׁלֹשִׁים וְשִׁשָּׁה אָלֶף כִּי־הִרְבּוּ
ה נָשִׁים וּבָנִים׃ וַאֲחֵיהֶם לְכֹל מִשְׁפְּחוֹת יִשָּׂשכָר גִּבּוֹרֵי חֲיָלִים
ו שְׁמוֹנִים וְשִׁבְעָה אֶלֶף הִתְיַחְשָׂם לַכֹּל׃ בִּנְיָמִן בֶּלַע — בְּנֵי בִנְיָמִין׃
ז וָבֶכֶר וִידִיעֲאֵל שְׁלֹשָׁה׃ וּבְנֵי בֶלַע אֶצְבּוֹן וְעֻזִּי וְעֻזִּיאֵל וִירִימוֹת
וְעִירִי חֲמִשָּׁה רָאשֵׁי בֵּית אָבוֹת גִּבּוֹרֵי חֲיָלִים וְהִתְיַחְשָׂם עֶשְׂרִים
ח וּשְׁנַיִם אֶלֶף וּשְׁלֹשִׁים וְאַרְבָּעָה׃ וּבְנֵי בֶכֶר זְמִירָה וְיוֹעָשׁ
וֶאֱלִיעֶזֶר וְאֶלְיוֹעֵינַי וְעָמְרִי וִירֵמוֹת וַאֲבִיָּה וַעֲנָתוֹת וְעָלָמֶת
ט כָּל־אֵלֶּה בְּנֵי־בָכֶר׃ וְהִתְיַחְשָׂם לְתֹלְדוֹתָם רָאשֵׁי בֵּית אֲבוֹתָם
י גִּבּוֹרֵי חָיִל עֶשְׂרִים אֶלֶף וּמָאתָיִם׃ וּבְנֵי יְדִיעֲאֵל בִּלְהָן וּבְנֵי בִלְהָן

יְעִישׁ וְעוּשׁ וּבִנְיָמִן וְאֵהוּד וּכְנַעֲנָה וְזֵיתָן וְתַרְשִׁישׁ וַאֲחִישָׁחַר:
כָּל־אֵלֶּה בְּנֵי יְדִיעֲאֵל לְרָאשֵׁי הָאָבוֹת גִּבּוֹרֵי חֲיָלִים שִׁבְעָה־ יא
עָשָׂר אֶלֶף וּמָאתַיִם יֹצְאֵי צָבָא לַמִּלְחָמָה: וְשֻׁפִּם וְחֻפִּם בְּנֵי עִיר יב
בְּנֵי נַפְתָּלִי: חֻשִׁם בְּנֵי אַחֵר: בְּנֵי נַפְתָּלִי יַחֲצִיאֵל וְגוּנִי וְיֵצֶר וְשַׁלּוּם בְּנֵי יג
בִלְהָה:

בְּנֵי מְנַשֶּׁה: בְּנֵי מְנַשֶּׁה אַשְׂרִיאֵל אֲשֶׁר יָלָדָה פִּילַגְשׁוֹ הָאֲרַמִּיָּה יָלְדָה יד
אֶת־מָכִיר אֲבִי גִלְעָד: וּמָכִיר לָקַח אִשָּׁה לְחֻפִּים וּלְשֻׁפִּים וְשֵׁם טו
אֲחֹתוֹ מַעֲכָה וְשֵׁם הַשֵּׁנִי צְלָפְחָד וַתִּהְיֶנָה לִצְלָפְחָד בָּנוֹת:
וַתֵּלֶד מַעֲכָה אֵשֶׁת־מָכִיר בֵּן וַתִּקְרָא שְׁמוֹ פֶּרֶשׁ וְשֵׁם אָחִיו טז
שָׁרֶשׁ וּבָנָיו אוּלָם וָרָקֶם: וּבְנֵי אוּלָם בְּדָן אֵלֶּה בְּנֵי גִלְעָד יז
בֶּן־מָכִיר בֶּן־מְנַשֶּׁה: וַאֲחֹתוֹ הַמֹּלֶכֶת יָלְדָה אֶת־אִישְׁהוֹד וְאֶת־ יח
אֲבִיעֶזֶר וְאֶת־מַחְלָה: וַיִּהְיוּ בְּנֵי שְׁמִידָע אַחְיָן וָשֶׁכֶם וְלִקְחִי יט
וַאֲנִיעָם:

בְּנֵי אֶפְרָיִם: וּבְנֵי אֶפְרַיִם שׁוּתָלַח וּבֶרֶד בְּנוֹ וְתַחַת בְּנוֹ וְאֶלְעָדָה בְנוֹ וְתַחַת כ
בְּנוֹ: וְזָבָד בְּנוֹ וְשׁוּתֶלַח בְּנוֹ וְעֵזֶר וְאֶלְעָד וַהֲרָגוּם אַנְשֵׁי־גַת כא
הַנּוֹלָדִים בָּאָרֶץ כִּי יָרְדוּ לָקַחַת אֶת־מִקְנֵיהֶם: וַיִּתְאַבֵּל אֶפְרַיִם כב
אֲבִיהֶם יָמִים רַבִּים וַיָּבֹאוּ אֶחָיו לְנַחֲמוֹ: וַיָּבֹא אֶל־אִשְׁתּוֹ וַתַּהַר כג
וַתֵּלֶד בֵּן וַיִּקְרָא אֶת־שְׁמוֹ בְּרִיעָה כִּי בְרָעָה הָיְתָה בְּבֵיתוֹ: וּבִתּוֹ כד
שֶׁאֱרָה וַתִּבֶן אֶת־בֵּית־חוֹרוֹן הַתַּחְתּוֹן וְאֶת־הָעֶלְיוֹן וְאֵת אֻזֵּן
שֶׁאֱרָה: וְרֶפַח בְּנוֹ וְרֶשֶׁף וְתֶלַח בְּנוֹ וְתַחַן בְּנוֹ: לַעְדָּן בְּנוֹ עַמִּיהוּד כה כו
בְּנוֹ אֱלִישָׁמָע בְּנוֹ: נוֹן בְּנוֹ יְהוֹשֻׁעַ בְּנוֹ: וַאֲחֻזָּתָם וּמֹשְׁבוֹתָם כז כח
בֵּית־אֵל וּבְנֹתֶיהָ וְלַמִּזְרָח נַעֲרָן וְלַמַּעֲרָב גֶּזֶר וּבְנֹתֶיהָ וּשְׁכֶם
וּבְנֹתֶיהָ עַד־עַיָּה וּבְנֹתֶיהָ: וְעַל־יְדֵי בְנֵי־מְנַשֶּׁה בֵּית־שְׁאָן וּבְנֹתֶיהָ כט
תַּעְנַךְ וּבְנֹתֶיהָ מְגִדּוֹ וּבְנוֹתֶיהָ דּוֹר וּבְנוֹתֶיהָ בְּאֵלֶּה יָשְׁבוּ בְּנֵי
יוֹסֵף בֶּן־יִשְׂרָאֵל:

ל לא בְּנֵי אָשֵׁר יִמְנָה וְיִשְׁוָה וְיִשְׁוִי וּבְרִיעָה וְשֶׂרַח אֲחוֹתָם: וּבְנֵי בְרִיעָה בְּנֵי אָשֵׁר:
לב חֶבֶר וּמַלְכִּיאֵל הוּא אֲבִי ברזות בִרְזָיִת: וְחֶבֶר הוֹלִיד אֶת־יַפְלֵט
לג וְאֶת־שׁוֹמֵר וְאֶת־חוֹתָם וְאֵת שׁוּעָא אֲחוֹתָם: וּבְנֵי יַפְלֵט פָּסַךְ
לד וּבִמְהָל וְעַשְׁוָת אֵלֶּה בְּנֵי יַפְלֵט: וּבְנֵי שָׁמֶר אֲחִי ורוהגה יחבה
לה וְרָהְגָּה וְחֻבָּה וַאֲרָם: וּבֶן־הֵלֶם אָחִיו צוֹפַח וְיִמְנָע וְשֵׁלֶשׁ וְעָמָל:
לו לז בְּנֵי צוֹפַח סוּחַ וְחַרְנֶפֶר וְשׁוּעָל וּבֵרִי וְיִמְרָה: בֶּצֶר וָהוֹד וְשַׁמָּא
לח לט וְשִׁלְשָׁה וְיִתְרָן וּבְאֵרָא: וּבְנֵי יֶתֶר יְפֻנֶּה וּפִסְפָּה וַאֲרָא: וּבְנֵי עֻלָּא
מ אָרַח וְחַנִּיאֵל וְרִצְיָא: כָּל־אֵלֶּה בְנֵי־אָשֵׁר רָאשֵׁי בֵית־הָאָבוֹת
בְּרוּרִים גִּבּוֹרֵי חֲיָלִים רָאשֵׁי הַנְּשִׂיאִים וְהִתְיַחְשָׂם בַּצָּבָא
ח א בַּמִּלְחָמָה מִסְפָּרָם אֲנָשִׁים עֶשְׂרִים וְשִׁשָּׁה אָלֶף: וּבִנְיָמִן יֶתֶר בְּנֵי בִנְיָמִן:
ב הוֹלִיד אֶת־בֶּלַע בְּכֹרוֹ אַשְׁבֵּל הַשֵּׁנִי וְאַחְרַח הַשְּׁלִישִׁי: נוֹחָה
ג הָרְבִיעִי וְרָפָא הַחֲמִישִׁי: וַיִּהְיוּ בָנִים לְבָלַע אַדָּר וְגֵרָא וַאֲבִיהוּד:
ד ה ו וַאֲבִישׁוּעַ וְנַעֲמָן וַאֲחוֹחַ: וְגֵרָא וּשְׁפוּפָן וְחוּרָם: וְאֵלֶּה בְּנֵי אֵחוּד
ז אֵלֶּה הֵם רָאשֵׁי אָבוֹת לְיוֹשְׁבֵי גֶבַע וַיַּגְלוּם אֶל־מָנָחַת: וְנַעֲמָן
ח וַאֲחִיָּה וְגֵרָא הוּא הֶגְלָם וְהוֹלִיד אֶת־עֻזָּא וְאֶת־אֲחִיחֻד: וְשַׁחֲרַיִם
הוֹלִיד בִּשְׂדֵה מוֹאָב מִן־שִׁלְחוֹ אֹתָם חוּשִׁים וְאֶת־בַּעֲרָא נָשָׁיו:
ט וַיּוֹלֶד מִן־חֹדֶשׁ אִשְׁתּוֹ אֶת־יוֹבָב וְאֶת־צִבְיָא וְאֶת־מֵישָׁא וְאֶת־
י מַלְכָּם: וְאֶת־יְעוּץ וְאֶת־שָׂכְיָה וְאֶת־מִרְמָה אֵלֶּה בָנָיו רָאשֵׁי
יא יב אָבוֹת: וּמֵחֻשִׁים הוֹלִיד אֶת־אֲבִיטוּב וְאֶת־אֶלְפָּעַל: וּבְנֵי אֶלְפַּעַל
יג עֵבֶר וּמִשְׁעָם וָשָׁמֶד הוּא בָּנָה אֶת־אוֹנוֹ וְאֶת־לֹד וּבְנֹתֶיהָ: וּבְרִעָה רָאשֵׁי אָבוֹת
וָשֶׁמַע הֵמָּה רָאשֵׁי הָאָבוֹת לְיוֹשְׁבֵי אַיָּלוֹן הֵמָּה הִבְרִיחוּ אֶת־ לְבִנְיָמִן:
יד טו טז יוֹשְׁבֵי גַת: וְאַחְיוֹ שָׁשָׁק וִירֵמוֹת: וּזְבַדְיָה וַעֲרָד וָעֵדֶר: וּמִיכָאֵל
יז יח וְיִשְׁפָּה וְיוֹחָא בְּנֵי בְרִיעָה: וּזְבַדְיָה וּמְשֻׁלָּם וְחִזְקִי וָחָבֶר: וְיִשְׁמְרַי
יט כ וְיִזְלִיאָה וְיוֹבָב בְּנֵי אֶלְפָּעַל: וְיָקִים וְזִכְרִי וְזַבְדִּי: וֶאֱלִיעֵנַי וְצִלְּתַי
כא כב וֶאֱלִיאֵל: וַעֲדָיָה וּבְרָאיָה וְשִׁמְרָת בְּנֵי שִׁמְעִי: וְיִשְׁפָּן וָעֵבֶר

כג כד כה וֶֽאֱלִיאֵל׃ וְעַבְדּוֹן וְזִכְרִי וְחָנָן׃ וַחֲנַנְיָה וְעֵילָם וְעַנְתֹתִיָּה׃ וְיִפְדְיָה
כו כז ופניאל וּפְנוּאֵל בְּנֵי שָׁשָׁק׃ וְשַׁמְשְׁרַי וּשְׁחַרְיָה וַעֲתַלְיָה׃ וְיַעֲרֶשְׁיָה
כח וְאֵלִיָּה וְזִכְרִי בְּנֵי יְרֹחָם׃ אֵלֶּה רָאשֵׁי אָבוֹת לְתֹלְדוֹתָם רָאשִׁים
כט אֵלֶּה יָשְׁבוּ בִירוּשָׁלִָם׃ וּבְגִבְעוֹן יָשְׁבוּ אֲבִי גִבְעוֹן וְשֵׁם אִשְׁתּוֹ יוֹשְׁבֵי גִבְעוֹן
ל לא מַעֲכָה׃ וּבְנוֹ הַבְּכוֹר עַבְדּוֹן וְצוּר וְקִישׁ וּבַעַל וְנָדָב׃ וּגְדוֹר וְאַחְיוֹ מִבְּנֵי
לב וָזָכֶר׃ וּמִקְלוֹת הוֹלִיד אֶת־שִׁמְאָה וְאַף־הֵמָּה נֶגֶד אֲחֵיהֶם יָשְׁבוּ בִנְיָמִן׃
לג בִּירוּשָׁלִַם עִם־אֲחֵיהֶם׃ וְנֵר הוֹלִיד מִשְׁפַּחַת
אֶת־קִישׁ וְקִישׁ הוֹלִיד אֶת־שָׁאוּל וְשָׁאוּל הוֹלִיד אֶת־יְהוֹנָתָן שָׁאוּל׃
לד וְאֶת־מַלְכִּישׁוּעַ וְאֶת־אֲבִינָדָב וְאֶת־אֶשְׁבָּעַל׃ וּבֶן־יְהוֹנָתָן מְרִיב
לה בָּעַל וּמְרִיב בַּעַל הוֹלִיד אֶת־מִיכָה׃ וּבְנֵי מִיכָה פִּיתוֹן וָמֶלֶךְ
לו וְתַאְרֵעַ וְאָחָז׃ וְאָחָז הוֹלִיד אֶת־יְהוֹעַדָּה וִיהוֹעַדָּה הוֹלִיד
אֶת־עָלֶמֶת וְאֶת־עַזְמָוֶת וְאֶת־זִמְרִי וְזִמְרִי הוֹלִיד אֶת־מוֹצָא׃
לז לח וּמוֹצָא הוֹלִיד אֶת־בִּנְעָא רָפָה בְנוֹ אֶלְעָשָׂה בְנוֹ אָצֵל בְּנוֹ׃ וּלְאָצֵל
שִׁשָּׁה בָנִים וְאֵלֶּה שְׁמוֹתָם עַזְרִיקָם ׀ בֹּכְרוּ וְיִשְׁמָעֵאל וּשְׁעַרְיָה
לט וְעֹבַדְיָה וְחָנָן כָּל־אֵלֶּה בְּנֵי אָצַל׃ וּבְנֵי עֵשֶׁק אָחִיו אוּלָם בְּכֹרוֹ
מ יְעוּשׁ הַשֵּׁנִי וֶאֱלִיפֶלֶט הַשְּׁלִשִׁי׃ וַיִּהְיוּ בְנֵי־אוּלָם אֲנָשִׁים
גִּבֹּרֵי־חַיִל דֹּרְכֵי קֶשֶׁת וּמַרְבִּים בָּנִים וּבְנֵי בָנִים מֵאָה וַחֲמִשִּׁים
כָּל־אֵלֶּה מִבְּנֵי בִנְיָמִן׃

ט א וְכָל־יִשְׂרָאֵל הִתְיַחְשׂוּ וְהִנָּם כְּתוּבִים עַל־סֵפֶר מַלְכֵי יִשְׂרָאֵל [3338] הַשָּׁבִים
ב וִיהוּדָה הָגְלוּ לְבָבֶל בְּמַעֲלָם׃ וְהַיּוֹשְׁבִים הָרִאשֹׁנִים מִגּוֹלַת
אֲשֶׁר בַּאֲחֻזָּתָם בְּעָרֵיהֶם יִשְׂרָאֵל הַכֹּהֲנִים הַלְוִיִּם וְהַנְּתִינִים׃ בָּבֶל׃
ג וּבִירוּשָׁלִַם יָשְׁבוּ מִן־בְּנֵי יְהוּדָה וּמִן־בְּנֵי בִנְיָמִן וּמִן־בְּנֵי אֶפְרַיִם
ד וּמְנַשֶּׁה׃ עוּתַי בֶּן־עַמִּיהוּד בֶּן־עָמְרִי בֶּן־אִמְרִי בֶן־בָּנִי בנימן
ה מִן־בְּנֵי־פֶרֶץ בֶּן־יְהוּדָה׃ וּמִן־הַשִּׁילוֹנִי
ו עֲשָׂיָה הַבְּכוֹר וּבָנָיו׃ וּמִן־בְּנֵי־זֶרַח יְעוּאֵל וַאֲחֵיהֶם שֵׁשׁ־מֵאוֹת

ז וְתִשְׁעִים׃ וּמִן־בְּנֵי בִּנְיָמִן סַלּוּא בֶּן־מְשֻׁלָּם בֶּן־הוֹדַוְיָה בֶּן־
ח הַסְּנֻאָה׃ וְיִבְנְיָה בֶּן־יְרֹחָם וְאֵלָה בֶּן־עֻזִּי בֶּן־מִכְרִי וּמְשֻׁלָּם בֶּן־
ט שְׁפַטְיָה בֶּן־רְעוּאֵל בֶּן־יִבְנִיָּה׃ וַאֲחֵיהֶם לְתֹלְדוֹתָם תְּשַׁע מֵאוֹת
וַחֲמִשִּׁים וְשִׁשָּׁה כָּל־אֵלֶּה אֲנָשִׁים רָאשֵׁי אָבוֹת לְבֵית
י אֲבֹתֵיהֶם׃ וּמִן־הַכֹּהֲנִים יְדַעְיָה וִיהוֹיָרִיב וְיָכִין׃ הַכֹּהֲנִים וְהַלְוִיִּם׃
יא וַעֲזַרְיָה בֶּן־חִלְקִיָּה בֶּן־מְשֻׁלָּם בֶּן־צָדוֹק בֶּן־מְרָיוֹת בֶּן־אֲחִיטוּב
יב נְגִיד בֵּית הָאֱלֹהִים׃ וַעֲדָיָה בֶּן־יְרֹחָם בֶּן־פַּשְׁחוּר בֶּן־
מַלְכִּיָּה וּמַעְשַׂי בֶּן־עֲדִיאֵל בֶּן־יַחְזֵרָה בֶּן־מְשֻׁלָּם בֶּן־מְשִׁלֵּמִית
יג בֶּן־אִמֵּר׃ וַאֲחֵיהֶם רָאשִׁים לְבֵית אֲבוֹתָם אֶלֶף וּשְׁבַע מֵאוֹת
יד וְשִׁשִּׁים גִּבּוֹרֵי חֵיל מְלֶאכֶת עֲבוֹדַת בֵּית־הָאֱלֹהִים׃ וּמִן־הַלְוִיִּם
שְׁמַעְיָה בֶּן־חַשּׁוּב בֶּן־עַזְרִיקָם בֶּן־חֲשַׁבְיָה מִן־בְּנֵי מְרָרִי׃
טו וּבַקְבַּקַּר חֶרֶשׁ וְגָלָל וּמַתַּנְיָה בֶּן־מִיכָא בֶּן־זִכְרִי בֶּן־אָסָף׃
טז וְעֹבַדְיָה בֶּן־שְׁמַעְיָה בֶּן־גָּלָל בֶּן־יְדוּתוּן וּבֶרֶכְיָה בֶּן־אָסָא
יז בֶּן־אֶלְקָנָה הַיּוֹשֵׁב בְּחַצְרֵי נְטוֹפָתִי׃ וְהַשֹּׁעֲרִים שַׁלּוּם וְעַקּוּב הַשּׁוֹעֲרִים וּשְׁמוֹתֵיהֶם׃
יח וְטַלְמֹן וַאֲחִימָן וַאֲחִיהֶם שַׁלּוּם הָרֹאשׁ׃ וְעַד־הֵנָּה בְּשַׁעַר הַמֶּלֶךְ
יט מִזְרָחָה הֵמָּה הַשֹּׁעֲרִים לְמַחֲנוֹת בְּנֵי לֵוִי׃ וְשַׁלּוּם בֶּן־קוֹרֵא
בֶּן־אֶבְיָסָף בֶּן־קֹרַח וְאֶחָיו לְבֵית־אָבִיו הַקָּרְחִים עַל מְלֶאכֶת
הָעֲבוֹדָה שֹׁמְרֵי הַסִּפִּים לָאֹהֶל וַאֲבֹתֵיהֶם עַל־מַחֲנֵה יְהוָה שֹׁמְרֵי
כ הַמָּבוֹא׃ וּפִינְחָס בֶּן־אֶלְעָזָר נָגִיד הָיָה עֲלֵיהֶם לְפָנִים יְהוָה ׀
כא כב עִמּוֹ׃ זְכַרְיָה בֶּן מְשֶׁלֶמְיָה שֹׁעֵר פֶּתַח לְאֹהֶל מוֹעֵד׃ כֻּלָּם
הַבְּרוּרִים לְשֹׁעֲרִים בַּסִּפִּים מָאתַיִם וּשְׁנֵים עָשָׂר הֵמָּה
בְּחַצְרֵיהֶם הִתְיַחְשָׂם הֵמָּה יִסַּד דָּוִיד וּשְׁמוּאֵל הָרֹאֶה בֶּאֱמוּנָתָם׃
כג וְהֵם וּבְנֵיהֶם עַל־הַשְּׁעָרִים לְבֵית־יְהוָה לְבֵית־הָאֹהֶל לְמִשְׁמָרוֹת׃
כד לְאַרְבַּע רוּחוֹת יִהְיוּ הַשֹּׁעֲרִים מִזְרָח יָמָּה צָפוֹנָה וָנֶגְבָּה׃
כה וַאֲחֵיהֶם בְּחַצְרֵיהֶם לָבוֹא לְשִׁבְעַת הַיָּמִים מֵעֵת אֶל־עֵת עִם־

אֵ֫לֶּה: כִּ֣י בֶאֱמוּנָ֣ה הֵ֑מָּה אַרְבַּ֨עַת גִּבֹּרֵ֤י הַשֹּֽׁעֲרִים֙ הֵ֣ם הַלְוִיִּ֔ם וְהָי֖וּ   כ

עַל־הַלְּשָׁכ֑וֹת וְעַ֖ל הָאֹצְר֣וֹת בֵּ֥ית הָאֱלֹהִֽים: וּסְבִיב֥וֹת בֵּֽית־   כו

הָאֱלֹהִ֖ים יָלִ֑ינוּ כִּֽי־עֲלֵיהֶ֣ם מִשְׁמֶ֔רֶת וְהֵ֥ם עַל־הַמַּפְתֵּ֖חַ וְלַבֹּ֥קֶר

לַבֹּֽקֶר: וּמֵהֶ֕ם עַל־כְּלֵ֣י הָעֲבוֹדָ֑ה כִּֽי־בְמִסְפָּ֥ר יְבִיא֖וּם וּבְמִסְפָּ֥ר   כח

יוֹצִיא֑וּם: וּמֵהֶ֗ם מְמֻנִּים֙ עַל־הַכֵּלִ֔ים וְעַ֖ל כָּל־כְּלֵ֣י הַקֹּ֑דֶשׁ וְעַל־   כט

הַסֹּ֨לֶת֙ וְהַיַּ֣יִן וְהַשֶּׁ֔מֶן וְהַלְּבוֹנָ֖ה וְהַבְּשָׂמִֽים: וּמִן־בְּנֵי֙ הַכֹּ֣הֲנִ֔ים   ל

רֹקְחֵ֥י הַמִּרְקַ֖חַת לַבְּשָׂמִֽים: וּמַתִּתְיָה֙ מִן־הַלְוִיִּ֔ם ה֥וּא הַבְּכ֖וֹר   לא

לְשַׁלֻּ֣ם הַקָּרְחִ֑י בֶּאֱמוּנָ֖ה עַ֥ל מַעֲשֵׂ֥ה הַחֲבִתִּֽים: וּמִן־בְּנֵ֧י הַקְּהָתִ֣י   לב

מִן־אֲחֵיהֶ֛ם עַל־לֶ֥חֶם הַֽמַּעֲרָ֖כֶת לְהָכִ֥ין שַׁבַּ֥ת שַׁבָּֽת: וְאֵ֣לֶּה   לג

הַמְשֹׁרְרִ֞ים רָאשֵׁ֣י אָב֧וֹת לַלְוִיִּ֛ם בַּלְּשָׁכֹ֖ת פְּטוּרִ֑ים פטורים כִּֽי־יוֹמָ֥ם

וָלַ֖יְלָה עֲלֵיהֶ֥ם בַּמְּלָאכָֽה: אֵ֣לֶּה רָאשֵׁ֧י הָאָב֛וֹת לַלְוִיִּ֖ם לְתֹלְדוֹתָ֥ם   לד

יֹושְׁבֵ֖י
גִּבְעֹ֑ון
רָאשִׁ֑ים אֵ֖לֶּה יָשְׁב֥וּ בִירוּשָׁלָֽ͏ִם: וּבְגִבְעֹ֣ון יָ֥שְׁב֖וּ אֲבִֽי־   לה

מִבְּנֵ֣י
בִנְיָמִֽן׃
גִבְע֣וֹן יְעוּאֵ֑ל יְעיאל וְשֵׁ֥ם אִשְׁתּ֖וֹ מַעֲכָֽה: וּבְנ֥וֹ הַבְּכ֣וֹר עַבְדּ֖וֹן וְצ֥וּר   לו

וְקִ֥ישׁ וּבַ֛עַל וְנֵ֖ר וְנָדָֽב: וּגְדוֹר֙ וְאַחְי֣וֹ וּזְכַרְיָ֔ה וּמִקְל֖וֹת׃ וּמִקְל֕וֹת   לז לח

הוֹלִ֣יד אֶת־שִׁמְאָ֑ם וְאַף־הֵ֗ם נֶ֧גֶד אֲחֵיהֶ֛ם יָשְׁב֥וּ בִירוּשָׁלַ֖͏ִם עִם־

מִשְׁפַּ֣חַת
שָׁאֽוּל׃
אֲחֵיהֶֽם: וְנֵר֙ הוֹלִ֣יד אֶת־קִ֔ישׁ וְקִ֖ישׁ הוֹלִ֣יד אֶת־שָׁא֑וּל   לט

וְשָׁא֗וּל הוֹלִ֤יד אֶת־יְהוֹנָתָן֙ וְאֶת־מַלְכִּישׁ֔וּעַ וְאֶת־אֲבִֽינָדָ֖ב וְאֶת־

אֶשְׁבָּֽעַל: וּבֶן־יְה֥וֹנָתָ֖ן מְרִ֣יב בָּ֑עַל וּמְרִֽי־בַ֖עַל הוֹלִ֥יד אֶת־מִיכָֽה: מ

וּבְנֵ֣י מִיכָ֑ה פִּית֥וֹן וָמֶ֖לֶךְ וְתַחְרֵֽעַ: וְאָחָז֙ הוֹלִ֣יד אֶת־יַעְרָ֔ה וְיַעְרָ֖ה   מא מב

הוֹלִ֣יד אֶת־עָלֶ֑מֶת וְאֶת־עַזְמָ֖וֶת וְאֶת־זִמְרִ֑י וְזִמְרִ֖י הוֹלִ֥יד אֶת־

מוֹצָֽא: וּמוֹצָ֖א הוֹלִ֣יד אֶת־בִּנְעָ֑א וּרְפָיָ֤ה בְנוֹ֙ אֶלְעָשָׂ֣ה בְנ֔וֹ אָצֵ֖ל   מג

בְּנֽוֹ: וּלְאָצֵל֙ שִׁשָּׁ֣ה בָנִ֔ים וְאֵ֖לֶּה שְׁמוֹתָ֑ם עַזְרִיקָ֣ם ׀ בֹּ֣כְר֗וּ   מד

וְיִשְׁמָעֵ֧אל וּשְׁעַרְיָ֛ה וְעֹבַדְיָ֥ה וְחָנָ֖ן אֵ֥לֶּה בְּנֵ֥י אָצַֽל׃

[2884]
מִלְחֶ֣מֶת
שָׁא֖וּל
בַּפְּלִשְׁתִּֽים׃
וּפְלִשְׁתִּ֖ים נִלְחֲמ֣וּ בְיִשְׂרָאֵ֑ל וַיָּ֤נָס אִֽישׁ־יִשְׂרָאֵל֙ מִפְּנֵ֣י פְלִשְׁתִּ֔ים   י א

וַיִּפְּל֥וּ חֲלָלִ֖ים בְּהַ֥ר גִּלְבֹּֽעַ: וַיַּדְבְּק֣וּ פְלִשְׁתִּ֗ים אַחֲרֵ֤י שָׁאוּל֙ וְאַחֲרֵ֣י   ב

בָּנָ֑יו וַיַּכּ֣וּ פְלִשְׁתִּ֗ים אֶת־יוֹנָתָ֤ן וְאֶת־אֲבִֽינָדָב֙ וְאֶת־מַלְכִּישׁ֔וּעַ בְּנֵ֖י

ג שָׁאֽוּל: וַתִּכְבַּ֤ד הַמִּלְחָמָה֙ עַל־שָׁא֔וּל וַיִּמְצָאֻ֖הוּ הַמּוֹרִ֣ים בַּקָּ֑שֶׁת

ד וַיָּ֖חֶל מִן־הַיּוֹרִֽים: וַיֹּ֣אמֶר שָׁא֣וּל אֶל־נֹשֵׂ֣א כֵלָ֡יו שְׁלֹ֣ף חַרְבְּךָ֣ |

וְדָקְרֵ֣נִי בָהּ֩ פֶּן־יָבֹ֨אוּ הָעֲרֵלִ֤ים הָאֵ֙לֶּה֙ וְהִתְעַלְּלוּ־בִ֔י וְלֹ֤א אָבָה֙

נֹשֵׂ֣א כֵלָ֔יו כִּ֥י יָרֵ֖א מְאֹ֑ד וַיִּקַּ֤ח שָׁאוּל֙ אֶת־הַחֶ֔רֶב וַיִּפֹּ֖ל

ה עָלֶֽיהָ: וַיַּ֥רְא נֹשֵֽׂא־כֵלָ֖יו כִּ֣י מֵ֣ת שָׁא֑וּל וַיִּפֹּ֥ל גַּם־ה֛וּא עַל־הַחֶ֖רֶב

ו וַיָּמֹֽת: וַיָּ֤מָת שָׁאוּל֙ וּשְׁלֹ֣שֶׁת בָּנָ֔יו

ז וְכָל־בֵּית֖וֹ יַחְדָּ֥ו מֵֽתוּ: וַ֠יִּרְא֠וּ כָּל־אִ֨ישׁ יִשְׂרָאֵ֤ל אֲשֶׁר־בָּעֵ֙מֶק֙ כִּ֣י

נָ֔סוּ וְכִי־מֵ֖תוּ שָׁא֣וּל וּבָנָ֑יו וַיַּעַזְב֤וּ עָרֵיהֶם֙ וַיָּנֻ֔סוּ וַיָּבֹ֣אוּ פְלִשְׁתִּ֔ים

ח וַיֵּשְׁב֖וּ בָּהֶֽם: וַיְהִי֙ מִֽמָּחֳרָ֔ת וַיָּבֹ֣אוּ

פְלִשְׁתִּ֔ים לְפַשֵּׁ֖ט אֶת־הַחֲלָלִ֑ים וַֽיִּמְצְא֤וּ אֶת־שָׁאוּל֙ וְאֶת־בָּנָ֔יו

ט נֹפְלִ֖ים בְּהַ֥ר גִּלְבֹּֽעַ: וַ֨יַּפְשִׁיטֻ֔הוּ וַיִּשְׂא֥וּ אֶת־רֹאשׁ֖וֹ וְאֶת־כֵּלָ֑יו

וַיְשַׁלְּח֨וּ בְאֶֽרֶץ־פְלִשְׁתִּ֜ים סָבִ֗יב לְבַשֵּׂ֧ר אֶת־עֲצַבֵּיהֶ֖ם וְאֶת־הָעָֽם:

י וַיָּשִׂ֙ימוּ֙ אֶת־כֵּלָ֔יו בֵּ֖ית אֱלֹֽהֵיהֶ֑ם וְאֶת־גֻּלְגָּלְתּ֣וֹ תָֽקְע֖וּ בֵּ֥ית

יא דָּגֽוֹן: וַֽיִּשְׁמְע֔וּ כֹּ֖ל יָבֵ֣ישׁ גִּלְעָ֑ד אֵ֛ת כָּל־אֲשֶׁר־עָשׂ֥וּ

יב פְלִשְׁתִּ֖ים לְשָׁאֽוּל: וַיָּק֜וּמוּ כָּל־אִ֣ישׁ חַ֗יִל וַיִּשְׂא֞וּ אֶת־גּוּפַ֤ת שָׁאוּל֙

וְאֵת֙ גּוּפֹ֣ת בָּנָ֔יו וַיְבִיא֖וּם יָבֵ֑ישָׁה וַיִּקְבְּר֧וּ אֶת־עַצְמוֹתֵיהֶ֛ם תַּ֥חַת

יג הָאֵלָ֖ה בְּיָבֵ֑שׁ וַיָּצ֖וּמוּ שִׁבְעַ֥ת יָמִֽים: וַיָּ֣מָת שָׁא֗וּל בְּמַעֲלוֹ֙ אֲשֶׁ֣ר

מָעַ֣ל בַּֽיהוָ֔ה עַל־דְּבַ֥ר יְהוָ֖ה אֲשֶׁ֣ר לֹא־שָׁמָ֑ר וְגַם־לִשְׁא֥וֹל בָּא֖וֹב

יד לִדְרֽוֹשׁ: וְלֹֽא־דָרַ֥שׁ בַּֽיהוָ֖ה וַיְמִיתֵ֑הוּ וַיַּסֵּב֙ אֶת־הַמְּלוּכָ֔ה לְדָוִ֖יד

בֶּן־יִשָֽׁי:

יא א וַיִּקָּבְצ֧וּ כָל־יִשְׂרָאֵ֛ל אֶל־דָּוִ֖יד חֶבְר֣וֹנָה לֵאמֹ֑ר הִנֵּ֛ה עַצְמְךָ֥ וּֽבְשָׂרְךָ֖

ב אֲנָֽחְנוּ: גַּם־תְּמ֤וֹל גַּם־שִׁלְשׁוֹם֙ גַּ֣ם בִּהְי֣וֹת שָׁא֣וּל מֶ֔לֶךְ אַתָּ֗ה

הַמּוֹצִ֤יא וְהַמֵּבִיא֙ אֶת־יִשְׂרָאֵ֔ל וַיֹּ֤אמֶר יְהוָה֙ אֱלֹהֶ֔יךָ לְךָ֣ אַתָּ֗ה

תִרְעֶ֤ה אֶת־עַמִּי֙ אֶת־יִשְׂרָאֵ֔ל וְאַתָּ֛ה תִּֽהְיֶ֥ה נָגִ֖יד עַל־עַמִּֽי

נְפִילַת
שָׁאוּל
וּבָנָיו:

הִתְעַלְּלוּת
פְּלִשְׁתִּים
בְּשָׁאוּל
וּבָנָיו:

קְבוּרַת
שָׁאוּל
וּבָנָיו:

מְשִׁיחַת
דָּוִד
לְמֶלֶךְ
בְּחֶבְרוֹן:

ג יִשְׂרָאֵל: וַיָּבֹאוּ כָּל־זִקְנֵי יִשְׂרָאֵל אֶל־הַמֶּלֶךְ חֶבְרוֹנָה וַיִּכְרֹת
לָהֶם דָּוִיד בְּרִית בְּחֶבְרוֹן לִפְנֵי יְהוָה וַיִּמְשְׁחוּ אֶת־דָּוִיד לְמֶלֶךְ
ד עַל־יִשְׂרָאֵל כִּדְבַר יְהוָה בְּיַד־שְׁמוּאֵל: וַיֵּלֶךְ דָּוִיד וְכָל־ [2891]

כִּבּוּשׁ מְצוּדַת דָּוִיד:

ה יִשְׂרָאֵל יְרוּשָׁלִַם הִיא יְבוּס וְשָׁם הַיְבוּסִי יֹשְׁבֵי הָאָרֶץ: וַיֹּאמְרוּ
יֹשְׁבֵי יְבוּס לְדָוִיד לֹא תָבוֹא הֵנָּה וַיִּלְכֹּד דָּוִיד אֶת־מְצֻדַת צִיּוֹן
ו הִיא עִיר דָּוִיד: וַיֹּאמֶר דָּוִיד כָּל־מַכֵּה יְבוּסִי בָּרִאשׁוֹנָה יִהְיֶה
ז לְרֹאשׁ וּלְשָׂר וַיַּעַל בָּרִאשׁוֹנָה יוֹאָב בֶּן־צְרוּיָה וַיְהִי לְרֹאשׁ: וַיֵּשֶׁב
ח דָּוִיד בַּמְצָד עַל־כֵּן קָרְאוּ־לוֹ עִיר דָּוִיד: וַיִּבֶן הָעִיר מִסָּבִיב
ט מִן־הַמִּלּוֹא וְעַד־הַסָּבִיב וְיוֹאָב יְחַיֶּה אֶת־שְׁאָר הָעִיר: וַיֵּלֶךְ דָּוִיד
הָלוֹךְ וְגָדוֹל וַיהוָה צְבָאוֹת עִמּוֹ:

שְׁלֹשֶׁת רָאשֵׁי הַגִּבּוֹרִים:

י וְאֵלֶּה רָאשֵׁי הַגִּבּוֹרִים אֲשֶׁר לְדָוִיד הַמִּתְחַזְּקִים עִמּוֹ
בְמַלְכוּתוֹ עִם־כָּל־יִשְׂרָאֵל לְהַמְלִיכוֹ כִּדְבַר יְהוָה עַל־
יא יִשְׂרָאֵל: וְאֵלֶּה מִסְפַּר הַגִּבֹּרִים אֲשֶׁר לְדָוִיד יָשָׁבְעָם
בֶּן־חַכְמוֹנִי רֹאשׁ השלושים הַשָּׁלִישִׁים הוּא־עוֹרֵר אֶת־חֲנִיתוֹ
יב עַל־שְׁלֹשׁ־מֵאוֹת חָלָל בְּפַעַם אֶחָת: וְאַחֲרָיו אֶלְעָזָר בֶּן־דּוֹדוֹ
יג הָאֲחוֹחִי הוּא בִּשְׁלוֹשָׁה הַגִּבֹּרִים: הוּא־הָיָה עִם־דָּוִיד בַּפַּס דַּמִּים
וְהַפְּלִשְׁתִּים נֶאֶסְפוּ־שָׁם לַמִּלְחָמָה וַתְּהִי חֶלְקַת הַשָּׂדֶה מְלֵאָה
יד שְׂעוֹרִים וְהָעָם נָסוּ מִפְּנֵי פְלִשְׁתִּים: וַיִּתְיַצְּבוּ בְתוֹךְ־הַחֶלְקָה

הֲבָאַת מַיִם לְדָוִיד וְהִסַּכְתָּם לַה':

טו וַיַּצִּילוּהָ וַיַּכּוּ אֶת־פְּלִשְׁתִּים וַיּוֹשַׁע יְהוָה תְּשׁוּעָה גְדוֹלָה: וַיֵּרְדוּ
שְׁלוֹשָׁה מִן־הַשְּׁלוֹשִׁים רֹאשׁ עַל־הַצֻּר אֶל־דָּוִיד אֶל־מְעָרַת
טז עֲדֻלָּם וּמַחֲנֵה פְלִשְׁתִּים חֹנָה בְּעֵמֶק רְפָאִים: וְדָוִיד אָז בַּמְּצוּדָה
יז וּנְצִיב פְּלִשְׁתִּים אָז בְּבֵית לָחֶם: וַיִּתְאָו דָּוִיד וַיֹּאמַר מִי יַשְׁקֵנִי
יח מַיִם מִבּוֹר בֵּית־לֶחֶם אֲשֶׁר בַּשָּׁעַר: וַיִּבְקְעוּ הַשְּׁלֹשָׁה בְּמַחֲנֵה
פְלִשְׁתִּים וַיִּשְׁאֲבוּ־מַיִם מִבּוֹר בֵּית־לֶחֶם אֲשֶׁר בַּשַּׁעַר וַיִּשְׂאוּ
וַיָּבֹאוּ אֶל־דָּוִיד וְלֹא־אָבָה דָוִיד לִשְׁתּוֹתָם וַיְנַסֵּךְ אֹתָם לַיהוָה:

יט וַיֹּאמֶר חָלִילָה לִּי מֵאֱלֹהַי מֵעֲשׂוֹת זֹאת הֲדַם הָאֲנָשִׁים הָאֵלֶּה
אֶשְׁתֶּה בְנַפְשׁוֹתָם כִּי בְנַפְשׁוֹתָם הֱבִיאוּם וְלֹא אָבָה לִשְׁתּוֹתָם
כ אֵלֶּה עָשׂוּ שְׁלֹשֶׁת הַגִּבּוֹרִים: וְאַבְשַׁי אֲחִי־יוֹאָב הוּא הָיָה רֹאשׁ
אַבְשַׁי הָרֹאשׁ:
הַשְּׁלוֹשָׁה וְהוּא עוֹרֵר אֶת־חֲנִיתוֹ עַל־שְׁלֹשׁ מֵאוֹת חָלָל ולא
כא וְלוֹ־שֵׁם בַּשְּׁלוֹשָׁה: מִן־הַשְּׁלוֹשָׁה בַשְּׁנַיִם נִכְבָּד וַיְהִי לָהֶם לְשָׂר
כב וְעַד־הַשְּׁלוֹשָׁה לֹא־בָא: בְּנָיָה בֶן־יְהוֹיָדָע בֶּן־אִישׁ־
בְּנָיָה בֶּן יְהוֹיָדָע:
חַיִל רַב־פְּעָלִים מִן־קַבְצְאֵל הוּא הִכָּה אֵת שְׁנֵי אֲרִיאֵל מוֹאָב
כג וְהוּא יָרַד וְהִכָּה אֶת־הָאֲרִי בְּתוֹךְ הַבּוֹר בְּיוֹם הַשָּׁלֶג: וְהוּא־הִכָּה
אֶת־הָאִישׁ הַמִּצְרִי אִישׁ מִדָּה ׀ חָמֵשׁ בָּאַמָּה וּבְיַד הַמִּצְרִי חֲנִית
כִּמְנוֹר אֹרְגִים וַיֵּרֶד אֵלָיו בַּשָּׁבֶט וַיִּגְזֹל אֶת־הַחֲנִית מִיַּד הַמִּצְרִי
כד וַיַּהַרְגֵהוּ בַּחֲנִיתוֹ: אֵלֶּה עָשָׂה בְּנָיָהוּ בֶּן־יְהוֹיָדָע וְלוֹ־שֵׁם
כה בִּשְׁלוֹשָׁה הַגִּבֹּרִים: מִן־הַשְּׁלוֹשִׁים הִנּוֹ נִכְבָּד הוּא וְאֶל־הַשְּׁלוֹשָׁה
כו לֹא־בָא וַיְשִׂימֵהוּ דָוִיד עַל־מִשְׁמַעְתּוֹ: וְגִבּוֹרֵי הַחֲיָלִים
שְׁמוֹת שְׁאָר גִּבּוֹרֵי דָוִיד:
עֲשָׂהאֵל אֲחִי יוֹאָב אֶלְחָנָן בֶּן־דּוֹדוֹ מִבֵּית
כז לָחֶם: שַׁמּוֹת הַהֲרוֹרִי חֶלֶץ
כח הַפְּלוֹנִי: עִירָא בֶן־עִקֵּשׁ הַתְּקוֹעִי אֲבִיעֶזֶר
כט הָעַנְּתוֹתִי: סִבְּכַי הַחֻשָׁתִי עִילַי
ל הָאֲחוֹחִי: מַהְרַי הַנְּטֹפָתִי חֵלֶד בֶּן־בַּעֲנָה
לא הַנְּטוֹפָתִי: אִיתַי בֶּן־רִיבַי מִגִּבְעַת
לב בְּנֵי בִנְיָמִן בְּנָיָה הַפִּרְעָתֹנִי: חוּרַי
לג מִנַּחֲלֵי גָעַשׁ אֲבִיאֵל הָעַרְבָתִי: עַזְמָוֶת
לד הַבַּחֲרוּמִי אֶלְיַחְבָּא הַשַּׁעַלְבֹנִי: בְּנֵי הָשֵׁם
לה הַגִּזוֹנִי יוֹנָתָן בֶּן־שָׁגֵה הַהֲרָרִי: אֲחִיאָם
לו בֶּן־שָׂכָר הַהֲרָרִי אֱלִיפַל בֶּן־אוּר: חֵפֶר
לז הַמְּכֵרָתִי אֲחִיָּה הַפְּלֹנִי: חֶצְרוֹ הַכַּרְמְלִי נַעֲרַי

לח בֶּן־אֶזְבָּי׃ יוֹאֵל אֲחִי נָתָן מִבְחָר בֶּן־
לט הַגְרִי׃ צֶלֶק הָעַמּוֹנִי נַחְרַי הַבֵּרֹתִי נֹשֵׂא כְּלֵי יוֹאָב
מ מא בֶּן־צְרוּיָה׃ עִירָא הַיִּתְרִי גָּרֵב הַיִּתְרִי׃ אוּרִיָּה
מב הַחִתִּי זָבָד בֶּן־אַחְלָי׃ עֲדִינָא בֶן־שִׁיזָא הָראוּבֵנִי
מג רֹאשׁ לָראוּבֵנִי וְעָלָיו שְׁלוֹשִׁים׃ חָנָן בֶּן־מַעֲכָה וְיוֹשָׁפָט
מד הַמִּתְנִי׃ עֻזִּיָּא הָעַשְׁתְּרָתִי שָׁמָע ויעואל וִיעִיאֵל
מה בְּנֵי חוֹתָם הָעֲרֹעֵרִי׃ יְדִיעֲאֵל בֶּן־שִׁמְרִי וְיֹחָא אָחִיו
מו הַתִּיצִי׃ אֱלִיאֵל הַמַּחֲוִים וִירִיבַי וְיוֹשַׁוְיָה בְּנֵי
מז אֶלְנָעַם וְיִתְמָה הַמּוֹאָבִי׃ אֱלִיאֵל וְעוֹבֵד וְיַעֲשִׂיאֵל
הַמְּצֹבָיָה׃
יב א וְאֵלֶּה הַבָּאִים אֶל־דָּוִיד לְצִיקְלַג עוֹד עָצוּר מִפְּנֵי שָׁאוּל בֶּן־קִישׁ גִּבּוֹרֵי בִנְיָמִן׃
ב וְהֵמָּה בַּגִּבּוֹרִים עֹזְרֵי הַמִּלְחָמָה׃ נֹשְׁקֵי קֶשֶׁת מַיְמִינִים
וּמַשְׂמִאלִים בָּאֲבָנִים וּבַחִצִּים בַּקָּשֶׁת מֵאֲחֵי שָׁאוּל מִבִּנְיָמִן׃
ג הָרֹאשׁ אֲחִיעֶזֶר וְיוֹאָשׁ בְּנֵי הַשְּׁמָעָה הַגִּבְעָתִי ויזואל וִיזִיאֵל וָפֶלֶט
ד בְּנֵי עַזְמָוֶת וּבְרָכָה וְיֵהוּא הָעַנְּתֹתִי׃ וְיִשְׁמַעְיָה הַגִּבְעוֹנִי גִּבּוֹר
ה בַּשְּׁלֹשִׁים וְעַל־הַשְּׁלֹשִׁים׃ וְיִרְמְיָה וְיַחֲזִיאֵל וְיוֹחָנָן וְיוֹזָבָד
ו הַגְּדֵרָתִי׃ אֶלְעוּזַי וִירִימוֹת וּבְעַלְיָה וּשְׁמַרְיָהוּ
ז וּשְׁפַטְיָהוּ החריפי הַחֲרוּפִי׃ אֶלְקָנָה וְיִשִּׁיָּהוּ וַעֲזַרְאֵל וְיוֹעֶזֶר
ח וְיָשָׁבְעָם הַקָּרְחִים׃ וְיוֹעֵאלָה וּזְבַדְיָה בְּנֵי יְרֹחָם מִן־הַגְּדוֹר׃
ט וּמִן־הַגָּדִי נִבְדְּלוּ אֶל־דָּוִיד לַמְצַד מִדְבָּרָה גִּבֹּרֵי הַחַיִל אַנְשֵׁי גִּבּוֹרֵי גָד׃
צָבָא לַמִּלְחָמָה עֹרְכֵי צִנָּה וָרֹמַח וּפְנֵי אַרְיֵה פְּנֵיהֶם וְכִצְבָאיִם
י עַל־הֶהָרִים לְמַהֵר׃ עֵזֶר הָרֹאשׁ עֹבַדְיָה הַשֵּׁנִי אֱלִיאָב הַשְּׁלִשִׁי׃
יא יב מִשְׁמַנָּה הָרְבִיעִי יִרְמְיָה הַחֲמִשִׁי׃ עַתַּי הַשִּׁשִּׁי אֱלִיאֵל הַשְּׁבִעִי׃
יג יד יוֹחָנָן הַשְּׁמִינִי אֶלְזָבָד הַתְּשִׁיעִי׃ יִרְמְיָהוּ הָעֲשִׂירִי מַכְבַּנַּי עַשְׁתֵּי
טו עָשָׂר׃ אֵלֶּה מִבְּנֵי־גָד רָאשֵׁי הַצָּבָא אֶחָד לְמֵאָה הַקָּטָן

טו וְהַגָּדוֹל לְאָלֶף׃ אֵלֶּה הֵם אֲשֶׁר עָבְרוּ אֶת־הַיַּרְדֵּן בַּחֹדֶשׁ הָרִאשׁוֹן
וְהוּא מְמַלֵּא עַל־כׇּל־גְּדוֹתָיו גדיתיו וַיַּבְרִיחוּ אֶת־כׇּל־הָעֲמָקִים
לַמִּזְרָח וְלַמַּעֲרָב׃

קַבָּלַת פְּנֵי הַגִּבּוֹרִים:

יז יח וַיָּבֹאוּ מִן־בְּנֵי בִנְיָמִן וִיהוּדָה עַד־לַמְצָד לְדָוִיד׃ וַיֵּצֵא דָוִיד
לִפְנֵיהֶם וַיַּעַן וַיֹּאמֶר לָהֶם אִם־לְשָׁלוֹם בָּאתֶם אֵלַי לְעׇזְרֵנִי
יִהְיֶה־לִּי עֲלֵיכֶם לֵבָב לְיָחַד וְאִם־לְרַמּוֹתַנִי לְצָרַי בְּלֹא חָמָס
יט בְּכַפַּי יֵרֶא אֱלֹהֵי אֲבוֹתֵינוּ וְיוֹכַח׃ וְרוּחַ לָבְשָׁה אֶת־
עֲמָשַׂי רֹאשׁ השלושים הַשָּׁלִישִׁים לְךָ דָוִיד וְעִמְּךָ בֶן־יִשַׁי שָׁלוֹם ׀
שָׁלוֹם לְךָ וְשָׁלוֹם לְעֹזְרֶךָ כִּי עֲזָרְךָ אֱלֹהֶיךָ וַיְקַבְּלֵם דָּוִיד וַיִּתְּנֵם
בְּרָאשֵׁי הַגְּדוּד׃

[2884] גִּבּוֹרֵי מְנַשֶּׁה:

כ וּמִמְּנַשֶּׁה נָפְלוּ עַל־דָּוִיד בְּבֹאוֹ עִם־פְּלִשְׁתִּים עַל־שָׁאוּל
לַמִּלְחָמָה וְלֹא עֲזָרֻם כִּי בְעֵצָה שִׁלְּחֻהוּ סַרְנֵי פְלִשְׁתִּים לֵאמֹר
כא בְּרָאשֵׁינוּ יִפּוֹל אֶל־אֲדֹנָיו שָׁאוּל׃ בְּלֶכְתּוֹ אֶל־צִיקְלַג נָפְלוּ עָלָיו ׀
מִמְּנַשֶּׁה עַדְנַח וְיוֹזָבָד וִידִיעֲאֵל וּמִיכָאֵל וְיוֹזָבָד וֶאֱלִיהוּא וְצִלְּתָי
כב רָאשֵׁי הָאֲלָפִים אֲשֶׁר לִמְנַשֶּׁה׃ וְהֵמָּה עָזְרוּ עִם־דָּוִיד עַל־הַגְּדוּד
כג כִּי־גִבּוֹרֵי חַיִל כֻּלָּם וַיִּהְיוּ שָׂרִים בַּצָּבָא׃ כִּי לְעֶת־יוֹם בְּיוֹם
יָבֹאוּ עַל־דָּוִיד לְעׇזְרוֹ עַד־לְמַחֲנֶה גָדוֹל כְּמַחֲנֵה אֱלֹהִים׃

הַבָּאִים לְהַמְלִיךְ אֶת דָּוִיד:

כד וְאֵלֶּה מִסְפְּרֵי רָאשֵׁי הֶחָלוּץ לַצָּבָא בָּאוּ עַל־דָּוִיד חֶבְרוֹנָה לְהָסֵב
כה מַלְכוּת שָׁאוּל אֵלָיו כְּפִי יְהֹוָה׃ בְּנֵי יְהוּדָה נֹשְׂאֵי צִנָּה
כו וָרֹמַח שֵׁשֶׁת אֲלָפִים וּשְׁמוֹנֶה מֵאוֹת חֲלוּצֵי צָבָא׃ מִן־
כז בְּנֵי שִׁמְעוֹן גִּבּוֹרֵי חַיִל לַצָּבָא שִׁבְעַת אֲלָפִים וּמֵאָה׃ מִן־
כח בְּנֵי הַלֵּוִי אַרְבַּעַת אֲלָפִים וְשֵׁשׁ מֵאוֹת׃ וִיהוֹיָדָע הַנָּגִיד
כט לְאַהֲרֹן וְעִמּוֹ שְׁלֹשֶׁת אֲלָפִים וּשְׁבַע מֵאוֹת׃ וְצָדוֹק נַעַר
ל גִּבּוֹר חָיִל וּבֵית־אָבִיו שָׂרִים עֶשְׂרִים וּשְׁנָיִם׃ וּמִן־בְּנֵי
בִנְיָמִן אֲחֵי שָׁאוּל שְׁלֹשֶׁת אֲלָפִים וְעַד־הֵנָּה מַרְבִּיתָם שֹׁמְרִים

לא מִשְׁמֶ֖רֶת בֵּ֥ית שָׁאֽוּל׃ וּמִן־בְּנֵ֣י
אֶפְרַ֗יִם עֶשְׂרִ֤ים אֶ֙לֶף֙ וּשְׁמוֹנֶ֣ה מֵא֔וֹת גִּבּ֣וֹרֵי חַ֔יִל אַנְשֵׁ֥י שֵׁמ֖וֹת
לב לְבֵ֥ית אֲבוֹתָֽם׃ וּמֵחֲצִי֙ מַטֵּ֣ה מְנַשֶּׁ֔ה שְׁמוֹנָ֥ה עָשָׂ֖ר אָ֑לֶף
לג אֲשֶׁ֤ר נִקְּבוּ֙ בְּשֵׁמ֔וֹת לָב֖וֹא לְהַמְלִ֥יךְ אֶת־דָּוִֽיד׃ וּמִבְּנֵ֣י
יִשָּׂשכָ֗ר יוֹדְעֵ֤י בִינָה֙ לַֽעִתִּ֔ים לָדַ֖עַת מַה־יַּעֲשֶׂ֣ה יִשְׂרָאֵ֑ל רָֽאשֵׁיהֶ֣ם
לד מָאתַ֔יִם וְכָל־אֲחֵיהֶ֖ם עַל־פִּיהֶֽם׃ מִזְּבֻל֗וּן יוֹצְאֵ֤י צָבָא֙
עֹרְכֵ֣י מִלְחָמָ֔ה בְּכָל־כְּלֵ֥י מִלְחָמָ֖ה חֲמִשִּׁ֣ים אָ֑לֶף וְלַעֲדֹ֖ר בְּלֹא־לֵ֥ב
לה וָלֵֽב׃ וּמִנַּפְתָּלִ֖י שָׂרִ֣ים אָ֑לֶף וְעִמָּהֶ֗ם בְּצִנָּ֛ה וַחֲנִ֖ית
לו שְׁלֹשִׁ֥ים וְשִׁבְעָ֖ה אָֽלֶף׃ וּמִן־הַדָּנִ֔י עֹרְכֵ֖י מִלְחָמָ֑ה
לז עֶשְׂרִֽים־וּשְׁמוֹנָ֥ה אֶ֖לֶף וְשֵׁ֥שׁ מֵאֽוֹת׃ וּמֵאָשֵׁר֙ יוֹצְאֵ֣י
לח צָבָ֔א לַעֲרֹ֖ךְ מִלְחָמָ֑ה אַרְבָּעִ֖ים אָֽלֶף׃ וּמֵעֵ֨בֶר לַיַּרְדֵּ֜ן
מִן־הָרְאוּבֵנִ֣י וְהַגָּדִ֗י וַחֲצִי֙ ׀ שֵׁ֣בֶט מְנַשֶּׁ֔ה בְּכֹל֙ כְּלֵ֣י צְבָ֣א מִלְחָמָ֔ה

הַבָּאִים לְהַמְלִיךְ אֶת דָּוִיד עַל כָּל יִשְׂרָאֵל:

לט מֵאָ֥ה וְעֶשְׂרִ֖ים אָֽלֶף׃ כָּל־אֵ֜לֶּה אַנְשֵׁ֣י מִלְחָמָ֗ה עֹדְרֵ֣י
מַעֲרָכָה֮ בְּלֵבָ֣ב שָׁלֵם֒ בָּ֣אוּ חֶבְר֔וֹנָה לְהַמְלִ֥יךְ אֶת־דָּוִ֖יד עַל־כָּל־
יִשְׂרָאֵ֑ל וְגַ֨ם כָּל־שֵׁרִ֧ית יִשְׂרָאֵ֛ל לֵ֥ב אֶחָ֖ד לְהַמְלִ֥יךְ אֶת־דָּוִֽיד׃
מ וַיִּֽהְיוּ־שָׁ֞ם עִם־דָּוִ֗יד יָמִ֤ים שְׁלוֹשָׁה֙ אֹכְלִ֣ים וְשׁוֹתִ֔ים כִּי־הֵכִ֥ינוּ
מא לָהֶ֖ם אֲחֵיהֶֽם׃ וְגַ֣ם הַקְּרוֹבִים־אֲלֵיהֶ֡ם עַד־יִשָּׂשכָ֨ר וּזְבֻל֜וּן וְנַפְתָּלִ֗י
מְבִיאִ֣ים לֶ֡חֶם בַּחֲמוֹרִ֣ים וּבַגְּמַלִּ֣ים וּבַפְּרָדִ֣ים ׀ וּבַבָּקָ֣ר מַאֲכָ֡ל
קֶמַח֩ דְּבֵלִ֨ים וְצִמּוּקִ֧ים וְיַֽיִן־וְשֶׁ֛מֶן וּבָקָ֥ר וְצֹ֖אן לָרֹ֑ב כִּ֥י שִׂמְחָ֖ה
בְּיִשְׂרָאֵֽל׃

הַעֲלָאַת הָאָרוֹן מִבֵּית אֲבִינָדָב:

יג א וַיִּוָּעַ֣ץ דָּוִ֔יד עִם־שָׂרֵ֥י הָאֲלָפִ֖ים וְהַמֵּא֑וֹת לְכָל־נָגִֽיד׃ ב וַיֹּ֣אמֶר דָּוִ֡יד
לְכֹ֣ל ׀ קְהַ֣ל יִשְׂרָאֵ֗ל אִם־עֲלֵיכֶ֨ם ט֜וֹב וּמִן־יְהוָ֣ה אֱלֹהֵ֗ינוּ נִפְרְצָה֙
נִשְׁלְחָ֣ה עַל־אַחֵ֗ינוּ הַנִּשְׁאָרִים֙ בְּכֹל֙ אַרְצ֣וֹת יִשְׂרָאֵ֔ל וְעִמָּהֶ֛ם
ג הַכֹּהֲנִ֥ים וְהַלְוִיִּ֖ם בְּעָרֵ֣י מִגְרְשֵׁיהֶ֑ם וְיִקָּבְצ֖וּ אֵלֵֽינוּ׃ וְנָסֵ֛בָּה אֶת־
ד אֲר֥וֹן אֱלֹהֵ֖ינוּ אֵלֵ֑ינוּ כִּי־לֹ֥א דְרַשְׁנֻ֖הוּ בִּימֵ֥י שָׁאֽוּל׃ וַיֹּאמְר֥וּ

ה כָּל־הַקָּהָל לַעֲשׂוֹת כֵּן כִּֽי־יָשַׁר הַדָּבָר בְּעֵינֵי כָל־הָעָֽם׃ וַיַּקְהֵל
דָּוִיד אֶת־כָּל־יִשְׂרָאֵל מִן־שִׁיחוֹר מִצְרַיִם וְעַד־לְבוֹא חֲמָת
ו לְהָבִיא אֶת־אֲרוֹן הָאֱלֹהִים מִקִּרְיַת יְעָרִֽים׃ וַיַּעַל דָּוִיד וְכָל־
יִשְׂרָאֵל בַּעֲלָתָה אֶל־קִרְיַת יְעָרִים אֲשֶׁר לִיהוּדָה לְהַעֲלוֹת מִשָּׁם
אֵת אֲרוֹן הָאֱלֹהִים ׀ יְהוָה יוֹשֵׁב הַכְּרוּבִים אֲשֶׁר־נִקְרָא שֵֽׁם׃
ז וַיַּרְכִּיבוּ אֶת־אֲרוֹן הָאֱלֹהִים עַל־עֲגָלָה חֲדָשָׁה מִבֵּית אֲבִינָדָב
ח וְעֻזָּא וְאַחְיוֹ נֹהֲגִים בָּעֲגָלָֽה׃ וְדָוִיד וְכָל־יִשְׂרָאֵל מְשַׂחֲקִים לִפְנֵי
הָאֱלֹהִים בְּכָל־עֹז וּבְשִׁירִים וּבְכִנֹּרוֹת וּבִנְבָלִים וּבְתֻפִּים
ט וּבִמְצִלְתַּיִם וּבַחֲצֹצְרֽוֹת׃ וַיָּבֹאוּ עַד־גֹּרֶן כִּידֹן וַיִּשְׁלַח עֻזָּא עֹנֶשׁ עֻזָּא בְּאָחֹז בָּאָרוֹן׃
י אֶת־יָדוֹ לֶאֱחֹז אֶת־הָאָרוֹן כִּי שָׁמְטוּ הַבָּקָֽר׃ וַיִּֽחַר־אַף יְהוָה
בְּעֻזָּא וַיַּכֵּהוּ עַל אֲשֶׁר־שָׁלַח יָדוֹ עַל־הָאָרוֹן וַיָּמָת שָׁם לִפְנֵי
יא אֱלֹהִֽים׃ וַיִּחַר לְדָוִיד כִּֽי־פָרַץ יְהוָה פֶּרֶץ בְּעֻזָּא וַיִּקְרָא לַמָּקוֹם
יב הַהוּא פֶּרֶץ עֻזָּא עַד הַיּוֹם הַזֶּֽה׃ וַיִּירָא דָוִיד אֶת־הָאֱלֹהִים בַּיּוֹם
יג הַהוּא לֵאמֹר הֵיךְ אָבִיא אֵלַי אֵת אֲרוֹן הָאֱלֹהִֽים׃ וְלֹֽא־הֵסִיר
דָּוִיד אֶת־הָאָרוֹן אֵלָיו אֶל־עִיר דָּוִיד וַיַּטֵּהוּ אֶל־בֵּית עֹבֵד־אֱדֹם
יד הַגִּתִּֽי׃ וַיֵּשֶׁב אֲרוֹן הָאֱלֹהִים עִם־בֵּית עֹבֵד אֱדֹם בְּבֵיתוֹ שְׁלֹשָׁה
חֳדָשִׁים וַיְבָרֶךְ יְהוָה אֶת־בֵּית עֹבֵד־אֱדֹם וְאֶת־כָּל־אֲשֶׁר־
יד א לֽוֹ׃ וַיִּשְׁלַח חירם חוּרָם מֶֽלֶךְ־צֹר מַלְאָכִים אֶל־דָּוִיד בְּנִיַּת בַּיִת לְדָוִיד ע״י חוּרָם׃
ב וַעֲצֵי אֲרָזִים וְחָרָשֵׁי קִיר וְחָרָשֵׁי עֵצִים לִבְנוֹת לוֹ בָּֽיִת׃ וַיֵּדַע
דָּוִיד כִּֽי־הֱכִינוֹ יְהוָה לְמֶלֶךְ עַל־יִשְׂרָאֵל כִּֽי־נִשֵּׂאת לְמַעְלָה
ג מַלְכוּתוֹ בַּעֲבוּר עַמּוֹ יִשְׂרָאֵֽל׃ וַיִּקַּח דָּוִיד עוֹד נָשִׁים הַנּוֹלָדִים לְדָוִיד בִּירוּשָׁלִָם׃
ד בִּירוּשָׁלִָם וַיּוֹלֶד דָּוִיד עוֹד בָּנִים וּבָנֽוֹת׃ וְאֵלֶּה שְׁמוֹת הַיְלוּדִים
ה אֲשֶׁר הָיוּ־לוֹ בִּירוּשָׁלִָם שַׁמּוּעַ וְשׁוֹבָב נָתָן וּשְׁלֹמֹֽה׃ וְיִבְחָר
ו ז וֶאֱלִישׁוּעַ וְאֶלְפָּֽלֶט׃ וְנֹגַהּ וְנֶפֶג וְיָפִֽיעַ׃ וֶאֱלִישָׁמָע וּבְעֶלְיָדָע
וֶאֱלִיפָֽלֶט׃

הַכָּאַת פְּלִשְׁתִּים בִּדְבַר ה׳:

ח וַיִּשְׁמְעוּ פְלִשְׁתִּים כִּי־נִמְשַׁח דָּוִיד לְמֶלֶךְ עַל־כָּל־יִשְׂרָאֵל וַיַּעֲלוּ
כָל־פְּלִשְׁתִּים לְבַקֵּשׁ אֶת־דָּוִיד וַיִּשְׁמַע דָּוִיד וַיֵּצֵא לִפְנֵיהֶם:
ט י וּפְלִשְׁתִּים בָּאוּ וַיִּפְשְׁטוּ בְּעֵמֶק רְפָאִים: וַיִּשְׁאַל דָּוִיד בֵּאלֹהִים
לֵאמֹר הַאֶעֱלֶה עַל־פְּלִשְׁתִּים פלשתיים וּנְתַתָּם בְּיָדִי וַיֹּאמֶר לוֹ
יא יְהוָה עֲלֵה וּנְתַתִּים בְּיָדֶךָ: וַיַּעֲלוּ בְּבַעַל־פְּרָצִים וַיַּכֵּם שָׁם דָּוִיד
וַיֹּאמֶר דָּוִיד פָּרַץ הָאֱלֹהִים אֶת־אוֹיְבַי בְּיָדִי כְּפֶרֶץ מָיִם עַל־כֵּן
יב קָרְאוּ שֵׁם־הַמָּקוֹם הַהוּא בַּעַל פְּרָצִים: וַיַּעַזְבוּ שָׁם אֶת־אֱלֹהֵיהֶם
וַיֹּאמֶר דָּוִיד וַיִּשָּׂרְפוּ בָּאֵשׁ:

מִלְחָמָה נוֹסֶפֶת וְנִצְחוֹנוֹת דָּוִיד:

יג יד וַיֹּסִיפוּ עוֹד פְּלִשְׁתִּים וַיִּפְשְׁטוּ בָּעֵמֶק: וַיִּשְׁאַל עוֹד דָּוִיד
בֵּאלֹהִים וַיֹּאמֶר לוֹ הָאֱלֹהִים לֹא תַעֲלֶה אַחֲרֵיהֶם הָסֵב מֵעֲלֵיהֶם
טו וּבָאתָ לָהֶם מִמּוּל הַבְּכָאִים: וִיהִי כְּשָׁמְעֲךָ אֶת־קוֹל הַצְּעָדָה
בְּרָאשֵׁי הַבְּכָאִים אָז תֵּצֵא בַמִּלְחָמָה כִּי־יָצָא הָאֱלֹהִים לְפָנֶיךָ
טז לְהַכּוֹת אֶת־מַחֲנֵה פְלִשְׁתִּים: וַיַּעַשׂ דָּוִיד כַּאֲשֶׁר צִוָּהוּ הָאֱלֹהִים
יז וַיַּכּוּ אֶת־מַחֲנֵה פְלִשְׁתִּים מִגִּבְעוֹן וְעַד־גָּזְרָה: וַיֵּצֵא שֵׁם־דָּוִיד

הֲכָנַת מָקוֹם לָאָרוֹן וְהַקְהָלַת הַלְוִיִּם וְיִשְׂרָאֵל:

טו א בְּכָל־הָאֲרָצוֹת וַיהוָה נָתַן אֶת־פַּחְדּוֹ עַל־כָּל־הַגּוֹיִם: וַיַּעַשׂ־לוֹ
ב בָתִּים בְּעִיר דָּוִיד וַיָּכֶן מָקוֹם לַאֲרוֹן הָאֱלֹהִים וַיֶּט־לוֹ אֹהֶל: אָז
אָמַר דָּוִיד לֹא לָשֵׂאת אֶת־אֲרוֹן הָאֱלֹהִים כִּי אִם־הַלְוִיִּם כִּי־בָם ׀
בָּחַר יְהוָה לָשֵׂאת אֶת־אֲרוֹן יְהוָה וּלְשָׁרְתוֹ עַד־עוֹלָם:
ג וַיַּקְהֵל דָּוִיד אֶת־כָּל־יִשְׂרָאֵל אֶל־יְרוּשָׁלִָם לְהַעֲלוֹת אֶת־אֲרוֹן
ד יְהוָה אֶל־מְקוֹמוֹ אֲשֶׁר־הֵכִין לוֹ: וַיֶּאֱסֹף דָּוִיד אֶת־בְּנֵי אַהֲרֹן
ה וְאֶת־הַלְוִיִּם: לִבְנֵי קְהָת אוּרִיאֵל הַשָּׂר וְאֶחָיו מֵאָה
ו וְעֶשְׂרִים: לִבְנֵי מְרָרִי עֲשָׂיָה הַשָּׂר וְאֶחָיו מָאתַיִם
ז וְעֶשְׂרִים: לִבְנֵי גֵרְשׁוֹם יוֹאֵל הַשָּׂר וְאֶחָיו מֵאָה
ח וּשְׁלֹשִׁים: לִבְנֵי אֱלִיצָפָן שְׁמַעְיָה הַשָּׂר וְאֶחָיו
ט מָאתָיִם: לִבְנֵי חֶבְרוֹן אֱלִיאֵל הַשָּׂר וְאֶחָיו

י שְׁמוֹנִים׃ לִבְנֵי עֻזִּיאֵל עַמִּינָדָב הַשָּׂר וְאֶחָיו מֵאָה
וּשְׁנֵים עָשָׂר׃
יא וַיִּקְרָא דָוִיד לְצָדוֹק וּלְאֶבְיָתָר הַכֹּהֲנִים וְלַלְוִיִּם לְאוּרִיאֵל עֲשָׂיָה
יב וְיוֹאֵל שְׁמַעְיָה וֶאֱלִיאֵל וְעַמִּינָדָב׃ וַיֹּאמֶר לָהֶם אַתֶּם
רָאשֵׁי הָאָבוֹת לַלְוִיִּם הִתְקַדְּשׁוּ אַתֶּם וַאֲחֵיכֶם וְהַעֲלִיתֶם אֵת
יג אֲרוֹן יְהוָה אֱלֹהֵי יִשְׂרָאֵל אֶל־הֲכִינוֹתִי לוֹ׃ כִּי לְמַבָּרִאשׁוֹנָה לֹא

הִתְקַדְּשׁוּת הַכֹּהֲנִים לִנְשִׂיאָה בַּכָּתֵף׃

יד אַתֶּם פָּרַץ יְהוָה אֱלֹהֵינוּ בָּנוּ כִּי־לֹא דְרַשְׁנֻהוּ כַּמִּשְׁפָּט׃ וַיִּתְקַדְּשׁוּ
טו הַכֹּהֲנִים וְהַלְוִיִּם לְהַעֲלוֹת אֶת־אֲרוֹן יְהוָה אֱלֹהֵי יִשְׂרָאֵל׃ וַיִּשְׂאוּ
בְנֵי־הַלְוִיִּם אֵת אֲרוֹן הָאֱלֹהִים כַּאֲשֶׁר צִוָּה מֹשֶׁה כִּדְבַר יְהוָה
בִּכְתֵפָם בַּמֹּטוֹת עֲלֵיהֶם׃

הֲכָנַת הַמְשׁוֹרְרִים וְהַשּׁוֹעֲרִים׃

טז וַיֹּאמֶר דָּוִיד לְשָׂרֵי הַלְוִיִּם לְהַעֲמִיד אֶת־אֲחֵיהֶם הַמְשֹׁרְרִים
בִּכְלֵי־שִׁיר נְבָלִים וְכִנֹּרוֹת וּמְצִלְתָּיִם מַשְׁמִיעִים לְהָרִים־בְּקוֹל
לְשִׂמְחָה׃
יז וַיַּעֲמִידוּ הַלְוִיִּם אֵת הֵימָן בֶּן־יוֹאֵל וּמִן־אֶחָיו אָסָף בֶּן־
בֶּרֶכְיָהוּ וּמִן־בְּנֵי מְרָרִי אֲחֵיהֶם אֵיתָן בֶּן־קוּשָׁיָהוּ׃
יח וְעִמָּהֶם אֲחֵיהֶם הַמִּשְׁנִים זְכַרְיָהוּ בֵּן וְיַעֲזִיאֵל וּשְׁמִירָמוֹת
וִיחִיאֵל ׀ וְעֻנִּי אֱלִיאָב וּבְנָיָהוּ וּמַעֲשֵׂיָהוּ וּמַתִּתְיָהוּ וֶאֱלִיפְלֵהוּ
יט וּמִקְנֵיָהוּ וְעֹבֵד אֱדֹם וִיעִיאֵל הַשֹּׁעֲרִים׃ וְהַמְשֹׁרְרִים הֵימָן אָסָף
כ וְאֵיתָן בִּמְצִלְתַּיִם נְחֹשֶׁת לְהַשְׁמִיעַ׃ וּזְכַרְיָה וַעֲזִיאֵל וּשְׁמִירָמוֹת
וִיחִיאֵל וְעֻנִּי וֶאֱלִיאָב וּמַעֲשֵׂיָהוּ וּבְנָיָהוּ בִּנְבָלִים עַל־עֲלָמוֹת׃
כא וּמַתִּתְיָהוּ וֶאֱלִיפְלֵהוּ וּמִקְנֵיָהוּ וְעֹבֵד אֱדֹם וִיעִיאֵל וַעֲזַזְיָהוּ
כב בְּכִנֹּרוֹת עַל־הַשְּׁמִינִית לְנַצֵּחַ׃ וּכְנַנְיָהוּ שַׂר־הַלְוִיִּם בְּמַשָּׂא יָסֹר
כג כד בַּמַּשָּׂא כִּי מֵבִין הוּא׃ וּבֶרֶכְיָה וְאֶלְקָנָה שֹׁעֲרִים לָאָרוֹן׃ וּשְׁבַנְיָהוּ
וְיוֹשָׁפָט וּנְתַנְאֵל וַעֲמָשַׂי וּזְכַרְיָהוּ וּבְנָיָהוּ וֶאֱלִיעֶזֶר הַכֹּהֲנִים
מחצצרים מַחְצְרִים בַּחֲצֹצְרוֹת לִפְנֵי אֲרוֹן הָאֱלֹהִים וְעֹבֵד אֱדֹם

כה וִיחִיָּה שֹׁעֲרִים לָאָרוֹן: וַיְהִי דָוִיד וְזִקְנֵי יִשְׂרָאֵל וְשָׂרֵי הָאֲלָפִים
הַהֹלְכִים לְהַעֲלוֹת אֶת־אֲרוֹן בְּרִית־יְהוָה מִן־בֵּית עֹבֵד־אֱדֹם
בְּשִׂמְחָה:

הַשִּׂמְחָה בַּהֲשָׁבַת הָאָרוֹן:

כו וַיְהִי בֶּעְזֹר הָאֱלֹהִים אֶת־הַלְוִיִּם נֹשְׂאֵי אֲרוֹן בְּרִית־יְהוָה וַיִּזְבְּחוּ
כז שִׁבְעָה־פָרִים וְשִׁבְעָה אֵילִים: וְדָוִיד מְכֻרְבָּל ׀ בִּמְעִיל בּוּץ
וְכָל־הַלְוִיִּם הַנֹּשְׂאִים אֶת־הָאָרוֹן וְהַמְשֹׁרְרִים וּכְנַנְיָה הַשַּׂר
כח הַמַּשָּׂא הַמְשֹׁרְרִים וְעַל־דָּוִיד אֵפוֹד בָּד: וְכָל־יִשְׂרָאֵל מַעֲלִים
אֶת־אֲרוֹן בְּרִית־יְהוָה בִּתְרוּעָה וּבְקוֹל שׁוֹפָר וּבַחֲצֹצְרוֹת

לַעַג מִיכַל:

כט וּבִמְצִלְתָּיִם מַשְׁמִעִים בִּנְבָלִים וְכִנֹּרוֹת: וַיְהִי אֲרוֹן בְּרִית יְהוָה
בָּא עַד־עִיר דָּוִיד וּמִיכַל בַּת־שָׁאוּל נִשְׁקְפָה ׀ בְּעַד הַחַלּוֹן וַתֵּרֶא
אֶת־הַמֶּלֶךְ דָּוִיד מְרַקֵּד וּמְשַׂחֵק וַתִּבֶז לוֹ בְּלִבָּהּ:

הַצָּגַת הָאָרוֹן וּבְרָכָה לָעָם:

טז א וַיָּבִיאוּ אֶת־אֲרוֹן הָאֱלֹהִים וַיַּצִּיגוּ אֹתוֹ בְּתוֹךְ הָאֹהֶל אֲשֶׁר
ב נָטָה־לוֹ דָּוִיד וַיַּקְרִיבוּ עֹלוֹת וּשְׁלָמִים לִפְנֵי הָאֱלֹהִים: וַיְכַל דָּוִיד
ג מֵהַעֲלוֹת הָעֹלָה וְהַשְּׁלָמִים וַיְבָרֶךְ אֶת־הָעָם בְּשֵׁם יְהוָה: וַיְחַלֵּק
לְכָל־אִישׁ יִשְׂרָאֵל מֵאִישׁ וְעַד־אִשָּׁה לְאִישׁ כִּכַּר־לֶחֶם וְאֶשְׁפָּר
ד וַאֲשִׁישָׁה: וַיִּתֵּן לִפְנֵי אֲרוֹן יְהוָה מִן־הַלְוִיִּם מְשָׁרְתִים וּלְהַזְכִּיר

הַמְשׁוֹרְרִים וּכְלֵי נְגִינָתָם:

ה וּלְהוֹדוֹת וּלְהַלֵּל לַיהוָה אֱלֹהֵי יִשְׂרָאֵל: אָסָף הָרֹאשׁ
וּמִשְׁנֵהוּ זְכַרְיָה יְעִיאֵל וּשְׁמִירָמוֹת וִיחִיאֵל וּמַתִּתְיָה וֶאֱלִיאָב
וּבְנָיָהוּ וְעֹבֵד אֱדֹם וִיעִיאֵל בִּכְלֵי נְבָלִים וּבְכִנֹּרוֹת וְאָסָף
ו בַּמְצִלְתַּיִם מַשְׁמִיעַ: וּבְנָיָהוּ וְיַחֲזִיאֵל הַכֹּהֲנִים בַּחֲצֹצְרוֹת תָּמִיד
ז לִפְנֵי אֲרוֹן בְּרִית־הָאֱלֹהִים: בַּיּוֹם הַהוּא אָז נָתַן דָּוִיד בָּרֹאשׁ
לְהֹדוֹת לַיהוָה בְּיַד־אָסָף וְאֶחָיו:

מִזְמוֹרֵי הוֹדָיָה:

ח הוֹדוּ לַיהוָה קִרְאוּ בִשְׁמוֹ הוֹדִיעוּ בָעַמִּים עֲלִילֹתָיו:
ט שִׁירוּ לוֹ זַמְּרוּ־לוֹ שִׂיחוּ בְּכָל־נִפְלְאֹתָיו:

י הִתְהַלְלוּ בְּשֵׁם קָדְשׁוֹ   יִשְׂמַח לֵב מְבַקְשֵׁי יְהֹוָה׃
יא דִּרְשׁוּ יְהֹוָה וְעֻזּוֹ   בַּקְּשׁוּ פָנָיו תָּמִיד׃
יב זִכְרוּ נִפְלְאֹתָיו אֲשֶׁר עָשָׂה   מֹפְתָיו וּמִשְׁפְּטֵי־פִיהוּ׃
יג זֶרַע יִשְׂרָאֵל עַבְדּוֹ   בְּנֵי יַעֲקֹב בְּחִירָיו׃
יד הוּא יְהֹוָה אֱלֹהֵינוּ   בְּכָל־הָאָרֶץ מִשְׁפָּטָיו׃
טו זִכְרוּ לְעוֹלָם בְּרִיתוֹ   דָּבָר צִוָּה לְאֶלֶף דּוֹר׃
טז אֲשֶׁר כָּרַת אֶת־אַבְרָהָם   וּשְׁבוּעָתוֹ לְיִצְחָק׃
יז וַיַּעֲמִידֶהָ לְיַעֲקֹב לְחֹק   לְיִשְׂרָאֵל בְּרִית עוֹלָם׃
יח לֵאמֹר לְךָ אֶתֵּן אֶרֶץ־כְּנָעַן   חֶבֶל נַחֲלַתְכֶם׃
יט בִּהְיוֹתְכֶם מְתֵי מִסְפָּר   כִּמְעַט וְגָרִים בָּהּ׃
כ וַיִּתְהַלְּכוּ מִגּוֹי אֶל־גּוֹי   וּמִמַּמְלָכָה אֶל־עַם אַחֵר׃
כא לֹא־הִנִּיחַ לְאִישׁ לְעָשְׁקָם   וַיּוֹכַח עֲלֵיהֶם מְלָכִים׃
כב אַל־תִּגְּעוּ בִּמְשִׁיחָי   וּבִנְבִיאַי אַל־תָּרֵעוּ׃

כג שִׁירוּ לַיהֹוָה כָּל־הָאָרֶץ   בַּשְּׂרוּ מִיּוֹם־אֶל־יוֹם יְשׁוּעָתוֹ׃
כד סַפְּרוּ בַגּוֹיִם אֶת־כְּבוֹדוֹ   בְּכָל־הָעַמִּים נִפְלְאֹתָיו׃
כה כִּי גָדוֹל יְהֹוָה וּמְהֻלָּל מְאֹד   וְנוֹרָא הוּא עַל־כָּל־אֱלֹהִים׃
כו כִּי כָּל־אֱלֹהֵי הָעַמִּים אֱלִילִים   וַיהֹוָה שָׁמַיִם עָשָׂה׃
כז הוֹד וְהָדָר לְפָנָיו   עֹז וְחֶדְוָה בִּמְקֹמוֹ׃
כח הָבוּ לַיהֹוָה מִשְׁפְּחוֹת עַמִּים   הָבוּ לַיהֹוָה כָּבוֹד וָעֹז׃
כט הָבוּ לַיהֹוָה כְּבוֹד שְׁמוֹ   שְׂאוּ מִנְחָה וּבֹאוּ לְפָנָיו
ל הִשְׁתַּחֲווּ לַיהֹוָה בְּהַדְרַת־קֹדֶשׁ׃   חִילוּ מִלְּפָנָיו כָּל־הָאָרֶץ
לא אַף־תִּכּוֹן תֵּבֵל בַּל־תִּמּוֹט׃   יִשְׂמְחוּ הַשָּׁמַיִם וְתָגֵל הָאָרֶץ
לב וְיֹאמְרוּ בַגּוֹיִם יְהֹוָה מָלָךְ׃   יִרְעַם הַיָּם וּמְלוֹאוֹ
לג יַעֲלֹץ הַשָּׂדֶה וְכָל־אֲשֶׁר־בּוֹ׃   אָז יְרַנְּנוּ עֲצֵי הַיָּעַר

לד מִלִּפְנֵי יְהוָה כִּי־בָא לִשְׁפּוֹט אֶת־הָאָרֶץ׃ הוֹדוּ לַיהוָה כִּי טוֹב
לה כִּי לְעוֹלָם חַסְדּוֹ׃ וְאִמְרוּ הוֹשִׁיעֵנוּ אֱלֹהֵי יִשְׁעֵנוּ
וְקַבְּצֵנוּ וְהַצִּילֵנוּ מִן־הַגּוֹיִם לְהֹדוֹת לְשֵׁם קָדְשֶׁךָ
לו לְהִשְׁתַּבֵּחַ בִּתְהִלָּתֶךָ׃ בָּרוּךְ יְהוָה אֱלֹהֵי יִשְׂרָאֵל
מִן־הָעוֹלָם וְעַד הָעֹלָם וַיֹּאמְרוּ כָל־הָעָם אָמֵן וְהַלֵּל לַיהוָה׃

תַּפְקִידֵי הַכֹּהֲנִים וְהַלְוִיִּם׃

לז וַיַּעֲזָב־שָׁם לִפְנֵי אֲרוֹן בְּרִית־יְהוָה לְאָסָף וּלְאֶחָיו לְשָׁרֵת לִפְנֵי
לח הָאָרוֹן תָּמִיד לִדְבַר־יוֹם בְּיוֹמוֹ׃ וְעֹבֵד אֱדֹם וַאֲחֵיהֶם שִׁשִּׁים
לט וּשְׁמוֹנָה וְעֹבֵד אֱדֹם בֶּן־יְדִיתוּן וְחֹסָה לְשֹׁעֲרִים׃ וְאֵת ׀
צָדוֹק הַכֹּהֵן וְאֶחָיו הַכֹּהֲנִים לִפְנֵי מִשְׁכַּן יְהוָה בַּבָּמָה אֲשֶׁר
מ בְּגִבְעוֹן׃ לְהַעֲלוֹת עֹלוֹת לַיהוָה עַל־מִזְבַּח הָעֹלָה תָּמִיד לַבֹּקֶר
וְלָעָרֶב וּלְכָל־הַכָּתוּב בְּתוֹרַת יְהוָה אֲשֶׁר צִוָּה עַל־יִשְׂרָאֵל׃
מא וְעִמָּהֶם הֵימָן וִידוּתוּן וּשְׁאָר הַבְּרוּרִים אֲשֶׁר נִקְּבוּ בְּשֵׁמוֹת
מב לְהֹדוֹת לַיהוָה כִּי לְעוֹלָם חַסְדּוֹ׃ וְעִמָּהֶם הֵימָן וִידוּתוּן חֲצֹצְרוֹת
וּמְצִלְתַּיִם לְמַשְׁמִיעִים וּכְלֵי שִׁיר הָאֱלֹהִים וּבְנֵי יְדוּתוּן לַשָּׁעַר׃
מג וַיֵּלְכוּ כָל־הָעָם אִישׁ לְבֵיתוֹ וַיִּסֹּב דָּוִיד לְבָרֵךְ אֶת־בֵּיתוֹ׃

רְצוֹן דָּוִד לִבְנוֹת בַּיִת לַה׳׃

יז א וַיְהִי כַּאֲשֶׁר יָשַׁב דָּוִיד בְּבֵיתוֹ וַיֹּאמֶר דָּוִיד אֶל־נָתָן הַנָּבִיא הִנֵּה
אָנֹכִי יוֹשֵׁב בְּבֵית הָאֲרָזִים וַאֲרוֹן בְּרִית־יְהוָה תַּחַת יְרִיעוֹת׃
ב וַיֹּאמֶר נָתָן אֶל־דָּוִיד כֹּל אֲשֶׁר בִּלְבָבְךָ עֲשֵׂה כִּי הָאֱלֹהִים

תְּשׁוּבַת ה׳ בְּיַד נָתָן הַנָּבִיא׃

ג עִמָּךְ׃ וַיְהִי בַּלַּיְלָה הַהוּא וַיְהִי דְּבַר־אֱלֹהִים אֶל־נָתָן
ד לֵאמֹר׃ לֵךְ וְאָמַרְתָּ אֶל־דָּוִיד עַבְדִּי כֹּה אָמַר יְהוָה לֹא אַתָּה
ה תִּבְנֶה־לִּי הַבַּיִת לָשָׁבֶת׃ כִּי לֹא יָשַׁבְתִּי בְּבַיִת מִן־הַיּוֹם אֲשֶׁר
הֶעֱלֵיתִי אֶת־יִשְׂרָאֵל עַד הַיּוֹם הַזֶּה וָאֶהְיֶה מֵאֹהֶל אֶל־אֹהֶל
ו וּמִמִּשְׁכָּן׃ בְּכֹל אֲשֶׁר־הִתְהַלַּכְתִּי בְּכָל־יִשְׂרָאֵל הֲדָבָר דִּבַּרְתִּי
אֶת־אַחַד שֹׁפְטֵי יִשְׂרָאֵל אֲשֶׁר צִוִּיתִי לִרְעוֹת אֶת־עַמִּי לֵאמֹר

ז לָמָּה לֹא־בְנִיתֶם לִי בֵּית אֲרָזִים׃ וְעַתָּה כֹּה־תֹאמַר לְעַבְדִּי
לְדָוִיד כֹּה אָמַר יְהוָה צְבָאוֹת אֲנִי לְקַחְתִּיךָ מִן־הַנָּוֶה
ח מִן־אַחֲרֵי הַצֹּאן לִהְיוֹת נָגִיד עַל עַמִּי יִשְׂרָאֵל׃ וָאֶהְיֶה עִמְּךָ
בְּכֹל אֲשֶׁר הָלַכְתָּ וָאַכְרִית אֶת־כָּל־אוֹיְבֶיךָ מִפָּנֶיךָ וְעָשִׂיתִי לְךָ
ט שֵׁם כְּשֵׁם הַגְּדוֹלִים אֲשֶׁר בָּאָרֶץ׃ וְשַׂמְתִּי מָקוֹם לְעַמִּי יִשְׂרָאֵל
וּנְטַעְתִּיהוּ וְשָׁכַן תַּחְתָּיו וְלֹא יִרְגַּז עוֹד וְלֹא־יוֹסִיפוּ בְנֵי־עַוְלָה
י לְבַלֹּתוֹ כַּאֲשֶׁר בָּרִאשׁוֹנָה׃ וּלְמִיָּמִים אֲשֶׁר צִוִּיתִי שֹׁפְטִים עַל־
עַמִּי יִשְׂרָאֵל וְהִכְנַעְתִּי אֶת־כָּל־אוֹיְבֶיךָ וָאַגִּד לָךְ וּבַיִת יִבְנֶה־לְּךָ
יא יְהוָה׃ וְהָיָה כִּי־מָלְאוּ יָמֶיךָ לָלֶכֶת עִם־אֲבֹתֶיךָ וַהֲקִימוֹתִי
אֶת־זַרְעֲךָ אַחֲרֶיךָ אֲשֶׁר יִהְיֶה מִבָּנֶיךָ וַהֲכִינוֹתִי אֶת־מַלְכוּתוֹ׃
יב יג הוּא יִבְנֶה־לִּי בָּיִת וְכֹנַנְתִּי אֶת־כִּסְאוֹ עַד־עוֹלָם׃ אֲנִי אֶהְיֶה־לּוֹ
לְאָב וְהוּא יִהְיֶה־לִּי לְבֵן וְחַסְדִּי לֹא־אָסִיר מֵעִמּוֹ כַּאֲשֶׁר
יד הֲסִירוֹתִי מֵאֲשֶׁר הָיָה לְפָנֶיךָ׃ וְהַעֲמַדְתִּיהוּ בְּבֵיתִי וּבְמַלְכוּתִי
טו עַד־הָעוֹלָם וְכִסְאוֹ יִהְיֶה נָכוֹן עַד־עוֹלָם׃ כְּכֹל הַדְּבָרִים הָאֵלֶּה
וּכְכֹל הֶחָזוֹן הַזֶּה כֵּן דִּבֶּר נָתָן אֶל־דָּוִיד׃
טז וַיָּבֹא הַמֶּלֶךְ דָּוִיד וַיֵּשֶׁב לִפְנֵי יְהוָה וַיֹּאמֶר מִי־אֲנִי יְהוָה אֱלֹהִים הוֹדָאַת דָּוִיד
יז וּמִי בֵיתִי כִּי הֲבִיאֹתַנִי עַד־הֲלֹם׃ וַתִּקְטַן זֹאת בְּעֵינֶיךָ אֱלֹהִים וּתְפִלָּתוֹ׃
וַתְּדַבֵּר עַל־בֵּית־עַבְדְּךָ לְמֵרָחוֹק וּרְאִיתַנִי כְּתוֹר הָאָדָם הַמַּעֲלָה
יח יְהוָה אֱלֹהִים׃ מַה־יּוֹסִיף עוֹד דָּוִיד אֵלֶיךָ לְכָבוֹד אֶת־עַבְדֶּךָ
יט וְאַתָּה אֶת־עַבְדְּךָ יָדָעְתָּ׃ יְהוָה בַּעֲבוּר עַבְדְּךָ וּכְלִבְּךָ עָשִׂיתָ
כ אֵת כָּל־הַגְּדוּלָּה הַזֹּאת לְהֹדִיעַ אֶת־כָּל־הַגְּדֻלּוֹת׃ יְהוָה אֵין
כא כָּמוֹךָ וְאֵין אֱלֹהִים זוּלָתֶךָ בְּכֹל אֲשֶׁר־שָׁמַעְנוּ בְּאָזְנֵינוּ׃ וּמִי
כְּעַמְּךָ יִשְׂרָאֵל גּוֹי אֶחָד בָּאָרֶץ אֲשֶׁר הָלַךְ הָאֱלֹהִים לִפְדּוֹת לוֹ
עָם לָשׂוּם לְךָ שֵׁם גְּדֻלוֹת וְנֹרָאוֹת לְגָרֵשׁ מִפְּנֵי עַמְּךָ אֲשֶׁר־פָּדִיתָ
כב מִמִּצְרַיִם גּוֹיִם׃ וַתִּתֵּן אֶת־עַמְּךָ יִשְׂרָאֵל ׀ לְךָ לְעָם עַד־עוֹלָם

כג וְאַתָּה יְהוָה הָיִיתָ לָהֶם לֵאלֹהִים׃ וְעַתָּה יְהוָה הַדָּבָר אֲשֶׁר דִּבַּרְתָּ
עַל־עַבְדְּךָ וְעַל־בֵּיתוֹ יֵאָמֵן עַד־עוֹלָם וַעֲשֵׂה כַּאֲשֶׁר דִּבַּרְתָּ׃
כד וְיֵאָמֵן וְיִגְדַּל שִׁמְךָ עַד־עוֹלָם לֵאמֹר יְהוָה צְבָאוֹת אֱלֹהֵי יִשְׂרָאֵל
כה אֱלֹהִים לְיִשְׂרָאֵל וּבֵית־דָּוִיד עַבְדְּךָ נָכוֹן לְפָנֶיךָ׃ כִּי ׀ אַתָּה אֱלֹהַי
גָּלִיתָ אֶת־אֹזֶן עַבְדְּךָ לִבְנוֹת לוֹ בָּיִת עַל־כֵּן מָצָא עַבְדְּךָ לְהִתְפַּלֵּל
כו לְפָנֶיךָ׃ וְעַתָּה יְהוָה אַתָּה־הוּא הָאֱלֹהִים וַתְּדַבֵּר עַל־עַבְדְּךָ הַטּוֹבָה
כז הַזֹּאת׃ וְעַתָּה הוֹאַלְתָּ לְבָרֵךְ אֶת־בֵּית עַבְדְּךָ לִהְיוֹת לְעוֹלָם
לְפָנֶיךָ כִּי־אַתָּה יְהוָה בֵּרַכְתָּ וּמְבֹרָךְ לְעוֹלָם׃

מִלְחָמָה בִּפְלִשְׁתִּים בְּמוֹאָב, בְּצוֹבָה וּבַאֲרָם:

יח א וַיְהִי אַחֲרֵי־כֵן וַיַּךְ דָּוִיד אֶת־פְּלִשְׁתִּים וַיַּכְנִיעֵם וַיִּקַּח אֶת־גַּת
ב וּבְנֹתֶיהָ מִיַּד פְּלִשְׁתִּים׃ וַיַּךְ אֶת־מוֹאָב וַיִּהְיוּ מוֹאָב עֲבָדִים
ג לְדָוִיד נֹשְׂאֵי מִנְחָה׃ וַיַּךְ דָּוִיד אֶת־הֲדַדְעֶזֶר מֶלֶךְ־צוֹבָה חֲמָתָה
ד בְּלֶכְתּוֹ לְהַצִּיב יָדוֹ בִּנְהַר־פְּרָת׃ וַיִּלְכֹּד דָּוִיד מִמֶּנּוּ אֶלֶף רֶכֶב
וְשִׁבְעַת אֲלָפִים פָּרָשִׁים וְעֶשְׂרִים אֶלֶף אִישׁ רַגְלִי וַיְעַקֵּר דָּוִיד
ה אֶת־כָּל־הָרֶכֶב וַיּוֹתֵר מִמֶּנּוּ מֵאָה רָכֶב׃ וַיָּבֹא אֲרַם דַּרְמֶשֶׂק
לַעְזוֹר לַהֲדַדְעֶזֶר מֶלֶךְ צוֹבָה וַיַּךְ דָּוִיד בַּאֲרָם עֶשְׂרִים־וּשְׁנַיִם
ו אֶלֶף אִישׁ׃ וַיָּשֶׂם דָּוִיד בַּאֲרַם דַּרְמֶשֶׂק וַיְהִי אֲרָם לְדָוִיד עֲבָדִים
ז נֹשְׂאֵי מִנְחָה וַיּוֹשַׁע יְהוָה לְדָוִיד בְּכֹל אֲשֶׁר הָלָךְ׃ וַיִּקַּח דָּוִיד
אֵת שִׁלְטֵי הַזָּהָב אֲשֶׁר הָיוּ עַל עַבְדֵי הֲדַדְעָזֶר וַיְבִיאֵם יְרוּשָׁלִָם׃
ח וּמִטִּבְחַת וּמִכּוּן עָרֵי הֲדַדְעֶזֶר לָקַח דָּוִיד נְחֹשֶׁת רַבָּה מְאֹד
בָּהּ ׀ עָשָׂה שְׁלֹמֹה אֶת־יָם הַנְּחֹשֶׁת וְאֶת־הָעַמּוּדִים וְאֵת כְּלֵי
הַנְּחֹשֶׁת׃

מַתְּנוֹת תֹּעוּ מֶלֶךְ חֲמָת:

ט וַיִּשְׁמַע תֹּעוּ מֶלֶךְ חֲמָת כִּי הִכָּה דָוִיד אֶת־כָּל־חֵיל הֲדַדְעֶזֶר
י מֶלֶךְ־צוֹבָה׃ וַיִּשְׁלַח אֶת־הֲדוֹרָם־בְּנוֹ אֶל־הַמֶּלֶךְ־דָּוִיד לשאול
לִשְׁאָל־לוֹ לְשָׁלוֹם וּלְבָרְכוֹ עַל אֲשֶׁר נִלְחַם בַּהֲדַדְעֶזֶר וַיַּכֵּהוּ
כִּי־אִישׁ מִלְחֲמוֹת תֹּעוּ הָיָה הֲדַדְעָזֶר וְכֹל כְּלֵי זָהָב וָכֶסֶף וּנְחֹשֶׁת׃

יא גַּם־אֹתָם הִקְדִּישׁ הַמֶּלֶךְ דָּוִיד לַיהוָה עִם־הַכֶּסֶף וְהַזָּהָב אֲשֶׁר
נָשָׂא מִכָּל־הַגּוֹיִם מֵאֱדוֹם וּמִמּוֹאָב וּמִבְּנֵי עַמּוֹן וּמִפְּלִשְׁתִּים
יב וּמֵעֲמָלֵק׃ וְאַבְשַׁי בֶּן־צְרוּיָה הִכָּה אֶת־אֱדוֹם בְּגֵיא הַמֶּלַח
יג שְׁמוֹנָה עָשָׂר אָלֶף׃ וַיָּשֶׂם בֶּאֱדוֹם נְצִיבִים וַיִּהְיוּ כָל־אֱדוֹם
יד עֲבָדִים לְדָוִיד וַיּוֹשַׁע יְהוָה אֶת־דָּוִיד בְּכֹל אֲשֶׁר הָלָךְ׃ וַיִּמְלֹךְ
טו דָּוִיד עַל־כָּל־יִשְׂרָאֵל וַיְהִי עֹשֶׂה מִשְׁפָּט וּצְדָקָה לְכָל־עַמּוֹ׃ וְיוֹאָב

שָׂרֵי דָוִיד׃

טז בֶּן־צְרוּיָה עַל־הַצָּבָא וִיהוֹשָׁפָט בֶּן־אֲחִילוּד מַזְכִּיר׃ וְצָדוֹק בֶּן־
יז אֲחִיטוּב וַאֲבִימֶלֶךְ בֶּן־אֶבְיָתָר כֹּהֲנִים וְשַׁוְשָׁא סוֹפֵר׃ וּבְנָיָהוּ
בֶּן־יְהוֹיָדָע עַל־הַכְּרֵתִי וְהַפְּלֵתִי וּבְנֵי־דָוִיד הָרִאשֹׁנִים לְיַד
הַמֶּלֶךְ׃

יט א וַיְהִי אַחֲרֵי־כֵן וַיָּמָת נָחָשׁ מֶלֶךְ בְּנֵי־עַמּוֹן וַיִּמְלֹךְ בְּנוֹ תַּחְתָּיו׃

הִתְגָּרוּת חָנוּן בֶּן נָחָשׁ׃

[2910]

ב וַיֹּאמֶר דָּוִיד אֶעֱשֶׂה־חֶסֶד ׀ עִם־חָנוּן בֶּן־נָחָשׁ כִּי־עָשָׂה אָבִיו
עִמִּי חֶסֶד וַיִּשְׁלַח דָּוִיד מַלְאָכִים לְנַחֲמוֹ עַל־אָבִיו וַיָּבֹאוּ עַבְדֵי
ג דָוִיד אֶל־אֶרֶץ בְּנֵי־עַמּוֹן אֶל־חָנוּן לְנַחֲמוֹ׃ וַיֹּאמְרוּ שָׂרֵי בְנֵי־
עַמּוֹן לְחָנוּן הַמְכַבֵּד דָּוִיד אֶת־אָבִיךָ בְּעֵינֶיךָ כִּי־שָׁלַח לְךָ
מְנַחֲמִים הֲלֹא בַּעֲבוּר לַחְקֹר וְלַהֲפֹךְ וּלְרַגֵּל הָאָרֶץ בָּאוּ עֲבָדָיו
ד אֵלֶיךָ׃ וַיִּקַּח חָנוּן אֶת־עַבְדֵי דָוִיד וַיְגַלְּחֵם וַיִּכְרֹת אֶת־מַדְוֵיהֶם
ה בַּחֵצִי עַד־הַמִּפְשָׂעָה וַיְשַׁלְּחֵם׃ וַיֵּלְכוּ וַיַּגִּידוּ לְדָוִיד עַל־הָאֲנָשִׁים
וַיִּשְׁלַח לִקְרָאתָם כִּי־הָיוּ הָאֲנָשִׁים נִכְלָמִים מְאֹד וַיֹּאמֶר הַמֶּלֶךְ
ו שְׁבוּ בִירֵחוֹ עַד אֲשֶׁר־יְצַמַּח זְקַנְכֶם וְשַׁבְתֶּם׃ וַיִּרְאוּ

הַמִּלְחָמָה בְּעַמּוֹן׃

בְּנֵי עַמּוֹן כִּי הִתְבָּאֲשׁוּ עִם־דָּוִיד וַיִּשְׁלַח חָנוּן וּבְנֵי עַמּוֹן אֶלֶף
כִּכַּר־כֶּסֶף לִשְׂכֹּר לָהֶם מִן־אֲרַם נַהֲרַיִם וּמִן־אֲרַם מַעֲכָה וּמִצּוֹבָה
ז רֶכֶב וּפָרָשִׁים׃ וַיִּשְׂכְּרוּ לָהֶם שְׁנַיִם וּשְׁלֹשִׁים אֶלֶף רֶכֶב וְאֶת־מֶלֶךְ
מַעֲכָה וְאֶת־עַמּוֹ וַיָּבֹאוּ וַיַּחֲנוּ לִפְנֵי מֵידְבָא וּבְנֵי עַמּוֹן
ח נֶאֶסְפוּ מֵעָרֵיהֶם וַיָּבֹאוּ לַמִּלְחָמָה׃ וַיִּשְׁמַע דָּוִיד וַיִּשְׁלַח

ט אֶת־יוֹאָב וְאֵת כָּל־צְבָא הַגִּבּוֹרִים: וַיֵּצְאוּ בְּנֵי עַמּוֹן וַיַּעַרְכוּ
י מִלְחָמָה פֶּתַח הָעִיר וְהַמְּלָכִים אֲשֶׁר־בָּאוּ לְבַדָּם בַּשָּׂדֶה: וַיַּרְא
יוֹאָב כִּי־הָיְתָה פְנֵי־הַמִּלְחָמָה אֵלָיו פָּנִים וְאָחוֹר וַיִּבְחַר מִכָּל־
יא בָּחוּר בְּיִשְׂרָאֵל וַיַּעֲרֹךְ לִקְרַאת אֲרָם: וְאֵת יֶתֶר הָעָם נָתַן בְּיַד
יב אַבְשַׁי אָחִיו וַיַּעַרְכוּ לִקְרַאת בְּנֵי עַמּוֹן: וַיֹּאמֶר אִם־תֶּחֱזַק מִמֶּנִּי
אֲרָם וְהָיִיתָ לִּי לִתְשׁוּעָה וְאִם־בְּנֵי עַמּוֹן יֶחֶזְקוּ מִמְּךָ
יג וְהוֹשַׁעְתִּיךָ: חֲזַק וְנִתְחַזְּקָה בְּעַד־עַמֵּנוּ וּבְעַד עָרֵי אֱלֹהֵינוּ וַיהוָה
יד הַטּוֹב בְּעֵינָיו יַעֲשֶׂה: וַיִּגַּשׁ יוֹאָב וְהָעָם אֲשֶׁר־עִמּוֹ לִפְנֵי אֲרָם
טו לַמִּלְחָמָה וַיָּנוּסוּ מִפָּנָיו: וּבְנֵי עַמּוֹן רָאוּ כִּי־נָס אֲרָם וַיָּנוּסוּ
גַם־הֵם מִפְּנֵי אַבְשַׁי אָחִיו וַיָּבֹאוּ הָעִירָה וַיָּבֹא יוֹאָב
טז יְרוּשָׁלִָם: וַיַּרְא אֲרָם כִּי נִגְּפוּ לִפְנֵי יִשְׂרָאֵל וַיִּשְׁלְחוּ הַמִּלְחָמָה בַּאֲרָם:
מַלְאָכִים וַיּוֹצִיאוּ אֶת־אֲרָם אֲשֶׁר מֵעֵבֶר הַנָּהָר וְשׁוֹפַךְ שַׂר־צְבָא
יז הֲדַדְעֶזֶר לִפְנֵיהֶם: וַיֻּגַּד לְדָוִיד וַיֶּאֱסֹף אֶת־כָּל־יִשְׂרָאֵל וַיַּעֲבֹר
הַיַּרְדֵּן וַיָּבֹא אֲלֵהֶם וַיַּעֲרֹךְ אֲלֵהֶם וַיַּעֲרֹךְ דָּוִיד לִקְרַאת אֲרָם
יח מִלְחָמָה וַיִּלָּחֲמוּ עִמּוֹ: וַיָּנָס אֲרָם מִלִּפְנֵי יִשְׂרָאֵל וַיַּהֲרֹג דָּוִיד
מֵאֲרָם שִׁבְעַת אֲלָפִים רֶכֶב וְאַרְבָּעִים אֶלֶף אִישׁ רַגְלִי וְאֵת
יט שׁוֹפַךְ שַׂר־הַצָּבָא הֵמִית: וַיִּרְאוּ עַבְדֵי הֲדַדְעֶזֶר כִּי נִגְּפוּ לִפְנֵי
יִשְׂרָאֵל וַיַּשְׁלִימוּ עִם־דָּוִיד וַיַּעַבְדֻהוּ וְלֹא־אָבָה אֲרָם לְהוֹשִׁיעַ
כ א אֶת־בְּנֵי־עַמּוֹן עוֹד: וַיְהִי לְעֵת תְּשׁוּבַת הַשָּׁנָה לְעֵת | [2911] כִּבּוּשׁ רַבַּת בְּנֵי עַמּוֹן וְהַעֲנָשָׁתָהּ:
צֵאת הַמְּלָכִים וַיִּנְהַג יוֹאָב אֶת־חֵיל הַצָּבָא וַיַּשְׁחֵת | אֶת־אֶרֶץ
בְּנֵי־עַמּוֹן וַיָּבֹא וַיָּצַר אֶת־רַבָּה וְדָוִיד יֹשֵׁב בִּירוּשָׁלִָם וַיַּךְ יוֹאָב
ב אֶת־רַבָּה וַיֶּהֶרְסֶהָ: וַיִּקַּח דָּוִיד אֶת־עֲטֶרֶת־מַלְכָּם מֵעַל רֹאשׁוֹ
וַיִּמְצָאָהּ | מִשְׁקַל כִּכַּר־זָהָב וּבָהּ אֶבֶן יְקָרָה וַתְּהִי עַל־רֹאשׁ
ג דָּוִיד וּשְׁלַל הָעִיר הוֹצִיא הַרְבֵּה מְאֹד: וְאֶת־הָעָם אֲשֶׁר־בָּהּ
הוֹצִיא וַיָּשַׂר בַּמְּגֵרָה וּבַחֲרִיצֵי הַבַּרְזֶל וּבַמְּגֵרוֹת וְכֵן יַעֲשֶׂה דָּוִיד

ד לְכֹל עָרֵי בְנֵי־עַמּוֹן וַיָּשָׁב דָּוִיד וְכָל־הָעָם יְרוּשָׁלָםִ׃ וַיְהִי
אַחֲרֵי־כֵן וַתַּעֲמֹד מִלְחָמָה בְּגֶזֶר עִם־פְּלִשְׁתִּים אָז הִכָּה סִבְּכַי
ה הַחֻשָׁתִי אֶת־סִפַּי מִילִידֵי הָרְפָאִים וַיִּכָּנֵעוּ׃ וַתְּהִי־עוֹד מִלְחָמָה
אֶת־פְּלִשְׁתִּים וַיַּךְ אֶלְחָנָן בֶּן־יָעִיר יעור אֶת־לַחְמִי אֲחִי גָּלְיָת
ו הַגִּתִּי וְעֵץ חֲנִיתוֹ כִּמְנוֹר אֹרְגִים׃ וַתְּהִי־עוֹד מִלְחָמָה
בְּגַת וַיְהִי ׀ אִישׁ מִדָּה וְאֶצְבְּעֹתָיו שֵׁשׁ־וָשֵׁשׁ עֶשְׂרִים וְאַרְבַּע
ז וְגַם־הוּא נוֹלַד לְהָרָפָא׃ וַיְחָרֵף אֶת־יִשְׂרָאֵל וַיַּכֵּהוּ יְהוֹנָתָן
ח בֶּן־שִׁמְעָא אֲחִי דָוִיד׃ אֵל נוּלְּדוּ לְהָרָפָא בְּגַת וַיִּפְּלוּ בְיַד־דָּוִיד
וּבְיַד־עֲבָדָיו׃

הַנִּצָּחוֹן עַל יְלִידֵי הָרָפָא׃

כא א וַיַּעֲמֹד שָׂטָן עַל־יִשְׂרָאֵל וַיָּסֶת אֶת־דָּוִיד לִמְנוֹת אֶת־יִשְׂרָאֵל׃ [2923]
ב וַיֹּאמֶר דָּוִיד אֶל־יוֹאָב וְאֶל־שָׂרֵי הָעָם לְכוּ סִפְרוּ אֶת־יִשְׂרָאֵל
ג מִבְּאֵר שֶׁבַע וְעַד־דָּן וְהָבִיאוּ אֵלַי וְאֵדְעָה אֶת־מִסְפָּרָם׃ וַיֹּאמֶר
יוֹאָב יוֹסֵף יְהֹוָה עַל־עַמּוֹ ׀ כָּהֵם מֵאָה פְעָמִים הֲלֹא אֲדֹנִי
הַמֶּלֶךְ כֻּלָּם לַאדֹנִי לַעֲבָדִים לָמָּה יְבַקֵּשׁ זֹאת אֲדֹנִי לָמָּה יִהְיֶה
ד לְאַשְׁמָה לְיִשְׂרָאֵל׃ וּדְבַר־הַמֶּלֶךְ חָזַק עַל־יוֹאָב וַיֵּצֵא יוֹאָב
ה וַיִּתְהַלֵּךְ בְּכָל־יִשְׂרָאֵל וַיָּבֹא יְרוּשָׁלָםִ׃ וַיִּתֵּן יוֹאָב אֶת־מִסְפַּר
מִפְקַד־הָעָם אֶל־דָּוִיד וַיְהִי כָל־יִשְׂרָאֵל אֶלֶף אֲלָפִים וּמֵאָה אֶלֶף
אִישׁ שֹׁלֵף חֶרֶב וִיהוּדָה אַרְבַּע מֵאוֹת וְשִׁבְעִים אֶלֶף אִישׁ שֹׁלֵף
ו חָרֶב׃ וְלֵוִי וּבִנְיָמִן לֹא פָקַד בְּתוֹכָם כִּי־נִתְעַב דְּבַר־הַמֶּלֶךְ
ז אֶת־יוֹאָב׃ וַיֵּרַע בְּעֵינֵי הָאֱלֹהִים עַל־הַדָּבָר הַזֶּה וַיַּךְ אֶת־
ח יִשְׂרָאֵל׃ וַיֹּאמֶר דָּוִיד אֶל־הָאֱלֹהִים חָטָאתִי מְאֹד
אֲשֶׁר עָשִׂיתִי אֶת־הַדָּבָר הַזֶּה וְעַתָּה הַעֲבֶר־נָא אֶת־עֲווֹן עַבְדְּךָ
כִּי נִסְכַּלְתִּי מְאֹד׃
ט וַיְדַבֵּר יְהֹוָה אֶל־גָּד חֹזֵה דָוִיד לֵאמֹר׃ לֵךְ וְדִבַּרְתָּ אֶל־דָּוִיד
לֵאמֹר כֹּה אָמַר יְהֹוָה שָׁלוֹשׁ אֲנִי נֹטֶה עָלֶיךָ בְּחַר־לְךָ אַחַת

מִנְיַן יִשְׂרָאֵל וִיהוּדָה׃

חֲרָטַת דָּוִיד וּבְחִירַת הָעֹנֶשׁ׃

יא מֵהֶ֖נָּה וְאֶעֱשֶׂה־לָּֽךְ׃ וַיָּבֹ֥א גָ֖ד אֶל־דָּוִ֑יד וַיֹּ֣אמֶר ל֔וֹ כֹּה־אָמַ֥ר יְהוָ֖ה
יב קַבֶּל־לָֽךְ׃ אִם־שָׁל֨וֹשׁ שָׁנִ֜ים רָעָ֗ב וְאִם־שְׁלֹשָׁ֨ה חֳדָשִׁ֜ים נִסְפֶּ֣ה
מִפְּנֵי־צָרֶ֗יךָ וְחֶ֣רֶב אוֹיְבֶ֣יךָ ׀ לְמַשֶּׂ֗גֶת וְאִם־שְׁלֹ֨שֶׁת יָמִ֜ים חֶ֣רֶב
יְהוָ֗ה ׀ וְדֶ֙בֶר֙ בָּאָ֔רֶץ וּמַלְאַ֣ךְ יְהוָ֔ה מַשְׁחִ֖ית בְּכָל־גְּב֣וּל יִשְׂרָאֵ֑ל
יג וְעַתָּ֣ה רְאֵ֔ה מָה־אָשִׁ֥יב אֶת־שֹׁלְחִ֖י דָּבָֽר׃ וַיֹּ֧אמֶר דָּוִ֛יד הַדֶּבֶר בָּעָם:
אֶל־גָּ֖ד צַר־לִ֣י מְאֹ֑ד אֶפְּלָה־נָּ֣א בְיַד־יְהוָ֗ה כִּֽי־רַבִּ֤ים רַחֲמָיו֙ מְאֹ֔ד
יד וּבְיַד־אָדָ֖ם אַל־אֶפֹּֽל׃ וַיִּתֵּ֤ן יְהוָה֙ דֶּ֖בֶר בְּיִשְׂרָאֵ֑ל וַיִּפֹּל֙ מִיִּשְׂרָאֵ֔ל
טו שִׁבְעִ֥ים אֶ֖לֶף אִֽישׁ׃ וַיִּשְׁלַח֩ הָאֱלֹהִ֨ים ׀ מַלְאָ֣ךְ ׀ לִירוּשָׁלִַ֘ם֮
לְהַשְׁחִיתָהּ֒ וּכְהַשְׁחִ֗ית רָאָ֤ה יְהוָה֙ וַיִּנָּ֣חֶם עַל־הָֽרָעָ֔ה וַיֹּ֨אמֶר
לַמַּלְאָ֤ךְ הַמַּשְׁחִית֙ רַ֔ב עַתָּ֖ה הֶ֣רֶף יָדֶ֑ךָ וּמַלְאַ֤ךְ יְהוָה֙ עֹמֵ֔ד
טז עִם־גֹּ֖רֶן אָרְנָ֥ן הַיְבוּסִֽי׃ וַיִּשָּׂ֨א דָוִ֜יד אֶת־עֵינָ֗יו וַיַּ֞רְא
אֶת־מַלְאַ֤ךְ יְהוָה֙ עֹמֵ֗ד בֵּ֤ין הָאָ֙רֶץ֙ וּבֵ֣ין הַשָּׁמַ֔יִם וְחַרְבּ֤וֹ שְׁלוּפָה֙
בְּיָד֔וֹ נְטוּיָ֖ה עַל־יְרוּשָׁלִָ֑ם וַיִּפֹּ֨ל דָּוִ֧יד וְהַזְּקֵנִ֛ים מְכֻסִּ֥ים בַּשַּׂקִּ֖ים
יז עַל־פְּנֵיהֶֽם׃ וַיֹּ֣אמֶר דָּוִ֣יד אֶל־הָאֱלֹהִ֗ים הֲלֹ֨א אֲנִ֤י אָמַ֙רְתִּי֙ לִמְנ֣וֹת
בָּעָ֔ם וַאֲנִי־ה֤וּא אֲשֶׁר־חָטָ֙אתִי֙ וְהָרֵ֣עַ הֲרֵע֔וֹתִי וְאֵ֥לֶּה הַצֹּ֖אן מֶ֣ה
עָשׂ֑וּ יְהוָ֣ה אֱלֹהַ֗י תְּהִ֨י נָ֤א יָדְךָ֙ בִּ֚י וּבְבֵ֣ית אָבִ֔י וּֽבְעַמְּךָ֖ לֹ֥א
יח לְמַגֵּפָֽה׃ וּמַלְאַ֣ךְ יְהוָ֔ה אָמַ֥ר אֶל־גָּ֖ד לֵאמֹ֣ר לְדָוִ֑יד כִּ֣י ׀ בְּנִיַּת הַמִּזְבֵּחַ
יט יַעֲלֶ֣ה דָוִ֗יד לְהָקִ֤ים מִזְבֵּ֙חַ֙ לַֽיהוָ֔ה בְּגֹ֖רֶן אָרְנָ֥ן הַיְבֻסִֽי׃ וַיַּ֤עַל בְּגֹרֶן אָרְנָן
כ דָּוִיד֙ בִּדְבַר־גָּ֔ד אֲשֶׁ֥ר דִּבֶּ֖ר בְּשֵׁ֥ם יְהוָֽה׃ וַיָּ֣שָׁב אָרְנָ֗ן וַיַּרְא֙ הַיְבֻסִי:
אֶת־הַמַּלְאָ֔ךְ וְאַרְבַּ֥עַת בָּנָ֛יו עִמּ֖וֹ מִֽתְחַבְּאִ֑ים וְאָרְנָ֖ן דָּ֥שׁ חִטִּֽים׃
כא וַיָּבֹ֥א דָוִ֖יד עַד־אָרְנָ֑ן וַיַּבֵּ֣ט אָרְנָ֗ן וַיַּ֙רְא֙ אֶת־דָּוִ֔יד וַיֵּצֵא֙ מִן־הַגֹּ֔רֶן
כב וַיִּשְׁתַּ֥חוּ לְדָוִ֛יד אַפַּ֖יִם אָֽרְצָה׃ וַיֹּ֨אמֶר דָּוִ֜יד אֶל־אָרְנָ֗ן תְּנָה־לִּי֙
מְק֣וֹם הַגֹּ֔רֶן וְאֶבְנֶה־בּ֥וֹ מִזְבֵּ֖חַ לַֽיהוָ֑ה בְּכֶ֨סֶף מָלֵ֤א תְּנֵ֙הוּ֙ לִ֔י
כג וְתֵעָצַ֥ר הַמַּגֵּפָ֖ה מֵעַ֥ל הָעָֽם׃ וַיֹּ֨אמֶר אָרְנָ֤ן אֶל־דָּוִיד֙ קַח־לָ֔ךְ וְיַ֥עַשׂ
אֲדֹנִ֛י הַמֶּ֖לֶךְ הַטּ֣וֹב בְּעֵינָ֑יו רְאֵ֣ה נָתַ֡תִּי הַבָּקָר֩ לָעֹל֨וֹת וְהַמּוֹרִגִּ֤ים

כד לָעֵצִים וְהַחִטִּים לַמִּנְחָה הַכֹּל נָתָתִּי: וַיֹּאמֶר הַמֶּלֶךְ דָּוִיד לְאָרְנָן
לֹא כִּי־קָנֹה אֶקְנֶה בְּכֶסֶף מָלֵא כִּי לֹא־אֶשָּׂא אֲשֶׁר־לְךָ לַיהוָה
כה וְהַעֲלוֹת עוֹלָה חִנָּם: וַיִּתֵּן דָּוִיד לְאָרְנָן בַּמָּקוֹם שִׁקְלֵי זָהָב מִשְׁקַל
כו שֵׁשׁ מֵאוֹת: וַיִּבֶן שָׁם דָּוִיד מִזְבֵּחַ לַיהוָה וַיַּעַל עֹלוֹת
וּשְׁלָמִים וַיִּקְרָא אֶל־יְהוָה וַיַּעֲנֵהוּ בָאֵשׁ מִן־הַשָּׁמַיִם עַל מִזְבַּח
כז הָעֹלָה: וַיֹּאמֶר יְהוָה לַמַּלְאָךְ
כח וַיָּשֶׁב חַרְבּוֹ אֶל־נְדָנָהּ: בָּעֵת הַהִיא בִּרְאוֹת דָּוִיד כִּי־עָנָהוּ יְהוָה
כט בְּגֹרֶן אָרְנָן הַיְבוּסִי וַיִּזְבַּח שָׁם: וּמִשְׁכַּן יְהוָה אֲשֶׁר־עָשָׂה מֹשֶׁה
ל בַמִּדְבָּר וּמִזְבַּח הָעוֹלָה בָּעֵת הַהִיא בַּבָּמָה בְּגִבְעוֹן: וְלֹא־יָכֹל
דָּוִיד לָלֶכֶת לְפָנָיו לִדְרֹשׁ אֱלֹהִים כִּי נִבְעַת מִפְּנֵי חֶרֶב מַלְאַךְ
כב א יְהוָה: וַיֹּאמֶר דָּוִיד זֶה הוּא בֵּית יְהוָה הָאֱלֹהִים וְזֶה־ הֲכָנוֹת דָּוִיד לְבִנְיַת הַמִּקְדָּשׁ:
מִזְבֵּחַ לְעֹלָה לְיִשְׂרָאֵל:
ב וַיֹּאמֶר דָּוִיד לִכְנוֹס אֶת־הַגֵּרִים אֲשֶׁר בְּאֶרֶץ יִשְׂרָאֵל וַיַּעֲמֵד
ג חֹצְבִים לַחְצוֹב אַבְנֵי גָזִית לִבְנוֹת בֵּית הָאֱלֹהִים: וּבַרְזֶל ׀ לָרֹב
לַמִּסְמְרִים לְדַלְתוֹת הַשְּׁעָרִים וְלַמְחַבְּרוֹת הֵכִין דָּוִיד וּנְחֹשֶׁת
ד לָרֹב אֵין מִשְׁקָל: וַעֲצֵי אֲרָזִים לְאֵין מִסְפָּר כִּי־הֵבִיאוּ הַצִּידֹנִים
וְהַצֹּרִים עֲצֵי אֲרָזִים לָרֹב לְדָוִיד:
ה וַיֹּאמֶר דָּוִיד שְׁלֹמֹה בְנִי נַעַר וָרָךְ וְהַבַּיִת לִבְנוֹת לַיהוָה לְהַגְדִּיל ׀
לְמַעְלָה לְשֵׁם וּלְתִפְאֶרֶת לְכָל־הָאֲרָצוֹת אָכִינָה נָּא לוֹ וַיָּכֶן דָּוִיד
ו לָרֹב לִפְנֵי מוֹתוֹ: וַיִּקְרָא לִשְׁלֹמֹה בְנוֹ וַיְצַוֵּהוּ לִבְנוֹת בַּיִת לַיהוָה
ז אֱלֹהֵי יִשְׂרָאֵל: וַיֹּאמֶר דָּוִיד לִשְׁלֹמֹה בנו בְּנִי אֲנִי הָיָה צַוָּאַת דָּוִיד לִשְׁלֹמֹה:
ח עִם־לְבָבִי לִבְנוֹת בַּיִת לְשֵׁם יְהוָה אֱלֹהָי: וַיְהִי עָלַי דְּבַר־יְהוָה
לֵאמֹר דָּם לָרֹב שָׁפַכְתָּ וּמִלְחָמוֹת גְּדֹלוֹת עָשִׂיתָ לֹא־תִבְנֶה בַיִת
ט לִשְׁמִי כִּי דָּמִים רַבִּים שָׁפַכְתָּ אַרְצָה לְפָנָי: הִנֵּה־בֵן נוֹלָד לָךְ
הוּא יִהְיֶה אִישׁ מְנוּחָה וַהֲנִחוֹתִי לוֹ מִכָּל־אוֹיְבָיו מִסָּבִיב כִּי

שְׁלֹמֹה יִהְיֶה שְׁמוֹ וְשָׁלוֹם וָשֶׁקֶט אֶתֵּן עַל־יִשְׂרָאֵל בְּיָמָיו:
י הוּא־יִבְנֶה בַיִת לִשְׁמִי וְהוּא יִהְיֶה־לִּי לְבֵן וַאֲנִי־לוֹ לְאָב
יא וַהֲכִינוֹתִי כִּסֵּא מַלְכוּתוֹ עַל־יִשְׂרָאֵל עַד־עוֹלָם: עַתָּה בְנִי יְהִי
יְהוָה עִמָּךְ וְהִצְלַחְתָּ וּבָנִיתָ בֵּית יְהוָה אֱלֹהֶיךָ כַּאֲשֶׁר דִּבֶּר עָלֶיךָ:
יב אַךְ יִתֶּן־לְּךָ יְהוָה שֵׂכֶל וּבִינָה וִיצַוְּךָ עַל־יִשְׂרָאֵל וְלִשְׁמוֹר
יג אֶת־תּוֹרַת יְהוָה אֱלֹהֶיךָ: אָז תַּצְלִיחַ אִם־תִּשְׁמוֹר לַעֲשׂוֹת
אֶת־הַחֻקִּים וְאֶת־הַמִּשְׁפָּטִים אֲשֶׁר צִוָּה יְהוָה אֶת־מֹשֶׁה עַל־
יד יִשְׂרָאֵל חֲזַק וֶאֱמָץ אַל־תִּירָא וְאַל־תֵּחָת: וְהִנֵּה בְעָנְיִי הֲכִינוֹתִי
לְבֵית־יְהוָה זָהָב כִּכָּרִים מֵאָה־אֶלֶף וְכֶסֶף אֶלֶף אֲלָפִים כִּכָּרִים
וְלַנְּחֹשֶׁת וְלַבַּרְזֶל אֵין מִשְׁקָל כִּי לָרֹב הָיָה וְעֵצִים וַאֲבָנִים
טו הֲכִינוֹתִי וַעֲלֵיהֶם תּוֹסִיף: וְעִמְּךָ לָרֹב עֹשֵׂי מְלָאכָה חֹצְבִים
טז וְחָרָשֵׁי אֶבֶן וָעֵץ וְכָל־חָכָם בְּכָל־מְלָאכָה: לַזָּהָב לַכֶּסֶף וְלַנְּחֹשֶׁת
יז וְלַבַּרְזֶל אֵין מִסְפָּר קוּם וַעֲשֵׂה וִיהִי יְהוָה עִמָּךְ: וַיְצַו דָּוִיד
יח לְכָל־שָׂרֵי יִשְׂרָאֵל לַעְזֹר לִשְׁלֹמֹה בְנוֹ: הֲלֹא יְהוָה
אֱלֹהֵיכֶם עִמָּכֶם וְהֵנִיחַ לָכֶם מִסָּבִיב כִּי ׀ נָתַן בְּיָדִי אֵת יֹשְׁבֵי
יט הָאָרֶץ וְנִכְבְּשָׁה הָאָרֶץ לִפְנֵי יְהוָה וְלִפְנֵי עַמּוֹ: עַתָּה תְּנוּ לְבַבְכֶם
וְנַפְשְׁכֶם לִדְרוֹשׁ לַיהוָה אֱלֹהֵיכֶם וְקוּמוּ וּבְנוּ אֶת־מִקְדַּשׁ יְהוָה
הָאֱלֹהִים לְהָבִיא אֶת־אֲרוֹן בְּרִית־יְהוָה וּכְלֵי קֹדֶשׁ הָאֱלֹהִים
לַבַּיִת הַנִּבְנֶה לְשֵׁם־יְהוָה:

צִוּוּי דָּוִד לַשָּׂרִים לַעְזֹר לִשְׁלֹמֹה:

כג א וְדָוִיד זָקֵן וְשָׂבַע יָמִים וַיַּמְלֵךְ אֶת־שְׁלֹמֹה בְנוֹ עַל־יִשְׂרָאֵל: [2924]
ב ג וַיֶּאֱסֹף אֶת־כָּל־שָׂרֵי יִשְׂרָאֵל וְהַכֹּהֲנִים וְהַלְוִיִּם: וַיִּסָּפְרוּ הַלְוִיִּם
מִבֶּן שְׁלֹשִׁים שָׁנָה וָמָעְלָה וַיְהִי מִסְפָּרָם לְגֻלְגְּלֹתָם לִגְבָרִים
ד שְׁלֹשִׁים וּשְׁמוֹנָה אָלֶף: מֵאֵלֶּה לְנַצֵּחַ עַל־מְלֶאכֶת בֵּית־יְהוָה
עֶשְׂרִים וְאַרְבָּעָה אָלֶף וְשֹׁטְרִים וְשֹׁפְטִים שֵׁשֶׁת אֲלָפִים:
ה וְאַרְבַּעַת אֲלָפִים שֹׁעֲרִים וְאַרְבַּעַת אֲלָפִים מְהַלְלִים לַיהוָה

מִנְיַן הַלְוִיִּם בְּהַמְלָכַת שְׁלֹמֹה:

ו בַּכֵּלִים אֲשֶׁר עָשִׂיתִי לְהַלֵּל׃ וַיֶּחָלְקֵם דָּוִיד חֲלֻקָּה לְמַחְלְקוֹת שְׁמוֹת בְּנֵי גֵרְשׁוֹן:
מַחְלְקוֹת לִבְנֵי לֵוִי לְגֵרְשׁוֹן קְהָת
ז ח וּמְרָרִי׃ לַגֵּרְשֻׁנִּי לַעְדָּן וְשִׁמְעִי׃ בְּנֵי לַעְדָּן
ט הָרֹאשׁ יְחִיאֵל וְזֵתָם וְיוֹאֵל שְׁלֹשָׁה׃ בְּנֵי
שִׁמְעִי שלמות שְׁלֹמִית וַחֲזִיאֵל וְהָרָן שְׁלֹשָׁה אֵלֶּה רָאשֵׁי הָאָבוֹת
י לְלַעְדָּן׃ וּבְנֵי שִׁמְעִי יַחַת זִינָא וִיעוּשׁ וּבְרִיעָה אֵלֶּה
יא בְנֵי־שִׁמְעִי אַרְבָּעָה׃ וַיְהִי־יַחַת הָרֹאשׁ וְזִיזָה הַשֵּׁנִי וִיעוּשׁ וּבְרִיעָה
יב לֹא־הִרְבּוּ בָנִים וַיִּהְיוּ לְבֵית אָב לִפְקֻדָּה אֶחָת׃ בְּנֵי שְׁמוֹת בְּנֵי קְהָת:
יג קְהָת עַמְרָם יִצְהָר חֶבְרוֹן וְעֻזִּיאֵל אַרְבָּעָה׃ בְּנֵי עַמְרָם
אַהֲרֹן וּמֹשֶׁה וַיִּבָּדֵל אַהֲרֹן לְהַקְדִּישׁוֹ קֹדֶשׁ קָדָשִׁים הוּא־וּבָנָיו
עַד־עוֹלָם לְהַקְטִיר לִפְנֵי יְהוָה לְשָׁרְתוֹ וּלְבָרֵךְ בִּשְׁמוֹ עַד־עוֹלָם׃
יד טו וּמֹשֶׁה אִישׁ הָאֱלֹהִים בָּנָיו יִקָּרְאוּ עַל־שֵׁבֶט הַלֵּוִי׃ בְּנֵי
טז יז מֹשֶׁה גֵּרְשׁוֹם וֶאֱלִיעֶזֶר׃ בְּנֵי גֵרְשׁוֹם שְׁבוּאֵל הָרֹאשׁ׃ וַיִּהְיוּ
בְנֵי־אֱלִיעֶזֶר רְחַבְיָה הָרֹאשׁ וְלֹא־הָיָה לֶאֱלִיעֶזֶר בָּנִים אֲחֵרִים
יח וּבְנֵי רְחַבְיָה רָבוּ לְמָעְלָה׃ בְּנֵי יִצְהָר שְׁלֹמִית הָרֹאשׁ׃
יט בְּנֵי חֶבְרוֹן יְרִיָּהוּ הָרֹאשׁ אֲמַרְיָה הַשֵּׁנִי יַחֲזִיאֵל הַשְּׁלִישִׁי
כ כא וִיקַמְעָם הָרְבִיעִי׃ בְּנֵי עֻזִּיאֵל מִיכָה הָרֹאשׁ וְיִשִּׁיָּה הַשֵּׁנִי׃ בְּנֵי שְׁמוֹת בְּנֵי מְרָרִי:
כב מְרָרִי מַחְלִי וּמוּשִׁי בְּנֵי מַחְלִי אֶלְעָזָר וְקִישׁ׃ וַיָּמָת אֶלְעָזָר
כג וְלֹא־הָיוּ לוֹ בָּנִים כִּי אִם־בָּנוֹת וַיִּשָּׂאוּם בְּנֵי־קִישׁ אֲחֵיהֶם׃ בְּנֵי
כד מוּשִׁי מַחְלִי וְעֵדֶר וִירֵמוֹת שְׁלוֹשָׁה׃ אֵלֶּה בְנֵי־לֵוִי תַּפְקִידֵי הַלְוִיִּם:
לְבֵית אֲבוֹתֵיהֶם רָאשֵׁי הָאָבוֹת לִפְקוּדֵיהֶם בְּמִסְפַּר שֵׁמוֹת
לְגֻלְגְּלֹתָם עֹשֵׂה הַמְּלָאכָה לַעֲבֹדַת בֵּית יְהוָה מִבֶּן עֶשְׂרִים שָׁנָה
כה וָמָעְלָה׃ כִּי אָמַר דָּוִיד הֵנִיחַ יְהוָה אֱלֹהֵי־יִשְׂרָאֵל לְעַמּוֹ וַיִּשְׁכֹּן
כו בִּירוּשָׁלַםִ עַד־לְעוֹלָם׃ וְגַם לַלְוִיִּם אֵין־לָשֵׂאת אֶת־הַמִּשְׁכָּן
כז וְאֶת־כָּל־כֵּלָיו לַעֲבֹדָתוֹ׃ כִּי בְדִבְרֵי דָוִיד הָאַחֲרֹנִים הֵמָּה מִסְפַּר

כח בְּנֵי־לֵוִי מִבֶּן עֶשְׂרִים שָׁנָה וּלְמָעְלָה׃ כִּי מַעֲמָדָם לְיַד־בְּנֵי אַהֲרֹן
לַעֲבֹדַת בֵּית יְהוָה עַל־הַחֲצֵרוֹת וְעַל־הַלְּשָׁכוֹת וְעַל־טָהֳרַת
כט לְכָל־קֹדֶשׁ וּמַעֲשֵׂה עֲבֹדַת בֵּית הָאֱלֹהִים׃ וּלְלֶחֶם הַמַּעֲרֶכֶת
וּלְסֹלֶת לְמִנְחָה וְלִרְקִיקֵי הַמַּצּוֹת וְלַמַּחֲבַת וְלַמֻּרְבָּכֶת וּלְכָל־
ל מְשׂוּרָה וּמִדָּה׃ וְלַעֲמֹד בַּבֹּקֶר בַּבֹּקֶר לְהֹדוֹת וּלְהַלֵּל לַיהוָה וְכֵן
לא לָעָרֶב׃ וּלְכֹל הַעֲלוֹת עֹלוֹת לַיהוָה לַשַּׁבָּתוֹת לֶחֳדָשִׁים וְלַמֹּעֲדִים
לב בְּמִסְפָּר כְּמִשְׁפָּט עֲלֵיהֶם תָּמִיד לִפְנֵי יְהוָה׃ וְשָׁמְרוּ אֶת־מִשְׁמֶרֶת
אֹהֶל־מוֹעֵד וְאֵת מִשְׁמֶרֶת הַקֹּדֶשׁ וּמִשְׁמֶרֶת בְּנֵי אַהֲרֹן אֲחֵיהֶם
לַעֲבֹדַת בֵּית יְהוָה׃

כד א וְלִבְנֵי אַהֲרֹן מַחְלְקוֹתָם בְּנֵי אַהֲרֹן נָדָב וַאֲבִיהוּא אֶלְעָזָר וְאִיתָמָר׃ חֲלֻקַּת הַכֹּהֲנִים לְמִשְׁמָרוֹת׃
ב וַיָּמָת נָדָב וַאֲבִיהוּא לִפְנֵי אֲבִיהֶם וּבָנִים לֹא־הָיוּ לָהֶם וַיְכַהֲנוּ
ג אֶלְעָזָר וְאִיתָמָר׃ וַיֶּחָלְקֵם דָּוִיד וְצָדוֹק מִן־בְּנֵי אֶלְעָזָר וַאֲחִימֶלֶךְ
ד מִן־בְּנֵי אִיתָמָר לִפְקֻדָּתָם בַּעֲבֹדָתָם׃ וַיִּמָּצְאוּ בְנֵי־אֶלְעָזָר רַבִּים
לְרָאשֵׁי הַגְּבָרִים מִן־בְּנֵי אִיתָמָר וַיַּחְלְקוּם לִבְנֵי אֶלְעָזָר רָאשִׁים
לְבֵית־אָבוֹת שִׁשָּׁה עָשָׂר וְלִבְנֵי אִיתָמָר לְבֵית אֲבוֹתָם שְׁמוֹנָה׃
ה וַיַּחְלְקוּם בְּגוֹרָלוֹת אֵלֶּה עִם־אֵלֶּה כִּי־הָיוּ שָׂרֵי־קֹדֶשׁ וְשָׂרֵי
ו הָאֱלֹהִים מִבְּנֵי אֶלְעָזָר וּבִבְנֵי אִיתָמָר׃ וַיִּכְתְּבֵם שְׁמַעְיָה
בֶן־נְתַנְאֵל הַסּוֹפֵר מִן־הַלֵּוִי לִפְנֵי הַמֶּלֶךְ וְהַשָּׂרִים וְצָדוֹק הַכֹּהֵן
וַאֲחִימֶלֶךְ בֶּן־אֶבְיָתָר וְרָאשֵׁי הָאָבוֹת לַכֹּהֲנִים וְלַלְוִיִּם בֵּית־אָב
אֶחָד אָחֻז לְאֶלְעָזָר וְאָחֻז ׀ אָחֻז לְאִיתָמָר׃

ז וַיֵּצֵא הַגּוֹרָל הָרִאשׁוֹן לִיהוֹיָרִיב לִידַעְיָה — שְׁמוֹת מִשְׁמְרוֹת הַכְּהֻנָּה׃
ח הַשֵּׁנִי׃ לְחָרִם הַשְּׁלִישִׁי לִשְׂעֹרִים
ט הָרְבִעִי׃ לְמַלְכִּיָּה הַחֲמִישִׁי לְמִיָּמִן
י הַשִּׁשִּׁי׃ לְהַקּוֹץ הַשְּׁבִעִי לַאֲבִיָּה
יא הַשְּׁמִינִי׃ לְיֵשׁוּעַ הַתְּשִׁעִי לִשְׁכַנְיָהוּ

יב הָעֲשִׂרִי: לְאֶלְיָשִׁיב עַשְׁתֵּי עָשָׂר לְיָקִים
יג שְׁנֵים עָשָׂר: לְחֻפָּה שְׁלֹשָׁה עָשָׂר לְיֶשֶׁבְאָב
יד אַרְבָּעָה עָשָׂר: לְבִלְגָּה חֲמִשָּׁה עָשָׂר לְאִמֵּר
טו שִׁשָּׁה עָשָׂר: לְחֵזִיר שִׁבְעָה עָשָׂר לְהַפִּצֵּץ
טז שְׁמוֹנָה עָשָׂר: לִפְתַחְיָה תִּשְׁעָה עָשָׂר לִיחֶזְקֵאל
יז הָעֶשְׂרִים: לְיָכִין אֶחָד וְעֶשְׂרִים לְגָמוּל
יח שְׁנַיִם וְעֶשְׂרִים: לִדְלָיָהוּ שְׁלֹשָׁה וְעֶשְׂרִים לְמַעַזְיָהוּ
אַרְבָּעָה וְעֶשְׂרִים:
יט אֵלֶּה פְקֻדָּתָם לַעֲבֹדָתָם לָבוֹא לְבֵית־יְהוָה כְּמִשְׁפָּטָם בְּיַד אַהֲרֹן
אֲבִיהֶם כַּאֲשֶׁר צִוָּהוּ יְהוָה אֱלֹהֵי יִשְׂרָאֵל:
כ וְלִבְנֵי לֵוִי הַנּוֹתָרִים לִבְנֵי עַמְרָם שׁוּבָאֵל לִבְנֵי שׁוּבָאֵל שְׁמוֹת הַלְוִיִּם וְהַפָּלַת הַגּוֹרָלוֹת:
כא כב יֶחְדְּיָהוּ: לִרְחַבְיָהוּ לִבְנֵי רְחַבְיָהוּ הָרֹאשׁ יִשִּׁיָּה: לַיִּצְהָרִי
כג שְׁלֹמוֹת לִבְנֵי שְׁלֹמוֹת יָחַת: וּבְנֵי יְרִיָּהוּ אֲמַרְיָהוּ הַשֵּׁנִי
כד יַחֲזִיאֵל הַשְּׁלִישִׁי יְקַמְעָם הָרְבִיעִי: בְּנֵי עֻזִּיאֵל מִיכָה לִבְנֵי
כה מִיכָה שמור שָׁמִיר: אֲחִי מִיכָה יִשִּׁיָּה לִבְנֵי יִשִּׁיָּה
כו זְכַרְיָהוּ: בְּנֵי מְרָרִי מַחְלִי וּמוּשִׁי בְּנֵי יַעֲזִיָּהוּ
כז בְנוֹ: בְּנֵי מְרָרִי
כח לְיַעֲזִיָּהוּ בְּנוֹ וְשֹׁהַם וְזַכּוּר וְעִבְרִי: לְמַחְלִי אֶלְעָזָר
כט ל וְלֹא־הָיָה לוֹ בָּנִים: לְקִישׁ בְּנֵי־קִישׁ יְרַחְמְאֵל: וּבְנֵי
מוּשִׁי מַחְלִי וְעֵדֶר וִירִימוֹת אֵלֶּה בְּנֵי הַלְוִיִּם לְבֵית אֲבֹתֵיהֶם:
לא וַיַּפִּילוּ גַם־הֵם גּוֹרָלוֹת לְעֻמַּת ׀ אֲחֵיהֶם בְּנֵי־אַהֲרֹן לִפְנֵי דָּוִיד
הַמֶּלֶךְ וְצָדוֹק וַאֲחִימֶלֶךְ וְרָאשֵׁי הָאָבוֹת לַכֹּהֲנִים וְלַלְוִיִּם אָבוֹת
כה א הָרֹאשׁ לְעֻמַּת אָחִיו הַקָּטָן: וַיַּבְדֵּל דָּוִיד וְשָׂרֵי הַצָּבָא הַבְדָּלַת הַמְשׁוֹרְרִים מֵהַלְוִיִּם:
לַעֲבֹדָה לִבְנֵי אָסָף וְהֵימָן וִידוּתוּן הנביאים הַנִּבְּאִים בְּכִנֹּרוֹת
בִּנְבָלִים וּבִמְצִלְתָּיִם וַיְהִי מִסְפָּרָם אַנְשֵׁי מְלָאכָה לַעֲבֹדָתָם:

ב לִבְנֵי אָסָף זַכּוּר וְיוֹסֵף וּנְתַנְיָה וַאֲשַׂרְאֵלָה בְּנֵי אָסָף עַל יַד־אָסָף
ג הַנִּבָּא עַל־יְדֵי הַמֶּלֶךְ׃ לִידוּתוּן בְּנֵי יְדוּתוּן גְּדַלְיָהוּ וּצְרִי
וִישַׁעְיָהוּ חֲשַׁבְיָהוּ וּמַתִּתְיָהוּ שִׁשָּׁה עַל יְדֵי אֲבִיהֶם יְדוּתוּן
ד בַּכִּנּוֹר הַנִּבָּא עַל־הֹדוֹת וְהַלֵּל לַיהוָה׃ לְהֵימָן בְּנֵי הֵימָן
בֻּקִּיָּהוּ מַתַּנְיָהוּ עֻזִּיאֵל שְׁבוּאֵל וִירִימוֹת חֲנַנְיָה חֲנָנִי אֱלִיאָתָה
ה גִּדַּלְתִּי וְרֹמַמְתִּי עֶזֶר יָשְׁבְּקָשָׁה מַלּוֹתִי הוֹתִיר מַחֲזִיאוֹת׃ כָּל־
אֵלֶּה בָנִים לְהֵימָן חֹזֵה הַמֶּלֶךְ בְּדִבְרֵי הָאֱלֹהִים לְהָרִים קָרֶן וַיִּתֵּן
ו הָאֱלֹהִים לְהֵימָן בָּנִים אַרְבָּעָה עָשָׂר וּבָנוֹת שָׁלוֹשׁ׃ כָּל־אֵלֶּה
עַל־יְדֵי אֲבִיהֶם בַּשִּׁיר בֵּית יְהוָה בִּמְצִלְתַּיִם נְבָלִים וְכִנֹּרוֹת
ז לַעֲבֹדַת בֵּית הָאֱלֹהִים עַל יְדֵי הַמֶּלֶךְ אָסָף וִידוּתוּן וְהֵימָן׃ וַיְהִי
מִסְפָּרָם עִם־אֲחֵיהֶם מְלֻמְּדֵי־שִׁיר לַיהוָה כָּל־הַמֵּבִין מָאתַיִם
ח שְׁמוֹנִים וּשְׁמוֹנָה׃ וַיַּפִּילוּ גּוֹרָלוֹת מִשְׁמֶרֶת לְעֻמַּת כַּקָּטֹן כַּגָּדוֹל
מֵבִין עִם־תַּלְמִיד׃

שְׁמוֹת מִשְׁמְרוֹת הַלְוִיִּם:

ט וַיֵּצֵא הַגּוֹרָל הָרִאשׁוֹן לְאָסָף לְיוֹסֵף גְּדַלְיָהוּ הַשֵּׁנִי הוּא־
י וְאֶחָיו וּבָנָיו שְׁנֵים עָשָׂר׃ הַשְּׁלִשִׁי זַכּוּר בָּנָיו וְאֶחָיו שְׁנֵים עָשָׂר׃
יא הָרְבִיעִי לַיִּצְרִי בָּנָיו וְאֶחָיו שְׁנֵים עָשָׂר׃
יב הַחֲמִישִׁי נְתַנְיָהוּ בָּנָיו וְאֶחָיו שְׁנֵים עָשָׂר׃
יג הַשִּׁשִּׁי בֻקִּיָּהוּ בָּנָיו וְאֶחָיו שְׁנֵים עָשָׂר׃
יד הַשְּׁבִעִי יְשַׂרְאֵלָה בָּנָיו וְאֶחָיו שְׁנֵים עָשָׂר׃
טו הַשְּׁמִינִי יְשַׁעְיָהוּ בָּנָיו וְאֶחָיו שְׁנֵים עָשָׂר׃
טז הַתְּשִׁיעִי מַתַּנְיָהוּ בָּנָיו וְאֶחָיו שְׁנֵים עָשָׂר׃
יז הָעֲשִׂירִי שִׁמְעִי בָּנָיו וְאֶחָיו שְׁנֵים עָשָׂר׃
יח עַשְׁתֵּי־עָשָׂר עֲזַרְאֵל בָּנָיו וְאֶחָיו שְׁנֵים עָשָׂר׃
יט הַשְּׁנֵים עָשָׂר לַחֲשַׁבְיָה בָּנָיו וְאֶחָיו שְׁנֵים עָשָׂר׃
כ לִשְׁלֹשָׁה עָשָׂר שׁוּבָאֵל בָּנָיו וְאֶחָיו שְׁנֵים עָשָׂר׃

כא עָשָׂר: לְאַרְבָּעָה עָשָׂר מַתִּתְיָהוּ בָּנָיו וְאֶחָיו שְׁנֵים
כב עָשָׂר: לַחֲמִשָּׁה עָשָׂר לִירֵמוֹת בָּנָיו וְאֶחָיו שְׁנֵים
כג עָשָׂר: לְשִׁשָּׁה עָשָׂר לַחֲנַנְיָהוּ בָּנָיו וְאֶחָיו שְׁנֵים
כד עָשָׂר: לְשִׁבְעָה עָשָׂר לְיָשְׁבְּקָשָׁה בָּנָיו וְאֶחָיו שְׁנֵים
כה עָשָׂר: לִשְׁמוֹנָה עָשָׂר לַחֲנָנִי בָּנָיו וְאֶחָיו שְׁנֵים
כו עָשָׂר: לְתִשְׁעָה עָשָׂר לְמַלּוֹתִי בָּנָיו וְאֶחָיו שְׁנֵים
כז עָשָׂר: לְעֶשְׂרִים לֶאֱלִיָּתָה בָּנָיו וְאֶחָיו שְׁנֵים
כח עָשָׂר: לְאֶחָד וְעֶשְׂרִים לְהוֹתִיר בָּנָיו וְאֶחָיו שְׁנֵים
כט עָשָׂר: לִשְׁנַיִם וְעֶשְׂרִים לְגִדַּלְתִּי בָּנָיו וְאֶחָיו שְׁנֵים
ל עָשָׂר: לִשְׁלֹשָׁה וְעֶשְׂרִים לְמַחֲזִיאוֹת בָּנָיו וְאֶחָיו שְׁנֵים
לא עָשָׂר: לְאַרְבָּעָה וְעֶשְׂרִים לְרוֹמַמְתִּי עֶזֶר בָּנָיו וְאֶחָיו
שְׁנֵים עָשָׂר:

כו א לְמַחְלְקוֹת לְשֹׁעֲרִים לַקָּרְחִים מְשֶׁלֶמְיָהוּ בֶּן־קֹרֵא מִן־בְּנֵי אָסָף: שְׁמוֹת מַחְלְקוֹת הַשּׁוֹעֲרִים:
ב וְלִמְשֶׁלֶמְיָהוּ בָּנִים זְכַרְיָהוּ הַבְּכוֹר יְדִיעֲאֵל הַשֵּׁנִי זְבַדְיָהוּ
ג הַשְּׁלִישִׁי יַתְנִיאֵל הָרְבִיעִי: עֵילָם הַחֲמִישִׁי יְהוֹחָנָן הַשִּׁשִּׁי
ד אֶלְיְהוֹעֵינַי הַשְּׁבִיעִי: וּלְעֹבֵד אֱדֹם בָּנִים שְׁמַעְיָה הַבְּכוֹר יְהוֹזָבָד
ה הַשֵּׁנִי יוֹאָח הַשְּׁלִשִׁי וְשָׂכָר הָרְבִיעִי וּנְתַנְאֵל הַחֲמִישִׁי: עַמִּיאֵל
הַשִּׁשִּׁי יִשָּׂשכָר הַשְּׁבִיעִי פְּעֻלְּתַי הַשְּׁמִינִי כִּי בֵרְכוֹ
ו אֱלֹהִים: וְלִשְׁמַעְיָה בְנוֹ נוֹלַד בָּנִים הַמִּמְשָׁלִים לְבֵית
ז אֲבִיהֶם כִּי־גִבּוֹרֵי חַיִל הֵמָּה: בְּנֵי שְׁמַעְיָה עָתְנִי וּרְפָאֵל וְעוֹבֵד
ח אֶלְזָבָד אֶחָיו בְּנֵי־חָיִל אֱלִיהוּ וּסְמַכְיָהוּ: כָּל־אֵלֶּה מִבְּנֵי ׀ עֹבֵד
אֱדֹם הֵמָּה וּבְנֵיהֶם וַאֲחֵיהֶם אִישׁ־חַיִל בַּכֹּחַ לַעֲבֹדָה שִׁשִּׁים
ט וּשְׁנַיִם לְעֹבֵד אֱדֹם: וְלִמְשֶׁלֶמְיָהוּ בָּנִים וְאַחִים בְּנֵי־חָיִל שְׁמוֹנָה
י עָשָׂר: וּלְחֹסָה מִן־בְּנֵי־מְרָרִי בָּנִים שִׁמְרִי הָרֹאשׁ כִּי
יא לֹא־הָיָה בְכוֹר וַיְשִׂימֵהוּ אָבִיהוּ לְרֹאשׁ: חִלְקִיָּהוּ הַשֵּׁנִי טְבַלְיָהוּ

הַשְּׁלִשִׁי זְכַרְיָהוּ הָרְבִעִי כָּל־בָּנִים וְאַחִים לְחֹסָה שְׁלֹשָׁה עָשָׂר׃
יב לְאֵלֶּה מַחְלְקוֹת הַשֹּׁעֲרִים לְרָאשֵׁי הַגְּבָרִים מִשְׁמָרוֹת לְעֻמַּת
יג אֲחֵיהֶם לְשָׁרֵת בְּבֵית יְהוָה׃ וַיַּפִּילוּ גוֹרָלוֹת כַּקָּטֹן כַּגָּדוֹל לְבֵית
אֲבוֹתָם לְשַׁעַר וָשָׁעַר׃

הַגּוֹרָלוֹת עַל הַמְּקוֹמוֹת׃

יד וַיִּפֹּל הַגּוֹרָל מִזְרָחָה לְשֶׁלֶמְיָהוּ וּזְכַרְיָהוּ בְנוֹ יוֹעֵץ ׀ בְּשֶׂכֶל הִפִּילוּ
טו גּוֹרָלוֹת וַיֵּצֵא גוֹרָלוֹ צָפוֹנָה׃ לְעֹבֵד אֱדֹם נֶגְבָּה וּלְבָנָיו בֵּית
טז הָאֲסֻפִּים׃ לְשֻׁפִּים וּלְחֹסָה לַמַּעֲרָב עִם שַׁעַר שַׁלֶּכֶת בַּמְסִלָּה
יז הָעוֹלָה מִשְׁמָר לְעֻמַּת מִשְׁמָר׃ לַמִּזְרָח הַלְוִיִּם שִׁשָּׁה
לַצָּפוֹנָה לַיּוֹם אַרְבָּעָה לַנֶּגְבָּה לַיּוֹם אַרְבָּעָה וְלָאֲסֻפִּים
יח שְׁנַיִם שְׁנָיִם׃ לַפַּרְבָּר לַמַּעֲרָב אַרְבָּעָה לַמְסִלָּה שְׁנַיִם לַפַּרְבָּר׃
יט כ אֵלֶּה מַחְלְקוֹת הַשֹּׁעֲרִים לִבְנֵי הַקָּרְחִי וְלִבְנֵי מְרָרִי׃ וְהַלְוִיִּם אֲחִיָּה
כא עַל־אוֹצְרוֹת בֵּית הָאֱלֹהִים וּלְאֹצְרוֹת הַקֳּדָשִׁים׃ בְּנֵי
לַעְדָּן בְּנֵי הַגֵּרְשֻׁנִּי לְלַעְדָּן רָאשֵׁי הָאָבוֹת לְלַעְדָּן הַגֵּרְשֻׁנִּי
כב יְחִיאֵלִי׃ בְּנֵי יְחִיאֵלִי זֵתָם וְיוֹאֵל אָחִיו עַל־אֹצְרוֹת בֵּית
כג יְהוָה׃ לַעַמְרָמִי לַיִּצְהָרִי
כד לַחֶבְרוֹנִי לָעָזִּיאֵלִי׃ וּשְׁבֻאֵל בֶּן־גֵּרְשׁוֹם בֶּן־מֹשֶׁה נָגִיד עַל־
כה הָאֹצָרוֹת׃ וְאֶחָיו לֶאֱלִיעֶזֶר רְחַבְיָהוּ בְנוֹ וִישַׁעְיָהוּ בְנוֹ
כו וְיֹרָם בְּנוֹ וְזִכְרִי בְנוֹ ושלמות וּשְׁלֹמִית בְּנוֹ׃ הוּא שְׁלֹמוֹת וְאֶחָיו
עַל כָּל־אֹצְרוֹת הַקֳּדָשִׁים אֲשֶׁר הִקְדִּישׁ דָּוִיד הַמֶּלֶךְ וְרָאשֵׁי
כז הָאָבוֹת לְשָׂרֵי־הָאֲלָפִים וְהַמֵּאוֹת וְשָׂרֵי הַצָּבָא׃ מִן־הַמִּלְחָמוֹת
כח וּמִן־הַשָּׁלָל הִקְדִּישׁוּ לְחַזֵּק לְבֵית יְהוָה׃ וְכֹל הַהִקְדִּישׁ שְׁמוּאֵל
הָרֹאֶה וְשָׁאוּל בֶּן־קִישׁ וְאַבְנֵר בֶּן־נֵר וְיוֹאָב בֶּן־צְרוּיָה כֹּל
הַמַּקְדִּישׁ עַל יַד־שְׁלֹמִית וְאֶחָיו׃

הַמְמֻנִּים עַל אוֹצְרוֹת הַמִּקְדָּשׁ׃

כט לַיִּצְהָרִי כְּנַנְיָהוּ וּבָנָיו לַמְּלָאכָה הַחִיצוֹנָה עַל־יִשְׂרָאֵל לְשֹׁטְרִים
ל וּלְשֹׁפְטִים׃ לַחֶבְרוֹנִי חֲשַׁבְיָהוּ וְאֶחָיו בְּנֵי־חַיִל אֶלֶף וּשְׁבַע־מֵאוֹת

תַּפְקִידֵי מִשְׁפְּחוֹת הַיִּצְהָרִי וְהַחֶבְרוֹנִי׃

עַל פְּקֻדַּת יִשְׂרָאֵל מֵעֵבֶר לַיַּרְדֵּן מַעְרָבָה לְכֹל מְלֶאכֶת יְהוָה
לא וְלַעֲבֹדַת הַמֶּלֶךְ׃ לַחֶבְרוֹנִי יְרִיָּה הָרֹאשׁ לַחֶבְרוֹנִי לְתֹלְדֹתָיו
לְאָבוֹת בִּשְׁנַת הָאַרְבָּעִים לְמַלְכוּת דָּוִיד נִדְרָשׁוּ וַיִּמָּצֵא בָהֶם
לב גִּבּוֹרֵי חַיִל בְּיַעְזֵיר גִּלְעָד׃ וְאֶחָיו בְּנֵי־חַיִל אַלְפַּיִם וּשְׁבַע מֵאוֹת
רָאשֵׁי הָאָבוֹת וַיַּפְקִידֵם דָּוִיד הַמֶּלֶךְ עַל־הָרְאוּבֵנִי וְהַגָּדִי וַחֲצִי
שֵׁבֶט הַמְנַשִּׁי לְכָל־דְּבַר הָאֱלֹהִים וּדְבַר הַמֶּלֶךְ׃

כז א וּבְנֵי יִשְׂרָאֵל ׀ לְמִסְפָּרָם רָאשֵׁי הָאָבוֹת וְשָׂרֵי הָאֲלָפִים ׀ רָאשֵׁי הַמַּחְלְקוֹת, הַחָדְשִׁיִּים:
וְהַמֵּאוֹת וְשֹׁטְרֵיהֶם הַמְשָׁרְתִים אֶת־הַמֶּלֶךְ לְכֹל ׀ דְּבַר
הַמַּחְלְקוֹת הַבָּאָה וְהַיֹּצֵאת חֹדֶשׁ בְּחֹדֶשׁ לְכֹל חָדְשֵׁי הַשָּׁנָה
הַמַּחֲלֹקֶת הָאַחַת עֶשְׂרִים וְאַרְבָּעָה אָלֶף׃
ב עַל הַמַּחֲלֹקֶת הָרִאשׁוֹנָה לַחֹדֶשׁ הָרִאשׁוֹן יָשָׁבְעָם בֶּן־זַבְדִּיאֵל
ג וְעַל מַחֲלֻקְתּוֹ עֶשְׂרִים וְאַרְבָּעָה אָלֶף׃ מִן־בְּנֵי־פֶרֶץ
ד הָרֹאשׁ לְכָל־שָׂרֵי הַצְּבָאוֹת לַחֹדֶשׁ הָרִאשׁוֹן׃ וְעַל
מַחֲלֹקֶת ׀ הַחֹדֶשׁ הַשֵּׁנִי דּוֹדַי הָאֲחוֹחִי וּמַחֲלֻקְתּוֹ וּמִקְלוֹת הַנָּגִיד
ה וְעַל מַחֲלֻקְתּוֹ עֶשְׂרִים וְאַרְבָּעָה אָלֶף׃ שַׂר הַצָּבָא
הַשְּׁלִישִׁי לַחֹדֶשׁ הַשְּׁלִישִׁי בְּנָיָהוּ בֶן־יְהוֹיָדָע הַכֹּהֵן רֹאשׁ וְעַל
ו מַחֲלֻקְתּוֹ עֶשְׂרִים וְאַרְבָּעָה אָלֶף׃ הוּא בְנָיָהוּ גִּבּוֹר הַשְּׁלֹשִׁים
ז וְעַל־הַשְּׁלֹשִׁים וּמַחֲלֻקְתּוֹ עַמִּיזָבָד בְּנוֹ׃ הָרְבִיעִי
לַחֹדֶשׁ הָרְבִיעִי עֲשָׂהאֵל אֲחִי יוֹאָב וּזְבַדְיָה בְנוֹ אַחֲרָיו וְעַל
ח מַחֲלֻקְתּוֹ עֶשְׂרִים וְאַרְבָּעָה אָלֶף׃ הַחֲמִישִׁי לַחֹדֶשׁ הַחֲמִישִׁי
הַשַּׂר שַׁמְהוּת הַיִּזְרָח וְעַל מַחֲלֻקְתּוֹ עֶשְׂרִים וְאַרְבָּעָה
ט אָלֶף׃ הַשִּׁשִּׁי לַחֹדֶשׁ הַשִּׁשִּׁי
עִירָא בֶן־עִקֵּשׁ הַתְּקוֹעִי וְעַל מַחֲלֻקְתּוֹ עֶשְׂרִים וְאַרְבָּעָה
י אָלֶף׃ הַשְּׁבִיעִי לַחֹדֶשׁ הַשְּׁבִיעִי
חֶלֶץ הַפְּלוֹנִי מִן־בְּנֵי אֶפְרָיִם וְעַל מַחֲלֻקְתּוֹ עֶשְׂרִים וְאַרְבָּעָה

אָלֶף: הַשְּׁמִינִי לַחֹדֶשׁ הַשְּׁמִינִי
סִבְּכַי הַחֻשָׁתִי לַזַּרְחִי וְעַל מַחֲלֻקְתּוֹ עֶשְׂרִים וְאַרְבָּעָה

יא אָלֶף: הַתְּשִׁיעִי לַחֹדֶשׁ הַתְּשִׁיעִי
אֲבִיעֶזֶר הָעַנְּתֹתִי לבנימי לַבֶּן וְעַל מַחֲלֻקְתּוֹ עֶשְׂרִים
וְאַרְבָּעָה אָלֶף:

יב הָעֲשִׂירִי לַחֹדֶשׁ הָעֲשִׂירִי
מַהְרַי הַנְּטוֹפָתִי לַזַּרְחִי וְעַל מַחֲלֻקְתּוֹ עֶשְׂרִים וְאַרְבָּעָה
אָלֶף:

יג עַשְׁתֵּי־עָשָׂר לְעַשְׁתֵּי עָשָׂר הַחֹדֶשׁ
בְּנָיָה הַפִּרְעָתוֹנִי מִן־בְּנֵי אֶפְרָיִם וְעַל מַחֲלֻקְתּוֹ עֶשְׂרִים וְאַרְבָּעָה

יד אָלֶף: הַשְּׁנֵים עָשָׂר לִשְׁנֵים עָשָׂר הַחֹדֶשׁ
חֶלְדַּי הַנְּטוֹפָתִי לְעָתְנִיאֵל וְעַל מַחֲלֻקְתּוֹ עֶשְׂרִים וְאַרְבָּעָה

טו אָלֶף:

טז וְעַל שִׁבְטֵי יִשְׂרָאֵל לָרֻאוּבֵנִי נָגִיד אֱלִיעֶזֶר בֶּן־   (שרי השבטים)
יז זִכְרִי לַשִּׁמְעוֹנִי שְׁפַטְיָהוּ בֶּן־מַעֲכָה: לְלֵוִי
יח חֲשַׁבְיָה בֶן־קְמוּאֵל לְאַהֲרֹן צָדוֹק: לִיהוּדָה אֱלִיהוּ
מֵאֲחֵי דָוִיד לְיִשָּׂשכָר עָמְרִי בֶן־
יט מִיכָאֵל: לִזְבוּלֻן יִשְׁמַעְיָהוּ בֶן־
כ עֹבַדְיָהוּ לְנַפְתָּלִי יְרִימוֹת בֶּן־עַזְרִיאֵל: לִבְנֵי
אֶפְרַיִם הוֹשֵׁעַ בֶּן־עֲזַזְיָהוּ לַחֲצִי שֵׁבֶט מְנַשֶּׁה יוֹאֵל בֶּן־
כא פְּדָיָהוּ: לַחֲצִי הַמְנַשֶּׁה גִּלְעָדָה יִדּוֹ בֶן־
כב זְכַרְיָהוּ לְבִנְיָמִן יַעֲשִׂיאֵל בֶּן־אַבְנֵר: לְדָן
כג עֲזַרְאֵל בֶּן־יְרֹחָם אֵלֶּה שָׂרֵי שִׁבְטֵי יִשְׂרָאֵל: וְלֹא־נָשָׂא דָוִיד
מִסְפָּרָם לְמִבֶּן עֶשְׂרִים שָׁנָה וּלְמַטָּה כִּי אָמַר יְהֹוָה לְהַרְבּוֹת
כד אֶת־יִשְׂרָאֵל כְּכוֹכְבֵי הַשָּׁמָיִם: יוֹאָב בֶּן־צְרוּיָה הֵחֵל לִמְנוֹת וְלֹא
כִלָּה וַיְהִי בָזֹאת קֶצֶף עַל־יִשְׂרָאֵל וְלֹא עָלָה הַמִּסְפָּר בְּמִסְפַּר
כה דִּבְרֵי־הַיָּמִים לַמֶּלֶךְ דָּוִיד: וְעַל אֹצְרוֹת הַמֶּלֶךְ עַזְמָוֶת

בֶּן־עֲדִיאֵ֑ל וְעַל֩ הָאֹצָר֨וֹת בַּשָּׂדֶ֜ה בֶּעָרִ֣ים וּבַכְּפָרִ֗ים הַמְמֻנִּים עַל
כו וּבַמִּגְדָּל֔וֹת יְהוֹנָתָ֖ן בֶּן־עֻזִּיָּֽהוּ׃ וְעַ֗ל עֹשֵׂי֙ מְלֶ֣אכֶת הָאוֹצָרוֹת:
כז הַשָּׂדֶ֖ה לַעֲבֹדַ֣ת הָאֲדָמָ֑ה עֶזְרִ֖י בֶּן־כְּלֽוּב׃ וְעַל־הַכְּרָמִ֔ים
שִׁמְעִ֖י הָֽרָמָתִ֑י וְעַ֗ל שֶׁבַּכְּרָמִים֙ לְאֹצְר֣וֹת הַיַּ֔יִן זַבְדִּ֖י
כח הַשִּׁפְמִֽי׃ וְעַל־הַזֵּיתִ֤ים וְהַשִּׁקְמִים֙ אֲשֶׁ֣ר בַּשְּׁפֵלָ֔ה בַּ֥עַל
כט חָנָ֖ן הַגְּדֵרִ֑י וְעַל־אֹצְר֥וֹת הַשֶּׁ֖מֶן יוֹעָֽשׁ׃ וְעַל־
הַבָּקָר֙ הָרֹעִ֣ים בַּשָּׁר֔וֹן שטרי שִׁרְטַ֖י הַשָּׁרוֹנִ֑י וְעַל־הַבָּקָר֙
ל בָּעֲמָקִ֔ים שָׁפָ֖ט בֶּן־עַדְלָֽי׃ וְעַל־הַגְּמַלִּ֔ים אוֹבִ֖יל
הַיִּשְׁמְעֵאלִ֑י וְעַל־הָ֣אֲתֹנ֔וֹת יֶחְדְּיָ֖הוּ
לא הַמֵּרֹנֹתִֽי׃ וְעַל־הַצֹּ֖אן יָזִ֣יז הַהַגְרִ֑י כָּל־אֵ֗לֶּה שָׂרֵי֙
לב הָרְכ֔וּשׁ אֲשֶׁ֖ר לַמֶּ֥לֶךְ דָּוִֽיד׃ וִיהוֹנָתָ֤ן יוֹעֲצֵי הַמֶּלֶךְ:
דּוֹד־דָּוִיד֙ יוֹעֵ֔ץ אִישׁ־מֵבִ֥ין וְסוֹפֵ֖ר ה֑וּא וִיחִיאֵ֥ל בֶּן־חַכְמוֹנִ֖י
לג עִם־בְּנֵ֥י הַמֶּֽלֶךְ׃ וַאֲחִיתֹ֖פֶל יוֹעֵ֣ץ לַמֶּ֑לֶךְ וְחוּשַׁ֥י הָאַרְכִּ֖י
לד רֵ֥עַ הַמֶּֽלֶךְ׃ וְאַחֲרֵ֨י אֲחִיתֹ֜פֶל יְהוֹיָדָ֤ע בֶּן־בְּנָיָ֙הוּ֙
וְאֶבְיָתָ֔ר וְשַׂר־צָבָ֥א לַמֶּ֖לֶךְ יוֹאָֽב׃
כח א וַיַּקְהֵ֣ל דָּוִ֣יד אֶת־כָּל־שָׂרֵ֣י יִשְׂרָאֵ֡ל שָׂרֵ֣י הַשְּׁבָטִ֡ים וְשָׂרֵ֣י דִּבְרֵי דָוִיד
הַמַּחְלְק֣וֹת הַמְשָׁרְתִ֣ים אֶת־הַמֶּ֡לֶךְ וְשָׂרֵ֣י הָאֲלָפִים֩ וְשָׂרֵ֨י הַמֵּא֜וֹת בְּהַמְלָכַת
וְשָׂרֵ֣י כָל־רְכוּשׁ־וּמִקְנֶ֣ה ׀ לַמֶּ֣לֶךְ וּלְבָנָ֗יו עִם־הַסָּרִיסִ֛ים שְׁלֹמֹה:
ב וְהַגִּבּוֹרִ֖ים וּֽלְכָל־גִּבּ֣וֹר חָ֑יִל אֶל־יְרוּשָׁלִָֽם׃ וַיָּ֨קָם דָּוִ֤יד הַמֶּ֙לֶךְ֙
עַל־רַגְלָ֔יו וַיֹּ֕אמֶר שְׁמָע֖וּנִי אַחַ֣י וְעַמִּ֑י אֲנִ֣י עִם־לְבָבִ֡י לִבְנוֹת֩ בֵּ֨ית
מְנוּחָ֜ה לַאֲר֣וֹן בְּרִית־יְהוָ֗ה וְלַהֲדֹם֙ רַגְלֵ֣י אֱלֹהֵ֔ינוּ וַהֲכִינ֖וֹתִי
ג לִבְנֽוֹת׃ וְהָאֱלֹהִים֙ אָ֣מַר לִ֔י לֹא־תִבְנֶ֥ה בַ֖יִת לִשְׁמִ֑י כִּ֣י אִ֧ישׁ
ד מִלְחָמ֛וֹת אַ֖תָּה וְדָמִ֥ים שָׁפָֽכְתָּ׃ וַיִּבְחַר֩ יְהוָ֨ה אֱלֹהֵ֜י יִשְׂרָאֵ֣ל בִּ֗י
מִכֹּ֣ל בֵּית־אָבִ֘י לִהְי֨וֹת לְמֶ֤לֶךְ עַל־יִשְׂרָאֵל֙ לְעוֹלָ֔ם כִּ֥י בִֽיהוּדָה֙
בָּ֣חַר לְנָגִ֔יד וּבְבֵ֥ית יְהוּדָ֖ה בֵּ֣ית אָבִ֑י וּבִבְנֵ֣י אָבִ֗י בִּ֣י רָצָ֔ה לְהַמְלִ֖יךְ

ה עַל־כָּל־יִשְׂרָאֵל׃ וּמִכָּל־בָּנַי כִּי רַבִּים בָּנִים נָתַן לִי יְהֹוָה וַיִּבְחַר
ו בִּשְׁלֹמֹה בְנִי לָשֶׁבֶת עַל־כִּסֵּא מַלְכוּת יְהֹוָה עַל־יִשְׂרָאֵל׃ וַיֹּאמֶר
לִי שְׁלֹמֹה בִנְךָ הוּא־יִבְנֶה בֵיתִי וַחֲצֵרוֹתָי כִּי־בָחַרְתִּי בוֹ לִי לְבֵן
ז וַאֲנִי אֶהְיֶה־לּוֹ לְאָב׃ וַהֲכִינוֹתִי אֶת־מַלְכוּתוֹ עַד־לְעוֹלָם אִם־
ח יֶחֱזַק לַעֲשׂוֹת מִצְוֺתַי וּמִשְׁפָּטַי כַּיּוֹם הַזֶּה׃ וְעַתָּה לְעֵינֵי כָל־
יִשְׂרָאֵל קְהַל־יְהֹוָה וּבְאָזְנֵי אֱלֹהֵינוּ שִׁמְרוּ וְדִרְשׁוּ כָּל־מִצְוֺת יְהֹוָה
אֱלֹהֵיכֶם לְמַעַן תִּירְשׁוּ אֶת־הָאָרֶץ הַטּוֹבָה וְהִנְחַלְתֶּם לִבְנֵיכֶם
ט אַחֲרֵיכֶם עַד־עוֹלָם׃ וְאַתָּה שְׁלֹמֹה־בְנִי דַּע אֶת־אֱלֹהֵי אָבִיךָ (דִּבְרֵי מוּסָר לִשְׁלֹמֹה:)
וְעָבְדֵהוּ בְּלֵב שָׁלֵם וּבְנֶפֶשׁ חֲפֵצָה כִּי כָל־לְבָבוֹת דּוֹרֵשׁ יְהֹוָה
וְכָל־יֵצֶר מַחֲשָׁבוֹת מֵבִין אִם־תִּדְרְשֶׁנּוּ יִמָּצֵא לָךְ וְאִם־תַּעַזְבֶנּוּ
י יַזְנִיחֲךָ לָעַד׃ רְאֵה ׀ עַתָּה כִּי־יְהֹוָה בָּחַר בְּךָ לִבְנוֹת־בַּיִת לַמִּקְדָּשׁ
חֲזַק וַעֲשֵׂה׃

(מְסִירַת תַּבְנִית הַמִּקְדָּשׁ לִשְׁלֹמֹה:)
יא וַיִּתֵּן דָּוִיד לִשְׁלֹמֹה בְנוֹ אֶת־תַּבְנִית הָאוּלָם וְאֶת־בָּתָּיו וְגַנְזַכָּיו
יב וַעֲלִיֹּתָיו וַחֲדָרָיו הַפְּנִימִים וּבֵית הַכַּפֹּרֶת׃ וְתַבְנִית כֹּל אֲשֶׁר הָיָה
בָרוּחַ עִמּוֹ לְחַצְרוֹת בֵּית־יְהֹוָה וּלְכָל־הַלְּשָׁכוֹת סָבִיב לְאֹצְרוֹת
יג בֵּית הָאֱלֹהִים וּלְאֹצְרוֹת הַקֳּדָשִׁים׃ וּלְמַחְלְקוֹת הַכֹּהֲנִים וְהַלְוִיִּם
וּלְכָל־מְלֶאכֶת עֲבוֹדַת בֵּית־יְהֹוָה וּלְכָל־כְּלֵי עֲבוֹדַת בֵּית־יְהֹוָה׃
יד לַזָּהָב בַּמִּשְׁקָל לַזָּהָב לְכָל־כְּלֵי עֲבוֹדָה וַעֲבוֹדָה לְכֹל כְּלֵי הַכֶּסֶף
טו בְּמִשְׁקָל לְכָל־כְּלֵי עֲבוֹדָה וַעֲבוֹדָה׃ וּמִשְׁקָל לִמְנֹרוֹת הַזָּהָב
וְנֵרֹתֵיהֶם זָהָב בְּמִשְׁקַל־מְנוֹרָה וּמְנוֹרָה וְנֵרֹתֶיהָ וְלִמְנֹרוֹת הַכֶּסֶף
טז בְּמִשְׁקָל לִמְנוֹרָה וְנֵרֹתֶיהָ כַּעֲבוֹדַת מְנוֹרָה וּמְנוֹרָה׃ וְאֶת־הַזָּהָב
מִשְׁקָל לְשֻׁלְחֲנוֹת הַמַּעֲרֶכֶת לְשֻׁלְחַן וְשֻׁלְחָן וְכֶסֶף לְשֻׁלְחֲנוֹת
יז הַכָּסֶף׃ וְהַמִּזְלָגוֹת וְהַמִּזְרָקוֹת וְהַקְּשָׂוֺת זָהָב טָהוֹר וְלִכְפוֹרֵי הַזָּהָב
בְּמִשְׁקָל לִכְפוֹר וּכְפוֹר וְלִכְפוֹרֵי הַכֶּסֶף בְּמִשְׁקָל לִכְפוֹר וּכְפוֹר׃
יח וּלְמִזְבַּח הַקְּטֹרֶת זָהָב מְזֻקָּק בַּמִּשְׁקָל וּלְתַבְנִית הַמֶּרְכָּבָה

יט הַכְּרֻבִים זָהָב לְפֹרְשִׂים וְסֹכְכִים עַל־אֲרוֹן בְּרִית־יְהוָה׃ הַכֹּל
בִּכְתָב מִיַּד יְהוָה עָלַי הִשְׂכִּיל כֹּל מַלְאֲכוֹת הַתַּבְנִית׃
כ וַיֹּאמֶר דָּוִיד לִשְׁלֹמֹה בְנוֹ חֲזַק וֶאֱמַץ וַעֲשֵׂה אַל־תִּירָא וְאַל־ דִּבְרֵי חִזּוּק
תֵּחָת כִּי יְהוָה אֱלֹהִים אֱלֹהַי עִמָּךְ לֹא יַרְפְּךָ וְלֹא יַעַזְבֶךָּ עַל בִּנְיַן
כא עַד־לִכְלוֹת כָּל־מְלֶאכֶת עֲבוֹדַת בֵּית־יְהוָה׃ וְהִנֵּה מַחְלְקוֹת הַבַּיִת׃
הַכֹּהֲנִים וְהַלְוִיִּם לְכָל־עֲבוֹדַת בֵּית הָאֱלֹהִים וְעִמְּךָ בְכָל־מְלָאכָה
לְכָל־נָדִיב בַּחָכְמָה לְכָל־עֲבוֹדָה וְהַשָּׂרִים וְכָל־הָעָם לְכָל־
כט א דְּבָרֶיךָ׃ וַיֹּאמֶר דָּוִיד הַמֶּלֶךְ הַפְּנִיָּה
לְכָל־הַקָּהָל שְׁלֹמֹה בְנִי אֶחָד בָּחַר־בּוֹ אֱלֹהִים נַעַר וָרָךְ וְהַמְּלָאכָה לְהִתְנַדֵּב
ב גְדוֹלָה כִּי לֹא לְאָדָם הַבִּירָה כִּי לַיהוָה אֱלֹהִים׃ וּכְכָל־כֹּחִי לְבִנְיַן
הֲכִינוֹתִי לְבֵית־אֱלֹהַי הַזָּהָב ׀ לַזָּהָב וְהַכֶּסֶף לַכֶּסֶף וְהַנְּחֹשֶׁת הַבַּיִת׃
לַנְּחֹשֶׁת הַבַּרְזֶל לַבַּרְזֶל וְהָעֵצִים לָעֵצִים אַבְנֵי־שֹׁהַם וּמִלּוּאִים
ג אַבְנֵי־פוּךְ וְרִקְמָה וְכֹל אֶבֶן יְקָרָה וְאַבְנֵי־שַׁיִשׁ לָרֹב׃ וְעוֹד
בִּרְצוֹתִי בְּבֵית אֱלֹהַי יֶשׁ־לִי סְגֻלָּה זָהָב וָכָסֶף נָתַתִּי לְבֵית־אֱלֹהַי
ד לְמַעְלָה מִכָּל־הֲכִינוֹתִי לְבֵית הַקֹּדֶשׁ׃ שְׁלֹשֶׁת אֲלָפִים כִּכְּרֵי זָהָב
מִזְּהַב אוֹפִיר וְשִׁבְעַת אֲלָפִים כִּכַּר־כֶּסֶף מְזֻקָּק לָטוּחַ קִירוֹת
ה הַבָּתִּים׃ לַזָּהָב לַזָּהָב וְלַכֶּסֶף לַכֶּסֶף וּלְכָל־מְלָאכָה בְּיַד חָרָשִׁים
ו וּמִי מִתְנַדֵּב לְמַלֹּאות יָדוֹ הַיּוֹם לַיהוָה׃ וַיִּתְנַדְּבוּ שָׂרֵי הָאָבוֹת נִדְבַת
וְשָׂרֵי ׀ שִׁבְטֵי יִשְׂרָאֵל וְשָׂרֵי הָאֲלָפִים וְהַמֵּאוֹת וּלְשָׂרֵי מְלֶאכֶת הַשָּׂרִים׃
ז הַמֶּלֶךְ׃ וַיִּתְּנוּ לַעֲבוֹדַת בֵּית־הָאֱלֹהִים זָהָב כִּכָּרִים חֲמֵשֶׁת־
אֲלָפִים וַאֲדַרְכֹנִים רִבּוֹ וְכֶסֶף כִּכָּרִים עֲשֶׂרֶת אֲלָפִים וּנְחֹשֶׁת
ח רִבּוֹ וּשְׁמוֹנַת אֲלָפִים כִּכָּרִים וּבַרְזֶל מֵאָה־אֶלֶף כִּכָּרִים׃ וְהַנִּמְצָא
אִתּוֹ אֲבָנִים נָתְנוּ לְאוֹצַר בֵּית־יְהוָה עַל יַד־יְחִיאֵל הַגֵּרְשֻׁנִּי׃
ט וַיִּשְׂמְחוּ הָעָם עַל־הִתְנַדְּבָם כִּי בְּלֵב שָׁלֵם הִתְנַדְּבוּ לַיהוָה וְגַם
דָּוִיד הַמֶּלֶךְ שָׂמַח שִׂמְחָה גְדוֹלָה׃

בִּרְכַּת דָּוִיד וּתְפִלָּתוֹ לַה׳:

י וַיְבָרֶךְ דָּוִיד אֶת־יְהוָה לְעֵינֵי כָּל־הַקָּהָל וַיֹּאמֶר דָּוִיד בָּרוּךְ אַתָּה
יא יְהוָה אֱלֹהֵי יִשְׂרָאֵל אָבִינוּ מֵעוֹלָם וְעַד־עוֹלָם: לְךָ יְהוָה הַגְּדֻלָּה
וְהַגְּבוּרָה וְהַתִּפְאֶרֶת וְהַנֵּצַח וְהַהוֹד כִּי־כֹל בַּשָּׁמַיִם וּבָאָרֶץ לְךָ
יב יְהוָה הַמַּמְלָכָה וְהַמִּתְנַשֵּׂא לְכֹל ׀ לְרֹאשׁ: וְהָעֹשֶׁר וְהַכָּבוֹד
מִלְּפָנֶיךָ וְאַתָּה מוֹשֵׁל בַּכֹּל וּבְיָדְךָ כֹּחַ וּגְבוּרָה וּבְיָדְךָ לְגַדֵּל
יג וּלְחַזֵּק לַכֹּל: וְעַתָּה אֱלֹהֵינוּ מוֹדִים אֲנַחְנוּ לָךְ וּמְהַלְלִים לְשֵׁם
יד תִּפְאַרְתֶּךָ: וְכִי מִי אֲנִי וּמִי עַמִּי כִּי־נַעְצֹר כֹּחַ לְהִתְנַדֵּב כָּזֹאת
טו כִּי־מִמְּךָ הַכֹּל וּמִיָּדְךָ נָתַנּוּ לָךְ: כִּי־גֵרִים אֲנַחְנוּ לְפָנֶיךָ וְתוֹשָׁבִים
טז כְּכָל־אֲבֹתֵינוּ כַּצֵּל ׀ יָמֵינוּ עַל־הָאָרֶץ וְאֵין מִקְוֶה: יְהוָה אֱלֹהֵינוּ
כֹּל הֶהָמוֹן הַזֶּה אֲשֶׁר הֲכִינֹנוּ לִבְנוֹת־לְךָ בַיִת לְשֵׁם קָדְשֶׁךָ מִיָּדְךָ
יז הִיא הוּא וּלְךָ הַכֹּל: וְיָדַעְתִּי אֱלֹהַי כִּי אַתָּה בֹּחֵן לֵבָב וּמֵישָׁרִים
תִּרְצֶה אֲנִי בְּיֹשֶׁר לְבָבִי הִתְנַדַּבְתִּי כָל־אֵלֶּה וְעַתָּה עַמְּךָ
יח הַנִּמְצְאוּ־פֹה רָאִיתִי בְשִׂמְחָה לְהִתְנַדֶּב־לָךְ: יְהוָה אֱלֹהֵי אַבְרָהָם
יִצְחָק וְיִשְׂרָאֵל אֲבֹתֵינוּ שָׁמְרָה־זֹּאת לְעוֹלָם לְיֵצֶר מַחְשְׁבוֹת
יט לְבַב עַמֶּךָ וְהָכֵן לְבָבָם אֵלֶיךָ: וְלִשְׁלֹמֹה בְנִי תֵּן לֵבָב שָׁלֵם
לִשְׁמוֹר מִצְוֹתֶיךָ עֵדְוֹתֶיךָ וְחֻקֶּיךָ וְלַעֲשׂוֹת הַכֹּל וְלִבְנוֹת הַבִּירָה
אֲשֶׁר־הֲכִינוֹתִי:

הוֹדָיַת הָעָם וְשִׂמְחָתָם:

כ וַיֹּאמֶר דָּוִיד לְכָל־הַקָּהָל בָּרְכוּ נָא אֶת־יְהוָה אֱלֹהֵיכֶם וַיְבָרְכוּ
כָל־הַקָּהָל לַיהוָה אֱלֹהֵי אֲבֹתֵיהֶם וַיִּקְּדוּ וַיִּשְׁתַּחֲווּ לַיהוָה וְלַמֶּלֶךְ:
כא וַיִּזְבְּחוּ לַיהוָה ׀ זְבָחִים וַיַּעֲלוּ עֹלוֹת לַיהוָה לְמָחֳרַת הַיּוֹם הַהוּא
פָּרִים אֶלֶף אֵילִים אֶלֶף כְּבָשִׂים אֶלֶף וְנִסְכֵּיהֶם וּזְבָחִים לָרֹב
כב לְכָל־יִשְׂרָאֵל: וַיֹּאכְלוּ וַיִּשְׁתּוּ לִפְנֵי יְהוָה בַּיּוֹם הַהוּא בְּשִׂמְחָה
גְדוֹלָה וַיַּמְלִיכוּ שֵׁנִית לִשְׁלֹמֹה בֶן־דָּוִיד וַיִּמְשְׁחוּ לַיהוָה לְנָגִיד

הַצְלָחַת שְׁלֹמֹה בְּמַלְכוּתוֹ:

כג וּלְצָדוֹק לְכֹהֵן: וַיֵּשֶׁב שְׁלֹמֹה עַל־כִּסֵּא יְהוָה ׀ לְמֶלֶךְ תַּחַת־דָּוִיד
כד אָבִיו וַיַּצְלַח וַיִּשְׁמְעוּ אֵלָיו כָּל־יִשְׂרָאֵל: וְכָל־הַשָּׂרִים וְהַגִּבֹּרִים

כה וְגַם כָּל־בְּנֵי הַמֶּלֶךְ דָּוִיד נָתְנוּ יָד תַּחַת שְׁלֹמֹה הַמֶּלֶךְ: וַיְגַדֵּל
יְהוָה אֶת־שְׁלֹמֹה לְמַעְלָה לְעֵינֵי כָּל־יִשְׂרָאֵל וַיִּתֵּן עָלָיו הוֹד
מַלְכוּת אֲשֶׁר לֹא־הָיָה עַל־כָּל־מֶלֶךְ לְפָנָיו עַל־יִשְׂרָאֵל:

הַצְלָחַת
מַלְכוּת
דָּוִיד:

כו וְדָוִיד בֶּן־יִשַׁי מָלַךְ עַל־כָּל־יִשְׂרָאֵל: וְהַיָּמִים אֲשֶׁר מָלַךְ עַל־
כז יִשְׂרָאֵל אַרְבָּעִים שָׁנָה בְּחֶבְרוֹן מָלַךְ שֶׁבַע שָׁנִים וּבִירוּשָׁלַם
כח מָלַךְ שְׁלֹשִׁים וְשָׁלוֹשׁ: וַיָּמָת בְּשֵׂיבָה טוֹבָה שְׂבַע יָמִים וְעֹשֶׁר
כט וְכָבוֹד וַיִּמְלֹךְ שְׁלֹמֹה בְנוֹ תַּחְתָּיו: וְדִבְרֵי דָּוִיד הַמֶּלֶךְ הָרִאשֹׁנִים
וְהָאַחֲרֹנִים הִנָּם כְּתוּבִים עַל־דִּבְרֵי שְׁמוּאֵל הָרֹאֶה וְעַל־דִּבְרֵי
ל נָתָן הַנָּבִיא וְעַל־דִּבְרֵי גָּד הַחֹזֶה: עִם כָּל־מַלְכוּתוֹ וּגְבוּרָתוֹ
וְהָעִתִּים אֲשֶׁר עָבְרוּ עָלָיו וְעַל־יִשְׂרָאֵל וְעַל כָּל־מַמְלְכוֹת
הָאֲרָצוֹת:

דִּבְרֵי
הַיָּמִים ב׳
הִתְחַזְּקוּת
שְׁלֹמֹה
וְקָרְבְּנוֹתָיו
בְּגִבְעוֹן:

א וַיִּתְחַזֵּק שְׁלֹמֹה בֶן־דָּוִיד עַל־מַלְכוּתוֹ וַיהוָה אֱלֹהָיו עִמּוֹ וַיְגַדְּלֵהוּ
ב לְמָעְלָה: וַיֹּאמֶר שְׁלֹמֹה לְכָל־יִשְׂרָאֵל לְשָׂרֵי הָאֲלָפִים וְהַמֵּאוֹת
ג וְלַשֹּׁפְטִים וּלְכֹל נָשִׂיא לְכָל־יִשְׂרָאֵל רָאשֵׁי הָאָבוֹת: וַיֵּלְכוּ שְׁלֹמֹה
וְכָל־הַקָּהָל עִמּוֹ לַבָּמָה אֲשֶׁר בְּגִבְעוֹן כִּי־שָׁם הָיָה אֹהֶל מוֹעֵד
ד הָאֱלֹהִים אֲשֶׁר עָשָׂה מֹשֶׁה עֶבֶד־יְהוָה בַּמִּדְבָּר: אֲבָל אֲרוֹן
הָאֱלֹהִים הֶעֱלָה דָוִיד מִקִּרְיַת יְעָרִים בַּהֵכִין לוֹ דָּוִיד כִּי נָטָה־לוֹ
ה אֹהֶל בִּירוּשָׁלָם: וּמִזְבַּח הַנְּחֹשֶׁת אֲשֶׁר עָשָׂה בְּצַלְאֵל בֶּן־אוּרִי
ו בֶן־חוּר שָׂם לִפְנֵי מִשְׁכַּן יְהוָה וַיִּדְרְשֵׁהוּ שְׁלֹמֹה וְהַקָּהָל: וַיַּעַל
שְׁלֹמֹה שָׁם עַל־מִזְבַּח הַנְּחֹשֶׁת לִפְנֵי יְהוָה אֲשֶׁר לְאֹהֶל מוֹעֵד

חֲלוֹם
שְׁלֹמֹה:

ז וַיַּעַל עָלָיו עֹלוֹת אָלֶף: בַּלַּיְלָה הַהוּא נִרְאָה אֱלֹהִים לִשְׁלֹמֹה
ח וַיֹּאמֶר לוֹ שְׁאַל מָה אֶתֶּן־לָךְ: וַיֹּאמֶר שְׁלֹמֹה לֵאלֹהִים
ט אַתָּה עָשִׂיתָ עִם־דָּוִיד אָבִי חֶסֶד גָּדוֹל וְהִמְלַכְתַּנִי תַּחְתָּיו: עַתָּה
יְהוָה אֱלֹהִים יֵאָמֵן דְּבָרְךָ עִם דָּוִיד אָבִי כִּי אַתָּה הִמְלַכְתַּנִי
י עַל־עַם רַב כַּעֲפַר הָאָרֶץ: עַתָּה חָכְמָה וּמַדָּע תֶּן־לִי וְאֵצְאָה

לִפְנֵי הָעָם־הַזֶּה וְאָבוֹאָה כִּי־מִי יִשְׁפֹּט אֶת־עַמְּךָ הַזֶּה
יא הַגָּדוֹל׃ וַיֹּאמֶר אֱלֹהִים ׀ לִשְׁלֹמֹה יַעַן אֲשֶׁר הָיְתָה
זֹאת עִם־לְבָבֶךָ וְלֹא־שָׁאַלְתָּ עֹשֶׁר נְכָסִים וְכָבוֹד וְאֵת נֶפֶשׁ
שֹׂנְאֶיךָ וְגַם־יָמִים רַבִּים לֹא שָׁאָלְתָּ וַתִּשְׁאַל־לְךָ חָכְמָה וּמַדָּע
יב אֲשֶׁר תִּשְׁפּוֹט אֶת־עַמִּי אֲשֶׁר הִמְלַכְתִּיךָ עָלָיו׃ הַחָכְמָה וְהַמַּדָּע
נָתוּן לָךְ וְעֹשֶׁר וּנְכָסִים וְכָבוֹד אֶתֶּן־לָךְ אֲשֶׁר ׀ לֹא־הָיָה כֵן
יג לַמְּלָכִים אֲשֶׁר לְפָנֶיךָ וְאַחֲרֶיךָ לֹא יִהְיֶה־כֵּן׃ וַיָּבֹא שְׁלֹמֹה
לַבָּמָה אֲשֶׁר־בְּגִבְעוֹן יְרוּשָׁלִַם מִלִּפְנֵי אֹהֶל מוֹעֵד וַיִּמְלֹךְ עַל־
יִשְׂרָאֵל׃

עָשְׁרוֹ שֶׁל שְׁלֹמֹה:

יד וַיֶּאֱסֹף שְׁלֹמֹה רֶכֶב וּפָרָשִׁים וַיְהִי־לוֹ אֶלֶף וְאַרְבַּע־מֵאוֹת רֶכֶב
וּשְׁנֵים־עָשָׂר אֶלֶף פָּרָשִׁים וַיַּנִּיחֵם בְּעָרֵי הָרֶכֶב וְעִם־הַמֶּלֶךְ
טו בִּירוּשָׁלִָם׃ וַיִּתֵּן הַמֶּלֶךְ אֶת־הַכֶּסֶף וְאֶת־הַזָּהָב בִּירוּשָׁלִַם
טז כָּאֲבָנִים וְאֵת הָאֲרָזִים נָתַן כַּשִּׁקְמִים אֲשֶׁר־בַּשְּׁפֵלָה לָרֹב׃ וּמוֹצָא
הַסּוּסִים אֲשֶׁר לִשְׁלֹמֹה מִמִּצְרָיִם וּמִקְוֵא סֹחֲרֵי הַמֶּלֶךְ מִקְוֵא
יז יִקְחוּ בִּמְחִיר׃ וַיַּעֲלוּ וַיּוֹצִיאוּ מִמִּצְרַיִם מֶרְכָּבָה בְּשֵׁשׁ מֵאוֹת
כֶּסֶף וְסוּס בַּחֲמִשִּׁים וּמֵאָה וְכֵן לְכָל־מַלְכֵי הַחִתִּים וּמַלְכֵי אֲרָם
יח בְּיָדָם יוֹצִיאוּ׃ וַיֹּאמֶר שְׁלֹמֹה לִבְנוֹת בַּיִת לְשֵׁם יְהוָה וּבַיִת
ב א לְמַלְכוּתוֹ׃ וַיִּסְפֹּר שְׁלֹמֹה שִׁבְעִים אֶלֶף אִישׁ סַבָּל וּשְׁמוֹנִים
אֶלֶף אִישׁ חֹצֵב בָּהָר וּמְנַצְּחִים עֲלֵיהֶם שְׁלֹשֶׁת אֲלָפִים וְשֵׁשׁ
מֵאוֹת׃

חוֹצְבֵי הָאֲבָנִים לַמִּקְדָּשׁ:

בַּקָּשַׁת אֻמָּנִים וְעֵצִים לַמִּקְדָּשׁ:

ב וַיִּשְׁלַח שְׁלֹמֹה אֶל־חוּרָם מֶלֶךְ־צֹר לֵאמֹר כַּאֲשֶׁר עָשִׂיתָ עִם־
ג דָּוִיד אָבִי וַתִּשְׁלַח־לוֹ אֲרָזִים לִבְנוֹת־לוֹ בַיִת לָשֶׁבֶת בּוֹ׃ הִנֵּה
אֲנִי בוֹנֶה־בַּיִת לְשֵׁם ׀ יְהוָה אֱלֹהָי לְהַקְדִּישׁ לוֹ לְהַקְטִיר לְפָנָיו
קְטֹרֶת־סַמִּים וּמַעֲרֶכֶת תָּמִיד וְעֹלוֹת לַבֹּקֶר וְלָעֶרֶב לַשַּׁבָּתוֹת
וְלֶחֳדָשִׁים וּלְמוֹעֲדֵי יְהוָה אֱלֹהֵינוּ לְעוֹלָם זֹאת עַל־יִשְׂרָאֵל׃

ד וְהַבַּיִת אֲשֶׁר־אֲנִי בוֹנֶה גָּדוֹל כִּי־גָדוֹל אֱלֹהֵינוּ מִכָּל־הָאֱלֹהִים׃
ה וּמִי יַעֲצָר־כֹּחַ לִבְנוֹת־לוֹ בַיִת כִּי הַשָּׁמַיִם וּשְׁמֵי הַשָּׁמַיִם לֹא
יְכַלְכְּלֻהוּ וּמִי אֲנִי אֲשֶׁר אֶבְנֶה־לּוֹ בַיִת כִּי אִם־לְהַקְטִיר לְפָנָיו׃
ו וְעַתָּה שְׁלַח־לִי אִישׁ־חָכָם לַעֲשׂוֹת בַּזָּהָב וּבַכֶּסֶף וּבַנְּחֹשֶׁת
וּבַבַּרְזֶל וּבָאַרְגְּוָן וְכַרְמִיל וּתְכֵלֶת וְיֹדֵעַ לְפַתֵּחַ פִּתּוּחִים
עִם־הַחֲכָמִים אֲשֶׁר עִמִּי בִּיהוּדָה וּבִירוּשָׁלִַם אֲשֶׁר הֵכִין דָּוִיד
ז אָבִי׃ וּשְׁלַח־לִי עֲצֵי אֲרָזִים בְּרוֹשִׁים וְאַלְגּוּמִּים מֵהַלְּבָנוֹן כִּי אֲנִי
יָדַעְתִּי אֲשֶׁר עֲבָדֶיךָ יוֹדְעִים לִכְרוֹת עֲצֵי לְבָנוֹן וְהִנֵּה עֲבָדַי
ח עִם־עֲבָדֶיךָ׃ וּלְהָכִין לִי עֵצִים לָרֹב כִּי הַבַּיִת אֲשֶׁר־אֲנִי בוֹנֶה גָּדוֹל
ט וְהַפְלֵא׃ וְהִנֵּה לַחֹטְבִים לְכֹרְתֵי הָעֵצִים נָתַתִּי חִטִּים ׀ מַכּוֹת
לַעֲבָדֶיךָ כֹּרִים עֶשְׂרִים אֶלֶף וּשְׂעֹרִים כֹּרִים עֶשְׂרִים אָלֶף וְיַיִן
י בַּתִּים עֶשְׂרִים אֶלֶף וְשֶׁמֶן בַּתִּים עֶשְׂרִים אָלֶף׃ וַיֹּאמֶר תְּשׁוּבַת חוּרָם:
חוּרָם מֶלֶךְ־צֹר בִּכְתָב וַיִּשְׁלַח אֶל־שְׁלֹמֹה בְּאַהֲבַת יְהוָה אֶת־
יא עַמּוֹ נְתָנְךָ עֲלֵיהֶם מֶלֶךְ׃ וַיֹּאמֶר חוּרָם בָּרוּךְ יְהוָה אֱלֹהֵי יִשְׂרָאֵל
אֲשֶׁר עָשָׂה אֶת־הַשָּׁמַיִם וְאֶת־הָאָרֶץ אֲשֶׁר נָתַן לְדָוִיד הַמֶּלֶךְ
בֵּן חָכָם יוֹדֵעַ שֵׂכֶל וּבִינָה אֲשֶׁר יִבְנֶה־בַּיִת לַיהוָה וּבַיִת
יב לְמַלְכוּתוֹ׃ וְעַתָּה שָׁלַחְתִּי אִישׁ־חָכָם יוֹדֵעַ בִּינָה לְחוּרָם אָבִי׃
יג בֶּן־אִשָּׁה מִן־בְּנוֹת דָּן וְאָבִיו אִישׁ־צֹרִי יוֹדֵעַ לַעֲשׂוֹת בַּזָּהָב־
וּבַכֶּסֶף בַּנְּחֹשֶׁת בַּבַּרְזֶל בָּאֲבָנִים וּבָעֵצִים בָּאַרְגָּמָן בַּתְּכֵלֶת
וּבַבּוּץ וּבַכַּרְמִיל וּלְפַתֵּחַ כָּל־פִּתּוּחַ וְלַחְשֹׁב כָּל־מַחֲשָׁבֶת
יד אֲשֶׁר יִנָּתֶן־לוֹ עִם־חֲכָמֶיךָ וְחַכְמֵי אֲדֹנִי דָּוִיד אָבִיךָ׃ וְעַתָּה
הַחִטִּים וְהַשְּׂעֹרִים הַשֶּׁמֶן וְהַיַּיִן אֲשֶׁר אָמַר אֲדֹנִי יִשְׁלַח לַעֲבָדָיו׃
טו וַאֲנַחְנוּ נִכְרֹת עֵצִים מִן־הַלְּבָנוֹן כְּכָל־צָרְכֶּךָ וּנְבִיאֵם לְךָ
רַפְסֹדוֹת עַל־יָם יָפוֹ וְאַתָּה תַּעֲלֶה אֹתָם יְרוּשָׁלִָם׃
טז וַיִּסְפֹּר שְׁלֹמֹה כָּל־הָאֲנָשִׁים הַגֵּיוֹרִים אֲשֶׁר בְּאֶרֶץ יִשְׂרָאֵל אַחֲרֵי

(מִנְיַן הַגֵּרִים הַחוֹצְבִים וְהַסַּבָּלִים:) הַסְּפָר אֲשֶׁר סְפָרָם דָּוִיד אָבִיו וַיִּמָּצְאוּ מֵאָה וַחֲמִשִּׁים אֶלֶף
וּשְׁלֹשֶׁת אֲלָפִים וְשֵׁשׁ מֵאוֹת׃ וַיַּעַשׂ מֵהֶם שִׁבְעִים אֶלֶף סַבָּל יז
וּשְׁמֹנִים אֶלֶף חֹצֵב בָּהָר וּשְׁלֹשֶׁת אֲלָפִים וְשֵׁשׁ מֵאוֹת מְנַצְּחִים
[2928] לְהַעֲבִיד אֶת־הָעָם׃ וַיָּחֶל שְׁלֹמֹה לִבְנוֹת אֶת־בֵּית־יְהוָה א ג
(בְּנִיַּת בֵּית הַמִּקְדָּשׁ וּמִדּוֹתָיו:) בִּירוּשָׁלַםִ בְּהַר הַמּוֹרִיָּה אֲשֶׁר נִרְאָה לְדָוִיד אָבִיהוּ אֲשֶׁר הֵכִין
בִּמְקוֹם דָּוִיד בְּגֹרֶן אָרְנָן הַיְבוּסִי׃ וַיָּחֶל לִבְנוֹת בַּחֹדֶשׁ הַשֵּׁנִי ב
בַּשֵּׁנִי בִּשְׁנַת אַרְבַּע לְמַלְכוּתוֹ׃ וְאֵלֶּה הוּסַד שְׁלֹמֹה לִבְנוֹת ג
אֶת־בֵּית הָאֱלֹהִים הָאֹרֶךְ אַמּוֹת בַּמִּדָּה הָרִאשׁוֹנָה אַמּוֹת שִׁשִּׁים
וְרֹחַב אַמּוֹת עֶשְׂרִים׃ וְהָאוּלָם אֲשֶׁר עַל־פְּנֵי הָאֹרֶךְ עַל־פְּנֵי ד
רֹחַב־הַבַּיִת אַמּוֹת עֶשְׂרִים וְהַגֹּבַהּ מֵאָה וְעֶשְׂרִים וַיְצַפֵּהוּ
מִפְּנִימָה זָהָב טָהוֹר׃ וְאֵת ׀ הַבַּיִת הַגָּדוֹל חִפָּה עֵץ בְּרוֹשִׁים ה
וַיְחַפֵּהוּ זָהָב טוֹב וַיַּעַל עָלָיו תִּמֹרִים וְשַׁרְשְׁרוֹת׃ וַיְצַף אֶת־הַבַּיִת ו
אֶבֶן יְקָרָה לְתִפְאָרֶת וְהַזָּהָב זְהַב פַּרְוָיִם׃ וַיְחַף אֶת־הַבַּיִת ז
הַקֹּרוֹת הַסִּפִּים וְקִירוֹתָיו וְדַלְתוֹתָיו זָהָב וּפִתַּח כְּרוּבִים עַל־
הַקִּירוֹת׃ וַיַּעַשׂ אֶת־בֵּית־קֹדֶשׁ הַקֳּדָשִׁים אָרְכּוֹ עַל־ ח
פְּנֵי רֹחַב־הַבַּיִת אַמּוֹת עֶשְׂרִים וְרָחְבּוֹ אַמּוֹת עֶשְׂרִים וַיְחַפֵּהוּ
זָהָב טוֹב לְכִכָּרִים שֵׁשׁ מֵאוֹת׃ וּמִשְׁקָל לְמִסְמְרוֹת לִשְׁקָלִים ט
(מַעֲשֵׂה הַכְּרוּבִים:) חֲמִשִּׁים זָהָב וְהָעֲלִיּוֹת חִפָּה זָהָב׃ וַיַּעַשׂ בְּבֵית־קֹדֶשׁ הַקֳּדָשִׁים י
כְּרוּבִים שְׁנַיִם מַעֲשֵׂה צַעֲצֻעִים וַיְצַפּוּ אֹתָם זָהָב׃ וְכַנְפֵי יא
הַכְּרוּבִים אָרְכָּם אַמּוֹת עֶשְׂרִים כְּנַף הָאֶחָד לְאַמּוֹת חָמֵשׁ מַגַּעַת
לְקִיר הַבַּיִת וְהַכָּנָף הָאַחֶרֶת אַמּוֹת חָמֵשׁ מַגִּיעַ לִכְנַף הַכְּרוּב
הָאַחֵר׃ וּכְנַף הַכְּרוּב הָאֶחָד אַמּוֹת חָמֵשׁ מַגִּיעַ לְקִיר הַבַּיִת יב
וְהַכָּנָף הָאַחֶרֶת אַמּוֹת חָמֵשׁ דְּבֵקָה לִכְנַף הַכְּרוּב הָאַחֵר׃ כַּנְפֵי יג
הַכְּרוּבִים הָאֵלֶּה פֹּרְשִׂים אַמּוֹת עֶשְׂרִים וְהֵם עֹמְדִים עַל־
(הַפָּרֹכֶת וְהָעַמּוּדִים:) רַגְלֵיהֶם וּפְנֵיהֶם לַבָּיִת׃ וַיַּעַשׂ אֶת־הַפָּרֹכֶת תְּכֵלֶת יד

טו וְאַרְגָּמָן וְכַרְמִיל וּבוּץ וַיַּעַל עָלָיו כְּרוּבִים: וַיַּעַשׂ לִפְנֵי
הַבַּיִת עַמּוּדִים שְׁנַיִם אַמּוֹת שְׁלֹשִׁים וְחָמֵשׁ אֹרֶךְ וְהַצֶּפֶת
טז אֲשֶׁר־עַל־רֹאשׁוֹ אַמּוֹת חָמֵשׁ: וַיַּעַשׂ שַׁרְשְׁרוֹת
בַּדְּבִיר וַיִּתֵּן עַל־רֹאשׁ הָעַמֻּדִים וַיַּעַשׂ רִמּוֹנִים מֵאָה וַיִּתֵּן
יז בַּשַּׁרְשְׁרוֹת: וַיָּקֶם אֶת־הָעַמּוּדִים עַל־פְּנֵי הַהֵיכָל אֶחָד מִיָּמִין
וְאֶחָד מֵהַשְּׂמֹאול וַיִּקְרָא שֵׁם־הַיְמָנִי הימיני יָכִין וְשֵׁם הַשְּׂמָאלִי
ד א בֹּעַז: וַיַּעַשׂ מִזְבַּח נְחֹשֶׁת עֶשְׂרִים אַמָּה אָרְכּוֹ מַעֲשֵׂה הַמִּזְבֵּחַ:
ב וְעֶשְׂרִים אַמָּה רָחְבּוֹ וְעֶשֶׂר אַמּוֹת קוֹמָתוֹ: וַיַּעַשׂ מַעֲשֵׂה הַיָּם:
אֶת־הַיָּם מוּצָק עֶשֶׂר בָּאַמָּה מִשְּׂפָתוֹ אֶל־שְׂפָתוֹ עָגוֹל ׀ סָבִיב
וְחָמֵשׁ בָּאַמָּה קוֹמָתוֹ וְקָו שְׁלֹשִׁים בָּאַמָּה יָסֹב אֹתוֹ סָבִיב:
ג וּדְמוּת בְּקָרִים תַּחַת לוֹ סָבִיב ׀ סָבִיב סוֹבְבִים אֹתוֹ עֶשֶׂר
בָּאַמָּה מַקִּיפִים אֶת־הַיָּם סָבִיב שְׁנַיִם טוּרִים הַבָּקָר יְצוּקִים
ד בְּמֻצַקְתּוֹ: עוֹמֵד עַל־שְׁנֵים עָשָׂר בָּקָר שְׁלֹשָׁה פֹנִים ׀ צָפוֹנָה
וּשְׁלוֹשָׁה פֹּנִים ׀ יָמָּה וּשְׁלֹשָׁה ׀ פֹּנִים נֶגְבָּה וּשְׁלֹשָׁה פֹּנִים
ה מִזְרָחָה וְהַיָּם עֲלֵיהֶם מִלְמָעְלָה וְכָל־אֲחֹרֵיהֶם בָּיְתָה: וְעָבְיוֹ טֶפַח
וּשְׂפָתוֹ כְּמַעֲשֵׂה שְׂפַת־כּוֹס פֶּרַח שׁוֹשַׁנָּה מַחֲזִיק בַּתִּים שְׁלֹשֶׁת
ו אֲלָפִים יָכִיל: וַיַּעַשׂ כִּיּוֹרִים עֲשָׂרָה וַיִּתֵּן חֲמִשָּׁה מִיָּמִין מַעֲשֵׂה הַכִּיּוֹרִים:
וַחֲמִשָּׁה מִשְּׂמֹאול לְרָחְצָה בָהֶם אֶת־מַעֲשֵׂה הָעוֹלָה יָדִיחוּ בָם
ז וְהַיָּם לְרָחְצָה לַכֹּהֲנִים בּוֹ: וַיַּעַשׂ אֶת־ הַמְּנֹרוֹת וְהַשֻּׁלְחָנוֹת:
מְנֹרוֹת הַזָּהָב עֶשֶׂר כְּמִשְׁפָּטָם וַיִּתֵּן בַּהֵיכָל חָמֵשׁ מִיָּמִין וְחָמֵשׁ
ח מִשְּׂמֹאול: וַיַּעַשׂ שֻׁלְחָנוֹת עֲשָׂרָה
וַיַּנַּח בַּהֵיכָל חֲמִשָּׁה מִיָּמִין וַחֲמִשָּׁה מִשְּׂמֹאול וַיַּעַשׂ מִזְרְקֵי זָהָב
ט מֵאָה: וַיַּעַשׂ חֲצַר הַכֹּהֲנִים וְהָעֲזָרָה הַגְּדוֹלָה וּדְלָתוֹת הַחֲצֵרוֹת:
י לָעֲזָרָה וְדַלְתוֹתֵיהֶם צִפָּה נְחֹשֶׁת: וְאֶת־הַיָּם נָתַן מִכֶּתֶף הַיְמָנִית
יא קֵדְמָה מִמּוּל נֶגְבָּה: וַיַּעַשׂ חוּרָם אֶת־הַסִּירוֹת וְאֶת־הַיָּעִים

סכום כְּלֵי הַנְּחֹשֶׁת שֶׁל חוּרָם:
וְאֶת־הַמִּזְרָקוֹת וַיְכַל חירם חוּרָם לַעֲשׂוֹת אֶת־הַמְּלָאכָה אֲשֶׁר
יב עָשָׂה לַמֶּלֶךְ שְׁלֹמֹה בְּבֵית הָאֱלֹהִים׃ עַמּוּדִים שְׁנַיִם וְהַגֻּלּוֹת
וְהַכֹּתָרוֹת עַל־רֹאשׁ הָעַמּוּדִים שְׁתָּיִם וְהַשְּׂבָכוֹת שְׁתַּיִם לְכַסּוֹת
יג אֶת־שְׁתֵּי גֻּלּוֹת הַכֹּתָרוֹת אֲשֶׁר עַל־רֹאשׁ הָעַמּוּדִים׃ וְאֶת־
הָרִמּוֹנִים אַרְבַּע מֵאוֹת לִשְׁתֵּי הַשְּׂבָכוֹת שְׁנַיִם טוּרִים רִמּוֹנִים
לַשְּׂבָכָה הָאֶחָת לְכַסּוֹת אֶת־שְׁתֵּי גֻּלּוֹת הַכֹּתָרוֹת אֲשֶׁר עַל־פְּנֵי
יד הָעַמּוּדִים׃ וְאֶת־הַמְּכֹנוֹת עָשָׂה וְאֶת־הַכִּיֹּרוֹת עָשָׂה עַל־
טו טז הַמְּכֹנוֹת׃ אֶת־הַיָּם אֶחָד וְאֶת־הַבָּקָר שְׁנֵים־עָשָׂר תַּחְתָּיו׃ וְאֶת־
הַסִּירוֹת וְאֶת־הַיָּעִים וְאֶת־הַמִּזְלָגוֹת וְאֶת־כָּל־כְּלֵיהֶם עָשָׂה
יז חוּרָם אָבִיו לַמֶּלֶךְ שְׁלֹמֹה לְבֵית יְהוָה נְחֹשֶׁת מָרוּק׃ בְּכִכַּר הַיַּרְדֵּן
יח יְצָקָם הַמֶּלֶךְ בַּעֲבִי הָאֲדָמָה בֵּין סֻכּוֹת וּבֵין צְרֵדָתָה׃ וַיַּעַשׂ
שְׁלֹמֹה כָּל־הַכֵּלִים הָאֵלֶּה לָרֹב מְאֹד כִּי לֹא נֶחְקַר מִשְׁקַל
מַעֲשֵׂה כְּלֵי הַזָּהָב:
יט הַנְּחֹשֶׁת׃ וַיַּעַשׂ שְׁלֹמֹה אֵת כָּל־הַכֵּלִים אֲשֶׁר בֵּית
הָאֱלֹהִים וְאֵת מִזְבַּח הַזָּהָב וְאֶת־הַשֻּׁלְחָנוֹת וַעֲלֵיהֶם לֶחֶם
כ הַפָּנִים׃ וְאֶת־הַמְּנֹרוֹת וְנֵרֹתֵיהֶם לְבַעֲרָם כַּמִּשְׁפָּט לִפְנֵי הַדְּבִיר
כא זָהָב סָגוּר׃ וְהַפֶּרַח וְהַנֵּרוֹת וְהַמֶּלְקַחַיִם זָהָב הוּא מִכְלוֹת זָהָב׃
כב וְהַמְזַמְּרוֹת וְהַמִּזְרָקוֹת וְהַכַּפּוֹת וְהַמַּחְתּוֹת זָהָב סָגוּר וּפֶתַח
הַבַּיִת דַּלְתוֹתָיו הַפְּנִימִיּוֹת לְקֹדֶשׁ הַקֳּדָשִׁים וְדַלְתֵי הַבַּיִת לַהֵיכָל
ה א זָהָב׃ וַתִּשְׁלַם כָּל־הַמְּלָאכָה אֲשֶׁר־עָשָׂה שְׁלֹמֹה לְבֵית [2935]
יְהוָה וַיָּבֵא שְׁלֹמֹה אֶת־קָדְשֵׁי ׀ דָּוִיד אָבִיו וְאֶת־הַכֶּסֶף
וְאֶת־הַזָּהָב וְאֶת־כָּל־הַכֵּלִים נָתַן בְּאֹצְרוֹת בֵּית הָאֱלֹהִים׃
הַכְנָסַת אֲרוֹן הַבְּרִית:
ב אָז יַקְהִיל שְׁלֹמֹה אֶת־זִקְנֵי יִשְׂרָאֵל וְאֶת־כָּל־רָאשֵׁי הַמַּטּוֹת
נְשִׂיאֵי הָאָבוֹת לִבְנֵי יִשְׂרָאֵל אֶל־יְרוּשָׁלָ͏ִם לְהַעֲלוֹת אֶת־אֲרוֹן
ג בְּרִית־יְהוָה מֵעִיר דָּוִיד הִיא צִיּוֹן׃ וַיִּקָּהֲלוּ אֶל־הַמֶּלֶךְ כָּל־אִישׁ
ד יִשְׂרָאֵל בֶּחָג הוּא הַחֹדֶשׁ הַשְּׁבִעִי׃ וַיָּבֹאוּ כֹּל זִקְנֵי יִשְׂרָאֵל וַיִּשְׂאוּ

ה הַלְוִיִּם אֶת־הָאָרוֹן: וַיַּעֲלוּ אֶת־הָאָרוֹן וְאֶת־אֹהֶל מוֹעֵד וְאֶת־
ו כָּל־כְּלֵי הַקֹּדֶשׁ אֲשֶׁר בָּאֹהֶל הֶעֱלוּ אֹתָם הַכֹּהֲנִים הַלְוִיִּם: וְהַמֶּלֶךְ
שְׁלֹמֹה וְכָל־עֲדַת יִשְׂרָאֵל הַנּוֹעָדִים עָלָיו לִפְנֵי הָאָרוֹן מְזַבְּחִים
ז צֹאן וּבָקָר אֲשֶׁר לֹא־יִסָּפְרוּ וְלֹא יִמָּנוּ מֵרֹב: וַיָּבִיאוּ הַכֹּהֲנִים
אֶת־אֲרוֹן בְּרִית־יְהוָה אֶל־מְקוֹמוֹ אֶל־דְּבִיר הַבַּיִת אֶל־קֹדֶשׁ
ח הַקֳּדָשִׁים אֶל־תַּחַת כַּנְפֵי הַכְּרוּבִים: וַיִּהְיוּ הַכְּרוּבִים פֹּרְשִׂים
כְּנָפַיִם עַל־מְקוֹם הָאָרוֹן וַיְכַסּוּ הַכְּרוּבִים עַל־הָאָרוֹן וְעַל־בַּדָּיו
ט מִלְמָעְלָה: וַיַּאֲרִיכוּ הַבַּדִּים וַיֵּרָאוּ רָאשֵׁי הַבַּדִּים מִן־הָאָרוֹן
י עַל־פְּנֵי הַדְּבִיר וְלֹא יֵרָאוּ הַחוּצָה וַיְהִי־שָׁם עַד הַיּוֹם הַזֶּה: אֵין
בָּאָרוֹן רַק שְׁנֵי הַלֻּחוֹת אֲשֶׁר־נָתַן מֹשֶׁה בְּחֹרֵב אֲשֶׁר כָּרַת יְהוָה
עִם־בְּנֵי יִשְׂרָאֵל בְּצֵאתָם מִמִּצְרָיִם:
יא וַיְהִי בְּצֵאת הַכֹּהֲנִים מִן־הַקֹּדֶשׁ כִּי כָּל־הַכֹּהֲנִים הַנִּמְצְאִים
יב הִתְקַדָּשׁוּ אֵין לִשְׁמוֹר לְמַחְלְקוֹת: וְהַלְוִיִּם הַמְשֹׁרְרִים לְכֻלָּם
לְאָסָף לְהֵימָן לִידֻתוּן וְלִבְנֵיהֶם וְלַאֲחֵיהֶם מְלֻבָּשִׁים בּוּץ
בִּמְצִלְתַּיִם וּבִנְבָלִים וְכִנֹּרוֹת עֹמְדִים מִזְרָח לַמִּזְבֵּחַ וְעִמָּהֶם
יג כֹּהֲנִים לְמֵאָה וְעֶשְׂרִים מחצררים מַחְצְרִים בַּחֲצֹצְרוֹת: וַיְהִי
כְאֶחָד למחצצרים לַמְחַצְּרִים וְלַמְשֹׁרְרִים לְהַשְׁמִיעַ קוֹל־אֶחָד
לְהַלֵּל וּלְהֹדוֹת לַיהוָה וּכְהָרִים קוֹל בַּחֲצֹצְרוֹת וּבִמְצִלְתַּיִם וּבִכְלֵי
הַשִּׁיר וּבְהַלֵּל לַיהוָה כִּי טוֹב כִּי לְעוֹלָם חַסְדּוֹ וְהַבַּיִת מָלֵא עָנָן
יד בֵּית יְהוָה: וְלֹא־יָכְלוּ הַכֹּהֲנִים לַעֲמוֹד לְשָׁרֵת מִפְּנֵי הֶעָנָן כִּי־מָלֵא
כְבוֹד־יְהוָה אֶת־בֵּית הָאֱלֹהִים:
ו א ב אָז אָמַר שְׁלֹמֹה יְהוָה אָמַר לִשְׁכּוֹן בָּעֲרָפֶל: וַאֲנִי בָּנִיתִי בֵית־זְבֻל תְּפִלַּת
ג לְךָ וּמָכוֹן לְשִׁבְתְּךָ עוֹלָמִים: וַיַּסֵּב הַמֶּלֶךְ אֶת־פָּנָיו וַיְבָרֶךְ אֵת שְׁלֹמֹה, שֶׁבַח:
ד כָּל־קְהַל יִשְׂרָאֵל וְכָל־קְהַל יִשְׂרָאֵל עוֹמֵד: וַיֹּאמֶר בָּרוּךְ יְהוָה
אֱלֹהֵי יִשְׂרָאֵל אֲשֶׁר דִּבֶּר בְּפִיו אֵת דָּוִיד אָבִי וּבְיָדָיו מִלֵּא לֵאמֹר:

ה מִן־הַיּוֹם אֲשֶׁר הוֹצֵאתִי אֶת־עַמִּי מֵאֶרֶץ מִצְרַיִם לֹא־בָחַרְתִּי
בְעִיר מִכֹּל שִׁבְטֵי יִשְׂרָאֵל לִבְנוֹת בַּיִת לִהְיוֹת שְׁמִי שָׁם
ו וְלֹא־בָחַרְתִּי בְאִישׁ לִהְיוֹת נָגִיד עַל־עַמִּי יִשְׂרָאֵל: וָאֶבְחַר
בִּירוּשָׁלִַם לִהְיוֹת שְׁמִי שָׁם וָאֶבְחַר בְּדָוִיד לִהְיוֹת עַל־עַמִּי
ז יִשְׂרָאֵל: וַיְהִי עִם־לְבַב דָּוִיד אָבִי לִבְנוֹת בַּיִת לְשֵׁם יְהוָה אֱלֹהֵי
ח יִשְׂרָאֵל: וַיֹּאמֶר יְהוָה אֶל־דָּוִיד אָבִי יַעַן אֲשֶׁר הָיָה עִם־לְבָבְךָ
ט לִבְנוֹת בַּיִת לִשְׁמִי הֱטִיבוֹתָ כִּי הָיָה עִם־לְבָבֶךָ: רַק אַתָּה לֹא
תִבְנֶה הַבָּיִת כִּי בִנְךָ הַיּוֹצֵא מֵחֲלָצֶיךָ הוּא־יִבְנֶה הַבַּיִת לִשְׁמִי:
י וַיָּקֶם יְהוָה אֶת־דְּבָרוֹ אֲשֶׁר דִּבֵּר וָאָקוּם תַּחַת דָּוִיד אָבִי וָאֵשֵׁב ׀
עַל־כִּסֵּא יִשְׂרָאֵל כַּאֲשֶׁר דִּבֶּר יְהוָה וָאֶבְנֶה הַבַּיִת לְשֵׁם יְהוָה
יא אֱלֹהֵי יִשְׂרָאֵל: וָאָשִׂים שָׁם אֶת־הָאָרוֹן אֲשֶׁר־שָׁם בְּרִית יְהוָה
יב אֲשֶׁר כָּרַת עִם־בְּנֵי יִשְׂרָאֵל: וַיַּעֲמֹד לִפְנֵי מִזְבַּח יְהוָה נֶגֶד
יג כָּל־קְהַל יִשְׂרָאֵל וַיִּפְרֹשׂ כַּפָּיו: כִּי־עָשָׂה שְׁלֹמֹה כִּיּוֹר נְחֹשֶׁת
וַיִּתְּנֵהוּ בְּתוֹךְ הָעֲזָרָה חָמֵשׁ אַמּוֹת אָרְכּוֹ וְחָמֵשׁ אַמּוֹת רָחְבּוֹ
וְאַמּוֹת שָׁלוֹשׁ קוֹמָתוֹ וַיַּעֲמֹד עָלָיו וַיִּבְרַךְ עַל־בִּרְכָּיו נֶגֶד
כָּל־קְהַל יִשְׂרָאֵל וַיִּפְרֹשׂ כַּפָּיו הַשָּׁמָיְמָה:

תְּפִלַּת שְׁלֹמֹה, בַּקָּשָׁה:

יד וַיֹּאמַר
יְהוָה אֱלֹהֵי יִשְׂרָאֵל אֵין־כָּמוֹךָ אֱלֹהִים בַּשָּׁמַיִם וּבָאָרֶץ שֹׁמֵר
טו הַבְּרִית וְהַחֶסֶד לַעֲבָדֶיךָ הַהֹלְכִים לְפָנֶיךָ בְּכָל־לִבָּם: אֲשֶׁר
שָׁמַרְתָּ לְעַבְדְּךָ דָּוִיד אָבִי אֵת אֲשֶׁר־דִּבַּרְתָּ לוֹ וַתְּדַבֵּר בְּפִיךָ
טז וּבְיָדְךָ מִלֵּאתָ כַּיּוֹם הַזֶּה: וְעַתָּה יְהוָה ׀ אֱלֹהֵי יִשְׂרָאֵל שְׁמֹר
לְעַבְדְּךָ דָוִיד אָבִי אֵת אֲשֶׁר דִּבַּרְתָּ לּוֹ לֵאמֹר לֹא־יִכָּרֵת לְךָ
אִישׁ מִלְּפָנַי יוֹשֵׁב עַל־כִּסֵּא יִשְׂרָאֵל רַק אִם־יִשְׁמְרוּ בָנֶיךָ
יז אֶת־דַּרְכָּם לָלֶכֶת בְּתוֹרָתִי כַּאֲשֶׁר הָלַכְתָּ לְפָנָי: וְעַתָּה יְהוָה
יח אֱלֹהֵי יִשְׂרָאֵל יֵאָמֵן דְּבָרְךָ אֲשֶׁר דִּבַּרְתָּ לְעַבְדְּךָ לְדָוִיד: כִּי

הַאֻמְנָם יֵשֵׁב אֱלֹהִים אֶת־הָאָדָם עַל־הָאָרֶץ הִנֵּה שָׁמַיִם וּשְׁמֵי
יט הַשָּׁמַיִם לֹא יְכַלְכְּלוּךָ אַף כִּי־הַבַּיִת הַזֶּה אֲשֶׁר בָּנִיתִי: וּפָנִיתָ
אֶל־תְּפִלַּת עַבְדְּךָ וְאֶל־תְּחִנָּתוֹ יְהוָה אֱלֹהָי לִשְׁמֹעַ אֶל־הָרִנָּה
כ וְאֶל־הַתְּפִלָּה אֲשֶׁר עַבְדְּךָ מִתְפַּלֵּל לְפָנֶיךָ: לִהְיוֹת עֵינֶיךָ
פְּתֻחוֹת אֶל־הַבַּיִת הַזֶּה יוֹמָם וָלַיְלָה אֶל־הַמָּקוֹם אֲשֶׁר אָמַרְתָּ
לָשׂוּם שִׁמְךָ שָׁם לִשְׁמוֹעַ אֶל־הַתְּפִלָּה אֲשֶׁר יִתְפַּלֵּל עַבְדְּךָ
הַמִּקְדָּשׁ - מְקוֹם תְּפִלָּה לַכֹּל:
כא אֶל־הַמָּקוֹם הַזֶּה: וְשָׁמַעְתָּ אֶל־תַּחֲנוּנֵי עַבְדְּךָ וְעַמְּךָ יִשְׂרָאֵל
אֲשֶׁר יִתְפַּלְלוּ אֶל־הַמָּקוֹם הַזֶּה וְאַתָּה תִּשְׁמַע מִמְּקוֹם שִׁבְתְּךָ
כב מִן־הַשָּׁמַיִם וְשָׁמַעְתָּ וְסָלָחְתָּ: אִם־יֶחֱטָא אִישׁ לְרֵעֵהוּ וְנָשָׁא־בוֹ
כג אָלָה לְהַאֲלֹתוֹ וּבָא אָלָה לִפְנֵי מִזְבַּחֲךָ בַּבַּיִת הַזֶּה: וְאַתָּה | תִּשְׁמַע
מִן־הַשָּׁמַיִם וְעָשִׂיתָ וְשָׁפַטְתָּ אֶת־עֲבָדֶיךָ לְהָשִׁיב לְרָשָׁע לָתֵת
כד דַּרְכּוֹ בְּרֹאשׁוֹ וּלְהַצְדִּיק צַדִּיק לָתֶת לוֹ כְּצִדְקָתוֹ: וְאִם־
- מְקוֹם סְלִיחָה:
יִנָּגֵף עַמְּךָ יִשְׂרָאֵל לִפְנֵי אוֹיֵב כִּי יֶחֶטְאוּ־לָךְ וְשָׁבוּ וְהוֹדוּ
כה אֶת־שְׁמֶךָ וְהִתְפַּלְלוּ וְהִתְחַנְּנוּ לְפָנֶיךָ בַּבַּיִת הַזֶּה: וְאַתָּה תִּשְׁמַע
מִן־הַשָּׁמַיִם וְסָלַחְתָּ לְחַטַּאת עַמְּךָ יִשְׂרָאֵל וַהֲשֵׁיבוֹתָם אֶל־
הָאֲדָמָה אֲשֶׁר־נָתַתָּה לָהֶם וְלַאֲבֹתֵיהֶם:
כו בְּהֵעָצֵר הַשָּׁמַיִם וְלֹא־יִהְיֶה מָטָר כִּי יֶחֶטְאוּ־לָךְ וְהִתְפַּלְלוּ
אֶל־הַמָּקוֹם הַזֶּה וְהוֹדוּ אֶת־שִׁמְךָ מֵחַטָּאתָם יְשׁוּבוּן כִּי תַעֲנֵם:
כז וְאַתָּה | תִּשְׁמַע הַשָּׁמַיִם וְסָלַחְתָּ לְחַטַּאת עֲבָדֶיךָ וְעַמְּךָ יִשְׂרָאֵל
כִּי תוֹרֵם אֶל־הַדֶּרֶךְ הַטּוֹבָה אֲשֶׁר יֵלְכוּ־בָהּ וְנָתַתָּה מָטָר
כח עַל־אַרְצְךָ אֲשֶׁר־נָתַתָּה לְעַמְּךָ לְנַחֲלָה: רָעָב כִּי־
יִהְיֶה בָאָרֶץ דֶּבֶר כִּי־יִהְיֶה שִׁדָּפוֹן וְיֵרָקוֹן אַרְבֶּה וְחָסִיל כִּי
יִהְיֶה כִּי יָצַר־לוֹ אֹיְבָיו בְּאֶרֶץ שְׁעָרָיו כָּל־נֶגַע וְכָל־מַחֲלָה:
כט כָּל־תְּפִלָּה כָל־תְּחִנָּה אֲשֶׁר יִהְיֶה לְכָל־הָאָדָם וּלְכֹל עַמְּךָ יִשְׂרָאֵל
ל אֲשֶׁר יֵדְעוּ אִישׁ נִגְעוֹ וּמַכְאֹבוֹ וּפָרַשׂ כַּפָּיו אֶל־הַבַּיִת הַזֶּה: וְאַתָּה

תִּשְׁמַע מִן־הַשָּׁמַיִם מְכוֹן שִׁבְתֶּךָ וְסָלַחְתָּ וְנָתַתָּה לָאִישׁ כְּכָל־
דְּרָכָיו אֲשֶׁר תֵּדַע אֶת־לְבָבוֹ כִּי אַתָּה לְבַדְּךָ יָדַעְתָּ אֶת־לְבַב בְּנֵי
לא הָאָדָם: לְמַעַן יִירָאוּךָ לָלֶכֶת בִּדְרָכֶיךָ כָּל־הַיָּמִים אֲשֶׁר־הֵם חַיִּים
לב עַל־פְּנֵי הָאֲדָמָה אֲשֶׁר נָתַתָּה לַאֲבֹתֵינוּ: וְגַם אֶל־הַנָּכְרִי
- מְקוֹם תְּפִלָּה גַם לְנָכְרִי:
אֲשֶׁר לֹא מֵעַמְּךָ יִשְׂרָאֵל הוּא וּבָא | מֵאֶרֶץ רְחוֹקָה לְמַעַן שִׁמְךָ
הַגָּדוֹל וְיָדְךָ הַחֲזָקָה וּזְרוֹעֲךָ הַנְּטוּיָה וּבָאוּ וְהִתְפַּלְלוּ אֶל־הַבַּיִת
לג הַזֶּה: וְאַתָּה תִּשְׁמַע מִן־הַשָּׁמַיִם מִמְּכוֹן שִׁבְתֶּךָ וְעָשִׂיתָ כְּכֹל
אֲשֶׁר־יִקְרָא אֵלֶיךָ הַנָּכְרִי לְמַעַן יֵדְעוּ כָל־עַמֵּי הָאָרֶץ אֶת־שְׁמֶךָ
וּלְיִרְאָה אֹתְךָ כְּעַמְּךָ יִשְׂרָאֵל וְלָדַעַת כִּי־שִׁמְךָ נִקְרָא עַל־הַבַּיִת
לד הַזֶּה אֲשֶׁר בָּנִיתִי: כִּי־יֵצֵא עַמְּךָ לַמִּלְחָמָה עַל־אוֹיְבָיו בַּדֶּרֶךְ
אֲשֶׁר תִּשְׁלָחֵם וְהִתְפַּלְלוּ אֵלֶיךָ דֶּרֶךְ הָעִיר הַזֹּאת אֲשֶׁר בָּחַרְתָּ
לה בָּהּ וְהַבַּיִת אֲשֶׁר־בָּנִיתִי לִשְׁמֶךָ: וְשָׁמַעְתָּ מִן־הַשָּׁמַיִם אֶת־
לו תְּפִלָּתָם וְאֶת־תְּחִנָּתָם וְעָשִׂיתָ מִשְׁפָּטָם: כִּי יֶחֶטְאוּ־לָךְ כִּי אֵין
אָדָם אֲשֶׁר לֹא־יֶחֱטָא וְאָנַפְתָּ בָם וּנְתַתָּם לִפְנֵי אוֹיֵב וְשָׁבוּם
לז שׁוֹבֵיהֶם אֶל־אֶרֶץ רְחוֹקָה אוֹ קְרוֹבָה: וְהֵשִׁיבוּ אֶל־לְבָבָם בָּאָרֶץ
אֲשֶׁר נִשְׁבּוּ־שָׁם וְשָׁבוּ | וְהִתְחַנְּנוּ אֵלֶיךָ בְּאֶרֶץ שִׁבְיָם לֵאמֹר
לח חָטָאנוּ הֶעֱוִינוּ וְרָשָׁעְנוּ: וְשָׁבוּ אֵלֶיךָ בְּכָל־לִבָּם וּבְכָל־נַפְשָׁם
בְּאֶרֶץ שִׁבְיָם אֲשֶׁר־שָׁבוּ אֹתָם וְהִתְפַּלְלוּ דֶּרֶךְ אַרְצָם אֲשֶׁר
נָתַתָּה לַאֲבוֹתָם וְהָעִיר אֲשֶׁר בָּחַרְתָּ וְלַבַּיִת אֲשֶׁר־בָּנִיתִי לִשְׁמֶךָ:
לט וְשָׁמַעְתָּ מִן־הַשָּׁמַיִם מִמְּכוֹן שִׁבְתְּךָ אֶת־תְּפִלָּתָם וְאֶת־
תְּחִנֹּתֵיהֶם וְעָשִׂיתָ מִשְׁפָּטָם וְסָלַחְתָּ לְעַמְּךָ אֲשֶׁר חָטְאוּ־לָךְ:
מ עַתָּה אֱלֹהַי יִהְ־יוּ־נָא עֵינֶיךָ פְּתֻחוֹת וְאָזְנֶיךָ קַשֻּׁבוֹת לִתְפִלַּת
מא הַמָּקוֹם הַזֶּה: וְעַתָּה קוּמָה
תְּפִלַּת שְׁלֹמֹה, סִיּוּם:
יְהוָה אֱלֹהִים לְנוּחֶךָ אַתָּה וַאֲרוֹן עֻזֶּךָ כֹּהֲנֶיךָ יְהוָה אֱלֹהִים
מב יִלְבְּשׁוּ תְשׁוּעָה וַחֲסִידֶיךָ יִשְׂמְחוּ בַטּוֹב: יְהוָה אֱלֹהִים אַל־תָּשֵׁב

פְּנֵי מְשִׁיחֶךָ זָכְרָה לְחַסְדֵי דָּוִיד עַבְדֶּךָ׃
ז א וּכְכַלּוֹת שְׁלֹמֹה לְהִתְפַּלֵּל וְהָאֵשׁ יָרְדָה מֵהַשָּׁמַיִם וַתֹּאכַל הָעֹלָה (הַשְׁרָאַת הַשְּׁכִינָה:)
ב וְהַזְּבָחִים וּכְבוֹד יְהוָה מָלֵא אֶת־הַבָּיִת׃ וְלֹא יָכְלוּ הַכֹּהֲנִים לָבוֹא
ג אֶל־בֵּית יְהוָה כִּי־מָלֵא כְבוֹד־יְהוָה אֶת־בֵּית יְהוָה׃ וְכֹל ׀ בְּנֵי
יִשְׂרָאֵל רֹאִים בְּרֶדֶת הָאֵשׁ וּכְבוֹד יְהוָה עַל־הַבָּיִת וַיִּכְרְעוּ אַפַּיִם
אַרְצָה עַל־הָרִצְפָּה וַיִּשְׁתַּחֲווּ וְהוֹדוֹת לַיהוָה כִּי טוֹב כִּי לְעוֹלָם
ד ה חַסְדּוֹ׃ וְהַמֶּלֶךְ וְכָל־הָעָם זֹבְחִים זֶבַח לִפְנֵי יְהוָה׃ וַיִּזְבַּח (הַקָּרְבָּנוֹת בַּחֲנֻכַּת הַבַּיִת:)
הַמֶּלֶךְ שְׁלֹמֹה אֶת־זֶבַח הַבָּקָר עֶשְׂרִים וּשְׁנַיִם אֶלֶף וְצֹאן מֵאָה
וְעֶשְׂרִים אָלֶף וַיַּחְנְכוּ אֶת־בֵּית הָאֱלֹהִים הַמֶּלֶךְ וְכָל־הָעָם׃
ו וְהַכֹּהֲנִים עַל־מִשְׁמְרוֹתָם עֹמְדִים וְהַלְוִיִּם בִּכְלֵי־שִׁיר יְהוָה
אֲשֶׁר עָשָׂה דָּוִיד הַמֶּלֶךְ לְהֹדוֹת לַיהוָה כִּי־לְעוֹלָם חַסְדּוֹ בְּהַלֵּל
דָּוִיד בְּיָדָם וְהַכֹּהֲנִים מחצצרים מַחְצְרִים נֶגְדָּם וְכָל־יִשְׂרָאֵל
ז עֹמְדִים׃ וַיְקַדֵּשׁ שְׁלֹמֹה (חֲנֻכַּת הַמִּקְדָּשׁ:)
אֶת־תּוֹךְ הֶחָצֵר אֲשֶׁר לִפְנֵי בֵית־יְהוָה כִּי־עָשָׂה שָׁם הָעֹלוֹת
וְאֵת חֶלְבֵי הַשְּׁלָמִים כִּי־מִזְבַּח הַנְּחֹשֶׁת אֲשֶׁר עָשָׂה שְׁלֹמֹה לֹא
ח יָכוֹל לְהָכִיל אֶת־הָעֹלָה וְאֶת־הַמִּנְחָה וְאֶת־הַחֲלָבִים׃ וַיַּעַשׂ
שְׁלֹמֹה אֶת־הֶחָג בָּעֵת הַהִיא שִׁבְעַת יָמִים וְכָל־יִשְׂרָאֵל עִמּוֹ
ט קָהָל גָּדוֹל מְאֹד מִלְּבוֹא חֲמָת עַד־נַחַל מִצְרָיִם׃ וַיַּעֲשׂוּ בַּיּוֹם
הַשְּׁמִינִי עֲצָרֶת כִּי ׀ חֲנֻכַּת הַמִּזְבֵּחַ עָשׂוּ שִׁבְעַת יָמִים וְהֶחָג
י שִׁבְעַת יָמִים׃ וּבְיוֹם עֶשְׂרִים וּשְׁלֹשָׁה לַחֹדֶשׁ הַשְּׁבִיעִי שִׁלַּח
אֶת־הָעָם לְאָהֳלֵיהֶם שְׂמֵחִים וְטוֹבֵי לֵב עַל־הַטּוֹבָה אֲשֶׁר עָשָׂה
יא יְהוָה לְדָוִיד וְלִשְׁלֹמֹה וּלְיִשְׂרָאֵל עַמּוֹ׃ וַיְכַל שְׁלֹמֹה אֶת־בֵּית
יְהוָה וְאֶת־בֵּית הַמֶּלֶךְ וְאֵת כָּל־הַבָּא עַל־לֵב שְׁלֹמֹה לַעֲשׂוֹת
בְּבֵית־יְהוָה וּבְבֵיתוֹ הִצְלִיחַ׃
יב וַיֵּרָא יְהוָה אֶל־שְׁלֹמֹה בַּלָּיְלָה וַיֹּאמֶר לוֹ שָׁמַעְתִּי אֶת־תְּפִלָּתֶךָ (קַבָּלַת הַתְּפִלָּה:)

יג וּבָחַרְתִּי בַּמָּקוֹם הַזֶּה לִי לְבֵית זָבַח׃ הֵן אֶעֱצֹר הַשָּׁמַיִם וְלֹא־
יִהְיֶה מָטָר וְהֵן־אֲצַוֶּה עַל־חָגָב לֶאֱכוֹל הָאָרֶץ וְאִם־אֲשַׁלַּח דֶּבֶר
יד בְּעַמִּי׃ וְיִכָּנְעוּ עַמִּי אֲשֶׁר נִקְרָא־שְׁמִי עֲלֵיהֶם וְיִתְפַּלְלוּ וִיבַקְשׁוּ
פָנַי וְיָשֻׁבוּ מִדַּרְכֵיהֶם הָרָעִים וַאֲנִי אֶשְׁמַע מִן־הַשָּׁמַיִם וְאֶסְלַח
טו לְחַטָּאתָם וְאֶרְפָּא אֶת־אַרְצָם׃ עַתָּה עֵינַי יִהְיוּ פְתֻחוֹת וְאָזְנַי
טז קַשֻּׁבוֹת לִתְפִלַּת הַמָּקוֹם הַזֶּה׃ וְעַתָּה בָּחַרְתִּי וְהִקְדַּשְׁתִּי אֶת־
הַבַּיִת הַזֶּה לִהְיוֹת־שְׁמִי שָׁם עַד־עוֹלָם וְהָיוּ עֵינַי וְלִבִּי שָׁם
יז כָּל־הַיָּמִים׃ וְאַתָּה אִם־תֵּלֵךְ לְפָנַי כַּאֲשֶׁר הָלַךְ דָּוִיד אָבִיךָ
יח וְלַעֲשׂוֹת כְּכֹל אֲשֶׁר צִוִּיתִיךָ וְחֻקַּי וּמִשְׁפָּטַי תִּשְׁמוֹר׃ וַהֲקִימוֹתִי
אֵת כִּסֵּא מַלְכוּתֶךָ כַּאֲשֶׁר כָּרַתִּי לְדָוִיד אָבִיךָ לֵאמֹר לֹא־יִכָּרֵת
יט לְךָ אִישׁ מוֹשֵׁל בְּיִשְׂרָאֵל׃ וְאִם־תְּשׁוּבוּן אַתֶּם וַעֲזַבְתֶּם חֻקּוֹתַי
וּמִצְוֺתַי אֲשֶׁר נָתַתִּי לִפְנֵיכֶם וַהֲלַכְתֶּם וַעֲבַדְתֶּם אֱלֹהִים אֲחֵרִים
כ וְהִשְׁתַּחֲוִיתֶם לָהֶם׃ וּנְתַשְׁתִּים מֵעַל אַדְמָתִי אֲשֶׁר נָתַתִּי לָהֶם
וְאֶת־הַבַּיִת הַזֶּה אֲשֶׁר הִקְדַּשְׁתִּי לִשְׁמִי אַשְׁלִיךְ מֵעַל פָּנָי וְאֶתְּנֶנּוּ
כא לְמָשָׁל וְלִשְׁנִינָה בְּכָל־הָעַמִּים׃ וְהַבַּיִת הַזֶּה אֲשֶׁר הָיָה עֶלְיוֹן
לְכָל־עֹבֵר עָלָיו יִשֹּׁם וְאָמַר בַּמֶּה עָשָׂה יְהוָה כָּכָה לָאָרֶץ הַזֹּאת
כב וְלַבַּיִת הַזֶּה׃ וְאָמְרוּ עַל אֲשֶׁר עָזְבוּ אֶת־יְהוָה ׀ אֱלֹהֵי אֲבֹתֵיהֶם
אֲשֶׁר הוֹצִיאָם מֵאֶרֶץ מִצְרַיִם וַיַּחֲזִיקוּ בֵּאלֹהִים אֲחֵרִים וַיִּשְׁתַּחֲווּ
לָהֶם וַיַּעַבְדוּם עַל־כֵּן הֵבִיא עֲלֵיהֶם אֵת כָּל־הָרָעָה הַזֹּאת׃

ח א וַיְהִי מִקֵּץ ׀ עֶשְׂרִים שָׁנָה אֲשֶׁר בָּנָה שְׁלֹמֹה אֶת־בֵּית יְהוָה (בְּצוּר עָרֵי הַמְּלוּכָה׃)
ב וְאֶת־בֵּיתוֹ׃ וְהֶעָרִים אֲשֶׁר נָתַן חוּרָם לִשְׁלֹמֹה בָּנָה שְׁלֹמֹה אֹתָם
ג וַיּוֹשֶׁב שָׁם אֶת־בְּנֵי יִשְׂרָאֵל׃ וַיֵּלֶךְ שְׁלֹמֹה חֲמָת צוֹבָה וַיֶּחֱזַק
ד עָלֶיהָ׃ וַיִּבֶן אֶת־תַּדְמֹר בַּמִּדְבָּר וְאֵת כָּל־עָרֵי הַמִּסְכְּנוֹת אֲשֶׁר
ה בָּנָה בַּחֲמָת׃ וַיִּבֶן אֶת־בֵּית חוֹרוֹן הָעֶלְיוֹן וְאֶת־בֵּית חוֹרוֹן
ו הַתַּחְתּוֹן עָרֵי מָצוֹר חוֹמוֹת דְּלָתַיִם וּבְרִיחַ׃ וְאֶת־בַּעֲלָת וְאֵת

כָּל־עָרֵי הַמִּסְכְּנוֹת אֲשֶׁר הָיוּ לִשְׁלֹמֹה וְאֵת כָּל־עָרֵי הָרֶ֫כֶב וְאֵת

עָרֵי הַפָּרָשִׁים וְאֵת ׀ כָּל־חֵשֶׁק שְׁלֹמֹה אֲשֶׁר חָשַׁק לִבְנוֹת

ז בִּירוּשָׁלִַ֫ם וּבַלְּבָנוֹן וּבְכֹל אֶרֶץ מֶמְשַׁלְתּוֹ: כָּל־הָעָם הַנּוֹתָר

מִן־הַחִתִּי וְהָאֱמֹרִי וְהַפְּרִזִּי וְהַחִוִּי וְהַיְבוּסִי אֲשֶׁר לֹא מִיִּשְׂרָאֵל

ח הֵמָּה: מִן־בְּנֵיהֶם אֲשֶׁר נוֹתְרוּ אַחֲרֵיהֶם בָּאָרֶץ אֲשֶׁר לֹא־כִלּוּם

ט בְּנֵי יִשְׂרָאֵל וַיַּעֲלֵם שְׁלֹמֹה לְמַס עַד הַיּוֹם הַזֶּה: וּמִן־בְּנֵי יִשְׂרָאֵל

אֲשֶׁר לֹא־נָתַן שְׁלֹמֹה לַעֲבָדִים לִמְלַאכְתּוֹ כִּי־הֵמָּה אַנְשֵׁי

מִלְחָמָה וְשָׂרֵי שָׁלִישָׁיו וְשָׂרֵי רִכְבּוֹ וּפָרָשָׁיו:

י וְאֵלֶּה שָׂרֵי הַנִּצָּבִים אֲשֶׁר לַמֶּלֶךְ שְׁלֹמֹה חֲמִשִּׁים וּמָאתָיִם

יא הָרֹדִים בָּעָם: וְאֶת־בַּת־פַּרְעֹה הֶעֱלָה שְׁלֹמֹה מֵעִיר דָּוִיד לַבַּיִת

אֲשֶׁר בָּנָה־לָהּ כִּי אָמַר לֹא־תֵשֵׁב אִשָּׁה לִי בְּבֵית דָּוִיד מֶלֶךְ־

יִשְׂרָאֵל כִּי־קֹדֶשׁ הֵמָּה אֲשֶׁר־בָּאָה אֲלֵיהֶם אֲרוֹן יְהֹוָה:

סֵדֶר עֲבוֹדַת הַמִּקְדָּשׁ:

יב אָז הֶעֱלָה שְׁלֹמֹה עֹלוֹת לַיהֹוָה עַל מִזְבַּח יְהֹוָה אֲשֶׁר בָּנָה לִפְנֵי

יג הָאוּלָם: וּבִדְבַר־יוֹם בְּיוֹם לְהַעֲלוֹת כְּמִצְוַת מֹשֶׁה לַשַּׁבָּתוֹת

וְלֶחֳדָשִׁים וְלַמּוֹעֲדוֹת שָׁלוֹשׁ פְּעָמִים בַּשָּׁנָה בְּחַג הַמַּצּוֹת וּבְחַג

יד הַשָּׁבֻעוֹת וּבְחַג הַסֻּכּוֹת: וַיַּעֲמֵד כְּמִשְׁפַּט דָּוִיד־אָבִיו אֶת־

מַחְלְקוֹת הַכֹּהֲנִים עַל־עֲבֹדָתָם וְהַלְוִיִּם עַל־מִשְׁמְרוֹתָם לְהַלֵּל

וּלְשָׁרֵת נֶגֶד הַכֹּהֲנִים לִדְבַר־יוֹם בְּיוֹמוֹ וְהַשּׁוֹעֲרִים בְּמַחְלְקוֹתָם

טו לְשַׁעַר וָשָׁעַר כִּי כֵן מִצְוַת דָּוִיד אִישׁ־הָאֱלֹהִים: וְלֹא סָרוּ מִצְוַת

טז הַמֶּלֶךְ עַל־הַכֹּהֲנִים וְהַלְוִיִּם לְכָל־דָּבָר וְלָאֹצָרוֹת: וַתִּכֹּן כָּל־

מְלֶאכֶת שְׁלֹמֹה עַד־הַיּוֹם מוּסַד בֵּית־יְהֹוָה וְעַד־כְּלֹתוֹ שָׁלֵם

יז בֵּית יְהֹוָה: אָז הָלַךְ שְׁלֹמֹה

הֵבֵאת זָהָב מֵחוּרָם לִשְׁלֹמֹה:

יח לְעֶצְיוֹן־גֶּבֶר וְאֶל־אֵילוֹת עַל־שְׂפַת הַיָּם בְּאֶרֶץ אֱדוֹם: וַיִּשְׁלַח־לוֹ

חוּרָם בְּיַד־עֲבָדָיו אוניות אֳנִיּוֹת וַעֲבָדִים יוֹדְעֵי יָם וַיָּבֹאוּ עִם־

עַבְדֵי שְׁלֹמֹה אוֹפִירָה וַיִּקְחוּ מִשָּׁם אַרְבַּע־מֵאוֹת וַחֲמִשִּׁים כִּכַּר

זָהָב וַיָּבִיאוּ אֶל־הַמֶּלֶךְ שְׁלֹמֹה׃

ט א וּמַלְכַּת־שְׁבָא שָׁמְעָה אֶת־שֵׁמַע שְׁלֹמֹה וַתָּבוֹא לְנַסּוֹת אֶת־ מַלְכַּת שְׁבָא:
שְׁלֹמֹה בְחִידוֹת בִּירוּשָׁלַ͏ִם בְּחַיִל כָּבֵד מְאֹד וּגְמַלִּים נֹשְׂאִים
בְּשָׂמִים וְזָהָב לָרֹב וְאֶבֶן יְקָרָה וַתָּבוֹא אֶל־שְׁלֹמֹה וַתְּדַבֵּר עִמּוֹ
ב אֵת כָּל־אֲשֶׁר הָיָה עִם־לְבָבָהּ׃ וַיַּגֶּד־לָהּ שְׁלֹמֹה אֶת־כָּל־
ג דְּבָרֶיהָ וְלֹא־נֶעְלַם דָּבָר מִשְּׁלֹמֹה אֲשֶׁר לֹא הִגִּיד לָהּ׃ וַתֵּרֶא
ד מַלְכַּת־שְׁבָא אֵת חָכְמַת שְׁלֹמֹה וְהַבַּיִת אֲשֶׁר בָּנָה׃ וּמַאֲכַל
שֻׁלְחָנוֹ וּמוֹשַׁב עֲבָדָיו וּמַעֲמַד מְשָׁרְתָיו וּמַלְבּוּשֵׁיהֶם וּמַשְׁקָיו
וּמַלְבּוּשֵׁיהֶם וַעֲלִיָּתוֹ אֲשֶׁר יַעֲלֶה בֵּית יְהֹוָה וְלֹא־הָיָה עוֹד בָּהּ
ה רוּחַ׃ וַתֹּאמֶר אֶל־הַמֶּלֶךְ אֱמֶת הַדָּבָר אֲשֶׁר שָׁמַעְתִּי בְּאַרְצִי
ו עַל־דְּבָרֶיךָ וְעַל־חָכְמָתֶךָ׃ וְלֹא־הֶאֱמַנְתִּי לְדִבְרֵיהֶם עַד אֲשֶׁר־
בָּאתִי וַתִּרְאֶינָה עֵינַי וְהִנֵּה לֹא הֻגַּד־לִי חֲצִי מַרְבִּית חָכְמָתֶךָ
ז יָסַפְתָּ עַל־הַשְּׁמוּעָה אֲשֶׁר שָׁמָעְתִּי׃ אַשְׁרֵי אֲנָשֶׁיךָ וְאַשְׁרֵי
ח עֲבָדֶיךָ אֵלֶּה הָעֹמְדִים לְפָנֶיךָ תָּמִיד וְשֹׁמְעִים אֶת־חָכְמָתֶךָ׃ יְהִי
יְהֹוָה אֱלֹהֶיךָ בָּרוּךְ אֲשֶׁר ׀ חָפֵץ בְּךָ לְתִתְּךָ עַל־כִּסְאוֹ לְמֶלֶךְ
לַיהֹוָה אֱלֹהֶיךָ בְּאַהֲבַת אֱלֹהֶיךָ אֶת־יִשְׂרָאֵל לְהַעֲמִידוֹ לְעוֹלָם
ט וַיִּתֶּנְךָ עֲלֵיהֶם לְמֶלֶךְ לַעֲשׂוֹת מִשְׁפָּט וּצְדָקָה׃ וַתִּתֵּן לַמֶּלֶךְ מֵאָה
וְעֶשְׂרִים ׀ כִּכַּר זָהָב וּבְשָׂמִים לָרֹב מְאֹד וְאֶבֶן יְקָרָה וְלֹא הָיָה
י כַּבֹּשֶׂם הַהוּא אֲשֶׁר־נָתְנָה מַלְכַּת־שְׁבָא לַמֶּלֶךְ שְׁלֹמֹה׃ וְגַם־עַבְדֵי
חוּרָם וְעַבְדֵי שְׁלֹמֹה אֲשֶׁר־הֵבִיאוּ זָהָב מֵאוֹפִיר הֵבִיאוּ עֲצֵי חירם
יא אַלְגּוּמִּים וְאֶבֶן יְקָרָה׃ וַיַּעַשׂ הַמֶּלֶךְ אֶת־עֲצֵי הָאַלְגּוּמִּים מְסִלּוֹת
לְבֵית־יְהֹוָה וּלְבֵית הַמֶּלֶךְ וְכִנֹּרוֹת וּנְבָלִים לַשָּׁרִים וְלֹא־נִרְאוּ
יב כָהֵם לְפָנִים בְּאֶרֶץ יְהוּדָה׃ וְהַמֶּלֶךְ שְׁלֹמֹה נָתַן לְמַלְכַּת־שְׁבָא
אֶת־כָּל־חֶפְצָהּ אֲשֶׁר שָׁאָלָה מִלְּבַד אֲשֶׁר־הֵבִיאָה אֶל־הַמֶּלֶךְ
וַתַּהֲפֹךְ וַתֵּלֶךְ לְאַרְצָהּ הִיא וַעֲבָדֶיהָ׃

יג וַיְהִי מִשְׁקַל הַזָּהָב אֲשֶׁר־בָּא לִשְׁלֹמֹה בְּשָׁנָה אֶחָת שֵׁשׁ מֵאוֹת עָשְׁרוֹ שֶׁל שְׁלֹמֹה:
יד וְשִׁשִּׁים וָשֵׁשׁ כִּכְּרֵי זָהָב: לְבַד מֵאַנְשֵׁי הַתָּרִים וְהַסֹּחֲרִים מְבִיאִים
וְכָל־מַלְכֵי עֲרַב וּפַחוֹת הָאָרֶץ מְבִיאִים זָהָב וָכֶסֶף לִשְׁלֹמֹה:
טו וַיַּעַשׂ הַמֶּלֶךְ שְׁלֹמֹה מָאתַיִם צִנָּה זָהָב שָׁחוּט שֵׁשׁ מֵאוֹת זָהָב
טז שָׁחוּט יַעֲלֶה עַל־הַצִּנָּה הָאֶחָת: וּשְׁלֹשׁ־מֵאוֹת מָגִנִּים זָהָב שָׁחוּט
שְׁלֹשׁ מֵאוֹת זָהָב יַעֲלֶה עַל־הַמָּגֵן הָאֶחָת וַיִּתְּנֵם הַמֶּלֶךְ בְּבֵית
יז יַעַר הַלְּבָנוֹן: וַיַּעַשׂ הַמֶּלֶךְ כִּסֵּא־שֵׁן גָּדוֹל וַיְצַפֵּהוּ זָהָב טָהוֹר: כִּסֵּא שְׁלֹמֹה:
יח וְשֵׁשׁ מַעֲלוֹת לַכִּסֵּא וְכֶבֶשׁ בַּזָּהָב לַכִּסֵּא מָאֳחָזִים וְיָדוֹת מִזֶּה
וּמִזֶּה עַל־מְקוֹם הַשָּׁבֶת וּשְׁנַיִם אֲרָיוֹת עֹמְדִים אֵצֶל הַיָּדוֹת:
יט וּשְׁנֵים עָשָׂר אֲרָיוֹת עֹמְדִים שָׁם עַל־שֵׁשׁ הַמַּעֲלוֹת מִזֶּה וּמִזֶּה
כ לֹא־נַעֲשָׂה כֵן לְכָל־מַמְלָכָה: וְכֹל כְּלֵי מַשְׁקֵה הַמֶּלֶךְ שְׁלֹמֹה זָהָב
וְכֹל כְּלֵי בֵית־יַעַר הַלְּבָנוֹן זָהָב סָגוּר אֵין כֶּסֶף נֶחְשָׁב בִּימֵי
כא שְׁלֹמֹה לִמְאוּמָה: כִּי־אֳנִיּוֹת לַמֶּלֶךְ הֹלְכוֹת תַּרְשִׁישׁ עִם עַבְדֵי
חוּרָם אַחַת לְשָׁלוֹשׁ שָׁנִים תָּבוֹאנָה ׀ אֳנִיּוֹת תַּרְשִׁישׁ נֹשְׂאוֹת
זָהָב וָכֶסֶף שֶׁנְהַבִּים וְקוֹפִים וְתוּכִּיִּים:
כב כג וַיִּגְדַּל הַמֶּלֶךְ שְׁלֹמֹה מִכֹּל מַלְכֵי הָאָרֶץ לְעֹשֶׁר וְחָכְמָה: וְכֹל
מַלְכֵי הָאָרֶץ מְבַקְשִׁים אֶת־פְּנֵי שְׁלֹמֹה לִשְׁמֹעַ אֶת־חָכְמָתוֹ
כד אֲשֶׁר־נָתַן הָאֱלֹהִים בְּלִבּוֹ: וְהֵם מְבִיאִים אִישׁ מִנְחָתוֹ כְּלֵי כֶסֶף
וּכְלֵי זָהָב וּשְׂלָמוֹת נֵשֶׁק וּבְשָׂמִים סוּסִים וּפְרָדִים דְּבַר־שָׁנָה
כה בְּשָׁנָה: וַיְהִי לִשְׁלֹמֹה אַרְבַּעַת אֲלָפִים אֻרְיוֹת סוּסִים
וּמַרְכָּבוֹת וּשְׁנֵים־עָשָׂר אֶלֶף פָּרָשִׁים וַיַּנִּיחֵם בְּעָרֵי הָרֶכֶב
כו וְעִם־הַמֶּלֶךְ בִּירוּשָׁלִָם: וַיְהִי מוֹשֵׁל בְּכָל־הַמְּלָכִים מִן־הַנָּהָר
כז וְעַד־אֶרֶץ פְּלִשְׁתִּים וְעַד גְּבוּל מִצְרָיִם: וַיִּתֵּן הַמֶּלֶךְ אֶת־הַכֶּסֶף
בִּירוּשָׁלִַם כָּאֲבָנִים וְאֵת הָאֲרָזִים נָתַן כַּשִּׁקְמִים אֲשֶׁר־בַּשְּׁפֵלָה
כח לָרֹב: וּמוֹצִיאִים סוּסִים מִמִּצְרַיִם לִשְׁלֹמֹה וּמִכָּל־הָאֲרָצוֹת:

וּשְׁאָר דִּבְרֵי שְׁלֹמֹה הָרִאשֹׁנִים וְהָאַחֲרוֹנִים הֲלֹא־הֵם כְּתוּבִים כט
עַל־דִּבְרֵי נָתָן הַנָּבִיא וְעַל־נְבוּאַת אֲחִיָּה הַשִּׁילוֹנִי וּבַחֲזוֹת יעדי
יֶעְדּוֹ הַחֹזֶה עַל־יָרָבְעָם בֶּן־נְבָט: וַיִּמְלֹךְ שְׁלֹמֹה בִירוּשָׁלִַם ל
[2964] עַל־כָּל־יִשְׂרָאֵל אַרְבָּעִים שָׁנָה: וַיִּשְׁכַּב שְׁלֹמֹה עִם־אֲבֹתָיו לא
וַיִּקְבְּרֻהוּ בְּעִיר דָּוִיד אָבִיו וַיִּמְלֹךְ רְחַבְעָם בְּנוֹ תַּחְתָּיו:

רְחַבְעָם, וַעֲצַת הַזְּקֵנִים וְהַיְלָדִים:

וַיֵּלֶךְ רְחַבְעָם שְׁכֶמָה כִּי שְׁכֶם בָּאוּ כָל־יִשְׂרָאֵל לְהַמְלִיךְ אֹתוֹ: י א
וַיְהִי כִּשְׁמֹעַ יָרָבְעָם בֶּן־נְבָט וְהוּא בְמִצְרַיִם אֲשֶׁר בָּרַח מִפְּנֵי ב
שְׁלֹמֹה הַמֶּלֶךְ וַיָּשָׁב יָרָבְעָם מִמִּצְרָיִם: וַיִּשְׁלְחוּ וַיִּקְרְאוּ־לוֹ וַיָּבֹא ג
יָרָבְעָם וְכָל־יִשְׂרָאֵל וַיְדַבְּרוּ אֶל־רְחַבְעָם לֵאמֹר: אָבִיךָ הִקְשָׁה ד
אֶת־עֻלֵּנוּ וְעַתָּה הָקֵל מֵעֲבֹדַת אָבִיךָ הַקָּשָׁה וּמֵעֻלּוֹ הַכָּבֵד
אֲשֶׁר־נָתַן עָלֵינוּ וְנַעַבְדֶךָּ: וַיֹּאמֶר אֲלֵהֶם עוֹד שְׁלֹשֶׁת יָמִים ה
וְשׁוּבוּ אֵלָי וַיֵּלֶךְ הָעָם: וַיִּוָּעַץ הַמֶּלֶךְ רְחַבְעָם אֶת־ ו
הַזְּקֵנִים אֲשֶׁר־הָיוּ עֹמְדִים לִפְנֵי שְׁלֹמֹה אָבִיו בִּהְיֹתוֹ חַי לֵאמֹר
אֵיךְ אַתֶּם נוֹעָצִים לְהָשִׁיב לָעָם־הַזֶּה דָּבָר: וַיְדַבְּרוּ אֵלָיו לֵאמֹר ז
אִם־תִּהְיֶה לְטוֹב לְהָעָם הַזֶּה וּרְצִיתָם וְדִבַּרְתָּ אֲלֵהֶם דְּבָרִים
טוֹבִים וְהָיוּ לְךָ עֲבָדִים כָּל־הַיָּמִים: וַיַּעֲזֹב אֶת־עֲצַת הַזְּקֵנִים ח
אֲשֶׁר יְעָצֻהוּ וַיִּוָּעַץ אֶת־הַיְלָדִים אֲשֶׁר גָּדְלוּ אִתּוֹ הָעֹמְדִים
לְפָנָיו: וַיֹּאמֶר אֲלֵהֶם מָה אַתֶּם נוֹעָצִים וְנָשִׁיב דָּבָר אֶת־הָעָם ט
הַזֶּה אֲשֶׁר דִּבְּרוּ אֵלַי לֵאמֹר הָקֵל מִן־הָעֹל אֲשֶׁר־נָתַן אָבִיךָ
עָלֵינוּ: וַיְדַבְּרוּ אִתּוֹ הַיְלָדִים אֲשֶׁר גָּדְלוּ אִתּוֹ לֵאמֹר כֹּה־תֹאמַר י
לָעָם אֲשֶׁר־דִּבְּרוּ אֵלֶיךָ לֵאמֹר אָבִיךָ הִכְבִּיד אֶת־עֻלֵּנוּ וְאַתָּה
הָקֵל מֵעָלֵינוּ כֹּה תֹאמַר אֲלֵהֶם קָטָנִּי עָבָה מִמָּתְנֵי אָבִי: וְעַתָּה יא
אָבִי הֶעְמִיס עֲלֵיכֶם עֹל כָּבֵד וַאֲנִי אֹסִיף עַל־עֻלְּכֶם אָבִי יִסַּר
אֶתְכֶם בַּשּׁוֹטִים וַאֲנִי בָּעַקְרַבִּים:

וַיָּבֹא יָרָבְעָם וְכָל־הָעָם אֶל־רְחַבְעָם בַּיּוֹם הַשְּׁלִשִׁי כַּאֲשֶׁר דִּבֶּר יב

יג הַמֶּלֶךְ לֵאמֹר שׁוּבוּ אֵלַי בַּיּוֹם הַשְּׁלִשִׁי: וַיַּעֲנֵם הַמֶּלֶךְ קָשָׁה
יד וַיַּעֲזֹב הַמֶּלֶךְ רְחַבְעָם אֵת עֲצַת הַזְּקֵנִים: וַיְדַבֵּר אֲלֵהֶם כַּעֲצַת
הַיְלָדִים לֵאמֹר אַכְבִּיד אֶת־עֻלְּכֶם וַאֲנִי אֹסִיף עָלָיו אָבִי יִסַּר
טו אֶתְכֶם בַּשּׁוֹטִים וַאֲנִי בָּעַקְרַבִּים: וְלֹא־שָׁמַע הַמֶּלֶךְ אֶל־הָעָם
כִּי־הָיְתָה נְסִבָּה מֵעִם הָאֱלֹהִים לְמַעַן הָקִים יְהוָה אֶת־דְּבָרוֹ אֲשֶׁר
טז דִּבֶּר בְּיַד אֲחִיָּהוּ הַשִּׁלוֹנִי אֶל־יָרָבְעָם בֶּן־נְבָט: וְכָל־יִשְׂרָאֵל כִּי
לֹא־שָׁמַע הַמֶּלֶךְ לָהֶם וַיָּשִׁיבוּ הָעָם אֶת־הַמֶּלֶךְ ׀ לֵאמֹר מַה־לָּנוּ
חֵלֶק בְּדָוִיד וְלֹא־נַחֲלָה בְּבֶן־יִשַׁי אִישׁ לְאֹהָלֶיךָ יִשְׂרָאֵל עַתָּה רְאֵה
יז בֵיתְךָ דָּוִיד וַיֵּלֶךְ כָּל־יִשְׂרָאֵל לְאֹהָלָיו: וּבְנֵי יִשְׂרָאֵל
יח הַיֹּשְׁבִים בְּעָרֵי יְהוּדָה וַיִּמְלֹךְ עֲלֵיהֶם רְחַבְעָם: וַיִּשְׁלַח הַמֶּלֶךְ
רְחַבְעָם אֶת־הֲדֹרָם אֲשֶׁר עַל־הַמַּס וַיִּרְגְּמוּ־בוֹ בְנֵי־יִשְׂרָאֵל אֶבֶן
וַיָּמֹת וְהַמֶּלֶךְ רְחַבְעָם הִתְאַמֵּץ לַעֲלוֹת בַּמֶּרְכָּבָה לָנוּס
יט יְרוּשָׁלִָם: וַיִּפְשְׁעוּ יִשְׂרָאֵל בְּבֵית דָּוִיד עַד הַיּוֹם הַזֶּה: חֶלְקַת הַמְּלוּכָה:
יא א וַיָּבֹא רְחַבְעָם יְרוּשָׁלִַם וַיַּקְהֵל אֶת־בֵּית יְהוּדָה וּבִנְיָמִן מֵאָה
וּשְׁמוֹנִים אֶלֶף בָּחוּר עֹשֵׂה מִלְחָמָה לְהִלָּחֵם עִם־יִשְׂרָאֵל לְהָשִׁיב
אֶת־הַמַּמְלָכָה לִרְחַבְעָם:
ב ג וַיְהִי דְּבַר־יְהוָה אֶל־שְׁמַעְיָהוּ אִישׁ־הָאֱלֹהִים לֵאמֹר: אֱמֹר
אֶל־רְחַבְעָם בֶּן־שְׁלֹמֹה מֶלֶךְ יְהוּדָה וְאֶל כָּל־יִשְׂרָאֵל בִּיהוּדָה
ד וּבִנְיָמִן לֵאמֹר: כֹּה אָמַר יְהוָה לֹא־תַעֲלוּ וְלֹא־תִלָּחֲמוּ עִם־
אֲחֵיכֶם שׁוּבוּ אִישׁ לְבֵיתוֹ כִּי מֵאִתִּי נִהְיָה הַדָּבָר הַזֶּה וַיִּשְׁמְעוּ
אֶת־דִּבְרֵי יְהוָה וַיָּשֻׁבוּ מִלֶּכֶת אֶל־יָרָבְעָם:
ה ו וַיֵּשֶׁב רְחַבְעָם בִּירוּשָׁלִָם וַיִּבֶן עָרִים לְמָצוֹר בִּיהוּדָה: וַיִּבֶן אֶת־ בְּנִיַּת עָרִים עַל יְדֵי
ז בֵּית־לֶחֶם וְאֶת־עֵיטָם וְאֶת־תְּקוֹעַ: וְאֶת־בֵּית־צוּר וְאֶת־שׂוֹכוֹ רְחַבְעָם:
ח ט וְאֶת־עֲדֻלָּם: וְאֶת־גַּת וְאֶת־מָרֵשָׁה וְאֶת־זִיף: וְאֶת־אֲדוֹרַיִם וְאֶת־
י לָכִישׁ וְאֶת־עֲזֵקָה: וְאֶת־צָרְעָה וְאֶת־אַיָּלוֹן וְאֶת־חֶבְרוֹן אֲשֶׁר

יא בִּיהוּדָה וּבְבִנְיָמִן עָרֵי מְצֻרוֹת׃ וַיְחַזֵּק אֶת־הַמְּצוּרוֹת וַיִּתֵּן בָּהֶם
יב נְגִידִים וְאֹצְרוֹת מַאֲכָל וְשֶׁמֶן וָיָיִן׃ וּבְכָל־עִיר וָעִיר צִנּוֹת וּרְמָחִים
יג וַיְחַזְּקֵם לְהַרְבֵּה מְאֹד וַיְהִי־לוֹ יְהוּדָה וּבִנְיָמִן׃ וְהַכֹּהֲנִים
יד וְהַלְוִיִּם אֲשֶׁר בְּכָל־יִשְׂרָאֵל הִתְיַצְּבוּ עָלָיו מִכָּל־גְּבוּלָם׃ כִּי־עָזְבוּ
הַלְוִיִּם אֶת־מִגְרְשֵׁיהֶם וַאֲחֻזָּתָם וַיֵּלְכוּ לִיהוּדָה וְלִירוּשָׁלִָם
טו כִּי־הִזְנִיחָם יָרָבְעָם וּבָנָיו מִכַּהֵן לַיהוָה׃ וַיַּעֲמֶד־לוֹ כֹּהֲנִים
טז לַבָּמוֹת וְלַשְּׂעִירִים וְלָעֲגָלִים אֲשֶׁר עָשָׂה׃ וְאַחֲרֵיהֶם מִכֹּל שִׁבְטֵי
יִשְׂרָאֵל הַנֹּתְנִים אֶת־לְבָבָם לְבַקֵּשׁ אֶת־יְהוָה אֱלֹהֵי יִשְׂרָאֵל בָּאוּ
יז יְרוּשָׁלִַם לִזְבּוֹחַ לַיהוָה אֱלֹהֵי אֲבוֹתֵיהֶם׃ וַיְחַזְּקוּ אֶת־מַלְכוּת
יְהוּדָה וַיְאַמְּצוּ אֶת־רְחַבְעָם בֶּן־שְׁלֹמֹה לְשָׁנִים שָׁלוֹשׁ כִּי הָלְכוּ
יח בְּדֶרֶךְ דָּוִיד וּשְׁלֹמֹה לְשָׁנִים שָׁלוֹשׁ׃ וַיִּקַּח־לוֹ רְחַבְעָם אִשָּׁה
אֶת־מָחֲלַת בן בַּת־יְרִימוֹת בֶּן־דָּוִיד אֲבִיהַיִל בַּת־אֱלִיאָב בֶּן־יִשָׁי׃
יט וַתֵּלֶד לוֹ בָּנִים אֶת־יְעוּשׁ וְאֶת־שְׁמַרְיָה וְאֶת־זָהַם׃ כ וְאַחֲרֶיהָ לָקַח
אֶת־מַעֲכָה בַּת־אַבְשָׁלוֹם וַתֵּלֶד לוֹ אֶת־אֲבִיָּה וְאֶת־עַתַּי וְאֶת־
כא זִיזָא וְאֶת־שְׁלֹמִית׃ וַיֶּאֱהַב רְחַבְעָם אֶת־מַעֲכָה בַת־אַבְשָׁלוֹם
מִכָּל־נָשָׁיו וּפִילַגְשָׁיו כִּי נָשִׁים שְׁמוֹנֶה־עֶשְׂרֵה נָשָׂא וּפִילַגְשִׁים
כב שִׁשִּׁים וַיּוֹלֶד עֶשְׂרִים וּשְׁמוֹנָה בָּנִים וְשִׁשִּׁים בָּנוֹת׃ וַיַּעֲמֵד לָרֹאשׁ
כג רְחַבְעָם אֶת־אֲבִיָּה בֶן־מַעֲכָה לְנָגִיד בְּאֶחָיו כִּי לְהַמְלִיכוֹ׃ וַיָּבֶן
וַיִּפְרֹץ מִכָּל־בָּנָיו לְכָל־אַרְצוֹת יְהוּדָה וּבִנְיָמִן לְכֹל עָרֵי הַמְּצֻרוֹת
יב א וַיִּתֵּן לָהֶם הַמָּזוֹן לָרֹב וַיִּשְׁאַל הֲמוֹן נָשִׁים׃ וַיְהִי כְּהָכִין מַלְכוּת
רְחַבְעָם וּכְחֶזְקָתוֹ עָזַב אֶת־תּוֹרַת יְהוָה וְכָל־יִשְׂרָאֵל עִמּוֹ׃
ב וַיְהִי בַּשָּׁנָה הַחֲמִישִׁית לַמֶּלֶךְ רְחַבְעָם עָלָה שִׁישַׁק מֶלֶךְ־מִצְרַיִם
ג עַל־יְרוּשָׁלִָם כִּי מָעֲלוּ בַּיהוָה׃ בְּאֶלֶף וּמָאתַיִם רֶכֶב וּבְשִׁשִּׁים
אֶלֶף פָּרָשִׁים וְאֵין מִסְפָּר לָעָם אֲשֶׁר־בָּאוּ עִמּוֹ מִמִּצְרַיִם לוּבִים
ד סֻכִּיִּים וְכוּשִׁים׃ וַיִּלְכֹּד אֶת־עָרֵי הַמְּצֻרוֹת אֲשֶׁר לִיהוּדָה וַיָּבֹא

מַעֲבַר הַכֹּהֲנִים וְהַלְוִיִּם לִיהוּדָה׃

נְשֵׁי רְחַבְעָם וּבָנָיו׃

[2969] עֲלִיַּת שִׁישַׁק עַל יְרוּשָׁלִָם׃

ה   עַד־יְרוּשָׁלָ͏ִם: וּשְׁמַעְיָ֣ה הַנָּבִ֗יא בָּ֚א אֶל־רְחַבְעָ֣ם וְשָׂרֵ֣י

תּוֹכַחַת
הַנָּבִיא
וְקַבָּלָתָם

יְהוּדָ֔ה אֲשֶׁר־נֶאֶסְפ֥וּ אֶל־יְרוּשָׁלַ֖͏ִם מִפְּנֵ֣י שִׁישָׁ֑ק וַיֹּ֨אמֶר לָהֶ֜ם

כֹּֽה־אָמַ֣ר יְהֹוָ֗ה אַתֶּם֙ עֲזַבְתֶּ֣ם אֹתִ֔י וְאַף־אֲנִ֛י עָזַ֥בְתִּי אֶתְכֶ֖ם

ו   בְּיַד־שִׁישָֽׁק: וַיִּכָּנְע֤וּ שָׂרֵֽי־יִשְׂרָאֵל֙ וְהַמֶּ֔לֶךְ וַיֹּאמְר֖וּ צַדִּ֣יק ׀ יְהֹוָֽה:

ז   וּבִרְא֤וֹת יְהֹוָה֙ כִּ֣י נִכְנָ֔עוּ הָיָה֩ דְבַר־יְהֹוָ֨ה אֶל־שְׁמַֽעְיָ֧ה ׀ לֵאמֹ֛ר

נִכְנְע֖וּ לֹ֣א אַשְׁחִיתֵ֑ם וְנָתַתִּ֨י לָהֶ֤ם כִּמְעַט֙ לִפְלֵיטָ֔ה וְלֹא־תִתַּ֧ךְ

ח   חֲמָתִ֛י בִּירוּשָׁלַ֖͏ִם בְּיַד־שִׁישָֽׁק: כִּ֥י יִהְיוּ־ל֖וֹ לַעֲבָדִ֑ים וְיֵֽדְעוּ֙

עֲלִיַּת
שִׁישָׁק
לִֽירוּשָׁלַ͏ִם
וּבְזִיזָתָהּ

עֲבֽוֹדָתִ֔י וַעֲבוֹדַ֖ת מַמְלְכ֥וֹת הָאֲרָצֽוֹת: וַיַּ֨עַל שִׁישַׁ֥ק

ט

מֶֽלֶךְ־מִצְרַ֘יִם֮ עַל־יְרוּשָׁלַ͏ִם֒ וַיִּקַּ֞ח אֶת־אֹצְר֣וֹת בֵּית־יְהֹוָ֗ה וְאֶת־

אֹֽצְרוֹת֙ בֵּ֣ית הַמֶּ֔לֶךְ אֶת־הַכֹּ֖ל לָקָ֑ח וַיִּקַּח֙ אֶת־מָגִנֵּ֣י הַזָּהָ֔ב אֲשֶׁ֥ר

י   עָשָׂ֖ה שְׁלֹמֹֽה: וַיַּ֨עַשׂ הַמֶּ֤לֶךְ רְחַבְעָם֙ תַּחְתֵּיהֶ֔ם מָגִנֵּ֖י נְחֹ֑שֶׁת

וְהִפְקִ֗יד עַל־יַד֙ שָׂרֵ֣י הָרָצִ֔ים הַשֹּׁ֣מְרִ֔ים פֶּ֖תַח בֵּ֥ית הַמֶּֽלֶךְ:   וַיְהִ֛י

יא

מִדֵּי־ב֥וֹא הַמֶּ֖לֶךְ בֵּ֣ית יְהֹוָ֑ה בָּ֤אוּ הָרָצִים֙ וּנְשָׂא֔וּם וֶהֱשִׁבֻ֖ם

יב   אֶל־תָּ֥א הָרָצִֽים: וּבְהִכָּ֣נְע֔וֹ שָׁ֤ב מִמֶּ֙נּוּ֙ אַף־יְהֹוָ֔ה וְלֹ֥א לְהַשְׁחִ֖ית

סִכּוּם
מַלְכוּת
רְחַבְעָם:

לְכָלָ֑ה וְגַם֙ בִּֽיהוּדָ֔ה הָיָ֖ה דְּבָרִ֥ים טוֹבִֽים: וַיִּתְחַזֵּ֞ק

יג

הַמֶּ֧לֶךְ רְחַבְעָ֛ם בִּירוּשָׁלַ֖͏ִם וַיִּמְלֹ֑ךְ כִּ֣י בֶן־אַרְבָּעִ֣ים וְאַחַ֣ת שָׁנָ֡ה

רְחַבְעָ֣ם בְּמׇלְכ֡וֹ וּֽשְׁבַ֣ע עֶשְׂרֵ֣ה שָׁנָ֣ה ׀ מָלַ֣ךְ בִּ֠ירוּשָׁלַ֨͏ִם הָעִ֜יר

אֲשֶׁר־בָּחַ֨ר יְהֹוָ֜ה לָשׂ֧וּם אֶת־שְׁמ֣וֹ שָׁ֗ם מִכֹּל֙ שִׁבְטֵ֣י יִשְׂרָאֵ֔ל וְשֵׁ֣ם

יד   אִמּ֔וֹ נַעֲמָ֖ה הָעַמֹּנִֽית: וַיַּ֖עַשׂ הָרָ֑ע כִּ֣י לֹ֤א הֵכִין֙ לִבּ֔וֹ לִדְר֖וֹשׁ

טו   אֶת־יְהֹוָֽה: וְדִבְרֵ֣י רְחַבְעָ֗ם הָרִֽאשֹׁנִים֙ וְהָאַ֣חֲרוֹנִ֔ים

הֲלֹא־הֵ֣ם כְּתוּבִ֗ים בְּדִבְרֵ֞י שְׁמַֽעְיָ֤ה הַנָּבִיא֙ וְעִדּ֣וֹ הַחֹזֶ֔ה לְהִתְיַחֵ֑שׂ

טז   וּמִלְחֲמ֧וֹת רְחַבְעָ֛ם וְיָרׇבְעָ֖ם כׇּל־הַיָּמִֽים: וַיִּשְׁכַּ֤ב רְחַבְעָם֙ עִם־

אֲבֹתָ֔יו וַיִּקָּבֵ֖ר בְּעִ֣יר דָּוִ֑יד וַיִּמְלֹ֛ךְ אֲבִיָּ֥ה בְנ֖וֹ תַּחְתָּֽיו:

יג א   [2981]   בִּשְׁנַ֣ת שְׁמוֹנֶ֤ה עֶשְׂרֵה֙ לַמֶּ֣לֶךְ יָרׇבְעָ֔ם וַיִּמְלֹ֥ךְ אֲבִיָּ֖ה עַל־יְהוּדָֽה:

ב   שָׁל֣וֹשׁ שָׁנִ֗ים מָלַךְ֙ בִּיר֣וּשָׁלַ͏ִם וְשֵׁ֣ם אִמּ֔וֹ מִיכָ֥יָ֖הוּ בַת־אוּרִיאֵ֖ל

מַלְכוּת אֲבִיָּה בֶּן רְחַבְעָם:

ג מִן־גִּבְעָה וּמִלְחָמָה הָיְתָה בֵּין אֲבִיָּה וּבֵין יָרָבְעָם: וַיֶּאְסֹר אֲבִיָּה
אֶת־הַמִּלְחָמָה בְּחַיִל גִּבּוֹרֵי מִלְחָמָה אַרְבַּע־מֵאוֹת אֶלֶף אִישׁ
בָּחוּר וְיָרָבְעָם עָרַךְ עִמּוֹ מִלְחָמָה בִּשְׁמוֹנֶה מֵאוֹת

הֲכָנוֹת אֲבִיָּה לַמִּלְחָמָה:

ד אֶלֶף אִישׁ בָּחוּר גִּבּוֹר חָיִל: וַיָּקָם אֲבִיָּה מֵעַל לְהַר
צְמָרַיִם אֲשֶׁר בְּהַר אֶפְרָיִם וַיֹּאמֶר שְׁמָעוּנִי יָרָבְעָם וְכָל־יִשְׂרָאֵל:
ה הֲלֹא לָכֶם לָדַעַת כִּי יְהוָה ׀ אֱלֹהֵי יִשְׂרָאֵל נָתַן מַמְלָכָה לְדָוִיד
עַל־יִשְׂרָאֵל לְעוֹלָם לוֹ וּלְבָנָיו בְּרִית מֶלַח:
ו וַיָּקָם יָרָבְעָם בֶּן־נְבָט עֶבֶד שְׁלֹמֹה בֶן־דָּוִיד וַיִּמְרֹד עַל־אֲדֹנָיו:
ז וַיִּקָּבְצוּ עָלָיו אֲנָשִׁים רֵקִים בְּנֵי בְלִיַּעַל וַיִּתְאַמְּצוּ עַל־רְחַבְעָם
בֶּן־שְׁלֹמֹה וּרְחַבְעָם הָיָה נַעַר וְרַךְ־לֵבָב וְלֹא הִתְחַזַּק לִפְנֵיהֶם:
ח וְעַתָּה ׀ אַתֶּם אֹמְרִים לְהִתְחַזֵּק לִפְנֵי מַמְלֶכֶת יְהוָה בְּיַד בְּנֵי
דָוִיד וְאַתֶּם הָמוֹן רָב וְעִמָּכֶם עֶגְלֵי זָהָב אֲשֶׁר עָשָׂה לָכֶם יָרָבְעָם
ט לֵאלֹהִים: הֲלֹא הִדַּחְתֶּם אֶת־כֹּהֲנֵי יְהוָה אֶת־בְּנֵי אַהֲרֹן וְהַלְוִיִּם
וַתַּעֲשׂוּ לָכֶם כֹּהֲנִים כְּעַמֵּי הָאֲרָצוֹת כָּל־הַבָּא לְמַלֵּא יָדוֹ בְּפַר
י בֶּן־בָּקָר וְאֵילִם שִׁבְעָה וְהָיָה כֹהֵן לְלֹא אֱלֹהִים: וַאֲנַחְנוּ
יְהוָה אֱלֹהֵינוּ וְלֹא עֲזַבְנֻהוּ וְכֹהֲנִים מְשָׁרְתִים לַיהוָה בְּנֵי אַהֲרֹן
יא וְהַלְוִיִּם בַּמְלָאכֶת: וּמַקְטִרִים לַיהוָה עֹלוֹת בַּבֹּקֶר־בַּבֹּקֶר וּבָעֶרֶב־
בָּעֶרֶב וּקְטֹרֶת־סַמִּים וּמַעֲרֶכֶת לֶחֶם עַל־הַשֻּׁלְחָן הַטָּהוֹר
וּמְנוֹרַת הַזָּהָב וְנֵרֹתֶיהָ לְבָעֵר בָּעֶרֶב בָּעֶרֶב כִּי־שֹׁמְרִים אֲנַחְנוּ
יב אֶת־מִשְׁמֶרֶת יְהוָה אֱלֹהֵינוּ וְאַתֶּם עֲזַבְתֶּם אֹתוֹ: וְהִנֵּה עִמָּנוּ
בָרֹאשׁ הָאֱלֹהִים ׀ וְכֹהֲנָיו וַחֲצֹצְרוֹת הַתְּרוּעָה לְהָרִיעַ עֲלֵיכֶם
בְּנֵי יִשְׂרָאֵל אַל־תִּלָּחֲמוּ עִם־יְהוָה אֱלֹהֵי־אֲבֹתֵיכֶם כִּי־לֹא

נִצְחוֹן אֲבִיָּה עַל יָרָבְעָם:

יג תַצְלִיחוּ: וְיָרָבְעָם הֵסֵב אֶת־הַמַּאְרָב לָבוֹא מֵאַחֲרֵיהֶם וַיִּהְיוּ
יד לִפְנֵי יְהוּדָה וְהַמַּאְרָב מֵאַחֲרֵיהֶם: וַיִּפְנוּ יְהוּדָה וְהִנֵּה לָהֶם
הַמִּלְחָמָה פָּנִים וְאָחוֹר וַיִּצְעֲקוּ לַיהוָה וְהַכֹּהֲנִים מחצצרים מַחְצְרִים

טו בַּחֲצֹצְרוֹת׃ וַיָּרִיעוּ אִישׁ יְהוּדָה וַיְהִי בְּהָרִיעַ אִישׁ יְהוּדָה
וְהָאֱלֹהִים נָגַף אֶת־יָרָבְעָם וְכָל־יִשְׂרָאֵל לִפְנֵי אֲבִיָּה וִיהוּדָה׃
טז יז וַיָּנוּסוּ בְנֵי־יִשְׂרָאֵל מִפְּנֵי יְהוּדָה וַיִּתְּנֵם אֱלֹהִים בְּיָדָם׃ וַיַּכּוּ בָהֶם
אֲבִיָּה וְעַמּוֹ מַכָּה רַבָּה וַיִּפְּלוּ חֲלָלִים מִיִּשְׂרָאֵל חֲמֵשׁ־מֵאוֹת
יח אֶלֶף אִישׁ בָּחוּר׃ וַיִּכָּנְעוּ בְנֵי־יִשְׂרָאֵל בָּעֵת הַהִיא וַיֶּאֶמְצוּ בְּנֵי
יט יְהוּדָה כִּי נִשְׁעֲנוּ עַל־יְהוָה אֱלֹהֵי אֲבוֹתֵיהֶם׃ וַיִּרְדֹּף אֲבִיָּה אַחֲרֵי
יָרָבְעָם וַיִּלְכֹּד מִמֶּנּוּ עָרִים אֶת־בֵּית־אֵל וְאֶת־בְּנוֹתֶיהָ וְאֶת־
כ יְשָׁנָה וְאֶת־בְּנוֹתֶיהָ וְאֶת־עֶפְרַיִן עפרון וּבְנֹתֶיהָ׃ וְלֹא־עָצַר כֹּחַ־
יָרָבְעָם עוֹד בִּימֵי אֲבִיָּהוּ וַיִּגְּפֵהוּ יְהוָה וַיָּמֹת׃
כא וַיִּתְחַזֵּק אֲבִיָּהוּ וַיִּשָּׂא־לוֹ נָשִׁים אַרְבַּע עֶשְׂרֵה וַיּוֹלֶד עֶשְׂרִים סְכוּם
כב וּשְׁנַיִם בָּנִים וְשֵׁשׁ עֶשְׂרֵה בָּנוֹת׃ וְיֶתֶר דִּבְרֵי אֲבִיָּה וּדְרָכָיו מַלְכוּת
כג וּדְבָרָיו כְּתוּבִים בְּמִדְרַשׁ הַנָּבִיא עִדּוֹ׃ וַיִּשְׁכַּב אֲבִיָּה עִם־אֲבֹתָיו אֲבִיָּה׃
וַיִּקְבְּרוּ אֹתוֹ בְּעִיר דָּוִיד וַיִּמְלֹךְ אָסָא בְנוֹ תַּחְתָּיו בְּיָמָיו שָׁקְטָה [2983]
הָאָרֶץ עֶשֶׂר שָׁנִים׃
יד א ב וַיַּעַשׂ אָסָא הַטּוֹב וְהַיָּשָׁר בְּעֵינֵי יְהוָה אֱלֹהָיו׃ וַיָּסַר אֶת־מִזְבְּחוֹת מַלְכוּת אָסָא בֶּן
הַנֵּכָר וְהַבָּמוֹת וַיְשַׁבֵּר אֶת־הַמַּצֵּבוֹת וַיְגַדַּע אֶת־הָאֲשֵׁרִים׃ אֲבִיָּה׃
ג וַיֹּאמֶר לִיהוּדָה לִדְרוֹשׁ אֶת־יְהוָה אֱלֹהֵי אֲבוֹתֵיהֶם וְלַעֲשׂוֹת
ד הַתּוֹרָה וְהַמִּצְוָה׃ וַיָּסַר מִכָּל־עָרֵי יְהוּדָה אֶת־הַבָּמוֹת וְאֶת־
ה הַחַמָּנִים וַתִּשְׁקֹט הַמַּמְלָכָה לְפָנָיו׃ וַיִּבֶן עָרֵי מְצוּרָה בִּיהוּדָה
כִּי־שָׁקְטָה הָאָרֶץ וְאֵין־עִמּוֹ מִלְחָמָה בַּשָּׁנִים הָאֵלֶּה כִּי־הֵנִיחַ
ו יְהוָה לוֹ׃ וַיֹּאמֶר לִיהוּדָה נִבְנֶה ׀ אֶת־הֶעָרִים הָאֵלֶּה וְנָסֵב חוֹמָה
וּמִגְדָּלִים דְּלָתַיִם וּבְרִיחִים עוֹדֶנּוּ הָאָרֶץ לְפָנֵינוּ כִּי דָרַשְׁנוּ
אֶת־יְהוָה אֱלֹהֵינוּ דָּרַשְׁנוּ וַיָּנַח לָנוּ מִסָּבִיב וַיִּבְנוּ וַיַּצְלִיחוּ׃
ז וַיְהִי לְאָסָא חַיִל נֹשֵׂא צִנָּה וָרֹמַח מִיהוּדָה שְׁלֹשׁ מֵאוֹת
אֶלֶף וּמִבִּנְיָמִן נֹשְׂאֵי מָגֵן

מִלְחֶמֶת אָסָא בְּזֶרַח הַכּוּשִׁי:

ח וְדֹרְכֵי קֶשֶׁת מָאתַיִם וּשְׁמוֹנִים אָלֶף כָּל־אֵלֶּה גִּבּוֹרֵי חָיִל׃ וַיֵּצֵא
אֲלֵיהֶם זֶרַח הַכּוּשִׁי בְּחַיִל אֶלֶף אֲלָפִים וּמַרְכָּבוֹת שְׁלֹשׁ מֵאוֹת
ט וַיָּבֹא עַד־מָרֵשָׁה׃ וַיֵּצֵא אָסָא לְפָנָיו וַיַּעַרְכוּ מִלְחָמָה בְּגֵיא צְפַתָה
י לְמָרֵשָׁה׃ וַיִּקְרָא אָסָא אֶל־יְהוָה אֱלֹהָיו וַיֹּאמַר יְהוָה אֵין־עִמְּךָ
לַעְזוֹר בֵּין רַב לְאֵין כֹּחַ עָזְרֵנוּ יְהוָה אֱלֹהֵינוּ כִּי־עָלֶיךָ נִשְׁעַנּוּ
וּבְשִׁמְךָ בָאנוּ עַל־הֶהָמוֹן הַזֶּה יְהוָה אֱלֹהֵינוּ אַתָּה אַל־יַעְצֹר
יא עִמְּךָ אֱנוֹשׁ׃ וַיִּגֹּף יְהוָה אֶת־הַכּוּשִׁים לִפְנֵי אָסָא וְלִפְנֵי
יב יְהוּדָה וַיָּנֻסוּ הַכּוּשִׁים׃ וַיִּרְדְּפֵם אָסָא וְהָעָם אֲשֶׁר־עִמּוֹ עַד־
לִגְרָר וַיִּפֹּל מִכּוּשִׁים לְאֵין לָהֶם מִחְיָה כִּי־נִשְׁבְּרוּ לִפְנֵי־יְהוָה
יג וְלִפְנֵי מַחֲנֵהוּ וַיִּשְׂאוּ שָׁלָל הַרְבֵּה מְאֹד׃ וַיַּכּוּ אֵת כָּל־הֶעָרִים
סְבִיבוֹת גְּרָר כִּי־הָיָה פַחַד־יְהוָה עֲלֵיהֶם וַיָּבֹזּוּ אֶת־כָּל־הֶעָרִים
יד כִּי־בִזָּה רַבָּה הָיְתָה בָהֶם׃ וְגַם־אָהֳלֵי מִקְנֶה הִכּוּ וַיִּשְׁבּוּ צֹאן לָרֹב

קְרִיאַת עֲזַרְיָה לְהִתְחַזֵּק בַּה':

טו א וּגְמַלִּים וַיָּשֻׁבוּ יְרוּשָׁלָ͏ִם׃ וַעֲזַרְיָהוּ בֶּן־עוֹדֵד הָיְתָה
ב עָלָיו רוּחַ אֱלֹהִים׃ וַיֵּצֵא לִפְנֵי אָסָא וַיֹּאמֶר לוֹ שְׁמָעוּנִי אָסָא
וְכָל־יְהוּדָה וּבִנְיָמִן יְהוָה עִמָּכֶם בִּהְיוֹתְכֶם עִמּוֹ וְאִם־תִּדְרְשֻׁהוּ
ג יִמָּצֵא לָכֶם וְאִם־תַּעַזְבֻהוּ יַעֲזֹב אֶתְכֶם׃ וְיָמִים
רַבִּים לְיִשְׂרָאֵל לְלֹא ׀ אֱלֹהֵי אֱמֶת וּלְלֹא כֹּהֵן מוֹרֶה וּלְלֹא תוֹרָה׃
ד וַיָּשָׁב בַּצַּר־לוֹ עַל־יְהוָה אֱלֹהֵי יִשְׂרָאֵל וַיְבַקְשֻׁהוּ וַיִּמָּצֵא לָהֶם׃
ה וּבָעִתִּים הָהֵם אֵין שָׁלוֹם לַיּוֹצֵא וְלַבָּא כִּי מְהוּמֹת רַבּוֹת עַל
ו כָּל־יוֹשְׁבֵי הָאֲרָצוֹת׃ וְכֻתְּתוּ גוֹי־בְּגוֹי וְעִיר בְּעִיר כִּי־אֱלֹהִים
ז הֲמָמָם בְּכָל־צָרָה׃ וְאַתֶּם חִזְקוּ וְאַל־יִרְפּוּ יְדֵיכֶם כִּי יֵשׁ שָׂכָר

הֲסָרַת הַשִּׁקּוּצִים וְחִדּוּשׁ הַמִּזְבֵּחַ:

ח לִפְעֻלַּתְכֶם׃ וְכִשְׁמֹעַ אָסָא הַדְּבָרִים הָאֵלֶּה וְהַנְּבוּאָה
עֹדֵד הַנָּבִיא הִתְחַזַּק וַיַּעֲבֵר הַשִּׁקּוּצִים מִכָּל־אֶרֶץ יְהוּדָה וּבִנְיָמִן
וּמִן־הֶעָרִים אֲשֶׁר לָכַד מֵהַר אֶפְרָיִם וַיְחַדֵּשׁ אֶת־מִזְבַּח יְהוָה
ט אֲשֶׁר לִפְנֵי אוּלָם יְהוָה׃ וַיִּקְבֹּץ אֶת־כָּל־יְהוּדָה וּבִנְיָמִן וְהַגָּרִים

עִמָּהֶם מֵאֶפְרַיִם וּמְנַשֶּׁה וּמִשִּׁמְעוֹן כִּי־נָפְלוּ עָלָיו מִיִּשְׂרָאֵל לָרֹב
בִּרְאֹתָם כִּי־יְהוָֹה אֱלֹהָיו עִמּוֹ:

[2998]
הַתְּכַנְּסוּת
לִכְרִיתַת
בְּרִית:

י וַיִּקָּבְצוּ יְרוּשָׁלַ͏ִם בַּחֹדֶשׁ הַשְּׁלִישִׁי לִשְׁנַת חֲמֵשׁ־עֶשְׂרֵה לְמַלְכוּת

יא אָסָא: וַיִּזְבְּחוּ לַיהוָֹה בַּיּוֹם הַהוּא מִן־הַשָּׁלָל הֵבִיאוּ בָּקָר שְׁבַע

יב מֵאוֹת וְצֹאן שִׁבְעַת אֲלָפִים: וַיָּבֹאוּ בַבְּרִית לִדְרוֹשׁ אֶת־יְהוָֹה

יג אֱלֹהֵי אֲבוֹתֵיהֶם בְּכָל־לְבָבָם וּבְכָל־נַפְשָׁם: וְכֹל אֲשֶׁר לֹא־יִדְרֹשׁ
לַיהוָֹה אֱלֹהֵי־יִשְׂרָאֵל יוּמָת לְמִן־קָטֹן וְעַד־גָּדוֹל לְמֵאִישׁ וְעַד־

יד אִשָּׁה: וַיִּשָּׁבְעוּ לַיהוָֹה בְּקוֹל גָּדוֹל וּבִתְרוּעָה וּבַחֲצֹצְרוֹת

טו וּבְשׁוֹפָרוֹת: וַיִּשְׂמְחוּ כָל־יְהוּדָה עַל־הַשְּׁבוּעָה כִּי בְכָל־לְבָבָם
נִשְׁבָּעוּ וּבְכָל־רְצוֹנָם בִּקְשֻׁהוּ וַיִּמָּצֵא לָהֶם וַיָּנַח יְהוָֹה לָהֶם

טז מִסָּבִיב: וְגַם־מַעֲכָה אֵם ׀ אָסָא הַמֶּלֶךְ הֱסִירָהּ מִגְּבִירָה
אֲשֶׁר־עָשְׂתָה לָאֲשֵׁרָה מִפְלָצֶת וַיִּכְרֹת אָסָא אֶת־מִפְלַצְתָּהּ

יז וַיָּדֶק וַיִּשְׂרֹף בְּנַחַל קִדְרוֹן: וְהַבָּמוֹת לֹא־סָרוּ מִיִּשְׂרָאֵל רַק

יח לְבַב־אָסָא הָיָה שָׁלֵם כָּל־יָמָיו: וַיָּבֵא אֶת־קָדְשֵׁי אָבִיו וְקָדָשָׁיו

יט בֵּית הָאֱלֹהִים כֶּסֶף וְזָהָב וְכֵלִים: וּמִלְחָמָה לֹא הָיָתָה עַד
שְׁנַת־שְׁלֹשִׁים וְחָמֵשׁ לְמַלְכוּת אָסָא:

מִלְחֶמֶת
אָסָא
וּבַעְשָׁא:

טז א בִּשְׁנַת שְׁלֹשִׁים וָשֵׁשׁ לְמַלְכוּת אָסָא עָלָה בַּעְשָׁא מֶלֶךְ־יִשְׂרָאֵל
עַל־יְהוּדָה וַיִּבֶן אֶת־הָרָמָה לְבִלְתִּי תֵּת יוֹצֵא וָבָא לְאָסָא מֶלֶךְ

ב יְהוּדָה: וַיֹּצֵא אָסָא כֶּסֶף וְזָהָב מֵאֹצְרוֹת בֵּית יְהוָֹה וּבֵית הַמֶּלֶךְ

ג וַיִּשְׁלַח אֶל־בֶּן־הֲדַד מֶלֶךְ אֲרָם הַיּוֹשֵׁב בְּדַרְמֶשֶׂק לֵאמֹר: בְּרִית
בֵּינִי וּבֵינֶךָ וּבֵין אָבִי וּבֵין אָבִיךָ הִנֵּה שָׁלַחְתִּי לְךָ כֶּסֶף וְזָהָב לֵךְ

ד הָפֵר בְּרִיתְךָ אֶת־בַּעְשָׁא מֶלֶךְ יִשְׂרָאֵל וְיַעֲלֶה מֵעָלָי: וַיִּשְׁמַע
בֶּן־הֲדַד אֶל־הַמֶּלֶךְ אָסָא וַיִּשְׁלַח אֶת־שָׂרֵי הַחֲיָלִים אֲשֶׁר־לוֹ
אֶל־עָרֵי יִשְׂרָאֵל וַיַּכּוּ אֶת־עִיּוֹן וְאֶת־דָּן וְאֵת אָבֵל מָיִם וְאֵת

ה כָּל־מִסְכְּנוֹת עָרֵי נַפְתָּלִי: וַיְהִי כִּשְׁמֹעַ בַּעְשָׁא וַיֶּחְדַּל מִבְּנוֹת

ו אֶת־הָרָמָה וַיַּשְׁבֵּת אֶת־מְלַאכְתּוֹ׃ וְאָסָא הַמֶּלֶךְ לָקַח
אֶת־כָּל־יְהוּדָה וַיִּשְׂאוּ אֶת־אַבְנֵי הָרָמָה וְאֶת־עֵצֶיהָ אֲשֶׁר בָּנָה
ז בַּעְשָׁא וַיִּבֶן בָּהֶם אֶת־גֶּבַע וְאֶת־הַמִּצְפָּה׃ וּבָעֵת הַהִיא
בָּא חֲנָנִי הָרֹאֶה אֶל־אָסָא מֶלֶךְ יְהוּדָה וַיֹּאמֶר אֵלָיו בְּהִשָּׁעֶנְךָ
עַל־מֶלֶךְ אֲרָם וְלֹא נִשְׁעַנְתָּ עַל־יְהוָה אֱלֹהֶיךָ עַל־כֵּן נִמְלַט חֵיל
ח מֶלֶךְ־אֲרָם מִיָּדֶךָ׃ הֲלֹא הַכּוּשִׁים וְהַלּוּבִים הָיוּ לְחַיִל ׀ לָרֹב לְרֶכֶב
ט וּלְפָרָשִׁים לְהַרְבֵּה מְאֹד וּבְהִשָּׁעֶנְךָ עַל־יְהוָה נְתָנָם בְּיָדֶךָ׃ כִּי
יְהוָה עֵינָיו מְשֹׁטְטוֹת בְּכָל־הָאָרֶץ לְהִתְחַזֵּק עִם־לְבָבָם שָׁלֵם
י אֵלָיו נִסְכַּלְתָּ עַל־זֹאת כִּי מֵעַתָּה יֵשׁ עִמְּךָ מִלְחָמוֹת׃ וַיִּכְעַס
אָסָא אֶל־הָרֹאֶה וַיִּתְּנֵהוּ בֵּית הַמַּהְפֶּכֶת כִּי־בְזַעַף עִמּוֹ עַל־זֹאת
יא וַיְרַצֵּץ אָסָא מִן־הָעָם בָּעֵת הַהִיא׃ וְהִנֵּה דִּבְרֵי אָסָא הָרִאשׁוֹנִים
וְהָאַחֲרוֹנִים הִנָּם כְּתוּבִים עַל־סֵפֶר הַמְּלָכִים לִיהוּדָה וְיִשְׂרָאֵל׃

תּוֹכַחַת הַנָּבִיא לְאָסָא, וְכַעְסוֹ:

[3022] מַחֲלַת אָסָא וְסוֹף מַלְכוּתוֹ:

יב וַיֶּחֱלֶא אָסָא בִּשְׁנַת שְׁלוֹשִׁים וָתֵשַׁע לְמַלְכוּתוֹ בְּרַגְלָיו עַד־
לְמַעְלָה חָלְיוֹ וְגַם־בְּחָלְיוֹ לֹא־דָרַשׁ אֶת־יְהוָה כִּי בָּרֹפְאִים׃
יג וַיִּשְׁכַּב אָסָא עִם־אֲבֹתָיו וַיָּמָת בִּשְׁנַת אַרְבָּעִים וְאַחַת לְמָלְכוֹ׃
יד וַיִּקְבְּרֻהוּ בְקִבְרֹתָיו אֲשֶׁר כָּרָה־לוֹ בְּעִיר דָּוִיד וַיַּשְׁכִּיבֻהוּ
בַּמִּשְׁכָּב אֲשֶׁר מִלֵּא בְּשָׂמִים וּזְנִים מְרֻקָּחִים בְּמִרְקַחַת מַעֲשֶׂה
וַיִּשְׂרְפוּ־לוֹ שְׂרֵפָה גְּדוֹלָה עַד־לִמְאֹד׃

[3024] מַלְכוּת יְהוֹשָׁפָט בֶּן אָסָא:

יז א ב וַיִּמְלֹךְ יְהוֹשָׁפָט בְּנוֹ תַּחְתָּיו וַיִּתְחַזֵּק עַל־יִשְׂרָאֵל׃ וַיִּתֶּן־חַיִל
בְּכָל־עָרֵי יְהוּדָה הַבְּצֻרוֹת וַיִּתֵּן נְצִיבִים בְּאֶרֶץ יְהוּדָה וּבְעָרֵי
ג אֶפְרַיִם אֲשֶׁר לָכַד אָסָא אָבִיו׃ וַיְהִי יְהוָה עִם־יְהוֹשָׁפָט כִּי הָלַךְ
ד בְּדַרְכֵי דָּוִיד אָבִיו הָרִאשֹׁנִים וְלֹא דָרַשׁ לַבְּעָלִים׃ כִּי לֵאלֹהֵי
ה אָבִיו דָּרָשׁ וּבְמִצְוֺתָיו הָלָךְ וְלֹא כְּמַעֲשֵׂה יִשְׂרָאֵל׃ וַיָּכֶן יְהוָה
אֶת־הַמַּמְלָכָה בְּיָדוֹ וַיִּתְּנוּ כָל־יְהוּדָה מִנְחָה לִיהוֹשָׁפָט וַיְהִי־לוֹ
ו עֹשֶׁר־וְכָבוֹד לָרֹב׃ וַיִּגְבַּהּ לִבּוֹ בְּדַרְכֵי יְהוָה וְעוֹד הֵסִיר

אֶת־הַבָּמוֹת וְאֶת־הָאֲשֵׁרִים מִיהוּדָה:

ז וּבִשְׁנַת שָׁלוֹשׁ לְמָלְכוֹ שָׁלַח לְשָׂרָיו לְבֶן־חַיִל וּלְעֹבַדְיָה [3027]
ח וְלִזְכַרְיָה וְלִנְתַנְאֵל וּלְמִיכָיָהוּ לְלַמֵּד בְּעָרֵי יְהוּדָה: וְעִמָּהֶם הַלְוִיִּם
שְׁמַעְיָהוּ וּנְתַנְיָהוּ וּזְבַדְיָהוּ וַעֲשָׂהאֵל ושמרימות וּשְׁמִירָמוֹת
וִיהוֹנָתָן וַאֲדֹנִיָּהוּ וְטוֹבִיָּהוּ וְטוֹב אֲדוֹנִיָּה הַלְוִיִּם וְעִמָּהֶם
ט אֱלִישָׁמָע וִיהוֹרָם הַכֹּהֲנִים: וַיְלַמְּדוּ בִּיהוּדָה וְעִמָּהֶם סֵפֶר תּוֹרַת
י יְהוָה וַיָּסֹבּוּ בְּכָל־עָרֵי יְהוּדָה וַיְלַמְּדוּ בָּעָם: וַיְהִי | פַּחַד יְהוָה
עַל כָּל־מַמְלְכוֹת הָאֲרָצוֹת אֲשֶׁר סְבִיבוֹת יְהוּדָה וְלֹא נִלְחֲמוּ
יא עִם־יְהוֹשָׁפָט: וּמִן־פְּלִשְׁתִּים מְבִיאִים לִיהוֹשָׁפָט מִנְחָה וְכֶסֶף
מַשָּׂא גַּם הָעַרְבִיאִים מְבִיאִים לוֹ צֹאן אֵילִים שִׁבְעַת אֲלָפִים
וּשְׁבַע מֵאוֹת וּתְיָשִׁים שִׁבְעַת אֲלָפִים וּשְׁבַע מֵאוֹת:
יב וַיְהִי יְהוֹשָׁפָט הֹלֵךְ וְגָדֵל עַד־לְמָעְלָה וַיִּבֶן בִּיהוּדָה בִּירָנִיּוֹת
יג וְעָרֵי מִסְכְּנוֹת: וּמְלָאכָה רַבָּה הָיָה לוֹ בְּעָרֵי יְהוּדָה וְאַנְשֵׁי
יד מִלְחָמָה גִּבּוֹרֵי חַיִל בִּירוּשָׁלָ͏ִם: וְאֵלֶּה פְקֻדָּתָם לְבֵית אֲבוֹתֵיהֶם
לִיהוּדָה שָׂרֵי אֲלָפִים עַדְנָה הַשָּׂר וְעִמּוֹ גִּבּוֹרֵי חַיִל
טו שְׁלֹשׁ מֵאוֹת אָלֶף: וְעַל־יָדוֹ
טז יְהוֹחָנָן הַשָּׂר וְעִמּוֹ מָאתַיִם וּשְׁמוֹנִים אָלֶף: וְעַל־יָדוֹ
עֲמַסְיָה בֶן־זִכְרִי הַמִּתְנַדֵּב לַיהוָה וְעִמּוֹ מָאתַיִם אֶלֶף גִּבּוֹר
יז חָיִל: וּמִן־בִּנְיָמִן גִּבּוֹר חַיִל אֶלְיָדָע וְעִמּוֹ נֹשְׁקֵי־קֶשֶׁת
יח וּמָגֵן מָאתַיִם אָלֶף: וְעַל־יָדוֹ יְהוֹזָבָד וְעִמּוֹ מֵאָה־
יט וּשְׁמוֹנִים אֶלֶף חֲלוּצֵי צָבָא: אֵלֶּה
הַמְשָׁרְתִים אֶת־הַמֶּלֶךְ מִלְּבַד אֲשֶׁר־נָתַן הַמֶּלֶךְ בְּעָרֵי הַמִּבְצָר
בְּכָל־יְהוּדָה:

יח א וַיְהִי לִיהוֹשָׁפָט עֹשֶׁר וְכָבוֹד לָרֹב וַיִּתְחַתֵּן לְאַחְאָב: ב וַיֵּרֶד לְקֵץ
שָׁנִים אֶל־אַחְאָב לְשֹׁמְרוֹן וַיִּזְבַּח־לוֹ אַחְאָב צֹאן וּבָקָר לָרֹב

שְׁלִיחַת כֹּהֲנִים לְהוֹרוֹת הָעָם:

גְּדֻלַּת יְהוֹשָׁפָט:

שָׂרֵי יְהוֹשָׁפָט וּמִנְיַן גִּבּוֹרֵיהֶם:

מִלְחֶמֶת רָמוֹת גִּלְעָד:

וְלַעְמוֹ אֲשֶׁר עִמּוֹ וַיְסִיתֵהוּ לַעֲלוֹת אֶל־רָמֹת גִּלְעָד: וַיֹּאמֶר אַחְאָב ג

מֶלֶךְ־יִשְׂרָאֵל אֶל־יְהוֹשָׁפָט מֶלֶךְ יְהוּדָה הֲתֵלֵךְ עִמִּי רָמֹת גִּלְעָד

וַיֹּאמֶר לוֹ כָּמוֹנִי כָמוֹךָ וּכְעַמְּךָ עַמִּי וְעִמְּךָ בַּמִּלְחָמָה: וַיֹּאמֶר ד

יְהוֹשָׁפָט אֶל־מֶלֶךְ יִשְׂרָאֵל דְּרָשׁ־נָא כַיּוֹם אֶת־דְּבַר יְהֹוָה: וַיִּקְבֹּץ ה

מֶלֶךְ־יִשְׂרָאֵל אֶת־הַנְּבִאִים אַרְבַּע מֵאוֹת אִישׁ וַיֹּאמֶר אֲלֵהֶם

הֲנֵלֵךְ אֶל־רָמֹת גִּלְעָד לַמִּלְחָמָה אִם־אֶחְדָּל וַיֹּאמְרוּ עֲלֵה וְיִתֵּן

הָאֱלֹהִים בְּיַד הַמֶּלֶךְ: וַיֹּאמֶר יְהוֹשָׁפָט הַאֵין פֹּה נָבִיא לַיהֹוָה ו

עוֹד וְנִדְרְשָׁה מֵאֹתוֹ: וַיֹּאמֶר מֶלֶךְ־יִשְׂרָאֵל אֶל־יְהוֹשָׁפָט עוֹד ז

אִישׁ־אֶחָד לִדְרוֹשׁ אֶת־יְהֹוָה מֵאֹתוֹ וַאֲנִי שְׂנֵאתִיהוּ כִּי־אֵינֶנּוּ

מִתְנַבֵּא עָלַי לְטוֹבָה כִּי כָל־יָמָיו לְרָעָה הוּא מִיכָיְהוּ בֶן־יִמְלָא

וַיֹּאמֶר יְהוֹשָׁפָט אַל־יֹאמַר הַמֶּלֶךְ כֵּן: וַיִּקְרָא מֶלֶךְ יִשְׂרָאֵל ח

אֶל־סָרִיס אֶחָד וַיֹּאמֶר מַהֵר מיכהו מִיכָיְהוּ בֶן־יִמְלָא: וּמֶלֶךְ ט

יִשְׂרָאֵל וִיהוֹשָׁפָט מֶלֶךְ־יְהוּדָה יוֹשְׁבִים אִישׁ עַל־כִּסְאוֹ

מְלֻבָּשִׁים בְּגָדִים וְיֹשְׁבִים בְּגֹרֶן פֶּתַח שַׁעַר שֹׁמְרוֹן וְכָל־

הַנְּבִיאִים מִתְנַבְּאִים לִפְנֵיהֶם: וַיַּעַשׂ לוֹ צִדְקִיָּהוּ בֶן־כְּנַעֲנָה קַרְנֵי י

בַרְזֶל וַיֹּאמֶר כֹּה־אָמַר יְהֹוָה בְּאֵלֶּה תְּנַגַּח אֶת־אֲרָם עַד־כַּלּוֹתָם:

וְכָל־הַנְּבִאִים נִבְּאִים כֵּן לֵאמֹר עֲלֵה רָמֹת גִּלְעָד וְהַצְלַח וְנָתַן יא

יְהֹוָה בְּיַד הַמֶּלֶךְ: וְהַמַּלְאָךְ אֲשֶׁר־הָלַךְ ׀ לִקְרֹא לְמִיכָיְהוּ דִּבֶּר יב

אֵלָיו לֵאמֹר הִנֵּה דִּבְרֵי הַנְּבִאִים פֶּה־אֶחָד טוֹב אֶל־הַמֶּלֶךְ

וִיהִי־נָא דְבָרְךָ כְּאַחַד מֵהֶם וְדִבַּרְתָּ טּוֹב: וַיֹּאמֶר מִיכָיְהוּ חַי־יְהֹוָה יג

כִּי אֶת־אֲשֶׁר־יֹאמַר אֱלֹהַי אֹתוֹ אֲדַבֵּר: וַיָּבֹא אֶל־הַמֶּלֶךְ וַיֹּאמֶר יד

הַמֶּלֶךְ אֵלָיו מִיכָה הֲנֵלֵךְ אֶל־רָמֹת גִּלְעָד לַמִּלְחָמָה אִם־אֶחְדָּל

וַיֹּאמֶר עֲלוּ וְהַצְלִיחוּ וְיִנָּתְנוּ בְּיֶדְכֶם: וַיֹּאמֶר אֵלָיו הַמֶּלֶךְ טו

עַד־כַּמֶּה פְעָמִים אֲנִי מַשְׁבִּיעֶךָ אֲשֶׁר לֹא־תְדַבֵּר אֵלַי רַק־אֱמֶת

בְּשֵׁם יְהֹוָה: וַיֹּאמֶר רָאִיתִי אֶת־כָּל־יִשְׂרָאֵל נְפוֹצִים עַל־הֶהָרִים טז

כַּצֹּ֕אן אֲשֶׁ֥ר אֵין־לָהֶ֖ן רֹעֶ֑ה וַיֹּ֤אמֶר יְהוָה֙ לֹֽא־אֲדֹנִ֣ים לָאֵ֔לֶּה יָשׁ֥וּבוּ
יז אִישׁ־לְבֵית֖וֹ בְּשָׁלֽוֹם׃ וַיֹּ֥אמֶר מֶֽלֶךְ־יִשְׂרָאֵ֖ל אֶל־יְהוֹשָׁפָ֑ט הֲלֹא֙
יח אָמַ֣רְתִּי אֵלֶ֔יךָ לֹֽא־יִתְנַבֵּ֥א עָלַ֛י ט֖וֹב כִּ֥י אִם־לְרָֽע׃ וַיֹּ֕אמֶר נְבוּאַת מִיכָיְהוּ בֶן יִמְלָא:
לָכֵ֖ן שִׁמְע֣וּ דְבַר־יְהוָ֑ה רָאִ֤יתִי אֶת־יְהוָה֙ יוֹשֵׁ֣ב עַל־כִּסְא֔וֹ וְכָל־
יט צְבָ֤א הַשָּׁמַ֙יִם֙ עֹֽמְדִ֔ים עַל־יְמִינ֖וֹ וּשְׂמֹאלֽוֹ׃ וַיֹּ֣אמֶר יְהוָ֗ה מִ֤י יְפַתֶּה֙
אֶת־אַחְאָ֣ב מֶֽלֶךְ־יִשְׂרָאֵ֔ל וְיַ֕עַל וְיִפֹּ֖ל בְּרָמ֣וֹת גִּלְעָ֑ד וַיֹּ֗אמֶר זֶ֚ה
כ אֹמֵ֣ר כָּ֔כָה וְזֶ֖ה אֹמֵ֥ר כָּֽכָה׃ וַיֵּצֵ֣א הָר֗וּחַ וַֽיַּעֲמֹד֙ לִפְנֵ֣י יְהוָ֔ה וַיֹּ֖אמֶר
כא אֲנִ֣י אֲפַתֶּ֑נּוּ וַיֹּ֧אמֶר יְהוָ֛ה אֵלָ֖יו בַּמָּֽה׃ וַיֹּ֗אמֶר אֵצֵא֙ וְהָיִ֙יתִי֙ לְר֣וּחַ
שֶׁ֔קֶר בְּפִ֖י כָּל־נְבִיאָ֑יו וַיֹּ֗אמֶר תְּפַתֶּה֙ וְגַם־תּוּכַ֔ל צֵ֖א וַעֲשֵׂה־כֵֽן׃
כב וְעַתָּ֗ה הִנֵּ֨ה נָתַ֤ן יְהוָה֙ ר֣וּחַ שֶׁ֔קֶר בְּפִ֖י נְבִיאֶ֣יךָ אֵ֑לֶּה וַֽיהוָ֔ה דִּבֶּ֥ר
כג עָלֶ֖יךָ רָעָֽה׃ וַיִּגַּשׁ֙ צִדְקִיָּ֣הוּ בֶֽן־כְּנַעֲנָ֔ה וַיַּ֥ךְ אֶת־מִיכָ֖יְהוּ הַכָּאַת מִיכָיְהוּ
עַל־הַלֶּ֑חִי וַיֹּ֗אמֶר אֵ֣י זֶ֤ה הַדֶּ֙רֶךְ֙ עָבַ֣ר רֽוּחַ־יְהוָ֔ה מֵאִתִּ֖י לְדַבֵּ֥ר וּכְלִיאָתוֹ:
כד אֹתָֽךְ׃ וַיֹּ֣אמֶר מִיכָ֔יְהוּ הִנְּךָ֥ רֹאֶ֖ה בַּיּ֣וֹם הַה֑וּא אֲשֶׁ֥ר תָּב֛וֹא חֶ֥דֶר
כה בְּחֶ֖דֶר לְהֵחָבֵֽא׃ וַיֹּ֙אמֶר֙ מֶ֣לֶךְ יִשְׂרָאֵ֔ל קְח֖וּ אֶת־מִיכָ֑יְהוּ וַהֲשִׁיבֻ֛הוּ
כו אֶל־אָמ֥וֹן שַׂר־הָעִ֖יר וְאֶל־יוֹאָ֥שׁ בֶּן־הַמֶּֽלֶךְ׃ וַאֲמַרְתֶּ֗ם כֹּ֚ה אָמַ֣ר
הַמֶּ֔לֶךְ שִׂ֥ימוּ זֶ֖ה בֵּ֣ית הַכֶּ֑לֶא וְהַאֲכִלֻ֜הוּ לֶ֤חֶם לַ֙חַץ֙ וּמַ֣יִם לַ֔חַץ עַ֖ד
כז שׁוּבִ֥י בְשָׁלֽוֹם׃ וַיֹּ֣אמֶר מִיכָ֔יְהוּ אִם־שׁ֤וֹב תָּשׁוּב֙ בְּשָׁל֔וֹם לֹֽא־דִבֶּ֥ר
כח יְהוָ֖ה בִּ֑י וַיֹּ֕אמֶר שִׁמְע֖וּ עַמִּ֥ים כֻּלָּֽם׃ וַיַּ֧עַל מֶֽלֶךְ־יִשְׂרָאֵ֛ל וִיהוֹשָׁפָ֥ט
כט מֶֽלֶךְ־יְהוּדָ֖ה אֶל־רָמֹ֥ת גִּלְעָֽד׃ וַיֹּ֩אמֶר֩ מֶ֨לֶךְ יִשְׂרָאֵ֜ל אֶל־יְהוֹשָׁפָ֗ט
הִתְחַפֵּשׂ֙ וָב֣וֹא בַמִּלְחָמָ֔ה וְאַתָּ֖ה לְבַ֣שׁ בְּגָדֶ֑יךָ וַיִּתְחַפֵּשׂ֙ מֶ֣לֶךְ
ל יִשְׂרָאֵ֔ל וַיָּבֹ֖אוּ בַּמִּלְחָמָֽה׃ וּמֶ֣לֶךְ אֲרָ֗ם צִוָּ֞ה אֶת־שָׂרֵ֤י הָרֶ֙כֶב֙
אֲשֶׁר־לוֹ֙ לֵאמֹ֔ר לֹ֣א תִּֽלָּחֲמ֔וּ אֶת־הַקָּטֹ֖ן אֶת־הַגָּד֑וֹל כִּ֛י אִם־אֶת־
לא מֶ֥לֶךְ יִשְׂרָאֵ֖ל לְבַדּֽוֹ׃ וַיְהִ֡י כִּרְאוֹת֩ שָׂרֵ֨י הָרֶ֜כֶב אֶת־יְהוֹשָׁפָ֗ט וְהֵ֙מָּה֙
אָמְר֔וּ מֶ֥לֶךְ יִשְׂרָאֵ֖ל ה֑וּא וַיָּסֹ֥בּוּ עָלָ֖יו לְהִלָּחֵ֑ם וַיִּזְעַ֣ק יְהוֹשָׁפָ֔ט
לב וַֽיהוָ֣ה עֲזָר֔וֹ וַיְסִיתֵ֥ם אֱלֹהִ֖ים מִמֶּֽנּוּ׃ וַיְהִ֗י כִּרְאוֹת֙ שָׂרֵ֣י הָרֶ֔כֶב כִּ֥י

לג לֹא־הָיָה מֶלֶךְ יִשְׂרָאֵל וַיָּשׁוּבוּ מֵאַחֲרָיו׃ וְאִישׁ מָשַׁךְ בַּקֶּשֶׁת
לְתֻמּוֹ וַיַּךְ אֶת־מֶלֶךְ יִשְׂרָאֵל בֵּין הַדְּבָקִים וּבֵין הַשִּׁרְיָן וַיֹּאמֶר
לד לָרַכָּב הֲפֹךְ ידיך יָדְךָ וְהוֹצֵאתַנִי מִן־הַמַּחֲנֶה כִּי הָחֳלֵיתִי׃ וַתַּעַל
הַמִּלְחָמָה בַּיּוֹם הַהוּא וּמֶלֶךְ יִשְׂרָאֵל הָיָה מַעֲמִיד בַּמֶּרְכָּבָה נֹכַח
יט א אֲרָם עַד־הָעָרֶב וַיָּמָת לְעֵת בּוֹא הַשָּׁמֶשׁ׃ וַיָּשָׁב יְהוֹשָׁפָט
ב מֶלֶךְ־יְהוּדָה אֶל־בֵּיתוֹ בְשָׁלוֹם לִירוּשָׁלִָם׃ וַיֵּצֵא אֶל־
פָּנָיו יֵהוּא בֶן־חֲנָנִי הַחֹזֶה וַיֹּאמֶר אֶל־הַמֶּלֶךְ יְהוֹשָׁפָט הֲלָרָשָׁע
לַעְזֹר וּלְשֹׂנְאֵי יְהוָה תֶּאֱהָב וּבָזֹאת עָלֶיךָ קֶּצֶף מִלִּפְנֵי יְהוָה׃
ג אֲבָל דְּבָרִים טוֹבִים נִמְצְאוּ עִמָּךְ כִּי־בִעַרְתָּ הָאֲשֵׁרוֹת מִן־הָאָרֶץ
ד וַהֲכִינוֹתָ לְבָבְךָ לִדְרֹשׁ הָאֱלֹהִים׃ וַיֵּשֶׁב יְהוֹשָׁפָט בִּירוּשָׁלִָם וַיָּשָׁב
וַיֵּצֵא בָעָם מִבְּאֵר שֶׁבַע עַד־הַר אֶפְרַיִם וַיְשִׁיבֵם אֶל־יְהוָה אֱלֹהֵי
ה אֲבוֹתֵיהֶם׃ וַיַּעֲמֵד שֹׁפְטִים בָּאָרֶץ בְּכָל־עָרֵי יְהוּדָה הַבְּצֻרוֹת
ו לְעִיר וָעִיר׃ וַיֹּאמֶר אֶל־הַשֹּׁפְטִים רְאוּ מָה־אַתֶּם עֹשִׂים כִּי לֹא
ז לְאָדָם תִּשְׁפְּטוּ כִּי לַיהוָה וְעִמָּכֶם בִּדְבַר מִשְׁפָּט׃ וְעַתָּה יְהִי־
פַחַד־יְהוָה עֲלֵיכֶם שִׁמְרוּ וַעֲשׂוּ כִּי־אֵין עִם־יְהוָה אֱלֹהֵינוּ עַוְלָה
ח וּמַשֹּׂא פָנִים וּמִקַּח־שֹׁחַד׃ וְגַם בִּירוּשָׁלִַם הֶעֱמִיד יְהוֹשָׁפָט
מִן־הַלְוִיִּם וְהַכֹּהֲנִים וּמֵרָאשֵׁי הָאָבוֹת לְיִשְׂרָאֵל לְמִשְׁפַּט יְהוָה
ט וְלָרִיב וַיָּשֻׁבוּ יְרוּשָׁלִָם׃ וַיְצַו עֲלֵיהֶם לֵאמֹר כֹּה תַעֲשׂוּן בְּיִרְאַת
י יְהוָה בֶּאֱמוּנָה וּבְלֵבָב שָׁלֵם׃ וְכָל־רִיב אֲשֶׁר־יָבוֹא עֲלֵיכֶם
מֵאֲחֵיכֶם ׀ הַיֹּשְׁבִים בְּעָרֵיהֶם בֵּין־דָּם ׀ לְדָם בֵּין־תּוֹרָה לְמִצְוָה
לְחֻקִּים וּלְמִשְׁפָּטִים וְהִזְהַרְתֶּם אֹתָם וְלֹא יֶאְשְׁמוּ לַיהוָה וְהָיָה־
יא קֶצֶף עֲלֵיכֶם וְעַל־אֲחֵיכֶם כֹּה תַעֲשׂוּן וְלֹא תֶאְשָׁמוּ׃ וְהִנֵּה
אֲמַרְיָהוּ כֹהֵן הָרֹאשׁ עֲלֵיכֶם לְכֹל דְּבַר־יְהוָה וּזְבַדְיָהוּ בֶן־
יִשְׁמָעֵאל הַנָּגִיד לְבֵית־יְהוּדָה לְכֹל דְּבַר־הַמֶּלֶךְ וְשֹׁטְרִים הַלְוִיִּם
לִפְנֵיכֶם חִזְקוּ וַעֲשׂוּ וִיהִי יְהוָה עִם־הַטּוֹב׃

מוֹת אַחְאָב׃

תּוֹכַחַת יֵהוּא הַחוֹזֶה לִיהוֹשָׁפָט׃

הֲשָׁבַת הָעָם לַה׳ וּמִנּוּי שׁוֹפְטֵי צֶדֶק׃

כ א וַיְהִי אַחֲרֵי־כֵן בָּאוּ בְנֵי־מוֹאָב וּבְנֵי עַמּוֹן וְעִמָּהֶם ׀ מֵהָעַמּוֹנִים
ב עַל־יְהוֹשָׁפָט לַמִּלְחָמָה׃ וַיָּבֹאוּ וַיַּגִּידוּ לִיהוֹשָׁפָט לֵאמֹר בָּא
עָלֶיךָ הָמוֹן רָב מֵעֵבֶר לַיָּם מֵאֲרָם וְהִנָּם בְּחַצְצוֹן תָּמָר הִיא עֵין
ג גֶּדִי׃ וַיִּרָא וַיִּתֵּן יְהוֹשָׁפָט אֶת־פָּנָיו לִדְרוֹשׁ לַיהוָה וַיִּקְרָא־צוֹם
ד עַל־כָּל־יְהוּדָה׃ וַיִּקָּבְצוּ יְהוּדָה לְבַקֵּשׁ מֵיְהוָה גַּם מִכָּל־עָרֵי
ה יְהוּדָה בָּאוּ לְבַקֵּשׁ אֶת־יְהוָה׃ וַיַּעֲמֹד יְהוֹשָׁפָט בִּקְהַל יְהוּדָה
ו וִירוּשָׁלִַם בְּבֵית יְהוָה לִפְנֵי הֶחָצֵר הַחֲדָשָׁה׃ וַיֹּאמַר יְהוָה אֱלֹהֵי
אֲבֹתֵינוּ הֲלֹא אַתָּה־הוּא אֱלֹהִים בַּשָּׁמַיִם וְאַתָּה מוֹשֵׁל בְּכֹל
ז מַמְלְכוֹת הַגּוֹיִם וּבְיָדְךָ כֹּחַ וּגְבוּרָה וְאֵין עִמְּךָ לְהִתְיַצֵּב׃ הֲלֹא ׀
אַתָּה אֱלֹהֵינוּ הוֹרַשְׁתָּ אֶת־יֹשְׁבֵי הָאָרֶץ הַזֹּאת מִלִּפְנֵי עַמְּךָ
ח יִשְׂרָאֵל וַתִּתְּנָהּ לְזֶרַע אַבְרָהָם אֹהַבְךָ לְעוֹלָם׃ וַיֵּשְׁבוּ־בָהּ
ט וַיִּבְנוּ לְךָ ׀ בָּהּ מִקְדָּשׁ לְשִׁמְךָ לֵאמֹר׃ אִם־תָּבוֹא עָלֵינוּ רָעָה
חֶרֶב שְׁפוֹט וְדֶבֶר וְרָעָב נַעַמְדָה לִפְנֵי הַבַּיִת הַזֶּה וּלְפָנֶיךָ כִּי
י שִׁמְךָ בַּבַּיִת הַזֶּה וְנִזְעַק אֵלֶיךָ מִצָּרָתֵנוּ וְתִשְׁמַע וְתוֹשִׁיעַ׃ וְעַתָּה
הִנֵּה בְנֵי־עַמּוֹן וּמוֹאָב וְהַר־שֵׂעִיר אֲשֶׁר לֹא־נָתַתָּה לְיִשְׂרָאֵל
לָבוֹא בָהֶם בְּבֹאָם מֵאֶרֶץ מִצְרָיִם כִּי סָרוּ מֵעֲלֵיהֶם וְלֹא
יא הִשְׁמִידוּם׃ וְהִנֵּה־הֵם גֹּמְלִים עָלֵינוּ לָבוֹא לְגָרְשֵׁנוּ מִיְּרֻשָּׁתְךָ
יב אֲשֶׁר הוֹרַשְׁתָּנוּ׃ אֱלֹהֵינוּ הֲלֹא תִשְׁפָּט־בָּם כִּי אֵין בָּנוּ כֹּחַ לִפְנֵי
הֶהָמוֹן הָרָב הַזֶּה הַבָּא עָלֵינוּ וַאֲנַחְנוּ לֹא נֵדַע מַה־נַּעֲשֶׂה כִּי
יג עָלֶיךָ עֵינֵינוּ׃ וְכָל־יְהוּדָה עֹמְדִים לִפְנֵי יְהוָה גַּם־טַפָּם נְשֵׁיהֶם
יד וּבְנֵיהֶם׃ וְיַחֲזִיאֵל בֶּן־זְכַרְיָהוּ בֶּן־בְּנָיָה בֶּן־יְעִיאֵל בֶּן־
מַתַּנְיָה הַלֵּוִי מִן־בְּנֵי אָסָף הָיְתָה עָלָיו רוּחַ יְהוָה בְּתוֹךְ הַקָּהָל׃
טו וַיֹּאמֶר הַקְשִׁיבוּ כָל־יְהוּדָה וְיֹשְׁבֵי יְרוּשָׁלִַם וְהַמֶּלֶךְ יְהוֹשָׁפָט
כֹּה־אָמַר יְהוָה לָכֶם אַתֶּם אַל־תִּירְאוּ וְאַל־תֵּחַתּוּ מִפְּנֵי הֶהָמוֹן
טז הָרָב הַזֶּה כִּי לֹא לָכֶם הַמִּלְחָמָה כִּי לֵאלֹהִים׃ מָחָר רְדוּ עֲלֵיהֶם

הַצּוֹם בְּעִקְבוֹת מִלְחֶמֶת עַמּוֹן:

תְּפִלַּת יְהוֹשָׁפָט:

נְבוּאַת יַחֲזִיאֵל עַל הַנִּצָּחוֹן בַּמִּלְחָמָה:

הִנָּם עֹלִים בְּמַעֲלֵה הַצִּיץ וּמְצָאתֶם אֹתָם בְּסוֹף הַנַּחַל פְּנֵי מִדְבַּר
יז יְרוּאֵל: לֹא לָכֶם לְהִלָּחֵם בָּזֹאת הִתְיַצְּבוּ עִמְדוּ וּרְאוּ אֶת־יְשׁוּעַת
יְהֹוָה עִמָּכֶם יְהוּדָה וִירוּשָׁלַםִ אַל־תִּירְאוּ וְאַל־תֵּחַתּוּ מָחָר צְאוּ
יח לִפְנֵיהֶם וַיהֹוָה עִמָּכֶם: וַיִּקֹּד יְהוֹשָׁפָט אַפַּיִם אָרְצָה וְכָל־יְהוּדָה
יט וְיֹשְׁבֵי יְרוּשָׁלַםִ נָפְלוּ לִפְנֵי יְהֹוָה לְהִשְׁתַּחֲוֹת לַיהֹוָה: וַיָּקֻמוּ הַלְוִיִּם
מִן־בְּנֵי הַקְּהָתִים וּמִן־בְּנֵי הַקָּרְחִים לְהַלֵּל לַיהֹוָה אֱלֹהֵי יִשְׂרָאֵל
כ בְּקוֹל גָּדוֹל לְמָעְלָה: וַיַּשְׁכִּימוּ בַבֹּקֶר וַיֵּצְאוּ לְמִדְבַּר תְּקוֹעַ
וּבְצֵאתָם עָמַד יְהוֹשָׁפָט וַיֹּאמֶר שְׁמָעוּנִי יְהוּדָה וְיֹשְׁבֵי יְרוּשָׁלַםִ
הַאֲמִינוּ בַּיהֹוָה אֱלֹהֵיכֶם וְתֵאָמֵנוּ הַאֲמִינוּ בִנְבִיאָיו וְהַצְלִיחוּ:
כא וַיִּוָּעַץ אֶל־הָעָם וַיַּעֲמֵד מְשֹׁרְרִים לַיהֹוָה וּמְהַלְלִים לְהַדְרַת־
קֹדֶשׁ בְּצֵאת לִפְנֵי הֶחָלוּץ וְאֹמְרִים הוֹדוּ לַיהֹוָה כִּי לְעוֹלָם
כב חַסְדּוֹ: וּבְעֵת הֵחֵלּוּ בְרִנָּה וּתְהִלָּה נָתַן יְהֹוָה ׀ מְאָרְבִים עַל־בְּנֵי
כג עַמּוֹן מוֹאָב וְהַר־שֵׂעִיר הַבָּאִים לִיהוּדָה וַיִּנָּגֵפוּ: וַיַּעַמְדוּ בְּנֵי
עַמּוֹן וּמוֹאָב עַל־יֹשְׁבֵי הַר־שֵׂעִיר לְהַחֲרִים וּלְהַשְׁמִיד וּכְכַלּוֹתָם
כד בְּיוֹשְׁבֵי שֵׂעִיר עָזְרוּ אִישׁ־בְּרֵעֵהוּ לְמַשְׁחִית: וִיהוּדָה בָּא עַל־
הַמִּצְפֶּה לַמִּדְבָּר וַיִּפְנוּ אֶל־הֶהָמוֹן וְהִנָּם פְּגָרִים נֹפְלִים אַרְצָה
כה וְאֵין פְּלֵיטָה: וַיָּבֹא יְהוֹשָׁפָט וְעַמּוֹ לָבֹז אֶת־שְׁלָלָם וַיִּמְצְאוּ בָהֶם
לָרֹב וּרְכוּשׁ וּפְגָרִים וּכְלֵי חֲמֻדוֹת וַיְנַצְּלוּ לָהֶם לְאֵין מַשָּׂא וַיִּהְיוּ
כו יָמִים שְׁלוֹשָׁה בֹּזְזִים אֶת־הַשָּׁלָל כִּי רַב־הוּא: וּבַיּוֹם הָרְבִעִי
נִקְהֲלוּ לְעֵמֶק בְּרָכָה כִּי־שָׁם בֵּרֲכוּ אֶת־יְהֹוָה עַל־כֵּן קָרְאוּ
כז אֶת־שֵׁם הַמָּקוֹם הַהוּא עֵמֶק בְּרָכָה עַד־הַיּוֹם: וַיָּשֻׁבוּ כָּל־אִישׁ
יְהוּדָה וִירוּשָׁלַםִ וִיהוֹשָׁפָט בְּרֹאשָׁם לָשׁוּב אֶל־יְרוּשָׁלַםִ בְּשִׂמְחָה
כח כִּי־שִׂמְּחָם יְהֹוָה מֵאוֹיְבֵיהֶם: וַיָּבֹאוּ יְרוּשָׁלַםִ בִּנְבָלִים וּבְכִנֹּרוֹת
כט וּבַחֲצֹצְרוֹת אֶל־בֵּית יְהֹוָה: וַיְהִי פַּחַד אֱלֹהִים עַל כָּל־מַמְלְכוֹת
ל הָאֲרָצוֹת בְּשָׁמְעָם כִּי נִלְחַם יְהֹוָה עִם אוֹיְבֵי יִשְׂרָאֵל: וַתִּשְׁקֹט

הוֹדָאַת הַמֶּלֶךְ וְהָעָם לַה׳:

הַמִּלְחָמָה, הַנִּצָּחוֹן, הַשָּׁלָל וְהַשִּׂמְחָה:

מַלְכוּת יְהוֹשָׁפָט וַיָּ֫נַח לֹו אֱלֹהָ֖יו מִסָּבִֽיב׃

לא וַיִּמְלֹ֤ךְ יְהוֹשָׁפָט֙ עַל־יְהוּדָ֔ה בֶּן־שְׁלֹשִׁ֧ים וְחָמֵ֛שׁ שָׁנָ֖ה בְּמָלְכֹ֑ו
וְעֶשְׂרִ֨ים וְחָמֵ֤שׁ שָׁנָה֙ מָלַ֣ךְ בִּירֽוּשָׁלִַ֔ם וְשֵׁ֣ם אִמֹּ֔ו עֲזוּבָ֖ה בַּת־
לב שִׁלְחִֽי׃ וַיֵּ֗לֶךְ בְּדֶ֨רֶךְ֙ אָבִ֣יו אָסָ֔א וְלֹא־סָ֖ר מִמֶּ֑נָּה לַעֲשׂ֥ות הַיָּשָׁ֖ר
לג בְּעֵינֵ֥י יְהוָֽה׃ אַ֥ךְ הַבָּמֹ֖ות לֹא־סָ֑רוּ וְעֹ֤וד הָעָם֙ לֹא־הֵכִ֣ינוּ לְבָבָ֔ם
לד לֵאלֹהֵ֖י אֲבֹתֵיהֶֽם׃ וְיֶ֨תֶר֙ דִּבְרֵ֣י יְהוֹשָׁפָ֔ט הָרִאשֹׁנִ֖ים וְהָאַחֲרֹנִ֑ים
הִנָּ֣ם כְּתוּבִ֗ים בְּדִבְרֵי֙ יֵה֣וּא בֶן־חֲנָ֔נִי אֲשֶׁ֣ר הֹֽעֲלָ֔ה עַל־סֵ֖פֶר מַלְכֵ֥י
לה יִשְׂרָאֵֽל׃ וְאַחֲרֵי־כֵ֗ן אֶתְחַבַּר֙ יְהוֹשָׁפָ֣ט מֶֽלֶךְ־יְהוּדָ֔ה עִ֖ם אֲחַזְיָ֣ה
לו מֶֽלֶךְ־יִשְׂרָאֵ֑ל ה֖וּא הִרְשִׁ֥יעַ לַעֲשֹֽׂות׃ וַיְחַבְּרֵ֣הוּ עִמֹּ֔ו לַעֲשֹׂ֥ות
לז אֳנִיֹּ֖ות לָלֶ֣כֶת תַּרְשִׁ֑ישׁ וַיַּעֲשׂ֥וּ אֳנִיֹּ֖ות בְּעֶצְיֹ֥ון גָּֽבֶר׃ וַיִּתְנַבֵּ֞א
אֱלִיעֶ֤זֶר בֶּן־דֹּֽדָוָ֨הוּ֙ מִמָּ֣רֵשָׁ֔ה עַל־יְהוֹשָׁפָ֖ט לֵאמֹ֑ר כְּהִֽתְחַבֶּרְךָ֣
עִם־אֲחַזְיָ֗הוּ פָּרַ֤ץ יְהוָה֙ אֶֽת־מַעֲשֶׂ֔יךָ וַיִּשָּׁבְר֣וּ אֳנִיֹּ֔ות וְלֹ֥א עָצְר֖וּ

[3047]

כא א לָלֶ֥כֶת אֶל־תַּרְשִֽׁישׁ׃ וַיִּשְׁכַּ֤ב יְהֹושָׁפָט֙ עִם־אֲבֹתָ֔יו וַיִּקָּבֵ֥ר עִם־
ב אֲבֹתָ֖יו בְּעִ֣יר דָּוִ֑יד וַיִּמְלֹ֛ךְ יְהֹורָ֥ם בְּנֹ֖ו תַּחְתָּֽיו׃ וְלֹו־אַחִ֞ים בְּנֵ֣י
יְהֹושָׁפָ֗ט עֲזַרְיָ֤ה וִֽיחִיאֵל֙ וּזְכַרְיָ֣הוּ וַעֲזַרְיָ֔הוּ וּמִֽיכָאֵ֖ל וּשְׁפַטְיָ֑הוּ
ג כָּל־אֵ֕לֶּה בְּנֵ֥י יְהֹושָׁפָ֖ט מֶ֣לֶךְ־יִשְׂרָאֵֽל׃ וַיִּתֵּ֣ן לָהֶ֣ם ׀ אֲ֠בִיהֶם מַתָּנֹ֨ות
רַבֹּ֜ות לְכֶ֤סֶף וּלְזָהָב֙ וּלְמִגְדָּנֹ֔ות עִם־עָרֵ֥י מְצֻרֹ֖ות בִּֽיהוּדָ֑ה
וְאֶת־הַמַּמְלָכָ֛ה נָתַ֥ן לִֽיהֹורָ֖ם כִּי־ה֥וּא הַבְּכֹֽור׃

ד וַיָּ֣קָם יְהֹורָ֗ם עַל־מַמְלֶ֤כֶת אָבִיו֙ וַיִּתְחַזַּ֔ק וַיַּהֲרֹ֥ג אֶת־כָּל־אֶחָ֖יו
ה בֶּחָ֑רֶב וְגַ֖ם מִשָּׂרֵ֥י יִשְׂרָאֵֽל׃ בֶּן־שְׁלֹשִׁ֤ים וּשְׁתַּ֨יִם֙ שָׁנָה֙ יְהֹורָ֣ם
ו בְּמָלְכֹ֔ו וּשְׁמֹונֶ֣ה שָׁנִ֔ים מָלַ֖ךְ בִּירוּשָׁלִָֽם׃ וַיֵּ֜לֶךְ בְּדֶ֣רֶךְ ׀ מַלְכֵ֣י
יִשְׂרָאֵ֗ל כַּאֲשֶׁ֤ר עָשׂוּ֙ בֵּ֣ית אַחְאָ֔ב כִּ֚י בַּת־אַחְאָ֔ב הָֽיְתָה־לֹּ֖ו אִשָּׁ֑ה
ז וַיַּ֥עַשׂ הָרַ֖ע בְּעֵינֵ֣י יְהוָֽה׃ וְלֹֽא־אָבָ֣ה יְהוָ֗ה לְהַשְׁחִית֙ אֶת־בֵּ֣ית דָּוִ֔יד
לְמַ֣עַן הַבְּרִ֔ית אֲשֶׁ֥ר כָּרַ֖ת לְדָוִ֑יד וְכַאֲשֶׁ֣ר אָמַ֗ר לָתֵ֨ת לֹ֥ו נִ֛יר
ח וּלְבָנָ֖יו כָּל־הַיָּמִֽים׃ בְּיָמָיו֙ פָּשַׁ֣ע אֱדֹ֔ום מִתַּ֖חַת יַד־יְהוּדָ֑ה וַיַּמְלִ֖יכוּ

עֲלֵיהֶ֑ם מֶ֔לֶךְ: וַיַּעֲבֹ֤ר יְהוֹרָם֙ עִם־שָׂרָ֔יו וְכָל־הָרֶ֖כֶב עִמּ֑וֹ וַיְהִ֣י קָ֗ם

ט לַ֗יְלָה וַיַּ֤ךְ אֶת־אֱדוֹם֙ הַסּוֹבֵ֣ב אֵלָ֔יו וְאֵ֖ת שָׂרֵ֥י הָרָֽכֶב: וַיִּפְשַׁ֨ע

י אֱד֜וֹם מִתַּ֣חַת יַד־יְהוּדָ֗ה עַ֚ד הַיּ֣וֹם הַזֶּ֔ה אָ֣ז תִּפְשַׁ֥ע לִבְנָ֖ה בָּעֵ֣ת

יא הַהִ֑יא מִתַּ֣חַת יָד֔וֹ כִּ֣י עָזַ֔ב אֶת־יְהֹוָ֖ה אֱלֹהֵ֣י אֲבֹתָֽיו: גַּם־ה֗וּא

עָשָֽׂה־בָמ֖וֹת בְּהָרֵ֣י יְהוּדָ֑ה וַיֶּ֨זֶן֙ אֶת־יֹשְׁבֵ֣י יְרוּשָׁלִַ֔ם וַיַּדַּ֖ח אֶת־

יְהוּדָֽה:

מכתב
תוכחה
מֵֽאֵלִיָּ֖הוּ
הַנָּבִֽיא:

יב וַיָּבֹ֤א אֵלָיו֙ מִכְתָּ֔ב מֵֽאֵלִיָּ֥הוּ הַנָּבִ֖יא לֵאמֹ֑ר כֹּ֣ה ׀ אָמַ֣ר יְהֹוָ֗ה אֱלֹהֵי֙

דָּוִ֣יד אָבִ֔יךָ תַּ֗חַת אֲשֶׁ֤ר לֹֽא־הָלַ֙כְתָּ֙ בְּדַרְכֵ֔י יְהוֹשָׁפָ֖ט אָבִ֑יךָ

יג וּבְדַרְכֵ֖י אָסָ֥א מֶֽלֶךְ־יְהוּדָֽה: וַתֵּ֗לֶךְ בְּדֶ֙רֶךְ֙ מַלְכֵ֣י יִשְׂרָאֵ֔ל וַתַּזְנֶ֤ה

אֶת־יְהוּדָה֙ וְאֶת־יֹשְׁבֵ֣י יְרוּשָׁלִַ֔ם כְּהַזְנ֖וֹת בֵּ֣ית אַחְאָ֑ב וְגַ֤ם אֶת־

יד אַחֶ֙יךָ֙ בֵית־אָבִ֣יךָ הַטּוֹבִ֥ים מִמְּךָ֖ הָרָֽגְתָּ: הִנֵּ֣ה יְהֹוָ֗ה נֹגֵ֛ף מַגֵּפָ֥ה

סוף יהורם
וְסִלְקוּתֽוֹ:

טו גְדוֹלָ֖ה בְּעַמֶּ֑ךָ וּבְבָנֶ֥יךָ וּבְנָשֶׁ֖יךָ וּבְכָל־רְכוּשֶֽׁךָ: וְאַתָּ֛ה בׇּחֳלָיִ֥ים

רַבִּ֖ים בְּמַחֲלֵ֣ה מֵעֶ֑יךָ עַד־יֵצְא֤וּ מֵעֶ֙יךָ֙ מִן־הַחֹ֔לִי יָמִ֖ים עַל־יָמִֽים:

טז וַיָּ֣עַר יְהֹוָ֗ה עַל־יְהוֹרָ֔ם אֵ֚ת ר֣וּחַ הַפְּלִשְׁתִּ֔ים וְהָעַרְבִ֕ים אֲשֶׁ֖ר

יז עַל־יַ֥ד כּוּשִֽׁים: וַיַּעֲל֤וּ בִֽיהוּדָה֙ וַיִּבְקָע֔וּהָ וַיִּשְׁבּ֗וּ אֵ֤ת כָּל־הָרְכוּשׁ֙

הַנִּמְצָ֣א לְבֵית־הַמֶּ֔לֶךְ וְגַם־בָּנָ֖יו וְנָשָׁ֑יו וְלֹ֤א נִשְׁאַר־לוֹ֙ בֵּ֔ן כִּ֥י

יח אִם־יְהוֹאָחָ֖ז קְטֹ֥ן בָּנָֽיו: וְאַחֲרֵ֖י כָּל־זֹ֑את נְגָפ֤וֹ יְהֹוָה֙ ׀ בְּמֵעָ֣יו לׇחֳלִ֖י

יט לְאֵ֥ין מַרְפֵּֽא: וַיְהִ֣י לְיָמִ֣ים ׀ מִיָּמִ֡ים וּכְעֵת֩ צֵ֨את הַקֵּ֜ץ לְיָמִ֣ים

שְׁנַ֗יִם יָצְא֤וּ מֵעָיו֙ עִם־חׇלְי֔וֹ וַיָּ֥מׇת בְּתַחֲלֻאִ֖ים רָעִ֑ים וְלֹא־עָ֨שׂוּ

כ ל֥וֹ עַמּ֛וֹ שְׂרֵפָ֖ה כִּשְׂרֵפַ֥ת אֲבֹתָֽיו: בֶּן־שְׁלֹשִׁ֤ים וּשְׁתַּ֙יִם֙ הָיָ֣ה בְמׇלְכ֔וֹ

וּשְׁמוֹנֶ֣ה שָׁנִ֗ים מָלַךְ֙ בִּירֽוּשָׁלִַ֔ם וַיֵּ֖לֶךְ בְּלֹ֣א חֶמְדָּ֑ה וַֽיִּקְבְּרֻ֙הוּ֙ בְּעִ֣יר

[3055] כב א דָּוִ֔יד וְלֹ֖א בְּקִבְר֥וֹת הַמְּלָכִֽים: וַיַּמְלִ֜יכוּ יוֹשְׁבֵ֤י יְרוּשָׁלִַ֙ם֙ אֶת־

אֲחַזְיָ֨הוּ בְנ֤וֹ הַקָּטֹן֙ תַּחְתָּ֔יו כִּ֤י כׇל־הָרִֽאשֹׁנִים֙ הָרַ֣ג הַגְּד֔וּד הַבָּ֥א

בָֽעַרְבִ֖ים לַֽמַּחֲנֶ֑ה וַיִּמְלֹ֛ךְ אֲחַזְיָ֥הוּ בֶן־יְהוֹרָ֖ם מֶ֥לֶךְ יְהוּדָֽה:

ב בֶּן־אַרְבָּעִ֨ים וּשְׁתַּ֤יִם שָׁנָה֙ אֲחַזְיָ֣הוּ בְמׇלְכ֔וֹ וְשָׁנָ֣ה אַחַ֔ת מָלַ֖ךְ

ג בִּירוּשָׁלַ֔ם וְשֵׁ֥ם אִמּ֖וֹ עֲתַלְיָ֣הוּ בַּת־עָמְרִֽי׃ גַּם־ה֗וּא הָלַךְ֙ בְּדַרְכֵ֣י

ד בֵּ֣ית אַחְאָ֔ב כִּ֥י אִמּ֖וֹ הָיְתָ֣ה יֽוֹעַצְתּ֖וֹ לְהַרְשִֽׁיעַ׃ וַיַּ֧עַשׂ הָרַ֛ע בְּעֵינֵ֥י
יְהוָ֖ה כְּבֵ֣ית אַחְאָ֑ב כִּי־הֵ֜מָּה הָֽיוּ־ל֣וֹ יֽוֹעֲצִ֗ים אַחֲרֵ֛י מ֥וֹת אָבִ֖יו

ה לְמַשְׁחִ֥ית לֽוֹ׃ גַּ֣ם בַּֽעֲצָתָ֣ם הָלַךְ֮ וַיֵּלֶךְ֒ אֶת־יְהוֹרָ֣ם בֶּן־אַחְאָ֣ב מֶ֣לֶךְ
יִשְׂרָאֵ֗ל לַמִּלְחָמָ֛ה עַל־חֲזָאֵ֥ל מֶֽלֶךְ־אֲרָ֖ם בְּרָמ֣וֹת גִּלְעָ֑ד וַיַּכּ֥וּ

ו הָרַמִּ֖ים אֶת־יוֹרָֽם׃ וַיָּ֜שָׁב לְהִתְרַפֵּ֣א בְיִזְרְעֶ֗אל כִּ֤י הַמַּכִּים֙ אֲשֶׁ֣ר
הִכֻּ֣הוּ בְרָמָ֔ה בְּהִֽלָּחֲמ֖וֹ אֶת־חֲזָהאֵ֣ל מֶ֣לֶךְ אֲרָ֑ם וַעֲזַרְיָ֨הוּ בֶן־יְהוֹרָ֜ם
מֶ֣לֶךְ יְהוּדָ֗ה יָרַ֡ד לִרְא֞וֹת אֶת־יְהוֹרָ֧ם בֶּן־אַחְאָ֛ב בְּיִזְרְעֶ֖אל כִּי־

ז חֹלֶ֥ה הֽוּא׃ וּמֵֽאֱלֹהִ֗ים הָיְתָה֙ תְּבוּסַ֣ת אֲחַזְיָ֔הוּ לָב֖וֹא אֶל־יוֹרָ֑ם
וּבְבֹא֗וֹ יָצָ֤א עִם־יְהוֹרָם֙ אֶל־יֵה֣וּא בֶן־נִמְשִׁ֔י אֲשֶׁ֣ר מְשָׁח֣וֹ יְהוָ֔ה

ח לְהַכְרִ֖ית אֶת־בֵּ֣ית אַחְאָֽב׃ וַיְהִ֗י כְּהִשָּׁפֵ֤ט יֵהוּא֙ עִם־בֵּ֣ית אַחְאָ֔ב
וַיִּמְצָא֙ אֶת־שָׂרֵ֣י יְהוּדָ֔ה וּבְנֵ֖י אֲחֵ֣י אֲחַזְיָ֑הוּ מְשָׁרְתִ֥ים לַאֲחַזְיָ֖הוּ

ט וַֽיַּהַרְגֵֽם׃ וַיְבַקֵּשׁ֙ אֶת־אֲחַזְיָ֔הוּ וַֽיִּלְכְּדֻ֗הוּ וְה֤וּא מִתְחַבֵּא֙ בְשֹׁמְר֔וֹן
וַיְבִאֻ֣הוּ אֶל־יֵ֘ה֘וּא֘ וַיְמִתֻ֗הוּ וַֽיִּקְבְּרֻ֙הוּ֙ כִּ֣י אָֽמְר֔וּ בֶּן־יְהוֹשָׁפָ֣ט ה֔וּא
אֲשֶׁר־דָּרַ֥שׁ אֶת־יְהוָ֖ה בְּכָל־לְבָב֑וֹ וְאֵין֙ לְבֵ֣ית אֲחַזְיָ֔הוּ לַעְצֹ֖ר

י כֹּ֥חַ לְמַמְלָכָֽה׃ וַעֲתַלְיָ֙הוּ֙ אֵ֣ם אֲחַזְיָ֔הוּ רָאֲתָ֖ה כִּ֣י מֵ֣ת בְּנָ֑הּ וַתָּ֗קָם

יא וַתְּדַבֵּ֛ר אֶת־כָּל־זֶ֥רַע הַמַּמְלָכָ֖ה לְבֵ֣ית יְהוּדָֽה׃ וַתִּקַּח֩ יְהוֹשַׁבְעַ֨ת
בַּת־הַמֶּ֜לֶךְ אֶת־יוֹאָ֣שׁ בֶּן־אֲחַזְיָ֗הוּ וַתִּגְנֹ֤ב אֹתוֹ֙ מִתּ֤וֹךְ בְּנֵֽי־הַמֶּ֙לֶךְ֙
הַמּ֣וּמָתִ֔ים וַתִּתֵּ֥ן אֹת֛וֹ וְאֶת־מֵֽינִקְתּ֖וֹ בַּחֲדַ֣ר הַמִּטּ֑וֹת וַתַּסְתִּירֵ֡הוּ
יְהוֹשַׁבְעַ֣ת בַּת־הַמֶּ֣לֶךְ יְהוֹרָם֩ אֵ֨שֶׁת יְהוֹיָדָ֤ע הַכֹּהֵן֙ כִּ֣י הִ֣יא הָֽיְתָ֔ה

יב אֲח֖וֹת אֲחַזְיָ֑הוּ מִפְּנֵ֣י עֲתַלְיָ֔הוּ וְלֹ֥א הֱמִיתָֽתְהוּ׃ וַיְהִ֤י אִתָּם֙ בְּבֵ֣ית
הָאֱלֹהִ֔ים מִתְחַבֵּ֖א שֵׁ֣שׁ שָׁנִ֑ים וַעֲתַלְיָ֖ה מֹלֶ֥כֶת עַל־הָאָֽרֶץ׃

כג א וּבַשָּׁנָ֨ה הַשְּׁבִעִ֜ית הִתְחַזַּ֣ק יְהוֹיָדָ֗ע וַיִּקַּ֣ח אֶת־שָׂרֵ֣י הַמֵּא֡וֹת
לַעֲזַרְיָ֣הוּ בֶן־יְרֹחָ֡ם וּֽלְיִשְׁמָעֵ֣אל בֶּן־יְהֽוֹחָנָ֡ן וְלַעֲזַרְיָ֣הֽוּ בֶן־עוֹבֵ֣ד
וְאֶת־מַעֲשֵׂיָ֣הוּ בֶן־עֲדָיָ֡הוּ וְאֶת־אֱלִישָׁפָ֧ט בֶּן־זִכְרִ֛י עִמּ֖וֹ בַּבְּרִֽית׃

מָלְכוּת
אֲחַזְיָ֖הוּ בֶּן־
יְהוֹרָֽם׃

פְּצָעֻ֣הוּ
עַל־יְדֵ֥י
אֲרָ֖ם
וְהִתְרַפְּאֹתֽוֹ׃

הֲרִיגַ֣ת
אֲחַזְיָהוּ֙ עַל־
יְדֵ֣י יֵהֽוּא׃

[3056]
מַלְכוּת
עֲתַלְיָֽה׃

[3061]
הַמְלָכַ֤ת
יוֹאָ֖שׁ בֶּן־
אֲחַזְיָֽה׃

וַיָּסֹבּוּ בִּיהוּדָה וַיִּקְבְּצוּ אֶת־הַלְוִיִּם מִכָּל־עָרֵי יְהוּדָה וְרָאשֵׁי ב
הָאָבוֹת לְיִשְׂרָאֵל וַיָּבֹאוּ אֶל־יְרוּשָׁלִָם׃ וַיִּכְרֹת כָּל־הַקָּהָל בְּרִית ג
בְּבֵית הָאֱלֹהִים עִם־הַמֶּלֶךְ וַיֹּאמֶר לָהֶם הִנֵּה בֶן־הַמֶּלֶךְ יִמְלֹךְ
כַּאֲשֶׁר דִּבֶּר יְהוָה עַל־בְּנֵי דָוִיד׃ זֶה הַדָּבָר אֲשֶׁר תַּעֲשׂוּ הַשְּׁלִשִׁית ד
מִכֶּם בָּאֵי הַשַּׁבָּת לַכֹּהֲנִים וְלַלְוִיִּם לְשֹׁעֲרֵי הַסִּפִּים׃ וְהַשְּׁלִשִׁית ה
בְּבֵית הַמֶּלֶךְ וְהַשְּׁלִשִׁית בְּשַׁעַר הַיְסוֹד וְכָל־הָעָם בְּחַצְרוֹת בֵּית
יְהוָה׃ וְאַל־יָבוֹא בֵית־יְהוָה כִּי אִם־הַכֹּהֲנִים וְהַמְשָׁרְתִים לַלְוִיִּם ו
הֵמָּה יָבֹאוּ כִּי־קֹדֶשׁ הֵמָּה וְכָל־הָעָם יִשְׁמְרוּ מִשְׁמֶרֶת יְהוָה׃
וְהִקִּיפוּ הַלְוִיִּם אֶת־הַמֶּלֶךְ סָבִיב אִישׁ וְכֵלָיו בְּיָדוֹ וְהַבָּא ז
אֶל־הַבַּיִת יוּמָת וִהְיוּ אֶת־הַמֶּלֶךְ בְּבֹאוֹ וּבְצֵאתוֹ׃ וַיַּעֲשׂוּ הַלְוִיִּם ח
וְכָל־יְהוּדָה כְּכֹל אֲשֶׁר־צִוָּה יְהוֹיָדָע הַכֹּהֵן וַיִּקְחוּ אִישׁ אֶת־אֲנָשָׁיו
בָּאֵי הַשַּׁבָּת עִם יוֹצְאֵי הַשַּׁבָּת כִּי לֹא פָטַר יְהוֹיָדָע הַכֹּהֵן
אֶת־הַמַּחְלְקוֹת׃ וַיִּתֵּן יְהוֹיָדָע הַכֹּהֵן לְשָׂרֵי הַמֵּאוֹת אֶת־הַחֲנִיתִים ט
וְאֶת־הַמָּגִנּוֹת וְאֶת־הַשְּׁלָטִים אֲשֶׁר לַמֶּלֶךְ דָּוִיד אֲשֶׁר בֵּית
הָאֱלֹהִים׃ וַיַּעֲמֵד אֶת־כָּל־הָעָם וְאִישׁ ׀ שִׁלְחוֹ בְיָדוֹ מִכֶּתֶף הַבַּיִת י
הַיְמָנִית עַד־כֶּתֶף הַבַּיִת הַשְּׂמָאלִית לַמִּזְבֵּחַ וְלַבָּיִת עַל־
הַמֶּלֶךְ סָבִיב׃ וַיּוֹצִיאוּ אֶת־בֶּן־הַמֶּלֶךְ וַיִּתְּנוּ עָלָיו אֶת־הַנֵּזֶר יא
וְאֶת־הָעֵדוּת וַיַּמְלִיכוּ אֹתוֹ וַיִּמְשָׁחֻהוּ יְהוֹיָדָע וּבָנָיו וַיֹּאמְרוּ יְחִי
הֲרִיגַת עֲתַלְיָה׃ הַמֶּלֶךְ׃ וַתִּשְׁמַע עֲתַלְיָהוּ אֶת־קוֹל הָעָם הָרָצִים יב
וְהַמְהַלְלִים אֶת־הַמֶּלֶךְ וַתָּבוֹא אֶל־הָעָם בֵּית יְהוָה׃ וַתֵּרֶא וְהִנֵּה יג
הַמֶּלֶךְ עוֹמֵד עַל־עַמּוּדוֹ בַּמָּבוֹא וְהַשָּׂרִים וְהַחֲצֹצְרוֹת עַל־
הַמֶּלֶךְ וְכָל־עַם הָאָרֶץ שָׂמֵחַ וְתוֹקֵעַ בַּחֲצֹצְרוֹת וְהַמְשׁוֹרְרִים
בִּכְלֵי הַשִּׁיר וּמוֹדִיעִים לְהַלֵּל וַתִּקְרַע עֲתַלְיָהוּ אֶת־בְּגָדֶיהָ
וַתֹּאמֶר קֶשֶׁר קָשֶׁר׃ וַיּוֹצֵא יְהוֹיָדָע הַכֹּהֵן אֶת־שָׂרֵי יד
הַמֵּאוֹת ׀ פְּקוּדֵי הַחַיִל וַיֹּאמֶר אֲלֵהֶם הוֹצִיאוּהָ אֶל־מִבֵּית

הַשְּׂדֵרֹות וְהַבָּא אַחֲרֶיהָ יוּמַת בֶּחָרֶב כִּי אָמַר הַכֹּהֵן לֹא תְמִיתֻהוּ

יד בֵּית יְהוָה: וַיָּשִׂימוּ לָהּ יָדַיִם וַתָּבֹוא אֶל־מְבֹוא שַׁעַר־הַסּוּסִים בֵּית הַמֶּלֶךְ וַיְמִיתוּהָ שָׁם:

טו וַיִּכְרֹת יְהֹויָדָע בְּרִית בֵּינֹו וּבֵין כָּל־הָעָם וּבֵין הַמֶּלֶךְ לִהְיֹות לְעָם לַיהוָה: וַיָּבֹאוּ כָל־הָעָם בֵּית־הַבַּעַל וַיִּתְּצֻהוּ וְאֶת־מִזְבְּחֹתָיו

טז *כנן מלכות יואש:*

יז וְאֶת־צְלָמָיו שִׁבֵּרוּ וְאֵת מַתָּן כֹּהֵן הַבַּעַל הָרְגוּ לִפְנֵי הַמִּזְבְּחֹות:

יח וַיָּשֶׂם יְהֹויָדָע פְּקֻדֹּת בֵּית יְהוָה בְּיַד הַכֹּהֲנִים הַלְוִיִּם אֲשֶׁר חָלַק דָּוִיד עַל־בֵּית יְהוָה לְהַעֲלֹות עֹלֹות יְהוָה כַּכָּתוּב בְּתֹורַת מֹשֶׁה בְּשִׂמְחָה וּבְשִׁיר עַל יְדֵי דָוִיד: וַיַּעֲמֵד הַשֹּׁועֲרִים עַל־שַׁעֲרֵי

יט בֵּית יְהוָה וְלֹא־יָבֹוא טָמֵא לְכָל־דָּבָר: וַיִּקַּח אֶת־שָׂרֵי הַמֵּאֹות

כ וְאֶת־הָאַדִּירִים וְאֶת־הַמֹּושְׁלִים בָּעָם וְאֵת ׀ כָּל־עַם הָאָרֶץ וַיֹּורֶד אֶת־הַמֶּלֶךְ מִבֵּית יְהוָה וַיָּבֹאוּ בְּתֹוךְ־שַׁעַר הָעֶלְיֹון בֵּית

כא הַמֶּלֶךְ וַיֹּושִׁיבוּ אֶת־הַמֶּלֶךְ עַל כִּסֵּא הַמַּמְלָכָה: וַיִּשְׂמְחוּ כָל־

כד א עַם־הָאָרֶץ וְהָעִיר שָׁקָטָה וְאֶת־עֲתַלְיָהוּ הֵמִיתוּ בֶחָרֶב: בֶּן־שֶׁבַע שָׁנִים יֹאָשׁ בְּמָלְכֹו וְאַרְבָּעִים שָׁנָה מָלַךְ בִּירוּשָׁלָ͏ִם וְשֵׁם אִמֹּו

ב צִבְיָה מִבְּאֵר שָׁבַע: וַיַּעַשׂ יֹואָשׁ הַיָּשָׁר בְּעֵינֵי יְהוָה כָּל־יְמֵי

ג יְהֹויָדָע הַכֹּהֵן: וַיִּשָּׂא־לֹו יְהֹויָדָע נָשִׁים שְׁתָּיִם וַיֹּולֶד *חזוק בדק הבית:*

ד בָּנִים וּבָנֹות: וַיְהִי אַחֲרֵי־כֵן הָיָה עִם־לֵב יֹואָשׁ לְחַדֵּשׁ אֶת־בֵּית

ה יְהוָה: וַיִּקְבֹּץ אֶת־הַכֹּהֲנִים וְהַלְוִיִּם וַיֹּאמֶר לָהֶם צְאוּ לְעָרֵי יְהוּדָה וְקִבְצוּ מִכָּל־יִשְׂרָאֵל כֶּסֶף לְחַזֵּק ׀ אֶת־בֵּית אֱלֹהֵיכֶם מִדֵּי שָׁנָה

ו בְשָׁנָה וְאַתֶּם תְּמַהֲרוּ לַדָּבָר וְלֹא מִהֲרוּ הַלְוִיִּם: וַיִּקְרָא הַמֶּלֶךְ לִיהֹויָדָע הָרֹאשׁ וַיֹּאמֶר לֹו מַדּוּעַ לֹא־דָרַשְׁתָּ עַל־הַלְוִיִּם לְהָבִיא מִיהוּדָה וּמִירוּשָׁלַ͏ִם אֶת־מַשְׂאַת מֹשֶׁה עֶבֶד־יְהוָה וְהַקָּהָל

ז לְיִשְׂרָאֵל לְאֹהֶל הָעֵדוּת: כִּי־עֲתַלְיָהוּ הַמִּרְשַׁעַת בָּנֶיהָ פָרְצוּ אֶת־בֵּית הָאֱלֹהִים וְגַם כָּל־קָדְשֵׁי בֵית־יְהוָה עָשׂוּ לַבְּעָלִים:

ח וַיֹּאמֶר הַמֶּלֶךְ וַיַּעֲשׂוּ אֲרוֹן אֶחָד וַיִּתְּנֻהוּ בְּשַׁעַר בֵּית־יְהוָה חוּצָה׃
ט וַיִּתְּנוּ־קוֹל בִּיהוּדָה וּבִירוּשָׁלִַם לְהָבִיא לַיהוָה מַשְׂאַת מֹשֶׁה
י עֶבֶד־הָאֱלֹהִים עַל־יִשְׂרָאֵל בַּמִּדְבָּר׃ וַיִּשְׂמְחוּ כָל־הַשָּׂרִים וְכָל־
יא הָעָם וַיָּבִיאוּ וַיַּשְׁלִיכוּ לָאָרוֹן עַד־לְכַלֵּה׃ וַיְהִי בְּעֵת יָבִיא
אֶת־הָאָרוֹן אֶל־פְּקֻדַּת הַמֶּלֶךְ בְּיַד הַלְוִיִּם וְכִרְאוֹתָם כִּי־רַב הַכֶּסֶף
וּבָא סוֹפֵר הַמֶּלֶךְ וּפְקִיד כֹּהֵן הָרֹאשׁ וִיעָרוּ אֶת־הָאָרוֹן וְיִשָּׂאֻהוּ
וִישִׁיבֻהוּ אֶל־מְקֹמוֹ כֹּה עָשׂוּ לְיוֹם ׀ בְּיוֹם וַיַּאַסְפוּ־כֶסֶף לָרֹב׃
יב וַיִּתְּנֵהוּ הַמֶּלֶךְ וִיהוֹיָדָע אֶל־עוֹשֵׂה מְלֶאכֶת עֲבוֹדַת בֵּית־יְהוָה
וַיִּהְיוּ שֹׂכְרִים חֹצְבִים וְחָרָשִׁים לְחַדֵּשׁ בֵּית יְהוָה וְגַם לְחָרָשֵׁי
יג בַרְזֶל וּנְחֹשֶׁת לְחַזֵּק אֶת־בֵּית יְהוָה׃ וַיַּעֲשׂוּ עֹשֵׂי הַמְּלָאכָה וַתַּעַל
אֲרוּכָה לַמְּלָאכָה בְּיָדָם וַיַּעֲמִידוּ אֶת־בֵּית הָאֱלֹהִים עַל־מַתְכֻּנְתּוֹ
יד וַיְאַמְּצֻהוּ׃ וּכְכַלּוֹתָם הֵבִיאוּ לִפְנֵי הַמֶּלֶךְ וִיהוֹיָדָע אֶת־שְׁאָר
הַכֶּסֶף וַיַּעֲשֵׂהוּ כֵלִים לְבֵית־יְהוָה כְּלֵי שָׁרֵת וְהַעֲלוֹת וְכַפּוֹת
וּכְלֵי זָהָב וָכָסֶף וַיִּהְיוּ מַעֲלִים עֹלוֹת בְּבֵית־יְהוָה תָּמִיד כֹּל
יְמֵי יְהוֹיָדָע׃

מות יְהוֹיָדָע הַכֹּהֵן:

טו וַיִּזְקַן יְהוֹיָדָע וַיִּשְׂבַּע יָמִים וַיָּמֹת בֶּן־מֵאָה וּשְׁלֹשִׁים שָׁנָה בְּמוֹתוֹ׃
טז וַיִּקְבְּרֻהוּ בְעִיר־דָּוִיד עִם־הַמְּלָכִים כִּי־עָשָׂה טוֹבָה בְּיִשְׂרָאֵל
וְעִם הָאֱלֹהִים וּבֵיתוֹ׃

חֵטְא יוֹאָשׁ:

יז וְאַחֲרֵי מוֹת יְהוֹיָדָע בָּאוּ שָׂרֵי יְהוּדָה וַיִּשְׁתַּחֲווּ לַמֶּלֶךְ אָז שָׁמַע
יח הַמֶּלֶךְ אֲלֵיהֶם׃ וַיַּעַזְבוּ אֶת־בֵּית יְהוָה אֱלֹהֵי אֲבוֹתֵיהֶם וַיַּעַבְדוּ
אֶת־הָאֲשֵׁרִים וְאֶת־הָעֲצַבִּים וַיְהִי־קֶצֶף עַל־יְהוּדָה וִירוּשָׁלִַם
יט בְּאַשְׁמָתָם זֹאת׃ וַיִּשְׁלַח בָּהֶם נְבִאִים לַהֲשִׁיבָם אֶל־יְהוָה וַיָּעִידוּ
כ בָם וְלֹא הֶאֱזִינוּ׃ הֲרִיגַת זְכַרְיָה: וְרוּחַ אֱלֹהִים לָבְשָׁה אֶת־זְכַרְיָה
בֶּן־יְהוֹיָדָע הַכֹּהֵן וַיַּעֲמֹד מֵעַל לָעָם וַיֹּאמֶר לָהֶם כֹּה ׀ אָמַר
הָאֱלֹהִים לָמָה אַתֶּם עֹבְרִים אֶת־מִצְוֹת יְהוָה וְלֹא תַצְלִיחוּ

כא כִּֽי־עֲזַבְתֶּ֥ם אֶת־יְהֹוָ֖ה וַיַּעֲזֹ֥ב אֶתְכֶֽם׃ וַיִּקְשְׁר֣וּ עָלָ֔יו וַֽיִּרְגְּמֻ֥הוּ אֶ֖בֶן
כב בְּמִצְוַ֣ת הַמֶּ֑לֶךְ בַּחֲצַ֖ר בֵּ֥ית יְהֹוָֽה׃ וְלֹֽא־זָכַ֞ר יוֹאָ֣שׁ הַמֶּ֗לֶךְ הַחֶ֙סֶד֙
אֲשֶׁ֨ר עָשָׂ֜ה יְהֽוֹיָדָ֤ע אָבִיו֙ עִמּ֔וֹ וַֽיַּהֲרֹ֖ג אֶת־בְּנ֑וֹ וּכְמוֹת֣וֹ אָמַ֔ר יֵ֥רֶא
יְהֹוָ֖ה וְיִדְרֹֽשׁ׃
כג וַיְהִ֣י ׀ לִתְקוּפַ֣ת הַשָּׁנָ֗ה עָלָ֤ה עָלָיו֙ חֵ֣יל אֲרָ֔ם וַיָּבֹ֗אוּ אֶל־יְהוּדָה֙ מִלְחֶמֶת אֲרָם וְסוֹף מַלְכוּת יוֹאָשׁ:
וִיר֣וּשָׁלַ֔͏ִם וַיַּשְׁחִ֛יתוּ אֶת־כָּל־שָׂרֵ֥י הָעָ֖ם מֵעָ֑ם וְכָל־שְׁלָלָ֥ם שִׁלְּח֖וּ
כד לְמֶ֥לֶךְ דַּרְמָֽשֶׂק׃ כִּי֩ בְמִצְעַ֨ר אֲנָשִׁ֜ים בָּ֣אוּ ׀ חֵ֣יל אֲרָ֗ם וַֽיהֹוָה֙ נָתַ֨ן
בְּיָדָ֤ם חַ֙יִל֙ לָרֹ֣ב מְאֹ֔ד כִּ֣י עָֽזְב֔וּ אֶת־יְהֹוָ֖ה אֱלֹהֵ֣י אֲבוֹתֵיהֶ֑ם
כה וְאֶת־יוֹאָ֖שׁ עָשׂ֥וּ שְׁפָטִֽים׃ וּבְלֶכְתָּ֣ם מִמֶּ֗נּוּ כִּֽי־עָזְב֣וּ אֹתוֹ֮
בְּמַחֲלֻיִ֣ים רַבִּים֒ הִתְקַשְּׁר֨וּ עָלָ֜יו עֲבָדָ֗יו בִּדְמֵי֙ בְּנֵי֙ יְהֽוֹיָדָ֣ע הַכֹּהֵ֔ן
וַיַּהַרְגֻ֥הוּ עַל־מִטָּת֖וֹ וַיָּמֹ֑ת וַֽיִּקְבְּרֻ֙הוּ֙ בְּעִ֣יר דָּוִ֔יד וְלֹ֥א קְבָרֻ֖הוּ
כו בְּקִבְר֥וֹת הַמְּלָכִֽים׃ וְאֵ֖לֶּה הַמִּֽתְקַשְּׁרִ֣ים עָלָ֑יו זָבָ֗ד בֶּן־שִׁמְעָת֙
כז הָֽעַמּוֹנִ֔ית וִיהוֹזָבָ֕ד בֶּן־שִׁמְרִ֖ית הַמּוֹאָבִֽית׃ וּבָנָ֞יו ורב יִ֤רֶב הַמַּשָּׂא֙
עָלָ֔יו וִיסוֹד֙ בֵּ֣ית הָאֱלֹהִ֔ים הִנָּ֣ם כְּתוּבִ֔ים עַל־מִדְרַ֖שׁ סֵ֣פֶר
הַמְּלָכִ֑ים וַיִּמְלֹ֛ךְ אֲמַצְיָ֥הוּ בְנ֖וֹ תַּחְתָּֽיו׃

כה א בֶּן־עֶשְׂרִ֨ים וְחָמֵ֤שׁ שָׁנָה֙ מָלַ֣ךְ אֲמַצְיָ֔הוּ וְעֶשְׂרִ֣ים וָתֵ֔שַׁע שָׁנָ֕ה [3101] מַלְכוּת אֲמַצְיָהוּ בֶּן יוֹאָשׁ:
ב מָלַ֖ךְ בִּירוּשָׁלָ֑͏ִם וְשֵׁ֣ם אִמּ֔וֹ יְהוֹעַדָּ֖ן מִירוּשָׁלָֽ͏ִם׃ וַיַּ֥עַשׂ הַיָּשָׁ֖ר
ג בְּעֵינֵ֣י יְהֹוָ֑ה רַ֕ק לֹ֖א בְּלֵבָ֥ב שָׁלֵֽם׃ וַיְהִ֕י כַּאֲשֶׁ֛ר חָזְקָ֥ה הַמַּמְלָכָ֖ה
ד עָלָ֑יו וַֽיַּהֲרֹג֙ אֶת־עֲבָדָ֔יו הַמַּכִּ֖ים אֶת־הַמֶּ֥לֶךְ אָבִֽיו׃ וְאֶת־בְּנֵיהֶ֖ם
לֹ֣א הֵמִ֑ית כִּ֣י כַכָּת֣וּב בַּתּוֹרָ֡ה בְּסֵפֶר֩ מֹשֶׁ֨ה אֲשֶׁר־צִוָּ֤ה יְהֹוָה֙ לֵאמֹ֔ר
לֹא־יָמ֨וּתוּ אָב֜וֹת עַל־בָּנִ֗ים וּבָנִים֙ לֹא־יָמ֣וּתוּ עַל־אָב֔וֹת כִּ֛י אִ֥ישׁ
ה בְּחֶטְא֖וֹ יָמֽוּתוּ׃ וַיִּקְבֹּ֤ץ אֲמַצְיָ֙הוּ֙ אֶת־יְהוּדָ֔ה וַיַּעֲמִידֵ֣ם לְבֵית־ שְׂכִירַת חַיִל יִשְׂרָאֵל וַהֲשָׁבָתָם:
אָב֗וֹת לְשָׂרֵ֤י הָאֲלָפִים֙ וּלְשָׂרֵ֣י הַמֵּא֔וֹת לְכָל־יְהוּדָ֖ה וּבִנְיָמִ֑ן
וַֽיִּפְקְדֵ֗ם לְמִבֶּ֨ן עֶשְׂרִ֤ים שָׁנָה֙ וָמַ֔עְלָה וַֽיִּמְצָאֵ֗ם שְׁלֹשׁ־מֵא֨וֹת אֶ֤לֶף
ו בָּחוּר֙ יוֹצֵ֣א צָבָ֔א אֹחֵ֖ז רֹ֥מַח וְצִנָּֽה׃ וַיִּשְׂכֹּ֣ר מִיִּשְׂרָאֵ֗ל מֵ֛אָה אֶ֥לֶף

גִּבּוֹר חַיִל בְּמֵאָה לְכִכַּר־כֶּסֶף: וְאִישׁ הָאֱלֹהִים בָּא אֵלָיו לֵאמֹר

הַמֶּלֶךְ אַל־יָבוֹא עִמְּךָ צְבָא יִשְׂרָאֵל כִּי אֵין יְהֹוָה עִם־יִשְׂרָאֵל

כֹּל בְּנֵי אֶפְרָיִם: כִּי אִם־בֹּא אַתָּה עֲשֵׂה חֲזַק לַמִּלְחָמָה יַכְשִׁילְךָ

הָאֱלֹהִים לִפְנֵי אוֹיֵב כִּי יֶשׁ־כֹּחַ בֵּאלֹהִים לַעְזוֹר וּלְהַכְשִׁיל:

וַיֹּאמֶר אֲמַצְיָהוּ לְאִישׁ הָאֱלֹהִים וּמַה־לַּעֲשׂוֹת לִמְאַת הַכִּכָּר

אֲשֶׁר נָתַתִּי לִגְדוּד יִשְׂרָאֵל וַיֹּאמֶר אִישׁ הָאֱלֹהִים יֵשׁ לַיהֹוָה

לָתֶת לְךָ הַרְבֵּה מִזֶּה: וַיַּבְדִּילֵם אֲמַצְיָהוּ לְהַגְּדוּד אֲשֶׁר־בָּא אֵלָיו

מֵאֶפְרַיִם לָלֶכֶת לִמְקוֹמָם וַיִּחַר אַפָּם מְאֹד בִּיהוּדָה וַיָּשׁוּבוּ

למקומם בְּחֳרִי־אָף:

הַמִּלְחָמָה
בְּנֵי
שֵׂעִיר: וַאֲמַצְיָהוּ הִתְחַזַּק וַיִּנְהַג אֶת־

עַמּוֹ וַיֵּלֶךְ גֵּיא הַמֶּלַח וַיַּךְ אֶת־בְּנֵי־שֵׂעִיר עֲשֶׂרֶת אֲלָפִים: וַעֲשֶׂרֶת

אֲלָפִים חַיִּים שָׁבוּ בְּנֵי יְהוּדָה וַיְבִיאוּם לְרֹאשׁ הַסֶּלַע וַיַּשְׁלִיכוּם

מֵרֹאשׁ־הַסֶּלַע וְכֻלָּם נִבְקָעוּ: וּבְנֵי הַגְּדוּד אֲשֶׁר הֵשִׁיב אֲמַצְיָהוּ

מִלֶּכֶת עִמּוֹ לַמִּלְחָמָה וַיִּפְשְׁטוּ בְּעָרֵי יְהוּדָה מִשֹּׁמְרוֹן וְעַד־בֵּית

חוֹרוֹן וַיַּכּוּ מֵהֶם שְׁלֹשֶׁת אֲלָפִים וַיָּבֹזּוּ בִּזָּה רַבָּה:

חֵטְא
אֲמַצְיָהוּ
וְתוֹכַחַת
הַנָּבִיא: וַיְהִי אַחֲרֵי בוֹא אֲמַצְיָהוּ מֵהַכּוֹת אֶת־אֲדוֹמִים וַיָּבֵא אֶת־אֱלֹהֵי

בְּנֵי שֵׂעִיר וַיַּעֲמִידֵם לוֹ לֵאלֹהִים וְלִפְנֵיהֶם יִשְׁתַּחֲוֶה וְלָהֶם יְקַטֵּר:

וַיִּחַר־אַף יְהֹוָה בַּאֲמַצְיָהוּ וַיִּשְׁלַח אֵלָיו נָבִיא וַיֹּאמֶר לוֹ לָמָה

דָרַשְׁתָּ אֶת־אֱלֹהֵי הָעָם אֲשֶׁר לֹא־הִצִּילוּ אֶת־עַמָּם מִיָּדֶךָ: וַיְהִי ׀

בְּדַבְּרוֹ אֵלָיו וַיֹּאמֶר לוֹ הַלְיוֹעֵץ לַמֶּלֶךְ נְתַנּוּךָ חֲדַל־לְךָ לָמָה

יַכּוּךָ וַיֶּחְדַּל הַנָּבִיא וַיֹּאמֶר יָדַעְתִּי כִּי־יָעַץ אֱלֹהִים לְהַשְׁחִיתֶךָ

כִּי־עָשִׂיתָ זֹּאת וְלֹא שָׁמַעְתָּ לַעֲצָתִי:

מִלְחֶמֶת
אֲמַצְיָהוּ
וְיוֹאָשׁ: וַיִּוָּעַץ אֲמַצְיָהוּ מֶלֶךְ יְהוּדָה וַיִּשְׁלַח אֶל־יוֹאָשׁ בֶּן־יְהוֹאָחָז

בֶּן־יֵהוּא מֶלֶךְ יִשְׂרָאֵל לֵאמֹר לֵךְ נִתְרָאֶה פָנִים: וַיִּשְׁלַח יוֹאָשׁ

מֶלֶךְ־יִשְׂרָאֵל אֶל־אֲמַצְיָהוּ מֶלֶךְ־יְהוּדָה לֵאמֹר הַחוֹחַ אֲשֶׁר

בַּלְּבָנוֹן שָׁלַח אֶל־הָאֶרֶז אֲשֶׁר בַּלְּבָנוֹן לֵאמֹר תְּנָה־אֶת־בִּתְּךָ

לִבְנִי לְאִשָּׁה וַתַּעֲבֹר חַיַּת הַשָּׂדֶה אֲשֶׁר בַּלְּבָנוֹן וַתִּרְמֹס אֶת־
יט הַחוֹחַ׃ אָמַרְתָּ הִנֵּה הִכִּיתָ אֶת־אֱדוֹם וּנְשָׂאֲךָ לִבְּךָ לְהַכְבִּיד
עַתָּה שְׁבָה בְּבֵיתֶךָ לָמָּה תִתְגָּרֶה בְּרָעָה וְנָפַלְתָּ אַתָּה וִיהוּדָה
כ עִמָּךְ׃ וְלֹא־שָׁמַע אֲמַצְיָהוּ כִּי מֵהָאֱלֹהִים הִיא לְמַעַן תִּתָּם בְּיָד
כא כִּי דָרְשׁוּ אֵת אֱלֹהֵי אֱדוֹם׃ וַיַּעַל יוֹאָשׁ מֶלֶךְ־יִשְׂרָאֵל וַיִּתְרָאוּ
פָנִים הוּא וַאֲמַצְיָהוּ מֶלֶךְ־יְהוּדָה בְּבֵית שֶׁמֶשׁ אֲשֶׁר לִיהוּדָה׃
כב כג וַיִּנָּגֶף יְהוּדָה לִפְנֵי יִשְׂרָאֵל וַיָּנֻסוּ אִישׁ לְאֹהָלָיו׃ וְאֵת אֲמַצְיָהוּ
מֶלֶךְ־יְהוּדָה בֶּן־יוֹאָשׁ בֶּן־יְהוֹאָחָז תָּפַשׂ יוֹאָשׁ מֶלֶךְ־יִשְׂרָאֵל
בְּבֵית שָׁמֶשׁ וַיְבִיאֵהוּ יְרוּשָׁלִַם וַיִּפְרֹץ בְּחוֹמַת יְרוּשָׁלִַם מִשַּׁעַר
כד אֶפְרַיִם עַד־שַׁעַר הַפּוֹנֶה אַרְבַּע מֵאוֹת אַמָּה׃ וְכָל־הַזָּהָב וְהַכֶּסֶף
וְאֵת כָּל־הַכֵּלִים הַנִּמְצְאִים בְּבֵית־הָאֱלֹהִים עִם־עֹבֵד אֱדוֹם וְאֵת
אוֹצְרוֹת בֵּית הַמֶּלֶךְ וְאֵת בְּנֵי הַתַּעֲרֻבוֹת וַיָּשָׁב שֹׁמְרוֹן׃
כה וַיְחִי אֲמַצְיָהוּ בֶן־יוֹאָשׁ מֶלֶךְ יְהוּדָה אַחֲרֵי מוֹת יוֹאָשׁ בֶּן־יְהוֹאָחָז סוֹף מַלְכוּת אֲמַצְיָהוּ׃
כו מֶלֶךְ יִשְׂרָאֵל חֲמֵשׁ עֶשְׂרֵה שָׁנָה׃ וְיֶתֶר דִּבְרֵי אֲמַצְיָהוּ הָרִאשֹׁנִים
וְהָאַחֲרוֹנִים הֲלֹא הִנָּם כְּתוּבִים עַל־סֵפֶר מַלְכֵי־יְהוּדָה וְיִשְׂרָאֵל׃
כז וּמֵעֵת אֲשֶׁר־סָר אֲמַצְיָהוּ מֵאַחֲרֵי יְהוָה וַיִּקְשְׁרוּ עָלָיו קֶשֶׁר
בִּירוּשָׁלִַם וַיָּנָס לָכִישָׁה וַיִּשְׁלְחוּ אַחֲרָיו לָכִישָׁה וַיְמִתֻהוּ שָׁם׃
כח וַיִּשָּׂאֻהוּ עַל־הַסּוּסִים וַיִּקְבְּרוּ אֹתוֹ עִם־אֲבֹתָיו בְּעִיר יְהוּדָה׃
כו א וַיִּקְחוּ כָּל־עַם יְהוּדָה אֶת־עֻזִּיָּהוּ וְהוּא בֶּן־שֵׁשׁ עֶשְׂרֵה שָׁנָה [3115]
ב וַיַּמְלִיכוּ אֹתוֹ תַּחַת אָבִיו אֲמַצְיָהוּ׃ הוּא בָּנָה אֶת־אֵילוֹת וַיְשִׁיבֶהָ
לִיהוּדָה אַחֲרֵי שְׁכַב־הַמֶּלֶךְ עִם־אֲבֹתָיו׃
ג בֶּן־שֵׁשׁ עֶשְׂרֵה שָׁנָה עֻזִּיָּהוּ בְמָלְכוֹ וַחֲמִשִּׁים וּשְׁתַּיִם שָׁנָה מָלַךְ מַלְכוּת עֻזִּיָּהוּ בֶן אֲמַצְיָהוּ׃
ד בִּירוּשָׁלִָם וְשֵׁם אִמּוֹ יכיליה יְכָלְיָה מִן־יְרוּשָׁלִָם׃ וַיַּעַשׂ הַיָּשָׁר
ה בְּעֵינֵי יְהוָה כְּכֹל אֲשֶׁר־עָשָׂה אֲמַצְיָהוּ אָבִיו׃ וַיְהִי לִדְרֹשׁ אֱלֹהִים
בִּימֵי זְכַרְיָהוּ הַמֵּבִין בִּרְאֹת הָאֱלֹהִים וּבִימֵי דָּרְשׁוֹ אֶת־יְהוָה

ו הִצְלִיחוֹ הָאֱלֹהִים: וַיֵּצֵא וַיִּלָּחֶם בַּפְּלִשְׁתִּים וַיִּפְרֹץ אֶת־חוֹמַת
גַּת וְאֵת חוֹמַת יַבְנֵה וְאֵת חוֹמַת אַשְׁדּוֹד וַיִּבְנֶה עָרִים בְּאַשְׁדּוֹד
ז וּבַפְּלִשְׁתִּים: וַיַּעְזְרֵהוּ הָאֱלֹהִים עַל־פְּלִשְׁתִּים וְעַל־הָעַרְבִים
ח הַיֹּשְׁבִים בְּגוּר־בָּעַל וְהַמְּעוּנִים: וַיִּתְּנוּ הָעַמּוֹנִים מִנְחָה הערביים
לְעֻזִּיָּהוּ וַיֵּלֶךְ שְׁמוֹ עַד־לְבוֹא מִצְרַיִם כִּי הֶחֱזִיק עַד־לְמָעְלָה:
ט וַיִּבֶן עֻזִּיָּהוּ מִגְדָּלִים בִּירוּשָׁלַםִ עַל־שַׁעַר הַפִּנָּה וְעַל־שַׁעַר הַגַּיְא
י וְעַל־הַמִּקְצוֹעַ וַיְחַזְּקֵם: וַיִּבֶן מִגְדָּלִים בַּמִּדְבָּר וַיַּחְצֹב בֹּרוֹת
רַבִּים כִּי מִקְנֶה־רַּב הָיָה לוֹ וּבַשְּׁפֵלָה וּבַמִּישׁוֹר אִכָּרִים וְכֹרְמִים
יא בֶּהָרִים וּבַכַּרְמֶל כִּי־אֹהֵב אֲדָמָה הָיָה: וַיְהִי לְעֻזִּיָּהוּ צָבָא עֻזִּיָּהוּ:
חַיִל עֹשֵׂה מִלְחָמָה יוֹצְאֵי צָבָא לִגְדוּד בְּמִסְפַּר פְּקֻדָּתָם בְּיַד
יְעִיאֵל הַסּוֹפֵר וּמַעֲשֵׂיָהוּ הַשּׁוֹטֵר עַל יַד־חֲנַנְיָהוּ מִשָּׂרֵי יעואל
יב הַמֶּלֶךְ: כֹּל מִסְפַּר רָאשֵׁי הָאָבוֹת לְגִבּוֹרֵי חָיִל אַלְפַּיִם וְשֵׁשׁ
יג מֵאוֹת: וְעַל־יָדָם חֵיל צָבָא שְׁלֹשׁ מֵאוֹת אֶלֶף וְשִׁבְעַת אֲלָפִים
וַחֲמֵשׁ מֵאוֹת עוֹשֵׂי מִלְחָמָה בְּכֹחַ חָיִל לַעְזֹר לַמֶּלֶךְ עַל־הָאוֹיֵב:
יד וַיָּכֶן לָהֶם עֻזִּיָּהוּ לְכָל־הַצָּבָא מָגִנִּים וּרְמָחִים וְכוֹבָעִים וְשִׁרְיֹנוֹת
טו וּקְשָׁתוֹת וּלְאַבְנֵי קְלָעִים: וַיַּעַשׂ ׀ בִּירוּשָׁלַםִ חִשְּׁבֹנוֹת מַחֲשֶׁבֶת
חוֹשֵׁב לִהְיוֹת עַל־הַמִּגְדָּלִים וְעַל־הַפִּנּוֹת לִירוֹא בַּחִצִּים
וּבָאֲבָנִים גְּדֹלוֹת וַיֵּצֵא שְׁמוֹ עַד־לְמֵרָחוֹק כִּי־הִפְלִיא לְהֵעָזֵר
טז עַד כִּי־חָזָק: וּכְחֶזְקָתוֹ גָּבַהּ לִבּוֹ עַד־לְהַשְׁחִית וַיִּמְעַל בַּיהוָה נִסָּיוֹן עֻזִּיָּהוּ לְהַקְטִיר קְטֹרֶת:
יז אֱלֹהָיו וַיָּבֹא אֶל־הֵיכַל יְהוָה לְהַקְטִיר עַל־מִזְבַּח הַקְּטֹרֶת: וַיָּבֹא
אַחֲרָיו עֲזַרְיָהוּ הַכֹּהֵן וְעִמּוֹ כֹּהֲנִים ׀ לַיהוָה שְׁמוֹנִים בְּנֵי־חָיִל:
יח וַיַּעַמְדוּ עַל־עֻזִּיָּהוּ הַמֶּלֶךְ וַיֹּאמְרוּ לוֹ לֹא־לְךָ עֻזִּיָּהוּ לְהַקְטִיר
לַיהוָה כִּי לַכֹּהֲנִים בְּנֵי־אַהֲרֹן הַמְקֻדָּשִׁים לְהַקְטִיר צֵא מִן־
יט הַמִּקְדָּשׁ כִּי מָעַלְתָּ וְלֹא־לְךָ לְכָבוֹד מֵיְהוָה אֱלֹהִים: וַיִּזְעַף
עֻזִּיָּהוּ וּבְיָדוֹ מִקְטֶרֶת לְהַקְטִיר וּבְזַעְפּוֹ עִם־הַכֹּהֲנִים וְהַצָּרַעַת

זָרְחָה בְמִצְחוֹ לִפְנֵי הַכֹּהֲנִים בְּבֵית יְהוָה מֵעַל לְמִזְבַּח הַקְּטֹרֶת:

צָרַעַת
עֻזִּיָּהוּ וְסוֹף
מַלְכוּתוֹ:

כ וַיִּפֶן אֵלָיו עֲזַרְיָהוּ כֹהֵן הָרֹאשׁ וְכָל־הַכֹּהֲנִים וְהִנֵּה־הוּא מְצֹרָע בְּמִצְחוֹ וַיַּבְהִלוּהוּ מִשָּׁם וְגַם־הוּא נִדְחַף לָצֵאת כִּי נִגְּעוֹ יְהוָה:

כא וַיְהִי עֻזִּיָּהוּ הַמֶּלֶךְ מְצֹרָע ׀ עַד־יוֹם מוֹתוֹ וַיֵּשֶׁב בֵּית הַחָפְשִׁות הַחָפְשִׁית מְצֹרָע כִּי נִגְזַר מִבֵּית יְהוָה וְיוֹתָם בְּנוֹ עַל־בֵּית הַמֶּלֶךְ שׁוֹפֵט אֶת־עַם הָאָרֶץ: כב וְיֶתֶר דִּבְרֵי עֻזִּיָּהוּ הָרִאשֹׁנִים וְהָאַחֲרֹנִים כָּתַב יְשַׁעְיָהוּ בֶן־אָמוֹץ הַנָּבִיא: כג וַיִּשְׁכַּב עֻזִּיָּהוּ עִם־אֲבֹתָיו וַיִּקְבְּרוּ אֹתוֹ עִם־אֲבֹתָיו בִּשְׂדֵה הַקְּבוּרָה אֲשֶׁר לַמְּלָכִים כִּי אָמְרוּ מְצוֹרָע הוּא וַיִּמְלֹךְ יוֹתָם בְּנוֹ תַּחְתָּיו:

[3167]
מַלְכוּת
יוֹתָם בֶּן
עֻזִּיָּהוּ:

כז א בֶּן־עֶשְׂרִים וְחָמֵשׁ שָׁנָה יוֹתָם בְּמָלְכוֹ וְשֵׁשׁ־עֶשְׂרֵה שָׁנָה מָלַךְ בִּירוּשָׁלַם וְשֵׁם אִמּוֹ יְרוּשָׁה בַּת־צָדוֹק: ב וַיַּעַשׂ הַיָּשָׁר בְּעֵינֵי יְהוָה כְּכֹל אֲשֶׁר־עָשָׂה עֻזִּיָּהוּ אָבִיו רַק לֹא־בָא אֶל־הֵיכַל יְהוָה וְעוֹד הָעָם מַשְׁחִיתִים: ג הוּא בָּנָה אֶת־שַׁעַר בֵּית־יְהוָה הָעֶלְיוֹן וּבְחוֹמַת הָעֹפֶל בָּנָה לָרֹב: ד וְעָרִים בָּנָה בְּהַר־יְהוּדָה וּבֶחֳרָשִׁים בָּנָה בִּירָנִיּוֹת וּמִגְדָּלִים: ה וְהוּא נִלְחַם עִם־מֶלֶךְ בְּנֵי־עַמּוֹן וַיֶּחֱזַק עֲלֵיהֶם וַיִּתְּנוּ־לוֹ בְנֵי־עַמּוֹן בַּשָּׁנָה הַהִיא מֵאָה כִּכַּר־כֶּסֶף וַעֲשֶׂרֶת אֲלָפִים כֹּרִים חִטִּים וּשְׂעוֹרִים עֲשֶׂרֶת אֲלָפִים זֹאת הֵשִׁיבוּ לוֹ בְּנֵי עַמּוֹן וּבַשָּׁנָה הַשֵּׁנִית וְהַשְּׁלִשִׁית: ו וַיִּתְחַזֵּק יוֹתָם כִּי הֵכִין דְּרָכָיו לִפְנֵי יְהוָה אֱלֹהָיו: ז וְיֶתֶר דִּבְרֵי יוֹתָם וְכָל־מִלְחֲמֹתָיו וּדְרָכָיו הִנָּם כְּתוּבִים עַל־סֵפֶר מַלְכֵי־יִשְׂרָאֵל וִיהוּדָה: ח בֶּן־עֶשְׂרִים וְחָמֵשׁ שָׁנָה הָיָה בְמָלְכוֹ וְשֵׁשׁ־עֶשְׂרֵה שָׁנָה מָלַךְ בִּירוּשָׁלָם: ט וַיִּשְׁכַּב יוֹתָם עִם־אֲבֹתָיו וַיִּקְבְּרוּ אֹתוֹ בְּעִיר דָּוִיד וַיִּמְלֹךְ אָחָז בְּנוֹ תַּחְתָּיו:

[3183]
מַלְכוּת
אָחָז בֶּן
יוֹתָם:

כח א בֶּן־עֶשְׂרִים שָׁנָה אָחָז בְּמָלְכוֹ וְשֵׁשׁ־עֶשְׂרֵה שָׁנָה מָלַךְ בִּירוּשָׁלַם וְלֹא־עָשָׂה הַיָּשָׁר בְּעֵינֵי יְהוָה כְּדָוִיד אָבִיו: ב וַיֵּלֶךְ בְּדַרְכֵי מַלְכֵי

ג יִשְׂרָאֵל וְגַם מַסֵּכוֹת עָשָׂה לַבְּעָלִים׃ וְהוּא הִקְטִיר בְּגֵיא בֶן־הִנֹּם
וַיַּבְעֵר אֶת־בָּנָיו בָּאֵשׁ כְּתֹעֲבוֹת הַגּוֹיִם אֲשֶׁר הֹרִישׁ יְהוָה מִפְּנֵי
ד בְּנֵי יִשְׂרָאֵל׃ וַיְזַבֵּחַ וַיְקַטֵּר בַּבָּמוֹת וְעַל־הַגְּבָעוֹת וְתַחַת כָּל־עֵץ
ה רַעֲנָן׃ וַיִּתְּנֵהוּ יְהוָה אֱלֹהָיו בְּיַד מֶלֶךְ אֲרָם וַיַּכּוּ־בוֹ וַיִּשְׁבּוּ מִמֶּנּוּ
שִׁבְיָה גְדוֹלָה וַיָּבִיאוּ דַּרְמָשֶׂק וְגַם בְּיַד־מֶלֶךְ יִשְׂרָאֵל נִתָּן
ו וַיַּךְ־בּוֹ מַכָּה גְדוֹלָה׃ וַיַּהֲרֹג פֶּקַח מִלְחֶמֶת אֲרָם וְיִשְׂרָאֵל בִּיהוּדָה׃
בֶּן־רְמַלְיָהוּ בִיהוּדָה מֵאָה וְעֶשְׂרִים אֶלֶף בְּיוֹם אֶחָד הַכֹּל בְּנֵי־חָיִל
ז בְּעָזְבָם אֶת־יְהוָה אֱלֹהֵי אֲבוֹתָם׃ וַיַּהֲרֹג זִכְרִי ׀ גִּבּוֹר אֶפְרַיִם
אֶת־מַעֲשֵׂיָהוּ בֶּן־הַמֶּלֶךְ וְאֶת־עַזְרִיקָם נְגִיד הַבָּיִת וְאֶת־אֶלְקָנָה
ח מִשְׁנֵה הַמֶּלֶךְ׃ וַיִּשְׁבּוּ בְנֵי־יִשְׂרָאֵל מֵאֲחֵיהֶם מָאתַיִם
אֶלֶף נָשִׁים בָּנִים וּבָנוֹת וְגַם־שָׁלָל רָב בָּזְזוּ מֵהֶם וַיָּבִיאוּ
ט אֶת־הַשָּׁלָל לְשֹׁמְרוֹן׃ וְשָׁם הָיָה נָבִיא לַיהוָה עֹדֵד שְׁמוֹ בַּקָּשַׁת עוֹדֵד הַנָּבִיא לְהָשִׁיב הַשִּׁבְיָה׃
וַיֵּצֵא לִפְנֵי הַצָּבָא הַבָּא לְשֹׁמְרוֹן וַיֹּאמֶר לָהֶם הִנֵּה בַּחֲמַת יְהוָה
אֱלֹהֵי־אֲבוֹתֵיכֶם עַל־יְהוּדָה נְתָנָם בְּיֶדְכֶם וַתַּהַרְגוּ־בָם בְּזַעַף עַד
י לַשָּׁמַיִם הִגִּיעַ׃ וְעַתָּה בְּנֵי־יְהוּדָה וִירוּשָׁלִַם אַתֶּם אֹמְרִים לִכְבֹּשׁ
לַעֲבָדִים וְלִשְׁפָחוֹת לָכֶם הֲלֹא רַק־אַתֶּם עִמָּכֶם אֲשָׁמוֹת לַיהוָה
יא אֱלֹהֵיכֶם׃ וְעַתָּה שְׁמָעוּנִי וְהָשִׁיבוּ הַשִּׁבְיָה אֲשֶׁר שְׁבִיתֶם
יב מֵאֲחֵיכֶם כִּי חֲרוֹן אַף־יְהוָה עֲלֵיכֶם׃ וַיָּקֻמוּ אֲנָשִׁים תְּמִיכַת רָאשֵׁי אֶפְרַיִם בַּבַּקָּשָׁה׃
מֵרָאשֵׁי בְנֵי־אֶפְרַיִם עֲזַרְיָהוּ בֶן־יְהוֹחָנָן בֶּרֶכְיָהוּ בֶן־מְשִׁלֵּמוֹת
וִיחִזְקִיָּהוּ בֶּן־שַׁלֻּם וַעֲמָשָׂא בֶן־חַדְלָי עַל־הַבָּאִים מִן־הַצָּבָא׃
יג וַיֹּאמְרוּ לָהֶם לֹא־תָבִיאוּ אֶת־הַשִּׁבְיָה הֵנָּה כִּי לְאַשְׁמַת יְהוָה
עָלֵינוּ אַתֶּם אֹמְרִים לְהֹסִיף עַל־חַטֹּאתֵינוּ וְעַל־אַשְׁמָתֵנוּ כִּי־
יד רַבָּה אַשְׁמָה לָנוּ וַחֲרוֹן אָף עַל־יִשְׂרָאֵל׃ וַיַּעֲזֹב מִלּוּי בַּקָּשַׁת הַנָּבִיא׃
טו הֶחָלוּץ אֶת־הַשִּׁבְיָה וְאֶת־הַבִּזָּה לִפְנֵי הַשָּׂרִים וְכָל־הַקָּהָל׃ וַיָּקֻמוּ
הָאֲנָשִׁים אֲשֶׁר־נִקְּבוּ בְשֵׁמוֹת וַיַּחֲזִיקוּ בַשִּׁבְיָה וְכָל־מַעֲרֻמֵּיהֶם

הִלְבִּישׁוּ מִן־הַשָּׁלָל וַיַּלְבִּשׁוּם וַיַּנְעִלוּם וַיַּאֲכִלוּם וַיַּשְׁקוּם וַיְסֻכוּם
וַיְנַהֲלוּם בַּחֲמֹרִים לְכָל־כּוֹשֵׁל וַיְבִיאוּם יְרֵחוֹ עִיר־הַתְּמָרִים אֵצֶל
אֲחֵיהֶם וַיָּשׁוּבוּ שֹׁמְרֽוֹן׃

נִסָּיוֹן אָחָז לְהֵעָזֵר בְּאַשּׁוּר:

טז בָּעֵת הַהִיא שָׁלַח הַמֶּלֶךְ אָחָז עַל־מַלְכֵי אַשּׁוּר לַעְזֹר לֽוֹ׃ וְעוֹד
יז אֲדוֹמִים בָּאוּ וַיַּכּוּ בִיהוּדָה וַיִּשְׁבּוּ־שֶֽׁבִי׃ וּפְלִשְׁתִּים פָּשְׁטוּ בְּעָרֵי
הַשְּׁפֵלָה וְהַנֶּגֶב לִֽיהוּדָה וַיִּלְכְּדוּ אֶת־בֵּית־שֶׁמֶשׁ וְאֶת־אַיָּלוֹן
וְאֶת־הַגְּדֵרוֹת וְאֶת־שׂוֹכוֹ וּבְנוֹתֶיהָ וְאֶת־תִּמְנָה וּבְנוֹתֶיהָ וְאֶת־
יט גִּמְזוֹ וְאֶת־בְּנוֹתֶיהָ וַיֵּשְׁבוּ שָֽׁם׃ כִּי־הִכְנִיעַ יְהֹוָה אֶת־יְהוּדָה
בַּעֲבוּר אָחָז מֶֽלֶךְ־יִשְׂרָאֵל כִּי הִפְרִיעַ בִּֽיהוּדָה וּמָעוֹל מַעַל
כ בַּיהֹוָֽה׃ וַיָּבֹא עָלָיו תִּלְּגַת פִּלְנְאֶסֶר מֶלֶךְ אַשּׁוּר וַיָּצַר לוֹ וְלֹא
כא חֲזָקֽוֹ׃ כִּֽי־חָלַק אָחָז אֶת־בֵּית יְהֹוָה וְאֶת־בֵּית הַמֶּלֶךְ וְהַשָּׂרִים

חַטְּאֵי אָחָז:

כב וַיִּתֵּן לְמֶלֶךְ אַשּׁוּר וְלֹא לְעֶזְרָה לֽוֹ׃ וּבְעֵת הָצֵר לוֹ וַיּוֹסֶף לִמְעוֹל
כג בַּיהֹוָה הוּא הַמֶּלֶךְ אָחָֽז׃ וַיִּזְבַּח לֵֽאלֹהֵי דַרְמֶשֶׂק הַמַּכִּים בּוֹ וַיֹּאמֶר
כִּי אֱלֹהֵי מַלְכֵֽי־אֲרָם הֵם מַעְזְרִים אוֹתָם לָהֶם אֲזַבֵּחַ וְיַעְזְרוּנִי
כד וְהֵם הָֽיוּ־לוֹ לְהַכְשִׁילוֹ וּלְכָל־יִשְׂרָאֵֽל׃ וַיֶּאֱסֹף אָחָז אֶת־כְּלֵי
בֵית־הָאֱלֹהִים וַיְקַצֵּץ אֶת־כְּלֵי בֵית־הָאֱלֹהִים וַיִּסְגֹּר אֶת־דַּלְתוֹת
כה בֵּית־יְהֹוָה וַיַּעַשׂ לוֹ מִזְבְּחוֹת בְּכָל־פִּנָּה בִּירוּשָׁלָֽ͏ִם׃ וּבְכָל־עִיר
וָעִיר לִֽיהוּדָה עָשָׂה בָמוֹת לְקַטֵּר לֵאלֹהִים אֲחֵרִים וַיַּכְעֵס

סוֹף מַלְכוּת אָחָז:

כו אֶת־יְהֹוָה אֱלֹהֵי אֲבֹתָֽיו׃ וְיֶתֶר דְּבָרָיו וְכָל־דְּרָכָיו הָרִאשֹׁנִים
וְהָאַחֲרוֹנִים הִנָּם כְּתוּבִים עַל־סֵפֶר מַלְכֵֽי־יְהוּדָה וְיִשְׂרָאֵֽל׃

מַלְכוּת יְחִזְקִיָּהוּ בֶּן אָחָז:

כז וַיִּשְׁכַּב אָחָז עִם־אֲבֹתָיו וַֽיִּקְבְּרֻהוּ בָעִיר בִּירוּשָׁלַ͏ִם כִּי לֹא
הֱבִיאֻהוּ לְקִבְרֵי מַלְכֵי יִשְׂרָאֵל וַיִּמְלֹךְ יְחִזְקִיָּהֽוּ בְנוֹ תַּחְתָּֽיו׃

כט א יְחִזְקִיָּהוּ מָלַךְ בֶּן־עֶשְׂרִים וְחָמֵשׁ שָׁנָה וְעֶשְׂרִים וָתֵשַׁע שָׁנָה

[3199] פְּתִיחַת דַּלְתוֹת בֵּית ה':

ב מָלַךְ בִּירוּשָׁלָ͏ִם וְשֵׁם אִמּוֹ אֲבִיָּה בַּת־זְכַרְיָֽהוּ׃ וַיַּעַשׂ הַיָּשָׁר בְּעֵינֵי
ג יְהֹוָה כְּכֹל אֲשֶׁר־עָשָׂה דָּוִיד אָבִֽיו׃ הוּא בַשָּׁנָה הָרִֽאשׁוֹנָה לְמָלְכוֹ

ד בַּחֹדֶשׁ הָרִאשׁוֹן פָּתַח אֶת־דַּלְתוֹת בֵּית־יְהוָה וַיְחַזְּקֵם׃ וַיָּבֵא
ה אֶת־הַכֹּהֲנִים וְאֶת־הַלְוִיִּם וַיַּאַסְפֵם לִרְחוֹב הַמִּזְרָח׃ וַיֹּאמֶר לָהֶם
שְׁמָעוּנִי הַלְוִיִּם עַתָּה הִתְקַדְּשׁוּ וְקַדְּשׁוּ אֶת־בֵּית יְהוָה אֱלֹהֵי
ו אֲבֹתֵיכֶם וְהוֹצִיאוּ אֶת־הַנִּדָּה מִן־הַקֹּדֶשׁ׃ כִּי־מָעֲלוּ אֲבֹתֵינוּ וְעָשׂוּ
הָרַע בְּעֵינֵי יְהוָה־אֱלֹהֵינוּ וַיַּעַזְבֻהוּ וַיַּסֵּבּוּ פְנֵיהֶם מִמִּשְׁכַּן יְהוָה
ז וַיִּתְּנוּ־עֹרֶף׃ גַּם סָגְרוּ דַּלְתוֹת הָאוּלָם וַיְכַבּוּ אֶת־הַנֵּרוֹת וּקְטֹרֶת
ח לֹא הִקְטִירוּ וְעֹלָה לֹא־הֶעֱלוּ בַקֹּדֶשׁ לֵאלֹהֵי יִשְׂרָאֵל׃ וַיְהִי קֶצֶף
יְהוָה עַל־יְהוּדָה וִירוּשָׁלִָם וַיִּתְּנֵם לזועה לְזַעֲוָה לְשַׁמָּה וְלִשְׁרֵקָה
ט כַּאֲשֶׁר אַתֶּם רֹאִים בְּעֵינֵיכֶם׃ וְהִנֵּה נָפְלוּ אֲבוֹתֵינוּ בֶּחָרֶב וּבָנֵינוּ
י וּבְנוֹתֵינוּ וְנָשֵׁינוּ בַּשְּׁבִי עַל־זֹאת׃ עַתָּה עִם־לְבָבִי לִכְרוֹת בְּרִית
יא לַיהוָה אֱלֹהֵי יִשְׂרָאֵל וְיָשֹׁב מִמֶּנּוּ חֲרוֹן אַפּוֹ׃ בָּנַי עַתָּה אַל־תִּשָּׁלוּ
כִּי־בָכֶם בָּחַר יְהוָה לַעֲמֹד לְפָנָיו לְשָׁרְתוֹ וְלִהְיוֹת לוֹ מְשָׁרְתִים
וּמַקְטִרִים׃

דִּבְרֵי הַמֶּלֶךְ עַל הַשְׁבָּתַת הָעֲבוֹדָה:

יב וַיָּקֻמוּ הַלְוִיִּם מַחַת בֶּן־עֲמָשַׂי וְיוֹאֵל בֶּן־עֲזַרְיָהוּ מִן־בְּנֵי הַקְּהָתִי
וּמִן־בְּנֵי מְרָרִי קִישׁ בֶּן־עַבְדִּי וַעֲזַרְיָהוּ בֶּן־יְהַלֶּלְאֵל וּמִן־
יג הַגֵּרְשֻׁנִּי יוֹאָח בֶּן־זִמָּה וְעֵדֶן בֶּן־יוֹאָח׃ וּמִן־בְּנֵי אֱלִיצָפָן שִׁמְרִי
יד ויעואל וִיעִיאֵל וּמִן־בְּנֵי אָסָף זְכַרְיָהוּ וּמַתַּנְיָהוּ׃ וּמִן־בְּנֵי
הֵימָן יחואל יְחִיאֵל וְשִׁמְעִי וּמִן־בְּנֵי יְדוּתוּן שְׁמַעְיָה
טו וְעֻזִּיאֵל׃ וַיַּאַסְפוּ אֶת־אֲחֵיהֶם וַיִּתְקַדְּשׁוּ וַיָּבֹאוּ כְמִצְוַת־הַמֶּלֶךְ
טז בְּדִבְרֵי יְהוָה לְטַהֵר בֵּית יְהוָה׃ וַיָּבֹאוּ הַכֹּהֲנִים לִפְנִימָה בֵית־
יְהוָה לְטַהֵר וַיּוֹצִיאוּ אֵת כָּל־הַטֻּמְאָה אֲשֶׁר מָצְאוּ בְּהֵיכַל יְהוָה
לַחֲצַר בֵּית יְהוָה וַיְקַבְּלוּ הַלְוִיִּם לְהוֹצִיא לְנַחַל־קִדְרוֹן חוּצָה׃
יז וַיָּחֵלּוּ בְּאֶחָד לַחֹדֶשׁ הָרִאשׁוֹן לְקַדֵּשׁ וּבְיוֹם שְׁמוֹנָה לַחֹדֶשׁ בָּאוּ
לְאוּלָם יְהוָה וַיְקַדְּשׁוּ אֶת־בֵּית־יְהוָה לְיָמִים שְׁמוֹנָה וּבְיוֹם שִׁשָּׁה
יח עָשָׂר לַחֹדֶשׁ הָרִאשׁוֹן כִּלּוּ׃ וַיָּבוֹאוּ פְנִימָה אֶל־חִזְקִיָּהוּ

טִהוּר הַמִּקְדָּשׁ:

הַמֶּלֶךְ וַיֹּאמְרוּ טִהַרְנוּ אֶת־כָּל־בֵּית יְהוָה אֶת־מִזְבַּח הָעוֹלָה
יט וְאֶת־כָּל־כֵּלָיו וְאֶת־שֻׁלְחַן הַמַּעֲרֶכֶת וְאֶת־כָּל־כֵּלָיו׃ וְאֵת כָּל־
הַכֵּלִים אֲשֶׁר הִזְנִיחַ הַמֶּלֶךְ אָחָז בְּמַלְכוּתוֹ בְּמַעֲלוֹ הֵכַנּוּ
כ וְהִקְדָּשְׁנוּ וְהִנָּם לִפְנֵי מִזְבַּח יְהוָה׃ וַיַּשְׁכֵּם יְחִזְקִיָּהוּ
כא הַמֶּלֶךְ וַיֶּאֱסֹף אֵת שָׂרֵי הָעִיר וַיַּעַל בֵּית יְהוָה׃ וַיָּבִיאוּ פָרִים־
שִׁבְעָה וְאֵילִים שִׁבְעָה וּכְבָשִׂים שִׁבְעָה וּצְפִירֵי עִזִּים שִׁבְעָה
לְחַטָּאת עַל־הַמַּמְלָכָה וְעַל־הַמִּקְדָּשׁ וְעַל־יְהוּדָה וַיֹּאמֶר לִבְנֵי
כב אַהֲרֹן הַכֹּהֲנִים לְהַעֲלוֹת עַל־מִזְבַּח יְהוָה׃ וַיִּשְׁחֲטוּ הַבָּקָר וַיְקַבְּלוּ
הַכֹּהֲנִים אֶת־הַדָּם וַיִּזְרְקוּ הַמִּזְבֵּחָה וַיִּשְׁחֲטוּ הָאֵלִים וַיִּזְרְקוּ הַדָּם
כג הַמִּזְבֵּחָה וַיִּשְׁחֲטוּ הַכְּבָשִׂים וַיִּזְרְקוּ הַדָּם הַמִּזְבֵּחָה׃ וַיַּגִּישׁוּ
אֶת־שְׂעִירֵי הַחַטָּאת לִפְנֵי הַמֶּלֶךְ וְהַקָּהָל וַיִּסְמְכוּ יְדֵיהֶם עֲלֵיהֶם׃
כד וַיִּשְׁחָטוּם הַכֹּהֲנִים וַיְחַטְּאוּ אֶת־דָּמָם הַמִּזְבֵּחָה לְכַפֵּר עַל־כָּל־
כה יִשְׂרָאֵל כִּי לְכָל־יִשְׂרָאֵל אָמַר הַמֶּלֶךְ הָעוֹלָה וְהַחַטָּאת׃ וַיַּעֲמֵד
אֶת־הַלְוִיִּם בֵּית יְהוָה בִּמְצִלְתַּיִם בִּנְבָלִים וּבְכִנֹּרוֹת בְּמִצְוַת דָּוִיד
וְגָד חֹזֵה־הַמֶּלֶךְ וְנָתָן הַנָּבִיא כִּי בְיַד־יְהוָה הַמִּצְוָה בְּיַד־נְבִיאָיו׃
כו וַיַּעַמְדוּ הַלְוִיִּם בִּכְלֵי דָוִיד וְהַכֹּהֲנִים בַּחֲצֹצְרוֹת׃
כז וַיֹּאמֶר חִזְקִיָּהוּ לְהַעֲלוֹת הָעֹלָה לְהַמִּזְבֵּחַ וּבְעֵת הֵחֵל הָעוֹלָה
הֵחֵל שִׁיר־יְהוָה וְהַחֲצֹצְרוֹת וְעַל־יְדֵי כְּלֵי דָּוִיד מֶלֶךְ־יִשְׂרָאֵל׃
כח וְכָל־הַקָּהָל מִשְׁתַּחֲוִים וְהַשִּׁיר מְשׁוֹרֵר וְהַחֲצֹצְרוֹת מחצצרים
כט מַחְצְרִים הַכֹּל עַד לִכְלוֹת הָעֹלָה׃ וּכְכַלּוֹת לְהַעֲלוֹת כָּרְעוּ הַמֶּלֶךְ
ל וְכָל־הַנִּמְצְאִים אִתּוֹ וַיִּשְׁתַּחֲווּ׃ וַיֹּאמֶר יְחִזְקִיָּהוּ הַמֶּלֶךְ וְהַשָּׂרִים
לַלְוִיִּם לְהַלֵּל לַיהוָה בְּדִבְרֵי דָוִיד וְאָסָף הַחֹזֶה וַיְהַלְלוּ עַד־
לְשִׂמְחָה וַיִּקְּדוּ וַיִּשְׁתַּחֲווּ׃
לא וַיַּעַן יְחִזְקִיָּהוּ וַיֹּאמֶר עַתָּה מִלֵּאתֶם יֶדְכֶם לַיהוָה גֹּשׁוּ וְהָבִיאוּ
זְבָחִים וְתוֹדוֹת לְבֵית יְהוָה וַיָּבִיאוּ הַקָּהָל זְבָחִים וְתוֹדוֹת

חִדּוּשׁ הָעֲבוֹדָה בְּשִׂמְחָה:

הַקְרָבַת הָעָם קָרְבְּנוֹת תּוֹדָה:

לב וְכָל־נְדִיב לֵב עֹלוֹת: וַיְהִי מִסְפַּר הָעֹלָה אֲשֶׁר הֵבִיאוּ הַקָּהָל
בָּקָר שִׁבְעִים אֵילִים מֵאָה כְּבָשִׂים מָאתָיִם לְעֹלָה לַיהוָה
לג לד כָּל־אֵלֶּה: וְהַקֳּדָשִׁים בָּקָר שֵׁשׁ מֵאוֹת וְצֹאן שְׁלֹשֶׁת אֲלָפִים: רַק
הַכֹּהֲנִים הָיוּ לִמְעָט וְלֹא יָכְלוּ לְהַפְשִׁיט אֶת־כָּל־הָעֹלוֹת וַיְחַזְּקוּם
אֲחֵיהֶם הַלְוִיִּם עַד־כְּלוֹת הַמְּלָאכָה וְעַד יִתְקַדְּשׁוּ הַכֹּהֲנִים כִּי
לה הַלְוִיִּם יִשְׁרֵי לֵבָב לְהִתְקַדֵּשׁ מֵהַכֹּהֲנִים: וְגַם־עֹלָה לָרֹב בְּחֶלְבֵי
לו הַשְּׁלָמִים וּבַנְּסָכִים לָעֹלָה וַתִּכּוֹן עֲבוֹדַת בֵּית־יְהוָה: וַיִּשְׂמַח
יְחִזְקִיָּהוּ וְכָל־הָעָם עַל הַהֵכִין הָאֱלֹהִים לָעָם כִּי בְּפִתְאֹם הָיָה
הַדָּבָר:

קְרִיאָה לַעֲשׂוֹת פֶּסַח:

ל א וַיִּשְׁלַח יְחִזְקִיָּהוּ עַל־כָּל־יִשְׂרָאֵל וִיהוּדָה וְגַם־אִגְּרוֹת כָּתַב
עַל־אֶפְרַיִם וּמְנַשֶּׁה לָבוֹא לְבֵית־יְהוָה בִּירוּשָׁלָםִ לַעֲשׂוֹת פֶּסַח
ב לַיהוָה אֱלֹהֵי יִשְׂרָאֵל: וַיִּוָּעַץ הַמֶּלֶךְ וְשָׂרָיו וְכָל־הַקָּהָל בִּירוּשָׁלָםִ
ג לַעֲשׂוֹת הַפֶּסַח בַּחֹדֶשׁ הַשֵּׁנִי: כִּי לֹא יָכְלוּ לַעֲשֹׂתוֹ בָּעֵת הַהִיא
כִּי הַכֹּהֲנִים לֹא־הִתְקַדְּשׁוּ לְמַדַּי וְהָעָם לֹא־נֶאֶסְפוּ לִירוּשָׁלָםִ:
ד ה וַיִּישַׁר הַדָּבָר בְּעֵינֵי הַמֶּלֶךְ וּבְעֵינֵי כָּל־הַקָּהָל: וַיַּעֲמִידוּ דָבָר
לְהַעֲבִיר קוֹל בְּכָל־יִשְׂרָאֵל מִבְּאֵר־שֶׁבַע וְעַד־דָּן לָבוֹא לַעֲשׂוֹת
פֶּסַח לַיהוָה אֱלֹהֵי־יִשְׂרָאֵל בִּירוּשָׁלָםִ כִּי לֹא לָרֹב עָשׂוּ כַּכָּתוּב:

אִגְּרוֹת הַמֶּלֶךְ לְעוֹרֵר לִתְשׁוּבָה:

ו וַיֵּלְכוּ הָרָצִים בָּאִגְּרוֹת מִיַּד הַמֶּלֶךְ וְשָׂרָיו בְּכָל־יִשְׂרָאֵל וִיהוּדָה
וּכְמִצְוַת הַמֶּלֶךְ לֵאמֹר בְּנֵי יִשְׂרָאֵל שׁוּבוּ אֶל־יְהוָה אֱלֹהֵי אַבְרָהָם
יִצְחָק וְיִשְׂרָאֵל וְיָשֹׁב אֶל־הַפְּלֵיטָה הַנִּשְׁאֶרֶת לָכֶם מִכַּף מַלְכֵי
ז אַשּׁוּר: וְאַל־תִּהְיוּ כַּאֲבוֹתֵיכֶם וְכַאֲחֵיכֶם אֲשֶׁר מָעֲלוּ בַּיהוָה
ח אֱלֹהֵי אֲבוֹתֵיהֶם וַיִּתְּנֵם לְשַׁמָּה כַּאֲשֶׁר אַתֶּם רֹאִים: עַתָּה
אַל־תַּקְשׁוּ עָרְפְּכֶם כַּאֲבוֹתֵיכֶם תְּנוּ־יָד לַיהוָה וּבֹאוּ לְמִקְדָּשׁוֹ
אֲשֶׁר הִקְדִּישׁ לְעוֹלָם וְעִבְדוּ אֶת־יְהוָה אֱלֹהֵיכֶם וְיָשֹׁב מִכֶּם
ט חֲרוֹן אַפּוֹ: כִּי בְשׁוּבְכֶם עַל־יְהוָה אֲחֵיכֶם וּבְנֵיכֶם לְרַחֲמִים לִפְנֵי

שׁוֹבֵיהֶם וְלָשׁוּב לָאָרֶץ הַזֹּאת כִּי־חַנּוּן וְרַחוּם יְהוָה אֱלֹהֵיכֶם
י וְלֹא־יָסִיר פָּנִים מִכֶּם אִם־תָּשׁוּבוּ אֵלָיו: וַיִּהְיוּ
הָרָצִים עֹבְרִים מֵעִיר ׀ לָעִיר בְּאֶרֶץ־אֶפְרַיִם וּמְנַשֶּׁה וְעַד־זְבֻלוּן
יא וַיִּהְיוּ מַשְׂחִיקִים עֲלֵיהֶם וּמַלְעִגִים בָּם: אַךְ־אֲנָשִׁים מֵאָשֵׁר
יב וּמְנַשֶּׁה וּמִזְּבֻלוּן נִכְנְעוּ וַיָּבֹאוּ לִירוּשָׁלִָם: גַּם בִּיהוּדָה הָיְתָה יַד
הָאֱלֹהִים לָתֵת לָהֶם לֵב אֶחָד לַעֲשׂוֹת מִצְוַת הַמֶּלֶךְ וְהַשָּׂרִים
יג בִּדְבַר יְהוָה: וַיֵּאָסְפוּ יְרוּשָׁלִַם עַם־רָב לַעֲשׂוֹת אֶת־חַג הַמַּצּוֹת
יד בַּחֹדֶשׁ הַשֵּׁנִי קָהָל לָרֹב מְאֹד: וַיָּקֻמוּ וַיָּסִירוּ אֶת־הַמִּזְבְּחוֹת
אֲשֶׁר בִּירוּשָׁלִָם וְאֵת כָּל־הַמְקַטְּרוֹת הֵסִירוּ וַיַּשְׁלִיכוּ לְנַחַל
טו קִדְרוֹן: וַיִּשְׁחֲטוּ הַפֶּסַח בְּאַרְבָּעָה עָשָׂר לַחֹדֶשׁ הַשֵּׁנִי וְהַכֹּהֲנִים
טז וְהַלְוִיִּם נִכְלְמוּ וַיִּתְקַדְּשׁוּ וַיָּבִיאוּ עֹלוֹת בֵּית יְהוָה: וַיַּעַמְדוּ
עַל־עָמְדָם כְּמִשְׁפָּטָם כְּתוֹרַת מֹשֶׁה אִישׁ־הָאֱלֹהִים הַכֹּהֲנִים
יז זֹרְקִים אֶת־הַדָּם מִיַּד הַלְוִיִּם: כִּי־רַבַּת בַּקָּהָל אֲשֶׁר לֹא־הִתְקַדָּשׁוּ
וְהַלְוִיִּם עַל־שְׁחִיטַת הַפְּסָחִים לְכֹל לֹא טָהוֹר לְהַקְדִּישׁ לַיהוָה:
יח כִּי מַרְבִּית הָעָם רַבַּת מֵאֶפְרַיִם וּמְנַשֶּׁה יִשָּׂשכָר וּזְבֻלוּן לֹא הִטֶּהָרוּ
כִּי־אָכְלוּ אֶת־הַפֶּסַח בְּלֹא כַכָּתוּב כִּי הִתְפַּלֵּל יְחִזְקִיָּהוּ עֲלֵיהֶם
יט לֵאמֹר יְהוָה הַטּוֹב יְכַפֵּר בְּעַד: כָּל־לְבָבוֹ הֵכִין לִדְרוֹשׁ הָאֱלֹהִים ׀
כ יְהוָה אֱלֹהֵי אֲבוֹתָיו וְלֹא כְּטָהֳרַת הַקֹּדֶשׁ: וַיִּשְׁמַע יְהוָה
כא אֶל־יְחִזְקִיָּהוּ וַיִּרְפָּא אֶת־הָעָם: וַיַּעֲשׂוּ בְנֵי־יִשְׂרָאֵל
הַנִּמְצְאִים בִּירוּשָׁלִַם אֶת־חַג הַמַּצּוֹת שִׁבְעַת יָמִים בְּשִׂמְחָה
גְדוֹלָה וּמְהַלְלִים לַיהוָה יוֹם ׀ בְּיוֹם הַלְוִיִּם וְהַכֹּהֲנִים בִּכְלֵי־עֹז
כב לַיהוָה: וַיְדַבֵּר יְחִזְקִיָּהוּ
עַל־לֵב כָּל־הַלְוִיִּם הַמַּשְׂכִּילִים שֵׂכֶל־טוֹב לַיהוָה וַיֹּאכְלוּ אֶת־
הַמּוֹעֵד שִׁבְעַת הַיָּמִים מְזַבְּחִים זִבְחֵי שְׁלָמִים וּמִתְוַדִּים לַיהוָה
כג אֱלֹהֵי אֲבוֹתֵיהֶם: וַיִּוָּעֲצוּ כָּל־הַקָּהָל

תְּגוּבַת הָעָם לִשְׁלִיחֵי הַמֶּלֶךְ:

קָרְבַּן הַפֶּסַח:

שִׁבְעַת יְמֵי שִׂמְחָה נוֹסָפִים:

כד לַעֲשׂוֹת שִׁבְעַת יָמִים אֲחֵרִים וַיַּעֲשׂוּ שִׁבְעַת־יָמִים שִׂמְחָה: כִּי
חִזְקִיָּהוּ מֶלֶךְ־יְהוּדָה הֵרִים לַקָּהָל אֶלֶף פָּרִים וְשִׁבְעַת אֲלָפִים
צֹאן וְהַשָּׂרִים הֵרִימוּ לַקָּהָל פָּרִים אֶלֶף
כה וְצֹאן עֲשֶׂרֶת אֲלָפִים וַיִּתְקַדְּשׁוּ כֹהֲנִים לָרֹב: וַיִּשְׂמְחוּ | כָּל־קְהַל
יְהוּדָה וְהַכֹּהֲנִים וְהַלְוִיִּם וְכָל־הַקָּהָל הַבָּאִים מִיִּשְׂרָאֵל וְהַגֵּרִים
כו הַבָּאִים מֵאֶרֶץ יִשְׂרָאֵל וְהַיּוֹשְׁבִים בִּיהוּדָה: וַתְּהִי שִׂמְחָה־גְדוֹלָה
בִּירוּשָׁלָםִ כִּי מִימֵי שְׁלֹמֹה בֶן־דָּוִיד מֶלֶךְ יִשְׂרָאֵל לֹא כָזֹאת
כז בִּירוּשָׁלָםִ: וַיָּקֻמוּ הַכֹּהֲנִים הַלְוִיִּם וַיְבָרְכוּ אֶת־הָעָם
וַיִּשָּׁמַע בְּקוֹלָם וַתָּבוֹא תְפִלָּתָם לִמְעוֹן קָדְשׁוֹ לַשָּׁמָיִם:

הַשְׁמָדַת הָאֱלִילִים וְחִדּוּשׁ הָעֲבוֹדָה:

לא א וּכְכַלּוֹת כָּל־זֹאת יָצְאוּ כָּל־יִשְׂרָאֵל הַנִּמְצְאִים לְעָרֵי יְהוּדָה
וַיְשַׁבְּרוּ הַמַּצֵּבוֹת וַיְגַדְּעוּ הָאֲשֵׁרִים וַיְנַתְּצוּ אֶת־הַבָּמוֹת וְאֶת־
הַמִּזְבְּחֹת מִכָּל־יְהוּדָה וּבִנְיָמִן וּבְאֶפְרַיִם וּמְנַשֶּׁה עַד־לְכַלֵּה
וַיָּשׁוּבוּ כָּל־בְּנֵי יִשְׂרָאֵל אִישׁ לַאֲחֻזָּתוֹ לְעָרֵיהֶם:
ב וַיַּעֲמֵד יְחִזְקִיָּהוּ אֶת־מַחְלְקוֹת הַכֹּהֲנִים וְהַלְוִיִּם עַל־מַחְלְקוֹתָם
אִישׁ | כְּפִי עֲבֹדָתוֹ לַכֹּהֲנִים וְלַלְוִיִּם לְעֹלָה וְלִשְׁלָמִים לְשָׁרֵת
ג וּלְהֹדוֹת וּלְהַלֵּל בְּשַׁעֲרֵי מַחֲנוֹת יְהוָה: וּמְנָת הַמֶּלֶךְ
מִן־רְכוּשׁוֹ לָעֹלוֹת לְעֹלוֹת הַבֹּקֶר וְהָעֶרֶב וְהָעֹלוֹת לַשַּׁבָּתוֹת

נְתִינַת הַמַּתָּנוֹת לַכֹּהֲנִים וְלַלְוִיִּם:

ד וְלֶחֳדָשִׁים וְלַמֹּעֲדִים כַּכָּתוּב בְּתוֹרַת יְהוָה: וַיֹּאמֶר לָעָם לְיוֹשְׁבֵי
יְרוּשָׁלַםִ לָתֵת מְנָת הַכֹּהֲנִים וְהַלְוִיִּם לְמַעַן יֶחֶזְקוּ בְּתוֹרַת יְהוָה:
ה וְכִפְרֹץ הַדָּבָר הִרְבּוּ בְנֵי־יִשְׂרָאֵל רֵאשִׁית דָּגָן תִּירוֹשׁ וְיִצְהָר
ו וּדְבַשׁ וְכֹל תְּבוּאַת שָׂדֶה וּמַעְשַׂר הַכֹּל לָרֹב הֵבִיאוּ: וּבְנֵי יִשְׂרָאֵל
וִיהוּדָה הַיּוֹשְׁבִים בְּעָרֵי יְהוּדָה גַּם־הֵם מַעְשַׂר בָּקָר וָצֹאן
וּמַעְשַׂר קֳדָשִׁים הַמְקֻדָּשִׁים לַיהוָה אֱלֹהֵיהֶם הֵבִיאוּ וַיִּתְּנוּ
ז עֲרֵמוֹת עֲרֵמוֹת: בַּחֹדֶשׁ הַשְּׁלִשִׁי הֵחֵלּוּ הָעֲרֵמוֹת
ח לְיַסּוֹד וּבַחֹדֶשׁ הַשְּׁבִיעִי כִּלּוּ: וַיָּבֹאוּ יְחִזְקִיָּהוּ וְהַשָּׂרִים

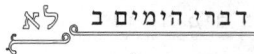

וַיִּרְאוּ אֶת־הָעֲרֵמוֹת וַיְבָרְכוּ אֶת־יְהוָה וְאֵת עַמּוֹ יִשְׂרָאֵל׃
ט וַיִּדְרֹשׁ יְחִזְקִיָּהוּ עַל־הַכֹּהֲנִים וְהַלְוִיִּם עַל־הָעֲרֵמוֹת׃ וַיֹּאמֶר אֵלָיו
י עֲזַרְיָהוּ הַכֹּהֵן הָרֹאשׁ לְבֵית צָדוֹק וַיֹּאמֶר מֵהָחֵל הַתְּרוּמָה לָבִיא
בֵית־יְהוָה אָכוֹל וְשָׂבוֹעַ וְהוֹתֵר עַד־לָרוֹב כִּי יְהוָה בֵּרַךְ
יא אֶת־עַמּוֹ וְהַנּוֹתָר אֶת־הֶהָמוֹן הַזֶּה׃ וַיֹּאמֶר יְחִזְקִיָּהוּ הַלְּשָׁכוֹת
יב לְהָכִין לְשָׁכוֹת בְּבֵית יְהוָה וַיָּכִינוּ׃ וַיָּבִיאוּ אֶת־הַתְּרוּמָה וְהַמַּעֲשֵׂר לְאִכְסוּן הַתְּרוּמָה וְהַמַּעֲשֵׂר׃
וְהַקֳּדָשִׁים בֶּאֱמוּנָה וַעֲלֵיהֶם נָגִיד כוניהו כָּנַנְיָהוּ הַלֵּוִי וְשִׁמְעִי
יג אָחִיהוּ מִשְׁנֶה׃ וִיחִיאֵל וַעֲזַזְיָהוּ וְנַחַת וַעֲשָׂהאֵל וִירִימוֹת וְיוֹזָבָד
וֶאֱלִיאֵל וְיִסְמַכְיָהוּ וּמַחַת וּבְנָיָהוּ פְּקִידִים מִיַּד כוניהו כָּנַנְיָהוּ
וְשִׁמְעִי אָחִיו בְּמִפְקַד יְחִזְקִיָּהוּ הַמֶּלֶךְ וַעֲזַרְיָהוּ נְגִיד בֵּית־
יד הָאֱלֹהִים׃ וְקוֹרֵא בֶן־יִמְנָה הַלֵּוִי הַשּׁוֹעֵר לַמִּזְרָחָה עַל נִדְבוֹת
טו הָאֱלֹהִים לָתֵת תְּרוּמַת יְהוָה וְקָדְשֵׁי הַקֳּדָשִׁים׃ וְעַל־יָדוֹ עֵדֶן
וּמִנְיָמִן וְיֵשׁוּעַ וּשְׁמַעְיָהוּ אֲמַרְיָהוּ וּשְׁכַנְיָהוּ בְּעָרֵי הַכֹּהֲנִים
טז בֶּאֱמוּנָה לָתֵת לַאֲחֵיהֶם בְּמַחְלְקוֹת כַּגָּדוֹל כַּקָּטָן׃ מִלְּבַד הַחֲלֻקָּה לַכֹּהֲנִים׃
הִתְיַחְשָׂם לִזְכָרִים מִבֶּן שָׁלוֹשׁ שָׁנִים וּלְמַעְלָה לְכָל־הַבָּא
לְבֵית־יְהוָה לִדְבַר־יוֹם בְּיוֹמוֹ לַעֲבוֹדָתָם בְּמִשְׁמְרוֹתָם
יז כְּמַחְלְקוֹתֵיהֶם׃ וְאֵת הִתְיַחֵשׂ הַכֹּהֲנִים לְבֵית אֲבוֹתֵיהֶם וְהַלְוִיִּם
מִבֶּן עֶשְׂרִים שָׁנָה וּלְמָעְלָה בְּמִשְׁמְרוֹתֵיהֶם בְּמַחְלְקוֹתֵיהֶם׃
יח וּלְהִתְיַחֵשׂ בְּכָל־טַפָּם נְשֵׁיהֶם וּבְנֵיהֶם וּבְנוֹתֵיהֶם לְכָל־קָהָל כִּי
יט בֶאֱמוּנָתָם יִתְקַדְּשׁוּ־קֹדֶשׁ׃ וְלִבְנֵי אַהֲרֹן הַכֹּהֲנִים בִּשְׂדֵי מִגְרַשׁ
עָרֵיהֶם בְּכָל־עִיר וָעִיר אֲנָשִׁים אֲשֶׁר נִקְּבוּ בְּשֵׁמוֹת לָתֵת מָנוֹת
כ לְכָל־זָכָר בַּכֹּהֲנִים וּלְכָל־הִתְיַחֵשׂ בַּלְוִיִּם׃ וַיַּעַשׂ כָּזֹאת יְחִזְקִיָּהוּ
בְּכָל־יְהוּדָה וַיַּעַשׂ הַטּוֹב וְהַיָּשָׁר וְהָאֱמֶת לִפְנֵי יְהוָה אֱלֹהָיו׃
כא וּבְכָל־מַעֲשֶׂה אֲשֶׁר־הֵחֵל ׀ בַּעֲבוֹדַת בֵּית־הָאֱלֹהִים וּבַתּוֹרָה
וּבַמִּצְוָה לִדְרֹשׁ לֵאלֹהָיו בְּכָל־לְבָבוֹ עָשָׂה וְהִצְלִיחַ׃

עֲלִיַּת סַנְחֵרִיב עַל יְרוּשָׁלַיִם וּסְתִימַת הַמַּעְיָנוֹת:

לב א אַחֲרֵי הַדְּבָרִים וְהָאֱמֶת הָאֵלֶּה בָּא סַנְחֵרִיב מֶלֶךְ־אַשּׁוּר וַיָּבֹא
ב בִיהוּדָה וַיִּחַן עַל־הֶעָרִים הַבְּצֻרוֹת וַיֹּאמֶר לְבִקְעָם אֵלָיו: וַיַּרְא
ג יְחִזְקִיָּהוּ כִּי־בָא סַנְחֵרִיב וּפָנָיו לַמִּלְחָמָה עַל־יְרוּשָׁלָםִ: וַיִּוָּעַץ
עִם־שָׂרָיו וְגִבֹּרָיו לִסְתּוֹם אֶת־מֵימֵי הָעֲיָנוֹת אֲשֶׁר מִחוּץ לָעִיר
ד וַיַּעְזְרוּהוּ: וַיִּקָּבְצוּ עַם־רָב וַיִּסְתְּמוּ אֶת־כָּל־הַמַּעְיָנוֹת וְאֶת־
הַנַּחַל הַשּׁוֹטֵף בְּתוֹךְ־הָאָרֶץ לֵאמֹר לָמָּה יָבוֹאוּ מַלְכֵי אַשּׁוּר
ה וּמָצְאוּ מַיִם רַבִּים: וַיִּתְחַזַּק וַיִּבֶן אֶת־כָּל־הַחוֹמָה הַפְּרוּצָה וַיַּעַל
עַל־הַמִּגְדָּלוֹת וְלַחוּצָה הַחוֹמָה אַחֶרֶת וַיְחַזֵּק אֶת־הַמִּלּוֹא עִיר
ו דָּוִיד וַיַּעַשׂ שֶׁלַח לָרֹב וּמָגִנִּים: וַיִּתֵּן שָׂרֵי מִלְחָמוֹת עַל־הָעָם
וַיִּקְבְּצֵם אֵלָיו אֶל־רְחוֹב שַׁעַר הָעִיר וַיְדַבֵּר עַל־לְבָבָם לֵאמֹר:
ז חִזְקוּ וְאִמְצוּ אַל־תִּירְאוּ וְאַל־תֵּחַתּוּ מִפְּנֵי מֶלֶךְ אַשּׁוּר וּמִלִּפְנֵי
ח כָּל־הֶהָמוֹן אֲשֶׁר־עִמּוֹ כִּי־עִמָּנוּ רַב מֵעִמּוֹ: עִמּוֹ זְרוֹעַ בָּשָׂר
וְעִמָּנוּ יְהוָה אֱלֹהֵינוּ לְעָזְרֵנוּ וּלְהִלָּחֵם מִלְחֲמֹתֵנוּ וַיִּסָּמְכוּ הָעָם
עַל־דִּבְרֵי יְחִזְקִיָּהוּ מֶלֶךְ־יְהוּדָה:

[3213] חֵרוּף עַבְדֵי סַנְחֵרִיב:

ט אַחַר זֶה שָׁלַח סַנְחֵרִיב מֶלֶךְ־אַשּׁוּר עֲבָדָיו יְרוּשָׁלַיְמָה וְהוּא
עַל־לָכִישׁ וְכָל־מֶמְשַׁלְתּוֹ עִמּוֹ עַל־יְחִזְקִיָּהוּ מֶלֶךְ יְהוּדָה וְעַל־
י כָּל־יְהוּדָה אֲשֶׁר בִּירוּשָׁלַםִ לֵאמֹר: כֹּה אָמַר סַנְחֵרִיב מֶלֶךְ אַשּׁוּר
יא עַל־מָה אַתֶּם בֹּטְחִים וְיֹשְׁבִים בְּמָצוֹר בִּירוּשָׁלָםִ: הֲלֹא יְחִזְקִיָּהוּ
מַסִּית אֶתְכֶם לָתֵת אֶתְכֶם לָמוּת בְּרָעָב וּבְצָמָא לֵאמֹר יְהוָה
יב אֱלֹהֵינוּ יַצִּילֵנוּ מִכַּף מֶלֶךְ אַשּׁוּר: הֲלֹא־הוּא יְחִזְקִיָּהוּ הֵסִיר
אֶת־בָּמֹתָיו וְאֶת־מִזְבְּחֹתָיו וַיֹּאמֶר לִיהוּדָה וְלִירוּשָׁלַםִ לֵאמֹר
יג לִפְנֵי מִזְבֵּחַ אֶחָד תִּשְׁתַּחֲווּ וְעָלָיו תַּקְטִירוּ: הֲלֹא תֵדְעוּ מֶה
עָשִׂיתִי אֲנִי וַאֲבוֹתַי לְכֹל עַמֵּי הָאֲרָצוֹת הֲיָכוֹל יָכְלוּ אֱלֹהֵי גּוֹיֵ
יד הָאֲרָצוֹת לְהַצִּיל אֶת־אַרְצָם מִיָּדִי: מִי בְּכָל־אֱלֹהֵי הַגּוֹיִם הָאֵלֶּה
אֲשֶׁר הֶחֱרִימוּ אֲבוֹתַי אֲשֶׁר יָכוֹל לְהַצִּיל אֶת־עַמּוֹ מִיָּדִי כִּי יוּכַל

טו אֱלֹהֵיכֶם לְהַצִּיל אֶתְכֶם מִיָּדִי׃ וְעַתָּה אַל־יַשִּׁיא אֶתְכֶם חִזְקִיָּהוּ
וְאַל־יַסִּית אֶתְכֶם כָּזֹאת וְאַל־תַּאֲמִינוּ לוֹ כִּי־לֹא יוּכַל כָּל־אֱלוֹהַּ
כָּל־גּוֹי וּמַמְלָכָה לְהַצִּיל עַמּוֹ מִיָּדִי וּמִיַּד אֲבוֹתָי אַף כִּי אֱלֹהֵיכֶם
טז לֹא־יַצִּילוּ אֶתְכֶם מִיָּדִי׃ וְעוֹד דִּבְּרוּ עֲבָדָיו עַל־יְהוָה הָאֱלֹהִים
יז וְעַל יְחִזְקִיָּהוּ עַבְדּוֹ׃ וּסְפָרִים כָּתַב לְחָרֵף לַיהוָה אֱלֹהֵי יִשְׂרָאֵל
וְלֵאמֹר עָלָיו לֵאמֹר כֵּאלֹהֵי גּוֹיֵ הָאֲרָצוֹת אֲשֶׁר לֹא־הִצִּילוּ עַמָּם
יח מִיָּדִי כֵּן לֹא־יַצִּיל אֱלֹהֵי יְחִזְקִיָּהוּ עַמּוֹ מִיָּדִי׃ וַיִּקְרְאוּ בְקוֹל־גָּדוֹל
יְהוּדִית עַל־עַם יְרוּשָׁלִַם אֲשֶׁר עַל־הַחוֹמָה לְיָרְאָם וּלְבַהֲלָם
יט לְמַעַן יִלְכְּדוּ אֶת־הָעִיר׃ וַיְדַבְּרוּ אֶל־אֱלֹהֵי יְרוּשָׁלִָם כְּעַל אֱלֹהֵי
כ עַמֵּי הָאָרֶץ מַעֲשֵׂה יְדֵי הָאָדָם׃ וַיִּתְפַּלֵּל
יְחִזְקִיָּהוּ הַמֶּלֶךְ וִישַׁעְיָהוּ בֶן־אָמוֹץ הַנָּבִיא עַל־זֹאת וַיִּזְעֲקוּ
כא הַשָּׁמָיִם׃ וַיִּשְׁלַח יְהוָה מַלְאָךְ וַיַּכְחֵד כָּל־גִּבּוֹר חַיִל מַפֶּלֶת
וְנָגִיד וְשָׂר בְּמַחֲנֵה מֶלֶךְ אַשּׁוּר וַיָּשָׁב בְּבֹשֶׁת פָּנִים לְאַרְצוֹ וַיָּבֹא אַשּׁוּר וְסַנְחֵרִיב׃
כב בֵּית אֱלֹהָיו ומיציאו וּמִיצִיאֵי מֵעָיו שָׁם הִפִּילֻהוּ בֶחָרֶב׃ וַיּוֹשַׁע
יְהוָה אֶת־יְחִזְקִיָּהוּ וְאֵת ׀ יֹשְׁבֵי יְרוּשָׁלִַם מִיַּד סַנְחֵרִיב מֶלֶךְ־
כג אַשּׁוּר וּמִיַּד־כֹּל וַיְנַהֲלֵם מִסָּבִיב׃ וְרַבִּים מְבִיאִים מִנְחָה לַיהוָה
לִירוּשָׁלִַם וּמִגְדָּנוֹת לִיחִזְקִיָּהוּ מֶלֶךְ יְהוּדָה וַיִּנַּשֵּׂא לְעֵינֵי כָל־
הַגּוֹיִם מֵאַחֲרֵי־כֵן׃
כד בַּיָּמִים הָהֵם חָלָה יְחִזְקִיָּהוּ עַד־לָמוּת וַיִּתְפַּלֵּל אֶל־יְהוָה וַיֹּאמֶר מַחֲלַת יְחִזְקִיָּהוּ
כה לוֹ וּמוֹפֵת נָתַן לוֹ׃ וְלֹא־כִגְמֻל עָלָיו הֵשִׁיב יְחִזְקִיָּהוּ כִּי גָבַהּ וּתְפִלָּתוֹ׃
כו לִבּוֹ וַיְהִי עָלָיו קֶצֶף וְעַל־יְהוּדָה וִירוּשָׁלִָם׃ וַיִּכָּנַע יְחִזְקִיָּהוּ
בְּגֹבַהּ לִבּוֹ הוּא וְיוֹשְׁבֵי יְרוּשָׁלִָם וְלֹא־בָא עֲלֵיהֶם קֶצֶף יְהוָה
כז בִּימֵי יְחִזְקִיָּהוּ׃ וַיְהִי לִיחִזְקִיָּהוּ עֹשֶׁר וְכָבוֹד הַרְבֵּה מְאֹד וְאֹצָרוֹת גְּדֻלַּת יְחִזְקִיָּהוּ׃
עָשָׂה־לוֹ לְכֶסֶף וּלְזָהָב וּלְאֶבֶן יְקָרָה וְלִבְשָׂמִים וּלְמָגִנִּים וּלְכֹל
כח כְּלֵי חֶמְדָּה׃ וּמִסְכְּנוֹת לִתְבוּאַת דָּגָן וְתִירוֹשׁ וְיִצְהָר וְאֻרָוֺת

לְכָל־בְּהֵמָ֣ה וּבְהֵמָ֔ה וַעֲדָרִ֖ים לָאֲוֵרֽוֹת׃ וְעָרִים֙ עָ֣שָׂה ל֔וֹ וּמִקְנֵה־
כט
צֹ֥אן וּבָקָ֖ר לָרֹ֑ב כִּ֤י נָֽתַן־לוֹ֙ אֱלֹהִ֔ים רְכ֖וּשׁ רַ֥ב מְאֹֽד׃ וְה֣וּא יְחִזְקִיָּ֗הוּ
ל
סָתַם֙ אֶת־מוֹצָ֞א מֵימֵ֤י גִיחוֹן֙ הָעֶלְי֔וֹן וַיַּישְּׁרֵ֥ם לְמַֽטָּה־מַּעְרָ֖בָה
לְעִ֣יר דָּוִ֑יד וַיַּצְלַ֧ח יְחִזְקִיָּ֛הוּ בְּכָל־מַעֲשֵֽׂהוּ׃ וְכֵ֞ן בִּמְלִיצֵ֣י ׀ שָׂרֵ֣י
לא
בָּבֶ֗ל הַֽמְשַׁלְּחִ֤ים עָלָיו֙ לִדְרֹ֗שׁ הַמּוֹפֵת֙ אֲשֶׁ֣ר הָיָ֣ה בָאָ֔רֶץ עֲזָב֖וֹ
הָאֱלֹהִ֑ים לְנַ֨סּוֹת֔וֹ לָדַ֖עַת כָּל־בִּלְבָבֽוֹ׃ וְיֶ֛תֶר דִּבְרֵ֥י יְחִזְקִיָּ֖הוּ
לב
סוֹף מַלְכוּת יְחִזְקִיָּהוּ׃
וַחֲסָדָ֑יו הִנָּ֣ם כְּתוּבִ֗ים בַּחֲז֞וֹן יְשַׁעְיָ֤הוּ בֶן־אָמוֹץ֙ הַנָּבִ֔יא עַל־סֵ֥פֶר
מַלְכֵֽי־יְהוּדָ֖ה וְיִשְׂרָאֵֽל׃ וַיִּשְׁכַּ֨ב יְחִזְקִיָּ֜הוּ עִם־אֲבֹתָ֗יו וַֽיִּקְבְּרֻ֙הוּ֙
לג
בְּמַעֲלֵה֙ קִבְרֵ֣י בְנֵֽי־דָוִ֔יד וְכָב֗וֹד עָֽשׂוּ־ל֛וֹ בְמוֹת֖וֹ כָּל־יְהוּדָ֑ה
וְיֹשְׁבֵ֣י יְרוּשָׁלִָ֔ם וַיִּמְלֹ֛ךְ מְנַשֶּׁ֥ה בְנ֖וֹ תַּחְתָּֽיו׃

[3228]
מַלְכוּת מְנַשֶּׁה בֶּן יְחִזְקִיָּהוּ וְרִשְׁעוֹ׃

לג א
בֶּן־שְׁתֵּ֥ים עֶשְׂרֵ֛ה שָׁנָ֖ה מְנַשֶּׁ֣ה בְמָלְכ֑וֹ וַחֲמִשִּׁ֤ים וְחָמֵשׁ֙ שָׁנָ֔ה
מָלַ֖ךְ בִּירוּשָׁלִָֽם׃ וַיַּ֥עַשׂ הָרַ֖ע בְּעֵינֵ֣י יְהוָ֑ה כְּתֹֽעֲבוֹת֙ הַגּוֹיִ֔ם אֲשֶׁר֙
ב
הוֹרִ֣ישׁ יְהוָ֔ה מִפְּנֵ֖י בְּנֵ֥י יִשְׂרָאֵֽל׃ וַיָּ֗שָׁב וַיִּ֙בֶן֙ אֶת־הַבָּמ֔וֹת אֲשֶׁ֥ר
ג
נִתַּ֖ץ יְחִזְקִיָּ֣הוּ אָבִ֑יו וַיָּ֨קֶם מִזְבְּח֤וֹת לַבְּעָלִים֙ וַיַּ֣עַשׂ אֲשֵׁר֔וֹת
וַיִּשְׁתַּ֙חוּ֙ לְכָל־צְבָ֣א הַשָּׁמַ֔יִם וַֽיַּעֲבֹ֖ד אֹתָֽם׃ וּבָנָ֥ה מִזְבְּח֖וֹת בְּבֵ֣ית
ד
יְהוָ֑ה אֲשֶׁר֙ אָמַ֣ר יְהוָ֔ה בִּירוּשָׁלִַ֖ם יִֽהְיֶה־שְּׁמִ֥י לְעוֹלָֽם׃ וַיִּ֥בֶן
ה
מִזְבְּח֖וֹת לְכָל־צְבָ֣א הַשָּׁמָ֑יִם בִּשְׁתֵּ֖י חַצְר֥וֹת בֵּית־יְהוָֽה׃ וְהוּא֩
ו
הֶעֱבִ֨יר אֶת־בָּנָ֥יו בָּאֵשׁ֮ בְּגֵ֣י בֶן־הִנֹּם֒ וְעוֹנֵ֤ן וְנִחֵשׁ֙ וְכִשֵּׁ֔ף וְעָ֥שָׂה
א֖וֹב וְיִדְּעוֹנִ֑י הִרְבָּ֗ה לַעֲשׂ֥וֹת הָרַ֛ע בְּעֵינֵ֥י יְהוָ֖ה לְהַכְעִיסֽוֹ׃ וַיָּ֗שֶׂם
ז
אֶת־פֶּ֥סֶל הַסֶּ֖מֶל אֲשֶׁ֣ר עָשָׂ֑ה בְּבֵ֣ית הָאֱלֹהִ֗ים אֲשֶׁר֩ אָמַ֨ר אֱלֹהִ֜ים
אֶל־דָּוִיד֙ וְאֶל־שְׁלֹמֹ֣ה בְנ֔וֹ בַּבַּ֨יִת הַזֶּ֜ה וּבִירוּשָׁלִַ֗ם אֲשֶׁ֤ר בָּחַ֙רְתִּי֙
מִכֹּל֙ שִׁבְטֵ֣י יִשְׂרָאֵ֔ל אָשִׂ֥ים אֶת־שְׁמִ֖י לְעֵילֽוֹם׃ וְלֹ֣א אֹסִ֗יף לְהָסִיר֙
ח
אֶת־רֶ֣גֶל יִשְׂרָאֵ֔ל מֵעַל֙ הָאֲדָמָ֔ה אֲשֶׁ֥ר הֶעֱמַ֖דְתִּי לַאֲבֹֽתֵיכֶ֑ם
רַ֣ק ׀ אִם־יִשְׁמְר֣וּ לַעֲשׂ֗וֹת אֵ֛ת כָּל־אֲשֶׁ֥ר צִוִּיתִ֖ים לְכָל־הַתּוֹרָ֥ה
וְהַחֻקִּ֛ים וְהַמִּשְׁפָּטִ֖ים בְּיַד־מֹשֶֽׁה׃ וַיֶּ֣תַע מְנַשֶּׁ֔ה אֶת־יְהוּדָ֖ה וְיֹשְׁבֵ֣י
ט

יְרוּשָׁלִָם לַעֲשׂוֹת רָע מִן־הַגּוֹיִם אֲשֶׁר הִשְׁמִיד יְהוָה מִפְּנֵי בְּנֵי
יִשְׂרָאֵל׃
י יא וַיְדַבֵּר יְהוָה אֶל־מְנַשֶּׁה וְאֶל־עַמּוֹ וְלֹא הִקְשִׁיבוּ׃ וַיָּבֵא יְהוָה שְׁבִי מְנַשֶּׁה וּתְשׁוּבָתוֹ׃
עֲלֵיהֶם אֶת־שָׂרֵי הַצָּבָא אֲשֶׁר לְמֶלֶךְ אַשּׁוּר וַיִּלְכְּדוּ אֶת־מְנַשֶּׁה
יב בַּחֹחִים וַיַּאַסְרֻהוּ בַּנְחֻשְׁתַּיִם וַיּוֹלִיכֻהוּ בָּבֶלָה׃ וּכְהָצֵר לוֹ חִלָּה
יג אֶת־פְּנֵי יְהוָה אֱלֹהָיו וַיִּכָּנַע מְאֹד מִלִּפְנֵי אֱלֹהֵי אֲבֹתָיו׃ וַיִּתְפַּלֵּל
אֵלָיו וַיֵּעָתֶר לוֹ וַיִּשְׁמַע תְּחִנָּתוֹ וַיְשִׁיבֵהוּ יְרוּשָׁלִַם לְמַלְכוּתוֹ
יד וַיֵּדַע מְנַשֶּׁה כִּי יְהוָה הוּא הָאֱלֹהִים׃ וְאַחֲרֵי־כֵן בָּנָה חוֹמָה
חִיצוֹנָה ׀ לְעִיר־דָּוִיד מַעְרָבָה לְגִיחוֹן בַּנַּחַל וְלָבוֹא בְשַׁעַר
הַדָּגִים וְסָבַב לָעֹפֶל וַיַּגְבִּיהֶהָ מְאֹד וַיָּשֶׂם שָׂרֵי־חַיִל בְּכָל־הֶעָרִים
טו הַבְּצֻרוֹת בִּיהוּדָה׃ וַיָּסַר אֶת־אֱלֹהֵי הַנֵּכָר וְאֶת־הַסֶּמֶל מִבֵּית
יְהוָה וְכָל־הַמִּזְבְּחוֹת אֲשֶׁר בָּנָה בְּהַר בֵּית־יְהוָה וּבִירוּשָׁלִָם
טז וַיַּשְׁלֵךְ חוּצָה לָעִיר׃ ויכן וַיִּבֶן אֶת־מִזְבַּח יְהוָה וַיִּזְבַּח עָלָיו זִבְחֵי
שְׁלָמִים וְתוֹדָה וַיֹּאמֶר לִיהוּדָה לַעֲבוֹד אֶת־יְהוָה אֱלֹהֵי יִשְׂרָאֵל׃
יז יח אֲבָל עוֹד הָעָם זֹבְחִים בַּבָּמוֹת רַק לַיהוָה אֱלֹהֵיהֶם׃ וְיֶתֶר דִּבְרֵי סוֹף מַלְכוּת מְנַשֶּׁה׃
מְנַשֶּׁה וּתְפִלָּתוֹ אֶל־אֱלֹהָיו וְדִבְרֵי הַחֹזִים הַמְדַבְּרִים אֵלָיו בְּשֵׁם
יט יְהוָה אֱלֹהֵי יִשְׂרָאֵל הִנָּם עַל־דִּבְרֵי מַלְכֵי יִשְׂרָאֵל׃ וּתְפִלָּתוֹ
וְהֵעָתֶר־לוֹ וְכָל־חַטָּאתוֹ וּמַעְלוֹ וְהַמְּקֹמוֹת אֲשֶׁר בָּנָה בָהֶם
בָּמוֹת וְהֶעֱמִיד הָאֲשֵׁרִים וְהַפְּסִלִים לִפְנֵי הִכָּנְעוֹ הִנָּם כְּתוּבִים
כ עַל דִּבְרֵי חוֹזָי׃ וַיִּשְׁכַּב מְנַשֶּׁה עִם־אֲבֹתָיו וַיִּקְבְּרֻהוּ בֵּיתוֹ וַיִּמְלֹךְ
אָמוֹן בְּנוֹ תַּחְתָּיו׃

כא בֶּן־עֶשְׂרִים וּשְׁתַּיִם שָׁנָה אָמוֹן בְּמָלְכוֹ וּשְׁתַּיִם שָׁנִים מָלַךְ [3283]
כב בִּירוּשָׁלִָם׃ וַיַּעַשׂ הָרַע בְּעֵינֵי יְהוָה כַּאֲשֶׁר עָשָׂה מְנַשֶּׁה אָבִיו מַלְכוּת אָמוֹן בֶּן מְנַשֶּׁה׃
וּלְכָל־הַפְּסִילִים אֲשֶׁר עָשָׂה מְנַשֶּׁה אָבִיו זִבַּח אָמוֹן וַיַּעַבְדֵם׃
כג וְלֹא נִכְנַע מִלִּפְנֵי יְהוָה כְּהִכָּנַע מְנַשֶּׁה אָבִיו כִּי הוּא אָמוֹן הִרְבָּה

כד כה אַשְׁמָה׃ וַיִּקְשְׁרוּ עָלָיו עֲבָדָיו וַיְמִיתֻהוּ בְּבֵיתוֹ׃ וַיַּכּוּ עַם־הָאָרֶץ
אֵת כָּל־הַקֹּשְׁרִים עַל־הַמֶּלֶךְ אָמוֹן וַיַּמְלִיכוּ עַם־הָאָרֶץ אֶת־
יֹאשִׁיָּהוּ בְנוֹ תַּחְתָּיו׃

[3285] מַלְכוּת יֹאשִׁיָּהוּ בֶן אָמוֹן וְצִדְקוֹ׃

לד א בֶּן־שְׁמוֹנֶה שָׁנִים יֹאשִׁיָּהוּ בְמָלְכוֹ וּשְׁלֹשִׁים וְאַחַת שָׁנָה מָלַךְ
ב בִּירוּשָׁלִָם׃ וַיַּעַשׂ הַיָּשָׁר בְּעֵינֵי יְהוָה וַיֵּלֶךְ בְּדַרְכֵי דָּוִיד אָבִיו
ג וְלֹא־סָר יָמִין וּשְׂמֹאול׃ וּבִשְׁמוֹנֶה שָׁנִים לְמָלְכוֹ וְהוּא עוֹדֶנּוּ
נַעַר הֵחֵל לִדְרוֹשׁ לֵאלֹהֵי דָּוִיד אָבִיו וּבִשְׁתֵּים עֶשְׂרֵה שָׁנָה הֵחֵל
לְטַהֵר אֶת־יְהוּדָה וִירוּשָׁלִַם מִן־הַבָּמוֹת וְהָאֲשֵׁרִים וְהַפְּסִלִים
ד וְהַמַּסֵּכוֹת׃ וַיְנַתְּצוּ לְפָנָיו אֵת מִזְבְּחוֹת הַבְּעָלִים וְהַחַמָּנִים אֲשֶׁר־
לְמַעְלָה מֵעֲלֵיהֶם גִּדֵּעַ וְהָאֲשֵׁרִים וְהַפְּסִלִים וְהַמַּסֵּכוֹת שִׁבַּר
ה וְהֵדַק וַיִּזְרֹק עַל־פְּנֵי הַקְּבָרִים הַזֹּבְחִים לָהֶם׃ וְעַצְמוֹת כֹּהֲנִים
שָׂרַף עַל־מזבחותים מִזְבְּחוֹתָם וַיְטַהֵר אֶת־יְהוּדָה וְאֶת־יְרוּשָׁלִָם׃
ו וּבְעָרֵי מְנַשֶּׁה וְאֶפְרַיִם וְשִׁמְעוֹן וְעַד־נַפְתָּלִי בחר בתיהם בְּחַרְבֹתֵיהֶם
ז סָבִיב׃ וַיְנַתֵּץ אֶת־הַמִּזְבְּחוֹת וְאֶת־הָאֲשֵׁרִים וְהַפְּסִלִים כִּתַּת לְהֵדַק
וְכָל־הַחַמָּנִים גִּדַּע בְּכָל־אֶרֶץ יִשְׂרָאֵל וַיָּשָׁב לִירוּשָׁלִָם׃

[3303] חִזּוּק בֶּדֶק הַבַּיִת׃

ח וּבִשְׁנַת שְׁמוֹנֶה עֶשְׂרֵה לְמָלְכוֹ לְטַהֵר הָאָרֶץ וְהַבָּיִת שָׁלַח
אֶת־שָׁפָן בֶּן־אֲצַלְיָהוּ וְאֶת־מַעֲשֵׂיָהוּ שַׂר־הָעִיר וְאֵת יוֹאָח בֶּן־
ט יוֹאָחָז הַמַּזְכִּיר לְחַזֵּק אֶת־בֵּית יְהוָה אֱלֹהָיו׃ וַיָּבֹאוּ אֶל־חִלְקִיָּהוּ ׀
הַכֹּהֵן הַגָּדוֹל וַיִּתְּנוּ אֶת־הַכֶּסֶף הַמּוּבָא בֵית־אֱלֹהִים אֲשֶׁר אָסְפוּ־
הַלְוִיִּם שֹׁמְרֵי הַסַּף מִיַּד מְנַשֶּׁה וְאֶפְרַיִם וּמִכֹּל שְׁאֵרִית יִשְׂרָאֵל
י וּמִכָּל־יְהוּדָה וּבִנְיָמִן וישבי וַיָּשֻׁבוּ יְרוּשָׁלִָם׃ וַיִּתְּנוּ עַל־יַד עֹשֵׂה
הַמְּלָאכָה הַמֻּפְקָדִים בְּבֵית יְהוָה וַיִּתְּנוּ אֹתוֹ עוֹשֵׂי הַמְּלָאכָה
יא אֲשֶׁר עֹשִׂים בְּבֵית יְהוָה לִבְדּוֹק וּלְחַזֵּק הַבָּיִת׃ וַיִּתְּנוּ לֶחָרָשִׁים
וְלַבֹּנִים לִקְנוֹת אַבְנֵי מַחְצֵב וְעֵצִים לַמְחַבְּרוֹת וּלְקָרוֹת אֶת־
יב הַבָּתִּים אֲשֶׁר הִשְׁחִיתוּ מַלְכֵי יְהוּדָה׃ וְהָאֲנָשִׁים עֹשִׂים

בֶּאֱמוּנָה בַּמְּלָאכָה וַעֲלֵיהֶם ׀ מְפֻקָּדִים יַחַת וְעֹבַדְיָהוּ הַלְוִיִּם
מִן־בְּנֵי מְרָרִי וּזְכַרְיָה וּמְשֻׁלָּם מִן־בְּנֵי הַקְּהָתִים לְנַצֵּחַ וְהַלְוִיִּם
יג כָּל־מֵבִין בִּכְלֵי־שִׁיר׃ וְעַל הַסַּבָּלִים וּמְנַצְּחִים לְכֹל עֹשֵׂה
מְלָאכָה לַעֲבוֹדָה וַעֲבוֹדָה וּמֵהַלְוִיִּם סוֹפְרִים וְשֹׁטְרִים וְשׁוֹעֲרִים׃
מְצִיאַת סֵפֶר הַתּוֹרָה:
יד וּבְהוֹצִיאָם אֶת־הַכֶּסֶף הַמּוּבָא בֵּית יְהוָה מָצָא חִלְקִיָּהוּ הַכֹּהֵן
טו אֶת־סֵפֶר תּוֹרַת־יְהוָה בְּיַד־מֹשֶׁה׃ וַיַּעַן חִלְקִיָּהוּ וַיֹּאמֶר אֶל־שָׁפָן
הַסּוֹפֵר סֵפֶר הַתּוֹרָה מָצָאתִי בְּבֵית יְהוָה וַיִּתֵּן חִלְקִיָּהוּ אֶת־הַסֵּפֶר
טז אֶל־שָׁפָן׃ וַיָּבֵא שָׁפָן אֶת־הַסֵּפֶר אֶל־הַמֶּלֶךְ וַיָּשֶׁב עוֹד אֶת־
יז הַמֶּלֶךְ דָּבָר לֵאמֹר כֹּל אֲשֶׁר־נִתַּן בְּיַד־עֲבָדֶיךָ הֵם עֹשִׂים׃ וַיַּתִּיכוּ
אֶת־הַכֶּסֶף הַנִּמְצָא בְּבֵית־יְהוָה וַיִּתְּנוּהוּ עַל־יַד הַמֻּפְקָדִים
יח וְעַל־יַד עוֹשֵׂי הַמְּלָאכָה׃ וַיַּגֵּד שָׁפָן הַסּוֹפֵר לַמֶּלֶךְ לֵאמֹר סֵפֶר
יט נָתַן לִי חִלְקִיָּהוּ הַכֹּהֵן וַיִּקְרָא־בוֹ שָׁפָן לִפְנֵי הַמֶּלֶךְ׃ וַיְהִי כִּשְׁמֹעַ
כ הַמֶּלֶךְ אֵת דִּבְרֵי הַתּוֹרָה וַיִּקְרַע אֶת־בְּגָדָיו׃ וַיְצַו הַמֶּלֶךְ אֶת־
חִלְקִיָּהוּ וְאֶת־אֲחִיקָם בֶּן־שָׁפָן וְאֶת־עַבְדּוֹן בֶּן־מִיכָה וְאֵת ׀ שָׁפָן
כא הַסּוֹפֵר וְאֵת עֲשָׂיָה עֶבֶד־הַמֶּלֶךְ לֵאמֹר׃ לְכוּ דִרְשׁוּ אֶת־יְהוָה
בַּעֲדִי וּבְעַד הַנִּשְׁאָר בְּיִשְׂרָאֵל וּבִיהוּדָה עַל־דִּבְרֵי הַסֵּפֶר אֲשֶׁר
נִמְצָא כִּי־גְדוֹלָה חֲמַת־יְהוָה אֲשֶׁר נִתְּכָה בָנוּ עַל אֲשֶׁר
לֹא־שָׁמְרוּ אֲבוֹתֵינוּ אֶת־דְּבַר יְהוָה לַעֲשׂוֹת כְּכָל־הַכָּתוּב עַל־
כב הַסֵּפֶר הַזֶּה׃ וַיֵּלֶךְ חִלְקִיָּהוּ וַאֲשֶׁר הַמֶּלֶךְ אֶל־חֻלְדָּה הַנְּבִיאָה
אֵשֶׁת ׀ שַׁלֻּם בֶּן־תָּקְהַת תוקהת בֶּן־חַסְרָה שׁוֹמֵר הַבְּגָדִים וְהִיא
נְבוּאַת חֻלְדָּה עַל הַחֻרְבָּן:
כג יוֹשֶׁבֶת בִּירוּשָׁלַםִ בַּמִּשְׁנֶה וַיְדַבְּרוּ אֵלֶיהָ כָּזֹאת׃ וַתֹּאמֶר לָהֶם
כֹּה־אָמַר יְהוָה אֱלֹהֵי יִשְׂרָאֵל אִמְרוּ לָאִישׁ אֲשֶׁר־שָׁלַח אֶתְכֶם
כד אֵלָי׃ כֹּה אָמַר יְהוָה הִנְנִי מֵבִיא רָעָה עַל־הַמָּקוֹם הַזֶּה
וְעַל־יוֹשְׁבָיו אֵת כָּל־הָאָלוֹת הַכְּתוּבוֹת עַל־הַסֵּפֶר אֲשֶׁר קָרְאוּ
כה לִפְנֵי מֶלֶךְ יְהוּדָה׃ תַּחַת ׀ אֲשֶׁר עֲזָבוּנִי ויקטירו וַיְקַטְּרוּ לֵאלֹהִים

אֲחֵרִים לְמַעַן הַכְעִיסֵנִי בְּכֹל מַעֲשֵׂי יְדֵיהֶם וְתִתַּךְ חֲמָתִי בַּמָּקוֹם
כו הַזֶּה וְלֹא תִכְבֶּה׃ וְאֶל־מֶלֶךְ יְהוּדָה הַשֹּׁלֵחַ אֶתְכֶם לִדְרוֹשׁ
בַּיהוָה כֹּה תֹאמְרוּ אֵלָיו   כֹּה־אָמַר יְהוָה אֱלֹהֵי יִשְׂרָאֵל
נְבוּאָה עַל יֹאשִׁיָּהוּ:
כז הַדְּבָרִים אֲשֶׁר שָׁמָעְתָּ׃ יַעַן רַךְ־לְבָבְךָ וַתִּכָּנַע ׀ מִלִּפְנֵי אֱלֹהִים
בְּשָׁמְעֲךָ אֶת־דְּבָרָיו עַל־הַמָּקוֹם הַזֶּה וְעַל־יֹשְׁבָיו וַתִּכָּנַע לְפָנַי
כח וַתִּקְרַע אֶת־בְּגָדֶיךָ וַתֵּבְךְּ לְפָנָי וְגַם־אֲנִי שָׁמַעְתִּי נְאֻם־יְהוָה׃ הִנְנִי
אֹסִפְךָ אֶל־אֲבֹתֶיךָ וְנֶאֱסַפְתָּ אֶל־קִבְרוֹתֶיךָ בְּשָׁלוֹם וְלֹא־תִרְאֶינָה
עֵינֶיךָ בְּכֹל הָרָעָה אֲשֶׁר אֲנִי מֵבִיא עַל־הַמָּקוֹם הַזֶּה וְעַל־יֹשְׁבָיו
כט וַיָּשִׁיבוּ אֶת־הַמֶּלֶךְ דָּבָר׃   וַיִּשְׁלַח הַמֶּלֶךְ וַיֶּאֱסֹף אֶת־
חִדּוּשׁ הַבְּרִית עַל יְדֵי יֹאשִׁיָּהוּ:
ל כָּל־זִקְנֵי יְהוּדָה וִירוּשָׁלָםִ׃ וַיַּעַל הַמֶּלֶךְ בֵּית־יְהוָה וְכָל־אִישׁ
יְהוּדָה וְיֹשְׁבֵי יְרוּשָׁלַםִ וְהַכֹּהֲנִים וְהַלְוִיִּם וְכָל־הָעָם מִגָּדוֹל
וְעַד־קָטָן וַיִּקְרָא בְאָזְנֵיהֶם אֶת־כָּל־דִּבְרֵי סֵפֶר הַבְּרִית הַנִּמְצָא
לא בֵּית יְהוָה׃ וַיַּעֲמֹד הַמֶּלֶךְ עַל־עָמְדוֹ וַיִּכְרֹת אֶת־הַבְּרִית לִפְנֵי יְהוָה
לָלֶכֶת אַחֲרֵי יְהוָה וְלִשְׁמוֹר אֶת־מִצְוֺתָיו וְעֵדְוֺתָיו וְחֻקָּיו בְּכָל־לְבָבוֹ
וּבְכָל־נַפְשׁוֹ לַעֲשׂוֹת אֶת־דִּבְרֵי הַבְּרִית הַכְּתוּבִים עַל־הַסֵּפֶר הַזֶּה׃
לב וַיַּעֲמֵד אֵת כָּל־הַנִּמְצָא בִירוּשָׁלַםִ וּבִנְיָמִן וַיַּעֲשׂוּ יֹשְׁבֵי יְרוּשָׁלַםִ
לג כִּבְרִית אֱלֹהִים אֱלֹהֵי אֲבוֹתֵיהֶם׃ וַיָּסַר יֹאשִׁיָּהוּ אֶת־כָּל־הַתּוֹעֵבוֹת
מִכָּל־הָאֲרָצוֹת אֲשֶׁר לִבְנֵי יִשְׂרָאֵל וַיַּעֲבֵד אֵת כָּל־הַנִּמְצָא
בְּיִשְׂרָאֵל לַעֲבוֹד אֶת־יְהוָה אֱלֹהֵיהֶם כָּל־יָמָיו לֹא סָרוּ מֵאַחֲרֵי
לה א יְהוָה אֱלֹהֵי אֲבוֹתֵיהֶם׃   וַיַּעַשׂ יֹאשִׁיָּהוּ
קָרְבַּן הַפֶּסַח, וּמִשְׁמֶרֶת הַכֹּהֲנִים וְהַלְוִיִּם:
בִירוּשָׁלַםִ פֶּסַח לַיהוָה וַיִּשְׁחֲטוּ הַפֶּסַח בְּאַרְבָּעָה עָשָׂר לַחֹדֶשׁ
ב הָרִאשׁוֹן׃ וַיַּעֲמֵד הַכֹּהֲנִים עַל־מִשְׁמְרוֹתָם וַיְחַזְּקֵם לַעֲבוֹדַת בֵּית
ג יְהוָה׃   וַיֹּאמֶר לַלְוִיִּם המבונים הַמְּבִינִים לְכָל־יִשְׂרָאֵל
גְּנִיזַת הָאָרוֹן:
הַקְּדוֹשִׁים לַיהוָה תְּנוּ אֶת־אֲרוֹן־הַקֹּדֶשׁ בַּבַּיִת אֲשֶׁר בָּנָה שְׁלֹמֹה
בֶן־דָּוִיד מֶלֶךְ יִשְׂרָאֵל אֵין־לָכֶם מַשָּׂא בַּכָּתֵף עַתָּה עִבְדוּ

ד אֶת־יְהֹוָה אֱלֹהֵיכֶם וְאֵת עַמּוֹ יִשְׂרָאֵל: והכונו וְהָכִינוּ לְבֵית־
אֲבוֹתֵיכֶם כְּמַחְלְקוֹתֵיכֶם בִּכְתָב דָּוִיד מֶלֶךְ יִשְׂרָאֵל וּבְמִכְתַּב
ה שְׁלֹמֹה בְנוֹ: וְעִמְדוּ בַקֹּדֶשׁ לִפְלֻגּוֹת בֵּית הָאָבוֹת לַאֲחֵיכֶם בְּנֵי
ו הָעָם וַחֲלֻקַּת בֵּית־אָב לַלְוִיִּם: וְשַׁחֲטוּ הַפָּסַח וְהִתְקַדְּשׁוּ וְהָכִינוּ
לַאֲחֵיכֶם לַעֲשׂוֹת כִּדְבַר־יְהֹוָה בְּיַד־מֹשֶׁה:
ז וַיָּרֶם יֹאשִׁיָּהוּ לִבְנֵי הָעָם צֹאן כְּבָשִׂים וּבְנֵי־עִזִּים הַכֹּל לַפְּסָחִים קָרְבְּנוֹת הַמֶּלֶךְ וְשָׂרָיו:
לְכָל־הַנִּמְצָא לְמִסְפַּר שְׁלֹשִׁים אֶלֶף וּבָקָר שְׁלֹשֶׁת אֲלָפִים אֵלֶּה
ח מֵרְכוּשׁ הַמֶּלֶךְ: וְשָׂרָיו לִנְדָבָה לָעָם לַכֹּהֲנִים וְלַלְוִיִּם
הֵרִימוּ חִלְקִיָּה וּזְכַרְיָהוּ וִיחִיאֵל נְגִידֵי בֵּית הָאֱלֹהִים לַכֹּהֲנִים
ט נָתְנוּ לַפְּסָחִים אַלְפַּיִם וְשֵׁשׁ מֵאוֹת וּבָקָר שְׁלֹשׁ מֵאוֹת: וכונניהו
וְכָנַנְיָהוּ וּשְׁמַעְיָהוּ וּנְתַנְאֵל אֶחָיו וַחֲשַׁבְיָהוּ וִיעִיאֵל וְיוֹזָבָד שָׂרֵי
הַלְוִיִּם הֵרִימוּ לַלְוִיִּם לַפְּסָחִים חֲמֵשֶׁת אֲלָפִים וּבָקָר חֲמֵשׁ
י מֵאוֹת: וַתִּכּוֹן הָעֲבוֹדָה וַיַּעַמְדוּ הַכֹּהֲנִים עַל־עָמְדָם וְהַלְוִיִּם
יא עַל־מַחְלְקוֹתָם כְּמִצְוַת הַמֶּלֶךְ: וַיִּשְׁחֲטוּ הַפָּסַח וַיִּזְרְקוּ הַכֹּהֲנִים הַקְרָבַת הַפֶּסַח:
יב מִיָּדָם וְהַלְוִיִּם מַפְשִׁיטִים: וַיָּסִירוּ הָעֹלָה לְתִתָּם לְמִפְלַגּוֹת
לְבֵית־אָבוֹת לִבְנֵי הָעָם לְהַקְרִיב לַיהֹוָה כַּכָּתוּב בְּסֵפֶר מֹשֶׁה
יג וְכֵן לַבָּקָר: וַיְבַשְּׁלוּ הַפֶּסַח בָּאֵשׁ כַּמִּשְׁפָּט וְהַקֳּדָשִׁים בִּשְּׁלוּ
יד בַּסִּירוֹת וּבַדְּוָדִים וּבַצֵּלָחוֹת וַיָּרִיצוּ לְכָל־בְּנֵי הָעָם: וְאַחַר הֵכִינוּ
לָהֶם וְלַכֹּהֲנִים כִּי הַכֹּהֲנִים בְּנֵי אַהֲרֹן בְּהַעֲלוֹת הָעוֹלָה וְהַחֲלָבִים
טו עַד־לָיְלָה וְהַלְוִיִּם הֵכִינוּ לָהֶם וְלַכֹּהֲנִים בְּנֵי אַהֲרֹן: וְהַמְשֹׁרְרִים
בְּנֵי־אָסָף עַל־מַעֲמָדָם כְּמִצְוַת דָּוִיד וְאָסָף וְהֵימָן וִידֻתוּן חוֹזֵה
הַמֶּלֶךְ וְהַשֹּׁעֲרִים לְשַׁעַר וָשָׁעַר אֵין לָהֶם לָסוּר מֵעַל עֲבֹדָתָם
טז כִּי־אֲחֵיהֶם הַלְוִיִּם הֵכִינוּ לָהֶם: וַתִּכּוֹן כָּל־עֲבוֹדַת יְהֹוָה בַּיּוֹם
הַהוּא לַעֲשׂוֹת הַפֶּסַח וְהַעֲלוֹת עֹלוֹת עַל מִזְבַּח יְהֹוָה כְּמִצְוַת
יז הַמֶּלֶךְ יֹאשִׁיָּהוּ: וַיַּעֲשׂוּ בְנֵי־יִשְׂרָאֵל הַנִּמְצְאִים אֶת־הַפֶּסַח בָּעֵת

יח הַהִיא וְאֶת־חַג הַמַּצּוֹת שִׁבְעַת יָמִים׃ וְלֹא־נַעֲשָׂה פֶסַח כָּמֹהוּ
בְּיִשְׂרָאֵל מִימֵי שְׁמוּאֵל הַנָּבִיא וְכָל־מַלְכֵי יִשְׂרָאֵל ׀ לֹא־
עָשׂוּ כַּפֶּסַח אֲשֶׁר־עָשָׂה יֹאשִׁיָּהוּ וְהַכֹּהֲנִים וְהַלְוִיִּם וְכָל־יְהוּדָה
יט וְיִשְׂרָאֵל הַנִּמְצָא וְיוֹשְׁבֵי יְרוּשָׁלִָם׃ בִּשְׁמוֹנֶה עֶשְׂרֵה
כ שָׁנָה לְמַלְכוּת יֹאשִׁיָּהוּ נַעֲשָׂה הַפֶּסַח הַזֶּה׃ אַחֲרֵי [3316]
כָּל־זֹאת אֲשֶׁר הֵכִין יֹאשִׁיָּהוּ אֶת־הַבַּיִת עָלָה נְכוֹ מֶלֶךְ־מִצְרַיִם
הַיְצִיאָה לְמִלְחָמָה לִקְרַאת פַּרְעֹה נְכוֹ׃
כא לְהִלָּחֵם בְּכַרְכְּמִישׁ עַל־פְּרָת וַיֵּצֵא לִקְרָאתוֹ יֹאשִׁיָּהוּ׃ וַיִּשְׁלַח
אֵלָיו מַלְאָכִים ׀ לֵאמֹר ׀ מַה־לִּי וָלָךְ מֶלֶךְ יְהוּדָה לֹא־עָלֶיךָ אַתָּה
הַיּוֹם כִּי אֶל־בֵּית מִלְחַמְתִּי וֵאלֹהִים אָמַר לְבַהֲלֵנִי חֲדַל־לְךָ
כב מֵאֱלֹהִים אֲשֶׁר־עִמִּי וְאַל־יַשְׁחִיתֶךָ׃ וְלֹא־הֵסֵב יֹאשִׁיָּהוּ פָנָיו
מִמֶּנּוּ כִּי לְהִלָּחֶם־בּוֹ הִתְחַפֵּשׂ וְלֹא שָׁמַע אֶל־דִּבְרֵי נְכוֹ מִפִּי
הֲרִיגַת יֹאשִׁיָּהוּ׃
כג אֱלֹהִים וַיָּבֹא לְהִלָּחֵם בְּבִקְעַת מְגִדּוֹ׃ וַיֹּרוּ הַיֹּרִים
לַמֶּלֶךְ יֹאשִׁיָּהוּ וַיֹּאמֶר הַמֶּלֶךְ לַעֲבָדָיו הַעֲבִירוּנִי כִּי הָחֳלֵיתִי
כד מְאֹד׃ וַיַּעֲבִירֻהוּ עֲבָדָיו מִן־הַמֶּרְכָּבָה וַיַּרְכִּיבֻהוּ עַל רֶכֶב הַמִּשְׁנֶה
אֲשֶׁר־לוֹ וַיּוֹלִיכֻהוּ יְרוּשָׁלַםִ וַיָּמָת וַיִּקָּבֵר בְּקִבְרוֹת אֲבֹתָיו
קִינַת יִרְמְיָהוּ עַל יֹאשִׁיָּהוּ׃
כה וְכָל־יְהוּדָה וִירוּשָׁלַםִ מִתְאַבְּלִים עַל־יֹאשִׁיָּהוּ׃ וַיְקוֹנֵן
יִרְמְיָהוּ עַל־יֹאשִׁיָּהוּ וַיֹּאמְרוּ כָל־הַשָּׁרִים ׀ וְהַשָּׁרוֹת בְּקִינוֹתֵיהֶם
עַל־יֹאשִׁיָּהוּ עַד־הַיּוֹם וַיִּתְּנוּם לְחֹק עַל־יִשְׂרָאֵל וְהִנָּם כְּתוּבִים
כו עַל־הַקִּינוֹת׃ וְיֶתֶר דִּבְרֵי יֹאשִׁיָּהוּ וַחֲסָדָיו כַּכָּתוּב בְּתוֹרַת יְהוָה׃
כז וּדְבָרָיו הָרִאשֹׁנִים וְהָאַחֲרֹנִים הִנָּם כְּתוּבִים עַל־סֵפֶר מַלְכֵי־
יִשְׂרָאֵל וִיהוּדָה׃

[3316] מַלְכוּת יְהוֹאָחָז בֶּן יֹאשִׁיָּהוּ׃
לו א וַיִּקְחוּ עַם־הָאָרֶץ אֶת־יְהוֹאָחָז בֶּן־יֹאשִׁיָּהוּ וַיַּמְלִיכֻהוּ תַחַת־אָבִיו
ב בִּירוּשָׁלִָם׃ בֶּן־שָׁלוֹשׁ וְעֶשְׂרִים שָׁנָה יוֹאָחָז בְּמָלְכוֹ וּשְׁלֹשָׁה
ג חֳדָשִׁים מָלַךְ בִּירוּשָׁלִָם׃ וַיְסִירֵהוּ מֶלֶךְ־מִצְרַיִם בִּירוּשָׁלִָם
ד וַיַּעֲנֹשׁ אֶת־הָאָרֶץ מֵאָה כִכַּר־כֶּסֶף וְכִכַּר זָהָב׃ וַיַּמְלֵךְ מֶלֶךְ־

מִצְרַ֫יִם אֶת־אֶלְיָקִ֤ים אָחִיו֙ עַל־יְהוּדָה֙ וִירֽוּשָׁלִַ֔ם וַיַּסֵּ֥ב אֶת־שְׁמ֖וֹ
יְהוֹיָקִ֑ים וְאֶת־יוֹאָחָ֣ז אָחִ֗יו לָקַ֤ח נְכוֹ֙ וַיְבִיאֵ֖הוּ מִצְרָֽיְמָה׃
ה בֶּן־עֶשְׂרִ֨ים וְחָמֵ֤שׁ שָׁנָה֙ יְהוֹיָקִ֣ים בְּמָלְכ֔וֹ וְאַחַ֤ת עֶשְׂרֵה֙ שָׁנָ֔ה [3316]
ו מָלַ֖ךְ בִּירֽוּשָׁלִָ֑ם וַיַּ֣עַשׂ הָרַ֔ע בְּעֵינֵ֖י יְהוָ֥ה אֱלֹהָֽיו׃ עָלָ֣יו עָלָ֔ה מַלְכוּת יְהוֹיָקִים בֶּן יֹאשִׁיָּהוּ:
נְבוּכַדְנֶאצַּ֖ר מֶ֣לֶךְ בָּבֶ֑ל וַיַּאַסְרֵ֙הוּ֙ בַּֽנְחֻשְׁתַּ֔יִם לְהֹלִיכ֖וֹ בָּבֶֽלָה׃
ז וּמִכְּלֵי֙ בֵּ֣ית יְהוָ֔ה הֵבִ֥יא נְבוּכַדְנֶאצַּ֖ר לְבָבֶ֑ל וַֽיִּתְּנֵ֥ם בְּהֵיכָל֖וֹ
ח בְּבָבֶֽל׃ וְיֶ֩תֶר֩ דִּבְרֵ֨י יְהוֹיָקִ֜ים וְתֹעֲבֹתָ֣יו אֲשֶׁר־עָשָׂה֮ וְהַנִּמְצָ֣א
עָלָיו֒ הִנָּ֣ם כְּתוּבִ֔ים עַל־סֵ֖פֶר מַלְכֵ֣י יִשְׂרָאֵ֑ל וִיהוּדָ֑ה וַיִּמְלֹ֛ךְ יְהוֹיָכִ֥ין
בְּנ֖וֹ תַּחְתָּֽיו׃
ט בֶּן־שְׁמוֹנֶ֤ה שָׁנִים֙ יְהוֹיָכִ֣ין בְּמָלְכ֔וֹ וּשְׁלֹשָׁ֤ה חֳדָשִׁים֙ וַעֲשֶׂ֣רֶת [3327]
י יָמִ֔ים מָלַ֖ךְ בִּירֽוּשָׁלִָ֑ם וַיַּ֥עַשׂ הָרַ֖ע בְּעֵינֵ֥י יְהוָֽה׃ וְלִתְשׁוּבַ֣ת הַשָּׁנָ֗ה מַלְכוּת יְהוֹיָכִין בֶּן יְהוֹיָקִים:
שָׁלַח֙ הַמֶּ֣לֶךְ נְבוּכַדְנֶאצַּ֔ר וַיְבִאֵ֣הוּ בָבֶ֔לָה עִם־כְּלֵ֖י חֶמְדַּ֣ת בֵּית־
יְהוָ֑ה וַיַּמְלֵךְ֙ אֶת־צִדְקִיָּ֣הוּ אָחִ֔יו עַל־יְהוּדָ֖ה וִירוּשָׁלִָֽם׃
יא בֶּן־עֶשְׂרִ֧ים וְאַחַ֛ת שָׁנָ֖ה צִדְקִיָּ֣הוּ בְמָלְכ֑וֹ וְאַחַ֤ת עֶשְׂרֵה֙ שָׁנָ֔ה מָלַ֖ךְ [3327]
יב בִּירֽוּשָׁלִָֽם׃ וַיַּ֣עַשׂ הָרַ֔ע בְּעֵינֵ֖י יְהוָ֣ה אֱלֹהָ֑יו לֹ֣א נִכְנַ֗ע מִלִּפְנֵ֛י מַלְכוּת צִדְקִיָּהוּ בֶּן יֹאשִׁיָּהוּ:
יג יִרְמְיָ֥הוּ הַנָּבִ֖יא מִפִּ֥י יְהוָֽה׃ וְ֠גַם בַּמֶּ֤לֶךְ נְבוּכַדְנֶאצַּר֙ מָרָ֔ד אֲשֶׁ֥ר
הִשְׁבִּיע֖וֹ בֵּאלֹהִ֑ים וַ֤יֶּקֶשׁ אֶת־עָרְפּוֹ֙ וַיְאַמֵּ֣ץ אֶת־לְבָב֔וֹ מִשּׁ֕וּב
יד אֶל־יְהוָ֖ה אֱלֹהֵ֥י יִשְׂרָאֵֽל׃ גַּ֠ם כָּל־שָׂרֵ֨י הַכֹּהֲנִ֤ים וְהָעָם֙ הִרְבּ֣וּ למעול
לִמְעָל־מַ֔עַל כְּכֹ֖ל תֹּעֲב֣וֹת הַגּוֹיִ֑ם וַֽיְטַמְּאוּ֙ אֶת־בֵּ֣ית יְהוָ֔ה אֲשֶׁ֥ר
טו הִקְדִּ֖ישׁ בִּירֽוּשָׁלִָֽם׃ וַ֠יִּשְׁלַח יְהוָ֨ה אֱלֹהֵ֧י אֲבוֹתֵיהֶ֛ם הַלַּעַג לְדִבְרֵי הַנְּבִיאִים:
עֲלֵיהֶ֖ם בְּיַ֣ד מַלְאָכָ֑יו הַשְׁכֵּ֣ם וְשָׁל֔וֹחַ כִּֽי־חָמַ֥ל עַל־עַמּ֖וֹ וְעַל־
טז מְעוֹנֽוֹ׃ וַיִּֽהְי֤וּ מַלְעִבִים֙ בְּמַלְאֲכֵ֣י הָאֱלֹהִ֔ים וּבוֹזִ֣ים דְּבָרָ֔יו
וּמִֽתַּעְתְּעִ֖ים בִּנְבִאָ֑יו עַ֠ד עֲל֧וֹת חֲמַת־יְהוָ֛ה בְּעַמּ֖וֹ עַד־לְאֵ֥ין
יז מַרְפֵּֽא׃ וַיַּ֨עַל עֲלֵיהֶ֜ם אֶת־מֶ֣לֶךְ כשדיים כַּשְׂדִּ֗ים וַיַּהֲרֹ֨ג בַּחוּרֵיהֶ֤ם [3338]
בַּחֶ֙רֶב֙ בְּבֵ֣ית מִקְדָּשָׁ֔ם וְלֹ֥א חָמַ֛ל עַל־בָּח֥וּר וּבְתוּלָ֖ה זָקֵ֣ן וְיָשֵׁ֑שׁ עֲלִיַּת הַכַּשְׂדִּים, הַחֻרְבָּן וְהַגָּלוּת:

הַכֹּל נָתַן בְּיָדֽוֹ׃   וְכֹל כְּלֵי בֵית הָאֱלֹהִים הַגְּדֹלִים   יח

וְהַקְּטַנִּים וְאֹצְרוֹת בֵּית יְהֹוָה וְאֹצְרוֹת הַמֶּלֶךְ וְשָׂרָיו הַכֹּל הֵבִיא

בָבֶֽל׃ וַֽיִּשְׂרְפוּ אֶת־בֵּית הָאֱלֹהִים וַֽיְנַתְּצוּ אֵת חוֹמַת יְרוּשָׁלָ͏ִם   יט

וְכָל־אַרְמְנוֹתֶיהָ שָׂרְפוּ בָאֵשׁ וְכָל־כְּלֵי מַחֲמַדֶּיהָ לְהַשְׁחִֽית׃ וַיֶּגֶל   כ

הַשְּׁאֵרִית מִן־הַחֶרֶב אֶל־בָּבֶל וַיִּהְיוּ־לוֹ וּלְבָנָיו לַעֲבָדִים עַד־

מְלֹךְ מַלְכוּת פָּרָֽס׃ לְמַלֹּאות דְּבַר־יְהֹוָה בְּפִי יִרְמְיָהוּ עַד־רָצְתָה   כא

הָאָרֶץ אֶת־שַׁבְּתוֹתֶיהָ כׇּל־יְמֵי הׇשַּׁמָּה שָׁבָתָה לְמַלֹּאות שִׁבְעִים

שָׁנָֽה׃   וּבִשְׁנַת אַחַת לְכוֹרֶשׁ מֶלֶךְ פָּרַס לִכְלוֹת דְּבַר־   כב

[3390]
הֶעָרַת
כּוֹרֶשׁ
לִבְנוֹת
הַמִּקְדָּשׁ:

יְהֹוָה בְּפִי יִרְמְיָהוּ הֵעִיר יְהֹוָה אֶת־רוּחַ כּוֹרֶשׁ מֶֽלֶךְ־פָּרַס

וַיַּֽעֲבֶר־קוֹל בְּכָל־מַלְכוּתוֹ וְגַם־בְּמִכְתָּב לֵאמֹֽר׃   כֹּה־   כג

אָמַר כּוֹרֶשׁ ׀ מֶלֶךְ פָּרַס כׇּל־מַמְלְכוֹת הָאָרֶץ נָתַן לִי יְהֹוָה אֱלֹהֵי

הַשָּׁמַיִם וְהֽוּא־פָקַד עָלַי לִבְנֽוֹת־לוֹ בַיִת בִּירוּשָׁלַ͏ִם אֲשֶׁר בִּיהוּדָה

מִֽי־בָכֶם מִכׇּל־עַמּוֹ יְהֹוָה אֱלֹהָיו עִמּוֹ וְיָֽעַל׃

מאורעות
התנ״ך

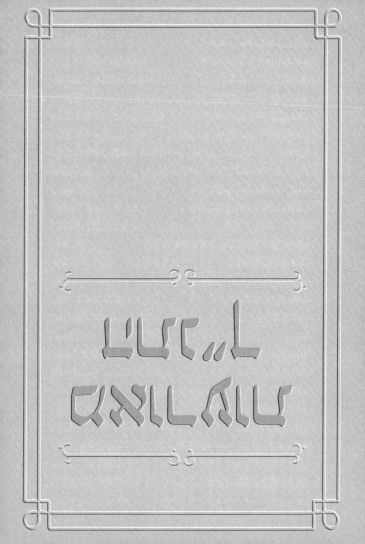

‹יחזקאל

דברי הימים א'

סדר קריאת הפטרות השנה

הפטרה	נוסח	שם ההפטרה	נביא	התחלה	סוף	תוספת פסוקים	עמוד
בראשית	אשכנזים ספרדים תימנים	"כה אמר האל ה'" "הן עברי"	ישעיהו ישעיהו	מב, ה מב, א	מג, י¹ מב, כא מב, טז		712 712
נח²	אשכנזים ספרדים תימנים	"רני עקרה"	ישעיהו	נד, א	נה, ה נד, י נה, ג		726
לך לך	אשכ' וספר' תימנים	"למה תאמר" "ואל מי תדמיוני"	ישעיהו ישעיהו	מ, כז מ, כה	מא, טז מא, יז		710 710
וירא	אשכ' ותימנ' ספרדים	"ואשה אחת"	מלכים (ב)	ד, א	ד, לז³ ד, כג		617
חיי שרה		"והמלך דוד"	מלכים (א)	א, א	א, לא	ראה הערה 4	557
תולדות⁵	אשכ' וספר' תימנים	"משא דבר ה'"	מלאכי	א, א	ב, ז ג, ד		988
ויצא	אשכנזים ספרדים תימנים	"ויברח יעקב" "עמי תלואים"	הושע הושע	יב, יג יא, ז	יד, י יב, יב יב, יד	ראה הערה 6	937 936
וישלח		"חזון עבדיה"⁷	עבדיה	א, א	א, כא		952
וישב⁸		"שלשה פשעי ישר'"	עמוס	ב, ו	ג, ח		944
מקץ⁹		"ויקץ שלמה"	מלכים (א)	ג, טו	ד, א		564
ויגש		"...קח לך עץ"	יחזקאל	לז, טו	לז, כח		901
ויחי		"ויקרבו ימי דוד"	מלכים (א)	ב, א	ב, יב		560
שמות	אשכנזים ספרדים תימנים	"הבאים ישרש" "דברי ירמיהו" "...הודע את ירושלם"¹¹	ישעיהו ירמיהו יחזקאל	כז, ו א, א טז, א	כח, יג א, יא טז, יד	ראה הערה 10	693 741 860
וארא¹²	אשכ' וספר' תימנים	"...בקבצי את בית" "לא יהוה עוד"	יחזקאל יחזקאל	כח, כה כח, כד	כט, כא כט, כא		886 865
בא	אשכ' וספר' תימנים	"הדבר אשר דבר ה'" "משא מצרים"	ירמיהו ישעיהו	מו, יג יט, א	מו, כח יט, כה		821 685

7 במ"ב (שם) כתב להפטיר 'ועמי תלואים', ואולם, מנהג רוב קהילות האשכנזים כהגר"א להפטיר 'חזון עבדיה'.
8 בתוכחה מפטירים 'רני ושמחי'.
9 בתוכחה מפטירים 'רני ושמחי', ובשבת שניה 'ויעש חירום'.
10 מוסיפים מפרק כז, כב-כג.
11 וכן נדונים מקצת קהילות ספרד.
12 ברי"ח שבת מפטירים 'השמים כסא'.

1 ספרד"מ (האיטליאנים) מסיימים כהספרדים. בער"ח מרחשוון מפטירים מחר חודש.
2 ברי"ח מרחשוון מפטירים 'השמים כסא'.
3 ספרד"מ מסיימים כהספרדים.
4 התימנים מוסיפים א, מו.
5 בער"ח כסלו מפטירים 'מחר חודש'.
6 כתב הנ"צ (סי' תב"א סק"ב) להוסיף מיואל ב, כו-כז כדי לסיים בדבר טוב, וכן נהגו.

עמוד (תוספת פסוקים)	סוף	התחלה	נביא	שם ההפטרה	נוסח	הפטרה
409	ה, לא	ד, ד	שופטים	"ודבורה אשה נביאה"	אשכנזים	בשלח
410	ה, לא	ה, א	שופטים	"ותשר דבורה"	ספרדים	
410	ה, לא	ד, כג	שופטים	"ויכנע אלהים"	תימנים	
673 ראה הערה 13	ז, ו	ו, א	ישעיהו	"בשנת מות"	אשכנזים	יתרו
ראה הערה 14	ז, יג				ספרדים	
	ז, יג				תימנים	
801 ראה הערה 16	לד, כב	לד, ח	ירמיהו	"הדבר אשר היה"	אשכ' וספר'	משפטים 15
801	לה, יט	לד, ח			תימנים	
568	ו, יג	ה, כו	מלכים (א)	"וה' נתן חכמה"		תרומה 17
912	מג, כז	מג, י	יחזקאל	"אתה בן אדם"		תצוה 18
599	יח, לט	יח, א	מלכים (א)	"ויהי ימים רבים"	אשכנזים	כי תשא 19
	יח, מה				תימנים	
600	יח, לט	יח, כ	מלכים (א)	"וישלח אחאב"	ספרדים	
573	ז, נ	ז, מ	מלכים (א)	"ויעש חירום"	אשכנזים	ויקהל 20
571	ז, כו	ז, יג	מלכים (א)	"וישלח המלך שלמה"	ספרדים	
	ז, כב				תימנים	
574	ח, כא	ז, נא	מלכים (א)	"ותשלם כל המלאכה"	אשכנזים	פקודי 21
573	ז, נ	ז, מ	מלכים (א)	"ויעש חירום"	ספר' ותימנ'	
714	מד, כג	מג, כא	ישעיהו	"עם זו יצרתי לי"	אשכ' וספר'	ויקרא 22
		מד, ו			תימנים	
754 ראה הערה 24	ח, ג	ז, כא	ירמיהו	24 "...עולותיכם ספו"	אשכ' וספר'	צו 23
הערה 25	ז, כח	ז, כא			תימנים	
514	ז, יז	ו, א	שמואל (ב)	"ויסף עוד דוד"	אשכנזים	שמיני 26
	ז, יט				ספרדים	
	ז, ג				תימנים	
620	ה, יט	ד, מב	מלכים (ב)	"ואיש בא"		תזריע 27

13 מוסיפים מפרק ג, ה-ו.

14 מוסיפים מפרק ט, ה-ו.

15 בשבת הסמוכה לר"ח (וכן בר"ח אדר) מפטירים בשל שקלים. שבת הסמוכה לפורים מפטירים בשל זכור, ובר"ח אדר א' (בעיבור) מפטירים בשל שקלים.

16 מוסיפים מפרק לג, כה-ו. והתימנים לא נהגו להוסיף.

17 בשבת ר"ח מפטירים בשל שקלים. בשבת הסמוכה לפורים מפטירים בשל זכור, ובר"ח אדר א' (בעיבור) מפטירים "השמים כסאי".

18 בשבת הסמוכה לפורים (ובפורים במוקפין) מפטירים בשל זכור.

19 בשבת פרשת פרה מפטירים בשל פרה (ובפורים במוקפין) מפטירים בשל זכור.

20 בשבת הסמוכה לר"ח מפטירים "מחר חדש". בשבת פרשת פרה מפטירים בשל פרה, ובשבת הסמוכה לר"ח (וכן בר"ח ניסן) מפטירים בשל החודש.

21 בשבת הסמוכה לר"ח (וכן בר"ח ניסן) מפטירים בשל החודש, ובשבת שלפניה מפטירים בשל פרה. ובמעוברת – בשבת הסמוכה לר"ח אדר"ב (ובר"ח אדר"ב) מפטירים בשל שקלים.

22 בשבת ר"ח ניסן מפטירים בשל החודש. ובמעוברת – בשבת הסמוכה לפורים מפטירים בשל זכור.

23 בשבת הגדול מפטירים "וערבה". ובמעוברת – בשבת הסמוכה לפורים (ובפורים במוקפין) מפטירים בשל זכור, ובפרשת פרה בשל פרה.

24 מוסיפים מפרק ט, כב-כג. י"א שאם לא הפטירו "עם זו יצרתי" בשבת שעברה, יפטירו אותה בשבת זו (ו"א אם יש חתן בביתו ו"א שיש לקרוא במנהג התימנים כדי לליל "והשבתי...קול ששון וקול כלה"... ו"א שאשם מלו להוסיף בסוף ההפטרה ג' פסוקים של "שוש אשיש".

25 מוסיפים מפרק ט, כב-כג.

26 בער"ח אייר מפטירים "מחר חדש" – בשבת ובמעוברת בשל פרה, ובשבת הסמוכה לר"ח ניסן מפטירים בשל החודש.

27 כש"תזריע ומצורע" "מחוברות" בשל מצורע. ובמעוברת – בשבת הסמוכה לר"ח ניסן (וכן בר"ח ניסן) מפטירים בשל החודש.

הפטרת	נוסח	שם ההפטרה	נביא	התחלה	סוף	עמוד / תוספת פסוקים
מצורע [28]	אשכ' ספר'	"וארבעה אנשים"	מלכים (ב)	ז, ג	ז, כ	625
	תימנים	"ויאמר אלישע"	מלכים (ב)	ז, א	ז, כ	624 / ראה הערה 29
אחרי מות [30]	אשכנזים	"הלא כבני כשיים" [31]	עמוס	ט, ז	ט, טו	951
	ספר' ותימנ'	"...התשפוט"	יחזקאל	כב, א	כב, טז	874
קדשים [32]	אשכנזים	"...התשפוט" [33]	יחזקאל	כב, א	כב, טז	874
	ספרדים	"הלדרוש אתי"	יחזקאל	כ, ב	כ, כ	868
	תימנים	"ויהי בשנה השביעית"	יחזקאל	כ, ב	כ, טו	868
אמר		"והכהנים הלויים"	יחזקאל	מד, טו	מד, לא	914
בהר [34]	אשכ' וספר'	"...הנה חנמאל"	ירמיהו	לב, ו	לב, כז	796
	תימנים	"ה' עזי ומעזי"	ירמיהו	טז, יט	יז, יד	769
בחקתי	אשכ' וספר'	"ה' עזי ומעזי"	ירמיהו	טז, יט	יז, יד	769
	תימנים	"...הנבא על רעי"	יחזקאל	לד, א	לד, כו	895
במדבר [35]		"והיה מספר בנ"י"	הושע	ב, א	ב, כב	929
נשא	אשכ' וספר'	"ויהי איש אחד"	שופטים	יג, ב	יג, כה / יג, כד	429
	תימנים					
בהעלתך	אשכ' וספר'	"רני ושמחי"	זכריה	ב, יד	ד, ז / ד, ט	976
	תימנים					
שלח		"וישלח יהושע"	יהושע	ב, א	ב, כד	358
קרח [36]		"ויאמר שמואל"	שמואל (א)	יא, יד	יב, כב	466
חקת [37]	אשכ' וספר'	"ויפתח הגלעדי"	שופטים	יא, א	יא, לג / יא, מ	425
	תימנים					
בלק		"והיה שארית יעקב"	מיכה	ה, ו	ו, ח	960
פינחס [38]		"ויד ה' היתה"	מלכים (א)	יח, מו	יט, כא	602
מטות [39]		"דברי ירמיהו"	ירמיהו	א, א	ב, ג	743

---

28 בר"ח אייר מפטירין "השמים כסאי" ובמעוברת – בשבת הגדול מפטירין "וערבה".

29 מוסיפים מפרק יג, כג.

30 כש"אחרי וקדושים" מחוברות מפטירין האשכנזים "הלא כבני כשיים" הספרדים הפטרת קדושים. ובמעוברת בערי"ת אומ' מפטירין מ"אחרי מות".

31 עיין בש"ע או"ח סי' תכ"ח מעין זה וגם"ב שם שהפטרה זו היא הפטרת "אחרי מות". ולרבם הלכים מפטירין ל"אחרי מות" – "התשפוט", ול"קדושים" – "הלוא כבני כשיים".

32 כש"אחרי וקדושים" מחוברות מפטירין האשכנזים "הלא

33 כשחל ער"ח אייר בפרשת אחרי מפטירין ב"קדושים" – "הלוא

כבני כשיים" (מ"ב תכ"ח סקכ"ה?ז). ויש נוהגים בירושלים להפטיר "הלוא כבני כשיים" גם לאחרי וגם לקדושים.

34 כש"בהר ובחקתי" מחוברות מפטירין בשל בחקתי.

36 בערי"ח סיון מפטירין "מחר חדש".

37 כש"חקת ובלק" מחוברות מפטירין בשל בלק (חו'ל). בר"ח תמוז אומ' מפטירין "השמים כסאי".

38 לאחר י"ז בתמוז מפטירין "דברי ירמיהו". ואם טעו וקראו הפטרת השבוע, יקראו בשבת הבאה "דברי ירמיהו" עד סוף "שמעו דבר ה'" (מ"ב תכ"ח סקכ"ד).

39 ההפטרות אלו ממטות עד נצבים – אינם מענין הפרשה, אלא

הפטרה	נוסח	שם ההפטרה	נביא	התחלה	סוף	עמוד	תוספת פסוקים
מסעי [40]	אשכ' וספר' / תימנים	"שמעו דבר ה'" / "חזון ישעיהו"	ירמיהו / ישעיהו	ב, ד / א, א	ב, כח / א, כ	744 ראה הערה 41 / 667	
דברים	אשכ' וספר' / תימנים	"חזון ישעיהו" / "איכה היתה לזונה"	ישעיהו / ישעיהו	א, א / א, כא	א, כז / א, לא	667 / 668	
ואתחנן		"נחמו נחמו"	ישעיהו	מ, א	מ, כז	709 ראה הערה 42	
עקב		"ותאמר ציון"	ישעיהו	מט, יד	נא, ג	722	
ראה [43]		"עניה סערה"	ישעיהו	נד, יא	נה, ה	727	
שפטים		"אנכי אנכי"	ישעיהו	נא, יב	נב, יב	724	
כי תצא [44]		"רני עקרה"	ישעיהו	נד, א	נד, י	726	
כי תבא		"קומי אורי"	ישעיהו	ס, א	ס, כב	732	
נצבים [45]	אשכ' וספר' / תימנים	"שוש אשיש" / "ונודע בגויים"	ישעיהו / ישעיהו	סא, י / סא, ט	סג, ט / סג, ט	734 / 734	
וילך [46]		"שובה ישראל"	הושע	יד, ב	יד, י	938 ראה הערה 47	
האזינו [48]	אשכ' וספר' / תימנים	"וידבר דוד" / "...ולקחתי אני"	שמואל (ב) / יחזקאל	כב, א / יז, כב	כב, נא / יז, כד	546 / 865	
וזאת הברכה		[עיין "שמחת תורה" לקמן]					
שבת ר"ח [49]		"...השמים כסאי"	ישעיהו	סו, א	סו, כד	738 ראה הערה 50	
שבת ערב ר"ח [51]		"...מחר חודש"	שמואל (א)	כ, יח	כ, מב	486	

שיש בהם עניני פורעניות – לקוראם מי"ז בתמוז עד ת"ב,
ומנחמים ירושלים – לשבע השבתות שאחר ת"ב. על כן אין
נתונות להשבענה כסאי" "עפרות" "מחוברת". ובאמת היה ראוי
לקראן "הפטרה לשבת ראשונה", "הפטרה לשבת שניה" וכו'
אלא מחמת נוהג קראום כשמות הפרשיות לכן הן צמורות
בררך כלל.

40 ב"ח ומנחם אב יש מפטירים "השמים כסאי". ויש המפטירים
כרגיל שמעו. יש מהם המוסיפים פסוק ראשון ואחרון
מהפטרת "השמים כסאי".

41 אשכנזים מוסיפים מפרק ג, ד. והספרדים – מפרק ד, א-ב.

42 התימנים מוסיפים מפרק מא, יז.

43 ב"ח אלול האשכנזים מפטירים "השמים כסאי". והספרדים
– "עניה סערה", ומוסיפים פסוק ראשון ואחרון מהפטרת
"השמים כסאי" (ומהפטרת "מחר חודש") ובמ"ח אלול – כולם
מפטירים "עניה סערה", והספרדים מוסיפים פסוק ראשון ואחרון
מהפטרת "מחר חודש".

44 כשחל ר"ח אלול בשבת ראה, והפטירוה בה "השמים כסאי".

מפטירים בשבת זו "רני עקרה" עד סוף "עניה סערה".

45 הפטרה זו נקראת תמיד בשבת האחרונה של השנה, בין אם
קראו בה "נצבים" בלבד, ובין אם קראו גם "וילך".

46 הפטרה זו אף היא אינה קשורה לפרשה, אלא עינן התשובה
שבכן ב"וילך" לזהירד ולכן מפטירים בה – בין אם קראו בה בשבת
זו "וילך" ובין אם קראו בה "האזינו".

47 אשכנזים מוסיפים מיואל ב, טו-כז, והספרדים ממיכה ז, יח-כ.
ועל מ"ב סי' תב"ח סקב"ב.

48 בשבת שבעשרת ימי תשובה קראים הפטרה "שובה ישראל".

49 הפטרת "השמים כסאי" אינה דוחה הפטרת חנוכה, שקלים
וחודש. וי"א אף הפטרת "שמעו דבר ה'" (מסעי) ועיה
סערה" (ראה). ובשבתות אלו מוסיפים הספרדים בסוף
ההפטרה פסוק ראשון ואחרון מהפטרת "השמים כסאי".

50 וכופלים פסוק "והיה מדי" לסיים בדבר טוב.

51 אינה נקראת בער"ח ניסן, אלול, טבת ואדר. ובשבתות אלו
מוסיפים הספרדים פסוק ראשון ואחרון מהפטרת מחר חודש.

הפטרת	נוסח	שם ההפטרה	נביא	התחלה	סוף	תוספת פסוקים	עמוד
א' דראש השנה		"ויהי איש אחד"	שמואל (א)	א, א	ב, י		449
ב' דראש השנה		"...מצא חן במדבר"	ירמיהו	לא, א	לא, יט		793
יוה"כ שחרית		"ואמר סלו סלו"	ישעיהו	נז, יד	נח, יד	ראה הערה 52	729
יוה"כ מנחה		"יונה"	יונה	א, א	ד, יא	ראה הערה 53	953
א' דסוכות	אשכ' וספר'	"הנה יום בא"	זכריה	יד, א	יד, כא		986
	תימנים	"והבאתי את השלישית"	זכריה	יג, ט	יד, כא		986
ב' דסוכות בחו"ל	אשכ' וספר'	"ויקהלו אל המלך"	מלכים (א)	ח, ב	ח, כא		574
	תימנים	"ותשלם כל המלאכה"	מלכים (א)	ז, נא	ח, כא		574
שבת חוה"מ סוכות	אשכ' וספר'	"...ביום בוא גוג"	יחזקאל	לח, יח	לט, טז		903
	תימנים	"...שים פניך על גוג"	יחזקאל	לח, א	לח, כג		902
שמיני עצרת בחו"ל		"ויהי ככלות שלמה"	מלכים (א)	ח, נד	ח, סו		578
שמחת תורה	אשכנזים	"ויהי אחרי מות משה"	יהושע	א, א	א, יח		357
	ספר' ותימנ'		יהושע	א, א	א, ט	ראה הערה 54	
שבת חנוכה[55]	אשכ' וספר'	"רני ושמחי"	זכריה	ב, יד	ד, ז		976
	תימנים				ד, ט		
שבת שניה של חנוכה		"ויעש חירום"	מלכים (א)	ז, מ	ז, נ		573
שבת שקלים[56]	אשכ' ותימנ'	"בן שבע שנים"	מלכים (ב)	יב, א	יב, יז		635
	ספרדים	"ויכרת יהוידע"	מלכים (ב)	יא, יז	יב, יז		635
שבת זכור ופורים במוקפין	אשכנזים	"...פקדתי את אשר"	שמואל (א)	טו, ב	טו, לד		473
	ספרדים	"...אתי שלח ה'"	שמואל (א)	טו, א	טו, לד		473
	תימנים	"...ותהי המלחמה"	שמואל (א)	יד, נב	טו, לג		473
שבת פרה	אשכנזים	"...בית ישראל ישבים"	יחזקאל	לו, טז	לו, לח		898
	ספר' ותימנ'				לו, לו		

(לא יחול בשבת ער"ח תמוז, מנ"א ושבט וער"ה).

52 התימנים מוסיפים בפרק נט, כ–כא.

53 מוסיפים במיכה ז, יח–כ.

54 התימנים מוסיפים מפרק ו, כז.

55 ואם היא שבת ר"ח וער"ח – מוסיפים הספרדים פסוק ראשון ואחרון מ"השמים כסאי" ומ"מחר חודש".

56 ואם היא שבת ר"ח – מוסיפים הספרדים פסוק ראשון ואחרון מ"השמים כסאי".

הפטרת	נוסח	שם ההפטרה	נביא	התחלה	סוף	תוספת פסוקים	עמוד
שבת החדש[57]	אשכנזים	"כל העם הארץ"	יחזקאל	מה, טז	מו, יח		916
	ספרדים	"...בראשון באחד לחודש"	יחזקאל	מה, יח	מו, טו		
	תימנים	"...רב לכם נשיאי"	יחזקאל	מה, ט	מו, יא		917
שבת הגדול[58]	אשכ' וספר'	"וערבה"	מלאכי	ג, ד	ג, כד	ראה הערה 59	990
א' דפסח		"בעת ההיא"	יהושע	ה, ב	ו, א	ראה הערה 60	363
ב' דפסח בחו"ל	אשכ' וספר'	"וישלח המלך"	מלכים (ב)	כג, א	כג, ט	ראה הערה 61	657
	תימנים	"בן שמנה שנה"	מלכים (ב)	כב, א	כב, ז	ראה הערה 62	656
שבת חוה"מ פסח	אשכ' וספר'	"היתה עלי יד ה'"	יחזקאל	לז, א	לז, יד		990
	תימנים	"...עוד זאת אדרש"	יחזקאל	לו, לז	לז, יד		900
שביעי של פסח		"וידבר דוד"	שמואל (ב)	כב, א	כב, נא		546
אחרון של פסח		"עוד היום בנב לעמוד"	ישעיהו	י, לב	יב, ו		679
שבועות	אשכ' וספר'	"ויהי בשלשים שנה"	יחזקאל	א, א	א, כח	ראה הערה 63	841
	תימנים				ב, ב	הערה 64	
ב' דשבועות	אשכנזים[65]	"תפלה לחבקוק"	חבקוק	ג, א	ג, יט		967
	ספר' ותימנ'	"וה' בהיכל קדשו"	חבקוק	ב, כ	ג, יט		967
תשעה באב שחרית		"אסף אסיפם"	ירמיהו	ח, יג	י, כג	ראה הערה 66	756
תשעה באב במנחה	אשכנזים[67]						
	ספר' ותימנ'	"שובה ישראל"	הושע	יד, ב	יד, י	ראה הערה 68	938
תענית ציבור במנחה	אשכנזים[69]	"דרשו ה' בהמצאו"	ישעיהו	נה, ו	נו, ח		727

57 ואם היא שבת ר"ח – מוסיפים הספרדים פסוק ראשון ואחרון מ"השמים כסאי", ובער"ח – מ"מחר חודש".

58 יש נוהגין להפטיר "וערבה" רק כשחל ע"פ בשבת. לדעת הגר"א רק כשאינו חל בשבת. ומנהג רוב הקהילות להפטיר "וערבה" בשבת הגדול בין הוא ערב פסח ובין אם לאו. התימנים לא נהגו לשנות הפטרה בשבת הגדול.

59 וכופלים פסוק "הנה אנכי" לסיים בדבר טוב.

60 הספרדים [ומקצת אשכנזים] מוסיפים לפני ההפטרה מפרק ג, ה–ז, ואחריה כולם מוסיפים פסוק מפרק ו, כז.

61 ומוסיפים מפרק כג, כא–כה. ולהגר"א קוראים מ"וישלח המלך" (כג, א) עד "לא קם כמוהו" (כג, כה) חוץ מפסוק "ואת הבמות" (כג, יג) שמדבר בגנותו של שלמה.

62 ומוסיפים מפרק כג, כא–כה.

63 ומוסיפים מפרק ג, יב.

64 ומוסיפים מפרק ג, יב.

65 יש המוסיפים פיוט **"יציב פתגם"**.

66 התימנים מוסיפים לפני ההפטרה מפרק ו, טז–יז.

67 האשכנזים מפטירים כבשאר תענית ציבור.

68 מוסיפים במיכה ז, יח–כ.

69 הספרדים והתימנים לא נהגו להפטיר.

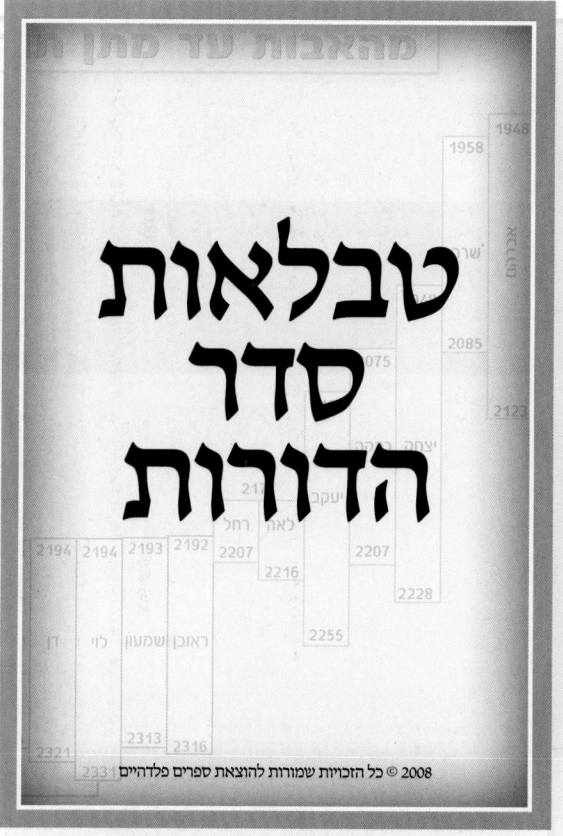

טבלאות
סדר
הדורות

1 מבריאת העולם עד האבות

שם	מ-	עד
אדם	1	930
חוה	1	?
שת	130	1042
אנוש	235	1140
קינן	325	1235
מהללאל	395	1290
ירד	460	1422
חנוך	622	987
מתושלח	687	1656
למך	874	1651
נח	1056	2006
שם	1558	2158
ארפכשד	1658	2096
שלח	1693	2126
עבר	1723	2187

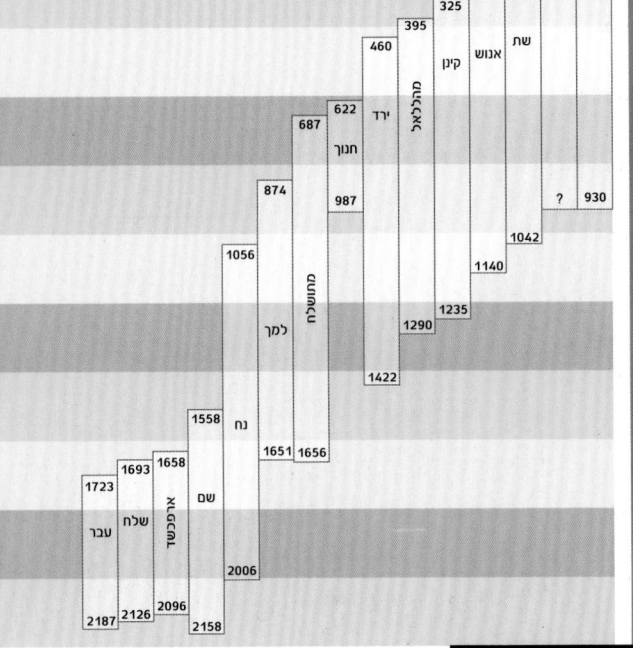

מאורעות נוספים:

אברהם בכבשן האש - 1998. מלחמת המלכים - 2023. נתינת הגר לאברהם - 2033.
הולדת ישמעאל - 2034. הפיכת סדום - 2047. מילת אברהם - 2047.
הולדת עשו - 2108. יעקב מקבל את הברכות - 2171

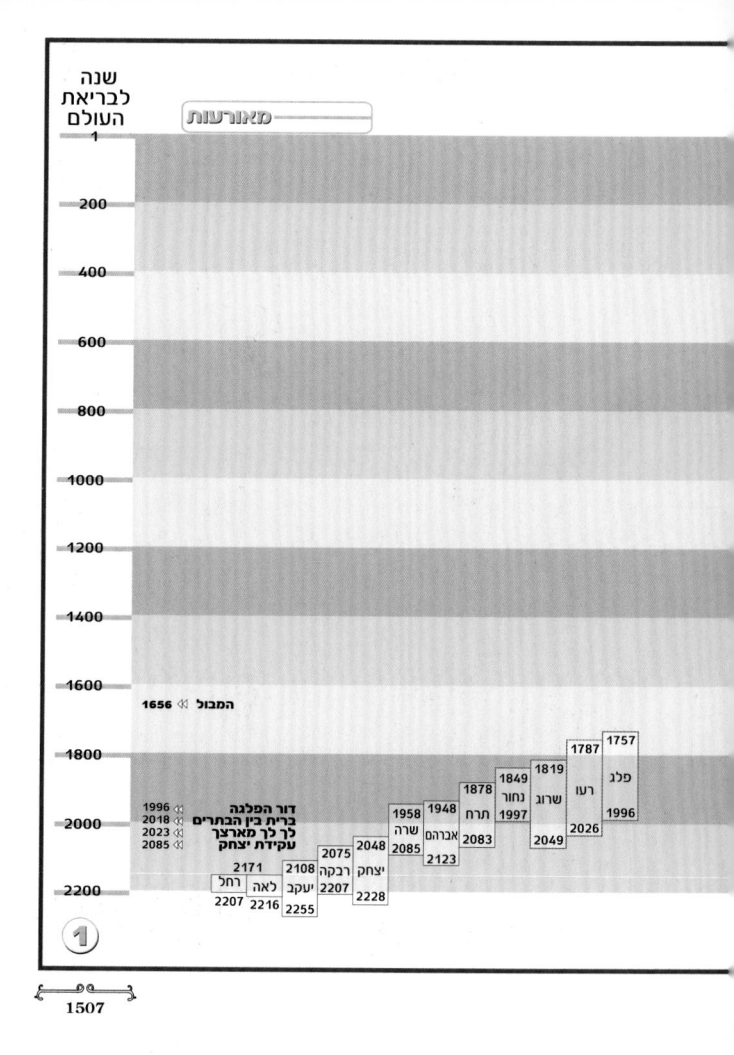

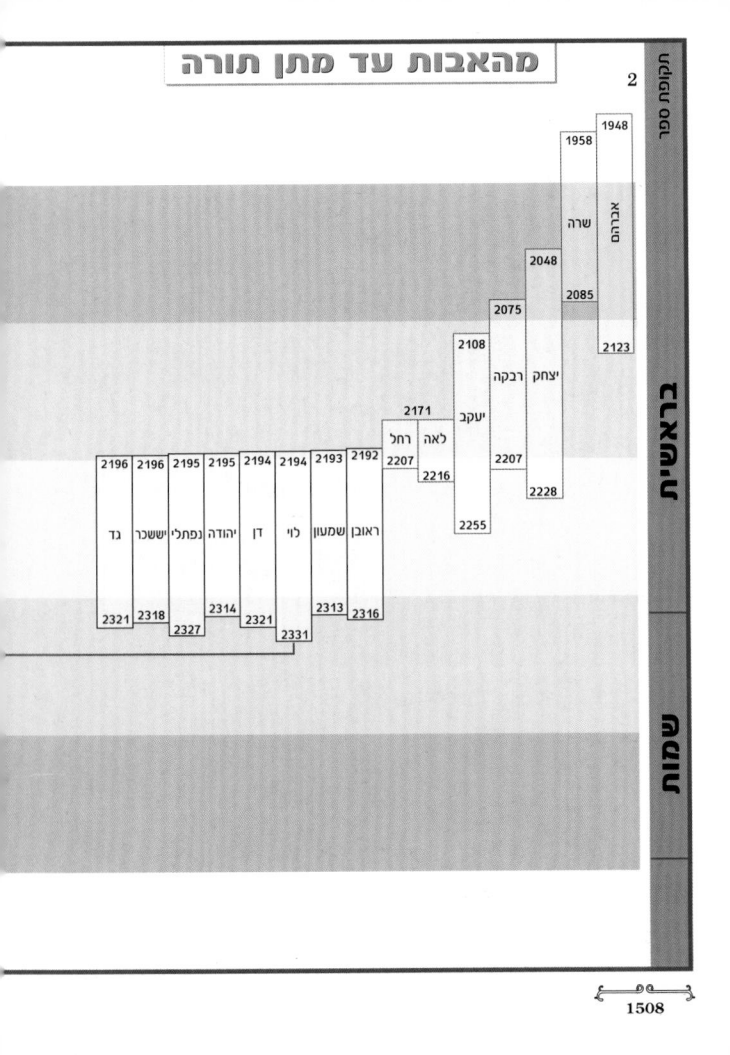

מהאבות עד מתן תורה

2

תקופת ספר

בראשית

שמות

אברהם 1948 2123
שרה 1958 2085
יצחק 2048 2228
רבקה 2075 2207
יעקב 2108 2255
לאה 2171 2216
רחל 2171 2207
ראובן 2192 2316
שמעון 2193 2313
לוי 2194 2331
דן 2194 2321
יהודה 2195 2314
נפתלי 2195 2327
יששכר 2196 2318
גד 2196 2321

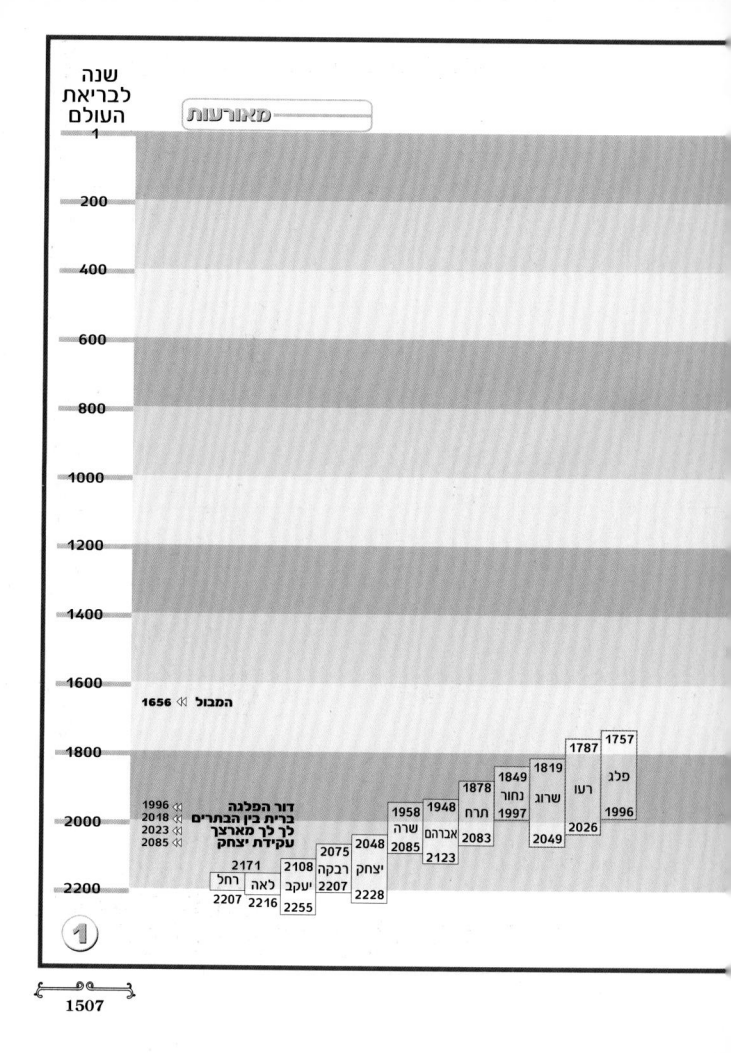

שנה
לבריאת
העולם

מאורעות

1 —

200 —

400 —

600 —

800 —

1000 —

1200 —

1400 —

1600 —

המבול ◁ 1656

1800 —

1757	1787
פלג	
1996	1757

1819
שרוג
2026

1849
נחור
1997

1878
תרח
2083

דור הפלגה
ברית בין הבתרים
לך לך מארצך
עקידת יצחק

1996 ◁
2018 ◁
2023 ◁
2085 ◁

2000 —

1948
אברהם
2123

1958
שרה
2085

2049

2048
יצחק
2228

2075

2171
רחל
2207

2108
רבקה
2207

לאה
2216

יעקב
2255

2200 —

①

מהאבות עד מתן תורה

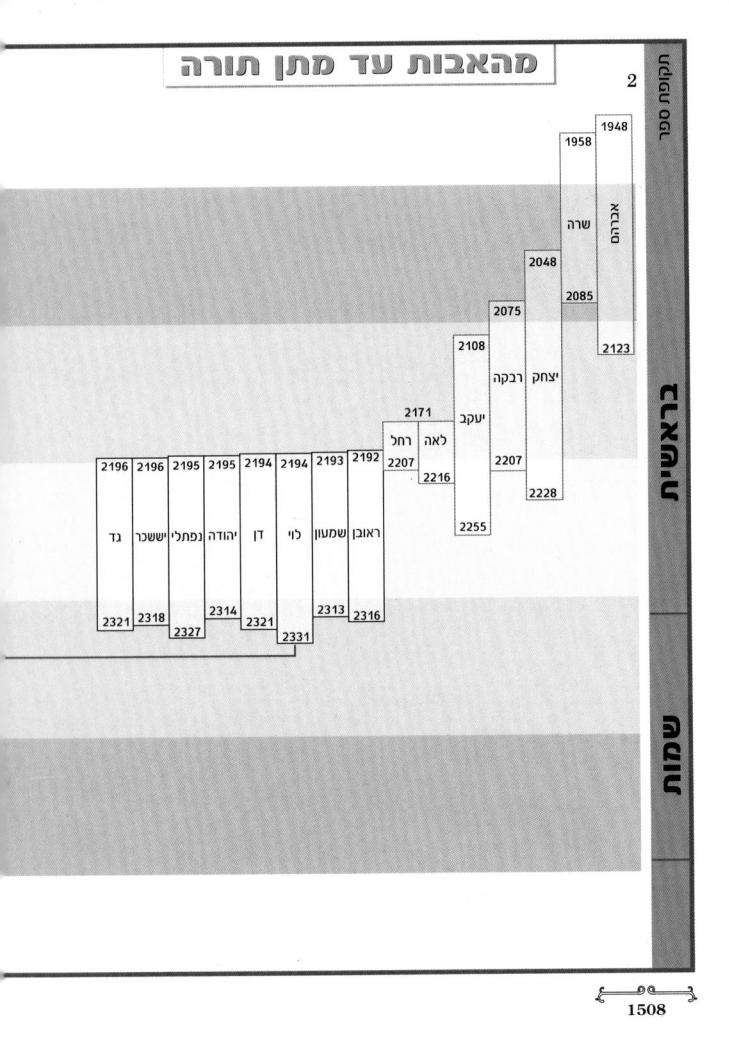

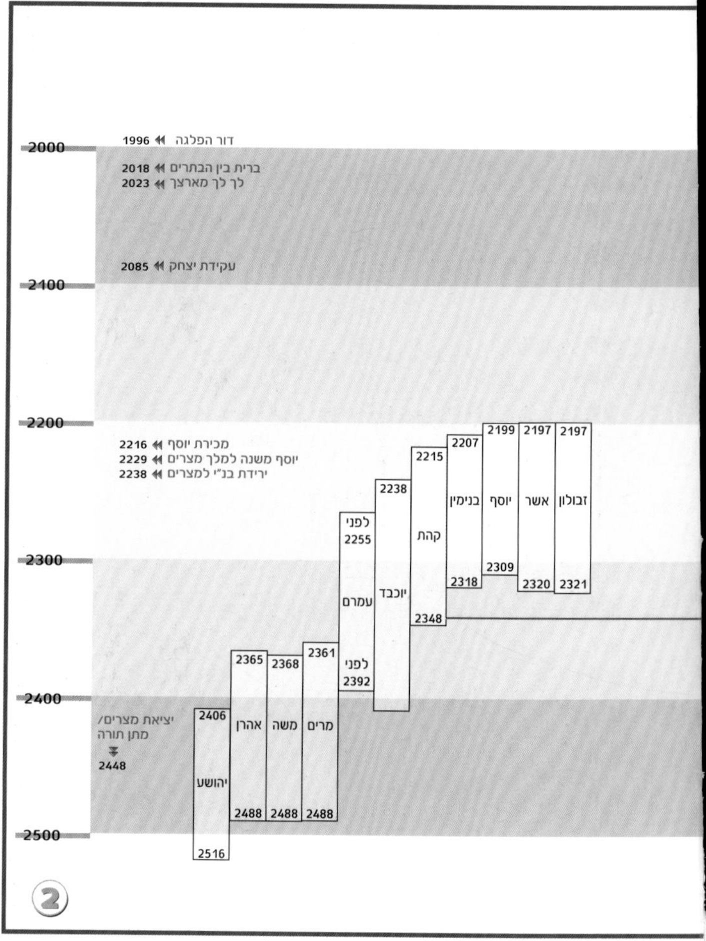

2000 דור הפלגה 1996 ◄◄

2400

2100

ברית בין הבתרים 2018 ◄◄
לך לך מארצך 2023 ◄◄

עקידת יצחק 2085 ◄◄

2200

מכירת יוסף 2216 ◄◄
יוסף משנה למלך מצרים 2229 ◄◄
ירידת בנ"י למצרים 2238 ◄◄

										2199	2197	2197

| | | | | | | | 2215 | 2207 | בנימין | יוסף | אשר | זבולון |

| | | | | | | לפני 2255 | קהת | | 2318 | 2309 | 2320 | 2321 |

| | | | | | 2238 | עמרם | יוכבד | 2348 | | | | |

2300

	2365	2368	2361	לפני 2392		

2400

יציאת מצרים/
מתן תורה
⚱
2448

2406			
אהרן	משה	מרים	
יהושע			
2488	2488	2488	

2500

2516

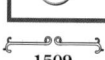

(2)

תקופת השופטים (שנות כהונתם)

המשכן

שמות
ויקרא
במדבר
דברים
יהושע
שמואל
2365 2368
אהרן משה
2488 2488
2406
יהושע
2516
זקנים*
עתניאל בן קנז
2516-56
אהוד
בן גרא
2556-2636
שמגר בן ענת 2636
דבורה
וברק בן אבינועם
2636-76
גדעון בן יואש
2676-2716
אבימלך 2716-19
תולע בן פואה 2719-42
יאיר הגלעדי 2742-64
שעבוד בני עמון 2764-2782
יפתח 2781-87
אבצן 2787-93
אילון הזבולוני 2793-2803
עבדון בן הלל 2803-2811
שמשון 2811-31
עלי
2831-71
שמואל 2871-82
נפטר ב-2884
שאול 2882-83
2884-2889
דוד בחברון, אין מלך בישראל
איש בשת 2889-91
מלך על יהודה עד 2892
מלך על ישראל עד 2924
דוד
2924
שלמה
2924-64
2449
במדבר
2488
בגלגל
2503
בשילה
2871
2884
בנוב
בגבעון
2928

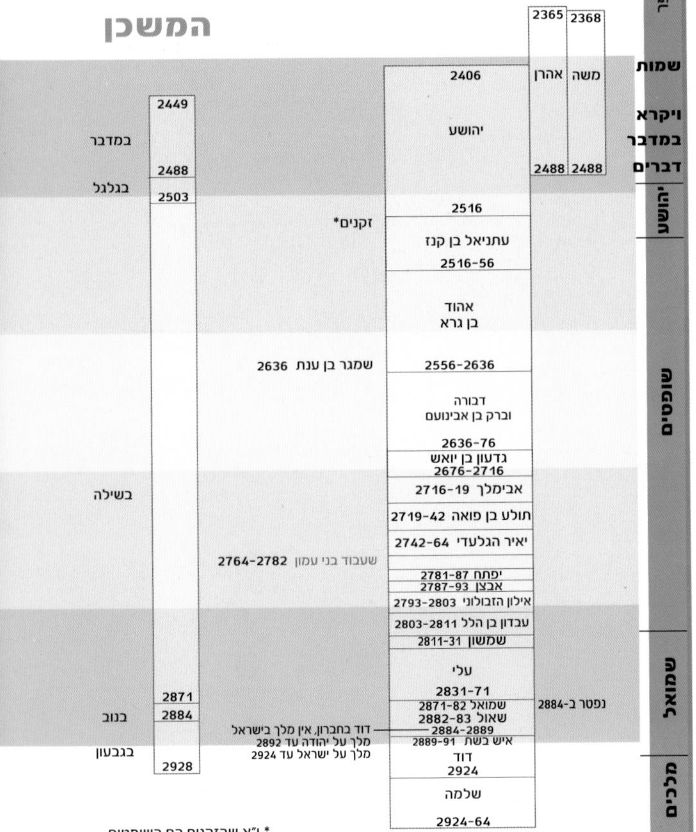

* י"א שהזקנים הם השופטים

נביאים

בכחול - מעבירי המסורה
(ושנת הקבלה. לדעת הרמב"ם)

3

תקופת המלכים

2882
שאול 2882-84
דוד 2884-2924
שלמה 2924-64

מלכי יהודה

מלך	שנים
רחבעם בן שלמה	2964-81
אביה בן רחבעם	2981-83
אסא בן אביה	2983-3024
יהושפט בן אסא	3024-47
יהורם בן יהושפט	3047-55
אחזיהו בן יהורם	3055-56
עתליה בת אחאב	3056-61
יהואש בן אחזיה	3061-3100
אמציה בן יואש	3100-15
עוזיה בן אמציה	3115-67
יותם בן עוזיה	3167-83
אחז בן יותם	3183-99
חזקיה בן אחז	3199-3228
מנשה בן חזקיה	3228-83
אמון בן מנשה	3283-85
יאשיהו בן אמון	3285-3316
יהויקים בן יאשיהו	3316-27
צדקיהו בן יאשיהו	3327-38

יהואחז בן יאשיהו 3 חודשים
יהויכין (יכניה) בן יהויקים 3 חודשים

מלכי ישראל

מלך	שנים
ירבעם בן נבט	2964-85
נדב בן ירבעם	2985-86
בעשא בן אחיה	2986-3009
אלה בן בעשא	3009
עמרי	3010-3021
אחאב בן עמרי	3021-3041
אחזיהו בן אחאב	3041-43
יהורם בן אחאב	3043-55
יהוא בן נמשי	3055-83
יהואחז בן יהוא	3083-98
יואש בן יהואחז	3098-3114
ירבעם בן יואש	3114-53
זכריה בן ירבעם, 6 חודשים	3153
מנחם בן גדי	3153-54
פקחיהו בן מנחם	3164-66
פקח בן רמליהו	3166-87
הושע בן אלה	3187-3205

זמרי (7 ימים)
תבני בן גינת מקביל לעמרי, 5 שנים ראשונות
שלום בן יבש, 3154, 1 חודש

נביאים

בכחול - מעבירי המסורה
(ושנת הקבלה. לדעת הרמב"ם)

5

חורבן בית ראשון, גלות בבל ובנין בית שני

שנה	תקופת ספר	מנהיגי הדור	נביאים
3330	מלכים		ירמיה, יחזקאל ברוך בן נריה
3340		צדקיהו בן יאשיהו 3338	
3350			
3360			
3370	אנשי כנסת הגדולה	עזרא - בראש אנשי כנסת הגדולה	
3380			
3390		זרובבל בן שאלתיאל	
3400			
3410			
3420			
3430		שמעון הצדיק	
3440			3442 - פטירת חגי זכריה מלאכי עזרא סוף תקופת הנביאים 3442 (וי"א ב - 3448)
3450		סוף תקופת אנשי כנסת הגדולה	

אנשי כנסת הגדולה:
חגי, זכריה, מלאכי, זרובבל, מרדכי, בלשן, עזרא, יהושע, שריה, רעליה, וי"א דניאל, ועמם נלוו מאה ועשרים חכמים.

	השלטון בא"י	מאורעות

3330

נבוכדנצר
(מלך משנת 3319)

חורבן בית ראשון 3338 ◀
נהרג גדליה בן אחיקם 3339 ◀

3340

בבל

3350

3360

אויל מרודך (3364)

יהויכין נשיא (ימים מועטים) 3364 ◀
שאלתיאל בנו נשיא

3370

3380

בלשאצר (3386)
דריוש מדאה (3389)
כורש (3390)
אחשורוש (3392)

הצהרת כורש   שיבת ציון 3390 ◀
בראשות זרובבל

3390

3400

דריוש השני (3406)
(בן אסתר)

נס פורים 3405 ◀

3410

פרס

בנין בית שני 3408-3412 ◀
עליית עזרא 3413 ◀

3420

בניין החומה   עליית נחמיה 3426 ◀
3426-3428

3430

3440

אלכסנדר מוקדון (3442)

פסקה נבואה 3442 ◀
(וי"א ב - 3448)

3450

יון

מפות
לארצות
התנ״ך

נערך על ידי
הרב יהודה לנדי

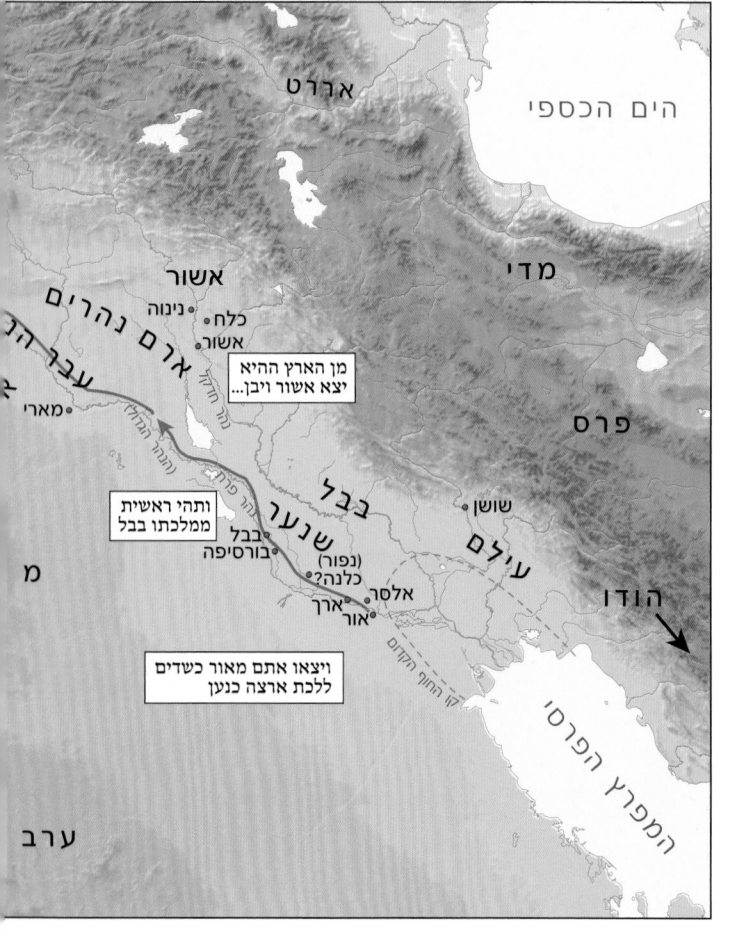

ארצות התנ"ך (בראשית פרקים י'-י"ב)

The map contains the following labels:

אררט

הים הכספי

אשור

נינוה

כלח

אשור

מדי

ארם נהרים

עבר הנ...

מאארי

מן הארץ ההיא
יצא אשור ויבן...

פרס

שושן

בבל

שנער

ותהי ראשית
ממלכתו בבל

בבל
(נפור)
בורסיפה

עילם

אלסר

כלנה?

ארך

אור

הודו

ויצאו אתם מאור כשדים
ללכת ארצה כנען

המפרץ הפרסי

ערב

1518

חתושש

ארץ החיתים

ויבואו עד חרן
וישבו שם

כרכמיש
חרן
חלב
חמת
תדמור
אליסה
ארוד
קדש
צידון • גבל
דמשק
צור
חצור
הים הגדול
(ים פלשתים)
שכם
ירושלים
מואב
עזה

ויסע אברם
הלוך ונסוע הנגבה

מצרים
לוב

נוף

וירד אברם מצרימה

מדבר
סיני

כוש

0   ק"מ   200

ארצות התנ"ך (בראשית פרקים י'-י"ב)

1519

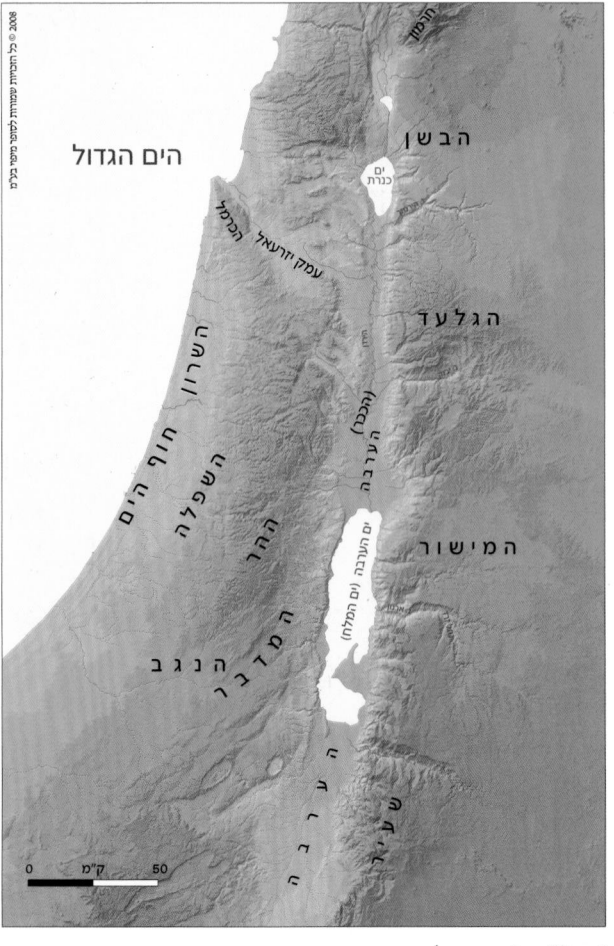

הים הגדול

חרמון

ה ב ש ן

ים כנרת

ה ג ל ע ד

עמק יזרעאל

הכרמל

השרון

המישור

שפלת חוף הים

ה ש פ ל ה

ה ה ר

מ ד ב ר ה נ ג ב

ים המלח (ים הערבה)

ה ע ר ב ה

ש פ ל ה

0 ‏ק"מ‎ 50

חבלי הארץ (דברים א',ז'; ג',י') 1520

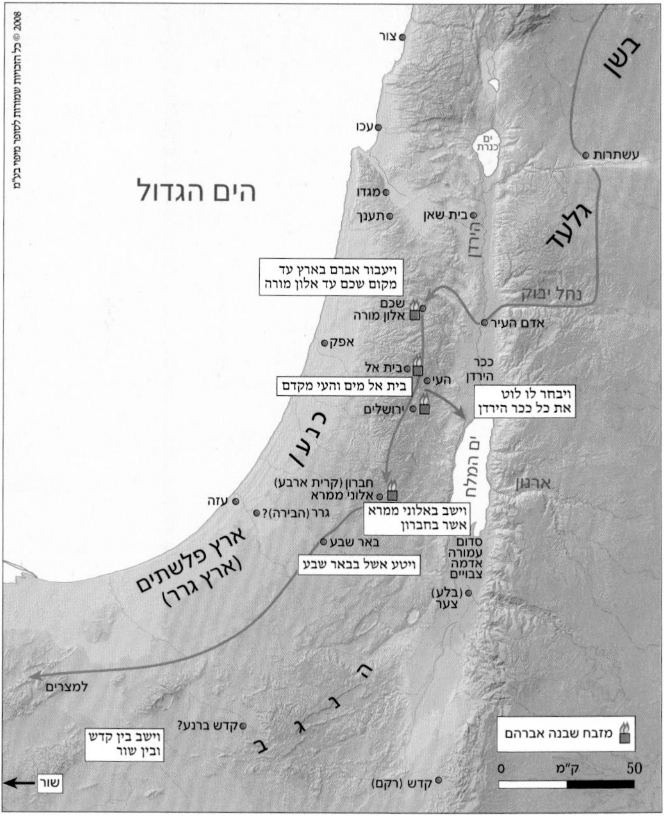

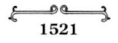

© 2008 כל הזכויות שמורות לסופר מיפוי בע"מ
צור
בשן
עכו
ים כנרת
עשתרות
הים הגדול
מגדו
תענך
בית שאן
הירדן
גלעד
ויעבור אברם בארץ עד
מקום שכם עד אלון מורה
נחל יבוק
שכם
אלון מורה
אדם העיר
אפק
ככר
הירדן
בית אל
העי
בית אל מים והעי מקדם
ויבחר לו לוט
את כל ככר הירדן
ירושלים
כנען
ים המלח
ארנון
חברון (קרית ארבע)
אלוני ממרא
עזה
גרר (הבירה)?
וישב באלוני ממרא
אשר בחברון
ארץ פלשתים
(ארץ גרר)
באר שבע
אדמה
ויטע אשל בבאר שבע
(בלע)
צער
למצרים
קדש ברנע?
וישב בין קדש
ובין שור
מזבח שבנה אברהם
0
ק"מ
50
שור
קדש (רקם)

מסעי אברהם אבינו (בראשית פרקים י"ב-י"ג)

הים הגדול
וירדפם עד חובה
אשר משמאל לדמשק
לחובה?
דמשק
חרמון
וירדוף עד דן
דן
ה ב ש ן
ר פ א י ם
ויכו את רפאים
בעשתרות קרניים
קרניים
עשתרות
ים
כנרת
עמק יזרעאל
הם
הגלעד
ואת הזוזים בהם
עמק
שוה
שלם
המישור
ים הערבה (ים המלח)
קריתיים
ואת האימים
בשווה קריתיים
חברון
(עין גדי)
חצצון תמר
האמורי
וגם את האמורי
היושב בחצצון תמר
א י מ י ם
סדום
עמק
השדים
הנגב
צוער
העמלקי
ויכו את כל שדה העמלקי
ה ע ר ב ה
ש ע י ר
ואת החורי
בהררם שעיר
עד איל פארן
א י ל פ א ר ן ?
קדש (רקם)
וישובו ויבואו אל
עין משפט היא קדש
0 ק"מ 50

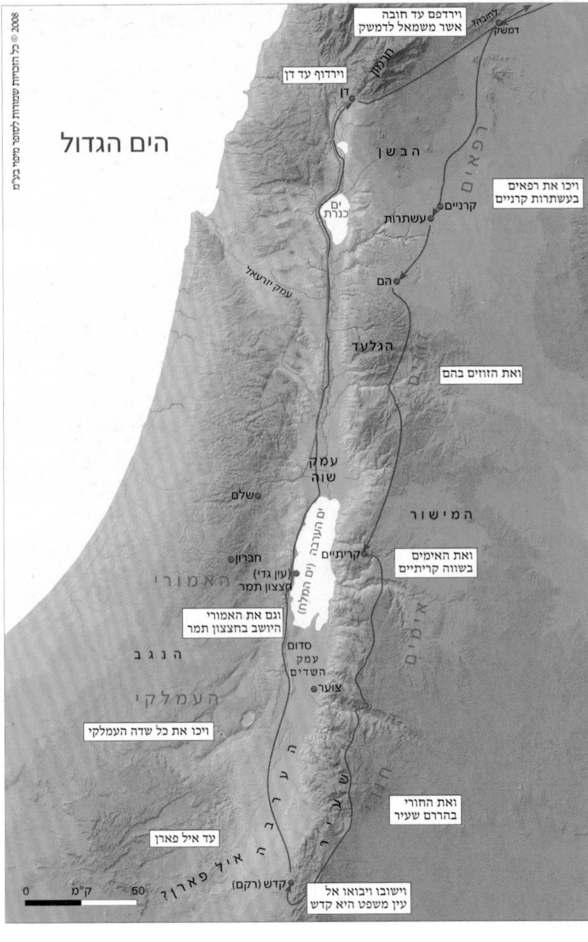

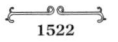

מלחמת המלכים (בראשית פרק י"ד)

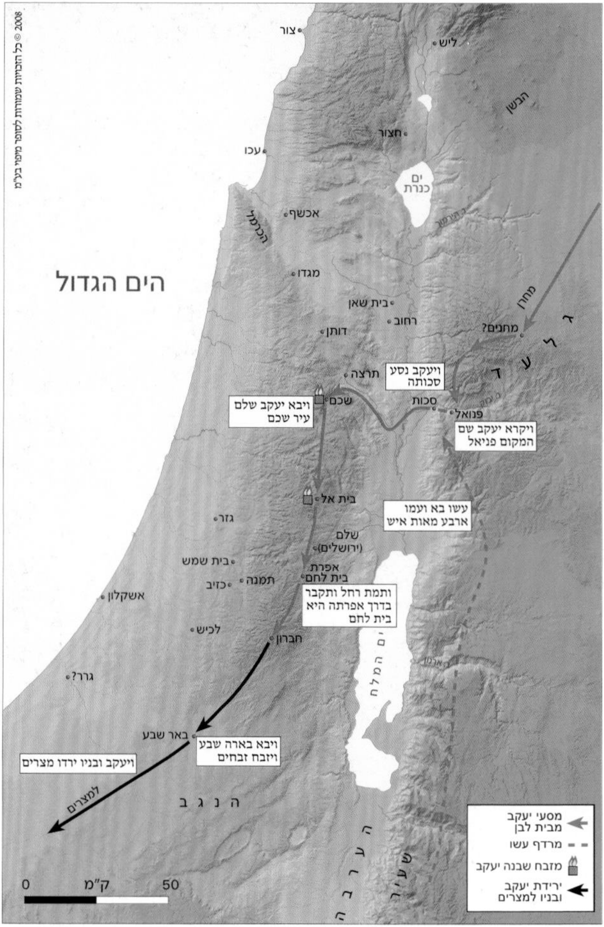

הים הגדול
צור
ליש
חצור
עכו
ים
כנרת
אכשף
מגדו
בית שאן
רחוב
מחנים?
דותן
תרצה
ויעקב נסע
סכותה
ויבא יעקב שלם
עיר שכם
שכם
סכות
פנואל
ויקרא יעקב שם
המקום פניאל
ג ל ע ד
בית אל
עשו בא ועמו
ארבע מאות איש
גזר
שלם
(ירושלים)
בית שמש
אפרת
בית לחם
תמנה
כזיב
אשקלון
ותמת רחל ותקבר
בדרך אפרתה היא
בית לחם
לכיש
חברון
ים המלח
גרר?
באר שבע
ויבא בארה שבע
ויזבח זבחים
ויעקב ובניו ירדו מצרים
למצרים
ה נ ג ב
מסעי יעקב
מבית לבן
מרדף עשו
מזבח שבנה יעקב
ירידת יעקב
ובניו למצרים
0
ק"מ
50

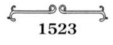

© 2008 כל הזכויות שמורות לסופר מיפוי בע"מ

מסעי יעקב אבינו (בראשית פרקים ל"א-ל"ה, מ"ה-מ"ו)

1523

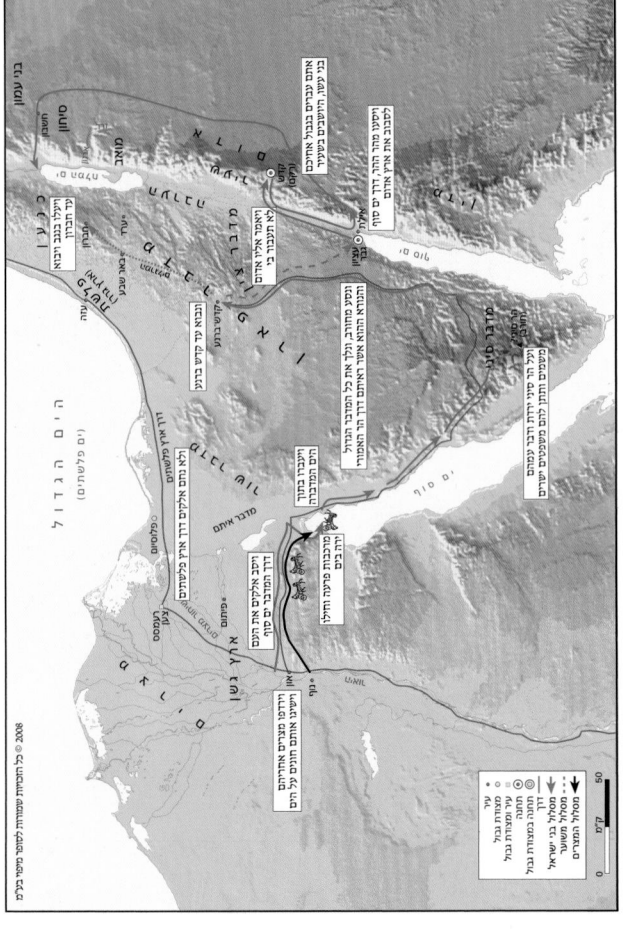

מסעי בנ"י (שמות פרקים י"ב-י"ט, במדבר פרקים י'-י"ב, כ'-כ"א, ל"ג)

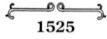

ארץ החתים
הר ההר
חלב
(אנטיוכיה)
חצר עינן?
שפם
אלישה
חומץ
רבלה
תדמור
גבל
הים הגדול
(ים פלשתים)
צידון
דמשק
צור
חצור
עכו
עשתרות
אדרעי
שכם
יפו
עמון
אשדוד
יריחו
רבת בני עמון
אשקלון
ירושלים
עזה
חברון
מואב
מעלה
קיר מואב
עקרבים
מדבר צין
קדש ברנע?
אילת
עציון גבר
ים סוף
ים סוף
גבול פרשת מסעי
גבול ברית בין הבתרים
0
ק"מ
200

גבולות הארץ (בראשית פרק ט"ו, שמות פרק כ"ג, במדבר פרק ל"ד)

מערבות מואב עד העי (דברים פרק ל"ד, יהושע פרקים א'-ח')

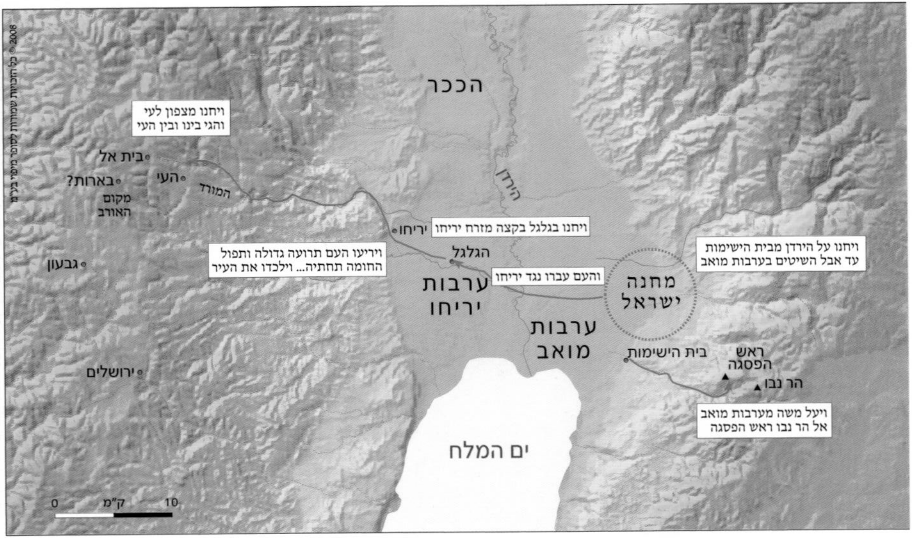

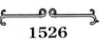

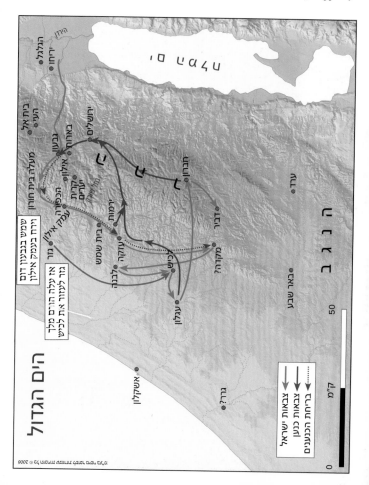

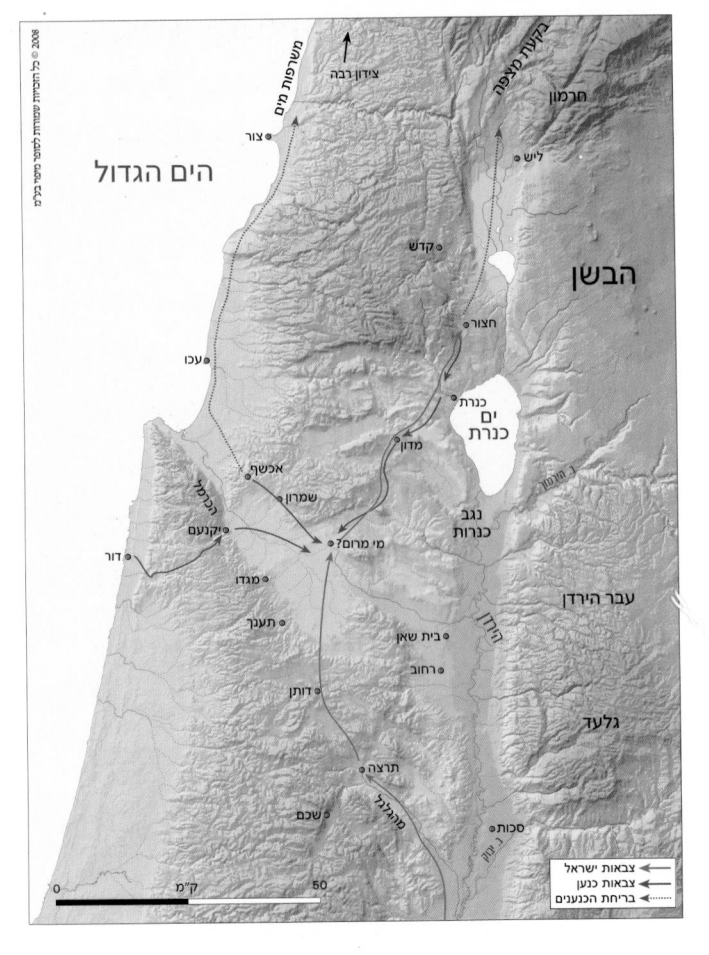

כיבושי יהושע בצפון (יהושע פרק י"א)

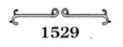

צור •

ליש
(דן) •

דן

קדש •

נפתלי

אשר

עכו •

ים
כנרת

רמון •
זבולון

מנשה

הים הגדול

יששכר

מגידו •
יזראאל

שכם •

מנשה

אדם •

עמון

גד

רבת בני עמון •

שילה •

אפרים

בנימין

גזר •

דן

עקרון •
יבוס
(ירושלים) •
בית לחם •

בית שמש •

מידבא •

ים
המלח

ראובן

עזה •

חברון •

יהודה

מואב

באר שבע •

שמעון

צוער •

אדום

0 _____ 50 ק"מ

גבול שבט ------

נחלות השבטים (יהושע פרקים י"ג-י"ט)

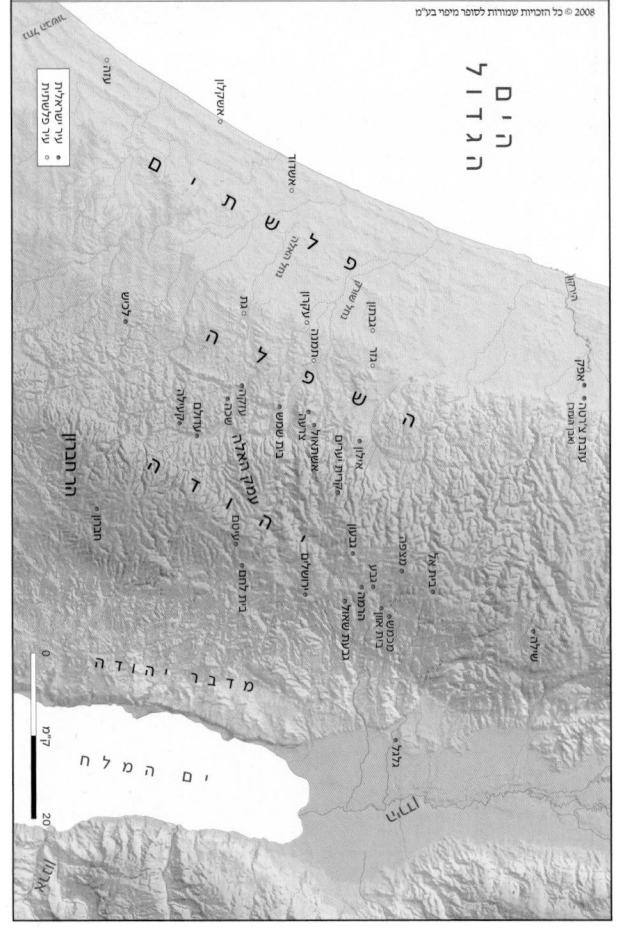

ישראל ופלשת (שופטים פרקים י"ג-ט"ז, וספר שמואל)

הים
הגדול
הירקון
אפק
בית און
גזר
נחל שורק
אשתאול
צרעה
עקרון
אשדוד
ירושלים
בית שמש
בית לחם
גת
אשקלון
לכיש
עזה
חברון
הר חברון
פלשתים
יהודה
מדבר יהודה
ים המלח
נחל הבשור
ק"מ
0
20

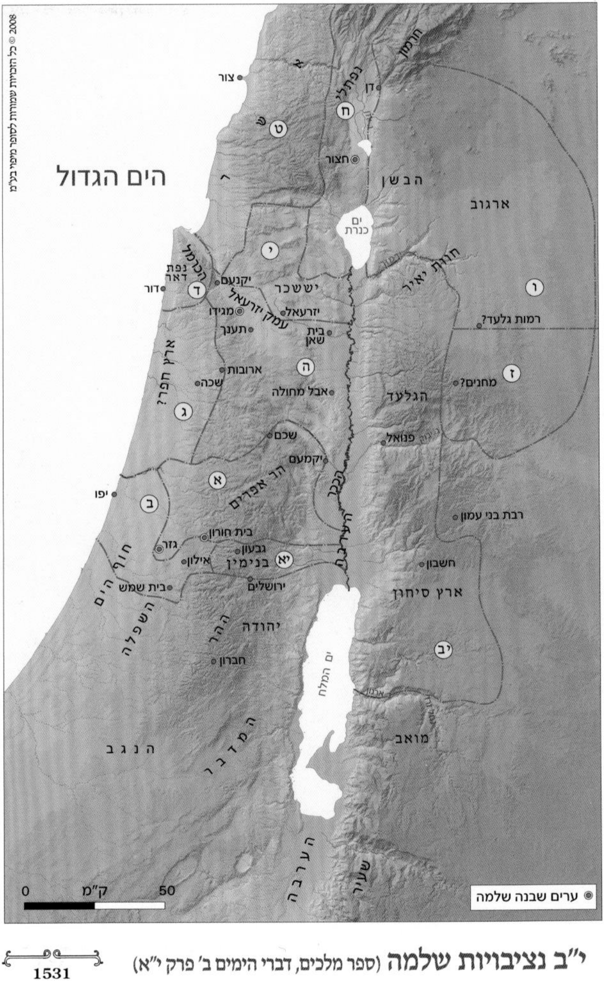

י"ב נציבויות שלמה (ספר מלכים, דברי הימים ב' פרק י"א)

הים הגדול

ה ב ש ן

חצור

ארגוב

עכו

ים כנרת

דור

רמות גלעד?

יזרעאל מגדו
עמק יזרעאל

מצפה גלעד

הגלעד

דותן

אבל מחולה

שומרון

תרצה

סכות

פנואל

שכם

הר אפרים

שילה

יפו

רבת בני עמון

בית אל
בית חורון
עלון בית חורון
תחתון

יריחו

גזר

גבעון
בנימין
צרעה אילון

בית שמש
ירושלים

גת
עזקה לבנה עיטם שוכה
בית לחם
מורשת גת
תקוע עדלם
מראשה
בית צור
אדורים
חברון
לכיש
זיף
יהודה
דביר?
גרר?
ה נ ג ב

ערד
באר שבע

ים המלח

המישור

מואב

0   50
קמ"מ

ממלכת יהודה וממלכת ישראל (ספר מלכים)

1532

הרי אררט
הים הכספי
מדי
אשור
כרכמיש
חרן
עבר הנהר
ארם נהרים
נינוה
כלח
אשור
נהר חדקל
תדמור
מארי
ארץ בני קדם
(הנהר הגדול)
פרס
נהר פרת
בבל
שנער
עילם
שושן
בבל
בורסיפה
מ ד ב ר
(נפור)
כלנה?
הודו
אלסר
ארך
אור
קו החוף הקדום
המפרץ הפרסי
ערב